STAATSLEXIKON

2

STAATSLEXIKON

Recht · Wirtschaft · Gesellschaft
in 5 Bänden

Herausgegeben
von der Görres-Gesellschaft
und dem Verlag Herder

8., völlig neu bearbeitete Auflage

STAATSLEXIKON

Recht · Wirtschaft · Gesellschaft

Zweiter Band

Eid – Hermeneutik

HERDER

FREIBURG · BASEL · WIEN

© Verlag Herder GmbH, Freiburg im Breisgau 2018
Alle Rechte vorbehalten
www.herder.de
Satz: SatzWeise GmbH, Trier
Herstellung: Friedrich Pustet GmbH & Co. KG, Regensburg
Printed in Germany
ISBN (Buch) 978-3-451-37512-5
ISBN (E-Book) 978-3-451-81512-6

Redaktion

Inhaltsverzeichnis
Band 1

Inhaltsverzeichnis
Band 2

E

Fortsetzung

Eid

Unter dem Begriff E. als ethisch-juristisches Institut versteht man die öffentliche Anrufung eines transzendenten Gottes als Zeuge des gesprochenen Wortes:

a) als *assertorischer* E., wenn dieser sich auf die Darstellung in Vergangenheit stattgefundener Ereignisse bezieht;

b) als *promissorischer* E., wenn er die Verpflichtung impliziert, ein bestimmtes Verhalten in Zukunft zeigen oder eine Handlung zu vollziehen.

Im Zusammenfließen der griechisch-römischen Tradition mit der jüdisch-christlichen können die Muster erkannt werden, welche das Panorama des E.es als juristisches Institut bis in die heutigen Tage bestimmen. Bereits in den ersten Jahrhunderten der christlichen Zeit hängt der wechselhafte Verlauf der Phasen der Verfolgung und der Toleranz von der unterschiedlichen Interpretation der sakralen Konzeption der Macht ab: In Rom überwiegen die guten Sitten *(fides)* über den götzenhaften Kult der Macht. Nach Überwindung der unmittelbaren Erwartung der *parusía,* der Wiederkunft Christi, wird das Problem der E.-Leistung oder -Verweigerung zentral, weil es die Teilnahme der Christen an der Ausübung der Macht, am Eintritt in die Armee und am Zutritt zu den Ämtern betrifft.

Im Konstantinischen Zeitalter haben wir den Beginn der großen Teilung der östlichen und der westlichen Christenheit. Im Orient verlangt die Errichtung des christlichen Kaisertums mit der Christianisierung des E.es die Eingliederung der Untertanen bzw. Gläubigen in ein unitarisches Normenuniversum, bei dem die Grundsätze des Glaubens und des moralischen Verhaltens zu göttlich-humanem Recht transformiert werden. Es wird ein sakrales, politisches und juridisches Monopol verwirklicht, welches sein Haupt in der Figur des Kaisers hat. Häretisch ist derjenige, der nicht schwören will oder kann, der nicht Teil dieses Kirchen-Staatskörpers ist: Deshalb entsteht dieser „politische E." als spezifischer Ausdruck in Byzanz.

Anders im Okzident (↑Abendland), wo der E. im Wesentlichen außerhalb der Kirche verbleibt: Er wird von ihr geduldet, insb. als manchmal notwendiges und unvermeidliches Institut der ↑Zivilgesellschaft aufgrund der Sünde und der menschlichen Gebrechlichkeit, oder zur Anwendung in öffentlichen Streitigkeiten, *in iudicio,* nach der Vorgabe des Apostels Paulus. Die Kirche verlangt zwar das Urteilsrecht über die Zulässigkeit des E.es, allerdings als eine ihr externe Handlung und verbietet ihn innerhalb der Kirche ihren Klerikern (↑Klerus). Mit dem Aufkommen der römisch-barbarischen Reiche entwickelt sich der E. zum *sacramentum*

iuris, ein Mysterium, in dem sich das Metajuridische im Juridischen inkarniert. Er wird zur Grundlage eines menschlichen Vertrages (↑Vertrag), welcher gerade deshalb außerhalb der Kirche steht, obwohl diese sich das letzte Urteil darüber vorbehält und ihn gewissermaßen verwaltet.

Die Praxis des E.es erlaubt nicht nur das Aufkommen neuer Souveränitäten von unten (durch Kollektiv-E., *coniurationes,* können selbständige Gemeinden entstehen; man denke an den Bürger-E.), er ist auch grundlegend für die Entstehung und Entwicklung der internationalen Beziehungen mit dem Gottesfrieden oder dem Landfrieden. Der Beginn des modernen ↑Konstitutionalismus kann im E. der *Magna Charta* von 1215 als Beschränkung der Regierungsmacht gesehen werden. In dieser Zeit ist es der E., der dazu beiträgt, dass sich auch das moderne Verfahrensrecht, mit dem Entstehen der Schwurgerichte und der langsamen und stufenweisen Abtrennung des *forum ecclesiae* vom *forum saeculare,* entwickelt.

Der E. ist auf diese Weise selbst Grundlage politischer Pakte (z.B. Herrschaftsverträge [↑Vertragstheorien], E.-Genossenschaften oder auch kommunale E.e) geworden, welche im Laufe der Jahrhunderte das Heranwachsen des liberalen und demokratischen ↑Rechtsstaates erlaubt hat und im Rahmen der Geschichte der ↑Zivilisation die einzigartige Erfahrung der westlichen Welt darstellt: ein dynamisches Gleichgewicht zwischen der sakralen Verankerung des E.es und der ↑Säkularisierung politischer Pakte, Ergebnis des Dualismus zwischen spiritueller und politischer Macht, gereift im Rahmen des westlichen Christentums. Es ist dieses Gleichgewicht, welches erlaubt hat, die kollektiven Identitäten des Vaterlandes und der ↑Nation aufzubauen und sie dabei mit der Entwicklung der ↑Menschenrechte zu vereinbaren.

Mit den politischen Religionen und den totalitären Regimen (↑Totalitarismus) des 20. Jh. erfährt der E., durch den Verlust der transzendenten Verankerung, eine Pervertierung und im ↑Faschismus und ↑Nationalsozialismus seine Umwandlung in bedingungslose Unterordnung in Form von Gefolgschaft gegenüber dem Führer. Dort sieht man eine Tendenz, die Politik zu sakralisieren und dabei diesen Dualismus zwischen der Sphäre des Politischen und der des Sakralen, welche die Grundlage unseres kollektiven Lebens darstellt, aus dem Blick zu verlieren (diese Tendenz ist auch den aktuellen fundamentalistischen Bewegungen jeder Couleur nicht fremd [↑Fundamentalismus]).

Im aktuellen Globalisierungsprozess (↑Globalisierung) ist der E., obwohl er in einigen feierlichen Ereignissen überlebt (denken wir an den E. des Präsidenten der Vereinigten Staaten von Amerika nach seiner Wahl)

– Schritt für Schritt – aus den Gerichten sowie aus der Politik herausgedrängt worden.

Bis in unsere Jahre haben wir vom Nachlass eines zwar säkularisierten E.es gelebt, der jedoch seine sakralen Wurzeln behielt. Nun scheinen diese Wurzeln fast vollständig verschwunden zu sein: In vielen Ländern haben kürzlich ergangene Urteile der Obersten Gerichte auch seine letzten in den ZPO und StPO verbleibenden Spuren beseitigt. Ohne den E., der die unterschiedlichen Ebenen verbindet – die des positiven Rechts (↑Rechtspositivismus) und des Vertrages und die Ebene, die wir einfach meta-juridisch nennen könnten, oder, wenn wir auf Lykurg zurückgreifen wollen, der *pístis* –, ist die politische Gemeinschaft westlicher Art verurteilt, eine ↑Krise zu erfahren, und selbst das positive Recht wird den Spannungen, die bereits am Horizont zu erkennen sind, nicht standhalten können.

Die aktuelle Krise des E.es betrifft somit die drei Wurzeln des gegenwärtigen Rechtsstaates, welche nicht allein im Nicht-Funktionieren der Regeln, insb. der Verfassungsnormen und derer der ↑Governance, gesehen werden dürfen. Die Selbstbezogenheit des positiven Rechts, von seiner ethischen Verankerung gelöst, hat zur Illusion geführt, jedes Problem und jeden Konflikt mittels der staatlichen Norm lösen zu können, welche – ohne die Handlungsverpflichtung des Gewissens (↑Gewissen, Gewissensfreiheit) der Einzelnen, eine Erstarrung der Gesellschaft – in einen Normenkäfig aus immer feingliedrigeren Maschen führt. Ist das Überleben unseres Systems ohne jenen Dualismus aus Normen und Ordnungen (die Sphäre des ↑Rechts und die der ↑Ethik), welche seine Genese gekennzeichnet hat, möglich? Steht die Gesellschaft vielleicht nicht vor dem Ende des Rechtsstaates, vor dem Suizid des Rechts selbst in dem Maße, in dem die positiven Normen versuchen, jeden Bereich des gemeinschaftlichen und des privaten Lebens zu bestimmen und zu regeln? Zu erinnern ist etwa an die gegenwärtigen Probleme des gemeinschaftlichen Lebens: Das Verhältnis zwischen Schüler und Lehrer in der Schule, zwischen Arzt und Patient in Gesundheitswesen (ist der hippokratische Eid noch gültig?) usw. Solche Probleme führen unweigerlich zu einer Zunahme der gerichtlichen Streitigkeiten. Dabei sind die von der aktuellen globalen Zivilisation aufgeworfenen Probleme noch nicht betrachtet worden: Von den großen Finanzkapitalen, die jeder Kontrolle entzogen sind, über den Ressourcenmangel und die neuen Technologien, welche in die Privatsphäre eindringen, bis hin zu den Themen der Umwelt. Die Durchdringung jedes menschlichen Lebensbereiches durch die Gesetzgebung und durch die positive Rechtsprechung wird zunehmend als ein Zeichen der Schwäche anstatt des ↑Fortschritts empfunden, das uns vor einer Gefährdung der tragenden Strukturen unserer demokratischen und liberalen Gesellschaft warnt. Mit dem Untergang des E.es verlässt die Gesellschaft die Tradition politischer Pakte wie sie vom Okzident entwickelt wurde; mit dem Untergang des „Sakramentes der Herrschaft" betreten wir einen Bereich großer Ungewissheit.

Literatur

P. Prodi (Hg.): Glaube und Eid. Treueformeln, Glaubensbekenntnisse und Sozialdisziplinierung zwischen Mittelalter und Neuzeit, 1993 • P. Prodi: Das Sakrament der Herrschaft. Der Eid in der europäischen Verfassungsgeschichte, 1992.
PAOLO PRODI

Eigentum

I. Philosophisch – II. Ökonomisch –
III. Rechtlich – IV. Sozialethisch

I. Philosophisch

1. Allgemein

Der Begriff des E.s, abgeleitet vom althochdeutschen *eigan* (haben, halten, erhalten, besitzen) bezeichnet eine qualifizierte Form des Habens oder Besitzens eines Etwas. Während der Besitz oder das Haben nur den faktischen Zugriff auf oder die tatsächliche Herrschaft über ein Objekt bezeichnet, so fügt der Begriff des E.s dieser Beziehung einen moralischen, rechtlichen oder religiösen Anspruch hinzu. Der Eigentümer hat in Folge eines solchen Anspruches die Möglichkeit, andere von Besitz oder Gebrauch der Sache auszuschließen. E. im Allgemeinen setzt damit immer eine Subjekt-Objekt-Beziehung voraus. Als Subjekte kommen im Allgemeinen nur Personen in Frage, wobei das ↑Subjekt nicht zwingend ein ↑Individuum sein muss, wie der Fall des Gemein-E.s deutlich macht. Das E.s-Objekt setzt voraus, dass es vom Subjekt unterscheidbar ist und irgendeine Form der Existenz aufweist. Dabei kann es sich sowohl um etwas Materielles als auch um etwas Immaterielles handeln.

Der E.s-Begriff im Speziellen kommt auf die Weise zu Stande, durch die ein Anspruch auf ein Objekt begründet wird. Diese historisch und gesellschaftlich bedingten Begründungen von E. führen in ihrer wissenschaftlichen Reflexion zu divergierenden und wandelbaren Sinngehalten des Begriffs „E.", etwa in der ↑Rechtswissenschaft, der ↑Ökonomie, der ↑Soziologie, der ↑Ethnologie oder der ↑Philosophie. Da der Mensch als körperliches Wesen auf eine Vielzahl äußerer und nur begrenzt zur Verfügung stehender ↑Güter angewiesen ist, kann die Verfügungsmacht über solche Güter vielfach auch eine bedingte Verfügungsmacht über die auf diese Güter ebenfalls angewiesenen Personen bedeuten. Daher stellen sowohl die Begründungen von E.s-Rechten als auch die Lösung von E.s-Konflikten ein Hauptproblem der wissenschaftlichen Behandlung des E.s dar.

2. Individualistische Eigentumstheorien

Individuelles E. ist in Folge der Fähigkeit, die Objekte der äußeren Welt vernünftig zu gebrauchen, eine menschliche Urerfahrung. So legen die spärlichen Quellen nahe, dass bereits in Jäger- und Sammlerkulturen Werkzeuge und Waffen als individuelles E. galten, während Jagdreviere oder – in nomadischen Kulturen – Weideflächen meist als Gemein-E. einer ↑Gruppe behandelt wurden. Erst durch den sesshaften Bauern wurde die Kategorie des individuellen E.s auch auf ↑Boden und später auf die übrigen natürlichen Ressourcen ausgedehnt. Mit der fortschreitenden eigentumsrechtlichen Untergliederung der Welt im Laufe der Menschheitsgeschichte gehen verschiedene philosophiehistorische Argumentationsansätze zur Begründung eines Anspruchs auf E. einher, die grob in drei Gruppen gegliedert werden können.

2.1 Naturrecht

Die klassischen Naturrechtslehren lehnen Privat-E. ab, da E. nichts dem Menschen von Natur aus Zukommendes ist. Unter Verweis auf das AT wird davon ausgegangen, dass alle die dem Menschen zur Verfügung stehenden Güter Gemein-E. sind und dass Privat-E. eine menschliche ↑Institution ist, auch wenn diese durchaus mit dem ↑Naturrecht vereinbar sein kann. Erst John Locke formuliert eine naturrechtliche E.s-Theorie. Zwar geht er wie die klassische Naturrechtslehre von einem urspr.en Gemein-E. aller Dinge aus; die göttliche Weisung, sich die Erde untertan zu machen, wird aber in einer arbeitstheoretischen Analyse als naturrechtlicher E.s-Begriff ausgedeutet. Der Mensch mischt den Dingen der ↑Natur durch geleistete ↑Arbeit etwas von sich selbst bei. So werden bspw. Äpfel, die urspr. das E. von niemandem sind, durch den Arbeitsakt des Auflesens zu dem E. desjenigen, der sie aufliest. Die geleistete Arbeit erzeugt hier den Anspruch auf eine Sache. Diese Art des E.s-Erwerbs findet seine natürliche Grenze dort, wo der Einzelne keine weitere Verwendung für mehr E. hat. So kann auch nur das Land, das der Einzelne zu bearbeiten im Stande ist, sein E. genannt werden, denn nur durch die von ihm geleistete Arbeit hebt es sich von dem übrigen Land ab. An den Ansatz J. Lockes schließen sich zahlreiche Philosophen von der ↑Aufklärung bis zum ↑Liberalismus an.

Einen anderen naturrechtlich begründeten Ansatz vertritt Robert Nozick. Er geht davon aus, dass die ↑Freiheit jedes Einzelnen ein absolutes natürliches Recht ist. E. kann auf zwei Weisen erworben werden: einerseits durch Aneignung einer Sache, die noch keinem gehört, andererseits durch vertraglichen Erwerb. E. ist nur dann gerechtfertigt, wenn es auf eine dieser zwei Weisen erworben wurde. Andernfalls handelt es sich um einen unrechtmäßigen Eingriff in das natürliche Freiheitsrecht des Einzelnen.

2.2 Vertragstheorie

Eine der verbreitetsten E.s-Theorien baut auf dem ↑Gesellschaftsvertrag (↑Vertragstheorien) als menschlichem Konsens auf. Von einem Naturzustand ausgehend, in dem es kein E. gibt, wird unter verschiedenen Annahmen ausgeführt, dass die Menschen sich aus rationalen und freiwilligen Beweggründen zum gegenseitigen ↑Nutzen zu einer ↑Gesellschaft zusammengeschlossen haben. Mit einem solchen Zusammenschluss geht die Unterwerfung unter eine politische Gewalt und die Einschränkung radikaler Freiheitsrechte zum Zweck der Beförderung des ↑Gemeinwohls einher. Eine solche Freiheitseinschränkung stellt das E.s-Recht dar, denn dadurch, dass eine Sache zum Privat-E. einer Person wird, verlieren alle übrigen die im Naturzustand noch vorhandene Zugangsmöglichkeit zu dieser Sache.

Vertragstheoretische Ansätze finden sich seit der Antike, etwa bei Epikur, Lukrez und Cicero. Im Gefolge der Hochscholastik (↑Scholastik) wird der Gesellschaftsvertrag und mit ihm die positivrechtliche Grundlegung (↑Rechtspositivismus) des E.s in der Barockphilosophie durchgehend diskutiert, etwa bei Francisco de Vitoria, Hernando de Soto, Luis de Molina, Francisco Suárez oder Hugo Grotius. Zur vollen Geltung gelangt dieser Ansatz spätestens bei Thomas Hobbes, der im natürlichen Krieg von jedem gegen jeden keine Möglichkeit auf E. sieht, da jedem nur das gehören kann, was er gegenwärtig zu behaupten vermag. Erst die Schaffung eines Souveräns mit unbeschränkter politischer ↑Macht kann diesen Zustand beenden und eine E.s-Ordnung schaffen, die vertraglich gesichert ist.

Jean-Jacques Rousseau kritisiert das durch Gesellschaftsvertrag ermöglichte Privat-E. als die Ursache „zügelloser Leidenschaften" (Rousseau 1977: 38), wagt aber nicht, es abschaffen zu wollen, da es für ihn ein integraler Bestandteil der bürgerlichen Freiheit ist. Jedoch fordert J.-J. Rousseau die Möglichkeit, Privat-E. auf politischem Wege, wenn nötig, zu kontrollieren und einzuschränken.

Immanuel Kant, Johann Gottlieb Fichte und Georg Wilhelm Friedrich Hegel greifen den Gedanken des E.s als Ermöglichungsbedingung bürgerlicher Freiheit auf. Dabei bedarf nach I. Kant jedes E., das über das E. an der eigenen Person hinausgeht, der Zustimmung der anderen, da es eine Privilegierung des Eigentümers und eine Einschränkung der Freiheit aller anderen bedeutet. J. G. Fichte übernimmt diese Position, knüpft aber zugl. an J. Locke an, wenn er ausführt, dass E. aus dem Recht an der eigenen ↑Person und dem natürlichen Gebrauch von Dingen für die eigenen Zwecke entspringt.

John Rawls formuliert in seinem Werk „A Theory of Justice" einen Urzustand, in dem sich die Menschen ohne Kenntnis ihrer genauen gesellschaftlichen Position über allg.e Gerechtigkeitsregeln verständigen. Dabei konzipiert J. Rawls das Recht auf E. als eine der menschlichen ↑Grundfreiheiten, die jedem solange zustehen muss, wie sie die Freiheit anderer nicht übermäßig einschränkt. Wenn daraus eine Ungleichverteilung materieller ↑Güter folgen sollte, dann kann diese nach J. Rawls nur dann gerechtigkeitstheoretisch gewollt sein, wenn die am wenigsten Begünstigten einer

Gesellschaft daraus die größten Vorteile ziehen (↗Gerechtigkeit). Zwar fordert J. Rawls keine Gleichverteilung der Güter, durch Einschränkungen der Handlungsfreiheit des Einzelnen in Bezug auf sein E. rückt er aber in die Nähe des Egalitarismus.

2.3 Eigentum als evolutionärer Prozess
Neben der naturrechtlichen oder konsensbasierten Begründung wird die Entstehung von Privat-E. auch als historisch kontingente, aber vorteilhafte Entwicklung beschrieben. So erklärt David Hume den Übergang vom Naturzustand zum rechtlich strukturierten Gemeinwesen als Prozess der Menschheitsentwicklung. E. entsteht durch Knappheit und Gewohnheit. Besitzt jemand ein knappes Gut, so entstehen Gefühle von Vertrautheit mit und Anspruch auf dieses Gut. Die daraus folgenden E.s-Gesetze sind nichts weiter als die Fixierung gesellschaftlicher Praxis durch den Gesetzgeber. Ähnlich verweist auch Hans Kelsen darauf, dass es sich bei E.s-Rechten um historisch entstandene subjektive Rechte handelt, die die ideologische Funktion verfolgen (↗Ideologie), die Ansprüche der bestehenden Eigentümer zu schützen. Im Anschluss an die ↗Österreichische Schule der Nationalökonomie begründet Ludwig von Mises E. durch die seinem Erwerb zu Grunde liegenden marktwirtschaftlichen Prozesse. Da die individuellen Verbraucher entscheiden, mit wem sie in wirtschaftlichen Austausch treten, betrachtet L. von Mises E. als etwas durch eine implizite Volksabstimmung Zugewiesenes. Nach Niklas Luhmann lässt sich E. überhaupt nur historisch erklären; andere E.s-Theorien müssen seiner Meinung nach immer in einer Paradoxie enden.

3. Kollektivistische Eigentumstheorien
Eine frühe Konzeption von Gemein-E. findet sich in der christlichen Sichtweise, dass von Natur aus und gemäß der natürlichen Ordnung sämtliche ↗Güter der Erde, die der Mensch nutzen kann und zur Selbsterhaltung benötigt, Gemein-E. sind. In der Folge gab es Versuche, etwa der Urgemeinde von Jerusalem, einer Familie gleich alle Dinge als Gemein-E. zu besitzen. Im Laufe der christlichen Philosophie wird immer wieder das Ideal des Gemein-E.s hervorgehoben, auch wegen der sehr hohen sittlichen Ansprüche, die eine solche E.s-Ordnung an alle Beteiligten stellt. In der Praxis ist eine solche E.s-Ordnung daher kaum haltbar. So begründet etwa Thomas von Aquin das naturrechtlich nicht gebotene, sondern nur erlaubte Privat-E. durch Verweis auf die Tatsache, dass Menschen dazu neigen, mehr Mühe für den eigenen ↗Nutzen als für den aller aufzuwenden. Dennoch verweist er unter dem Ideal des Gemein-E.s stets darauf, dass E. kein Selbstzweck sein kann und dass es im Gebrauch wie Gemein-E. betrachtet werden müsse.

Eine Kritik am Privat-E., die ein Gemein-E. zumindest an den Produktionsmitteln zum Ziel hat, entsteht häufig aus der Erfahrung, dass der Eigentümer eines von anderen ebenfalls benötigten Gutes auch eine mehr oder weniger große ↗Macht über Menschen erhält. Dabei ist zu unterscheiden, ob nur das Privat-E. abgelehnt wird oder ob darüber hinaus eine staatliche Zentralverwaltung (↗Zentralverwaltungswirtschaft) angestrebt wird. Im ersten Sinne versucht etwa Pierre-Joseph Proudhon, der für den Satz „Eigentum ist Diebstahl" („La propriété, c'est le vol!", Proudhon 1840: 2) bekannt ist, die Unhaltbarkeit der traditionellen Theorien des Privat-E.s darzulegen. Bes. kritisiert er die Möglichkeit, aus E. Gewinn zu erwirtschaften, ohne selbst ↗Arbeit zu leisten. Jedoch wendet sich P.-J. Proudhon scharf gegen den ↗Kommunismus, den er ebenfalls als ↗Ausbeutung beschreibt. P.-J. Proudhon schlägt vor, zumindest das E. an Grund und Boden im Gemein-E. zu belassen und nur befristet und in kleinen Größen zu verpachten. Die verschiedenen sozialistischen (↗Sozialismus) und kommunistischen Ansätze gehen demgegenüber davon aus, dass dem ↗Staat als Repräsentant der ↗Gesellschaft alles E. an den Produktionsmitteln zu übertragen sei. Historisch betrachtet hat dieses Vorgehen jedoch nie zu einer Verringerung der Macht von Menschen über Menschen geführt, sondern hat sie lediglich auf den Träger der staatlichen Macht verschoben und sie darüber hinaus durch die Konzentration des E.s noch verstärkt.

Literatur
I. Elbe: Eigentum, Gesellschaftsvertrag, Staat. Begründungskonstellationen der Moderne, 2009 • O. Depenheuer (Hg.): Ordnungsidee, Zustand, Entwicklungen, 2005 • A. Eckl/ B. Ludwig (Hg.): Was ist Eigentum? Philosophische Eigentumstheorien von Platon bis Habermas, 2005 • C. Spiess: Sozialethik des Eigentums: philosophische Grundlagen – kirchliche Sozialverkündigung – systematische Differenzierung, 2004 • D. Schwab: Eigentum, in: GGB, Bd. 2, 1979, 65–115 • J.-J. Rousseau: Abhandlung über die Politische Ökonomie, in: H. Ritter (Hg.): Politische Schriften, Bd. 1, 1977 • P. J. Proudhon: Qu'est-ce que la propriété? ou Recherche sur le principe du Droit et du Gouvernement, 1840.

STEFAN SCHWEIGHÖFER

II. Ökonomisch

1. Geschichte
Die gesellschaftliche Definition von E.s-Rechten, ihre Akzeptanz und Durchsetzung, die Übertragbarkeit von E. etc. haben für die sozioökonomische Entwicklung der Menschheit eine kaum zu unterschätzende Bedeutung. Die Wirtschaftsgeschichte (↗Sozial- und Wirtschaftsgeschichte) weist im historischen wie interkulturellen Vergleich eine große Vielfalt von E.s-Formen auf. Dabei ist tendenziell davon auszugehen, dass mit einer wachsenden Zahl von Menschen urspr. freie Güter (z. B. Weideflächen, Wälder) knapp werden, so dass z. B. zwischen Nomaden und Ackerbauern Nutzungskonflikte auftreten, die durch die (erzwungene) Anerkennung

von E.s-Rechten gelöst werden. In Agrargesellschaften wurde die Größe des Landbesitzes für die soziale Stellung zentral. Wer vom Landbesitz ausgeschlossen war (etwa Juden im Mittelalter), gehörte zu den gesellschaftlich an den Rand gestellten Personengruppen. In verschiedenen religiösen Kontexten waren Tempel, Klöster (↗Kloster), Kirchen etc. große und gesellschaftlich einflussreiche Landbesitzer. Solches ↗Vermögen wurde häufig in Krisensituationen enteignet. Im Kontext der Industrialisierung (↗Industrialisierung, Industrielle Revolution) kam es in Europa zur Konzentration von Produktionsmittel-E. in Bergbau, ↗Industrie und ↗Banken. Daran entzündete sich die sozialistische E.s-Kritik (↗Sozialismus), die die gesellschaftliche und politische ↗Macht konzentrierten Produktionsmittel-E.s sowie die extrem ungleiche Verteilung durch ↗Einkommen aus großen Vermögen kritisierte, und eine Verstaatlichung von Produktionsmittel-E. postulierte.

2. Ökonomische Erklärungsansätze

In den ↗Wirtschaftswissenschaften konkurrieren vertragstheoretische und evolutorische Ansätze der Entstehung von E.s-Rechten. Die von James M. Buchanan vertretene Vertragstheorie (↗Vertragstheorien) geht von einem konfliktiven Naturzustand aus, in dem der ökonomische ↗Wohlstand gering ist, weil in einem generell rechtlosen Zustand v. a. auch E.s-Rechte nicht definiert und geschützt sind. Es müssen von den Individuen zu viele Ressourcen in die Verteidigung begrenzter ↗Güter verwendet werden, statt durch produktive ↗Arbeit den Wohlstand zu mehren. Aus diesem Dilemma findet die ↗Gesellschaft heraus, indem E.s-Rechte definiert sowie staatlich geschützt und durchgesetzt werden (Thomas Hobbes „Leviathan"). E.s-Rechte können durch politische Entscheidungen (↗Entscheidung) angepasst und weiterentwickelt werden, um den jeweiligen Herausforderungen zu genügen. Die urspr.e Zuteilung von E.s-Rechten ist in diesem Konzept eine gesellschaftliche Entscheidung.

Der von Friedrich August von Hayek vertretene evolutorische Ansatz geht davon aus, dass kleinere Gruppen von Menschen wechselseitig E.s-Rechte abgegrenzt und anerkannt haben. Da sich dies für sie als nützlich erwiesen hat, konnte ein solches Konzept von anderen übernommen werden. Menschen haben aufgrund neuer Herausforderungen und Möglichkeiten (Überseehandel) neue Arrangements von E.s-Rechten (z. B. im Bereich von Risikostreuung, Versicherung, Haftung, Gewinnverteilung etc.) entwickelt. In Konfliktsituationen kann eine unparteiische ↗Rechtsprechung (common law der angelsächsischen Tradition; ↗Anglo-amerikanischer Rechtskreis) für eine Präzision und Weiterentwicklung von E.s-Rechten sorgen.

Die beiden Konzepte werden wechselseitig kritisiert, weil es bei F. A. von Hayek kein Kriterium dafür gibt, wie eine urspr.e Verteilung von E.s-Rechten aussehen soll. Auch kann ein evolutorischer Prozess in einer Sackgasse enden, aus der Individuen ohne kollektives Handeln nicht herausfinden. Umgekehrt kann die im vertragstheoretischen Sinne konstruktivisch politisch entworfene E.s-Ordnung ökonomisch ineffizient sein.

Im Kontext der Neuen Institutionenökonomik als Erweiterung der Neoklassik wurde der Property-Rights-Ansatz entwickelt. Dabei wurde u. a. analysiert, durch welche Gestaltung von E.s-Rechten es zu einer Internalisierung externer Effekte kommen kann. In einer Welt ohne Transaktionskosten (Coase-Theorem) kommt es zu einer Internalisierung unabhängig von der genauen Gestaltung der E.s-Rechte, weil entweder der Eigentümer zahlt, damit der Schädiger die Störung unterlässt, oder der Schädiger dem Eigentümer für die Beeinträchtigung eine Kompensation zahlen muss. Da in der Realität Transaktionskosten vorhanden sind, müssen Beeinträchtigungen von E.s-Rechten hingenommen werden. Die gesellschaftlich unterschiedlichen Regelungen von E.s-Rechten führt etwa dazu, dass in den USA private Bodeneigentümer ein ökonomisches Interesse an „Fracking" haben, weil ihre E.s-Rechte auch in die Tiefe gehen, während in Deutschland die Rechte der Grundstückseigentümer sowohl in der Tiefe (Bergbau) wie in der Luft (Überflug mit Lärm) begrenzt sind.

Andere Fragestellungen betrafen eine Ausdünnung von E.s-Rechten durch gesetzliche Regulierung des E.s-Gebrauchs, wie u. a. durch den Erlass von Mietobergrenzen oder die ↗Mitbestimmung der ↗Arbeitnehmer. Auch wurde die Trennung von E.s-Rechten und den tatsächlichen Verfügungsrechten der Manager (etwa bei Aktiengesellschaften mit breit gestreutem Aktienbesitz; ↗Aktiengesellschaft) thematisiert und gefragt, wie weit es zur missbräuchlichen Ausnutzung von Verfügungsrechten kommt (principal-agent-Problematik). Die Kontrolle der Aktiengesellschaften durch den Kapitalmarkt (↗Geld- und Kapitalmarkt), der neuen Großaktionären die Entlassung des Managements oder gar die Übernahme des ganzen ↗Unternehmens ermöglicht, sollte ein Handeln des Managements im Interesse der Aktionäre (Shareholder) erzwingen. Der Property-Rights-Ansatz gab in einer Reihe westlicher Industrieländer ab ca. 1980 Anstoß für eine breitere ↗Privatisierung öffentlicher Unternehmen (↗Öffentliche Betriebe), um diese an Stelle der politischen Kontrolle einer vermeintlich effizienteren durch den Kapitalmarkt zu unterwerfen.

In der Entwicklungsökonomie (Hernando de Soto) gilt das Fehlen von definierten (z. B. in Grundstückskataster eingetragenen) und geschützten E.s-Rechten als ein wesentliches Hemmnis der ökonomischen Entwicklung, da kleine Gewerbetreibende keine Sicherheiten für Kreditaufnahme anbieten können. Ohne Kapitalmarktzugang können sie aber auch keine Expansion ihrer Geschäftstätigkeit vornehmen.

3. Eigentumsformen

Man kann vereinfacht Gemeinschafts-E. (Allmende), Staats-E. und Privat-E. unterscheiden. Gemeinschafts-

E. (Weiden, Wälder, Seen) können dann langfristig ökonomisch sinnvoll bewirtschaftet werden, so dass die
„Tragik der Allmende" (Hardin 1968) etwa durch eine
Übernutzung von Weideflächen nicht auftritt, wenn gemeinsam vereinbarte und aufgrund ↑sozialer Kontrolle
überwachte Regelungen (z. B. Anzahl der Tiere) über
eine nachhaltige Ressourcennutzung eingehalten werden. Die Tragik der Allmende tritt bei umfassenden Gemeinschaftsgütern (z. B. Weltklima) auf, wenn vereinbarte Regeln fehlen bzw. nicht durchgesetzt werden
können. Umfassendes Staats-E. an Produktionsmitteln
(↑Zentralverwaltungswirtschaft) weist die Problematik
auf, dass ein effizienter Einsatz des ↑Kapitals nicht gewährleistet ist. Es fehlt ein Anreiz, das Kapital konsequent nach Wünschen der Nachfrager auszurichten
sowie bei zentraler Planung das Wissen darüber, wie
genau die Effizienz des Kapitals gemessen werden
kann, weil kein Marktvergleich im Wettbewerb besteht.
Da innovative Ideen eher von Außenseitern ausgehen,
ist es innerhalb von Staats-E. dominierten Wirtschaften
höchst unwahrscheinlich, dass Innovatoren Verfügungsgewalt über Kapital erhalten, um ihre Ziele zu realisieren. Mit Staats-E. wird weniger sorgfältig umgegangen
und häufig wird es privat angeeignet.

In Marktwirtschaften kann es in Schlüsselsektoren
sinnvoll sein, die Versorgung der Bevölkerung durch
Unternehmen im öffentlichen E. (z. B. bei natürlichen
Monopolen, Wohnungsversorgung oder strategisch
wichtigen Produktionszweigen, wie der Rüstungsindus-
trie) zu sichern. Diese können effizient geführt werden,
wenn ihre Leitungspositionen nach Qualifikation vergeben werden und nicht politische Vorgaben (z. B. zur
Schaffung von Arbeitsplätzen) einen effizienten Mitteleinsatz verhindern.

Privat-E. unter Wettbewerbsbedingungen hat den
Vorteil, dass der Eigentümer ein Interesse an einer effizienten Verwendung des eingesetzten Kapitals hat. Der
Eigentümer haftet (begrenzt oder unbegrenzt) für die
Verwendung des E.s Durch Veräußerung von E. kann
dieses in eine effizientere Verwendung gelangen. Ein
sorgfältiger Umgang (Schonung und Erhaltungsinvesti-
tionen) ist ebenso angezielt wie seine Vermehrung, um
dadurch höhere Erträge zu erzielen. Privat-E. ermöglicht gerade Außenseitern innovative Ideen zu verwirklichen.

4. Neuere Herausforderungen

Anfang der 1990er Jahre stellte die Transformation der
zentralgelenkten Volkswirtschaften Mittel- und Osteuropas (↑Zentralverwaltungswirtschaft) eine große
Herausforderung dar, weil das bisherige Staats-E. an
den Produktionsmitteln für den neuen Aufbau der
Marktwirtschaft in Privat-E. überführt wurde. Ob dabei
primär eine Rückgabe an die Alteigentümer und ihre
Erben angestrebt werden sollte oder eher eine funktionale Betrachtung durch den Verkauf an Investoren zum
Zweck des schnellen wirtschaftlichen Aufschwungs und

der Schaffung von Arbeitsplätzen Priorität erhalten sollte, war umstritten. In einigen Transformationsländern
konnten viele ↑Unternehmer schnell sehr große Reich-
tümer durch die Übernahme bisher staatlicher Unternehmen erwerben, was der gesellschaftlichen Akzeptanz einer Privat-E.s-Ordnung nicht förderlich war.

Da die moderne Wirtschaft technologiegetrieben ist,
stellt die Definition, die Anerkennung und der Schutz
geistiger E.s-Rechte (Patente, Markennamen, Urheber-
schutz etc.) eine bes. Herausforderung dar. Angesichts
der Tendenz zur Ausweitung von Immaterialgüterrech-
ten (↑Immaterialgüterrecht) ist es gesellschaftlich umstritten, woran diese überhaupt begründet werden können, ob etwa die Entzifferung menschlicher Genome
patentierbar sein soll. Mit der ↑Globalisierung der
↑Wirtschaft hat der Schutz geistiger E.s-Rechte hohe
Bedeutung im Welthandel erlangt. Mit der Errichtung
der ↑WTO 1994 wurde auch ein entspr.es Abkommen
abgeschlossen, in dem sich die Vertragsparteien verpflichtet haben, geistiges E. in ihren Ländern zu schützen. Ob, wann und in welchem Ausmaß private E.s-
Rechte (Patente) vor dem Gesundheitsschutz oder der
↑Ernährung in Entwicklungsländern (Patente auf Saatgut) zurückstehen müssen, ist umstritten. Weiterhin
stellt sich die Frage, wie Nachzügler in der ökonomischen Entwicklung an Produktpiraterie gehindert werden können. Bes. die ↑Digitalisierung der Wirtschaft
ruft erhebliche Konflikte über geistige E.s-Rechte hervor, weil ins ↑Internet eingestelltes Wissen faktisch
ohne Grenzkosten *(open access)* und damit kostenlos bereitgestellt werden kann.

Auf den ↑Finanzmärkten werden E.s-Rechte nicht
mehr in Form von Aktien und Anleihen den Eigentümern ausgehändigt, sondern existieren nur noch auf
Depotauszügen, so dass Vertrauen an Bedeutung gewinnt. Nach der Finanzkrise 2008 (↑Finanzmarktkrise)
ist es zu einer Neubewertung von Privat-E. gekommen.
So wurde das marktwirtschaftliche Grundprinzip der
Eigentümerhaftung (mit Ausnahme von Lehman
Brothers) außer Kraft gesetzt, indem ein Zusammenbruch des weltweiten Finanzsystems durch die Rettung
von ↑Banken, Versicherungen (↑Versicherung) etc. mit
umfangreichen Steuermitteln, staatlichen Bürgschaften
sowie Notenbankkrediten verhindert wurde. Finanzmarktakteure, die zu groß sind, dass sie ohne gesamtwirtschaftliche Schäden aus dem ↑Markt ausscheiden
können, stellen in einer von Privat-E. dominierten
Wirtschaft ein gravierendes ordnungspolitisches Problem dar (↑Ordnungspolitik). Als weniger effizient
angesehene E.s-Formen wie genossenschaftliches und
öffentliches E. wurden positiver bewertet, weil ↑Spar-
kassen und Genossenschaftsbanken (↑Genossenschaf-
ten) die Finanzkrise relativ unbeschadet überstanden
haben. Dies galt auch für eigentümergeführte mittelständische Unternehmen oder Stiftungen, obwohl alle
diese Unternehmensformen nicht der Finanzmarkt-
kontrolle über ↑Börsen unterliegen. Vielmehr wurde

deren Kurzfristorientierung (Vierteljahresberichte, hoher Umschlag der Aktien eines Unternehmens) als Ursache von Fehlentwicklungen identifiziert.

Literatur

K. Liebig: Internationale Regulierung geistiger Eigentumsrechte und Wissenserwerb in Entwicklungsländern, 2007 • D. Schmidtchen: Recht, Eigentum und Effizienz, in: ORDO, Bd. 55, 2004, 127–151 • E. Ostrom: Die Verfassung der Allmende, 1999 • W. Dichmann/G. Fels (Hg.): Gesellschaftliche und ökonomische Funktionen des Privateigentums, 1993 • H. de Soto: Marktwirtschaft von unten, 1992 • W. Hamm: Privatisierung – ein Schlüsselproblem freiheitlicher Ordnungen, in: ORDO, Bd. 43, 1992, 139–156 • D. C. North: Theorie des institutionellen Wandels, 1988 • C. Watrin: Eigentum, in: StL, Bd. 2, ⁷1985, 171–177 • A. Schüller (Hg.): Property Rights und Ökonomische Theorie, 1983 • J. M. Buchanan: Die Grenzen der Freiheit, 1978 • G. Hardin: The Tragedy of the Commons, in: Science 162/3859 (1968), 1243–1248.

JOACHIM WIEMEYER

III. Rechtlich

1. Bedeutung

Die E.s-Garantie des Art. 14 GG ist ein elementares Grundrecht; Sie ist zudem eine Wertentscheidung von bes.r Bedeutung. Ihr kommt im Gefüge der ↑Grundrechte die Aufgabe zu, dem Träger des Grundrechts einen Freiheitsraum im vermögensrechtlichen Bereich zu sichern und ihm dadurch eine eigenverantwortliche Gestaltung seines Lebens zu ermöglichen. Sie steht im inneren Zusammenhang mit der Garantie der persönlichen ↑Freiheit. Das gilt auch für die wirtschaftliche Betätigungsfreiheit. Als *subjektiv-öffentliches Abwehrrecht (Grundrecht)* gibt die E.s-Garantie dem Bürger ↑Rechtssicherheit hinsichtlich der durch die Rechtsordnung anerkannten Vermögensrechte und schützt sein Vertrauen in den Bestand dieser Rechte. Zugl. enthält sie eine Institutsgarantie für das E. Diese bringt die objektive, ordnungsgestaltende Bedeutung des Privat-E.s zum Tragen und sichert einen Kernbestand von Normen (↑Norm), die die Existenz und Funktionstüchtigkeit privatnützigen E.s ermöglichen und ordnen.

Als Verfassung, die die privatnützige Gebrauchsmöglichkeit, Ertragsfähigkeit und Verfügungsfähigkeit des Privat-E.s und der zu ihm rechnenden verschiedenartigen Rechte garantiert, ist das ↑GG nicht wirtschaftspolitisch „neutral". Indem sie mit dem E. auch dessen ökonomische Verfügbarkeit bzw. wirtschaftliche Funktionalität gewährleistet, trifft sie vielmehr eine *wirtschaftsverfassende Entscheidung* von grundlegender Bedeutung. Die Vielzahl der vom eigentumsinhaltsbestimmenden Gesetzgeber mit jeweils eigener Entscheidungsmacht, Verantwortungs- und Risikozuständigkeit auszustattenden Eigentümer bewirkt eine Dezentralisierung der Entscheidungen und ein plurales System der Dezentrierung sowie Verteilung von ↑Macht, Chancen, ↑Risiko und ↑Herrschaft. Dieses System freier unternehmerischer Initiative und dezentralisierter, am Ertrag orientierter Wirtschaftsführung setzt als Organisationsform notwendig den privaten, prinzipiell *staatsunabhängigen* ↑Markt voraus und fordert und begründet als innere Funktionsstruktur mit ebensolcher Notwendigkeit ein *wettbewerbliches Handlungssystem* (↑Wettbewerb).

2. Schutzbereich

Die Garantie des E. schützt davor, dass E. des Einzelnen durch staatlichen Eingriff oder ihm gleichstehende Maßnahmen ohne rechtfertigenden Grund beeinträchtigt wird. Garantiert werden sowohl das *Haben* („Bestandsgarantie") als auch das grundsätzlich freie *Ausnutzendürfen* der E.s-Position. Das gilt für deren Veräußerung bzw. die Verfügung über sie. Neben den Bestandsschutz tritt eine *Entstehenssicherung*, obwohl die ausdrückliche Verankerung des Rechts, „aufgrund der Gesetze E. zu erwerben", wie es einige Länderverfassungen enthalten, im ↑GG fehlt. Welche vermögenswerten Rechtspositionen als E. im verfassungsrechtlichen Sinne zu qualifizieren sind, bestimmt sich nach dem Zweck und der Funktion der E.s-Garantie unter Berücksichtigung ihrer Bedeutung im Gesamtgefüge der ↑Verfassung. Geschützt durch Art. 14 GG sind daher *im Bereich des Privatrechts grundsätzlich alle vermögenswerten Rechte*, die dem Berechtigten von der Rechtsordnung in der Weise zugeordnet sind, dass er die damit verbundenen Befugnisse nach eigenverantwortlicher ↑Entscheidung zu seinem privaten Nutzen ausüben kann. Auf dieser Grundlage umfasst das verfassungsrechtliche E. über das Sach-E. des bürgerlichen Rechts, das auf körperliche Gegenstände beschränkt ist (§§ 903, 90 BGB; ähnlich Art. 641 ZGB für die Schweiz und § 354 ABGB für Österreich), hinaus u. a. alle sonstigen dinglichen Rechte an einer Sache, Forderungen, vertragliche Nutzungsrechte, die gesellschaftsrechtlichen Mitgliedschaftsrechte, die Rechte des „geistigen E." (soweit sie Vermögensrechte sind) sowie das Recht am eingerichteten und ausgeübten Gewerbebetrieb oder Betriebs-E. Die Anerkennung des letzteren Rechts als E. trägt dem Umstand Rechnung, dass Lebens- und Wirkungsgrundlage des unternehmerisch Tätigen nicht nur die zum ↑Unternehmen gehörenden ↑Güter als einzelne sind, sondern der in sich geschlossene Wirtschaftskörper des Unternehmens in seiner ökonomischen Funktion.

Vermögenswerte Rechte öffentlich-rechtlicher Natur sind durch Art. 14 GG geschütztes E., wenn die von der E.s-Garantie intendierten Schutzziele der Sicherung von persönlicher ↑Freiheit und materiellen Vertrauenstatbeständen eine Gleichbehandlung mit den privaten Vermögensrechten verlangen. Das wird insb. angenommen, wenn die Rechtsstellung ihren Grund in eigener Leistung oder eigenem Kapitalaufwand des Berechtigten hat. Daher sind eigentumsgeschützt insb. sozialversicherungsrechtliche Positionen, die auf nicht unerheblichen Eigenleistungen beruhen und der Existenzsicherung dienen. Nicht unter Art. 14 GG fallen dagegen Ansprüche und Rechtsstellungen, die im öffentlichen Interesse geschaffen oder nur in Wahrnehmung *sozialer Fürsorge* zugeteilt worden sind.

Art. 14 GG schützt nur konkrete Rechtspositionen und daher nicht das ↗*Vermögen* als solches. Die Auffassung, nach der das Vermögen als Zusammenfassung der einzelnen Vermögensgegenstände bzw. der in diesen verkörperten Vermögenswerte gegenüber der Belastung mit einer ↗*Steuer oder sonstigen Geldleistungspflicht* unter dem Schutz der E.s-Garantie steht, ist mit dieser Prämisse vereinbar. Diese Auffassung vermag die eigentumsgrundrechtliche Relevanz des Steuerzugriffs daraus abzuleiten, dass er eine Verminderung des Gesamtbestandes der im Vermögen zusammengefassten eigentumsgeschützten Gegenstände und Werte erzwingt; sie erklärt also die dem Pflichtigen verbleibende Freiheit der Wahl, mit welchen Mitteln er die ihm auferlegte Geldleistungspflicht erfüllt, *sub specie* der E.s-Garantie für unerheblich. Folgt man der restriktiveren Haltung des ↗BVerfG, muss man jedenfalls bei einer „übermäßigen Belastung" und „grundlegenden Beeinträchtigung der Vermögensverhältnisse" des Pflichtigen durch die Auferlegung von Abgabenpflichten („Erdrosselungswirkung") die E.s-Garantie tangiert sehen (BVerfGE 95, 267, 300 f.).

Die Reichweite des E.s-Schutzes bemisst sich danach, welche Befugnisse einem Eigentümer kraft der einschlägigen eigentumskonstituierenden Normen des privaten (↗Privatrecht) und/oder ↗öffentlichen Rechts zustehen. Nicht uneingeschränkt zutreffend ist die Ansicht, *Verdienstmöglichkeiten, Gewinnchancen,* Zukunftshoffnungen, Erwartungen und Aussichten würden nicht geschützt (vgl. zu Art. 14 GG BVerfGE 74, 129, 148); richtig ist dagegen die Annahme, dass Verdienstmöglichkeiten und Erwerbschancen, die sich aus dem bloßen Fortbestand einer günstigen Gesetzeslage ergeben, von der E.s-Garantie nicht umfasst werden. Was aber insb. den Schutzgegenstand Recht am Gewerbebetrieb angeht, so ist eine rein begriffliche Abgrenzung von eigentumsgeschützten „Ausstrahlungen" des Gewerbebetriebs (↗Betrieb) und nicht geschützten „Chancen" nicht möglich, entscheidend ist vielmehr neben der wertenden Berücksichtigung der Vertrauensposition des ↗Unternehmens, dass – weil von der E.s-Garantie über den Bestand des Unternehmens hinaus dessen gesamte funktionswesentliche Tätigkeit umfasst wird – der gewinnbringende Einsatz des Unternehmens überhaupt geschützt ist. Insofern erfasst die E.s-Garantie durchaus auch Chancen, und jedenfalls ein gezieltes und vorsätzliches – rechtmäßiges oder rechtswidriges – hoheitliches Einwirken auf Gewinnmöglichkeiten, bestehende Geschäftsbeziehungen, den Kundenstamm oder die Marktstellung eines Unternehmens muss grundsätzlich als eigentumsrechtlich relevant begriffen.

Von der E.s-Garantie mitumfasst ist das Recht des Eigentümers, seine Interessen im *Verwaltungs- und Gerichtsverfahren* effektiv zu vertreten und durchzusetzen.

3. Gewährleistung im Rahmen des Gesetzes

Das ↗GG verbindet die Gewährleistung des E.s mit dem *Auftrag an den Gesetzgeber,* Inhalt und Schranken des E.s zu bestimmen (Art. 14 Abs. 1 S. 2 GG). Der Auftrag geht dahin, eine E.s-Ordnung zu schaffen, die sowohl den privaten Interessen (↗Interesse) des Einzelnen als auch denen der Allgemeinheit gerecht wird. Die verschiedenen durch das Grundrecht (↗Grundrechte) als E. geschützten Rechte sind in ihrer konkreten Existenz und Ausgestaltung von der Regelung durch den Gesetzgeber abhängig. Das Gesetz bestimmt den Inhalt der Rechte, ordnet ihre Ausübung auch im Hinblick auf die Rechte und Interessen Dritter, z. B. der Nachbarn des Grundeigentümers, und bringt die öffentlichen und sozialen Erfordernisse zur Geltung. Dadurch verbindet das GG die Identität des E.s mit der Gewährleistung der notwendigen Offenheit für zukünftige gesellschaftliche Entwicklungen.

Ungeachtet des weiten Gestaltungsspielraumes des *inhaltsbestimmenden* bzw. *eigentumskonstituierenden* Gesetzgebers bildet die *Einrichtungsgarantie* (↗Einrichtungsgarantien) des E. den zentralen Maßstab für das „Ob" und das „Wie" der E.s-Konstituierung. Sie verbietet dem Gesetzgeber, Sachbereiche der Privatrechtsordnung zu entziehen, die zum *elementaren Bestand grundrechtlich geschützter Betätigung* im vermögensrechtlichen Bereich gehören, und damit den durch das Grundrecht geschützten Freiheitsbereich aufzuheben oder wesentlich zu schmälern. Der eigentumsgestaltende Gesetzgeber hat bei der Ausstattung der eigentumsgeschützten Rechte mit Befugnissen die institutionell gewährleistete Freiheitlichkeit und Privatnützigkeit des E. sicherzustellen. Er hat das Recht so auszustatten, dass es zu *eigenem Nutzen und Ertrag* eingesetzt werden kann und grundsätzlich privatautonomer, *eigenverantwortlicher Verfügung* zugänglich ist (↗Autonomie). Aus dem Gebot der ↗Verhältnismäßigkeit leitet sich dabei für den Gesetzgeber die Verpflichtung ab, die auf Anerkennung als E. drängenden Interessen angemessen zur Geltung zu bringen. Verfassungskonform ist allein eine Ausgestaltung, die – unter Berücksichtigung gegenläufiger Interessen – die angemessene Funktionsfähigkeit des Rechts entspr. dem jeweiligen Sachgebiet gewährleistet. In diesem Sinne ist z. B. die Ausgestaltung des ↗Urheberrechts geboten.

4. Schrankenziehung und sonstige Beeinträchtigungen

Der jeweilige E.-Freiheitsbereich kann sowohl durch Normen als auch durch Einzelfall*regelungen* beeinträchtigt werden, die eine E.s-Position entziehen oder deren Nutzung, Verfügung oder Verwertung einer rechtlichen Beschränkung unterwerfen. Beeinträchtigungen kommen auch durch *faktische, influenzierende* und/oder *indirekte Einwirkungen* auf die Nutzung, Verfügung oder Verwertung von E.s-Positionen in Betracht. So kann Art. 14 GG auch Schutz gegenüber der Erteilung einer Genehmigung bieten, die für einen Drittbetroffenen nachteilige Nebenwirkungen entfaltet. Zur Klärung der Frage, ob solche Einwirkungen *regelnden Eingriffen gleichgestellt* werden können, muss auf die Auslegung des betroffenen Rechts bzw. auf den Schutzbereich der ↑Norm, die Voraussehbarkeit der (Neben-)Wirkungen und die Intention des staatlichen Handelns bzw. darauf abgestellt werden, ob es sich um die typischen Folgewirkungen eines gesteuerten Verhaltens der öffentlichen Hand handelt. Weniger rechtsdogmatischen als praktischen Bedürfnissen genügt es, wenn der Intensität der Einwirkung eine entscheidende Rolle beigemessen und eine Betroffenheit Dritter angenommen wird, wenn ihr E. nachhaltig verändert sowie schwer und unerträglich beeinträchtigt wird. Wenn drittschützende Regelungen des einfachen Rechts als zulässige E.s-Bindung eingestuft werden können, gewährt Art. 14 GG i. d. R. keinen weitergehenden Schutz.

Zentraler Maßstab der in das konstituierte E. eingreifenden *Schrankengesetze* ist neben allen übrigen Verfassungsnormen, etwa dem Gleichheitssatz, die *Individualrechtsgarantie* des Art. 14 GG. Auch wenn ein weiter Gestaltungsraum des das E. gemäß Art. 14 Abs. 1 S. 2 GG beschränkenden Gesetzgebers anzuerkennen ist, müssen daher Regelungen stets durch das öffentliche Interesse legitimiert sein. Das bedeutet, dass der Gesetzgeber in die eigentumsgrundrechtlich geschützten Interessen der Beteiligten nicht ohne Grund und grundsätzlich auch nicht übermäßig eingreifen darf. Unzumutbare Schmälerungen von E.s-Positionen sind ihm verwehrt. Die grundlegende Wertentscheidung des GG zugunsten eines sozial gebundenen Privat-E.s (Art. 14 Abs. 2 GG) verpflichtet ihn vielmehr grundsätzlich, nur so weit im öffentlichen Interesse einzugreifen, wie es der Schutz des ↑Gemeinwohls unter weitestmöglicher Wahrung der Privatnützigkeit erfordert, und die Belange der Gemeinschaft und die eigentumsgrundrechtlich geschützten Individualinteressen in einen gerechten Ausgleich und ein ausgewogenes Verhältnis zu bringen. Das Wohl der Allgemeinheit ist insoweit Orientierungspunkt, aber auch Grenze für die Beschränkung des Eigentümers.

Die in Art. 14 Abs. 2 GG postulierte *Sozialpflichtigkeit* des E. bedarf der gesetzlichen Hervorbringung auf dem Wege der Schrankenbestimmung. In diesem Sinne bilden Art. 14 Abs. 1 S. 2 und Abs. 2 GG eine der vornehmsten Handhaben des ↑GG zur Entfaltung der Sozialstaatlichkeit (↑Sozialstaat). Demgegenüber würde die Auffassung, Art. 14 Abs. 2 GG erzeuge (auch) unmittelbar Rechtspflichten des Eigentümers, dazu führen, dass in Wahrheit weniger die Pflichtbindung als der E.s-Gebrauch für legitimierungsbedürftig erklärt würde. Daher können etwa Hausbesetzungen und die

Benutzung fremder privater Gegenstände ohne gesetzliche Ermächtigung nicht durch Art. 14 Abs. 2 GG gerechtfertigt werden. Die verfassungsgemäßen Schrankenziehungen müssen vom Eigentümer entschädigungslos hingenommen werden, es sei denn, es läge eine sozialpflichtüberschreitende Schrankenziehung vor. Der eigentumseinschränkende Gesetzgeber hat die der spezifischen Natur des jeweiligen E.s-Rechts und dessen sozialer Bedeutung entspr.e Nutzung, Verwertung und Verfügung so weit wie möglich zu bewahren sowie dessen spezifische Funktionsbedingungen zu beachten. Das Unternehmens-E. z. B. weist funktionale Besonderheiten auf, die hinsichtlich seiner Beschränkung eine pauschale Gleichsetzung mit anderen E.s-Kategorien wie dem E. an Sachgütern oder den Urheberrechten (↑Urheberrecht) verbieten. Angesichts der sozialen Staatsaufgabe (↑Staatsaufgaben) können die gesetzliche Behebung von Not- und Krisenlagen, die Zurückdrängung und Kontrolle wirtschaftlicher ↑Macht, die Abstellung von Mangel und Missbrauch sowie ähnliche sozialstaatliche Erfordernisse in höherem Maße ein Zurücktreten der E.s-Freiheit erzwingen als die Verfolgung allg.er gesellschaftspolitischer Vorhaben.

Bei der Interessen- und Güterabwägung nach Maßgabe des *Verhältnismäßigkeitsgebots* (↑Verhältnismäßigkeit) ist nicht pauschal auf das E.s-Recht auf der einen Seite und das Interesse, das den Eingriff legitimieren soll, auf der anderen Seite abzustellen, sondern auf das Ausmaß, in dem der jeweilige E.s-Freiheitsbereich und das eingriffslegitimierende Interesse konkret betroffen sind, und das Gewicht und die (funktionale) Bedeutung, die den betroffenen Sektoren dieser Güter – und zwar gerade im Verhältnis zueinander – zukommt. Es ist zu ermitteln, welche Modalität der Grundrechtsausübung bzw. welche mit der E.s-Position verbundene Befugnis betroffen ist und ob sie von zentraler oder geringerer Bedeutung ist, weil sie im Randbereich des jeweiligen E.s-Freiheitsbereichs liegt. Dabei sind die spezifischen Funktionsbedingungen des betroffenen E.s-Freiheitsbereichs in Rechnung zu stellen. So würde z. B. eine allg.e, wirtschaftspolitisch lenkende Preiskontrolle wesentlich tiefer in die E.s-Freiheit – und die ↑Berufsfreiheit – des ↑Unternehmers eingreifen als eine Preiskontrolle, die sich mikropolitisch gegen bestimmte Missbräuche, wie etwa den Preismissbrauch kraft beherrschender Unternehmensstellung, richtete.

Eine gesteigerte Sozialpflichtigkeit kennzeichnet insb. das *Boden-E.* Sie ergibt sich aus dem Umstand, dass der Boden ein unvermehrbares Gut ist, auf dessen Nutzung Eigentümer, Nichteigentümer, ↑Staat und ↑Gemeinschaft angewiesen sind. Bei der Geltendmachung der Sozialpflichtigkeit unterliegt der Gesetzgeber einem differenzierten Begründungszwang. So hat das ↑BVerfG anerkannt, dass sich angesichts der Unvermehrbarkeit von Grund und Boden die soziale Inpflichtnahme des land- und forstwirtschaftlichen ↑Bodens durch eine Kontrolle des Grundstücksverkehrs aus

Gründen der Sicherung der Agrarstruktur rechtfertigt. Als unverhältnismäßige Beschränkung wertet es dagegen das Gericht, wenn der Bodenerwerb unabhängig von diesem durch seine spezifische „Sachnähe" bes. legitimierten öffentlichen Interesse schon deshalb verhindert würde, weil er zum Zwecke der Kapitalanlage erfolgte.

Im Mitbestimmungsurteil macht das BVerfG die „bedeutende soziale Funktion" und den „weittragenden sozialen Bezug" des Anteils-E.s zu einem zentralen Argument. Diese zeigten sich u. a. darin, dass „es zur Nutzung des Anteilseigentums immer der Mitwirkung der Arbeitnehmer" bedürfe, deren Grundrechtssphäre durch die Ausübung der eigentümerischen Verfügungsbefugnisse berührt werde (BVerfGE 50, 290, 347 ff.). Die vom Gericht herausgestellten Merkmale des Anteils-E.s sind aber in Wahrheit nahezu jedem *Unternehmens-E.* eigen, jedenfalls aber jedem wirtschaftlich-industriellen E. bestimmter Größenordnung. Die in der gesetzlichen ↑*Rentenversicherung* begründeten eigentumsgeschützten *Rechtspositionen* sind auf Grund ihres Eingebundenseins in die Prinzipien und Funktionsbedingungen der Rentenversicherung als einer Solidargemeinschaft in bes.m Maße dem sozialbindenden Zugriff des Gesetzgebers – auch den mit Neubestimmungen des Inhalts von Versicherungsverhältnissen verbundenen Beschränkungen – ausgesetzt. Soweit in schon bestehende Anwartschaften eingegriffen wird, ist zu berücksichtigen, dass in ihnen von vornherein die Möglichkeit von Änderungen in gewissen Grenzen angelegt ist.

Literatur

H. Jochum u. a. (Hg.): FS für Rudolf Wendt. Freiheit, Gleichheit, Eigentum – Öffentliche Finanzen und Abgaben, 2015 • O. Depenheuer: Eigentum, in: HGR, Bd. 5, 2013, § 111 • J. Lege: 30 Jahre Naßauskiesung. Wie das BVerfG die Dogmatik zum Eigentumsgrundrecht revolutioniert hat, in: JZ 66/22 (2011), 1084–1091 • W. Leisner: Eigentum, in: HStR, Bd. 8, ³2010, § 173 • J. Dietlein: Die Eigentumsfreiheit und das Erbrecht, in: K. Stern/M. Sachs/J. Dietlein: Das Staatsrecht der Bundesrepublik Deutschland, Bd. 5/1, 2006, § 113 • H.-J. Papier: Der Stand des verfassungsrechtlichen Eigentumsschutzes, in: O. Depenheuer (Hg.): Eigentum, 2005, 93–104 • J. Rozek: Die Unterscheidung von Eigentumsbindung und Enteignung, 1998 • P. Badura: Eigentum, in: HdBVerfR, ²1995, § 10 • D. Ehlers: Eigentumsschutz, Sozialbindung und Enteignung bei der Nutzung von Boden und Umwelt, in: VVDStRL, Bd. 51, 1992, 214–251 • R. Wendt: Eigentum und Gesetzgebung, 1985 • A. von Brünneck: Die Eigentumsgarantie des Grundgesetzes, 1984.   RUDOLF WENDT

IV. Sozialethisch

1. Die biblische und kirchliche Tradition

Nach den biblischen Schriften ist Gott der Schöpfer der Erde, so dass er auch deren Obereigentümer (Lev 25,23) ist. Gott hat die ganze Erde der gesamten Menschheit übergeben (Gen 1,28). Dies hat die Konsequenz, dass alle Menschen befähigt werden müssen, Nutzen aus der Natur ziehen zu können *(usus communis)*. Dies gilt zum einen innerhalb einer ↑Generation, zum anderen zwischen den Generationen. Dementsprechend ist eine Privat-E.s-Ordnung sekundär. Eine konkrete Privat-E.s-Ordnung ist daran zu messen, ob von ihr alle Menschen profitieren. Aus dem Ober-E. Gottes folgt, dass in Notlagen das Privat-E. (Lev 25,35) zurückstehen muss. Konkret wird etwa im AT deutlich, dass ein Recht der Ärmsten auf Erntenachlese bestand. In späterer Zeit war der Zehnt abzugeben, der auch für soziale Zwecke verwandt wurde. Im Dekalog (Ex 20,15; Dtn 5,19; ↑Zehn Gebote) wird das Privat-E. geschützt. Ein Entzug des E.s konnte in alttestamentlicher Zeit existenzbedrohend sein, so dass der Schutz des E.s einen hohen Wert hatte.

Im NT ist es v. a. das Lk, das eine „Arm-Reich"-Problematik thematisiert. Der Erwerb von E. soll demnach nur auf redliche Art und Weise erfolgen. Menschen sollen nicht ihr ganzes Leben am E.s-Erwerb ausrichten. Vielmehr bedeutet die radikale Nachfolge Jesu, auf eigenes E. zu verzichten (Mk 10,17–23). Wer nicht vollständig sein E. aufgibt und sich dem Wanderprediger Jesu anschließt, soll sein E. verantwortlich im Sinne einer sozialen Verpflichtung gebrauchen (Lk 16,9–13). Es ist in den Evangelien eher eine individualethische Behandlung der E.s-Thematik zu finden.

In der Urgemeinde in Jerusalem legten die Menschen ihren Besitz zusammen, indem sie ihre ↑Güter verkauften und den Erlös den Aposteln übergaben (Apg 2, 44–47.4,32–37). Nach einigen Jahren war aber die Urgemeinde in wirtschaftliche Schwierigkeiten geraten, so dass Paulus in Korinth (2 Kor 8,6–15) eine Solidaritätskollekte durchführen ließ. Die Gütergemeinschaft der Urgemeinde war durch die Naherwartung der Wiederkunft Christi bedingt. Sie wurde nicht zur vorherrschenden Lebensform der Christen, wirkte aber in der Gütergemeinschaft insb. einzelner ↑Orden nach.

In der Geschichte der christlichen ↑Theologie wird mehrheitlich Privat-E. anerkannt. Bedeutsam ist v. a. Thomas von Aquin geworden, der im Kontext konkreter Fragestellungen von Diebstahl und Raub einige grundsätzliche Anmerkungen zur E.s-Problematik machte. Thomas anerkannte zwar das Ober-E. Gottes, aber legitimierte – beeinflusst durch Aristoteles – das Privat-E. mit drei klassisch gewordenen Effizienzargumenten (STh II-II, q. 66,1 f.): Erstens gebe es einen Arbeitsanreiz, wenn Menschen den Ertrag ihrer ↑Arbeit als E. erwerben können. Zweitens gehe ein Privateigentümer mit seinem E. sorgfältiger um als eine Gruppe von Menschen mit kollektivem E. Wenn bei knappen Gütern drittens eindeutig ist, wem die E.s-Rechte zustehen, werden Konflikte unter Menschen über E. reduziert. Diese Auffassung des Thomas ist für die kirchliche E.s-Lehre klassisch geworden, indem sie (z. B. durch Bischof Wilhelm Emmanuel Freiherr von Ketteler) auch im

Zeitalter der Industrialisierung (↑Industrialisierung, Industrielle Revolution) wieder aufgegriffen wurde. Die Begründung des Thomas für Privat-E. ist eher utilitaristisch (↑Utilitarismus)/teleologisch, so dass die spätere Inanspruchnahme des Thomas für ein ↑Naturrecht auf Privat-E. eine Fehlinterpretation darstellt. Thomas kennt wegen des Ober-E.s Gottes eine strenge Sozialpflichtigkeit.

Die Reformatoren (Martin Luther, Philipp Melanchthon) verteidigten die bestehende E.s-Ordnung gegen Umwälzungsbestrebungen, wie sie z. B. in den Bauernkriegen artikuliert wurden. Während diese die Sozialpflichtigkeit des E.s betonten, vertrat Johannes Calvin eine tendenziell liberale Verteidigung des Privat-E.s und hatte weniger Bedenken gegen ↑Zins und ↑Kredit als jene.

2. Eigentum in der Sozialphilosophie

Die auf Cicero zurückgehende Okkupationstheorie sah den Erwerb von E. entweder durch die Aneignung herrenlosen Gutes oder durch Übertragung von anderen vor. In die E.s-Theorie brachte John Locke einen neuen Akzent ein, weil für ihn der Mensch E. an seiner eigenen Person hat, so dass durch Bearbeitung der Natur E. erworben wird. Die Erträge der Natur (z. B. Nahrungsmittel) sind gering, weil erst durch menschliche ↑Arbeit der ↑Wohlstand geschaffen wird. Ein solches selbst erarbeitetes E. als unmittelbarer Ausfluss der ↑Person ist zu schützen und erhält menschen- bzw. naturrechtlichen Charakter (↑Menschenrechte, ↑Naturrecht). J. Locke sah kein Gerechtigkeitsproblem (↑Gerechtigkeit), da es in seiner Zeit hinreichend freien ↑Boden gab, so dass jeder die Chance hatte, durch Arbeit Eigentümer zu werden. Der ↑Staat dürfe zwar für seine Kernaufgaben (innere und äußere Sicherheit; ↑Innere Sicherheit) Steuern erheben, nicht aber zum Zweck der ↑Sozialpolitik/Umverteilung. Für Jean-Jacques Rousseau unterliegt die Definition von E.s-Rechten dem *volonté générale*, so dass er im Gegensatz zu J. Locke kein natürliches E.s-Recht anerkennt, das der Staat zu respektieren hat. Immanuel Kant akzeptiert ebenfalls nicht das Locke'sche vorstaatliche E.s-Recht, sondern sieht es als staatliche Aufgabe an, die ↑Freiheit aller Bürger (↑Bürger, Bürgertum) zu sichern, so dass, wenn eine konkrete Verteilung von E. zur Unfreiheit eines Teils der Bürger führt, eine staatliche Korrektur der E.s-Verteilung zulässig ist. Indem in der Kant'schen Konzeption Freiheit einen hohen Rang einnimmt, sind aber soziale Ungleichheiten (↑Soziale Ungleichheit) nicht nur möglich, sondern Bestandteil einer freiheitlichen Ordnung. Für Georg Wilhelm Friedrich Hegel sollte jeder Mensch über gewisses E. verfügen, weil dies eine Voraussetzung für nicht bloß formale, sondern materiell fundierte konkrete Freiheit darstellt.

Indem die Trias Leben, Freiheit und E. in der Nachfolge von J. Locke zum Kernbestandteil der Menschenrechte erhoben wurde, kam es wegen des hohen Stellenwertes des E.s zur Ablehnung der Menschenrechte durch Karl Marx insgesamt. Für K. Marx sind Menschenrechte eine ↑Ideologie des Besitzbürgertums. Der mit Privat-E. zwangsläufig verbundene Egoismus trennt nach K. Marx die Menschen von ihren Mitmenschen.

Für John Rawls ist zwar persönliches E. wichtig, seine grundsätzlichen Überlegungen bewegen sich aber auf einer Abstraktionsebene, die die Frage des E.s an den Produktionsmitteln offenlässt, weil er die Verwirklichung seiner Gerechtigkeitsgrundsätze sowohl in einer Marktwirtschaft mit Privat-E. wie in einer sozialistischen Marktwirtschaft mit Staats-E. für denkbar hält. Eine bestehende E.s-Ordnung und -verteilung ist immer legitimationsbedürftig und politisch gestaltbar. Sie muss im Interesse schwächerer Mitglieder der Gesellschaft liegen. James M. Buchanan und Robert Nozick sind Antipoden zu J. Rawls, indem sie E. als vorstaatliches Recht proklamieren, so dass der Staat auch im Rahmen eines demokratischen Prozesses nicht in die E.s-Rechte eingreifen darf.

Die zentrale Kontroverse in der ↑Sozialphilosophie ist, ob der demokratische Rechtsstaat privates E. als formales Freiheitsrecht zu respektieren hat oder ob der Staat die E.s-Ordnung tiefgreifend gestalten darf. Bei den normativen Positionen liegen auch unterschiedliche empirische Annahmen darüber zu Grunde, ob staatliche oder andere Formen kollektiven E.s (z. B. in ↑Genossenschaften) genauso effizient eingesetzt werden können wie privates E.

3. Die kirchliche Sozialverkündigung

Da in der Industrialisierung (↑Industrialisierung, Industrielle Revolution) die Frage des Privat-E.s an Produktionsmitteln zu einem zentralen Konfliktthema wurde, musste sich die neu entstehende kirchliche Sozialverkündigung dazu positionieren. Leo XIII. verteidigte in „Rerum novarum" (4–12) nahe an der Locke'schen Theorie eines vorstaatlichen Privat-E.s dieses als Naturrecht. Leo XIII. differenzierte nicht zwischen persönlichem und Produktionsmittel-E. Er betonte aber, dass jeder Mensch die Chancen erhalten muss, Eigentümer von grundlegenden ↑Gütern zu werden und E. immer auch eine Sozialpflichtigkeit aufweist. In „Quadragesimo anno" (1931) verteidigt Papst Pius XI. weiter das Privat-E. auch an Produktionsmitteln (61 f.), stellt jedoch stärker als in „Rerum novarum" die Sozialpflichtigkeit und die Forderung einer gerechten E.s-Verteilung heraus. Nachfolgende Dokumente (GS 66–72) betonen, dass E. eine Ermöglichungsbedingung menschlicher ↑Freiheit für verantwortliche Staatsbürger ist, daher möglichst viele Menschen am E. einer ↑Gesellschaft teilhaben und von dessen Nutzung profitieren sollen. Daher kann der ↑Staat den E.s-Gebrauch regulieren, um ihn in Richtung des ↑Gemeinwohls zu lenken. Während Pius XII. einem Mitbestimmungsrecht (↑Mitbestimmung) der ↑Arbeitnehmer als Eingriff in das Privat-E. der Produktionsmittelbesitzer noch ablehnend gegenüberstand, wird dieses in GS (68), auch angesichts der stärkeren Trennung von E.s-Rechten und tatsächlichen Verfügungsrechten durch das Management in Aktiengesellschaften (↑Aktiengesellschaft), gebilligt.

Wenn es das Gemeinwohl erfordert, ist auch eine ↑Enteignung bzw. ↑Sozialisierung und eine Umverteilung von E. möglich. So ist für Paul VI. in „Populorum progressio" (24) eine Agrarreform (↑Agrarreformen und Agrarrevolutionen) erlaubt, ohne dass die Alteigentümer gemäß dem Marktwert entschädigt werden. Eine solche Enteignung und anschließende Verteilung an bisher landlose Pächter bzw. Landarbeiter (Agrarreform) kann indirekt auch der Stärkung einer Privat-E.s-Ordnung dienen, insofern diese, wenn sie nicht mehr ein Privileg einer kleinen Minderheit ist, höhere gesellschaftliche Akzeptanz gewinnt. In der jüngeren Sozialverkündigung wird durch die Rezeption der aus der Befreiungstheologie (↑Theologie der Befreiung) stammenden „Option für die Armen" eine strengere Sozialpflichtigkeit eingefordert. In „Caritas in Veritate" (22) wird von Benedikt XVI. eine Beschränkung geistiger E.s-Rechte (Patenschutz für Medikamente) zugunsten der Sozialpflichtigkeit eingefordert.

In Deutschland treten die beiden großen Kirchen (↑Katholische Kirche, ↑EKD) für das Privat-E. auch an Produktionsmitteln mit einer strengen Sozialpflichtigkeit sowie mit einer breiten Streuung verschiedener E.s-Formen ein. Angesichts des großen materiellen Reichtums der Kirchen in Deutschland, aber auch in anderen Ländern, stellt sich die Frage des kirchlichen Umgangs mit ihrem E., etwa der Umweltverträglichkeit von Bodenbesitz, der ↑Verantwortung als Arbeitgeber, die Behandlung anderer Nutzer (Mieter) sowie einer ethisch verantwortlichen Anlage in ↑Finanzmärkten.

4. Neue Herausforderungen

Die v. a. seit dem Ende der sozialistischen Wirtschaften 1990 stark angewachsenen internationalen ↑Finanzmärkte haben auch hinsichtlich der E.s-Frage erheblich an Bedeutung gewonnen. Nach der Auffassung ↑Christlicher Sozialethik unterliegt auch das internationale Finanzkapital der Sozialpflichtigkeit. Wie eine solche konkretisiert, bemessen und durchgesetzt werden kann, gehört im 21. Jh. zu den wichtigen sozialethischen Herausforderungen. Die gemäß dem Prinzip der ↑Subsidiarität von unten gewachsenen Formen nachhaltiger bzw. ethischer Geldanlagen haben bis 2016 keinen relevanten Marktanteil erlangt, so dass auch Regulierungen durch zwischenstaatliche Vereinbarungen (z. B. zur Erfüllung der Steuerpflicht) notwendig sind. Eine zweite grundlegende Herausforderung von E.s-Rechten liegt bei der Legitimation, Dauer und Reichweite sowie Grenzen geistiger E.s-Rechte (z. B. Patente an Medikamenten, menschlichen Genomen sowie bei digitalen Produkten, bei denen Kopien mit sehr geringen Kosten verbunden sind). Eine Einschränkung geistiger E.s-Rechte wird bei der Patentierung von Medikamenten

gefordert, damit diese auch ärmeren Menschen in Entwicklungsländern zugänglich werden. Weiterhin sollen indigene Völker an den Rechten beteiligt werden, die aus der Patentierung von pflanzlichen Stoffen/Heilmitteln aus ihren Territorien erwachsen.

Bei der Diskussion über die ↑Gerechtigkeit der E.s-Verteilung spielt es eine wesentliche Rolle, welche E.s-Formen betrachtet werden: Sollen kostenlos erworbene ↑Bildung als Humankapital (↑Humankapital) sowie Ansprüche an das Sozialversicherungssystem (↑Sozialversicherung) ebenso wie der *persönliche Besitz* (Hausrat, PKW) als verteilungsrelevantes E. betrachtet werden oder lediglich Haus- und Grundbesitz, Finanzanlagen sowie Produktionsmittelbesitz? Thomas Piketty betrachtet nur die letzten Formen und kommt auf der Grundlage breiter empirischer Untersuchungen zum Ergebnis, dass Produktionsmittel-E. die Form ist, die auch international am ungleichmäßigsten verteilt ist.

Im Kontext der zunehmenden ↑Digitalisierung der ↑Wirtschaft werden die klassischen Argumente für private E.s-Rechte relativiert, indem neue Formen von Kollektiv-E. (Cloud-Nutzung von Speicherkapazitäten) bzw. kollektiver Nutzung (Car-Sharing) entstehen. Wenn Transaktionskosten durch Digitalisierung gering sind, kann eine gemeinsame Nutzung von Gemeinschaftsgütern *(commons)* organisiert werden, weil z. B. erfasst werden kann, wer nicht sorgfältig mit einer Gemeinschaftsressource umgeht. Auch das klassische Freiheitsargument von E. tritt zurück, indem es weniger auf E.s-Rechte, sondern auf tatsächliche Nutzungsmöglichkeiten ankommt. Diese *Sharing Economy* ruft aber neue Verteilungsprobleme hervor hinsichtlich der Frage, wer die Erträge aus den gemeinsam erzielten Organisationsvorteilen erhält, etwa monopolartige Bereitsteller von Internetplattformen oder die Nutzer selbst durch genossenschaftliche Selbstorganisation.

Literatur

T. Theurl u. a.: Ökonomie des Teilens – nachhaltig und innovativ? in: Wirtschaftsdienst 95/2 (2015), 87–105 • T. Piketty: Das Kapital im 21. Jahrhundert, 2014 • W. Kersting: Das Eigentum des Eigentums: Philosophische Begründungen, in: A. Rauscher u. a. (Hg.): Hdb. der Katholischen Sozialethik, 2008, 501–510 • A. Rauscher: Die christliche Lehre vom Eigentum, in: A. Rauscher u. a. (Hg.): Hdb. der Katholischen Soziallehre, 2008, 511–522 • J. Wiemeyer: Sozialpflichtigkeit internationalen Kapitals, in: StZ 225/2 (2007), 100–110 • A. Eckl/B. Ludwig (Hg.): Was ist Eigentum? Philosophische Positionen von Platon bis Habermas, 2005 • C. Spieß: Sozialethik des Eigentums, 2004 • D. Dietzfelbinger: Eigentum, sozialethisch, in: J. Hübner u. a. (Hg.): Evangelisches Soziallexikon, 2001, 313–317 • A. Anzenbacher: Wandlungen im Verständnis und in der Begründung von Eigentum und Eigentumsordnung, in: W. Korff u. a. (Hg.): Hdb. der Wirtschaftsethik, Bd. 1, 1999, 50–64 • M. Brocker: Arbeit und Eigentum. Der Paradigmenwechsel in der neuzeitlichen Eigentumstheorie, 1992.

JOACHIM WIEMEYER

Eingetragene Lebenspartnerschaft

Die e.L. ist ein eheähnlich ausgestaltetes, familienrechtliches Institut (↗Familienrecht), das zwei Personen gleichen Geschlechts in Anspruch nehmen können, die miteinander eine Partnerschaft auf Lebenszeit führen wollen. Mit dem Institut der e.L. steht Homosexuellen (↗Homosexualität) eine der bürgerlich-rechtlichen ↗Ehe von Mann und Frau vergleichbare, rechtlich gesicherte Gemeinschaftsform als Option zur Verfügung. In Deutschland bestehen rund 35 000 e.L.en (Stand: 2013), die zu 57% von Männern, zu 43% von Frauen geführt werden.

Zahlreiche bei Einführung des Instituts 2001 mit Rücksicht auf ein teilweise angenommenes, vom ↗BVerfG in seiner diesbezüglichen Entscheidung von 2002 (BVerfGE 105, 313) indes verneintes Abstandsgebot im Verhältnis zu der nach Art. 6 Abs. 1 GG unter dem bes.m Schutz der staatlichen Ordnung stehenden Ehe noch bestehende Ausgestaltungsunterschiede zur Ehe sind mittlerweile entfallen. In der Reichweite der eingegangenen Verpflichtungen bestehen aber nach wie vor Unterschiede. Zwar sind sowohl Eheleute als auch Lebenspartner einander verantwortlich, was eine wechselseitige Pflicht zu Fürsorge und Unterstützung einschließt (§ 1353 Abs. 1 S. 2 2. Halbs. BGB; § 2 LPartG). Während jedoch Ehegatten einander zur ehelichen Lebensgemeinschaft verpflichtet sind (§ 1353 Abs. 1 S. 2 BGB), schulden Lebenspartner sich lediglich eine gemeinsame Lebensgestaltung, die auch ohne ein tatsächliches Zusammenleben möglich ist.

Im Übrigen begründet die e.L. gegenwärtig Rechte und Pflichten, die weithin denen der Ehe gleichen. Das gilt insb. für das Namensrecht, die Unterhaltsverpflichtungen, auch bei Getrenntleben und bei – scheidungsgleicher – Aufhebung der Lebenspartnerschaft, für den gesetzlichen Güterstand einschließlich des Rechts, die güterrechtlichen Verhältnisse davon abweichend vertraglich zu regeln, und für den Versorgungsausgleich.

Diese Rechtsangleichungen beruhen auf autonomen Entscheidungen des Gesetzgebers. Dagegen geht die zwischenzeitlich erfolgte Gleichbehandlung in anderen Rechtsgebieten (im Erbschaftssteuer–, Schenkungssteuer- und Grunderwerbssteuerrecht sowie bei der betrieblichen Hinterbliebenenversorgung für Arbeitnehmer des öffentlichen Dienstes und beim beamtenrechtlichen Familienzuschlag) auf die Rechtsprechung des BVerfG zurück. Obwohl es noch bei der verfassungsrechtlichen Anerkennung des Instituts der e.L. 2002 betont hatte, die e.L. sei ein Aliud zur Ehe und berühre deshalb deren verfassungsrechtliche Garantie nicht, hat es sodann in einer Reihe aufeinander folgender Entscheidungen (BVerfGE 124, 199; 126, 400; 131, 239; 132, 179; 133, 59; 133, 377) beide Lebensgemeinschaften dessen ungeachtet als in ihrer näheren gesetzlichen Ausgestaltung im Wesentlichen rechtlich gleich qualifiziert und noch fortbestehende Unterschiede mit Blick darauf für mit

dem allg.en Gleichheitssatz des GG (Art. 3 Abs. 1 GG) unvereinbar erklärt (Abstandsverbot). Eine Ungleichbehandlung der e.L. im Vergleich zur Ehe könne nicht allein mit dem Schutzgebot für die Ehe gemäß Art. 6 Abs. 1 GG gerechtfertigt werden, wenn die Privilegierung der Ehe mit einer Benachteiligung der e.L. als einer anderen, aber vergleichbar rechtlich verfestigten und ausgestalteten Lebensgemeinschaft einhergehe. Diese Begründung erscheint verfassungsrechtlich zweifelhaft: Ist die e.L. etwas anderes als die Ehe, dann ist nicht ihre rechtliche Ungleichbehandlung, sondern vielmehr die Gleichbehandlung rechtfertigungsbedürftig.

Doch ist die gegenläufige Rechtsprechung des BVerfG für die Staatsorgane, Behörden und Gerichte bindend. So steht zu erwarten, dass auch die letzten Unterschiede zur Ehe bald beseitigt werden.

Das gilt auch für das Adoptionsrecht. Zwar können aus einer gleichgeschlechtlichen Lebenspartnerschaft schlechterdings keine Kinder hervorgehen, aber in einer kleinen Anzahl von Lebenspartnerschaften wachsen auch Kinder auf. Sie stammen entweder aus einer vorangegangenen heterosexuellen Beziehung oder sind das Resultat einer heterologen oder donogenen ↗Insemination. Auch aus einer in Deutschland zwar verbotenen, aber im Ausland praktizierten Leihmutterschaft können sozial gemeinschaftliche Kinder hervorgehen. Schon nach geltendem Recht kann ein Lebenspartner das leibliche Kind oder das Adoptivkind seines Lebenspartners allein annehmen (§ 9 Abs. 7 LPartG; sog.e Stiefkindbzw. Sukzessivadoption), womit dieses gemeinschaftliches Kind der Lebenspartner wird; dies setzt allerdings die Einwilligung der leiblichen Mutter oder des leiblichen Vaters voraus. Der noch nicht gesetzlich zugelassenen gemeinsamen Adoption eines Kindes durch Lebenspartner (s. § 1741 Abs. 2 BGB) stehen aber nach der Rechtsprechung des BVerfG keine verfassungsrechtlichen Hindernisse entgegen. Es sei davon „auszugehen, dass die behüteten Verhältnisse einer e.L. das Aufwachsen von Kindern ebenso fördern können wie die einer Ehe" (BVerfGE 131, 239, 264; 133, 59, 89 f.). Da es aber kein Recht auf ein Kind und damit keinen Anspruch auf Adoption gibt, wäre es überzeugender, wenn dem Gesetzgeber das Recht zugebilligt würde, die gemeinschaftliche Adoption wie bisher Ehepaaren vorzubehalten, um sicherzustellen, dass das Kind im Sinne seiner bestmöglichen Entwicklung erzieherische Impulse von Elternteilen verschiedenen Geschlechts empfängt.

Der e.L. vergleichbare familienrechtliche Institute gibt es in zahlreichen anderen (west-)europäischen Ländern.

Angesichts der weitgehenden Anpassung der e.L. an die Ehe in den Rechtsfolgen, so dass die beiden Institute sich im Wesentlichen nur noch im Namen unterscheiden, stellt sich die Frage, ob es sinnvoll ist, zwei in ihren rechtlichen Regelungsgehalten nahezu identische Institute für verschiedengeschlechtliche Ehepartner und gleichgeschlechtliche Lebenspartner, weiterhin parallel vorzuhalten oder, wie jüngst in Irland geschehen, die

Ehe auch für gleichgeschlechtliche Partner zu öffnen. Von Seiten homosexueller Verbände wird dies mit der Begründung gefordert, auch in der unterschiedlichen Namensgebung liege noch eine Diskriminierung. In den USA ist die *civil union* bereits landesweit durch die nunmehr auch gleichgeschlechtlichen Paaren offen stehende *civil marriage* als einheitlichem Institut abgelöst worden, nachdem der Federal Supreme Court am 26.6.2015 im Fall *Obergefell v Hodges* mit fünf zu vier Richterstimmen entschieden hat, dass gleichgeschlechtliche Partner nach der amerikanischen Bundesverfassung ein Grundrecht (↑Grundrechte) auf Heirat haben, das ihnen aufgrund des Gleichbehandlungsgrundsatzes des 14. Amendments nicht durch einzelstaatliches (Verfassungs-)Recht vorenthalten werden darf. Da ein Wandel des Eheverständnisses in dem Sinne, dass der Geschlechtsverschiedenheit keine das Institut der Ehe prägende Wirkung mehr zukäme, in Deutschland nicht ersichtlich ist, das BVerfG vielmehr noch jüngst bekräftigt hat, dass es die Verschiedengeschlechtlichkeit der Ehepartner zu den durch einfaches Gesetz nicht veränderbaren Strukturelementen des grundgesetzlichen Ehebegriffs rechnet, könnte eine solche Öffnung hier nur durch Verfassungsänderung herbeigeführt werden.

Die ↑katholische Kirche nimmt die urspr. von ihr abgelehnte e.L. hin, ohne sie zu befürworten; das Eingehen einer e.L. besitzt nach der Änderung des ↑kirchlichen Arbeitsrechts 2015 bei Beschäftigten im kirchlichen Dienst nur noch ausnahmsweise Kündigungsrelevanz. Eine rechtliche Gleichstellung der e.L. mit der Ehe wird abgelehnt. Die Haltung der evangelischen Kirche (↑EKD) differiert je nach Landeskirche und einzelner Gemeinde. Segnungen e.L. sind mittlerweile weit verbreitete Praxis; die rheinische und eine weitere Landeskirche erlauben auch Trauungen von homosexuellen Paaren.

Literatur

D. Gallo/L. Paladini/P. Pustorino (Hg.): Same-Sex Couples before National, Supranational and International Jurisdictions, 2014 • G. D. Gade/C. Thiele: Ehe und eingetragene Lebenspartnerschaft: Zwei namensverschiedene Rechtsinstitute gleichen Inhalts?, in: DÖV 4 (2013), 142–151 • H. Gerhard: Die eingetragene Lebenspartnerschaft, 2009 • D. Schwab: Die eingetragene Lebenspartnerschaft, 2002.
CHRISTIAN HILLGRUBER

Eingriffsverwaltung ↑Verwaltung

Einigungsvertrag ↑Deutsche Einheit

Einkommen

1. Einzelwirtschaftliche Betrachtung
1.1 Einkommen und Einkommensbezieher
Unter E. werden die Mittel verstanden, die einer Person, einer Gruppe oder einem ↑Unternehmen zur Verfügung stehen, um in einem bestimmten Zeitraum Ziele zu verfolgen. E. ist folglich immer eine Zeitraumgröße, die sich auf eine bestimmte Periode bezieht. Es stellen sich damit Probleme der zeitlichen Zuordnung, der sachlichen Abgrenzung und schließlich der Zurechnung zu E.s-Beziehern.

Als Periode werden meist der Monat oder das Jahr als zeitlicher Rahmen gewählt. Die Zuordnung zu einer Periode erfolgt nach dem Zeitpunkt der Entstehung einer Forderung. Bei Untersuchungen zur E.s-Verteilung von im Lebenslauf stark schwankenden E. (z.B. Ausbildungszeiten) kann auch das Lebens-E. die sinnvolle Bezugsgröße sein, während für Bereiche mit starkem klimatisch bedingten (Landwirtschaft und Fremdenverkehr) oder konjunkturellen Einfluss eine Betrachtung über mehrere Jahre als angemessen erscheinen.

Die Unterscheidung zwischen Brutto- und Netto-E. spricht die Differenz an, die durch die direkte Besteuerung entsteht. Für den Vergleich der E. im Zeitablauf (Längsschnittbetrachtung) wird zwischen Nominal- und Real-E. unterschieden. Berücksichtigung findet dabei, dass ein Teil der nominalen Entwicklung durch Preisänderungen bedingt ist. Für die Preisbereinigung wurde ein Verbraucherpreisindex der Lebenshaltungskosten entwickelt. Diesem allg. meist verwendeten Preisindex liegt ein bzgl. der Warenzusammensetzung regelmäßig aktualisierter, repräsentativer Warenkorb der Haushalte zugrunde. Die Preise eines Warenkorbes im Basisjahr als 100 % zugrunde gelegt, bilden dann für die kommenden Jahre als Index die Preisentwicklung in Bezug auf dieses Basisjahr ab. Je nach Bedarfsstruktur wurden auch unterschiedliche Indices entwickelt, da Haushalte je nach Zusammensetzung verschiedene Bedürfnisse (↑Bedürfnis) haben (z.B.: Rentner, Alleinstehende) und sich deren repräsentative Warenkörbe in ihrer Zusammensetzung unterscheiden.

Bei den Löhnen (↑Lohn) ist zwischen dem Tariflohn und dem Effektivlohn zu unterscheiden. Als Tariflohn bezeichnet man den Lohn, der sich als Mindestlohn in Tarifverhandlungen bildet. Auf seiner Basis führen Überstundenvergütungen und sonstige Zuschläge, die die Anpassung an die jeweilige Wirtschaftlage ermöglichen, zum Effektivlohn, der in der Hochkonjunktur erheblich über dem Tariflohn liegen kann. Die Differenz zwischen Tarif- und Effektivlohn wird Lohnspanne bzw. Lohndrift genannt.

Für Querschnittsbetrachtungen von E. im internationalen Vergleich bleiben aktuelle Wechselkurse (↑Wechselkurs) ungeeignet, da diese stark durch Geschehnisse der ↑Finanzmärkte bestimmt sind. Es muss demzufolge eine Umrechnung über Kaufkraftparitäten erfolgen.

Dabei wird ein Wechselkurs für die Umrechnung verwendet, der sich über den Preis vergleichbarer Warenkörbe ergibt. Problematisch bleibt dies dann, wenn sich repräsentative Warenkörbe zwischen Ländern aus traditionellen oder religiösen Gründen deutlich unterscheiden.

Bei der sachlichen Abgrenzung stellen sich Fragen, ob Begünstigungen (Kantinenessen, Nutzung von Dienstwohnungen und Sportanlagen, Werbegeschenke) in Rechnung zu stellen sind. Die Ermittlungen im Rahmen der VGR berücksichtigen Leistungen im Haushalt mit Ausnahme im Sektor Landwirtschaft (↑Land- und Forstwirtschaft) nicht. Den E. der Unselbständigen werden die Versicherungsbeiträge (Arbeitnehmer- und Arbeitgeberanteil) zugerechnet.

Wenn E. durch die Nutzung von Vermögen entstehen, sind produktionsbedingte Wertminderungen (Abschreibungen) einzubeziehen, während im Allgemeinen die Berücksichtigung von Wertsteigerungen des Vermögens an Bewertungsproblemen scheitert.

Für internationale Vergleiche stellen sich weitere Schwierigkeiten. Je nach dem Wirtschaftsstil von Volkswirtschaften spielt die sog.e Schattenwirtschaft (legal als Nachbarschaftshilfe oder illegal z.B. aus dem Drogenhandel) eine unterschiedlich große Rolle, und bei Entwicklungsländern erhält die Selbstversorgung große Bedeutung. Dies gilt auch für den Fall, dass in sozialistischen Ländern das Preissystem durch Vergünstigungen bei Gütern des lebensnotwendigen Bedarfs einen verteilungspolitischen Zweck verfolgt. Ferner unterscheidet sich international der Anspruch auf staatliche Leistungen (z.B.: Befreiung von Schulgeld und von Studiengebühren, sozialer Wohnungsbau), die im Falle sozialer Leistungen auch Bedeutung erhalten, wenn sie nicht in Anspruch genommen werden, weil ihr Bestehen entsprechende Rücklagenbildungen nicht erforderlich macht. All diese Fragen, wie und inwieweit diese Gesichtspunkte bewertet und berücksichtigt werden sollen, sind insb. für internationale Vergleiche von bes. Bedeutung.

Richtet sich das Interesse einer Betrachtung auf die Entstehung des E.s, so wird das E. dem einzelnen E.s-Bezieher zugerechnet. Dabei erfolgt die Unterscheidung zwischen kontraktbestimmten E. (Faktor-E. und Übertragungen aufgrund rechtlicher Ansprüche) und Residual-E., die als Differenz zwischen Erlösen und ↑Kosten als Gewinn im Wirtschaftsprozess anfallen. Die als Unternehmens-E. zu bezeichnenden E. gesondert zu betrachten, erhält Bedeutung, wenn es um deren Entwicklungsmöglichkeiten oder ihre Besteuerung (z.B. Fragen von ↑Körperschaft- und ↑Erbschaftsteuer) geht.

Die E.s-Statistik unterscheidet vier Kategorien. Zu den E. aus unselbständiger Tätigkeit werden Löhne (↑Lohn), Gehälter und Beamtenbezüge zusammengefasst. Die E. aus Unternehmertätigkeit in der zweiten Kategorie umfassen nach der Abgrenzung der VGR auch die E. der freien Berufe (↑Freie Berufe) sowie die aus der Vermietung nichtlandwirtschaftlicher Gebäude erzielten E. Wenn allerdings diese E. unter dem Begriff Gewinn zusammengefasst werden, handelt es sich nicht mehr um Gewinn verstanden als Residual-E. Die E. aus unselbständiger und unternehmerischer Tätigkeit zusammen werden als Erwerbs-E. bezeichnet. Als dritte Kategorie fasst das System der VGR die sog.en fundierten E. zusammen, die als Vermögens- bzw. Besitz-E. nicht immer klar von den E. aus Unternehmertätigkeit zu trennen sind. Dabei werden die E. aus Vermietung landwirtschaftlicher Gebäude, Vermietung und Verpachtung, Zinsen (↑Zins), Dividenden und Beteiligungserträgen zusammengefasst. Die vierte Gruppe bilden die als Transfer-E. bezeichneten E. aus staatlichen und privaten Übertragungen.

Den verschiedenen E.s-Kategorien können nicht durchgehend eindeutig unterschiedlichen Individuen zugeordnet werden. Der Sachverhalt, dass Personen E. aus verschiedenen Kategorien erhalten, wird als Querverteilung bezeichnet.

Interessieren Fragen der Versorgung, so erscheint das Haushalts-E. als sinnvolle Größe. Beim verfügbaren Haushalts-E. werden vom Brutto-E. des Haushalts die Steuern (↑Steuer), Sozialversicherungsbeiträge, regelmäßige Vermögensteuern (↑Vermögensteuer) und periodisch zu leistende Zahlungen (z.B. Unterhaltszahlungen) abgezogen. Letztere werden dem Brutto-E. des empfangenden Haushalts zugerechnet. Wesentlicher Teil des E.s sind die Einkünfte von Haushaltsmitgliedern über 16 Jahren, Einkünfte aus Vermietung und Verpachtung, Kapitalerträge, Familienleistungen (Kindergeld, Wohnungsbeihilfen), Sozialhilfe, Sozialgeld und bedarfsorientierte Grundsicherung.

Auf dieser Grundlage kann ein Nettoäquivalenz-E. als fiktive Größe ermittelt werden, um das Wohlstandsniveau von Haushalten unterschiedlicher Größe und Zusammensetzung vergleichbar zu machen. Dabei erfolgt für die einzelnen Personen eines Haushaltes eine unterschiedliche Gewichtung. Während eine Person mit dem Gewicht 1,0 beachtet wird, erhalten alle anderen Haushaltsmitglieder ab 14 Jahren ein Bedarfsgewicht von 0,5 und Mitglieder mit 14 Jahren ein Gewicht von 0,3. Damit soll erreicht werden, dass die Vorteile der Ausstattung größerer Haushalte mit Gütern, die nur einmal im Haushalt vorhanden sein müssen (Herde, Waschmaschinen usw.) im Vergleich z.B. zu Einpersonenhaushalten Berücksichtigung finden.

1.2 Armutsgefährdung und Armutslücke

Das Nettoäquivalenz-E. bildet die zentrale Größe für Messungen zum Problem ↑Armut. Als Mittelwert wird dabei der Median der E. gewählt, der als ein Mittelwert der Lage die Gesamtheit nach ihren Merkmalswerten in zwei Hälften trennt. Abgesehen vom Merkmalswert selbst liegen also 50 % unter und 50 % über diesem Wert. Als Schwellenwert für die Armutsgefährdung hat man sich in der nationalen und europäischen ↑Sozialpolitik auf die Höhe von 60 % des Median des Äquivalenz-E.s geeinigt.

2010 waren nach Zahlung staatlicher Sozialleistungen bei einem Schwellenwert von 952 Euro 15,8 % der Bevölkerung armutsgefährdet. Im Rahmen von Armutsanalysen spielt auch der Begriff der Gefährdungslücke eine wesentliche Rolle. Mit diesem bezeichnet man das Ausmaß, wie weit der Median der E. der Armutsgefährdeten vom Schwellenwert abweicht. Diese Armutslücke wird meist als Prozentsatz angegeben, um den dieser Medianwert vom Schwellenwert abweicht. Er lag 2010 bei 21,4 %, d. h. das Median-E. der Armutsgefährdeten lag bei 784 Euro.

2. Gesamtwirtschaftliche Betrachtung

2.1 Volkseinkommen und Sozialproduktbegriffe

Im BIP sind alle Waren und ↑Dienstleistungen zusammengefasst, welche im Inland produziert werden, abzüglich der als Vorleistungen betrachteten Importe. Sie werden mit Marktpreisen bewertet. Eine Ausnahme bilden die Leistungen des ↑Staates, die im Allgemeinen unentgeltlich zur Verfügung gestellt werden. Ihre Bewertung im BIP erfolgt zu Kostenpreisen. Das BIP Deutschlands betrug im Jahre 2014 2 915,7 Mrd. Euro.

Das Bruttonational-E., früher als BSP bezeichnet, kann als Inländerprodukt bezeichnet werden, wobei als Inländer diejenigen Personen aufgefasst werden, die ihren dauerhaften Wohnsitz im Inland haben. Dementsprechend werden vom BIP ausgehend diesem die E. von Inländern im Ausland (Primär-E. aus der übrigen Welt) zugeschlagen und die Leistungen von Ausländern im Inland (Primär-E. an die übrige Welt) abgezogen. Das BSP unterscheidet sich im Wert für Deutschland nur wenig vom BIP und wird für das Jahr 2014 mit 2 982,4 Mrd. Euro ausgewiesen.

Sollen diese Größen jedoch die Leistung der Volkswirtschaft zum Ausdruck bringen, so müssen die nutzungsbedingten Wertminderungen des Produktionskapitals als Abschreibungen in Rechnung gestellt werden. Da diese im Jahr 2014 517,8 Mrd. Euro ausmachten, ergibt sich ein Wert von 2 464,7 für das Nettonational-E. 2014.

Werden von diesem Wert das Ausmaß der indirekten Steuern (↑Steuer) (Produktions- und Importabgaben an den Staat; 2012: 314,0 Mrd. Euro) subtrahiert und die Subventionen (↑Subvention) des Staates (2012: 25,5 Mrd. Euro) hinzugezählt, so ergibt sich das Volks-E. für das Jahr 2012 mit 2 176,2 Mrd. Euro.

Für einen Zeitreihenvergleich müssen diese nominalen Werte mit einem Preisindex deflationiert werden, um die reale Entwicklung im Zeitablauf verfolgen zu können. Dies gilt v. a. für die Darstellung der wirtschaftlichen Entwicklung durch Wachstumsraten. Wenn also dargestellt wird, dass das BIP nach einer Abnahme um 5,1 % im Jahre 2009 in den Folgejahren bis 2012 um 4,2 %, 3,0 % und 0,7 % zugenommen hat, so sind damit die mit einem Preisindex bereinigten realen Werte gemeint.

2.2 Volkseinkommen als Wohlstandsindikator

Sozialprodukt und Volks-E., meist umgerechnet in eine Pro-Kopf-Größe, werden auch als Wohlstandsindikatoren verwendet, wobei bei Querschnittsbetrachtungen im Ländervergleich eine Umrechnung mit Kaufkraftparitäten erfolgen muss.

Die Verwendung dieser Größen zur Wohlstandsmessung sieht sich der Kritik unter verschiedenen Aspekten ausgesetzt. Zum einen betonen Kritiker, dass der Begriff ↑Wohlstand einen derart komplexen Sachverhalt umreißt, dass er nicht durch eine einzige Größe ausgedrückt werden kann, sondern nur in einem Bündel von verschiedenen Sozialindikatoren angemessen auszudrücken ist. Andererseits erfolgen Bemühungen, durch Korrekturen bei einer einzigen Größe, die den Vorstellungen von Wohlfahrt eher entspricht, bleiben zu können, weil über eine einzige Größe leichter eindeutige Schlüsse im intertemporalen und internationalen Vergleich möglich sind.

Was den zweiten Gesichtspunkt angeht, so haben 1972 William Nordhaus und James Tobin das Konzept eines MEW entwickelt. Zum einen werden Ausgaben für Landesverteidigung und innere Sicherheit (Polizei und Gefängnisse) als Beitrag zum Wohlstand angezweifelt und ausgeschlossen, zum anderen betont, dass Ausgaben für Ausbildung und ↑Gesundheit als Investitionen (↑Investition) in Humankapital aufzufassen und auch die dauerhaften Konsumgüter als Vermögen zu verstehen sind. Andernfalls wird nämlich eine Verkürzung der Lebensdauer von dauerhaften Konsumgütern – als Strategie umsatzsteigernder Produktverschlechterung – als wohlfahrtssteigernde Erhöhung erfasst. Die dauerhaften Konsumgüter gehen somit über ihre bewertete Nutzung in die Rechnung ein, die durch bewertete ↑Freizeit und Selbstversorgung im Haushalt, Kosten der Verstädterung (z. B. Fahrzeiten zur Arbeit) weiter ergänzt wird. Damit stellt sich eine Fülle von Bewertungsfragen und damit auch neuer Anlass zu Kritik. Ob bspw. die Ausgaben für Gesundheit, Ausbildung und neue ↑Infrastruktur nicht als Vorleistungen zur Aufrechterhaltung der fraglichen Wirtschaft aufzufassen und damit zu vernachlässigen sind, statt sie als Vermögenserhöhung zu verstehen, kann unterschiedlich beurteilt werden.

Eine Weiterentwicklung als ISEW erfolgte 1989 durch Herman Daly und John Cobb. Der HDI, der seine Entwicklung im Wesentlichen dem pakistanischen Ökonomen Mahbub ul Haq in Zusammenarbeit mit dem Nobelpreisträger Amartya Sen verdankt, hat international bes. Bedeutung erlangt, denn er wird seit 1990 im jährlich erscheinenden „Human Development Report" (deutsch: Bericht für humane Entwicklung) des UNDP veröffentlicht. Er berücksichtigt neben dem BIP pro Kopf die Lebenserwartung, die Bildungsdauer als Anzahl an Schuljahren, die ein 25-Jähriger absolviert hat, sowie die voraussichtliche Dauer der Ausbildung eines Kindes im Einschulungsalter.

Damit fand allerdings die Entwicklung der eindimensionalen Indizes kein Ende, sondern es wurden in Anbetracht von Umwelt- und Armutsproblematik weitere, zugl. speziellere und umfassendere Konzepte entwickelt. 1995 folgte die Veröffentlichung eines GPI, und schließlich entstand in Deutschland ein Nationaler Wohlfahrtsindex.

All diese Indikatoren sind natürlich vom Wohlstandsverständnis ihrer Entstehungskultur geprägt und damit für internationale Vergleiche nur bedingt geeignet, ferner durch eine hohe Zahl von Bewertungsproblemen gekennzeichnet und schließlich mit komplexen Messverfahren verknüpft, die nicht leicht vermittelbar sind, was ihre Anschaulichkeit angeht. Den gängigen Sozialproduktskonzepten liegen, wenn auch in geringerem Maße, auch normative Einstellungen zugrunde, sie bleiben aber leichter zu vermitteln. Ferner ist zu bedenken, dass sie auch mit verschiedenen Wohlstandskomponenten positiv korreliert sind (z. B. Entwicklung der Freizeit, der konsumtiven Aspekte der Bildung, der Ausgaben für die Umwelt) und diese also mittelbar berücksichtigen. Daher stellt sich die Frage, ob die Weiterentwicklungen für die politische Diskussion so viel geeigneter bleiben und ob der höhere Ermittlungsaufwand, die Bewertungsprobleme und die mangelnde Anschaulichkeit zu rechtfertigen sind. Als Schwächen der Sozialproduktskonzepte zur Messung des Wohlstandes bleiben wesentlich drei Gesichtspunkte zu bedenken. Zum einen bleiben Freizeit und ehrenamtlicher Einsatz (↑Freiwilligenarbeit) unbeachtet, ferner sind die E.s-Verteilung und damit subjektives Glückempfinden und gesellschaftliche Beteiligungsmöglichkeiten (↑Partizipation) ohne Einfluss und schließlich werden die Auswirkungen der ↑Produktion auf Umwelt und Ressourcen nicht in Rechnung gestellt. Diese Mängel des BIP, die nur schwer durch eindimensionale Indikatoren zu beheben sind, führten dazu, dass verschiedene Konzepte sog.er sozialer Indikatoren als Ersatz oder Ergänzung entwickelt wurden.

2.3 Soziale Indikatoren

Sozialindikatoren verstehen sich als statistische Instrumente, deren Ziel es ist, ein repräsentatives Bild einer ↑Gesellschaft durch quantitative Daten zu vermitteln. In der getroffenen Auswahl kommt immer zum Ausdruck, welche Gesichtspunkte für die Kennzeichnung von sozialem ↑Fortschritt Wichtigkeit haben. Im Einzelnen stellt sich dabei die Aufgabe, möglichst zu Resultatsindikatoren (Outputindikatoren) an Stelle von Mittelindikatoren (Inputindikatoren) zu kommen. Bspw. stellt im Bereich Gesundheit die Zahl der Krankenhausbetten pro Kopf einen Mittelindikator dar, der bei mangelnder Effizienz nicht unbedingt Ausdruck des Gesundheitszustandes einer Gesellschaft ist. Lebenserwartung und Säuglingssterblichkeit bilden als Resultatsindikatoren den gesellschaftlichen Fortschritt im Bereich Gesundheit zutreffender ab. Ferner werden verschiedene Aspekte wie ↑Arbeitslosigkeit oder Lebenserwartung als unumstritten in die Beurteilung einbezogen, was für Gesichtspunkte wie Frauenarbeit oder Zahl der Abtreibungen nicht gilt. Auch muss die Einbeziehung von subjektiven durch Umfragen ermittelten individuellen Einschätzungen als auch von aktuellen durch ↑Medien beeinflussten Stimmungen vorsichtig beurteilt werden.

Als Hauptanliegen für diese Indikatoren wurden durch die ↑OECD acht Bereiche ausgewählt und zwar: a) Gesundheit, b) Entwicklung der Persönlichkeit durch ↑Bildung, c) ↑Arbeit und Qualität des Arbeitslebens, d) Zeiteinteilung und Freizeit, e) Verfügung über ↑Güter und ↑Dienstleistungen, f) Physische Umwelt, g) Persönliche Sicherheit und Rechtspflege und h) Gesellschaftliche Chancen und Beteiligung. Diese werde jeweils durch mehrere, verschiedene messbare Größen abgebildet.

In Deutschland wurden 13 Dimensionen gewählt: Bevölkerungswachstum, Soziale Strukturen, ↑Arbeitsmarkt, Bildungswesen, E., Transportwesen, Wohnverhältnisse, Gesundheitszustand, Teilnahme am gesellschaftlichen Leben, Umwelt, Sicherheit, Freizeitbeschäftigungen und auch subjektiv empfundene Lebensqualität. Im Einzelnen wurden dabei 260 Indikatoren und 900 Zeitreihendaten verarbeitet.

In Anbetracht dieser Komplexität hat das Bedürfnis, im Zeitablauf und beim internationalen Vergleich eindeutige Schlüsse ziehen zu können, immer wieder dazu geführt, dass Zuflucht zu eindimensionalen Indikatoren wie dem HDI der ↑UNO genommen wurde, womit die Bedeutung sozialer Indikatoren und das Bemühen um deren Weiterentwicklung abgenommen haben.

2.4 Faktoreinkommensquoten
2.4.1 Lohnquote

In der Klassik der VWL (↑Klassische Nationalökonomie) wurde zwischen den Produktionsfaktoren Arbeit, ↑Kapital und ↑Boden unterschieden. Die entsprechenden Faktorentgelte werden als ↑Lohn, ↑Zins und Rente bezeichnet, wobei für den Zins oft auch der normativ belastete Begriff Profit verwendet wird. Der Anteil der unselbständig Beschäftigten am Volks-E. heißt Lohnquote. Bzgl. der Lohnquote gab es lange Zeit eine Diskussion, ob ihre tatsächliche oder vermeintliche Konstanz erklärungsbedürftig sei. Die entsprechenden verteilungstheoretischen Erklärungen lieferten die makroökonomische Grenzproduktivitätstheorie und der nachfrageorientierte Ansatz Nicholas Kaldors. In der makroökonomischen Grenzproduktivitätstheorie wird die Lohnquote durch die Produktionselastizität des Faktors Arbeit einer als technisch gegeben verstandenen makroökonomischen Produktionsfunktion bestimmt. Bei N. Kaldor erfolgt die Erklärung in Keynes'scher Tradition stehend nachfrageseitig über die Sparquoten der Gruppen ↑Unternehmer und Nichtunternehmer. Beide Erklärungen sehen sich über die rein theoretische Kritik auch dem Vorwurf eines ideologischen Gehalts ausgesetzt. Da die Lohnquote allerdings immer den größeren Anteil des gesamten Volks-E. s ausmacht, ist ihre relative Konstanz rein mathematisch nicht verwunderlich und wenig erklärungsbedürftig.

Die Lohnquote in der BRD (West) lag vor dem Jahr 1960 noch unter 60 %, stieg aber dann kontinuierlich bis zu Werten um 70 % an. Für das Jahr 2012 wird für die ↑BRD ein Volks-E. von 2 176,2 Mrd. Euro angegeben und eine Summe für ein Arbeitnehmerentgelt von 1 485,3 Mrd. Euro, was eine Lohnquote von 68,3 % ergibt, wobei dem Arbeitnehmerentgelt auch die Sozialbeiträge der Arbeitgeber (2012: 271,6 Mrd. Euro) zugeschlagen wurden.

Die Tatsache, dass die Größe der Lohnquote zeitweise auch normativ als Ausdruck von Verteilungsgerechtigkeit gedeutet wurde, führte zu zwei Weiterentwicklungen. Zum einen erkannte man, dass die Zunahme der Lohnquote in der BRD nach dem Zweiten Weltkrieg z. T. seine Ursache in einer Änderung der Beschäftigtenstruktur hatte, in dem viele Selbständige z. B. aus der Landwirtschaft und im Kleingewerbe aus ihrer selbständigen Tätigkeit ausschieden und zu Unselbständigen wurden. Bei der Ermittlung einer entsprechend bereinigten Lohnquote wurde also die Beschäftigtenstruktur eines Basisjahres zugrunde gelegt und ermittelt, welche Lohnquote sich ergeben hätte, wenn die Beschäftigtenstruktur sich nicht geändert hätte. Der Prozentsatz der Selbständigen mit Familienangehörigen nahm in der BRD (West) von 1950 28,3 %, 1960 22,5 %, 1970 17,5 %, 1980 12,1 % sowie 1990 auf 10,8 % ab und liegt in den Jahren 2000–2014 mit geringen Abweichungen bei ungefähr 11 %. Da somit die Beschäftigungsstruktur nur noch geringe Veränderungen aufweist, spielt die Berechnung der bereinigten Lohnquote folglich nur noch für sehr langfristige Betrachtungen eine Rolle.

Ein weiterer Begriff ist die ergänzte Lohnquote. Dabei wird bei einer normativen Interpretation der Lohnquote darauf Wert gelegt, dass auch das E. selbständig Tätiger mit Arbeit verbunden ist und daher dem Produktionsfaktor Arbeit bei den Selbständigen für derartige Betrachtungen auch ein Arbeits-E. zuzurechnen wäre. Dabei wird ein kalkulatorischer Unternehmerlohn ermittelt, der als Durchschnitts-E. eines ↑Arbeitnehmers definiert wird. Das Arbeits-E. der Selbstständigen und der mithelfenden Familienangehörigen ergibt sich danach aus deren Zahl multipliziert mit diesem Durchschnitts-E. Die ergänzte Lohnquote als Anteil des Faktors Arbeit am Volks-E., auch als Arbeits-E.s-Quote bezeichnet, fällt mit den Werten 74,5 % (2010) und 76,5 % (2012) entsprechend höher aus und kann auch Werte von über 80 % erreichen (2000: 80,3 %).

Da jedoch die E.s-Ungleichheit in der BRD in den letzten Jahren sehr stark durch die Entwicklung von Gehältern, Boni und Abschlagsprämien des ↑Managements bestimmt wurde, die formal den Unselbständigen zuzurechnen sind, hat die normative Deutung der Lohnquotenentwicklung als Ausdruck sozialer ↑Gerechtigkeit an Bedeutung verloren.

2.4.2 Rentenanteil und Gewinnquote

Während sich in der üblichen Zweifaktorenbetrachtung die Gewinnquote als Wert ergibt, der sich mit der Lohnquote zu 100 % ergänzt, hat die Klassik drei Faktoanteile betrachtet und entsprechend der damaligen großen Bedeutung der Landwirtschaft die unterschiedliche Ertragskraft des Bodens zur Begründung einer Qualitätsrente herangezogen. Nach der damaligen Theorie der Bevölkerungsentwicklung führt ein Lohnanstieg zu einer wachsenden Bevölkerung, wodurch die Konkurrenz auf dem Arbeitsmarkt wieder den existenzminimalen ↑Lohn erzwingt. Bei wachsender Bevölkerung und zunehmender Nachfrage nach Nahrung müssen immer schlechtere Böden bebaut werden, dadurch nimmt der Anteil der entsprechenden Differentialrenten, die den Bodeneigentümern zufallen, fortwährend zu. Als Folge dieser Entwicklung sinkt fortwährend der als Profitquote bezeichnete Unternehmeranteil.

Karl Marx hat, in einem Zweigruppenmodell Arbeiter und Kapitalisten unterscheidend, auch ein Gesetz für den Fall der „Profitrate" begründet. Den existenzminimalen Lohn der Arbeiter erklärt er durch den ↑Wettbewerb, der die Kapitalisten andauernd zu kapitalintensiverer Produktion zwingt und so durch Freisetzung von Arbeitern eine „Reservearmee" erzeugt, die im Wettbewerb um Arbeitsplätze zur existenzminimalen Entlohnung führt. Die Profitrate, die K. Marx als Quotient der Stromgrößen Mehrwert (m) dividiert durch die Summe von Kapitaleinsatz (Konstantes Kapital c, Stromgröße!) und Lohnsumme (variables Kapital v) definiert, sinkt dabei dadurch, dass die erzwungene, andauernde Erhöhung des Einsatzes an konstantem Kapital und die „organische Zusammensetzung" des Kapitals c/v erhöht. Bei angenommen konstanter Mehrwertquote m/v sinkt die Profitrate.

In der Weiterentwicklung durch die Neoklassik erfolgt die Erklärung der Faktor-E. Lohn und Zins durch die Grenzproduktivitätstheorie gemäß einem technisch bestimmten Beitrag. Diese Erklärung provozierte wegen ihres als ideologisch betrachteten Gehalts eine Fülle von Diskussionen mit der Thematik „Macht oder ökonomisches Gesetz". In verschiedenen „Monopolgradtheorien" wurde neben nachfrageorientierten Ansätzen im Stile N. Kaldors versucht, die Verteilung zwischen den Gruppen der Selbständigen und der Unselbständigen zu erklären, die zunehmende Ungleichheit innerhalb dieser Gruppen hat indessen die wissenschaftliche Aufmerksamkeit zunehmend auf die personelle E.s-Verteilung gelenkt.

2.5 Personelle Einkommensverteilung

Bei allen Entwicklungen von sozialen Indikatoren wird der personellen E.s-Verteilung bes. Bedeutung beigemessen. Als Maß kommt dabei oft der Gini-Konzentrationsindex zum Einsatz, der sich von der Darstellung in der Lorenzkurve herleitet und der Werte zwischen 0 (völlige Gleichverteilung) und 1 (extremste Ungleichverteilung) annimmt und im Jahr 2014 für Deutschland bei 0,307 lag. Der Gini-Koeffizient spricht stark auf Veränderungen im mittleren E.s-Spektrum an, hat indessen den Nachteil, dass er die Unterschiede bzgl. der obersten und der untersten E. bei E.s-Polarisierungen, denen oft die bes. Aufmerksamkeit gilt, nicht verdeutlicht. Das ebenfalls gebräuchliche Maß von Anthony Atkinson erlaubt es, normative Bewertungen von Ungleichheit (die Ungleichheitsaversion einer Gesellschaft) explizit in die Analyse einfließen zu lassen und den Abstand der tatsächlichen zur gewünschten E.s-Verteilung auszudrücken. Die Frage bleibt aber, ob es sinnvoll ist, die Ungleichheitsaversion, die zweifelsohne auch durch Stimmungen und die entsprechenden Darstellungen in den Medien bestimmt wird, in ein solches Maß einzubeziehen, zumal es nicht sonderlich anschaulich ist und damit in der politischen Diskussion leicht missbraucht werden kann.

In dieser Hinsicht sind diesen Maßen die sog.en Quantile überlegen. Dabei wird die Gesamtheit der betrachteten E.s-Empfänger nach ihrem E. zu Gruppen zusammengefasst und diesen ihr Anteil am Gesamt-E. zugeordnet. Bei der Betrachtung von Quintilen bspw. werden fünf Gruppen der so geordneten E.s-Empfänger gebildet und ihnen ihr Anteil am Gesamt-E. zugeordnet. Die Angabe für das erste Quintil von 7,2 für die Haushalts-E. im Jahr 2011 bedeutet also, dass die 20 % der ärmsten Haushalte 7,2 % des Gesamt-E. s erhalten, während den 20 % der reichsten ein Anteil von 40,2 % zukommt. Ein anderes Maß, welches die Aufmerksamkeit etwas stärker auf die Randgruppen lenkt, ist das Maß D90/D10. Dabei wird die Verteilung in zehn Teile zu je 10 % (Dezile) unterteilt und das oberste Dezil in Relation zum untersten gestellt. Die Angabe von 3,6 für diesen Ausdruck für Deutschland im Jahr 2010 bedeutet also, dass der E.s-Anteil der 10 % Reichsten das 3,6-fache des Anteils der 10 % Ärmsten beträgt. Diese Betrachtungsweise, die auch für die Untersuchung der Vermögenskonzentration Verwendung findet, führt, je mehr man sich den kleineren Anteilen an den Rändern der Verteilung zuwendet, zu extremeren Werten, und ihre Wahl in der Argumentation ist stark durch die politischen Absichten in der Diskussion bedingt.

Ein Maß, welches durch Robert Gibrat theoretisch begründet wurde, ist die Standardabweichung der logarithmierten E. Mit seinem „Gesetz" des proportionalen Effekts, in welchem er das Zustandekommen einer Normalverteilung nicht auf die absoluten, sondern die relativen Größen (die E.s-Verhältnisse also) bezog, erklärte er die typische Rechtsschiefe (Linkssteilheit) für die Häufigkeitsverteilung vieler nach unterschiedlichen Abgrenzungen gebildeter E.s-Gruppen (vgl. Abb. 1).

Diese Gestalt der E.s-Verteilungskurve bleibt zweifelsohne nicht ohne Einfluss auf die individuelle Wahr

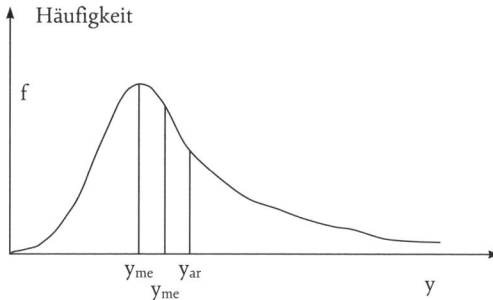

Abb. 1: Einkommensverteilung nach Gibrat

nehmung von E.s-Ungleichheit, zumal dieses typische Muster bei den nach verschiedensten Gesichtspunkten gebildeten Gruppen auftritt. Wenn sich nämlich die Wahrnehmung der eigenen Stellung in der E.s-Pyramide nach dem am häufigsten beobachteten, wahrgenommenen Lebensstandard der Bezugsgruppe orientiert, bildet der Modus als der häufigste Wert die Referenzgröße. Dieser Mittelwert der Lage liegt aber bei dieser Gestalt der Verteilungskurve bei einem geringeren Wert als der Median. Mithin ist anzunehmen, dass sich die Mehrheit der jeweiligen Gruppe als besser gestellt fühlt, als dies im Modalwert zum Ausdruck kommt. Da der Modus im Allgemeinen bei 60–70 % und der Median bei 80–90 % des arithmetischen Mittels als rechnerischem Durchschnitts-E. liegt, ist es nicht verwunderlich, dass in Westdeutschland über 60 % der Männer (1992 67 %; 2004 62 %; 2008 61 %) und um 60 % der Frauen (1992 63 %; 2004 61 %; 2008 59 %) ihren eigenen Anteil am ↑Wohlstand als „gerechten Anteil/mehr als gerechten Anteil" beurteilen. Für das Jahr 1991 sind die Angaben nach Quintilen aufgeschlüsselt, und als „gerechten Anteil oder mehr" stufen sogar 60 % des untersten Quintils ihr E. ein, und die Werte steigen bis zum obersten Quintil auf 83 % an. Die Frage, ob die bes. Gestalt der Häufigkeitsverteilung der E. Ausdruck eines Verteilungsgleichgewichts ist, die Vilfredo Pareto schon Ende des 19. Jh. gestellt hat, hat aktuell durch Friedrich L. Sell bes. Beachtung erfahren. Die zunehmende Aufmerksamkeit, die Fragen der E.s- und Vermögensverteilung finden, hängt zweifelsohne mit der bes.n Beachtung zusammen, die dem Werk von Thomas Piketty zukommt.

2.6 Einkommenstheorie und Einkommenspolitik
Die ideengeschichtliche Frage nach der Ursache der Wertschöpfung begann in der Physiokratie, die ihren Schwerpunkt wesentlich im absolutistischen Frankreich des 18. Jh. hatte. Die Entwicklung kann als Gegenbewegung zum ↑Merkantilismus, in Frankreich speziell Colbertismus, verstanden werden. Dieser sah als zentrale wirtschaftspolitische Aufgabe zur Stärkung der Staatsmacht (↑Staat) die staatlich gesteuerte Förderung der gewerblichen ↑Produktion, insb. von Luxuswaren und

des Bergbaus zur Gewinnung von Edelmetallen an. Dies führte zu einer Vernachlässigung der Landwirtschaft, der nun die Physiokratrie die zentrale Rolle zusprach. Lediglich durch die Früchte des Bodens (Physiokratie wird frei als Herrschaft der Natur übersetzt.) entsteht danach ein *produit net* als Wertschöpfung. Dem Gewerbe kommt nach diesem Verständnis lediglich die Rolle zu, die landwirtschaftlichen Produkte umzuformen, es schafft demnach letztlich nichts Neues und wird daher als *classe sterile* bezeichnet. Diese Auffassung war natürlich in den Zeiten der folgenden Industriellen Revolution (↑Industrialisierung, Industrielle Revolution) nicht zu halten, und die englischen Klassiker (z. B. Adam Smith) sahen in der industriellen Produktion eine Quelle des Wohlstandes. Allerdings hat diese Klassik die ↑Dienstleistungen nicht als wertschaffend eingestuft, und es wurde folglich kritisiert, dass danach die Tätigkeit, Schweine zu füttern, wertschaffender sei als die Tätigkeit eines Lehrers. Eine diesbezügliche Weiterentwicklung bei der Untersuchung der Ursachen für den Wohlstand (synonym wird oft der Begriff Reichtum verwendet) der Volkswirtschaften stellt die Lehre der „produktiven Kräfte" von Friedrich List dar. ↑Bildung, ↑Erziehung, ↑Wissenschaft, ↑Kunst und entsprechende gesellschaftliche Institutionen stellen nach ihm wesentliche Voraussetzungen für die Entwicklung des „Reichtums" dar.

Mit der Neoklassik erfolgt die Hinwendung zur mikroökonomischen Betrachtungsweise. Der Wettbewerb führt langfristig zur Eliminierung des Gewinns als Residualgröße, so dass sich das E. ausschließlich als Summe von Faktor-E. ergibt, die als Entlohnung entsprechend der Grenzproduktivitätstheorie erklärt werden.

Bei John Maynard Keynes rückt die makroökonomische Kreislaufbetrachtung unter Betonung der gesamtwirtschaftlichen Nachfrage in den Blickpunkt. Das E. wird zugl. zur erklärenden und erklärten Variablen, und E.s- und Beschäftigungstheorie entwickeln sich praktisch zu synonymen Begriffen. In der damit in den Mittelpunkt rückenden Theorie der makroökonomischen Konsumfunktion kommt es zur Herausbildung verschiedener E.s-Begriffe als erklärender Variablen in der Konsumfunktion. Mit der diesen Ideen folgenden Beschäftigungspolitik (Fiskalpolitik) trat zunehmend das Inflationsproblem (↑Inflation) in den Blickpunkt, und die Rolle der ↑Geldpolitik erfuhr in der Kontroverse zwischen Fiskalismus und Monetarismus zunehmend wissenschaftliche Aufmerksamkeit. Schließlich kam es in der sog.en Phillipskurvendiskussion, eines Zusammenhangs zwischen Inflationsrate, Lohnänderungsrate und Beschäftigung, zur Unterscheidung zwischen lang- und kurzfristigen Effekten. Bzgl. der damit in den Blickpunkt geratenen Erwartungsbildung fand die Theorie der Rationalen Erwartungen bes. Beachtung, die schließlich zur extremen Position einer Politikineffizienzhypothese führte. Wenn danach die Wirtschaftssubjekte in ihren Aktionen die erwartete tatsächliche ↑Politik vorwegnehmen, bleibt diese letztlich wirkungslos. Die praktische ↑Wirtschaftspolitik blieb allerdings von diesen theoretischen Auseinandersetzungen weitgehend unberührt und wandte sich zunehmend einer längerfristigen Betrachtungsweise unter Betonung der Angebotsseite zu.

Mit der Abwendung vom Konzept der Nachfragesteuerung hat auch ein wichtiger Gesichtspunkt der E.s-Politik seine Bedeutung verloren. Dabei ging es darum, durch die wirtschaftspolitische Umverteilung auf Gruppen unterschiedlicher Konsumneigung gezielt Einfluss auf die Entwicklung der Gesamtnachfrage zu nehmen. Die zweite und eigentliche Aufgabe der Verteilungspolitik sieht die Verteilung nicht als Mittel, sondern als eigentliches Ziel. Sie überschneidet sich folglich in weiten Teilen mit der ↑Sozialpolitik.

Literatur

Eurostat: EU-SILC-Survey, Gini coefficient of equivalised disposable income, 2016 • StBA (Hg.): Datenreport 2016, 2016 • IW: Volkseinkommen (2015), URL: http://www.deutschland inzahlen.de/tab/deutschland/volkswirtschaft/einkommen/volkseinkommen (abger.: 22.3.2018) • F. L. Sell: The New Economics of Income Distribution, 2015 • UNDP (Hg.): Human Development Report 2015, 2015 • T. Piketty: Das Kapital im 21. Jahrhundert, München, 2014 • IW (Hg.): Zahlen zur wirtschaftlichen Entwicklung der Bundesrepublik Deutschland, 2013, 2013 • StBA (Hg.): Datenreport 2013, 2013 • M. Frenkel/D. John: Volkswirtschaftliche Gesamtrechnung, ⁷2011 • StBA (Hg.): Datenreport 2011, 2011 • H. Diefenbacher/R. Zieschank/D. Rodenhäuser: Wohlfahrtsmessung in Deutschland, 2010 • A. Sen: Ökonomie für den Menschen, 2000 • K. Pribran: Geschichte des ökonomischen Denkens, 2 Bde., 1998 • C. Cobb/T. Halstead/J. Rowe: The Genuine Progress Indicator, 1995 • G. Blümle: Personelle Einkommensverteilung als Ausdruck eines Verteilungsgleichgewichts?, in: H. Mäding/F. L. Sell/W. Zohlnhöfer (Hg.): Die Wirtschaftswissenschaft im Dienste der Politikberatung, 1992, 209–225 • IW (Hg.): Zahlen zur wirtschaftlichen Entwicklung der Bunderepublik Deutschland, 1992 • StBA (Hg.): Datenreport 1992, 1992, 542 • H. Daly/J. Cobb: For The Common Good, 1989 • H. J. Ramser: Verteilungstheorie, 1987 • G. Blümle/J. Klaus/A. Klose: Einkommen, in: StL, Bd. 2, ⁷1986, 178–196 • IW (Hg.): Zahlen zur wirtschaftlichen Entwicklung der Bunderepublik Deutschland, 1981 • K. Marx: Das Kapital – Dritter Band, in: MEW 23, 1979 • G. Blümle: Zur Messung der personellen Einkommensverteilung, in: SZVS I/3 (1976), 45–65 • G. Blümle: Theorie der Einkommensverteilung, 1975 • W. Nordhaus/T. William: Is growth obsolete?, 1972 • R. Gibrat: Les inégalités économiques, 1931 • V. Pareto: La Courbe de la Répartition de la Richesse, 1896.

GEROLD BLÜMLE

Einkommensteuer

I. Rechtlich – II. Wirtschaftswissenschaftlich

I. Rechtlich

1. Einleitung

Die E. ist die Steuer auf das ↑Einkommen einer natürlichen Person, die an die Erhöhung der wirtschaftlichen Leistungsfähigkeit infolge einer vom Gesetzgeber als steuerbar bestimmten „Betätigung" zur Einkunftserzielung am Markt anknüpft. Besteuert wird die Erzielung des Einkommens, nicht dagegen seine Verwendung. Die Einkommensverwendung belasten USt und andere Verbrauchsteuern als Konsumsteuern. Als eine direkte ↑Steuer belastet die E. den Steuerpflichtigen selbst und ist nicht wie eine indirekte Steuer nach der Intention des Gesetzgebers auf die Abwälzung auf einen anderen „Steuerträger" angelegt, wie etwa die ↑Umsatzsteuer. Die E. wird in der BRD auf der Rechtsgrundlage des EStG erhoben und ist derzeit die aufkommensstärkste Steuer. Als Gemeinschaftsteuer steht sie Bund, Ländern und Gemeinden (↑Gemeinde) gemeinsam zu (Art. 106 Abs. 3 GG).

2. Leistungsfähigkeitsprinzip und Einkommensbegriff

Für die Ausgestaltung des E.-Rechts und für die Bestimmung des ↑„Einkommens" ist das Prinzip der Besteuerung nach der wirtschaftlichen Leistungsfähigkeit grundlegend. Als Maßstab für die Verteilung von Steuerlasten steht es auch im Dienste einer dem Gleichheitssatz entsprechenden Besteuerung. Es ist im Ausgangspunkt ein hoch abstraktes Leitprinzip, das den Rechtssetzer und Rechtsanwender nicht bis in Details anleitet, sondern auf Konkretisierung anhand von Wertungen und Subprinzipien angewiesen ist. Unter Berufung auf das abstrakte Leistungsfähigkeitsprinzip darf nicht lediglich Erwünschtes postuliert werden, vielmehr sind primär gesetzgeberische Konkretisierungen erforderlich. Der Gesetzgeber ist bei der Definition der Leistungsfähigkeit zwar keineswegs völlig frei und ungebunden. Ihm kommt jedoch die Belastungs- und Einschätzungsprärogative zu, wann er bei wem welche Leistungsfähigkeit besteuern will. Zur Auswahl des Gesetzgebers stehen verschiedene Einkommenstheorien wie die Quellentheorie (Besteuerung laufender Erträge aus bestimmten Quellen), die Reinvermögenszugangstheorie (Besteuerung sämtlicher „Vermögensmehrungen" unter Einschluss von Nutzungen und Wertschöpfungen) oder die Markteinkommenstheorie (Besteuerung des am Markt erwirtschafteten Einkommens). Der deutsche Gesetzgeber hat sich nicht für eine Einkommenstheorie entschieden, sondern verwendet traditionell einen pragmatischen Einkommensbegriff (§ 2 Abs. 1, 2 EStG). Da sich jedes Gesetz auch im praktischen Vollzug bewähren muss, hat der Gesetzgeber die Aufgabe, das Leistungsfähigkeitsprinzip bereits bei der Definition des Einkommens gegen das Praktikabilitätsprinzip abzuwägen. Auch wenn sich idealtypisch über viele Quellen der Leistungsfähigkeit nachdenken lässt, bspw. über das Potential zur Bedürfnisbefriedigung und die Konsumfähigkeit, die etwa auch das Reitpferd sowie den eigenen Hausgarten und viele andere Nutzungen einbeziehen, wäre eine solche idealtypische Ausweitung des Einkommensbegriffs überambitioniert. Es wäre eine unerfüllbare Vollzugsaufgabe, die notwendigerweise zu Vollzugsungleichheiten und zu verfassungsrechtlichen Gleichheitsfragen führen würde. Das ↑BVerfG hat zu Beginn der 90er Jahre für den Steuergesetzgeber die Gewähr einer strukturellen Vollzugsfähigkeit der Steuergesetze zur Verfassungspflicht erhoben. Dieser muss strukturell sicherstellen, dass eine Gleichheit im Belastungserfolg eintritt. Daran sind auch die Besteuerung nach der wirtschaftlichen Leistungsfähigkeit und der Einkommensbegriff, der diese verwirklichen soll, zu messen.

3. Objektives und subjektives Nettoprinzip

Das Prinzip der Besteuerung nach der wirtschaftlichen Leistungsfähigkeit wird durch das Nettoprinzip in seinen Ausprägungen als objektives und als subjektives Nettoprinzip konkretisiert. Es zielt darauf ab, dass nur disponibles ↑Einkommen besteuert wird. Während das objektive Nettoprinzip darauf gerichtet ist, Erwerbsaufwendungen (Werbungskosten/Betriebsausgaben) von der Bemessungsgrundlage der E. abzuziehen, ist nach dem subjektiven Nettoprinzip sicherzustellen, dass existenzsichernde Aufwendungen eines Menschen (↑Existenzminimum, Vorsorgeaufwendungen etc.) von der Besteuerung freigestellt sind.

Der Stellenwert und die verfassungsrechtliche Verwurzelung des objektiven Nettoprinzips werden schon seit vielen Jahren diskutiert. Das ↑BVerfG hat es bislang ausdrücklich offengelassen, ob das objektive Nettoprinzip verfassungsrechtlich vorgegeben ist, denn jedenfalls soll die vom Gesetzgeber getroffene Entscheidung zur Verwirklichung des objektiven Nettoprinzips folgerichtig im Sinne einer Belastungsgleichheit umzusetzen sein. Demnach darf der Gesetzgeber das objektive Nettoprinzip nur mit einer bes.n Rechtfertigung durchbrechen. Trotz zahlreicher substantieller Durchbrechungen im geltenden Recht bleibt das objektive Nettoprinzip weiterhin eine folgerichtig auszugestaltende Grundentscheidung des Gesetzgebers. Unabhängig von den Anforderungen des gleichheitsrechtlich fundierten Folgerichtigkeitsgebots kann die Verwirklichung des objektiven Nettoprinzips dazu beitragen, die in der deutschen ↑Finanzverfassung enthaltene konzeptionelle Unterscheidung zwischen E. und ↑Umsatzsteuer zu wahren. Eine systematische Abkehr vom objektiven Nettoprinzip könnte die E. zu einer Steuer auf Umsätze denaturieren und damit von der USt nicht mehr unterscheidbar machen. Insoweit hat der Gesetzgeber aus finanzverfassungsrechtlichen Gründen ein Abstandsgebot zwischen den Steuerarten zu wahren.

Im Unterschied zum objektiven Nettoprinzip ist die verfassungsrechtliche Radizierung des subjektiven Nettoprinzips durch das Sozialstaatsprinzip (↑Sozialstaat), aber auch durch grundrechtliche Gewährleistungen allg. anerkannt. Die danach zu berücksichtigenden Aufwendungen können aus Praktikabilitätsgründen mitunter nur pauschal, etwa als Grundfreibetrag für das sächliche Existenzminimum, abgezogen werden. Die damit einhergehenden Ungleichbehandlungen sind unter bestimmten Voraussetzungen auch verfassungsrechtlich hinzunehmen. Trotz seiner verfassungsrechtlichen Verwurzelung ist die Verwirklichung des subjektiven Nettoprinzips nicht unbestritten. Dies zeigt sich etwa der Kontroverse zwischen Juristen und Ökonomen um die Berücksichtigung der außerbetrieblichen Sphäre des Betriebsinhabers bei der E. Ökonomen haben ausgehend von der Idee der E. als einer Betriebsteuer gerügt, dass die Berücksichtigung von außerbetrieblichen Lasten zu einer Verzerrung der Wettbewerbsgleichheit führt, weil nicht das Betriebsergebnis besteuert wird, sondern die individuelle Leistungsfähigkeit. Die deutschen Verfassungsjuristen, insb. Klaus Vogel, haben diesen Ökonomen entgegenhalten, dass Ökonomen nicht über die Frage entscheiden sollten, ob ein verfassungsrechtlich gebotener Abzug von Aufwendungen der subjektiven Sphäre des Steuerpflichtigen gewährt wird oder nicht. Die unterschiedliche Entlastungswirkung sei gleichheitsgerecht, weil sie nur Kehrseite oder Reflex des progressiven Steuertarifs sei. Auch wenn sich beide Seiten auf das Leistungsfähigkeitsprinzip berufen, unterscheidet sich der Anknüpfungspunkt: Auf der einen Seite lässt sich Leistungsfähigkeit aus ökonomischer Sicht als eine betriebsbezogene Funktionsgröße zur Gewähr von Wettbewerbsgleichheit verstehen. Aus juristischer Perspektive lässt sich die Individualbesteuerung der gesamten Leistungsfähigkeit einer Person zum Ziel der Besteuerung nach der wirtschaftlichen Leistungsfähigkeit erheben, so dass zentrale Bedeutung hat, in welcher Höhe dem Steuerzahler disponibles Einkommen zur Verfügung steht.

4. Steuergerechtigkeit

Das Leistungsfähigkeitsprinzip ermöglicht als Leitprinzip für die Bestimmung des steuerbaren ↑Einkommens auch die Verwirklichung von Steuergerechtigkeit im Sinne einer gleichen Steuerlast bei gleicher Leistungsfähigkeit (horizontale Steuergerechtigkeit) und einer verhältnismäßig höheren Steuerlast bei höherer Leistungsfähigkeit (vertikale Steuergerechtigkeit). In letzterem Fall ergibt sich die höhere Steuerlast nicht nur aus der höheren Bemessungsgrundlage, sondern auch aus einem höheren (progressiven) Steuersatz. Es mehren sich jedoch die Stimmen, die im progressiven Steuersatz weniger einen Ausdruck von (vertikaler) Steuergerechtigkeit sehen als vielmehr eine sozialstaatlich motivierte

Umverteilung. Der Tarifverlauf der E. ist verfassungsrechtlich nicht vorgegeben, sondern steht zwischen der gebotenen Verschonung des Existenzminimums und der verbotenen Übermaßbesteuerung zur steuerpolitischen Disposition des Parlaments.

5. Zeitbezug

Sowohl auf der Ebene des Prinzips der Besteuerung nach der wirtschaftlichen Leistungsfähigkeit als auch auf der Ebene der Subprinzipien des objektiven und des subjektiven Nettoprinzips stellt sich die Frage nach dem richtigen Zeitbezug. Die Berücksichtigung des Lebenseinkommens, das mit Blick auf die Funktion des Leistungsfähigkeitsprinzips als gleichheitssatzkonformer Maßstab für die Verteilung der Steuerlasten (s. o. 2.) ideal wäre, ist nur schwer administrierbar. Darum muss die Lebenszeit des Steuerpflichtigen in einzelne Besteuerungsabschnitte (sog.e Veranlagungszeiträume) unterteilt werden (sog.es Abschnittsprinzip). Das Jahresprinzip lässt sich als eine materielle Wertentscheidung begreifen, weil mit der Belastung beim Bürger die Ausstattung der staatlichen Haushalte korrespondiert. Insb. Paul Kirchhof sieht im Abschnittsprinzip auch ein materielles Prinzip der Belastungsgleichheit der Steuerpflichtigen. Diese Sicht ist in der Literatur in Frage gestellt worden. Wirtschaftlich zusammenhängende Sachverhalte werden durch das zufällige Moment der Jährlichkeit in verschiedene Jahresabschnitte und Besteuerungsabschnitte zergliedert. Deswegen halten Klaus Tipke und die von ihm begründete Kölner Schule dem Periodizitätsprinzip entgegen, es sei kein Wertungsprinzip, sondern ein rein technisches Prinzip. Das Verfassungsrecht macht insoweit keine punktgenauen Vorgaben und überlässt die Entscheidung im Rahmen des ↑GG dem Gesetzgeber. Für das geltende Recht hat sich der Gesetzgeber gegen eine Besteuerung nach dem Lebenseinkommen und für eine periodische Besteuerung entschieden (§ 2 Abs. 7 EStG). Das geltende E.-Recht sieht aber zu Recht substanzielle Durchbrechungen und Milderungen des Abschnittsprinzips, bspw. in Gestalt des intertemporalen Verlustabzugs vor.

6. Erhebung und Verfahren

Aufgrund der Komplexität des E.-Rechts kann auch der fachlich gebildete Steuerpflichtige die von ihm geschuldete E. nicht unmittelbar aus dem Gesetz herauslesen. Nicht zuletzt deshalb ist die E. in einem bes.n förmlichen Verfahren festzusetzen (sog.e Veranlagung). Dabei ist der Steuerpflichtige trotz der im Gesetz grundsätzlich vorgesehenen Amtsermittlungspflicht zur Mitwirkung verpflichtet, insb. durch Abgabe einer Steuererklärung. Die Festsetzung der E. erfolgt dann durch Verwaltungsakt in seiner speziellen Ausprägung des Steuerbescheids.

Die E. kann zur Vermeidung von strukturellen Vollzugsdefiziten (s. o. 2.) auch vor oder anstelle einer Veranlagung unmittelbar an der „Quelle" erhoben werden, indem der Schuldner einer steuerbaren Zahlung zu Einbehalt und Abführung der E. an das Finanzamt für Rechnung des Steuerpflichtigen verpflichtet wird. Diese Form der Steuererhebung kann – wie bei der Lohnsteuer – eine bloße Vorauszahlung auf die E. sein, aber auch – wie bei der Kapitalertragsteuer – Abgeltungswirkung haben. Jedenfalls entstehen durch die „Indienstnahme" der (privaten) Abführungspflichtigen weitere verfassungsrechtliche Fragen im Dreiecksverhältnis zwischen dem Staat, dem E.-Pflichtigen und dem steuerentrichtungspflichtigen Dritten.

Literatur

K.-D. Drüen: Prinzipien und konzeptionelle Leitlinien einer Einkommensteuerreform, in: M. Jachmann (Hg.): Erneuerung des Steuerrechts, DStJG, Bd. 37 (2014), 9–63 • K.-D. Drüen: Die Indienstnahme Privater für den Vollzug von Steuergesetzen, 2012 • C. Moes: Die Steuerfreiheit des Existenzminimums vor dem Bundesverfassungsgericht, 2011 • S. Breinersdorfer: Abzugsverbote und objektives Nettoprinzip – Neue Tendenzen in der verfassungsgerichtlichen Kontrolle des Gesetzgebers, in: DStR 49 (2010), 2492–2497 • B. Frye: Die Eigentumsfreiheit des Grundgesetzes als Gebot des sogenannten objektiven Nettoprinzips, in: FR 13 (2010), 603–607 • M. Lehner: Die verfassungsrechtliche Verankerung des objektiven Nettoprinzips, in: DStR 5 (2009), 185–191 • K.-D. Drüen: Die Bruttobesteuerung von Einkommen als verfassungsrechtliches Vabanquespiel, in: StuW 1 (2008), 3–14 • R. Seer: Besteuerung von Einkommen – Aufgaben, Wirkungen und Europäische Herausforderungen. Verhandlungen des 66. Deutschen Juristentages, Bd. II/1, 2006 • J. Lang: Konkretisierungen und Restriktionen des Leistungsfähigkeitsprinzips, in: W. Drenseck/R. Seer (Hg.): FS für Heinrich Wilhelm Kruse, 2001, 313–338 • K. Tipke: Die Steuerrechtsordnung, Bd. 1, ²2000 • K. Vogel: Erwiderung, in: StuW 1 (2000), 90–91 • R. Eckhoff: Rechtsanwendungsgleichheit im Steuerrecht, 1999 • K. Vogel: Besteuerung von Eheleuten und Verfassungsrecht, in: StuW 3 (1999), 201–226 • P. Bareis: Transparenz bei der Einkommensteuer – Zur systemgerechten Behandlung sogenannter „notwendiger Privatausgaben", in: StuW 1 (1991), 38–51 • P. Kirchhof: Der verfassungsrechtliche Auftrag zur Besteuerung nach der finanziellen Leistungsfähigkeit, in: StuW 4 (1985), 319–329 • D. Birk: Das Leistungsfähigkeitsprinzip als Maßstab der Steuernormen, 1983.

KLAUS-DIETER DRÜEN

II. Wirtschaftswissenschaftlich

1. Definition und Abgrenzung

Die E. ist eine direkte Steuer auf das ↑Einkommen von Personen. In der Praxis wird die E. häufig über mehrere steuertechnisch unselbständige Gliedsteuern erhoben. Dabei kann teils ein Quellenabzug (z.B. deutsche LSt), ein Abzug beim Finanzintermediär (z.B. deutsche Kapitalertragsteuer) oder eine Veranlagung auf der Grundlage einer Steuererklärung (z.B. deutsche veranlagte E.) zur Anwendung kommen.

In der finanzwissenschaftlichen Steuerlehre ist es üblich, bei der Definition des Einkommens die Reinvermögenszugangstheorie zugrunde zu legen. Danach sind alle Zuflüsse von Ressourcen in der Bezugsperiode dem Einkommen zuzurechnen, welche bei völliger Abwesenheit von Konsum mit einer Erhöhung des Vermögens der jeweiligen Steuerpflichtigen einhergingen. Eine E. heißt synthetisch, wenn sie dieses Einkommen einem einheitlichen Tarif unterwirft; werden Einkommen aus unterschiedlichen Quellen mit verschiedenen Tarifen besteuert, heißt sie analytisch.

Steuertheoretisch fällt es mitunter schwer, die E. präzise von anderen Steuern (↑Steuer) abzugrenzen. So ist in Abwesenheit von Erbschaften und bei perfekten Kapitalmärkten (↑Geld- und Kapitalmarkt) die USt einer proportionalen E. auf die Lohneinkommen äquivalent. Sozialversicherungsabgaben tragen aufgrund des Fehlens einer versicherungsmathematischen Äquivalenz zumindest teilweise Steuercharakter. Und schließlich lassen sich Bestandsteuern wie eine ↑Vermögensteuer als eine Sollsteuer auf Einkommen betrachten – bei einem generellen Nominalzins von 2% entspräche eine halbprozentige Vermögensabgabe einer Soll-E. auf Kapitaleinkommen von 25%.

2. Bedeutung und Geschichte

International stellt die E. eine Zentralsteuer entwickelter Volkswirtschaften dar, also eine ↑Steuer von erheblicher fiskalischer Bedeutung. Ihr Anteil am Gesamtaufkommen aller Abgaben reicht unter den OECD-Staaten von 1/4 bis zu knapp 2/3. In der BRD entfielen gemäß einer Aufstellung der bpb im Jahr 2012 auf die LSt 24,8%, auf die veranlagte E. 6,2% und auf den Solidaritätszuschlag 2,3% des Gesamtsteueraufkommens von 600 Mrd. Euro. Dazu kamen die ↑Körperschaftsteuer und nichtveranlagte Ertragsteuern mit zusammen 6,1%. Dabei sind die Sozialversicherungsbeiträge in der Angabe des Gesamtsteueraufkommens nicht enthalten. Allerdings wird der internationale Vergleich durch die oben genannten Abgrenzungsschwierigkeiten erschwert.

Historisch betrachtet handelt es sich bei der E. um eine jüngere Steuer. Eine umfassende E. wurde erstmals zum Zwecke der Finanzierung der Napoleonischen Kriege in England (1799) und des Bürgerkriegs in den USA (1862) erhoben, aber nach dem Ende des jeweiligen Konflikts wieder abgeschafft. Erst die 16. Ergänzung zur US-Verfassung von 1913 führte die E. in den USA wieder ein.

In Deutschland entwickelte sich die E. aus der Kriegsfinanzierung nach englischem Vorbild (1811) in der zweiten Hälfte des 19. Jh., indem die (späteren) Bundesstaaten allmählich allg.e E.n einführten. Preußen bspw. ersetzte im Jahre 1891 im Rahmen der Miquelschen Finanzreform die bestehenden Klassensteuern durch eine progressive E. mit Veranlagungspflicht.

3. Zu einer rationalen Gestaltung
von Einkommensteuer
3.1 Steuersubjekt

Als Subjektsteuer ist die E. in der Lage, individuelle Eigenschaften der Steuerpflichtigen zu berücksichtigen. Bei einer reinen Individualbesteuerung wird jede Einzelperson auf der Grundlage ihres persönlichen ↑Einkommens der E. unterworfen. Dies ignoriert, dass Individuen als Mitglieder von Haushalten gegenseitige Verpflichtungen eingehen, aus denen sich Unterhaltsverpflichtungen und Risikoteilung, aber auch Ersparnisse aufgrund von Skalenerträgen in der (praktisch unversteuerten) Haushaltsproduktion ergeben. Verschiedene Formen der Haushaltsbesteuerung, z. B. das deutsche Ehegattensplitting oder das französische Familiensplitting tragen dem Rechnung, wobei allerdings (teils implizit) Annahmen über die „übliche" Aufteilung von Ressourcen in den Haushalten getroffen werden müssen.

3.2 Leistungsfähigkeit, horizontale Gerechtigkeit und die Steuerbemessungsgrundlage

Im Allg.en bringt man die E. mit dem Leistungsfähigkeitsprinzip in Verbindung, also mit der Vorstellung, dass die Bürger eines Staates entsprechend ihrer Fähigkeit, steuerliche Belastungen zu verkraften, zur Finanzierung staatlicher Aufgaben (↑Staatsaufgaben) herangezogen werden sollten. Die Operationalisierung dieser Leistungsfähigkeit nach dem Besteuerungsprinzip der horizontalen Gerechtigkeit ist die Schlüsselfrage für die Abgrenzung der steuerlichen Bemessungsgrundlage. Horizontale Gerechtigkeit verlangt, dass gleiche Steuerpflichtige auch gleich besteuert werden.

Nach dem Nettoprinzip verfügen zwei Steuersubjekte dann über die gleiche steuerliche Leistungsfähigkeit, wenn sie über das gleiche disponible ↑Einkommen zur Bedürfnisbefriedigung verfügen. Dazu sind Werbungskosten, also die für die Einkommenserzielung notwendigen Ausgaben (objektives Nettoprinzip), einerseits und das Existenzminimum der Steuerpflichtigen nebst existenzminimalen Unterhaltsverpflichtungen für Abhängige (subjektives Nettoprinzip) andererseits abzugsfähig.

Im Gegensatz zum Nettoprinzip gilt beim Bruttoprinzip die Summe aller Einkünfte als steuerliche Leistungsfähigkeit, so dass die oben genannten Abzüge entfallen. Innerhalb Europas spielt das Bruttoprinzip steuerrechtlich eine geringere Rolle, obgleich die Tendenz der deutschen Steuergesetzgebung in Richtung einer Verbreiterung der Bemessungsgrundlage durch eine Verminderung der Absetzungsmöglichkeiten und damit einer Schwächung des Nettoprinzips weist.

Aus steuertheoretischer Sicht entstehen im Zusammenhang der Operationalisierung der steuerlichen Leistungsfähigkeit weitere interessante Probleme. Eines hat mit der theoretisch auch zur Vermeidung von Steuerausweichung interessanten Orientierung am Potentialeinkommen zu tun, ein anderes mit der Interaktion von Ertrags- und Bestandssteuern.

3.3 Vertikale Gerechtigkeit und
Gestaltung des Steuertarifs

Bei der Gestaltung des Steuertarifs steht rechtlich die Idee der vertikalen Gerechtigkeit, also einer gerechten Ungleichbehandlung von Ungleichen, im Mittelpunkt. In der Entwicklung der Steuerlehre ging es dabei v. a. um die Tarifprogression. Steuerprogression ist definiert als die Zunahme des Durchschnittssteuersatzes mit der Bemessungsgrundlage: Je höher das ↑Einkommen, desto größer der Anteil dieses Einkommens, der abzuführen ist. Für Steuerprogression ist hinreichend, dass der Grenzsteuersatz den Durchschnittssteuersatz laufend übersteigt. Um dies zu erreichen, kann der Tarif entweder einen steigenden Grenzsteuersatz vorsehen („direkte Progression") oder einen Grundfreibetrag bei ansonsten proportionalem Tarif („indirekte Progression").

In der ↑Finanzwissenschaft wurde zur normativen Analyse des Steuertarifs aus den früheren Opfertheorien die sog.e Optimalsteuertheorie entwickelt. Diese beschäftigt sich zunächst mit der Minimierung der Zusatzlasten der Refinanzierung eines gegebenen Staatsbudgets (↑Staatshaushalt). Bei der Untersuchung des E.-Tarifs wird diese Fragestellung üblicherweise um die Berücksichtigung von Verteilungsgewichten erweitert, welche sich aus einer angenommenen sozialen Wohlfahrtsfunktion ergeben. Damit werden Lasten, die ärmeren Bürgerinnen und Bürgern aufgebürdet werden, unter sonst gleichen Bedingungen stärker gewichtet als die Lasten für Reichere.

Die technische Ableitung eines optimalen E.-Tarifs ist rechnerisch anspruchsvoll. Der Grundgedanke jedoch bleibt einfach: Für jedes Einkommen y wird ein marginaler Steuersatz festgelegt, also derjenige Prozentsatz, der von der letzten Einkommenseinheit abzuführen ist. Erhöht man diesen Grenzsteuersatz an einer Stelle y*, so müssen alle, die mehr verdienen als y*, mehr Steuern zahlen, ohne dass ihre Erwerbsanreize beeinflusst werden. Dieser Vorteil wiegt unter sonst gleichen Umständen umso schwerer, je mehr „reichere" Steuerpflichtige (mit einem größeren Einkommen als y*) es gibt und je höher y* ist (weil „reichere" Zensiten geringer gewichtet werden). Der Nachteil der Erhöhung besteht indes darin, dass die Individuen, die gerade y* verdienen oder die mit einer Erhöhung ihres Einkommens auf y* planen (bei Bildungs- und Karriereentscheidungen), geringere Anreize haben, sich anzustrengen. Dieser Nachteil einer steuerlichen Zusatzlast wirkt umso stärker, je mehr Personen in der Einkommensklasse um y* (und solche mit Aussichten darauf) es gibt und je stärker diese auf Einkommensanreize reagieren.

Der optimale E.-Tarif ist derjenige, bei dem sich die oben genannten Vor- und Nachteile für die Änderung des marginalen Steuersatzes auf jedem möglichen Einkommensniveau die Waage halten und insgesamt das geforderte Staatsbudget gerade gedeckt wird. Simulationen zeigen oft, dass diesen Anforderungen durch einen indirekt progressiven Tarif im Großen und Ganzen entsprochen werden kann. Ein Hauptproblem dieses Ansatzes ist, dass nur kleine Veränderungen der Anstrengung, nicht aber Entscheidungen über Karrierepfade oder das Anstreben von Beförderungen modelliert werden.

Eines der Kernergebnisse der Optimalsteuertheorie besteht darin, dass unter bestimmten technischen Bedingungen (genauer: schwacher Separabilität zwischen Freizeit und den übrigen Konsumgütern im Präferenzfunktional sowie Homothetizität mit Bezug auf die letzteren) eine einheitliche Besteuerung des Konsums optimal ist. Sicherlich liegen die Bedingungen für dieses Resultat tatsächlich nicht vor, aber als Benchmark wird doch klar, dass *a)* eine synthetische E. aus Sicht einer rationalen Besteuerung einen Ausnahmefall darstellt und *b)* die optimale Belastung von Kapitaleinkommen womöglich geringer sein könnte als die von Arbeitseinkommen.

In der neueren Finanzwissenschaft werden zunehmend Ansätze diskutiert, die Gleichheit vor dem Gesetz (horizontale und vertikale Gerechtigkeit) zur Steigerung der Effizienz des Steuersystems zu durchbrechen. Bei dem sog. en Tagging wird die Besteuerung nicht nur aufgrund individueller Eigenschaften der Steuerpflichtigen, sondern auch aufgrund der Zugehörigkeit zu sozialen Gruppen (↑Gruppe) differenziert. Wenn bestimmte auf individueller Ebene schwer beobachtbare Merkmale sich statistisch zwischen den Gruppen unterscheiden, kann die auf der Individualebene gewünschte Differenzierung so indirekt und zumindest im Mittel erreicht werden. Der Preis ist die Einführung von gruppenbezogenen Privilegien.

Literatur

M. Tuomala: Optimal Redistributive Taxation, 2016 • A. B. Atkinson/J. E. Stiglitz: Lectures on Public Economics, ²2015 • S. Homburg: Allgemeine Steuerlehre, ⁷2015 • bpb (Hg.): Steuereinnahmen nach Steuerarten (11.6.2014), URL: http://www.bpb.de/nachschlagen/zahlen-und-fakten/soziale-situation-in-deutschland/61874/steuereinnahme (abger.: 20.3.2018) • J. A. Mirrlees: Welfare, Incentives, and Taxation, 2006 • K. Beckmann: A note on the tax rate implicit in pay-as-you-go public pension contributions, in: Finanzarchiv 57 (2000), 63–76.

KLAUS BECKMANN

Einrichtungsgarantien

1. Herkunft des Begriffs

Den Begriff E. prägte Friedrich Klein als Oberbegriff für die Kategorien Rechtsinstitutsgarantien und institutionellen Garantien in seiner 1934 veröffentlichten Dissertation. Er knüpfte damit an eine Systematisierung des Grundrechtsteils der ↑WRV an, die maßgeblich auf Carl Schmitt zurückgeht. Dieser unterschied zwischen Freiheitsrechten, Staatsbürgerrechten, Leistungsrechten und institutionellen Garantien, wobei er innerhalb dieser Kategorie noch die Unterform der Rechtsinstitutsgarantien bildete. Zu den Rechtsinstitutsgarantien gehörten danach die Garantien von ↑Ehe, ↑Eigentum und ↑Erbrecht, also von zivilrechtlichen Rechtsinstituten. Die verbleibenden institutionellen Garantien bezogen sich auf öffentlich-rechtliche Ordnungsstrukturen. Zu nennen sind insoweit die Garantie der kommunalen ↑Selbstverwaltung und des Berufsbeamtentums (↑Beamte). Gemeinsam war diesen Garantien, dass ihr Schutzgegenstand jeweils historisch überkommene Ordnungsstrukturen in ↑Staat oder ↑Gesellschaft betraf, die der rechtlichen Ausgestaltung bedurften. Sie waren dementsprechend nicht nach Maßgabe des rechtsstaatlichen Verteilungsprinzips zu schützen, wonach die individuelle ↑Freiheit prinzipiell unbegrenzt, staatliches Handeln dagegen prinzipiell begrenzt und rechtfertigungsbedürftig ist. Inhalt dieser Garantien sollte vielmehr sein, diese Strukturen in ihrem historisch überkommenen Kern zu erhalten. Demgemäß sollte es dem Gesetzgeber verboten sein, die geschützten Institutionen (↑Institution) abzuschaffen oder in ihrem Kern auszuhöhlen. In einer Zeit, in der die Grundrechtsbindung des Gesetzgebers noch überwiegend bestritten wurde, bezog diese Lehre ihre Plausibilität nicht zuletzt aus dem Rechtsdenken der ↑Historischen Rechtsschule, in welcher der Begriff des Rechtsinstituts seinen Ursprung hat und der es ebenfalls darum ging, das „Wesen" historisch gewachsener Rechtsstrukturen zu bewahren und den Gesetzgeber auf zeitgemäße Anpassung zu beschränken. Insb. die Kategorie der institutionellen Garantie war jedoch von Anfang an unklar. So wurden etwa auch die Regelungen der Schulverfassung, die unabhängige ↑Gerichtsbarkeit, die kirchliche Selbstverwaltungsgarantie oder der Mittelstands- und Minderheitenschutz den institutionellen Garantien zugeordnet. Die Machtübernahme durch die Nationalsozialisten hatte zur Folge, dass nunmehr auch „Einrichtungen", die dieser Bewegung wichtig waren, etwa die NSDAP als Staatspartei, der Arbeitsdienst oder das Hakenkreuzbanner als E. eingeordnet wurden, bis deutlich wurde, dass es in einem Staat ohne rechtliche Bindung keinerlei Garantien geben kann.

2. Funktion der Kategorie im Zusammenhang des Grundgesetzes

Nach der Überwindung des Unrechtsstaats wurde im Zuge der rechtsdogmatischen Bearbeitung des Grundrechtsteils des GG auch die Kategorie der E. mit ihren Unterkategorien wiederbelebt. Dabei lässt sich in der verfassungsgerichtlichen Rechtsprechung kein klares Konzept von Inhalt und Funktion etwaiger E. erkennen. Als Rechtsinstitutsgarantie wird ausdrücklich nur noch die Erbrechtsgarantie bezeichnet. In Bezug auf die ↑Ehe findet der Begriff der Institutsgarantie Verwendung, wobei dieser Begriff infolge seiner Erstreckung auf den Familienschutz zwischen Rechtsform und Lebensformgarantie schwankt. Infolge der Loslösung vom bürgerlich-rechtlichen Eigentumsbegriff (↑Eigentum) hat auch die Eigentumsgarantie ihre Kontur als Rechtsinstitutsgarantie im überkommenen Sinne verloren. Die Begriffe „institutionelle Garantie" und „Institutsgarantie" werden zum Teil als Synonyme verwendet und finden Anwendung auf die verschiedensten Organisations- und Funktionszusammenhänge (z. B. ↑Presse, ↑Rundfunk, ↑Gerichtsbarkeit, Schulwesen; ↑Schule) wie auch auf öffentlich-rechtliche Normenkomplexe (z. B. Staatsangehörigkeitsrecht [↑Staatsangehörigkeit], Sonn- und Feiertagsschutz, Amtshaftungsrecht). Angesichts dieses Befundes wurde die Rechtsfigur bereits für obsolet erklärt. Zutreffend ist insoweit der Hinweis, dass Art. 1 Abs. 3 (Grundrechtsbindung), 19 Abs. 2 (Wesensgehaltsgarantie), 20 Abs. 3 (Verfassungsbindung des Gesetzgebers) sowie 79 Abs. 3 GG (Ewigkeitsklausel) ausdrücklich den Gesetzgeber an die ↑Verfassung binden, so dass es hierfür keiner spezifischen Kategorienbildung bedarf. Dennoch hat auch im Rahmen des GG die Kategorie der E. einen verfassungssystematischen Mehrwert. Das ihr zugrunde liegende Problem der Verfassungsbindung des Gesetzgebers stellt sich auch im Rahmen des GG in bes.r Weise in Bezug auf solche Verfassungsgarantien, deren Schutz nicht natürliche Freiheit ist, sondern die Ausübung von Rechtsmacht. Die Verfassungsbindung des Gesetzgebers, der das Rechtsgut überhaupt erst schafft, das (auch) vor seinem Zugriff geschützt werden soll, erfordert bes. Begründung. Im Rahmen der freiheitlichen Ordnung des GG erweist sich als gemeinsamer Schutzzweck derartiger Garantien die Sicherung von ↑Autonomie im Sinne der Freiheit zur Selbstregulierung. Die Rechtsinstitutsgarantien von ↑Ehe, ↑Eigentum, ↑Erbrecht und ↑Tarifautonomie enthalten die Verpflichtung des Gesetzgebers, die Rechtsnormen zu schaffen, die erforderlich sind, um von der Eheschließungsfreiheit, der Persönlichkeitsentfaltung im vermögensrechtlichen Bereich, der Testierfreiheit und der kollektiv privatautonomen Regelungsbefugnis der Arbeitsbedingungen Gebrauch zu machen. Soweit Verfassungsnormen im Bereich staatlicher Verantwortung Autonomiegewährleistungen enthalten, die auf Gesetzgebung angewiesen sind, rechtfertigt das gleichartige Schutzgut der Autonomie die Zuordnung zu den E. Institutionelle Autonomiegewährleistungen in diesem Sinne sind die Garantie der kommunalen Selbstverwaltung wie auch die Privatschulgarantie, deren Funktion die Sicherung eines freiheitlichen und pluralen Schulsystems ist, wofür den Privatschulbetreibern im Rahmen eines insgesamt staatlichen Schulsystems Autonomie eingeräumt wird. Den so gefassten E. ist gemeinsam, dass sich das Problem der Abgrenzung von ausgestaltender und eingreifender Gesetzgebung mit ihren jeweils unterschiedlichen Rechtfertigungsanforderungen stellt. Ausgestaltende Gesetzgebung zielt auf die Schaffung der Normen (↑Norm), die Voraussetzung für die Wahrnehmung der Autonomie sind. Sie müssen für diesen Zweck sachgerecht sein. Eingreifende Gesetzgebung ist dagegen solche, die in Verfolgung eines außerhalb der Gewährleistung liegenden Zwecks die Autonomie einschränkt. Sie muss dem Maßstab der ↑Verhältnismäßigkeit genügen.

Der systematisch gehaltvolle Begriff der E. scheidet eine Vielzahl von Gewährleistungen aus, deren Gemeinsamkeit allein darin besteht, dass es sich nicht um den Schutz natürlicher Freiheit handelt, sondern um Verpflichtungen des Gesetzgebers, sei es in Form von Rechtsstatusgarantien, Gesetzgebungsaufträgen oder Bestandsgarantien, teils mit, teils ohne subjektivrechtlichem Gehalt. Werden sie in den Begriff der E. einbezogen, verliert die Kategorie jeglichen systematischen Erkenntnismehrwert.

Literatur

M. Kloepfer: Einrichtungsgarantien, in: D. Merten/H.-J. Papier (Hg.): Handbuch der Grundrechte in Deutschland und Europa II, 2006, §43 • U. Mager: Einrichtungsgarantien, 2003 • C. Mainzer: Die dogmatische Figur der Einrichtungsgarantie, 2003 • H. de Wall: Die Einrichtungsgarantien des Grundgesetzes als Grundlagen subjektiver Rechte, in: Der Staat 38/3 (1999), 377–398 • K. Waechter: Einrichtungsgarantien als dogmatische Fossilien, in: Die Verwaltung 29/1 (1996), 47–72 • M. Kemper: Die Bestimmung des Schutzbereichs der Koalitionsfreiheit, 1990 • E. Schmidt-Jortzig: Die Einrichtungsgarantien der Verfassung, 1979 • G. Abel: Die Bedeutung der Lehre von den Einrichtungsgarantien, 1964 • F. Klein: Institutionelle Garantien und Rechtsinstitutsgarantien, 1934 • C. Schmitt: Freiheitsrechte und institutionelle Garantien, 1931 • C. Schmitt: Verfassungslehre, 1928.

UTE MAGER

Einwanderung ↑Migration

Elektronische Datenverarbeitung (EDV) ↑Informatik

Elite

1. Einleitung

Unter E. (französisch *élire* = (aus-)wählen) versteht man im allg.en Sprachgebrauch eine durch besondere Merkmale aus der Gesamtbevölkerung herausgehobene Personengruppe. Man verwendet den Begriff sowohl für herausragende Sportler und Wissenschaftler, als auch für Spitzenpolitiker und Topmanager. Als Kriterium dienen besonders gute Leistungen ebenso wie ein besonders großer Einfluss bzw. besonders große ↑Macht. In der sozialwissenschaftlichen E.-Forschung fällt die Definition enger aus. Zur E. zählen ihr zufolge im Wesentlichen nur diejenigen Personen, die (in der Regel qua Amt oder, im Falle der Wirtschaft, auch qua Eigentum) in der Lage sind, durch ihre Entscheidungen gesellschaftliche Entwicklungen maßgeblich zu beeinflussen. Die vier zentralen E.n kommen deshalb aus den Bereichen Wirtschaft, Politik, Verwaltung und Justiz. Sie haben in dieser Hinsicht den größten Einfluss. Wenn die Vorstände oder Eigentümer großer Konzerne

Beschlüsse über Betriebsschließungen oder -verlagerungen treffen, wenn eine Regierung Reformen des Renten- oder Gesundheitssystems beschließt, wenn die hohen Ministerialbeamten Gesetzesvorlagen formulieren oder wenn die Richter an den Bundesgerichten Urteile zum Datenschutz fällen; in all diesen Fällen entscheidet ein kleiner Kreis von Personen über wichtige Aspekte des täglichen Lebens der breiten Bevölkerung. In abgeschwächter Form gilt das auch für jene E.n, die wie die Medien-, die Wissenschafts- oder die militärische E. Entscheidungen treffen, die gesellschaftliche Entwicklungen ebenfalls beeinflussen, aber nicht so stark wie die der vier zentralen E.n.

2. Der klassische Elitebegriff

Der E.-Begriff wurde im 18. Jh. vom aufstrebenden französischen Bürgertum (↑Bürger, Bürgertum) als demokratischer Kampfbegriff gegen ↑Adel und ↑Klerus entwickelt. Statt der familiären Abstammung, wie zuvor üblich, sollte die individuelle Leistung das entscheidende Kriterium für die Besetzung gesellschaftlicher Spitzenpositionen darstellen. Diese Verwendung des Begriffs erfuhr im 19. Jh. einen grundlegenden Wandel. Der Gegenpol zu E. war nun nicht mehr der Adel, sondern die ↑Masse. Das Bürgertum, damals zutiefst beunruhigt über das Phänomen der mit der Bevölkerungsexplosion und dem Aufkommen der industriellen Arbeiterklasse in Europa entstandenen städtischen Massen, sah die herrschende Ordnung durch revolutionäre Bestrebungen gefährdet. Es definierte E., der es sich selbst zurechnete, deshalb in Abgrenzung zur (aus seiner Sicht) ungebildeten und unkultivierten Masse.

Gaetano Mosca (1896), Robert Michels (1911) und Vilfredo Pareto (1916) formulierten in diesem historischen Kontext ihre klassischen E.-Theorien. Diese enthalten zwei Kernaussagen: Die grundsätzliche Unterteilung der Gesellschaft in E. und Masse und die permanente Zirkulation der E.n. Im Gegensatz von E. und Masse sehen die drei Klassiker ein universell gültiges Prinzip der Menschheitsgeschichte. Ihrer Meinung nach herrscht zu allen Zeiten, d. h. unabhängig von der jeweiligen gesellschaftlichen Entwicklungsstufe und Regierungsform, eine kleine E. mit unterschiedlichen Mitteln (ganz wesentlich aber mit Gewalt) über die große Masse. Der Grund sei ganz einfach, dass nur die E. die materiellen, intellektuellen und psychologischen Fähigkeiten besitze, die zur Ausübung von Macht und damit zur ↑Herrschaft erforderlich seien. Die Masse sei ihr geistig deutlich unterlegen und zudem völlig von ihren Gefühlen beherrscht, d. h. objektiv wie subjektiv führungsbedürftig.

Die Zirkulation der E.n bildet für die Klassiker ebenfalls ein unveränderliches Grundprinzip. Sie vollziehe sich in der Regel ohne große gesellschaftliche Erschütterungen, weil die herrschende Klasse beständig durch Personen aus den Unterschichten mit den notwendigen Eigenschaften aufgefrischt würde, und gleichzeitig ihre „entartetsten Mitglieder" durch Abstieg in die Unter-

schichten verliere. Wenn dieser Kreislauf aber merklich gebremst oder gar gestoppt würde, könnten sich überlegene und gewaltbereite Elemente in den Unterschichten und unterlegene in den Oberschichten ansammeln. In der Folge komme es dann unweigerlich zum Sturz der herrschenden Klasse durch Revolutionen (↑Revolution).

3. Der funktionalistische Elitebegriff

Da die klassischen E.-Theorien mit dem Begriffspaar E. und ↑Masse eine wichtige ideologische Grundlage für den ↑Faschismus bildeten, war der E.-Begriff nach dem 2. Weltkrieg tief diskreditiert. Diese Tatsache sowie der ↑Ost-West-Konflikt führten dazu, dass der Begriff E. in den folgenden Jahrzehnten überwiegend funktionalistisch definiert wurde. Der Ansatz von den Funktions-E.n basiert auf zwei wesentlichen Grundannahmen. Erstens existiere in modernen Gesellschaften keine einheitliche E. oder gar herrschende Klasse mehr. Es gebe vielmehr nur noch einzelne, miteinander konkurrierende funktionale Teil-E.n in den wichtigen gesellschaftlichen Sektoren (Politik, Wirtschaft, Verwaltung, Medien, Wissenschaft, Kultur, Militär, Kirche und Justiz). Keine dieser Teil-E.n dominiere dabei. Zweitens erfolge der Zugang zu diesen E.n im Wesentlichen anhand von Leistungskriterien. Er stehe damit prinzipiell jedermann offen. Da die E.n-Rekrutierung nicht mehr auf Herkunft, sondern auf Leistung basiere, seien die E.n sozial auch nicht mehr homogen, sondern heterogen. Dass in der Empirie Angehörige der oberen Schichten in den E.n immer noch überproportional vertreten seien, habe seinen Grund in ihrer stärkeren Repräsentanz an den Gymnasien und Universitäten. Die generelle Bildungsexpansion werde diesen Vorteil im Verlauf der Zeit aber weitgehend beseitigen.

Für die funktionalistischen E.-Theorien besteht das entscheidende Problem deshalb darin, dass die für das Funktionieren der ↑Demokratie zwingend erforderliche Kooperation und Übereinstimmung der verschiedenen, miteinander konkurrierenden Teil-E.n nicht mehr automatisch, durch eine gemeinsame Herkunft oder Klassenzugehörigkeit, sichergestellt seien. Um sie dennoch zu gewährleisten, darin sind sich die meisten Vertreter einig, dürften die E.n auf die Interessen der breiten Bevölkerungsmehrheit nur sehr begrenzt Rücksicht nehmen. Lowell Field/John Higley (1983) sehen in den E.n sogar die einzigen Garanten für die Stabilität der westlichen Demokratien. Dementsprechend stellt für sie ein zu großer Einfluss der Bevölkerung auf wichtige politische Entscheidungen eine erhebliche Gefahr für die Demokratie dar. Er müsse daher möglichst weit reduziert und der Handlungsspielraum der E.n im Gegenzug möglichst stark erweitert werden. Zwar gehen die meisten Repräsentanten der funktionalistischen E.-Theorie nicht ganz so weit, beziehen in zentralen Punkten aber letztlich doch eine vergleichbare Position. Das zeigen zwei der prominentesten Vertreter, Ralf Dahrendorf und Suzanne Keller. R. Dahrendorf bezeichnet den

Konsens der etablierten, sozial homogenen E.n, bei dem ihm das britische Establishment als Vorbild vor Augen steht, als sichersten Garanten für demokratische Verhältnisse. Keller sieht in einer zu nachdrücklichen Forderung nach Demokratie, Gleichheit und öffentlicher Verantwortlichkeit der Führer sogar eine der größten Gefahren für die Demokratie. Sie fordert deshalb von den E.n folgerichtig, dass sie ihren E.-Status offensiv anerkennen müssten.

4. Der kritische Elitebegriff

Die funktionalistischen E.-Theorien sind in der Soziologie allerdings nicht unumstritten. Dies gilt schon für die soziologischen Klassiker Charles Wright Mills (1956) und Pierre Bourdieu (1982, 2004), die die prominentesten Vertreter einer kritischen Position darstellen. Sie betonen explizit, dass es auch in der heutigen, parlamentarischen Demokratie (↑Parlament) keine Vielzahl voneinander unabhängiger und prinzipiell gleichrangiger Teil-E.n gebe, sondern vielmehr eine einzige Macht-E. bzw. herrschende Klasse. Diese weise trotz ihrer internen Differenzierung einen starken inneren Zusammenhalt auf und werde von der besitzenden Klasse bzw. der v. a. mit ökonomischem Kapital ausgestatteten Fraktion der herrschenden Klasse dominiert. Gemeinsame Interessen, ein gemeinsamer ↑Habitus und gemeinsame E.-Bildungseinrichtungen sorgten für ihre Stabilität und Reproduktion. P. Bourdieu und C. W. Mills widersprechen damit grundsätzlich der funktionalistischen Annahme von der qua Leistungsprinzip hergestellten sozialen Offenheit des E.n-Zugangs. Sie unterscheiden sich allerdings deutlich in der Schwerpunktsetzung ihrer Analysen. C. W. Mills geht es in erster Linie um den Nachweis einer aus den E.n von Wirtschaft, Politik und Militär bestehenden *Power Elite*, die als Machtzentrum der Gesellschaft alle wesentlichen Entscheidungen treffe. P. Bourdieu konzentriert sich dagegen auf die Erforschung der Reproduktion der herrschenden Klasse und der dabei entscheidenden Mechanismen, wie v. a. dem klassenspezifischen Habitus und der E.-Bildungsinstitutionen.

5. Die empirische Eliteforschung heute

Die kritische Position überwiegt in der aktuellen empirischen E.-Forschung, die ihre wesentlichen Annahmen durch konkrete Forschungsergebnisse im Kern bestätigt. Das gilt selbst für Deutschland, das keine expliziten E.-Bildungsstätten kennt. Die soziale Herkunft (v. a. in Form des klassenspezifischen ↑Habitus) hat auch hierzulande entscheidenden Einfluss auf den Zugang zu den E.n. So sind sogar bei Promovierten, die alle herkunftsbedingten Hürden des Bildungssystems überwunden haben, die Chancen auf einen Aufstieg in die Wirtschafts-E. für den Nachwuchs des Bürger und v. a. des Großbürgertums (↑Bürger, Bürgertum) ganz wesentlich höher als für die Kinder aus den Mittelschichten und der Arbeiterklasse. Dieses Ergebnis stellt eine

grundsätzliche Kritik an der zentralen Feststellung der funktionalistischen E.-Theorien dar, der zufolge die E.n prinzipiell jedermann offen stünden und nur die unterschiedlichen Erfolge im Bildungssystem zu einer disproportionalen Vertretung in den E.n führten. Am stärksten trifft die Aussage zwar auf die Wirtschafts-E. als die sozial am stärksten geschlossene Teil-E. zu, in abgeschwächter Form aber auch auf die meisten anderen E.n. Dementsprechend rekrutieren sich die Mitglieder der deutschen Kern-E. zu fast zwei Dritteln aus dem Bürger- und Großbürgertum. Wie vereinheitlichend der soziale Herkunft wirkt, zeigt sich bei den Einstellungen der E.n. Das Elternhaus prägt diese unverkennbar quer durch alle gesellschaftlichen Teilbereiche. Je exklusiver die Herkunft der E.-Mitglieder ausfällt, desto weiter sind ihre Einstellungen zur sozialen Ungleichheit, zur Finanzkrise und zu Steuern von denen der restlichen Bevölkerung entfernt.

Eine die internationale Debatte über E.n in den letzten Jahren stark prägende Frage ist die nach einer *Global Class* oder *Global Elite*. Während in den 1990er Jahren Positionen vorherrschten, die diese Frage mit einem mehr oder minder klaren Ja beantworteten, hat sich das Bild seit der Jahrtausendwende aufgrund empirischer Studien deutlich verändert. Es dominieren jetzt die Stimmen, die der Aussage von einer *Global Elite* eher ablehnend gegenüberstehen. Selbst in der am stärksten internationalisierten Teil-E., der Wirtschafts-E., kann allenfalls in einzelnen Ländern wie Deutschland, Großbritannien, den Niederlanden und der Schweiz von einer spürbaren Internationalisierung die Rede sein. In allen anderen bewegt sich diesbezüglich dagegen nur wenig oder die Internationalisierung ist wie in China und Japan sogar rückläufig. Alles in allem bleiben die Wirtschafts-E.n überwiegend national organisiert, weil nationale Karrieremuster und Bildungswege inkl. der jeweiligen E.-Bildungseinrichtungen den Aufstieg immer noch entscheidend bestimmen. Diese Aussage trifft auf die E.n der anderen Sektoren sogar in noch weit stärkerem Maße zu, weil hier die Staatsangehörigkeit (Politik, Justiz, Verwaltung und Militär) oder kulturelle Traditionen (Kultur, Medien und Wissenschaft) eine wesentlich größere Rolle spielen.

Literatur

M. Hartmann: Die globale Wirtschaftselite. Eine Legende. 2016 • M. Hartmann: Soziale Ungleichheit – Kein Thema für die Eliten?, 2013 • P. Bourdieu: Der Staatsadel, 2004 • M. Hartmann: Elitesoziologie, 2004 • M. Hartmann: Der Mythos von den Leistungseliten, 2002 • P. Bourdieu: Die feinen Unterschiede, 1984 • G. L. Field/J. Higley: Eliten und Liberalismus, 1983 • R. Dahrendorf: Gesellschaft und Demokratie in Deutschland,1965 • S. Keller: Beyond the Ruling Class, 1963 • C. W. Mills: Die amerikanische Elite, 1962 • V. Pareto: Trattato di Sociologia generale, 1916 • R. Michels: Zur Soziologie des Parteiwesens in der modernen Demokratie, 1911 • G. Mosca: Elementi di Scienza Politica, 1896.
MICHAEL HARTMANN

Elterliches Sorgerecht

1. Definition

Als *elterliche Sorge* bezeichnet man die Pflicht und das Recht der Eltern, für das minderjährige Kind zu sorgen (§ 1626 Abs. 1 BGB). Die Definition verdeutlicht, dass das Sorgerecht den Eltern nicht um ihrer selbst, sondern um des Kindes willen verliehen ist. Es handelt sich um ein Pflichtrecht. Gegenstände des e.n S.s sind die Personen- und Vermögenssorge. Inhaltlich korrespondiert es mit dem staatsgerichteten ↑Elternrecht (Art. 6 Abs. 2 GG).

2. Geschichte

Historischer Vorläufer des e.n S.s ist die väterliche Gewalt. Die römische *patria potestas* vermittelte dem Hausvater ein Herrschaftsrecht, das ursprünglich bis zur Entscheidung über Leben und Tod seiner Kinder reichte. Vergleichbare Befugnisse vermittelte die deutschrechtliche *munt*, die im Gegensatz zur *patria potestas* stets mit Schutzpflichten einherging. Im Verlauf der Geschichte verringerte sich der Umfang der väterlichen Gewalt. Wichtigster Kausalfaktor war die Ausweitung und Verdichtung staatlicher Kompetenzen, die namentlich dazu führte, dass der Hausvater die Strafgewalt über seine Kinder verlor. Ein weiterer Kausalfaktor war die kanonische Lehre von der Konsensehe, die das Erfordernis der väterlichen Zustimmung zur Eheschließung negierte und den Gedanken einer herrschaftsfreien, höchstpersönlichen Sphäre des Kindes begründete. Daran anknüpfend postulierte die individualistische Aufklärungsphilosophie (↑Aufklärung) sogar Rechte der Kinder (↑Kinderrechte) gegen die Eltern und betonte den Pflichtcharakter der elterlichen Sorge. Diese Sichtweise prägte die frühen Kodifikationen des Zivilrechts. Ein Beispiel ist das PrALR (1794), das den Vater verpflichtete, bei der Bestimmung der künftigen Lebensart des Sohnes auf dessen Neigungen Rücksicht zu nehmen (ALR II 2, §§ 109 ff.) und die elterliche Gewalt gerichtlicher Kontrolle unterwarf (ALR II 2, §§ 90 f.).

Auch das ↑BGB betont die Schutzpflicht der Eltern. In seiner Urfassung ordnete es dem Vater die „Hauptgewalt" und der Mutter eine „Nebengewalt" zu (§ 1627 BGB a.F.). Der Vater war alleiniger Vertreter des Kindes und hatte in Sorgeangelegenheiten das Recht der Letztentscheidung (§ 1634 S. 2 BGB a.F.). Die Aufgaben der Mutter beschränkten sich weitgehend auf die praktische Personensorge (§§ 1634 S. 1, 1631 BGB a.F.). Gesetzesreformen änderten die Zuordnung des e.n S. s. Zunächst wurde die verheiratete Mutter dem Vater gleichgestellt (GleichberG, 1958; EheRG, 1976). Spätere Reformen verbesserten die Rechte unverheirateter Eltern. Mit dem Beistandschaftsgesetz entfiel die Amtspflegschaft über nichteheliche Kinder, die das e. S. der unverheirateten Mutter beschnitten hatte (1998). Gleichzeitig schuf der Gesetzgeber die gemeinsame Sorge nicht miteinander verheirateter Eltern (Kindschafts-

rechtsreformgesetz 1998). Hinzu kam wenig später das *kleine Sorgerecht* der Stiefeltern und Lebenspartner (§ 1687b BGB, § 9 LPartG). Die jüngsten Reformen stärken die Rechte des mit der Kindsmutter nicht verheirateten Vaters. Das NEheSorgeRG (2012) ermöglicht diesem einen Sorgerechtserwerb auch gegen den Willen der Mütter (§ 1626a Abs. 1 Nr. 3 BGB), während das VätRStG (2013) ihm ein Umgangs- und Auskunftsrecht verschaffte (§ 1686a BGB).

Gestärkt wurden auch die Rechte des Kindes. Den tiefsten Einschnitt markiert das SorgeRG (1980), das den Begriff der *elterlichen Gewalt* durch den Begriff der *elterlichen Sorge* ersetzte (§ 1626 BGB). Es begründete gegenseitige Rücksichtnahmepflichten (§ 1618a BGB), ächtete entwürdigende Erziehungsmaßnahmen (§ 1631 Abs. 2 BGB) und verpflichtete die Eltern, das Kind mit zunehmender Einsichtsfähigkeit an Sorgerechtsentscheidungen zu beteiligen (§§ 1626 Abs. 2, 1631a BGB). Der Gesetzgeber schreitet auf diesem Weg fort. Jüngere Neuerungen sind der Anspruch auf gewaltfreie Erziehung (Gewaltächtungsgesetz, 2000) sowie die Ausweitung und Erleichterung präventiver Schutzmaßnahmen (Kinderrechtsverbesserungsgesetz 2002; KiWoMaG 2008).

3. Systematische Bezüge

Das e. S. ist Ausdruck des von Art. 6 Abs. 2 GG garantierten ↑Elternrechts. Weil die Verfassung nur Grundsätze vorgibt, verfügt der Zivilgesetzgeber bei der Ausgestaltung des e.n S.s über Ermessensspielräume. Grenzen ergeben sich aus dem Gebot der Geschlechtergleichberechtigung (Art. 3 Abs. 1, 2 GG) und den Grundrechten des Kindes. Das e. S. ist ein absolutes Recht. Unbefugte Eingriffe begründen Unterlassungs- und ggf. auch Schadensersatzansprüche (§ 1004 BGB analog, § 823 I BGB). Zugleich ist das e. S. ein höchstpersönliches Recht und deshalb nicht abtretbar, verzichtbar oder vererblich. Möglich sind jedoch die Einwilligung in eine Adoption (§ 1747 BGB) sowie die einvernehmliche Übertragung des e.n S.s auf ein Elternteil (§ 1671 BGB) oder eine Pflegeperson (§ 1630 Abs. 3 BGB). Zudem kann die Ausübung des e.n S.s Dritten überlassen werden.

4. Entstehung und Erlöschen

Die Mutter erwirbt das e. S. mit der Vollendung der Geburt. Ist sie zu diesem Zeitpunkt verheiratet, entsteht ein gemeinsames Sorgerecht der Ehegatten. Das gilt auch, wenn das Kind von einem Dritten gezeugt wurde. Ist der Erzeuger mit der Kindsmutter nicht verheiratet, erwirbt er das e. S. nur unter zwei Voraussetzungen. Er muss rechtlicher Vater des Kindes sein, wozu er einer Vaterschaftsanerkennung oder einer gerichtlichen Feststellung bedarf (§ 1592 Nr. 2, 3 BGB). Ist der mit der Kindsmutter nicht verheiratete Erzeuger rechtlicher Vater, erwirbt er das e. S. wenn beide Eltern erklären, dass sie die Sorge gemeinsam übernehmen wollen, wenn sie einander heiraten oder wenn ihnen das Familiengericht die elterliche Sorge gemeinsam überträgt (§ 1626a Abs. 1 BGB). Andernfalls bleibt es beim alleinigen Sorgerecht der Mutter (§ 1626 Abs. 3 BGB). Adoptiveltern erwerben das Sorgerecht durch den Annahmebeschluss des Familiengerichts (§§ 1752, 1754 Abs. 3 BGB). Im Falle einer Familienpflege kann das Gericht den Pflegepersonen Angelegenheiten der elterlichen Sorge übertragen (§ 1630 Abs. 3 BGB). Über ein eingeschränktes Sorgerecht verfügen die Stiefeltern, wenn die Voraussetzungen des § 1687b BGB/§ 9 LPartG erfüllt sind.

Obwohl das e. S. erst mit der Geburt des Kindes entsteht, können die Sorgeberechtigten schon vor diesem Zeitpunkt künftige Rechte des Kindes wahrnehmen (§ 1912 BGB). Auf das ungeborene Kind erstreckt sich das e. S. aber nicht, weshalb der werdende Vater einen ↑ Schwangerschaftsabbruch nicht unterbinden kann.

Das e. S. erlischt mit der Volljährigkeit, der Adoption oder dem Tod des Kindes. Außerdem erlischt es beim Tod des Sorgeberechtigten, bei gerichtlicher Sorgeentziehung (§ 1666 Abs. 3 Nr. 6 BGB) und bei der Übertragung auf den anderen Elternteil (§ 1671 BGB). Die Bestellung eines Pflegers beschränkt das e. S. (§ 1630 Abs. 1 BGB). Keine Auswirkungen haben die Bestellung eines Beistandes (§ 1716 BGB) und Maßnahmen des Jugendamts.

Die elterliche Sorge ruht, wenn ein Sorgeberechtigter an der Ausübung gehindert ist. In dieser Zeit kann er sein Sorgerecht nicht ausüben (§ 1675 BGB). So ist es im Falle der Geschäftsunfähigkeit (§ 1673 Abs. 1 BGB). Beschränkt Geschäftsfähige sind nur zur tatsächlichen Personensorge berufen (§ 1673 Abs. 2 BGB). In beiden Fällen ruht die elterliche Sorge kraft Gesetzes und lebt kraft Gesetzes wieder auf, wenn der Hinderungsgrund entfällt. Anders ist es, wenn ein Sorgeberechtigter aus tatsächlichen Gründen an der Ausübung der elterlichen Sorge gehindert ist. In diesen Fällen ruht das Sorgerecht erst, wenn das Familiengericht die Verhinderung per Beschluss feststellt und lebt wieder auf, sobald der Wegfall der Verhinderung beschlussförmig festgestellt ist (§ 1674 BGB). Weitere Gründe für das Ruhen des Sorgerechts sind die Einwilligung in eine Adoption (§ 1751 Abs. 1 BGB) und die vertrauliche Geburt (§ 25 Abs. 1 Schwangerschaftskonfliktgesetz).

Unterhaltspflichten von Eltern und Kindern (§§ 1601 ff. BGB) und die Dienstleistungspflicht unterhaltsberechtigter Hauskinder (§ 1619 BGB) sind von Bestand und Zuordnung des Sorgerechts unabhängig.

5. Gegenstand und Grenzen

Das e. S. umfasst die Personen- und die Vermögenssorge und vermittelt dem Sorgeberechtigten eine umfassende Vertretungsmacht für das Kind. Gemeinschaftlich Sorgeberechtigte können das Kind grundsätzlich nur gemeinschaftlich vertreten (§ 1629 Abs. 1 BGB). Die Vertretungsmacht der Sorgeberechtigten entfällt bei drohender Interessenkollision (§§ 1629 Abs. 2 S. 1, 1795,

1796 BGB). Ist aus diesem Grund kein Sorgeberechtigter zur Vertretung des Kindes befugt, bestellt das Familiengericht einen Ergänzungspfleger (§ 1909 BGB).

Die Vermögenssorge verpflichtet und berechtigt die Sorgeberechtigten zur Verwaltung des Kindesvermögens. Sie erstreckt sich über das Anlagevermögen des Kindes und dessen Einkünfte aus Vermögen oder Erwerbstätigkeit. Die Vermögenssorge ist heute fremdnützig. Einkünfte aus dem Kindesvermögen, die zur ordnungsgemäßen Vermögensverwaltung nicht benötigt werden, sind für den Unterhalt des Kindes zu verwenden. Reichen diese Einkünfte nicht aus, dürfen die Sorgeberechtigten zum Unterhalt des Kindes auch dessen Einkünfte aus Arbeit oder Erwerbsgeschäft einsetzen. Vermögenseinkünfte des Kindes, die zu dessen Unterhalt nicht benötigt werden, können die Eltern nach Billigkeit für ihren eigenen Unterhalt oder den Unterhalt minderjähriger unverheirateter Geschwister verwenden (§ 1649 BGB).

Die Personensorge handelt von der Erhaltung, Förderung und Entwicklung des Kindes, das zu einer eigenverantwortlichen und gemeinschaftsfähigen Persönlichkeit heranreifen soll (§ 1 Abs. 1 SGB VIII, § 1626 Abs. 2 BGB). Die einhergehenden Befugnisse sind umfassend. Das BGB erwähnt „insb." ein Recht zur Pflege, Erziehung, Beaufsichtigung und Aufenthaltsbestimmung (§ 1631 Abs. 1 BGB), einen Anspruch auf Herausgabe des Kindes sowie das Recht, den Umgang des Kindes zu bestimmen (§ 1632, Abs. 1, 2 BGB). Dieser Katalog ist nicht abschließend und v. a. ist ihm nicht zu entnehmen, wie weit die einzelnen Kompetenzen reichen.

Grundsätzlich gilt, dass der Umfang des e.n S.s von der einhergehenden Sorgepflicht geprägt wird (Pflichtrecht). Das Recht zur Personensorge vermittelt den Sorgeberechtigten also (nur) die Mittel zur Sicherung des leiblichen und seelischen Kindeswohls. Seine Grenzen sind häufig nur schwer zu ermitteln. Das liegt an Prognoseschwierigkeiten, v. a. jedoch an der Unbestimmtheit des Kindeswohlbegriffs (↑ Kindeswohl). Das GG weist die Deutungshoheit den Eltern zu. Nicht der Staat, sondern die Eltern entscheiden darüber, was ihrem Kind zum Besten gereicht (Art. 6 Abs. 2 S. 1 GG). Grenzen ihrer Befugnisse resultieren aus den Grundrechten des Kindes, um derentwillen der ↑ Staat über die Ausübung des e.n Ss. wacht (Brosius-Gersdorf: Art. 6 GG, Rn. 175). Eine absolute Grenze beschreibt § 1631 Abs. 2 BGB, der die Anwendung von Gewalt, körperliche Bestrafungen, seelische Verletzungen und andere entwürdigende Maßnahmen untersagt (§ 1631 Abs. 2 BGB). Absolut sind auch die Verbote von Sterilisation (§ 1631c BGB) und Lebendorganspende des Kindes (§ 8 Abs. 1 Nr. 1 TPG). In körperliche Eingriffe muss das Kind einwilligen, sofern es deren Bedeutung und Tragweite erfassen kann. Das gilt auch für die religiös indizierte Beschneidung des männlichen Kindes, die dem Grunde nach zulässig ist (§ 1631d BGB). Weitere Grenzen des e.n S.s resultieren aus dem religiösen Selbstbestimmungsrecht des Kindes. Nach Vollendung des zwölften Lebensjahrs darf es nicht gegen seinen Willen in einem anderen Bekenntnis erzogen werden als bisher, zwei Jahre später ist es vollständig religionsmündig (§ 5 RKEG).

Die Abstufung der Religionsmündigkeit bringt einen allg.en Gedanken zum Ausdruck: Weil das e. S. der Gewährleistung des Kindeswohls dient, schwindet es mit der Befähigung des Kindes zur Selbstbestimmung. Dem entspricht das gesetzliche Erziehungsleitbild. Es verpflichtet die Sorgeberechtigten, die wachsende Fähigkeit und das wachsende Bedürfnis des Kindes zu selbstständigem verantwortungsbewusstem Handeln zu berucksichtigen, Fragen der elterlichen Sorge mit dem Kind zu besprechen und Einvernehmen anzustreben (§ 1626 Abs. 2 BGB). Die ältere Literatur sah darin einen unzulässigen Eingriff in das verfassungsrechtlich verbürgte Elternrecht. Das ist unzutreffend, denn das ↑Elternrecht wird vom Persönlichkeitsrecht des heranreifenden Kindes begrenzt (BVerfGE 59, 360, 382; ↑Persönlichkeitsrechte). Der Gesetzgeber bringt dies in § 1626 Abs. 2 BGB zum Ausdruck, indem er einen Ausgleich der kollidierenden Rechtspositionen definiert.

Während das e. S. im Innenverhältnis in dem Umfang zurückgeht, in dem die Einsichtsfähigkeit des Kindes wächst, bleibt es im Außenverhältnis nahezu vollständig erhalten. An der umfassenden Vertretungsmacht der Sorgeberechtigten (§ 1629 BGB) ändert sich nämlich nichts. Auch bleibt es dabei, dass das heranwachsende Kind bis zuletzt nur beschränkt geschäftsfähig ist (§§ 104 Nr. 1, 106 ff. BGB). Im Rechtsverkehr kann es deshalb nur ausnahmsweise autonom handeln. Bei der Wahrnehmung seiner Freiheiten ist der Minderjährige deshalb in weitem Umfang auf seine Sorgeberechtigten angewiesen. Problematisch ist dies, wenn seine Intimsphäre betroffen ist. Das gilt v. a. für Arztverträge, die ein beschränkt Geschäftsfähiger nicht selbstständig abschließen kann (BGHZ 29, 33, 37). Hinzu kommt, dass das Kind sein ↑Selbstbestimmungsrecht gegen die Eltern kaum durchsetzen kann. Denn Verstöße gegen das gesetzliche Erziehungsleitbild (§ 1626 Abs. 2 BGB) sind in aller Regel nicht justiziabel. Intervenieren kann das Familiengericht nämlich erst, wenn das Kindeswohl konkret und erheblich gefährdet ist (§ 1666 BGB), was bei den üblichen Streitigkeiten um Freiheiten und Erziehungsstile meist nicht der Fall ist.

6. Ausübung und Haftung

Steht das e. S. nur einem Elternteil zu, kann es in Kindesangelegenheiten allein entscheiden. Im Falle der gemeinsamen Sorge sind die Eltern in gleichem Umfang berechtigt und verpflichtet. Bei Meinungsverschiedenheiten müssen sie sich um eine Einigung bemühen (§ 1627 BGB). Kommt kein Konsens zustande, können sie das Familiengericht anrufen, das die Entscheidungsbefugnis in der streitigen Angelegenheit dann einem Elternteil überträgt (§ 1628 BGB).

Die Wahrnehmung der elterlichen Sorge ist unentgeltlich. Einhergehende Aufwendungen sind nur ersatzfähig, sofern sie erforderlich und vom Unterhaltsanspruch des Kindes nicht umfasst sind. Verletzungen der Sorgepflicht begründen Ersatzansprüche des Kindes. Haftungsmaßstab ist die eigenübliche Sorgfalt der Sorgeberechtigten (§ 1664 Abs. 1 BGB). Diese müssen in Angelegenheiten des Kindes also nicht sorgfältiger handeln als in den eigenen. Für grob fahrlässiges oder vorsätzliches Handeln haften sie allerdings stets (§ 277 BGB). Weil das e. S. eine umfassende Vertretungsmacht für das Kind begründet, haftet das Kind seinen Gläubigern für das Verschulden der Sorgeberechtigten (§ 278 BGB). Kinder haften also gegebenenfalls für ihre Eltern.

Literatur

Allg.e Darstellungen

L. Peschel-Gutzeit: § 1626 BGB, in: J. v. Staudinger (Hg.): Komm. zum Bürgerlichen Gesetzbuch mit Einführungsgesetz und Nebengesetzen, 2015, 96–161 • D. Schwab: Familienrecht, [23]2015 • T. Fröschle: Sorge und Umgang, 2013 • B. Hoffmann: Personensorge, [2]2013 • J. Gernhuber/D. Coester-Waltjen: Familienrecht, [6]2010 • H. Tschernitschek/S. Saar: Familienrecht, [4]2008 • D. Zorn: Das Recht der elterlichen Sorge, [2]2008.

Vertiefung einzelner Aspekte

D. Schwab: Elterliche Sorge und Religion, in: FamRZ 1 (2014), 1–11 • F. Brosius-Gersdorf: Art. 6 GG, in: H. Dreier (Hg.): Grundgesetz Kommentar, [3]2013, Bd. I., 839–934 • L. Peschel-Gutzeit: Die neue Regelung zur Beschneidung des männlichen Kindes, in: NJW 66/50 (2013), 3617–3620 • M. Coester: Sorgerecht nicht miteinander verheirateter Eltern, FamRZ 17 (2012), 1337–1344 • D. Schwab: Kind, in: A. Cordes u. a. (Hg.): Handwörterbuch zur deutschen Rechtsgeschichte, Bd. 2, [2]2012, Sp. 1736–1746 • I. Rakete-Dombek: Der Ausfall eines Sorgeberechtigten durch Tod, Krankheit, Abwesenheit oder Entzug der elterlichen Sorge, in: FPR 11/3 (2005), 80–82 • I. Scherer: Schwangerschaftsabbruch bei Minderjährigen und elterliche Zustimmung, in: FamRZ 44/10 (1997), 589–595 und FamRZ 45/1 (1998), 11–12 • C. Coester-Waltjen: Der Schwangerschaftsabbruch und die Rolle des künftigen Vaters, in: NJW 37 (1985), 2175–2177 • W. Ogris: Munt, Muntwalt, in: A. Erler u. a. (Hg.): Handwörterbuch zur deutschen Rechtsgeschichte, Bd. 3, 1984, Sp. 750–761 • A. Wacke: Patria potestas, in: A. Erler u. a. (Hg.): Handwörterbuch zur deutschen Rechtsgeschichte, Bd. 3, 1984, Sp. 1540–1545 • M. Coester: Das Kindeswohl als Rechtsbegriff, 1983 • H. Holzhauer: Verwandtschaftliche Elternstellung, verfassungsmäßiges Elternrecht und elterliche Sorge, in: FamRZ 29/2 (1982), 109–118 • D. Giesen: Familienrechtreform zum Wohl des Kindes?, in: FamRZ 24/9–10 (1977), 594–600 • J. Gernhuber: Kindeswohl und Elternwille, in: FamRZ 20/5 (1973), 229–244.   CHRISTOPH LUTHER

Elternrecht

1. Intention

Das E. ist das Recht und die Pflicht der Eltern zur ↑Erziehung und Pflege ihrer Kinder. Es umfasst die Sorge für deren leibliches, geistiges, und seelisches Wohl sowie die Freiheit, die Erziehungsziele und -wege zu bestimmen. Dieses natürliche Menschenrecht (↑Menschenrechte) beruht auf der Annahme, „dass diejenigen, die einem Kinde das Leben geben, von Natur aus bereit und berufen sind, die Verantwortung für seine Pflege und Erziehung zu übernehmen" (BVerfGE 24, 150) und „dass die Interessen des Kindes am besten von Eltern wahrgenommen werden" (BVerfGE 34, 184).

Als Grundrecht (↑Grundrechte) der Verfassung richtet sich das E. gegen den Staat. Seinem Charakter nach liberal, schirmt es einen privaten Freiraum ihm gegenüber ab, und es erkennt der elterlichen Erziehung den Vorrang vor der staatlichen zu. Als Freiheitsrecht ermöglicht das E. Individualität der Erziehung. Es legitimiert die Weitergabe familiärer Tradition, religiöser Bindung und kultureller Eigenart. Über die elterliche Erziehung erneuert sich die geistige Vielfalt der Gesellschaft. Das E. bildet die rechtliche Wurzel des ↑Pluralismus. Da es das Differenzierungspotential des Gemeinwesens schützt, bedarf es des rechtlichen Gegengewichts in der staatlichen Verantwortung für die Belange der Allgemeinheit, für die Wahrung des Grundkonsenses, für die Integration der Gesellschaft. Die elterliche und die staatliche Erziehungskompetenz haben ihre je eigene Legitimation. Sie ergänzen einander. Doch stehen sie auch in einem Spannungsverhältnis.

Wie jedes Grundrecht antwortet das E. auf eine bestimmte Gefahrenlage für Menschenwürde und Freiheit: hier auf den wachsenden Drang des modernen Staates, die Versorgung des Kindes zu organisieren und das Erziehungswesen in eigene Regie zu nehmen, es zu standardisieren und zu professionalisieren, es tunlichst dem Eigensinn und der Amateurpädagogik der Eltern zu entziehen, den Einfluss nichtstaatlicher Erziehungsprätendenten, zumal der Kirchen, zurückzudrängen, um die Gesellschaft von ihren Wurzeln her zu integrieren. Dem konträren Leitbild folgt der totalitäre Staat (↑Totalitarismus) mit dem Ziel, ein umfassendes Versorgungs- und Erziehungssystem auszubauen von der ganztägigen Kinderbetreuung über die Schule bis zur Jugendorganisation, um den „neuen Menschen" zu züchten. Er entlastet die Eltern, indem er sie entmündigt.

Die Menschenrechtsdeklarationen und Grundrechtskataloge des 18. und 19. Jh. enthalten das E. noch nicht. Philosophische Bekundungen zum elterlichen Erziehungsauftrag, wie sie sich bei Thomas von Aquin oder Samuel von Pufendorf finden, dürfen nicht (wie es zuweilen versucht wird) im Sinne des E. gedeutet werden, weil die Wesensmerkmale des Grundrechts fehlen: die politische Stoßrichtung gegen den Staat, der Individualismus, die subjektive Freiheit der Eltern, die rechtliche Form des Anspruchs.

Dagegen wird das E. als Grundrecht 1848 in der Frankfurter Nationalversammlung eingefordert (im Ergebnis freilich vergeblich) durch den Abgeordneten Wilhelm Emmanuel von Ketteler, der gegen die Verstaatlichung des ganzen Unterrichtswesens ankämpft: jedem Familienvater in Deutschland, gleich, ob gläubig oder ungläubig, sei das Recht zu gewähren und zu sichern, seine Kinder nach seiner Ansicht zu erziehen und auch die Richtung der schulischen Ausbildung zu bestimmen, während der Staat nur eine „bestimmte Stufe formaler Geistesbildung" festlegen dürfe (Rede vom 18.9.1848, in: F. Wigard, Stenographischer Bericht über die Verhandlungen der Dt. Constituierenden Nationalversammlung zu Frankfurt a. M., 80. Sitzung, Bd. 3, 1848, S. 2183). Hier klingt die naturrechtliche Lehre (↑Naturrecht) vom E. an, wie sie später von Papst Leo XIII. entfaltet wird, freilich ausschließlich ausgerichtet auf christliche Erziehungsziele. Der politische ↑Katholizismus setzt im 19. und im frühen 20. Jh. auf den Willen der Eltern, um die christliche Erziehung und die kirchliche Präsenz im Schulwesen gegen den antiklerikalen ↑Liberalismus zu verteidigen. Diesem Konflikt entspringt letztlich das Grundrecht, das der politische Katholizismus in den Weimarer Verfassungskompromiss einbringt. Darin zeigt sich ein historisches Paradoxon: dass ein seinem Wesen nach liberales Grundrecht gegen den politischen Liberalismus durchgesetzt wurde von einer Kirche, die ihrerseits seit der ↑Französischen Revolution die Idee der liberalen Menschenrechte grundsätzlich verworfen hatte.

2. Rechtsquellen

Das E. wird erstmals in der WRV von 1919 als Grundrecht anerkannt: „Die Erziehung des Nachwuchses zur leiblichen, seelischen und gesellschaftlichen Tüchtigkeit ist oberste Pflicht und natürliches Recht der Eltern, über deren Betätigung die staatliche Gemeinschaft wacht" (Art. 120). Die Qualifikation als „natürliches Recht" hindert die herrschende Staatsrechtslehre der Weimarer Republik (Günther Holstein, Gerhard Anschütz) nicht, an der überkommenen Auffassung vom „Erziehungsprimat"des Staates festzuhalten. Zu voller grundrechtlicher Wirksamkeit gelangt das E. über das ↑GG: „Pflege und Erziehung der Kinder sind das natürliche Recht der Eltern und die zuvörderst ihnen obliegende Pflicht. Über ihre Betätigung wacht die staatliche Gemeinschaft" (Art. 6 Abs. 2 GG). Vorausgegangen waren die frühen Landesverfassungen, so Art. 55 HessVerf, Art. 126 Abs. 1 BayVerf, Art. 25–27 RPVerf. Heute gewährleisten alle gliedstaatlichen Verfassungen außer der Hamburger, die über keinen Grundrechtsteil verfügt, das elterliche Erziehungsrecht, zwölf ausdrücklich, drei durch pauschale Verweisung auf die Grundrechte des GG. Das E. gehört nunmehr zum deutschen Kanon der Grundrechte.

Auf europäischer Ebene wird das E. anerkannt in Art. 2 S. 2 des 1. Zusatzprotokolls zur EMRK von 1952: „Der Staat hat bei Ausübung der von ihm auf dem Gebiet der Erziehung und des Unterrichts übernommenen Aufgaben das Recht der Eltern zu achten, die Erziehung und den Unterricht entsprechend ihrer eigenen religiösen und weltanschaulichen Überzeugungen sicherzustellen." Das E. wird hier von seiner Kehrseite her formuliert, als Pflicht des Staates; es wird ausdrücklich auf das Gebiet der staatlichen Erziehungs- und Unterrichtstätigkeit bezogen. Das Abkommen gilt für die BRD (als einfaches, innerstaatliches Gesetz, aber ohne praktische Bedeutung neben Art. 6 Abs. 2 GG), für Österreich (hier mit innerstaatlichem Verfassungsrang, indes ein autochthones Grundrecht fehlt), nicht aber für die Schweiz, die auch in ihrer Bundesverfassung kein eigens ausformuliertes E. vorsieht. Mit ähnlichen Worten verpflichtet die EuGRC die Mitgliedstaaten, in ihren Gesetzen das E. zu achten (Art. 14 Abs. 3) und die Rechte des Kindes zu gewährleisten (Art. 24).

Auf Weltebene proklamiert die AEMR von 1948: „Die Eltern haben ein vorrangiges Recht, die Art der Bildung zu wählen, die ihren Kindern zuteil werden soll" (Art. 26 Abs. 3). Im ICCPR von 1966 verpflichteten sich die Vertragsstaaten, „die Freiheit der Eltern und ggf. des Vormunds oder Pflegers zu achten und die religiöse und sittliche Erziehung ihrer Kinder in Übereinstimmung mit ihren eigenen Überzeugungen sicherzustellen (Art. 18 Abs. 4). Gemäß dem Übereinkommen über die Rechte des Kindes von 1989 sind „für die Erziehung und Entwicklung des Kindes in erster Linie die Eltern oder ggf. der Vormund verantwortlich. Dabei ist das Wohl des Kindes ihr Grundanliegen". Die Vertragsstaaten unterstützen die Eltern in ihrer Erziehungsaufgabe und sorgen für Einrichtungen und Dienste der Kinderbetreuung (Art. 29).

3. Das grundrechtliche Dreieck Eltern – Kind – Staat

Wie in jedem Freiheitsrecht stehen im E. die privaten Träger der Freiheit dem Staat als notwendigem Garanten und möglichem Widersacher der Freiheit gegenüber: hier die grundrechtsberechtigten Eltern, dort die grundrechtsverpflichtete staatliche Gemeinschaft. Doch als dritte Größe tritt das Kind hinzu, auf dessen Wohl das Recht und die Pflicht der Eltern und der Schutz des Staates ausgerichtet sind. Im Konflikt geht das Recht des Kindes dem Recht der Eltern und dem des Staates vor. Das Kind ist nicht bloßes Objekt des E., sondern eigenständiges Grundrechtssubjekt, auch wenn es noch nicht fähig ist, seine Grundrechte auszuüben. Darin unterscheidet sich das E. fundamental von antiken Rechtsauffassungen, denen das Kind als Eigentum seines Erzeugers galt und seiner unbeschränkten Verfügungsgewalt unterlag. Das E. begründet keine Freiheit der Eltern, beliebig mit dem Kind zu schalten und zu walten. Vielmehr weist es ihnen die Pflege und Erziehung als Aufgaben („Elternverantwortung") zu. Es steht ihnen nicht frei, ob sie von ihrem Recht Gebrauch machen, sondern nur, wie sie es tun. Dem Grundrecht korrespondiert eine Grundpflicht: eine Besonderheit im Grundrechtskatalog. Wer das E. für sich beansprucht, kann nicht nur Rechte gegenüber dem Kind einfordern, sondern muss auch Pflichten tragen (BVerfGE 108, 102).

Das Kind hat einen Anspruch gegen die Eltern, dass sie die Pflicht erfüllen. Der Staat gewährleistet die Erfüllung. Hier hat das Kind auch einen Anspruch gegen den Staat.

Solange das Kind nicht fähig ist, selbstverantwortlich zu handeln, fällt die Verantwortung seinen Eltern zu, die als seine Treuhänder tätig werden. Das Grundrecht baut auf die Bereitschaft und Fähigkeit der Eltern, ihrer Aufgabe gerecht zu werden. Es setzt voraus, dass i. d. R. ihnen „das Wohl des Kindes mehr am Herzen liegt als irgendeiner anderen Person oder Institution" (BVerfGE 59, 376). Gleichwohl trifft das nicht in jedem Einzelfall zu. Die staatliche Gemeinschaft wacht daher über die Betätigung des E. und schützt so das Wohl des Kindes (↑Kindeswohl).

Das E. ist ein eigenes Recht der Eltern. Aber es gibt im Unterschied zu den sonstigen Grundrechten kein Recht zum eigennützigen Gebrauch. Es ist ein altruistisches „dienendes" (BVerfGE 61, 372) Grundrecht. Erziehung und Pflege sind ausgerichtet auf das Wohl des Kindes. Die Grundrechtsausübung besteht in Zuwendung zum Kind, in Hilfe, Schutz und Liebe. Die gängige emanzipatorische Deutung der Grundrechtsfreiheit versagt hier. „Selbstverwirklichung", die das E. freisetzt, besteht nicht in Egozentrik, sondern im Dienst am Nächsten. Während das normale Grundrecht die Entfaltung der Persönlichkeit seines Trägers zum Thema hat, zielt das E. auf die Entfaltung des Kindes. Sonst bedeutet grundrechtliche Freiheit Selbstbestimmung ihres Inhabers, hier jedoch bedeutet sie einseitige Bestimmung über einen anderen Menschen, eben das Kind. Darin setzt sich das E. von allen anderen Grundrechten ab, auch von der Religionsfreiheit. Juristisch ist streitig, ob darin eine Herrschaftsposition (Ernst-Wolfgang Böckenförde) oder eine Führungsrolle (Fritz Ossenbühl) liegt. Falsch ist jedenfalls die (Ab-)Qualifikation als „Fremdbestimmung" über das Kind. Die Eltern sind nicht Fremde, sondern die Nächsten, die ihrem Kind die notwendige Hilfe leisten, damit es zur Selbstbestimmung heranwächst. Sie sind die Sachwalter seiner Belange. Sie haben anvertraute, treuhänderische Freiheit. In dem Maß, in dem das Kind zu Eigenverantwortung heranreift, bildet sich das E. zurück, um am Ende der Grundrechtsmündigkeit des Kindes zu weichen.

4. Das Elternrecht des Grundgesetzes (Art. 6 Abs. 2 GG)

4.1 Das „natürliche" Recht

Wenn das GG das E. als „natürliches Recht" bezeichnet, erkennt es dieses als Vorgegebenheit an, das seiner Verfügungsgewalt nicht unterliegt. Es will keine gönnerhafte Gewähr des Verfassungsgebers sein, sondern die Gewährleistung dessen, was sich von selber versteht, weil es der Sozialnatur des Menschen gemäß ist. Das Wort „natürlich" weist auf das Bekenntnis zu den vorstaatlichen Menschenrechten als „Grundlage jeder menschlichen Gemeinschaft" hin (Art. 1 Abs. 2 GG) und darin auf die Grenzen jeder legalen Verfassungsrevision (Art. 79 Abs. 3 GG). Doch das bedeutet keine Verweisung auf eine bestimmte Naturrechtslehre. In seiner grundrechtlichen Fassung ist das E. positives Verfassungsrecht und kein ↑Naturrecht. Aber es steht auf der höchsten Stufe des staatlichen Rechts, und es genießt die Garantie als unmittelbar geltendes, einklagbares Grundrecht (Grundrechte).

Dem Grundrecht kommen mehrere Funktionen zu: die Staatsabwehr und die staatliche Schutzpflicht („Wächteramt"), das Individualgrundrecht und die Institutsgarantie als Schutz der familiären Erziehung und Absage an erzwungene Kollektiverziehung. Seiner Struktur nach lässt sich Art. 6 Abs. 2 auch als Kompetenznorm deuten, die dem Subsidiaritätsprinzip folgt (↑Subsidiarität). Die vorrangige Kompetenz (der „Erziehungsprimat") liegt bei den Eltern. Dem Staat kommt nur das subsidiäre Wächteramt zu, um dort einzugreifen, wo die Eltern ihrer Verantwortung nicht genügen.

4.2 Die grundrechtsberechtigten Eltern
Das E. steht im Regelfall den leiblichen, ehelichen Eltern zu. Sie tragen die Elternverantwortung gemeinsam und gleichberechtigt. Der traditionelle Vorrang des Vaters hat sich mit der Gleichberechtigung der Geschlechter erledigt. Das GG geht von dem Regelfall aus, dass das Kind mit den durch Ehe verbundenen Eltern in einer Familiengemeinschaft (↑Familie) zusammenlebt und Vater und Mutter das Kind gemeinsam pflegen und erziehen.

Die Geltung des E. erschöpft sich jedoch nicht in dieser vorausgesetzten Normalsituation. Bei abweichender familiären Konstellationen (Tod, Trennung, Scheidung oder gleichgeschlechtliche Lebenspartnerschaft der Eltern [↑eingetragene Lebenspartnerschaft], nichteheliche Geburt, künstliche Befruchtung [↑Insemination], Leihmutterschaft, gentechnische Manipulation [↑Gentechnik]) kann die Grundrechtszuständigkeit prekär werden. Wo Unklarheit herrscht und Rechtskollisionen drohen, ist der Staat aufgerufen, durch Gesetz für den schonenden und praktikablen Ausgleich zu sorgen. Jedenfalls kann nur eine Person Vater und nur eine Mutter im Sinne des Art. 6 Abs. 2 GG sein (BVerfGE 108, 101). Der biologische Vater steht grundsätzlich zurück hinter dem rechtlichen Vater. Das Kind braucht rechtliche und personale Sicherheit über die Zuweisung der Elternrolle. Oberstes Richtmaß der Zurechnung ist das ↑Kindeswohl.

Das E. verbleibt den Eltern auch nach der Ehescheidung, wie immer das Sorgerecht (↑Elterliches Sorgerecht) zugeteilt wird. Es schützt sowohl das (volle) Sorgerecht des einen als auch das bloße Umgangsrecht des anderen Elternteils. Das E. kommt auch nichtverheirateten Eltern zu sowie dem nichtehelichen Vater. Eine gesetzliche Vorzugsstellung der nichtehelichen Mutter ist jedoch mit Art. 6 Abs. 2 GG vereinbar. An die Stelle der biologischen Elternschaft kann die „soziale" Elternschaft

treten. Adoptiveltern (nicht aber Pflegeeltern) sind Eltern gemäß Art. 6 Abs. 2 GG (u. U. nach endgültigem Grundrechtsverzicht der leiblichen Eltern). Dagegen haben Großeltern und sonstige Familienangehörige nicht teil am Grundrecht aus Art. 6 Abs. 2 GG, auch nicht der Partner eines Elternteils, der in sozial-familiärer Beziehung mit dem Kind lebt. Gleichgeschlechtliche Lebenspartner, die gesetzlich als Elternteile anerkannt sind, werden nicht Eltern im verfassungsrechtlichen Sinne (anders aber BVerfGE 133, 77 ff.).

4.3 Pflege und Erziehung als Aufgaben
Gegenstand des E. sind „Pflege und Erziehung" der Kinder, eine einzige Aufgabe, die sich nicht begrifflich trennen lässt und praktisch zusammengehört. Sie umfasst die Sorge für die Person und das Vermögen, für das leibliche wie für das geistig-seelische Wohl, für Unterhalt wie Bildung, die tatsächliche erzieherische Arbeit wie die Entscheidung über die erzieherischen Ziele und Mittel. Den Eltern kommen sowohl die pädagogische Exekutive zu als auch die pädagogische Direktive, der Umgang mit dem Kind wie die Wahrnehmung seiner Belange gegenüber Dritten, zumal seine gesetzliche Vertretung. Das E. umfasst die religiöse Erziehung. Die Eltern müssen ihre Aufgabe nicht in Person erfüllen. Sie können die Aufgabe Dritten übertragen (Tagesmutter, Kindergarten, Internat etc.)

4.4 Erziehungsziele und Verfassungserwartungen
Das GG behält den Eltern die Entscheidung vor, wie sie ihr Kind erziehen und auf welche Ziele sie die Erziehung ausrichten. Weder Staat noch Kirche oder eine sonstige Macht kann ihnen ihr Erziehungskonzept aufzwingen. Doch das E. wird nicht lediglich negativ bestimmt als Freiheit von staatlicher Regulierung, sondern auch positiv als Freiheit zur Verwirklichung des ↑Kindeswohls. Dieses bildet die „oberste Richtschnur" (BVerfGE 59, 376; 60, 88). Doch als solche wird es nicht von Verfassungs oder Gesetzes wegen ausdefiniert. Die Erziehung zu „leiblicher, seelischer und gesellschaftlicher Tüchtigkeit" (Art. 120 WRV) oder „zu einer eigenverantwortlichen und gemeinschaftsfähigen Persönlichkeit" (§ 1 Abs. 1 SGB VIII) nähern sich der Sache, bleiben aber hochabstrakt und so unbestimmt, dass sie den Eltern Raum lassen, ihre eigenen pädagogischen Vorstellungen zu verwirklichen, ohne Rücksicht darauf, ob diese Vorstellungen vom Staat, von der Bevölkerungsmehrheit oder einer beachtlichen Minderheit geteilt werden und als „politisch korrekt" gelten. Sie ist der eigentliche Ursprung des gesellschaftlichen Pluralismus. Es bildet auch den integrationsresistenten Part (↑Integration) von Zuwanderern aus fremden Kulturkreisen, ihre nationale, kulturelle, religiöse Eigenart in der Mehrheitsgesellschaft zu bewahren und weiterzugeben. Dem Staat ist es kraft Art. 6 Abs. 2 GG verwehrt, in den autonomen Bezirk der Familie hineinzuregieren, um seine eigenen Vorstellungen aufzudrängen, auch

dann, wenn sie moralisch hochwertiger, pädagogisch vernünftiger sein sollten. So ist die gesetzliche Anordnung einer dialogischen Erziehung („Intellektuellenparagraph" § 1626 Abs. 2 S. 2 BGB) verfassungswidrig.

Das GG enthält kein rechtsverbindliches Erziehungsprogramm für die Eltern, auch nicht im Sinne einer „demokratischen Gesinnung" oder Verfassungstreue. Das Grundrecht wird den Eltern auch dann nicht entzogen, wenn sie es töricht und unmoralisch ausüben und aller Verfassungsideale spotten. Das Wächteramt des Staates lebt erst auf, wenn das Kind körperlich oder seelisch zu verwahrlosen droht. Dennoch verhält sich die Verfassung nicht gleichgültig gegenüber der elterlichen Erziehung, weil sie im Guten wie im Schlechten an der ethischen und lebenspraktischen Fundierung des Gemeinwesens mitwirkt. Ungeschriebene Verfassungserwartungen, deren Einlösung der Staat zwar fördern, aber nicht erzwingen darf, richten sich darauf, dass die Erziehung dem grundrechtlichen Leitbild der freien Entfaltung der Persönlichkeit des Kindes entspricht, in Achtung vor den Rechten anderer, vor den rechtlichen wie den sittlichen Geboten. Verfassungserwartungen dieser Art, nicht aber Rechtsgebote, sind die in Landesverfassungen aufgerichteten Erziehungsziele wie Ehrfurcht vor Gott, Achtung vor der Würde des Menschen, Bereitschaft zum sozialen Handeln, Duldsamkeit und Achtung vor der Überzeugung des anderen, Liebe zu Volk und Heimat (Art. 7 NRWVerf, Art. 12 BadWüVerf). Rechtsverbindlichkeit beanspruchen dagegen die Erziehungsziele für das staatliche Schulwesen, soweit sie mit der gesamtstaatlichen Verfassung vereinbar sind. Der Erziehungsauftrag des Staates dient als Ergänzung, unter Umständen auch als Korrektiv des individuellen E., weil er die allg.en, objektiven Belange eines gedeihlichen Zusammenlebens unter den Bedingungen der Freiheit zur Geltung bringt, die zentripetalen Kräfte gegenüber den zentrifugalen stärkt und die pluralistische Gesellschaft zum solidarischen Gemeinwesen eint. Je heterogener die Bevölkerung im Zuge der Zuwanderung ist, desto mehr wird das staatliche Integrationsinstrumentarium gefordert.

4.5 Elternrecht und Grundrechte des Kindes

Das Kind steht seinen Eltern als Person gegenüber, ausgestattet mit Menschenwürde und Grundrechten. Es ist ihnen mit Leib und Leben und allen Entfaltungsmöglichkeiten der ↑Freiheit anvertraut. Solange es seine (Grund-)Rechte nicht eigenverantwortlich ausüben kann, nehmen sie diese in seinem Interesse wahr. In dem Maße, in dem es zu Einsichtsfähigkeit und Selbstverantwortung erwächst, bildet sich das E. zurück, um bei Erreichung der Volljährigkeit gänzlich zu erlöschen. Die grundrechtlichen Positionen der Eltern und der Kinder sind zu unterscheiden, gegeneinander abzuwägen und zu Konkordanz zu führen. Die Aufgabe erfüllt der Gesetzgeber nach Maßgabe der Verfassung. Um der Rechtssicherheit willen trifft er im RKEG allg.e, abge-

stufte Regelungen für den Eintritt der Geschäftsfähigkeit. In den ersten Lebensjahren entscheiden die Eltern allein über die Religionszugehörigkeit, die religiöse Erziehung sowie die Teilnahme am Religionsunterricht (Art. 7 Abs. 2 GG). Sie bestimmen im eigenen wie des Kindes Namen, ob es getauft wird. Ab dem vollendeten 12. Lebensjahr kann das Kind nicht gegen seinen Willen in einem anderen Bekenntnis als bisher erzogen werden. Die volle Religionsmündigkeit tritt mit dem vollendeten 14. Lebensjahr ein. Das Kind hat nunmehr die alleinige Entscheidung über die Religionszugehörigkeit und die Teilnahme am Religionsunterricht. Das E. erlischt jedoch nicht völlig. Das Kind wird nicht jedem religiösen Einfluss der Eltern entzogen, weil das Erziehungsrecht im Übrigen fortbesteht. Die Eltern behalten sogar eine klagbare Position, soweit sie in Übereinstimmung mit ihrem religionsmündigen Kind handeln. Die Eltern erteilen die erforderliche Zustimmung zu medizinischen Eingriffen allein, bis das Kind die hinlängliche Einsichtsfähigkeit erlangt hat. Ab diesem nicht generell normierten, sondern individuell zu ermittelnden Zeitpunkt erhält das Kind ein Vetorecht.

Die Grundrechte des Kindes richten sich nicht gegen die Eltern, sondern (wie seinerseits das E.) gegen den Staat. Diesem obliegt jedoch die grundrechtliche Schutzpflicht, das Kind, das sich noch nicht selber schützen kann, vor Übergriffen der Eltern in seine grundrechtlichen Positionen wie die körperliche und seelische Integrität zu bewahren. Das Kind hat ein subjektives Recht auf staatlichen Schutz. Umstritten ist, ob die rituelle Beschneidung aufgrund der Einwilligung der Eltern mit dem Recht des Kindes auf körperliche Unversehrtheit vereinbar ist (so einschlussweise § 1631d BGB) und ob das Grundrecht nicht zumindest traditionelle Methoden verbietet, die den heutigen Standards der Hygiene und der Anästhesie widersprechen. Die Schutzpflicht für die Grundrechte des Kindes gehört zum Wächteramt des Staates.

4.6 Das Wächteramt des Staates

Über die Betätigung des E. „wacht die staatliche Gemeinschaft" (Art. 6 Abs. 2 S. 2 GG). Kraft dieses Wächteramtes stellt sie das Recht des Kindes auf Pflege und Erziehung sicher und greift ein, wenn die Eltern ihre Grundpflicht vernachlässigen oder missbrauchen. Das Wächteramt ist so eng zugeschnitten, dass es die Freiheitssubstanz des E. nicht antasten und den elterlichen Erziehungsprimat nicht berühren kann. Der Staat erhält über das Wächteramt (im Unterschied zur Schulhoheit) keine eigene Erziehungskompetenz. Er tritt nicht in Wettbewerb zu den Eltern. Er überwacht die Erziehung, zieht sie aber nicht an sich. Sein Amt ist für den pathologischen, nicht für den normalen Fall geschaffen. Er respektiert die erzieherische Arbeit und Ausrichtung der Eltern und greift nur ein, wo die Eltern versagen. Er ist lediglich der subsidiäre Treuhänder der Belange des Kindes. Nach seiner verfassungsrechtlichen Bestimmung ist er „nicht Obervormund, sondern Nothelfer" (Ossenbühl 1981: 71). Das Wächteramt besteht in: Gefahrenabwehr, Missbrauchskontrolle und der Lösung solcher Rechtskonflikte, die sich nicht familienautonom lösen lassen. Das Wächteramt ruht, solange über bessere Ziele und Methoden gestritten werden kann. Es tritt erst auf den Plan, wenn eine eindeutige, erhebliche Gefahr für das Kind besteht. Das ist etwa der Fall, wenn die Eltern das Kind verwahrlosen lassen, es nicht ausreichend ernähren, körperlich oder seelisch misshandeln, sich an ihm sexuell vergehen, es in eine Zwangsheirat treiben. Da es um den Schutz des Kindes, nicht um die Bestrafung der Eltern geht, kommt es nicht darauf an, ob die Eltern die Gefahr verschuldet haben (str.). Die Eingriffsschwelle ist nicht schon bei singulärem, geringfügigem Fehlverhalten der Eltern erreicht.

Die Mittel, die der Staat zur Abhilfe gegenüber den Eltern einsetzen darf, sind abgestuft nach dem Übermaßverbot („Verhältnismäßigkeit"). Das mildere Mittel, die schonendere Lösung haben jeweils den Vorrang. Solange die Chance besteht, durch Rat und Hilfe die Eltern zu verantwortungsgerechtem Verhalten zu bewegen, ist der Staat nicht berechtigt, sie von der Pflege und Erziehung ihrer Kinder auszuschalten oder gar selbst diese Aufgabe zu übernehmen. Die tatsächliche Trennung des Kindes von der Familie gegen den Willen der Erziehungsberechtigten ist als bes. einschneidender Eingriff in das E. an verfassungsrechtliche Voraussetzungen gebunden: eine bes. gesetzliche Grundlage (§ 1666a BGB), krasses Versagen der Erziehungsberechtigten oder akute schwerwiegende Gefährdung des Kindes in körperlicher oder seelischer Hinsicht, so dass es zu verwahrlosen droht (Art. 6 Abs. 3 GG). Der Anordnung staatlicher Erziehung ist damit ein verfassungsrechtlicher Riegel vorgeschoben. Die Adoption gegen den Willen der leiblichen Eltern (§ 1748 BGB) ist nur als Ausnahme zulässig, wenn ein schutzwürdiges Recht der natürlichen Eltern nicht mehr besteht. Das Wächteramt würde missbraucht, wenn die Behörden ohne begründeten Anlass die Kinder aushorchten oder sonst in den Familien auskundschafteten, ob eine Gefahrenlage und damit ein Grund zum Eingreifen besteht. Der Rechtsstaat achtet die Privatheit der Familie, die unter dem bes.n Schutz der Verfassung steht (Art. 6 Abs. 1 GG). Zum Wächteramt gehört auch, Rechtskollisionen und Streitigkeiten, die das Wohl des Kindes gefährden können, auszugleichen, so etwa bei Scheidung der Eltern.

4.7 Das Elternrecht in der Staatsschule

Im Bereich der Schule stößt die Geltung des E. auf den verfassungsrechtlichen Widerstand der staatlichen Schulhoheit, die Art. 7 Abs. 1 GG umschreibt: „Das gesamte Schulwesen steht unter der Aufsicht des Staates." Zur Schulhoheit gehören: die Organisation des Schulwesens, die Festlegung des fachlichen und pädagogischen Programms sowie die schulische Erziehung. Die Schulhoheit ist eine eigene, nicht aus dem E. abgeleitete

Kompetenz des Staates, kraft deren er die Belange der Allgemeinheit in die Erziehung einbringt, und die intellektuellen wie ethischen Bedingungen des gesellschaftlichen Lebens vermittelt. Die Schule ist das wichtigste Integrationsmittel (↑Integration) des freiheitlichen Staates, das sich gerade gegenüber den Zuwanderern aus fremden Kulturkreisen bewähren muss. Die Schulhoheit ist also ein Komplementär- und Gegenprinzip zum privaten E. wie zum gesellschaftlichen ↑Pluralismus. Während die etatistische herrschende Lehre zur WRV einseitig auf die Schulhoheit fixiert war und das E. aus dem schulischen Bereich verwies, öffnet sich die Staatsschule unter dem GG innerhalb bestimmter Grenzen dem E. Zwischen den antinomischen Verfassungsnormen ist nunmehr praktische Konkordanz gefordert. Wie diese ausfallen soll, ist jedoch streitig.

Das BVerfG geht von der Gleichordnung zwischen dem staatlichen Erziehungsauftrag in der Schule und dem elterlichen Erziehungsrecht aus. Die gemeinsame Erziehungsaufgabe von Eltern und Schule, welche die Bildung der Persönlichkeit des Kindes zum Ziel hat, soll sich in einem „sinnvoll aufeinander bezogenen Zusammenwirken" erfüllen: „Der Staat muss deshalb in der Schule die Verantwortung der Eltern für den Gesamtplan der Erziehung ihrer Kinder achten und für die Vielfalt der Anschauungen in Erziehungsfragen so weit offen sein, als es sich mit einem geordneten staatlichen Schulsystem verträgt" (BVerfGE 34, 183). In praktischen Fragen muss differenziert werden.

Der Staat gibt die allg.e Schulpflicht vor, die durch Privatunterricht nicht ersetzt wird. Sie führt, bes. in der Grundschule, die Kinder jedweder sozialen Herkunft und Konfession, einheimische wie zugewanderte, im gemeinsamen Lernen zusammen. Er bestimmt grundsätzlich das Schulsystem, die Ausbildungsgänge, die fachlichen Standards und die Unterrichtsziele. Doch haben die Eltern das Recht, zwischen den vom Staat zur Verfügung gestellten Schulformen und über den Bildungsweg des Kindes in der Schule zu entscheiden. Der Staat hat sich von jeder „Bewirtschaftung des Begabungspotentials" freizuhalten (BVerfGE 34, 184 f.). Das Schulwesen muss hinreichend gegliedert sein, damit das elterliche Wahlrecht überhaupt effektiv greifen kann. Doch verpflichtet das E. den Staat nicht, eine bestimmte, an den Wünschen der Eltern orientierte Schulform zur Verfügung zu stellen, auch nicht eine Schule bestimmter religiöser oder weltanschaulicher Prägung.

Die Schule muss zu Gespräch und Verständigung mit den Eltern bereit sein. Sie haben aus Art. 6 Abs. 2 GG den Anspruch auf rechtzeitige und vollständige Information über die Vorgänge, deren Verschweigen die Ausübung ihres Erziehungsrechts beeinträchtigen könnte: Leistungen und Betragen, schulische Schwierigkeiten des Schülers. Das E. als solches ist als höchstpersönliches Individualrecht nicht repräsentierbar und nicht majorisierbar. Nicht ausgeschlossen wurden aber: gemeinsames, einvernehmliches Vorgehen aller Eltern gegenüber der Schule, kollektive Vertretung elterlicher Interessen und Partizipation der Betroffenen an der Schulverwaltung (soweit die demokratisch legitimierte Schulhoheit Partizipation zulässt). Die Spannung zwischen E. und staatlicher Schulhoheit darf nicht einseitig aufgelöst werden. Der Unterricht hat bei religiös und weltanschaulich neuralgischen Themen (z. B. ↑Sexualerziehung) für die verschiedenen Wertvorstellungen offen zu sein und auf das E. Rücksicht zu nehmen. Jedoch können die Eltern ihr Kind nicht schulisch-legitimen Veranstaltungen entziehen, die ihre bes.n religiösen Empfindungen verletzen (z. B. Sport, Klassenausflüge für muslimische Kinder). Nachgiebigkeit ginge auf Kosten der staatlichen Integrationsaufgabe. Eine Besonderheit bildet der konfessionsgebundene Religionsunterricht. Hier bestimmen die Erziehungsberechtigten über die Teilnahme des Kindes (Art. 7 Abs. 2 GG).

Die Staatsschule ist kein Erziehungsinstrument der Parlamentsmehrheiten und Regierungen, der herrschenden Parteien oder Lehrergewerkschaften, aber auch nicht das der einzelnen Lehrer. Sie ist keine ideologische Multi-Kulti-Agentur. Das Erziehungsmandat beschränkt sich auf die ethischen Normen und Grundwerte, die den verfassungsrechtlich legitimen und notwendigen Konsens des pluralistischen deutschen Gemeinwesens ausmachen. Der Erziehungsauftrag der Staatsschule ist also begrenzt durch die dem freiheitlichen Staat eigenen Toleranz- und Neutralitätspflichten. Die Eltern können dagegen aufgrund ihres Freiheitsrechts einem ganzheitlichen Erziehungskonzept folgen, sich religiös, weltanschaulich, gesellschaftlich engagieren. Die Einhaltung der äußeren wie inneren Grenzen der Schulerziehung stellt bes. hohe Anforderungen an das Amtsethos und an das pädagogische Feingefühl des Lehrers.

Das E., das sich in erster Linie im häuslich-familiären Bereich entfaltet, würde weitgehend entleert werden, wenn der Staat den Schüler ganztägig von der Familie trennte; die Ganztagsschule als Pflichtschule ist mit Art. 6 Abs. 2 GG unvereinbar, desgleichen vorschulische Inanspruchnahme gegen den Willen der Eltern.

4.8 Die erzieherische Gewaltenteilung
E. und staatliches Wächteramt, Elternhaus und Staatsschule bilden in ihrem Ergänzungs- und Spannungsverhältnis Faktoren der erzieherischen Gewaltenteilung, die zu den Strukturen des freiheitlichen Gemeinwesens gehört. Ein weiterer verfassungsrechtlich garantierter Faktor ist die Privatschule, die Vielfalt des Erziehungssystems ermöglicht und das zum E. gehörende Wahlrecht unter den Bildungswegen verbreitert (Art. 7 Abs. 4 und 5 GG).

Erzieherischer Einfluss kommt von Verfassungs wegen auch den Kirchen zu (Art. 4 Abs. 1 und 2, Art. 7 Abs. 2 und 3, Art. 140 GG). Doch haben sie nicht von sich aus das Recht, unmittelbar auf das Kind einzuwirken, sondern nur vermittelt durch die elterlichen Zustimmung. Kirchenrecht wird im verfassungsstaatlichen System mediatisiert durch das E. Entsprechendes gilt für den Einfluss anderer privater Bildungsträger, wie der freien Wohlfahrtsverbände, der Jugendorganisationen, der Medien. Sie alle können sich, im Unterschied zum Staat, gemäß ihrer grundrechtlichen Freiheit weltanschaulich, politisch und gesellschaftlich engagieren; für sie gelten nicht die verfassungsrechtlichen Distanz-, Konsens- und Toleranzschranken, denen der ↑Rechtsstaat unterliegt.

Nur der Staat hat ein eigenes, unmittelbares Erziehungsmandat, das sich nicht vom E. ableitet. Aber dieses beschränkt sich auf den Bereich der Schulhoheit. Soweit der Staat darüber hinaus Erziehungs- und Bildungsangebote macht (Kindergarten und Tagesstätten, Schülerfreizeit etc.), ist auch er auf die Zustimmung der Eltern angewiesen.

Das E. in Art. 6 Abs. 2 GG ist in seinem heutigen Verständnis auf das hergebrachte Spannungsverhältnis zwischen der elterlichen Freiheit und dem hoheitlichen Eingriff abgestellt. In der Wirklichkeit einer offenen Gesellschaft müssen sich die Eltern gegen eine unabsehbare und unkontrollierbare Menge unerbetener Miterzieher mit ihren Kommunikations-, Informations-, Unterhaltungs- und Konsumofferten behaupten, und das unter der schwierigen Bedingung der beruflichen Beanspruchung beider Elternteile, mit der sich die Zeit für die Kinder verknappt. Auf der anderen Seite wird die „amateurhafte" elterliche Erziehung delegitimiert durch den Trend zur Verwissenschaftlichung, Professionalisierung und Sozialisierung der ↑Pädagogik. Das Gewicht des „natürlichen" E. nimmt ab. Die Balance in der erzieherischen Gewaltenteilung muss immer neu austariert werden.

5. Die naturrechtliche Konzeption der katholischen Kirche
Für die ↑katholische Kirche ist das E. naturrechtlich begründet (↑Naturrecht). In der Lehre Papst Leos XIII. konvergieren die aristotelisch-thomistische Tradition und die Menschenrechtsidee: „Von Natur aus haben die Eltern das Recht zur Erziehung ihrer Kinder, und damit auch die Pflicht, dass die Erziehung und der Unterricht dem Zweck gerecht werden, zu dem sie durch Gottes Gnade die Nachkommenschaft erhalten haben. Darum müssen die Eltern alles aufbieten, jeden Übergriff auf diesen Bereich zurückzuweisen, und auf dem Recht bestehen, ihre Kinder pflichtgemäß christlich zu erziehen und sie von jenen Schulen fernzuhalten, wo sie antireligiös beeinflusst werden könnten" (Enzyklika „Sapientiae christianae" 1890). Der Papst rühmt die Gründung katholischer Privatschulen. Gleichwohl hänge das meiste von der häuslichen Erziehung ab. „Wo die Jugend im elterlichen Haus eine gute Lebensordnung und eine Schule der christlichen Tugenden findet, ist auch das Wohl des Staates gesichert" (ebd.). Der Vorrang der elterlichen vor der staatlichen Erziehung ist ein wichtiger Anwendungsfall des Subsidiaritätsprinzips (↑Subsidia-

rität). Der Staat hat nach kirchlicher Lehre durch ein differenziertes Schulsystem die institutionellen Voraussetzungen zu schaffen, dass das E. in diesem Bereich ausgeübt werden kann. Das E. ist positiv angelegt auf sittliche und religiöse Erziehungsziele. Christliche Eltern haben die Aufgabe, „für die christliche Erziehung ihrer Kinder gemäß der von der Kirche überlieferten Lehre zu sorgen" (can. 226 § 2 CIC). Die Kirche beansprucht ein eigenes, originäres Erziehungsmandat, „denn ihr ist von Gott aufgetragen, den Menschen zu helfen, dass sie zur Fülle des christlichen Lebens gelangen können" (can. 794 § 1 CIC).

Die kirchliche Lehre entfaltet sich bes. in der Enzyklika Papst Pius' XI. „Divini illius magistri" (1929), der Erklärung des Zweiten Vatikanischen Konzils „Gravissimum educationis" (1965) und dem Apostolischen Schreiben Papst Johannes Pauls II. „Familiaris consortio" (1981).

Die Rechte und Pflichten sind auch kirchenrechtlich positiviert (can. 226 § 2, can. 193 § 1, can. 1136 CIC). Das innerkirchliche Recht widerspricht dem E., insofern es – in Fortführung einer von jeher umstrittenen Tradition – vorsieht, dass in Todesgefahr ein Kind katholischer, ja sogar nichtkatholischer Eltern auch gegen den Willen der Eltern erlaubt getauft wird (can. 868 § 2 CIC). Die kirchenamtliche Zusammenfassung der naturrechtlichen und positivrechtlichen Normen und Postulate bringt die „Charta der Familienrechte" (1983): „Da sie ihren Kindern das Leben geschenkt haben, besitzen die Eltern das ursp.e, erste und unveräußerliche Recht, sie zu erziehen; daher müssen sie als die ersten und vorrangigen Erzieher ihrer Kinder anerkannt werden.

a) Eltern haben das Recht, ihre Kinder in Übereinstimmung mit ihren moralischen und religiösen Überzeugungen zu erziehen und dabei die kulturellen Traditionen ihrer Familie zu berücksichtigen, die Wohl und Würde des Kindes fördern; sie sollten auch die notwendige Hilfe und Unterstützung der Gesellschaft erhalten, um ihre Erziehungsaufgabe richtig zu erfüllen.

b) Eltern haben das Recht, Schulen und andere Hilfsmittel frei zu wählen, die notwendig sind, um die Kinder in Übereinstimmung mit ihren Überzeugungen zu erziehen. Staatliche Autoritäten müssen sicherstellen, dass die staatlichen Unterstützungen so zugeteilt werden, dass die Eltern dieses Recht wirklich frei ausüben können, ohne ungerechtfertigte Lasten tragen zu müssen. Es darf nicht sein, dass Eltern direkt oder indirekt Sonderlasten tragen müssen, die die Ausübung dieser Freiheit unmöglich machen oder in ungerechter Weise einschränken.

c) Eltern haben das Recht auf Gewähr, dass ihre Kinder nicht gezwungen werden, Schulklassen zu besuchen, die nicht in Übereinstimmung stehen mit ihren eigenen moralischen und religiösen Überzeugungen. Insb. die Geschlechtserziehung (↑Sexualerziehung) – die ein Grundrecht der Eltern darstellt – muss immer unter ihrer aufmerksamen Führung geschehen, ob zu

Hause oder in Erziehungseinrichtungen, die von ihnen ausgewählt und kontrolliert werden.

d) Die E.e werden verletzt, wenn der Staat eine verpflichtende Erziehungsform auferlegt, bei der alle religiöse Bildung ausgeschlossen ist.

e) Das vorrangige Recht der Eltern, ihre Kinder zu erziehen, muss in allen Formen des Zusammenwirkens zwischen Eltern, Lehrern und Schulleitung gewahrt bleiben, insb. „bei Mitwirkungsformen, die den Bürgern in praktischen Schulfragen und in der Formulierung und Konkretisierung von Erziehungsprogrammen eine Stimme geben wollen."

Im evangelischen Bereich findet sich keine vergleichbare Konzeption des E. (trotz vereinzelter theologischer Ansätze). Zum einen wirkt sich die Fremdheit gegenüber dem Naturrechtsdenken aus. Zum anderen fehlt herkömmlich die Distanz zum Staat, ohne die das E. nicht gedacht werden kann. In jüngerer Zeit zeichnet sich mit der Durchsetzung des E. als säkularem Grundrecht praktisch Konvergenz zwischen den Konfessionen ab.

Literatur

Elternrecht nach Art. 120 WRV
G. Anschütz: Die Verfassung des Deutschen Reichs, Art. 120 WRV, 1933, 560 ff. • W. Landé: Die Schule in der Reichsverfassung, 1929 • G. Holstein: Reichsverfassung und Schulverwaltungssystem, in: AöR 51/12 (1927), 187 ff.

Elternrecht nach Art. 6 Abs. 2 und 3 GG
M. Burgi: Elterliches Erziehungsrecht, in: HGR IV/1, 2011, § 109 • W. Höfling: Elternrecht, in: HStR, Bd. VII, ³2009, § 155 • W. Roth: Die Grundrechte Minderjähriger im Spannungsfeld selbstständiger Grundrechtsausübung, elterlichen Erziehungsrechts und staatlicher Grundrechtsbindung, 2003 • M. Jestaedt: Art. 6 Abs. 2 und 3 GG. in: Bonner Kommentar zum Grundgesetz, 1995 • M. Jestaedt: Das elterliche Erziehungsrecht im Hinblick auf die Religion, in: HdbStKirchR, ²1995, 371 ff. • D. Reuter: Elterliche Sorge und Verfassungsrecht, in: AcP 192 (1992), 108–152 • H. F. Zacher: Elternrecht, in: HStR, Bd. VI, ¹1989 (²2001), § 134 • H.-U. Erichsen: Elternrecht – Kindeswohl – Staatsgewalt, 1985 • F. Ossenbühl: Das elterliche Erziehungsrecht im Sinne des Grundgesetzes, 1981 • E.-W. Böckenförde: Elternrecht – Recht des Kindes – Recht des Staates, in: J. Krautscheidt/H. Marré (Hg.): EssGespr., Bd. 14, 1980, 54–61 • W. Geiger: Kraft und Grenze der elterlichen Erziehungsverantwortung unter den gegenwärtigen gesellschaftlichen Verhältnissen, in: J. Krautscheidt/H. Marré (Hg.): EssGespr., Bd. 14, 1980, 9–28 • C. Starck: Staatliche Schulhoheit, pädagogische Freiheit und Elternrecht, in: DÖV 32/8 (1979), 269–275 • F. Ossenbühl: Elternrecht in Familie und Schule, 1978 • H. Peters: Elternrecht, Erziehung, Bildung und Schule, in: K. A. Bettermann/H. C. Nipperdey/U. Scheuner (Hg.): Die Grundrechte, ⁴1960, 369–445.

Europäische Menschenrechtskonvention
C. Langenfeld: Das Elternrecht im Schulwesen, in: O. Dörr/R. Grote/T. Marauhn (Hg.): EMRK/GG, Konkordanzkommentar, ²2013, 1647 ff. • C. Grabenwarter/K. Pabel: Europäische Menschenrechtskonvention, ⁵2012, § 22 Rdnr. 81 ff. • H. F. Köck: Der Schutz des Elternrechts in der europäischen Menschenrechtskonvention, in: ÖZöR 30/1 (1979), 23–64.

Elternrecht in katholisch-theologischer Sicht
K. Schmitz-Stuhlträger: Das Recht auf christliche Erziehung
im Kontext der katholischen Schule, 2009 • J. David: Ehe
und Elternrecht nach dem Konzil, 1968 • P. Tischleder: Die
Staatslehre Leos XIII., 1925, 75 ff.   JOSEF ISENSEE

Emanzipation

1. Allgemeine Bedeutung

E. ist ein Zentralbegriff im sozialen und politischen Vokabular der ↑Moderne. Er bezeichnet den Akt der Befreiung des Menschen von vorgegebenen gesellschaftlichen Zwängen, die als willkürlich und ungerecht
verstanden werden. Gelegentlich wird auch eine E. von
„der Natur" (↑Natur) für möglich gehalten. Doch davon
kann nur im übertragenen Sinn die Rede sein, wenn es
gilt, eine fälschlich als „natürlich" verteidigte ↑Herr-
schaft zu überwinden. Im strengen Sinn ist eine E. von
der Natur nicht möglich, weil der Mensch als Natur-
wesen notwendig an Natur gebunden bleibt (Anthropologie). Also lässt sich der Begriff der E. nur auf soziale
Verhältnisse beziehen, von denen sich der Mensch mit
dem Ziel größerer individueller und politischer Eigenständigkeit (↑Autonomie) zu befreien sucht.

Die den Begriff leitende Erwartung ist, dass E. den
Menschen in die Lage versetzt, sein Leben nach eigener
Einsicht zu führen. Dabei beruht sie selbst schon auf
einem Akt der Selbstbestimmung, den sie auf Dauer ermöglichen und sichern soll. In diesem Sinn ist E. historisch wie systematisch eng mit dem Programm der europäischen ↑Aufklärung verbunden. Auch E. setzt
Aufklärung voraus, um ihr durch Fortsetzung aus eigenem Anspruch eine möglichst alle Menschen umfassende ↑Zukunft zu eröffnen. Auf diesen sich selbst stei-
gernden Prozess der Selbstbildung ist auch das
Verlangen nach E. gegründet, die nur gelingen kann,
sofern sie vom sich emanzipierenden ↑Subjekt selbst
gewollt ist.

2. Emanzipation des Begriffs der Emanzipation

Der Ausdruck E. kommt im 18. Jh. in Umlauf und findet Aufnahme in alle europäischen Sprachen; dabei eröffnet er sich ein weitläufiges Anwendungsfeld mit
einem zunehmend breiter werdenden Bedeutungsspek-
trum, das die vielfache Verwendung des Begriffs begünstigt.

Sein Ursprung liegt in der römischen Antike. E. meinte urspr. den Verzicht auf die rechtlich verankerte Verfügung und Verantwortung einer Person durch eine andere (↑Verantwortung). Nach römischem Recht wurde
der Erwerb eines Verfügungsrechts über eine anderen
Person durch den (*manicipium* genannten) symbolischen
Akt des Handauflegens (von *manus* = Hand) besiegelt.
Emancipatio war somit der Rechtsakt, der einen juridischen Tatbestand rechtswirksam rückgängig machte.
So konnte ein Hausgenosse oder Sklave in die ihm per-

sönlich rechtlich zugesicherte Selbständigkeit entlassen
werden.

Diese Bedeutung blieb im kirchenrechtlichen Institut
der *emancipatio canonica* erhalten, die es z. B. erlaubte,
Kinder der elterlichen Verantwortung zu entziehen, um
sie einer der Kirche angemessen erscheinenden Bestimmung zuzuführen. So geschah es mit den Kindern ver-
urteilter Ketzern, die in der Obhut von Klöstern vor dem
verderblichen Einfluss ihrer Eltern geschützt und auf
Dauer davon abgebracht werden sollten.

Der sich über Jh. erstreckende juridische Wortgebrauch ändert sich erst mit der reflexiven Verwendung des Verbums *emancipere*, das nicht länger auf
einen institutionellen Vorgang der Befreiung von bestehenden Verbindlichkeiten beschränkt ist. Es kann nunmehr auf eine eigene Entscheidung des sich befreienden
↑Individuums gegründet sein. Dadurch wird, zumindest im Selbstverständnis der aktiven Individuen und
Gruppen (↑Gruppe), anerkannt, dass Menschen sich
selbst emanzipieren können. So wird die Verschränkung
von eigener Einsicht und eigenem Wollen anerkannt,
die ihrerseits die Verbindung von eigener Tat und allg.
er gesellschaftlicher Entwicklung voraussetzt. Diese
Verbindung ist für die neuzeitliche Verwendung (↑Neu-
zeit) des Begriffs der E. charakteristisch und führt zu
seiner semantischen Symbiose mit den modernen Topoi
der Selbstbestimmung, der individuellen Verantwortung, der moralischen ↑Autonomie und der politischen
↑Souveränität. Damit kann E. sowohl zur Motivierung
wie auch zur Erklärung unterschiedlicher Akte persönlicher wie politischer Selbstverwirklichung herangezogen werden, ganz gleich, ob es sich um ↑Kritik oder
Protest, ↑Reform, Revolte oder ↑Revolution handelt.

Der gleichermaßen historische wie systematische Zusammenhang macht die eminente Rolle verständlich,
die dem Begriff der E. in der politischen Geschichte der
letzten drei Jh. zugefallen ist. Der im 18. Jh. einsetzende
und bis heute nicht abgeschlossene Prozess der Vergewisserung, Entfaltung und Durchsetzung der ↑Men-
schenrechte wurde zunehmend als E. erfahren und
gedeutet. In ihm sind gerade auch in begriffsgeschicht-
licher Perspektive zwei immer wieder hervorgehobene
Entwicklungsstränge von bes.r Bedeutung: die E. der
Juden und die der Frauen (↑Frauenbewegungen). Darüber hinaus wird E. als Anspruch auf ein geistiges Geschehen verstanden, das sowohl die individuelle wie
auch die sozio-kulturelle Entwicklung von Menschen
nach Art eines ↑Fortschritts versteht. Bei aller Neigung,
die speziesistische Differenz zwischen Menschen und
anderen Lebewesen einzuebnen, ist es bemerkenswert,
dass sich der Mensch die Fähigkeit zur E. offenbar nach
Art eines ultimativen Privilegs vorbehält.

3. Die exemplarische Emanzipation der Juden

Man darf es als einen bes.n Verdienst des Begriffs der E.
verstehen, dass er seine historische Kontur und seinen
intellektuellen Rang in der Anwendung auf zwei Pro-

blembereiche gewonnen hat: Die in beiden Fällen viel
zu spät einsetzende E. der Juden (↑Judentum) und die
der Frauen.

Während in der ersten Erklärung der ↑Menschenrech-
te, der Bill of Rights im Jahre 1776 sowie in den sich allmählich mehrenden Übernahmen menschenrechtlicher
Prinzipien in die Verfassungen (↑Verfassung) europäischer Staaten stets nur allg. vom „Menschen" die Rede ist,
wird im Vorgriff auf das „Bürgerrecht" im aufgeklärten
Absolutismus (↑Absolutismus) des habsburgischen Kaisers Joseph II. eine erste Lockerung der rechtlichen Ausgrenzung der Juden verfügt. 1782 wird die „Leibmaut",
eine Kopfsteuer für Juden, abgeschafft, die „Judenhäu-
ser" genannten Ghettos werden aufgelöst und den Juden
wird eine begrenzte Gewerbefreiheit zugestanden.

Die weitergehende theoretische Begründung findet
sich in der von Moses Mendelssohn geförderten Schrift
des preußischen Juristen Christian Wilhelm von Dohm
„Ueber die bürgerliche Verbesserung der Juden" von
1781. Deren Spuren sind ab 1791 in den Verfassungsberatungen der französischen Nationalversammlung
und später in der napoleonischen Gesetzgebung zu verfolgen. Unter dem Druck Napoleon Bonapartes folgen
zwischen 1800 und 1812 fast alle deutschen Staaten den
Empfehlungen C. W. von Dohms. In Preußen veranlasst Friedrich von Hardenberg 1812 den König, das
„Edikt betreffend die bürgerlichen Verhältnisse der Juden" zu erlassen. 1817 wird dafür erstmals der Begriff
der „Juden-E." verwendet, der rasch in das politische
Vokabular übernommen wird.

Es sind keineswegs nur die bestehenden Machtverhältnisse, die es mit sich bringen, dass der Begriff
hier noch einmal ganz im alten Sinn des römischen
Rechts verwendet wird. Obgleich die jüdischen Bürger
(↑Bürger, Bürgertum) durch ihre politische und ökonomische Mitwirkung Anteil an ihrer Befreiung haben,
stehen sie weiterhin unter dem auch von liberalen Denkern vertretenen Vorurteil, sie müssten erst zu Vollbür-
gern erzogen werden. In dieser Absicht werden ihnen
religiöse Unterweisung und eine Ausbildung bei christlichen Lehrherren aufgenötigt. Erst in der (zunächst nur
als Deklaration wirkenden) Verfassung der Frankfurter
Nationalversammlung findet sich die Feststellung:
„Durch das religiöse Bekenntnis wird der Genuß der
bürgerlichen und staatsbürgerlichen Rechte weder bedingt noch beschränkt."

1862 ist es das liberal regierte Großherzogtum Baden,
das als erster deutscher Staat den Juden die volle Gleichberechtigung gewährt. Wie wenig damit tatsächlich erreicht war, hat die nachfolgende politische Geschichte in
Deutschland gezeigt. Sie belegt, dass E. nicht gelingen
kann, solange sie unter paternalistischen Konditionen
erfolgt. Das ist bereits ein wesentlicher Punkt in der
1843 von Karl Marx verfassten Abhandlung „Zur Judenfrage", wenn er in Abgrenzung gegenüber Bruno Bauer
feststellt: „Wir müssen uns selbst emanzipieren, ehe wir
andere emanzipieren können" (MEW 1: 348).

4. Die Emanzipation der Frau

Das ist auch die Lehre, die mit der nicht weniger langen
E.-Geschichte der Frauen verbunden ist (↑Frauenrechte,
↑Frauenfrage). Hier kommt der Begriff der E. zwar erst
in der zweiten Hälfte des 20. Jh. zum Durchbruch, wird
dafür aber so beherrschend, dass man derzeit bei E. fast
nur noch an den Kampf um die Gleichberechtigung der
Frauen denkt. Doch es gibt eine Vorgeschichte, die bis in
die Tage der ↑Französischen Revolution zurückreicht.
1791 fordert Olymp de Gouges mit ihrer „Déclaration
des droits de la Femme et de la Citoyenne" die gleichen
Rechte für Männer und Frauen.

Für politische Debatten und zunehmende theoretische Aufmerksamkeit sorgt hier der jahrzehntelange
Kampf um das Frauenwahlrecht in England, in den Vereinigten Staaten und auf dem europäischen Kontinent.
Nach dem Ersten Weltkrieg mehren sich die Stimmen
für eine Gleichberechtigung in Beruf, Bildung und bei
der Erfüllung der familiären Pflichten. Doch der ausdrücklich unter dem Anspruch auf E. geführte Kampf
um die soziale Gleichstellung der Frau beginnt erst Jahre später, und zwar nach den Rassenunruhen in den
USA und der kurz darauf einsetzenden Studentenrevol-
te in Amerika und Europa (↑Gender). Die mit der Verbreitung pharmakologischer Antikonzeptiva einsetzende „sexuelle Revolution" zieht seit dem Ende der
sechziger Jahre die sog.e „autonome" Frauenbewegung
nach sich, die mit ihrem Verlangen zeitweilig alle anderen Bedeutungen von E. überlagert.

5. Aufgaben und Grenzen der Emanzipation

Unter den Bedingungen einer fortschreitenden ↑Globa-
lisierung erscheint es aus der Sicht der westlichen ↑Zivi-
lisation geradezu natürlich, den Gesellschaften (↑Gesell-
schaft), die sich in ihren Formen des Lebens, des
Handelns und des Glaubens nicht den Standards aufgeklärten Denkens angepasst haben, einen hohen E.s-Be-
darf zu unterstellen. So wird insb. von den Angehörigen
religiöser Gemeinschaften verlangt, sie hätten sich von
ihren Gewohnheiten und Gebräuchen zu emanzipieren.

Das Verlangen ist unvermeidlich, sofern es sich im
Namen eines friedlichen Zusammenlebens in wechselseitiger ↑Toleranz, in Anerkennung der Prinzipien des
Rechts und im Respekt vor der ↑Würde des Menschen
versteht. Sobald es jedoch um religiöse Verbindlichkeiten, um Erziehung, Ernährung oder Kleidung geht,
stößt der Anspruch auf E. an seine Grenzen. Er kann in
Konflikt mit dem Gebot religiöser und kultureller Toleranz geraten und hat Rücksicht auf den zur E. gehörenden Willen des Einzelnen zu nehmen. Während im Interesse einer rechtsstaatlichen Ordnung ein Gebot
äußerer Anpassung unerlässlich ist, kann es in sittlich-
moralischen Fragen keinen Rechtszwang geben. Wie die
↑Aufklärung steht auch die E. unter der Voraussetzung
individueller Einsicht und persönlicher ↑Entscheidung.
Überdies ist zu beachten, dass auch die Glaubensfreiheit
(↑Religionsfreiheit) zu den ↑Menschenrechten gehört.

Dass dieser Zusammenhang nicht auf Individuen (↑Individuum) beschränkt sein darf, hat auch Konsequenzen für das Verhalten politischer Organisationen. Sie macht überdies verständlich, warum der Begriff der E. in der Debatte über die Erziehung zur Mündigkeit so große Beachtung gefunden hat und immer noch findet.

Literatur

U. Gerhardt: Frauensituation, 1990 • M. Greifenhagen (Hg.): Emanzipation, 1982 • H. Schmitz: System der Philosophie, Bd. 4, 1980 • I. Fetscher: Herrschaft und Emanzipation, 1976 • K. M. Grass/E. Koselleck: Emanzipation, GGB, Bd. 2, 1975, 153–107 • K. Mollenhauer: Erziehung und Emanzipation, ⁴1970 • K. Marx: Zur Judenfrage (Deutsch-Französische Jahrbücher 1844), in: MEW 1, 1969, 347–377 • B. Bauer: Die Judenfrage, 1843 • B. Bauer: Die Fähigkeit der heutigen Juden und Christen frei zu werden, in: G. Herwegh (Hg.): Einundzwanzig Bogen aus der Schweiz, 1843, 56–71;

VOLKER GERHARDT

Emigration, politische

P. E. tritt dann auf, wenn staatliche oder halbstaatliche Akteure die Handlungsmacht und damit die ↑Freiheit und Freizügigkeit von Einzelnen oder Kollektiven tiefgreifend beschränken. P. E. ist durch eine Nötigung zur Abwanderung aus politischen Gründen verursacht, die keine realistische Handlungsalternative zulässt. Sie ist Flucht vor Gewalt, die Leben, körperliche Unversehrtheit, Freiheit und Rechte direkt oder erwartbar bedroht.

Die Geschichte der E. aus politischen Gründen ist lang. Eine neue Etappe begann mit der Etablierung der europäischen Nationalstaaten im 19. Jh. Einige Zehntausend Menschen, die bewusst den Kampf gegen das herrschende politische System ihres Herkunftsstaates aufgenommen hatten, ergriffen meist vor der Verfolgung nationaler, demokratischer, liberaler und sozialistischer Bewegungen die Flucht. Frühsozialistische Handwerker fanden sich unter den politischen Emigranten ebenso wie nationalliberale politische Intellektuelle oder Mitglieder bewaffneter nationaler Befreiungsbewegungen.

Mehrere Hochphasen der p.n E. lassen sich im 19. Jh. ausmachen: Eine erste gab es in der Phase der verschärften Restauration im Jahrfünft nach dem Wiener Kongress. Eine zweite folgte nach den Unruhen, die in weiten Teilen Europas im Kontext der Pariser Julirevolution von 1830 standen. Dazu zählte auch die „Große E.", die mehrere Zehntausend Polen nach Westeuropa führte. Die europäische Revolution von 1848 hinterließ ebenfalls wesentliche Spuren im p.n E.s-Geschehen. Seit den 1870er Jahren ging es vornehmlich um politisch erzwungene Wanderungen im Gefolge des Kampfes mittel- und osteuropäischer Staaten gegen sozialistische und anarchistische Bewegungen. Dabei blieben die Staaten Mittel- und Osteuropas Hauptausgangsräume politischer Fluchtbewegungen (↑Flucht und Vertreibung).

P.E. ist selten ein linearer Prozess, vielmehr bewegen sich politische Emigranten meist in Etappen: Häufig lässt sich zunächst ein überstürztes Ausweichen über die Grenze in der Erwartung einer baldige Rückkehr beobachten. Oft aber müssen sie sich auf Dauer oder auf längere Sicht auf eine Existenz als politische Emigranten einrichten. Nicht selten erfolgen Weiterwanderungen. Muster von (mehrfacher) Rückkehr und erneuter E. finden sich ebenfalls häufig. Hintergrund ist dabei nicht nur die Dynamik der sich stets verschiebenden politischen Konstellation im Herkunftsstaat, sondern auch die Unmöglichkeit, an einem Fluchtort Sicherheit oder Erwerbs- bzw. Versorgungsmöglichkeiten zu finden.

Über die Aufnahme von politischen Emigranten entscheiden Staaten (↑Staat) mit weiten Ermessensspielräumen. Die Bereitschaft, Schutz zu gewähren, bildet immer ein Ergebnis vielschichtiger Prozesse des Aushandelns durch Individuen, Kollektive und (staatliche) Institutionen, deren Beziehungen, Interessen, Kategorisierungen und Praktiken sich stets wandeln. Permanent verschiebt sich, wer unter welchen Umständen als politischer Emigrant wahrgenommen und in welchem Ausmaß und mit welcher Dauer Schutz zugebilligt wird. Zwei unterschiedliche rechtliche Wege der Aufnahme politischer Emigranten gab es im 19. Jh.: Zum einen konnten sie als Einwanderer aufgenommen werden. Ihr rechtlicher Status unterschied sich dann nicht von jenen, deren Zuwanderung nicht primär politischen Motiven unterlag. Vor allem Großbritannien und die USA wurden auf diese Weise wichtige Aufnahmeländer politischer Emigranten aus Europa. Zum andern war die Gewährung eines spezifischen Rechtsstatus für politische Emigranten möglich. Das geschah ausschließlich als eine Ausnahme innerhalb der Regelungen zur Abschiebung ausländischer Staatsangehöriger und bot damit Schutz vor Auslieferung im Sinne eines politisch motivierten Aktes der Duldung.

Mit dem Ersten Weltkrieg und den politischen und territorialen Wandlungen in seinem Gefolge gewannen politisch bedingte räumliche Bewegungen an Gewicht. P. E.en begleiteten vor allem den russischen Bürgerkrieg und die Staatenbildungen in Ost-, Ostmittel- und Südosteuropa. Sie zielten in erster Linie auf West- und Mitteleuropa. Rund 10 Mio. Menschen sollen aufgrund der Veränderungen der territorialen und politischen Verhältnisse nach dem Ersten Weltkrieg in Europa bis Mitte der 1920er Jahre Grenzen überschritten haben. Die umfangreichste einzelne Gruppe bildeten die wahrscheinlich ein bis zwei Mio. politischen Emigranten aus dem Russland der Revolution und des Bürgerkriegs.

Während die relativ wenigen Menschen, die im 19. Jh. in europäischen Staaten als politische Emigranten Aufnahme fanden, v.a. als sicherheitspolitisches, gelegentlich auch als außenpolitisches Problem gesehen wurden, erschienen die wesentlich umfangreicheren Bewegungen des 20. Jh. zunehmend als Herausforderung für den intervenierenden ↑Sozialstaat. Ängste vor einer Zunahme der Erwerbslosigkeit, einer Überforderung des sozialen Sicherungssystems sowie einer kulturellen Vielfalt beherrschten die Debatte. Das galt auch für Deutschland nach dem Ersten Weltkrieg. Dennoch schuf die Weimarer Republik rechtliche Kategorien für die Aufnahme von politischen Emigranten. Im Deutschen Auslieferungsgesetz von 1929 wurde ihr Schutz erstmals auf eine gesetzliche Grundlage gestellt durch das Festschreiben eines Verbots der Auslieferung bei politischen Straftaten. Und die preußische Ausländer-Polizeiverordnung vom April 1932 legte Preußen die Verpflichtung auf, politischen Emigranten Schutz zu gewähren.

Die nationalsozialistische Machtübernahme wenige Monate später trieb erneut Menschen ins Exil (↑Nationalsozialismus): Die weitaus größte Gruppe stellten Juden, von denen etwa 280 000 bis 330 000 das Reich verließen. Weltweit nahmen mehr als 80 Staaten Menschen aus Deutschland auf. Ziele waren zunächst meist die europäischen Nachbarstaaten in der Hoffnung auf den baldigen Zusammenbruch des NS-Regimes und die Chance zur Rückkehr. Die Hälfte aller jüdischen Flüchtlinge aber wanderte weiter. Die Zahl der politischen Emigranten, die vor dem Nationalsozialismus in die USA auswichen, wurde 1941 auf insgesamt 100 000 geschätzt. Argentinien folgte mit 55 000 Flüchtlingen vor Großbritannien mit 40 000. Während des Zweiten Weltkrieges verschob sich das Gewicht noch weiter zugunsten der Vereinigten Staaten, die letztlich etwa die Hälfte aller Emigranten aufnahmen.

Das 1948/49 entwickelte Asylgrundrecht (↑Asyl) der Bundesrepublik Deutschland bildete eine Reaktion auf die p. E. aus dem Dritten Reich und markierte eine symbolische Distanzierung von der nationalsozialistischen Vergangenheit. Darüber hinaus sollte es die Anerkennung der Werte des Westens demonstrieren. Für die Globalgeschichte der p.n E. der zweiten Hälfte des 20. Jh. hatte der ↑Kalte Krieg zentrale Bedeutung. Beobachten lassen sich die Flucht bzw. Ausweisung von ↑Dissidenten aus dem Osten in den Westen oder verstärkte p. E.en im Kontext der Destabilisierung eines politischen Systems im Osten, das den kurzzeitigen Zusammenbruch der restriktiven Grenzregime zur Folge hatte (v. a.: Ungarn 1956, Tschechoslowakei 1968, Auflösung des Ostblocks in den späten 1980er und frühen 1990er Jahren). Verwoben mit der Konfrontation des ↑Ost-West-Konflikts brachte auch der Prozess der Dekolonisation seit dem Zweiten Weltkrieg umfangreiche p. E.en mit sich. Zahllose Kriege, Bürgerkriege und Maßnahmen autoritärer Systeme weltweit führten auch nach dem Ende des Kalten Krieges zu p.n E.en in großem Umfang.

Literatur

J. Oltmer: Migration vom 19. bis zum 21. Jahrhundert, 2016 • P. Gatrell: The Making of the Modern Refugee, 2013 • K. J. Bade: Europa in Bewegung. Migration vom 18. Jahrhundert bis zur Gegenwart, ²2003 • H. Reiter: Politisches Asyl im 19. Jahrhundert. Die deutschen politischen Flüchtlinge des Vormärz und der Revolution von 1848/49 in Europa und den USA, 1992.

JOCHEN OLTMER

Emissionshandel

1. Grundlagen

E. bezeichnet den Handel mit handelbaren Emissionsrechten, die den Ausstoß einer festgelegten Menge an Schadstoffen erlauben (auch Umweltzertifikate oder Umweltlizenzen genannt). Der E. stellt – ähnlich wie Umweltabgaben – ein marktbasiertes Instrument der ↑Umweltpolitik dar. Bei Umweltabgaben wird ein (Abgaben-)Preis für die Nutzung der Umweltressource (die Umweltverschmutzung) festgelegt, so dass sich die Gesamtmenge der Schadstoffemissionen aus der Reaktion der Emittenten auf diesen Preis ergibt. Im Gegensatz dazu handelt es sich beim E. um ein Mengeninstrument. Entsprechend wird durch staatliche Festlegung nicht der Preis, sondern die Schadstoffmenge vorgegeben. Folglich bildet sich der Preis erst aus Angebot und Nachfrage auf dem Markt für Emissionsrechte heraus. Beim E. werden dazu Verfügungsrechte (*property rights*) definiert, die zur Nutzung umweltrelevanter ↑Güter berechtigen und an Emittenten ausgegeben werden. Diese erlauben dem Emittenten, eine bestimmte Emissionsmenge auszustoßen und damit seine Verfügungsrechte auszuschöpfen oder diese, falls sie nicht benötigt werden, auf dem Markt für Emissionszertifikate zu handeln.

Der Grundgedanke des E.s geht auf Ronald Coase (1960) zurück, der eine Verhandlungslösung als Instrument zur Internalisierung ↑externer Effekte (als Wirkungen von Wirtschaftsaktivitäten auf unbeteiligte Dritte, die nicht über Märkte vermittelt sind) entwickelt hat. Die Weiterentwicklung dieses Gedankens zu einem Handel von Verschmutzungsrechten erfolgte durch Thomas Crocker (1966) und Herman Dales (1968). Während der E. lange Zeit lediglich als theoretisches Instrument der Umweltpolitik gesehen wurden, hat er mit dem Handel von Schwefeldioxid-Zertifikaten in der U.S.-amerikanischen Luftreinhaltepolitik seit 1990 sowie dem Handel mit Kohlendioxid-Zertifikaten in der europäischen Klimapolitik seit 2003 Eingang in die praktische Umweltpolitik gefunden. Seitdem werden E. s-Märkte auch für andere Umweltbereiche wie den Gewässerschutz oder den Biodiversitätsschutz diskutiert.

Grundsätzlich erfolgt die Einführung eines E.s-Systems in vier Schritten:

a) In einem ersten Schritt ist die Gesamtmenge der zulässigen Umweltnutzungen (Umweltverschmutzung) festzulegen und in handelbare Emissionsrechte aufzuteilen, wobei jedes Emissionsrecht einer bestimmten Menge an Umweltverschmutzung (z. B. einem Kilogramm SO_2 oder einer Tonne CO_2) entspricht.

b) In einem zweiten Schritt werden die Umweltzertifikate an die Emittenten (Unternehmen oder private Haushalte) verteilt. Hierfür kommen verschiedene Vergabeverfahren in Frage: eine anfängliche Versteigerung (Auktionierung), ein Verkauf der Emissionsrechte zu einem Festpreis oder eine kostenlose Vergabe (sog.es *Grandfathering*). Ebenfalls ist es denkbar, die Vergabe der Emissionsrechte an bestimmte Durchschnittswerte einer Branche (*Benchmarks*) zu koppeln, wie dies etwa beim CO_2-Handel in der ↑EU teilweise der Fall ist.

c) Im daran anschließenden dritten Schritt findet der eigentliche Handel mit Emissionsrechten zwischen den Emittenten statt. Hierbei ergibt sich über Angebot und Nachfrage der Zertifikatepreis (Knappheitspreis). Bei der Auktionierung der Emissionsrechte erfolgt die Preisbildung unmittelbar über den sog.en Primärmarkt. Ansonsten ergibt sich der Preis für Emissionsrechte auf dem sog.en Sekundärmarkt, d.h. er ist Resultat des Handels zwischen den Marktteilnehmern. Eine Marktnachfrage entsteht, wenn die Zertifikatmenge aus dem Erstvergabeverfahren nicht ausreichend ist und Emittenten für ihre Emissionsmenge zusätzlich Zertifikate benötigen. Ein Marktangebot an Zertifikaten entwickelt sich, wenn Emittenten selbst nicht alle zu Beginn vergebenen Zertifikate benötigen, und diese demnach auf dem Markt anbieten können.

d) Im vierten Schritt werden exakte Monitoringsysteme zur Überwachung der Schadstoffemissionen und deren Abgleich mit den auf den Zertifikatekonten gehaltenen Emissionsrechten eingerichtet und umgesetzt. Es muss geprüft und sichergestellt werden, dass die handelbaren Emissionsrechte, die die Emittenten halten, mit ihren Schadstoffemissionen in der jeweiligen Handelsperiode übereinstimmen. Ebenfalls müssen für den Fall von Verstößen geeignete Sanktionsmechanismen etabliert werden, um eine glaubwürdige Funktionsfähigkeit des E.s sicherzustellen.

Der ↑Staat nimmt bei einem solchen Emissionsrechtesystem eine Rahmen setzende Rolle ein: Er ist für die Festlegung der Gesamtemissionsmengen, die Wahl und Ausgestaltung des Allokationsverfahrens, die Abwicklung des Handels sowie die Kontrollen und Sanktionen verantwortlich. Es handelt sich insofern um ein marktbasiertes System, welches die Marktkräfte (↑Markt) nutzt. Es stellt jedoch kein rein marktwirtschaftliches System dar, bei dem sich Mengen und Preise aufgrund dezentraler Allokationsentscheidungen der Marktteilnehmer frei herausbilden.

Dem ökonomischen Kalkül der Gewinnmaximierung folgend wird jeder einzelne Emittent seine jeweiligen Kosten der Vermeidung eines zusätzlichen Schadstoffs (Grenzvermeidungskosten) mit dem Preis der Emissionsrechte auf dem Markt vergleichen. Sind die Vermeidungskosten geringer als der Zertifikatepreis, wird der Emittent zusätzliche Emissionen vermeiden und die überschüssigen Emissionsrechte am Markt verkaufen, um hierdurch Erlöse zu erzielen. Sind die Vermeidungskosten höher als der Zertifikatepreis, wird er es vorziehen, die erforderlichen Emissionsrechte auf dem Markt zu erwerben. Demzufolge führt die Einführung eines E.s-Systems dazu, dass eine Schadstoffvermeidung in einer Volkswirtschaft von denjenigen vorgenommen wird, bei denen die geringsten Vermeidungskosten anfallen.

Damit ist auch das ökonomische Ziel eines Handels mit Umweltzertifikaten umschrieben: Es geht darum, ↑Umweltschutz zu minimalen volkswirtschaftlichen Kosten zu betreiben (Kosteneffizienz). Das vorgegebene Umweltziel (die ökologische Effektivität) wird dennoch eingehalten, weil die Gesamtmenge an handelbaren Emissionsrechten vorweg festgelegt ist. Folglich existiert eine Obergrenze (ein „Deckel"), weshalb der Handel mit Emissionsrechten auch als „cap-and-trade-System" bezeichnet wird.

2. Europäischer Emissionshandel für CO_2

Das bedeutendste E.s-System ist der CO_2-E. in der ↑EU (EU ETS). Ihm sind alle größeren energieerzeugenden Unternehmen sowie Industriebetriebe angeschlossen, die bei ihren Verbrennungsprozessen Kohlendioxid emittieren. Der EU-E. begann mit einer Testphase von 2003 bis 2007, der sich eine zweite Handelsperiode von 2008 bis 2012 anschloss. Von 2013 bis 20120 läuft die dritte Handelsperiode. In Deutschland erfolgen die Abwicklung und die Überprüfung des E.s bei der Deutschen E.s-Stelle, die zum Umweltbundesamt gehört.

Insgesamt werden aufgrund großzügiger Ausstattungen der Unternehmen mit CO_2-Emissionsrechten durch die EU-Staaten sehr viele Emissionsrechte auf dem ↑Markt angeboten und nur wenige nachgefragt; der Preis für die Emissionsrechte (Allowances) ist entsprechend niedrig. Hieraus ein Versagen des Instruments abzuleiten, erscheint aber nicht gerechtfertigt. Zum einen hat der EU ETS zahlreiche positive Effekte bei den Unternehmen bewirkt. So hat das Thema ↑Umweltschutz in den Unternehmen eine höhere Priorität gewonnen, es kommt zu Reduktionen an Treibhausgasen, und es treten keine Vollzugsdefizite auf. Zum anderen ist der niedrige Zertifikatepreis eher auf ein Versagen der Politik der europäischen Mitgliedsstaaten zurückzuführen, die jeweils bestrebt sind, „ihre" Unternehmen reichlich mit Emissionsrechten auszugestalten.

Literatur

B. Hansjürgens: Markets for SO_2 and NO_x – what can we learn for carbon trading?, in: Wiley Interdisciplinary Reviews: Climate Change, 2/4 (2011) 635–646 • B. Hansjürgens/ R. Antes/M. Strunz (Hg.): Permit Trading in Different Applications, 2011 • B. Hansjürgens (Hg.): Emissions Trading for Climate Policy. US and European Perspectives, 2005 • H. Dales: Pollution, Property and Prices, 1968 • T. Crocker: The structuring of atmospheric pollution control systems, in: H. Wolozin (Hg.): The Economics of Air Pollution, 1966, 61–86 • R. Coase: The Problem of Social Cost, in: J. Law Econ. 3 (1960), 1–44.   BERND HANSJÜRGENS

Empfängnisverhütung

1. Hintergrund

Den theologischen Hintergrund der kirchenamtlichen Stellungnahmen zur E. bildet das spezifisch ethische Verständnis von Sexualität: Diese soll Ausdruck der hingebenden und vorbehaltlosen, treuen und lebenslangen ↑Liebe zu einer Person des anderen Geschlechts sein, und zwar schon als naturhaftes Verlangen in jedem Menschen (gemäß der Goldenen Regel und als Antwort auf die innere Stimme des Gewissens [↑Gewissen, Gewissensfreiheit]), sodann als Antwort auf die übernatürliche Offenbarung der Liebe Gottes in Jesus Christus, wie sie in der Auslegung des kirchlichen Lehramtes erschlossen wird. Liebe wird verstanden als das unbedingte und unwiderrufliche Ja zur anderen Person, das deren unbedingte Notwendigkeit anerkennt und bejaht. Sexualität soll in exklusiver Weise diese unbedingte Notwendigkeit einer anderen Person leibhaft zum Ausdruck bringen und zugleich offen sein für die Zeugung von Kindern und deren vorbehaltlose Bejahung. Daher unterstreicht das kirchliche Lehramt den engen Zusammenhang von sexueller Vereinigung der Eheleute und Offenheit für Nachkommenschaft als Ausdruck der gewollten Überwindung jedes egoistischen Strebens. Diesen Willen zu einer ehelichen Liebe in hingebender Selbstlosigkeit nennt das ↑Zweite Vatikanische Konzil „viel mehr als bloß eine erotische Anziehung, die egoistisch gewollt, nur zu schnell wieder erbärmlich vergeht. Diese Liebe wird durch den eigentlichen Vollzug der ↑Ehe in besonderer Weise ausgedrückt und verwirklicht. Jene Akte also, durch die die Eheleute innigst und lauter eins werden, sind von sittlicher Würde; sie bringen, wenn sie human vollzogen werden, jenes gegenseitige Übereignetsein zum Ausdruck und vertiefen es, durch das sich die Gatten gegenseitig in Freude und Dankbarkeit reich machen" (GS 49).

Diese Haltung kann auch als bewusst gewählte und beständige Keuschheit (von lateinisch conscius = bewusst; entsprechend zu lateinisch castitas = das castrum, die innere Burg des Schutzes der überaus kostbaren Würde der Person) bezeichnet werden; um sie geht es letztlich in der katholischen Lehre zur E.: Die ↑Tugend der Keuschheit und die daraufhin geordnete Beherrschung des Sexualtriebes durch periodische Enthaltsamkeit sind die adäquate Grundlage für „eine Bewahrung der personalen Integrität menschlicher Sexualität und für eine ständige Vertiefung und Bestärkung der ehelichen Liebe als prokreativ verantwortliche und damit menschliche Liebe" (Rhonheimer 1987: 121).

2. Entwicklung

Die Ablehnung der E. in der Theologiegeschichte verdankt sich zunächst, bis zur Entdeckung der weiblichen Eizelle 1832 durch Karl Ernst von Baer, einer Gleichsetzung von E. und Tötung der Leibesfrucht, da man von der Existenz des *homunculus* im männlichen Sperma ausging. In dieser Hinsicht argumentiert auch Thomas von Aquin gegen die E., als Handlung *contra naturam*, obschon er nicht einfach biologistisch denkt, sondern die menschliche Natur als Vernunftnatur begreift (STh I-II, q. 51, a. 1). Im Hintergrund stand auch der seit Augustinus als primärer Ehezweck genannte Wille zur Nachkommenschaft, noch vor Treue und sakramentalem Bund; diese Sichtweise wird von T. von Aquin und der nachfolgenden Tradition übernommen. Erst Papst Pius XI. mit der Enzyklika „Casti connunbii" 1930, in Reaktion auf die anglikanische Lambeth-Konferenz, auf der grundsätzlich aus anglikanischer Sicht die E. bejaht wurde, toleriert die Zeitwahl, weil hierbei nicht in den ehelichen Akt selbst eingegriffen wird. Abgelehnt wird weiterhin ein aktives sterilisierendes Eingreifen in den biologisch zeugungsfähigen Sexualakt als Verstoß gegen das Eheziel der Nachkommenschaft; die Begründung lautet schlicht, dass ein solches Vorgehen *contra naturam* sei (DH 3716). Erst Paul VI. mit der Enzyklika „Humanae vitae", die nach der Vertagung einer Entscheidung zur E. auf dem ↑Zweiten Vatikanischen Konzil 1968 veröffentlicht wurde, erweitert die Begründung der Ablehnung einer künstlichen E. (im Unterschied zur natürlichen E. mit Berücksichtigung der Zeit biologischer Fruchtbarkeit). Eine ganzheitliche Sicht von Mensch und Sexualität setzt an die Stelle einer naturalistischen Begründung zunehmend eine personalistische; sexuelle Hingabe und Bereitschaft zur Nachkommenschaft (sofern biologisch möglich) sollen eine grundsätzliche Einheit bilden, um jeder egoistischen Verzwecklichung der anderen Person (in der sexualethischen Tradition [↑Sexualethik] zuweilen als „Ehe-Onanismus" bezeichnet) zu wehren: „Seiner innersten Struktur nach befähigt der eheliche Akt, indem er den Gatten und die Gattin aufs Engste miteinander vereint, zugleich zur Zeugung neuen Lebens, entsprechend den Gesetzen, die in die Natur des Mannes und der Frau eingeschrieben sind. Wenn die beiden wesentlichen Gesichtspunkte der liebenden Vereinigung und der Fortpflanzung beachtet werden, behält der Verkehr in der Ehe voll und ganz den Sinngehalt gegenseitiger und wahrer Liebe und seine Hinordnung auf die erhabene Aufgabe der Elternschaft, zu der der Mensch berufen ist" (Enzyklika „Humanae vitae", Nr. 12). Die biologische Natur wird mitsamt ihren Gesetzen als Schöpfung Gottes verstanden und bildet den Referenzrahmen für die personale Norm. Genau dies begründet den moralischen Unterschied von natürlicher und künstlicher E. in der Sicht von „Humanae vitae": „Tatsächlich handelt es sich um zwei ganz unterschiedliche Verhaltensweisen: bei der ersten machen die Eheleute von einer naturgegebenen Möglichkeit rechtmäßig Gebrauch; bei der anderen hingegen hindern sie den Zeugungsvorgang bei seinem natürlichen Ablauf" (Nr. 16). Die moraltheologische Diskussion bewegt sich seitdem wesentlich um die Frage, ob aus biologischen Hinweisen strikte

Normativität ableitbar sei. Johannes Paul II. mit seiner „Theologie des Leibes" (2008) erweitert die Sicht nochmals personalistisch. Dies wird in seinem Apostolischen Schreiben „Familiaris consortio" von 1981 deutlich: „Die Entscheidung für die natürlichen Rhythmen beinhaltet ein Annehmen der Zeiten der Person, der Frau, und damit auch ein Annehmen des Dialogs, der gegenseitigen Achtung, der gemeinsamen Verantwortung, der Selbstbeherrschung" (Nr. 16). Das Argument beruht auf einer personalistischen Metaphysik: Der Akzent liegt auf einer wahrhaften Sprache des Leibes, deren sexuelle Hingabe ohne Vorbehalt geschieht, während (im Fall der künstlichen E.) ein innerer Vorbehalt gegenüber der Fruchtbarkeit besteht. Das kirchliche Lehramt hat an dieser Ablehnung jeder Form von künstlicher E., einschließlich der Verwendung von Kondomen zur Kontrazeption, festgehalten.

Freilich ist hinzuzufügen: Eine integrierte und geglückte Sexualität ist immer ein Zielgebot innerhalb der gemeinsamen Entwicklung von Mann und Frau in der ehelichen Partnerschaft, nicht unmittelbar ein *more geometrico* umsetzbares Erfüllungsgebot. Stets ist an ein pastorales Gesetz der Gradualität zu denken, wie dies „Humanae vitae" im Schlussteil formuliert, ohne deshalb einer Gradualität des Gesetzes, also einer abgestuften Gültigkeit der Gesetzesforderung zuzustimmen; dies wird auch von Johannes Paul II. in der Enzyklika „Veritatis splendor" 1993 unterstrichen.

Literatur

Johannes Paul II.: Die menschliche Liebe im göttlichen Heilsplan, 2008 • C. Schulz: Die Enzyklika „Humanae vitae" im Lichte von „Veritatis splendor, 2008 • V. Twomey: Der Papst, die Pille und die Krise der Moral, 2008 • F. Böckle: „Humanae vitae" und die philosophische Anthropologie Karol Wojtylas, in: ders. (Hg.): Ja zum Menschen, 1995, 156–167 • D. Mieth: Geburtenregelung, 1990 • M. Rhonheimer: Natur als Grundlage der Moral, 1987 • J. T. Noonan: Empfängnisverhütung. Geschichte ihrer Beurteilung in der katholischen Theologie und im kanonischen Recht, 1969.

PETER SCHALLENBERG

Empirische Sozialforschung

1. Allg.e Begriffs- und Aufgabenbestimmung

Der Terminus e. S. bezeichnet das zielgerichtete, gegebenenfalls durch Theorien bzw. Hypothesen konzipierte, verfahrensmäßig regelhafte und im Ablauf mehr oder weniger zuverlässig kontrollierte Informationen-(Daten)-Sammeln, allererst zur Beschreibung, möglichst auch zur Erklärung von Sachverhalten des Sozialen, insb. der Ordnung und Dynamik des Sozialen (z. B. Kommunikations- und Rollenmuster in privatwirtschaftlichen und behördlichen Problemlösungsgruppen im Vergleich, Konfliktmuster in Patchwork-Familien, Zusammenhang zwischen Fremdenfeindlichkeit und Häufigkeit von Kontakten mit Migranten, Einfluss von Partnerwahl-Kriterien auf die Struktur sozialer Ungleichheit in der Gesellschaft). Die e. S. gehört zu den Konstitutionselementen der ↑Sozialwissenschaften (in Unterscheidung zu den ↑Geisteswissenschaften und den Lebens- bzw. ↑Naturwissenschaften). Sie ist auch in politische Prozesssteuerungen involviert, weil diese heute regelmäßig inhaltlich mitbestimmt sind von statistisch-repräsentativen Erhebungsergebnissen der e. S. zu Lebensverhältnissen und Meinungsverteilungen in der Gesamtbevölkerung.

Der der e. S. vorzuordnende Begriff der Sozialwissenschaften adressiert alle Sub-Disziplinen, die sich mit den Strukturen, Prozessen und Entwicklungen des Zusammenlebens der Menschen befassen. Damit fokussiert er die sog.en Bindestrich-Soziologien (↑Soziologie; z. B. Familien-, Organisations-, Religionssoziologie). Angesprochen sind auch die soziologischen Perspektiven in benachbarten Fachwissenschaften (z. B. Rechtswissenschaften, (neuere) Wirtschaftswissenschaften, Geschichts- und Erziehungswissenschaften bis hin zu den Medizinwissenschaften in Gestalt der Medizinsoziologie/Sozialmedizin). In der Sozialpsychologie werden die Wechselwirkungen zwischen Sozialprozessen in Kollektiven und psychischen Dispositionen von Individuen thematisch (z. B. Entstehung, Formen und Folgen von Stereotypen). Im Begriff Sozialwissenschaften und seinem Fokus auf die dem Menschen eignende Sozialität, die sich in Ordnungsgebilden und routinisierten oder spontanen Interaktionsprozessen ausdrückt, die gesteuert sind von gegenseitigen Erwartungserwartungen auf der Basis von Wertevorstellungen, werden somit „Gemeinsamkeiten und Ähnlichkeiten verschiedener Disziplinen angesprochen" und darin Möglichkeiten gezeigt, „reduktionistische Perspektiven verschiedener Einzelwissenschaften […] zu überwinden" (Kaufmann 1995: 86).

Die Probleme, die von der e. S. erkenntnistheoretisch zu berücksichtigen, verfahrenspraktisch zu bearbeiten und zumindest ansatzweise zu lösen sind, liegen in der grundlegenden Frage, ob, inwieweit und vermittels welcher Modi und Methoden die e. S. die Sachverhalte des Sozialen perspektivisch und begrifflich angemessen erfassen und möglichst zweifelsfrei als existent bzw. wirksam belegen kann. Die verfahrensmäßige Aufgabe für die e. S. fokussiert sich im Begriffelement „empirisch" und damit im Verständnis dessen, was im Kontext der e. S. Erfahrung heißen soll und was Beobachtung (im weitesten Sinne) leisten kann. Bes. darauf beziehen sich die theoretisch-methodologischen und verfahrenstechnischen Anstrengungen, auf denen die Aktivitäten des Datensammelns der e. S. beruhen: Anstrengungen zur Gewährleistung der Problem- bzw. Phänomenangemessenheit (Validität) und der Erfassungs- bzw. Messprozess-Zuverlässigkeit (Reliabilität) der eingesetzten Verfahren, durch die verlässliche Sachverhaltskenntnisse in den Themenfeldern der beteiligten Wissenschaften erarbeitet werden sollen, die dann auch zu einer konsis-

tenten Theorieerarbeitung bzw. -kontrolle in den Sozialwissenschaften eingesetzt werden können.

2. Erkenntnistheoretische Aspekte der Aktivitäten der Empirischen Sozialforschung

In der Alltagspraxis wird „empirisch" mit einem Begriff
von Erfahrung gleichgesetzt, zu dem ein weites und
auch nicht widerspruchsfreies Konnotationsfeld gehört.
Demgegenüber gilt in der e. S. ein eingeschränkter Erfahrungsbegriff. Dazu wird er von seiner üblichen Subjektzentriertheit im Alltag (auf der Prozessebene z. B.
„Erfahrungen selber machen" oder „Erfahrungen anderer ‚nur' vermittelt bekommen"; auf der Eigenschafts-
ebene: „innerste Subjektivität" oder „äußere Objektivität", „Authentizität" oder „Fremdsteuerung", „subjektive
Gewissheit" oder „objektive Wahrheit") abgelöst und an
die Wissenschaftlichkeit eines Verfahrens (d. h. die Anwendung von Logik und Regeln, Intersubjektivität und
Kontrolle) gebunden. Damit wird der Erfahrungsbegriff
der e. S. auf den Status des intersubjektiv gegründeten
Erfahrungswissens fokussiert. Eine solche Verfahrens-
fundierung des Erfahrungsbegriffs, die sich auf die kontrollierende Intersubjektivität und die logikkontrollierte
Theorierückbindung stützt, lässt es gleichwohl zu, mit
den Mitteln der e. S. auch das Alltagsverständnis von
Erfahrung im Sinne einer nicht angezweifelten („natur-
wüchsigen") Fähigkeit des Individuums zur Orientierung und zum Erkennen von Zusammenhängen zu untersuchen und dem Bestand des Erfahrungswissens
hinzuzufügen. Freilich ist es eine Herausforderung, die
verschiedenen Aspekte des Phänomens der subjektzen-
trierten Erfahrung wirklichkeitsangemessen beobachten
und abbilden zu können und dabei schwerpunktmäßig
die der menschlichen Existenz eignende Wechselseitigkeit (Sozialität) zu berücksichtigen und nicht nur die
Psyche des Individuums.

Der Kern der Aufgabe liegt in der Gestaltung und Anwendung des zentralen Untersuchungsinstruments, das
zur Erfassung der „Sozialitäts-Wirklichkeit" befähigt:
des der Wahrnehmung bzw. Beobachtung. Im Alltag beschreibt das Wort Beobachtung eine lebenspraktische
Tätigkeit im Verhältnis des Menschen zu der ihn umgebenden Welt und zu sich selbst (alltagssprachlich
gefasst: etwas sehen, bemerken, mitbekommen; in Unterscheidung zu, aber oft zugleich mit: begreifen). Wissenschaftlich benennt Beobachtung den Vorgang der Erkenntnis, die gewonnen wird durch zielgerichtetes,
kontrolliertes, gegebenenfalls technisch ermöglichtes,
sinnlich zunächst unmittelbares und anschließend auf
verschiedene Weise zu protokollierendes Wahrnehmen
von Objekten (naturwissenschaftlich: z. B. Mikroskop,
Röntgengerät, Nebelkammer zur Sichtbarmachung
eines Elektrons; sozialwissenschaftlich: z. B. evtl. verdeckte Ton-/Bildaufnahmen). Die wissenschaftsphi-
losophisch-erkenntnistheoretisch vorgelagerte Frage,
was Wahrnehmung bzw. Beobachtung per se seien, die
insb. in den 20er Jahren des 20. Jh. im Wiener Kreis um

Rudolf Carnap ausführlich diskutiert wurde („logischer
Empirismus"), kann hier unberücksichtigt bleiben, weil
in der Gegenwart die Begriffsfassungen für Beobachtung „weitgehend pragmatisiert" (Mehrtens 1990: 685)
worden sind. In der breiten Praxis der e. S. findet diese
Wesens-Frage eher kaum Beachtung.

Für das Bedenken der Frage des Was und Wie des Beobachtens ist das Verhältnis zwischen Beobachtung und
der Begriffsbildung bzw. Theorie angesprochen. Das
meint die Unterscheidung zwischen konkreten, sinnlich
wahrnehmbaren (in der e. S. v. a. visuell und auditiv)
bzw. wahrgenommenen Einzeldingen (Sachverhalten)
in Raum und Zeit einerseits, und andererseits allg.-abs-
trakten Begriffen, die nur gedacht werden können. Weil
in der Lebenspraxis wie auch in den ↑Sozialwissenschaf-
ten das Soziale keine sinnlich unmittelbar zugängliche
Stofflichkeit besitzt, zugleich aber, hier wie dort, seine
Existenz bzw. Wirksamkeit begrifflich ge- und bedacht
wird und weil evident ist, dass es auch in Gestalt der vornehmlich interaktiv performierten Sprache existiert
(= wirksam, d. h. Reaktionen auslösend ist), wird folgendes deutlich: Die e. S. arbeitet mit einem Modus, der zugleich die unerlässliche Bedingung ihrer Möglichkeit ist,
nämlich mittels der ↑Sprache in Gestalt von Begriffen
auch die Sprache in ihrer Funktion als zentrales Träger-
Element des Sozialen und seiner Dynamik mit untersuchen zu müssen und es zu können. Die begriffliche
„Denk-Steuerung" ermöglicht das fokussierende Wahrnehmen. Dabei erfolgt jedes Verstehen, jede „Interpretation" (Tetens 2013: 84, Fußnote 74) des Wahrgenommenen stets und in allen Lebensbereichen des Alltages
nach Grundsätzen bzw. Grundmustern, die jeder konkreten Erfahrung vorausliegen. Diese Grundsätze kann man
als „apriorischen Erfahrungsrahmen" (Tetens 2013: 84)
bezeichnen, ohne den keine Erfahrung möglich ist. Die
Existenz dieses Rahmens gilt es auch für die Beobach-
tungsakte der e. S. reflexiv-kritisch zu berücksichtigen,
sowohl im Blick auf das Beobachtungsobjekt als auch
auf den Beobachter. Auch innerhalb einer als bekannt
geltenden Kultur muss versucht werden, die Grundmuster dieses Erfahrungsrahmens durch Sprachreflexion
zumindest ansatzweise transparent zu machen, wenn es
darum geht, die Kategorien und Dimensionen des visu-
ell-auditiven Beobachtungsverfahrens zu konzipieren
(z. B. für Interaktionen: Rhythmen, Sequenzen, Unterbrechungen, An- und Abwesenheit von Objekten, mi-
mische/gestische/gesprochene Verneinungen/Bejahun-
gen und dergleichen; ebenso die konkrete Sprache der
Fragen und Antwortvorgaben-Formulierungen, die in
Umfragen die Instrumente des Beobachtens sind).

Unter der Signatur e. S. verstehen sich zwar sehr viele
Aktivitäten nur als vortheoretische Informationssam-
mel-Aktivitäten (z. B. „…" Politbarometer). Dennoch
gilt grundsätzlich auch für sie, dass in der e. S. die Bildung bzw. der Gebrauch von mehr oder weniger (all-
tags-)theoriehaltigen Begriffen zum einen und die
Konzeption und Organisation von Beobachtungsaktivi-

täten zum anderen in einem zirkulären Verbund erfolgen: Ohne die nur denkbaren Begriffe sind die notwendig zielgerichteten Beobachtungen nicht möglich, weil sie ohne Bezug zur Begrifflichkeit nicht realisiert bzw. nicht kommuniziert werden können. Und neue Beobachtungen führen gegebenenfalls zu neuen Begriffen. Dagegen unterliegen ungeplant (zufällig) gemachte Beobachtungen der Gefahr der Nichtregistrierung für Verstehensvorgänge, wenn – im Alltag wie in der Wissenschaft – Benennungen unterbleiben.

Die vorstehend dargelegte Sachlage bildet sich auch im Verfahrensschritt der Operationalisierung ab: Die meisten der durch die e. S. zu befriedigenden Kenntnisbedarfe benötigen den Einsatz von Indikatoren. Diese müssen die Existenz des nur in Begriffen/Sprache fassbaren Gemeinten (weil nicht unvermittelt sinnlich Beobachtbaren, z. B. kulturelle Überfremdungsängste) verlässlich indizieren. Ihre Konzeption ist begründungspflichtig und im operativen Einsatz einer Bewährungsprüfung ausgesetzt, die durch logisch-theoretische Überlegungen gesteuert ist. Das führt gegebenenfalls zu veränderten bzw. neuen Indikatoren und damit zu Beobachtungen neuer Objekte. Das zeigt, dass alle Theorien, die sich auf die Konzeption von Indikatoren und deren Beobachtungen stützen, prinzipiell fallibel sind: Sie können immer nur vorläufig als empirisch adäquat festgestellt werden. Oder aber sie sind durch neue, widersprechende Sachverhalte – genauer: durch diesbezüglich in bestimmter, kontingenter Semantik formulierte Beobachtungssätze – als nicht bestätigt zu klassifizieren. Die Basis solcher Feststellungen liegt in beiden Fällen auf der Ebene der Verfahren.

Auf den vorgenannten Zusammenhängen und Aktivitäten ruhen die Formulierungen von Beobachtungssätzen und Aussagesatz-Mengen (= Theorien), mit denen idealerweise die den Sachverhalten des Sozialen unterliegenden Strukturen bestimmt werden sollen.

3. Unterscheidungsmöglichkeiten bei den Verfahren

a) Der e. S. vorzuordnen ist das (weite) Feld der deskriptiven Sozialstatistik. Damit werden die von verschiedenen Trägern in Staat und Gesellschaft initiierten Zählungsergebnisse von tatbestandlich definierten Sachverhalten des Sozialen bezeichnet (z. B. Straftaten, Ehescheidungen, Eigenheimbesitz, Betriebsgrößen), die regelmäßig innerhalb fester Zeitintervalle gesammelt und gegebenenfalls publiziert werden (z. B. im Statistischen Jahrbuch). Diese Informationsbestände können wichtige Funktionen bei der Konzeption von problemfokussierenden Forschungsfragen sowie für die bevölkerungsweite Kontextuierung jener Daten übernehmen, die von der e. S. erarbeitet werden.

b) Grundlegend ist die Unterscheidung zwischen qualitativer und quantitativer e. S. Dieses semantisch leicht missverständliche, aber etablierte Begriffspaar (qualitativ konnotiert nicht mit dem alltagssprachlichen Verständnis von Qualität) bezieht sich auf Unterschiede

– im Zugang zu den Untersuchungsobjekten,
– im Analyse-Modus der erhobenen Informationen (Daten) und dessen Theoriefundierung und
– in den von oben genannten abhängigen Ausdrucksgestalten dessen, was als das unmittelbare Ergebnis zu gelten hat.

c) Eine andere Unterscheidung, die zwischen Feld- und Laborforschung, hebt ab auf den Erhebungsort, der seinerseits die Möglichkeiten und Grenzen des Einsatzes der Verfahren und ihrer Untersuchungsgegenstände und Erkenntnisziele bestimmt. Als häufigster Fall der Feldforschung können die statistisch bevölkerungsweit- oder teilgruppenrepräsentativen Datenerhebungen im Rahmen alltäglicher sozialer Situationen angesehen werden (z. B. Telefoninterviews, standardisierte Fragebögen im Internet; offene und narrative Interviews). Demgegenüber findet die Laborforschung meist in bes. ausgestatteten Räumen (Aufzeichnungstechnik, Sitzordnung, Eingriffsmöglichkeiten und dergleichen) und mit begrenzter Anzahl von Personen statt. Sie versucht v. a. die Durchführungsbedingungen der Verfahrensanwendung kontrollierbar, d. h. konstant zu halten, oder es sollen steuerbare Randbedingungen (gegebenenfalls experimentell) variiert werden können. V. a. gilt es, Störfaktoren bei Verfahrenswiederholungen möglichst auszuschließen, die eindeutige Ergebnisinterpretationen verhindern könnten.

4. Am häufigsten eingesetzte Verfahren der Empirischen Sozialforschung

Zur Kennzeichnung dessen, was – bei aller Breite und Differenziertheit ihrer Zugangswege, Auswertungsinteressen und -traditionen – die e. S. in ihrem Grundanliegen ausmacht, erscheint es an dieser Stelle zulässig, sich für die Veranschaulichung von quantitativer und qualitativer Methodologie paradigmatisch auf jeweils nur zwei Verfahren zu beschränken. Gleichwohl können damit generelle Aspekte auch anderer wichtiger Verfahren, wie z. B. Formate der Beobachtungsmethoden, miterfasst sowie die vorab skizzierten erkenntnistheoretischen Aspekte der e. S. nachvollziehbar werden.

Für die qualitativen Verfahren ist auf *a)* das nichtstandardisierte Interview und *b)* auf die Gruppendiskussion einschließlich ihres bestimmten Auswertungsmodus einzugehen. Für die quantitativen Methoden wird der häufigste Anwendungsfall in der e. S. herangezogen: die *c)* kommunikationsstandardisierte (schriftliche/telefonisch-mündliche) Befragung von repräsentativen Zufallsstichproben in definierten Populationen, ergänzt um *d)* das quantitative Auswertungsverfahren der Dokumentenanalyse bzw. „content analysis".

Gemeinsam für *a)* und *b)* gilt: In konsequent qualitativer Fassung zielen sie auf latente Strukturen, d. h. nicht auf die bloße Beschreibung von ohnehin Sichtbarem ab. Deshalb operieren beide Verfahren in ihrer Materialauswertung rekonstruktiv und sequenzanalytisch und erarbeiten dazu verallgemeinerbare verbale Ergebnisgestalten. Untersuchungsobjekte sind üblicherweise verbale Äußerungen in Interviews/Gruppengesprächen, auch Dokumente (z. B. Briefe, Tagebücher) kommen infrage. Sie werden gegebenenfalls ergänzt um mimisch-gestische Aktionen (festgehalten z. B. in videographierten Unterrichtsabläufen). Alle Äußerungsabläufe sind schriftlich zu protokollieren. Die Äußerungen werden in ihrer Inhaltsgestalt und Performanz wesentlich durch die interviewten Subjekte selber bestimmt und meist zu solchen Sachverhalten des Sozialen getätigt, die themenangemessen nur in ihren mehr oder weniger komplexen Zusammenhängen darstellbar sind. Die von den befragten Subjekten formulierten bzw. in einer Gruppendiskussion dynamisch-interaktiv entstandenen Aussagen bleiben in ihrer Entstehungsgestalt und -struktur weitgehend bestehen. Die Validitätseinschätzung bezieht sich auf die logische Konsistenz und Stringenz der Deutungen und Schlussfolgerungen.

a) Das Verfahren des nichtstandardisierten Interviews und seiner Auswertung eignet sich für die Aufdeckung mehr oder weniger komplexer Wissensstrukturen, die den im Gespräch seitens der Interviewten thematisierten Handlungen, Interaktionen und Einstellungen latent zugrunde liegen. Hierfür braucht es eine diese Latenz berücksichtigende Theorie mit einer ihr entsprechenden Auswertungstechnik. Dazu zählt z. B. die von Ulrich Oevermann entwickelte „Objektive ↑Hermeneutik", die ein thematisch bzw. disziplinär breites Einsatzfeld besitzt. Ein ähnliches Ziel mit anderer Methodik verfolgt die von Anselm L. Strauss und Barney G. Glaser begründete Grounded Theory oder die Dokumentarische Methode (Ralf Bohnsack).

Die Theorie der Objektiven Hermeneutik gründet auf der Annahme der Existenz von „Sinn". Dieser wird als Kategorie des Sozialen verstanden. Sinn besitzt Strukturen, die durch universale (= unveränderliche) und historische (= veränderbare) generative (= viele Ergebnisse ermöglichende) „Regeln" erzeugt werden. Sie beziehen sich auf Wechselseitigkeit, Phonologie, Syntax und Pragmatik. Diese Regeln braucht es, damit die Individuen, für deren Existieren wechselseitige Anschlussfähigkeit (Sozialität) unverzichtbar ist, interagieren können. Die nach generativen Regeln erzeugten Strukturen repräsentieren Orientierungs- und Entscheidungsmuster. Nach denen nehmen Individuen, Gruppen und Gesellschaften typische Selektionen aus regelhaft erzeugten Handlungsoptionen vor.

Der Ansatzpunkt der Methode der Objektiven Hermeneutik gründet auf der Annahme der Theorie, dass der ↑Sprache, die bei der Kommunikation von Sachverhalten (Geschehnissen ebenso wie Ideen) eingesetzt wird, die sozialisationsvermittelten, intersubjektiv geteilten und regelmäßig latent bleibenden Regeln und Bedeutungen zur Strukturierung von Sinn zugrunde liegen. Am je konkreten Fall (z. B. Interview) gilt es diese mit Hilfe der Analyse des im Interview Geäußerten (Text) zu rekonstruieren und sie damit beobachtbar zu

machen, d. h. es geht um die Aufdeckung des ihnen zugrunde liegenden regelhaft teilbaren (= intersubjektiven) Sinns, vermittels dessen dann die spezifisch dem Interviewten eignende Wahrnehmungs- und Ausdrucksstruktur freigelegt wird. Erreicht werden kann diese Freilegung nur rekonstruktionslogisch (und nicht subsumtionslogisch-klassifikatorisch) über die sequenzanalytisch-falsifikatorische Interpretation der Texte, die die Regelsystemteilnehmer (Interviewpartner) zu mehr oder weniger komplex-umfangreichen Themen des Sozialen produziert haben (z. B. in Gestalt berufsbiographischer Selbstauslegungen, Schilderungen signifikant lebensbestimmender Erlebnisse oder zukünftiger Lebensführungskonzepte). Das analysetechnisch und zeitlich aufwendige Vorgehen ist auch bei zahlenmäßig begrenzten Samples (maximal 20–25) mit Ergebnissen durchführbar, die einen Problembereich abdecken können. Das kann z. B. in der Grounded Theory theoretisch begründet und mit Erfahrungswerten bestätigt werden. Mit diesen Einzelfallanalysen können Ergebnisse von phänomenologisch grundlegendem Erkenntniswert erarbeitet werden. Der Versuch, solche Informationen und Einsichten auch mit einem kommunikationsstandardisiert-quantitativen Fragebogen zu erreichen, erscheint forschungspraktisch kaum möglich, da eben jene qualitativen Informationen und Einsichten schon vor der Formulierung von Fragebogen-Items zur Verfügung stehen müssten. Der Einsatz insb. der Theorie und Methode der Objektiven Hermeneutik ist wegen dieser phänomenologischen Scout-Funktion in jenen Wissenschaftsdisziplinen bes. fruchtbar einsetzbar, die an der Aufdeckung problem- oder z. B. berufsspezifischer Wissensstrukturen (z. B. von Juristen, Theologen, Ökonomen, Medizinern) interessiert sind.

b) Nicht alle Verfahren mit dem Label Gruppendiskussion verdienen diese Bezeichnung. So eignet sich ein mitunter praktiziertes Vorgehen bestenfalls zum heuristisch-stochastischen Sammeln von Ideen für Hypothesenformulierungen. Bei dem sollen direktiv-willkürlich gebildete Aggregate von Personen zeitgleich an einem Ort versammelt werden und auf zentral gesetzte, thematisch begrenzte Fragen reagieren; dabei eventuell untereinander entstehende Diskurs-Ansätze bleiben unberücksichtigt. Deshalb gehört eine solche erhebungsökonomisch optimierte Vorgehensweise nicht zur sozialwissenschaftlichen Grundlagenforschung. Demgegenüber geht es den rekonstruktiv-analytisch konzipierten Gruppendiskussionsverfahren zum einen um die i. d. R. mit Typisierungsabsicht vorgenommene Erfassung konkreter, sich selbst als solche verstehender Gruppen (z. B. „Dritte Welt Gruppen" in kirchengemeindlichen Kontexten im Vergleich") zwecks Erfassung ihrer manifesten und latenten Strukturen, Sichtweisen und Gruppenziele. Oder es geht mit Hilfe von bereits vorhandenen Gruppen oder eigens zusammengestellten Aggregaten um die Erfassung inhaltlicher Dimensionen von „kollektivem Wissen" bzw. „kollektiven Orientierungsmustern"

(Bohnsack 2008: 374), wie sie z. B. in der wissenssoziologischen Kategorie der „Generationenlagerung" (Karl Mannheim) zugrunde gelegt werden. Diese Lagerung kann theoretisch begriffen werden als ein konjunktiver Erfahrungsraum, der z. B. gemeinsamer Erkenntnisgegenstand von Soziologie und Geschichtswissenschaft sein kann (z. B. Kriegskindergeneration). Entsprechend ist, neben der rekonstruktiven Analytik, ein wichtiges Erfolgskriterium des Verfahrens der Einsatz geeigneter, d. h. die angezielte Untersuchungsdimension repräsentierfähiger Gruppen (mit oder ohne eigener Gruppengeschichte), in denen gemeinsame oder parallel abgelaufene Erfahrungsprägungen vermutet werden können (z. B. Vergleich Jugendlicher mit/ohne Migrationshintergrund, Fußball-Hooligans, Orientierungen von Soldaten und Soldatinnen im Blick auf das Geschlechterverhältnis). Aufmerksamkeit braucht auch die Verwendung angemessener Gesprächseröffnungen und -steuerungen für die Diskussion. Denn nur wenn es zu weitgehend selbstläufigen Gesprächsverläufen zwischen den in gleicher oder ähnlicher Weise Erfahrungsgeprägten kommt, ist die angestrebte „metaphorischen Dichte" der Gesprächsbeiträge und der „interaktiven Dichte" zwischen den Teilnehmern (Bohnsack 2008: 376) kommen, durch die die häufig nur metaphorisch und wechselseitig zum Ausdruck gelangenden kollektiven Sinnzusammenhänge sich erfassen und darstellen lassen. Auch die Explikation dieser durch gegenseitige Erwartungserwartungen gesteuerten intuitiven Verstehensleistungen der Diskutanten arbeitet rekonstruktiv mit dem sequenzanalytisch-falsifikatorischen Verfahren. Das Erkenntnisziel sind kollektiv geteilte Erfahrungskomplexe: Es interessiert, was die Erfahrungsträger in der Dimension des Selbstverständlichen einander fraglos verstehen lässt.

Mit seinem sozialsystemischen Fokus besitzt das derart methodisch fundierte Gruppendiskussionsverfahren ein breites Einsatzfeld. Es reicht von der seriösen Marktforschung, der Evaluations- und Organisationsforschung über die Milieu- und vergleichende Kulturforschung bis zur Rezeptionsforschung im Bereich Medien. Die Erhebung auch der quantitativen Verteilung und strukturellen Kontextuierung von identifizierten kollektiven Sinnzusammenhangstypen und von individuumsbezogenen Wissensstrukturen muss dann forschungspraktisch unabhängig vom qualitativen Vorgehen geschehen. Allerdings erfolgen entsprechende Anschlussforschungen eher selten.

Gemeinsam für c) und d) gilt: Zentrales Merkmal der quantitativen e. S. ist, dass eine Transformation von verbal formulierten Inhalten in die quantitativ-numerische Dimension vorgenommen wird. Damit ist die mathematisch-statistische Be- und Verarbeitung möglich. Deren Ergebnis schlägt sich in vielfältigen Gestalten von Zahlendarstellungen nieder, angefangen von einfachen Auszählungstabellen bis zu Grafiken hochkomplexer Zusammenhänge zwischen vielen Variablen. Beim

c) standardisierten Fragebogen-Verfahren sollen die zu erforschenden Sachverhalte des Sozialen inhaltlich und semantisch in solchen Frage- und Antwortvorgabekombinationen erfasst werden, mit denen zweifelsfrei und aussagestark die angestrebten Schlussfolgerungen im Blick auf die Befragten interpretiert werden können. Gelingt das, sind die durch multivariate statistische Analysen, d. h. mathematisch erschlossene Einsichten in Strukturen der Ausdrucksgestalten und Wirkungszusammenhänge sozialer Sachverhalte in Kollektiven von keinem anderen Verfahren zu ersetzen.

c) Das Verfahren der quantitativen Transformation verbaler Inhalte findet regelmäßig Anwendung in den schriftlichen bzw. telefonischen (heute auch: Online–) Befragungen von definierten Populationen zu einem oder zu mehreren Themen bzw. Sachverhalten. Sie operieren mit zahlenmäßig eher begrenzten, strikt vorgegebenen Frageformulierungen und mit mehreren Antwortvorgaben, die häufig nach Reaktionsabstufungen anbieten, insgesamt aber semantisch wegen der gebotenen Kürze eher weniger differenziert formulierbar sind. Vorlaufende Tests sollen prüfen, ob diese für die angezielte Population thematisch passend, ausreichend problemdifferenziert und verstehbar sind. Der Kern des quantitativen Erfassungsverfahrens liegt darin, dass je Frage bzw. Vorgabe nur ein (zählbares) schriftliches oder mündliches Reaktionssignal zulässig ist, durch das die absolute oder graduelle Zustimmung oder Ablehnung (oder eine Enthaltung durch Nicht-Reagieren) des darin präsentierten Sachverhalts bekundet wird. Mittels der so herbeigeführten Zählbarkeit verbal formulierter Inhalte werden die Angaben von den einzelnen Reaktionslieferanten ablösbar und können nach den Ordnungsvorgaben der Problemstellung in einzelnen Frage- und Problemkreisen mit Quantitätsparametern bearbeitet werden. Dem Erhebungsmodus geht es also um die Ermöglichung der Aggregation der je einzelnen Reaktionssignale auf der Basis einer ausreichend großen Zufallsstichprobe von Befragten, die statistisch abbildgenaue Aussagen über die zugrunde liegende Gesamtpopulation erlaubt. Daher können sich alle Ergebnisaussagen nur auf das im Prinzip abstrakt bleibende Kollektiv der Befragten beziehen (Elisabeth Noelle-Neumann: „Alle, nicht jeder"). Die numerisch-statistisch oft anspruchsvollen Resultatsdarstellungen (z. B. Tabellen, Kurven, Quotienten, Matrizen) müssen für die Rezipienten der Resultate oft in verbale Ausdrucksgestalten rückübersetzt werden. Damit sind diese unvermeidbar von Semantik geprägt. Sie können deshalb unter Umständen, je nach Adressatengruppe (z. B. unkundige Auftraggeber), unbeabsichtigte Konnotationen und Reaktionen auslösen, die schwer überprüfbar sind oder unbemerkt bleiben können.

Grundsätzlich bedarf es für die Entscheidung über die Menge und Formulierung der Fragen und Antwortvorgaben einer Begründung in Gestalt von vorausgehenden sachverhaltlichen Erwägungen; wenn möglich auch von hypothetisch formulierten Status- und Zusammenhangsbehauptungen. Dafür kann ein vorlaufender Einsatz der in *a)* und *b)* skizzierten qualitativen Verfahren wegen ihrer phänomenologischen Scout-Funktion äußerst fruchtbar sein, denn sie helfen gegebenenfalls die perspektivische und semantische Validität der zu formulierenden Fragebogen-Items signifikant zu steigern. Ein zumindest paralleler Einsatz beider Verfahrenstypen (Mixed Methods) ermöglicht die aufeinander bezogene Interpretation der Teilerhebungen eines Forschungsprojekts (Triangulation). Wegen des Zeit- und Kostenaufwandes wird freilich von beiden Möglichkeiten bisher eher selten Gebrauch gemacht. Allerdings verzeichnet der Bereich der Mixed Methods auf seiner theoretischen Diskussionsebene zunehmende Aufmerksamkeit und Beteiligung.

d) Beim Auswertungsprocedere der quantitativen Inhaltsanalyse (content analysis) von Texten unterschiedlicher Art und Funktion, Entstehungszeit, Autorenschaft und Abbildungstechnik beruht das Analyseergebnis ebenfalls auf hypothesengesteuerten numerischen Strukturierungs- und Zählverfahren. Die Untersuchungsobjekte der in den USA erstmals im Zweiten Weltkrieg eingesetzten Analyse feindlicher Kriegspropaganda waren später im Kalten Krieg z. B. sowjetische Parteitagsprotokolle oder Verlautbarungen des Politbüros, mit dem Ziel, über die allen Beteiligten allg. als bedeutsam bekannten Erwähnungsregeln interne Machtverschiebungen indiziert zu bekommen.

Generell gilt für die Dokumentenanalyse/content analysis, dass der syntaktisch-semantische Zusammenhang des Textes aufgelöst wird, indem die Sprachelemente durch Kodieranweisungen zu einem durch Hypothesen konzipierten System inhaltlich disjunkter Kategorien zugewiesen werden, wodurch sie in numerisch identifizierbare Textelemente transformiert werden. So kann an der mathematisch-statistisch gesteuerten Entdeckung von Strukturen (z. B. kontext-typisch auftretende Argumentationsfiguren oder Verknüpfungen thematischer Schwerpunkte) gearbeitet werden, mit denen formal-deskriptive und diagnostische Erkenntnisse im Blick auf die Entstehung des Textes und möglichst auch auf dessen Veranlassung gewonnen werden sollen. Je nach Forschungsfragestellung kann es von erheblichem Vorteil sein, über ein Dokument zu verfügen, das wiederholbaren Analysen zugänglich ist. Das macht seine Kodierkonzeption intersubjektiv überprüfbar; oder man kann, wenn es neue Erkenntnisse aus anderen Quellen gibt, das erkenntnisgenerierende Kodierschema ändern.

Angesichts der heute sehr leistungsfähigen digitalen Rechnerunterstützung bei gleichzeitig hochgradig verfeinerter Text- und Bild-Erfassung und dessen Analyse (z. B. Screening durch künstliche neuronale Netze) eröffnet – von den Nutzern des Internet bisher wenig beachtet – die content analysis Möglichkeiten staatlicher und privatwirtschaftlicher Kontrolle und Einflussnahme auf gesellschaftliche Prozesse über das systematische Screening von Kommunikationen in digitalen sozialen Netzwerken (↑ Soziale Netzwerke) und in sonstigen Internetnutzungen in bisher nicht absehbaren Größenordnungen.

5. Beispiele für idealtypisch formulierte Prozess-Stationen in der Empirischen Sozialforschung

Ein möglicher Ausgangspunkt wäre eine Anfrage an eine als er- und begründungspflichtig angesehene Konfiguration sozialer Sachverhalte (z. B. „Mit welcher Zielsetzung und wie realisiert sich der konfessionell-kirchlich verantwortete Religionsunterricht im öffentlichen Schulsystem des religionsneutralen Staates?").

Phase I: Bestimmung

a) des Disziplinenfeldes, in dem der Sachverhalt angemessen bedacht werden kann bzw. muss (Religionspädagogik, Theologie, Religionssoziologie);

b) der heranzuziehenden Theoriefelder (Didaktik des Religionsunterrichts, Pädagogische Professionalisierungstheorien, soziologischer bzw. theologischer Religionsbegriff);

c) kenntnisstandabhängige Formulierung von Aussage-Sätzen (Hypothesen), die reichen können von tentativen Vermutungsformulierungen bis zu Hypothesen über Zusammenhänge zwischen Variablen, die gegebenenfalls auch numerische Quantitätsaussagen enthalten können (z. B.: „Die Fähigkeit zur Herstellung einer Distanz zwischen der persönlich gelebten Religion des Lehrenden und der von ihm angebotenen Lehrgestalt des Faches erhöht die Chance, dass Schüler eher bereit sind, religiöse Deutungsangebote reflexiv wahrzunehmen.").

Phase II:

Bedenken und Auswählen der zur Informationsbeschaffung geeigneten Zugänge und der ihnen gegebenenfalls zugrunde liegenden Theorie (n) (z. B.: „Die Prüfung der oben angeführten Hypothese erfordert ein Verfahren, das intrapersonale Erfahrungs- und Begründungszusammenhänge im Blick auf Prozesse des Biographisch-Sozialen in den einzeln zu interviewenden Lehrenden aufdeckt, wofür z. B. auf Theorie und Verfahrenstechnik der Objektiven Hermeneutik zurückzugreifen ist.").

Phase III:

Datenerhebung im Feld. Diese besteht beim qualitativen Verfahren i. d. R. im Probandengespräch und dessen Verschriftlichung; beim quantitativen i. d. R. in der Übertragung der gesammelten Fragebogenreaktionen in digitalisierte Datenformate (bei Online-Befragungen bereits inkludiert).

Phase IV:

Die Fragebogen-Daten können entweder der quantitativen Verarbeitung in mehr oder weniger komplexen mathematisch-statistischen Prozeduren zugeführt werden („Mathematische Identifikation statistisch signifikanter Faktoren, die die inhaltliche Elemente-Struktur plausibler Unterrichtskonzeptionen des Religionsunterrichts im Befragten-Kollektiv abbilden."). Oder es werden die Daten in Gestalt von Zusammenfassungen, die auf der Basis von rekonstruktiv-falsifikatorisch analysierten Interview-Texten erstellt worden sind, nach Indizien für eine Typisierbarkeit von Formen der didaktischen Distanzgewinnung bei den interviewten Lehrenden untersucht.

Phase V:

Theoretisch orientierte Konsistenzprüfung der quantitativ und qualitativ gewonnenen Ergebnisse, Einfügung in den theoretischen Ursprungskontext (Didaktik des Religionsunterrichts, Pädagogische Professionalisierungstheorie, Religions- und Kultursoziologie) sowie Einschätzung der Fähigkeit des Ergebnismaterials für die Beantwortung der Forschungsfrage.

6. Empirische Sozialforschung: Interessengebundene Sozialtechnologie oder Aufklärung der Gesellschaft?

Es ist erkenntnistheoretisch strittig, ob in den ↑Sozialwissenschaften eine Theoriebildung wie in den ↑Naturwissenschaften möglich ist oder ob es sich bei ihren Aussagesatz-Mengen nur um nomologische Hypothesen und mehr oder weniger konsistente Denkmodelle handeln kann. Unter der Annahme der zweiten Aussage wäre es die Aufgabe der e. S., die raumzeitlichen Bedingungen der Denkmodelle zu erhellen und den Nutzen darzustellen, den man daraus ziehen kann. Zum Problemhorizont dieser Denkmodelle gehört das für moderne Gesellschaften, zumindest für den kulturellen Westen typische Spannungsfeld zwischen Normativität und Faktizität. Weil die e. S. in diesem Feld operieren muss und zugleich diese Spannung zu ihren Erkenntnisgegenständen zählt, mag sich auch heute die Werturteilsfrage vom Ende des 19. Jh. stellen, die dann Anfang der 60er Jahre des 20. Jh. im sog.en Positivismusstreit zwischen den Positionen von Theodor W. Adorno und Jürgen Habermas und denen von Hans Albert und Karl Popper erneut zu wissenschaftsintern heftigen und breiten Debatten geführt hat. Unabhängig vom zeitgeistgeprägten Pathos mancher Auseinandersetzungen jener Zeit bleibt richtig, dass die von der e. S. erarbeiteten Sachverhaltskenntnisse zu Einsichten führen können, die in die Gesellschaft hineinwirken, und zwar mindestens „kommunikativ durch die Modifikation von Sprachsymbolen und durch Umformung von Handlungsvorstellungen" (Kaufmann 1995: 89). Die Frage ist, ob insb. mit der quantitativen Methodologie als der meistangewendeten Praxisform der e. S. nicht eine Wirklichkeitsproduktion vorliegt, die durch ihre entpersonalisierende Perspektive („Alle, nicht jeder") Elemente des handlungsleitenden Wirklichkeitserlebens nicht zu erfassen vermag. Damit sind ihre auf das abstrakte Kollektiv bezogenen Ergebnisse vielleicht bes. stark partialinteressengelenkten und verkürzenden Deutungen ausgesetzt; v.a. wegen einer Tendenz in der e. S., durch Verkleinerung der untersuchten Wirklichkeitsausschnitte zwar genauer erfasste Sachverhalts-

bereiche abzubilden, sie aber kontextfrei und oft unverbunden nebeneinander zu stellen.

Zwar sind die anderen Verfahren des Wirklichkeitszugangs, wie sie von den vielen Varianten der qualitativen e. S. vorgenommen werden, demgegenüber eher geeignet, komplexe Wissensstrukturen und kollektive Bewusstseinstypen relativ valide zu erkunden. Aber sie sind nicht geeignet, die nicht minder wichtigen Kenntnisse über die *quantitative* Größenordnung der „Durchwirktheit der Gesellschaft" mit eben diesen Formen der Wirklichkeitsverarbeitung bereitzustellen. So ist auch hier die Gefahr von Verzerrungen und Fehldeutungen nicht von der Hand zu weisen, weswegen auch die qualitativen Varianten als *nur eine* unter mehreren Strategien der Absicherung unserer systematisch kontrollierten Wirklichkeitsauffassung erkannt und deshalb ebenfalls relativiert werden müssen.

Insgesamt könnte es sein, dass die vielen Partialergebnisse der e. S. den Besitz einer Gesamtkenntnis des Gesellschaftlichen suggerieren. Dadurch könnte übersehen werden, dass sich demgegenüber in der Gegenwart der Spätmoderne mit ihren inzwischen weltweiten hochgradigen Interdependenzen auf der Grundlage dichter Informationsverbindungen und Netzwerke, in denen vielfältig differente Bedeutungsinhalte kommuniziert werden, das, was im Begriff ↑Gesellschaft zu fassen versucht wird, sich „immer weniger als Ganzheit, sondern nur noch als komplexe Architektur interdependenter Prozesse auf nach Emergenzgesichtspunkten hierarchisierten Analysebenen […] begreifen" lässt (Kaufmann 1995: 90). Das zu erkennen und *politisch* wie *theoretisch* zu reflektieren ist nicht allererst die Aufgabe der e. S., sondern – zur Vermeidung einer Versozialwissenschaftlichung der Perspektiven – die der zivilgesellschaftlich-öffentlichen Reflexion (↑Zivilgesellschaft) zusammen mit den Sozial- und den kooperierenden Fachwissenschaften. Mit einem entsprechenden Problembewusstsein sowohl bei Produzenten wie bei den Abnehmern der Daten könnte durch die e. S. diese unabdingbar theoretische Reflexion sachkenntnisfördernd, mithin „empirisch" *fundiert* werden.

Literatur
R. Bohnsack/W. Marotzki/M. Meuser (Hg.): Hauptbegriffe Qualitativer Sozialforschung, ³2015 • M. Keuschnigg/T. Wolbring: Experimente in den Sozialwissenschaften, in: SozW: Sdb. 22, 2015, 1–19 • R. Bohnsack: Rekonstruktive Sozialforschung, ⁹2014 • H. Tetens: Wissenschaftstheorie, 2013 • A. Dieckmann: Empirische Sozialforschung, 2010 • B. G. Glaser/A. L. Strauss: Grounded Theory, 2010 • R. Bohnsack: Gruppendiskussion, in: A. Przyborski/M. Wohlrab-Sahr: Qualitative Sozialforschung, 2008, 369–384 • U. Flick/E. von Kardorff/I. Steinke (Hg.): Qualitative Forschung, ⁶2008 • A. Przyborski/M. Wohlrab-Sahr: Qualitative Sozialforschung, 2008 • U. Kuckartz: Einführung in die computergestützte Analyse qualitativer Daten, 2005 • E. Noelle-Neumann/T. Petersen: Alle, nicht jeder, 2004 • G. Stapelfeldt: Theorie der Gesellschaft und empirische Sozialforschung,

2004 • H. Sahner (Hg.): Fünfzig Jahre nach Weinheim, 2002 • U. Oevermann: Die Methode der Fallrekonstruktion in der Grundlagenforschung sowie der klinischen und pädagogischen Praxis, in: K. Kraimer (Hg.): Die Fallrekonstruktion, 2000, 58–156 • F.-X. Kaufmann: Sozialwissenschaften, in: Görres-Gesellschaft (Hg.): StL⁷, Bd. 5, 1995, 86–90 • K. Merten: Inhaltsanalyse, ²1995 • J. Erpenbeck: Erfahrung, in: EE, 1990, 766–772. • A. Mehrtens: Empirie/Beobachtung, in: EE, 1990, 683–686. • R. Zander: Untersuchungen zur Geschichte des Erfahrungsbegriffs, 1984 • G. Klaus/M. Buhr: Philosophisches Wörterbuch, 1974 • T. W. Adorno/H. Albert/J. Habermas: Der Positivismusstreit in der deutschen Soziologie, 1969 • K. R. Popper: Logik der Forschung, 1966.

ANDREAS FEIGE

Energiepolitik

I. Wirtschaftswissenschaftlich –
II. Politikwissenschaftlich – III. Energiewende

I. Wirtschaftswissenschaftlich

1. Einführung

Nicht nur kulturgeschichtlich ist die gesteuerte, wenn auch zunächst individuelle Verwendung von Energieträgern für die menschliche Entwicklung von bes.r Bedeutung, hat sie doch initial den Übergang zu einer sesshaften Lebensweise erleichtert, später die Industrialisierung (↑Industrialisierung, Industrielle Revolution) ganzer Volkswirtschaften erlaubt. Energiegenerierung und -verwendung können vielmehr sowohl als Indikator wie auch Treiber sozio-ökonomischer Entwicklungen verstanden werden: Der jeweilige Energiekonsum erlaubt Rückschlüsse auf Entwicklungsgrad und -potential einer Volkswirtschaft, die Energieinfrastruktur und der Zugang zu dieser ist eine maßgebliche Voraussetzung für wirtschaftliches Wachstum (↑Wirtschaftswachstum) und sozialen Ausgleich, Energiekonsum und -erzeugung haben Wechselwirkungen mit anderen sozialen, ökologischen und marktlichen Systemen, auch über nationale Grenzen hinaus.

Die nach heutigem technologischen Verständnis zur Verfügung stehenden Primärenergieträger umfassen die natürlich vorkommenden Energieträger wie etwa Stein- und Braunkohle, Erdöl und -gas, Uran und Wasserstoff, welche in regenerierbare Energieträger und nicht regenerierbare Energieträgern unterschieden werden können. Durch (gerichtete) Umwandlung entstehen aus diesen Sekundärenergieträger, welche auch überwiegend die Gruppe der Endenergieträger für die Nachfrager/Verbraucher stellen. Diese Unterscheidung kennzeichnet entspr. auch die Marktakteure auf Mehrebenen-Energiemärkten, welche auf der Angebotsseite Erzeuger von Primär- und Sekundärenergieträgern umfassen, auf der Nachfrageseite Sekundärenergieerzeuger und Endabnehmer wie private Haushalte und Unternehmen.

E. kann entspr. in allen modernen Volkswirtschaften als eines der Schlüsselpolitikfelder angesehen werden, stellt mehr noch inzwischen eine Querschnittaufgabe dar, welche verschiedene andere Politikfelder berührt, insb. ↑Umweltpolitik und Klimapolitik, ↑Sozialpolitik, Wettbewerbspolitik und Industriepolitik, und darüber hinaus etwa sicherheits- und außenpolitische Aspekte (↑Sicherheitspolitik, ↑Außenpolitik) aufweist. Der Begriff der E. als Teil der ↑Wirtschaftspolitik umfasst im engeren Sinne Aktivitäten von Gebietskörperschaften aller Ebenen, Parteien oder inter- bzw. supranationaler Institutionen zur Regelung des Systems der Aufbringung, Umwandlung, Verteilung und Verwendung von Energie. Unterschieden werden müssen jedoch auch hier die prozessualen *(politics)* sowie inhaltlichen Aspekte (↑*Policy*) der E. Im weiteren Sinne, als ↑Governance des Energiesektors verstanden, können alle institutionellen Rahmenbedingungen, Prozesse und Aktionen, welche auf die Herstellung gesellschaftlich verbindlicher Entscheidungen über Struktur- und Prozessgestaltung in der Her- und Bereitstellung, Verteilung und sowie der Planung und Lenkung des Verbrauchs von Energie zielen unter E. subsumiert werden. Aus diesen Rahmenbedingungen folgt in modernen Demokratien i.d.R. ein System oftmals schrittweise vorgenommener Politikanpassungen (Inkrementalismus) in der E.

2. Charakteristika von Energiemärkten

Grundsätzlich lässt sich in der Energiewirtschaft in vielen Industriestaaten, darunter auch Deutschland sowie den meisten europäischen Staaten, eine starke Kontinuität des traditionellen Entwicklungspfades der Energiemärkte feststellen. Dies kondensiert in der Tatsache, dass technische und ökonomische Grundstrukturen, welche sich bereits zu Beginn des 20. Jh. herausgebildet haben, oftmals nach wie vor erkennbar sind. Trotz zahlreicher Krisen und Veränderungen der (nationalen wie internationalen) Energiemärkte haben die damit verbundenen Veränderungsimpulse lange Zeit kaum zu tiefgreifenden strukturellen Veränderungen geführt.

In der Energiewirtschaft sind regelmäßig Effekte zu beobachten, welche aus ökonomischer Sicht Ausnahmezustände bzw. Marktversagenstatbestände (↑Marktversagen) darstellen und somit einen staatlichen Eingriff, zumindest aber eine politische Flankierung marktlicher Aktionen rechtfertigen. Dies liegt nicht durchgehend in der ökonomischen – und daher grundsätzlich änderbaren – Natur des Marktes, sondern vielmehr auch in technologischen Besonderheiten. Dazu gehören insb. ↑externe Effekte, welche insb. durch Emissionsausstoß (Schadstoffe, Schall oder Temperatur) in der Energieproduktion entstehen können und welche aufgrund ihrer Natur nicht räumlich starr sind und somit auch nationale Grenzen überwinden können. Auch sind im Energiesektor spezielle Marktrisiken durch leitungsgebundene Systeme (Energienetze) und monopolistische *Bottlenecks* zu konstatieren. Hohe irreversible

↑Kosten treten insb. durch hohe Eingangsinvestititonen und Fixkosten in der Energiegewinnung auf, jedoch auch im Netzaufbau und -betrieb. Starrheiten wie etwa in der Elektrizitätswirtschaft, welche grundsätzlich eine Orientierung an Spitzenlasten mit sich bringt, und die nur sehr begrenzt mögliche und überdies kostenintensive Speicherung von elektrischer Energie sind weitere Charakteristika des Sektors. Dazu kommt eine asymmetrische Verteilung von Informationen zwischen den Marktseiten.

Staatliche Eingriffe werden regelmäßig über das Versagen des marktlichen Koordinationsmechanismus aufgrund dieser Charakteristika gerechtfertigt, wenn auch durchaus unterschiedliche Positionen zu Tiefe und Umfang staatlicher Eingriffe bestehen. Darüber hinaus sind – im Sinne einer funktionierenden ↑Daseinsvorsorge – auch polit-ökonomische Besonderheiten des Sektors zu konstatieren. Dazu gehört eine mit meritorischen Argumenten zur gesamtwirtschaftlichen ↑Wohlfahrt begründete staatliche Intervention auch in funktionierende (Teil-)Märkte des Energiesektors bis hin zu einer historischen Eigenbereitstellung des ↑Staates. Auch die durchaus asymmetrische, darüber hinaus aber auch sehr intensive politische Einflussnahme von ↑Interessengruppen ist in vielen Staaten zu beobachten.

In modernen Industriestaaten war das Politikfeld der E. über weite Teile des 20. Jh. geprägt von der angebotsseitigen Fokussierung auf die Nutzung fossiler Energieträger einerseits und von Kernenergie andererseits. Diese Dichotomie der Energieerzeugung spiegelt sich nicht zuletzt in den traditionellen Instrumenten und Prozessen der E. wieder. Nicht nur technologische Innovation, sondern auch die politischen, bürgerseitig initiierten Diskussionen über nachhaltige Entwicklung (↑Nachhaltigkeit) und ↑Umweltschutz insb. seit den 1970er Jahren zeigen eine zunehmende Abkehr von dieser starken Fokussierung. Zunehmend wird im Kontext der Energieversorgung nicht nur die Frage ökonomischer, sondern auch ökologischer und sozialer Nachhaltigkeit betont. Diese etwa im deutschen EnWG als Wirtschaftlichkeit, Umweltverträglichkeit und Versorgungssicherheit formulierten Ziele finden auch auf europäischer Ebene Niederschlag, wenn das von der ↑Europäischen Kommission als Priorität lancierte Großprojekt Energiewende in den Dimensionen Versorgungssicherheit, integrierter Energiebinnenmarkt, Energieeffizienz, Emissionsminderung sowie Forschung und Innovation konkretisiert wird.

3. Ziele der Energiepolitik

Die aktuellen Ziele nationaler wie internationaler energiepolitischer Maßnahmen können grundsätzlich entlang der benannten Kategorien a) Wirtschaftlichkeit, b) ökologische Verträglichkeit und c) Versorgungssicherheit modelliert werden, wenn auch zwischen den Volkswirtschaften durchaus erhebliche Unterschiede festzustellen sind. Diese Ziele werden reflektiert nicht nur durch politische und administrative Strukturen, welche sich mit dem Politikfeld befassen, sondern auch vom Energierecht. Dieses beinhaltet die Gesamtheit der nationalen wie internationalen Rechtsnormen, welche die Energiewirtschaft regeln. Dazu gehören Rechtsregeln zu Aufbringung, Verteilung, Transport, Verbrauch und Einsparung von Energie wie etwa das Atomrecht, aber auch im weiteren Sinne sonstige benachbarte Bereiche wie Energiewirtschaftsrecht, ↑Umweltrecht, Verbraucherrecht, allg.es ↑Wirtschafts- und ↑Wettbewerbsrecht.

Zu a) zählt insb. die Senkung von Substitutionskosten. Hier können etwa die Reduktion von technisch-organisatorischen Barrieren oder aber Harmonisierungsvorteile oder die Nutzung von Skaleneffekten genannt werden, welche eine entspr.e Kostenreduktion induzieren können. Dies gilt für technische Standards ebenso wie für administrativ-organisatorische Gesichtspunkte. Ein weiterer relevanter Aspekt ist in diesem Zusammenhang die Wettbewerbsförderung. Die Öffnung von Netzen für privatwirtschaftliche Unternehmen im Allgemeinen bzw. die ↑Liberalisierung von Märkten wird als Schlüssel zu einer Kostensenkung bzw. Effizienzsteigerung angesehen. Ähnliches gilt für die Regulierung von natürlichen Monopolen bzw. der entspr.en existierenden monopolistischen *Bottlenecks*, die einer Reduktion von übernormalen Monopolgewinnen dienen soll. Gleichzeitig ist jedoch auch, insb. im Sinne des Schutzes sog.er spezifischer Investitionen (↑Investition), die Anbieterseite ggf. abzusichern.

Die unter b) (Umweltverträglichkeit) zu subsumierenden Ziele betreffen insb. die Internalisierung ↑externer Effekte, welche nicht durch den Preismechanismus abgefangen werden. Schadstoffe und Emissionen sollen entspr. optimaler Mengen (Angebot- und Nachfrageseite) gestaltet werden. Auch eine grundsätzliche Kalkulation von Risiken (↑Risiko) durch den allg.en Ressourcenverbrauch ebenso wie durch Störfälle insb. im Bereich der Nuklearenergie sind mit diesem Ziel verbunden. Vertragsgestaltung für internationale Kooperation bei globalen öffentlichen Gütern kann ebenfalls diesem Ziel dienen, sofern sie geeignet erscheint, optimale Lösungen für grenzüberschreitende Konsequenzen von energiewirtschaftlichen Maßnahmen zu finden.

Die unter c) gefassten Ziele finden ihren Niederschlag allg. in der Förderung von gesamtwirtschaftlicher und sozialer Entwicklung durch Zugang zu Energieinfrastruktur. Im Detail werden hier etwa Fragen der Herstellung von Versorgungssicherheit für die Bevölkerung im Sinne der Vermeidung von Versorgungsknappheit bzw. ggf. einer (staatlichen) Bevorratung gestellt, sowie die Kostenübernahme einer sicheren Energieversorgung in den Blick genommen. Auch ein hohes Maß an gesellschaftlicher Integration durch Sozialverträglichkeit mit Blick auf Energiepreise oder die Akzeptanz neuer Technologien können an dieser Stelle angeführt werden.

Grundsätzlich sind zwischen diesen verschiedenen

Zielen durchaus Synergien möglich. So etwa kann eine effizientere Bereitstellung und Nutzung von Energieträgern durchaus zu sozial erwünschten Preiseffekten führen und somit gleichzeitig ökonomische wie soziale ↑Nachhaltigkeitsziele stützen. Es sind jedoch sowohl in der theoretischen Herleitung, aber insb. auch der praktischen Umsetzung Zielkonflikte zwischen den Einzelzielen zu konstatieren. Dies gilt etwa zwischen ökologischen und ökonomischen Teilzielen. Welche Dimensionen in letzterem Fall politisch höher gewichtet werden ist u. a. abhängig vom jeweilig geltenden Rechtsregime, aber auch von aktuellen gesellschaftspolitischen Strömungen. Als Beispiel kann an dieser Stelle etwa der mittelfristige „Ausstieg" aus der Nutzung der Kernenergie in etlichen Industriestaaten als Reaktion auf die Kernschmelze im japanischen Kernkraftwerk Fukushima Daiichi im März 2011 genannt werden.

4. Konsens und Dissens

Über das zwischenzeitlich in vielen Staaten etablierte „nachhaltige" Zieldreieck der E. – Umweltverträglichkeit, Wirtschaftlichkeit/Wettbewerbsfähigkeit, Versorgungssicherheit – herrscht in Deutschland wie in Europa weitgehend Konsens zwischen den etablierten Parteien und sonstigen gesellschaftlichen *Stakeholdern*. In Entwicklungs- und Schwellenländern jedoch liegt nach wie vor ein deutlicher Fokus auf der wirtschaftlich-wettbewerbliche Dimension von E., so dass die sozialen und ökologischen Aspekte oftmals nur untergeordnete Bedeutung haben.

Auch in Industrieländern ist jedoch das energiepolitische Instrumentarium im Detail umstritten: Abhängig von der jeweiligen politischen Position und Marktseite werden verschiedene Ansätze zur Zielerreichung präferiert. Die einzelnen energiepolitischen Instrumente der E. lassen sich grob in zwei Kategorien einteilen: ordnungsrechtliche Vorgaben über die allg.en Spielregeln einerseits und direkte und ggf. diskretionäre, d. h. vom Einzelfall abhängige Marktintervention andererseits. Dazu kommt die fiskalische Behandlung des Energiesektors bzw. der Einzelmärkte. Diese kann sowohl energiepolitische Ziele im engeren Sinne verfolgen als auch allg. auf die Generierung von Staatseinnahmen ausgerichtet sein und somit schwerpunktmäßig fiskalische Zwecke verfolgen.

Grundsätzlich gilt mit Blick auf den Instrumenteneinsatz, dass aufgrund der Komplexität des Sektors die Kalkulation gesamtwirtschaftliche Effekte energiepolitischer Maßnahmen von bes.r Bedeutung, jedoch auch mit bes.n Schwierigkeiten verbunden ist. Diese entstehen etwa durch intangible Kosten oder Nutzen einzelner Instrumente, welche in traditionellen Kosten-Nutzen-Analysen (↑Kosten-Nutzen-Analyse) nur schwerlich einbeziehbar sind. Auch sind zeitabhängige Nachfolgekosten und -nutzen ggf. nur schwerlich zu kalkulieren, etwa abhängig von der Verfügbarkeit technischer Innovation wie etwa sog.e *Backstop*-Technologien, welche

Ressourcensubstitute für einzelne Energieträger darstellen. Grundsätzlich und damit verbunden stellt sich, insb. wenn es um den Einsatz relativ neuer Verfahren geht, die Frage nach geeigneten Indikatoren. Die oftmals in diesem Zusammenhang herangezogene Energieeffizienz ist etwa als Indikator zum Vergleich über Zeit und Raum nur bedingt geeignet, handelt es sich doch nicht um eine statische Größe, sondern vielmehr um ein komplexes Konstrukt aus technischen, sozio-ökonomischen, politischen und organisatorischen Rahmenbedingungen. Auch ist die administrativ-organisatorische Unterfassung von energiepolitischen Instrumenten insb. in komplexen Mehrebenensystemen relevant.

Zu erkennen ist grundsätzlich eine gewisse Trendwende im Instrumentarium. Während traditionell etwa Wettbewerbsausschluss als Marktordnungsinstrument durchaus verbreitet war, etwa durch Regelungen leitungsgebundener Energieversorgung für Strom und Gas, die energieerzeugenden Unternehmen die Einrichtung und den Schutz von Versorgungsgebieten garantierte, so ist zunehmend eine Fokussierung auf Anreize für Angebots- und Verbraucherseite sowie Marktlösungen, etwa durch Zertifikatslösungen, zu erkennen. Energiepolitische Instrumente variieren dabei sowohl zwischen Industrie- und Entwicklungsländern ebenso wie innerhalb der Gruppe industrialisierter Staaten als auch über die Zeit. Insb. die in vielen Staaten zu Beginn des 21. Jh. eingeleitete Energiewende stellt sich als Herausforderung dar, da sie nicht nur neue energiepolitische Ziele postuliert, sondern damit einhergehend auch neue Instrumente erfordert. Diese werden jedoch insb. in der Transformationsphase in Teilen nur unzureichend aufeinander abgestimmt, dies gilt sowohl über die Ebenen hinweg als auch für konfligierende Einzelinstrumente. In diesem Zusammenhang kann mit Blick auf viele Staaten, darunter auch Deutschland, geradezu von einer „Instrumenteninvasion" (Hansjürgens 2012: 6) gesprochen werden.

5. Regionale Integration und internationale Kooperation

Während in anderen Bereichen der ↑Wirtschaftspolitik, etwa der Handelspolitik, teilweise seit Jahrzehnten ausgeprägte Internationalisierungstendenzen auszumachen sind, war die E. davon zwar nicht durchgehend ausgenommen, jedoch gekennzeichnet von regionaler Kooperation sowie angebot- oder nachfrageseitig ausgerichteter Zusammenarbeit zwischen Staaten. Ordnungsökonomisch (↑Ordnungsökonomik) begründbar ist Kooperation in diesem Bereich durch die Tatsache, dass sowohl der Abbau von Energieträgern als auch Energieerzeugung und -verbrauch selbst negative ↑externe Effekte verursachen können, welche nicht an nationale Grenzen gebunden sind. Die Abwesenheit von negativen Folgen von Energieerzeugung und -verbrauch können in diesem Zusammenhang als globale, zumindest aber regionale öffentliche Güter verstanden werden

– etwa Fragen der Luftreinhaltung, insb. aber mögliche klimawirksame Folgen von Emissionen: Während es grundsätzlich für einzelne Akteure rational ist, keine zusätzlichen Kosten für die Erhaltung dieses öffentlichen Gutes auf sich zu nehmen bzw. eine aus individueller Sicht optimale Nutzung anzustreben, so ist aus globaler bzw. regionaler Sicht ein derartiges Verhalten suboptimal. Entspr. sind bindende Regelungen eine Möglichkeit, derartige Effekte zu vermeiden und ggf. anfallende ↑Kosten zu verteilen.

Für die Staaten Europas ist die zentrale Institution zur Regulierung auch energiepolitischer Fragen die ↑EU, welche bereits in ihren Anfängen durch eine enge Zusammenarbeit in diesem Bereich gekennzeichnet war, namentlich durch die Schaffung der EURATOM sowie der EGKS. Diese beiden Gründungsinstitutionen der späteren EU umfassten zwar jeweils nur ausgewählte Bereiche der Energieversorgung und dienten nicht einer umfassenden Regelung, stellten aber wichtige Schritte zu einer weitergehend harmonisierten E. dar. Als eigentliche Geburtsstunde eines gemeinschaftlichen europäischen Energierechts kann die Tagung des Rates der Staats- und Regierungschefs im Mai 1973 angesehen werden, welche später durch zahlreiche weitere primär- und sekundärrechtliche Regelungen ergänzt und konkretisiert wurde.

Zu Meilensteinen der EU-weiten E. zählen etwa die Entschließung des Rates aus dem Jahr 1980 für die energiepolitischen Ziele, die Binnenmarkt-RL für Elektrizität aus dem Jahr 1996, die Europäische Energiecharta bzgl. der Beseitigung von technischen, administrativen und sonstigen Hemmnissen für den Handel im Energiebereich von 1991, die Etablierung der TEN auch im Energiesektor seit 2003, sowie die Schaffung einer umfassenden Europäischen Energieunion 2015.

Während der vergangenen Dekaden wurde neben der verstärkten regionalen Kooperation auch die internationale energiepolitische Zusammenarbeit stetig intensiviert. Somit sind heute neben den traditionellen Akteuren zunehmend internationale Institutionen mit energiepolitischen Fragestellungen befasst. Diese Institutionen haben durchaus eine sehr verschiedene Reichweite (Mitgliederzahl sowie Regelungstiefe und -verbindlichkeit), stellen jedoch inzwischen wichtige Akteure der internationalen E. dar.

Zu diesen gehört die ↑IAEO, die bereits seit 1974 Fragen der nicht-militärischen Nutzung der Atomkraft international koordiniert. Auch die sog.e ↑G7/G8 wie auch die G20, Foren der wichtigsten Industriestaaten bzw. Industrie- und Schwellenländer haben durch eigenständige Arbeitsgremien zur E. die internationale Zusammenarbeit in diesem Bereich verstetigt. Das IEF dient als Plattform für die Nachfrage- wie auch Angebotsseite von Primärenergieträgern aus Industriestaaten sowie den relevanten Transit- und Schwellenländern. Weitere internationale Foren wie etwa die IRECs, das REN21, das CEM, die IPEEC, oder die MENARECs

stellen neue Ansätze insb. in der Kooperation zugunsten einer verstärkten Nutzung erneuerbarer Energien da. Die Förderung innovativer Technologien sowie eine Einbindung energiepolitischer Probleme in regionale und internationale Politikkooperationen stellen Schwerpunkte der Aktivitäten dieser Plattformen dar.

6. Fazit und Perspektiven

Obschon das Politikfeld nach wie vor von gewissen strukturellen Starrheiten der entspr.en Märkte geprägt ist, zeichnen sich neue Dynamiken ab, welche die E. auf nationaler wie internationaler Ebene prägen. Dazu gehören insb. die zunehmende internationale Kooperation sowie die unter dem Schlagwort Energiewende stattfindende Ausrichtung der Energiewirtschaft hin zu einem verstärkten Einsatz erneuerbarer Energien.

Angesichts der Komplexität des Politikfeldes sind eindeutige Trends nur schwerlich abzuschätzen, jedoch zeigt sich, dass die Anpassung traditioneller energiepolitischer Instrumente auch und insb. mit Blick auf das Projekt der Energiewende notwendig erscheint. Der unter diesem Schlagwort zusammengefasste verstärkte Einsatz erneuerbarer Energien in der Energieversorgung bedarf nicht nur technologischer Innovation, sondern zunächst eines „Übergangsmanagements" auf institutioneller Ebene, welches auch die Generierung und Regulierung von Märkten berührt. Grundsätzlich ist dies für die Staaten der ↑EU nur auf Unionsebene denkbar. Hiermit stellt sich die Frage nach der Einbindung von Partialinteressen einzelner Nationen in ein umfassendes Energiekonzept auf Gemeinschaftsebene. Problematisch stellen sich hier neben nationalen politisch-historischen Entwicklungspfaden der Energiewirtschaft auch die unterschiedlichen Auffassungen der Mitgliedsstaaten, etwa betreffend der Nutzung von Kernenergie zur Energieversorgung, dar.

Somit wird deutlich, dass neben den Herausforderungen der Instrumentenwahl in der E. nach wie vor Herausforderungen auf der der Instrumentenebene vorgelagerten Zielebene bestehen. Dies wird die intraeuropäische Zusammenarbeit und Harmonisierung des Politikfeldes, insb. aber Kooperationen zwischen entwickelten und weniger entwickelten Staaten betreffen, wo erhebliche Unterschiede in der Gewichtung der verschiedenen Zieldimensionen festzustellen sind.

Angesichts der aktuell nach wie vor hohen Abhängigkeit zahlreicher Volkswirtschaften von fossilen Energieträgern, welche nicht autark befriedigt werden kann, sind auch sicherheitspolitische Fragen relevant. „Versorgungssicherheit" kann hier auch verstanden werden als gewährleisteter Zugang zu internationalen Energiemärkten, stabile Zulieferung von Energieträgern aus Krisenregionen oder die Unabhängigkeit der Energieversorgung von politischen oder militärischen Konflikten (↑Internationale Konflikte) der Marktpartner untereinander. Diese Dimension der E. gewinnt an Bedeutung angesichts einer global ansteigenden Energienachfrage gerade aus Schwellenländern und *Emerging Markets*, welche oftmals durch schwache Institutionen und Demokratiedefizite gekennzeichnet sind. Somit können Anstrengungen hin zu einer globalen Energiewende durchaus auch als (nationale) Bestrebungen hin zu mehr Unabhängigkeit von diesen politischen Restriktionen der E. verstanden werden.

Ein weiteres, insb. im Zuge der Energiewende auftretendes Phänomen besteht im Nexus zentrale vs. dezentrale Energieversorgung. Diese zumindest teilweise konkurrierenden Ansätze werden in Teilen durch technische Restriktionen bestimmt, sind relevant aber insb. mit Blick auf die Frage, ob und wie sich die Systeme in den liberalisierten ↑Europäischen Binnenmarkt integrieren lassen, etwa angesichts von Vorgaben bzgl. des diskriminierungsfreien Netzzugangs und der Trennung von Netzbetrieb und Erzeugung. Ähnliche Probleme gelten auch für das Management und die Integration erneuerbarer Energieträger – hier sind es, etwa bei Offshore-Windanlagen, häufig große Distanzen, die zwischen den Orten der Energieproduktion und der Energienachfrage überbrückt werden müssen.

Zusammenfassend ist davon auszugehen, dass im Zuge aktueller technischer Innovationen, aber auch eines angepassten administrativ-rechtlichen Rahmens nationale E. zunehmend durch internationale Initiativen zur E. ergänzt wird. Dies gilt insb. für die europäischen Staaten. Dennoch kann aufgrund der Diversität nationaler Entwicklungspfade und Ressourcenausstattung, aber auch von Interessen sowie der durchaus ideologisch-politisch geprägten Diskurse zum Thema Energie davon ausgegangen werden, dass nationale Besonderheiten in der E. auch mittelfristig bestehen bleiben werden.

Literatur

Europäische Kommission (Hg.): Framework Strategy for a Resilient Energy Union with a Forward-Looking Climate Change Policy, 2015 • B. Hansjürgens: Instrumentenmix der Klima- und Energiepolitik, in: Wirtschaftsdienst 92/13 (2012), 5–11 • A. C. Fisher/M. H. Rothkopf: Market failure and energy policy, in: Energy Policy 17/4 (1989), 397–406.

RAHEL M. SCHOMAKER

II. Politikwissenschaftlich

1. Definition und Ziele

E. umfasst alle Maßnahmen mit dem Ziel, Angebot und Nachfrage von primären Energieträgern wie Öl, Gas, Kohle, Uran oder erneuerbaren Energien sowie die Art und Weise der Energieversorgung zu steuern bzw. zu beeinflussen. Die Motivation von E. ist zum einen materiell: ↑Wohlstand, ↑Wirtschaftswachstum und die industriellen Entwicklung eines Staates oder einer Region. Zum anderen ist E. an öffentlicher ↑Wohlfahrt orientiert, mit dem Ziel der sicheren Versorgung der Be-

völkerung und des öffentlichen und privaten Sektors mit Energieträgern und -dienstleistungen. Zuletzt ist E. normativ motiviert, v. a. mit dem Ziel eines nachhaltigen Energiesystems, also der umwelt- und klimaschonenden Produktion und Konsumption von Energie. E. wird daher im Zieldreieck von Versorgungssicherheit, Wirtschaftlichkeit und Umweltverträglichkeit definiert. Hierin liegen zugl. starke Zielkonflikte begründet. Da der Transformationspfad von einer Entwicklungs- zu einer modernen ↑Industriegesellschaft und Dienstleistungsgesellschaft typischerweise mit direktem Anstieg des Energieverbrauches einhergeht, ist der wirtschaftliche Aufstieg eines Landes mit einem höheren Ausstoß von klimaschädlichen Treibhausgasen verbunden. Die emissionsneutrale Lösung, eine Substitution von fossilen (und zudem heimisch vorhandenen) Energieträgern wie Stein- oder Braunkohle mit erneuerbaren Energieträgern oder der gesellschaftlich oft umstritten Nuklearenergie, ist jedoch aufgrund der zumeist höheren Kosten politisch stark umstritten. Gerade schnell wachsende Schwellenländer wie Indien oder China priorisieren daher Versorgungssicherheit und Wirtschaftlichkeit über Umweltverträglichkeit.

2. Energie als Querschnittspolitikfeld

Energie ist ein Querschnittspolitikfeld, das u. a. folgende Politikfelder berührt: Klima- und ↑Umwelt-, ↑Wirtschafts- und Industriepolitik, Verkehrspolitik, Bauen und ↑Stadtplanung sowie ↑Sicherheitspolitik. Staatliche Aufgaben im Bereich E. sind daher typischerweise mehreren Ministerien zugeordnet. Steuerungswirkung auf das Gesamt-Energiesystem entfaltet sich über ein komplexes Zusammenspiel von Maßnahmen aller berührten Politikfelder.

2.1 Wirtschafts- und Industriepolitik

Energie ist zentral für die wirtschaftliche Entwicklung, ↑Wohlfahrt und das Funktionieren von modernen Gesellschaften. Die ↑Industrie hat einen Anteil von 29 % am globalen Energieverbrauch. Wirtschafts- und industriepolitische Aspekte der E. umfassen daher u. a. die Nutzbarmachung landesspezifischer Ausstattungen mit Energieressourcen, die Unterstützung von energieintensiven Industriezweigen wie der chemischen Industrie oder der dezidierten Förderung alternativer und zukunftsorientierter Wirtschaftssektoren wie erneuerbaren Technologien. Staaten mit großen fossilen Energievorkommen, wie z. B. Norwegen oder die Golfmonarchien, müssen zudem die Nachfragesicherheit für den oft dominanten Energiesektor im Blick behalten. Sie diversifizieren daher entlang der Energie-Wertschöpfungskette oder unterstützen langfristige Exportverträge für Öl oder Gas als Teil ihrer ↑Außenwirtschaftspolitik. Zudem begreifen sie die Verhinderung von negativen volkswirtschaftlichen Effekten des Ressourcenreichtums wie der „Holländischen Krankheit" – dem Verschwinden von Exportindustrien aufgrund einer durch Außenhandelsüberschüsse induzierten Aufwertung der Landeswährung – als Kernaufgabe von Wirtschaftspolitik. Dies umfasst die Diversifizierung der energie-fokussierten Wirtschaftsstruktur und eine behutsame Verwendung von Einnahmen aus dem Energieexport bspw. über staatliche Rentenfonds.

2.2 Klima- und Umweltpolitik
Die Produktion und Konsumption von Energie hat häufig negative Auswirkungen auf Umwelt und Bevölkerung. Aufgabe der E. ist daher der Schutz vor Belastungen z. B. durch giftige Stickoxide oder Feinstaubemissionen im Verkehr oder die sichere Zwischen- und Endlagerung gefährlicher radioaktiver Abfälle aus der Nuklearstromproduktion. Der Energiesektor ist zudem verantwortlich für etwa 1/3 der weltweiten Treibhausgasemissionen. E. muss daher mit Blick auf den drohenden ↑Klimawandel die ↑Weltwirtschaft langfristig „dekarbonisieren", um die Erderwärmung auf das als erträglich akzeptierte Maß von 2 Grad Celsius zu begrenzen. Dies erfordert die Umgestaltung der Energiesysteme sowie die Einbettung nationaler Politiken in internationale Klimaregime wie die UNFCCC.

2.3 Bauen, Städteplanung und Verkehr
Dem Gebäudebereich kommt mit einem Anteil von etwa 32 % der weltweit verbrauchten Energie eine wichtige energiepolitische Bedeutung zu. Eine Verringerung von Wärmeverlusten durch Dämmung und eine Erhöhung der Energieeffizienz dient daher nicht nur dem Ziel der ↑Nachhaltigkeit, sondern reduziert zugl. Kosten und potentiell den Anteil der zu importierenden Primärenergieträger. Sein Anteil von 27 % am globalen Energieverbrauch macht den Verkehrssektor ebenfalls zu einem zentralen Feld. Die Herausforderung besteht zum einen in der Steuerung des Verkehrsaufkommens über Straßenbau und öffentliche Verkehrsinfrastruktur und der Begrenzung des stark steigenden Lufttransports von Gütern. Zum anderen müssen v. a. innerstädtische Bereiche unter energiepolitischen Gesichtspunkten attraktiv gestaltet sein – eine Aufgabe, die Aspekte von öffentlicher Sicherheit, Architektur und Freizeitwert berührt.

2.4 Sicherheitspolitik
E. erhält eine starke sicherheitspolitische Dimension durch die militärische Nutzung der Nukleartechnik. Die Nichtverbreitung von waffenfähiger Nukleartechnologie ist Gegenstand des Atomwaffensperrvertrages von 1968. Des Weiteren wurde der Zugang zu Öl oder Gas sowie deren sicherer Transit immer wieder Thema der ↑Außenpolitik. Beispiele sind der Ölboykott der arabischen Exporteure von 1973 gegen Israel unterstützende westliche Staaten, der Golfkrieg von 1991 im Zuge der Invasion Kuwaits durch Irak oder auch die russisch-ukrainischen Gaskonflikte von 2006 und 2009, die u. a. als Russlands Reaktion auf die Annäherung der Ukraine an den Westen gedeutet werden. Zudem ist die Offenhaltung und Kontrolle der für den Tankerverkehr strategisch wichtigen Meerengen und Kanäle wie des Suezkanals oder der Straßen von Malakka und Hormuz sicherheitspolitisch relevant. Darüber hinaus wird im steigenden Maße der Zugang zu Energiereserven in Drittländern Gegenstand der Außenpolitik. China bspw. flankiert diplomatisch und finanziell das Engagement seiner staatlichen Ölfirmen in energiereichen Staaten wie dem Sudan, was nicht zuletzt aufgrund der Menschenrechtsverletzungen in diesem Land zu Kritik führte. Zuletzt sind Energieexporte eine wichtige Einnahmequelle für bewaffnete innerstaatliche Auseinandersetzungen, wie das Beispiel des durch Ölverkauf teilfinanzierten IS zeigt.

3. Akteure und Institutionen
Institutionen in der E. sind auf allen Governance-Ebenen zu finden: national, supranational, regional und international. Sie umfassen staatliche ebenso wie nichtstaatliche Akteure.

3.1 National
Akteure auf nationaler Ebene sind primär Institutionen, welche Rechtsnormen im Energiebereich etablieren oder überprüfen, also Parlamente, Regierung und Bundesgerichte. Die Umsetzung obliegt relevanten Ministerien wie Wirtschaft, Industrie, Umwelt oder Verkehr sowie Regulierern wie der BNetzA. In föderalen Systemen kommt zudem der subnationalen Ebene große Bedeutung zu. Ein Beispiel sind die amerikanischen *states*, die weitreichende Kompetenzen bei der Regulierung von Energieproduktion und -konsumption auf sich vereinen. Auch deutsche Bundesländer divergieren deutlich in ihrer energiepolitischen Schwerpunktsetzung und spielen zudem eine Schlüsselrolle in der Umsetzung nationaler Politikziele. Darüber hinaus kommen Interessensvereinigungen wie dem *Mineralölverband*, dem *Verband Energieintensiver Industrien* oder national bzw. transnational operierenden Umweltgruppen wie dem *Bund Naturschutz Deutschland* oder ↑*Greenpeace* eine wichtige Bedeutung in der Interessensaggregation zu.

3.2 Europa
Art. 194 des Lissabon-Vertrages gibt der EU die Zuständigkeit über den europäischen Energiemarkt. Auf supranationaler Ebene sind daher die ↑Europäische Kommission (insb. DG Wettbewerb und DG Klimaschutz und Energie) und die ACER weitere zentrale Akteure. Interessenvereinigungen wie *Eurogas* vertreten auf EU-Ebene die Anliegen der Energiewirtschaft, NGOs wie *Friends of the Earth Europe* oder *CEE Bankwatch Network* dagegen Anliegen der ↑Nachhaltigkeit. EU-Richtlinien und Direktiven müssen in nationales Recht umgesetzt werden, während die Wahl des Energiemixes den Mitgliedsstaaten überlassen bleibt. Die enge Verzahnung von nationalen und EU-Kompetenzen und Regelungs-

ebenen stellt in der europäischen E. eine große Herausforderung dar. Im Sinne einer kohärenteren Politikgestaltung wird daher seit 2014 die europäische Energie-Union vorangetrieben.

3.3 Regional

Weitere europäische Institutionen mit energiepolitischer Relevanz sind die *Energy Community*, eine Organisation mit dem Ziel der Integration südosteuropäischer Staaten und der Ukraine in das EU-Regelwerk sowie der ECT, der Investitionen in und Handel mit den Staaten der ehemaligen UdSSR regelt. In Nordamerika deckt die ↑NAFTA den Handel mit Energie ab, während *Petrocaribe*, ein von Venezuela unterstütztes Abkommen, Energie zur Unterstützung der politischen Zusammenarbeit in der Karibik nutzt. In Asien existiert eine Vielzahl von Abkommen, u. a. die ASEAN Energy Cooperation (↑ASEAN) sowie die SCO, die Russland, China und zentralasiatische Staaten umfasst. Keine dieser regionalen Institutionen erreicht jedoch den (energiepolitischen) Integrationsgrad der ↑EU. Kompetenzen verbleiben daher primär auf nationaler Ebene.

3.4 International

International relevant sind im Bereich Öl und Gas die ↑OPEC, ein Kartell von gegenwärtig (2016) 13 ölreichen Staaten; die IEA, eine von der ↑OECD getragene Organisation überwiegend importabhängiger westlicher Staaten; das IEF, welches als gemeinsame Plattform für Produzenten und Konsumenten dient sowie das GECF, das auf eine engere Organisation der Angebotsseite bei Erdgas abzielt. Das UNFCCC, die COP, der ↑IPCC, die *Klimainvestitions-Fonds* der ↑Weltbank sowie die *Internationale Agentur für Erneuerbare Energien* decken dagegen die Nachhaltigkeitsseite ab. Zudem sind Foren wie die ↑G7/G8 oder die G20 wichtige Akteure. Umwelt-NGOs übernehmen oftmals die Aufgabe, neben ihrer advokatischen Arbeit internationale Verhandlungen kritisch zu begleiten und stellen dabei wichtige Expertise im globalen Politikprozess zur Verfügung. Zudem haben sich internationale Netzwerke wie die *Renewable Energy and Energy Efficiency Partnership* als Hybrid zwischen politischem Akteur und Investor etabliert. Die Vielzahl der internationalen Akteure spiegelt das Problem der sog.en globalen öffentlichen Güter wider, also ordnungspolitische Steuerung ohne übergeordnete staatliche Sanktionsmöglichkeit.

4. Paradigmen der Energiepolitik

E. ist der Frage unterworfen, mit welchen ordnungspolitischen Maßnahmen sich die zentralen Ziele von Versorgungssicherheit, Wirtschaftlichkeit und Umweltverträglichkeit erreichen lassen. Das Paradigma eines staatszentrierten Modells sucht über Staatsunternehmen die flächendeckende Versorgung mit Energieträgern und -dienstleistungen bereitzustellen. Der ↑Staat übernimmt hierbei die Rolle des Eigentümers

und Grundversorgers gegen festgesetzte Abgaben. Dieses Paradigma war bis in die 1980er Jahre dominant in den OECD-Ländern (mit Ausnahme der USA). Es findet sich im Modell der deutschen Stadtwerke noch heute wieder. Demgegenüber favorisiert das liberale Paradigma Privatunternehmen, den ↑Markt und die Preissteuerung als zentrale Elemente von E. Dem Staat kommt dabei die Rolle des Regulierers zu, der ↑Marktversagen wie Monopole verhindern muss. Die E. der ↑EU, die seit den 1990er Jahren auf die Schaffung eines Europäischen Binnenmarktes für Strom und Gas abzielt, basiert ebenso wie die marktwirtschaftlich organisierte Energiewirtschaft der USA auf dem liberalen Paradigma. Starke staatsorientierte Modelle finden sich dagegen weiterhin in Schwellenländern wie Indien, China oder Brasilien. Paradigmen in der E. sind jedoch nicht starr, sondern werden, wie die Leitmodelle von ↑Wirtschaftspolitik generell, an sich verändernde Umstände angepasst. Zudem existieren marktwirtschaftliche Elemente oft in Koexistenz mit starker staatlicher Intervention. International wirken sich Paradigmen v. a. über multilaterale Organisationen aus. Die als *Washington Consensus* bekannt gewordene programmatische Ausrichtung der ↑Weltbank bspw. führte in den 1980er und 1990er Jahren zu weitreichenden Privatisierungsprogrammen in Entwicklungsländern, auch in der Energiewirtschaft.

5. Steuerungsmechanismen

Zur Erreichung energiepolitischer Ziele hat der Staat prinzipiell dieselben Instrumente wie in anderen Politikfeldern zur Verfügung: Steuern (↑Steuer), ↑Abgaben, Regulierung, ↑Subvention und Information. Diese entfalten jeweils unterschiedliche Steuerungswirkung (↑Steuerung). Über die Mineralölsteuer bspw. kann der Verbrauch von Benzin langfristig reduziert bzw. die Nachfrage nach energieeffizienteren Automobilen gesteuert werden. Subventionen wie der deutsche „Kohlepfennig" dagegen fördern das Angebot. Darüber hinaus eignet sich der Energiesektor aufgrund seiner Bedeutung für die Volkswirtschaft für grundlegende ↑Ordnungspolitik. Eine ökologische Steuerreform bspw. würde über eine weitgehende Umschichtung der Steuerlast von Einkommen, Löhnen und Firmengewinnen auf Energiekonsumption eine tiefgreifende Veränderung der wirtschaftlichen Struktur bewirken. Regulierung wie Dämmvorschriften für Gebäude, selektives Verbot von energieintensiven Glühlampen oder Verbrauchsvorschriften für Kraftfahrzeuge wirkt dagegen punktuell und sektorspezifisch. Darüber hinaus kommt sog.er „weicher Regulierung" wie Energielabels auf Haushaltsgeräten oder dem Energiepass für Gebäude eine wachsende Bedeutung zu, da sie das Informationsniveau des Verbrauchers stärkt und sein Verhalten beeinflusst. Die Wahl des Steuerungsmechanismus ist dabei oftmals eine Funktion des jeweilig zugrunde liegenden Paradigmas. Emissionshandelssysteme (↑Emissionshandel) zur Reduktion von Treibhausgasen bspw. entsprechen dem liberalen Ansatz, während das staatszentrierte Modell eher auf starke Regulierung setzt. Wie das Beispiel der deutschen Energiewende zeigt, ist bei energiepolitischen „Großprojekten" allerdings immer ein Mix von Instrumenten notwendig: Regulierung (staatlich verordneter Atomausstieg), finanzielle Förderung und subventionsähnliche Anreize (Einspeisetarife für erneuerbare Energien, Förderung der energetischen Gebäudesanierung), Infrastrukturfinanzierung (Hochleitungstrassen) und nicht zuletzt Information, um die langfristige Unterstützung der Bevölkerung zu sichern.

Literatur

IEA: OECD World Energy Outlook, 2015 • IPCC: Climate Change 2014 Synthesis Report. Summary for Policy Makers, 2015 • UNFCCC: Adoption of the Paris Agreement, 2015 • A. Goldthau: From the state to the market and back, in: Global Policy 3/2 (2012), 198–210 • T. Dietz/E. Ostrom/P. Stern: The struggle to govern the commons, in: Science 302/5652 (2003), 1907–1912 • I. Kaul u. a.: Providing Global Public Goods, 2003.   ANDREAS GOLDTHAU

III. Energiewende

1. Energieversorgung als ethisch-pol. Herausforderung der Ordnungsethik

Aufgrund der vielschichtigen Zusammenhänge der Energieversorgung mit Armutsüberwindung und Wohlstandsentwicklung sowie Klima- und ↑Umweltschutz ist E. ein ethisches Thema ersten Ranges. Der Streit um die ethische Rechtfertigungsfähigkeit der atomaren Energienutzung war in Deutschland ein wichtiger Impulsgeber der Umweltbewegung und ist bis heute weltweit ein Leitkonflikt der Technikbewertung. Seit den 1990er Jahren hat die Klimaforschung dazu geführt, dass die fossile Energienutzung in den Fokus einer grundlegenden ethischen Kritik geriet, die das gesamte technisch-industrielle Wohlstandsmodell betrifft. Ethisch geht es dabei v. a. um Fragen intergenerationeller und globaler ↑Gerechtigkeit sowie um den Stellenwert von Güterabwägungen und Zuständigkeiten in einer risikoethisch differenzierten Verantwortungstheorie (↑Verantwortung). Es genügt nicht, allein Haltung und Verhalten der Einzelnen in den Blick zu nehmen, sondern das Energiesystem im Ganzen, d. h. als soziotechnisches System, ist einer ethischen Bewertung zu unterziehen.

Als Zieldreieck einer nachhaltigen E. kann Umweltverträglichkeit mit bes.r Relevanz von Klimaschutz, Versorgungssicherheit mit dem Teilziel der Vermeidung politischer Abhängigkeiten und Wirtschaftlichkeit definiert werden. Zwischen diesen drei Gesichtspunkten besteht trotz aller Überschneidungen eine gegenwärtig kaum auflösbare Spannung, die zu unterschiedlichen Prioritäten führt. Eine konsistente Gewichtung, Zuordnung, Vernetzung und Abgrenzung der verschiedenen Gesichtspunkte und Handlungsfelder ist eine originär ethisch-politische Aufgabe, um den vielen Akteuren bei ihren jeweiligen Abwägungsprozessen für energietechnische Entscheidungen Richtungssicherheit zu geben.

Der Wandel hin zu einer nachhaltigen Energieversorgung wird dadurch erschwert, dass ein isolierter Austausch einzelner Elemente der fossilen Energiestruktur durch erneuerbare Energien unzureichend ist. Denn diese brauchen andere Strukturen, um ihre Vorteile zu entfalten. Dies hat erhebliche Konsequenzen für die wirtschaftswissenschaftliche Modellbildung: Bisher werden Energie und Rohstoffe dort meist nur als Kostenproblem thematisiert. Sie gelten als prinzipiell verfügbar und werden auf eine Preisfrage reduziert oder als ökologisch-technisches Spezialistenproblem behandelt. Traditionell werden nur Arbeit und Kapital als strukturell bedeutsame Größen in den Blick genommen. Dies ist heute kein angemessenes Theoriemodell mehr. Die Entscheidung für eine bestimmte Ressourcenbasis ist für die wirtschaftliche und gesellschaftliche Entwicklung durch die Ausbildung von Pfadabhängigkeiten (↑Pfadabhängigkeit) strukturell ebenso determinierend wie die Verteilung von Arbeit und Kapital.

Die politische Dimension der Energieversorgung ergibt sich auch daraus, dass sich Anpassungen aus mehreren Gründen nicht hinreichend betriebswirtschaftlich über Marktsignale abbilden und steuern lassen: Innovationen (↑Innovation) brauchen oft sehr umfangreiche und langfristige Investitionen (↑Investition), die einzelne Unternehmen nur begrenzt tragen können. Zudem sind die Energiepreise aufgrund ihrer Abhängigkeit von politischen Entscheidungen und Machtkonflikten volatil, also sprunghaft, was Investitionen höchst riskant macht und ihre Sicherheit und Kontinuität erheblich beeinträchtigen kann. Versorgungssicherheit und Innovation im Energiesektor brauchen daher politische Rahmenvorgaben. Die Energiewende wird sich nicht allein aus der wirtschaftlichen Dynamik heraus durchsetzen.

Technologieführerschaft im Energiemarkt bedarf der Ermöglichung und Flankierung durch politische Willensbildung. Sie muss Unsicherheiten und „Durststrecken" überwinden, kann aber langfristig zum Entscheidungsfaktor für Wettbewerbsvorteile und Exportchancen werden. Zugl. ist innovative Energietechnik ein Beitrag zur ↑Sicherheitspolitik und Friedenspolitik, da sie die Abhängigkeit von Gas und Erdöl exportierenden Ländern verringert. Um Strategien von Klimaschutz, Versorgungssicherheit und Wettbewerbsfähigkeit im Energiebereich effektiv zu verknüpfen, genügt es nicht, auf den Fortschritt internationaler Abkommen zu warten. Die Dynamik eines Strukturwandels könnte von einer konsistenten E. der Nationalstaaten ausgehen. Sie ist aufgrund ihrer hohen Komplexität jedoch eine gesamtgesellschaftliche Aufgabe, die auf ein Zusammenspiel von ↑Politik, ↑Unternehmen, ↑Forschung und Verbrauchern angewiesen ist. Der Übergang in das Zeitalter der erneuerbaren Energien erfordert langfristig vorausschauend angelegte komplexe Energie-, Emissions- und Kosten-Optimierungen und geschmeidige Anpassungen der gesetzlichen Rahmenbedingungen an identifizierte nachhaltige Entwicklungspfade.

Geht man davon aus, dass der globale „Energiehunger" bis 2050 gegenüber 2015 verdoppeln, wird und aus Gründen des Klimaschutzes der CO_2-Ausstoß um mindestens 80 % reduziert werden sollte, ergibt sich ein Dekarbonisierungsbedarf der Energieversorgung um den Faktor zehn. Aus Gründen des Klimaschutzes muss diese Neuausrichtung gegen die Marktsignale niedriger Preise für fossile Energie, die eine Folge von Tiefseebohrungen, Fracking sowie der Konkurrenz der Anbieter um die globalen Märkte sind, durchgesetzt werden. Damit schwindet die Illusion, dass sich weltweiter Klimaschutz als Nebenprodukt der Verknappung fossiler Energien allein aus der wirtschaftlichen Dynamik ergeben könnte.

2. Risikomündigkeit in Zeiten der Energiewende

Die Energiewende ist riskant. Sie hat nur Chancen, wenn Staaten und Unternehmen bereit sind, unter den Bedingungen von Unsicherheit Investitionen (↑Investition) in einen Strukturwandel zu wagen. Eine ethische Reflexion der Energieversorgung gestaltet sich deshalb in einem ganz wörtlichen Sinn als Güter- und Übelabwägung. Deren Voraussetzung ist eine Analyse, mit welcher Art von ↑Risiko wir es in welchen Zusammenhängen zu tun haben und welche Kriterien, Strategien und Institutionen ihnen angemessen Rechnung tragen. Auf der Basis einer systematischen Unterscheidung von Risikotypen ergeben sich differenzierte Formen des Umgangs mit ihnen, die sich in risikoorientierte, vorsorgeorientierte und diskursive Strategien gliedern lassen.

Weder über die Analyse der Risikofaktoren und der Folgenzurechnung der atomaren Unfälle von Tschernobyl (1986) und Fukushima (2011) noch über die Kriterien sicherer Lagerung verbrauchter atomarer Brennstäbe herrscht Einigkeit in der Forschung. Die Risiken fossiler und atomarer Energieversorgung lassen sich nicht unmittelbar vergleichen und gegeneinander verrechnen. Zusätzlich gesteigert wird die Differenz unterschiedlicher Bewertungen durch die symbolische Aufladung von Konflikten und Risikoeinschätzungen im öffentlichen Diskurs, wobei Atomenergie den einen als Symbol für ↑Fortschritt und ↑Macht, den anderen als Ausdruck für menschliche Hybris gilt. Es zeichnet sich jedoch ab, dass die Risiken der fossilen Energienutzung aufgrund des globalen Ausmaßes der schon heute faktisch wirksamen und absehbar dramatisch steigenden negativen ökosozialen Nebenwirkungen keineswegs geringer einzuschätzen sind. Angesichts der vermehrten Nutzung von Kohleenergie v.a. in China und Indien scheint daher vielen Experten auch der Einsatz von CCS-Technik (Abscheidung und Lagerung von Kohlendioxid) trotz ihrer ungeklärten Risiken und Nebenwirkungen unverzichtbar.

Risikoverantwortung in komplexen technischen und gesellschaftlichen Zusammenhängen ist auf eine Analyse der Wirkungsketten, Steuerungsparameter und Hierarchieebenen in vernetzten Systemen sowie auf eine öffentliche Kommunikation über subjektiv unterschiedliche Wahrnehmungen und Bewertungen von Risiken angewiesen. Politisch erfordert Risikomündigkeit zum einen eine transparente und vorausschauende Organisation des Risikomanagements im Sinne der klaren Definition von Subjekt, Gegenstand, Kontrollinstanz und Kriterien der Verantwortung. Zum anderen sind insb. diskursive Strategien der Risikoverantwortung angezeigt, da der Umbau des Energiesystems neben den natur-, technik- und wirtschaftswissenschaftlichen Aspekten mindestens ebenso die höchst fragile gesellschaftliche Akzeptanz betrifft.

3. Suffizienzstrategien als Teil der Energiewende

Eine konsistente Gewichtung, Zuordnung und Vernetzung der verschiedenen ökonomischen, sozialen und ökologischen Gesichtspunkte einer nachhaltigen Energieversorgung ist eine originär politische Aufgabe. Sie braucht einen stabilen gesellschaftlichen Konsens, um den vielen Akteuren bei ihren jeweiligen Abwägungsprozessen für energietechnische Entscheidungen Sicherheit zu geben. Dabei ist es hilfreich, zwischen drei möglichen Strategien zu unterscheiden: *a)* Effizienzsteigerung durch technische Innovationen (↑Innovation) und Strukturwandel; *b)* Substitution fossiler Energien durch erneuerbare Energiequellen; *c)* Veränderung der Konsummuster und Wertpräferenzen insb. in der globalen Ober- und Mittelschicht zugunsten von ressourcenleichten Wohlstandsmodellen.

Nur wenn insgesamt weniger Energie verbraucht wird, kann der Anteil fossiler Energien am Energiemix in absehbarer Zeit sinken. Deshalb muss der Energieeinsparung ein struktureller Vorrang vor Klimaschutzmaßnahmen auf Seiten der Erzeugung zuerkannt werden. Hinreichende Änderungen sind dabei nur dann erreichbar, wenn alle drei Strategien gleichzeitig in Angriff genommen und Synergien konsequent genutzt werden. Die Effizienz bei der Energieverwendung wurde bisher erst wenig als Geschäftsfeld für anbietende Unternehmen oder als Kostenvorteil für Verbraucher erkannt. Gründe für die Vernachlässigung sind u.a. die große Anzahl von Akteuren und die unübersichtliche Vielzahl von Maßnahmen, die je für sich betrachtet wenig erbringen. Dies verführt zu „kleinteiligen" Lösungen, die politisch und wirtschaftlich nicht ernst genommen werden. Die Entdeckung rentabler Lösungen im Effizienzbereich braucht eine Kombination technischer, unternehmerischer und sozialer Innovationen sowie veränderter Nutzergewohnheiten. Die Verschiedenartigkeit dieser gleichzeitig geforderten Arten von Intelligenz und Strukturwandel prägt die Topologie der moralischen Herausforderung, die sich mit der Energiewende verbindet.

Die Chancen für eine Entkoppelung wirtschaftlicher Entwicklung vom wachsenden Energieverbrauch sind – technisch gesehen – gut. Dennoch gibt es bisher kaum nennenswerte Fortschritte, weil die Entlastungen weitgehend durch eine kontinuierliche Steigerung des Umsatzes sowie des Anspruchsniveaus kompensiert werden. Deshalb müssen die Effizienz- und Substitutionsbemühungen durch eine Suffizienzstrategie begleitet werden, um den Energieverbrauch im Ganzen zu senken. Aus diesem Grund ist die Bereitschaft der Menschen in den hochentwickelten Wirtschaften, durch ihre Nachfrage und damit durch ihre persönlichen Lebensstile, Konsummuster und Wertorientierungen an der Durchsetzung energiepolitischer Verantwortung mitzuwirken, heute ein entscheidendes Handlungsfeld der Energiewende.

4. Energiepolitik als Gesellschaftspolitik: *transformation by design* statt *transformation by desaster*

Da die gegenwärtigen Lebensstandards und deren inhärente Steigerungsdynamik mit erheblichen ökologischen Nebenwirkungen verbunden sind, mündet die Energiedebatte in einem Diskurs über die Kurskorrektur des westlichen Wohlstandsmodells. Dabei wird dem Wechsel zu einer postfossilen und postnuklearen Energie- und Ressourcenbasis ein Stellenwert für die Zukunftssicherung der Weltgesellschaft zugeschrieben, der in seiner Tiefen-, Breiten- und Fernwirkung mit dem der industriellen Revolution vergleichbar ist, weshalb in Anlehnung an Karl Polanyis Analysen der gesellschaftlichen Umbrüche im Kontext der Industrialisierung des frühen 19. Jh. (↗Industrialisierung, Industrielle Revolution) der gegenwärtige Wandel auch als „Große Transformation" (WBGU 2011: 1 ff.) bezeichnet wird.

Einen solchen Wandel kann man nicht verordnen, er ist nicht planbar. Er kann aber auf vielfältige Weise unterstützt werden. Wer diesen Wandel aktiv gestalten will, muss Akteurskonstellationen, Handlungsmuster und Governancestrukturen (↗Governance), die eine Transformation ermöglichen oder blockieren, analysieren. Es geht um Fragen nach den Ressourcen für Anpassungs- und Gestaltungsfähigkeit und zwar sowohl auf personaler als auch auf institutioneller Ebene. Da das relevante Wissen i.d.R. dezentral und häufig unübersichtlich bei zahlreichen Akteuren und Teilsystemen verstreut ist, bedarf es neuer Formen von Kooperation, die es zu erlernen und zu vermitteln gilt. Hier kann v.a. die städtische ↗Kommunalpolitik ökosoziale Innovationen befördern. Weltweit sind heute die urbanen Ballungsräume die bevorzugten Experimentierfelder und sozialen Labore für kulturelle Neuerungen im ökosozialen Bereich.

Ein solcher gesamtgesellschaftlicher Prozess des Umbaus der *Energieversorgung* ist eine entscheidende Bewährungsprobe für prospektive ↗Verantwortung, um *transformation by design* statt *transformation by desaster* (Sommer/Welzer 2014) zu ermöglichen. Die Energiewende kann nur gelingen, wenn sie in eine umfassende Transformation des Wohlstandsmodells eingebunden wird.

Literatur

N. Klein: Die Entscheidung: Kapitalismus vs. Klima, 2015 • M. Vogt: Zeithorizont Ewigkeit, in: HerKorr 69/4 (2015), 204–208 • IEA: World Energy Outlook 2014, 2014 • R. Kümmel: Energiewende, Klimaschutz, Schuldenbremse – Vorbild Deutschland?, in: J. Ostheimer/M. Vogt (Hg.): Die Moral der Energiewende, 2014, 109–133 • J. Ostheimer/M. Vogt (Hg.): Die Moral der Energiewende, 2014 • O. Renn: Das Risikoparadox, 2014 • M. Schüring: Bekennen gegen den Atomstaat, in: J. Ostheimer/M. Vogt (Hg.): Die Moral der Energiewende, 2014, 230–243 • B. Sommer/H. Welzer: Transformationsdesign, 2014 • Deutscher Bundestag: Schlussbericht der Enquete-Kommission Wachstum, Wohlstand, Lebensqualität, BT-Drs. 17/13300, 2013 • T. Jackson: Wohlstand ohne Wachstum, 2013 • U. Schneidewind/A. Zahrnt: Damit gutes Leben einfacher wird, 2013 • M. Vogt: Prinzip Nachhaltigkeit, ³2013 • J. Kersten u.a.: Europe after Fukushima, 2012 • J. Randers: 2052. Der neue Bericht an den Club of Rome, 2012 • DBK: Der Schöpfung verpflichtet, 2011 • Ethik-Kommission: Deutschlands Energiewende, 2011 • J. Radkau: Die Ära der Ökologie, 2011 • M. Schneider u.a.: Nuclear Power in a Post-Fukushima World, 2011 • R. Spaemann: Nach uns die Kernschmelze, 2011 • WBGU: Welt im Wandel, 2011 • M. Zerta u.a.: Aufbruch. Unser Energiesystem im Wandel, 2011 • J. Ostheimer: Kohlekraftwerke ohne Treibhausgase, in: Amosinternational 4/1 (2010), 12–20 • M. Schneider: Ethische Aspekte der Atomenergienutzung, in: Amosinternational 4/1 (2010), 31–35 • M. Vogt: Wohlstand neu denken, in: HerKorr 64/1 (2010), 48–53 • J. Ostheimer/M. Vogt: Energie für die Armen, in: Amosinternational 2/1 (2008), 10–16 • J. Ostheimer/M. Vogt: Risikomündigkeit, in: M. Zichy/H. Grimm (Hg.): Praxis in der Ethik 2008, 185–219 • E. Ostrom: Understanding Institutional Diversity, 2005 • H. Scheer: Energieautonomie, 2005 • Sachverständigenrat für Umweltfragen (Hg.): Effizienz und Energieforschung als Bausteine einer konsistenten Energiepolitik, 2004 • O. Renn/A. Klinke: Risikoabschätzung und -bewertung, in: J. Beaufort (Hg.): Fortschritt und Risiko, 2003, 21–51 • R. Kümmel: Energie und Kreativität, 1998 • O. Höffe: Moral als Preis der Moderne, 1993 • W. Korff: Die Energiefrage, 1992 • U. Beck: Risikogesellschaft, 1986 • H. Jonas: Das Prinzip Verantwortung, 1979 • W. Korff: Kernenergie und Moraltheologie, 1979 • K. Polanyi: The great transformation, 1944.　　　　　MARKUS VOGT

Energierecht

1. Übersicht

E. regelt die Rechtsverhältnisse Privater untereinander bzw. im Verhältnis zu Hoheitsträgern in Bezug auf die unterschiedlichen Energieträger (wie Kohle, Kernenergie, Mineralöl, Fernwärme und erneuerbare Quellen) in den verschiedenen Sektoren (Elektrizität, Wärme und Kraftstoffe) und auf sämtlichen Marktstufen. Einen bedeutenden, wenn auch nicht den alleinigen Inhalt bilden die Regelungen der Rechtsverhältnisse in Bezug auf die leitungsgebundenen Energien Strom und Gas, die v. a. im EnWG kodifiziert sind. Die teils dem ↑öffentlichen Recht und teils dem ↑Privatrecht zuzuordnenden Regeln, die urspr. allein national-autonom, zunehmend aber auch von der EU gesetzt werden, erfassen die Wertschöpfungskette in sämtlichen Bereichen der Energieversorgung: die Produktion ebenso wie die (soweit möglich) Lagerung bzw. Speicherung und die Verteilung von Energie bis zu ihrem Verbrauch und gegebenenfalls ihrer Wiedergewinnung.

Konzeptionell hat das E. seit seiner Entstehung vor etwa 100 Jahren im Laufe der Zeit erhebliche Änderungen erfahren und immer komplexer ausgreifende Regelungsziele aufgenommen. V. a. seit der durch das EuR (↑Europarecht) in den 1990er Jahren angestoßenen Liberalisierung und Wettbewerbsöffnung sieht das Regelungsgeflecht des E.s in der BRD den Staat immer weniger in einer Erfüllungsverantwortung für die Energieversorgung; es überantwortet die effiziente und kostengünstige Energieversorgung Privaten und hält dabei eine Regulierungs- und Auffangverantwortung des Staates aufrecht, der im Lichte der normativen Zielvorgabe, „eine möglichst sichere, preisgünstige, verbraucherfreundliche, effiziente und umweltverträgliche" Energieversorgung zu erreichen (§ 1 EnWG), eine gemeinwohlsichernde Gewährleistungsaufgabe zukommt.

Die rasant einsetzende und deswegen zu Recht als Energiewende bezeichnete Gesetzgebung in der Folge der Reaktorkatastrophe von Fukushima im März 2011 hat umwelt- und klimaschutzfördernde Zielsetzungen des E.s in den Vordergrund gestellt. Die Berechtigungen zum Leistungsbetrieb von Kernenergieanlagen sollen demnach bis Ende 2022 (vorzeitig) erlöschen und der Anteil der Strom- und Wärmeerzeugung aus erneuerbaren Energien soll durch die Novelle des EEG und des EEWärmeG kontinuierlich erheblich gesteigert werden; der Anteil erneuerbarer Energien an der Stromerzeugung soll 40–45 % bis zum Jahr 2025 und mindestens 80 % bis zum Jahr 2050 ausmachen. Für das E. stellen sich damit neue Herausforderungen, v. a. hinsichtlich der Gewährleistung der Sicherheit der Energieversorgung im nationalen bzw. europäischen Kontext, in der Netz- und Marktintegration der Energien aus erneuerbaren Quellen und hinsichtlich der sachgerechten Ordnung des sich ändernden Marktdesigns.

2. Rechtsentwicklung

Die Entwicklung des E. zu einem Rechtsgebiet begann mit der technischen Entwicklung leistungsfähiger Energieerzeugungsanlagen und dem damit möglichen Aufbau flächendeckender Energieversorgungsanlagen. Nachdem sich in Deutschland durch Konzessions- und Demarkationsverträge abgeschottete Versorgungsgebiete von außerordentlich zahlreichen, nicht wettbewerb-

lich kontrolliert agierenden Strom- und Gasversorgungsunternehmen mit je eigenen Bedingungswerken und Preisen entwickelt hatten, nahm sich das EnWG 1935 der als Missstand empfundenen Verhältnisse an. Die Energieversorgung wurde staatlicher Aufsicht unterstellt; die Versorger mussten ihre allg.en Versorgungsbedingungen und Preise öffentlich bekannt machen und unterlagen einem gesetzlich angeordneten Anschluss- und Versorgungszwang. Der Wirtschaftsminister machte von seiner Befugnis Gebrauch, auf die allg.en Bedingungen und Tarifpreise der Energieversorgungsunternehmen Einfluss zu nehmen. Im Hinblick auf die, mit dem EnWG 1935 eingeführte Zielsetzung, „die Energieversorgung so sicher und billig wie möglich zu gestalten", wurden einheitliche Tarifordnungen für elektrische Energie und Gas erlassen. Während dann später in der damaligen DDR eine nach dem staatlich-zentralistischen Modell konzipierte Energieversorgungsordnung geschaffen wurde, galt das EnWG in der BRD nach dem Ende des Zweiten Weltkrieges bis zum Jahr 1998 fort.

Die Reform des EnWG im Jahre 1998 war eine Zäsur in der Entwicklung des E.s. Angestoßen vom Europarecht, das ab 1992 die Einbeziehung der Energiewirtschaft in den Bereich der Verkehrsfreiheiten des ↑Europäischen Binnenmarktes einleitete, wurden die Mitgliedstaaten veranlasst und verpflichtet, bestehende geschlossene Versorgungsgebiete zu beseitigen und die Strom- und Gasmärkte schrittweise dem Wettbewerb zu öffnen. Die bestehenden Bereichsausnahmen vom ↑Wettbewerbsrecht im deutschen Kartellrecht (GWB) wurden abgeschafft. Mit dem EnWG 1998 wurde ein Paradigmenwechsel zur Schaffung von Wettbewerb in der Energiewirtschaft eingeleitet, zunächst für den Elektrizitätsbereich in Umsetzung der EU-Stromrichtlinie (1996) und später (2003) für den Gasbereich in Umsetzung der EU-Gasrichtlinie (1998). Die Reform sah die Liberalisierung des Netzzugangs in der leitungsgebundenen Energieversorgung und Vorschriften zur (zunächst noch eingeschränkten) organisatorischen Trennung des Übertragungsnetzes von der Erzeugung, der Verteilung und den sonstigen Tätigkeiten vertikal integrierter Energieversorgungsunternehmen (sog.es Unbundling) vor.

Die weitere Entwicklung des E. ging wiederum vom ↑Europarecht aus. Die Umsetzung der sog. Beschleunigungsrichtlinien des Jahres 2003 durch das geänderte EnWG 2005 sah den Übergang vom vertraglich verhandelten zum gesetzlich regulierten Zugang zu Strom- und Gasnetzen und weitergehende Verpflichtungen vertikal integrierter Energieversorgungsunternehmen zu unterschiedlichen Stufen des Unbundling vor.

Eine erneute Novellierung des EnWG machte die Verabschiedung des Dritten Energiebinnenmarktpakets der ↑EU aus dem Jahr 2009 erforderlich. In das dazu angestoßene Gesetzgebungsverfahren in Deutschland wurde das in der Folge der Reaktorkatastrophe im japanischen Fukushima 2011 beschlossene Gesetzespaket der Energiewende einbezogen. Dieses insgesamt acht (Artikel-)Gesetze und Änderungen in mehr als zwei Dutzend Gesetzen und Verordnungen vorsehende Gesetzespaket hat das deutsche E. erneut ganz wesentlich verändert und mit der AtG-Novelle zur „Abschaltung" der Atomenergieanlagen bis 2022 und der erheblichen Steigerung des Anteils erneuerbaren Energien v. a. an der Stromerzeugung Leitlinien fixiert.

Ein Abschluss der Rechtsentwicklung ist damit nicht erreicht. Erforderlich wird in naher Zukunft eine Weiterentwicklung des Ordnungsrahmens insbes. für den Strommarkt. Die vom Gesetzgeber beabsichtigte Steigerung des Anteils von Energie aus erneuerbaren Quellen macht es erforderlich, Regeln zur Gewährleistung der Versorgungssicherheit mittels entsprechender Reservekapazitäten sowie zur sachgerechten Preisbildung im Stromhandel dauerhaft (und europarechtskonform) zu schaffen.

3. Konzeption

3.1 Zielsetzungen

Die legislative Konzeption des geltenden E. kommt exemplarisch in den normativen Zielvorgaben des § 1 EnWG („möglichst sichere, preisgünstige, verbraucherfreundliche, effiziente und umweltverträgliche" Energieversorgung) zum Ausdruck. Mit der Sicherheit der Energieversorgung wird gesetzlich nicht nur die technische Zuverlässigkeit der Energieanlagen und -netze, sondern auch die Sicherheit der Verfügbarkeit adressiert. Eine in diesem Sinne sichere Energieversorgung ist die unabdingbare Grundlage für die moderne Privat- und Wirtschaftsordnung, ebenso wie für die Staats- und Verwaltungsordnung in Deutschland und verleiht der verfassungsrechtlich verbürgten Verantwortung des ↑Staates Ausdruck, die im Gemeinwohlinteresse gebotene daseinsfürsorgliche Aufgabe in sachgerechter Weise zu bewältigen.

Ohne die Gewährleistung einer preis- und verbraucherfreundlichen Energieversorgung könnte der Gesetzgeber seiner sozialstaatlichen Verantwortung gegenüber den Verbrauchern nicht gerecht werden. Im ↑Sozialstaat des deutschen GG steht es nicht im Belieben des Gesetzgebers des E.s, für eine sachgerechte Ordnung der Preis- und Lieferkonditionen zu sorgen. Mit den Mitteln des modernen Verbraucherschutzstandards genügenden Energievertrags- und -wettbewerbsrechts stehen dem Gesetzgeber dafür geeignete Instrumente zur Verfügung. Verbraucherbelange beanspruchen nicht zuletzt bei der Ausgestaltung der Förderung der erneuerbaren Energien erhebliche Aufmerksamkeit. Die Kosten des Fördermodells werden sowohl im Hinblick auf die bes. Belastung energieintensiver Unternehmen als auch mit Rücksicht auf die Vorhersehbarkeit und Bezahlbarkeit durch Privatverbraucher einer rechtlichen Ordnung unter Berücksichtigung des Finanzverfassungs- und Subventionsrechts unterworfen.

Die Gewährleistung der Effizienz der Energieversorgung ist im modernen E. der wettbewerbsorientierten Aufsicht von Regulierungs- und Wettbewerbsbehörden überantwortet. Regulierter Wettbewerb in der Energieversorgung auf der Grundlage eines diskriminierungsfreien Netzzugangs und eine an den Maßstäben kompetitiver Chancengleichheit orientierte Übertragung, Verteilung oder Speicherung der Energie, soll unter behördlicher Aufsicht eine effiziente Energieversorgung bewirken. Darüber hinaus sieht das EnEG den Ermächtigungsrahmen für Maßnahmen der Energieeinsparung und des effizienten Energieeinsatzes (insbes. im Gebäudebereich) vor. Die Regeln zur Kraft-Wärme-Kopplung im KWKG dienen der Modernisierung, dem Ausbau und der Markteinführung entsprechender Anlagen; mit ihnen sollen im Vergleich zur ungekoppelten Erzeugung Effizienzvorteile bei der Nutzung der jeweils eingesetzten Primärenergie erzielt werden.

Nicht zuletzt hat die Energieversorgung umweltverträglich zu erfolgen. Umwelt- und Klimaschutz (↑Umweltschutz) sind immer bedeutender gewordene Maximen des E.s geworden, um Umweltschäden und Gesundheitsrisiken für die Bevölkerung zu minimieren. Das E. konkretisiert dabei das Staatsziel des Art. 20a GG. Als zentrale Aufgabe ist die Verringerung der Kohlendioxid-Belastung bei der Energieversorgung erkannt und mit den durch die Erhöhung des Anteils erneuerbarer Energien erreichbaren Reduktionszielen im EEG 2014 normativ verbindlich festgelegt worden. In Deutschland ist damit eine bedeutende Transformation der Energieversorgung eingeleitet worden, die eine weitgehende Dekarbonisierung bewirken und einen Beitrag zur Erreichung des Kernziels der (in der Weiterentwicklung befindlichen) UN-Klimarahmenkonvention leisten soll, die Erderwärmung auf höchstens zwei Grad Celsius gegenüber vorindustriellen Zeiten zu begrenzen.

3.2 Liberalisierung

Die im Zuge der Entwicklung des E.s vollzogene Umgestaltung ist v. a. durch eine sukzessive Öffnung des Energiesektors für unternehmerischen Wettbewerb geprägt. Diese liberalisierende Gesetzgebung hat die überkommene Struktur der in geschlossenen monopolisierten Gebieten erfolgenden Energieversorgung sukzessive abgeschafft, nachdem erkannt wurde, dass die Ausschaltung des urspr. als „volkswirtschaftlich schädlich" angesehenen Wettbewerbs in den Energiesektoren wirtschaftlich ineffizient und konzeptionell verfehlt ist.

Die Liberalisierung des Rechtsrahmens der Energieversorgung stellt ein zuvörderst europäisches Projekt dar. Es wurde mit den grundlegenden europäischen Richtlinien zu Strom (1996) und Gas (1998) eingeleitet, die das Ziel der Liberalisierung der bis dahin weithin national abgeschotteten Energiemärkte verfolgten. Schon bald darauf wurde mit den Beschleunigungs-Richtlinien Strom und Gas (sog. Zweites Energiepaket 2005) die Entfaltung des Wettbewerbs auf den Energiemärkten forciert. Bes. Bedeutung sollte sodann das Dritte Energie- bzw. Liberalisierungspaket 2009 haben, das insgesamt fünf Rechtsakte umfasst und v. a. die grundsätzliche eigentumsrechtliche Herauslösung des Netzgeschäfts aus vertikal integrierten Elektrizitätsversorgungsunternehmen (sog.es Ownership Unbundling) zum Gegenstand hatte und damit eine zentrale Bedingung für ein liberalisiertes Konzept der Energiewirtschaft auf der Grundlage effizienter Energiewettbewerbsmärkte schaffen sollte.

Die europäischen Liberalisierungsrichtlinien trafen auf sehr unterschiedliche E.s-Konzeptionen in den EU-Mitgliedstaaten. In Deutschland war (im Unterschied etwa zum service public-Konzept in Frankreich) die Energieversorgung seit jeher durch privatrechtlich organisierte Versorgungsunternehmen geprägt. Die Liberalisierung der Energiemärkte und ihre Öffnung für den Wettbewerb setzte auf dieser Struktur auf und schuf in Umsetzung der EU-Richtlinien mit dem EnWG 1998 Gebietsabsprachen und Ausschließlichkeitsbindungen zugunsten des Systems des seinerzeit noch zulässigen sog. verhandelten Netzzugangs ab. An dessen Stelle traten mit dem EnWG 2005 Regeln, nach denen die Regulierungsbehörden die Netzanschluss- und Netzzugangsbedingungen einschließlich der Tarife für Übertragung bzw. Fernleitung und Verteilung festlegten. Die Unbundling-Regeln wurden im Interesse einer verbesserten isolierten Kontrolle der Netznutzungsentgelte weiter verschärft und die wettbewerbsöffnende Grundkonzeption des E.s mit verbesserten Verbraucherschutzregeln verbunden.

3.3 Regulierung

Energierechtliche Regulierung kompensiert das spezifische Wettbewerbsdefizit der leitungsgebundenen Energieversorgung. Mangels realwirtschaftlicher Duplizierbarkeit des Leitungsnetzes verfügt dessen Inhaber über ein natürliches Monopol. Es ist deshalb eine Aufgabe staatlich gesetzten Regulierungsrechts, kompetitive Chancengleichheit der Marktakteure für die Vereinbarung netzbezogener Verträge der Energiewirtschaft zu fördern. Die Gewährleistung des Netzzugangs und der Netznutzung gehört zu den zentralen (privatrechtsgestaltenden) Aufgaben des Regulierungsrechts. Regulierungsrecht und Kartellrecht stimmen in ihrer auf die privatrechtliche Austauschgerechtigkeit gerichteten Zielsetzung überein, einen gegen Machtmissbrauch geschützten fairen Interessenausgleich von Energieversorgern und Energieproduktnutzern zu gewährleisten. Beide Regelungskreise unterscheiden sich dadurch, dass das Kartellrecht tatsächlich existierenden Wettbewerb gegen wettbewerbsbeschränkende Maßnahmen schützen soll, während Regulierungsrecht in Ermangelung bestehenden Wettbewerbs die Aufgabe hat, kompetitive Prozesse zu fördern.

Die Regulierung der Energieversorgung stellt funktionell eine dauerhafte staatliche Aufgabe dar, mit der

systembedingte Wettbewerbsdefizite kompensiert und durch die Netzzugangs- und Preisregulierung Bedingungen für Wettbewerb in den Energiemärkten geschaffen werden. Zudem wird die regulierte privatwirtschaftliche Tätigkeit in der Energiewirtschaft mit öffentlich-rechtlichen Standards überformt, insbes. durch Pflichten zur Netzpflege und zum Netzausbau, Vorschriften über das Unbundling oder die Pflicht zur Einspeisung von Erneuerbare Energien-Strom in das Netz. Insgesamt nimmt der Gesetzgeber mit dem Regulierungsrecht für die Energiewirtschaft eine strukturfördernde, Wettbewerbsverhältnisse überhaupt ermöglichende Aufgabe wahr.

4. Regelungsbereich: Energiewirtschaft

Das geltende E. in Deutschland ist nicht durchweg systematisch strukturiert. Es ist einerseits nach Regelungsbereichen (wie dem der Energiewirtschaft und des Umwelt- und Klimaschutzes) unterteilt, kennt aber auch Regeln für einzelne Energieträger (etwa das AtG über die friedliche Verwendung der Kernenergie und das EEG mit den Regeln über die erneuerbaren Energien) oder Energiesektoren (etwa das EEWärmeG und das den Kraftstoffmarkt betreffende BioKraftQuG).

4.1 Recht der leitungsgebundenen Energieversorgung

Die Regeln der leitungsgebundenen Energieversorgung über die Entflechtung des Netzbetriebes (sog.es Unbundling), die Regulierung des unabhängig vom Energieträger geregelten Netzbetriebs sowie eine umfassende behördliche Missbrauchsaufsicht stehen im Zentrum des im EnWG geregelten Energiewirtschaftsrechts. Hinzukommen Regeln zur Grundversorgungspflicht gegenüber Letztverbrauchern, zum Planungs- und Wegerecht (seit 2013 unter Einbeziehung von Offshore-Erzeugungsanlagen) und zur Sicherheit und Zuverlässigkeit der Energieversorgung.

Die das natürliche Monopol des Netzbetreibers aufbrechenden Regeln des regulierten Netzzugangs, insbes. die des Anschlusses und Zugangs zum Netz für Energie durchleitende Dritte zu behördlich kontrollierten Preisen und Konditionen bilden eine unabdingbare Voraussetzung für Wettbewerb im Energiesektor und damit ein Filetstück des EnWG. Ihnen stehen die Unbundling-Regeln in ihrer Bedeutung nicht nach. Insbes. mit den für Transportnetzbetreiber vorgesehenen drei gleichwertigen Entflechtungsoptionen (Ownership Unbundling, Independent System Operator und Independent Transmission Operator) verfolgt der Gesetzgeber das Ziel, die Unabhängigkeit des Netzbetreibers von anderen Tätigkeitsbereichen der Energieversorgung zu stärken und damit eine diskriminierungsfreie Gestaltung und Abwicklung des Netzbetriebs gegenüber konzernunabhängigen Dritten zu gewährleisten.

4.2 Recht der sog.en erneuerbaren Energien

Die Förderung von den Energien aus erneuerbaren Quellen hat einen bedeutenden (und stetig wachsenden) Einfluss auf die Energiewirtschaft, der sich in Auswirkungen auf die Struktur der Energieerzeugung, die Wirtschaftlichkeit des herkömmlichen Kraftwerkparks, den Netzbetrieb und den Ausbau des Leitungsnetzes zeigt. In rechtlicher Hinsicht ergeben sich umfängliche Verflechtungen und Abstimmungen mit den Regeln des Energiewirtschaftsrechts etwa im Bereich des Netzzugangs, der Netzentgeltermittlung und der Netzengpassbewirtschaftung. Zentrale Regelungen des Rechts der erneuerbaren Energien hat der deutsche Gesetzgeber im EEG geschaffen, die weitestgehend autonom und ohne rechtvergleichend heranziehbare Vorbilder entstanden sind und fortlaufend weiterentwickelt wurden. Die Regeln haben ihren Ursprung im StrEinspG 1990, sind aber über die verschiedenen Fassungen des EEG seit jenem Jahr bis zum derzeit geltenden EEG 2017 den Kinderschuhen entwachsen, obwohl grundsätzliche Fragen zur Vereinbarkeit insb. des gesetzlichen Fördersystem mit dem Europa- und Verfassungsrecht nicht abschließend geklärt sind.

Das EEG enthält nicht etwa eine Gesamtkodifikation des Rechts der erneuerbaren Energien, sondern ist als energieträgerspezifisches Spezialgesetz für Anlagen erneuerbarer Energien konzipiert und hat damit Vorrang vor den allg.en Regeln des EnWG. Es sieht eine grundsätzliche Rechtspflicht von Netzbetreibern zur Abnahme, Übertragung und Verteilung von Strom aus erneuerbaren Energien und ein im Laufe der kurzen Geschichte des Gesetzes bereits mehrfach verändertes Regelwerk zur finanziellen Förderung der erneuerbaren Energien vor. Nachdem ursprünglich eine strikt technologiespezifische Förderung (z. B. für Wind-, Solar- und Biomasseanlagen) über festgelegte Einspeisevergütungen vorgesehen war, hat das EEG 2014 einen Systemwechsel angebahnt. Durch eine an Ausbaukorridore und Zubauregeln orientierte Förderdegression wurden Elemente der Mengensteuerung eingeführt, Neubauanlagen wurden grundsätzlich zur Direktvermarktung verpflichtet und Einspeisevergütungen werden nur noch ausnahmsweise gewährt.

4.3 Markt- und Wettbewerbsregeln

Das Energiewettbewerbsrecht will die Energieversorgung zu wettbewerbsorientierten Preisen und Konditionen gewährleisten. Es unterwirft den Inhaber des natürlichen (Netz-)Monopols als Korrelat fehlender wettbewerblichen Kontrolle einer sektorspezifischen Regulierung. Damit wird dem Netzinhaber verwehrt, Monopolrenditen aus dem Netzbetrieb zu erwirtschaften und vertikal integrierten Versorgern versagt, missbräuchliche Quersubventionierung anderer energiewirtschaftlicher Betätigungen vorzunehmen.

Die Regeln des allg.en Kartellrechts (GWB, AEUV, FKVO [↑ Wettbewerbsrecht]) sind daneben seit der Aufhebung der kartellrechtlichen Freistellung für geschlossene Versorgungsgebiete uneingeschränkt anwendbar. Für die Aufsicht über den Preismissbrauch bei der Versorgung mit Strom und Gas durch das Bundeskartellamt gilt eine (bis Ende 2017 befristete) Sonderregel. Die Missbrauchsaufsicht über das Marktverhalten der Betreiber von Energieversorgungsnetzen ist dagegen nach dem EnWG den Regulierungsbörden übertragen.

4.4 Verbraucherschutz- und Preisrecht

↑ Verbraucherschutz im E. gewinnt vermehrt an Bedeutung. Er umfasst den Schutz vor unangemessenen Geschäftsbedingungen und unlauteren Geschäftspraktiken, den Verbraucher- und Verbrauchsdatenschutz sowie Hilfen für Verbraucher in prekären Lebensverhältnissen zur Vermeidung von Energiearmut.

Eine allg.e Kontrolle von Energiepreisen erfolgt im Wege der kartellrechtlichen Missbrauchsaufsicht und der zivilrechtlichen Billigkeitskontrolle. Die Grenze des wettbewerbswidrigen Ausbeutungsmissbrauchs wird am Maßstab des wettbewerbsanalogen Preises unter Berücksichtigung einer Gewinnspannenbegrenzung gezogen. Die zivilrechtliche Billigkeitskontrolle von Preisgleitklauseln in Energielieferverträgen tritt neben die energiewirtschafts- und kartellrechtliche Preiskontrolle und stellt wesentlich auf die übliche Ausübung der Preisbestimmung in sachlich vergleichbaren Fällen ab.

Die Preisregulierung zum Ausschluss von Monopolrenditen in der Netzwirtschaft ist eine unabdingbare Voraussetzung für effektiven Wettbewerb. Die Regulierung der Netznutzungsentgelte wird am Maßstab der Kosten eines effizienten, strukturell vergleichbaren Netzbetreibers orientiert. Sie beschränkt sich nicht auf einen status quo-Vergleich mit dem marktüblichen Preis, sondern lässt es zu, analytische Kostenmodelle zugrunde zu legen, wenn Daten aus kompetitiven Vergleichsmärkten nicht zur Verfügung stehen. Die Preisobergrenze bildet der Preis, der effizient entstandene Kosten für sichere Netze abbildet. Hinzu tritt eine Anreizregulierung, die auf der Grundlage einer periodenbezogenen Festlegung von Erlösobergrenzen ineffizienten Unternehmen geringere, effizienten Unternehmen dagegen höhere Renditen zugesteht.

5. Regelungsbereich: Umwelt- und Klimaschutz

Zentrale Regelungen des anlagen- bzw. vorhabenbezogenen Energieumweltrechts finden sich in den Genehmigungserfordernissen des BImSchG, das – differenziert nach Gefahrenpotentialen unterschiedlichen Genehmigungsverfahren – die Einhaltung verordnungsrechtlich konkretisierter Emissionsgrenzwerte für die Errichtung und den Betrieb von Energieanlagen regelt. In das Verwaltungsverfahren fließt bei den vom UVPG erfassten Vorhaben eine Umweltverträglichkeitsprüfung ein, die eine Berücksichtigung der Umweltauswirkungen des Vorhabens auf die Genehmigungsentscheidungen gewährleisten soll. Anlagenbetreiber bedürfen zur Freisetzung von Treibhausgasen einer behördlichen Genehmigung nach dem TEHG, das zugleich den Handel mit entsprechenden Zertifikaten regelt. Eingriffe in die Natur und Landschaft durch den Bau und den Betrieb von Energieanlagen sind mit den Schutzbelangen des Naturschutzrechts (z. B. BNatSchG) und der in mehreren Bundesländern geltenden Klimaschutzgesetze in Einklang zu bringen. Die umweltpolitisch bes. umstrittene dauerhafte Speicherung von Kohlendioxid in unteren Gesteinsschichten wird im KSpG geregelt.

6. Sonstige (ausgewählte) Regelungsbereiche

6.1 Anlagenplanung und Anlagenzulassung
Das Planungs- und Zulassungsrecht für Energieanlagen bildet einen umfänglich ausgebildeten Regelungsbereich, der seit der Gesetzgebung der Energiewende des Jahres 2011 erhebliche Veränderungen erfahren hat. V. a. unterliegt der Energieleitungsbau intensiver planerischer Steuerung und mehrstufiger Bedarfs- und Investitionsplanung. Im EnWG wurden zentrale Regelungen der Netzentwicklungs- und Bedarfsplanung (einschließlich der Offshore-Windparks) verankert, spezifische Trassenfindungs- und Planfeststellungsregeln wurden im NABEG und BBPlG geschaffen, die neben das seit 2009 geltende EnLAG getreten sind. Für die Errichtung von Energieerzeugungsanlagen gelten dagegen grundsätzlich (mit Ausnahmen für Offshore-Windenergie- und Wasserkraftanlagen) die allg.en Instrumente der Planung und Zulassung gemäß dem Raumplanungsrecht und den Vorgaben des Bau- und Immissionsschutzrechts.

6.2 Konzessionsvergabe
Die Nutzung der öffentlichen Verkehrswege für den Energieleitungsbetrieb wird durch gesetzlich gebundene und befristete Konzessionsverträge geregelt, deren Neuabschluss nach dem EnWG und den Regeln des Kartell- und Vergaberechts (↑Wettbewerbsrecht) erfolgt. Die Gemeinden (↑Gemeinde) können dafür Konzessionsabgaben erheben, deren Zulässigkeit und Bemessung durch die Konzessionsabgabenverordnung geregelt ist.

6.3 Energiehandel
Energiehandel erfolgt traditionell auf der Grundlage von Energielieferverträgen. Es existiert eine Vielzahl von Verträgen, die sich grundsätzlich nach Haushaltskunden- und Sondervertragskundenvertrag typisieren lässt. Haushaltskunden können die verpflichtende Grundversorgung nach dem EnWG auf der Grundlage standardisierter Vertragsbedingungen und Preise in Anspruch nehmen; für sie gelten die Regeln der StromGVV bzw. GasGVV.

Im Zuge der Liberalisierung der Energiemärkte sind neue Formen des Handels mit Strom und Gas sowie mit Emissionsrechten entstanden. Auf Handelsplattformen oder in Börsen findet ein Spot- und Terminhandel mit physischen oder finanziellen Future-Kontrakten bzw. Optionen statt. Dieser Handelsbereich wird durch ein zunehmend engmaschiger werdendes Netz von Regeln des ↑Europarecht (MiFIR-, REMIT-, EMIR-VO) geordnet.

Literatur
W. Danner/C. Theobald: Energierecht 89. Erg.-Lfg., Stand Mai 2016 • J. Ebbinghaus/J. Berfelde: Energielieferverträge, 2015 • M. Kment (Hg.): Energiewirtschaftsgesetz, 2015 • F. Säcker (Hg.): EEG 2014, 2015 • F. Säcker (Hg.): Energierecht, ³2014 • H. Schwintowski (Hg.): Handbuch Energiehandel, ³2014 • C. Koenig/J. Kühling/W. Rasbach: Energierecht, ³2013 • J. Schneider/C. Theobald: Recht der Energiewirtschaft, ⁴2013.
           MARIAN PASCHKE

Enteignung

1. Begriff
Nach der heutigen Rechtsprechung des ↑BVerfG ist die E. im verfassungsrechtlichen Sinn (Art. 14 Abs. 3 GG) „auf die *vollständige oder teilweise Entziehung* konkreter subjektiver, durch Art. 14 Abs. 1 S. 1 GG gewährleisteter Rechtspositionen *zur Erfüllung bestimmter öffentlicher Aufgaben* gerichtet" (z. B. BVerfGE 104, 1, 9). In jüngerer Zeit hat das BVerfG den E.s-Begriff darüber hinausgehend weiter reformalisiert und den E.s-Tatbestand auf solche Fälle beschränkt, „in denen Güter hoheitlich beschafft werden, mit denen ein konkretes, der Erfüllung öffentlicher Aufgaben dienendes Vorhaben durchgeführt werden soll" (BVerfGE 104, 1, 10). In der Folgezeit hat die Verfassungsrechtsprechung diesen „konfiskatorischen" Ansatz aber nicht durchhalten können. Denn vor dem Hintergrund des Schutzzwecks des Art. 14 Abs. 3 GG kann es keinen Unterschied machen, ob der unter Durchbrechung der allg.en Eigentumsordnung erfolgende staatliche Zugriff auf einzelnen Eigentumsgüter mit dem Ziel einer eigenen Nutzung dieser Güter einhergeht oder allein auf die Beseitigung dieses Eigentumsrechts gerichtet ist.

Selbst wenn man den E.s-Begriff weiter fasst und unabhängig von einer eigenen Verwendungsabsicht des Staates auf die vollständige oder teilweise Entziehung konkreter subjektiver Eigentumspositionen zur Erfüllung bestimmter öffentlicher Aufgaben beschränkt, schließt dies aus, hoheitliche Beschränkungen des ↑Eigentums, v. a. durch Regelungen der Nutzung des Eigentums, als E. zu qualifizieren. Die Handlungsform E. ist dann von Schrankenbestimmungen des Eigentums gemäß Art. 14 Abs. 1 S. 2 GG strikt getrennt. Während die E. auf den konkret-individuellen Entzug einer von Art. 14 GG geschützten Rechtsposition gerichtet ist, zielen sozialbindende Schrankenziehungen als abstrakt-generelle Regelungen auf die Eigentumsnutzung und bewirken eine – teilweise oder vollständige – Entleerung der formal fortbestehenden vermögenswerten Rechtsposition. Bei diesem Verständnis der E. kann diese, anders als früher, nicht mehr von der Intensität des staatlichen Eigentumszugriffs her begriffen werden. Eine Schrankenziehung schlägt auch bei einer im Einzelfall schweren Beeinträchtigung des privatnützigen Eigentums nicht in eine E. um, sondern bleibt eine –

möglicherweise unverhältnismäßige und deshalb verfassungswidrige – Schrankenziehung. Allerdings kann
nach der Verfassungsrechtsprechung die Intensität der
Belastung im Rahmen von eigentumsbeschränkenden
Regelungen gegebenenfalls Ausgleichspflichten bedingen: Die allg.e Eingriffsgrenze der ↑Verhältnismäßig-
keit, die auch bei Schrankenziehungen zu beachten ist,
erfordert bei erheblich belastenden Eingriffen einen
Ausgleich für die dem Eigentümer auferlegten Nachteile in Gestalt der „ausgleichspflichtigen Sozialbindung".

Mit der Kreation des Instituts der „ausgleichspflichtigen Sozialbindung" des Eigentums durch die Rechtsprechung, für die Schwere- und Zumutbarkeitskriterien
eine entscheidende Rolle spielen, werden die sich stellenden Probleme in zweifelhafter Weise in den Bereich
des Art. 14 Abs. 1 GG verlagert. Dabei sollte nach der
Systematik des Art. 14 GG klar sein, dass die Ermächtigung zur ja grundsätzlich entschädigungslosen Schrankenziehung nach Art. 14 Abs. 1 S. 2 GG sich nicht nur
auf Eigentumsnutzungs-, sondern auch auf Eigentums-
beschneidungen oder -wertbeschränkungen erstrecken
soll. Diese Grundsatzentscheidung des Verfassungsgebers darf nicht dadurch unterlaufen werden, dass bei
schwerwiegenderen Beschränkungen mit Hilfe des
Grundsatzes des milderen Eingriffs und der Gleichbehandlung im Rahmen des Art. 14 Abs. 1 S. 2 GG ohne
Zögern Ausgleichs- oder Entschädigungspflichten postuliert werden. Der sozialgestalterischen Gesetzgebung
im Anwendungsbereich des Art. 14 Abs. 1 S. 2 GG würden damit Fesseln angelegt, die in der Verfassung nicht
vorgesehen und in dieser Allgemeinheit ausdrücklich
nur für die E. bestimmt sind.

In Anwendung des Abgrenzungskriteriums der (Un-)
Verhältnismäßigkeit ist die nahezu vollständige Beseitigung der Privatnützigkeit eines geschützten Baudenk-
mals (↑Denkmal) durch den Entzug praktisch jedweder
sinnvollen Nutzungsmöglichkeit nicht nur keine zulässige Schrankenziehung mehr. Eine *Substanz- oder Total-
entleerung* des Eigentums, die keine Rechtsposition belässt, die den Namen Eigentum verdient, sollte vielmehr
als Durchbrechung der Bestandsgarantie des Eigentums
zur Verfolgung übergeordneter Ziele des ↑Gemein-
wohls und damit E. begriffen werden.

2. Enteignung durch Gesetz oder auf Grund eines Gesetzes

Eine E. darf nur durch Gesetz (Legal-E.) oder auf Grund
eines förmlichen Gesetzes (Administrativ-E.) erfolgen.
Die Legal-E. wird nach allg.er Auffassung nur unter
bes.n Umständen für zulässig gehalten, weil sonst der
Rechtsschutz des Bürgers verkürzt werde.

3. Wohl der Allgemeinheit

E.s-Zweck darf nur das *Wohl der Allgemeinheit* sein
(Art. 14 Abs. 3 S. 1 GG). Die Qualifizierung der E. als
gezielte Durchbrechung der Bestandsgarantie führt dazu, dass nur bes. Gemeinschaftsinteressen dieses Erfor-

dernis auszufüllen vermögen, die Eingriffsschwelle also
höher liegt als bei der bloßen Eigentumsbeschränkung.
Eine E. lediglich „aus allgemeinen Zweckmäßigkeitserwägungen heraus" ist daher ausgeschlossen. Der vom
parlamentarischen Gesetzgeber als dem „Wohle der Allgemeinheit" dienend ausgewählte E.s-Zweck – die
Bestimmung des Gemeinwohlziels ist nur einer eingeschränkten verfassungsgerichtlichen Kontrolle zugänglich – muss von einem derartigen Gewicht sein, dass es
gerechtfertigt ist, um seiner Erfüllung willen private
Rechte zu entziehen oder – löst man sich vom engeren
E.s-Begriff der Rechtsprechung – (enteignend) zu beschränken, wenn anders die öffentliche Aufgabe nicht
verwirklicht werden könnte. Auch *Private*, d. h. privatrechtlich organisierte öffentliche Unternehmen oder privatwirtschaftliche Unternehmen, dürfen *E.s-Begünstigte*
sein, wenn und soweit die gesetzlich vorgesehenen oder
zugelassenen E.s-Zwecke eine i. S. d. so konkretisierten
Wohls der Allgemeinheit vorrangige öffentliche Aufgabe darstellen. Gemeinwohl und private Gewinnerzielung schließen sich nicht gegenseitig aus.

4. Entschädigung

Art. 14 Abs. 3 S. 2 GG macht die E. von einer angemessenen Entschädigung abhängig. Bei der Bestimmung
von deren Art und Ausmaß sind die Interessen der Allgemeinheit und der Beteiligten gerecht abzuwägen (Art
14 Abs. 3 S. 3 GG). Die Entschädigung wird nicht schon
ausdrücklich durch die Verfassung auf ein volles Äquivalent, den gemeinen Wert oder den Marktwert des
Rechtsverlusts festgelegt. Weil aber ein Zugriff auch auf
den Vermögenswert des E.s-Objekts dem Übermaßverbot widersprechen würde, weil die vermögensmäßige
Gleichheit des Enteigneten und der Nichtenteigneten
zu wahren ist und weil die E. nicht als Instrument der
Vermögensmehrung der öffentlichen Hand eingesetzt
werden darf, hat die Entschädigung demjenigen, dem
das Sonderopfer abverlangt wird, grundsätzlich einen
äquivalenten Ausgleich für den Rechtsverlust zu geben
(zutreffend BGH Z 39, 198, 200).

Die sog.e *Junktimklausel* des Art. 14 Abs. 3 S. 2 GG
verlangt, dass die Entschädigungsregelung im E.s-Ge-
setz enthalten ist. Art. 14 Abs. 3 S. 4 GG eröffnet für
Streitigkeiten über die Höhe der Entschädigung den
Rechtsweg zu den ordentlichen Gerichten.

5. Enteignender und enteignungsgleicher Eingriff

Die überkommene Ausgestaltung des E.s-Rechts beruht
auf dem Rechtsgedanken der Aufopferung, wie er erstmals in den §§ 74, 75 Einl. PrALR von 1794 formuliert
wurde und im Folgenden gewohnheitsrechtliche Geltung (↑Gewohnheitsrecht) für das gesamte Reichsgebiet
erlangte. Eine folgerichtige Anwendung des Aufopfe-
rungsgedankens zwingt dazu, über die Fälle der E. im
technischen Sinne hinaus eine Entschädigungspflicht
nach E.s-Grundsätzen auch in den einer E. gleichartigen
Fällen anzuerkennen, in denen durch rechtmäßiges oder

rechtswidriges Handeln eines Trägers öffentlicher Gewalt ein als Eigentum geschütztes Recht entzogen oder greifbar beeinträchtigt wird. Die Zivilrechtsprechung begreift daher ungewollte, insb. unvorhergesehene Nebenfolgen an sich rechtmäßigen hoheitlichen Handelns als *„enteignenden Eingriff"* und erkennt – so z. B. bei Zufalls- und Unfallschäden – eine Entschädigung zu. Der Betroffene kann sich dieser Folgen nicht im Wege der Abwehr- oder Unterlassungsklage erwehren.

Ein Entschädigungsanspruch aus *„enteignungsgleichem Eingriff"*, d. h. auf Grund rechtswidriger Beeinträchtigung des Eigentums, wird zum einen anerkannt, wenn es sich um die rechtswidrige Anwendung eines mit gesetzlicher Entschädigungsregelung versehenen E.s-Gesetzes handelt. Ein Entschädigungsanspruch besteht darüber hinaus, soweit es um die Nebenfolgen rechtswidrigen Handelns geht, die im Falle der Rechtmäßigkeit über das Institut des „enteignenden Eingriffs" zu entschädigen wären, und in Fällen, bei denen sich das hoheitliche Handeln im Falle seiner Rechtmäßigkeit als Konkretisierung der Sozialbindung darstellen würde (Beispiel: die rechtswidrige Zuweisung eines Mieters).

Literatur

J. Dietlein: Aktuelle Entwicklungen der Enteignungsdogmatik, AuR 45/5 (2015), 167–171 • H.-J. Papier: Enteignung, in: T. Maunz/G. Dürig (Hg.): Grundgesetz, 76. Erg.-Lfg., Stand Dezember 2015, Art. 14, Rdnr. 522–662a • W.-R. Schenke: Zur Zulässigkeit von Legalenteignungen, in: H. Jochum u. a. (Hg.): Freiheit, Gleichheit, Eigentum – Öffentliche Finanzen und Abgaben, 2015, 403–422 • R. Wendt: Enteignung, in: M. Sachs (Hg.): Grundgesetz, Komm., ⁷2014, Rdnr. 76–82, 148–172 • F. Ossenbühl/M. Cornils: Staatshaftungsrecht, ⁶2013 • O. Depenheuer: Enteignung, in: H. von Mangoldt/ F. Klein/C. Starck (Hg.): Komm. zum GG, Bd. 1, ⁶2010, Art. 14, Rdnr. 401–473 • W. Leisner: Enteignung, in: HStR, Bd. 8, ³2010, § 173 • J. Dietlein: Die Eigentumsfreiheit und das Erbrecht, in: K. Stern/M. Sachs/J. Dietlein (Hg.): Das Staatsrecht der Bundesrepublik Deutschland, Bd. IV/1, 2006, § 113.   RUDOLF WENDT

Entfremdung

E. meint das Fremdwerden von Personen und Sachen oder ein Sich-Fremdwerden. Die antiken Begriffe für E., *allotriosis* und *alienatio,* spiegeln bereits ein umfangreiches Spektrum an Bedeutungen. *Alienator* ist der „Veräusserer" (Cod. Iust.1,5,10), *alienatio* die „Geistesabwesenheit" (Cels. 4,2,1), der „Wahnsinn" (Ann. 6,24) oder das „Sich-Abwenden" von Personen (de amic. 76). *Allotrios* nannte man, was einem anderen gehört, *allotria* das „fremde Land". Paulus bezeichnete mit dem Begriff das Leben der von Gott Getrennten (Eph 2, 12).

Am Beginn der Neuzeit verband sich der Begriff mit der Krise des traditionellen Weltbildes. „Seit Copernikus", schreibt Friedrich Nietzsche, „rollt der Mensch aus dem Zentrum ins x" (KSA 12: 127). „Das ewige

Schweigen dieser unendlichen Räume macht mich schaudern", heißt es bei Blaise Pascal (Pascal 1954: Frag. 206). Die neuzeitliche ↑Philosophie wiederum behandelte das Thema kulturkritisch und geschichtsphilosophisch (↑Kulturkritik; ↑Geschichte, Geschichtsphilosophie). Für Jean-Jacques Rousseau hatten sich ↑Kultur und ↑Zivilisation von der ↑Natur entfernt. Die natürliche Selbsterhaltung *(amour de soi)* und das arterhaltende Mitleid *(pitié)* waren beim *homme civil* in egoistische Selbstliebe *(amour propre)* umgeschlagen. Das In-Sich-Ruhen des Selbstbewusstseins hatte sich in Abhängigkeit von der Meinung der anderen verwandelt, die natürliche ↑Freiheit in Knechtschaft. Mit dieser Diagnose verband J.-J. Rousseau keine radikale Verwerfung der Kultur. Das vielzitierte „Zurück zur Natur" hat er nie geschrieben. Er hoffte allenfalls auf eine Verlangsamung der Dekadenz. Um den selbstsüchtigen *bourgeois* in einen *citoyen* zu verwandeln, forderte er allerdings eine *aliénation totale* der individuellen Rechte und eine *religion civile.* Sie lassen den Streit um J.-J. Rousseaus Kulturkritik und sein Republik-Ideal (↑Republik) bis heute nicht ruhen.

Die Geschichtsphilosophie, die in der ↑Aufklärung als Erbe und Konkurrent der Geschichtstheologie geboren wurde, verstand die Gegenwart als ein Zeitalter der E., das gleichwohl unterwegs sein sollte zu Freiheit, Vernunft (↑Vernunft – Verstand) und ↑Humanität. Die darin angelegte ↑Dialektik wurde bei Immanuel Kant und Georg Wilhelm Friedrich Hegel zum Motor des ↑Fortschritts selbst. Eine „Naturabsicht" (I. Kant) oder eine „List der Vernunft" (G. W. F. Hegel) führt „hinter dem Rücken der Subjekte" zu einer das Recht verwaltenden Republik oder zum „Fortschritt im Bewusstsein der Freiheit". G. W. F. Hegel, der in seinen jungen Jahren den Antithesen der Aufklärung gefolgt war (↑Autonomie vs. Heteronomie, Vernunft vs. Faktizität), betrachtete seit 1800 die „Positivität" als Element des Lebens und des Geistes selbst. In der „Phänomenologie des Geistes" kritisierte er unter dem Titel „Der entfremdete Geist" die Flucht des Glaubens aus der Welt und die aufklärerische Kritik des Glaubens als komplementäre Formen der E. In der „↑Rechtsphilosophie" begriff er die bürgerliche ↑Gesellschaft als eine zweideutige Sphäre der ↑Emanzipation. Sie verwirklichte zwar die moderne Freiheit und ↑Gleichheit, brachte aber auch nur eine abstrakte Anerkennung des Menschen, einen „Not-und Verstandesstaat" sowie eine Polarisation von arm und reich hervor. Um die Früchte der modernen Freiheit bewahren zu können, musste sich die Gesellschaft versittlichen und durch ↑Familie und ↑Staat aufgefangen werden.

Anlässlich der Kontroversen um Hegels Stellung zum ↑Christentum spaltete sich die Hegel-Schule in eine Linke und eine Rechte. Während die Hegelsche Rechte den Philosophen (wie dieser sich selbst) als orthodoxen Lutheraner verstand (↑Luthertum), sah die Hegelsche Linke in seinem System eine konsequente Kritik der Religion (↑Religionskritik). Nach Ludwig Feuerbach war die ↑Religion nur eine Selbst-E. der Menschengattung. Diese habe die eigentlich ihr selbst zukommenden Prädikate an Gott „entfremdet", und es sei die Aufgabe der Zeit, diese dem Menschen wieder zuzuweisen. Während L. Feuerbachs „Anthropotheismus" keine Politik implizierte, wurde die Selbst-E. bei den anderen Linkshegelianern zum Vorbild der Kritik politischer oder ökonomischer E., die man durch ↑Demokratisierung, ↑kritische Theorie, Anarchismus (↑Anarchie, Anarchismus) oder ↑Kommunismus aufzuheben hoffte.

Am Bekanntesten wurde die Kritik der E., die sich in hinterlassenen Papieren von Karl Marx, den sog.en *Pariser Manuskripten*, fand. Marx unterschied vier Formen von E.: die des Arbeiters vom Produkt seiner Tätigkeit, die vom Akt der Produktion, die vom „Gattungswesen" und die des Menschen vom Menschen. Während so das Privateigentum als Ursache der E. erschien, ging die Betrachtung weit über rechtliche und ökonomische Aspekte hinaus. „E." umfasste auch die E. von der ↑Natur und von der eigentlichen Daseinsweise des Menschen. Der Kommunismus verhieß eine „Resurrektion der Natur" und eine Vereinigung von „↑Naturalismus" und „↑Humanismus" (MEW ErgBd.: 536, 538). Nach seiner Wende zum ↑Materialismus verwendet K. Marx den Begriff E. noch weiter. Er verabschiedet jedoch die Hoffnung, dass eine Aufhebung der E. zu erwarten sei. Stattdessen sprach er vom unaufhebbaren „Reich der Notwendigkeit", jenseits dessen erst das „wahre Reich der Freiheit aufblühen kann" (MEW 25: 828).

Innerhalb des ↑Marxismus brach ein jahrzehntelanger Streit über den Sinn der Lehre aus. Marxisten-Leninisten wollten den älteren K. Marx als den „eigentlichen" K. Marx betrachten, der seine philosophischen Jugendsünden überwunden habe. Da das Privateigentum (↑Eigentum) abgeschafft sei, könne es im ↑Sozialismus keine E. mehr geben. Praxis-Philosophen in Jugoslawien sowie Revisionisten in Polen oder in der Tschechoslowakei machten demgegenüber geltend, dass es auch im Sozialismus E. gebe und der ältere K. Marx nicht gegen den jüngeren ausgespielt werden dürfe. Im Westen führten Philosophen wie Jean-Paul Sartre und Albert Camus, Heidegger-Marxisten wie Herbert Marcuse oder Mitglieder der Frankfurter Schule die Diskussion über E. existentialistisch, technik- oder kulturkritisch fort. Ob sich von K. Marx eine Brücke zur ↑Ökologie schlagen lässt, war Gegenstand einer in den 70er Jahren aufflackernden Kontroverse. Auch gab es Versuche, E. soziologisch, psychologisch oder politikwissenschaftlich zu erfassen. Der Begriff verflüchtigte sich dabei zu einem Allerweltswort für irgendeine Unzufriedenheit. Für die Messung konkreter Phänomene benötigen die empirischen Wissenschaften einen philosophischen E.s-Begriff nicht. Zudem krankten die Theorien der E. oft an prometheisch überspannten Erwartungen. Sperrige Realitäten konnten nur als Schranken der (vermeintlich) unbegrenzten Macht der Subjek-

te (↑Subjekt) oder als eigene (unerklärlich) aus der Hand geratene Schöpfungen erscheinen. Demgegenüber hatte Arnold Gehlen im Geist des Deutschen ↑Idealismus wieder daran erinnert, dass die Freiheit erst aus der E. geboren wird.

Literatur
R. Jaeggi: Entfremdung, 2005, 2016 • H. Rosa: Beschleunigung und Entfremdung, 2013 • H. Ottmann: Der Begriff der Natur bei Marx, in: ZphF, Bd. 39 (1985), 215–228 • A. Gehlen: Über die Geburt der Freiheit aus der Entfremdung, in: K. S. Rehberg (Hg.): GA, Bd. 4 (1983), 366–379 • H. Ottmann: Entfremdung in: TRE, Bd. 9 (1982), 657–673 • R. Spaemann: Rousseau-Bürger ohne Vaterland, 1980 • H. L. Parsons (Hg.): Marx and Engels on Ecology, 1977 • R. K. Maurer: Entfremdung, in: R. Maurer (Hg.): Revolution und Kehre, 1975, 90–110 • J. Israel: Der Begriff der Entfremdung, 1972 • A. Fischer (Hg.): Die Entfremdung in der heilen Gesellschaft, 1970 • J. Mészáros: Marx' Theory of Alienation, 1970 • N. Lobkowicz: Entfremdung, in: SDG, Bd. 2 (1968), 171–182 • H. Popitz: Der entfremdete Mensch, 1967 • B. Pascal: Pensées, 1954 • K. Löwith: Weltgeschichte und Heilsgeschehen, 1953.   HENNING OTTMANN

Entnazifizierung

1. Begriff
Nach der militärischen Niederwerfung der NS-Diktatur (↑Nationalsozialismus) sollte die E. im besetzten Deutschland eine neue Führungsschicht etablieren und alle diejenigen ausschalten, die aufgrund ihrer politischen Vergangenheit für den Aufbau eines demokratischen Staatswesens (↑Demokratie) als nicht geeignet erschienen. Von der E. als politischer Personalsäuberung zu unterscheiden ist die pauschale Internierung mutmaßlicher NS-Aktivisten und NS-Verbrecher im Zuge des automatischen Arrests 1945/46 (Westzonen: rund 182 000 Personen, Ostzone: 122 000) sowie die Strafverfolgung von NS- und Kriegsverbrechen durch alliierte und deutsche Gerichte. In der Praxis konnten sich die Alliierten weder bei der Internierung noch bei der E. auf ein einheitliches Vorgehen einigen. Die auf der Potsdamer Konferenz (↑Potsdamer Protokoll) im August 1945 beschlossenen Grundsätze zur politischen Säuberung besaßen daher eher deklamatorischen Charakter. Auch nach dem Erlass der E.s-Direktive Nr. 24 des Alliierten Kontrollrats im Januar 1946, die nahezu unverändert die schematischen Formalbelastungskategorien der amerikanischen USFET-Direktive von Juli 1945 übernahm, blieben Verfahren und Ergebnisse in jeder Besatzungszone unterschiedlich.

2. Westzonen
Am schärfsten verfuhr von den Westmächten die amerikanische Besatzungsmacht. Waren die ursprünglichen Planungen von einem begrenzten Elitenaustausch ausgegangen, so zielten die Direktiven unter dem Schock

der ungeheuren NS-Verbrechen bald auf die generelle Entlassung aller NSDAP-Mitglieder ab. In der Praxis konzentrierte sich die Säuberungsenergie auf den ↑öffentlichen Dienst. Bis Ende März 1946 entließ die US-Militärregierung nach schematischen Kriterien rund 140 000 Beschäftigte des öffentlichen Dienstes und 69 000 Beschäftigte aus Handel, Gewerbe und Industrie. Rechnet man abgewiesene Bewerber hinzu, so waren von der E. rund 337 000 Personen betroffen. In der französischen und der britischen Zone erreichten die Maßnahmen nicht diese Schärfe. Charakteristisch waren hier großzügig erteilte Ausnahmeregelungen sowie die faktische Privilegierung ganzer Berufsgruppen, insbes. des Bergbaus und der Landwirtschaft. Dennoch war der 1945/46 geführte Schlag von enormer Wucht. Er warf in den Westzonen weit über eine halbe Mio. NSDAP-Mitglieder aus ihrer beruflichen Existenz.

Der weitgehende Zusammenbruch der öffentlichen Verwaltung erzwang eine Revision des Säuberungsverfahrens. Im März 1946 trat daher in der US-Zone das deutsche „Gesetz zur Befreiung von ↑Nationalsozialismus und Militarismus" in Kraft, das ein Jahr später auch zum Vorbild entsprechender Regelungen in der französischen und britischen Zone werden sollte. Es übertrug die Durchführung der E. auf deutsche Spruchkammern, einer Laienbürokratie in schöffengerichtlicher Verfassung. In einem justizförmigen Verfahren hatten die Kammern die politische Belastung aller Mitglieder der NSDAP und anderer NS-Organisationen individuell zu überprüfen und in fünf Kategorien einzustufen: Hauptschuldige (I), Belastete (II: NS-Aktivisten, Militaristen, Nutznießer), Minderbelastete (III), Mitläufer (IV), Entlastete (V). Festgelegte Verfahrensregeln waren die Erforschung der Wahrheit von Amts wegen, die Vernehmung von Zeugen, der Anspruch des Betroffenen auf rechtliches Gehör und Rechtsbeistand. Die Widerlegung der Schuldvermutung entsprechend den Formalbelastungskriterien oblag dem Betroffenen und stellte die Hauptaufgabe der Verteidigung dar, wobei die Umkehrung der Beweislast in der deutschen Öffentlichkeit heftige Kritik auslöste. An Sühnemaßnahmen konnten die Spruchkammern ein abgestuftes Repertoire von Arbeitslager und Vermögenseinzug über den Verlust der Pensions- und Rentenansprüche bis zu Geldstrafen für Mitläufer verhängen.

Entgegen dem rigiden Wortlaut des Gesetzes führte die Einzelfallprüfung zu einer weitgehenden Rehabilitierung, was bereits Entlassenen, wenn sie als Mitläufer galten, die Wiederbeschäftigung ermöglichte. So stuften die Spruchkammern bis Ende 1949 nach Auswertung von über 13 Mio. Fragebogen lediglich 1654 Personen als Hauptschuldige (I) und weitere 22 122 als NS-Aktivisten (II) ein; hinzu kamen 106 000 Minderbelastete (III), die während einer Bewährungsfrist von drei Jahren keine leitende Tätigkeit ausüben durften. In der britischen und französischen Besatzungszone fiel die Urteilspraxis noch milder aus.

3. Ostzone

Die sowjetische Militärregierung besaß 1945 kein ausgearbeitetes Konzept, so dass die deutschen Auftragsverwaltungen zunächst über einen relativ großen Spielraum verfügten. Lediglich im Justizwesen ordnete die Sowjetische Militäradministration im September 1945 die generelle Entlassung aller NSDAP-Mitglieder an. Bis Ende 1946 wurden in der SBZ rund 390 000 Personen entlassen bzw. nicht wieder angestellt. Der entscheidende Unterschied zu den Westzonen lag nicht in Rigorosität und Umfang der Entlassungen, sondern in den politischen Vorgaben zur Neubesetzung der Positionen. In der SBZ diente die E. von Anfang an der Durchsetzung des kommunistischen Machtanspruchs (↑Kommunismus), da KPD/SED-Mitglieder systematisch gegenüber Mitbewerbern aus bürgerlichen Parteien bevorzugt wurden. Nicht zuletzt diente die E. auch vielfach als Vorwand für „wilde" Enteignungsmaßnahmen von Unternehmern und Gewerbetreibenden.

Im Dezember 1946 erfolgte eine zonenweite Neuregelung der E. auf Basis der alliierten Kontrollratsdirektive Nr. 24 von Januar 1946. Zuständig für das Verfahren waren neu gebildete Kommissionen, die überall von der SED dominiert wurden. Die letzte Phase leitete im August 1947 der SMAD-Befehl Nr. 201 ein, der zu einem erneuten Durchgang der E. mit Hilfe abermals neu gebildeter Kommissionen führte. Die als „nominell" eingestuften NSDAP-Mitglieder sollten ihre staatsbürgerlichen Rechte zurückerhalten, während für die Aburteilung von Hauptschuldigen und NS-Aktivisten (gemäß Kontrollratsdirektive Nr. 38) gesonderte Strafkammern bei den deutschen Gerichten gebildet wurden.

Mit dem SMAD-Befehl Nr. 35 vom Februar 1948 verkündete die sowjetische Militärregierung als erste Besatzungsmacht das Ende der E. und setzte damit die Westmächte unter erheblichen Druck, nun ihrerseits einen Schlussstrich zu ziehen. Von dem überstürzten Abbruch profitierten v. a. Schwerbelastete, deren Verfahren noch nicht abgeschlossen waren. Anders als im Westen, wo die Rückkehr ehemaliger NSDAP-Mitglieder die personelle Kontinuität im öffentlichen Dienst weitgehend wiederherstellte, blieb ihnen in der SBZ bzw. ↑DDR in aller Regel die Anstellung im Bereich der inneren Verwaltung, des Polizei- und Justizwesens verwehrt.

Literatur

A. P. Biddiscombe: The Denazification of Germany, 2007 • D. v. Mehlis: Entnazifizierung in Mecklenburg-Vorpommern, 1999 • A. Schuster: Die Entnazifizierung in Hessen 1945–1954, 1999 • R.-K. Rößler: Entnazifizierungspolitik der KPD/SED 1945–1948, 1994 • M. Wille: Entnazifizierung in der Sowjetischen Besatzungszone Deutschlands 1945–48, 1993 • R. Möhler: Entnazifizierung in Rheinland-Pfalz und im Saarland unter französischer Besatzung, 1992 • C. Vollnhals: Entnazifizierung. Politische Säuberung und Rehabilitierung in den vier Besatzungszonen 1945–1949, 1991 • W. Krüger: Entnazifiziert! Zur politischen Säuberung in Nordrhein-Westfalen, 1982 • L. Niethammer: Die Mitläuferfabrik. Die

Entnazifizierung am Beispiel Bayerns, 1982 • K.-D. Henke: Politische Säuberung unter französischer Besatzung. Die Entnazifizierung in Württemberg-Hohenzollern, 1981.

CLEMENS VOLLNHALS

Entschädigungen ↑Enteignung

Entscheidung

1. Der Begriff und seine ethisch-anthropologische Bedeutung

Die E. (griechisch *prohaíresis*, latein *decisio, electio*) ist ein zentraler Gegenstand der philosophischen und einzelwissenschaftlichen ↑Handlungstheorie und von dorther ein Grundbegriff der ↑Ethik und ↑politischen Philosophie.

E. heißt der (freie) Entschluss von einzelnen oder von Gruppen, mit denen sie aus verschiedenen Handlungsmöglichkeiten (↑Handeln, Handlung) eine als die eigene ergreifen und sich dadurch zu ihrem Tun oder Lassen bestimmen. Durch E.en entsteht im persönlichen, wirtschaftlichen und politischen Raum geschichtliche Wirklichkeit. Mit der Zurückführung seiner Handlung auf E.en wird der Mensch zum Ursprung seines Tuns, für das er deshalb ↑Verantwortung trägt, allerdings keine totale, da er den persönlichen und gesellschaftlichen Kontext seiner E. nicht mitsetzt, nicht einmal voll überschaut.

In der Fähigkeit, sich angesichts alternativer Handlungsmöglichkeiten auf eine festzulegen, in der E.s-Fähigkeit, kommen wesentliche Gesichtspunkte der Sonderstellung des Menschen zum Ausdruck (↑Anthropologie). Allerdings besteht das menschliche Dasein nicht nur aus einer Folge von E.en, sondern ebenso aus der Entlastung von E.en durch Gewohnheiten und Institutionen (↑Institution), ferner aus unbewusstem und spontanem Handeln sowie aus Widerfahrnissen:

a) Offenheit: Die Mehrzahl der Möglichkeiten, die sich nicht nur einem Beobachter, sondern dem Entscheidenden selbst darbieten, belegt die Nichtfestgelegtheit des menschlichen Daseins.

b) Verantwortung: Die Aufgabe, eine Möglichkeit auszuwählen und sich zueigen zu machen, weist auf eine doppelte Handlungs- bzw. Wahlfreiheit (↑Freiheit), auf die formale Freiheit des Handelns oder des Nichthandelns und auf die inhaltliche Freiheit des So-aber-nicht-anders-Handelns. Auch wenn die E. von verschiedenen inneren und äußeren Faktoren abhängt, wird durch die Zurückführung des Handelns auf eine E. der Mensch zum bewussten und freiwilligen Urheber seines Tuns und Lassens. Dieses kann ihm zugerechnet werden; er ist ein rechtsfähiges, nämlich zurechnungsfähiges Wesen, folglich eine ↑Person im Rechtsverständnis des Begriffs. Als zu E. fähiges Wesen trägt er für sein Handeln Verantwortung. Indem er sich entscheidet, nimmt er zu seinen Trieben, Bedürfnissen

und Interessen (↑Bedürfnis; ↑Interesse) sowie den geschichtlich-gesellschaftlichen Randbedingungen Stellung. Durch die E.s-Fähigkeit findet sich der Mensch in der Welt nicht einfach vor, sondern steht in einem Verhältnis zu ihr und zu sich selbst und erfährt die Gestaltung seines Lebens als von sich abhängig.

c) Überlegung: Aufgrund des Selbstverhältnisses besteht die Möglichkeit, aber auch die Aufgabe, die richtige E. zu treffen. Dazu bedarf sie der Überlegung. Die E. darf nicht auf den örtlich und zeitlich punktuellen Akt des Wählens, die Beschlussfassung, verkürzt werden. Sie umfasst vielmehr den gesamten Prozess der E.s-Findung, bei dem i. d. R. eine problemorientierte Phase in eine lösungsorientierte übergeht und in dem verschiedene Aspekte miteinander zu vermitteln sind: Auf eine Diagnose der gegenwärtigen Sachlage und eine Prognose der zu erwartenden Zukunft folgen der schöpferische Entwurf alternativer Handlungsmöglichkeiten und das Abwägen von Gründen, die für und wider die eine oder andere Möglichkeit sprechen. Mit dem Abwägen der Gründe wird der E. ein Moment der Richtigkeit bzw. Rationalität (↑Vernunft – Verstand) zugesprochen. Der gesamte Prozess besteht begrifflich aus drei Momenten, denen je eine Dimension von Richtigkeit (Rationalität) bzw. Verantwortlichkeit entspricht: aus der Überlegung eines Zieles oder Zweckes, aus der bewussten und freiwilligen Anerkennung des Zieles als des eigenen und aus der Überlegung (Planung) der Wege zum Ziel. Die aus der Verbindung von Ziel- und Mittelwahl kann man als praktischen Syllogismus formalisieren: aus dem Obersatz, dem Ziel, und dem Untersatz, dem Mittel, folgt die E. Allerdings werden nicht in jeder E. das erste Moment, eine Überlegung des Ziels, und das dritte Moment, eine Überlegung der Mittel, gleichermaßen ausdrücklich realisiert.

d) Die Situation, die eine E. herausfordert, ist samt ihren persönlichen und gesellschaftlich-kulturellen Randbedingungen der E. vorgegeben. Damit enthält die E. und das ihr entspringende Handeln außer dem Moment der Selbstbestimmung auch ein Moment der Fremdbestimmung und des Schicksals. Menschliche Handlungsfreiheit und Verantwortung sind immer begrenzt. Außerdem hat die E. die Struktur des Entweder-Oder: indem man sich auf eine Möglichkeit, und sei es eine mittlere Möglichkeit, festlegt, wird jene andere ausgeschlossen, was oft genug als belastend, vielleicht sogar als „Not der E." erfahren wird. Schließlich finden die meisten E.en unter Unsicherheit und ↑Risiko statt: man muss sich festlegen, obwohl man wichtige Handlungsmöglichkeiten noch nicht in den Blick genommen hat; obwohl man die Ergebnisse, mithin die Vor- und Nachteile der Möglichkeiten, nicht voll durchschaut; obwohl die Zeit zum Überlegen befristet ist. Zur menschlichen E. gehören daher das Risiko und der Mut oder aber die Sorge, sich möglicherweise falsch, zumindest nicht optimal zu entscheiden und trotzdem vor sich und den Mitmenschen für die Folgen Verantwortung zu tragen.

2. Vorzugswahl und rationale Wahl

Eine in systematischer Hinsicht vorbildliche und bis heute maßgebliche Untersuchung der E. hat Aristoteles vorgelegt (Nikomachische Ethik, II 4–7). Definiert als „von Überlegung" (bouleusis) bzw. „von Verstand (dianoia) bestimmtes Streben" (orexis dianoêtikê) oder als „strebender Geist" (orektikos nous), bedeutet sie nicht etwa eine willkürliche Dezision, sondern eine reflektierte Wahl. Sie verbindet ein voluntatives mit einem kognitiven Element und gibt in dieser Verbindung, als überlegte bzw. durchdachte E., als Prinzip des Handelns (↗Handeln, Handlung; ↗Handlungstheorie). Aristoteles rechnet die (Vorzugs–)Wahl bzw. die E. (prohairesis) zum Bereich des Freiwilligen: wer sich entscheidet, gibt zu einer Bewegung, deren Ablauf er übersieht, mit Absicht den Anstoß. Aber nicht alles Freiwillige erfolgt aus E: weder das Freiwillige bei Kindern und Tieren noch das bei plötzlichen („impulsivem") Handeln oder bei Handeln aus Leidenschaft. Auch der Unbeherrschte handelt nicht aus E. Im Gegensatz zum Wünschen (boulêsis) richtet sich die E. nicht auf Unerreichbares, ferner weniger auf so selbstverständliche Leitziele wie Gesundheit und ↗Glück (eudaimonia) als auf einschlägige Zwischenziele und auf das, was zu ihnen führt. Die E. betrifft, was in unserer Macht steht, richtet sich daher nicht auf Vergangenes. Die Freundschaft (philia) wiederum beruht im Unterschied zur Zuneigung (philêsis) auf E.

Für eine vortreffliche E. muss die kognitive Seite, die Vernunft (↗Vernunft – Verstand), wahr, die voluntative, das Streben, richtig sein, überdies das Streben dasselbe suchen, was die Vernunft sagt. Darüber hinaus gehört zur E., nicht unbeherrscht oder unüberlegt zu handeln, vielmehr ein Tun und Lassen zu ergreifen, von dem man überzeugt ist, dass es gut sei und in der eigenen Macht stehe. Deshalb wird bei der E. in einem noch stärkeren Maße als bei bloßer Freiwilligkeit der Ursprung des Handelns auf den Handelnden selbst zurückgeführt, womit er für es verantwortlich wird. Gefunden wird die rechte E. durch Überlegung (bouleusis), die – vorausgesetzt, dass man durch sittliche Gewöhnung (↗Tugend, areté) nach den richtigen Zielen und Zwecken strebt – zu einem zunächst noch allg.en Zweck die angemessenen Mittel und Wege bedenkt; dadurch erhält der Zweck seine situationsgerechte, konkrete Gestalt.

Die neuere (präskriptive) E.s-Theorie ist eine interdisziplinäre, aus mathematischer Wahrscheinlichkeitstheorie und Statistik, aus ↗klassischer Nationalökonomie und dem ↗Utilitarismus entstandene Forschungsrichtung, die v.a. mathematische Instrumente für eine rationale E. aufstellt. Dabei wird die Rationalität meist auf Nutzenkalkulation verkürzt: Mittels logisch-mathematischer Verfahren (E.s-Kalküle) sollen Individuen oder Gruppen bzw. Organisationen in den Stand gesetzt werden, aus mehreren vorgegebenen Handlungsmöglichkeiten die zu ihren Zielen optimale Möglichkeit zu errechnen. Eine methodische Erschließung der Handlungsmöglichkeiten, v.a. eine kritische

Reflexion und evtl. Veränderung der Ziele findet nicht statt. Die E.s-Theorie erklärt stillschweigend die Nutzenoptimierung und deren Erfolgskontrolle, also den aufgeklärten Egoismus (Selbstinteresse), zur ethischen und politischen Grundverbindlichkeit. Es gibt drei Grundformen:

a) Die sog.e E. unter Gewissheit (decision under certainty), geht davon aus, dass die Ergebnisse und Nutzenwerte der Handlungsmöglichkeiten genau bekannt sind. Infolgedessen lautet die E.s-Regel (Rationalitätskriterium): „Wähle die Handlung mit dem maximalen Nutzen", wobei Gewinn und Vorteile als positiver, Kosten, Verluste und Nachteile als negativer Nutzen gelten und für die Nutzenbilanz der negative vom positiven Nutzen abzuziehen ist.

Sofern sich der Nutzen der Handlungsmöglichkeiten nicht genau, sondern nur mit einer bestimmten (subjektiven) Wahrscheinlichkeit angeben lässt, (die sog.e E. unter Risiko; decision under risk), gilt es nach der E.s-Regel von Thomas Bayes (1764) den (subjektiv) erwarteten Nutzen zu maximieren.

Sofern man die Ergebnisse nicht einmal mit einer bestimmten Wahrscheinlichkeit kennt (die sog.e E. unter Ungewissheit; decision under uncertainty), gibt es mehrere rivalisierende Regeln, z.B. die vielen E.en zugrunde liegende pessimistische Maximin-Regel („Wähle die Handlung, für die der Schaden auch in der ungünstigsten Situation möglichst gering ist"), oder etwa die von Glücksspielern praktizierte optimistische Maximalregel („Wähle die Handlung, für die der Gewinn in der günstig[st]en Situation möglichst hoch ausfällt"). Nicht zuletzt vertritt man die Regel des geringsten Bedauerns („minimal regret").

b) Da E.en meist in Konfliktsituationen stattfinden, in denen der eigene Handlungserfolg vom Handeln anderer abhängt, haben John von Neumann und Oskar Morgenstern die E.s-Theorie im engeren Sinn zur ↗Spieltheorie modifiziert (1944). Insofern diese davon ausgeht, dass man die eigenen Ziele gemäß seiner Macht durchzusetzen sucht, wird Konfliktlösung hier auf rationalen Egoismus innerhalb der tatsächlichen Machtverhältnisse festgelegt.

c) Die aus dem Utilitarismus hervorgegangene Wohlfahrtsökonomie (Sozialwahltheorie) betrachtet die einzelnen E.en als Mitglieder einer Gruppe, die trotz unterschiedlicher individueller Ausgangsziele doch als Gruppe ein gemeinsames Ziel, den kollektiven Gesamtnutzen, anstrebt. Nach Regeln, die gewissen Postulaten der Fairness (↗Gerechtigkeit) genügen (sog.e Wohlfahrtsfunktionen), wird aus den individuellen Nutzenwerten der entsprechende kollektive Wert errechnet. Zu wählen ist die Handlung mit dem größten kollektiven Nutzen. Wegen ihrer Orientierung an Fairnessgesichtspunkten bringt diese Variante der E.s-Theorie einen Fortschritt. Allerdings bleibt auch hier kritikwürdig, dass keine Reflexion und Veränderung der individuellen Ziele vorgesehen ist. V.a. bleibt das Problem des zugrundeliegenden Utilitarismus bestehen, dass individuelle Interessen dem Kollektivwohl geopfert werden.

d) Eine wesentliche Erweiterung ihres Gegenstandsbereiches hat die E.s-Theorie bei John Rawls gefunden. Hier hilft sie nämlich, Prinzipien der Gerechtigkeit rational abzuleiten. Aufgrund von Zusatzannahmen wird aber der Ansatz der E.s-Theorie hier so radikal verändert, dass es sich weniger um eine Nutzenkalkulation als um eine moralische Wahl handelt.

e) Sowohl für die Evolutionstheorie (Richard Dawkins; ↑Evolution) als auch die ↑Sozialphilosophie ist die Theorie der Kooperation unter Egoisten wichtig. Nach dem entscheidenden Denkmittel, dem Gefangenendilemma, führt ein aufgeklärtes Selbstinteresse, das nicht durch externe Faktoren (z. B. durch ↑Moral oder durch ↑Recht und ↑Staat) zur Kooperation verpflichtet wird, zu deutlich suboptimalen Resultaten.

Die rationale E. gemäß der E.s-Theorie hat ihrem Wesen nach einen analytischen Charakter. Dieser führt zu der paradoxen Situation, dass die Rationalität der E. das aufhebt, worin im gewöhnlichen Verständnis eine E. liegt. Sobald die in der E.s-Theorie vorgegebene Daten feststehen, also die Handlungsalternativen, die Nutzen- und Überzeugungsgrade, ist die rationale Wahl determiniert. Die eigentliche E. fällt also vor dem, was in der E.s-Theorie als E. gilt, nämlich dort, wo ihre Daten festgelegt werden. Insofern ist das Ergebnis immer schon im Voraus bestimmt, es braucht nur noch ausgerechnet zu werden.

Indem die E.s-Theorien untersuchen, wie man bei gegebenen Zielpräferenzen aus alternativen Handlungsmöglichkeiten die beste Möglichkeit berechnen kann, sehen sie die E. als eine rationale Wahl an, in der Nutzen bzw. Nutzenerwartungen maximiert werden. Damit setzen sie die Frage nach der Zielrichtigkeit im Wesentlichen beiseite, auch stellen sie die zum Gelingen einer E. gehörenden Aspekte der Phantasie, Erfahrung und des Lernens zurück. Auch wenn die E.s-Theorien ihren Gegenstand auf die Überlegung der Mittel und Wege verkürzen, entwickeln sie für dieses Moment ein hochdifferenziertes logisch-mathematisches Instrumentarium. Dabei verstehen sie die Rationalität der Wahl als technische und strategische Rationalität. Innerhalb ihrer Instrumente haben sie für eine sittliche Rationalität keinen Platz, sie muss gegebenenfalls wie bei J. Rawls in die Vorbedingungen aufgenommen werden.

3. Existentialismus
Während bei Aristoteles über den Begriff der sittlichen ↑Tugend zur Struktur der E. einen Aspekt der Zielrationalität gehört, fehlt bei ihm ein Gesichtspunkt, der erst durch eine Verschärfung der handlungstheoretischen Reflexion zutage tritt (↑Handlungstheorie). Aristoteles kennt zwar verschiedene Lebensformen (Daseinsweisen, *bioi*), die den Horizont bilden, innerhalb dessen, die „gewöhnlichen E.en" stattfinden. Auch untersucht er, welche Lebensformen zu einem gelungenen Menschsein gehören, nämlich die theoretische und die

sittlich-politische Existenz, nicht aber das Genussleben, auch nicht eine bloß dem Erwerb von Reichtum gewidmete Existenz. Im Rahmen seiner Strebensethik macht er aber die Lebensform nicht zum Gegenstand einer E. Außerdem sieht er nicht, dass das Gute nicht bloß zu erstreben, sondern auch zu wählen ist, weshalb es – systematisch, nicht historisch verstanden – zuerst um eine ursprüngliche Wahl zwischen Gut und Böse geht.

Es sind die ↑Existenzphilosophie (Søren Kierkegaard), später die Dialektische Theologie und Karl Jaspers, die in der Tradition des jüdisch-christlichen Denkens und der neuzeitlichen ↑Ethik der sittlichen ↑Autonomie die zum menschlichen Dasein gehörende Grund-E. hervorheben. Darunter verstehen sie jene existentielle Wahl, bei der – ausdrücklich oder unausdrücklich, eigens oder mitentschieden – der Sinn- und Lebenshorizont gesetzt wird, durch den das Leben des Menschen seine Grundausrichtung erhält. Gegenüber Aristoteles' Verständnis der E. als einer bewussten und freiwilligen Wahl erfährt der E.s-Begriff dadurch eine weit emphatischere Bedeutung. Zugleich tritt die gewöhnliche Wahl in den Hintergrund. Die doch keineswegs belanglosen E.en, die Individuen und Gruppen, Unternehmen und Regierungen oder Parlamente immer wieder zu treffen haben, verlieren die Aufmerksamkeit, die sie für ein gelungenes persönliches, wirtschaftliches, gesellschaftliches und politisches Leben verdienen.

Nach der existentialistischen Ethik stehen die konkreten E.en innerhalb eines umfassenden Lebens- und Sinnhorizonts, über den allerdings durchaus im gewöhnlichen Leben entschieden wird. Diese Mit-E., eine Grund-E. über die Art, wie man sein Leben zu führen gewillt ist, zeigt sich weniger in einem einmaligen historischen E.s-Akt als in der auf eine spätere Korrektur hin offenen Lebensausrichtung. Es kommt hier auf die Lebensform an, in der ein Mensch sich mit all seinem Denken und Handeln bewegt (↑Handeln, Handlung). Nach dem bahnbrechenden Denker des Existentialismus, dem Philosophen und Theologen S. Kierkegaard, ist das menschliche Existieren ein Vollzug, der im Unterschied zu einem bloß intellektuellen Geschehen, der Reflexion, aus einem persönlichen Engagement („Leidenschaft") heraus geschieht und eine Einheit von Denken, Wollen, Fühlen und Handeln darstellt. Diese Einheit ist nicht vorgegeben, sondern muss von jedem selbst und aus eigenem Antrieb erbracht werden.

Dabei geht es um die Persönlichkeit, die ein Mensch sein will, wobei ihm verschiedene Möglichkeiten offenstehen, Formen des Existierens, für die es eine systematische Rangfolge gibt: Bei der ästhetischen Existenz ist der Mensch Gefangener des (sinnlichen, künstlerischen, auch intellektuellen) Genusses, steht daher noch diesseits von Gut und Böse. In der ethischen Existenz wird das Genießen aufgebrochen, seine allg.e Gültigkeit negiert und der Horizont der Sittlichkeit mit den Kategorien des Guten und Bösen als unbedingtes Maß des Handelns eröffnet; der Mensch konstituiert sich als sittliche ↑Person. In der christlich-religiösen Existenz schließlich versteht sich der Mensch von Gott her als Sünder und zugleich Erlöster.

Der Übergang von der einen Existenzweise zur nächsten geschieht nach S. Kierkegaard aus einer unbedingten und freien Wahl. Für deren Vollzug sprechen keine rationalen Gründe, weshalb die Wahl ein Wagnis darstellt, prinzipiell gefährdet ist und die Gefahren des Scheiterns einschließt. Auch geschieht die existentielle Wahl nicht ein für allemal, sondern muss immer wieder neu vorgenommen werden. Schließlich kann niemandem die Grund-E. abgenommen werden; jeder muss sie selbst treffen und das Wagnis des Existentierens selber eingehen.

Der Gedanke der existentiellen Grund-E. will nicht, wie häufig angenommen wird, das menschliche Leben der Rationalität (↑Vernunft – Verstand) entziehen und einem irrationalen Glauben preisgeben. Er bestreitet keineswegs, dass sich z. B. für die Sittlichkeit ein Prinzip und ein Maßstab begründen ließen. Doch macht er darauf aufmerksam, dass deren Anerkennung durch den Einzelnen nicht rational abgeleitet werden kann. Spätestens hier stößt der Gedanke des praktischen Syllogismus an seine Grenzen. An S. Kierkegaards Überlegungen schließen sich weitere Existenzphilosophen, hier namentlich K. Jaspers, und Existenztheologen wie Karl Barth und Friedrich Gogarten an. Nach K. Jaspers realisiert man „im Entschluss, im Dasein ich selbst zu sein" seine eigene ↑Freiheit.

4. Die politische Entscheidung als Dezision?

Der auf Carl Schmitt zurückgehende Dezisionismus ist eine politische Theorie, die in der Nachfolge eines einseitig verstandenen Thomas Hobbes Recht und Staat auf das Prinzip der Selbsterhaltung verpflichtet und das Überleben eines Gemeinwesens aus der politischen Struktur von Befehl und Gehorsam erwartet. C. Schmitts Theorie stellt sich in einen undialektischen Gegensatz sowohl zum Natur- und Vernunftsrechtsdenken (↑Naturrecht) als auch zur angeblichen Flucht des „bürgerlichen Staates" in eine permanente Diskussion, schließlich auch zu einer Totalisierung des Sachverstandes in einer Herrschaft der Fachleute, einer Expertokratie oder sogar Technokratie. Im Gegensatz dazu wird die E. (Dezision) als ein in keiner Weise, auch nicht partiell ableitbarer, rein voluntaristischer Akt verstanden: *sic volo, sic iubeo* (so will ich es, so befehle ich es). In der souveränen E. des Staates (↑Souveränität; ↑Staat) sollen Normen nicht befolgt, sondern allererst gestiftet werden. Diese Ansicht kann sich nur begrenzt auf T. Hobbes' sog.e Imperativentheorie des Rechts berufen, die schon beim römischen Dichter Juvenal (Satiren 6, 223) zu findende Formel *„auctoritas non veritas facit legem"* (Leviathan, Kap. 26). Es ist richtig, dass weder Gesetze noch politische E.en rein aus wahrheitsverpflichteten Diskussionen hervorgehen. Sie bedürfen einer ↑Autorität, worunter man aber nicht einen absoluten Herrscher, sondern eine

autorisierende, also eine – durch die Betroffenen – zur ↑Herrschaft ermächtigte Macht zu verstehen hat.

Bei C. Schmitt hingegen verbindet sich die E. mit dem Pathos einer auf Dauer gestellten Notsituation, einer permanenten existentiellen Ausnahmelage und einer radikalen Ent-Rationalisierung der E.: Über die Richtigkeit, selbst die Tunlichkeit einer E. kann man nicht mehr streiten, weil es keine Gründe des Dafür und Dawider gibt. Folglich bleibt der Politik statt vernünftiger Debatten nur die souveräne E.

Das Recht des Dezisionismus besteht in seiner Kritik des theoretischen und praktischen Versuches, E.en in puren Sachverstand oder reinen Diskurs aufzulösen. Gegen eine *Euthanasie des genuin Politischen* kann die Dezision als ein unentbehrlicher Begriff der politischen Theorie, nämlich als ein notwendiger Kontrapunkt, gelten. Auch ist es richtig, dass die ↑Politik dort ihren Ort hat, wo Zwecke und Ziele strittig sind und die Situation so komplex ist, dass die allfälligen E.en risikobelastet bleiben.

Auch in der liberalen Variante Hermann Lübbes gelingt es dem Dezisionismus aber nicht, die zur Dezision komplementären Momente (die normative Grundlage und die kritischen Ansprüche des demokratischen Rechts- und Verfassungsstaates) in einer phänomengerechten Theorie zu integrieren (↑Rechtsstaat). Unter den Bedingungen konstitutioneller Demokratien (↑Demokratie) kommt es in der Politik jedenfalls darauf an, verfassungsmäßig verankerte Prinzipien der ↑Humanität, insb. der politischen ↑Gerechtigkeit, mit den Funktionsanforderungen hochkomplexer Industrie- und Dienstleistungsgesellschaften (↑Industriegesellschaft) und ihrer jeweiligen Situation methodisch zu vermitteln und sich dabei der Beratung durch den (wissenschaftlichen) Sachverstand zu versichern (↑Politikberatung), ohne ihm das Recht auf die politische E. abzutreten. In solchen „Strategien der Humanität bzw. der politischen Gerechtigkeit" (Höffe 1975) werden die vom Dezisionismus vernachlässigten Kommunikations- und Rationalitätselemente politischer E. eingearbeitet.

Literatur

O. Höffe: Kritik der Freiheit. Das Grundproblem der Moderne, 2015 • S. Kierkegaard: Entweder-Oder, 2012 • J. Dreier: Decision Theory and Morality, in: A. Mele/P. Rawling (Hg.): The Oxford Handbook of Rationality, 2004, 156–181 • Aristoteles: Nikomachische Ethik, 1995 • C. Rapp: Freiwilligkeit, Entscheidung, Verantwortung, in: O. Höffe (Hg.): Aristoteles. Die Nikomachische Ethik, 1995, 109–133 • R. D. Luce/ H. Raiffa: Games and Decisions, ²1989 • O. Höffe: Strategien der Humanität. Zur Ethik öffentlicher Entscheidungsprozesse, ²1985 • O. Höffe: Ethik und Politik, ²1984 • J. Rawls: Eine Theorie der Gerechtigkeit, 1975 • G. Gäfgen: Theorie der wirtschaftlichen Entscheidung, 1974 • H. Thomae: Konflikt, Entscheidung, Verantwortung, 1974 • H. Lübbe: Theorie und Entscheidung, 1971 • W. Kirsch: Entscheidungsprozesse, 3 Bde., 1970/71 • R. C. Jeffrey: Logik der Entscheidungen, 1967 • J. von Neumann/O. Morgenstern: Spieltheorie und Wirtschaftswissenschaft, ²1966 • A. Rapoport/A. Chammah:

Prisoner's Dilemma, 1965 • A. Bohnen: Die utilitaristische Entscheidung als Grundlage der modernen Wohlfahrtsökonomie, 1964 • H. Kuhn: Das Sein und das Gute, 1962 • C. von Krockow: Die Entscheidung. Eine Untersuchung über Ernst Jünger, Carl Schmitt, Martin Heidegger, 1958 • P. Ricœur: Philosophie de la volonté, Bd. 1, 1949 • C. Schmitt: Politische Theologie. Vier Kapitel zur Lehre von der Souveränität, 1934 • K. Jaspers: Philosophie, Bd. 2: Existenzherstellung, 1932.

OTFRIED HÖFFE

Entspannungspolitik

Epochenübergreifend spricht man von E., wenn es zur Deeskalation ↑internationaler Konflikte kommt. Im engeren Sinn wird unter E. der Abbau von Konfrontation im ↑Ost-West-Konflikt verstanden. Davon zu unterscheiden ist der Zustand von Entspannung. Ob Entspannung infolge von E. tatsächlich eingetreten war und wie ein zufriedenstellender Zustand von Entspannung definiert sein sollte, war schon zeitgenössisch umstritten und wird auch in der Forschung kontrovers diskutiert.

Am Anfang der E. standen angesichts des nuklearen Wettrüstens sicherheitspolitische Überlegungen. Erste Schritte erfolgten nach der Doppelkrise um Berlin und Kuba (1958–1962), als die USA und die UdSSR 1963 die Einrichtung einer direkten Nachrichtenverbindung zwischen dem Weißen Haus und dem Kreml vereinbarten. Um einen „heißen" Krieg zu vermeiden, wie er während der Kubakrise gedroht hatte, wurde ein „heißer Draht" installiert, der in künftigen Krisensituationen ein angemessenes Krisenmanagement durch direkte Kommunikation ermöglichen sollte. Im selben Jahr kam es zu einer Einigung über die teilweise Beendigung von Kernwaffenversuchen. Ende 1967 erklärte die ↑NATO im sog. en Harmel-Bericht die Vereinbarkeit von Sicherheit und Entspannung. Mit dem Vertrag über die Nichtverbreitung von Kernwaffen, den die USA, die UdSSR und Großbritannien 1968 vorlegten, während die beiden anderen Atommächte China und Frankreich auf Distanz blieben, sollte die Verfügung über Nuklearwaffen (↑ABC-Waffen) begrenzt bleiben. Seit 1969 verhandelten die Supermächte USA und UdSSR über die Begrenzung von strategischen Offensivwaffen, was 1972 und 1979 mit SALT I und II zur Festlegung von Obergrenzen, aber nicht zu Abrüstung führte und in Gestalt von neuen Technologien und sog. er Modernisierung von Waffensystemen auch das Wettrüsten andauern ließ. Abrüstung wurde nach dem Grundsatz einer ausgewogenen und beiderseitigen Truppenreduktion seit 1973 im Zuge der MBFR-Verhandlungen angestrebt, die aber ohne Ergebnis blieben.

Als zweite Wurzel der E. ist die deutsche Frage und die damit verbundene Nachkriegsordnung in ↑Europa zu nennen. Die Respektierung des territorialen Status quo, ohne ihn jedoch förmlich anzuerkennen, war der ausschlaggebende und unverzichtbare Beitrag der ↑BRD zur E. in Europa. Die Regierung der Großen Koalition (1966–1969) bestand nicht mehr auf einer Lösung der deutschen Frage als Voraussetzung für Ost-West-Entspannung. Damit erfüllte sie nicht nur ihre Forderungen der Warschauer Pakt-Staaten (↑Warschauer Pakt), sondern entsprach auch den Erwartungen ihrer Bündnispartner, nicht zuletzt Frankreichs. *Détente*, das französische Wort für Entspannung, diente zur Benennung einer ganzen Epoche. Ebenso fand das deutsche Wort Ostpolitik Eingang in den internationalen Sprachgebrauch, als die sozial-liberale Regierung in Bonn zwischen 1970 und 1973 Gewaltverzichtsverträge mit der UdSSR, Polen und der Tschechoslowakei abschloss und im Grundlagenvertrag mit der ↑DDR 1972 das innerdeutsche Verhältnis (↑Innerdeutsche Beziehungen) regelte. Parallel dazu brachte die Vier-Mächte-Vereinbarung über Berlin 1971 Klarheit über die Art der Anbindung West-Berlins an die BRD. Danach war Ende 1972 der Weg frei für die KSZE (↑OSZE, KSZE), an der 35 europäische und nordamerikanische Staaten teilnahmen und die 1975 mit der Schlussakte von Helsinki zu Ende ging. Darin verpflichteten sich die beteiligten Regierungen zur Unverletzlichkeit der Grenzen, aber auch zur Verbesserung von Wirtschaftsbeziehungen und Reisemöglichkeiten sowie zur Achtung der Menschenrechte.

Das in allen beteiligten Ländern verbreitete Schlussdokument von Helsinki war kein völkerrechtlich bindender Vertrag, sondern eine Absichtserklärung, die unterschiedlich interpretiert wurde. Dies gilt für die E. allg. In der BRD führte sie zu einer erst allmählich schwächer werdenden innenpolitischen Polarisierung. Die KSZE deutete man vielfach als Sieg der UdSSR, deren Hauptziel, die Bestätigung der Nachkriegsordnung, erreicht war. Aus westlicher Sicht konnte ein Erfolg darin gesehen werden, dass der friedliche Wandel von Grenzen (↑Grenze) ausdrücklich möglich sein sollte und die universelle Bedeutung der Menschenrechte anerkannt wurde, so dass die deutsche Frage offen blieb und ↑Dissidenten im Ostblock sich auf die KSZE berufen konnten. Allerdings war nicht wirklich vorhersehbar, dass der KSZE-Prozess zu einer Überwindung des Status quo führen würde. Die UdSSR war infolge ihrer wirtschaftlichen Stagnation auf Austausch mit dem Westen angewiesen. Aber sie schien in ausreichendem Maß über die Macht zu verfügen, ihr Regime im Innern und in ihrem bis in die Mitte Europas reichenden Imperium aufrechterhalten zu können.

Die E. war möglich, weil alle Akteure daran interessiert waren, den Grad an Konfrontation zu vermeiden, der im ↑Kalten Krieg der 1950er Jahre geherrscht hatte. Sie ermöglichte ein Verhältnis zwischen Ost und West, das als antagonistische Kooperation zu bezeichnen ist. Angesichts des weiterhin bestehenden Grundkonflikts konnten Enttäuschungen und Krisen nicht ausbleiben. Die USA monierten die fehlende Respektierung der Menschenrechte in den kommunistisch regierten Staaten, was die UdSSR wiederum als Einmischung in innere Angelegenheiten zurückwies. Für die westliche Welt ungewohnt war die zunehmende Präsenz der UdSSR in der Dritten Welt mit der Invasion in Afghanistan 1979 als Höhepunkt. Das Kernproblem der E. bestand darin, dass die politische Entspannung erst gegen Ende der 1980er Jahre eine Ergänzung im Bereich der ↑Sicherheitspolitik fand. Zuvor arbeiteten beide Seiten an der Perfektionierung ihrer Waffensysteme. Als die UdSSR neue Mittelstreckenraketen (SS 20) aufstellte, reagierte die NATO im Rahmen ihres 1979 gefassten Doppelbeschlusses mit der Stationierung eigener Raketen (Pershing II) und Marschflugkörper. Die zeitgenössische Bezeichnung dieser Phase als „Zweiter Kalter Krieg" hat auch Eingang in die wissenschaftliche Literatur gefunden. Andere Autoren sprechen von einer Krise der E., aber nicht von ihrem Ende.

Literatur

W. Loth: Die Rettung der Welt. Entspannungspolitik im Kalten Krieg 1950–1991, 2016 • G. Niedhart: Entspannung in Europa, 2014 • M. Peter/H. Wentker (Hg.): Die KSZE im Ost-West-Konflikt, 2012 • M. P. Leffler/O. A. Westad (Hg.): The Cambridge History of the Cold War, Bd. 2, 2010 • J. Dülffer: Europa im Ost-West-Konflikt 1945–1991, 2004.

GOTTFRIED NIEDHART

Entweltlichung ↑Kirche und Welt, ↑Welt

Entwicklungspolitik

I. Situation, Wandel, Herausforderung –
II. Sozialethische Dimensionen

I. Situation, Wandel, Herausforderung

1. Die globale Situation

In der zweiten Dekade des 21. Jh. ist das internationale System durch widersprüchliche Tendenzen charakterisiert. Positive Entwicklungen stehen neben neuen Entwicklungsrisiken. Seit den 1990er Jahren hat die ↑Armut abgenommen; Mittelschichten entstehen in Entwicklungs- und Schwellenländern. Die Zahl der ärmsten Entwicklungsländer, der sog.en LICs sinkt, die der Schwellenländer steigt. Die OECD-Länder verlieren in der ↑Weltwirtschaft relativ an Bedeutung. Staaten- und regionaler Zerfall (↑Failed State), schwache Staaten, ↑Gewalt, übersetzen sich in internationale Sicherheitsprobleme und Fluchtdynamiken. Globale und grenzüberschreitende Systemrisiken (↑Risiko) gewinnen an Bedeutung; internationale Finanzkrisen (↑Finanzmarktkrise), Grenzen des Erdsystems und ↑Klimawandel sowie der Zerfall der MENA-Region sind Beispiele hierfür.

1.1 Armutsreduzierung und Aufstieg von Mittelschichten in Entwicklungs- und Schwellenländern

Nach dem Ende des Kalten Krieges hat sich die Situation in vielen Entwicklungs- und Schwellenländern teilweise signifikant verbessert. Der Anteil der absolut armen Menschen an der Weltbevölkerung ist von gut 35 % auf etwa 15 % (2014) gesunken. In Afrika ist der Anteil der Ärmsten zwischen 1990 und 2012 von 57 % auf 43 % gefallen. Die Zahl der Menschen, die in Entwicklungs- und Schwellenländern leben und zu den globalen Mittelschichten zählen, weil sie über ein ↑Einkommen zwischen 10–100 US-Dollar pro Kopf/Tag verfügen, ist von etwa 200 Mio. (1990) auf 800 Mio. (2009) gestiegen und wird 2020 bei etwa 2 Mrd. liegen; 2030 könnten es 3,5 Mrd. sein. 1990 lebten 80 % der globalen Mittelschichten in den OECD–Ländern, 20 % in den Entwicklungs- und Schwellenländern. Bis 2030 wird sich dieses Verhältnis umgekehrt haben, 80 % von ihnen leben dann außerhalb der OECD, die meisten davon in Asien. Auch wenn ein Teil dieser neuen Mittelschichten weiterhin unter prekären Verhältnissen lebt, werden sich die Gewichte in der Weltwirtschaft in Richtung der Nicht-OECD-Länder (insb. Asien) verschoben haben. In diesem Prozess ist die Zahl der Länder mit niedrigem Einkommen (LICs), die zwischen 1995 und 2000 bei etwa 60 lag, bis 2015 auf ca. 30 Länder gesunken. Zugl. stieg die Zahl der Mitteleinkommensländer zwischen Ende der 1980er Jahre bis 2015 von etwa 70 auf 100. Etwa 65 % der weltweit ärmsten Menschen leben in diesen ökonomisch relativ dynamischen Ländern; 50 % der weltweit Ärmsten in China und Indien. Armutsbekämpfung hat hier bessere Erfolgsaussichten als z. B. in fragilen Staaten. Die E. kann sich in diesen Kontexten aus den klassischen Vorhaben der Armutsbekämpfung zurückziehen und auf andere Felder der Zusammenarbeit ausrichten, z. B. Aufbau sozialer Sicherungssysteme, Klimaschutz, Stärkung von rechtstaatlichen Institutionen. Im Kontext des sozio-ökonomischen Booms vieler Entwicklungsländer konnten seit Ende des Kalten Krieges beachtliche Fortschritte erreicht werden. E. leistete hierzu einen Beitrag. Doch ein Blick auf die Investitionen (↑Investition) in Entwicklungsländern zeigt, dass nationale Steueraufkommen und nationale Investitionen sowie private Finanzflüsse von finanziell größerer Bedeutung sind als alle Investitionen der öffentlichen Entwicklungszusammenarbeit (ODA). ODA spielt weiterhin eine wichtige Rolle in Feldern, in denen Privatinvestitionen ausbleiben, wie in der Grundbildung, dem Gesundheitswesen, also bei der Bereitstellung öffentlicher ↑Güter. Zudem können ODA-Investitionen dazu beitragen, neue Entwicklungsrichtungen anzustoßen, z. B. durch die Unterstützung von erneuerbaren Energien.

1.2 Die Schattenseiten globaler Entwicklung: Staatenzerfall, Gewalt und Flucht

Trotz des Entwicklungsschubes blieben andere Entwicklungsprobleme ungelöst oder spitzten sich zu. In die ökonomische Boomphase von 1990–2015 fallen, trotz der insgesamt sinkenden Zahl bewaffneter Konflikte, auch langandauernde Kriege (↑Krieg), Gewaltausbrüche, Dynamiken des Gesellschaftszerfalls wie in Afghanistan, Somalia, Ruanda, Kongo oder erneute Gewaltausbrüche in bereits befriedeten Ländern wie Burundi und Mali. In den fragilen und ärmsten 45 Ländern der Welt leben etwa 30 % der ärmsten Menschen. Wo ↑Armut und ↑Gewalt die Lage bestimmen, ist es bes. schwierig, menschliche Entwicklung voranzubringen. Der derzeit zu beobachtende Zusammenbruch und Gewaltdynamiken in gleich mehreren Staaten (wie Libyen, Jemen, Syrien und dem Irak) sowie daraus resultierende Fluchtbewegungen innerhalb der Region, aber auch in Richtung ↑Europa, gehören zu diesem Bild.

1.3 Globale Systemrisiken für
nachhaltige Entwicklung:
Weltwirtschaft und Erdsystem

Während in der Phase der beschleunigten Globalisierung nach dem Ende des Kalten Krieges Armut weltweit reduziert werden konnte, wird im Windschatten dieser Entwicklung immer deutlicher, dass das 21. Jh. das Zeitalter der „Global Commons", der globalen Gemeinschaftsgüter und der globalen Interdependenzen wird. Die Zahl grenzüberschreitender Entwicklungsprobleme ge

winnt immer stärker an Bedeutung. Die ↑Finanzmarktkrise von 2008/9 hat verdeutlicht, dass eine globalisierte Ökonomie ohne wirksame globale Regelwerke nicht funktionieren kann. *Global Economic Governance* muss so ausgestaltet werden, dass sie für Stabilität sorgt, Entwicklungsländerinteressen berücksichtigt (z. B. Stärkung der Entwicklungsländer in internationalen Organisationen wie ↑UNO, ↑Weltbank, ↑IWF, ↑WTO) sowie soziale und ökologische Determinanten der Entwicklung unterstützt. Sie muss auch dazu beitragen, dass die Handlungsfähigkeit von Nationalstaaten nicht unterminiert wird (z. B. durch massive Steuervermeidung). Spätestens seit der Weltkonferenz für Entwicklung und Umwelt 1992 in Rio wächst zudem das Bewusstsein, dass die Wachstumsmuster der OECD-Länder nicht universalisierbar sind. Globale Umweltkrisen wären bei ähnlichen Wohlstandsmustern in den Schwellen- und Entwicklungsländern die Folge. Würden die etablierten Wachstums- und Konsummuster beibehalten, könnten im Verlauf des 21. Jh. Dynamiken des Erdsystemwandels mit unkalkulierbaren Risiken für die menschliche ↑Zivilisation ausgelöst werden.

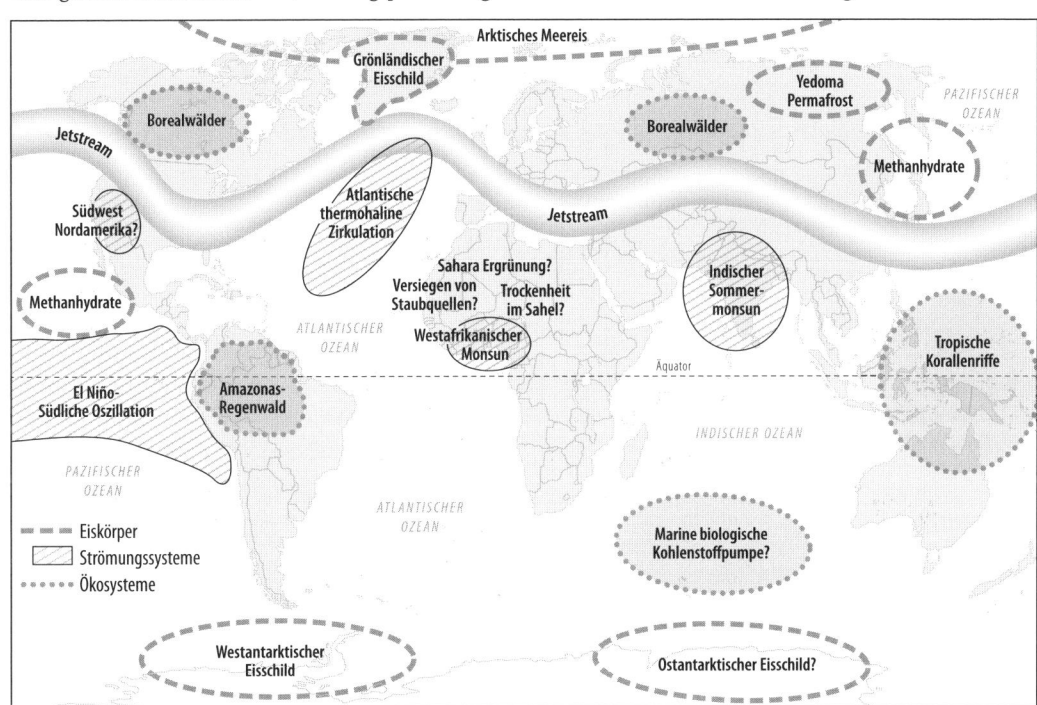

Abb. 1: Kippelemente im Erdsystem (nach Lenton u. a. 2008)

2. Der lange Weg zum
Entwicklungsverständnis der Agenda 2030
2.1 Entwicklungskonzeptionen
von den 1960er Jahren bis 2015

Der Entwicklungsbegriff wird in der E. dynamisch für einen Prozess, aber auch statisch für einen Zustand verwendet. Entwicklungsländer *(developing countries)* als

Bezeichnung für Länder, die sich „in Entwicklung" befinden, und Industrieländer *(industrialized countries)* für „entwickelte" Länder *(developed countries)* definieren das bis heute vorherrschende Verständnis von Entwicklung als Aufholprozess der Entwicklungsländer ggü. den Industrieländern. In der Entwicklungstheorie wird der „Rückstand" der Entwicklungsländer auf „endogene"

Ursachen, z. B. kulturelle, politische, soziale oder ökonomische Modernisierungsblockaden, schwache Institutionen (↑Institution), geographische oder klimatische
Nachteile, aber auch auf „exogene" Faktoren, wie Ungleichgewichte im Außenhandel, „abhängige" Entwicklung oder ↑Ausbeutung durch ↑Imperialismus und
↑Kolonialismus zurückgeführt. Als E. gelten im Allgemeinen alle politischen Aktivitäten zur Überwindung
der Kluft zwischen Entwicklungs- und Industrieländern, im engeren Sinn aber die Planung und ↑Steue-
rung von Maßnahmen finanzieller, technischer und
personeller Unterstützung, die „Geberländer" den Entwicklungsländern im Rahmen der E. zur Verfügung
stellen, einschließlich solcher über multilaterale Organisationen und die ↑EU. In Deutschland ist das 1961 gegründete BMZ für E. und Entwicklungszusammenarbeit (EZ) zuständig.

Die internationale Entwicklungsagenda wurde seit
ihren Anfängen nach dem Zweiten Weltkrieg von dieser
Grundvorstellung nachholender Entwicklung der Entwicklungsländer dominiert. Von der ↑UNO proklamierte Entwicklungsdekaden spiegelten die jeweiligen
strategischen Prioritäten wider. In der I. Dekade 1960
bis 1970 galt die Steigerung von wirtschaftlichem
Wachstum als Hebel, gestützt auf wirtschaftstheoreti-
sche Ansätze, die Entwicklung mit ↑Wirtschaftswachs-
tum gleichsetzten. Mit der II. Dekade 1970 bis 1980
rückte die Sicherung des menschlichen Grundbedarfs
(Nahrung, ↑Bildung, Kleidung, Unterkunft, grundlegende ↑Dienstleistungen etc.) als Schlüssel für eine
breitenwirksamere Entwicklung in den Mittelpunkt, da
der prognostizierte „trickle down" des Wirtschaftswachs-
tums auf benachteiligte Bevölkerungsgruppen ausgeblieben war. Keynesianische Wirtschaftspolitik (↑Key-
nesianismus) und das damit verbundene Verständnis
von Staaten (↑Staat) als Motoren wirtschaftlicher und
sozialer ↑Modernisierung standen im Zentrum dieser
Politik. Mit der Überschuldung vieler Entwicklungsländer im Zuge der Ölpreiskrisen 1973 und 1979 wurden in
der III. Dekade 1980 bis 1990 umfassende makroökonomische Strukturanpassungsprogramme von ↑Welt-
bank und ↑IWF aufgelegt. Dieser Ansatz (Washington
Consensus) machte die gesamte ↑Wirtschaftspolitik
eines Entwicklungslandes zum Reformprojekt. Einseitig
wirtschaftsliberale Sanierungs- und Sparziele, die in der
Praxis meist die sozial Schwachen zusätzlich belasteten,
führten vielfach zu Unruhen – und in Entwicklungsländern, Industrieländern, aber auch ↑internationalen Organisationen zu wachsender Kritik an diesem Ansatz.
Mit sog.en Poverty Reduction Strategies, die Entschul-
dung und Finanzhilfen an ländereigene Programme
der Entwicklungsländer zur Armutsbekämpfung knüpften und die Stärkung von Institutionen zur Einbettung und als Grundlage von Marktprozessen betonten,
steuerten Weltbank, IWF und die Geber ab Ende der
1990er Jahre um (Post Washington Consensus). Das Ende
des Ost-West-Konfliktes eröffnete für die IV. Dekade in

den 1990er Jahren neue Chancen für die Nord-Süd-Ko-
operation. Neben Wirtschaftsreformen wurden nun
auch politische Rahmenbedingungen wie Regierungs-
führung (Good ↑Governance, ↑Demokratie, Rechtsstaatlichkeit [↑Rechtsstaat]) und ↑Menschenrechte als
Bestimmungsfaktoren einbezogen.

In sog.en Weltkonferenzen der UNO wurden von
Entwicklungs- und Industrieländern gemeinsame Ak-
tionsprogramme vereinbart, mit denen Fortschritte
für verschiedene entwicklungswichtige Querschnitts-
bereiche erreicht werden sollten. Konferenzthemen
wie Bildung, Umwelt, Menschenrechte, Sozialwesen,
↑Frauenrechte, ↑Ernährung und Bevölkerungspolitik
reflektierten, was in den 1990er Jahren als Priorität verstanden wurde: die Förderung von menschlicher Entwicklung in Entwicklungsländern in einer ganzheitlichen Betrachtung, geprägt durch den ersten HDR des
UNDP von 1990 und seinen HDI. Der HDI basiert auf
Kennzahlen zur menschlichen Entwicklung und ergänzte die seit 1978 in Weltentwicklungsberichten von der
Weltbank veröffentlichten sozio-ökonomischen Daten.
Die Weltkonferenzen der 1990er Jahre und insb. der
Umweltgipfel von Rio 1992 wurden als Anzeichen einer
im Entstehen begriffenen Weltinnenpolitik interpretiert. Im Herbst 2000 verabschiedete die sog.e Millenni-
umskonferenz der UNO die „Millenniumserklärung",
eine Willensbekundung aller Staaten zur Überwindung
globaler Herausforderungen im neuen Jahrtausend. Das
III. Kapitel (development and poverty eradication) griff
wichtige Vereinbarungen wieder auf und lieferte den
Grundstock für acht konkrete Ziele, die bis 2015 erreicht
werden sollten: Bekämpfung von extremer ↑Armut und
Hunger, primäre Schulbildung weltweit, Geschlechtergleichberechtigung (↑Gender) und Stärkung der Rolle
der Frauen, Reduzierung der Kindersterblichkeit, Verbesserung der Gesundheitsversorgung von Müttern,
Bekämpfung von ↑AIDS, Malaria u.a.n schweren
Krankheiten, ökologische ↑Nachhaltigkeit, globale
Partnerschaft für Entwicklung. Die MDG erlangten eine
bis dahin nicht gekannte Signalwirkung für die internationale entwicklungspolitische Agenda.

Auch zu Beginn des 21. Jh. wurde Entwicklung also
vorrangig als Armutsbekämpfung in und Überwindung
typischer Probleme von Entwicklungsländern verstanden. Obgleich selbst Urheber vieler globaler Probleme,
werden Industrieländer noch nicht ernsthaft in die
Pflicht genommen. Die MDG-Agenda ignorierte die
im Verlauf der Weltkonferenzen der 1990er Jahre und
insb. im Kontext des Rio-Gipfels 1992 formulierte Einsicht, dass ohne tiefgreifenden Wandel in Industrie-
und Entwicklungsländern keine nachhaltige Entwicklung in einer global vernetzten Welt (↑Globalisierung)
möglich sei.

„Entwicklungshilfe" bzw. EZ und E. wurden von Beginn an aus unterschiedlichen Richtungen zu Recht
auch kritisiert. Die oben angeführten Veränderungen
seit den 1960er Jahren versuchen dem Rechnung zu tra-

gen. Praktiker der EZ selbst haben immer wieder Fehllenkungen oder gar kontraproduktive Wirkungen beklagt (z.B. Brigitte Erler). Kritik kommt auch aus Entwicklungsländern selbst (z.B. James Shikwati, Damisa Moyo) mit dem Hinweis, die E. setze falsche Anreize und untergrabe Eigeninitiative und den Kampf gegen Korruption als wichtige Ursachen mangelnder Entwicklungserfolge. Kapitalismuskritiker (z.B. Dieter Senghaas, Eduardo Galeano, George Ayittey) sehen in E. dagegen „neokoloniale" Instrumente imperialistischer Ausbeutung orientiert an den Eigeninteressen der Geberländer und damit eine Ursache für „ungleiche Entwicklung" und Verhinderung der Teilhabe der Entwicklungsländer am Weltmarkt. Ohne Änderungen der globalen Rahmenbedingungen bzw. asymmetrischer Machtverhältnisse bei der Gestaltung der internationalen Ordnung bleibe E. im besten Fall internationale Sozialhilfe (z.B. Yosh Tandon, Thomas Pogge). Liberale Wirtschaftswissenschaftler lehnen das Konzept von E. als externen Eingriff in den ↑Markt (z.B. Peter Thomas Bauer, William Russell Easterly) bzw. als Hemmnis für die Entstehung eines funktionierenden Staates in Entwicklungsländern (Angus Deaton) ab.

Andere halten eher die Überbetonung von ↑Wirtschaftswachstum durch urban-industrielle statt ländlich-kleinbäuerlicher Entwicklung für falsch (z.B. Jeffrey Sachs). Von Kirchenseite schließlich wird die mangelnde Ausrichtung der E. auf den Menschen als Mittelpunkt der göttlichen Schöpfung und die Überbetonung des Ökonomisch-Technisch-Materiellen kritisiert.

Festzuhalten bleibt, dass weltweit nachhaltige Entwicklung als Ziel aller Länder und Querschnittsaufgabe aller Politikbereiche verstanden werden muss. Mit der Agenda 2030 werden erstmals alle Länder der Erde und alle Politikbereiche dafür in die Pflicht genommen.

2.2 Agenda 2030: Nachhaltige Entwicklung als universelles Zielsystem

Mit der *Agenda 2030* für nachhaltige Entwicklung hat die UNO-Generalversammlung im September 2015 einen neuen Zielrahmen von 17 sog.en SDG (↑Nachhaltigkeitsziele) vereinbart, der die MDG ablöst und bis 2030 umgesetzt werden soll. Die Agenda gilt universal, für alle Länder und Politikbereiche. Sie ist transformativ, d.h. sie zielt auf die Änderung sozial und ökologisch nicht nachhaltiger Entwicklungsmodelle: Die Überwindung extremer Armut und ein Leben in ↑Würde für alle Menschen sollen ohne fortgesetzte Zerstörung der natürlichen Lebensgrundlagen und zunehmende soziale Spaltung erreicht werden, die Rechte und Chancen künftiger Generationen sind zu wahren.

Die Agenda 2030 manifestiert einen Paradigmenwechsel für das Verständnis von Entwicklung und E. Nachhaltige Entwicklung (↑Nachhaltigkeit) wird für alle Länder zur nationalen und internationalen Verpflichtung. Das etablierte Wohlfahrtskonzept der Industrieländer – längst auch das vieler Schwellenländer – gründet in hohem Maße auf Raubbau an natürlichen Ressourcen und sozialer Ungleichheit. Sein Vorbildcharakter wird auch in Industrieländern zunehmend in Frage gestellt. Global ist es nicht zukunftsfähig. Entwicklung wird nun als gemeinsamer Pfad aller Staaten der Erde interpretiert. Die internationale Gemeinschaft soll grundlegend umsteuern, sozial gerechter (↑Gerechtigkeit) und inklusiver (↑Inklusion) werden, ökologisch nachhaltiger und ressourceneffizienter wirtschaften, Konflikte gewaltfrei lösen und effektiver zusammenarbeiten, um globale Probleme wirksamer angehen und eine ausreichende Versorgung mit Globalen Öffentlichen Gütern sicherstellen zu können. In der Agenda wird diese ganzheitliche und globale Perspektive durch 5 P's *(people, planet, prosperity, peace, partnership)* gebündelt. Sie stehen für die Einbeziehung aller Dimensionen globaler nachhaltiger Entwicklung als miteinander verzahnter Problem- und Handlungsfelder. Mit dem Ende des Konzeptes der „nachholenden Entwicklung" als Programm zur Angleichung der Entwicklungsländer-Pfade an die Entwicklungsdynamiken der Industrieländer wird die Unterscheidung in Entwicklungs- und Industrieländer, Geber- und Nehmerstaaten, hinfällig (soll hier aber zur Abgrenzung beibehalten werden).

Die erstmals im Jahr 2002 vorgelegte deutsche nationale Nachhaltigkeitsstrategie wurde 2016 mit Bezug auf die 17 Ziele der Agenda 2030 überarbeitet, um das Leitprinzip der nachhaltigen Entwicklung in allen Politikbereichen konsequent sichtbar zu machen.

Die Agenda 2030 und die SDG haben zahlreiche Wurzeln: Einmal in den Ideen einer „Weltinnenpolitik" *(Global ↑Governance)*, die bereits während der Weltkonferenzen der 1990er Jahre entwickelt wurden. Ebenso sind zu nennen die Konzepte eines „globalen Gemeinwesens" (Carol Dalglish) oder der „Einen Welt" (Nord-Süd-Kommission) bis hin zur Agenda 21 der UNO-Konferenz für Umwelt und Entwicklung 1992. Früher Wegbereiter war der ↑Club of Rome, der mit sog.en Weltmodellen die Grenzen der Belastbarkeit der Erde für unterschiedliche Szenarien global zu simulieren versuchte. Ein deutscher Beitrag zu dieser umfassenderen Sicht auf globale Entwicklung ist die Interpretation von „Entwicklungspolitik als globaler Strukturpolitik" (Messner 2007: 414). Die Agenda 2030 kann interpretiert werden als eine Art „Weltzukunftsvertrag" für nachhaltige Entwicklung im 21. Jh. Schon 1995 verstand die Bundesregierung E. „als eine globale strukturpolitische Aufgabe" (BMZ 1995: 47). 1998 findet der Ansatz erstmals Eingang in den Koalitionsvertrag für die 14. Legislaturperiode und wird in der Folge als „globale Zukunftssicherung" oder „Baustein globaler Struktur- und Friedenspolitik" (BMZ 2001: 60) bis hin zur „werte- und interessengeleiteten Zukunftspolitik auf Basis der Menschenrechte" (BMZ 2013: 4) weiter entwickelt. In dieser Perspektive wird E. zu einer Dimension globaler ↑Ordnungspolitik. Das BMZ versteht sich dabei heute als Ministerium für globale nachhaltige Entwicklung und Zukunftsfragen mit dem Ziel, alle Akteure – Ressorts, Bevölkerung und organisierte ↑Zivilgesellschaft, ↑Religionsgemeinschaften, Länder, Kommunen, ↑Wissenschaft und Privatwirtschaft – als Nachhaltigkeitspartner zu gewinnen und „die Globalisierung nachhaltig und gerecht für alle Menschen [zu] gestalten" (Koalitionsvertrag 2013: 180 f.). Die Förderung nachhaltiger Entwicklung ist damit eine Gestaltungsaufgabe in vier politischen Arenen:

a) auf der *multilateralen Ebene* (z. B. im UN-Entwicklungssystem, in der Weltbank, den Regionalbanken); dort werden die Grundlagen der globalen Ordnung für das Miteinander der Staaten festgelegt und die internationalen Abkommen, Konzepte, Normen und Standards vereinbart, die die Rahmenbedingungen für Nachhaltigkeit abstecken;

b) mit dem Instrumentarium der EZ, um die Entwicklungsländer bei der Umsetzung der SDG zu unterstützen;

c) in der *Zusammenarbeit mit Schwellenländern*, um regionale und globale Gemeinschaftsgüter (z. B. Sicherheit, Stabilisierung von Ökosystemen) zu schützen bzw. ausreichend für alle bereit zu stellen;

d) in der *deutschen und europäischen Politik:* hier tritt sie für eine international nachhaltige Ausgestaltung ein, denn so wie Nachhaltigkeitsprobleme anderswo auch für Zukunftschancen in Deutschland und Europa relevant sind (z. B. Staatenzerfall und Fluchtbewegungen), so erzeugen Nachhaltigkeitsmängel in den Industrieländern (wie Ressourcenverschwendung, fehlende Ressortkohärenz, Treibhausgasemissionen oder Finanzkrise [↑Finanzmarktkrise] von 2008) negative ↑externe Effekte andernorts.

3. Religionen und Kirchen in der Entwicklungszusammenarbeit

Die Herausforderungen für nachhaltiges Zusammenleben auf dem Globus werfen Fragen nach dem Verhältnis von Interessen (↑Interesse) und Werten (↑Wert), ↑Legalität und ↑Legitimität auf.

Die Verständigung darüber, in was für einer Welt die Menschen leben möchten und an welchen Werten sie sich „zu Hause" und weltweit orientieren, ist eine zentrale Dimension in der Debatte um nachhaltige Entwicklung (↑Nachhaltigkeit). ↑Menschenrechte, ↑Demokratie sowie eine sozial und ökologisch verantwortliche Marktwirtschaft (↑Soziale Marktwirtschaft) kennzeichnen hierbei den Ansatz deutscher E.

Vor diesem Hintergrund gerät das Potential der Religionen für nachhaltige Entwicklung in den Fokus der Aufmerksamkeit. 4 von 5 Menschen in Entwicklungsländern sagen, ihnen sei ↑Religion sehr wichtig; zudem haben religiöse Führungspersonen und Organisationen einen hohen Stellenwert und genießen meist größeres Vertrauen als bspw. staatliche Institutionen. In ↑Subsahara-Afrika erbringen religiöse Institutionen ge-

schätzt über 50 % aller Leistungen im Bereich ↑Bildung und ↑Gesundheit. Einerseits gewinnen Konflikte an Bedeutung, deren Akteure wie Boko Haram oder der „Islamische Staat" ihre Strategien religiös begründen. Wenn Religionen dabei nicht als „Brandursache" zu werten sind, so können sie doch als „Brandbeschleuniger" wirken. Andererseits gibt es von islamischen Gelehrten ebenso wie von anderen Religionen dezidierte Positionierungen zum Klimaschutz und zur Verteidigung der Menschenrechte. Die deutsche E. verfolgt das Anliegen, die positiven Anstöße und Beiträge von Religionen bei der Umsetzung der Agenda 2030 einzubeziehen. Der Öffentlichkeitscharakter von Religion und das Menschenrecht der ↑Religionsfreiheit erfordern es, das Verhältnis von staatlicher E. und Religionen zu bestimmen. Für den christlichen Bereich in Deutschland gelten die Gründung von Misereor 1958 und die erste BfdW-Kampagne 1959 als Start der EZ der deutschen Kirchen und Freikirchen. 1962 reagierten die Kirchen mit der Gründung der Zentralstellen EZE bzw. KZE auf das Angebot der ↑Bundesregierung, ihnen Steuergelder für entwicklungspolitische Vorhaben zur Verfügung zu stellen. Heute geschieht das in Form von sog.en Globalbewilligungen, wonach Kirchen auf der Grundlage der Förderrichtlinien selbständig über den Mitteleinsatz entscheiden („programmatische Freiheit"). Dabei führen sie keine Projekte mit eigenem Personal vor Ort durch, sondern fördern im Sinne der „Hilfe zur Selbsthilfe" die Selbstverantwortung ihrer Partnerorganisationen. EZ wird als gemeinsamer Lern- und Veränderungsprozess verstanden. Die Inlandsarbeit soll das Bewusstsein für den Zusammenhang des eigenen Lebensstils mit ↑Armut und Unterentwicklung in anderen Ländern schärfen. Seit 2012 ist die EZ der Evangelischen Kirchen vereint im EWDE. Das evangelische Netzwerk *ACT Alliance* und die internationale Allianz von katholischen Entwicklungsorganisationen (CIDSE) sind weltweit mit die größten Bündnisse für humanitäre Arbeit und EZ. Das ↑Zweite Vatikanische Konzil ruft 1965 in der Konzilskonstitution GS dazu auf, ↑Macht und ↑Verantwortung weltweit zu teilen. 1967 betont die Enzyklika „Populorum progressio", Entwicklung sei nicht gleichbedeutend mit wirtschaftlichem Wachstum (↑Wirtschaftswachstum), vielmehr hänge Wachstum von sozialem ↑Fortschritt ab, also von Menschenwürde und Frieden. 1968 treffen die katholischen Bischöfe auf ihrer Zweiten Generalversammlung in Medellin/Kolumbien eine „vorrangige Option für die Armen". Armut und Unterdrückung werden aus der Perspektive der „Armgemachten" analysiert und ihre Befreiung wird zum Ziel kirchlichen Handelns. Die gemeinsamen Grundüberzeugungen zwischen dem ÖRK und dem Vatikan führten 1968 zur Gründung von SODEPAX, dem gemeinsamen Ausschuss von ÖRK und ↑Justitia et Pax. 1973 artikulierte die ↑EKD ihr an ↑Gerechtigkeit, Frieden, Partnerschaft und Strukturwandel orientiertes Verständnis von Entwicklung in der ersten Entwicklungsdenkschrift. Gleichzeitig kam es in Deutschland zur Gründung der GKKE. 1987 bestätigte die Enzyklika „Sollicitudo rei socialis" die enge Verbindung von Entwicklung und Befreiung und das Konzept der eigenständigen Entwicklung. Auf protestantischer und orthodoxer Seite sprachen sich die Vollversammlungen des ÖRK bereits 1948 und 1954 im Rahmen des ethischen Leitkonzepts einer „Verantwortlichen Gesellschaft" dafür aus, dass Afrika und Asien die Chancen der Industrialisierung durch Kapitaltransfer und technischen Fortschritt nutzen sollten. Mitte der 1960er Jahre kam es zur Kritik der Ansätze aufholender Entwicklung. Auf der Konferenz über Kirche und Gesellschaft in Genf 1966 waren erstmals die Teilnehmer aus dem Norden und Westen in der Minderheit und der Abschied vom Leitbild einer „Verantwortlichen Gesellschaft" wurde eingeleitet.

1968 formulierte die Vollversammlung des ÖRK in Uppsala: „[…] jede wirksame Ausrichtung auf die Weltentwicklung erfordert radikale Veränderungen der Institutionen und Strukturen auf drei Ebenen: innerhalb der Entwicklungsländer, innerhalb der entwickelten Länder und in der internationalen Wirtschaft." (Stierle u. a. 1996: 232). Auf der Konferenz über Wissenschaft und Technologie für eine menschliche Entwicklung 1974 in Bukarest wurde das Leitbild einer „Just, Participatory and Sustainable Society" formuliert, das seinerseits als Übergang zum Konziliaren Prozess für Gerechtigkeit, Frieden und Bewahrung der Schöpfung angesehen werden kann. Mit seiner Enzyklika „Laudato si" stellt Papst Franziskus 2015 den untrennbaren Zusammenhang von sozialer Armut und Umweltzerstörung heraus und versucht, im Sinne einer „integralen Ökologie" auf die SDG-Debatte und die Klimadebatte Einfluss zu nehmen. Dafür müssten Fortschritt und Entwicklung im Einklang mit der Schöpfung definiert werden. Den Beitrag der EKD fasst aus Anlass des UNO-Gipfels 2015 in New York die Studie „… dass sie das Leben und volle Genüge haben sollen" (Kirchenamt der EKD 2015) zusammen. Ausgehend von einer ökumenischen „Theologie des Lebens" werden Handlungsempfehlungen zu einer sozial-ökologischen Transformation von ↗Wirtschaft und ↗Gesellschaft entwickelt.

Zwei zentrale Perspektiven konturieren die kirchlichen Stimmen weltweit im Vergleich zur säkularen Entwicklungs-Debatte: Zum einen die Frage nach dem Gewicht der *people-centred/community based* – Ansätze gegenüber dem Vertrauen in die Leistungsfähigkeit nationaler und internationaler Strukturen und Rechtsordnungen, zum anderen geht es um das Verhältnis institutionell ausdifferenzierter und professioneller Ansätze (z. B. der Staaten und öffentlicher Verwaltungen [↗Verwaltung]) gegenüber ganzheitlichen missionarisch-diakonischen Aufgaben der Gemeinden (↗Gemeinde).

4. Wichtige Herausforderungen der Entwicklungspolitik

Mit der Agenda 2030 hat sich die Weltgemeinschaft gemeinsame Ziele gesetzt. Die E. kann dazu beitragen, diese Ziele zu erreichen. Dabei konzentriert sie sich auf Bereiche, bei denen Entwicklungs- und Schwellenländern eine bes. Rolle zukommt. Vier Handlungsfelder werden im Folgenden exemplarisch dargestellt.

4.1 Beispiel Ressourcen- und Klimaschutz

Ressourcenschutz und Entwicklung bedingen sich gegenseitig. Ressourcenausbeutung und Umweltverschmutzung führen langfristig dazu, ↗Wirtschaftswachstum und gesellschaftlichen ↗Fortschritt zu untergraben. Globaler Umweltwandel bedroht insb. die ärmsten und verwundbarsten Menschen in der Weltgesellschaft, oft Frauen und Kinder. So leiden die Menschen in den schnell wachsenden Städten an der hohen Luftverschmutzung. Der ↗Klimawandel führt zu Umweltkrisen, beeinträchtigt die wirtschaftliche Produktivität und reduziert landwirtschaftliche Potenziale. Dagegen eröffnen „saubere" Technologien neue wirtschaftliche und gesellschaftliche Chancen. Dazu trägt bei, dass Länder wie Deutschland, aber auch China bereits massiv in grüne Technologien investieren und damit die Kosten schnell sinken. Für arme Länder ist aber die Entscheidung zugunsten eines „sauberen" Entwicklungsweges meist nicht leicht: „Saubere" Technologien sind z. T. noch mit höheren Anfangsinvestitionen verbunden; häufig zahlt sich ↗Umweltschutz erst mittel- und längerfristig aus; und auch das nötige Knowhow und die Kapazität zur Entwicklung umweltverträglicher Entwicklungskonzepte und Institutionen sind in vielen armen Ländern nicht vorhanden. Wenn Entwicklungsländer Wohlfahrtszuwächse erzielten, indem sie den „schmutzigen" Entwicklungspfaden der Industrieländer oder auch Chinas folgten, wären nur schwer beherrschbare globale Umweltkrisen die Folge. Hinzu kommt, dass Umweltkrisen, insb. in armen Ländern, vielen Menschen die Lebensgrundlage entziehen; Konflikte um Ressourcen, Flucht (↗Flucht und Vertreibung) und ↗Migration sind die Folge. Auf dem Klimagipfel in Paris 2015 ist es zum ersten Mal gelungen, ein universelles Abkommen zur Begrenzung der Erderwärmung zu verabschieden, in dem alle Staaten Treibhausgasreduzierungen zugestimmt haben, um globale Temperaturerhöhungen von über 1,5–2 Grad Celsius zu vermeiden. Die Klimafinanzierung soll zugunsten einer globalen Transformation zu einer emissionsneutralen Entwicklung weiter ausgebaut werden. Auf dieser Grundlage kann die E. komplementär auf den oben genannten Ebenen ansetzen, um eine klima- und ressourcenfreundliche Entwicklung weltweit zu fördern: Durch Maßnahmen der EZ in den Entwicklungsländern werden diese zum einen dabei unterstützt, sich an die Folgen des Klimawandels anzupassen (z. B. besser an Gefahren von Überflutungen) und zum anderen dabei, ressourcen- und klimaverträgliche Entwicklungspfade einzuschlagen. Idealiter sollten dabei Umweltschutz und Armutsbekämpfung Hand in Hand gehen („*co-benefit*"-Bereiche), z. B. durch die Förderung von erneuerbaren Energieträgern oder den Aufbau öffentlicher Transportsysteme. Komplementär setzt sich die E. dafür ein, dass die Interessen der Entwicklungsländer in internationale Verhandlungen eingebracht und in den Regelwerken berücksichtigt werden. Dies bedeutet z. B., dass die bes. Situation armer Länder bei der Festlegung von Klimaschutzverpflichtungen berücksichtigt und ihnen Unterstützung bei deren Umsetzung zugesagt wird. Um internationale Regelwerke Entwicklungsländerfreundlich (mit) zu gestalten, ist es wichtig, die Herausforderungen, die sich in Entwicklungsländern und Schwellenländern stellen, möglichst gut zu kennen und hierzu kontinuierlich Dialog mit Entwicklungsländern zu führen. Parallel wirkt die E. auf andere Politikfelder ein. Dies betrifft z. B. die Handelspolitik (Abbau von Exportsubventionen in Industrieländern; Marktzugang für nachhaltige Produkte aus Entwicklungsländern; Förderung des Exports von Umwelttechnologien und Verhinderung des Exports umweltschädlicher Technologien in Entwicklungsländern; Handelsabkommen, die es den Entwicklungsländern erlauben, Steuern [↑Steuer] auf den Export von natürlichen Ressourcen zu erheben), die Fiskalpolitik (Einforderung von CO_2 – Steuern), die Forschungspolitik (Förderung von – an die Bedingungen von armen Ländern angepassten – Umwelttechnologien), die Fischereipolitik oder Investitionsabkommen. Hierbei arbeitet die E. auch mit der Privatwirtschaft zusammen.

4.2 Beispiel Wirtschaftliche Zusammenarbeit in globalen Lieferketten

Ein Großteil des globalen ↑Handels und der Auslandsinvestitionen erfolgt innerhalb von internationalen Lieferketten. Der wirtschaftliche Erfolg von Entwicklungsländern hängt deshalb davon ab, ob es ihnen gelingt, sich in diese Lieferketten zu integrieren. Auch ↑Nachhaltigkeit– national und global – ist eng mit diesen internationalen Produktions- und Handelsnetzwerken verbunden. D. i. z. B. durch Unfälle in Textilfabriken in Bangladesch, aber auch durch Einsatz hochgiftiger Chemikalien in Landwirtschaft (↑Land- und Forstwirtschaft) und Bekleidungsindustrie deutlich geworden. Solche Probleme können nur im Rahmen internationaler Zusammenarbeit angegangen werden: Produktionsentscheidungen der multinationalen Konzerne (↑Konzern), aber auch Konsumentscheidungen jedes Einzelnen haben weltweite Bedeutung – wirtschaftlich, sozial und ökologisch. Regierungen, Privatwirtschaft, ↑Zivilgesellschaft und ↑internationale Organisationen müssen eng zusammen arbeiten, um globale Lieferketten nachhaltig auszugestalten. E. kann die Entwicklungsländer dabei unterstützen, Umwelt- und Sozialstandards anzuheben und deren Implementierung zu stärken – u. a. durch Ausbildungsmaßnahmen und Verbesserung der ↑Gesetzgebung, z. B. über Programme der ↑ILO. Dabei wird angestrebt, dass sich gleichzeitig die Produktionsabläufe verbessern und da-

von die Unternehmen und die Beschäftigten durch höhere Einkommen profitieren. Auf internationaler Ebene wirkt E. darauf hin, ↑Menschenrechte, Kernarbeitsnormen, einschließlich freier ↑Gewerkschaften, und ↑Umweltschutz z. B. in UNO-Abkommen zu stärken. In Deutschland und Europa setzt sich die E. gemeinsam mit Privatwirtschaft und Zivilgesellschaft für die Umsetzung von Menschenrechten, Umwelt- und Sozialstandards entlang der Lieferketten ein, z. B. im Rahmen des deutschen Bündnisses für nachhaltige Textilien. Die E. arbeitet mit ↑Unternehmen zusammen, damit diese Lieferketten transparenter gestalten. Mit der deutschen und europäischen Zivilgesellschaft wird darauf hin gearbeitet, dass Konsumenten verantwortungsbewusst handeln. Auch der ↑Staat kann im Rahmen der öffentlichen Beschaffung Einfluss auf das Angebot nachhaltiger Produkte nehmen.

4.3 Beispiel Ungleichheit und Chancengerechtigkeit

Weltweit ist die Ungleichheit in den letzten Jahrzehnten in Gesellschaften angestiegen. Die ↑Weltbank zeigt, dass wirksame Armutsbekämpfung ohne die Reduzierung sozialer und ökonomischer Ungleichheit (*„shared prosperity")* nicht gelingen kann. Außerdem kann eine dynamische wirtschaftliche Entwicklung i. d. R. nicht über längere Zeit aufrechterhalten werden, wenn sie nicht auch breiteren Schichten der Bevölkerung zugutekommt. Aber auch gesellschaftspolitisch wäre die Rückführung von Ungleichheit wünschenswert: Eine breite Mittelschicht ist für eine demokratische Entwicklung ganz entscheidend. Umgekehrt sind Gesellschaften mit einem hohen Maß an Ungleichheit in ↑Einkommen und Chancen, z. B. in der Form von hoher Jugendarbeitslosigkeit, anfälliger für Instabilität und weisen gravierende gesellschaftliche Probleme auf. Diese Konflikte können wiederum zu Flucht und Migration beitragen. E. unterstützt Entwicklungsländer darin, dass Wirtschaftswachstum auch weiten Bevölkerungsteilen zugutekommt. Dabei geht es um konkrete Projekte, aber v. a. auch um die Unterstützung von Wirtschaftsreformen. Dazu zählen bspw. die Schaffung von effizienten und gerechten Steuersystemen, die Verbesserung der Vertragsgestaltung mit Bergbauunternehmen und die Streichung von Erdöl- bzw. Energiesubventionen, von denen nach Berechnungen der Weltbank die reichsten 20 % der Haushalte (in LICs und MICs) sechs Mal mehr profitieren als die ärmsten 20 % der Bevölkerung. Bei der Unterstützung von solchen Reformbemühungen arbeitet die deutsche E. i. d. R. mit multilateralen Partnern wie der Weltbank zusammen. Das Beispiel der Steuerhinterziehung zeigt darüber hinaus, dass gerade auch Veränderungen in Industrieländern zentral sind, um Ungleichheit in Entwicklungsländern zu reduzieren. Vor diesem Hintergrund setzt sich die deutsche E. dafür ein, dass in Deutschland u. a. n Industrieländern die Steuerkooperation mit Entwicklungsländern verbessert wird.

4.4 Beispiel: Förderung von Migration, Bekämpfung von Fluchtursachen

Entwicklungspolitisch wird zwischen Flucht und Migration unterschieden. Neben akuten Fluchtursachen, wie Menschenrechtsverletzungen und Gewaltsituationen in Bürgerkriegen (↗Bürgerkrieg), gibt es strukturelle Fluchtursachen wie Perspektiv- und Chancenlosigkeit, Ernährungsunsicherheit, Ressourcenknappheit, ↗Armut, Ungleichheit, Unfreiheit, ↗Korruption oder Umweltzerstörung. Menschen, die vor Verfolgung fliehen, haben als Flüchtlinge i. S. d. ↗Genfer Flüchtlingskonvention einen völkerrechtlichen Anspruch auf Schutz. Die Aufnahme von Migranten hingegen ist eine nationale Entscheidung. Empirische Forschung zeigt, dass freiwillige Migration ein Motor von Entwicklung sein kann. 2015 überwiesen 250 Mio. Migranten aus Entwicklungsländern, die in Industrie- und Schwellenländern beschäftigt waren, 441 Mrd. US-Dollar an ihre Familien zu Hause. Damit ist der Ressourcenfluss aus sog.en Rücküberweisungen *(remittances)* in die Entwicklungsländer über drei Mal größer als die gesamte ODA. Auf multilateraler Ebene erfordern die Aufgaben, Flüchtenden zu helfen und Fluchtursachen zu bekämpfen, die Kooperation der internationalen Gemeinschaft in multilateralen Organisationen wie Weltbank oder ↗UNO (im Besonderen UNICEF, WFP und UNHCR). Um Lebensperspektiven – v. a. und gerade in Entwicklungsländern, da mehr als 80 % der Geflohenen Schutz in Entwicklungsländern finden, zu schaffen, bedarf es des kohärenten Zusammenspiels von E.-, ↗Außen-, ↗Innen-, ↗Sicherheits-, Klima- und ↗Wirtschaftspolitik. Hauptaufgabe der E. in den Herkunftsländern ist es, strukturelle Fluchtursachen zu bekämpfen, zur unmittelbaren und langfristigen Verbesserung der Lebensperspektiven von Menschen beizutragen und damit akuten Fluchtursachen vorzubeugen. Zu den zentralen entwicklungspolitischen Arbeitsbereichen zählen der Abbau von Governance-Defiziten, faire Handelsbedingungen, die Förderung von ↗Arbeit und Ausbildung, Rechtsstaatlichkeit (↗Rechtsstaat), Teilhabe (↗Partizipation) und Sicherung von Landrechten, Konfliktprävention, Schutz von ↗Minderheiten, Förderung von Friedensarbeit und Reintegration.

Die deutsche Politik kann mit ihren bilateralen Maßnahmen, ihrer Kooperation in multilateralen Organisationen und in Zusammenarbeit mit den zivilgesellschaftlichen Akteuren wie Stiftungen (↗Stiftung), Kirchen und privaten Trägern im Bereich Krisenprävention, Konfliktbearbeitung und Friedensförderung eigene Akzente setzen.

4.5 Ausblick

Um die globalen Herausforderungen auf dem Weg zu einer weltweit nachhaltigen Entwicklung zu meistern und die weltweite Armut zu bekämpfen, bedarf es einer globalen Kooperationskultur und eines wirksamen globalen Ordnungsrahmens, der die verschiedenen Interessen von Entwicklungs- und Industrieländern zusammenführt. Die E. kann hierzu beitragen. Dabei ist erstens die Stärkung des Netzes der multilateralen Institutionen und auch der ↗EU wichtig, in denen die Grundlagen und Leitbilder für grenzüberschreitende Kooperation entstehen. Zweitens sind dichtere Netzwerke zwischen Gesellschaften, z. B. zwischen Städten, ↗Hochschulen, *Religionsvertretern*, Kulturschaffenden die Grundlage für die Herausbildung einer globalen Kooperationskultur. Drittens kann die Agenda 2030 nur Erfolg haben, wenn in Deutschland und in der EU sowohl die E. als auch die Außen- und Sicherheitspolitik u. a. außenorientierte Politiken sowie nationale Politiken am Gesamtkonzept einer Neuen Globalen Partnerschaft ausgerichtet werden und sich neben dem Umsteuern in jedem Land der Erde jeder Einzelne den Herausforderungen der Umsetzung der Agenda 2030 stellt.

Literatur

A. Deaton: Der große Aufbruch. Von Armut und Wohlstand der Nationen • BMZ (Hg.): Religionen als Partner in der Entwicklungszusammenarbeit, 2016 • BMZ (Hg.): Voices from Religions on Sustainable Development, 2016 • A. Hasenclever: Zwischen Himmel und Hölle. Überlegungen zur Politisierung von Religionen in bewaffneten Konflikten, in: F. Enns/ W. Weiße (Hg.) Gewaltfreiheit und Gewalt in den Religionen, Bd. 9, 2016, 53–74 • D. Messner/S. Weinlich (Hg.): Global cooperation and the human factor in international relations, 2016 • B. Milanovic: Global Inequality, 2016 • I. Scholz u. a.: Towards a „Sustainable Development Union": Why the EU Must Do More to implement the 2030 Agenda, 2016 • A. Atkinson: Inequality. What can be done?, 2015 • BMZ (Hg.): Der neue Zukunftsvertrag für die Welt. Die 2030 Agenda für nachhaltige Entwicklung, 2015 • C. Brandi/D. Messner: Was folgt auf die Millennium-Entwicklungsziele?, in: ZPol 24/4 (2015), 513–524 • Kirchenamt der EKD (Hg.): „… dass sie das Leben und volle Genüge haben sollen". Ein Beitrag zur Debatte über neue Leitbilder für eine zukunftsfähige Entwicklung, 2015 • H. Köhler: Partnership Reloaded: How the 2030 Agenda could transform Africa's relationship with the industrialized world, in: H. Köhler (Hg.): Perspectives, 2015, 3–9 • M. Loewe/N. Rippin (Hg.): Translating an ambitious vision into global transformation: the 2030 agenda for sustainable development, 2015 • OECD (Hg.): Measuring and Monitoring BEPS, Action 11: 2015 Final Report, 2015 • SDSN (Hg.): Financing Sustainable Development: Implementing the SDGs through Effective Investment Strategies and Partnerships, 2015 • The World Bank (Hg.): International Migration at All-Time High, 2015 • C. Lakner/M. Negre/E. B. Prydz: Twinning the goals: how can promoting shared prosperity help to reduce global poverty?, 2014 • J. D. Ostry/A. Berg/Ch. G. Tsangarides: Redistribution, Inequality, and Growth, 2014 • UNHCR (Hg.): Global Report, 2014 • WBGU (Hg.): Klimaschutz als Weltbürgerbewegung, 2014 • BMZ (Hg.): 14. Entwicklungspolitischer Bericht der Bundesregierung, 2013 • The World Bank (Hg.): Inclusive green growth, 2012 • B. Jones/M. Juul Petersen: Instrumentalist, narrow, normative? Reviewing recent work on religion and development, in: Third World Quarterly 32/7 (2011), 1291–1306 • D. Messner: Regions in the World Economic Triangle, in: J. Ahrens/R. Caspers/ J. Weingarth (Hg.): Good Governance in the 21st Century,

2011, 271–303 • UNEP (Hg.): Towards a green economy, 2011 • WBGU (Hg.): Welt im Wandel. Gesellschaftsvertrag für eine Große Transformation, 2011 • J. Rockström u. a.: A safe operating Space for Humanity, in: Nature 461 (2009), 472–475 • T. M. Lenton u. a.: Tipping Elements in the Earth's Climate System, in: PNAS 105/6 (2008), 1786–1793 • N. Serra/J. E. Stiglitz: The Washington Consensus Reconsidered: Towards a New Global Governance, 2008 • S. Yusuf: Development economics through the decades, 2008 • D. Messner: Entwicklungspolitik als globale Strukturpolitik, in: T. Jäger/A. Höse/K. Oppermann (Hg.): Deutsche Außenpolitik: Sicherheit, Wohlfahrt, Institutionen und Normen, 2007, 393–422 • E. S. Reinert: How Rich Countries Got Rich … And Why Poor Countries Stay Poor, 2007 • C. L. Dalglish: From globalization to the ‚global village', in: Global Change, Peace and Security 18/2 (2006), 115–121 • D. Messner/F. Nuscheler: Das Konzept Global Governance. Stand und Perspektiven, in: D. Senghaas (Hg.): Global Governance für Frieden und Entwicklung, 2006, 18–81 • H. Schmitz: Local Enterprises in the Global Economy: Issues of Governance and Upgrading, 2004 • D. Messner/K. Eßer/J. Meyer-Stamer: Competitividad Sistémica y desarrollo, in: R. Thiel (Hg.): Teorías del Desarrollo, Nuevos Enfoques y problemas, 2002, 142–154 • D. Messner/P. Kennedy/F. Nuscheler: Global Trends and Global Governance, 2002 • BMZ (Hg.): Elfter Bericht zur Entwicklungspolitik der Bundesregierung, 2001 • T. Fues/B. I. Hamm: Die Weltkonferenzen der 1990er Jahre: Baustellen für Global Governance, 2001 • W. Stierle: Chancen einer ökumenischen Wirtschaftsethik, 2001 • D. Messner: Globalisierung, Global Governance und Perspektiven der Entwicklungszusammenarbeit, in: F. Nuscheler (Hg.): Entwicklung und Frieden im 21. Jahrhundert, 2000, 267–294 • D. Narayan u. a.: Voices of the Poor. World Bank Publications, 2000 • WBGU (Hg.): Welt im Wandel. Strategien zur Bewältigung globaler Umweltrisiken, 1998 • S. Mehrota/R. Jolly (Hg.): Development with a Human Face: Experiences in Social Achievement and Economic Growth, 1997 • O. R. Young (Hg.): Global Governance: Drawing Insights from the Environmental Experience, 1997 • CEPAL (Hg.): Transformación productiva con equidad. La tarea prioritaria del desarollo de América Latina y el Caribe en los änos noventa, 1996 • K. Eßer u. a.: Systemic Competitiveness: A New Challenge for Firms and Governments, in: CEPAL Review 59 (1996), 39–54 • W. Stierle/D. Werner/M. Heider (Hg.): Ethik für das Leben, 1996 • BMZ (Hg.): Zehnter Bericht zur Entwicklungspolitik der Bundesregierung, 1995 • The Commission on Global Governance (Hg.): Our Global Neighborhood, 1995 • K. Eßer u. a.: International Competitiveness in Latin America and East Asia, 1993 • Bericht der Nord-Süd-Kommission: Das Überleben sichern. Gemeinsame Interessen der Industrie- und Entwicklungsländer, 1980 • D. Meadows u. a.: The Limits to Growth, 1972.

FRIEDRICH-WILHELM BEIMDIEK,
DIRK MESSNER, WOLFRAM STIERLE
UND JÜRGEN ZATTLER

II. Sozialethische Dimensionen

Es gibt eine Vielfalt von Ansätzen, die Ziele der E. sozialethisch grundzulegen. Dies gilt auch für die Entwicklungshilfe bzw. -zusammenarbeit (EZ). Solche Ziele sind als Wertprämissen auch in allen Entwicklungstheo-

rien enthalten, die vielfältige ideengeschichtliche Wurzeln haben und zugl. in enger Beziehung zur politischen Realität stehen. Viele Autoren beziehen sich gegenwärtig auf (globale) Gerechtigkeitstheorien und den Ansatz von Amartya Kumar Sen (↑Capability Approach). Dies spiegelt sich in einer breiten und sehr vielfältigen Diskussion wider, die sich z. B. in den Zeitschriften „Journal of Global Ethics" und „Journal of Human Development and Capabilities" gut verfolgen lässt.

All diese Ansätze leisten wichtige Beiträge zu einer Entwicklungsethik. Sie werden jedoch nur bedingt einer Reihe von Postulaten gerecht, die angesichts neuer Herausforderungen wichtig sind:

a) Jede Entwicklungsethik muss sowohl das Prinzip der Universalität (↑Universalismus) wie das der Partikularität (↑Partikularismus) und damit der Pluralität (↑Pluralismus) berücksichtigen.

b) Ihre Grundziele müssen global ausgerichtet sein, d. h. sie müssen die Entwicklung in den Industrieländern ebenso im Blick haben wie die in den Entwicklungsländern.

c) Dies muss auch künftige Generationen einschließen (Prinzip Nachhaltigkeit).

d) Die Begründung einer solchen ↑Ethik sollte interkulturell zugänglich und vermittelbar sein.

e) Eine rein theoretische Begründung reicht nicht aus. Die Entwicklungsziele müssen auch faktisch in ganz unterschiedlichen Kontexten akzeptiert sein.

f) Eine solche Ethik sollte eine Grundlage sein sowohl für nationale (regionale, lokale) Entwicklungsprozesse wie für weltweite solidarische Zusammenarbeit (↑Solidarität).

1. Erfahrung von Leid als
normativ-heuristischer Ausgangspunkt

Als Ansatz bietet sich die Verletzbarkeit des Menschen als einer anthropologischen Wurzel von Moralität (↑Moral) an. Konkret sind dies gemeinsame menschliche Erfahrungen von Leid und Ungerechtigkeit. Leid ist dabei in einem ganzheitlichen Sinn zu verstehen, d. h. es hat vielfältige Dimensionen. Immer aber handelt es sich um menschliche Grunderfahrungen, die relativ kulturunabhängig sind und nirgends einfach hingenommen werden, sondern aus sich selbst heraus (vor jeder Reflexion) nach ihrer Überwindung schreien oder zumindest eine plausible Erklärung verlangen. In solchen negativen Erfahrungen wird somit dialektisch sichtbar, was anzustreben ist. Es gehört also zu den Merkmalen des Leides, dass es einen normativen Appell enthält.

Ein weiteres Merkmal der Leiderfahrung ist ihre intersubjektive Vermittelbarkeit. Menschen teilen offensichtlich die Fähigkeit, am Leid anderer Menschen teilzuhaben und mit ihnen „mitzuleiden", ja sie können sich dieser spontanen Reaktion fast nicht entziehen, wenn sie direkt mit solchem Leid konfrontiert sind. Auch dieses Mit-Leiden *(compassion)* ist primär eine Erfahrung, die in eigenen ähnlichen Leiderfahrungen wie in der Fähigkeit zur Empathie gründet. Der Appell des „So nicht!" des Leides richtet sich also auch an jene, die nur mit-leiden. Damit ist jedoch noch nichts über die tatsächliche Bereitschaft zum Helfen gesagt.

Die Ablehnung von Leid ist zunächst nur so etwas wie eine moralische Intuition, die genau darum interkulturell gut vermittelbar ist und hohe Motivationskraft hat. Zu ihrer ethischen Begründung bedarf sie der Reflexion und der Übernahme von ↑Verantwortung. Moralische Intuitionen sind aber nicht einfach individuelle Gefühle, sondern sie enthalten moralische Urteile in vielfältiger kultureller Ausprägung. Insofern besteht zwischen sittlicher Intuition und moralischem Urteil ein „reflexives Gleichgewicht" (Fischer 2000): „Sittliche Intuitionen unterliegen der ständigen Prüfung durch die moralische Reflexion, sind durch diese geformt und nur deshalb orientierend im Hinblick auf das Gute oder Richtige" (Fischer 2000: 255). Wenn nun die intuitive Ablehnung von Leid in ganz unterschiedlichen Kulturen grundsätzlich gleich ist, so verweist dies auf die Universalität (↑Universalismus) dieser moralischen Urteile. Dabei ist es sinnvoll, zwischen einer „dünnen Moral" universal konsensfähiger Grundstandards (moralischer Minimalismus) und einer „dichten Moral" (moralischer Maximalismus) kulturell bedingter, partikularer Ausgestaltungen zu unterscheiden. Aus dieser Sicht ist die moralische Intuition „dichte Moral", die aber stets einen Kern universaler „dünner Moral" enthält.

2. Entwicklung als Befreiung von menschlichem Leid

Von diesem Ansatz her ist es vorrangiges Ziel jeglicher E., menschliches Leid in all seinen Formen und Dimensionen zu überwinden bzw. zumindest so weit als möglich in Grenzen zu halten. Von diesem ganzheitlichen Entwicklungsverständnis her sind alle weiteren Entwicklungsziele zu entfalten und zu begründen. Zugl. bietet es ein Grundkriterium, an dem sich alle E. messen lassen muss.

Entwicklung muss also von all dem ausgehen, worunter Menschen leiden, sei es physisches oder nichtphysisches Leid. Offensichtliche Formen sind Hunger, Krankheit, ↑Armut, Unterdrückung oder ↑Folter. Menschen leiden aber auch und oft sogar bes. dann, wenn man sie lediglich als Objekte der E. behandelt, wenn man sie ihrer soziokulturellen ↑Identität beraubt, oder auch umgekehrt, wenn man sie gegen ihren Willen dem Joch inhumaner Traditionen unterworfen hält. Leid kann also vielfältige Ursachen haben. Um auch diese eher verborgenen Dimensionen zu erfassen, braucht es, zumal wenn man aus einem fremden Kulturkreis kommt, eine gute Kenntnis der jeweiligen Lebensumstände und viel Einfühlungsvermögen.

Die Verpflichtung zur E. lässt sich aus der menschlichen Fähigkeit zum Mit-Leiden bzw. der darin enthaltenen Aufforderung zu solidarischem Handeln ableiten. Sie kann unterschiedliche Formen annehmen, je nachdem, ob es sich um unvermeidbares (z. B. bestimmte Krankheiten) oder überwindbares Leid handelt und welche Handlungsoptionen bestehen. Wer leidet, muss und wird in aller Regel versuchen, sich selbst zu helfen. Da der einzelne damit jedoch häufig überfordert ist, richtet sich dieser Appell auch an die „Zuschauer". Dies gilt zunächst für die unmittelbare Umgebung, dann aber auch für die verschiedenen gesellschaftlichen Akteure, angefangen von der ↑Zivilgesellschaft und der kommunalen Ebene bis hin zum ↑Staat, der Rahmenbedingungen schaffen muss, um vermeidbares Leid zu überwinden (Good ↑Governance). Insofern sind die Pflicht zur ↑Solidarität und ihre konkreten Formen immer auch abhängig von der Reichweite von Mit-Leiden und der Fähigkeit zu effektiver Hilfe (Prinzip der ↑Subsidiarität).

3. Ethische Implikationen und Handlungsorientierungen

Dieses Entwicklungsverständnis impliziert eine ↑Anthropologie, in deren Zentrum der konkrete Mensch mit seinen vielfältigen Leiden steht. Es vermeidet damit die Gefahr einer anthropologischen Abstraktion, die den Menschen losgelöst von seinem gesellschaftlichen Kontext sieht. Daraus ergibt sich als grundlegender ethischer Imperativ: Mittelpunkt und Ziel aller Entwicklung muss der Mensch sein, der darum keinen anderen Interessen geopfert werden darf.

Dieser Maßstab verbietet es, Entwicklungsziele mit Mitteln zu verfolgen, die ihrerseits schwerwiegendes Leid in anderen Formen verursachen, es sei denn, um damit noch größeres Leid abzuwenden, was aber jeweils nachzuweisen wäre. Ein wichtiger Aspekt in diesem Zusammenhang ist der Zeitfaktor in dem Sinn, dass man gegenwärtiges Leid (Hunger, ↑Terror) nicht mit dem Versprechen langfristiger Besserung rechtfertigen kann. Umgekehrt darf die E. die aktuellen Probleme nicht zu Lasten künftiger Generationen zu lösen versuchen. Dies ist nur durch eine nachhaltige Entwicklung erreichbar, was sich in den 2015 von der ↑UNO verabschiedeten Nachhaltigen Entwicklungszielen (SDG, ↑Nachhaltigkeitsziele) widerspiegelt.

Die Konkretheit des Leides enthält eine ihr eigene Dynamik der Handlungsorientierung, denn sie verlangt seine Reduzierung durch ebenso konkretes Tun. Da aber keine eindeutig positiven Ziele, sondern nur ein Zielhorizont vorgegeben sind, können sich diese erst im Vollzug des Handelns immer deutlicher herauskristallisieren. Dies impliziert einen gewissen Vorrang der Praxis, die ein Eigengewicht und eine Eigendynamik besitzt, welche keine Theorie vollständig antizipieren kann, so wichtig Theorien als Orientierungsrahmen sind.

In der Logik dieses Ansatzes liegt eine Option für die Leidenden, was der ↑Solidarität eine spezifische Prägung gibt. Vorrangige Aufmerksamkeit müssen jene erhalten, die von bes. schwerem Leid betroffen sind. E. muss folglich armutsorientiert oder – richtiger gesagt – armenorientiert sein, denn es sind die Armen, die am meisten zu leiden haben, da ihnen i. d. R. auch die Mittel fehlen, ihr Leiden selbst zu verringern oder zu überwinden. Sie können dies nur tun, wenn zunächst einmal ihre Grundbedürfnisse (↑Bedürfnis) befriedigt sind.

Wenn der Mensch im Zentrum aller Entwicklung steht, dann muss dies primär Entwicklung von unten sein. Alle E., ob privat, staatlich oder international, muss daher Hilfe zur Selbsthilfe leisten, denn die betroffenen Menschen kennen ihre Nöte und Lebensumstände am besten, haben das größte Interesse an einer Verbesserung ihrer Lage und verfügen meist über reiche praktische Erfahrung bei der Lösung ihrer Alltagsprobleme. Ihre aktive ↑Partizipation, nicht nur bei der Durchführung von Maßnahmen und Hilfsprogrammen, sondern schon beim Prozess der Entscheidungsfindung ist unverzichtbar. In der EZ betont man daher zu Recht die Eigenverantwortung *(ownership)*. Darauf gründet auch der Befähigungsansatz *(capabilities, empowerment,* ↑Capability Approach), in dessen Zentrum eine Erweiterung der Handlungsmöglichkeiten der Menschen steht.

Man kann diesen sozialethischen Ansatz als realistisch-utopisch bezeichnen, insofern er von der konkreten Wirklichkeit des Leides ausgeht und sich mit der „↑Utopie" zufriedengibt, es soweit als möglich zu verringern. Damit wird eine doppelte Gefahr jeder positiv formulierten ↑Ethik vermieden: Zum einen sind die angestrebten Ziele nicht so realitätsfern, dass man unter Verweis auf ihre Unerreichbarkeit eine Entschuldigung für Nichtstun hat. Zum anderen verbietet es ihr Realismus, Entwicklungsziele so absolut zu setzen, dass man sie notfalls auch autoritär (u. U. sogar mit ↑Gewalt) verwirklichen darf, womit man neues Leid schaffen würde.

Dieser Realismus erlaubt keine fertigen Rezepte oder definitiven Lösungen. Leid lässt sich nur schrittweise vermindern und der Kampf gegen das Leid ist darum ein nie abgeschlossener Prozess. Diese Einsicht gründet im Wissen, dass sich menschliches Leid nie völlig überwinden lässt. Man wird vielmehr nüchtern damit rechnen müssen, dass selbst überlegtes Handeln in bester Absicht nicht dagegen gefeit ist, ungewollt und oft unvorhersehbar neues Leid zu schaffen. Es braucht daher immer Selbstkritik und eine ständige Überprüfung des Handelns am Maßstab des Leides, um schnelle Korrekturen vornehmen zu können. Dies ist aus ethischer Sicht das wichtigste Argument für Evaluationen.

Dieser Entwicklungsbegriff wird dem Postulat der Universalität gerecht, insofern menschliches Leid wie Mit-Leiden transkulturelle Kategorien sind. Er vermeidet einen absoluten Wertrelativismus, der nur kulturspezifische Ethiken anerkennt, ebenso wie einen Ethnozentrismus, der die eigene, als überlegen angesehene Ethik zum universalen Maßstab macht. Wahre Universalität (↑Universalismus) bietet dagegen Raum für die Vielfalt und Einzigartigkeit von Kulturen, insofern jedes ↑Volk und Land im Bemühen, das Leid in den für seinen Kulturraum spezifischen Ausprägungen zu überwinden, das Recht auf einen eigenen Weg der Entwicklung hat.

Aus dieser Perspektive enthält jede ↑Kultur sowohl Elemente, die für ein humanes Zusammenleben unerlässlich sind, wie auch Elemente, die menschliches Leid verursachen oder seiner Verminderung im Weg stehen. Das gilt für die westliche ↑Zivilisation ebenso wie für die Kulturen im globalen Süden, die darum beide korrekturbedürftig sind. Diese Ausgangslage ist für den Nord-Süd-Dialog und die internationale Zusammenarbeit zur Lösung der globalen Herausforderungen von großer Wichtigkeit, weil sie jede kulturelle Überheblichkeit und Bevormundung verbietet. Folglich gibt es auch keine einfach übertragbaren Leitbilder und Modelle der Entwicklung. Ohne diese Voraussetzung ist eine „große Transformation" (WBGU 2011), bes. mit Blick auf den ↑Klimawandel, nicht erreichbar.

Dieses Entwicklungsverständnis und insb. seine Begründung ermöglichen einen vergleichsweise breiten ↑Konsens über die grundlegenden Ziele der Entwicklung, nicht nur im globalen Süden, sondern auch im Politikdialog zwischen Nord und Süd. Dies ist wichtig, da ohne eine Zusammenarbeit möglichst vieler Menschen, unbeschadet ideologischer, religiöser und kultureller Unterschiede, alle E. zum Scheitern verurteilt ist. Die gilt sowohl für die häufig sehr heterogenen Entwicklungsgesellschaften wie weltweit. Allein auf pragmatischer Basis wird dies kaum gelingen, sondern es bedarf eines solchen ethischen Minimalkonsenses.

4. Vermittlung in die konkrete Entwicklungspolitik
Ethische Prinzipien sind immer nur Leitplanken. Zu ihrer Umsetzung in politisches Handeln bedürfen sie der Vermittlung durch eine gründliche Analyse, die jene politischen, ökonomischen und soziokulturellen Ursachengefüge erforscht, welche das konkrete Leid verursachen, um von hierher nach Lösungen für ↑Politik und praktisches Handeln zu suchen. Ohne eine solche Analyse besteht immer die Gefahr, dass sich der Anstoß des Mit-Leidens in unverbindlicher „Betroffenheit" erschöpft. Anspruch auf Universalität (↑Universalismus) hat freilich allein die Grunderfahrung des Leides, die weder ein Ersatz für eine gute Analyse ist, noch eine solche garantiert. Ihre Ergebnisse sind selten eindeutig, sondern es kann, auch bei gleichen Werturteilen (↑Werturteil), zu in der Sache begründeten und darum legitimen Meinungsunterschieden kommen. Dies gilt noch mehr für die Handlungsebene, denn aus ein und ders.n Analyse lassen sich oft verschiedene politische Optionen ableiten, die jedoch immer wieder am grundlegenden Kriterium des Leides zu überprüfen sind. Dieser nie eindeutige Vermittlungsprozess impliziert eine „negative Güterabwägung" unter der Rücksicht der Vermeidung des je größeren Leides und verlangt viel politisches Augenmaß. Wie dies konkret geschehen kann, zeigt z. B. die oft kontroverse Debatte um die Bevölkerungspolitik.

In der Praxis kann der Bezug auf die Allgemeinen ↑Menschenrechte hilfreich sein. Von ihrer Entstehungsgeschichte her sind sie weniger ein Katalog positiver Forderungen, die aus einer bestimmten Ideengeschichte abgeleitet sind, als vielmehr eine Antwort auf eine gemeinsame Geschichte zahlloser Opfer und unsagbaren Leidens. Aus dieser kollektiven Erinnerung ist der gemeinsame Wille erwachsen, aller Vergewaltigung des Menschen ein Ende zu setzen und die Rechte jedes Menschen zu benennen. In diesem Sinn sind sie eher als Imperative des „So nicht!" zu verstehen denn als positive Rechte, die aufgrund ihrer Allgemeinheit für unterschiedliche Interpretationen offen sind. Die geteilte Erfahrung von Leid hat dabei mehr Gewicht als ein theoretischer Diskurs, der das interkulturelle Verstehen oft unnötig erschwert. Im Sinn eines ganzheitlichen Ansatzes müssen die Menschenrechte sowohl die bürgerlichen und politischen Rechte (Zivilpakt) wie die wirtschaftlichen, sozialen und kulturellen Rechte umfassen. Dabei verlangen die Rechte von Frauen und ↑Minderheiten (Sozialpakt) bes. Aufmerksamkeit. Die HDR des UNDP haben dazu einen wichtigen Beitrag geleistet.

Bereitschaft zur ↑Solidarität und sachgerechte Hilfe verlangen nicht nur eine genaue Kenntnis der Situation anderer Menschen, sondern auch Gespür für ihr Leid und viel Einfühlungsvermögen. Ohne eine möglichst direkte Wahrnehmung und eine gewisse Teilhabe an diesem Leid, zumindest in exemplarischer Form, ist diese Voraussetzung schwer zu erfüllen. Für jene, die aus einer ganz anderen Lebenswelt kommen, ist dies ein Prozess der Bewusstseinsbildung, der kaum ohne direkten Kontakt mit Opfern gelingen kann. Wie wichtig ein solches, wenigstens kurzzeitiges Eintauchen etwa in die Welt der Armen ist, zeigen die Erfahrungen mit „Exposure-Programmen", sei es für Leute aus der Mittel- und Oberschicht in armen Ländern, sei es für Gäste aus reichen Ländern.

5. Anschlussfähigkeit an religiöse Traditionen

Ein ganzheitliches Verständnis von Entwicklung muss den Eigenwert jeder ↑Kultur achten, was die vielfältigen religiösen Traditionen einschließt. Dies ist ein ethisches Gebot, denn den Verlust der ↑Religion erfahren viele Menschen als tiefes Leid. Dies ist aber ebenso aus entwicklungspolitischen Gründen wichtig, da man sonst diese Menschen kaum für eine Mitarbeit bei notwendigen Maßnahmen und Reformen gewinnen kann. Dies ist gerade in den Ländern des Südens wichtig, in denen Kultur und Religion eng verwoben sind.

Andererseits haben auch die Religionen, zumindest in ihren gesellschaftlichen Formen und ihrem politischen Einfluss, an der Ambivalenz jeder Kultur teil, denn sie existieren nie in Reinform, sondern stets nur in soziokultureller Vermittlung. Der Maßstab menschlichen Leides ist daher auch ein Kriterium für eine sachlich begründete ↑Religionskritik, die letztlich auch im Interesse der Religionen liegt. Auch sie müssen sich fragen lassen, was sie zur Befreiung von Leid beitragen, wo sie ihr im Weg stehen und wo sie vielleicht selbst Leid

verursachen. Ein wichtiger Aspekt sind die Spannungsfelder zwischen den Religionen. Dabei haben sich geteilte Erfahrungen menschlichen Leides und der gemeinsame Einsatz für Menschen als beste Grundlage für den ↑interreligiösen Dialog erwiesen.

Sozialethische und religiös-moralische Ansätze sind in vieler Hinsicht gegenseitig anschlussfähig. Man findet in allen Religionen wertvolle moralische und spirituelle Traditionen, die hohe Motivationskraft besitzen, etwa was ↑Solidarität und Achtung der Schöpfung betrifft. Dies ist darin begründet, dass sie sich auch theologisch begründen lassen. In allen religiösen Traditionen gibt es auch Aussagen zu einer „guten Entwicklung". Umgekehrt sind die Religionen auf sachgerechte Analysen und eine allg.e ethische Grundlage angewiesen, wenn sie gesellschaftlich wirksam werden wollen. Dies ist ein Anliegen der ↑katholischen Soziallehre mit ihren Grundprinzipien. Wie dies geschehen kann, zeigt beispielhaft die Sozialenzyklika (↑Sozialenzykliken) „Laudato si'" von Papst Franziskus.

Literatur

Ban Ki-moon: Die Post 2015 Agenda für nachhaltige Entwicklung, 2015 • D. Joshi/R. O'Dell: Wie die Berichte über die menschliche Entwicklung die Welt verändern, in: VN 63/1 (2015), 15–20 • S. Bein: Compassion and Moral Guidance, 2013 • J. Wallacher u. a.: Weltprobleme, 2013 • D. Gasper: Development Ethics – Why? What? How?, in: JGE 8/1 (2012), 117–135 • M. Demele u. a. (Hg.): Ethik der Entwicklung, 2011 • H. J. Sandkühler: Recht und Kultur, 2011 • WBGU: Welt im Wandel. Gesellschaftsvertrag für eine Große Transformation, 2011 • O. Edenhofer u. a.: Global aber gerecht, 2010 • K. Osner: With the Strength of the Powerless, 2010 • T. Pogge: Weltarmut und Menschenrechte, 2010 • S. Deneulin/M. Bano: Religion in Development, 2009 • H. Hahn: Globale Gerechtigkeit, 2009 • R. Miller: Globalizing Justice, 2009 • F. Nuscheler: Good Governance, 2009 • M. Vogt: Prinzip Nachhaltigkeit, 2009 • D. Crocker: Ethics of Global Development, 2008 • C. Antweiler: Was ist den Menschen gemeinsam?, 2007 • B. Bleisch/P. Schaber (Hg.): Weltarmut und Ethik, 2007 • G. Faschingeder/C. Six (Hg.): Religion und Entwicklung, 2007 • J. Müller: Religionen – Quelle von Gewalt oder Anwalt der Menschen?, in: J. Müller u. a. (Hg.): Religionen und Globalisierung, 2007, 120–138 • J. Müller/M. Reder (Hg.): Interreligiöse Solidarität im Einsatz für die Armen, 2007 • K. Hirsch/K. Seitz (Hg.): Zwischen Sicherheitskalkül, Interesse und Moral, 2005 • I. Kaplow/C. Lienkamp (Hg.): Sinn für Ungerechtigkeit, 2005 • O. Höffe: Wirtschaftsbürger, Staatsbürger, Weltbürger, 2004 • J. Hübner: Globalisierung mit menschlichem Antlitz, 2004 • T. Kesselring: Ethik der Entwicklungspolitik, 2003 • F. Bliss u. a. (Hg.): Welche Ethik braucht die Entwicklungszusammenarbeit?, 2002 • K. Brock/R. McGee (Hg.): Knowing Poverty, 2002 • S. Gosepath/J.-C. Merle (Hg.): Weltrepublik, 2002 • J. Müller: Der Mythos vom Kampf der Kulturen: Globalisierung als Chance für eine Begegnung der Kulturen, in: P. J. Opitz (Hg.): Weltprobleme im 21. Jahrhundert, 2001, 321–335 • J. Fischer: Sittliche Intuitionen und reflektives Gleichgewicht, in: ZEE 44/4 (2000), 247–268 • UNDP: Bericht über die menschliche Entwicklung 2000, 2000 • S. Gosepath/G. Lohmann (Hg.): Philosophie der Menschenrechte, ²1999 • K.-J. Kuschel u. a.: Ein Ethos für eine Welt?, 1999 • A. K. Sen: Development as Freedom, 1999 • K. Dicke u. a. (Hg.): Menschenrechte und Entwicklung, 1997 • J. Müller: Entwicklungspolitik als globale Herausforderung, 1997 • M. Walzer: Lokale Kritik – globale Standards, 1996 • J. B. Banawiratma/J. Müller: Kontextuelle Sozialtheologie, 1995 • D. Goulet: Development Ethics, 1995 • M. ul Haq: Reflections on Human Development, 1995 • J. Shklar: Über Ungerechtigkeit, 1992 • B. Moore: Reflections on the Causes of Human Misery and upon Certain Proposals to Eliminate Them, Boston 1969.   JOHANNES MÜLLER

Epikie ↑Billigkeit, ↑Güterabwägung

Epoche

1. Begriff

Das Wort E. stammt aus dem Altgriechischen und wurde seit Anfang des 4. Jh. v. Chr. zunächst vorwiegend auf astronomische Sachverhalte angewendet: *Epoché* bezeichnete das Anhalten, Unterbrechen, Zurückhalten oder Hemmen eines Verlaufs. Polybios nutzte es, um von einem Haltmachen militärischer Kampfverbände und einer Unterbrechung des Kriegs, Plutarch, um von einer Hemmung eines Geschehensablaufs oder von der Konstellation *(epoché astéphon)* zweier Himmelskörper zu sprechen. Der antike Pyrrhonismus und die Stoa verwendeten das Wort *Epoché* zur Bezeichnung für die Zurückhaltung einer Rede bzw. einer Entscheidung. Der Skeptiker Arkesilaos verglich die innehaltende *Epoché* „mit der Abwehrhaltung eines Faustkämpfers" und „dem Anhalten eines Renngespanns". Chrysipp bezeichnete damit die Aussetzung eines Urteils, Cicero die Zurückhaltung einer definitiven Entscheidung *(id est adsensionis retentio)* und der Mediziner Galenos eine „Vermeidung alles definitiven Urteilens", eine „Unbestimmtheit". In diesem Bedeutungsfeld wird *Epoché* (mit Akzentschreibung) bis heute als philosophischer Fachterminus benutzt.

Gegenüber *Epoché* etablierte sich E. (ohne Akzentschreibung) seit der Frühen Neuzeit als chronologisch-historischer Ordnungsbegriff. Andreas Kamp führt die Chronologien von Jean Bodin, Paul Crusius und Leonhard Krentzheim aus dem 16. Jh. als Meilensteine dieser Entwicklung an. E. stand nun für den Anfangspunkt (Nullpunkt) eines Zeitalters *(tempus, saeculum)*, einer Ära oder Periode, etwa das Anfangsjahr der Welt oder des Christentums. Als deutsche Übersetzung wurden die Wörter „Denk-Zeit", „Jahr-Termin" und v. a. „Jahr-Zahl" verwendet. So definierte Johann Heinrich Zedlers „Grosses vollständiges Universal-Lexicon Aller Wissenschafften und Künste" den Begriff „Antiochische E." (d. h. Anfangsjahr der Antiochenischen Ära) als „Jahr-Zahl", die „von einigen Geschichts-Schreibern gebrauchet" wird (Zedler 1732: 587). Charakteristisch für diesen heute ungebräuchlichen E.n-Begriff ist, dass E. in objektivis-

tischem Verständnis als Anfangszeitpunkt im Rahmen konventioneller Zeitrechnungen (Kalender) auf ein Jahr, einen Termin oder ein Datum (als Gegebenes) bezogen und nicht als Anfang an sich verstanden wurde und nicht mit einem geschichtlichen Ereignis verbunden war.

Die moderne Begriffsdefinition entstand im Zuge einer allgemeinen Verzeitlichung von Denkbegriffen und einer Emanzipation des Geschichtsdenkens von theologischen und philosophischen Vorgaben (etwa der heilsgeschichtlichen Geschichtsdeutung oder später der aufklärerischen, hegelschen und marxschen Geschichtsphilosophie [↑Geschichte, Geschichtsphilosophie]) während der Sattelzeit. E.n sind Ausdruck eines modernen Bemühens, eine Welt zu verstehen, die raschem Wandel unterworfen empfunden wird. Das Verständnis von E. als Zeitpunkt wich dem durativen Konzept von E. als Zeitraum. E. wurde weitgehend zum Synonym für Periode, Ära, Zeitalter etc. mit einem epochenbegründenden Anfangsereignis, das eine Zäsur – eine E.n-Schwelle – zu einem vorangegangenen Zeitraum markiert. Dementsprechend endet eine E. mit einem Schlussereignis, das das Anfangsereignis – und damit eine erneute E.n-Schwelle – zu einer Folge-E. darstellt (z. B. E. I: Zarenreich – Ereignis/E.n-Schwelle: 1917 Russische Revolution – E. II: Sozialistische Herrschaft).

Die seit der Sattelzeit etablierte Verbindung des modernen E.n-Begriffs als größtmöglichem zeitlichen Strukturierungsbegriff mit dem Begriff eines historischen Ereignisses als kleinstmöglichem zeitlichen Strukturierungsbegriff ist von besonderer Bedeutung. Denn es ist charakteristisch für eine E., dass das Anfangsereignis und ggf. die Einordnung einer E. in eine Kette vorangegangener und/oder folgender E.n einen spezifisch historischen Sinn konstruieren. So erhält z. B. die E. ↑Neuzeit jeweils einen anderen spezifischen Sinn, wenn man sie geistesgeschichtlich mit der Entdeckung Amerikas, technikgeschichtlich mit der Erfindung des Buchdrucks, theologiegeschichtlich mit der ↑Reformation, politikgeschichtlich mit der Eroberung Konstantinopels oder wahrnehmungsgeschichtlich mit der Entwicklung eines Bewusstseins, in einer neuen Zeit zu leben, beginnen lässt. Ein spezifischer Sinn der E. Mittelalter ergibt sich aus ihrer Mittelstellung zwischen Antike und Neuzeit. Den Konstruktionscharakter von E.n betonte etwa Johann Gustav Droysen, der in seiner „Historik" darauf hinwies, „daß es in der Geschichte sowenig E.n gibt wie auf dem Erdkörper die Linien des Äquators und der Wendekreise". E.n sind nach J. G. Droysen „Betrachtungsweisen (…), die der denkende Geist dem empirisch Vorhandenen gibt, um sie desto gewisser zu fassen" (Droysen 1977: 371).

2. Epoche und Periodisierung

Die Ordnung der Zeit in E.n bezeichnet man als Periodisierung. Abgeleitet vom altgriechischen Wort *períodos* (Herumgehen, Kreislauf, Zirkel), bezeichneten Perioden zunächst Strukturen eines Verlaufs in zyklischen

Geschichtssystemen. Mit Aufkommen der christlichen Heilsgeschichte änderte sich dieses Verständnis: Perioden im historischen Verständnis waren nun einmalige Zeiträume in linearen Geschichtssystemen, Periodisierungen der konstruktive Akt der Festlegung solcher Zeiträume. Die E.n-Konstruktion ist eine Form von Periodisierung, die sich von rein formalen Arten der Periodisierung unterscheidet. Solche basieren v. a. auf konventionellen Zeitrechnungen (Kalendern). So sind etwa die Rede vom „19. Jh.", den „60er Jahren" oder der „Zeit um die Jahrhundertwende" Periodisierungen der Geschichte, doch sind die genannten Zeiträume keine E.n im engeren Begriffsverständnis: Ihnen fehlen das zäsurmarkierende, epochenbegründende Anfangsereignis und die Möglichkeit, über die Setzung von E.n-Grenzen Sinn zu bilden.

Formale Periodisierungen zeichnen sich im Gegensatz zu E.n dadurch aus, dass sie

a) konventionell sind (also auf einer durch Konvention in Kraft gesetzten Zeitrechnung, einem Kalender beruhen),

b) universell sind (also mittels Konkordanzwerken auf andere Zeitrechnungen übertragbar).

In diesem Verständnis kann man vom „19. Jh." in den Kulturen Europas, Asiens oder Afrikas sprechen, auch wenn dort selbst andere Kalendersysteme in Gebrauch sind. Allerdings ist auch diese Universalisierbarkeit eine rein formale. Denn es bleibt zu bedenken, dass die Zeitgenossen in den jeweiligen Kulturen außerhalb des Gregorianischen bzw. Julianischen Kalenders ihre eigene Zeit nicht als 19. Jh. wahrgenommen haben, ebenso wie die Römer beim Untergang der Republik nicht in dem Bewusstsein lebten, sich im Jahr 27 v. Chr. zu befinden. Ebenfalls zu bedenken ist, dass kalendarische Ordnungen zwar meist „objektiv" benutzt werden, also ohne einen besonderen Bezug auf ihren Nullpunkt, de facto aber fast immer auf Gründungsereignisse (etwa die Geburt Christi) rekurrieren. Geht man nicht „objektiv"-formal (d. h. auf einen absoluten Nullpunkt bezogen) davon aus, dass das Jahr 1900 nach Ablauf des letzten Tages des Jahrs 1899 beginnt, sondern dass es eintausendneunhundert Jahre nach dem Tod Jesu Christi beginnt, dann beziehen wir uns auf ein Anfangsereignis und laden die Bezeichnung „1900" mit Sinn auf. Das „19. Jh." bekommt in diesem Fall einen E.n-Charakter, den es nicht hatte, so lange man die Kalenderrechnung rein „objektiv"-formal verwendete. In diesem Fall ist die Festsetzung des Zeitraums epochentypisch auch wieder kulturgebunden und nicht universalisierbar. Der Unterschied zwischen E.n und formalen Periodisierungen entspricht dem Unterschied von ↑Geschichtswissenschaft und Chronologie. Während Letztere auf einer Zeitleiste ein „dann und dann und dann …" rein temporal abbildet, trifft Erstere Aussagen über kausale und konsekutive Zusammenhänge historischer Entitäten.

3. Epochen und historische Sinnbildung

Die E.n-Konstruktion ist immer an einen kulturellen Deutungsrahmen rückgebunden und immer narrativ sinnbildend. Sie setzt historisches Wissen voraus und sie formt als Schaffung von Interpretationsrahmen historisches Wissen und historische Narrative. Historisches Wissen setzt die E.n-Konstruktion insofern schon voraus, als ihr eine Thesenbildung zugrunde liegt, die in einem heuristischen Prozess aus dem Umgang mit historischem Material hervorgegangen ist. So definierte etwa Eric Hobsbawm die E. zwischen 1914 und 1991 als „Zeitalter der Extreme", das von totalitären Ideologien geprägt sei. Als sinngebende Zäsuren für seine E. diente ihm dabei der Zusammenbruch des europäischen Staatensystems mit dem Beginn des Ersten Weltkriegs, formal mit der Kriegserklärung Österreich-Ungarns an Serbien am 28. 7. 1914 initiiert, und das Ende der Sowjetunion (und des ↑Warschauer Pakts), das formal mit der Alma-Ata-Deklaration vom 21.12.1991 datiert werden kann. Zudem konnte E. Hobsbawm mit dem „Zeitalter der Extreme" an seine eigene Periodisierung der ↑Moderne anschließen, innerhalb derer er ein Zeitalter der Revolutionen 1789–1848, ein Zeitalter des Kapitals 1848–1875 und schließlich ein imperiales Zeitalter 1875–1914 unterschieden hatte.

Hobsbawms Periodisierung steht im Gegensatz zu anderen Periodisierungen, in Deutschland etwa zu Heinrich August Winklers These vom „Langen Weg nach Westen", der mit der Denkfigur des deutschen Sonderwegs arbeitet und die Zeiträume 1806–1933 und 1933–1990 als E.n markiert. Die Unterschiede zwischen beiden Periodisierungen und den mit ihnen verbundenen Narrativen beruhen auf der Setzung unterschiedlicher Untersuchungsräume, u. a. aber auch auf unterschiedlichen philosophisch-politologischen Thesensetzungen, die maßgebend für Aussageintention und Sinnbildung sind, die über historisches Wissen vermittelt werden sollen. Als Interpretationsrahmen dient die sinn- und thesengeleitete E.n-Konstruktion weiterer Forschung. So übertrug etwa Lutz Raphael E. Hobsbawms für die politische und in gewissem Maße auch für die Geistesgeschichte entwickelte Periodisierung mit wissenschaftsgeschichtlichem Interesse auf die „Geschichtswissenschaft im Zeitalter der Extreme".

4. Epochen, Ereignisse und Epochenschwellen

Auch über die Wissenschaft hinaus haben E.n eine strukturierende sinnbildende Funktion und werden aus diesem Grund als Mittel historisch-politischer Erziehung eingesetzt. Dies hat dazu geführt, dass E.n im allgemeinen Bewusstsein häufig nicht als Konstruktionen, sondern als Gegebenheiten verstanden werden. Der Grund hierfür sind Traditionen der Geschichtsvermittlung über Schulbücher und populäre Darstellungen spätestens seit dem 19. Jh.: Mit eurozentrischem bzw. westlichem Blick auf die Weltgeschichte etablierte sich so v. a. die Unterscheidung zwischen Antike, Mittelalter und Neuzeit. Die im Historismus ausgebildete Gleichsetzung von Geschichte mit politischer Geschichte führte zudem dazu, dass staatengeschichtlich orientierte Periodisierungen bis in die Gegenwart als selbstverständlich und „gegeben" erscheinen, etwa die Gliederung der deutschen Geschichte in Kaiserreich 1870/71–1918 – Weimarer Republik 1918–1933 – „Drittes Reich" 1933–1945. Eine vergleichbare Kanonisierung von E.n ist auch in den Periodisierungen einzelner Wissenschaften zu beobachten, wo bestimmte Werke, Erfindungen und Entdeckungen als epochenbegründende Ereignisse herangezogen werden, so etwa die literaturgeschichtliche Periodisierung in Klassik – Romantik – Literatur des Vormärz-Realismus.

Erkennbar ist, dass E.n dann eher als Konstruktionen wahrgenommen werden, je weniger die Ereignisse, die sie begründen, auf ein bestimmtes Datum festgelegt werden können. So wird z. B. die (deutsche) literaturgeschichtliche E. „Realismus" in Wissenschaft wie in öffentlichem Bewusstsein heute eher als Konstruktion angesehen als die zeitgleiche (deutsche) politikgeschichtliche E. „Reaktionsära" vom Scheitern der Revolution 1848 bis zur Gründung des Deutschen Reichs 1871.

Ein E.n-Bewusstsein ist also besonders manifest, wenn es

a) über Traditionen der Geschichtsforschung und der Geschichtsvermittlung etabliert ist,

b) E.n-Schwellen erkennt, die in möglichst objektivierbarer Weise „datierbar" sind und dadurch in hohem Maße Plausibilität beanspruchen können.

Aus diesem Grund erscheint der Übergang zwischen den literatur- bzw. kulturgeschichtlichen E.n „Klassik" und „Romantik", bei dem immer auch Übergangsformen angenommen werden (Werke, die Stilelemente beider E.n in sich vereinen; Autoren, deren Werke beiden E.n zugerechnet werden können), vergleichsweise „weich" gegenüber „harten" Periodisierungen, die mit singulären, zeitlich eng eingrenzbaren Ereignissen arbeiten, etwa der Trennung zwischen der E. der „Napoleonischen Kriege" und der „Restaurationszeit", die sich taggenau mit der Unterzeichnung der Wiener Kongressakte auf den 9.6.1815 datieren lässt.

„Harte" E.n-Schwellen erscheinen als Paradigmenwechsel: Was vorher geltend und bestehend war, wird schlagartig und vollständig durch etwas Neues ersetzt, was nach der E.n-Schwelle anstelle des Alten gilt und besteht. So wurde etwa mit Wirkung vom 3.10.1990 durch den Einigungsvertrag zwischen Bundesrepublik und ↑DDR die alte DDR-Verfassung außer Kraft gesetzt, Staatsgrenzen wurden neu definiert, alte Gesetze und Rechte durch neue ersetzt etc. Solche „harten" E.n-Schwellen sind kein ausschließliches Charakteristikum politikgeschichtlicher Periodisierungen; sie finden sich auch in anderen Wissenschaftsgeschichten wie etwa der Literaturgeschichte, in der die E. des Futurismus mit der Veröffentlichung von Filippo Tommaso Marinettis

„Manifeste de Futurisme" (1909) oder in der Technikgeschichte, in der der Beginn des Atomzeitalters mit der Entdeckung der Kernspaltung durch Otto Hahn und andere (1938) bzw. dem Abwurf der ersten Atombombe (1945) datiert werden.

5. Epochenkonstruktionen, das Epochale und die Erfahrungen der Zeitgenossen

E.n-Konstruktionen werden post festum, z. T. in langer zeitlicher Distanz und verbunden mit der Annahme eines E.n-Endes vorgenommen. Die für sie als Begründung angeführten Ereignisse wurden aber fast immer in ihrer Bedeutung schon von den Zeitgenossen als „epochal" eingeschätzt. So darf man davon ausgehen, dass die Unterzeichner des Einigungsvertrags ihr Handeln ebenso als „epochal" empfanden wie die Verantwortlichen für den Abwurf der ersten Atombombe; auch die Menschen, die im November 1918 vom Ende des Kriegs erfuhren, dürften dieses Ereignis als „epochal" gedeutet haben. Bei epochenbegründenden Ereignissen handelt es sich also um Ereignisse, die bereits von den Zeitgenossen als Ende einer alten und Beginn einer neuen Zeit erfahren wurden. Dabei gibt es drei signifikante Unterschiede zwischen der „Erfahrung des Epochalen" und der „Konstruktion einer E.":

a) Den Zeitgenossen, die ein bestimmtes Ereignis als epochal, als E.n-Schwelle also, erfahren, ist das Ende der jeweils beginnenden E. nicht bekannt; leitend für ihre Erfahrung ist lediglich die Erkenntnis, dass etwas Altes beendet wird und etwas Neues beginnt, von dem man aber nicht weiß, wohin es führt und wie es endet.

b) Damit verbunden fehlt den Zeitgenossen eine Thesensetzung, wie sie für die Konstruktion von E.n charakteristisch ist; den Zeitgenossen von 1918 mag bewusst gewesen sein, dass eine E. endete, die von Wilhelminismus, Imperialismus etc. geprägt war, aber sie hatten kein Wissen über die Charakteristika der zeitlich vor ihnen liegenden Weimarer Republik; die Zeitgenossen im 18. Jh. mögen sich selbst als Protagonisten einer neuen, durch das Paradigma der Aufklärung geprägten Zeit begriffen haben, aber auch sie wussten nicht, was auf die Aufklärung folgt.

c) Schließlich haben sich nicht alle Ereignisse, die von den Zeitgenossen als epochal erfahren wurden, post festum als so bedeutsam herausgestellt, dass sie später für E.n-Konstruktionen verwendet worden wären.

Aus den genannten Gründen muss man zwischen der „Erfahrung des Epochalen" bzw. der „Erfahrung von E.n-Schwellen" und der „Konstruktion einer E." klar unterscheiden. Erstere ist Voraussetzung für Letztere, ist wie diese von der Vorstellung geprägt, dass etwas Zurückliegendes beendet ist, ist aber im Gegensatz zur E.n-Konstruktion zeitlich offen und inhaltlich unbestimmt. Folgt man einer präzisen Begriffsdefinition, kann man also nicht von der Gegenwart nach 1990 in Deutschland als E. der „Berliner Republik" sprechen, auch wenn die mit dem Einigungsvertrag markierte

E.n-Schwelle als epochales Ereignis gilt, denn das Ende der Berliner Republik liegt in der Zukunft. Formal entspricht die „Erfahrung des Epochalen" dem Zeitpfeil eines Prozesses mit Anfangspunkt und offenem Zeitverlauf, die „Konstruktion einer E." dagegen einem geschlossenen Zeitraum mit Anfangs- und Endpunkt.

6. Epochen im Zeitalter der Globalisierung

Zwar wird der E.n-Begriff in jüngeren Diskussionen nicht prinzipiell in Frage gestellt, doch muss man ihn im Zeitalter der ↗Globalisierung kritisch hinterfragen. Seine Kulturgebundenheit macht ihn erstens für kulturvergleichende Ansätze unbrauchbar, denn man kann z.B. keine Untersuchung der E. „Weimarer Republik" in Deutschland, Ägypten oder Brasilien vornehmen. Sogar die einzelnen für diesen Fall geltend zu machenden Zäsuren – das Ende des Wilhelminischen Reichs und der Beginn nationalsozialistischer Herrschaft – sind für die Geschichte Ägyptens oder Brasiliens keine epochenbegründenden Ereignisse. Zudem lassen sich zweitens bislang übliche Periodisierungen der Weltgeschichte im nach-imperialen Zeitalter kaum mehr unhinterfragt verwenden und anderen Kulturen aufoktroyieren. Die Trennung zwischen Antike – Mittelalter – Neuzeit kann bestenfalls als Interpretationsrahmen auf die Geschichte der abendländischen Welt (↗Abendland) angewendet werden; eine Rede von einer chinesischen Antike oder einem australischen Mittelalter wäre Unsinn. Auch asynchrone E.n-Vergleiche sind drittens problembehaftet, etwa wenn man die E. der Aufklärung im Islam (Zeit des Averroes, Avicenna etc.) mit der europäischen Aufklärung des 18. Jh. vergleicht und dabei jeweilige zeitgenössische Rahmenbedingungen notwendigerweise nivelliert.

Voraussetzung für die Konstruktion „Globaler E.n" sind „Weltereignisse", zu denen man die beiden Weltkriege ebenso zählen kann wie den Abwurf der Atombomben und den Anschlag auf das World Trade Center 9/11. Zwar wird die Zahl solcher Weltereignisse in einer Zeit zunehmender Kulturverflechtung und medialer Vernetzung künftig zunehmen, für das 20. Jh. reicht sie allerdings kaum aus, um damit sinnvolle Periodisierungen der Weltgeschichte vorzunehmen; für die Jahrhunderte zuvor ist dieses Unterfangen gar nicht möglich.

Das Problem, für eine globalisierte Geschichtsbetrachtung keine sinnvolle, universale Periodisierung leisten zu können, stellt den E.n-Begriff nicht prinzipiell in Frage, sondern weist diesen erneut als konstruierten Interpretationsrahmen mit bestimmten Leistungsmöglichkeiten, aber auch Leistungsgrenzen aus. E.n eignen sich nicht für eine globale Geschichtsbetrachtung frei von kulturimperialistischem Anspruch; sehr wohl aber können sie zur Deutung zeitlicher Phänomene und Prozesse innerhalb einzelner Kulturkreise verwendet werden und leisten hier als narrative Orientierungen in der Zeit wichtige Dienste für Wissenschaft wie öffentliches Geschichtsbewusstsein.

Literatur

A. Kamp: Vom Paläolithikum zur Postmoderne – Die Genese unseres Epochen-Systems, Bd. 1, 2010 • S. Nacke u. a. (Hg.): Weltereignisse. Theoretische und empirische Perspektiven, 2008 • G. Vogler: Probleme einer Periodisierung der Geschichte, in: H.-J. Goertz (Hg.): Geschichte. Ein Grundkurs, ³2007, 253–263 • J. Osterhammel: Über die Periodisierung der neueren Geschichte, in: Berlin-Brandenburgische Akademie der Wissenschaften (Hg.): Berichte und Abhandlungen, Bd. 10 (2006), 45–64 • L. Hölscher: Neue Annalistik. Umrisse einer Theorie der Geschichte, 2003 • U. A. J. Becher: Periodisierung, in: S. Jordan (Hg.): Lexikon Geschichtswissenschaft, 2002, 234 ff. • C. Cornelissen: Epoche, in: S. Jordan (Hg.): Lexikon Geschichtswissenschaft, 2002, 70 ff. • L. Hölscher: Ereignis, in: S. Jordan (Hg.): Lexikon Geschichtswissenschaft, 2002, 72 ff. • J. H. J. van der Pot: Sinndeutung und Periodisierung der Geschichte, 1999 • W. Demel: „Fließende Epochengrenzen", in: GWU 48 (1997), 590–598 • F. Jameson: Epoche, in: HKWM, Bd. 3 (1997), 659–681 • L. Besserman: The Challenge of Periodization: Old Paradigms and New Perspectives, in: Ders. (Hg.): The Challenge of Periodization: Old Paradigms and New Perspectives, 1996, 3–27 • G. Krämling: Periode, Periodisierung, in: HWPh, Bd. 7, 1989, 259 ff. • R. Herzog/R. Koselleck (Hg.): Epochenschwelle und Epochenbewußtsein, 1987 • H.-U. Gumbrecht/U. Link-Heer (Hg.): Epochenschwellen und Epochenstrukturen im Diskurs der Literatur- und Sprachhistorie, 1985 • S. Skalweit: Der Beginn der Neuzeit. Epochengrenze und Epochenbegriff, 1982 • J. G. Droysen: Historik, 1977 • H. Diller/F. Schalk: Studien zur Periodisierung und zum Epochenbegriff 1972 • M. Riedel: Epoche, Epochenbewußtsein, in: HWPh, Bd. 2, 1972, 595–599 • B. v. Wiese: Zur Kritik des geistesgeschichtlichen Epochebegriffs, in: DVjs 11/1 (1933), 130–144 • W. Schneider: Wesen und Formen der Epoche, 1926 • G. v. Below: Über historische Periodisierungen mit besonderem Blick auf die Grenze zwischen Mittelalter und Neuzeit, 1925 • J. H. Zedler (Hg.): Grosses vollständiges Universal-Lexicon Aller Wissenschafften und Künste, Bd. 2, 1729.   STEFAN JORDAN

Erbrecht

Aufgabe des E.s ist es, die Weitergabe des in einer Gesellschaft verfügbaren Privatvermögens anlässlich des Generationenwechsels zu regeln.

1. Regelungsbedarf

Ein E. ist freilich nur erforderlich, soweit einerseits eine Gesellschaft über Privatvermögen verfügt und andererseits dieses Vermögen von Individuen getragen wird.

In archaischen Gesellschaften, in denen das Privatvermögen potentiell unsterblichen Familienverbänden zugewiesen war, nicht aber ihren sterblichen Mitgliedern, bedurfte es keiner Rechtsnachfolge von Todes wegen, die vom E. beherrscht wird. So betont etwa Max Weber in „Wirtschaft und Gesellschaft", dass die Hausgemeinschaft „Etwas unserem ‚E.' Entsprechendes" nicht gekannt habe: „An dessen Stelle steht vielmehr der einfache Gedanke: daß die Hausgemeinschaft ‚unsterblich' ist. Scheidet eins ihrer Glieder aus [...], da ist bei ‚reinem' Typus von keiner Abschichtung eines ‚Anteils' die Rede. Sondern der lebend Ausscheidende läßt durch sein Ausscheiden eben seinen Anteil im Stich und im Todesfall geht die Kommunionwirtschaft der Ueberlebenden einfach weiter" (Weber 1922: 196). Es verwundert deshalb nicht, dass jedenfalls in der jüngeren Geschichte Gesellschaften ohne E. äußerst selten waren. Das Privatvermögen wird universell, und sei es auch nur mittelbar, Individuen und nicht mehr Familien zugewiesen. Letzte Relikte generationenübergreifender Familienvermögen wurden Anfang des 20. Jh. in den meisten Rechtssystemen abgeschafft (s. aber unten 6.), etwa die südslawische Zadruga, die noch in einigen Gesetzbüchern des 19. Jh. als erbrechtsloses Vermögen auftaucht (§ 42, § 516 serbisches Gradjanski zakonik [1844] und Art. 686, Art. 964 f. montenegrinisches Opšti imovinski zakonik [1888]).

Auch kommen Gesellschaften bereits seit Längerem nicht ohne Privatvermögen aus. Zwar wurde in Sowjetrussland als Maßnahme des Kriegskommunismus im Jahr 1918 die Privaterbfolge, wie vom Kommunistischen Manifest gefordert, abgeschafft (s. § 1 sowjetrussisches Dekret Vserossijskogo Central'nogo Ispolnitel'nogo Komiteta „Ob otmene nasledovanija"), aber nur kurze Zeit später wieder eingeführt. Denn auch in kommunistischen Gesellschaften bestand ein Bedarf für ein E., solange das Privatvermögen nicht vollständig kollektiviert wurde.

2. Rechtsquellen und Rang in der Rechtsordnung

Das E. ist in den meisten Rechtsordnungen gesetzlich geregelt. Soweit die entsprechende Rechtsordnung über eine Zivilrechtskodifikation verfügt, wie etwa in Deutschland mit dem ↑BGB, bildet das E. regelmäßig einen eigenständigen Abschnitt dieser Kodifikation. In einigen Rechtsordnungen ist das E. Gegenstand von speziellen E.s-Gesetzen. Bemerkenswert ist, dass selbst in den vom *common law* geprägten Rechtsordnungen (↑Anglo-amerikanischer Rechtskreis), also in England und Wales und den Vereinigten Staaten, regelmäßig der Gesetzgeber im E. tätig wird, obwohl in diesen Systemen das Privatrecht traditionell vom Richterrecht beherrscht wird.

Zu beachten ist, dass das E. in einigen Rechtsordnungen auch eine verfassungsrechtliche Dimension besitzt. So ist in Deutschland der Gesetzgeber bei der Ausgestaltung seines E.s nicht frei. Vielmehr garantiert Art. 14 Abs. 1 Satz 1 GG neben dem ↑Eigentum auch das E. Vornehmlich aus dieser Vorschrift leitet das Bundesverfassungsgericht eine verfassungsrechtliche Garantie einzelner Elemente des E.s (zu diesen Elementen s. sogleich 3.) ab, etwa die Existenz einer Privaterbfolge allgemein, die Testierfreiheit des Erblassers sowie den Pflichtteil der nahen Angehörigen (BVerfGE 112, 332). In dieser verfassungsrechtlichen Dimension des E.s setzt sich die alte Diskussion über einen naturrechtlichen Gehalt des E.s fort (↑Naturrecht). Naturrecht-

liche Begründungsmuster v. a. für die Testierfreiheit als Ausfluss des Eigentums, aber auch für die zwingende Nachlassbeteiligung überlebender Familienmitglieder als Folge familiärer Bindungen finden sich etwa bei Hugo Grotius und Christian Wolff einerseits sowie John Locke, James Kent und Georg Wilhelm Friedrich Hegel andererseits. Bes.s deutlich wird die Parallele zwischen naturrechtlichen und verfassungsrechtlichen Ableitungen des E.s in Rechtsordnungen wie den Vereinigten Staaten, die über keine verfassungsrechtliche Institutsgarantie des E.s verfügen (↑Einrichtungsgarantien). Hier lässt sich eine Höherrangigkeit des E.s, das der Gesetzgeber nicht antasten darf, allein mit einem vorrechtlichen Charakter des E.s begründen, den freilich in den Vereinigten Staaten der amerikanische Supreme Court bisher abgelehnt hat (*Magoun v Illinois Trust & Savings Bank*, 18 S.Ct. 594 [1898] 596: „the right to take property by devise or descent is the creature of the law, and not a natural right – a privilege – and therefore the authority which confers it may impose conditions upon it").

Das E. ist nahezu ausschließlich im jeweiligen nationalen Recht geregelt, auch innerhalb der EU. Eine wichtige Rolle nimmt das Unionsrecht aber mittlerweile bei grenzüberschreitenden Erbfällen ein, wenn sich v. a. die Fragen des ↑internationalen Privatrechts stellen, welche Gerichte und Behörden für einen Erbfall zuständig sind und welches E. auf die Rechtsnachfolge von Todes wegen anwendbar ist. Diese und andere Fragen werden für die meisten Mitgliedstaaten der Europäischen Union seit dem Jahr 2015 durch die europäische E.s-Verordnung (VO Nr. 650/2012) geregelt, die insoweit nationales Recht verdrängt.

3. Regelungsebenen

In nahezu allen Rechtsordnungen findet man drei Ebenen des E.s vor, auf denen der Gesetzgeber in unterschiedlicher Intensität die Rechtsnachfolge von Todes wegen regeln kann.

3.1 Gewillkürtes E., insb. Testierfreiheit des Erblassers Zunächst gestattet der Gesetzgeber, jedenfalls in gewissen Grenzen, universell, dass der Einzelne ein gewillkürtes E. schafft und die Rechtsnachfolge von Todes wegen privatautonom festlegt. Die Gesetzgeber räumen dem Erblasser eine begrenzte Testierfreiheit ein (dazu unten 3.3). Wichtigstes Beispiel für die Ausübung der Testierfreiheit ist die Zuwendung des Vermögens oder einzelne seiner Bestandteile. Der Erblasser kann im Rahmen seiner Testierfreiheit durch Rechtsgeschäft – durch Verfügung von Todes wegen, insb. durch Testament – festlegen, an welche gewillkürten Erben oder in sonstiger Weise letztwillig Begünstigten sein Vermögen nach seinem Tod fallen soll. Die Verfügung von Todes wegen als zentrales erbrechtliches Rechtsgeschäft unterliegt in den meisten Rechtsordnungen eigenständigen Regelungen, die teils von den Rechtsgeschäften unter Lebenden abweichen. V. a. bestehen bes. Anforderungen an die Form der Verfügung von Todes wegen; so ist etwa in Deutschland nur ein eigenhändig geschriebenes und unterschriebenes Testament formwirksam (§ 2247 BGB), wenn der Erblasser kein öffentliches Testament mit notarieller Mitwirkung errichtet (§ 2232 BGB). Zumeist stellt das Gesetz bes. Anforderungen an die Testierfähigkeit des Erblassers, die von denen der allg.en Geschäftsfähigkeit abweichen (etwa § 2229 BGB).

Das Testament ist in vielen Rechtsordnungen nicht die einzige zulässige Verfügung von Todes wegen. Vereinzelt gestatten die Gesetzgeber auch letztwillige Verfügungen, welche die beteiligten Erblasser binden und, anders als einfache Testamente (etwa §§ 2253 ff. BGB), nicht ohne Weiteres vom Erblasser widerrufen werden können. So kennt etwa das deutsche Recht den Erbvertrag (§§ 2274 ff. BGB) sowie das gemeinschaftliche Ehegatten- oder Lebenspartnertestament (§§ 2265 ff. BGB, § 10 Abs. 4 LPartG) als zwei miteinander verknüpfte letztwillige Verfügungen von Todes wegen, die jedenfalls dann erbvertragsähnliche Bindungen entfalten, wenn sich die Ehegatten oder eingetragenen Lebenspartner als Erblasser gegenseitig bedenken (§ 2270 Abs. 2, § 2271 BGB). Andere Rechtsordnungen, v. a. die des ↑romanischen Rechtskreises, stehen solchen Verfügungen von Todes wegen, mit denen sich der Erblasser selbst bindet, kritisch gegenüber und verbieten diese (etwa in Art. 968, Art. 1130 Abs. 2 französischer ↑Code Civil; Art. 458, Art. 589 italienischer Codice civile; Art. 4:93 niederländisches Burgerlijk Wetboek; Art. 2028, 946, Art. 2181 portugiesischer Código civil; Art. 669, Art. 1271 spanischer Código civil). Der Erblasser soll in diesen Rechtsordnungen stets frei über seine Rechtsnachfolge von Todes wegen neu bestimmen und seine Testierfreiheit nicht einschränken können.

3.2 Intestat-E., v. a. gesetzliche Erbfolge

Eine wichtige Rolle nimmt regelmäßig das Intestat-E. ein, das immer dann zum Zuge kommt, wenn der Erblasser seine Testierfreiheit nicht ausübt. Wichtigstes Element des Intestat-E.s ist die gesetzliche Erbfolge, in welcher der Gesetzgeber festlegt, wer dem Erblasser als gesetzlicher Erbe nachfolgt.

Die gesetzlichen Erben werden universell zunächst aus dem Kreis der Erblasserfamilie rekrutiert. Gesetzliche Erben sind in nahezu allen Rechtsordnungen – soweit vorhanden – die Abkömmlinge des Erblassers, also v. a. seine Kinder (etwa § 1924 BGB), und zwar regelmäßig ohne Rücksicht auf ihre Ehelichkeit, ihr Alter (keine Primogenitur oder Ultimogenitur) und Geschlecht (kein Vorrang des Mannes- oder Frauenstamms) zu gleichen Teilen (etwa § 1924 Abs. 4 BGB). Nur noch selten werden einzelne Abkömmlinge bei der Erbfolge benachteiligt, etwa in Japan immer noch nichteheliche Kinder (§ 900 Nr. 4 Satz 2 japanisches Minpō), oder mit einer höheren Erbquote privilegiert, etwa im islamischen Recht die Söhne des Erblassers (Sure 4:11; auch Art. 907 Satz 4 iranischer Qānūn-e madanī) oder

im mosaisch-talmudischen Recht der Erstgeborene (Dtn 21,17). Überleben den Erblasser keine Abkömmlinge, so weichen die E.s-Ordnungen bei der Bestimmung der als gesetzliche Erben zum Zuge kommenden Verwandten im Detail voneinander ab. Das deutsche Recht folgt einem Parentelsystem, wonach die Verwandten in verschiedene Ordnungen aufgeteilt werden, die sich durch die Abstammung von bestimmten Voreltern des Erblassers definieren (§§ 1924 ff. BGB). Überlebt den Erblasser ein Verwandter einer vorhergehenden Ordnung, so werden Verwandte höherer Ordnungen nicht zur Erbfolge berufen (§ 1930 BGB).

Eine wichtige Rolle bei der gesetzlichen Erbfolge spielt neben den Verwandten des Erblassers der überlebende Ehegatte (↑Ehe) oder eingetragene Lebenspartner (↑Eingetragene Lebenspartnerschaft) des Erblassers. Dieser gehört mittlerweile in den meisten Rechtsordnungen zum Kreis der gesetzlichen Erben (etwa § 1931 BGB, § 10 Abs. 1 LPartG), wobei einige Systeme den überlebenden Ehegatten oder Lebenspartner – und sei es auch nur wirtschaftlich – zu dessen Lebzeiten oder bis zu einer Wiederverheiratung den gesamten Nachlass zuweisen (etwa Art. 4:13 ff. niederländisches Burgerlijk Wetboek). Hinzukommt, dass der überlebende Ehegatte oder Lebenspartner oftmals auch güterrechtlich begünstigt wird, weil durch den Tod des erstversterbenden Ehegatten oder Lebenspartners der Güterstand beendet wird (etwa § 1371 BGB). In Deutschland erbt deshalb der überlebende Ehegatte oder Lebenspartner neben Kindern des Erblassers erb- und güterrechtlich die Hälfte des Nachlasses.

In einigen Rechtsordnungen knüpfen die Gesetzgeber bei der gesetzlichen Erbfolge nicht mehr nur an diese klassischen Statusverhältnisse – Verwandtschaft, Ehe, Lebenspartnerschaft – an, sondern berücksichtigen auch rein faktische Nähebeziehungen. So werden Partner in nichtehelichen Lebensgemeinschaften in einigen Rechtsordnungen, etwa wenn die Partner eine bestimmte Mindestdauer zusammenleben oder Kinder haben, erbrechtlich sogar wie Ehegatten behandelt (s. etwa Art. 441–2, Art. 452–1 ff. i. V. m. Art. 234–1 lit. a, b katalanischer Codi civil; § 8 Abs. 2 kroatisches Zakon o nasljeđivanju; Art. 18 Abs. 1 kubanischer Código de familia; Sec. 77 neuseeländischer Administration Act; Art. 10 Abs. 2 slowenischer Zakon o dedovanju). Österreich hat kürzlich ein außerordentliches E. für nichteheliche Lebensgefährten eingeführt (§ 748 österreichisches ABGB nF).

Die gesetzliche Erbfolge muss auch festlegen, wer dem Erblasser nachfolgt, wenn dieser von keinen erbberechtigten Familienmitgliedern überlebt wird oder – etwa im Falle des deutschen Rechts – diese nicht festgestellt werden können. Denn jedenfalls das deutsche E. folgt dem Grundsatz eines unbegrenzten Verwandten-E.s, das selbst entfernteste Verwandte des Erblassers als sog.e „lachende Erben" zur Rechtsnachfolge von Todes wegen beruft (§ 1929 Abs. 1 BGB). Erblose Nachlässe fallen meist an den Staat, sei es als „letzter Erbe" aufgrund eines Fiskus-E.s (§ 1936 BGB) oder als Hoheitsträger durch Ausübung eines öffentlichrechtlichen Aneignungsrechts (s. nunmehr § 32 des IntErbRVG).

Das Intestat-E. ist in den meisten Gesellschaften praktisch äußerst relevant. Studien zeigen, dass zahlreiche Erblasser nicht testieren und deren Rechtsnachfolge von Todes wegen dem Intestat-E. unterliegt. Diese Testierscheu lässt sich v. a. auch sozialpsychologisch erklären. Das Auseinandersetzen mit dem eigenen Tod – das stets Voraussetzungen für die Ausübung der Testierfreiheit ist – verursacht bei Erblassern oftmals kognitive Dissonanzen, die zahlreiche Erblasser von einem Testieren abhalten. Allerdings ist der Wille des Erblassers im Intestat-E. nicht völlig unbeachtlich. Jedenfalls um Transaktionskosten zu mindern, sollte sich ein Gesetzgeber v. a. am hypothetischen Erblasserwillen orientieren, wenn er sein Intestat-E. ausgestaltet. Bereits H. Grotius, Samuel von Pufendorf und C. Wolff haben betont, dass das Intestat-E. lediglich aussprechen soll, was die Mehrheit der Erblasser ohnehin anordnen würde. Dies schließt aber nicht aus, dass der E.s-Gesetzgeber auch eigene Gerechtigkeitsakzente setzt, wie dies etwa bei der Gleichstellung nichtehelicher Kinder des Erblassers in zahlreichen Rechtsordnungen geschehen ist, ohne Rücksicht auf den hypothetischen Willen der Erblasser.

3.3 Zwingendes Erbrecht, v. a. zwingende
Nachlassteilhabe der Familie und des Staates
Regelmäßig agiert der E.s-Gesetzgeber aber auch noch auf einer dritten Regelungsebene, dem zwingenden E. Jedenfalls bei funktionaler Betrachtung können die Erblasser in nahezu allen Rechtsordnungen nicht unbegrenzt ihre Rechtsnachfolge von Todes wegen auf der Ebene des gewillkürten E.s durch Ausübung ihrer Testierfreiheit festlegen.

Zu den wichtigsten einseitigen Schranken des gewillkürten E.s gehört der Pflichtteil, also die zwingende Nachlassteilhabe naher Angehöriger des Erblassers. In vielen Rechtsordnungen kann ein bestimmter Anteil am Nachlass den Familienangehörigen des Erblassers nicht entzogen werden. Die Ausgestaltung des Pflichtteils ist unterschiedlich. Teils können die Pflichtteilsberechtigten, wie etwa in Deutschland, einen ihrem Pflichtteil entsprechenden Geldbetrag vom Erben verlangen (§§ 2303 ff. BGB), teils werden die Pflichtteilsberechtigten sogar echte Noterben, also wie andere Erben auch dinglich am Nachlass beteiligt (s. etwa Art. 470, 471 schweizerisches ZGB). Aber auch jenseits dieses starren Quotenpflichtteils, also einer quotalen Mindestbeteiligung der Pflichtteilsberechtigten am Nachlass, werden überlebende Familienmitglieder vor der einseitigen Ausübung der Testierfreiheit des Erblassers geschützt. So sehen etwa im ↑ anglo-amerikanischen Rechtskreis die E.e regelmäßig vor, dass ein Gericht die Erbfolge korrigieren kann, v. a. wenn der Erblasser bedürftige Fa-milienmitglieder nicht ausreichend bedenkt (s. für England und Wales der Inheritance [Provision for Family and Dependants] Act 1975). Pflichtteilsberechtigt sind regelmäßig jedenfalls die Abkömmlinge sowie der überlebende Ehegatte oder Lebenspartner, teils aber auch Eltern des Erblassers.

Das Pflichtteilsrecht ist freilich nicht die einzige einseitige Grenze des gewillkürten E.s. Zu nennen ist v. a. auch die Gesetzes- und Sittenordnung, die der Erblasser in seinem Testament nicht verletzen darf. Die Bedeutung dieser Schranke nimmt jedoch ab. Jedenfalls in Deutschland werden sog.e Geliebtentestamente nicht mehr als sittenwidrig nach § 138 Abs. 1 BGB angesehen, selbst wenn die erbrechtliche Begünstigung allein zur Förderung sexueller Handlungen erfolgen würde (was praktisch nicht nachweisbar ist); die Wertungen des Prostitutionsgesetzes schlagen auch auf das E. durch. Auch die Enterbung naher Angehöriger verstößt per se nicht gegen die guten Sitten, da diese bereits über ihren Pflichtteil geschützt werden. Des Weiteren werden sog.e Behindertentestamente, mit deren Hilfe der Nachlass im Hinblick auf einen bedürftigen Erben dem Zugriff des Sozialleistungsträgers entzogen wird, nicht als sittenwidrig angesehen. Raum für einen Verstoß gegen die guten Sitten besteht aber bei Ebenbürtigkeitsklauseln, wenn Hausgesetze ehemals hochadliger Häuser, die in letztwillige Verfügungen übernommen wurden, auf den Erbprätendenten „einen für diesen unzumutbaren Druck bei der Eingehung einer Ehe […] erzeugen" (BVerfG – BvR 2248/01).

Allerdings bestehen nicht nur einseitige, sondern auch allseitige Schranken des gewillkürten E.s, von denen auch die Erblasser und Erben nicht gemeinschaftlich abweichen können. Bereits über den Pflichtteil können die Beteiligten nicht in allen Rechtsordnungen im Voraus disponieren (Art. 1130 Abs. 2, Art. 791 Fall 1 belgischer Code Civil; Art. 458 Satz 2 italienischer Codice civile; Art. 4:4 Abs. 2 niederländisches Burgerlijk Wetboek; Art. 2170 portugiesischer Código civil; Art. 816 spanischer Código civil), anders als in Deutschland (§ 2346 BGB). In vielen Systemen treten allseitig zwingende Regelungen v. a. in Gestalt der ↑ Erbschaftsteuer als eine zwingende Nachlassbeteiligung des Staates auf, wobei der ↑ Staat entweder den Nachlass oder den Erbanfall bei den Begünstigten besteuern kann. Privilegiert werden im Erbschaftsteuerrecht regelmäßig durch Freibeiträge und niedrigere Steuersätze nahe Angehörige des Erblassers, aber auch der Erwerb bestimmter – in den Augen des Gesetzgebers – erhaltenswerter Vermögenseinheiten, etwa unternehmerisch oder landwirtschaftlich genutztes Vermögen.

4. Mechanik des Erbgangs
Das E. beschäftigt sich jedoch nicht nur mit der Frage, welchen Personen das Vermögen des Erblassers nach dessen Tod zufallen soll. Es muss auch den Erbgang als solches ausgestalten, also den Übergang des Vermögens

vom Erblasser auf die Erben. Hier stellen sich zahlreiche Fragen: Auf welche Weise erhalten die Erben das Vermögen? Wer verwaltet den Nachlass in der Übergangsphase? Inwieweit können die Gläubiger des Erblassers auf den Nachlass und das Vermögen der Erben zurückgreifen? Wie bestimmt sich der Erbgang, wenn mehrere Erben zum Zuge kommen?

Der Erbgang kann unterschiedlich vonstattengehen. Einige Rechtsordnungen, wie das deutsche Recht, folgen den Grundsätzen der Universalsukzession und des Vonselbsterwerbs. Das Vermögen des Erblassers – mit all seinen Aktiva und Passiva – geht als Ganzes mit dem Tod des Erblassers auf die Erben über (§ 1922 Abs. 1 BGB). Es bedarf damit Regelungen, die das Verhältnis des Nachlasses zum übrigen Vermögen der Erben definieren, etwa im Hinblick auf Nachlassverbindlichkeiten (§§ 1967 ff. BGB). Auch muss den Erben gestattet werden, mittels einer Ausschlagung den Erberwerb zu verhindern (§§ 1942 ff. BGB).

Es bestehen für die Mechanik des Erbgangs aber auch andere Regelungsvarianten. So geht etwa in den meisten vom *common law* geprägten Rechtsordnungen das Vermögen des Erblassers mit seinem Tod als Ganzes über, allerdings nicht unmittelbar auf die Erben, sondern zunächst auf einen *personal representative* (einen vom Gericht bestellten *administrator* oder vom Erblasser bestimmten *executor*), der das Vermögen verwaltet, die Nachlassschulden begleicht und lediglich den Überschuss an die Erben auskehrt (für England und Wales Sec. 33 Administration of Estates Act 1925). Auch im schwedischen Recht stellt der Nachlass zunächst eine juristische Person dar (Kap. 18 § 1 ff. schwedisches Ärvdabalk). Teils wird aber auch der Erberwerb durch die Erben von einem Hoheitsakt (so etwa in Österreich mit seiner Einantwortung, §§ 797, 819 österreichisches ABGB) oder von einer Annahmeerklärung durch die Erben (Art. 459, Art. 528 ff. italienischer Codice civile) abhängig gemacht.

5. Funktionen

Dem E. wird traditionell erhebliches gesellschafts-, wirtschafts- und familienpolitisches Potential attestiert. So beschreibt etwa Alexis de Tocqueville in seinem Werk „De la démocratie en Amérique" das E. als eine Maschine, die der Gesetzgeber nur einmal einstellen müsse, um für eine entsprechende Vermögensverteilung in einer Gesellschaft zu sorgen. Auch Lorenz von Stein betont in seiner „Geschichte der sozialen Bewegung in Frankreich", dass die Ausgestaltung des E.s „diese Frage [sei], auf der die ganze Zukunft der socialen Gestaltung Europas in den nächsten beiden Generationen beruhen wird" (von Stein 1850: 227).

In der Tat lässt sich kaum bestreiten, dass das E. wichtige Funktionen in ↑Wirtschaft, ↑Gesellschaft und ↑Familie übernehmen kann. Man muss sich nur für einen Augenblick vorstellen, wie eine Welt ohne ein E. aussähe. So kann das E. womöglich dafür sorgen, dass

potentielle Erblasser – also alle Mitglieder der Gesellschaft – produktiv und sparsam bleiben, weil sie wissen, dass sie das Vermögen, das sie nicht mehr für sich selbst verbrauchen, an die nächste Generation weitergeben können (*Erblassermotivationsfunktion*). Das E. kann aber auch als Umverteilungsmechanismus eingesetzt werden, zwar weniger – wie noch in der ↑Französischen Revolution erhofft – um eine Machtkonzentration durch große Vermögen in einer Gesellschaft aufzubrechen, aber um die Vermögensungleichverteilung innerhalb der Gesellschaft auszugleichen bzw. durch das E. nicht zu verstärken (*Umverteilungsfunktion*). Diese Funktion kann v. a. im zwingenden E. die Erbschaftsteuer (oben 3.3) übernehmen. Dem E. kann aber auch die Aufgabe zukommen, dafür zu sorgen, dass jede Generation über das in der Gesellschaft verfügbare Privatvermögen entscheiden kann. Das E. kann Vermögensbindungen durch eine Testamentsvollstreckung oder Anordnung einer Vor- und Nacherbschaft beschränken und damit die wirtschaftliche Ausrichtung des Vermögens in jeder Generation aktualisieren (*Aktualisierungsfunktion*). Eine wichtige Rolle nimmt das E. innerhalb der Familie ein, wo es Keim, aber auch Motor einer (speziell intergenerationellen) Solidarität sein kann (*Solidaritätsfunktion*). Schließlich kann es Aufgabe des E.s sein, durch Privilegien beim Pflichtteil oder der Erbschaftsteuer für eine Erhaltung wirtschaftlicher Einheiten zu sorgen und damit eine intergenerationelle Kontinuität bspw. von Unternehmen sicherzustellen (*Kontinuitätsfunktion*). Konkret wird in zahlreichen Rechtsordnungen v. a. landwirtschaftlich genutztes Vermögen beim Generationenwechsel geschützt, um eine Fortführung des Hofes durch die Familie zu ermöglichen. Inwieweit ein E.s-gesetzgeber diese Funktionen umsetzen kann, hängt freilich von zahlreichen ökonomischen, gesellschaftlichen und psychologischen Faktoren ab.

6. Schutz vor privater Erbrechtsetzung

Solange es das E. gibt, versuchen Einzelne, ihr Vermögen dem E. zu entziehen und privaten Nachfolgeregelungen zu unterwerfen, und zwar nicht nur für den eigenen Erbfall, sondern generationenübergreifend für eine unbestimmte Anzahl von nachfolgenden Generationenwechseln. Ziel einer solchen privaten E.-Setzung ist es v. a., das Vermögen dauerhaft für einen bestimmten, vom Vermögensinhaber definierten Zweck – etwa als dynastisches Familienvermögen – zu erhalten.

Für eine generationenübergreifende Vermögensbindung bestehen und bestanden verschiedene Rechtsinstitute. In der Vergangenheit wurden große Vermögen etwa durch Hausgesetze des hohen ↑Adels (solange dieser nicht dem bürgerlichen E. unterlag) oder Familienfideikommisse dem E. entzogen; die gebundenen Vermögen unterlagen alleine der vom Stifter festgelegten Nachfolgeordnung. Aber auch heute kann der Einzelne für sein Vermögen generationenübergreifend das

E. ausschalten. Insb. bietet sich hier die Stiftung des bürgerlichen Rechts an (§§ 80 ff. BGB), etwa in Form der Familienstiftung, oder der dynastische *trust* in den vom *common law* geprägten Rechtsordnungen. Ein E.s-Gesetzgeber, der mit seinem E. Funktionen in Wirtschaft, Gesellschaft und Familie erreichen möchte (oben 5.), muss solche privaten E.-Setzungsmechanismen freilich beschränken, etwa durch inhaltliche oder zeitliche Schranken, wie das in einigen Rechtsordnungen der Fall ist.

Literatur

K. Reid/M. de Waal/R. Zimmermann (Hg.): Comparative Succession Law, Bd. 2, Intestate Succession, 2015 • A. Dutta: Warum Erbrecht? – Das Vermögensrecht des Generationenwechsels in funktionaler Betrachtung, 2014 • K. Reid/M. de Waal/R. Zimmermann (Hg.): Comparative Succession Law, Bd. 1, Testamentary formalities, 2011 • A. Verbeke/Y.-H. Leleu: Harmonization of the law of succession in Europe, in: A. S. Hartkamp u. a. (Hg.): Towards a European civil code, ⁴2011 • K. Muscheler: Erbrecht, Bd. 1 und 2, 2010 • A. Röthel: Ist unser Erbrecht noch zeitgemäß?, in: Ständige Deputation des Deutschen Juristentages (Hg.): Verhandlungen des 68. Deutschen Juristentages, Bd. I, 2010, A 3–112 • P. Breitschmid: Standort und Zukunft des Erbrechts, in: Successio – Zeitschrift für Erbrecht, 3/2009, 176–217 • D. Reuter: Wiederbelebung der Fideikommisse im Rechtskleid der privatnützigen Stiftung?, in: A. Hoyer u. a. (Hg.): GedS für Jörn Eckert, 2008, 677–693 • M. J. de Waal: Comparative succession law, in: M. Reimann/R. Zimmermann: The Oxford handbook of comparative law, 2008, 1071–1098 • M. J. Graetz/I. Shapiro: Death by a thousand cuts – The fight over taxing inherited wealth, 2005 • J. Beckert: Unverdientes Vermögen – Soziologie des Erbrechts, 2004 • W. Pintens: Die Europäisierung des Erbrechts, in: ZEuP, 3/2001, 628–648 • D. Henrich/ D. Schwab (Hg.): Familienerbrecht und Testierfreiheit im europäischen Vergleich, 2001 • G. Schiemann: Die Renaissance des Erbrechts, in: ZEV, 2 (1995), 197–201 • C. T. Ebenroth: Erbrecht, 1992 • J. Eckert: Der Kampf um die Familienfideikommisse in Deutschland, 1992 • T. Kipp/H. Coing: Erbrecht – Ein Lehrbuch, ¹⁴1990 • D. Leipold: Wandlungen in den Grundlagen des Erbrechts, in: AcP 180/1–2 (1980), 160–237 • J. Wedgwood: The economics of inheritance, ²1939 • M. Weber: Wirtschaft und Gesellschaft, 1922 • L. von Stein: Geschichte der sozialen Bewegung in Frankreich II, 1850.

ANATOL DUTTA

Erbschaftsteuer

1. Bedeutung

Die E. ist keine Erfindung des modernen ↑Sozialstaats – sie wurde z. B. bereits im alten Ägypten erhoben –, hat jedoch erhebliche Wirkungen im Bereich des Sozialen, die ihre finanzielle Bedeutung für den ↑Staat – derzeit weniger als 1 % des bundesweiten Steueraufkommens – weit übersteigen. Auch deshalb ist die E. Gegenstand zahlreicher Debatten um Chancengleichheit (↑Chancengerechtigkeit, Chancengleichheit) und ↑Gerechtigkeit, wobei als Extreme sowohl ihre vollständige Abschaffung als auch eine konfiskatorische Besteuerung gefordert werden. Die Erbwahrscheinlichkeit und auch das Erbvolumen stiegen in den vergangenen Jahrzehnten deutlich an, und es wird erwartet, dass dieser Trend anhält. Die Verteilungswirkungen der E. hinsichtlich der ↑Vermögen und der sozialen Ungleichheit insgesamt sind daher für ihre Begründung und Ausgestaltung von bes.r Bedeutung.

Aufgrund der ungleichen Verteilung von Vermögen in der Gesellschaft erben wenige sehr viel, sehr viele erben nur wenig. Die Erbchancen und die übertragenen Vermögenswerte korrelieren stark positiv mit ↑Bildung und ↑Einkommen. In der Generation der potentiellen Erben führt dies zu einer deutlichen Verstärkung der bereits vor dem Erbfall bestehenden absoluten Vermögensunterschiede („Matthäus-Effekt"). Da aber kleinere Erbschaften für weniger begüterte Personengruppen eine vergleichsweise größere Bedeutung besitzen, kann die Vermögenskonzentration trotz Zunahme der absoluten Vermögensdifferenzen abnehmen – Erbschaften können die so definierte Ungleichheit reduzieren. In der Gesamtgesellschaft kann die Konzentration der Vermögen zudem konstant bleiben, wenn man auch die Erblasser mit in die Betrachtung einschließt – die historisch steigende Ungleichheit der Vermögen ergibt sich in erster Linie aus der im Vergleich zur Entwicklung der Erwerbseinkommen besseren Entwicklung der Kapitaleinkommen. Insofern sind pauschale Annahmen zu den Verteilungswirkungen nicht sinnvoll – Verschärfung, Verringerung und Konstanz der Ungleichheit sind je nach Perspektive als empirische Diagnosen gleichzeitig korrekt. Eine progressive E. wirkt dabei aber in allen diesen drei Perspektiven einer Verschärfung bestehender sozialer Ungleichheit entgegen.

2. Ausgestaltung der Erbschaftsteuer in Deutschland

In Deutschland ist die E. derzeit als Erbanfallsteuer gestaltet, d. h. das den Erben zufließende ↑Vermögen wird gegebenenfalls besteuert. In anderen Ländern wird der Nachlass als solches besteuert, auch Mischformen existieren. Für die E. in Deutschland sind dabei sowohl der Verwandtschaftsgrad zwischen Erblasser und Erben als auch Art und Höhe der Erbschaft ausschlaggebend. Die Steuersätze liegen seit der Neuregelung 2009 z. B. für Erben in Steuerklasse I (Ehepartner, Kinder, Enkel, Eltern) bei mindestens 7 % (steuerpflichtiges Erbe oder Geschenk bis 75 000 Euro) und höchstens 30 % (steuerpflichtiges Erbe über 26 Mio. Euro); für Erben der Steuerklasse II (Geschwister, geschiedene Ehepartner, Schwiegereltern) liegen sie zwischen 15 % und 43 %, für Erben der Steuerklasse III (alle übrigen Begünstigten) zwischen 30 % und 50 %. Bei der Festlegung werden Steuerfreibeträge berücksichtigt: 500 000 Euro bei Ehepartnern bzw. eingetragenen Lebenspartnern, 400 000 Euro bei Kindern, 200 000 Euro bei Enkelkindern, 100 000 Euro bei anderen Personen der Steuerklasse I, sowie 20 000 Euro bei anderen Personen. Zusätzlich bleiben bis zu 20 000 Euro steuerfrei bei Erben, die dem Erblasser unentgeltlich Pflege oder Unterhalt gewährt haben, und bei Ehe- bzw. eingetragenen Lebenspartnern kommen gegebenenfalls zusätzliche Versorgungsfreibeträge hinzu.

Kritisiert wird, dass z. B. Immobilien oder Betriebe gelegentlich veräußert werden müssen, um die E. entrichten zu können. Aus diesem Grund existieren mehrere Ausnahmeregelungen. Selbstgenutzte Wohnimmobilien können z. B. im Erbfall steuerfrei bleiben, wenn ein Partner noch mindestens zehn Jahre dort lebt. Gleiches gilt für Kinder, wenn die Wohnfläche 200 m² nicht übersteigt. Bei Übergabe von Familienunternehmen können Nachfolger unter bestimmten Umständen von der Steuer befreit werden, wenn sie den Betrieb mindestens sieben Jahre weiterführen. Diese Regelung wurde jedoch kürzlich vom ↗BVerfG moniert und musste vom Gesetzgeber bis Mitte 2016 verändert werden. Grundsätzlich seien Schutz von Arbeitsplätzen und Familienunternehmen legitime Ziele, der Gleichbehandlungsgrundsatz aber werde verletzt, die Gestaltungsspielräume seien zu groß.

3. Optionen

Ein sehr großer Teil der Erbschaften bleibt somit derzeit faktisch steuerfrei. Da Erben in Deutschland i. d. R. Familiensache ist, sind Anhebungen der E. aber unpopulär, auch wenn die große Mehrheit der Bevölkerung faktisch niemals erbschaftsteuerpflichtig wird. Die gegenwärtige progressive E. wirkt v. a. bei großen Erbschaften bes. stark, wodurch die Konzentration der vererbten Vermögen sinken sollte. Eine Erhöhung der Freibeträge reduziert freilich diese Wirkung, insb., wenn sie nicht nur für Transfers *mortis causa,* sondern auch für Transfers *inter vivos* in Anspruch genommen werden, d. h. große Vermögen anteilig bereits zu Lebzeiten übertragen werden, so dass die Freibeträge mehrfach genutzt werden können. Aus der Erbschaft- und Schenkungsteuerstatistik geht denn auch hervor, dass Steuern überdurchschnittlich anfallen bei Erben entfernterer Verwandtschaftsgrade, die kaum von Freibeträgen Gebrauch machen können, wie etwa Geschwister oder nichteheliche Lebenspartner.

Neben der derzeit gültigen progressiven Besteuerung wird häufig ein geringer, aber gleichmäßiger Steuersatz *(flat tax)* diskutiert, um Anreize zur Steuervermeidung zu verringern. Dabei würde jedoch der ungleichheitsreduzierende Effekt entfallen. Dies gilt ebenfalls für eine vollständige Abschaffung der E., wie z. B. 2008 in Österreich geschehen, aber auch für eine konfiskatorische Besteuerung, da diese auch bei sehr vielen kleinen und mittleren Erbschaften anfallen würden. Gegebenenfalls wären daher Alternativen der Umverteilung zu diskutieren, sofern die Nebenwirkung einer Verschärfung bestehender Vermögensungleichheiten bei Änderungen im Bereich der E. nicht beabsichtigt ist.

Literatur
T. Piketty: Das Kapital im 21. Jahrhundert, 2015 • J. Beckert: Erben in der Leistungsgesellschaft, 2013 • C. Vogel/H. Künemund/M. Kohli: Familiale Transmission sozialer Ungleichheit in der zweiten Lebenshälfte: Erbschaften und Vermögensungleichheit, in: P. A. Berger/K. Hank/A. Tölke (Hg.): Reproduktion von Ungleichheit durch Arbeit und Familie, 2011, 73–92 • C. Vogel/H. Künemund/U. Fachinger (Hg.): Die Relevanz von Erbschaften für die Alterssicherung, 2010 • H. Timm: Entwicklungslinien in Theorie und Praxis der Erbschaftsbesteuerung während der letzten hundert Jahre, in: FinanzArchiv 42/3 (1984), 553–576 • G. Schanz: Studien zur Geschichte und Theorie der Erbschaftssteuer, in: FinanzArchiv 17/1 (1900), 1–62.   HARALD KÜNEMUND
UND CLAUDIA VOGEL

Erdsystemforschung

1. Definition

Die E. (auch: Erdsystemwissenschaft, Erdsystemanalyse; englisch: *Earth System Science*) befasst sich mit den für die globale Entwicklungsdynamik relevanten physikalischen, chemischen, biologischen und gesellschaftlichen Komponenten, Prozessen und Wechselwirkungen auf der Erde. Das Erdsystem stellt dabei im Sinne der Systemwissenschaften die Gesamtheit der aufeinander bezogenen oder miteinander verbundenen, sich selbst organisierenden Funktionseinheiten der Erde dar, deren Interaktionen zu jedem Zeitpunkt ihren Zustand festlegen. Die E. ist interdisziplinär und vereint in ihrer vollen Breite Disziplinen wie Geographie, Geologie, Glaziologie, Geschichtswissenschaften (↗Geschichtswissenschaft), Kulturwissenschaften (↗Kulturwissenschaft), Meteorologie, ↗Ökologie, ↗Ökonomie, Ozeanographie und ↗Soziologie mit dem Ziel eines holistischen Verständnisses der Entwicklungsdynamik des Erdsystems.

2. Forschungsbereiche

E. ist ein junger, dynamischer Wissenschaftszweig, wobei die urspr. vorherrschende naturwissenschaftliche Analyse der Entwicklung des Erdsystems und die Beobachtung seiner rezenten Veränderungen zunehmend durch die systematische Untersuchung zukünftiger, für die Menschheit gefährlicher bzw. günstiger Entwicklungspfade erweitert wird. Themen sind die Mensch-Umwelt-Beziehung, die Erforschung des ↗Anthropozäns, die Erkundung planetarer Grenzen, möglicher Kipppunkte und sicherer „Betriebsbedingungen" für den Planeten sowie die systematische Erforschung globaler und regionaler Zielkonflikte und Handlungsoptionen für nachhaltige Entwicklung (↗Nachhaltigkeit). Die wichtigsten Forschungsfelder sind die Wechselwirkungen zwischen und Veränderungen von Land, Atmosphäre, Wasser, Eis und Biosphäre, die Mechanismen der zunehmenden Beeinflussung dieser durch Gesellschaften, Technologien und Wirtschaft sowie angewandte Themen zu Ressourcennutzung, Landnutzungsdynamik, Urbanisierung, Transformation der globalen Energiesysteme (↗Energiepolitik), nachhaltige Landwirtschaft (↗Land- und Forstwirtschaft), Überfischung und Müllproduktion. Zu ihnen gehört auch das Geoengineering, das sich mit Möglichkeiten und Grenzen gezielter technischer Eingriffe ins Erdsystem z. B. zur Verhinderung des ↗Klimawandels bei gleichzeitiger Weiternutzung fossiler Energieträger beschäftigt.

3. Hintergrund und Geschichte

Die Wurzeln der E. gehen zurück auf die holistischen Interpretationen der Natur durch Alexander von Humboldt im 19. Jh. Mitte der 1960er Jahre erkannte James Lovelock als erster die regulatorische Wirkung der Rückkopplung der Biosphäre mit dem Erdsystem. Die Etablierung der E. wurde Anfang der 1970er Jahren gefördert durch

a) die seit 1957 laufenden Messungen der Veränderung des Kohlendioxidgehalts der Erdatmosphäre, die erstmals den engen Zusammenhang zwischen Atmosphäre und Biosphäre dokumentierten;

b) die Mondflüge, die erstmals den Blick auf die Erde als Ganzes erlaubten und die *„Blue Marble"* zum Ausdruck eines neuen globalen Bewusstseins machten;

c) die Erdbeobachtung mit Satelliten, die erstmals die globale Erfassung von Veränderungen auf der Erde ermöglichten;

d) die explodierende Leistung der Computer, die erste Wetter- und Klimamodelle sowie vereinfachte, holistische Abschätzungen zur Zukunft der ökosystemaren Existenzbedingungen der Menschheit hervorbrachten.

Der Begriff E. wurde Mitte der 1980er Jahre von der NASA geprägt. Sie sollte die Beobachtungen ihrer Satelliten durch mathematische Modelle der Wechselwirkungen und Rückkoppelungen im natürlichen Erdsystem nachbilden und damit verstehen. Der Bretherton-Bericht definierte vier Inhalte der E.:

a) globale Messungen, um die physikalischen, chemischen und biologischen Prozesse in der Evolution der Erde zu verstehen;

b) Dokumentation globaler Veränderungen über mehrere Dekaden;

c) Vorhersagen künftiger Veränderungen mit quantitativen Modellen;

d) Aufbereitung der Informationen, um auf Konsequenzen globaler Veränderungen effektiver reagieren zu können.

Die ersten Dokumente globaler Veränderungen förderten in den späten 1980er und den 1990er Jahren die Bildung von vier internationalen Erdsystem-Forschungsprogrammen zum globalen Wandel *(Global Change):* das *World Climate Research Program* (WCRP); das *International Geosphere-Biosphere Program* (IGBP); das *International Human Dimensions Program of Global Environmental Change* (IHDP) und das globale Biodiversitäts-Programm DIVERSITAS (↗Biodiversität). Ihre

Erkenntnisse prägen unser heutiges Verständnis über die Zusammenhänge im Erdsystem. In dieser Zeit entwickelte Hans Joachim Schellnhuber (2004) sein Konzept der Erdsystemanalyse. Paul Crutzen (2002) leistete durch die Prägung des Begriffs „↗ Anthropozän" als dem Zeitalter, in dem der Mensch die Führungsrolle in der Gestaltung der Erde übernommen hat, einen wichtigen Beitrag zur Öffnung der E. für Beiträge aus den Geistes- sowie sozio-ökonomischen Wissenschaften.

4. Zukunft

Die Schwäche der *Global Change Programme* offenbarte sich in den 2000er Jahren in dem Maß, in dem ihre Ergebnisse auf steigendes gesellschaftliches und politisches Interesse stießen. Sie erwiesen sich trotz ihrer Breite als zu disziplinär und deshalb nur bedingt geeignet, die zunehmend komplexeren Fragen von Gesellschaft und Politik zur Gestaltung des globalen Wandels durch disziplinübergreifende Integration zu behandeln (z. B. Anpassung an den ↗Klimawandel, nachhaltige Energieversorgung [↗Energiepolitik], Nahrungsmittelsicherheit, Dienstleistungen der Ökosysteme, Wert der ↗Biodiversität). Als Konsequenz entstand aus ihnen Anfang der 2010er Jahre das E.s-Programm *FutureEarth*. *FutureEarth* ist seither die internationale Plattform der E. und widmet sich drei Themen: dem dynamischen Planet Erde, der globalen nachhaltigen Entwicklung und, als vordringliche Aufgabe der E., der gesellschaftlichen Transformation hin zur ↗Nachhaltigkeit. *FutureEarth* folgt dem Prinzip, dass das dafür nötige Wissen nur in einer Partnerschaft mit der Gesellschaft und den Wissensnutzern erzeugt werden kann.

Literatur

W. Mauser u. a.: Transdisciplinary global change research: the co-creation of knowledge for sustainability, in: E. Brondizio u. a. (Hg.): COES 5/3–4 (2013), 420–431 • P. N. Edwards: History of Climate Modeling, in: M. Hulme (Hg.): WIREs Climate Change 2 (2010), 128–139 • W. V. Reid u. a.: Earth System Science for Global Sustainability: Grand Challenges, in: Science 330/6006 (2010), 916–917 • S. T. Jackson: Alexander von Humboldt and the General Physics of the Earth, in: Science 324/5927 (2009), 596–597 • J. Rockström u. a.: A safe operating space for humanity, in: Nature 461/7263 (2009), 472–475 • The Royal Society: Geoengineering the climate: science, governance and uncertainty, 2009 • E. Ehlers/T. Krafft: Earth System Science in the Anthropocene, 2006 • H. J. Schellnhuber u. a. (Hg.): Earth System Analysis for Sustainability, 2004 • W. Steffen u. a.: Global Change and the Earth System, 2004 • J. Lovelock: GAIA – The Living Earth, in: Nature 426/6968 (2003) 769–770 • P. J. Crutzen: Geology of mankind, in: Nature 415/6867 (2002), 23 • H. J. Schellnhuber: Earth system' analysis and the second Copernican revolution, in: Nature 402 (Supplement)/6761 (1999), C19–C23 • NASA: Earth System Science: A Program for Global Change, 1988 • G. O. Barney: The Global 2000 Report to the President, 1980 • D. H. Meadows u. a: The Limits to Growth, 1972 • L. von Bertalanffy: An Outline of General Systems Theory, in: BJPS 1/2 (1950), 134–165.   WOLFRAM MAUSER

Erfolgsbeteiligung

1. Grundsätzliches

Unter E. versteht man den Sachverhalt, dass die ↑Arbeitnehmer eines ↑Betriebs neben ihrem vertraglich fest vereinbarten Entgelt (Kontrakteinkommen) einen Anteil am wirtschaftlichen Ergebnis des ↑Unternehmens erhalten (Residualeinkommen). Die absolute Höhe dieses ↑Einkommens ist im Vorhinein nicht festgelegt, sondern hängt vom Markterfolg des Unternehmens ab. Ansatzpunkte für eine E. der Arbeitnehmer können der Umsatz, die Produktivität oder der Gewinn des Unternehmens sein.

In einer marktwirtschaftlichen Ordnung steht der wirtschaftliche Ertrag eines Unternehmens grundsätzlich den Eigentümern (Kapitalgebern) zu. Diese einseitige Zurechnung des ökonomischen Erfolgs auf die Kapitaleigner begründet sich daraus, dass die Kapitalgeber auch das unternehmerische ↑Risiko tragen. Die Arbeitnehmer haben unabhängig von der wirtschaftlichen Lage des Unternehmens einen Anspruch auf den fest vereinbarten ↑Lohn, durch den die Arbeitsleistung vollständig entgolten ist. Die Forderung nach einer Beteiligung der Arbeitnehmer am wirtschaftlichen Ergebnis eines Unternehmens muss demnach eigenständig begründet werden. Hierfür lassen sich wirtschaftsethische, betriebswirtschaftliche, volkswirtschaftliche und gesellschaftspolitische Gründe anführen. Aus wirtschaftsethischer Sicht wird argumentiert, dass nicht nur die Unternehmenseigner, sondern auch die Arbeitnehmer ein unternehmerisches Risiko tragen. Denn die Arbeitnehmer sind im Fall von Produktionseinschränkungen, Betriebsstillegungen oder Standortänderungen dem Risiko des Arbeitsplatzverlustes ausgesetzt. In diesem Fall verlieren sie nicht nur das laufende *Arbeitseinkommen*, sondern sie sind auch gezwungen, eine neue Beschäftigung zu i. d. R. schlechteren Konditionen zu akzeptieren. Anders formuliert: die Arbeitnehmer investieren in betriebsspezifisches Humankapital, das sie im Fall einer schlechten Ertragslage des Unternehmens verlieren können.

Aus betriebswirtschaftlicher Sicht sprechen personal- und finanzwirtschaftliche Argumente für eine Beteiligung der Arbeitnehmer am Erfolg des Unternehmens. Aus personalwirtschaftlicher Sicht erhofft man sich von Beschäftigten, die am Erfolg ihres Unternehmens beteiligt sind, eine höhere Arbeitsproduktivität. Dies wird zum einen damit begründet, dass sich Arbeitnehmer, die am Ertrag des Unternehmens beteiligt sind, in einem höheren Maße mit ihrem Unternehmen identifizieren als Arbeitnehmer, deren Entgelt im Vorhinein fest vereinbart wurde. Des Weiteren verspricht man sich von der Ertragsbeteiligung eine geringere Personalfluktuation. Dadurch verringern sich zum einen die ↑Kosten, die durch Einstellungen und Entlassungen anfallen (sog.e labor-turnover-Kosten), zum anderen werden Investitionen (↑Investition) in betriebsspezi-fisches Humankapital (↑Humankapital) für die Unternehmen rentabler. Die dadurch höhere Qualifikation der Arbeitnehmer erhöht ebenfalls deren Arbeitsproduktivität. Dass Betriebe, die ihre Arbeitnehmer am Ertrag beteiligen, produktiver sind als Betriebe ohne Ertragsbeteiligung, wurde empirisch vielfach festgestellt. Unklar ist jedoch die Kausalität dieses Effekts. Aus volkswirtschaftlicher Sicht spricht v. a. die höhere Flexibilität der Arbeitsentgelte für eine Beteiligung der Arbeitnehmer am ökonomischen Gewinn. Wenn die Arbeitsentgelte an den wirtschaftlichen Erfolg eines Unternehmens gekoppelt sind, dann passen sich die Kosten des Faktors ↑Arbeit automatisch an Änderungen der Ertragslage des Unternehmens an. Dadurch erhöht sich zwar einerseits die Volatilität der Arbeitseinkommen, andererseits reduziert sich jedoch die Notwendigkeit, während einer Rezessionsphase Arbeitskräfte freizusetzen. Insofern substituiert eine Koppelung der Arbeitsentgelte an den Unternehmensertrag aus Sicht des Arbeitnehmers Einkommenssicherheit durch Beschäftigungssicherheit.

Gesellschaftspolitisch ist die E. der Arbeitnehmer ein Instrument, um den Gegensatz zwischen Arbeit und ↑Kapital abzubauen. Durch eine Ertragsbeteiligung partizipieren die Arbeitnehmer unmittelbar an der wirtschaftlichen Verwertung des Faktors Kapital. Die Einkünfte der Arbeitnehmer bestehen damit nicht nur aus Arbeits-, sondern auch aus Kapitaleinkommen, d. h. es kommt zu einer „Querverteilung" von Arbeits- und Kapitaleinkünften. Dadurch verspricht man sich eine höhere gesellschaftliche Akzeptanz eines auf Privateigentum an Produktionsmitteln beruhenden Wirtschaftssystems.

2. Beteiligungsmodelle

Grundsätzlich gibt es zwei Möglichkeiten, die Mitarbeiter am Ertrag eines Unternehmens zu beteiligen. Bei der Gewinn- oder E. erhalten die ↑Arbeitnehmer zusätzlich zu ihrem Arbeitsentgelt einen Teil des Unternehmensertrags. Bei der Kapitalbeteiligung erhalten die Arbeitnehmer einen Anteil am Eigen- oder Fremdkapital des ↑Unternehmens. Hier erfolgt die Beteiligung der Arbeitnehmer in Form der Vermögensbildung in Arbeitnehmerhand. Von einer Ertragsbeteiligung im engeren Sinne kann man in diesem Fall jedoch nur sprechen, wenn die Beteiligung der Arbeitnehmer am Eigenkapital des Unternehmens erfolgt. Denn nur dann findet über die Kapitalbeteiligung auch eine Beteiligung der Arbeitnehmer am ökonomischen Ertrag des Unternehmens statt.

Sowohl bei der E. wie bei der Kapitalbeteiligung kann man zwischen einer betrieblichen und einer überbetrieblichen Beteiligung unterscheiden. Bei der betrieblichen Beteiligung werden die Kapitalien im Arbeit gebenden Unternehmen angelegt. Dies hat für das Unternehmen den Vorteil, dass die Mittel im Unternehmen verbleiben und kein Abfluss von Liquidität stattfindet.

Darüber hinaus ist das ↑Einkommen der Beschäftigten direkt mit dem Unternehmenserfolg verbunden; hiervon erwartet man die stärksten Anreizeffekte. Allerdings sind mit einer betrieblichen Beteiligung auch bestimmte Risiken verbunden. Bei einer betrieblichen Gewinn- und Kapitalbeteiligung kumulieren sich Einkommens-, Arbeitsplatz- und Vermögensrisiko, da im Insolvenzfall (↑Insolvenz) zum Arbeitsplatzverlust auch ein Verlust der Ertragsanteile und der Kapitalbeteiligung hinzutritt. Bei überbetrieblichen Beteiligungsformen werden die Arbeitnehmer am Gewinn einer Branche oder der Gesamtwirtschaft beteiligt, die Anlage erfolgt am Kapitalmarkt. Dadurch entfällt das unternehmensspezifische Risiko, gleichzeitig sind die Anreizeffekte deutlich schwächer ausgeprägt.

Beteiligungsmodelle werden in der BRD staatlich gefördert. Gemäß § 3 Nr. 39 EStG sind unentgeltlich oder verbilligt überlassene Unternehmensbeteiligungen bis zu 360 € pro Jahr für den ↑Arbeitnehmer steuer- und sozialabgabebefreit. Eine steuerliche Förderung ist auch möglich, wenn die Vermögensbeteiligung durch Entgeltumwandlung finanziert wird; in diesem Fall ist das Einkommen jedoch beitragspflichtig.

Beteiligungen am Eigenkapital eines Unternehmens sind Belegschaftsaktien, Genossenschaftsanteile sowie GmbH- und Kommanditistenanteile. Die häufigste Beteiligung am Fremdkapital ist das Mitarbeiterdarlehen. Dabei überlassen die Mitarbeiterinnen und Mitarbeiter das Beteiligungskapital durch einen Darlehensvertrag. Sie werden dadurch zu Gläubigern des Unternehmens. Weiterhin existieren mit der stillen Beteiligung, der indirekten Beteiligung und den Genussrechten Mischformen aus Eigen- und Fremdkapitalbeteiligung. Zahlreiche klein- und mittelständische Unternehmen mit Mitarbeiterbeteiligung sind in der „Arbeitsgemeinschaft Partnerschaft in der Wirtschaft" zusammengeschlossen. Der Verbreitungsgrad von Mitarbeiterkapitalbeteiligungsmodellen wird in Deutschland nicht systematisch erfasst. Nach einer Studie des Deutschen Aktieninstituts boten im Jahr 2012 36 % der börsennotierten Unternehmen Beteiligungsprogramme für breite Mitarbeiterkreise an, weitere 15 % sahen entsprechende Beteiligungsformen nur für Führungskräfte vor. In den klein- und mittelständischen Betrieben dominieren Fremdkapitalbeteiligungen in Form von Mitarbeiterdarlehen und stillen Darlehen. Eine Auswertung des Instituts für Arbeitsmarkt- und Berufsforschung über alle Betriebe ergab, dass im Jahr 2009 lediglich ein Prozent aller Betriebe ihre Beschäftigten am ↑Kapital des Unternehmens beteiligten. Etwas weiter verbreitet ist die Gewinn- oder E. der Arbeitnehmer; hier gaben 9 % aller Betriebe an, ihre Arbeitnehmer direkt am Gewinn zu beteiligen.

Literatur

Deutsches Aktieninstitut: Mitarbeiterbeteiligung mit Aktien. Eine Umfrage unter börsennotierten Unternehmen in Deutschland, 2013 • L. Bellmann/I. Möller: Finanzielle Mitarbeiterbeteiligung, iab-Kurzbericht 17 (2011) • BMAS (Hg.): Mitarbeiterkapitalbeteiligung. Modelle und Förderwege, 2009 • U. Backes-Gellner u. a.: Mitarbeiterbeteiligung in kleinen und mittleren Unternehmen. Verbreitung, Effekte, Voraussetzungen, 2002 • J. Althammer: Gewinnbeteiligung bei begrenzter Haftung, 1994 • D. L. Kruse: Profit sharing and Productivity. Microeconomic Evidence from the United States, in: EconJ 102/410 (1992), 24–36 • M. Weitzmann: The Share Economy. Conquering Stagflation, 1986.

JÖRG ALTHAMMER

Erinnerungskultur

Bei E. handelt es sich um einen Neologismus, der erst seit den 1990er Jahren Eingang sowohl in die Wissenschaftssprache als auch in den allgemeinen Sprachgebrauch fand. Die hiermit bezeichneten Phänomene lassen sich jedoch schon im Totenkult vorantiker Gesellschaften beobachten. Im Kern verweist der Begriff auf den jeder Epoche und jeder Gesellschaft eigentümlichen Bestand an Wiedergebrauchs-Texten, -Bildern und -Riten, in deren Pflege sie ihr Selbstbild stabilisieren und vermitteln. Darüber hinaus erweist sich die Reflexion über das Erinnern in der Wirkungsgeschichte des platonischen Anamnesisbegriffs als Gegenstand einer kontinuierlichen philosophisch-historischen Diskussion (↑Geschichte, Geschichtsphilosophie). Erste grundlegende methodische Überlegungen zur E. finden sich in den Werken der geistigen Ahnherren der modernen Gedächtnisforschung Friedrich Nietzsche, Aby Warburg und Maurice Halbwachs.

1. Definitionen

In einer engen Begriffsauffassung versteht man unter E. den lockeren Sammelbegriff „für die Gesamtheit des nicht spezifisch wissenschaftlichen Gebrauchs der Geschichte in der Öffentlichkeit – mit den verschiedensten Mitteln und für die verschiedensten Zwecke" (Hockerts 2002: 40). Ein weiter gefasstes Begriffsverständnis subsumiert hierunter alle denkbaren Formen der öffentlichen Erinnerung an historische Ereignisse und Prozesse, seien sie ästhetischer, politischer oder kognitiver Natur. Der Begriff umschließt mithin neben Formen des ahistorischen oder sogar antihistorischen kollektiven Gedächtnisses sämtliche Modi der Repräsentation des Vergangenen, darunter auch den geschichtswissenschaftlichen Diskurs (↑Geschichtswissenschaft) sowie „private" Erinnerungen, soweit sie öffentlich werden. Als Träger der E. treten Individuen und soziale Kollektive in Erscheinung, wobei neben den meist nur privat gepflegten Familiengedächtnissen lokale, regionale, nationale und zuweilen transnationale Räume die Grenzen von E. markieren. Innerhalb dieser Parameter vollzieht sich fortlaufend eine Verständigung über Erinnerungen, entweder in Übereinstimmung, teilweise aber auch in einem konfliktreichen Gegeneinander.

2. Kollektives Gedächtnis

In der wissenschaftlichen Forschung steht das Konzept E. in einem engen begrifflichen und erkenntnistheoretischen Bezug zum Terminus „kollektives Gedächtnis". Hierfür ist die Theorie des französischen Soziologen M. Halbwachs maßgeblich, der zufolge auch das Individuum in seiner Erinnerung auf Anhaltspunkte angewiesen ist, „die außerhalb seiner selbst liegen und von der Gesellschaft festgelegt worden sind" (Halbwachs 2006: 35). Darüber hinaus haben der Ägyptologe Jan Assmann und die Anglistin Aleida Assmann die Unterscheidung zwischen einem „kommunikativen" sowie einem „kulturellen" Gedächtnis in die Debatte über E. eingeführt. Während die erste Bezeichnung sich auf die Erinnerung an tatsächlich bzw. mündlich tradierte Erfahrungen bezieht, die Einzelne oder Gruppen von Menschen gemacht haben und die meist über drei Generationen hinweg überliefert werden, handelt es sich bei dem Begriff „kulturelles Gedächtnis" um ein epochenübergreifendes Konstrukt. Dieses bezieht sich auf ein kollektiv geteiltes Wissen über die Vergangenheit, auf das eine Gruppe ihr Bewusstsein von Eigenheit und Eigenart stützt. Zu diesem Zweck verwendet sie unterschiedliche Textsorten, Bilder, Denkmäler, Bauten, Feste sowie symbolische und mythische Ausdrucksformen. Weiterhin gehören hierzu gedankliche Ordnungen, wenn sie zur Formierung kulturell begründeter Selbstbilder führen.

3. Soziokulturelle Rahmenbedingungen

Die zuletzt stark gestiegene Konjunktur sowohl in der öffentlichen Beachtung als auch in der wissenschaftlichen Auseinandersetzung mit E. gründet zum einen auf einer seit den 1970er Jahren in den westlichen Industriestaaten eingetretenen mentalitätsgeschichtlichen Wende. Damit ging ein steigendes Bedürfnis nach der Historisierung der Gegenwart einher, was insgesamt die Suche nach kollektiven Identitäten begünstigte. Zum anderen beförderten die kulturgeschichtliche Erweiterung zahlreicher akademischer Disziplinen sowie eine stärker interdisziplinär angelegte Forschung die Beschäftigung mit Formen und Inhalten der Erinnerung. Darüber wurden stärker auch naturwissenschaftliche, neuromedizinische und sozialpsychologische Ansätze in die Erforschung von E. integriert. Hatte sich das wissenschaftliche Interesse zunächst auf Denkmäler (↑Denkmal), Rituale und politische Feste konzentriert, verlagerte es sich danach auf ein breiter verstandenes Konzept. Wesentliche Anstöße dazu stammten aus Frankreich, wo Studien zu nationalen Erinnerungsorten ein beträchtliches Echo hervorriefen. Zahlreiche nationale Parallelprojekte sind ihnen inzwischen in anderen Ländern gefolgt und lösten darüber eine breite gesellschaftliche Debatte über kollektive Identitäten aus. Zusätzliche Impulse gingen seit Ende der 1980er Jahre vom Untergang der kommunistischen Regime in Ost- und Ostmitteleuropa aus, meldeten sich doch danach viele kollektive Gedächtnisse in der Öffentlichkeit zurück, die zuvor jahrzehntelang verschüttet oder marginalisiert worden waren. Die wissenschaftliche Erforschung von E. erstreckt sich heute vom vorantiken Totenkult bis zum Formenwandel nationaler Gedenkfeiern und der symbolischen Vergegenwärtigung des Vergangenen in der Gegenwart. In der ↑Zeitgeschichte gehören die beiden Weltkriege und ihre lang währenden Nachwirkungen zu bevorzugten Untersuchungsfeldern. Auch methodisch ist eine Ausdifferenzierung zu beobachten, werden doch inzwischen ebenfalls die virtuellen und multikulturellen Rahmenbedingungen moderner E. analysiert.

4. Holocaust-Gedächtnis

Die beträchtliche Konjunktur des Konzepts E. verdankt sich seit den 1990er Jahren ebenfalls einer transnationalen Tendenz zur Vertiefung des Holocaust-Gedächtnisses (↑Shoa). Ein wichtiger Anstoß ging hierfür von den internationalen Feiern zum 50. Jahrestag des Kriegsendes in Europa aus, aber erst mit der Stockholmer Internationalen Holocaust-Konferenz vom Januar 2000 rückte das Bemühen vieler Regierungen in den Vordergrund, den ↑Völkermord an den Juden zu einem gemeinsamen, wenngleich negativen Hauptbezugspunkt einer europäischen E. zu bestimmen. Damit ging ein grundlegender Perspektivenwandel einher, der als ein sich beschleunigender Prozess einer Geschichtsbetrachtung aus der Opferperspektive begriffen werden kann. Zunehmend werden seitdem die Opfer in das Zentrum der E. gerückt, während in der Vergangenheit heldische Narrative im Vordergrund standen. Ob jedoch – wie zuletzt von vielen Seiten gefordert – die Erinnerung an den Holocaust tatsächlich zu einem herausragenden Bezugspunkt eines im Entstehen begriffenen, transnationalen Gedächtnisses werden kann, bleibt abzuwarten. Kritische Stimmen beobachten vielmehr einen Trend hin zu einer historischen „Viktimisierung", bei dem es oftmals zu einer problematisch anmutenden Überidentifikation mit den Opfern des Holocaust komme.

Literatur

A. Assmann: Der lange Schatten der Vergangenheit, ²2014 • C. Cornelißen: Erinnerungskulturen, Version: 2.0, in: Docupedia-Zeitgeschichte, 22.10.2012, URL: http://docupedia.de/zg/Erinnerungskulturen_Version_2.0_Christoph_Corneli.C3.9Fen?oldid=108499. (abger.: 20.3.2018) • P. den Boer u.a. (Hg.): Europäische Erinnerungsorte, 3 Bde., 2012 • M. Frölich u.a.: Das Unbehagen an der Erinnerung. Wandlungsprozesse im Gedenken an den Holocaust, 2012 • J. Eckel/C. Moisel (Hg.): Universalisierung des Holocaust? Erinnerungskultur und Geschichtspolitik in internationaler Perspektive, 2008 • M. Halbwachs: Das Gedächtnis und seine sozialen Bedingungen, 2006 • H. G. Hockerts: Zugänge zur Zeitgeschichte, in: K. H. Jarausch/M. Sabrow (Hg.): Verletztes Gedächtnis, 2002, 39–73 • P. Nora (Hg.): Les Lieux de mémoire, 7 Bde., 2001 • J. Assmann: Das kulturelle Gedächtnis, ³2000 • A. Assmann/J. Assmann: Das Gestern im Heute, in: K. Merten u.a. (Hg.): Die Wirklichkeit der Medien, 1994, 114–140 • P. Nora: Zwischen Geschichte und Gedächtnis, 1991.

CHRISTOPH CORNELIßEN

Erlebnisgesellschaft

Der Begriff E. geht zurück auf das gleichnamige Werk Gerhard Schulzes „Die E.: Kultursoziologie der Gegenwart" (erstmals ersch. 1992) und beschreibt den Typus einer ↑Gesellschaft, in der Subjektzentriertheit und Innenorientierung den Aufbau und die Struktur der Sozialwelt präformieren. Als Momentaufnahme der BRD Ende der 1980er Jahre bildet der Begriff E. „einen historischen Spezialfall der Großgruppengliederung" (Schulze 2005: 21) in sogenannte *soziale Milieus* – Personengruppen, die sich durch gruppenspezifische Existenzformen (↑Gruppe) und erhöhte Binnenkommunikation voneinander abgrenzen.

Ausgangspunkt der Analyse G. Schulzes bildet die Annahme, dass allen Individualisierungstendenzen (↑Individualisierung) zum Trotz intersubjektive Muster des Erlebens, sog.e alltagsästhetische Schemata (Hochkultur-, Trivial-, Spannungsschema), die bundesdeutsche Wohlstandsgesellschaft sowohl auf der Ebene der unzähligen ästhetischen Zeichen als auch auf der Ebene subjektiver Deutungen strukturieren. Im Sinne einer kollektiven „Kodierung des Erlebens" (Schulze 2005: 128) reduzieren jene Schemata die unendliche Fülle der Möglichkeiten, die Welt zum Objekt des Erlebens zu machen, auf eine überschaubare Anzahl von Regelmäßigkeiten und Routinen, und formieren folglich „Deutungsgemeinschaften" (Schulze 2005: 129), Typen distinkter *Erlebnisrationalität*.

Gemeinsam ist diesen Rationalitätstypen die Ausrichtung auf den psychophysischen Akt des Erlebens selbst; das „Projekt des schönen Lebens" (Schulze 2005: 35) wird zum existenziellen Kernproblem. In einer ↑Hermeneutik persönlicher Stile expliziert der Autor drei Bedeutungsebenen, mit deren Hilfe das Subjekt eine individuelle „Erlebnisgestalt" (Schulze 2005: 107) vor dem Hintergrund kollektiver Wahrnehmungs- und Deutungsroutinen konstruiert: *Genuss* als individueller Erlebnisanreiz, *Lebensphilosophie* als Ausdruck grundlegender Handlungsorientierung und *Distinktion* als Ausdruck sozialer Unterscheidung.

„Sein" heißt unter spätmodernen Bedingungen „anders sein", und im Anderssein wird die eigene Position im gesellschaftlichen Sozialgefüge definiert; jedoch nicht im Sinne des Klassenparadigmas als Verhältnis von Herrscher und Beherrschtem, sondern in der Feststellung von Gemeinsamkeiten und Unterschieden, Nähe und Distanz. Distinktion ist Differenz, ist „anti-", ist implizite und explizite Darstellung jener Andersartigkeit.

„Geschmack als bevorzugtes Merkmal von ‚Klasse'" (Bourdieu 2014: 18) wird abgelöst von Genuss als Merkmal *freier Erlebnis-Wahl*. Weder Qualität noch Nutzen noch Reichtum gelten als valide Kriterien für die Konsumentscheidung; die psychophysische Wirkung ist primäres Entscheidungskriterium. So konstatiert Ute Volkmann (2007) eine Verlagerung der „Handlungsziele der Akteure [in der E.] von der Situation in das Subjekt" (Volkmann 2007: 79), sowie einen dieser Veränderung auf kognitiver Ebene entsprechenden Wandel auf der Handlungsebene. Im Zentrum steht das Subjekt als „innenorientierte[r] Situationsmanager" (Volkmann 2007: 87), das sich angesichts eines scheinbar unendlichen Möglichkeitsraums, Welt zu erleben, sozusagen freiwillig selbst beschränkt. Es sucht Ordnung und Orientierung, und findet beides in den alltäglichen Erlebnisroutinen, in Stil, Alter und Bildung der anderen. Das „moderne Individuum" in der E. vergemeinschaftet sich selbst in relativ stabilen gesellschaftlichen Großgruppen, sogenannten sozialen Milieus.

Soziale Milieus werden definiert „als Personengruppen, die sich durch gruppenspezifische Existenzformen und erhöhte Binnenkommunikation voneinander abheben" (Schulze 2005: 174). Das Element der Binnenkommunikation bewirkt milieuintern eine ähnliche Verarbeitung äußerer Bedingungen und Geschehnisse durch eine gruppenspezifische Verdichtung von Sozialkontakten und in Folge dessen intersubjektive Angleichung sowie die „Entstehung von Gruppenbewußtsein" (Schulze 2005: 174).

G. Schulze unterscheidet vor dem Hintergrund alltagsästhetischer Schemata sowie unter Einbezug der evidenten und signifikanten Zeichenkonfiguration Alter, Bildung und Lebensstil fünf soziale Milieus: Unterhaltungs-, Selbstverwirklichungs-, Integrations-, Harmonie- und Niveaumilieu. In abermals deutlicher Differenz zum Klassenparadigma lassen sich jene Großgruppen jedoch in keinerlei Rangordnung bringen. Statt hierarchisch und vertikal strukturiert, sind soziale Milieus auf horizontaler Ebene voneinander unterschieden ohne die Bedingung räumlicher Segregation. Arbeit und Beruf, Einkommen und Besitz haben ihre sozialstrukturelle Bedeutung weitestgehend verloren. Lebensweise und ↑Sozialstruktur werden sozusagen entkoppelt, die materielle Grundsituation der Überversorgung löst die primäre Perspektive der Ressourcenverteilung auf, Gesellschaft wird entvertikalisiert.

Das heuristische Programm des Autors leitet sich von der Annahme ab, dass das Grundverhältnis von Subjekt und Welt ein subjektzentriertes ist; ↑Individualisierung bedeutet folglich „nicht Auflösung, sondern Veränderung von Formen der Gemeinsamkeit" (Schulze 2005: 24). Diesseits persönlicher Singularität wird das Vorhandensein eines Gegenstandsbereichs postuliert, den der Soziologe in der Rekonstruktion kollektiver Konstruktionen und intersubjektiver Strukturen der bundesdeutschen Überflussgesellschaft der 1980er Jahre skizziert. Damit setzt G. Schulze an der gesellschaftlichen Mikroebene an, um dann den Blick auf die großen sozialen Gruppen zu richten. Wie Harald Funke (2000) treffend formuliert, gelangt der Autor argumentativ „zu einer Theorie der Restrukturierung auf der Grundlage der vorhergegangenen Entstrukturierung" (Funke 2000: 316). Kultur selbst generiere folglich Sozialstruktur (Funke 2000: 328).

Mit seinem Werk hat G. Schulze nicht lediglich fachinterne Diskussionen in der Lebensstil- und Milieuforschung, der Sozialstrukturanalyse und ↑Kultursoziologie befördert, sondern darüber hinaus Anknüpfungspunkte für die Konsum- und Marketingforschung geliefert, welche als detaillierte Zielgruppenbestimmung insbesondere im Rahmen der SINUS Sozial- und Marktforschung eine Ausweitung u. a. auf die Bereiche Pädagogik, Kirche und Publizistik sowie Politik und Wirtschaft erfahren hat. Vor dem Hintergrund von Struktur- und ↑Wertewandel dient v. a. der persönliche Lebensstil als Kompass für die gezielte Platzierung von (Erlebnis-) Produkten und Dienstleistungen, politischen Programmmen und medialer Themensetzung. Darüber hinaus hat sich der Terminus E. selbst zu einem zentralen zeitdiagnostischen Deutungsschema entwickelt, das bis heute der gesellschaftlichen Selbstbeschreibung dient.

Literatur
P. Bourdieu: Die feinen Unterschiede, [24]2014 • U. Volkmann: Das Projekt des schönen Lebens – Gerhard Schulzes „Erlebnisgesellschaft", in: U. Schimank/U. Volkmann (Hg.): Soziologische Gegenwartsdiagnosen I, [2]2007, 75–89 • G. Schulze: Die Erlebnisgesellschaft: Kultursoziologie der Gegenwart, [2]2005 • H. Funke: Erlebnisgesellschaft, in: G. Kneer/A. Nassehi/M. Schroer (Hg.): Soziologische Gesellschaftsbegriffe: Konzepte moderner Zeitdiagnosen, [2]2000, 305–331 • F. Zerger: Klassen, Milieus und Individualisierung, 2000.

LENA M. FRIEDRICH

Alltagsästhetische Schemata	Typische Zeichen (3 Beispiele)	Bedeutungen		
		Genuss	Distinktion	Lebensphilosophie
Hochkulturschema	Klassische Musik, Museumsbesuch, Lektüre „guter Literatur"	Kontemplation	anti-barbarisch	Perfektion
Trivialschema	Deutscher Schlager, Fernsehquiz, Arztroman	Gemütlichkeit	anti-exzentrisch	Harmonie
Spannungsschema	Rockmusik, Thriller, Ausgehen (Kneipen, Discos, Kinos usw.)	Action	anti-konventionell	Narzissmus

Tab. 1: Alltagsästhetische Schemata im Überblick
Quelle: Schulze 2005: 163

Ermessen

1. Begriff
Der Begriff E. bezeichnet eine Letztentscheidungskompetenz im Gewaltenteilungsverhältnis (↑Gewaltenteilung). Eine generell-abstrakte Rechtsnorm erhält erst durch die konkretisierende Anwendung auf einen spezifischen Fall ihre individuell-konkrete Bindungswirkung. Jeder Anwendungsakt ist daher zugl. ein Akt der Rechtserzeugung mit konkretisierter Bindungswirkung. Der Rechtsanwender verfügt immer über Freiräume zur Konkretisierung und Individualisierung der Rechtsnorm. Mit E. wird dem Rechtsanwender ein zusätzlicher Entscheidungsfreiraum übertragen, der über die Konkretisierung und Individualisierung der Bindungswirkung einer ↑Norm hinausgeht. E. bezeichnet die Befugnis zu einer Letztentscheidung, die von späterer gerichtlicher Überprüfung freigestellt ist. Man unterscheidet das E. des Gesetzgebers, der als Erstadressat der ↑Verfassung seine Kompetenzen nach eigenen Vorstellungen zu konkretisieren hat (Gesetzgebungs-E.), das Rechtsprechungs-E. (bezogen etwa auf die Strafzumessung, oder Kostenentscheidungen) sowie das Verwaltungs-E.

2. Verwaltungsermessen
Die ↑Verwaltung hat E. wenn eine Rechtsnorm der Behörde bei der Erfüllung des Tatbestandes die Wahl zwischen mehreren Rechtsfolgen lässt. Gesetze räumen E. durch Formulierungen ein wie: „kann, darf, soll" oder: „befugt, ermächtigt, erforderlich, angemessen, zweckmäßig". E. kann sich auch aus dem Zweck der Norm heraus ergeben, etwa wenn die Behörde planerische Gestaltungsaufträge (Planungs-E., z. B. Bauleitpläne nach § 1 Abs. 3 BauGB) oder multipolare Abwägungsentscheidungen (↑Abwägung) vorzunehmen hat, die eigenständige Beurteilungen voraussetzen (Regulierungs-E. der BNetzA, z. B. bei Entscheidungen nach §§ 10, 11 TKG). Mit E. delegiert der Gesetzgeber die letztverbindliche Konkretisierung der Rechtsfolge an die Behörde, damit den Umständen des Einzelfalles (Einzelfallgerechtigkeit) flexibel Rechnung getragen und zweckmäßig entschieden wird. Die Einräumung von E. an die Exekutive erleichtert der Legislative die generell-abstrakte Normsetzung, weil Normen nicht jede Eventualität vorhersehen müssen, was wiederum der Rechtsklarheit und Bestimmtheit der ↑Norm dient. Überdies will und kann der Gesetzgeber bestimmte Fragen nicht selbst entscheiden (komplexe Abwägungssituation, Risikoabschätzung, zeitliche Dynamik, Wan-

del der Umstände) so dass die Einräumung von E. die ↑Gesetzgebung entlastet. Die Einräumung von E. ist daher ein wichtiges Mittel, wie die Verwaltung Gesetze (↑Gesetz) so vollziehen kann, dass dem Sinn und Zweck des Gesetzes entsprochen wird und die Gesetze zugl. nicht überfrachtet werden und ein hinreichendes Abstraktionsniveau behalten.

E. ist stets dem jeweiligen Träger der Verwaltung, nicht dem einzelnen Organwalter eingeräumt; es kann daher innerhalb der Verwaltungshierarchie ersetzt werden. Abzugrenzen ist E. vom „unbestimmten Rechtsbegriff" auf der Tatbestandsseite einer Norm: Hier überträgt der Gesetzgeber die Letztkonkretisierungsbefugnis der ↑Rechtsprechung.

Bei E. stehen der Verwaltung mehrere dem Gesetzeszweck entspr.e Rechtsfolgen zur Auswahl, von denen sie die ihr zweckmäßigste anordnen darf. Bei E. geht die Rechtsordnung also von mehreren gleichermaßen gesetzmäßigen Entscheidungen aus. Die Behörde muss ihr E. nach dem Zweck der Ermächtigung ausüben und die gesetzlichen Grenzen des E. einhalten (§ 40 VwVfG). Das Ausmaß des eingeräumten E. ist folglich durch Interpretation der Norm zu ermitteln. Man unterscheidet zwischen Entschließungs-E. (wird überhaupt gehandelt) und Auswahl- und Gestaltungs-E. (wie wird gehandelt). Behörden sollen also in Ansehung der Umstände des Falles sowie der Interpretation der Norm zweckmäßig handeln. Das setzt auf Seiten der Verwaltung häufig eine Tatsachenkenntnis und Feinfühligkeit voraus, die angesichts der personellen und sachlichen Ressourcen nicht immer gewährleistet ist. Behörden haben daher oft ein Interesse daran, ihre E.-Entscheidungen zu typisieren (E.-Richtlinien) oder standardisiert zu entscheiden (Selbstbindung der Verwaltung). Die Funktion von E. verschiebt sich dann von der Einzelfallgerechtigkeit zur standardisierten Normkonkretisierung. Im Gesetzesvollzug (↑Implementation) tritt durch die Scheu der Verwaltung, eigenständige E.-Entscheidungen zu treffen, bisweilen eine stärkere Ritualisierung ein, als es der Gesetzgeber mit der Einräumung von E. bezweckt hat, weil das Abweichen von der ritualisierten E.-Ausübung mit erhöhtem Begründungsaufwand einhergeht. Es überwiegt dann Regeltreue vor Angemessenheit. Freilich kann der Bürger die Verwaltung auf alternative zweckmäßige Entscheidungen hinweisen und entspr. vorstellig werden. Früher bot das (für viele Verwaltungstätigkeiten inzwischen abgeschaffte) Widerspruchsverfahren (§§ 68–80b VwGO) einen gezielt auf die Überprüfung der Zweckmäßigkeit zugeschnittenen innerbehördlichen Rechtsbehelf. Dass dieser weitgehend für entbehrlich gehalten wird, verdeutlicht die geringe Entscheidungsvarianz, die sich die Verwaltung selbst zutraut und die erstaunlich hohe gerichtliche Kontrolldichte von E.-Entscheidungen. Die Normunterworfenen vertrauen offenbar stärker der gerichtlichen Fremd- als der exekutivischen Eigenkontrolle und bevorzugen den Gerichtsweg, was bes. bei Großvorhaben (Pla-

nungs-E.) inzwischen zur prinzipiellen Einschaltung der ↑Verwaltungsgerichtsbarkeit geführt hat.

3. Gerichtliche Überprüfung

Als Ausdruck einer Letztentscheidungsbefugnis im Gewaltenteilungsverhältnis (↑Gewaltenteilung) können E.-Entscheidungen im Rechtsweg nur auf ihre Rechtmäßigkeit, nicht aber ihre Zweckmäßigkeit überprüft werden (§ 114 VwGO). Den Verwaltungsgerichten (↑Verwaltungsgerichtsbarkeit) ist es jedoch gelungen, die Ausübung von E. in einem erstaunlichen Umfang der Gerichtskontrolle zu unterziehen, weil die Rechtskontrolle die Interpretation der ↑Norm umfasst, die E. einräumt, so dass der gesetzliche Zweck und die Grenzen des E. justiziabel sind. Damit wurde der verselbstständigte Entscheidungsbereich der ↑Verwaltung von den Gerichten wieder eingeengt. Man unterscheidet drei Arten von E.-Fehlern: Bei der E.-Unterschreitung (E.-Nichtgebrauch, E.-Ausfall) geht die Behörde von einer gebundenen Entscheidung aus und betätigt ihr E. nicht (etwa weil sie lediglich Verwaltungsvorschriften befolgt und übersieht, auf den Einzelfall mit E. zu reagieren). Bei der E.-Überschreitung wählt die Behörde eine gesetzlich nicht vorhergesehene Rechtsfolge oder verstößt gegen höherrangiges Recht (Gleichbehandlungsgrundsatz des Art. 3 Abs. 1 GG, ↑Verhältnismäßigkeit). Zum E.-Fehlgebrauch zählen Konstellationen, in denen die Behörde sachfremde Erwägungen anstellt, die nicht vom Sinn und Zweck des ermächtigenden ↑Gesetzes gedeckt sind.

Im verwaltungsgerichtlichen Prozess ist ein ermessensfehlerhafter Verwaltungsakt aufzuheben, soweit er den Kläger in seinen Rechten verletzt (§ 113 Abs. 1 S. 1 VwGO). Begehrt der Kläger eine Leistung (Verwaltungshandeln) aufgrund eines E.-Tatbestands ergeht nur ein Bescheidungsurteil unter Beachtung der Rechtsauffassung des Gerichts (§ 113 Abs. 5 VwGO): Die Behörde wird zur ermessensfehlerfreien Neubescheidung verpflichtet; der Bürger hat nur einen gerichtlich einklagbaren Anspruch auf ermessensfehlerfreie Entscheidung. Nur in den seltenen Fällen, in denen nur eine einzige Entscheidung ermessensfehlerfrei wäre (sog.e E.-Reduzierung auf null), darf das Gericht die E.-Entscheidung ersetzen und ausnahmsweise selbst verpflichten.

Literatur

B. Widmer: Verwaltungsermessen im Recht der Europäischen Union, 2014 • M. Jestaedt: Maßstäbe des Verwaltungshandelns, in: H.-U. Erichsen/D. Ehlers (Hg.): Allgemeines Verwaltungsrecht, ¹⁴2010, § 11 Rdnr. 55–67 • M. Bullinger: Das Ermessen der öffentlichen Verwaltung, in: ders.: Regulierung von Wirtschaft und Medien, 2008, 12–35 • W. Hoffmann-Riem: Eigenständigkeit der Verwaltung, in: ders./E. Schmidt-Aßmann/A. Voßkuhle (Hg.): Grundlagen des Verwaltungsrechts, Bd. 1, 2006, § 10 Rdnr. 81–105 • M. Kellner: Ermessen, in: EvStl, 2006, 457–461 • K. Meßerschmidt: Gesetzgebungsermessen, 2000 • M. Gerhard: Kommentierung von § 114 VwGO, in: F. Schoch/J.-P. Schneider/W. Bier (Hg.): Verwaltungsgerichtsordnung. Komm., 1. Erg.-Lfg., Stand Mai 1997 • H. Ehmke: „Ermessen" und „unbestimmter Rechtsbegriff" im Verwaltungsrecht, 1960 • A. Merkl: Allgemeines Verwaltungsrecht, 1927, 140–157. OLIVER LEPSIUS

Ernährung

I. Sozialethische Aspekte – II. Ernährungsrecht

I. Sozialethische Aspekte

1. Menschenrecht auf Nahrung

Das Recht auf Nahrung ist eines der grundlegendsten ↑Menschenrechte. Aus christlicher Sicht ergibt es sich daraus, dass alle Menschen mit gleicher ↑Würde ausgestattet sind und Gott die Erde für alle geschaffen hat. Folglich steht auch allen Menschen ein ausreichender Anteil an den Erdengütern zu.

Im Rahmen der ↑UNO ist das Recht auf Nahrung in Art. 25 AEMR von 1948 festgeschrieben. Völkerrechtlich verbindlich wurde es im UN-Sozialpakt (IPwskR) umgesetzt, der seit 1976 verbindliches ↑Völkerrecht ist und von mehr als 160 Staaten ratifiziert wurde. Art. 11 Abs.1 IPwskR enthält die Bestimmungen zum Recht auf Nahrung: „Die Vertragsstaaten erkennen das Recht eines jeden auf einen angemessenen Lebensstandard […] an, einschließlich ausreichender Ernährung […]. Die Vertragsstaaten unternehmen geeignete Schritte, um die Verwirklichung dieses Rechtes zu gewährleisten, und erkennen zu diesem Zweck die entscheidende Bedeutung einer internationalen, auf freier Zustimmung beruhenden Zusammenarbeit an". Das zuständige UN-Komitee für wirtschaftliche, soziale und kulturelle Rechte hat 1999 definiert: „Das Recht auf ausreichende Ernährung ist realisiert, wenn jeder Mann, jede Frau und jedes Kind, allein oder in Gemeinschaft mit anderen zu jeder Zeit physischen und ökonomischen Zugang zu ausreichender Nahrung oder zu Mitteln zu ihrer Beschaffung hat". Als ausreichend kann die Nahrung angesehen werden, wenn „die Verfügbarkeit der Nahrung in Quantität und Qualität genügt, um den Ernährungsbedarf der Individuen zu decken; wenn sie frei von schädlichen Substanzen (Lebensmittelrecht) und kulturell akzeptabel ist. Der Zugang zu solcher Nahrung muss dauerhaft sein […]" (CESCR General Comment Nr. 12).

Beim Welt-E.s-Gipfel im Jahr 1996 beschlossen 182 Regierungsvertreter, die Anzahl der unterernährten Menschen bis zum Jahr 2015 zu halbieren. Im Jahr 2004 wurden bei der ↑FAO „Freiwillige Leitlinien zur schrittweisen Verwirklichung des Rechtes auf angemessene Nahrung im Rahmen der nationalen Ernährungssicherheit" verabschiedet, welche die Staaten bei der Umsetzung unterstützen sollten.

Die Generalversammlung der UNO verabschiedete im Jahr 2000 die Millenniums-Entwicklungsziele, zu denen das Ziel der Halbierung der extremen ↑Armut und Unter-E. in der Welt bis zum Jahr 2015 gehört, Bezugsjahr war 1990.

2. Situation

Die mit der Überwachung der Erreichung der E.s-Ziele betraute FAO konstatierte 2015 eine fast erreichte Halbierung der Unter-E. bezogen auf 1990, jedoch nicht bezogen auf 1996. Zwischen Ländern und Regionen stellte sie erhebliche Unterschiede fest, bes. in China sei die Unter-E. stark zurückgegangen, in vielen Ländern Afrikas und Asiens gebe es jedoch kaum Fortschritte oder sogar eine Verschlechterung der E.s-Lage.

2015 war das Recht auf Nahrung laut FAO für 795 Mio. Menschen nicht erreicht. Zu berücksichtigen ist jedoch, dass die FAO rückwirkend die Schätzungen der Unterernährten im Ausgangsjahr 1990 erhöht und die Bemessungsgrundlage für Unter-E. verändert hat. Seit 2012 wird ein niedrigerer Kalorienbedarf als ausreichend eingestuft und es werden nur noch diejenigen Menschen erfasst, die ein ganzes Jahr lang hungern. Legt man die offizielle Definition des Rechts auf Nahrung zugrunde, nach der jeder jederzeit Zugang zu ausreichender Nahrung haben muss, konnten 2015 ca. 2 Mrd. Menschen das Menschenrecht auf Nahrung nicht genießen. Dies trotz der internationalen Anerkennung des Rechtes auf Nahrung und trotz Umsetzungshilfen zur Implementierung dieses Menschenrechtes. Die Generalversammlung der UNO beschloss im September 2015, im Rahmen der SDG (↑Nachhaltigkeitsziele), den Hunger in der Welt bis zum Jahr 2030 zu beenden und E.s-Sicherheit für alle Menschen zu verwirklichen.

3. Gründe für mangelnde Ernährung

Zu den wichtigsten Gründen für das Fortbestehen unzureichender E. gehören

a) ungünstige natürliche Bedingungen,

b) Probleme bei Nahrungsmittelproduktion und Verteilung,

c) Nachernteverluste,

d) nationale politische Prioritäten,

e) internationale Handelsregeln,

f) Landnahme und Verwendung landwirtschaftlicher Produkte für andere Zwecke als E.,

g) Nahrungsmittelspekulation,

h) Klimaänderungen.

Ad a, b, c, d): Die Bodenbeschaffenheit und klimatische Bedingungen begrenzen die Möglichkeiten für die Nahrungsmittelproduktion. Dies führt in einigen Teilen der Erde dazu, dass nicht genügend Nahrungsmittel für die dort lebende Bevölkerung angebaut werden können. Hinzu kommen große Verluste an Nahrungsmitteln nach der Ernte, die von der FAO auf ein Drittel der Erntemenge weltweit geschätzt werden. Gründe dafür sind in Entwicklungsländern v.a. ungünstige Lager-, Transport- und Verarbeitungsbedingungen, in Industrieländern zusätzlich das Wegwerfen weniger schöner, nicht benötigter oder schlecht gewordener bzw. für schlecht gehaltener Nahrungsmittel durch den Handel und die Konsumenten. Hinzu kommen in vielen Ländern politische Prioritätensetzungen, die den Agrarsektor vernachlässigen und daher nicht zur Erhöhung der Produktion und Verarbeitung von Nahrungsmitteln und zur Verbesserung der E. führen. Insgesamt konnten aber seit den 1990er Jahren weltweit so große Mengen an Nahrungsmitteln produziert werden, dass die Weltbevölkerung ausreichend hätte ernährt werden können. Die unzureichende E. ist daher insb. ein Verteilungsproblem und hängt mit ungerechten internationalen Regeln und Strukturen zusammen.

Ad e): Internationale Handelsregeln benachteiligen landwirtschaftliche Produzenten in weniger entwickelten Ländern. Denn zum einen haben sich wirtschaftlich starke Industriestaaten die Möglichkeit, ihre Landwirtschaft (↑Land- und Forstwirtschaft) zu subventionieren, in den Verträgen der ↑WTO festschreiben lassen, und damit stehen Produzenten aus Entwicklungsländern, die von ihren Regierungen kaum ↑Subventionen erhalten, im ↑Wettbewerb mit den Produzenten aus Industriestaaten, die ihre Produkte weltweit verkaufen. Können die Produzenten aus Entwicklungsländern nicht so günstig produzieren wie ihre subventionierten Wettbewerber, können sie die Produkte auch auf dem heimischen Markt kaum verkaufen und sehen sich daher oft gezwungen, die Produktion einzustellen. Zum anderen dürfen Entwicklungsländer, die feststellen, dass der Abbau von Außenhandelsbarrieren und die Exporte aus Industriestaaten zum Rückgang der eigenen landwirtschaftlichen Produktion und Weiterverarbeitung führen, gemäß der Regeln der WTO keine neuen Schutzmechanismen für die eigene Landwirtschaft einführen. Somit stehen in diesen Ländern weniger einheimische Nahrungsmittel zur Verfügung, und sie sind abhängig von ausländischen Nahrungsmittelimporten. Zusätzlich erschwert das Abkommen über handelsbezogene Aspekte geistiger Eigentumsrechte (↑Immaterialgüterrecht) der WTO in Verbindung mit dem Erfordernis, ↑Patent- oder Sortenschutzrechte für Saatgut einzuführen, den Zugang der Bauern in Entwicklungsländern zu Saatgut. Denn durch die so entstehenden zusätzlichen Gebühren und den dadurch begünstigten Aufkauf lokaler Saatgutbetriebe in Entwicklungsländern durch internationale Saatgutkonzerne, die z. T. eine Oligopol- oder sogar Monopolstellung erhalten, erhöhen sich die Preise z. T. erheblich.

Ad f) Landnahme oder auch *Landgrabbing* genannt, tritt in größerem Umfang etwa seit Beginn der 2000er Jahre auf. Es bezeichnet den Aufkauf von Land in armen Entwicklungsländern durch ausländische Staaten und Firmen zur Nutzung für die Nahrungsmittelproduktion für die Heimatländer der Investoren (bspw. China, Indien, Saudi Arabien). Die Investoren wollen damit die E. ihrer eigenen Bevölkerung sichern, jedoch wird die

E. in den betroffenen Entwicklungsländern dadurch erschwert. Etwa zur gleichen Zeit hat die verstärkte Nutzung von Nahrungsmitteln zur Verwendung für andere als E.s-Zwecke stark zugenommen. Der Einsatz von Nahrungspflanzen zur Energieerzeugung, als sog.er Biotreibstoff führt dazu, dass diese Pflanzen nicht mehr zur E. zur Verfügung stehen. Bes. problematisch ist es, wenn Nahrungspflanzen aus Entwicklungsländern, in denen Menschen unzureichend ernährt sind, in Industriestaaten als Treibstoff eingesetzt werden.

Ad g) ↑Spekulation auf Nahrungsmittel wurde bis zu Beginn des 3. Jahrtausends hauptsächlich von Fachleuten der Agrarmärkte durchgeführt mit dem Ziel, die Preise von Agrarprodukten abzusichern. Als Folge der 2007 in den USA begonnenen weltweiten Finanzkrise (↑Finanzmarktkrise) und der Unsicherheit der meisten Finanzanlageprodukte, begannen viele weitere Anleger, z. T. in großem Umfang, mit der Nahrungsmittelspekulation. Viele spekulierten bspw. in den Jahren 2008 und 2009 auf steigende Nahrungsmittelpreise. Dies führte im Zusammenwirken mit Ernteausfällen in einigen großen Produzentenländern und der Nutzung von Nahrungsmitteln als Treibstoff in den genannten Jahren tatsächlich zu erheblichen Preissteigerungen bei Nahrungsmitteln mit der Folge, dass sich Haushalte mit geringen Einkommen weniger Nahrungsmittel leisten konnten. Dadurch stieg die Anzahl der Hungernden und Unterernährten in Entwicklungsländern stark an.

Ad h) Klimaänderungen (↑Klimawandel) führen u. a. zu Veränderungen der Nutzungsmöglichkeiten von ↑Boden für den Anbau von Nahrungsmitteln. Durch den Anstieg der Treibhausgase in der Erdatmosphäre und die dadurch mit verursachten ansteigenden Temperaturen und extremen Wetterereignisse wie Dürren, extreme Stürme und Überschwemmungen werden sich die Anbaubedingungen für Nahrungsmittel in weiten Teilen Afrikas, Asiens und Lateinamerikas (↑Lateinamerika und Karibik) weiter verschlechtern mit der Konsequenz von Produktionsrückgängen und schlechterer E. der Bevölkerung.

4. Lösungsansätze aus sozialethischer Sicht

Sowohl aus menschenrechtlicher Sicht als auch aus christlich-sozialethischer Sicht gemäß dem Personalitätsprinzip muss der Mensch im Mittelpunkt der Bemühungen um die Verbesserung der E. stehen. Gemäß dem Subsidiaritätsprinzip (↑Subsidiarität) und den menschenrechtlichen Bestimmungen des internationalen Völkerrechts geht es um eine Zuordnung der Verantwortlichkeiten, nach der der Staat die grundlegende Verantwortung der Garantie des Menschenrechts auf Nahrung hat.

Er hat es zu beachten, d. h. er darf niemanden in seinen Möglichkeiten, sich selbst ernähren zu können einschränken, er hat es zu schützen, d. h. sicherzustellen, dass andere – Unternehmen und Privatpersonen – das Recht beachten, und er hat es im Notfalle zu erfüllen,

d. h. durch Hilfsleistungen einzutreten, wenn einzelne nicht in der Lage sind, ihre E. selbst sicherzustellen bspw. aufgrund von Einkommens- oder Ernteausfällen. Ist ein einzelner Staat nicht in der Lage, das Recht auf Nahrung für alle Einwohner sicherzustellen, ist die internationale Gemeinschaft der Staaten zu Hilfestellung verpflichtet. Darüber hinaus ist die Staatengemeinschaft verpflichtet, internationale Abkommen so auszugestalten, dass eine fortschreitende Realisierung des Rechts auf Nahrung möglich ist. Unternehmen sind verpflichtet, das Recht auf Nahrung der Menschen zu beachten und Einzelpersonen sind verpflichtet, die Rechte der anderen zu beachten und selbst alles zu tun, was ihnen möglich ist, um die eigene E. zu sichern. Das Solidaritätsprinzip verlangt, auch im E.s-Bereich die ↗Solidarität aller mit der Gemeinschaft und die Unterstützung der Schwächsten durch die Gemeinschaft. Gemäß dem Gemeinwohlprinzip (↗Gemeinwohl) müssen alle Bedingungen im E.s-Bereich so gestaltet werden, dass die ↗Menschenwürde und das Recht auf ausreichende, schadstofffreie und kulturell akzeptable Nahrung für alle Menschen gesichert wird, damit eine ganzheitliche Entfaltung aller Menschen möglich wird.

Bezogen auf die Hauptgründe für das Fortbestehen unzureichender E. müssten Staaten vermehrt Agrarforschung unterstützen, die verbesserte Anbaumethoden unter ungünstigen natürlichen Bedingungen untersucht. Die Reduzierung der Nachernteverluste kann staatlicherseits durch geeignete politische Rahmenbedingungen beeinflusst werden. Hauptverantwortliche sind hier jedoch Unternehmen und Einzelne, die in Entwicklungsländern Lagerung, Transport und Verarbeitung der Nahrungsmittel verbessern sollten. In Industriestaaten sollten Handel und Konsumenten besser kalkulieren, welche Mengen sie anbieten bzw. benötigen und ein Wegwerfen der Nahrungsmittel vermeiden. Bes. in Entwicklungsländern sollte die Produktion und Weiterverarbeitung von Nahrungsmitteln durch geeignete politische Rahmenbedingungen unterstützt werden. Auch die internationalen Handelsregeln müssen dahingehend verändert werden, dass die Benachteiligung der landwirtschaftlichen Produzenten in weniger entwickelten Ländern beendet wird. Entweder müssen Industriestaaten auf den Export von im Inland subventionierten Nahrungsmitteln in Länder, in denen die lokale Produktion dadurch verdrängt wird, verzichten, oder wenn Industriestaaten weiterhin die Möglichkeit behalten wollen, ihre subventionierten Agrarprodukte weltweit zu exportieren, dann müssen Entwicklungsländer im Rahmen der WTO die Möglichkeit bekommen, ihre Produzenten davor zu schützen, um die heimische Produktion und Weiterverarbeitung von Nahrungsmitteln aufrechtzuerhalten und möglichst auszubauen. Auch das Abkommen über handelsbezogene Aspekte geistiger Eigentumsrechte der WTO ist dahingehend zu ändern, dass für Entwicklungsländer, die unter unzureichender E. ihrer Bevölkerung leiden, Ausnahmen gemacht werden, die den ungehinderten Zugang der Bauern in Entwicklungsländern zu Saatgut sicherstellen.

Die Freiwilligen Leitlinien zur Verwirklichung des Rechts auf Nahrung und die vom Welt-E.s-Ausschuss 2012 verabschiedeten „Freiwilligen Leitlinien für die verantwortungsvolle Verwaltung von Boden- und Landnutzungsrechten, Fischgründen und Wäldern" sollten als Grundlage für nationale und internationale Regelungen bzgl. des Erwerbs von Agrarland genutzt werden. Der Kauf von Agrarland in armen Entwicklungsländern sollte nur dann erlaubt werden, wenn dadurch keine Beeinträchtigung der Produktion von Nahrungsmitteln für die eigene Bevölkerung entsteht und wenn keine formellen oder informellen Landrechte der eigenen Einwohner verletzt werden. Der eigene Staat trägt auch in diesem Fall die Hauptverantwortung, jedoch sind alle Staaten sowie Unternehmen und Einzelpersonen ebenfalls gefordert, die legitimen Rechte der Einwohner zu beachten. Die im Jahr 2016 verabschiedeten ↗OECD-FAO Leitsätze für verantwortliche landwirtschaftliche Lieferketten enthalten detaillierte Richtlinien, wie Unternehmen ihre menschenrechtlichen Verpflichtungen in diesem Bereich umsetzen sollten. Insb. wenn bekannt ist, dass eine Regierung nicht willens oder nicht in der Lage ist, die Landrechte der eigenen Bevölkerung zu garantieren oder zu sichern, müssen Unternehmen ihre ↗Verantwortung selbstständig wahrnehmen. International verbindliche Regeln sollten durch die Gemeinschaft aller Staaten verabschiedet und umgesetzt werden. Nahrungsmittel sollten nur dann als Biotreibstoff oder für andere Nicht-E.s-Zwecke genutzt werden, wenn sichergestellt ist, dass dadurch keine E.s-Probleme entstehen. Spekulation auf Nahrungsmittel sollte internationalen Regeln unterworfen werden, die sicherstellen, dass Preiserhöhungen für Menschen mit ungesichertem Zugang zu Nahrung vermieden werden. Alle Länder müssen verstärkt Anstrengungen unternehmen, um Klimaveränderungen, die zu verminderten Möglichkeiten der Produktion von Nahrungsmitteln führen, zu verhindern. Bei allen Prozessen zur Findung und Umsetzung geeigneter Regeln ist es aus sozialethischer Sicht sehr wichtig, die Bevölkerung mit einzubeziehen, v. a. die von E.s-Unsicherheit bes. betroffenen Menschen.

Literatur

OECD/FAO: Guidance for Responsible Agricultural Supply Chains, 2016 • M. Vogt: Lebensmittelabfälle als ethisch-kulturelle Herausforderung, in: J. Kersten (Hg.): Invastement. Abfall in Umwelt und Gesellschaft, 2016, 55–82 • FAO/IFAD/WFP: The State of Food Insecurity in the World, 2015 • UN: Sustainable Development Goals (2015), URL: http://www.un.org/sustainabledevelopment/sustainable-development-goals (abger.: 20.3.2018) • UN: The Millennium Development Goals Report 2015, 2015 • A. Schneeweiss/P. Weltin: Nicht zu verkaufen! Agrarland in Entwicklungs- und Schwellenländern als neues Anlageprodukt, 2013 • FAO: Responsible Governance of Tenure of land, fisheries and forests in the context of national food security, 2012 • J. Baxter: Understanding

Land Investment Deals in Africa, 2011 • FAO: Global food losses and food waste, 2011 • B. Luig: Hungerstillendes Wachstum, in: Misereor (Hg.): In den Grenzen von morgen, 2011, 22 f. • FIAN (Hg.): Voluntary Guidelines on the Right to Adequate Food, 2006 • B. Herrmann: Das Recht auf Ernährung in der Verantwortung der Staaten, in: M. J. Ibeh/J. Wiemeyer (Hg.): Entwicklungszusammenarbeit im Zeitalter der Globalisierung, 2006, 191–209 • FAO: Voluntary Guidelines to support the progressive realization of the right to adequate food in the context of national food security, 2005 • B. Herrmann: Das Recht auf Ernährung am Beispiel Malis, 2003 • Päpstlicher Rat Cor Unum: Der Hunger in der Welt, 1996.

BRIGITTA HERRMANN

II. Ernährungsrecht

1. Begriff

Der Begriff E. erfasst zwei disparate Aspekte: Zum einen das Recht auf Nahrung bzw. das Recht auf angemessene E., das als ↑Menschenrecht in völkerrechtlichen Dokumenten sowie in den Verfassungen einiger Staaten ausdrücklich, in der anderer Staaten inzident verankert ist. Zum anderen das Lebensmittelrecht, das auf der Basis hinreichend vorhandener E. den Zielen Gesundheitsschutz und Verbraucherschutz sowie Verbraucherinformation dient, dabei auch völkerrechtliche Vorgaben des Welthandelsrechts (WTO-Recht) erfasst.

2. Recht auf angemessene Ernährung

a) Das Menschenrecht auf Nahrung ist *völkerrechtlich* in einer Reihe von rechtlich nicht verbindlichen Res.en, beginnend mit Art. 25 Abs. 1 AEMR, deren Inhalt wohl Völkergewohnheitsrecht geworden ist (str.), sowie in ↑völkerrechtlichen Verträgen verankert. Am bedeutsamsten ist insoweit Art. 11 IPwskR (UN-Sozialpakt) von 1966, der seit 1976 in Kraft ist und von über 160 Staaten ratifiziert wurde (einschließlich Deutschland; innerstaatlich gemäß Art. 59 Abs. 2 GG mit dem Rang eines einfachen Bundesgesetzes). Danach erkennen die Vertragsstaaten das Recht eines jeden auf einen angemessenen Lebensstandard für sich und seine Familie an, einschließlich „ausreichender Ernährung, Bekleidung und Unterbringung" (Art. 11 Abs. 1 IPwskR). In Anerkennung des „grundlegenden Rechts eines jeden, vor Hunger geschützt zu sein" (Art. 11 Abs. 2 IPwskR), verpflichten sich die Vertragsstaaten einzeln und im Wege internationaler Zusammenarbeit zu näher aufgeführten erforderlichen Maßnahmen, einschließlich Programmen. Wenngleich die Unterscheidung als weniger entscheidend gesehen wird, deutet die unterschiedliche Formulierung darauf hin, dass der Schutz vor Hunger ein allg.er Mindeststandard ist, während ein angemessener Lebensstandard relativ je nach dem Entwicklungsstand des betroffenen Staates und ggf. auf dessen Fortschreiten angelegt ist. Die Reichweite des Rechts auf angemessene Nahrung und der damit verbundenen Pflichten wird in der „Allgemeinen Bemer-kung" (General Comment) Nr. 12 des UN-Ausschusses CESCR, der die Einhaltung des UN-Pakts überwachen soll, näher bestimmt. Danach ist das Recht auf Nahrung sichergestellt, wenn Nahrungsmittel verfügbar *(available)* sind, keine schädlichen Stoffe enthalten *(free from adverse substances)* und innerhalb einer bestimmten Kultur akzeptabel sind *(cultural or consumer acceptability)*. Letzteres impliziert z. B. religiös motivierte Speisegesetze oder sonstige kulturell begründete Vorbehalte gegenüber bestimmten Lebensmitteln, ferner in bestimmten Regionen typische Unverträglichkeit (z. B. Laktoseintoleranz). Für die Staaten besteht eine Achtungs-, Schutz- und Gewährleistungspflicht. Grundlegend für das Recht auf Nahrung ist auch das Recht auf ↑Wasser (General Comment Nr. 15). Das Recht auf Nahrung wird auch in Menschenrechtsverträgen, die spezielle Aspekte regeln, normiert, so in Art. 12 Abs. 2 CEDAW (hinsichtlich ausreichender E. während der Schwangerschaft und der Stillzeit), Art. 24 Abs. 2 c, e und Art. 27 Abs. 3 der UN-Kinderrechtskonvention und in Art. 25 S. 3 f und Art. 28 Abs. 1 CRPD. Hinzu kommen sog.e *Soft Law*-Leitlinien der ↑FAO, die das Problembewusstsein für Fragen wie Folgen des sog.en *Landgrabbing* schärfen und entspr.e Gegenmaßnahmen anregen sollen. Berechtigter des Rechts auf Nahrung ist jeder Mensch, Verpflichtete sind die Staaten. Wie alle Menschenrechte ist auch das Recht auf Nahrung nicht nur international-, sondern auch binnengerichtet. Universell gesehen sind hinsichtlich des Rechts auf Nahrung im Vergleich zu den völkerrechtlichen Garantien nach wie vor erhebliche Defizite zu verzeichnen: Diese haben verschiedene Ursachen (neben Kriegen und Katastrophen z. B. Probleme des Transports, der Lagerung und der Verteilung, aber auch Gefährdungen der heimischen Produktion durch Importe).

b) Ausdrücklich wird das Recht auf Nahrung in den Verfassungen von 23 Staaten erwähnt. Davon zu unterscheiden ist die rechtliche Durchsetzbarkeit und die Realität in den einzelnen Staaten. Auch wenn es nicht ausdrücklich geschützt ist, lässt sich ein Recht auf Nahrung bzw. angemessene E. aus anderen Grundrechtsbestimmungen herleiten, praktisch erfolgt durch den *Obersten Gerichtshof Indiens* aus Art. 21 der Verfassung (Schutz des Lebens und der persönlichen Freiheit). In Deutschland folgen aus dem Schutz der ↑Menschenwürde (Art. 1 Abs. 1 GG) i. V. m. dem Sozialstaatsprinzip (Art. 20 Abs. 1 GG; ↑Sozialstaat) Ansprüche zur Sicherung des ↑Existenzminimums, aus der Pflicht zum Schutz von Leben und körperlicher Unversehrtheit (Art. 2 Abs. 2 GG) neben der staatlichen Pflicht zur Grundsicherung mit Lebensmitteln (Daseinsvorsorge) auch die Gewährleistung der Lebensmittelsicherheit durch das Lebensmittelrecht.

3. Lebensmittelrecht

a) Das Lebensmittelrecht ist eine *interdisziplinäre Wissenschaft*, da es Materien erfasst, die nur in Zusammenarbeit mit Naturwissenschaftlern der Fachrichtungen Biologie, Chemie, Lebensmittelchemie und Veterinärmedizin erfasst und bewältigt werden können. Innerhalb der Rechtswissenschaften ist es intradisziplinär, da es die großen Teildisziplinen Zivilrecht (z. B. Produkthaftungsrecht, Wettbewerbsrecht), ↑öffentliches Recht (als bes.s Sicherheits- bzw. Ordnungsrecht) und Straf- und Ordnungswidrigkeitenrecht (Bewehrung von Verstößen) sowie wegen der weitgehenden Europäisierung der Materie das ↑Europarecht, wegen dessen Vorgaben (neben dem Recht auf angemessene E. das Welthandelsrecht) auch das ↑Völkerrecht umfasst.

b) Zwecke des Lebensmittelrechts sind der Schutz des Verbrauchers vor gesundheitsschädlichen oder auch nur gesundheitlich bedenklichen Stoffen (Gesundheitsschutz), der Schutz des Verbrauchers vor Täuschungen über die Beschaffenheit von und Qualität durch entspr.e Anforderungen an die Bezeichnung und Aufmachung von Lebensmitteln (Täuschungsschutz) sowie darüber hinausgehend die Unterrichtung des Verbrauchers über bestimmte, für seine Kaufentscheidung möglicherweise relevante Eigenschaften und Merkmale (z. B. ohne Gentechnik, Herkunft, Tierhaltung) der angebotenen Lebensmittel (Verbraucherinformation). Ferner kann das Lebensmittelrecht daneben auch andere Zwecke wie z. B. den Schutz der Landwirtschaft durch Bezeichnungsschutz z. B. für Milcherzeugnisse verfolgen. Der *Begriff* umfasst somit im engeren Sinne die Gesamtheit der Rechtsnormen über Gewinnung, Herstellung, Zusammensetzung, Beschaffenheit und Qualität von Lebensmitteln sowie über ihre Bezeichnung, Aufmachung, Verpackung und Kennzeichnung. Dem Lebensmittelrecht werden darüber hinaus auch die Regelungen über kosmetische Mittel und Bedarfsgegenstände zugeordnet, die ausdrücklich keine Lebensmittel sind, aber ebenfalls den Schutz des Verbrauchers vor gesundheitlichen Schäden und vor Täuschungen bezwecken. Tabakerzeugnisse werden aus politischen Gründen als „gesundheitsschädliche Produkte" nicht mehr vom Lebensmittelrecht umfasst.

c) Die Geschichte des Lebensmittelrechts reicht bis ins Altertum zurück und zeigt mit der Bekämpfung von Gesundheitsgefährdung und Betrug bes. Kontinuität. In Deutschland erfolgte 1871 im StGB eine einheitliche Regelung für das Deutsche Reich. Das Nahrungsmittelgesetz von 1879 führte erstmals einen vorbeugenden Verbraucherschutz ein. Als technisches Sicherheitsrecht erforderte auch das Lebensmittelrecht rasche Veränderungen, die auch wegen der speziellen Sachmaterie nur durch die Ermächtigung zum Erlass von Rechts-VO möglich sind. Dem trug das Lebensmittelgesetz von 1927 Rechnung. 1933–45 galten daneben die Bestimmungen des Zwangsverbandes „Reichsnährstand". Die seit 1927 eingetretenen Veränderungen in der Lebensmitteltechnologie und die angewachsene Unübersichtlichkeit des Lebensmittelrechts führten 1958 zu einer Reform, die die Verwendung von „Fremdstoffen", heute

Zusatzstoffen, regelte, wodurch das Missbrauchsprinzip durch das Verbotsprinzip ergänzt wurde, und mit dem „Deutschen Lebensmittelbuch" eine Zusammenstellung von Beurteilungskriterien für Lebensmittel schuf. 1975 trat das „Gesetz zur Gesamtreform des Lebensmittelrechts mit dem Lebensmittel- und Bedarfsgegenständegesetz" in Kraft, das 2005 durch das LFGB ersetzt wurde, das auch zur Umsetzung und Durchführung von EU-Recht dient und stets an dessen Fortentwicklung (z. B. durch die LMIV) angepasst werden muss.

d) Die *Rechtsgrundlagen* des Lebensmittelrechts verdeutlichen wegen seiner starken Determinierung durch das Unionsrecht, das wegen seinem Vorrang entgegenstehendes nationales Recht verdrängt (Sperrwirkung), die Folgen eines Mehrebenensystems.

Vorgaben des *Unionsrechts* ergeben sich aus den Bestimmungen des Primärrechts über den freien Warenverkehr, insb. das Verbot von mengenmäßigen Einfuhrbeschränkungen und Maßnahmen gleicher Wirkung (Art. 34, 36 AEUV), das faktisch zu einer grundsätzlichen gegenseitigen Anerkennung der Vorschriften des jeweiligen EU-Exportlandes durch das Importland führt, es sei denn, die Beschränkungen können nach unionsrechtlichen Maßstäben unter Kontrolle des ↑EuGH gerechtfertigt werden (vgl. §54 LFGB). Die grundlegenden Urteile des EuGH dazu in den Fällen *Dassonville* und *Cassis de Dijon* betreffen Lebensmittel (Whisky und Likör). Eine Folge davon kann die sog.e Inländerdiskriminierung sein, da die inländische Produktion weiterhin an die nationalen Vorschriften gebunden bleibt, es sei denn, es besteht durch EU-Sekundärrecht eine einheitliche, innerhalb der gesamten Union und nicht nur für zwischenstaatliche Sachverhalte geltende Regelung. Gemäß dem Prinzip der begrenzten Einzelermächtigung (Art. 5 EUV) erforderliche Rechtsgrundlagen für lebensmittelrechtliche Vorschriften sind zum einen Art. 43 AEUV (Landwirtschaft), zum anderen die allg.e Binnenmarktkompetenz des Art. 114 AEUV. Darauf wurde eine Reihe von EU-RL gestützt, die zunehmend durch EU-VO ersetzt wurden und werden. Eine übergreifende Regelung erfolgte in der „Verordnung zur Festlegung der allgemeinen Grundsätze und Anforderungen des Lebensmittelrechts, zur Errichtung der Europäischen Behörde für Lebensmittelsicherheit und zur Festlegung von Verfahren zur Lebensmittelsicherheit", der sog.en BasisVO, die erstmals eine unionsrechtliche Definition von „Lebensmittel" festlegt. Dies sind „alle Stoffe, die dazu bestimmt sind oder von denen nach vernünftigem Ermessen erwartet werden kann, dass sie in verarbeitetem, teilweise verarbeitetem oder unverarbeitetem Zustand von Menschen aufgenommen werden, einschließlich Getränken, Kaugummi sowie alle Stoffe, einschließlich Wasser, die dem Lebensmittel bei seiner Herstellung oder Ver- oder Bearbeitung absichtlich zugesetzt werden" (Art. 2 BasisVO). Wegen der unterschiedlichen Regelungen für das Inverkehrbringen, nämlich der grundsätzlichen Zulassungspflicht für Arzneimittel, von erheblicher praktischer Bedeutung ist die Abgrenzung zu Arzneimitteln, die im Rahmen der sekundärrechtlichen Definitionen des Unionsrechts (BasisVO und Gemeinschaftskodex für Arzneimittel) erfolgt. Für Produkte, deren Zweckbestimmung sich überschneidet (Nahrungsergänzungsmittel, diätetische Lebensmittel, bilanzierte Diäten, angereicherte Lebensmittel), trifft das EU-Sekundärrecht spezielle Regelungen. Gemäß der 1986 entwickelten „neuen Strategie" wird der Grundsatz der gegenseitigen Anerkennung mit der Harmonisierung mit EU-Sekundärrecht dahingehend verbunden, dass auf Produktvorschriften grundsätzlich (d.h. mit Ausnahmen) verzichtet werden („kein europäischer Einheitsbrei") und sich die Harmonisierung durch EU-Sekundärrecht auf allg.e das Lebensmittelrecht betreffende Fragen beschränken soll. Beispiele solcher sog.er horizontaler Regelungen sind RL bzw. VO über Zusatzstoffe, Hygiene, nährwert- und gesundheitsbezogene Angaben (sog.e *Health Claims*), *Novel Food* und gentechnisch veränderte Lebensmittel, Allergene sowie über die Lebensmittelüberwachung bzw. Lebensmittelkontrolle, die für das in einem Binnenmarkt erforderliche gegenseitige Vertrauen notwendig ist, und die Lebensmittelkennzeichnung.

Im *deutschen Recht* sind wegen der mit dem Lebensmittelrecht als bes.m Sicherheitsrecht verbundenen Eingriffen in die wirtschaftliche Tätigkeit von Produzenten, Verarbeitern und Händlern von Lebensmitteln die Grundrechte der Berufsfreiheit (Art. 12 GG) und auf Eigentum (Art. 14 GG), die Wettbewerbsfreiheit (Art. 2 Abs. 1 GG) und das strafrechtliche Bestimmtheitsgebot (Art. 103 Abs. 2 GG), wegen der gebotenen Schutzpflicht für den Verbraucher (Art. 2 Abs. 2 GG) als verfassungsrechtliche Vorgaben zu beachten. Das Lebensmittelrecht gehört zur konkurrierenden Gesetzgebung des Bundes und der Länder (Art. 74 Nr. 20 GG). Der Bund hat von seinem Gesetzgebungsrecht durch das LFGB, eine Vielzahl von Nebengesetzen (z.B. Weingesetz, Milch- und Margarine-Gesetz) und den Erlass von darauf gestützten ↑Rechtsverordnungen Gebrauch gemacht. Zur Konkretisierung der Normen ist die Verkehrsauffassung, d.h. die Auffassung der angesprochenen Verkehrskreise Hersteller, Händler und Verbraucher wichtig. Der administrative Vollzug einschließlich des Vollzugs des Unionsrechts, soweit nicht ausnahmsweise die EU und dort die ↑Europäische Kommission und für sie tätige Behörden (FVO mit Sitz in Irland, EFSA mit Sitz in Parma) zuständig ist, obliegt entspr. der Kompetenzverteilung gemäß Art. 30, Art. 83 ff. GG hauptsächlich den Ländern. Die Organisationsstruktur der Lebensmittelüberwachung ist unterschiedlich. Die durch die BasisVO für die Analyse von Risiken von Lebensmitteln vorgesehene Trennung von Risikobewertung und Risikomanagement führte in Deutschland 2002 zur Auflösung des „Bundesinstituts für gesundheitlichen Verbraucherschutz und Veterinärmedizin" und zur Errichtung des „Bundesinstituts für Ri-

sikobewertung" und des für das Risikomanagement zuständigen, dem „Bundesministerium für Ernährung, Landwirtschaft" unterstellten „Bundesamts für Verbraucherschutz und Lebensmittelsicherheit".

Das *Welthandelsrecht* beeinflusst das europäische und damit auch das deutsche Lebensmittelrecht. Die „Codex Alimentarius Kommission", eine gemeinsame Unterorganisation der Sonderorganisationen FAO und ↑WHO der ↑UNO, sammelt internationale Lebensmittelstandards, um einerseits nichttarifäre Handelshemmnisse abzubauen, die durch unterschiedliche Produktstandards verursacht werden, andererseits diese im Interesse des Gesundheitsschutzes und des Verbraucherschutzes und fairer Handelspraktiken festzulegen. Codex-Standards gewinnen erst, aber immerhin dadurch innerstaatliche bzw. wegen der Kompetenz der ↑EU für die gemeinsame Handelspolitik innerunionale Rechtsgeltung, wenn sie vom betreffenden Staat bzw. der EU förmlich akzeptiert werden. Auf diese Standards verweisen auch die einschlägigen Abkommen, die im Rahmen der ↑WTO geschlossen wurden, nämlich über technische Handelshemmnisse *(Technical Barriers on Trade)* und über die Anwendung gesundheitspolizeilicher und pflanzenschutzrechtlicher Maßnahmen *(Sanitary and Phytosanitary Measures)*. Vor die Streitschlichtungsorgane der WTO wurde z.B. der sog.e Hormonstreit zwischen den USA und Kanada einerseits und der EU andererseits gebracht.

e) Im Lebensmittelrecht gilt grundsätzlich das sog.e *Missbrauchsprinzip*. Unter diesem soweit ersichtlich allein im Lebensmittelrecht verwendeten Begriff versteht man die generelle Erlaubnis, etwas zu tun oder zu unterlassen, soweit diese Freiheit nicht dahingehend „missbraucht" wird, als gegen Verbote oder Gebote von Rechtsnormen verstoßen wird. Folglich sind alle am Verkehr mit Lebensmitteln Beteiligten grundsätzlich frei, diese eigenverantwortlich, d.h. ohne vorhergehende behördliche Genehmigung oder Erlaubnis, herzustellen und zu vertreiben. Sie haften aber dafür, dass Herstellung und Beschaffenheit der Lebensmittel den gesetzlichen Vorschriften entsprechen und tragen das entspr.e Risiko. Daher müssen die lebensmittelrechtlichen Anforderungen bestimmt genug sein, damit der Inverkehrbringer weiß, was von ihm verlangt wird. Dieser Regelungstypus einer Erlaubnis mit (eingeschränktem) Verbotsvorbehalt kann aus der Berufsfreiheit (Art. 12 GG) und der allg.en Handlungsfreiheit (Art. 2 Abs. 1 GG) hergeleitet werden. Denn deren Beschränkungen sind nur unter den strengen Kriterien des Verhältnismäßigkeitsgrundsatzes verfassungsgemäß. Daher müssen sich die von diesem Grundsatz abweichenden Regelungen, die dem sog.en *Verbotsprinzip* folgen, unter diesem Grundsatz rechtfertigen. Dieses Verbotsprinzip enthält den Grundsatz, dass ein bestimmtes Tun oder Unterlassen generell verboten ist, es sei denn, eine Rechtsnorm lässt es ausdrücklich zu (Verbot mit Erlaubnisvorbehalt). Als gerechtfertigt wird dieses Verbotsprinzip für Maßnahmen zum vorbeugenden Gesundheitsschutz und daher für Zusatzstoffe, die Bestrahlung von Lebensmitteln, für *Novel Food*, für gentechnisch veränderte Lebensmittel und für nährwert- und gesundheitsbezogene Angaben angesehen. Prinzipiell ist insoweit ein Zulassungsverfahren gerechtfertigt. Der Grundsatz der ↑Verhältnismäßigkeit verlangt aber eine am Regelungsziel orientierte und damit ggf. restriktive Auslegung.

f) Der *Durchsetzung* des Lebensmittelrechts dienen die Lebensmittelkontrolle und die Bewehrung von Verstößen gegen das Lebensmittelrecht durch Bußgeld- oder Strafsanktionen. Präventive Maßnahmen zur Gefahrenabwehr, insb. staatliche Warnungen, und repressive Maßnahmen, zu denen auch die Sicherstellung oder Beschlagnahme der beanstandeten Lebensmittel gehören, können ggf. nebeneinander eingesetzt werden. Neben den traditionellen Instrumenten des Ordnungsrechts werden zunehmend neue Handlungsformen, nämlich unterschiedliche Formen der Verbraucherinformation („Smiley", „Ekel"- und Positivlisten, „Hygienepass") eingesetzt, die eine Reihe von Rechtsfragen (gesetzliche Grundlage, Verhältnismäßigkeit, Gleichheitsgrundsatz, effektiver Rechtsschutz) aufwerfen.

g) Die *Entwicklung des Lebensmittelrechts* hat auf Defizite, die in tatsächlichen oder auch nur vermeintlichen „Lebensmittelskandalen" offenbar wurden, reagiert. So war der BSE-Skandal Anlass für die Erstellung des „Weißbuchs zur Lebensmittelsicherheit" der EU-Kommission (2002) und den Ansatz, die Lebensmittelkette „vom Erzeuger zum Verbraucher", „vom Feld zum Tisch" zu erfassen. In einem Binnenmarkt kommt der Zusammenarbeit zwischen den nationalen Behörden und der EU-Kommission sowie den dieser verbundenen Behörden FVO und EFSA entscheidende Bedeutung zu. Dies gilt v. a. für Warnungen vor gesundheitsschädlichen oder sonst nicht verkehrsfähigen (da z. B. Ekel erregenden) Lebensmitteln, die einerseits rechtzeitig und effektiv sein müssen, andererseits Fehlalarme nicht nur im Interesse der betroffenen Hersteller, sondern auch im Interesse der Glaubwürdigkeit des Systems vermeiden sollen. Eine grundsätzliche Frage ist auch, von welchem „Leitbild" des Verbrauchers ausgegangen werden soll. Dieses ist hinsichtlich unterschiedlicher Zielgruppen sicher zu differenzieren. Sich abzeichnende paternalistische Tendenzen bis hin zu einer „Verbrauchererziehung" sind mit dem Menschenbild eines freiheitlich-demokratischen Staates aber unvereinbar.

Literatur

G. Dannecker/G. Gorny (Hg.): BEHR'S Kommentar zum Lebensmittelrecht, 47. Erg.-Lfg., Stand Februar 2017 • R. Streinz: Lebensmittelrechts-Hdb., 37. Erg.-Lfg., Stand November 2016 • W. Zipfel/K.-D. Rathke/O. Sosnitza (Hg.): Lebensmittelrecht, 5 Bde., 168 Erg.-Lfg, Stand August 2017 • I. Härtel: Ein (Menschen)Recht auf Nahrung?, in: M. E. Geis u. a. (Hg.): Von der Kultur der Verfassung, 2015, 23–34 • R. Streinz: Lebensmittel- und Arzneimittelrecht, in: R. Schulze/M. Zuleeg/S. Kadelbach (Hg.): Europarecht. Hdb. für die deutsche Rechtspraxis, ³2015, § 24 • J. Gundel: Lebensmittelrecht, in: M. Ruffert (Hg.): Enzyklopädie Europarecht, Bd. 5, 2013, § 8 • A. H. Meyer/R. Streinz (Hg.): LFGB, BasisVO, HCVO, Kommentar, ²2013 • R. Streinz: Lebensmittelrecht, in: D. Ehlers/M. Fehling/H. Pünder (Hg.): Besonderes Verwaltungsrecht, Bd. 2, ³2013, § 57 • K. Mechlem: Food, Right to, International Protection, in: R. Wolfrum u. a. (Hg.): The Max Planck Encyclopedia of Public International Law, Bd. 4, 2012, 143–151 • M. Weck: Lebensmittelrecht, 2011.

RUDOLF STREINZ

Erneuerbare Energien ↑Energiepolitik

Erstes Vatikanisches Konzil

Anlässlich der 1800-Jahr-Feier des Martyriums von Petrus und Paulus kündigte Papst Pius IX. am 26.6.1867 in Rom die Einberufung eines ökumenischen ↑Konzils an. Am 29.6. des folgenden Jahres berief er es mit der Bulle *Aeterni Patris* auf den 8.12.1869 in den Vatikan ein. Die Einladung an die orthodoxen und protestantischen Kirchen verband er mit dem Appell, zur kirchlichen Einheit unter dem ↑Papst zurückzukehren, was als brüskierend empfunden und abgelehnt wurde. Die Oberhäupter der christlichen Staaten wurden nicht mehr eingeladen. Hinter dem päpstlichen Entschluss lassen sich zwei wichtige Entwicklungslinien ausmachen: Auf der einen Seite sollte der seit der Revolution von 1848 und dem Exil des Papstes in Gaëta (bis 1850) geführte Kampf gegen den Rationalismus und den ↑Liberalismus mit seiner Theorie individueller ↑Menschenrechte und ↑Freiheiten sowie für die Unabhängigkeit der ↑Kirche (↑Katholische Kirche) von den Staaten fortgeführt werden; zudem hatte eine streng-römisch und an der mittelalterlich-scholastischen Theologie (↑Scholastik) orientierte Gruppe die päpstliche Verurteilung theologischer Strömungen nördlich der Alpen, die der modernen historischen Methode oder der neuzeitliche Philosophie aufgeschlossen gegenüberstanden, durchgesetzt. Beide Entwicklungen sollten bekräftigt und feierlich als unumstößlich erklärt werden. Ab September 1867 arbeitete eine Zentralkommission an der Geschäftsordnung, während fünf Sachkommissionen (Dogma, Disziplin, Kirchenpolitik, Ostkirchen und Missionen, Orden) die zu beschließenden Texte vorbereiten sollten. Deren kurial dominierte, einseitig-ultramontane Zusammensetzung rief breite Kritik hervor und führte Ende 1868 zu einer Intervention des Prager Kardinals Friedrich von Schwarzenberg und zu einer Nachnominierung weiterer Konsultoren; diese Korrektur blieb jedoch kosmetisch.

Während die Vorbereitungsarbeit vor der Öffentlichkeit abgeschirmt war, polarisierte die römische Jesuitenzeitschrift *Civiltà Cattolica*, die sich zu einem halboffiziösen Laboratorium und Vordenkerorgan des Papstes entwickelt hatte, am 6.2.1869 mit einem Artikel, nach dem alle wahren Katholiken sich vom Konzil die Definitionen des *Syllabus errorum* von 1864, der Unfehlbarkeit (Infallibilität) des Papstes und der sofortigen leiblichen Aufnahme Mariens in den Himmel wünschten. 1867 hatte diese Zeitschrift bereits ein Gelübde mit Bezug auf die päpstliche Unfehlbarkeit propagiert, das die Bischöfe Henry Edward Manning (Westminster) und Ignatius Senestrey (Regensburg) am Petrusgrab auch ablegten. Ähnliche Forderungen erhob der französische Publizist Louis Veuillot in seiner Zeitschrift *L'Univers*. Katholische Gegenstimmen fürchteten eine einseitig-parteiische Definition, die weder auf die enormen historischen Probleme eines solchen Glaubenssatzes noch auf die Stellung der Katholiken als Staatsbürger Rücksicht nähme. An die Spitze dieser Opposition stellte sich der Münchener Kirchenhistoriker Ignaz von Döllinger mit einer ersten in der Augsburger „Allgemeinen Zeitung" anonym publizierten Artikelfolge (auch separat unter dem Pseudonym „Janus" erschienen). Der von I. von Döllinger angestoßene Versuch des bayerischen Ministerpräsidenten, eine diplomatische Intervention der Staaten zu organisieren, führte zu keinem Erfolg.

Das am 8.12.1869 eröffnete Konzil tagte unter schlechten akustischen Bedingungen im rechten Seitenschiff der Peterskirche. Die Geschäftsordnung (*Multiplices inter*) wurde dem Konzil vom Papst, der sich die Besetzung des Präsidiums und aller Kommissionen sowie die zu beratenden Vorlagen vorbehielt, oktroyiert. Insgesamt waren 792 Bischöfe und Ordensobere anwesend, die meisten stammten aus Europa, wobei die romanischen Länder mit ihren kleinen Diözesen und ihrer katholischen Bevölkerung samt den kurialen Titularbischöfen fast zwei Drittel der Konzilsväter stellten. Obwohl die Frage der päpstlichen Unfehlbarkeit in keinem der vorbereiteten Schemata thematisiert war, spaltete sie von Anfang an das Konzil in eine bejahende Majorität und eine kritische Minorität (rund 20 % der Bischöfe, v.a. aus den großen Bistümern in Deutschland und Österreich-Ungarn, einem Teil der französischen und nordamerikanischen Bistümer sowie einigen unierten Patriarchen). Da der Papst kaum die eigene Unfehlbarkeit, die er aber bereits in seiner Antrittsenzyklika *Qui pluribus* (1846) programmatisch beansprucht und bei der Dogmatisierung der *Immaculata conceptio Mariae* (1854) im Voraus „praktiziert" hatte, zur Abstimmung vorlegen konnte, sammelten infallibilistische Bischöfe bis Ende Januar 1870 über 400 Unterschriften, die eine Behandlung der Lehre durch das Konzil erbaten. In die entscheidende Glaubensdeputation waren vorher unter dem Einfluss der Senestrey-Manning-Gruppe nur Infallibilisten gewählt worden. Diese kennzeichnete ein Sicherheits- und Souveränitätsdenken, das gegen eine Pluralität von Meinungen eine verbindliche und letzte autoritative Instanz wünschte. Die Mehrheit der Minoritätsbischöfe lehnte die Lehre von der päpstlichen Unfehlbarkeit nicht nur aus Rücksichtnahme auf die Staa-

ten oder die Ökumene (Opportunitätsgründe), sondern auch aus prinzipiellen (historisch-)theologischen Einwänden gegen sie ab: Die Geschichte schien klar irrtümliche päpstliche Fehlentscheidungen zu belegen, Jurisdiktionsprimat und Infallibilität des Papstes wurden in den ersten Jh. und vielfach auch später nicht geglaubt und konnten so kein Offenbarungsinhalt sein.

Als erstes der vorbereiteten Schemata wurde *De doctrina catholica* diskutiert (28.12.1869–10.1.1870). Der von Johann Baptist Franzelin SJ und Johann Baptist Schwetz verfasste Entwurf wurde, weil als zu weitschweifig und abstrakt kritisiert, durch eine straffende Neufassung von Joseph Kleutgen SJ ersetzt, zwischen dem 22.3. und dem 1.4. beraten, am 24.4. als dogmatische Konstitution *Dei Filius* vom Konzil einstimmig angenommen und vom Papst *approbante concilio* feierlich promulgiert. Sie lehrte die Erkennbarkeit Gottes aus der Schöpfung mittels der natürlichen Vernunft, während die Offenbarung übernatürlicher Wahrheiten allein auf die Autorität des sich offenbarenden Gottes hin geglaubt werden müsse. Als Glaubwürdigkeitsmotive für diese wurden Wunder und erfüllte Prophezeiungen bestimmt. Die auf J. Kleutgen zurückgehende und in das (katholische Gelehrtenversammlungen päpstlicher Kuratel unterstellende) Breve *Tuas libenter* (1863) aufgenommene Theorie eines „ordentlichen" Lehramtes des Papstes neben dem „außerordentlichen" wurde bekräftigt. So stützte die Konstitution die Verurteilung deutschsprachiger und Löwener Theologen seit den 1850er Jahren; sie trug die Handschrift J. Kleutgens, der mit Hilfe der päpstlichen Autorität konkurrierende Schulrichtungen zu seiner „Theologie der Vorzeit" ausschalten wollte.

Um den Gang des Konzils zu beschleunigen, wurde am 22.2.1870 in einer ergänzenden Geschäftsordnung die Redezeit im Konzil begrenzt und die einfache Mehrheit als hinreichend für Glaubensentscheidungen festgelegt. Die Fronten zwischen der Majorität, die Klarheit schaffen wollte und die Definition einer unhinterfragbaren, Sicherheit gebenden souveränen Autorität des Papstes propagierte, und der Minorität waren verhärtet. Letztere erklärte, dass bei Glaubensfragen keine Mehrheitsentscheidung, sondern das einmütige Glaubenszeugnis aller bzw. moralische Unanimität erforderlich sei, und machte gegen eine Primats- und Unfehlbarkeitsdefinition dogmenhistorische Gründe geltend. In vielen Ländern gab es parallel dazu eine kontroverse öffentliche Debatte, befeuert v.a. durch die „Römischen Briefe vom Concil" in der über Deutschland hinaus verbreiteten „Allgemeinen Zeitung", die der (v.a. durch John Lord Acton auf verbindungsreichem römischen Beobachtungsposten) wohlinformierte I. von Döllinger anonym verfasste. Immer deutlicher ergriff der Papst nunmehr offen Partei für die Infallibilisten: Am 21.1. 1870 war das von Clemens Schrader SJ verfasste Schema *De ecclesia* verteilt worden, das die Kirche als vom ↑Staat in ihrer Ordnung unabhängige, ihm prinzipiell ebenbürtige *societas perfecta* beschrieb, die streng hierarchisch gegliedert sei. An ihrer Spitze komme dem Papst der Jurisdiktionsprimat zu. Pius IX. ließ am 6.3. ein Zusatzkapitel *(Caput addendum)* über die päpstliche Unfehlbarkeit anfügen, dessen Hauptverfasser C. Schrader und Willibald Apollinaris Maier sowie der Theologe I. Senestreys waren. Am 29.4. dekretierte er, die Papstkapitel aus dem Kirchenschema herauszulösen und als dogmatische Konstitution *Pastor aeternus* vor dem Restschema behandeln zu lassen. In vier Kapiteln sollte die Verleihung des päpstlichen Primats durch Christus an Petrus, dessen Fortexistenz im römischen Bischofsamt, Umfang und Wesen dieses päpstlichen Jurisdiktionsprimats *(potestas plena, suprema, ordinaria, immediata, vere episcopalis)* und als dessen Vollendung schließlich die päpstliche Lehr-Unfehlbarkeit definiert werden. Die kontroverse Debatte über diese Vorlage (14.5.–3.6.) wurde durch Mehrheitsbeschluss abgebrochen. Versuche gemäßigter Infallibilisten wie des Kardinals Luigi Maria Bilio, die Unfehlbarkeit auf feierliche Glaubensdefinitionen zu beschränken, oder des Kardinals Filippo Maria Guidi, die päpstliche Lehrautorität an die Glaubensüberlieferung der Kirche zurückzubinden, wurden von den radikalen Protagonisten der Lehre und vom Papst selbst abgewehrt. Auch die Eigenständigkeit der Bischofsgewalt (↑Bischof) gegenüber dem Papst konnte nicht Eingang in das Schema finden; vielmehr verschärfte Pius IX., als am 13.7. in einer Probeabstimmung 88 Väter mit *Non placet* und 62 mit *Placet iuxta modum* votierten, den Text noch, indem er einfügen ließ, päpstliche Entscheidungen über „eine Glaubens- oder Sittenlehre" seien, wenn sie der Papst „*ex cathedra* […] das heißt […] kraft seiner höchsten Apostolischen Autorität" verkünde, „aus sich *(ex sese)* und nicht etwa auf Grund der Zustimmung der Gesamtkirche unabänderlich *(non autem ex consensu Ecclesiae irreformabiles)*" (*Pastor aeternus*, Kap. 4), unfehlbar; es handle sich bei dieser Definition um ein von Gott geoffenbartes Dogma *(docemus et divinitus revelatum dogma esse definimus)*. Als ein letztes Gesuch der Minorität an den Papst erfolglos blieb, reisten 63 Bischöfe – rund 10 % der bis zum Schluss am Konzil teilnehmenden Väter – am Tag vor der öffentlichen Sitzung ab, in ihrer Abschiedsadresse an den Papst ihr „*Non placet*"-Votum nachdrücklich bekräftigend; nur zwei von ihnen erklärten zugleich ihre Unterwerfungsbereitschaft. So wurde am 18.7.1870 die *Constitutio prima de ecclesia Christi Pastor aeternus* mit 553 Ja- gegen 2 Nein-Stimmen verabschiedet und von Pius IX. *approbante concilio* promulgiert. Der Papst beurlaubte nun das Konzil; nach der Eroberung Roms, des letzten Restes des Kirchenstaats, durch italienische Truppen vertagte er es schließlich am 20.10. auf unbestimmte Zeit. Die allermeisten der 65 entworfenen Schemata blieben so völlig unbehandelt.

Nach und nach unterwarfen sich die Minoritätsbischöfe. Ihre die Definition abmildernden Erklärungsversuche nahmen Papst und Kurie hin. In Deutschland legten die Bischöfe nach dem Vorbild der Bischöfe Philipp Krementz (Ermland) und Matthias Eberhard (Trier) die Unfehlbarkeit doch wieder im Sinne F. M. Guidis als rückgebunden an den Glauben der Kirche aus, ohne dass römischer Widerspruch erfolgt wäre. 1875 erklärte der deutsche Episkopat die bischöfliche Jurisdiktion als direkt von Christus eingesetzt und nicht in der päpstlichen aufgegangen, was der Papst in einer Ansprache an die Kardinäle am 15.3. bestätigte. So sehr man von Seiten der Minoritätsbischöfe selbst mit den Lehren der neuen Papstdogmen gerungen hatte, so entschieden forderte man nunmehr die Unterwerfung der Theologieprofessoren, sieht man vom Tübinger Ausnahmefall ab, wo sich Bischof Carl Joseph Hefele, ein entschiedener Antiinfallibilist, unterwarf und schützend vor seine schweigende theologische Fakultät stellte. In München dagegen wurde I. von Döllinger zur Unterwerfung aufgefordert und, da er sich weigerte, feierlich exkommuniziert. In zahlreichen Ländern schlossen sich Gegner der Konzilsbeschlüsse zusammen, es entstand das Schisma mit den „Altkatholiken" (↑Altkatholische Kirche).

In neuen Deutschen Reich wurden die vatikanischen Lehrdefinitionen zum wichtigsten Auslöser des ↑Kulturkampfs. Während in Bayern deren Publikation verboten und diese so juridisch vom Prinzip der landesherrlichen Aufsicht aus zunächst konsequent ignoriert wurden, ging Preußen einen Schritt weiter und forcierte eine Gegengesetzgebung, die den Übergriff des Klerus in politische Belange verhindern und die Integration desselben in das Staatswesen erzwingen wollte. Ergebnis waren meist anhaltender Widerstand, eine Krise der pastoralen Versorgung der Gläubigen, aber ebenso auch die Festigung des sich formierenden, politisierten katholischen Milieus (↑Katholizismus). Während die Zentrumspartei (↑Zentrum) eine nie mehr erreichte katholische Wählerbindung erzielte, identifizierte die Mehrheit der praktizierenden Gläubigen sich mit ihren Hirten, die sie als vom Staat unrechtmäßig verfolgt betrachtete.

Entgegen der urspr. Aussageabsicht wurde das Unfehlbarkeitsdogma in den nächsten Jahrzehnten immer mehr auf feierliche, seltene Glaubensdefinitionen zu restringieren versucht; dagegen wurde durch die Kodifizierung des kanonischen Rechts (1917, ↑Codex Iuris Canonici) und die Modernisierung der kurialen Behörden der päpstliche Jurisdiktionsprimat in der Folgezeit immer extensiver ausgeübt. Die moderne Bibel- und Religionskritik führte spätestens seit der Modernismusdebatte (↑Modernismus) um 1900 zu einer Krise des in *Dei Filius* gelehrten doktrinellen Offenbarungsverständnisses und des extrinsezistischen Wunderbeweises.

Literatur

Quellen
L. Pásztor (Hg.): Il Concilio Vaticano I: Diario di Vincenzo Tizzani (1869–1870), 1991 • I. v. Döllinger: Lord Acton. Briefwechsel 1850–1890, 3 Bde., 1963–1971 • L. Petit/J.-B. Martin

(Hg.): Sacrorum conciliorum nova et amplissima collectio, Bde. 49–53, 1923–27 • Collectio Lacensis, Bd. 7, 1892 • J. Friedrich: Tagebuch. Während des Vaticanischen Concils geführt, ²1873 • J. Hergenröther: Anti-Janus. Eine historisch-theologische Kritik der Schrift „Der Papst und das Concil" von Janus, 1870 • Römische Briefe vom Concil von Quirinus, 1870 • Der Papst und das Concil von Janus, Leipzig 1869.

Literatur
F. X. Bischof/K. Unterburger/W. Klausnitzer: Vaticanum I, in: RGG Bd. 8, ⁴2005, 896–904 (Quellen und Lit.) • K. Schatz: Vatikanum I, in: TRE Bd. 34, 2002, 532–541 (Quellen und Lit.) • K. Schatz: Vatikanum I, 3 Bde., 1992–1994 • G. Martina: Pio IX, Bd. 3, 1990 • A. B. Hasler: Pius IX., päpstliche Unfehlbarkeit und 1. Vatikanum. Dogmatisierung und Durchsetzung einer Ideologie, 2 Bde., 1977 • R. Aubert: Vaticanum I, 1965 • C. Butler/H. Lang: Das I. Vatikanische Konzil, ²1961 • T. Granderath: Geschichte des Vatikanischen Konzils, 3 Bde., 1903–1906 • J. Friedrich: Geschichte des Vatikanischen Konzils, 3 Bde., 1877–1887.

KLAUS UNTERBURGER
UND MANFRED WEITLAUFF

Erwachsenenbildung

1. Begriffsklärung

Spricht man von E., so sind i. d. R. drei Dimensionen damit angesprochen: zum ersten ganz allg. die ↑Bildung bzw. das Lernen Erwachsener. Damit ist die Fähigkeit des Menschen zur Verarbeitung von Erfahrungen angesprochen, welche als Grundlage für seine Handlungsfähigkeit (↑Handeln, Handlung) angesehen werden kann. Empirisch unterscheidet sich die Bildung des (erwachsenen) Menschen in Abhängigkeit von den jeweiligen Lernformen, den individuellen kognitiven und motivationalen Voraussetzungen, den gesellschaftlich-kulturellen und sozial-historischen Bedingungen und Möglichkeiten für die Aneignung neuen Wissens und neuer Fertigkeiten. Zum zweiten beschreibt der Begriff E. die pädagogische Gestaltung von Lehr-Lern-Verhältnissen bzw. -Prozessen für erwachsene Adressaten. Hier stehen didaktisch-methodische Fragen der Vermittlung und Aneignung von Wissen im Zentrum sowie die institutionelle Umsetzung entspr.er Konzepte. Schließlich bezieht sich die Rede von der E. auf das wissenschaftliche und öffentliche Nachdenken über die individuelle und gesellschaftliche Funktion und Notwendigkeit der Bildung und des Lernens Erwachsener. Im Fokus stehen bei allen drei Dimensionen des Begriffs E. das ↑Lernen bzw. die Bildung Erwachsener – wobei die Bedingungen, Formen und Inhalte der Vermittlung und Aneignung von Wissen jeweils aus unterschiedlichen Perspektiven beleuchtet werden.

2. Geschichte der Erwachsenenbildung

Die ↑Bildung Erwachsener, verstanden als Aneignung und Verarbeitung neuen Wissens und neuer Fertigkeiten, ist als Grunderfahrung menschlichen Lebens anzu-

sehen. Denn Menschen machen im Laufe ihres Lebens immer wieder neue Erfahrungen, haben Probleme zu lösen und unbekannte Situationen zu bewältigen. Dabei eignen sie sich neues Wissen an, erwerben neue Fähigkeiten und Fertigkeiten und verarbeiten diese zu neuen Selbst- und Weltbildern. In diesem Sinne ist ↑Lernen als ein lebenslang notwendiger Prozess zu verstehen. Allerdings sind die Formen des Lernens und der Bildung Erwachsener – ebenso wie das Nachdenken darüber – historisch und sozial zu differenzieren.

So ist davon auszugehen, dass E. in vormodernen Gesellschaften (↑Gesellschaft) zumeist eingebunden in den Lebenszusammenhang stattfand. Im Vordergrund stand dabei das sozialisatorische Lernen. Dieses zeichnet sich dadurch aus, dass in konkreten Alltagssituationen individuell neues Wissen erworben wird, wobei hier nicht nur die Verarbeitung neuer Erfahrungen oder die Weitergabe von Wissen durch andere Personen, etwa Familienangehörige und Nachbarn, Experten, Pfarrer, Reisende etc. bedeutsam waren, sondern auch mediale Unterstützungsformen, die durch bildliche oder sprachliche Darstellungsformen die Weitergabe von Wissen wie auch die Erinnerung an Informationen (↑Information) und Kenntnisse förderten.

Zwischen dem späten 18. und der Mitte des 19. Jh. änderte sich die Situation grundlegend: Durch die Wandlung von einer feudalen (↑Feudalismus), agrarischen zu einer bürgerlichen, industriellen Gesellschaft war die relative Statik und Unveränderlichkeit des sozialen Lebens aufgebrochen worden. Insb. die Entwicklung neuen Wissens und neuer Techniken (↑Technik) führten dazu, dass das Lernen durch Imitation und Teilhabe an der Tätigkeit der Älteren für immer mehr Menschen nicht mehr ausreichte. Die beginnende Industrialisierung (↑Industrialisierung, Industrielle Revolution) und der Prozess der Verstädterung bewirkten, dass viele Menschen anderen Berufen (↑Beruf) nachgingen als ihre Eltern bzw. gänzlich neue Berufe entstanden. Dementsprechend war es erforderlich, sich neue Kenntnisse und Fertigkeiten anzueignen. In dieser Situation entwickelte sich auf der einen Seite ein Bedürfnis der Menschen nach Information und Wissen, dem sich auf der anderen Seite verschiedene Lern- und Bildungsangebote eröffneten.

Bedeutsam für die E. war dabei insb. die Erfindung des Buchdrucks und die damit gegebene Möglichkeit der Verbreitung gedruckter Texte und Bücher seit der Mitte des 15. Jh. Dies führte nicht nur zu einer bis dahin nicht gekannten Vervielfältigung des zugänglichen Wissens, sondern auch zur Alphabetisierung weiter Teile der Bevölkerung – ein Prozess, der sich allerdings bis ins 19. Jh. hinzog. So wird noch für die Mitte des 18. Jh. davon ausgegangen, dass allein etwa 10 % der erwachsenen Bevölkerung im deutschsprachigen Mitteleuropa lesen konnte. „Das Medium Buch trat neben traditionelle Formen der Weitergabe von Wissen und der Selbstreflexion (z. B. der Predigt), weitete Möglichkeiten des ↑Unterrichts und der Selbstbildung signifikant aus und verlieh Lernenden eine gewisse Unabhängigkeit von den Lehrenden." (Meilhammer 2010a: 126)

Die Bildungsangebote im 18. Jh. bezogen sich nicht nur auf Kinder (zu nennen ist an dieser Stelle insb. die Einführung der allg.en ↑Schulpflicht), sondern auch auf die Bildung und ↑Aufklärung der erwachsenen Bevölkerung. Die sich etablierenden Formen der Volksbildung bzw. E. sind dabei nach wie vor eingelagert in eine ständisch differenzierte Gesellschaft (↑Stand). Innerhalb des städtischen Bürgertums (↑Bürger, Bürgertum) entwickelte sich eine sog.e Gesellige Bürgerbildung, die sich v. a. um die Lektüre und Reflexion von Büchern und Zeitschriften rankte. Entspr. bedeutsam waren hier die Institutionen der Lesegesellschaften, Leihbibliotheken und Salons als Orte der Aneignung von und Auseinandersetzung mit den neuen Strömungen der Zeit.

Im „Zeitalter der Aufklärung" wurde im Bildungsbürgertum nicht nur allg. über die gesellschaftliche Bedeutung von Bildung diskutiert, sondern es entwickelte sich auch ein verstärktes Nachdenken über Vermittlungs- und Aneignungsprozesse im Erwachsenenalter. Didaktisch-methodische Fragen finden sich insb. im Rahmen der sog.en Volksaufklärung. Vor dem Hintergrund der Einsicht, dass im Alltag der Landbevölkerung vielfältige Verhaltensweisen zu finden sind, die nicht (mehr) dem Stand der damaligen ↑Wissenschaft entsprachen, bemühten sich die Pädagogen (↑Pädagogik) im Zeitalter der Aufklärung – wie etwa Zacharias Becker in seinem „Noth- und Hülfsbüchlein für Bauersleute" – darum, die Informationen über bessere landwirtschaftliche Anbaumethoden (↑Land- und Forstwirtschaft) und ökonomisches Haushalten, Hygienemaßnahmen, Erziehung etc. in anschaulicher und adressatengerechter Weise zu vermitteln.

Die vielfältigen Bemühungen zur Förderung der Bildungsmöglichkeiten für Erwachsene weiteten sich durch die Gewährung zunehmender Vereinsfreiheit, u. a. bedingt durch die Novellierung des ALR von 1848, weiter aus. Denn durch die Vereine wurden neue Räume in Form von Gesellschaftshäusern und Vereinslokalitäten geschaffen, die öffentliche Kommunikation und öffentliches Handeln jenseits von ↑Staat und ↑Kirche ermöglichten. Vereine übernahmen damit die Rolle einer Art Wissensagentur, indem hier Wissen ausgetauscht, angeeignet und vermittelt werden konnte. Viele der Vereinsgründungen verfolgten explizit Bildungszwecke und intendierten einen Beitrag zur Verbreitung bzw. Popularisierung wissenschaftlicher und nützlicher Kenntnisse.

Neben diesen Angeboten zur Selbstbildung Erwachsener wurden im 19. Jh. auch Abend- und Fortbildungsschulen gegründet, die sich – neben den Handwerker- und Arbeiterbildungsvereinen – um eine Vermittlung fehlender allg.er Qualifikationen (Lesen und Schreiben etc.) sowie um den Erwerb spezieller beruflicher Fertigkeiten bemühten und darüber hinaus auch als mögliche Orte der Reflexion individueller Lebensführung wie auch politischer Fragen angesehen werden können.

Im Zuge der Etablierung und zunehmenden Ausweitung institutionalisierter Bildungsangebote im 19. Jh. veränderten sich nicht nur die quantitativen Möglichkeiten des Lernens, sondern auch die Formen des ↑Lernens. Denn zunehmend fand Lernen nun auch außerhalb des konkreten Lebensvollzugs in einer davon abgetrennten Lernsituation statt. Dies impliziert das Vorhandensein eines Lehrenden, der sich durch einen Wissens- oder Kompetenzvorsprung auszeichnet und dem Adressaten durch anschauliche Vorträge und praktische Beispiele zur Aneignung neuer Informationen und Fertigkeiten verhelfen will. V. a. die Nachfrage der Vereine, die im 19. Jh. u. a. „populäre wissenschaftliche Vorträge" für eine breitere Öffentlichkeit abhielten, führte zu einem neuen Beruf: Sog.e Wanderlehrer – die als Vorläufer der freiberuflich tätigen Erwachsenenbildner gelten können – trugen gegen Honorar in verschiedenen Städten zu unterschiedlichen Themen vor und vermittelten ihren Zuhörern z. B. Wissen und Kenntnisse über naturwissenschaftliche oder technische Phänomene.

Neben dieser ersten Form der Professionalisierung im Feld der E. fand mit der 1871 gegründeten *Gesellschaft für Verbreitung von Volksbildung* sowie anderen regionalen Volksbildungsverbänden auch eine zunehmende Vernetzung und Unterstützung der verschiedenen Bildungsvereine statt.

Die Wende zum 20. Jh. ist ideengeschichtlich durch den sog.en Richtungsstreit geprägt. Im Rahmen der „Neuen Richtung" in der Volksbildung wurden die Stimmen lauter, die sich gegen ein Verständnis von E. als Popularisierung von Wissenschaft bzw. „Weitergabe von Kenntnissen" (Leitsätze der Reichschulkonferenz über Volkshochschule und Freies Volksbildungswesen 1920: 138) richteten. Stattdessen wird die „geistige Selbsttätigkeit" sowie die Entwicklung individueller ↑Weltanschauung und Lebensanschauung propagiert. Dies erforderte aber neue Formen individualisierender Bildungsarbeit und der „intensiven" pädagogischen Unterstützung individueller Lern- und Bildungsprozesse der Teilnehmer. Konzeptionell wurde dies festgemacht an der Arbeitsgemeinschaft in den neugegründeten Volkshochschulen (↑Volkshochschule): „In der Volkshochschule wird nicht von einem Katheder aus einem Publikum Belehrung erteilt, dessen Mitarbeit durch Prüfungen gesichert ist. Vielmehr findet auf dem Wege geistigen Austauschs eine Erziehung zu selbständiger Denkarbeit und eigenem geistigen Erleben statt" (Picht 1920: 2).

Empirisch ist die Jahrhundertwende nicht nur durch die Ausweitung des Nachdenkens über E. geprägt, sondern auch durch eine Vervielfältigung der institutionellen Angebote, die erst mit der nationalsozialistischen „Machtergreifung" (↑Nationalsozialismus) in ihrer Vielfältigkeit wieder beschränkt und ideologisch (↑Ideologie) funktionalisiert wurden. In der Zeit von 1933–1945 wurden die E.s-Institutionen in weiten Teilen gleichgeschaltet und für die Zwecke des NS-Systems in Beschlag genommen. Nicht regimekonforme Erwachsenenbildner wurden entlassen; etliche, v. a. jüdische Erwachsenenbildner, verließen Deutschland und leisteten aus dem Exil heraus intellektuellen Widerstand gegen das nationalsozialistische Regime. Diese ambivalente Situation der E. während der Zeit des NS bringt Josef Olbrich in der Formel „zwischen Anpassung und Widerstand" (Olbrich 2001: 221) auf den Punkt.

Das Ende des Zweiten Weltkriegs markiert dann einen Neubeginn auch für die E.: Vor dem Hintergrund der Etablierung zweier unterschiedlicher Bildungssysteme entwickelte sich die E. in der ↑BRD und der ↑DDR weitgehend unabhängig voneinander. Anknüpfend an die Traditionen der Weimarer Zeit wurden in der BRD Volkshochschulen, aber auch gewerkschaftliche, kirchliche und von Parteien getragene Institutionen (neu) gegründet – so sollte E. einen Beitrag zur Re-Education und Re-Orientierung der deutschen Bevölkerung leisten.

Im Zuge der Diskussion um eine notwendige Bildungsexpansion erfuhr die E. einen enormen Bedeutungsanstieg und etablierte sich zusehends als vierter Sektor des Bildungswesens. Ein bes.r Anteil daran, dass sich die E. in dieser Zeit „zum am stärksten expandierenden Bildungssektor in Deutschland entwickelt hat" (Meilhammer 2010b: 130), wird einerseits dem Gutachten des *Deutschen Ausschusses für das Bildungs- und Erziehungswesen* „Zur Situation und Aufgabe der deutschen Erwachsenenbildung" (1960) und andererseits dem „Strukturplan für das Bildungswesen" des *Deutschen Bildungsrates* (1970) zugeschrieben. Das Gutachten von 1960 platzierte die E. als einen wichtigen Sektor im Bildungswesen und betonte ihren Beitrag zur Entwicklung einer demokratischen Gesellschaft (↑Demokratie). Der Strukturplan wiederum etablierte die Vorstellung eines alle Bereiche umfassenden Bildungssystems und lenkte den Blick auf die ↑Weiterbildung der erwachsenen Bevölkerung – verstanden als „Fortsetzung oder Wiederaufnahme organisierten Lernens nach Abschluss einer unterschiedlich ausgedehnten ersten Ausbildungsphase. […] Das Ende der ersten Bildungsphase und damit der Beginn möglicher Weiterbildung ist in der Regel durch den Eintritt in die volle Erwerbstätigkeit gekennzeichnet" (Deutscher Bildungsrat 1970: 197). Damit rückte auch der Erwerb von für den Beruf erforderlichen Qualifikationen stärker ins Zentrum. Die Verschiebung der Begrifflichkeiten von der E. zur Weiterbildung wurde im öffentlichen Diskurs immer wieder als Ausdruck der Spannung zwischen einer an emanzipatorischen Ideen (↑Emanzipation) festhaltenden E. und einer an konkreten Qualifizierungsnotwendigkeiten orientierten Weiterbildung interpretiert. Dabei kommt der E. nicht nur eine Bedeutung als allg.e Weiterbildung und berufliche Fortbildung zu, sondern zunehmend auch als Form der pädagogischen Bearbeitung jeweils aktueller gesellschaftlicher Herausforderungen (z. B. politischer ↑Extremismus, ↑Arbeitslosigkeit, demographischer Wandel, ↑Migration).

Mit der Hinwendung zum Konzept des Lebenslangen Lernens werden die vielfältigen Angebote der allg.en, beruflichen und politischen E. als Beitrag zur lebenslangen Kompetenzentwicklung interpretiert. Darüber hinaus wandte sich der Blick der wissenschaftlichen E. von den Bildungsanbietern hin zu den Lernenden. Aus der Perspektive der Subjekte (↑Subjekt) findet Lernen nicht nur in Bildungseinrichtungen, sondern auch an vielfältigen anderen Orten statt. Lebenslanges Lernen verlässt gleichsam die Bildungsinstitutionen. Neben pädagogisch arrangierten und zertifizierbaren formalen Bildungsprozessen kommen auch andere Lernorte und -formen – etwa das Lernen im Prozess der ↑Arbeit oder das Lernen im sozialen Umfeld – (erneut) in den Blick.

Zu Beginn des 21. Jh. werden damit die verschiedenen Dimensionen des Begriffs E. erneut deutlich: die Rede von der E. bezieht sich sowohl auf das individuelle Lernen und die Bildung Erwachsener als auch auf die institutionellen Bildungsangebote sowie auf die gesellschaftlichen und wissenschaftlichen Diskurse zum Lernen und zur Bildung Erwachsener.

3. Systematische Aspekte

3.1 Institutionen und Institutionalisierungsformen
E. weist auf der einen Seite ein hohes Maß an Pluralität und Dynamik auf, ist damit – auf der anderen Seite – aber auch als unübersichtlich und diffus zu kennzeichnen. Dies lässt sich aus der bes.n Form der Institutionalisierung dieses Bildungsbereichs erklären. Denn im Unterschied zur ↑Schule vollzog sich die Institutionalisierung der E. weitgehend außerhalb des staatlichen Bildungssystems. Vielmehr stellt der ↑Verein die zentrale Institution der E. seit dem 19. Jh. dar. Zugl. etablierte sich auf dieser Basis ein vielfältiges und heterogenes Vereinswesen, welches unterschiedliche Themen behandelte, heterogene Bildungsziele verfolgte und unterschiedliche Adressaten im Blick hatte. Trotz zunehmender Vernetzung der verschiedenen Bildungsvereine – etwa in Form der *Gesellschaft für Verbreitung von Volksbildung* (1871) – und der Anerkennung der Weiterbildung als quartärem Bereich des Erziehungs- und Bildungswesens seit den 1970er Jahren ist festzuhalten, dass die E. im Vergleich zu anderen Bildungsbereichen einen wesentlich geringeren Institutionalisierungsgrad aufweist.

Das Feld der E. ist geprägt von einer Vielzahl an unterschiedlichen und gleichzeitig gültigen Gesetzen und Regelungen. Zu den wichtigsten gehören die Weiterbildungsgesetze der Länder. Sie enthalten strukturpolitische Aussagen zur ↑Weiterbildung und definieren die Bedingungen für die finanzielle Unterstützung ihrer Institutionen. Darüber hinaus wirken auch das BBiG, das sog.e AFG (SGB III), welches dem Entstehen von ↑Arbeitslosigkeit entgegenarbeiten soll, sowie verschiedene gesetzliche Regelungen zu Bildungsurlaub bzw. Freistellungen für Weiterbildungen – um nur die wichtigsten zu nennen – auf die institutionelle Ausgestaltung der E. ein. Durch diese Gesetze und Regelungen wird nicht nur die Finanzierung der Bildungseinrichtungen, sondern insb. auch die Finanzierung der Teilnahme an Weiterbildung geregelt. Die damit verbundenen Fördermöglichkeiten führen allerdings auch dazu, dass die Freiwilligkeit der Teilnahme – als eine klassische Leitidee der E. – nicht für alle Institutionen der E. bzw. für alle Teilnehmenden realisierbar ist.

Seit Ende der 1980er Jahre lässt sich eine rasante Zunahme und eine wachsende Differenzierung von Weiterbildungsanbietern feststellen. Nicht nur öffentliche Einrichtungen wie Volkshochschulen oder berufliche Bildungsträger bieten Weiterbildungsangebote an, sondern auch etliche andere Institutionen – seien dies Reiseveranstalter, Kultureinrichtungen oder Sportvereine. Diese Veränderung wird im erziehungswissenschaftlichen Diskurs auch als Entgrenzung des Pädagogischen beschrieben. Damit ist darauf hingewiesen, dass ↑Lernen und ↑Bildung nicht mehr allein in expliziten Bildungseinrichtungen stattfindet, sondern auch an Lernorten, die neben der pädagogischen Absicht auch oder primär kulturelle, ökonomische, soziale oder unterhaltende Ziele verfolgen: „Das Spektrum reicht von der betrieblichen Weiterbildung über kommerzielle Anbieter, die Einrichtungen der Arbeitgeber, der Gewerkschaften, der Kirchen und Parteien, die Volkshochschulen und Fachschulen bis zur Weiterbildung an Berufsschulen und Hochschulen" (Faulstich 2010: 153). Darüber hinaus sind auch Museen (↑Museum), Gedenkstätten oder auch mediale Bildungsangebote und Vereine als Orte des Lernens Erwachsener anzusehen.

Systematisch lassen sich dabei vier Weiterbildungsstrukturen unterscheiden: Zum einen die öffentlich subventionierten Träger wie die Volkshochschulen (↑Volkshochschule) und die E.s-Werke der Kirchen (↑Kirchliche Bildungsarbeit), der ↑Gewerkschaften und der ↑Parteien. Eine zweite Weiterbildungsstruktur ergibt sich durch die neuen Angebote der ↑Arbeitgeberverbände, der Kammern (↑Berufskammern, ↑Industrie- und Handelskammern), der Handwerksorganisationen und der Betriebe (↑Betrieb). Darüber hinaus bilden Vereine, Selbsthilfegruppen und Bürgerbewegungen eine dritte Weiterbildungsstruktur. Die vierte Weiterbildungsstruktur setzt sich zusammen aus den kommerziellen Anbietern und privaten Bildungsunternehmen, die sich zunehmend in kleinen ökonomischen Einheiten etablieren. Schließlich sind die Fachhochschulen und Universitäten (↑Hochschulen) zu nennen, die ihre Angebote zur wissenschaftlichen Weiterbildung zunehmend ausbauen.

Im Unterschied zu den anderen Bildungsbereichen kann die E. dabei als weitgehend autonom bezeichnet werden – dies betrifft ihre Inhalte, ihre Organisation, die Finanzierung, aber auch die Auswahl der Mitarbeiter. Während diese weitgehende Freiheit der E. von umfassenden Regularien und Vorschriften auf der einen Seite durchaus als positiv gekennzeichnet werden kann, offenbart diese „Sonderstellung" der E. im Bildungs-

wesen jedoch auch ihre Diffusität und Ambivalenz: Die uneinheitliche rechtliche Absicherung, die unsichere Finanzierung und der weitgehend unbestimmte Zugang zum professionellen Tätigkeitsfeld erschweren eine Systematisierung dieses Bildungsbereichs.

3.2 Formen des Lernens und der Bildung

E. findet in vielfältiger Weise statt. Lernen kann durch Institutionen verantwortet sein – oder eingebettet in die alltägliche Lebenswelt (der ↑Familie, der ↑Arbeit, der ↑Freizeit etc.). Im internationalen Diskurs hat sich hierfür die Unterscheidung zwischen formalem und informellem Lernen etabliert. Das in Bildungsinstitutionen eingelagerte Lernen zeichnet sich durch eine pädagogisch begründete Auswahl an Inhalten und Methoden aus und kann durch ein Zertifikat beglaubigt werden. Hierbei wird die Intentionalität des Lernens vorausgesetzt. Demgegenüber gilt für das Lernen außerhalb von Bildungseinrichtungen, bei dem differenziert wird zwischen bewusstem, selbstgesteuertem und zielgerichtetem Lernen – wie es bspw. durch die Lektüre von Fachbüchern oder die Bearbeitung neuer beruflicher Tätigkeiten oder eines Online-Tutorials stattfinden kann – und nicht-intentionalem Lernen, das *en passant,* etwa im Kontext einer Reise oder durch ehrenamtliches Engagement (↑Freiwilligenarbeit) geschehen kann.

Für die pädagogisch professionelle Gestaltung von Lernumgebungen ergeben sich vielfältige Herausforderungen. In Bildungsinstitutionen geht es zum einen darum, ein Kurs- und Seminarprogramm zusammenzustellen, das sich an den Bedarfen und Interessen (↑Interesse) der – z. T. sehr heterogenen und im Vorfeld meist unbekannten – Adressaten orientiert. Didaktisch und methodisch gilt es darüber hinaus personale oder mediale Lernumgebungen so zu konzipieren, dass die didaktischen Prinzipien der Biographie-, Erfahrungs- und Problemorientierung in angemessener Weise mit der Tätigkeits- und Reflexionsorientierung und nicht zuletzt mit der Wissen(schaft)sorientierung verbunden werden und den Lernenden damit Möglichkeiten der aktiven Aneignung und Auseinandersetzung mit neuem Wissen bzw. neuen Fertigkeiten ermöglicht.

Außerhalb von expliziten E.s-Einrichtungen wird die Gestaltung von Lernmöglichkeiten erst langsam als pädagogische Aufgabe (↑Pädagogik) anerkannt. Insb. die Ausbreitung digitaler Medien hat aber das Bewusstsein für die Existenz neuer Lehr-Lern-Formate geschärft und eine eigene (Medien-)Didaktik (↑Medienpädagogik) und Medienforschung hervorgebracht. Darüber hinaus wird zunehmend auch das Lernen im Kontext von Organisationen als pädagogische Aufgabe angesehen.

4. Professionelles Handeln im Feld der Erwachsenenbildung

So vielfältig die Orte der Bildung Erwachsener sind, so heterogen ist auch das Arbeitsfeld der pädagogisch Handelnden in diesem Feld. Dies manifestiert sich in der

Existenz verschiedener Berufsrollen: der Berufsrolle des hauptberuflichen Leiters einer Bildungseinrichtung, der Berufsrolle des hauptberuflich tätigen pädagogischen Mitarbeiters mit disponierendem und/oder planendem Aufgabenprofil, der Berufsrolle des hauptberuflich tätigen Lehrenden sowie der Berufsrolle des ehrenamtlich oder nebenberuflich tätigen Erwachsenenbildners.

Bislang hat sich allerdings keine Profession „Erwachsenenbildner" ausgebildet. Dies zeigt sich insb. darin, dass die Zahl der nebenberuflich in der E. Tätigen die Zahl der Hauptamtlichen bei Weitem übersteigt. Auch ist der Berufszugang nicht an den Erwerb eines bestimmten Studiums bzw. Zertifikats gebunden – so haben bspw. viele freiberufliche Erwachsenenbildner keine pädagogische Ausbildung durchlaufen, sondern fungieren in erster Linie als Experten ihres Feldes. Dennoch lassen sich das Unterrichten, das Beraten und das Organisieren als erwachsenenpädagogische Kernaktivitäten festhalten. Neben der Lehre und Beratung kommt außerdem der Bedarfsanalyse und Programmplanung, Projekt- und Konzeptentwicklung sowie der Qualitätssicherung und Vernetzung im kommunalen Umfeld eine zunehmende Bedeutung zu.

5. Ausblick und Perspektiven

Die aktuelle Situation der E. ist nicht nur durch eine Vervielfältigung der Formen und Orte des Lernens und einer – insb. vor dem Hintergrund des sozialen und demographischen Wandels sowie zunehmender Globalisierungsprozesse (↑Globalisierung) begründeten – programmatischen Betonung der Relevanz und Notwendigkeit von ↑Lernen und ↑Bildung im Erwachsenenalter gekennzeichnet. Vor diesem Hintergrund ließen sich sehr unterschiedliche Herausforderungen an und Perspektiven für die künftige Entwicklung der E. formulieren. Zwei Aspekte wollen wir an dieser Stelle herausgreifen, die uns bes. relevant erscheinen:

Zum einen hat die Hinwendung zum bildungspolitischen Programm des Lebenslangen Lernens nicht nur zu einer zeitlichen Ausweitung von Bildung und ↑Erziehung auf das gesamte Leben (Kinder, Jugendliche und Erwachsene im mittleren und höheren Alter) geführt, sondern auch eine neue Perspektive auf das Lernen im Lebensverlauf mit sich gebracht. Lernprozesse gilt es stärker in ihrer Einbettung in den Zusammenhang des Lebenslaufs und der Biographie zu betrachten. Es wird etwa gefragt, wie sich Lerninteressen und Lernformen im Lebensverlauf ändern und welche Auswirkungen einzelne Lern- und Bildungsaktivitäten auf das weitere Leben und Lernen haben. Eine professionelle Unterstützung von lebenslangen Bildungsprozessen hat sich daher nicht nur an den beruflichen oder gesellschaftlichen Bedarfen zu orientieren, sondern sehr viel stärker der individuellen Kompetenzentwicklung zu dienen. Aber auch die pädagogischen Institutionen stellt die Lebenslaufperspektive vor neue Herausforderungen. Eine davon ist mit dem Begriff des Übergangs markiert: Welche Probleme stellen sich beim Übergang von einer Bildungseinrichtung in eine andere? Wie können bzw. sollen Übergänge institutionell und pädagogisch-professionell begleitet werden?

Zum anderen ist deutlich geworden, dass die empirische Realisierung des Lernens und der Bildung Erwachsener sozial sehr unterschiedlich verteilt ist. So konnten vielfältige Studien zeigen, dass diejenigen, die bereits über höhere Bildung verfügen, auch mehr an formaler wie auch informeller Bildung teilhaben – und umgekehrt die vorhandenen Bildungsangebote von den sog.en bildungsferneren Gruppen kaum genutzt werden. Vor diesem Hintergrund mehren sich die Bemühungen um eine Entwicklung neuer Lernformate, die einen besseren Zugang für bildungsferne Gruppen zu den Bildungsinstitutionen ermöglichen. Hierzu gehören etwa Konzepte, die unter dem Stichwort der Sozialraumorientierung eine Verbindung zwischen Bildungsangebot und sozialem Treffpunkt, zwischen pädagogischer Arbeit und individueller Unterstützung, bspw. durch Beratungsangebote, herstellen. Die traditionellen Unterscheidungen zwischen Lernen und Arbeiten (↑Arbeit), zwischen Lernen und Leben lösen sich damit zunehmend auf.

Literatur

M. Harring/M. D. Witte/T. Burger (Hg.): Hdb. informelles Lernen, 2016 • BMBF: Weiterbildungsverhalten in Deutschland 2014, 2015 • G. Niedermair (Hg.): Informelles Lernen: Annäherungen – Problemlagen – Forschungsbefunde, 2015 • S. Nolda: Einführung in die Theorie der Erwachsenenbildung. ³2015 • H. Rosenberg: Erwachsenenbildung als Diskurs, 2015 • N. Engel/I. Sausele-Bayer (Hg): Organisation. Ein pädagogischer Grundbegriff, 2014 • C. Hof/M. Meuth/A. Walther (Hg.): Pädagogik der Übergänge, 2014 • C. Hof: Erwachsenenpädagogische Dimensionen des Sozialraums, in: EB 3 (2014), 6–9 • T. Fuhr: Erwachsene als freie Lerner. Kritik eines Modells, in: ZfE 20/4 (2013), 29–32 • H. Barz/R. Tippelt: Lebenswelt, Lebenslage, Lebensstil und Erwachsenenbildung, in: R. Tippelt/A. von Hippel (Hg.): Hdb. Erwachsenenbildung/Weiterbildung, ⁵2011, 117–136 • P. Faulstich: Recht, Politik und Organisation, in: T. Fuhr/P. Gonon/C. Hof (Hg.): Hdb. der Erziehungswissenschaft, Bd. 4, 2011, 163–198 • H. Feidel-Mertz: Erwachsenenbildung im Nationalsozialismus, in: R. Tippelt/A. von Hippel (Hg.): Hdb. Erwachsenenbildung/Weiterbildung, ⁵2011, 43–58 • J. Giese/J. Wittpoth: Institutionen der Weiterbildung, in: T. Fuhr/P. Gonon/C. Hof (Hg.): Hdb. der Erziehungswissenschaft, Bd. 4, 2011, 199–216 • A. Grotlüschen/E. Haberzeth/P. Krug: Rechtliche Grundlagen der Weiterbildung, in: R. Tippelt/A. von Hippel (Hg.): Hdb. Erwachsenenbildung/Weiterbildung, ⁵2011, 347–366 • A. Kaiser: Individuelle Komponenten des Lernens Erwachsener, in: T. Fuhr/P. Gonon/C. Hof (Hg.): Hdb. der Erziehungswissenschaft, Bd. 4, 2011, 91–110 • S. Kraft: Berufsfeld Weiterbildung, in: R. Tippelt/A. von Hippel (Hg.): Hdb. Erwachsenenbildung/Weiterbildung, ⁵2011, 404–427 • D. Nittel: Die Erwachsenenbildner, in: T. Fuhr/P. Gonon/C. Hof (Hg.): Hdb. der Erziehungswissenschaft, Bd. 4, 2011, 487–504 • E. Nuissl: Ordnungsgrundsätze der Erwachsenenbildung in Deutschland, in: R. Tippelt/A. von Hippel (Hg.):

Hdb. Erwachsenenbildung/Weiterbildung, ⁵2011, 329–346 • J. Reischmann: Formen des Lernens Erwachsener, in: T. Fuhr/P. Gonon/C. Hof (Hg.): Hdb. der Erziehungswissenschaft, Bd. 4, 2011, 111–122 • R. Wittmann: Geschichte des deutschen Buchhandels, ³2011 • P. Faulstich: Institutionen, in: R. Arnold/S. Nolda/E. Nuissl (Hg.): Wörterbuch Erwachsenenbildung, ²2010, 153–155 • E. Meilhammer: Geschichte der Erwachsenenbildung – in Deutschland bis 1945, in: R. Arnold/S. Nolda/E. Nuissl (Hg.): Wörterbuch Erwachsenenbildung, ²2010a, 125–128 • E. Meilhammer: Geschichte der Erwachsenenbildung – ab 1945 in den Westzonen und der Bundesrepublik Deutschland, in: R. Arnold/S. Nolda/E. Nuissl (Hg.): Wörterbuch Erwachsenenbildung, ²2010b, 128–130 • C. Hof: Lebenslanges Lernen, 2009 • B. Schmidt: Bildung im Erwachsenenalter, in: R. Tippelt/B. Schmidt (Hg.): Hdb. Bildungsforschung, ²2009, 661–676 • W. Gieseke: Bedarfsorientierte Angebotsplanung in der Erwachsenenbildung, 2008 • J. Kade/D. Nittel/W. Seitter: Einführung in die Erwachsenenbildung/Weiterbildung, ²2007 • H. Siebert: Didaktisches Handeln in der Erwachsenenbildung. Didaktik aus konstruktivistischer Sicht. ⁵2006 • K. Opelt: DDR-Erwachsenenbildung, 2005 • M. Baethge/V. Baethge-Kinsky: Der ungleiche Kampf um das lebenslange Lernen, 2004 • C. Lüders/J. Kade/W. Hornstein: Entgrenzung des Pädagogischen, in: H.-H. Krüger/W. Helsper (Hg.): Einführung in Grundbegriffe und Grundfragen der Erziehungswissenschaft, ⁶2004, 223–232 • D. Hein: Formen gesellschaftlicher Wissenspopularisierung. Die bürgerliche Vereinskultur, in: L. Gall/A. Schulz (Hg.): Wissenskommunikation im 19. Jahrhundert, 2003, 147–170 • C. Kretschmann (Hg.): Wissenskommunikation, 2003 • A. Schwarz: Bilden, überzeugen, unterhalten: Wissenschaftspopularisierung und Wissenskommunikation im 19. Jahrhundert, in: C. Kretschmann (Hg.): Wissenskommunikation, 2003, 221–234 • A. Daum: Wissenschaftspopularisierung im 19. Jahrhundert, ²2002 • H. Böning/R. Siegert: Volksaufklärung. Biobibliographisches Hdb. zur Popularisierung aufklärerischen Denkens im deutschen Sprachraum von den Anfängen bis 1850; 2001 • J. Olbrich: Geschichte der Erwachsenenbildung in Deutschland, 2001 • C. Gerlach: Lebenslanges Lernen. Konzepte und Entwicklungen 1972–1997, 2000 • C. Hof: Überlegungen zum Konzept Wissen in der Erwachsenenbildung, in: S. Nolda (Hg.): Erwachsenenbildung in der Wissensgesellschaft, 1996, 12–30 • C. Hof: Erzählen in der Erwachsenenbildung, 1995 • T. Fuhr: Kompetenzen und Ausbildung des Erwachsenenbildners, 1991 • A. Kaiser (Hg.): Gesellige Bildung. Studien und Dokumente zur Bildung Erwachsener im 18. Jahrhundert, 1989 • A. Gehlen: Anthropologische und sozialpsychologische Untersuchungen, 1986 • O. Dann (Hg.): Vereinswesen und bürgerliche Gesellschaft in Deutschland, 1984 • H. Dräger: Volksbildung in Deutschland im 19. Jahrhundert, Bd. 2, 1984 • R. Z. Becker: Noth- und Hülfsbüchlein für Bauersleute oder lehrreiche Freuden- und Trauergeschichten des Dorfes Mildheim, 1980 • H. Dräger: Volksbildung in Deutschland im 19. Jahrhundert, Bd. 1, 1979 • H. Dräger: Die Gesellschaft für Verbreitung von Volksbildung. Eine historisch-problemgeschichtliche Darstellung von 1871–1914, 1975 • Deutscher Bildungsrat: Strukturplan für das Bildungswesen, 1970 • G. Picht: Die deutsche Bildungskatastrophe, 1964 • Deutscher Ausschuss für das Erziehungs- und Bildungswesen: Zur Situation und Aufgabe der deutschen Erwachsenenbildung, 1960 • Leitsätze der Reichsschulkonferenz über Volkshochschule und Freies Volksbildungswesen, 1920, in: J. Henningsen: Die Neue Richtung der Weimarer Zeit, 1960, 138–139 • W. Picht: Die Aufgabe der „Arbeitsgemeinschaft", in: Die Arbeitsgemeinschaft, H. 1, 1920, 1–5.

CHRISTIANE HOF
UND HANNAH ROSENBERG

Erziehung

E. gibt es, weil es Kinder gibt; und weil Kinder sich zunächst und auf längere Zeit nicht aus eigener Kraft erhalten können. Sie sind *infans*, d. h.: redeunfähig, überhaupt fast gänzlich hilfsbedürftig und könnten ohne die Fürsorge ihrer Eltern oder anderer Hilfspersonen nicht überleben. Dabei hat die Fürsorge zwei Seiten. Sie dient erstens dazu, das Neugeborene am Leben zu erhalten, und zweitens geschieht das in einer soziokulturell bestimmten Form, durch die dem Kind vermittelt wird, wie es sich und seine Umwelt erlebt. Insofern enthält schon die frühe Pflege erzieherische Elemente. Die E. tritt nicht als etwas Abgesondertes und Äußeres hinzu, sondern ist von Anfang an mitgegeben und zeigt sich schon hier als das, was Immanuel Kant in seiner postum veröffentlichten Pädagogikvorlesung auf den Punkt gebracht hat: „Der Mensch kann nur Mensch werden durch Erziehung. Er ist nichts, als was die Erziehung aus ihm macht." (Kant 1966b: 699) Dabei sei zu bemerken, „dass der Mensch nur durch Menschen erzogen wird, die ebenfalls erzogen sind." (Kant 1966b: 699) Faktisch heißt das: die Älteren erziehen die Jüngeren, die Kundigen die Unkundigen, die Wissenden die Unwissenden. E.s-Verhältnisse sind urspr., wie Friedrich Schleiermacher in seiner Vorlesung von 1826 über die „Grundzüge der Erziehungskunst" gesagt hat, auf das Verhältnis der „älteren zur jüngeren Generation" gegründet (Schleiermacher 2000: 9). Die maßgebende Frage ist: „Was will denn eigentlich die ältere Generation mit der jüngeren?" (Schleiermacher 2000: 9). In einer soziologisch und entwicklungspsychologisch verallgemeinerten Form hat Siegfried Bernfeld diesen Zusammenhang als den Zusammenhang von Entwicklung und E. wie folgt gefasst: „Erziehung ist […] die Summe der Reaktionen einer Gesellschaft auf die Entwicklungstatsache" (Bernfeld 1973: 51). Hierbei handelt es um einen für alle menschliche ↑Kultur maßgebenden Tatbestand. Wo immer wir auf menschliches Leben treffen, finden wir, dass das Leben der Neugeborenen, der kleinen Kinder und der Heranwachsenden zugl. auch erzieherisch mitbestimmt wird. Indem die erwachsene ↑Generation sich um die nachwachsende Generation kümmert, sorgt sie zugl. für sich selbst und ihren Fortbestand. Dabei hat sie es aber nicht nur mit dem natürlichen Wachstum, sondern mit einer allg.en Mitgift von Geburt zu tun, die der Reaktion auf das Kind erst eine erzieherische Bedeutung gibt: das Lernen. Schärft man S. Bernfelds Aussage auf das Phänomen des Lernens zu, lässt sie sich mit Theodor Schulze dahin präzisieren, dass das Erziehen „die Reaktion der Gesellschaft auf die Tatsache des Lernens ist" (Schulze 1995: 407). Hilfsbedürftigkeit und Lernfähigkeit sind die beiden urspr.en und nicht hintergehbaren, anthropologischen Voraussetzungen dafür, dass die Kinder erzogen werden können. Die andere Seite der E. besteht in den sozio-kulturellen Umständen und der Bereitschaft der älteren Generation, die Neugeborenen als Mitglieder der jeweils schon bestehenden Gemeinschaften anzuerkennen.

Das bedeutet: E. ist kein einfach gegebenes, sondern ein komplexes Phänomen, das dadurch zustande kommt, dass das Lernen und das erzieherische Verhalten zusammengeführt und mehr oder minder erfolgreich aufeinander bezogen werden. Das macht die kommunikative Struktur der E. aus. Sie ist die Einheit der spezifischen pädagogischen Differenz von ↑Lernen und Erziehen.

In dieser allg.en und noch nicht weiter spezifizierten Fassung lässt sich demnach als E. jedwede Einwirkung auf das Lernen sowohl von Einzelnen wie von ↑Gruppen, Sozialverbänden und selbst von Nationen und Staaten verstehen. Als Träger solcher Einwirkung erscheinen dann wiederum Individuen wie Eltern und ↑Lehrer, Ausbilder und Dozenten, Spirituale und Übungsleiter, aber auch Institutionen wie die ↑Familie, die ↑Schule in einer Vielfalt von Formen, die ↑Religionsgemeinschaften, die politischen ↑Parteien und in neuerer Zeit generell die sog.en ↑Medien. Aus der Kombination von faktischer und ausdrücklich gewollter Einwirkung auf der einen Seite und der individuellen Rezeption der Adressaten auf der anderen ergibt sich das, was dann unter dem Titel „E." gefasst werden kann, aber auch unter anderen Titeln wie ↑„Sozialisation" oder „Enkulturation" firmiert. Immer geht es darum, das Lernen und eine darauf gerichtete Einwirkung zusammenzubringen. So verschiedenartig dabei die jeweiligen Konstellationen und Figurationen der E. auch sind, in jedem Falle bringen sie die elementare pädagogische Differenz zum Ausdruck, nämlich die Differenz von Erziehen und Lernen. Auf diese Differenz ist alles zurückzuführen, was E. als Einigung und Einheit einer Differenz kennzeichnet und die Eigenart erzieherischer Einwirkungen von sozialen Einwirkungen anderer Art unterscheidet, wie z.B. die medizinische oder die juristische Intervention, politische oder militärische ↑Gewalt.

Der faktische Ausgang aller E. ist traditionell die Eltern- und Familien-E. Diese Auffassung hat in der modernen Pädagogik noch einmal Friedrich Herbart mit Entschiedenheit vertreten: „Die Erziehung ist Sache der Familien, von da geht sie aus, und dahin kehrt sie größtenteils zurück. Nur das Bedürfnis eines mannigfaltigen und kostbaren Unterrichts treibt sie hinaus in die Schulen, in denen sie gleichwohl niemals ganz kann besorgt werden" (Herbart 1989b: 137). Eingebettet in die auf das ganze Dasein des Kindes gerichtete Fürsorge umfasst das frühe Lernen zugl. die sozialen und praktischen Erfahrungen, die der ständige Umgang miteinander vermittelt. Dieses Lernen ist vornehmlich unthematisch-mimetisch und zeigt sich in den allmählich sich vermehrenden Kompetenzen, die geübt, wiederholt und so auf Dauer gestellt werden. Dafür sind zuerst und zunächst ausschließlich die Eltern zuständig. Aus ihrer Macht über das Kind ergibt sich ihre Verantwortung dafür, dass es essen und trinken, gehen und sprechen lernt. Insofern haben die Eltern und in einem weiteren Sinn die Angehörigen eine unvertretbare Sonderstellung, die ihre Aufgaben im Sinne einer unbedingten Gewissenspflicht begründet. Der Verpflichtungscharakter ergibt sich nach I. Kant daraus, dass das „Erzeugte eine Person ist […]" und demnach „der Akt der Zeugung als ein solcher anzusehen [ist], wodurch wir eine Person ohne ihre Einwilligung auf die Welt gesetzt und eigenmächtig in sie herübergebracht haben, deshalb haftet auf den Eltern nun auch der Verbindlichkeit, sie, soviel in ihren Kräften steht, mit diesem ihrem Zustande zufrieden zu machen" (Kant 1966a: 394). Die Eltern, und zwar ausschließlich nur die natürlichen Eltern, schulden ihren Kindern Fürsorge und E., auch wenn sie die damit verbundenen Pflichten an andere delegieren oder sich ihnen überhaupt entziehen. Elternschaft begründet insofern kein Vertragsverhältnis. Vaterschaft und Mutterschaft sind deshalb auch keine Rollen (↑Soziale Rolle), die nach Belieben ergriffen und womöglich gegen andere Rollen getauscht werden können; auch der Vater, der sich von der Familie trennt, bleibt lebenslang der Vater seiner Kinder, ebenso die Mutter, auch wenn sie durch Ersatz- und Pflegepersonen vertreten werden. Diese sind durch freiwillig geschlossene Verträge gebunden; Eltern durch den Akt der Zeugung, den sie ja auch hätten unterlassen können. Dass E. primär Elternsache ist, begründet demgemäß die spezielle Rechtsstellung der Eltern gegenüber ihrem Kind, wie sie in der deutschen Verfassung wie folgt ausgesprochen wird: „Pflege und Erziehung der Kinder sind das natürliche Recht der Eltern und die zuvörderst ihnen obliegende Pflicht. Über ihre Betätigung wacht die staatliche Gemeinschaft" (Art. 6 Abs. 2 GG). Dieses ↑Elternrecht wird gestützt durch die vorangehende Bestimmung: „Ehe und Familie stehen unter dem besonderen Schutz der staatlichen Ordnung" (Art. 6 Abs. 1 GG). Beides zusammen: Schutz der Familie, in der die Kinder aufwachsen, und Aufsicht der staatlichen Gemeinschaft verweisen auf den gesellschaftlichen Kontext der E., wie ihn Emile Durkheim formuliert hat: „Der Mensch, den die Erziehung in uns verwirklichen muss, ist nicht der Mensch, den die Natur gemacht hat, sondern der Mensch, wie ihn die Gesellschaft haben will" (Durkheim 1973: 44).

Es ist eine neuere, noch nicht abgeschlossene Entwicklung, die Fundierung der E. in dem urspr.en Eltern-Kind-Verhältnis durch vertragsförmige Formen unter den Titeln Partnerschaftsehe und Homoehe (↑Eingetragene Lebenspartnerschaft) abzulösen und so den Unterschied von natürlicher Elternschaft und Pflege- und Adoptivelternschaft einzuebnen. Es ist noch unklar, welche Folgen für die herkömmliche E.s-Praxis sich *à la longue* daraus nicht nur für das E.s-Verständnis, sondern auch für die praktische E. ergeben.

Über die genuinen Formen und Funktionen der Eltern-E. hinaus kann diese auch als Muster der Haus-E. gekennzeichnet werden, wie sie für die vormoderne Welt charakteristisch gewesen ist. Die soziale Figuration ist das „ganze Haus" bäuerlicher und handwerklicher Wirtschaften, in denen ↑Arbeit und Selbstversorgung noch ungetrennt erfolgen, so dass auch das Lernen ganz im Umkreis eben dieser Hausgemeinschaften bleibt und weithin ohne Schule und gesonderten, ausgelagerten Unterricht auskommt. Dieses Lernen lässt sich als „Mitahmung" verstehen (Roeßler 1961: 61). Es steht i. d. R. unter der ↑Autorität des Hausvaters, der dafür sorgt, dass die nachwachsende Generation durch Teilnahme an den Aufgaben in Haus und Hof in das Können, Wissen und Wollen der älteren Generation eingewiesen wird. Diese Form der Haus-E. dient vornehmlich der Bestandsicherung; ihr Charakteristikum ist der Traditionalismus von sozialen Systemen unter dem Primat der Bedarfsdeckung. Es genügt zu singen, wie die Alten sangen.

Eine Nebenform und Übergangsform zur spezifischen Schul-E. stellt die E. in Heimen, Konvikten, Internaten dar. Die Heim-E. bietet den Zöglingen ein familienähnliches Zuhause, kombiniert mit ↑Unterricht. Er ist zumeist auf spezielle gesellschaftliche Funktionen ausgerichtet, wie dem ↑Militär oder dem kirchlichen Dienst, heute auch auf die Förderung bes.r Talente z. B. in der Musik oder im Sport, und zwar so, dass der Schulunterricht in die Gesamtorientierung des jeweiligen Internats eingebettet erscheint. Das hat zur Folge, dass als Träger der Heim-E. vornehmlich weltanschauliche Gruppen und spezielle Interessenverbände auftreten, die auf diese Weise frühzeitig für die Rekrutierung ihres Nachwuchses sorgen.

Auf eine höhere und schließlich moderne Stufe wird indes die E. gebracht, indem sie schulisch organisiert wird: In der Tradition zunächst als Schule für wenige, vornehmlich in kirchlicher Regie zur Rekrutierung für geistliche Aufgaben und politische Führungsfunktionen, dann auch für das einfache Volk und schließlich als Pflichtschule für alle. So tritt die Schul-E. in der modernen Gesellschaft neben die Eltern- und Familien-E., teils ergänzend, teils konkurrierend, und zwar als Aufgabe und in der Verantwortung der staatlichen Gemeinschaft. Die allg.e Schulpflicht gehört zu den Kennzeichen moderner Gesellschaften ebenso wie die Melde- und Steuerpflicht. Sie hat zwei Seiten: einerseits ist jeder ab einem bestimmten Lebensalter und für eine festgelegte Zeit zum Schulbesuch verpflichtet; und andererseits hat der Staat die Pflicht, für die Beschulung aller Kinder zu sorgen, bis ins letzte Dorf und wo immer Kinder aufwachsen. Im PrALR von 1794 heißt es demgemäß: „Schulen und Universitäten sind Veranstaltungen des Staates, welche den Unterricht der Jugend in nützlichen Kenntnissen und Wissenschaften zur Absicht haben" (§ 1 II 12 PrALR). E. als Staatszweck unterstellt sie den organisatorischen Prämissen, die für das ↑politische System maßgebend sind. Als erstes gehört deshalb ein eigenes Programm zur Staatsschule, in dem die leitenden Ziele der Schul-E. definiert werden, die ihrerseits den Schulaufbau, die Lehrpläne und die Schulabschlüsse bestimmen. Daraus ergeben sich die Berechtigungen, die den Anschluss des Berufs- und Beschäftigungssystems an das Schulsystem festlegen. Damit erfüllt die Schul-E. ihre Selektions- und Allokationsfunktion in der Gesellschaft. Nach innen organisiert die staatliche Schul-E. die Selbstbeobachtung des Schulsystems über eine spezielle Schulverwaltung in politischer Verantwortung. Das ist die Grundlage für die Rekrutierung und Professionalisierung des Lehrpersonals, die ihrerseits eine eigene pädagogische Semantik erfordern und die Ausbildung der Pädagogik als wissenschaftliche Disziplin begründen. Sie fungiert als Systembetreuung eines inzwischen hoch differenzierten Schulwesens. Damit entspr. die Schul-E. den Erfordernissen eines eigenen Subsystems der modernen funktional differenzierten Gesellschaft. Sie erbringt eine nicht verzichtbare Leistung für die anderen ausdifferenzierten Subsysteme.

Um diese Leistung erbringen zu können, ist es unabdingbar, dass das Lernen nicht mehr mitgängig-mitahmend im Kontext der Alltagspraxis erfolgt, sondern ausdrücklich Thema und Aufgabe für die Heranwachsenden wird. Sie wissen das auch. In der Schule geht es um Lernen, nicht mehr bloß um Spielen, Zusehen und – soweit das möglich ist – um Mitmachen; vielmehr verlangt der Unterricht Aufmerksamkeit und Konzentration auf das, was zu lernen ist, und nur auf das. In der Schule gilt deshalb auch nicht mehr das familiäre Ethos der Fürsorge, sondern das gesellschaftliche Ethos der ↑Leistung. So lernt das Schulkind in altershomogenen und dann auch einigermaßen leistungshomogenen Klassen; die formelle Gleichheit lässt zugl. die individuellen Differenzen als Leistungsdifferenzen hervortreten. Dadurch lernt das Schulkind sich nach der Position einzuschätzen, die es in der Klasse einnimmt, und ist zur Akzeptanz von Unterschieden genötigt. „Was wir in der Schule lernen" (Dreeben 1980), ist, allg. gesprochen, „Gesellschaft" und das Dasein in Gesellschaft.

Der schulische Unterricht konzentriert die E. auf den Akt des Lehrens und der Unterweisung unter Abschwächung und schließlich Abblendung all der anderen Aspekte, die sonst den Umgang außerhalb des Unterrichts mitbestimmen. Indem das Lernen ausdrücklich thematisiert wird, treten seine verschiedenen Momente deutlicher hervor und können in der pädagogischen Reflexion eigens bearbeitet werden. Das Lernen wird in einem Zuge dekomponiert und neu rekombiniert.

Es sind drei Gesichtspunkte, die dabei zu beachten sind: erstens der moralisch-soziale Gesichtspunkt, zweitens der inhaltlich-curriculare und drittens der methodisch-technologische Gesichtspunkt. In der unterrichtlichen Praxis sind sie aufeinander abzustimmen und so aufeinander zu beziehen, dass sie den jeweiligen E.s-Zweck erfüllen, sei es, dass ein Gesamtzweck der E. entworfen, sei es, dass ein partikularer Zweck ins Auge gefasst wird. Was den Gesamtzweck der E. angeht, hat wiederum F. Herbart die maßgebende Leitformel vorgeschlagen: „Man kann die *eine* und ganze Aufgabe der E. in den Begriff der *Moralität* fassen (Herbart 1989a: 259, Herv. i. O.). Mit dem Konzept der Moralisierung als Zweck aller E. hat F. Herbart den Gedankenkreis vorgezeichnet, in dem sich die moderne ↑Pädagogik nach wie vor bewegt. Es löst das vorangehende, christlich-metaphysische Konzept der Divination als E. zum Seelenheil ab und stellt sich in den *mainstream* derjenigen Moralkonzeptionen, die unter den Titeln der ↑Emanzipation und der ↑Freiheit auch der E. die Aufgabe zudenken, die Individuen zu einer selbstbestimmten Lebensführung in eigener ↑Verantwortung zu befähigen. „*Machen, dass der Zögling sich selbst finde, als wählend das Gute, als verwerfend das Böse:* dies oder *nichts* ist Charakterbildung." (Herbart1989a: 261, Herv. i. O.)

Mit dem Unterricht kommt zweitens die inhaltlich-curriculare Seite der E. zur Geltung und rechtfertigt das Verständnis der E. als Weitergabe und Überlieferung dessen, was bisher gewusst, gekonnt und gewollt worden ist. Diese Botschaft der jeweiligen Kultur wird im Unterricht ausdrücklich tradiert und betrifft insofern das Selbstverständnis und gewissermaßen die intellektuelle und moralische Innenseite einer Gesellschaft, ihre ↑Sprache und ihre Wissensbestände, die Fertigkeiten und Kompetenzen, ohne die sie keinen Bestand hat. So gesehen gehört Unterricht zu den Bestandsgarantien einer Gesellschaft, weiter gefasst auch als Versuch, den zukünftigen Bestand durch einen Unterricht zu sichern, der an die Grenzen des Wissens führt und zur Fortführung des Wissenserwerbs motiviert. Doch zuerst und weithin geht es darum, „dass die Jugend tüchtig werde einzutreten in das, was sie vorfindet, aber auch tüchtig, in die sich darbietenden Verbesserungen mit Kraft einzugehen" (Schleiermacher 2000: 31).

Welche Kenntnisse und welche Fertigkeiten im Bündnis mit welchen Haltungen das jeweils sind, ist Sache des kulturellen Niveaus einer Gesellschaft und wird seit gut 200 Jahren in der Schule als Pflichtveranstaltung für alle definiert. Das bedeutet nicht, dass nur in der Schule unterrichtet wird und Didaktik allein eine Angelegenheit der schulischen Instruktion wäre, wohl aber, dass faktisch die Familien teils entlastet, teils pädagogisch enteignet werden. Die Schule gibt die Maße vor, nach denen sich auch die Familien zu richten haben, damit die Kinder „mitkommen" und über Schulleistungen den Zugang zu Lebensstellungen gewinnen. Im Zuge der Modernisierungsprozesse ist das *curriculum scholasticum* zum entscheidenden Ort der sozialen Platzierung und zu einer wichtigen, wenn nicht der maßgebenden

Stellgröße für den Lebenserfolg und das *curriculum vitae* geworden.

Der dritte Gesichtspunkt, unter dem die E. thematisiert werden kann, besteht darin, dass der Prozess des Erziehens, die methodische Seite der Didaktik, in den Mittelpunkt gerückt wird. Die Zwecke und die Inhalte der E. treten demgegenüber zurück und erscheinen in Funktion der erzieherischen Absichten und Handlungen. Man kann nicht ohne Absichten erziehen und nicht ohne Themen, aber diese hängen in der Luft, wenn es keine Wege und Methoden gibt, um sie zu realisieren. In gewisser Weise lässt sich sogar sagen, dass sie das nächstliegende Thema der pädagogischen Reflexion darstellen oder darstellen sollten. Tatsächlich aber hat sich das Nachdenken über E. zuerst v. a. auf die Zwecke und auf die Inhalte gerichtet; sie erscheinen sowohl theoriebedürftiger als auch theoriefähiger, während die konkreten Prozesse entweder für selbstverständlich genommen werden oder sich der Reflexion entziehen. Wie erzogen wird, bleibt Sache der Üblichkeiten und Gewohnheiten, für die auch keine bes. Ausbildung verlangt wird. Elternschaft ist keine Profession und nicht an Ausbildung und Prüfungen gebunden. Die anfallenden E.s-Aufgaben werden innerhalb der allg.en Lebenserfahrung und gestützt durch Rat und Vorbild der eigenen Eltern und Verwandten, schließlich auch durch eine fachkundige Beratung ergänzt. Anders steht es mit der E. durch Erzieher und Erzieherinnen von Beruf, für die schon vor der Etablierung der E.s-Wissenschaft eine reiche Literatur zur Verfügung stand, um sich über die einschlägigen Prozeduren und Verfahrensweisen des Erziehens zu unterrichten. Insofern geht das Rezeptwissen dem wissenschaftsgestützten Wissen über die Prozesse der E. voran.

Rezepte versprechen bei richtiger Anwendung und Dosierung das Eintreten erwünschter Folgen. Sie belehren über die Maßnahmen als Ursachen von Wirkungen und sind insofern technologisch orientiert; Technologie verstanden als erprobte Verfahrensweisen zur Herstellung von Zuständen, auch dann, wenn nicht in jedem Einzelfall das eintritt, was man erreichen möchte. Insofern bleiben erzieherische Ursachen, ähnlich wie Medikamente, mit einer prinzipiellen Unsicherheit belastet. Sie ergibt sich u. a. daraus, dass das Ziel-Objekt des Handelns nicht etwas ist, das von den Absichten kein Wissen hat. Wenn wir einen Gegenstand fallen lassen oder einen Motor starten, sind wir nicht auf die Zustimmung oder die Einstellung des Gegenstandes angewiesen. Anders, wenn wir es mit Kindern, Schülern, Kursteilnehmern und Studenten zu tun haben. Wir beziehen uns nicht auf „Objekte", sondern auf ↑Subjekte, die sich auf sich beziehen und in Grenzen wählen können, wie sie reagieren, ja ob sie überhaupt auf unsere Versuche der Einwirkung reagieren.

E. ist so gesehen eine *soft technology*, aber eben doch eine Technologie, wenn man nicht die E. ganz auf Zufall oder Gnadenwirkungen stellen oder dem Belieben der

Rezipienten ausliefern will. Auch wer nicht mit Sicherheit weiß, was auf welche Handlungen folgen wird, unterstellt zumindest probeweise oder gestützt auf die durchschnittliche Lebenswahrscheinlichkeit Wirkungen als Folgen von Ursachen. Insofern ist die E. eine Sozialtechnologie wie das Verhandeln oder die Veröffentlichung von Büchern, die politische Rede oder Heiratsanträge: Es ist tentatives Bewirken unter Berücksichtigung der mutmaßlichen Reaktion. Darauf beruht die „unvermeidliche Unsicherheit in aller Erziehung" (Herbart 1989b: 138), oder, wie es Niklas Luhmann und Karl Eberhard Schorr thematisiert haben: „Das Technologiedefizit der Erziehung" (Luhmann/Schorr 1982).

Um diesem Schleier des Unwissens über dem erzieherischen Handeln zu begegnen, hat die Pädagogik seit ihrem Aufkommen in der ↑Aufklärung in immer neuen Anläufen ↑Reformen) des Erziehens erdacht und ausprobiert. Die Geschichte der modernen Pädagogik ist weithin „Theorie und Geschichte der Reformpädagogik" (Benner/ Kemper 2003). Das betrifft v. a. den Schulunterricht, der zu einer Stätte der Dauerreform geworden ist, als ob das richtige Unterrichten erst noch zu entdecken und in die richtige Form zu bringen wäre. Die der E. eingeschriebene Fragilität hat zur Folge, dass immer wieder mit ↑Innovationen in didaktisch-methodischer oder in organisatorischer Hinsicht darauf geantwortet und mit der Hoffnung verbunden wird, endgültig doch noch für eine gelingende, enttäuschungsfeste E. zu sorgen. Dabei stammen die gelingende wie die misslingende E. aus ders.n Wurzel; sie sind gleichursprünglich und erinnern die Erziehenden daran, dass zur E., ob im Haus oder in der Schule, nicht nur Kenntnisse und Können gehören, sondern dass ihre Resultate entscheidend von der Rezeption der Lernenden abhängen. Darüber aber können die Eltern und Lehrkräfte nicht in der gleichen Weise verfügen wie über die Mittel und Wege der pädagogischen Technologie.

Herkömmlich wird dieses Technologieproblem als Problem des Verhältnisses von Theorie und Praxis dargestellt. In seinen ersten Göttinger Vorlesungen von 1802 hat F. Herbart den sachlichen Kern dieses Problem dargestellt. Für die Praxis ist die Theorie zu allg., und für die Theorie ist die Praxis in ihren Besonderheiten zu speziell: „In der Schule der Wissenschaft wird daher für die Praxis immer zugl. zu viel und zu wenig gelernt" (Herbart 1989a: 284). Deshalb bedarf es eines „Mittelglieds", um beide aufeinander zu beziehen: Das ist der pädagogische Takt. Er vermittelt zwischen den allg.en Aussagen der Theorie und den Erfordernissen einer speziellen Praxis. Er besteht in „einer schnellen Beurteilung und Entscheidung, die nicht, wie der Schlendrian ewig gleichförmig verfährt, aber auch nicht, wie eine vollkommen durchgeführte Theorie eigentlich sollte, sich rühmen darf, bei strenger Konsequenz und in völliger Besonnenheit an die Regel, zugleich die wahre Forderung des individuellen Falles ganz und gerade zu treffen" (Herbart 1989a: 285, Herv. i. O.). Doch auch der

subtilste pädagogische Takt kann nicht verhindern, dass die erzieherischen Bemühungen fehlschlagen und etwas erforderlich wird, was sich im Anschluss an Sigmund Freud als „Nach-E." bezeichnen lässt. Sie dient dazu, die Heranwachsenden entweder in das bestehende Schulsystem zu reintegrieren oder ihnen direkt Anschlüsse an das Beschäftigungssystem zu ermöglichen. Dieser Bereich der Nach-E. wird im allg.en unter dem Titel der „Sozialpädagogik" gefasst; er ist proportional mit dem Ausbau des Schulsystems gewachsen und hat sich eigenständig v. a. im Kontakt mit der Sozialarbeit (↑Soziale Arbeit) organisiert. Dabei verschwimmen z. T. die Grenzen zwischen der nachgeholten Sozial-E. und der Sozialarbeit in der Weise, dass das Erziehen allg. als „Hilfe in erschwerten Lagen" gedeutet wird. Der Unterschied zwischen der direkten Hilfe in aktuellen Notlagen und der auf künftige Lagen gerichteten Lernhilfe wird eingeebnet und so der Weg zu einer Sozialpädagogisierung der Schule gebahnt.

Dem entgegen steht ein Verständnis des schulischen Lernens und unterrichtlichen Handelns, das nicht mehr allein die Vermittlung von Kenntnissen und Fertigkeiten als deren vorrangigen Zweck bestimmt, sondern das Lernen des Lernens. Die Begründung ist im Wesentlichen soziologisch. Das Lernen wird reflexiv, „wenn der Lernbedarf so umfangreich und langfristig vor Augen steht, dass sich ein Investieren von Kräften in diesen Umweg auszahlt" (Luhmann 1970: 94). „Einmal gelernt, ist das Lernen leicht, die Entlastung spürbar bis in das Verhältnis zum Gelernten hinein. Das nach Regeln Gelernte gehört nicht in gleichem Maße zu seinem Selbst wie die eigene Erfahrung. Es kann daher leichter abgestoßen werden, und seine Kritik durch andere trifft nicht so persönlich wie die Widerlegung eines Wissens, das als eigene Erfahrung dargestellt wurde" (Luhmann 1970: 95).

Im Ergebnis führt diese Rückwendung des Lernens auf sich selber dazu, dass Lernfähigkeit als das nicht überbietbare Ziel der E. gefasst wird. N. Luhmann und K. E. Schorr haben in ihrer Schrift über die „Reflexionsprobleme im Erziehungssystem" (Luhmann/Schorr 1979) dazu das „Konzept des lernenden Lernenkönnens" (Luhmann/Schorr 1979: 87) vorgestellt. Es „passt sich in eine funktional differenzierte Gesellschaftsordnung ein. […] Höhere Komplexität, die selektives Verhalten erzwingt, erfordert höhere Umstellfähigkeit auf der Ebene sozialer wie auf der Ebene personaler Systeme." (Luhmann/ Schorr 1979: 87) Lernfähigkeit führt über das aufklärerische Ideal der humanen Perfektion ebenso hinaus wie über das Programm der ↑Bildung. „Vielmehr geht es um eine *gelegentlich* intensiv einsetzbare und dafür *dauerhaft* bereitzuhaltende Spezialkompetenz" (Luhmann/Schorr 1979: 87, Herv. i. O.).

Was in der herkömmlichen und in der vormodernen Pädagogik ganz selbstverständlich gewesen ist, dass nämlich die E. mit dem Eintritt in die rechtlich-soziale Mündigkeit zu Ende ist, verliert seine Bedeutung. Das

Lernen, einmal zu einer auf Dauer angelegten Kompetenz erhoben, geht weiter und eröffnet damit auch dem Erziehen ein neues Feld neben dem Schulunterricht und der Sozialpädagogik, nämlich das der Erwachsenenbildung. Es versteht sich, dass Erwachsene nicht nur anders lernen als Kinder und Heranwachsende, sondern dass der erzieherische Umgang ihre Mündigkeit zu berücksichtigen hat. Der Unterricht wird damit unvermeidlich teilnehmerorientiert, in dem Sinne, dass die Lernenden selbst darüber entscheiden, was sie auf welche Weise lernen. Indem die Selektion der Themen und ihrer Vermittlungsformen von den Erziehern an die Adressaten, d.h. von der Angebotsseite an die Nachfrageseite übergeht, entsteht ein verstärktes Bedürfnis nach Beratung. Das Beraten erscheint als die vorherrschende E.s-Form für Erwachsene. Es verordnet nicht, was gelernt wird, sondern stellt dies gewissermaßen den Lernenden anheim: Die Nachfrage bestimmt Form und Inhalt des pädagogischen Umgangs. Beratung ist die didaktisch-methodische Antwort auf die gegenüber der Eltern- und der Schul-E. eigentümliche Form des Lernens in der Erwachsenenbildung.

Zugl. öffnet diese Veränderung der pädagogischen Situation das Formenrepertoire der E. in Richtung psychotherapeutischer Methoden. Sie finden zunehmend Eingang in die pädagogische Technologie, und zwar in dem Maße, wie sie Selbstselektion der Lernenden schon in der Schule begünstigt und erwartet wird. Auch die Lehrkräfte haben in ihrer Ausbildung mehr zu lernen, als der herkömmliche Unterricht verlangt: Die Beratungskompetenz tritt als selbständige Kategorie neben die üblichen Kompetenzen der Vermittlung von Kenntnissen und Fertigkeiten und erweitert insofern den Aufgabenkreis der Schul-E.

Mit dem Ziel der Lernfähigkeit ergibt sich eine weitere Dimension der öffentlichen E., die sich als Umerziehung beschreiben lässt. Sie findet sich in einer schwachen Form dann, wenn das Verhalten großer Gruppen oder einer ganzen Gesellschaft auf neue Erfordernisse und Erkenntnisse umzustellen ist, z.B. in der Gesundheits-E. in Hinsicht auf das Rauchen oder den Alkoholmissbrauch. E. erscheint hier als Aufklärung und Information, aber auch gesetzliche Vorgaben sollen die gewünschten Effekte herbeiführen. Einschneidender sind volkserzieherische Initiativen der *re-education*, wie sie im Falle von politischen Neuorientierungen und Systemwechseln fällig werden. Nicht erst der Übergang von der nationalsozialistischen Ideologie (↗Nationalsozialismus) zur freiheitlich-demokratischen Werteordnung (↗Freiheitliche demokratische Grundordnung), sondern schon die „Nazifizierung" des deutschen Volkes nach der Machtübernahme Adolf Hitlers wurden durch volkserzieherische Maßnahmen sekundiert und gestützt. Entscheidenden Anteil hatten und haben daran die modernen ↗Medien, durch die die Erreichbarkeit der Adressaten der Umerziehung gewährleistet wird.

Darüber hinaus dürfte sich mit dem Aufkommen der neuen Medien und ihren Möglichkeiten der Informationsvermittlung die Gesamtlage der E. erheblich, wenn nicht grundlegend verändert haben und weiter verändern, und zwar nach beiden Seiten, der des Lernens wie der des Erziehens. Es scheint sich abzuzeichnen, dass das in der Tradition v.a. maßgebende nachhaltige Lernen auf Vorrat für das spätere Leben an Bedeutung verliert und durch ein gewissermaßen flüchtiges, aktualitätsbestimmtes und jederzeit bequem überholbares Lernen ersetzt wird, dessen Bedürfnisse durch leicht und schnell zugängliche ↗Information zufrieden gestellt wird. Die Folgen für die Gesamt-E. und insb. für die Stellung der Eltern und Lehrer, aber auch für die Erwachsenenbildner und Sozialpädagogen, sind noch gar nicht abzusehen und stellen eine wichtige Herausforderung für die Pädagogik der Zukunft dar.

Literatur

K. Prange: Die Zeigestruktur der Erziehung, 2005 • K. Prange/G. Strobel-Eisele: Die Formen des pädagogischen Handelns, 2005 • D. Benner/H. Kemper: Theorie und Geschichte der Reformpädagogik, 2 Bde., 2001 • F. Schleiermacher: Grundzüge der Erziehungskunst, in: ders. S. 7–72: Texte zur Pädagogik, Bd. 2., 2000 • T. Schulze: Jenseits der Befangenheit, in: ZfPäd 41/3 (1995), 399–407 • F. Herbart: Über die ästhetische Darstellung der Welt als das Hauptgeschäft der Erziehung, in: ders.: Sämtliche Werke, Bd. 1, 1989a • F. Herbart: Kurze Enzyklopädie der Philosophie, in: ders: Sämtliche Werke, Bd. 9, 1989b • R. Dreeben: Was wir in der Schule lernen. 1980 • N. Luhmann/K. E. Schorr: Das Technologiedefizit der Erziehung und die Pädagogik, in: dies.: Zwischen Technologie und Selbstreferenz, 1982, S. 11–40 • N. Luhmann/K. E. Schorr: Reflexionsprobleme im Erziehungssystem, 1979 • S. Bernfeld: Sisyphos oder die Grenzen der Erziehung, 1973 • E. Durkheim: Erziehung, Moral und Gesellschaft, 1973 • N. Luhmann: Reflexive Mechanismen, in: ders.: Soziologische Aufklärung, Bd. 1, 1970, 92–112 • I. Kant: Metaphysik der Sitten, in: ders.: Werke in sechs Bänden, Bd. 4, 1966a S. 303–634 • I. Kant: Über Pädagogik, in: ebd., Bd. 6, 1966b S. 693–761 • W. Roeßler: Die Entstehung des modernen Erziehungswesens, 1961.   KLAUS PRANGE

Esoterik

Das Substantiv E. bzw. das im Gebrauch ältere Adjektiv esoterisch stehen für eine „Chiffre" (Zander 2007: 18), die unterschiedliche sozial- und ideengeschichtliche Phänomene umfasst. Ein übergreifender Konsens zur Begriffsdefinition konnte bisher nicht erreicht werden. Nach seiner Etymologie leitet sich der Begriff E. vom griechischen Adjektiv *esóteros* ab. Übersetzen kann man E. mit das „innere, verborgene, geheime Wissen", das Adjektiv meint dementsprechend „zum inneren Kreis gehörig".

1. Esoterik als exklusives oder privilegiertes Wissen

In religiösen oder weltanschaulichen Strömungen baut sich regelmäßig ein Sonderwissen auf, welches nur einem bestimmten Kreis von Eingeweihten zugänglich ist. In diesem Sinne verweist der Begriff der E. auf eine Identitätsform, die auf einem exklusiven Wissen beruht, durch welches sich bestimmte gesellschaftliche Kreise auszeichnen. Dem Beispiel der in der Antike wurzelnden Hermetik folgend, betont diese Begriffsverwendung soziale Distinktionsprozesse, die sich in unterschiedlichen religiösen und weltanschaulichen Strömungen beobachten lassen. Das Motiv eines inneren Kreises von Eingeweihten oder Auserwählten, teils verbunden mit der Aufforderung zur Geheimhaltung, wird u. a. innerhalb des ↑Christentums („Mystik"), im ↑Judentum („Kabbala"), im ↑Islam („Sufismus") sichtbar.

Der eigene Wissens- und Praxiskanon solcher Teilströmungen erfordert einen besonderen Aneignungsmodus, der den Weg zur Weisheit geleitet. Der Zugang wird dabei in Form eines kontemplativen, auf dem Streben nach Versenkung beruhenden Weges verstanden, der sich von der Rezeptionspraxis der weniger Auserwählten abgrenzt. U. U. ist mit diesem Aneignungsmodus auch ein Zustand der Ekstase verbunden. Um den exklusiven Charakter zu bewahren, muss der esoterische ↑Habitus in besonderen Institutionen (in Orden, Logen, Kreisen, Schulen oder Kommunen) angesiedelt sein, wo die esoterischen Lehren von Mystagogen, Priestern oder Meistern an ausgesuchte Schüler übermittelt werden. Mit dieser sozialstrukturellen Begriffsbestimmung wird die E. weder über ihre inhaltlichen Merkmale definiert noch als sozial oder historisch zusammenhängende Bewegung gedacht.

2. Esoterik als geistesgeschichtliche Strömung

Gemäß einer ideengeschichtlichen Bestimmung der E. werden religiöse oder weltanschauliche Strömungen identifiziert, die sich durch gemeinsame inhaltliche Prinzipien und Dichotomien auszeichnen. So fasst Antoine Faivre historische Strömungen wie die Hermetik, den Okkultismus, die christliche Kabbala, den Paracelsismus, die christliche Theosophie und das Rosenkreuzertum als „esoterischen Corpus" zusammen. In diesem Schriftenbestand des 15. bis 17. Jh. werden inhaltliche Gemeinsamkeiten identifiziert, wie das „Denken in Entsprechungen", die „Idee der lebenden Natur", die „Erkenntnis durch Imagination" sowie die „Erfahrung der Transmutation" (Faivre 1992: 24–32). Über die Typologisierung hinausgehend unterstellt A. Faivre eine historische Kontinuität dieser Prinzipien, die über die Freimaurerei (↑Freimaurer) und den Mesmerismus des 18. Jh., über den Spiritismus, Okkultismus und die Theosophie des 19. Jh. bis ins 20. Jh. hineinreicht.

Einen modifizierten ideengeschichtlichen Ansatz schlägt Wouter Jacobus Hanegraaf vor, der im 18. Jh. einen Bruch in der inhaltlichen Ausrichtung esoterischer Strömungen verortet. Zunehmend werden der E. zu dieser Zeit Ideen zugeordnet, die darauf bestehen, dass Kräfte und Einflüsse außerhalb (natur)wissenschaftlicher Erklärung existieren. Mit diesem Hinweis bereichert W. J. Hanegraaf den ideengeschichtlichen

Ansatz durch ein sozialgeschichtliches Element. Der E. ist demnach gemein, dass sie das Wissen bündelt, welches von den herrschenden gesellschaftlichen Diskursen (↑Diskurs) der Religion, Philosophie und Naturwissenschaft ausgeschlossen wird. Die E. wird zu einem Sammelbecken für das „forbidden knowledge" (W. J. Hanegraaf) der beginnenden ↑Moderne, das sich im Gegensatz zu den spezifischen, legitimierenden Ideologien (↑Ideologie) der Moderne als „allumfassend" betrachtet und ein angenommenes „Ur-Wissen" verschiedener Religionen und Weisheitraditionen zu rehabilitieren sucht.

Als wissenschaftlicher Untersuchungsgegenstand wird die E. damit umso attraktiver, weil sie die für die Entstehung der modernen ↑Gesellschaft konstitutiven Machtdiskurse nachvollziehbar macht. So hat Monika Neugebauer-Wölk herausgearbeitet, dass die Etikettierung abweichender religiöser Lehren als E. ein konstitutives Element der Selbstlegitimation christlicher Theologie gewesen ist.

3. Esoterik als Sammelbegriff für alternative Religiosität seit Beginn der Moderne

Der Begriff der E. wird seit der vorletzten Jahrhundertwende zunehmend mit alternativen Wissens- und Gesellungsformen in Zusammenhang gebracht, die eine konfrontative Stellung gegen den Fortschrittsglauben der modernen Gesellschaft (↑Fortschritt) einnehmen. Träger sind das alternative Bildungsbürgertum zu Beginn des Jh. (z. B. in der Lebensreformbewegung) sowie weitere Jugend- bzw. Alternativbewegungen der Vorkriegsjahre. Ein gemeinsames Merkmal dieser Bewegungen ist, dass sie das Stigma des „Okkulten", „Irrationalen" oder „Vormodernen" in eine Tugend oder ein ↑„Charisma" (Winfried Gebhardt) verwandeln, um ihre eigene gesellschaftliche Identität gegen den abendländischen Rationalismus zu profilieren. Prominente Nachfolger aus der Nachkriegszeit sind die „Gegenkultur" der 1960er Jahre, die „Jugendreligionen" der 1970er Jahre sowie die „New-Age Bewegung" des darauf folgenden Jahrzehnts.

Wissenschaftlich umstritten ist, wie sehr bei diesen Strömungen die soziale und ideengeschichtliche Kontinuität zu den historischen Vorläufern der E. noch behauptet werden kann. Ebenso stellt sich die Frage, ob an der Wende zum 21. Jh. überhaupt von einer Bewegung im Sinne eines übergreifenden, geteilten Prinzipienkanons gesprochen werden kann. Dieser Zweifel wird vor allem in Anbetracht des „E.-Booms" seit den 1990er Jahren virulent. E. ist zu einem Massenphänomen mit Breitenwirkung geworden. Praktiken, die in dieser Begriffsverwendung zur E. gezählt werden sind Channeling, Astrologie, Tarot, Pendeln sowie verschiedene Methoden der Alternativmedizin wie Homöopathie, Reiki, Bach-Blüten, Feng Shui oder Reinkarnationstherapie. Zumindest solche einzelnen Elemente der E. haben mittlerweile einen Prozess der Popularisierung durchlaufen, der von der Alternativkultur zum gegenwärtigen Gesundheits- und Wellnessmarkt führt.

Literatur

W. J. Hanegraaff: Esotericism and the Academy: Rejected Knowledge in Western Culture, 2012 • M. Hero: Der Markt für spirituelles Heilen. Eine soziologische Betrachtung seiner Akteure und Institutionen, in: C. Klein u. a. (Hg.): Gesundheit – Religion – Spiritualität, 2011, 149–162 • M. Bergunder: Was ist Esoterik? Religionswissenschaftliche Überlegungen zum Gegenstand der Esoterikforschung, in: M. Neugebauer-Wölk (Hg.): Aufklärung und Esoterik, 2008, 477–507 • H. Zander: Anthroposophie in Deutschland. Theosophische Weltanschauung und gesellschaftliche Praxis 1884–1945; Bd. 1, 2007 • W. J. Hanegraaff: Forbidden Knowledge, Anti-Esoteric Polemics and Academic Research, in: Aries. Journal for the Studies of Western Esotericism, 5/2005, 225–254 • K. von Stuckrad: Was ist Esoterik?, 2004 • M. Neugebauer-Wölk: Esoterik und Christentum vor 1800: Prolegomena zu einer Bestimmung ihrer Differenz, in: Aries. Journal for the Study of Western Esotericism, 3/2003, 127–165 • A. Faivre: Esoterik im Überblick. Geheime Geschichte des abendländischen Denkens, 2001 • C. Bochinger: „New Age" und moderne Religion. Religionswissenschaftliche Analysen, 1994 • W. Gebhardt: Charisma als Lebensform. Zur Soziologie des alternativen Lebens, 1994.   MARKUS HERO

Etatismus

Der aus dem Französischen (*étatisme* von *état* = Staat) übernommene Begriff des E. (Englisch auch *statism*), der sich am ehesten als *Staatsethik*, *Staatsgesinnung* oder *Staatsbewusstsein* übersetzen lässt, bezeichnet eine Reihe von im Einzelnen höchst unterschiedlichen Auffassungen, denen eine bes. Betonung der Rolle des Staates gemeinsam ist. Etatistische Positionen unterscheiden sich nicht nur notwendig nach dem jeweils implizierten Begriff des ↑Staates und seinen Gegenbegriffen (Gesellschaft, Verwaltung, Kirche, Wirtschaft, Internationale Organisationen usw.), sondern auch je nach Fragestellung und Vorverständnis. Es gibt einen theologischen ebenso wie einen soziologischen, ökonomischen, historischen oder staatsrechtlichen E. Ein gemeinsames Merkmal der verschiedenen Begriffe des E. besteht allenfalls darin, dass es sich i. d. R. weniger um eine Selbst- als um eine abschätzige Fremdbezeichnung für unterschiedliche Varianten des Ordnungsdenkens handelt, die jedenfalls in Deutschland seit den 1960er Jahren häufig gleichbedeutend mit „autoritär" oder „konservativ" gebraucht wird.

1. Ursprünge

Seit der frühen Neuzeit lassen sich eine Vielzahl von politischen Theoremen benennen, die in irgendeiner positiven Weise auf dem Eigenrecht und der Selbstständigkeit der Institution des Staates gegenüber anderen Trägern politischer ↑Herrschaft bestehen, unter denen im deutschen Raum v. a. die politische Ideenwelt des ↑Luthertums zu nennen ist. Zu den beiden klassischen Vertretern des neuzeitlichen E. wurden aber Niccolò Machiavelli und Thomas Hobbes. Nach der Durchsetzung des ↑Absolutismus in Europa verlor diese Theorie aber ihre spezifische Stoßrichtung.

Der moderne E. konnte demgegenüber der Sache und dem Begriff nach erst aus der kritischen Reflexion auf die bürgerliche Entgegensetzung von Staat und Gesellschaft (↑Staat und Gesellschaft) und ihrer Folgen entstehen, für die seit Georg Wilhelm Friedrich Hegels Rechtsphilosophie eine theoretische Begrifflichkeit existiert. Der E. richtet sich gegen die Autonomie der gesellschaftlichen Organisationsformen (Unternehmen, Verbände, Gewerkschaften usw.), gegen gesellschaftliche, d. h. zumeist privatkapitalistische Machtentfaltung und ihren Nebenfolgen. Gemeinsam ist allen Spielarten des E. bis heute geblieben, dass sie die staatliche Handlungsfähigkeit als gefährdet oder zumindest krisenhaft beschreiben.

Der Begriff entstand in Frankreich in der zweiten Hälfte des 19. Jh. In der Schweiz bezeichnete er lange noch v. a. jene politische Auffassung, die für die Stärkung der Bundesebene gegenüber den Kantonen eintrat. Theoretisch bedeutend wurden etatistische Positionen aber erst, als die Stellung des Staates als Träger des Politischen zu Beginn des 20. Jh. grundsätzlich problematisch wurde, als ihm in ↑„Gesellschaft" und „Klasse", aber auch ↑„Volk", „Bewegung" und „Rasse" konkurrierende Repräsentationsideen politischer Einheit gegenübergestellt wurden, die Idee politischer Einheit andererseits aber auch durch den ↑Pluralismus (Harold Laski) überhaupt in Frage gestellt wurde. Während Rudolf Smend und Hermann Heller in Deutschland die klassischen Formulierungen der Frage nach dem Staat als Form der politischen Einheit lieferten, bestritt Carl Schmitt im „Begriff des Politischen" (1927/1932) erstmals radikal die Möglichkeit einer etatistischen Position in der Moderne.

2. Spielarten

Der E. ist keiner bestimmten Ideologie zuzurechnen. So lassen sich ökonomische Theorien, die gegenüber der Selbststeuerung des ↑Marktes auf der Notwendigkeit von Staatsintervention bestehen (↑Keynesianismus), ebenso als etatistisch bezeichnen wie eine theologische Ethik, die auf den innerweltlichen Gehorsam gegenüber bestehender staatlicher Ordnung abzielt (z. B. bei Friedrich Gogarten) oder eine Soziologie der Institutionen, der das innerhalb des staatlichen Gefüges ausgebildete Ethos prinzipiell als höherwertig gilt gegenüber den Ethiken der Gegenseitigkeit und des ↑Universalismus. Etatistisch im weiteren Sinne ist auch die Programmatik der reformistischen Sozialdemokratie seit Ferdinand Lassalle und Karl Kautsky, die statt auf das Absterben des Staates im Sozialismus auf seine Macht als Agent der Umgestaltung des Sozialen setzt.

Bes. Bedeutung hat der E. aber in der Staatsrechtslehre der BRD erlangt, für die die Vorstellung von Staatlichkeit aufgrund der deutschen Teilung und der Katastrophenerfahrung des ↑Nationalsozialismus ohnehin stets problematisch war. Auch gerieten etatistische Deutungsmuster in der BRD in Konkurrenz zu einer stärker vom gesellschaftlichen Pluralismus her denkenden Verfassungstheorie. So hat namentlich Ernst Forsthoff die grundsätzliche Auflösung etatistischer, d.h. auf den konkreten Staat als Träger der Rechtsordnung bezogener Begriffe und Argumentationsmuster im öffentlichen Recht diagnostiziert. Die folgende ideologisch aufgeladene Debatte über das Rangverhältnis der Begriffe Staat und ↑Verfassung wurde zwar mit großem Aufwand, letztlich aber ohne greifbaren Ertrag geführt. Sie zeigte allenfalls die Umkehrung der traditionellen konfessionellen Differenz: Während bis 1933 der E. vornehmlich eine protestantische Haltung (↑Protestantismus) war, während der politische ↑Katholizismus seit der Reichseinigung im Gegensatz zur staatlichen Macht stand, waren es in der BRD überwiegend katholische Autoren (neben Josef Isensee v.a. Ernst-Wolfgang Böckenförde), die nach dem Zweiten Vatikanischen Konzil für mehr Staatsbewusstsein eintraten. Jene Debatten kamen zum Abschluss mit der 2000 erschienen Studie des liberalen Katholiken Christoph Möllers, der die Unmöglichkeit eines arglosen Rückgriffs auf Vorstellungen von staatlicher Ordnung bei der Auslegung namentlich des Verfassungsrechts demokratietheoretisch unter Rückgriff auf Hans Kelsen und Max Weber aufzeigte.

Ohnehin ist inzwischen geklärt, dass es kein invariables Modell von Staatlichkeit gibt, auf das der E. verweisen könnte. So verfinge sich auch heute jede Erneuerung des traditionellen E. unvermeidlich in den Aporien des Ordnungsdenkens, dessen vermeintlicher Rekurs auf das der Legalität Vorgegebene oft als bloß schlecht verhüllte normative Behauptung auftritt. Mit anderen Mitteln haben deswegen die ↑Sozialwissenschaften seit den 1980er Jahren die Rehabilitierung des auf den Staat gerichteten politischen Denkens betrieben und dabei den Staat als eine dynamische, nur durch die Verklammerung einer Vielzahl von Perspektiven fassbare Größe von vornherein in Rechnung gestellt.

So ist der E. zwar als Position des modernen Ordnungsdenkens theoretisch unhaltbar geworden, seine Motive bleiben aber, zumindest in Ländern mit einer absolutistischen Vergangenheit, unentbehrlich als Quelle der Skepsis gegenüber dem Glauben an die „Gesellschaft" und ihre Selbstorganisation.

Literatur

S. Leibfried u.a. (Hg.): The Oxford Handbook of Transformations of the State, 2015 • C. Schmitt: Der Begriff des Politischen, ⁹2015 • Q. Skinner: Die drei Körper des Staates, 2013 • A. Voßkuhle u.a. (Hg.): Verabschiedung und Wiederentdeckung des Staates im Spannungsfeld der Disziplinen, 2013 • C. Möllers: Staat als Argument, ²2011 • J. Isensee: Staat und Verfassung, in: HStR, Bd. 2, ³2004, 3–106 • G. F. Schuppert: Staatswissenschaft, 2003 • W. Reinhard: Geschichte der Staatsgewalt, ²2000 • P. B. Evans u.a. (Hg.): Bringing the State Back In, 1985 • E.-W. Böckenförde: Der Staat als sittlicher Staat, 1978 • Q. Skinner: Foundations of Modern Political Thought, 2 Bde., 1978 • E.-W. Böckenförde (Hg.): Staat und Gesellschaft, 1976 • E. Forsthoff: Von der Staatsrechtswissenschaft zur Rechtsstaatswissenschaft, in: K. Frey (Hg.): Rechtsstaat im Wandel, ²1976, 188–191 • E. Forsthoff: Der Staat der Industriegesellschaft, 1971 • H. Heller: Staatslehre, in: ders.: Ges. S., Bd. 3, 1971 • H. Quaritsch: Staat und Souveränität, Bd. 1, 1970 • A. Gehlen: Moral und Hypermoral, 1969 • F. Gogarten: Politische Ethik, 1932 • C. Schmitt: Staatsethik und pluralistischer Staat, in: KantSt 35 (1930), 28–32 • R. Smend: Verfassung und Verfassungsrecht, 1928 • G. Jellinek: Allgemeine Staatslehre, ³1914 • L. von Stein: Der Begriff der Gesellschaft und die Gesetze ihrer Bewegung, in: ders.: Geschichte der socialen Bewegung in Frankreich von 1789 bis auf unsere Tage, Bd. 1, 1850, 11–149. FLORIAN MEINEL

Ethik

I. Philosophische Ethik – II. Theologische Ethik

I. Philosophische Ethik

1. Der Gegenstand der Ethik:
Das moralische Handeln als spezifisches Element
der menschlichen Grundverfassung

Unter E. (von griechisch *ta ethikes theorias* = auf das Ethos bezogene Theorie; Magna Moral. 1181 b 28) versteht man seit Aristoteles eine Disziplin der Philosophie, nämlich die methodisch geleitete Reflexion auf die das menschliche Handeln bestimmende ↑Moral (von lateinisch *mores* = Sitten) unter dem Gesichtspunkt der Moralität. Unter *Moral* ist dabei das von einer gegebenen gesellschaftlichen Gruppe als verbindlich betrachtete Muster von Einstellungen, Haltungen, Regeln und/oder Normen des Handelns zu verstehen, das auch als *Ethos* (von griechisch *éthos* = Gewohnheit, Sitte, Brauch) bezeichnet werden kann. Sofern die methodische Reflexion vom Standpunkt der philosophischen Vernunft (↑Vernunft – Verstand) aus erfolgt, spricht man von philosophischer E., wobei dort, wo unter E. das Ethos verstanden wird, die mit dem moralischen Handeln befasste philosophische Disziplin als Moralphilosophie (als lateinisch *philosophia moralis*) bezeichnet wird.

Als spezifischer Gegenstand der E. wird das Handeln des Menschen betrachtet, wobei unter Handeln jene Akte des Menschen zu verstehen sind, die auf ihn selbst als Urheber zurückgehen und ihm deshalb zuzurechnen sind, wobei ggf. auch Unterlassungen als Handeln zu verstehen sind. Die E. wird deshalb zu den Disziplinen der *praktischen*, d.h. von der Frage nach der Handlungsleitung bestimmten Philosophie gezählt, wobei die E. das Handeln unter dem spezifischen Gesichtspunkt der Moralität betrachtet im Unterschied zu den unter anderen Gesichtspunkten auf das menschliche Handeln reflektierenden Disziplinen wie etwa der ↑politischen Philosophie, der ↑Rechts– oder der ↑Wirtschaftswissenschaften.

Die Fragestellung der E. setzt eine bestimmte Grundverfassung des Menschen voraus, nämlich jene, die ihn zu einem in spezifischer Weise handelnden Lebewesen macht. Gemeint ist die Selbstaufgegebenheit, die den Menschen in der für ihn charakteristischen Verschränkung von Ich und Leib, Subjekt- und Natursein (↑Subjekt) kennzeichnet und ihn zu einem der E. fähigen Lebewesen macht. Denn im Unterschied zu den anderen Lebewesen, deren Verhalten in hohem Maß von dem artspezifisch vorgegebenen Rahmen von Bauplan, Umwelt und Verhalten bestimmt ist, kann der Mensch sich dem vorgegebenen Rahmen seiner ↑Natur nicht einfach überlassen: er kann nicht einfach leben, sondern muss *sein Leben führen*. Seine Lebensform ist – um Helmuth Plessners Deutung zu verwenden – die einer „exzentrischen Positionalität" (Plessner 2003), zu der als Strukturmomente eine vermittelte Unmittelbarkeit und eine natürliche Künstlichkeit gehören. Nur im Kontext der eigenen und der ihn umgebenden Natur und im Medium der ihn umgebenden anderen Menschen und die durch sie vermittelte ↑Kultur vermag der Mensch sich selbst zu dem zu machen, der er dann ist.

Die für seine Lebensform charakteristische Selbstaufgegebenheit verweist auf die ↑Freiheit, unter der sich sein Handeln vollzieht und das dieses Handeln vom bloßen Verhalten unterscheidet. Denn für die Ausführung der vom Menschen beabsichtigten Handlung bedarf es der Handlungsfreiheit und für die Wahl der intendierten Handlung der Wahl- oder Willensfreiheit, wobei die zahlreichen faktischen Einschränkungen die vom Handelnden unterstellte Freiheit nicht aufheben. Unabhängig von der (theoretischen) Frage, wie das Verhältnis von Freiheit und ↑Determinismus im menschlichen Handeln zu bestimmen ist, genügt für den Nachweis der im Zusammenhang der E. unterstellten Freiheit der Verweis auf die vom Handelnden gemachte Erfahrung, dass er im gegebenen Fall auch anders hätte handeln können. Ohne diese Annahme interner Freiheit wäre es nicht zu erklären, dass wir uns und anderen Handlungen zurechnen, uns wechselseitig für sie zur Rechenschaft ziehen und von der vom Handelnden zu übernehmenden ↑Verantwortung für sein Handeln sprechen, wobei die Mehrstelligkeit dieses Begriffs (wer, für was, vor wem) den Vorzug hat, den komplexen Zusammenhang deutlich zu machen, über den sich die normative Handlungsleitung in modernen Gesellschaften zur Geltung (↑Norm) bringt.

Anthropologisch (↑Anthropologie) betrachtet sind Moral bzw. Ethos als unverzichtbare Elemente der spezifischen *conditio humana* zu betrachten. Als ein bestimmtes Muster von Einstellung und Haltungen, Überzeugungen und Regeln bilden sie die kulturelle Vorgabe, durch die sich das menschliche Handeln zu

seiner jeweiligen Einheit integriert und welche das handelnde Individuum befähigt, jene ihm eigene personale Identität auszubilden, die sich im Gewissen (↑Gewissen, Gewissensfreiheit) als Instanz der zur *conditio humana* gehörigen Anlage reflexiver Selbstthematisierung zur Geltung bringt.

2. Die Fragestellung der Ethik: Die Prüfung des Handelns vom „Standpunkt der Moral"

Die Fragestellung der E. ergibt sich aus der Perspektive, in der das menschliche Handeln für sie zum Gegenstand wird. Maßgeblich ist nicht die Sicht des neutralen Beobachters, für den Handeln als ein von Ursachen bewirktes Ereignis mit bestimmten Folgen erscheint, sondern die des Teilnehmers, d. h. des aktiv Handelnden, der mit seinem Tun ein von ihm intendiertes Ziel verfolgt, wobei auch das Unterlassen ein Tun sein kann. Während in der erstgenannten Perspektive die Ursachen im Vordergrund stehen, die das jeweilige Handeln als ein durch diese Ursachen bewirktes Ereignis erscheinen lassen, sind für das Handeln aus der Perspektive des Handelnden die Gründe konstitutiv, die den Handelnden zu seiner Absicht führen, wobei selbstredend auch die Umstände, unter denen sich die jeweilige Handlung vollzieht, von Bedeutung sind.

Handlungen, die Gründen folgen, welche der Handelnde zu seiner Absicht macht, erfolgen aufgrund ihrer teleologischen Struktur stets unter einer bestimmten Differenz, gemäß denen die für das Handeln jeweils maßgeblichen Gründe von den nicht maßgeblichen unterschieden werden. Die verschiedenen Grunddifferenzen ergeben sich aus dem Richtungssinn, der für eine bestimmte Art des Handelns konstitutiv ist, und bringen sich meist in Form einer binären Kodierung zur Geltung. Während etwa – so Aristoteles – für die Handlung des (theoretischen) Erkennens die Differenz von wahr oder falsch und für die des Herstellens *(poiesis)* die von richtig oder falsch maßgeblich ist, steht das Handeln in Form der *praxis*, in der sich der Mensch als Mensch vollzieht, unter der Differenz von gut (richtig) oder böse (schlecht), wobei die Handlungsform der *praxis* nach Aristoteles den Zweck in sich selbst trägt, während *poiesis* und *theoria* auf externe Zwecke bezogen sind.

Für Moral bzw. Ethos ist die unter den Begriffen von gut (im Sinn von ethisch richtig) und böse (i. S. v. ethisch schlecht) in den Blick kommende Differenz konstitutiv. Sie thematisiert ein Merkmal des Handelns, dessen Eigenart sich darin zeigt, dass wir in Bezug auf alle anderen Charakterisierungen einer Handlung abschließend stets noch sinnvoll fragen können, „ob sie auch gut ist" (Moore 1996: 82). Da es Handlungen gibt, die als solche in moralischer Hinsicht weder als gut noch als schlecht zu nennen sind, geht die Logik der ethisch handlungsleitenden Urteile (deontische Logik) von einer Dreiteilung aus, die neben gebotenen und verbotenen Handlungen auch indifferente vorsieht.

Der Standpunkt, von dem aus im Blick auf jedwedes Handeln gefragt wird, ob es *gut* ist, kann als der Standpunkt der Moral bezeichnet werden. Charakteristisch für diesen Standpunkt ist, dass jeder, der handelt, sofern er handelt, diesen Standpunkt bereits eingenommen hat, was immer er konkret-inhaltlich als gut oder böse beurteilt. Es ist der Standpunkt der Moral, der die für die Moral charakteristische Bewertung der menschlichen Handlungen möglich macht und der zugl. den Verbindlichkeitsanspruch der Bewertung zum Ausdruck bringt, wobei die Bewertung der Unterscheidung nach gut und böse oder nach geboten, verboten oder erlaubt folgen kann.

Auf dem skizzierten Hintergrund lässt sich die Fragestellung der E. präzisieren: Ihre Aufgabe ist es, die Gründe, die eine Handlung als moralisch gut oder schlecht bzw. als geboten, verboten oder erlaubt erscheinen lassen, zu eruieren und auf ihre Gültigkeit zu prüfen. Der Standpunkt der Moral, den der Handelnde immer schon eingenommen hat, wird von der E. im Blick auf die Art seiner Verbindlichkeit, die daraus sich ergebenden Kriterien und die Sinnkontexte thematisiert und reflektiert, in die er eingebettet ist. In diesem Sinn verstehen sich alle bedeutsam gewordenen ethischen Theorien (wie sie etwa bei Aristoteles, Thomas von Aquin, Immanuel Kant, David Hume oder Jeremy Bentham begegnen) als Auslegungen des lebensweltlich eingenommenen Standpunkts der Moral, nicht als dessen Ersetzung.

3. Die Fragestellung der Metaethik: Logisch-semantische Analyse der Moral

Die als *Meta-E.* bezeichnete Reflexion auf das moralische Urteilen und Handeln analysiert in theoretischer Perspektive die logisch-argumentative Form des praktischen Urteilens (↗Praktische Urteilskraft) und Handelns, die epistemologische Qualität und den semantischen Status der verwendeten Grundbegriffe und die damit verbundenen ontologischen Implikationen. Dabei spielt die Frage, ob und wenn ja, in welcher Weise der Verbindlichkeitsanspruch der Moral zu prüfen ist, die entscheidende Rolle. Der Deutung der moralischen Ansprüche als Aussagen, die wahrheitsfähig und rational begründbar sind *(Kognitivismus)* steht die Deutung gegenüber, die moralische Ansprüche nicht für wahrheits- und begründungsfähig hält *(Nonkognitivismus).* Dabei wird neben der bes. von D. Hume, und dem späteren *Emotivismus* vertretenen Position, die moralische Ansprüche auf Gefühle *(moral sentiments)* zurückführt, die als *Präskriptivismus* bezeichnete Deutung (so Richard Mervyn Hare: „Die Sprache der Moral" [1972]) vertreten, die den letzten Ursprung der Verbindlichkeit in einer nicht weiter begründbaren Dezision (↗Entscheidung) sieht.

Für die kognitivistische Deutung stellt sich die Frage, ob und wie der Ausgang vom Standpunkt der Moral der Begründung bedarf, ob zu seiner Rechtfertigung die

Selbstreflexion auf den Eigensinn des Moralischen genügt oder eine Art Letztbegründung erforderlich ist. Ferner ist zu erörtern, ob der objektive Verbindlichkeitsanspruch allein auf die (als universal zu unterstellende) Subjektivität des Handelnden zurückzuführen ist oder ob bei der Begründung subjektunabhängige wahrheitsfähige Annahmen oder gar Entitäten eine Rolle spielen (schwacher oder starker *moralischer Realismus).* Als eine bes. Spielart des Kognitivismus sind naturalistische Deutungen zu verstehen, die den handlungsleitenden Anspruch moralischer Urteile auf natürliche, empirisch ausmachbare Tatsachen oder Eigenschaften bzw. deren Verbindung zurückführen möchten. Es ist der praktische und zugl. kognitive Charakter ethischer Urteile, der rein naturalistische ebenso wie rein moralistische Schlüsse als Engführungen und unmittelbare Schlüsse vom Sein auf das Sollen als Fehlschlüsse erkennen lässt.

Zu den metaethischen Fragen gehört auch die Frage nach der moralischen Bedeutung des Prädikats „gut". In seiner moralischen Verwendung, so zeigt die Analyse, bezeichnet das Wort „gut" keine natürliche Eigenschaft oder deren Derivat, sondern dient als attributives Adjektiv dazu, Handlungen bzw. Handlungsintentionen zu bewerten und als zu tun oder zu lassen bzw. als erlaubt, verboten oder geboten zu qualifizieren. Diese Bewertung geschieht im Blick auf ein Fiat, nämlich auf die in einem Wunsch, einer Bitte, einem Befehl oder Ähnlichem enthaltene Aufforderung, einen bestimmten Sachverhalt zu verwirklichen. Als „moralisch gut" werden Fiats bewertet, sofern sie im Blick auf das Handeln als Handeln, d. h. im Blick auf das in ihm zu vollziehende Menschsein, gut sind, wobei die Frage, worin das gelingende Menschsein näherhin besteht, eine unterschiedliche Beantwortung finden kann. In jedem Fall stellt die Qualifikation einer Handlung oder Handlungsintention als gut im moralischen Sinne eine Bewertung dar, bzgl. derer die bereits erwähnte weitere Frage „Ist es denn auch gut?" nicht mehr sinnvoll gestellt werden kann. Von daher liegt es nahe, unter dem höchsten Fiat, von dem her alles andere als „gut" bewertet wird, dasjenige zu verstehen, überhaupt Fiats setzen und verfolgen zu können.

In substantivischer Verwendung dienen die Ausdrücke „Gut" bzw. „Güter" v. a. dazu, Gegenstände oder Eigenschaften zu bezeichnen, die wir in ↗Werturteilen oder praktischen Urteilen als Fiats bzw. ↗Werte beurteilen und bzgl. derer wir im Konfliktfall von Güterabwägung sprechen. Dabei spielen Unterscheidungen der Güter, wie sie die an die *Stoa* anschließende Tradition mit der Unterscheidung in ein selbstzweckliches Gut *(bonum honestum),* ein nützliches Gut *(bonum utile)* und ein lustbringendes Gut *(bonum delectabile)* kennt, eine Rolle. Der skizzierten Bedeutung von „gut" in moralischer Bedeutung entspr. die grundlegende Funktion, die der moralischen Differenz unter den das Handeln regulierenden Differenzen zukommt: Als das maßgebliche Kriterium der Achtung bzw. Missachtung, die wir

Handlungen bzw. Handlungsintentionen entgegenbringen, bestimmt sie die kommunikative Praxis durchgehend und integriert sie zu der für sie charakteristischen Einheit.

4. Die Weisen der Begründung des moralisch Guten bzw. Richtigen: Methoden der Ethik

Als sekundäre Reflexion auf die Moral hat die E. methodisch bei denjenigen Weisen anzusetzen, in denen sich moralische Verbindlichkeit im lebensweltlichen Handeln zur Geltung bringt. Dazu zählen die konkreten moralischen Urteile, die ihnen zugrunde liegenden habitualisierten Überzeugungen und Einstellungen, die sie auslösenden oder begleitenden Gefühle, die für die Handlungsleitung relevanten sozio-kulturell vorgegebenen ↑Institutionen, die moralisch relevanten sonstigen Umstände ebenso wie das individuelle Gewissensurteil. Aufgabe der E. ist nicht deren rekapitulierende Beschreibung, sondern die in kritischer Distanz erfolgende Prüfung ihres Geltungsanspruchs. Diese Aufgabe wird bes. da dringlich, wo die eingelebte Moral auf Grenzen stößt oder die Reflexion auf den Begründungsanspruch der Moral – wie in modernen Gesellschaften – z. T. der Moral selbst wird, was dazu führt, dass E. die Funktion der Korrektur und der Weiterbildung der Moral zuwächst.

Für die Prüfung der Gültigkeit des von der Moral erhobenen Verbindlichkeitsanspruchs werden von der E. unterschiedliche methodische Wege beschritten. So kann sich die Prüfung auf das komplexe Gefüge der jeweiligen Handlung beziehen und hermeneutisch-rekonstruktiv die für ihre moralische Beurteilung relevanten Momente erheben, wie sie etwa in der aristotelischen Tradition den Stichworten wer, was, an welchem Ort, mit welchen Mitteln, warum, wie und wann (quis, quid, ubi, quibus auxiliis, cur, quomodo, quando) folgt, wobei das was und das warum von bes.r Wichtigkeit sind. Als Gegenstand der Handlung erscheint in dieser Analyse der praktischen Überlegung (phrónesis) das Ziel (finis), wobei zwischen dem Ziel der Handlung (finis operis) und der Absicht (finis operantis) zu unterscheiden ist. In der modernen E. begegnet diese Handlungsanalyse (↑Handeln, Handlung; ↑Handlungstheorie) – wie etwa bei Nicholas Rescher – unter den Stichworten wer (Handlungssubjekt), was (Handlungstyp), wie (Modalität der Handlung), wann, wo und unter welchen Umständen (Handlungskontext) sowie warum (Handlungsziel bzw. -ursache).

Die Prüfung der Richtigkeit des Geltungsanspruchs des auf die jeweilige Handlung bezogenen moralischen Urteils kann dabei alle Faktoren mit einbeziehen oder bestimmte Faktoren als ausschlaggebend betrachten: Sie kann sich dabei auf ein vorgegebenes ↑Gesetz oder auf den Einzelfall als Einzelfall (Kasuistik) beziehen, auf den Charakter bzw. die Dispositionen des Handelnden in Form der ↑Tugenden abheben, die ↑Pflichten bzw. Pflichtenkreise als maßgeblich betrachten, in der Ab-

sicht (Gesinnung) des Handelnden das moralisch entscheidende Moment der Prüfung erblicken oder die Handlung allein im Blick auf die nach einem Nutzenkriterium abzuschätzenden Folgen beurteilen, wobei bestimmte Verbindungen dieser Faktoren naheliegen.

Hinsichtlich der Verbindlichkeit stellt sich die Frage, ob das ethisch ↑Gute deontologisch (griechisch to déon = das Gesollte) in dem mit universaler (und ggf. unbedingter) Verbindlichkeit Gesollten als dem Gerechten (↑Gerechtigkeit) gesehen wird, oder in dem am Endziel des menschlichen Gelingens orientierten Guten. Die Orientierung am Gerechten führt das ethisch Gute bzw. Richtige auf die Anerkennung eines obersten Prinzips der Moral zurück, an dem die einzelne Handlung bzw. Handlungsklasse zu prüfen ist. Die Orientierung am Guten leitet die moralische Verbindlichkeit vom Endziel des gelingenden Lebens ab, wobei dieses Endziel als etwas vorausgesetzt wird, das in der gegebenen Gesellschaft faktisch als handlungsleitend betrachtet wird, oder aber das im Licht des obersten moralischen Prinzips als verbindlich ausgewiesen ist, was bedeutet, das Gerechte als den normativen Kern des Guten zu betrachten. Im Fall der Orientierung am Gerechten spricht man in der E. auch von einer normativen, im Fall der Orientierung am Guten von einer evaluativen Weise der Begründung. Je nachdem, ob man die Verbindlichkeit als ein unbedingtes Sollen betrachtet oder sie als Resultat einer Abwägung der Folgen einer Handlung betrachtet, unterscheidet man zwischen deontologischen und konsequentialistischen Formen der Begründung.

Den idealtypisch zu unterscheidenden Weisen der Begründung eignen unterschiedliche Stärken: Während die Prüfung der Handlung an einem allgemeingültigen Prinzip zwar die daraus resultierende strikte Verbindlichkeit deutlich zu machen erlaubt, die Gesamtheit der moralisch relevanten Aspekte einer Handlung und ihre positive Orientierung an einem bestimmten Ethos aber nicht in gleicher Weise aufzunehmen vermag, kann die Prüfung der Handlung an der Gesamtheit der moralischen Aspekte die Handlungsleitung in einer Weise rekonstruieren und prüfen, die die Bedingungen der Möglichkeit des Gelingens und den im jeweiligen Ethos enthaltenen Entwurf gelingenden Lebens berücksichtigt, doch impliziert dies die Notwendigkeit, die moralische Verbindlichkeit zu differenzieren (vom bloßen Ratschlag, über die Empfehlung von Vorbildern bis zur unbedingten Verpflichtung). Bestimmte Begründungsstrategien kennen deshalb fließende Übergänge zwischen einer Orientierung am Gerechten und einer solchen am Guten sowie eine Verbindung von deontologischen und evaluativen Momenten.

5. Entstehung und Geschichte der Ethik

Ihrem Ursprung wie ihren Entwicklungsschüben nach kann philosophische E. als der Versuch verstanden werden, auf Krisen der Gültigkeit der geltenden Moral in der Weise zu reagieren, dass mit Mitteln der Philosophie auf die der Moral immanenten Prinzipien und Ansprüche zurückgegriffen wird, um den moralischen Grundanspruch zu prüfen und unter veränderten Bedingungen begrifflich und argumentativ zur Geltung zu bringen. Die Geschichte der E. lässt sich daher als eine Geschichte der sich ablösenden Krisen des Ethos und deren Lösungsversuche verstehen, wobei in Fragestellung und Lösungsversuchen offensichtlich bestimmte strukturelle Möglichkeiten wiederholt begegnen.

Als eigene Disziplin der Philosophie begegnet die E. zum ersten Mal in den ethischen Untersuchungen des Aristoteles. Doch es ist bereits Sokrates, der im Rahmen der griechischen Sophistik auf die Krise des bis dato als sakral geltenden „väterlichen Nomos" mit der Frage nach der Legitimation der geltenden Moral reagiert und dem Rekurs auf die physische Natur des Menschen und seine Konsequenzen in Form einer Moral der Ansprüche der Starken oder einer solchen des Ressentiments der Schwachen einen neuen Weg entgegenstellt, nämlich dem Guten, weder aus bloßem Gehorsam gegenüber der ↗Autorität noch aus blinder Anpassung an die Meinung der Vielen zu folgen, sondern mit Hilfe der Vernunft zu ermitteln, was das jeweils objektiv gebotene Gute ist, wobei sich die Frage nach der Gültigkeit des Guten, der Vernunftbezug des Handelnden („Ich folge dem Logos": Platon, Kriton, 46 b) und sein Selbstverhältnis („Erkenne dich selbst": Platon, Alkibiades I, 128 e–131 c) als eine unlösliche Einheit erweisen.

Dem von Platon verfolgten Ansatz, das jeweilige Gute in einer Ordnung (táxis) von Ideen und deren Gründung in der Idee eines metaphysisch interpretierten höchsten Guten zu sehen, hält Aristoteles entgegen, dass E. es als „praktische Wissenschaft" (NE 1103b 26–31; 1138b 3–1139b 13) mit einem durch menschliche Praxis zu erwirkenden Guten hat, dessen letzter Maßstab im gelingenden Leben des Menschen (eudaimonía) zu erblicken ist, das sich im Handeln (práxis) gemäß denjenigen Tugenden herstellt, in denen die Natur des Menschen ihre Erfüllung findet. Durchführbar ist sie in Form einer Lehre von den Handlungsdispositionen, den Tugenden, die den Guten auszeichnen und deren Gesamtmuster im Ethos der idealtypischen, auf Selbstbestimmung durch Vernunft beruhenden Polis greifbar wird, also normativ betrachtet eher vorausgesetzt als selbst noch einmal begründet wird. Methodologisch verbindet die E. in Form praktischen Schließens die durch eine Hermeneutik der Tugenden bzw. des Ethos gewonnenen Ziele mit den konkreten Handlungen als Mittel, d. h. als kritische methodische Rekonstruktion und Prüfung der als Klugheit (phrónesis) bezeichneten praktischen Überlegung.

Für die Stoa ist E. weitgehend Tugendlehre, deren Verbindlichkeit nicht auf das Ethos der Polis zurückgeführt, sondern durch Rekurs auf die Natur ersetzt wird, was sich in dem Prinzip „Handle gemäß der Natur" niederschlägt, welches als das der menschlichen Vernunft eigene „natürliche Gesetz" bezeichnet wird,

durch das der Mensch an der Ordnung teilhat, die durch die den Kosmos bestimmende Vernunft („Weltseele") bestimmt ist. Formal deutet sich in der Abhebbarkeit des Prinzips vom konkreten handlungsleitenden Urteil – ungeachtet des problematischen Rückgriffs auf eine metaphysisch verstandene Natur – die dem sittlichen Urteil eigenen Mehrstufigkeit an, welche die Voraussetzung dafür ist, das der Natur des Menschen entspr. wahre Wollen als ein ihm auferlegtes Sollen und das sittliche Urteil als ein im Gewissen (syneídesis = Mit-Wissen um das eigene Tun) offenkundig werdendes Selbstverhältnis zu verstehen.

Zu einer signifikanten Weiterentwicklung der E. kommt es, als die Wiederentdeckung der aristotelischen E. im lateinischen Westen des 13. Jh. zu einer neuen Problemkonstellation führt: Wie lässt sich der alttestamentliche und auf andere Weise in der Stoa begegnende Gedanke des Gesetzes, die von Paulus und Augustinus, unter dem Begriff des Gewissens auch von der Stoa apostrophierte, aber bis dato aporetische bleibende Rolle des willentlichen Selbstverhältnisses und das im Liebesgebot kulminierende christliche Ethos in ein Verhältnis bringen, das den von Aristoteles formulierten Ansprüchen einer E. als praktischer Wissenschaft entspr., die zeitgebundene Ethosrelativität des aristotelischen Entwurfs aber durch eine differenzierte normative Theorie vermeidet?

Greifbar wird die Wende bei Thomas, der nicht nur in STh II-II zum ersten Mal einen eigenen der Moral gewidmeten Traktat vorlegt, der in Form einer Tugendlehre, die das Gesamt der Tugenden unter den theologischen Tugenden von ↗Glaube, ↗Hoffnung und ↗Liebe integriert. In STh I-II schickt er dem eine Untersuchung voraus, in dem er die tugendethisch sich vollziehende praktische Überlegung als einen praktischen Schluss interpretiert, welcher den moralischen Anspruch, der der praktischen Vernunft als „natürliches Gesetz" (lex naturalis) eigen ist, im Blick auf die „natürlichen Strebungen" (inclinationes naturales), in deren Rahmen sich das menschliche Handeln vollzieht, zu einem die jeweiligen moralisch relevanten Umstände aufnehmenden Handlungsentwurf konkretisiert. Damit gewinnt die in der Stoa sich andeutende Mehrstufigkeit der praktischen Vernunft eine für die E. konstitutive Rolle. Durch die Abhebung eines obersten praktischen Prinzips („Das Gute ist zu tun, das Böse zu meiden": STh I-II, 94), das die Verbindlichkeit und die Nichtwidersprüchlichkeit der das oberste Prinzip konkretisierenden praktischen Urteile zum Ausdruck bringt und den die Konkretion bestimmenden Rekurs auf die evaluativ ausgezeichneten Grundstrebungen des Menschen, vermag Thomas den (bei Aristoteles nur schwach zum Ausdruck kommenden) normativen Anspruch der Moral, also die Moralität, explizit zur Geltung zu bringen. Damit deutet sich eine ethische Theorie an, welche den normativen Anspruch der Moral mit der (meta-normativen) Rolle der durch ein Selbstverhältnis sich auszeichnenden menschlichen Natur und dem Entwurf gelingenden Lebens in Form des Ethos in einer zukunftsfähigen Form verbindet.

Einen weiteren Entwicklungsschritt der E. stellt die von Johannes Duns Scotus entwickelte zu einem neuen Verständnis der Freiheit führende Deutung des *Willens* als eines Vermögens urspr.er Selbstbestimmung dar. Denn wenn in der Bestimmung des Willens der Kern des sittlichen Akts gesehen wird und das „natürliche Gesetz" vom Willen fordert, sich als Wille zu vollziehen, d. h. sich durch nichts anderes als durch die das Objekt als gut beurteilende Vernunft *(recta ratio)* bestimmen zu lassen, kann die E. an Stelle einer an naturalen Strebenszielen orientierten handlungsleitenden Disziplin als eine das positiv-kontingent vorgegebene Ethos *(ordinatio)* an seiner Kohärenz *(consonantia)* mit der moralisch geforderten Willensbestimmung prüfende Vernunft-E. verstanden werden.

Doch kommen die beiden (vom theologischen Kontext provozierten) Einsichten in die Funktion eines die Moralen übergreifenden natürlichen Gesetzes und die Freiheit der Willensbestimmung als Kern der Moralität erst nach Fortführung durch die spanische Spätscholastik mit der ↑Moderne, d. h. nach Eintritt des Orientierungsverlusts zur Geltung, der nach Auflösung der mittelalterlichen Einheit von Staat, Gesellschaft, Religion, Kultur und Recht zu einer neuen Vergewisserung der Grundlagen des Handelns führt.

Es ist Thomas Hobbes, der bei der unkontrovers zu sein scheinenden Natur ansetzt. Versteht man sie als Antagonismus von Machtstreben (↑Macht) und Todesfurcht, so folgt als „Gesetz der Natur" die Vorschrift der Vernunft, durch Vertrag (↑Vertragstheorien) auf das urspr.e „Recht auf alle Dinge" zu verzichten und im Artefakt des ↑Staates die Instanz der die Selbsterhaltung verbürgenden ethischen und rechtlichen Normierung zu sehen.

Während T. Hobbes den Rekurs auf die Natur mit der Konstruktion der Moral als kontraktualistisches Werk des Menschen verbindet, greifen die frühneuzeitlichen Theoretiker des Völkerrechts wie Hugo Grotius und Samuel von Pufendorf zur Behebung der Kontroversen auf den Gedanken eines den Moralen voraufgehenden ↑Naturrechts als Vernunftrecht zurück, womit ein weiterer Schritt in Richtung vorpositiver ↑Grund– oder ↑Menschenrechte getan ist, die E. freilich zu einem Teil des ↑Rechts wird bzw. in zentralen Teilen vom Recht abgelöst wird.

Um die Kontroversen der Moralen zu vermeiden, geht I. Kant von der (der Sache nach bereits bei J. Duns Scotus begegnenden) Deutung der *Moralität* als Verbindung von Willensprimat und Rationalitätsforderung aus und sieht in der ↑Autonomie, d. h. im „Selbstverhältnis des vernünftigen Willens" die notwendigen Bedingungen der moralischen Richtigkeit bzw. Moralität, was die Vernunft als „a priori gesetzgebend für die Freiheit und ihre eigene Kausalität" (Kant 1968a: 195) er-

scheinen lässt. Wenn aber der Forderung der reinen praktischen Vernunft aus „Achtung fürs Gesetz" (Kant 1968: 400 f.) zu folgen, den „guten Willen" ausmacht, ist E. vorrangig Prüfung der subjektiven Handlungsmaximen an der unbedingt geltenden und im *Kategorischen Imperativ* zum Ausdruck kommenden Form ihrer Verallgemeinerungsfähigkeit, was nach I. Kant auch als die Forderung zu verstehen ist, „die Menschheit, sowohl in deiner Person als in der Person eines jeden anderen, jederzeit zugleich als Zweck, niemals bloß als Mittel" (Kant 1968a: 429) zu gebrauchen.

Die angewandte Ethik der ↑Neuzeit orientiert sich zunehmend an dem Begriff der Pflichten (gegenüber Gott, den Mitmenschen und sich selbst).

Gegen diese Deutung der E. als kritische Prüfung der den Kern der Moral ausmachenden Autonomie als einem freien Selbstzwang des Willens wendet Georg Wilhelm Friedrich Hegel ein, dass E. nicht umhin kann, sich an den in den Institutionen wie Familie, Recht und Staat substantiell gewordenen Sittlichkeit zu orientieren, soll sie nicht abstrakt und inhaltsleer werden.

Mit der fortschreitenden Moderne sehen sich die „klassischen" ethischen Ansätze neuen Herausforderungen ausgesetzt: Das Auseinandertreten der sich entwickelnden ↑Natur- und ↑Geisteswissenschaften, die Konjunktur der damit verbundenen szientistischen bzw. historistischen Deutungen (Charles Darwin, Karl Marx, Sigmund Freud, Friedrich Nietzsche) wie auch die die modernen ↑Gesellschaften kennzeichnende Pluralisierung der Moral lassen den Bedarf an einer auf diese Probleme reagierenden E. wachsen, ohne dass die mit dieser Entwicklung einhergehenden empiristischen, emotivistischen und dezisionistischen Deutungen der Moral als Problemlösungen zu überzeugen vermögen.

Der Versuch, die Moralität des Handelns durch eine die Folgenabschätzung in den Mittelpunkt rückende *utilitaristische E.* (↑Utilitarismus) überzeugend zu deuten, kann zwar durch die Verbindung eines Transsubjektivitätsprinzips mit einem Nutzenprinzip die Kognitivität des Moralischen wahren und die Anschlussfähigkeit der E. an die Zwecknutzenrationalität der ↑Sozial- und Wirtschaftswissenschaften herstellen, bleibt aber dem Einwand ausgesetzt, dass die Fokussierung auf die Folgen die moralisch relevanten Charakteristika menschlichen Handelns ungebührlich verkürzt und das Kalkül Gefahr läuft, den Einzelnen im Blick auf das Gesamtwohl zu mediatisieren. Ist aber, wie John Rawls gezeigt hat, die Vorordnung eines Gerechtigkeitsprinzips zwingend, wird die Folgenabschätzung zu einem nachgeordneten Element der E.

Versucht man die geschichtlich begegnenden Formen der E. nach Grundtypen zu differenzieren, so lässt sich entspr. den darin maßgeblich hervortretenden Leitbegriffen eine Gliederung nach drei ethischen Modalitäten vornehmen, nämlich in die einer Gesetzes-E. bzw. einer (theologisch im Dekalog hervortretenden) Gebots-E., einer (nach Kardinaltugenden systematisierten und durch die drei theologischen Tugenden ergänzten) Tugend-E. und im Zuge der Aufklärungsphilosophie einer (in subjektrelative Pflichtenkreise gegliederten) Pflichten-E. Makroskopisch betrachtet lässt sich sowohl in der theologischen als auch in der philosophischen E. eine nicht nur historisch, sondern zugl. systematisch relevante Abfolge dieser Grundtypen feststellen, was sachlich erheblich unterschiedliche Argumentationsstrategien im Gesamtverständnis E. und in angewandter E. zur Folge hatte und zu der Frage führt, inwieweit die gegenwärtige E. sich neben der fortwirkenden Präsenz der genannten Grundtypen nach neuen Leitbegriffen wie dem der Verantwortung bzw. der E. von Sachbereichen gliedert.

6. Moderne Entwicklungen: Ethik der Sachbereiche

Was die E. der späten Moderne mit spezifisch neuen Herausforderungen konfrontiert, ist die Entwicklung bislang unbekannter hoch effizienter Handlungsfelder, wie sie sich seit der zweiten Hälfte des 20. Jh. im Zuge des wissenschaftlich-technischen ↗Fortschritts (Nuklear-, Bio-, Informationstechnologie und ähnlichem) und der weltweiten gesellschaftlich-zivilisatorischen Veränderungen herausgebildet haben. Wie die seitdem geführte Diskussion gezeigt hat, zwingen sie dazu, angestammte Aufgaben der E. wie die der Handlungsleitung, der Bezugnahme auf die geltende Moral, der Wahrung der Einheit des moralischen Feldes und die Herstellung handlungsermöglichender ↗Konsense neu zu bestimmen.

Was die neuen Handlungsfelder zur bes.n Herausforderung werden lässt, ist ihre Neuartigkeit (sowohl was die Erkenntnisse als auch die Handlungsmöglichkeiten betrifft), ihre Bindung an eine eigene bereichsspezifische pragmatisch-normative Handlungsrationalität (wie etwa die moderner Wirtschaft), die Unübersehbarkeit der jeweiligen Folgenräume und v.a. die Schwierigkeit, sie in eine lebensweltliche Moral zu integrieren, deren Pluralisierung die Ausbildung normativer Konsense in Bezug auf unbekannte Handlungsfelder erschwert und von neuartigen gesellschaftlichen Diskursen abhängig macht.

Reagiert hat die E. bislang mit neuen Formen einer Angewandten E. *(Applied Ethics)*, Modellen einer Praktischen E. *(Practical Ethics)* bzw. eigenen Sachbereichs-E. Dass die angestammte Aufgabe, welche die E. zu einer praktischen Disziplin macht, nämlich die Thematisierung der Handlungsleitung und damit der Anwendung des moralischen Anspruchs, nun eigens gefordert wird, zeigt das diesbezügliche Defizit der modernen Regel-E. ebenso wie die bes. Schwierigkeit, für die neuen Handlungsfelder überzeugende Regeln der „Anwendung" zu formulieren.

Methodologisch wurden verschiedene Ansätze mit unterschiedlichem Erfolg entwickelt: Deduktivistische Ansätze erwiesen sich im Blick auf konkrete Handlungsleitung als „leer", offensichtlich weil sie zu stark theoretischen Begründungsmodellen folgten, kasuistische und rein tugendethische Ansätze konnten zwar eine größere Nähe zur konkreten Handlungskonstellation herstellen, waren aber der Schwierigkeit ausgesetzt, moralische Evidenzen in Anspruch zu nehmen, hinsichtlich derer in modernen Gesellschaften nicht einfach Konsens unterstellt werden kann.

Bes. Überzeugungskraft haben daher Ansätze gewonnen, die man als rekonstruktiv bezeichnen kann, insofern sie die praktische Überlegung, die den Anspruch der Moral mit der pragmatisch-normativen Logik des betreffenden Handlungsfeldes und den gesellschaftlich relevanten Umständen (wie Zielen und Folgen) verbindet, zum Modell der Normfindung bzw. -rechtfertigung durch die E. machen. Wie v.a. im Bereich der biomedizinischen E. (↗Bioethik) festzustellen, wird dabei in unterschiedlicher Weise auf die *common morality* Bezug genommen: So wird zum einen – dem Rekurs auf bestehende normative Evidenzen nach Art des angelsächsischen *case law* folgend – auf sog.e mittlere Prinzipien zurückgegriffen, für die ein Konsens unterstellt werden kann, wobei formale Prinzipien (wie *respect for autonomy*) mit eher tugendethisch verankerten Einstellungen (wie *beneficence* oder *justice*) verbunden werden. Die Konkretion zur Handlungsleitung wird dann in Verfahren eines *reflective equilibrium* gesehen, das mit Spezifizierung *(specification)* und Abwägung *(balancing)* verbunden ist. Einen anderen Weg schlägt der in Kontinentaleuropa verfolgte Ansatz ein, den *overlapping consensus* für die gesuchte Handlungsleitung im Rückgriff auf Menschenrechte bzw. Grundrechte herzustellen.

Ohne in den bislang verfolgten Wegen der Angewandten E. bereits das Paradigma für eine der Gegenwart entspr.en E. zu sehen, lassen sich der Diskussion um diese Ansätze doch beachtenswerte Anforderungen an eine solche E. entnehmen.

7. Eckpunkte der Ethik als normativer Theorie

Soll E. als eine praktische Disziplin verstanden werden, die das Feld konkreten moralischen Handelns in der Gesamtheit der dieses Feld bestimmenden normativen Momente (Einstellungen, Haltungen, Ziele, Güter und soziale Institutionen) zum Gegenstand hat, muss sie als eine kritische Reflexion der geltenden Moral vom Standpunkt der Moral aus verstanden werden mit dem Ziel, die objektive Gültigkeit bzw. Richtigkeit der moralischen Ansprüche zu prüfen und zur Geltung zu bringen. In entwickelten Gesellschaften kann diese Reflexion zu einem Moment der Moral selbst werden oder zur Entstehung von Moral in Bezug auf neue Handlungsfelder beitragen.

Eine Rechtfertigung moralischer Ansprüche durch Prüfung der Gründe wird die (impliziten oder expliziten) handlungsleitenden Urteile als präskriptive Sätze verstehen, die unter der moralischen Differenz von „gut

– böse" bzw. „geboten – verboten – erlaubt" der Begründung bedürftig und fähig sind, und davon ausgehen, dass es eine spezifische ↑Wahrheit praktischer Sätze (Aristoteles) gibt bzw. von einem (schwachen) moralischen Realismus ausgegangen werden kann.

Dies erlaubt es, das handlungsleitende Urteil als Konklusion eines praktischen Schlusses zu verstehen, dessen mehrstufige Struktur ein komplexes Gefüge von Prinzipien, kognitiven und emotiven Einstellungen, moralisch relevanten Umständen und ähnlichem umfasst. Seine Gültigkeit zeigt sich daher in einer kritisch-reflexiven Prüfung der normativen, evaluativen und deskriptiven Prämissen, die in den handlungsleitenden Schlusssatz eingehen und in die konkrete Handlung münden.

Die Gestalt einer normativen Theorie nimmt die E. an, wenn sie diesen Zusammenhang explizit durch eine Analyse *a)* der Grundbegriffe und Argumentationsformen, *b)* der Definition und Begründung des obersten moralischen Prinzips, *c)* der Angabe der weiteren normativen, evaluativen und deskriptiven Prämissen und *d)* der Form der konkreten Anwendung:

a) Bei der Analyse der Grundbegriffe und Argumentationsformen wird sie aus den bereits genannten Gründen einem kognitivistischen Deutungsansatz und hinsichtlich der hermeneutisch-evaluativ zu bestimmenden Prämissen den Annahmen eines schwachen Realismus folgen.

b) Der normative Anspruch, der den handlungsleitenden Sätzen der Moral eigen ist, verlangt zu seiner Explikation die Angabe eines obersten praktischen Prinzips, das im Standpunkt der Moral wirksam wird und von den ethischen Theorien unterschiedlich ausgelegt wird: als Explikation eines mit der Vernunftnatur des Menschen verbundenen urspr.en Wollens (Aristoteles), das durchaus als ein der Vernunft eigener oberster Anspruch des Sollens zu verstehen ist (Thomas, J. Duns Scotus u. a.); eines im Anspruch der praktischen Vernunft gelegenen und sich in einem obersten Imperativ der Willensbestimmung artikulierenden Sollens (I. Kant); einer im aufgeklärten Selbstinteresse des Menschen liegenden Grundforderung, sich wechselseitig anzuerkennen und zu respektieren (kontraktualistische Ansätze, Vertragstheorie); einer im kommunikativen Handeln stets vorausgesetzten Bindung an die Kriterien der Zustimmungsfähigkeit aller praktischen Sätze (↑Diskursethik); einer Forderung, die eigenen ↑Interessen zu überschreiten und dem Maßstab des größten Gesamtnutzens zu unterwerfen; einer in der Lebensform der Selbstverständigung gelegenen Grundmaxime oder eines in der Freiheit selbst gelegenen Anspruchs. Im Blick auf diese in ihrer Angemessenheit höchst unterschiedlich zu beurteilenden Deutungen ist die für das oberste Prinzip maßgebliche Funktion festzuhalten, nämlich zugl. den maßgeblichen Grund der Unterscheidung und Bewertung und den unbedingten Grund der Verpflichtung anzugeben. Da das oberste Prinzip als Auslegung des vom Handelnden immer schon anerkannten Standpunkts

der Moral zu verstehen ist, kommt ihm ein universaler Gültigkeitsanspruch zu, der in Form der Unverletzlichkeit der ↑Menschenwürde auch faktisch weltweite Geltung gefunden hat. Sofern das Prinzip einer Begründung bedarf, kann darauf hingewiesen werden, dass die in praktischer Absicht erfolgende Bestreitung des obersten Prinzips einen performativen Selbstwiderspruch impliziert. Die Anerkennung des obersten praktischen Prinzips ist i. d. R. in umfassendere lebensweltlich vermittelte und in unterschiedlicher Gestalt begegnende Sinnkontexte eingebettet, denen im Blick auf die kritische und innovative Ausgestaltung seiner Konkretion bes. Bedeutung zukommt.

c) Da das oberste moralische Prinzip Form und Verpflichtung aller präskriptiven Sätze angibt, nicht aber deren inhaltliche Quelle darstellt, wird eine als normative Theorie gefasste E. die Quellen und Kontexte kritisch reflektieren müssen, die als Prämissen in das konkrete moralische Urteil eingehen, also die normative Theorie (Pflicht-E.) mit den Elementen der Lehre vom guten Leben (Tugend-E.) verbinden. Zu diesen Elementen gehört an erster Stelle der meta-normative, unbeliebig-offene Rahmen von Grundstrebungen bzw. -antrieben (Interessen) und ↑Bedürfnissen, die mit der Natur des Menschen verbunden sind und ohne den gelingendes menschliches Handeln und Leben nicht möglich ist. In den normativen Theorien begegnet diese Dimension als natürliche Neigungen, als Daseinsgrunddimensionen, funktionale humane Basisvermögen, transzendentale Interessen, als Güter und insb. als Übel geltende Sachverhalte, als allg. menschliche Bedürfnisse oder in der den Grund- oder Menschenrechten zugrunde liegende Partialanthropologie. Versteht man sie als Bedingungen der Möglichkeit der ↑Humanität, liegt es nahe, ihren Schutz in Form von mittleren Prinzipien festzuhalten. Dabei sind auch die Ansprüche zu berücksichtigen, die aus der den Menschen umgebenden Natur erwachsen und bei deren Beurteilung der Rückgriff auf die sog.e *scala naturae* (wie im ↑Tierschutz) bzw. auf Verträglichkeitskriterien (wie in der Ökologischen E.) eine Rolle spielen. Zu den Quellen des moralischen Urteils, auf die in einer als normative Theorie zu verstehenden E. Bezug zu nehmen ist, gehört auch der Bereich des Ethos, insb. diejenigen Gestalten gelingender menschlicher Sozialität, die sich im Verlauf der gesellschaftlichen Ethos-Bildung als unverzichtbare Formen gelingenden Zusammenlebens erwiesen haben und deshalb als Bestandteile der *common morality* zu betrachten sind. Zu den handlungsleitenden Quellen gehört aber auch der individuelle Lebensentwurf, wie er sich über das subjektive moralische Urteil zur Geltung bringt und in Form des Gewissensurteils, das die Wahrung der personalen ↑Identität zum Inhalt hat, bes. Verbindlichkeit in der E. wie im Recht gewinnt.

d) In der konkreten Anwendung wird eine als normative Theorie gefasste E. auf die praktische Überlegung (s. o.) als Leistung der Urteilskraft zurückgreifen, die sich als kritische Rekonstruktion der zu den handlungs-leitenden Urteilen führenden praktischen Schlüssen zu verstehen ist und bei der Elemente wie die Güterabwä-gung und das reflektierende Gleichgewicht zwischen den normativen Prämissen und den moralischen Intui-tionen eine Rolle spielen.

An der Gestalt der E. als normativer Theorie zeigt sich in bes.r Weise die wechselseitige Beziehung, die die E. mit dem Recht, insb. mit dem Menschen- und Verfassungsrecht verbindet. Denn auf der einen Seite nehmen die Menschen- und Grundrechte moralische Überzeugungen auf, die sich in der Reflexion der E. als unabweisbare Momente einer ungeachtet der Vielfalt der Moralen sich zeigenden *common morality* erweisen. Umgekehrt ist die Akzeptanz, die die betreffenden mo-ralischen Normen als menschen- und grundrechtlich ge-schützte Freiheiten und Rechte finden, für die E. ein Ausweis dafür, dass sie zu dem in der *common morality* greifbar werdenden normativen *overlapping consensus* gehören, ohne den der Zusammenhang von Kommuni-kation und Handeln in modernen Gesellschaften, die durch einen Plural von Binnenmoralen gekennzeichnet sind, nicht gewahrt werden kann.

Literatur

Quellen
D. Hume: Eine Untersuchung über die Prinzipien der Moral, 2012 • H. Plessner: Die Stufen des Organischen und der Mensch, 2003 • G. E. Moore: Principia Ethica, 1996 • Platon: Alkibiades I, ²1990 • Platon: Kriton, ³1990 • G. W. F. Hegel: Vorlesungen über die Geschichte der Philosophie, 1971 • I. Kant: Grundlegung der Metaphysik der Sitten, 1968 • I. Kant: Kritik der Urteilskraft,1968a • T. Hobbes: Leviathan XIV, 1963.

Literatur
W. Korff/M. Vogt (Hg.): Gliederungssysteme angewandter Ethik. Ein Hdb. Nach einem Projekt von Wilhelm Korff, 2016 • O. Höffe: Ethik. Eine Einführung, 2013 • M. Nussbaum: Creating Capabilities. The Human Development Approach, 2011 • D. Parfit: On What Matters, 2011 • L. Honnefelder: Was soll ich tun, wer will ich sein? Vernunft und Verantwor-tung, Gewissen und Schuld, 2007 • P. Foot: Die Natur des Guten, 2004 • L. Siep: Konkrete Ethik, 2004 • J. Szaif u. a. (Hg.): Was ist das für den Menschen Gute?, 2004 • K. Bayertz: Warum moralisch sein?, 2002 • M. Düwell u. a. (Hg.): Hdb. Ethik, 2002 • O. Höffe: Lexikon der Ethik, ⁶2002 • W. Korff u. a. (Hg.): Lexikon der Bioethik, 3 Bde., 2000 • T. M. Scan-lon: What We Owe to Each Other, 2000 • L. Honnefelder: Biomedizinische Ethik und Globalisierung. Zur Problematik völkerrechtlicher Grenzziehung am Beispiel der Menschen-rechtskonvention zur Biomedizin des Europarats, in: A. Eser (Hg.): Biomedizin und Menschenrechte, 1999, 38–58 • R. Hursthouse: On virtue ethics, 1999 • R. Chadwick (Hg.): Encyclopedia of Applied Ethics, 1998 • P. Schaber: Mora-lischer Realismus, 1997 • L. Honnefelder u. a.: Philosophische Propädeutik, Bd. 2, 1996 • J. Nida-Rümelin: Angewandte Ethik. Die Bereiche und ihre theoretische Fundierung, 1996 • E. Runggaldier: Was sind Handlungen?, 1996 • C. Taylor: Quellen des Selbst, 1996 • H. Möhle: Ethik als scientia prac-

tica nach Johannes Duns Scotus, 1995 • E. Tugendhat: Vor-lesungen über Ethik, 1993 • L. C. Becker u.a. (Hg.): Encyclo-pedia of Ethics, 2 Bde., 1992 • F. X. Kaufmann: Der Ruf nach Verantwortung, 1992 • A. Pieper: Geschichte der neueren Ethik, 1992 • J. Rohls: Geschichte der Ethik, 1991 • P. Singer: A Companion to Ethics, 1991 • N. Luhmann: Paradigm lost: Über die ethische Reflexion der Moral, 1990 • A. MacIntyre: Der Verlust der Tugend, 1988 • G. E. M. Anscombe: Absicht, 1986 • D. Gauthier: Morals by Agreement, 1986 • J.-L. Ma-ckie: Ethik. Die Erfindung des moralisch Richtigen und Fal-schen, 1986 • R. Spaemann: Moralische Grundbegriffe, 1986 • W. Korff: Norm und Sittlichkeit, 1985 • J. Habermas: Moral-bewußtsein und kommunikatives Handeln, 1983 • J.-L. Ma-ckie: Ethik. Auf der Suche nach dem Richtigen und Falschen, 1983 • F. Ricken: Allgemeine Ethik, 1983 • F. von Kutschera: Grundlagen der Ethik, 1982 • W. Kluxen: Philosophische Ethik bei Thomas von Aquin, 1980 • O. Höffe: Ethik und Politik. Grundmodelle und -probleme der praktischen Phi-losophie, 1978 • B. Williams: Der Begriff der Moral. Eine Ein-führung in die Ethik, 1978 • J. Rawls: Eine Theorie der Ge-rechtigkeit, 1975 • R. M. Hare: Die Sprache der Moral, 1972 • J. Ritter u.a.: Ethik, in: HWPh, Bd. 2, 1972, 759–809 • P. En-gelhardt: Sein und Ethos, 1963 • K. Baier: The Moral Point of View, 1958 • E. Howald u.a.: Geschichte der Ethik vom Alter-tum bis zum Beginn des 20. Jahrhunderts, 1931 • H. Sidgwick: Die Methoden der Ethik, 1909 • F. Jodl: Ge-schichte der Ethik als philosophischer Wissenschaft, 1906 • J. S. Mill: Utilitarianism, 1874 • J. Bentham: An Introduction to the Principles of Morals and Legislation, 1798.
                                                    LUDGER HONNEFELDER

II. Theologische Ethik

1. Der Gegenstand der Theologischen Ethik: Handeln im Horizont des Glaubens

Alle ↑Religionen enthalten im Rahmen ihrer Welt- und Daseinsauslegung Momente der Handlungsorientie-rung und -leitung. Doch nur in den Religionen, die – wie vornehmlich die (jüdische und) christliche Religion – Theologie als kritische Reflexion auf den (Offen-barungs-)Glauben aus der Perspektive dieses Glaubens ausgebildet haben, findet sich auch *Theologische E.* Als eigene Teildisziplin der Theologie wird die Theologi-sche E. innerhalb der katholischen Theologie als ↑*Mo-raltheologie*, neuerlich auch (wie im Bereich der evangeli-schen Theologie) als *Theologische E.* bezeichnet, wobei die vorrangig auf das soziale Handeln bezogene Theo-logische E. als Gegenstand einer eigenen als *Christliche Sozial-E.* behandelten Disziplin begegnet.

Geht man wie im christlichen Kontext davon aus, dass *Theologie* als die methodisch geleitete Reflexion auf Gott als die das Leben und Handeln bestimmende Wirklichkeit zu verstehen ist, dann ist Theologische E. als die Disziplin der Theologie zu verstehen, die das Handeln des Menschen unter diesem spezifischen An-spruch zum Gegenstand hat. Methodisch begegnet die-se Reflexion *a)* als ↑*Hermeneutik*, d.h. als die auf das konkrete Handeln bezogene Selbstverständigung des christlichen Glaubens oder *b)* als *E. der ↑Tugenden,* d. h. als Gefüge von Handlungseinstellungen, in denen sich die vom christlichen Glauben geforderte Lebensform artikuliert, oder *c)* als E. der Pflichtenkreise, die sich aus dem Anspruch des Glaubens ergeben, oder *d)* als *normative Theorie,* die den aus dem Glauben sich ergebenden Anspruch an das Handeln in Form von ↑Normen argumentativ ausweist und entfaltet, wobei sich in den konkreten Gestalten, in denen Theologische E. begegnet, die vier methodischen Ansätze in unterschiedlicher Weise miteinander verbinden.

Aus der Sicht der Theologischen E. stellt sich das Verhältnis zur philosophischen E. als ein Verhältnis von „Entsprechung und Differenz" dar. Denn sofern die Theologische E. die Einheit von Schöpfer- und Bundesgott voraussetzt, nimmt sie an, dass der Glaubende (wie der Nichtglaubende) den das menschliche Handeln kraft der natürlichen (d. h. gottgegebenen) praktischen Vernunft bestimmenden „Standpunkt der ↑Moral" einnimmt, freilich seine Verbindlichkeit im Sinnhorizont des christlichen Glaubens wahrnimmt, was wechselseitige Kritik wie wechselseitige Verwiesenheit im Verhältnis von Theologischer zu philosophischer E. zur Folge hat.

Greifbar wird der vom christlichen Glauben ausgehende Anspruch an das menschliche Handeln für die (christliche) Theologische E. in den Offenbarungstexten des AT und NT und dem daraus im Raum der ↑Gemeinde/↑Kirche erwachsenen Ethos. Es ist die Erfahrung der alles (auch den Ursprung der Welt als *Schöpfung*) umfassenden Wirksamkeit Gottes in der *Geschichte,* die dem Handeln des Menschen seine bes. Bedeutung gibt, nämlich Antwort auf das geschichtlich ergangene Handeln Gottes zu sein, durch das sich der Mensch als *imago dei* erfährt und die (entnuminisierte) Welt als seinen Handlungs- und Verantwortungsraum begreift. Die sittlichen Forderungen begegnen als ein auf den Indikativ des ungeschuldeten göttlichen Heilshandelns antwortender Imperativ, die Gottesbeziehung als (Rechts-)Bund. Das *göttliche Gesetz* (Tora, Dekalog), gemäß dem für das AT der Anspruch an das Handeln des Menschen ergeht, wird nicht als willkürliches Dekret Gottes verstanden, sondern als die durch Gottes gnadenhaftes Heilshandeln in Schöpfung und Geschichte ermöglichte Ordnung des menschlichen Handelns, wobei die einzelnen Forderungen auf eine Grundnorm zurückgeführt werden, nämlich als die auf die ↑Liebe Gottes zum Menschen antwortende Liebe des Menschen zu Gott und zu seinem Nächsten. Da Gottes Gesetz als Werk seiner Ordnungsvernunft zu begreifen ist, wird es als kommunikabel und als prinzipiell konsensfähig und -stiftend verstanden.

Das NT geht davon aus, dass Gottes Handeln in Jesu Verkündigung und Taten wie auch durch ihn selbst, seinen Tod am Kreuz und seine Auferstehung hereingebrochenen Gottesherrschaft (*basileia tou theou:* Mk 1,14) seine definitive Gestalt angenommen hat, die für den, der sie im Glauben annimmt, zu einer *Umkehr* in der Handlungsorientierung führt, die bes. in der Bergpredigt als Nachfolge Jesu (Mt 5,1–7,29) beschrieben wird. Das Handeln soll für die Gemeinde der Glaubenden zum Vollzug der Gottesherrschaft werden.

2. Entstehung und Formen

Schon im NT nimmt die Frage nach der konkreten Gestalt des auf Zusage der Gottesherrschaft antwortenden Lebensvollzugs eine zentrale Stelle ein. Das mit der Neuschöpfung in der Taufe verbundene Bekenntnis des Glaubens wird zugl. als Entscheidung für das Ethos der Nachfolge verstanden, das sich in einer neuen, auf die Gottesliebe antwortenden Zuwendung zum Nächsten und in den sich bildenden Gemeinden zur einer an der *Brüderlichkeit* orientierten Lebensform führt (Apg 4,32). Schon in der frühen Kirche erfährt das Taufethos eine Zuschärfung im aufkommenden Asketenund ↑Mönchtum, das die Nachfolge als ein Leben nach den sog.en evangelischen Räten (Jungfräulichkeit, Armut und Gehorsam) versteht und darin über Ambrosius (angelehnt an Ciceros Unterscheidung zwischen *officium perfectum* und *officium medium*) einen bes.n „Stand der Vollkommenheit" (der Nachfolge: Mt 19,21) erblickt.

Mit der Forderung nach Umkehr verbindet sich schon bald die Frage, wie mit der Rücknahme der (in der Taufe habituell gewordenen) Umkehr, d. h. mit der ↑Schuld als *Sünde* umzugehen ist. Das sich entwickelnde Bußwesen und die Verfassung von Bußbüchern, die jede Art der Schuld mit einer bestimmten Buße bzw. Strafe verbinden, führen zu einer *Kasuistik,* die den Anspruch des christlichen Ethos in Form einer Gesetzesanwendung konkretisiert, was den Blick auf das konkrete Handeln im Einzelfall lenkt, aber zu einer (durchaus in Spannung zur Verkündigung Jesu stehenden) und bis in die (der Beichtpraxis dienenden) Poenitentialsummen des Mittelalters und die kasuistischen Handbücher der Neuzeit reichenden *Verrechtlichung* führt.

Die zugl. damit einhergehende *Verinnerlichung,* die bei der von Paulus thematisierten Dialektik der dem Glauben folgenden Willensbestimmung ansetzt und durch Augustins Thematisierung der Innerlichkeit als Ort der Gottbegegnung eine bes. Ausarbeitung erfährt, betont die Freiheit des Willens, lässt aber zugl. den bösen Willen als unerklärliches Verhängnis erscheinen.

Eine umfassendere theologische Grundlegung des aus dem Glauben folgenden Handelns, welche auf die bis dato offen gebliebenen Probleme und Fragen reagiert, erfolgt erst im Rahmen der im 12./13. Jh. als Wissenschaft sich ausbildenden *Theologie.* Sie setzt ein mit der unter dem bezeichnenden Titel „Scito te ipsum" vorgelegten E. des Petrus Abaelardus, in der die Willensintention als das moralisch maßgebliche Kriterium betont, gleichwohl aber als die subjektive Vermittlung eines objektiven, von der Vernunft einsehbaren Anspruchs verstanden wird.

Doch erst das (Wieder-)Bekanntwerden der aristotelischen E. provoziert (und ermöglicht) die geforderte umfassendere theologische Fundierung der aus dem Glauben resultierenden sittlichen Ansprüche. Auf den mit der „Nikomachischen E." des Aristoteles bekannt werdenden säkularen Entwurf gelingenden Lebens lässt sich, so Albertus Magnus, nur mit einem Konzept reagieren, das das christliche Ethos in ein Verhältnis zu der von Aristoteles beschriebenen praktischen Vernunft des Menschen setzt. Dies geschieht durch Thomas von Aquin, der in „STh II-II" einen Traktat vorlegt, der die Grundelemente der aristotelischen E. (↑Handlungstheorie, Vernunft- und Tugendbegriff) sowie die stoischen Gedanken des ↑Naturrechts aufgreift und die Theologische E. als die Entfaltung des auf Gottes Schöpfung und Erlösung antwortenden menschlichen Handelns deutet, wobei er Gottes Handeln als eine die Natur des Menschen rettende und vollendende Gnade versteht. Die Zuordnung von natürlicher Vernunft und Anspruch des Glaubens wird von ihm mit Hilfe einer Hierarchie von ↑Gesetzen *(leges)* verstanden, in der er im Blick auf die Handlungsleitung des Menschen nicht mehr (wie die an der Stoa orientierte Patristik) von dem ewigen Gesetz *(lex aeterna)* ausgeht, das im Geist Gottes besteht, vom Menschen als solches aber nicht zu erkennen ist, sondern von der durch eine *lex naturalis* geleiteten natürlichen Vernunft, die er als die Form ansieht, in der der Mensch am ewigen Gesetz Gottes teilhat und die sich dem Anspruch des Evangeliums und der in ihm enthaltenen *lex divina positiva* gegenübersieht, woraus das spezifisch christliche Ethos hervorgeht, das sich dementsprechend als eine Tugendlehre beschreiben lässt, die im Horizont der gnadenhaft vermittelten Tugenden von ↑Glaube, ↑Hoffnung und ↑Liebe steht, unter denen der Liebe die Rolle der durchformenden Leitgröße *(forma virtutum)* zukommt.

Durch die Zentralstellung, die J. Duns Scotus der ↑Freiheit der (vernünftigen) Willensbestimmung (als urspr.e Selbstbestimmung) im Gesamt des göttlichen und menschlichen Handelns zuordnet, kommt es zu einer Deutung und zugl. Reduzierung des natürlichen Gesetzes auf das strikt geltende oberste Prinzip der praktischen Vernunft. Die weiteren Gebote Gottes sind dementsprechend als Resultate eines kontingenten, gleichwohl aber anhand der Konsonanz mit dem obersten Prinzip vom Menschen als vernünftig einsehbaren göttlichen Willensaktes *(ordinatio dei)* zu verstehen.

Die spanische Spätscholastik nimmt den Gedanken des Naturrechts als Vernunftrecht auf (was den Weg für das frühneuzeitliche Naturrechts- und Völkerrechtsdenken eröffnet; ↑Völkerrecht) und versteht – so Francisco Suárez – das natürliche Gesetz als die unbedingte Verpflichtung bei der Beurteilung der jeweiligen Handlung der von der natürlichen Vernunft erfassten *recta ratio* zu folgen, wobei diese Verpflichtung im Willen des göttlichen Gesetzgebers ihren letzten Grund hat.

Die Handbücher der im Bereich der katholischen Theologie aus der Glaubenslehre sich ausgliedernden

und unter dem Titel der *theologia moralis* sich entwickelnden Theologischen E. der Neuzeit versuchen die naturrechtliche Grundlegung der Theologischen E. mit einer (weniger am Begriff der Tugend als an dem des Gesetzes und der Pflichtenkreise orientierten) Kasuistik zu verbinden, was (in Verbindung mit einem sich auch in sittlichen Fragen als autoritativ verstehenden kirchlichen Lehramt) zu einem die neuzeitliche ↑Aufklärung (sittliche ↑Autonomie; ↑Menschenrechte) entschieden abwehrenden Moralpositivismus führt.

Auf dem Hintergrund der sich an Bibel und Heilsgeschichte orientierenden Ansätze des 19. Jh. (Tübinger Schule) sowie der ersten Hälfte des 20. Jh. (Fritz Tillmann, Bernhard Häring u. a.) kommt es nach der Wende durch das ↑Zweite Vatikanischen Konzil und unter dem Druck der weltweiten moralischen Problemkonstellationen zu Neukonzeptionen, die unterschiedliche theologische Schwerpunkte setzen bzw. verschiedenen philosophischen Referenztheorien folgen. Einflussreich werden im deutschen Sprachbereich (und darüber hinaus) die Versuche, die Theologische E. (bes. im Anschluss an ein Neuverständnis der Lehre des Thomas) als eine normative Theorie zu verstehen, die die gottgegebene (theonome) Autonomie und Freiheit der praktischen Vernunft („Autonome Moral") mit dem Ethos der (in der Liebe kulminierenden) Gottesherrschaft verbindet (Alfons Auer, Franz Böckle, Wilhelm Korff u. a.), wobei neben die Methode, deontologische mit teleologischen Aspekten zu verbinden, auch der Versuch tritt, den normativen Anspruch rein konsequentialistisch, d. h. allein nach den Folgen zu bemessen, die sich für eine Handlung jeweils in Bezug auf die vorsittlich maßgeblichen Güter und Werte ergeben (Bruno Schüller, Werner Wolbert). Dem stehen Ansätze einer *Glaubens-E.* gegenüber, die die Theologische E. als eine Hermeneutik der vorgegebenen Normen versteht (Bernhard Stoeckle, Robert Spaemann). Auf die damit einhergehende Kontroverse über das „Proprium der christlichen Moral" folgt die Entwicklung von Konzeptionen, die der erneuten Zuwendung der allg.en E. zur Frage nach dem gelingenden Leben folgen und die Theologische E. als eine die christliche Lebensform bestimmende Tugend-E. entfalten bzw. dies mit einer normativen Theorie verbinden (Eberhard Schockenhoff u. a.). Der Druck der mit der modernen Zivilisation einhergehenden ethischen Problemkonstellationen (neue Handlungsfelder und Kommunikationsformen, zunehmende Pluralisierung der Lebens- und Ethosformen, Pluralität und Diversität der wissenschaftlichen Deutungen sowie der sinnvermittelnden Angebote) führt dabei zunehmend zu einer den theologischen Anspruch auf die neuen Human- und ↑Sozialwissenschaften beziehenden Theologischen E., wobei das christliche Ethos durch die Betonung der Rolle der subsidiären Ethosbildung eine stärkere Differenzierung erfährt.

Für die *evangelische* Theologische E. ist eine den verschiedenen Ansätzen im Umkreis der Reformation folgende Entwicklung charakteristisch. Für Martin Luther ist der Ursprung des rechten Handelns nicht das zu erfüllende göttliche Gesetz, sondern die sündenvergebende und damit zu neuem Handeln befreiende Gnade Gottes. Das Gesetz dient in zweifacher Weise *(duplex usus legis)* der Einsicht des Sünders in seine Erlösungsbedürftigkeit und (in weltlich-politischer Sicht) dem Schutz der äußeren Güter und Ordnungen (↑Zwei-Reiche-Lehre). Für den durch Gottes Gnade gerechtfertigten Sünder ist das Gesetz nach M. Luther – wie das neue Gesetz *(lex nova)* bei Thomas – Leitlinie des von Gottes Heiligem Geist bestimmten Handelns. Bei Philipp Melanchthon erfährt die Funktion des Gesetzes, Anleitung für das Leben des Christen zu sein, als *tertius usus legis* eine bes. Betonung. Bei Johannes Calvin wird dies dominant, indem das Gesetz als die maßgebliche Gestalt der ↑Gerechtigkeit und als der Maßstab betrachtet wird, an dem der Christ seinen Stand vor Gott ermessen kann. Im Zuge der Neuzeit wird Immanuel Kants Wende zum autonomen ↑Subjekt rezipiert, wobei Friedrich Daniel Ernst Schleiermacher sie in seiner als „Grundwissenschaft" verstandenen E. mit einer Güterlehre verbindet, die die normative Bedeutung zur Geltung bringt, die der mit der neuzeitlichen Wende sich verändernden kulturellen und sozialen Lebenswelt zukommt sowie einer Tugend- und Pflichtenlehre.

Die evangelische E. der Moderne ist durch Ansätze gekennzeichnet, die ein unterschiedliches Verständnis von ↑Dogmatik und E. zugrunde: Dem Ansatz Karl Barths, der E. als Teil der Dogmatik versteht und unter dem Gesetz das Wort Gottes versteht, das dem menschlichen Handeln zugl. gnadenhaft und normativ vorgegeben ist, stehen Konzeptionen gegenüber, die die Theologische E. als eine von der Vorgegebenheit der Dogmatik bestimmte Regel-E. verstehen (Wilfried Härle), oder die der E. als Theorie der menschlichen Lebensführung im Horizont des Glaubens (Trutz Rendtorff) als theologische Besinnung auf das menschliche Handeln (Martin Honecker) bzw. als Hermeneutik des aus dem Glauben resultierenden Ethos (Johannes Fischer) den Vorrang vor der Dogmatik geben. Wie die katholische greift auch die evangelische Theologische E. der Gegenwart die spezifischen Herausforderungen der Moderne in Form einer *Verantwortungs-E.* (s.u.) auf.

3. Theologische Ethik als normative Theorie: Das Proprium der Theologischen gegenüber der philosophischen Ethik

Wenn der Anspruch der Offenbarung an das Handeln des Menschen nach christlichem Verständnis den „Standpunkt der Moral" voraussetzt, ist die normative Entfaltung dieses Anspruchs in Form der Theologischen E. auf dessen Explikation in Form der philosophischen E. verwiesen. Der vom christlichen Glauben ausgehende Anspruch an das Handeln ersetzt nicht den Anspruch der natürlichen praktischen Vernunft, noch wiederholt er nur, was bereits die praktische Vernunft fordert, noch

stellt er ein bloßes Additum zu dieser Forderung dar. Denn die Verbindlichkeit kommt den sittlichen Forderungen nicht erst in ihrer Deutung als Gebote Gottes zu. Als normative Theorie kommt Theologische E. deshalb nicht umhin, die (unbedingte) Verbindlichkeit des in der praktischen Vernunft gelegenen obersten moralischen Prinzips und ihrer philosophischen Deutungen vorauszusetzen.

Das *Proprium* der Theologischen E. liegt in der Entfaltung des Sinnhorizontes, in den der christliche Glaube den Anspruch der Moral treten lässt. Denn wenn Gottes Beziehung zum Menschen als Liebe *(caritas)*, d.h. als ungeschuldete und unbedingte Zuwendung zum Menschen gedacht werden muss, erwächst aus dem Glauben an diese Liebe die Ermächtigung zu einem Handeln, das „mehr als Gerechtigkeit" (Mt 5,20) ermöglicht und – so Thomas – das in der praktischen Vernunft gelegene moralische Gesetz als die auf Gott antwortende, alle moralischen Forderungen integrierende und formende Liebe erscheinen lässt. In diesem Licht gewinnt das moralische Gesetz den Charakter eines *neuen Gesetzes,* nämlich eines vom Geist Gottes gewirkten und sich nicht mehr nur dem Sollen verdankenden *Gesetzes der Freiheit* (STh I-II, 106). So ist die Bergpredigt nicht als eine den Menschen überfordernde Sondermoral zu betrachten, sondern als Einladung zu der durch die hereinbrechende Gottesherrschaft möglich gewordenen freien Antwort auf Gottes ungeschuldet auf den Menschen zukommende Liebe.

Das aber bedeutet, dass Theologische E. weder als eine *divine command ethics* zu verstehen ist, die allererst der sittlichen Forderung ihre Verbindlichkeit verleiht, noch eine exklusive Sondermoral darstellt, wohl aber die sittliche Forderung in einen neuen Sinnhorizont treten lässt, der sich in einem spezifischen Ethos niederschlägt und durch eine *E. der Verantwortung* beschrieben werden kann, die den normativen Kern in einer Tugend-E. entfaltet.

Der auf diese Weise zu verstehende Sinnhorizont des Glaubens ermöglicht und eröffnet ethische Impulse, die nicht nur dem christlichen Ethos das von der Theologischen E. zu reflektierende Profil geben, sondern die ihr Potential auch in spezifischer Weise in Bezug auf die von der philosophischen E. reflektierte säkulare universalistische Moral zu entfalten vermögen:

a) Denn das Verständnis des Glaubenden als *imago dei* lässt den Anspruch der Moral zur *individuellen Berufung* werden. Der Glaubende erfährt sich als je *Einzelner* in seiner unverwechselbaren *Identität* von Gott angesprochen und im *Gewissen* (↑Gewissen, Gewissensfreiheit) in die Verantwortung vor ihm gerufen.

b) Als die von Gott in Freiheit gesetzte ↑*Person* vermag der Mensch die ↑*Verantwortung* für sein Handeln als *Herausforderung* zu begreifen, die ihn Verantwortung nicht nur *vor,* sondern auch *für* Normen ergreifen lässt und seinem Handeln eine spezifische Innovativität verleiht.

c) Insb. lässt sie den Sinn für jene *Güter* wachsen, die *konstitutiv* sind für gelingendes Leben, und die *Defizite* wahrnehmen, die die Wahrung des *Humanen* behindern und die *Würde des Menschen* verletzen.

d) Nicht zuletzt ermöglicht der Glaube an Gottes vergebende Liebe einen neues Handeln eröffnenden Umgang mit der als *Sünde* erfahrenen *Schuld*. Es ist die Hoffnung auf Gottes Heil, die vor dem Scheitern zu bewahren vermag, das dem Projekt der E. angesichts der von ihm offen zu lassenden Fragen (wie der vom Menschen nicht zu schließenden Diskrepanz von Pflicht und Glückseligkeit, dem Faktum des Bösen und der verbleibenden Irreversibilität der bösen Tat) ausgesetzt bleibt.

Die bes. Bedeutung, die dem von der Theologischen E. zu entfaltenden ebenso inspirierenden wie innovativen, kritischen wie versöhnenden Potential des christlichen Glaubens im Blick auf die säkulare universalistische E. zukommt, wird auch angesichts der Grenzen deutlich, die einer universalistischen Vernunft-E. gezogen sind. Um Handeln unter den modernen Bedingungen von Pluralität und Diversität zu sichern, wird sie sich auf den normativen Kern beschränken müssen, der sich – wie der Gedanke von ↗Menschenwürde und -rechten – in seiner universalen Verbindlichkeit in Form eines *overlapping consensus* zur Geltung zu bringen vermag. Doch ist sie zu ihrer Wirksamkeit zugl. – so John Rawls – auf die Einbettung in *comprehensive doctrines*, d.h. in gehaltvolle Sinngestalten gelingenden Lebens angewiesen, auf die der universalistische Kern verweist, die er aber als solcher nicht vermitteln kann. Denn wenn die *comprehensive doctrine* normative Impulse zu vermitteln vermag, die wie im Fall des von der Theologischen E. zu entfaltenden Sinnhorizonts sich nicht als voluntaristische Diktate, sondern als kommunikativ einsehbare und mitteilbare Möglichkeiten eines für das je gelingendere Leben offenen Menschseins verstehen, wird sie in bes.r Weise für einen Dialog mit der ihren eigenen Grenzen und Defätismen ausgesetzten universalistischen E. geeignet sein.

Literatur

W. Korff/M. Vogt (Hg.): Gliederungssysteme angewandter Ethik. Ein Hdb. Nach einem Projekt von Wilhelm Korff, 2016 • J. Sautermeister: Moraltheologie und Christliche Sozialethik 1990–2015. Ein Kapitel theologisch-ethischer Zeitgeschichte, in: K. Hilpert (Hg.): Theologische Ethiker im Spiegel ihrer Biographie, 2016, 237–258 • D. Mieth/M. Bobbert: Das Proprium der christlichen Ethik, 2015 • K. Demmer: Selbstaufklärung theologischer Ethik, 2014 • K. Hilpert (Hg.): Christliche Ethik im Porträt, 2012 • W. Härle: Ethik, 2011 • T. Rendtorff: Ethik. Grundelemente, Methodologie und Konkretion einer ethischen Theologie, ³2011 • S. Ernst: Grundfragen theologischer Ethik, 2009 • E. Schockenhoff: Grundlegung der Ethik, 2007 • J. Fischer: Theologische Ethik, 2002 • C. Mandry: Ethik. Identität und christlicher Glaube, Theologische Ethik im Spannungsfeld von Theologie und Philosophie, 2002 • K. Demmer: Moraltheologie, in: TRE, Bd. 23, 2000, 295–302 • W. Korff/H. Kress: Ethik (2. Theologisch),

in: W. Korff u.a. (Hg.): Lexikon der Bioethik, Bd. 1, 1998, 662–682 • A. Holderegger (Hg.): Fundamente der theologischen Ethik, 1996 • W. Pannenberg: Grundlagen der Ethik, 1996 • O. Bayer: Freiheit als Antwort. Zur theologischen Ethik, 1995 • L. Schwienhorst-Schönberger u.a.: Ethik Christlich Theologisch, in: LThK, Bd. 3, ³1995, 908–932 • F. Böckle: Fundamentalmoral, 1991 • J. Rohls: Geschichte der Ethik, 1991 • C. Frey: Theologische Ethik, 1990 • M. Honecker: Einführung in die Theologische Ethik, 1990 • T. Rendtorff: Ethik, 2 Bde., ²1990–91 • K. Demmer: Moraltheologische Methodenlehre, 1989 • C. Frey: Die Ethik des Protestantismus von der Reformation bis zur Gegenwart, 1989 • J. Fuchs: Für eine menschliche Moral, Grundfragen der theologischen Ethik, 4 Bde., 1988–92 • F. Furger: Einführung in die Moraltheologie, 1988 • K. Demmer: Deuten und Handeln. Grundlagen und Grundfragen der Fundamentalmoral, 1985 • H. Kleber: Einführung in die Geschichte der Moraltheologie, 1985 • A. Auer: Autonome Moral und christlicher Glaube, 1984 • H. Merklein: Die Gottesherrschaft als Handlungsprinzip, 1984 • D. Mieth: Gotteserfahrung und Weltverantwortung, 1982 • B. Schüller: Die Begründung sittlicher Urteile, 1980 • B. Häring: Frei in Christus, 3 Bde., 1979–81 • W. Korff: Theologische Ethik, 1979 • A. Hertz/R. Andresen (Hg.): Hdb. der christlichen Ethik, 3 Bde., 1978–82 • F. Tillmann (Hg.): Hdb. der katholischen Sittenlehre, 7 Bde., 1951–53.

LUDGER HONNEFELDER

Ethikkommissionen

1. Begriff und Entwicklung

Unter dem Begriff E. werden üblicherweise alle institutionalisierten und multidisziplinär zusammengesetzten unabhängigen Gremien zusammengefasst, die im Bereich der Forschung, der Wissenschafts- und Zukunftspolitik sowie der Gesundheitsversorgung anwendungsbezogene ethische Fragestellungen reflektieren und beraten. Ursprünglich ist E. allerdings nur die Bezeichnung für ständige Ethikgremien, die die Durchführung medizinischer Forschungen und Studien an Menschen, mit menschlichem Gewebe und mit personenbezogenen Daten unter von einem Gesetz oder vom ärztlichen Standesrecht vorgegebenen Kriterien beurteilen.

Die ersten E. im engeren Sinne wurden in den späten 1960er Jahren in den USA eingerichtet als Reaktion auf das Bekanntwerden von medizinischen und pharmazeutischen Forschungen an Menschen ohne deren Informiertheit. Daraufhin knüpften viele Förderinstitutionen die Bewilligung medizinischer Forschungsprojekte an deren Befürwortung durch eine Kommission der beantragenden Institution. 1975 verlangte die revidierte Deklaration von Helsinki des Weltärztebundes die Vorlage der Versuchsprotokolle bei einem unabhängigen Ausschuss. In Deutschland wurde eine entsprechende Kommission erstmals 1979 für den Sonderforschungsbereich Kardiologie eingerichtet. Innerhalb weniger Jahre machte dieses Beispiel, unterstützt durch eine Empfehlung der BÄK von 1979, Schule und führte zur Errichtung von E. bei Forschungsorganisationen, Ärztekammern, Universitäten, großen Kliniken und medizinischen Fakultäten. 1985 wurde die Vorlage- und Genehmigungspflicht von „Planung und Durchführung eines jeden Versuchs am Menschen" in die Musterberufsordnung für Ärzte formell aufgenommen. Die auf Empfehlung der Ärztekammern und der Forschungsorganisationen errichteten Kommissionen zur Beratung und Beurteilung ethischer und rechtlicher Aspekte von Forschungen am Menschen schlossen sich 1983 zum Arbeitskreis medizinischer E. in der BRD zusammen; 1986 formulierte dieser Arbeitskreis Verfahrensgrundsätze für die Arbeit der E.

Weitere Impulse für die Errichtung von E. waren, ebenfalls seit den 1960er Jahren, von der Problematik, die knappen Therapieplätze für lebensrettende intensivmedizinische Maßnahmen einigen von vielen Patienten zuteilen zu müssen, sowie von international Aufmerksamkeit auslösenden umstrittenen Einzelfällen bedingt, für deren Entscheidung Gerichtsinstanzen das Votum eines Ethikgremiums verlangten. Solche schwierigen Fälle führten an vielen Kliniken zur (freiwilligen) Gründung von Kommissionen, die sich mit der Beratung und Lösung von Entscheidungskonflikten befassten und hierzu bewusst auch Vertreter nichtmedizinischer Disziplinen (mit Vorzug der Rechtswissenschaft, der Philosophie, der Theologie und der Sozialwissenschaften) hinzuzogen. Daraus entstanden in den 1980er Jahren in vielen US-amerikanischen Kliniken und Pflegeheimen Kommissionen, die sich mit den moralischen Problemen und Handlungskonflikten auseinandersetzten, die in der Arbeit mit dem Patienten entstanden. In Deutschland wurden entsprechende Bemühungen um eine organisierte und strukturell in Krankenhäusern und Heimen verortete Ethikberatung erstmals durch das Initiativpapier „Ethik-Komitees im Krankenhaus" der Krankenhausträger-Verbände der evangelischen und der katholischen Kirche 1997 in Angriff genommen.

Als weiterer Faktor zur Herausbildung von E. darf man die raschen Fortschritte im Bereich der Genetik (↗Humangenetik) und der Reproduktionsmedizin identifizieren. Sie ließen Politik und Öffentlichkeit intensiv nach Instanzen fragen, um die Entwicklung steuern zu können. Den Anfang machte die vom Kongress der USA eingesetzte National Commission for the Protection of Biomedical and Behavioral Research. Ihr folgte das vom französischen Staatspräsidenten gegründete Comité Consultatif National d'Ethique pour les Sciences de la Vie et de la Santé. Vergleichbare, von staatlicher Seite errichtete Ethikräte für das ganze Land gibt es inzwischen in den meisten europäischen Staaten. Im Unterschied zu den forschungsbezogenen und den klinischen E. erstreckt sich deren Aufgabe nicht auf die Beurteilung einzelner Projekte oder die Findung verantwortbarer Lösungen für Entscheidungskonflikte, sondern auf die Beobachtung der aktuellen Entwicklungen im gesamten biomedizinischen Feld und deren Auswirkungen auf die Gesellschaft, ferner auf die Ermittlung

des gesetzgeberischen Handlungsbedarfs und auf die Generierung von Vorschlägen für Eckpunkte von rechtlichen Regelungen. Ihre durch Regierung oder Parlament legitimierte Kompetenz beschränkt sich auf die Beratung und ergänzt die schon herkömmlich eingerichteten Instrumente der ↗Politikberatung wie wissenschaftliche Beiräte von Fachministerien und Enquete-Kommissionen in bes. sensiblen und innovativen Bereichen.

2. Typen
Es dient der Klarheit der Aufgaben und Befugnisse, wenn man auch begrifflich strikt zwischen E. im engeren Sinn sowie Ethikkomitees und Ethik(bei-)räten unterscheidet. E. im engere Sinn dienen v. a. der vorgängigen Überprüfung von Forschungsprojekten auf ihre Konformität mit gesetzlichen Vorgaben zum Schutz der Menschen bzw. das Erfüllt-Sein der im Gesetz prinzipiell umschriebenen, deshalb aber auch unbestimmt bleibenden Kriterien (wie etwa „Hochrangigkeit", „Vorgeklärtheit" oder „Risiko") im konkreten Projekt. Sie sind i. d. R. verortet an jener Institution, innerhalb derer die betreffende Forschung durchgeführt wird. Das prüfende Gremium kann entweder aus Fachkollegen oder aber aus Fachkollegen und Vertretern benachbarter Fächer, Vertretern der Institution oder externen Mitgliedern zusammengesetzt sein.

Klinische Ethikkomitees sind zwar auch an den Rahmen der geltenden Gesetze gebunden, doch gilt das Interesse ihrer Beratungen nicht diesen, sondern den konkreten Konfliktfällen und den Handlungsspielräumen für Therapien oder auch deren Beendigung. Typischerweise handelt es sich gerade um uneindeutige oder dilemmatische Situationen, zu deren Klärung nicht nur Ärzte, sondern auch Vertreter des pflegerischen, sozialarbeiterischen, psychologischen und seelsorgerischen Personals ihre berufliche Erfahrung und ihre erworbene Kenntnis der betroffenen Patienten und ihrer Angehörigen einbringen können. Beraten werden können Anfragen von Patienten, von Angehörigen und von Mitgliedern der relevanten Professionen. Das Resultat der entsprechenden Zusammenführung von Beobachtungen, Einschätzungen, Überlegungen aus Patientenperspektive sowie der gemeinsamen Diskussion und Erwägung sind stets nur Ratschläge oder eine Mehrzahl verantwortbarer Alternativen für den betreffenden Einzelfall bzw. die Einigung auf eine Richtlinie für den weiteren Umgang mit einer bestimmten Problemkonstellation, die innerhalb einer Einrichtung wiederholt vorkommt.

Ethik(bei-)räte sind Instrumente der ↗Politikberatung, die von legislativen bzw. exekutiven Organen des Staates eingerichtet werden. Sie sind entweder für eine Aufgabe und für einen begrenzten Zeitraum oder als ständiges Gremium errichtet. Ihre Installierung verdankt sich i. d. R. der Absicht, die Grundlagen für anstehende politische Entscheidungen in bestimmten, öffentlich bes. sensiblen Feldern zu verbessern bzw. Eckpunkte für die künftige Gestaltung von Gesetzen zu entsprechenden Handlungsmöglichkeiten zu erarbeiten. Über Beratung und Vorschlägemachen hinaus kann zu ihren Aufgaben auch gehören, öffentliche Diskurse zu den entsprechenden Themen zu organisieren. Der Deutsche Ethikrat (2001–2007: Nationaler Ethikrat) hat ausdrücklich beide Aufgaben, also Politikberatung und den diskursiven Umgang mit ethisch relevanten Themen mit hohem Konfliktpotential in der Öffentlichkeit. Ähnliche Gremien existieren in vielen Staaten, auf regionaler Ebene (in der BRD in den Ländern Bayern und Rheinland-Pfalz) sowie auf internationaler Ebene (beim Europarat, bei der UNESCO, beim Präsidenten der Europäischen Kommission usw.).

3. Rechtliche Grundlagen

E. wurden urspr. als Instrumente der Selbstkontrolle des professionellen Austauschs entwickelt und nicht als Oktroi eines fachfremden Gesetzgebers. Im Laufe der Zeit wurden ihr Tätigwerden und ihre Empfehlungen Teil eines gesetzlich anerkannten Verfahrens. Der Unterschied zwischen ethischer bzw. standesethischer Beurteilung und rechtlicher Kontrolle blieb im Grundsatz fortbestehen.

Ethik-Komitees bewegen sich zwar in einem gesetzlich normierten Raum, unterliegen selbst aber keinen gesetzlichen Regulierungen. Allenfalls sind sie träger- oder einrichtungsspezifisch reguliert und variieren in ihrer konkreten Ausgestaltung (Permanenz, Mitgliedschaft, Angebotsspektrum) erheblich.

Ethik(bei-)räte sind primär politische und nicht rechtliche Organe. Sie unterliegen deshalb meistens nur bestimmten Verfahrens- und Verwaltungsregeln.

Zusammensetzung, Zuständigkeit und Verfahrensweise jener E., die für die Forschung zuständig sind, werden in Deutschland durch Landesrecht geregelt. Eine Sonderstellung unter den E. für die medizinische Forschung nimmt die Zentrale E. für Stammzellenforschung (ZES) ein, die auf der Grundlage eines Bundesgesetzes (StZG) eingerichtet wurde und dem RKI als Genehmigungsbehörde jeweils eine Stellungnahme zur ethischen Vertretbarkeit von eingereichten Forschungsprojekten abgibt, die eine der Grundlagen für die Erteilung der Genehmigung von Forschungen mit importierten Stammzelllinien embryonaler Herkunft abgibt (↑Stammzellenforschung).

4. Arbeitsweise und ethisches Selbstverständnis

Die E. aller drei Typen arbeiten nach dem Verfahren der Deliberation: Durch Beschränkung auf Austausch von Argumenten, Beratschlagen, Konsultieren im ↑Diskurs mit anderen an der Sache interessierten Teilnehmern können Verständigung hergestellt und vollständige bzw. partielle Konsense erreicht werden, die wiederum Grundlage für sowohl sachlich angemessene als auch moralisch gerechte Entscheidungen sein können. Voraussetzungen für die sachliche Angemessenheit und moralische ↑Gerechtigkeit sind u. a. die Expertise der Teilnehmer und die Repräsentiertheit möglichst aller für die entsprechenden Fragen wichtigen Kräfte in der Gesellschaft, ferner die Unabhängigkeit der Kommissionsarbeit von äußeren Einflussnahmen und internen Zwängen.

Das institutionalisierte Verfahren der Deliberation hat unverkennbar Gemeinsamkeiten mit der Diskurstheorie von Jürgen Habermas, v. a. was den Gedanken einer idealen Sprechsituation angeht. Unter einer anderen Hinsicht erweist sich diese Vorgehensweise stark der hermeneutischen Ethik verpflichtet, weil es bei der Ermittlung von Konsensen immer auch darum geht, Kohärenzen mit bereits vorhandenen Regelwerken und gesellschaftlich anerkannten Moralstandards, v. a. mit Tugendhaltungen und prinzipiellen Orientierungen, herauszufinden bzw. herzustellen. Auch zu kontraktualistischen Ansätzen (↑Vertragstheorien) besteht im Gedanken der allg.en und informierten Zustimmung als notwendiger Bedingung für Akzeptabilität von Entscheidungen mit moralischen Inhalten eine sachliche Nähe. Im Übrigen variiert die Affinität der Verfahrensweise zu theoretischen Ansätzen von ↑Ethik mit dem jeweiligen Typus von E.: Während die Überprüfung von Projekten in Forschungskommissionen weitgehend in der ↑Hermeneutik von Anwendungen besteht, entspricht die Arbeit von Ethik(bei-)räten eher dem Modell der ↑Diskursethik und diejenige von Ethik-Komitees der klugen Findung einer situationsangemessenen Handlungsweise.

5. Ethikkommissionen als Institutionalisierung anwendungsbezogener ethischer Reflexion

Formen gemeinschaftlicher Beratung und Erwägung hat es in der Medizin, in der Rechtspolitik und in der Gesetzgebung schon immer gegeben. Neu an E. ist, dass die Urteilsbildung durch den Diskurs weiter reicht als früher, nämlich auch auf Bereiche ausgedehnt wird, die früher ausschließlich der Klugheit des erfahrenen und die Verantwortung allein tragenden Inhabers einer Profession oder aber der amtlichen Kompetenz einer religiösen oder staatlichen Autorität vorbehalten waren. Neu ist auch, dass die diskursive Urteilsbildung (↑Diskursethik) organisiert wird, eben mittels der E.

Aufkommen und rasche Etablierung von E. sind eine Reaktion auf neue bzw. neu dimensionierte Orientierungskonflikte in der Gesellschaft, die im Gefolge zweier Prozesse auftreten, nämlich der beschleunigten Entwicklung von Wissenschaft und technischer Entwicklung und der Pluralisierung sowohl der bereichsspezifischen Handlungsoptionen wie auch der ethischen Bezugstheorien (↑Ethik) und der jeweils präferierten Werthaltungen.

Neue Erkenntnisse und gewonnene Machbarkeitsspielräume insb. in der Biomedizin und in der IT haben Auswirkungen, die einerseits bis in die individuellen Lebenswelten hineinreichen und andererseits auch das kollektive Selbstverständnis der Gattung berühren können. Die daraus resultierenden Unsicherheiten und Konflikte lassen sich allenfalls im Ausnahmefall durch Rückgriff auf bereits vorhandene Normen des traditionellen Ethos oder durch Rückfrage bei verbindlichen moralischen Instanzen (u. a. den Kirchen, der Tradition, der Natur, dem geltenden Recht) angemessen lösen, zumal das verantwortbare Handeln in komplexen Sachbereichen weniger eine Frage des Entweder-Oder als eine des Abwägens und Berücksichtigens vieler Perspektiven, Einschätzungen und Risiken ist. Dabei hängt die moralische Bewertung der sich bietenden Handlungsoptionen vielfach von empirischen Fakten und deren Kenntnis ab.

Zu der Schwierigkeit, die moralisch relevanten Fakten zu bestimmen, kommt die stärker sich manifestierende Verschiedenheit der Werthaltungen (↑Wert) und ethischen Perspektiven in Gesellschaft und Wissenschaft. Solche Pluralisierung erhöht die Komplexität und damit auch die Anforderungen an Wahrnehmung und Lösungen, die dann für alle gelten sollen; und sie setzt bestehende Regeln und Institutionen tendenziell einem Legitimationsdruck aus. Legitimation mit Herkommen reicht dann ebenso wenig aus wie der Rückzug auf nur Prinzipielles. Vielmehr geht es darum, Lösungen für Konflikte und Handlungsmöglichkeiten in neuen Problemfeldern in einem der politisch-parlamentarischen Entscheidung vorgelagerten Meinungs- und Willensbildungsprozess auszuloten, an dem sich alle beteiligen dürfen, die sich selbst betroffen fühlen (wie Überzeugungsgruppen, Kirchen, Verbände, sachkundige Wissenschaftler, sachkundige Bürger, Medien) oder aber einen förmlichen Auftrag haben, dies stellvertretend (im Sinn von repräsentativ oder von advokatorisch) in Gestalt einer E. zu tun.

6. Die Problematik von „Kommissionsethik"

Trotz wachsender Etablierung in Forschung, Kliniken, Heimen, Politik und Verbänden stößt das Instrument der E. auch auf Skepsis. Diese gilt nicht nur konkreten Arbeitsergebnissen und Stellungnahmen zu einzelnen Problemen, sondern beinhaltet auch grundsätzliche Kritik am konzeptionellen Setting von E. Als problematisch werden insb. das Gewicht der Experten und die Eigenart der Expertenvoten angesehen, insofern in diese eben nicht bloß fachliche Aussagen, sondern auch Güterabwägungen sowie politische und ethische Überzeugungen eingehen, die zwar im Regelfall gründlich reflektiert sind, aber letztlich doch subjektiv bleiben, sowie das Fehlen einer verfassungsmäßigen und öffentlichen ↑Legitimation. Eine weitere Gefahr für die Objektivität des Beratungsprozesses liegt in der Befugnis der die E. konstituierenden Instanz, über die Zusammensetzung, die Arbeitsaufträge und die Berufung von Mitgliedern der E. bestimmen zu können. Wirkliche Beratschlagung ist nur in dem Maße möglich, wie die Kommission unabhängig von ihren Auftraggebern bleibt. Schließlich wird nicht selten kritisch darauf hingewiesen, dass E. keinerlei Haftungsrisiko tragen, wenn sie, sei es aus Vorsicht oder aus irrtümlichen Annahmen, innovative und kreative Forschungen verzögern, behindern oder durch negative Einschätzungen indirekt in andere Länder umlenken, in denen keine entsprechenden Restriktionen bestehen. Diesen Bedenken müssen sowohl die Kommissionen in ihrer praktischen Arbeit als auch die Organe, die die Kommissionen errichten und denen gegenüber sie verantwortlich sind, sowie die demokratische Öffentlichkeit entgegenwirken.

Literatur

C. Albrecht (Hg.): Ethik und wissenschaftliche Politikberatung, 2015 • E. Doppelfeld: Ethikkommissionen in der Forschung, in: D. Sturma/B. Heinrichs (Hg.): Handbuch Bioethik, 2015, 451–454 • M. Fuchs: Ethikräte, in: D. Sturma/B. Heinrichs (Hg.): Handbuch Bioethik, 2015, 455–459 • B. Heinrichs/T. M. Spranger: Institutionalisierte ethische Beratung und Begutachtung, in: D. Sturma/B. Heinrichs (Hg.): Handbuch Bioethik 2015, 459–462 • Deutscher Ethikrat: Jahresbericht 2012, 2013 • A. Frewer u. a. (Hg.): Ethikberatung in der Medizin, 2012 • K. Hilpert: Wozu sind Ethikkommissionen gut?, in: StZ 115/1(2012), 12–22 • C. Jung: Ethische Entscheidungen in der Politik, 2012 • R. Stutzki/K. Ohnsorge/S. Reiter-Theil (Hg.): Ethikkonsultation heute – vom Modell zur Praxis, 2011 • S. Vöneky: Recht, Moral und Ethik, 2010 • M. Vogeler: Ethik-Kommissionen, 2011 • U. Weber-Hassemer: Ethische Expertise – Gesellschaftlicher Diskurs – Politische Entscheidungen, in: J. Ach/K. Bayertz/L. Siep (Hg.): Grundkurs Ethik II, 2011, 225–234 • A. Dörries u. a. (Hg.): Klinische Ethikberatung, ²2010 • B. Heinrichs: Angewandte Ethik im demokratischen Rechtsstaat, in: S. Vöneky u. a. (Hg.): Legitimation ethischer Entscheidungen im Recht, 2009, 53–83 • Berlin-Brandenburgische Akademie der Wissenschaften: Leitlinien Politikberatung, 2008 • L. Siep: Ethik-Kommissionen – Ethik-Experten?, in: J. Ach/K. Bayertz/L. Siep (Hg.): Grundkurs Ethik I, 2008, 181–191 • W. van den Daele: Über den Umgang mit unlösbaren moralischen Konflikten im Nationalen Ethikrat, in: D. Gosewinkel/G. Schuppert (Hg.): Politische Kultur im Wandel von Staatlichkeit, 2008, 357–384 • E. Deutsch: Das neue Bild der Ethikkommission, in: MedR 24/7 (2006), 411–416 • M. Fuchs: Widerstreit und Kompromiss. Wege des Umgangs mit moralischem Dissens in bioethischen Beratungsgremien und Foren der Urteilsbildung 2006 • K. Hilpert: Institutionalisierung bioethischer Reflexion als Schnittstelle von wissenschaftlichem und öffentlichem Diskurs, in: ders./D. Mieth (Hg.): Kriterien biomedizinischer Ethik, 2006, 356–379 • Zentrale Ethikkommission bei der BÄK: Ethikberatung in der klinischen Medizin, in: Deutsches Ärzteblatt 103/24 (2006) A 1703–1707 • M. Fuchs: Nationale Ethikräte, 2005 • M. Kettner: Ethik-Komitees, in: EWE 16/1 (2005), 3–16 • M. Albers: Die Institutionalisierung von Ethik-Kommissionen, in: KritV 86 (2003), 419–436 • J. Beckmann: Ethik nach Vorgaben des Gesetzes?, in: K. Amelung u. a. (Hg.): Strafrecht – Biorecht – Rechtsphilosophie, 2003, 593–602 • M. Düwell: Ethikräte, in: P. Lutz u. a. (Hg.): Der (im-)perfekte Mensch, 2003, 354–361 • N. Steinkamp/B. Gordijn: Ethik in der Klinik, 2003 • J. Taupitz: Ethikkommissionen in der Politik, in: JZ 58/17 (2003) 815–821 • U. Wiesing (Hg.):

Die Ethikkommissionen. Neuere Entwicklungen und Richtlinien, 2003 • M Kettner: Überlegungen zu einer integrierten Theorie von Ethik-Kommissionen und Ethik-Komitees, in: Jahrbuch für Wissenschaft und Ethik, Bd. 7 (2002), 53–71 • M. Kettner/A. May: Ethik-Komitees in Kliniken, in: Ethik in der Medizin 14/4 (2002), 295–297 • K. Bayertz: Dissens in Fragen von Leben und Tod, in: APuZ B6 (1999), 39–46 • R. Toellner (Hg.): Die Ethik-Kommission in der Medizin, 1990 • World Medical Association: Die revidierte Deklaration von Helsinki, beschlossen 1975 in Tokyo, in: Bundesanzeiger 152 (1976).   KONRAD HILPERT

Ethnische Konflikte

1. Einleitung

Als e. K. bezeichnet man grundsätzlich Interessengegensätze zwischen Gruppen (↑Gruppe), die sich in ihrer ethnischen Identität unterscheiden, und/oder in denen gruppenbezogene Forderungen einen Konfliktgegenstand bilden. Diese Konflikte werden häufig gewaltsam ausgetragen.

2. Definition von ethnischer Identität

Zum Verständnis e.r K. ist zunächst auf den umstrittenen Begriff von ethnischer Identität bzw. ↑Ethnizität zu verweisen. Ein Gegensatz besteht hier zwischen einem primordialistischen und einem konstruktivistischen Verständnis (↑Konstruktivismus). Gemeinsam ist den verschiedenen Begriffsverständnissen, dass sich ethnische Identität auf die Vorstellung gemeinsamer (biologischer) Abstammung gründet und sich dadurch von religiösen oder schichtspezifischen sowie anderen Gruppenidentitäten unterscheidet. Das primordialistische Verständnis betrachtet Ethnizität als weitgehend unveränderliches Ergebnis gemeinsamer Abstammung und Verwandtschaft, das anhand einer Reihe von objektiven Identitätsmerkmalen wie ↑Sprache, ↑Religion, Siedlungsgebiet, gemeinsamer Geschichte und äußerer Erscheinung deutlich wird. Konstruktivisten verweisen dagegen auf die Wandelbarkeit ethnischer Identitäten durch soziale Mobilisierung und Wahrnehmung. Häufig teilen sich zudem Gruppen (↑Gruppe) oder schließen sich zusammen. Die ↑Identität von Subgruppen spielt in verschiedenen Kontexten eine Rolle, in anderen nicht. Letztlich kommt es nach dem konstruktivistischen Verständnis darauf an, ob ethnische Identitäten von den Gruppen selbst und von außen als solche wahrgenommen werden. Ein sinnvolles, vermittelndes Verständnis erkennt an, dass sich ethnische Identität auf die Vorstellung gemeinsamer Abstammung gründet, die sich anhand einer variablen Zahl von objektiven Identitätsmerkmalen äußert, letztlich aber nur durch eine entspr.e Außen- und Binnenwahrnehmung wirkungsmächtig wird. Ethnische Identität ist grundsätzlich wandelbar, aber i. d. R. stabil, und ihre soziale Konstruktion vermutlich von objektiven Merkmalen nicht völlig unabhängig.

3. Häufigkeit und Messung ethnischer Konflikte

Die Unklarheiten im Konzept von ↑Ethnizität sind teilweise verantwortlich für die Schwierigkeit, die Häufigkeit von e.n K.n festzustellen. Auch wenn anekdotische Evidenz und Einschätzungen von Beobachtern in vielen Fällen das Vorliegen eines e.n K.s nahelegen, lässt sich die Unterschiedlichkeit der ethnischen Identitäten von Konfliktparteien häufig nicht exakt feststellen. Selbst wenn explizite Forderungen zugunsten von bestimmten ethnischen Gruppen geäußert werden, bleibt mitunter unklar, ob und inwieweit diese von allen Angehörigen der Gruppen (↑Gruppe) geteilt werden. Dennoch gibt es Zählungen von gewaltsamen e.n K.n, die mindestens als gut begründete Schätzungen angesehen werden können. Diese Einschätzungen zeigen, dass e. K. einen beträchtlichen Anteil an der Gesamtheit von Bürgerkriegen (↑Bürgerkrieg) und sog.en (weniger intensiven) innerstaatlichen bewaffneten Konflikten ausmachen. James Fearon und David Laitin nehmen als Grundlage die unterschiedliche ↑Identität der Konfliktparteien und zählen für den Zeitraum zwischen 1945 bis 1999 mindestens 61 % aller Bürgerkriege als Auseinandersetzungen zwischen ethnischen Gruppen. Lars-Erik Cederman, Andreas Wimmer und ihre Mitarbeiter wählen einen weiter gehenden Ansatz und erheben sowohl die Identitätsunterschiede der Konfliktparteien als auch das Vorhandensein von ethnischen Forderungen von Rebellengruppen. Ihre Statistiken zeigen, dass 110 von 215 aller innerstaatlichen bewaffneten Konflikte von 1946– 2005, und damit etwas mehr als 50 %, eine ethnische Komponente aufwiesen. Ihre Zahlen zeigen zugl., dass die Anzahl der e.n K. in den letzten Jahrzehnten abgenommen hat. E. K. sind auch keinesfalls nur auf bestimmte Weltregionen beschränkt. Sie sind in der Tat häufig in den Weltregionen Afrika, Asien sowie dem ↑Nahen und Mittleren Osten; doch sie sind auch in ↑Europa anzutreffen, wie blutige e. K. in Bosnien oder in der Ukraine aufzeigen. Über nichtstaatliche e. K. – d. h. über Auseinandersetzungen, in denen der ↑Staat keine direkte Konfliktpartei darstellt – liegen weniger umfassende Informationen vor; ihr Anteil ist aber ebenfalls nicht unerheblich. Allerdings sind keinesfalls alle ethnischen Gruppen in Auseinandersetzungen verstrickt. J. Fearon zeigt, dass von gut 700 ethnischen Minderheiten nur etwa 14 % zwischen 1945 und 1998 gewaltsam gegen den Staat rebelliert haben. E. K. dauern aber, sobald einmal ausgebrochen, länger und sind blutiger sind als andere Konflikte.

4. Ursachen ethnischer Konflikte

Wenn man die Analyse der Ursachen sinnvollerweise auf gewaltsame Auseinandersetzungen innerhalb von Staaten beschränkt, herrscht Einvernehmen darüber, dass ethnische Vielfalt für sich genommen keine hinreichende Ursache für das Auftreten von e.n K.n darstellt. Keine seriöse Analyse nimmt an, dass ethnische Gruppenunterschiede der alleinige Grund von solchen Auseinandersetzungen sind. Ein grundlegender Dissens besteht darin, ob ↑Ethnizität überhaupt einen Anteil an den Ursachen von gewalttätigen Auseinandersetzungen hat, oder ob diese lediglich instrumentalisiert werden – und die wirklichen Ursachen in ökonomischen und politischen Gegensätzen zu finden sind.

In theoretischer Hinsicht gibt es eine Reihe von Kausalmechanismen, die in der Literatur dafür angeführt werden, weshalb ethnische Vielfalt Konflikte auslösen kann. Ein sozialpsychologischer Ansatz verweist auf Intergruppendynamiken: Menschen tendieren dazu, die eigene ↑Gruppe positiver zu bewerten u. a. Gruppen und deren Mitglieder abzuwerten; und dadurch entsteht grundsätzliches Potential, ethnische Gruppen für auch gewaltsame Auseinandersetzungen zu mobilisieren. J. Fearon entwickelt, angelehnt an das aus der internationalen Politik bekannte Sicherheitsdilemma, ein Modell, das er *commitment problem* nennt. In politischen u. a.n Verteilungskämpfen besteht grundsätzliche Unsicherheit über die Absichten des (potentiellen) Gegners. Militärische Rüstung kann dem Zweck der Selbstverteidigung dienen, aber ebenso als Vorbereitung für den Angriff gewertet werden. U. U. entstehen dann unheilvolle Eskalationsspiralen, welche in Präventivschlägen münden können, selbst wenn keine der Konfliktparteien urspr. aggressive Absichten hegte. Sind nun die Konfliktgegner ethnische Gruppen, mag das wechselseitige Misstrauen verstärkt werden, da sich Menschen in Krisenzeiten auf ihre (vorgestellten) Verwandtschaftsgruppen besinnen und negative Vorurteile gegen Außengruppenangehörige bestehen können. Eine dritte Gruppe von Ansätzen stellt Kontextbedingungen in den Vordergrund. Der Ansatz der relativen Deprivation verweist auf Gruppenunterschiede und deren Wahrnehmung: Wenn sich ethnische (u. a.) Gruppen gegenüber anderen oder bzgl. ihrer Erwartungen als benachteiligt fühlen, steigt die Wahrscheinlichkeit von Rebellion und Aufständen. Politische, ökonomische oder andere Gruppenungleichheiten sind in diesem Zusammenhang wichtige Kontextbedingungen, zu denen zusätzlich Rahmenbedingungen wie allg.er ↑Wohlstand, Wertvorstellungen, natürliche Gegebenheiten wie Rohstoffe etc. in Rechnung zu stellen sind.

Die empirischen Befunde zu den diversen Ansätzen sind nicht eindeutig. Neben zahlreichen Fallstudien – die naturgemäß wenig generalisierbar sind, auch wenn sie wichtige Einsichten vermitteln – hat sich die mit vielen Fallzahlen arbeitende empirische Forschung v. a. auf die Auswirkungen von verschiedenen Konstellationen der ethnischen Vielfalt und auf die Prüfung der Theorie der relativen Deprivation konzentriert, teilweise aufgrund eines Mangels an verfügbaren Daten für andere Bedingungen. Ethnische Vielfalt kann sich in verschiedenen Konstellationen äußern. Diese Konstellationen können sich unterschiedlich auf die Möglichkeit der Mobilisierbarkeit ethnischer Gegensätze auswirken.

Eine Vielzahl kleiner(er) Gruppen – die sog.e Fraktionalisierung – erschwert möglicherweise die Mobilisierung, da Gegensätze wenig herausstechend sind und die einzelnen Gruppen dann nur schwächere Mobilisierungskapazitäten besitzen. Demgegenüber kann die sog.e Polarisierung – das Vorliegen weniger, idealtypisch nur zweier großer Gruppen wie in Nigeria oder Burundi und Ruanda – leicht zu Konflikten führen, weil die Gegensätze offensichtlich sind, in der Fachsprache: *salient*. Dies mag auch zutreffen, wenn es eine numerisch dominante Gruppe gibt (ca. > 50 % der Bevölkerung), da sich mit einiger Wahrscheinlichkeit Widerstand gegen diese Gruppe formieren wird. Für Fraktionalisierung, Polarisierung und Dominanz gibt es allerdings widersprüchliche Befunde. Viel Unterstützung findet die These, dass sich die Wahrscheinlichkeit eines Ausbruchs e.r und anderer K. erhöht, wenn ethnische und religiöse Gruppenunterschiede sich gegenseitig verstärken und Gruppen regional konzentriert, doch nicht gemischt siedeln.

Konstellationen ethnischer Vielfalt wie Fraktionalisierung oder Dominanz im oben genannten Sinne sagen aber direkt nichts über die Qualität der Beziehungen aus. Politische oder relative Deprivationen oder Ungleichheiten zwischen Gruppen scheinen eine wichtige Bedingung für das Auftreten e.r K. zu sein. Zwar konnte Ted Robert Gurrs Theorie der relativen Deprivation trotz ihrer Plausibilität (wenn nicht alltagstheoretischen Akzeptanz) über Jahrzehnte empirisch nicht bestätigt werden; jüngere Arbeiten finden aber Unterstützung für diese These. L.-E. Cederman u. a. zeigen, dass Gruppen, die von der Zentralmacht ausgeschlossen sind, eher rebellieren. Unterstützung gibt es auch dafür, dass objektive ökonomische Gruppenungleichheiten den Ausbruch von (nicht nur e.n) K.n begünstigen. Eine Reihe von Untersuchungen findet Evidenz, dass die Verfügung über wertvolle natürliche Ressourcen eine wichtige Kontextbedingung darstellen könnte. Sind Gruppen von der ↑Macht ausgeschlossen und verfügen sie zugl. über wertvolle natürliche Ressourcen wie Erdöl oder Diamanten, dann scheinen gewaltsame Konflikte wahrscheinlicher. Umgekehrt verringert die Inklusion der Gruppen die Konfliktwahrscheinlichkeit.

Für die generalisierende empirische Forschung zu den Ursachen e.r K. bestehen zahlreiche Herausforderungen. Dies gilt insb. bei der Frage nach der relativen Bedeutung von Ethnizität als Konfliktursache. Vieles weist indes darauf hin, dass ethnische Vielfalt mindestens als Gelegenheitsstruktur eine mögliche Konfliktursache darstellt. Offen bleiben hingegen weitere Fragen: Warum eskalieren manche Gegensätze mehr oder weniger? Welche Rolle spielt dabei das Verhalten der politischen Eliten (↑Elite)? Sind bestimmte Konstellationen wie eine ethnische Minderheitenherrschaft – was blutige Eskalationen in Syrien oder Burundi nahelegen – bes. gewaltträchtig? Die Identifizierung jener Bedingungen, die e. K. auslösen, eskalieren lassen und schwer lösbar machen, wird für quantitative Analysen v. a. auf bessere Datensätze und auf gut durchdachte Forschungsdesigns angewiesen sein, die auch qualitative Instrumente einschließen müssen.

5. Bearbeitung ethnischer Konflikte

Die Lösung und konstruktive Bearbeitung von ethnischen u. a.n Identitätskonflikten steht im Fokus einer umfangreichen Debatte, die v. a. geeignete politische Institutionen in den Blick nimmt. Es gibt dabei mindestens drei unterschiedliche Grundüberzeugungen. Und leider ist auch hier die empirische Bestätigungssituation unbefriedigend.

Ein eher im Bereich der praktischen Politik diskutierter und angewandter Ansatz ist das sog.e *blocking:* Ethnische Unterschiede werden tabuisiert und abgelehnt, um sie dadurch zu überwinden. In der Praxis zählen dazu die Verbote ethnischer oder anderer partikularistischer ↑Parteien. Ein bekanntes Beispiel ist Ruanda nach dem Genozid (↑Völkermord) von 1994, wo die Mobilisierung von ethnischen Gegensätzen zwischen Hutu und Tutsi unter Strafe gestellt wird. Kritiker monieren, dass dieser Ansatz langfristig negative Folgen haben könnte, sein Erfolg insgesamt zweifelhaft sei, und entspr.e Regelungen leicht zur Repression gegen politische Gegner missbrauchbar wären.

Der sog.e *consociatialism*, auch als Machtteilung *(power sharing)* bekannt, nimmt eine gegenteilige Position ein: Ethnische Vielfalt sei als Vehikel der politischen Mobilisierung anzuerkennen, und politische Institutionen sollten die Repräsentation ethnischer Gruppen, insb. von ↑Minderheiten, durch Verhältniswahlsysteme, Minderheitenrechte und Autonomieregelungen (↑Autonomie) oder ↑Föderalismus sicherstellen. Eine grundsätzliche empirische Bestätigung durch erfolgreiche politische Praxis, steht auch hier – trotz der Popularität dieser Vorschläge noch in Frage. Ein Patentrezept scheint dgl. jedenfalls nicht zu sein, wie der Blick auf den Libanon lehrt. Möglich scheint aber, dass im Falle einer Postkonfliktsituation das *power sharing* eine sinnvolle Übergangslösung ist.

Der dritte Ansatz wird *centripetalism* genannt. Ziel ist hier, durch politische Institutionen Anreize für politische Akteure zu schaffen, in der politischen Willensbildung und Mobilisierung an andere Identitäten (↑Identität) als ethnische zu appellieren – und somit ↑Ethnizität als Grundlage der politischen Auseinandersetzung mittelfristig zu eliminieren. Entspr.e Institutionen sind etwa Präferenzwahlsysteme, die jene Kandidaten bevorzugen, die nicht nur an die eigene ethnische Gruppen appellieren, oder Regelungen für Präsidentschaftswahlen wie in Indonesien, Kenia und Nigeria, die von erfolgreichen Kandidaten erwarten, dass sie eine Mindestunterstützung in verschiedenen Landesteilen erhalten haben. Wegen der Komplexität der vorgeschlagenen Maßnahmen und deren geringer Fallzahl steht aber auch hier eine nachhaltige generelle empirische Unterstützung noch aus. Als Fazit bleibt somit, dass e. K. nicht zwangsläufig sind und sehr wohl vermieden, gelöst oder doch geschwächt werden können – doch weiterhin unklar ist, unter welchen Bedingungen welche Maßnahmen dafür in erfolgsträchtiger Weise zu ergreifen wären.

Literatur

S. Rosiny: A Quarter Century of „Transitory Power Sharing", in: Civil Wars 19/4 (2015), 485–502 • M. Basedau/J. H. Pierskalla: How Ethnicity Conditions the Effect of Oil and Gas on Civil Conflict, in: Political Geography 38 (2014), 1–11 • D. Horowitz: Ethnic Power Sharing: Three Big Problems, in: JoD 25/2 (2014), 5–20 • A. De Juan: Devolving ethnic conflicts – The role of subgroup identities for institutional intergroup settlements, in: Civil Wars 15/1 (2013), 78–99 • U. G. Theuerkauf: Presidentialism and the Risk of Ethnic Violence, in: Ethnopolitics 12/1 (2013), 72–81 • J. Gubler/J. S. Selway: Horizontal Inequality, Crosscutting Cleavages, and Civil War, in: JCR 56/2 (2012), 206–232 • A. Wimmer: Can Peace Be Engineered?, in: Comparative Democratization 10/2 (2012), 4–23 • M. Basedau/A. Moroff: Parties in Chains – Do Ethnic Party Bans in Africa Promote Peace?, in: Party Politics 17/2 (2011), 205–225 • L.-E. Cederman/N. B. Weidmann/K. Skrede Gleditsch: Horizontal Inequalities and Ethnonationalist Civil War, in: APSR 105/3 (2011), 478–495 • G. Elwert: Ethnie, in: C. F. Feest/H. Fischer/T. Schweizer (Hg.): Wörterbuch der Völkerkunde, 2011, 99–100 • S. Wolff: Managing Ethnonational Conflict, in: Journal of Commonwealth and Comparative Politics 49/2 (2011), 162–195 • L.-E. Cederman/B. Min/A. Wimmer: Why Do Ethnic Groups Rebel?, in: WP 62/1 (2010), 87–119 • M. Bussmann/A. Hasenclever/G. Schneider: Identität, Institutionen und Ökonomie: Ursachen und Scheinursachen innenpolitischer Gewalt, in: M. Bussmann/A. Hasenclever/G. Schneider (Hg.): Identität, Institutionen und Ökonomie, 2009, 9–38 • A. Mehler: Peace and Power Sharing in Africa: A not so obvious relationship, in: African Affairs, 108/432 (2009), 453–473 • A. Wimmer/L.-E. Cederman/B. Min: Ethnic Politics and Armed Conflict, in: ASR 74/2 (2009), 316–337 • A. Lijphart: Thinking about Democracy, 2008 • G. Schneider/N. Wiesehomeier: Rules That Matter: Political Institutions and the Diversity-Conflict Nexus, in: Journal of Peace Research 45/2 (2008), 183–203 • M. Bogaards: Electoral Systems, Party Systems, and Ethnicity in Africa, in: M. Basedau/G. Erdmann/A. Mehler (Hg.): Votes, money and violence, 2007, 168–193 • H. Hegre/N. Sambanis: Sensitivity Analysis of Empirical Results on Civil War Onset, in: JCR 50/4 (2006), 508–35 • J. G. Montalvo/M. Reynal-Querol: Ethnic Polarization, Potential Conflict, and Civil Wars, in: AER 95/3 (2005), 796–813 • J. D. Fearon: Why do some civil wars last so much longer than others?, in: Journal of Peace Research 41/3 (2004), 275–301 • D. Posner: Measuring Ethnic Fractionalization in Africa, in: AJPS 48/4 (2004), 849–863 • J. D. Fearon/D. Laitin: Ethnicity, Insurgency and Civil War, in: APSR 97/1 (2003), 75–90 • B. Reilly: Electoral Systems for Divided Societies, in: Journal of Democracy 13/2 (2002), 156–170 • D. Horowitz: Ethnic Groups in Conflict, 1985 • H. Tajfel: Gruppenkonflikt und Vorurteil, 1982 • T. R. Gurr: Why Men Rebel, 1970.

MATTHIAS BASEDAU

Ethnizität

I. Ethnologische Grundlegung – II. Rechtliche Anknüpfungen

I. Ethnologische Grundlegung

1. Europäische Ethnologie

E. (griechisch: *éthnos* = Volk) ist das flexible Ergebnis kultureller Abgrenzungen von Bevölkerungsgruppen durch vermeintliche und/oder nachweisbare identitätsstiftende Merkmale wie gemeinsames kulturelles Erbe, verbindliches Wertesystem, gemeinsame Sprache und Mentalität, ähnliche Bräuche, religiöse Praktiken, Wohn- und Konsumformen usw. Darauf hebt der Begriff der „Ethnisierung" ab, der gerade jene Prozesse der Selbst- und Fremdzuschreibung nach ethnischen Kategorien unterstreicht. Zu den Institutionen, die ethnische Kategorien festschreiben und reproduzieren, gehören „der Staat, der die Bevölkerung über Gesetze, Volkszählungen, Statistiken und durch die Sozialwissenschaften öffentlich klassifiziert, der Arbeitsmarkt wie auch die ethnischen Institutionen, z.B. Parteien, Organisationen und Kirchen der Minderheiten" (Feischmidt 2007: 55). Zur Vermittlung nationaler ↑Identitäten und Stereotypen stehen langlebige Motive zur Verfügung, die „seit der Zeit des ‚nation-building' im 19. Jh. als regelrechte Nationalsymbole kanonisiert und immer wieder neu mit wechselnden Bedeutungen aufgeladen" (Götz 2005: 188) wurden.

Aus den spezifischen Verhaltensweisen und Eigenschaften resultiert via Inklusion und Exklusion (↑Inklusion, Exklusion) das Bewusstsein von „wir" und „sie". Die so voneinander geschiedenen ↑Gruppen sind nicht identisch mit ↑Nationen. Dieses konstruktivistische Konzept von E., das der subjektiven Einschätzung des Individuums eine zentrale Rolle beimisst, hat essentialistische Vorstellungen abgelöst, die Ethnien als geschlossene Gruppen homogener Kulturen betrachtet haben.

E. ist ein universell zu beobachtendes Prinzip, das zur Identitätsfindung von Individuen beitragen kann, im Wesentlichen aber die soziale Mitgliedschaft und den Zugang zu den Ressourcen einer Ethnie sichert. Häufig sind ethnische Zuschreibungen mit der ungleichen Verteilung von Macht und Teilhabe am gesellschaftlichen Leben verknüpft. *Ethnos* bezeichnete urspr. jene Gruppen, die außerhalb der griechischen Polis lebten. Bei der Herausbildung moderner Nationalstaaten wurde E. angesichts von ↑Kolonialismus und ↑Imperialismus als unverzichtbar für die Entfaltung nationaler Identität erachtet, entwickelte sich aber zugl. auch zu einem Abgrenzungskriterium im negativen Sinn. Steigert sich E. zu Ethnozentrismus, welcher der eigenen Gruppe höhere Wertigkeit beimisst als fremden, so kommt es nicht selten zu „ethnischen Säuberungen", wie z.B. im Juli 1995 beim Massaker von Srebrenica, dem 8 000 bosnische Muslime zum Opfer fielen.

Dem Ideal eines multikulturellen Staates zum Trotz, treten infolge zunehmender Migrationsbewegungen (↑Migration) bis heute auch in Europa ↑ethnische Konflikte auf, die sich durch Massenflucht aus Kriegs- und Krisengebieten wie Syrien, Afghanistan oder der Ukraine seit den 2010er Jahren verstärkten (↑Flucht und Vertreibung). Noch gravierender sind sie jedoch in unterentwickelten Staaten Afrikas, Asiens, Süd- und Mittelamerikas, der Karibik und Ozeaniens, wo die oft fließenden ↑Grenzen zwischen den Ethnien durch willkürliche koloniale Grenzziehung in starre Strukturen gezwängt worden sind.

2. Sprachinselforschung

Im 19. und frühen 20. Jh. unterstellte man Minderheitengruppen (↑Minderheiten) im Prozess der Beheimatung in fremder Umgebung eine Assimilationsskepsis sowie den Versuch, eigene ethnische Merkmale (Religion, Ernährungs- und Kleidungsgewohnheiten) in der fremden Umgebung bewusster zu pflegen als im Herkunftsland. Solches starres Festhalten an gewohnten Praktiken resultiert aus dem Gefühl der Isolation, der Vorstellung einer exponierten Situation und einer gefühlten moralischen Verpflichtung, das Erbe der Vorfahren nicht verraten zu dürfen. Die Sprachwissenschaft hat diese Haltung zuerst beobachtet und begann um 1830, sich systematisch mit Minderheitensprachen und -dialekten zu beschäftigen. Daraus entwickelte sich die Beschäftigung mit „kulturellen Inseln", die sog.e Sprachinselforschung. Sie etablierte sich nach dem Ersten Weltkrieg aufgrund umfangreicher Gebietsabtretungen und daraus erwachsenden Revisionsbestrebungen bes. in Deutschland, institutionell verankert in Vereinen und wissenschaftlichen Einrichtungen, die sich dem sog.en Grenz- und Auslandsdeutschtum widmeten. Dazu gehörten etwa das DAI in Stuttgart und der VDA. Die damals unternommenen empirischen Studien gingen von weitgehend abgeschlossenen Kultur- und Sprachgruppen aus und untersuchten „Auslandsdeutsche" in „fremdvölkischer" Umgebung. Die Ergebnisse wurden im frühen 20. Jh. zunehmend Teil des völkischen Diskurses und führten im Kontext der gesellschaftlich verbreiteten Kritik an der neuen Staatenordnung Mitteleuropas nach dem Ersten Weltkrieg zur Forderung nach verstärkter Fürsorge für die außerhalb ihrer Heimat lebenden Ethnien. Später richtete sich das Augenmerk auch auf historische, kulturelle und ethnische Merkmale von Migranten, so dass sich die Sprachinselforschung zu einem interdisziplinären Feld zwischen Sprachwissenschaft, Volkskunde/Europäischer Ethnologie und Geschichte entwickelte.

Kritische fachgeschichtliche Auseinandersetzungen mit dem überkommenen Konstrukt der „Sprachinsel" wandten sich v.a. gegen die postulierte Einheitlichkeit der untersuchten Ethnien, welche Zwei- oder Mehrsprachigkeit sowie sprachliche und kulturelle Entlehnungen aus der neuen Umgebung weitgehend ignoriere und mitgebrachte Relikte aus der alten Heimat als prinzipiell wertvoller als neu adaptierte Kulturelemente einstufe. Ingeborg Weber-Kellermann entwarf als Gegenmodell das Konzept der „Interethnik", das Austauschprozessen zwischen deutschen und benachbarten Minderheiten in Süd- und Südosteuropa bes. Aufmerksamkeit schenkte und nationaler Voreingenommenheit offensiv begegnete. Darauf aufbauende Untersuchungen befassten sich mit Kulturkontakten unterschiedlicher Ethnien und einer sich daraus entwickelnden Assimilation bzw. Akkulturation unter bes.r Berücksichtigung ihrer historischen Dimension.

3. Ethnologische Ethnizitätsforschung

Im Unterschied zur Sprachinselforschung und in Fortentwicklung des Interethnik-Konzeptes geht die Europäische Ethnologie heute davon aus, dass ethnische Gruppen zwar ein nach außen abgrenzbares Sozialgebilde, aber kein erstarrtes System darstellen; vielmehr wirken in ihnen dynamische Kräfte nach innen und nach außen, die Wandel ermöglichen. Daher verlagerte sich das Erkenntnisziel seit den 1980er Jahren auf Entstehung, Handhabung und Bedeutung ethnischer Zuordnungen. Dieser Paradigmenwechsel gründet auf den Forschungen des norwegischen Sozialanthropologen Fredrik Barth. Dieser ging davon aus, dass ethnische Gruppen das Ergebnis sozialer Identifizierungsprozesse und der Abgrenzung zwischen den Akteuren sind. Demnach gibt es keine objektiven kulturellen Verschiedenheiten, sondern nur Unterscheidungsmerkmale, die die Akteure selbst als bedeutsam erachten.

F. Barth bemängelte, dass nahezu sämtliche ethnologische Forschungen ethnische Gruppen, die sich durch eine unveränderbare spezifische ↑Kultur auszeichneten und sich von anderen „von Natur aus" unterschieden, als gegeben betrachteten. Er entlarvte ethnische Gruppen dagegen als gesellschaftlich gemacht; sie bilden sich seines Erachtens nicht aufgrund von Isolation, sondern durch Kontakt und entstehen in Abgrenzung zu anderen Gruppen. Was eine Ethnie für ihre gemeinsame Kultur hält, ist somit das Ergebnis solcher Abgrenzungsprozesse. F. Barths Theorie der ethnischen Gruppe als flexibler sozialer Organisationsform wurde in vielen Studien weiterentwickelt, die allesamt belegen, wie wichtig es ist, sich bei der Rede von ethnischer Identität, ethnischen Gruppen, ethnischen Grenzen, ethnischen Konflikten usw. eine kritische Haltung zu bewahren.

Der Prozess der Ethnisierung wird oft als Gegenbewegung zur ↑Globalisierung beschrieben; in seinem Rahmen gediehen Ethno-Tourismus und Ethno-Pop. Parallel dazu finden Ethnien international Gehör, die ihre Verschiedenheit als Begründung liefern, um ihre Lebensart auch in Nationalstaaten weiterführen zu dürfen. Beispiele sind kleine nordostchinesische Jägervölker wie die Ewenken, Oroqen, Dahuren oder Hezhe im Unterschied zur Mehrheit der Han-Chinesen, oder die Indianer in den USA, die indigenen Maori in Neuseeland und auch die Saami im Norden Skandinaviens.

Zu Beginn der 1980er Jahre teilten Ethnologen die Menschheit oft in „Unterdrückende" und „Unterdrückte". Kriege und Konflikte wurden nicht mehr auf politische oder wirtschaftliche Ursachen zurückgeführt, sondern ethnisch-kulturell begründet (Ruanda, Jugoslawien). Die Vorstellung, Probleme könnten sich lösen, wenn man Gebiete ethnisch teile, fand dann auch im Baskenland, im ehemaligen Jugoslawien oder auf Zypern starke Befürworter.

Großen Einfluss auf die ethnologische Forschung hatte ferner Pierre Bourdieus Theorie der Kultur als Repräsentationssystem. Solche kulturelle Repräsentation ethnischer Identität behandelt die ↑Volkskunde/Europäische Ethnologie im Rahmen ihrer Vorurteilsforschungen (↑Vorurteil) und stuft Stereotypen als unkritische Verallgemeinerungen ein, denen mit Argumenten nicht beizukommen sei. Sie beschäftigt sich daher verstärkt mit der Frage, ob interethnische Kontakte Vorurteile abschwächen können. Ferner sieht sie auch im Erzählen eine Form der kulturellen Repräsentation ethnischer Gemeinsamkeiten und Unterschiede. Erzählungen über den Kontakt mit dem kulturell Fremden organisieren etwa Fremdheitserfahrungen, legitimieren oder verurteilen bestimmte Verhaltensweisen gegenüber anderen.

4. Ausblick

Moderne E.s-Forschung fokussiert sich auf Fragen von Religion und Politik, Alltäglichkeit und interkultureller Kommunikation. Auch wenn nationale Perspektiven in medialen, politischen und wissenschaftlichen Diskursen tief verwurzelt bleiben, geht man nicht mehr von abgeschlossenen, homogenen Kulturen aus, sondern nimmt die Produktion und den Wandel kultureller Phänomene und kultureller Austauschprozesse zwischen benachbarten Gemeinschaften in den Blick. Die Angehörigen einer Ethnie verhalten sich relational, prozessual, dynamisch und wechselhaft, weshalb wir E. „nicht auf wesenhafte Gruppen oder Gebilde [...], sondern auf praktische Kategorien, situatives Handeln, kulturelle Redensarten, kognitive Schemata, diskursive Deutungsmuster, organisatorische Routine, institutionelle Formen, politische Projekte und zufällige Ereignisse" (Brubaker 2007: 22) bezogen denken müssen. Da Einstellungen und Verhaltensweisen durch äußere Einflüsse und neue Denkweisen ihre Bedeutung verändern, sind auch historische Zeitschichten in den Blick zu nehmen. Ethnien reagieren auf ihre jeweilige Umwelt; Ethnowissenschaften untersuchen die dabei entstehenden Interaktionsformen; sie fragen ferner, wie ethnische Kategorisierungen kommuniziert, instrumentalisiert, im Alltag greifbar werden und in welchem Verhältnis sie zu den materiellen sowie sozialen Strukturen einer Gesellschaft stehen. Ein Forschungsdesiderat stellen die Gründe für Nähe oder Distanz zu anderen Ethnien dar. Welche kulturellen Wechselwirkungen und interethnischen Beziehungen sind nachweisbar, und worauf gründen sie? Welche Rolle spielen Austausch und Anpassung im Prozess der Identitätsfindung einer Gruppe?

Unter dem Paradigma der sich im Fluss befindlichen Ethnisierung untersuchen die modernen Ethnowissenschaften die Genese ethnischer Zugehörigkeiten, fragen nach Wissen über Kultur und nach alltagspraktischen Lebensvollzügen, und zwar immer im Bewusstsein, dass Stereotype nicht naturgegeben, sondern kollektiv konstruierte Positionszuweisungen sind. Durch diesen Perspektivwechsel erkennen die Ethnowissenschaften E. heute als einen flexiblen Prozess, der geprägt ist von Überlagerungen transitorischer Verhältnisse und kulturellen Mehrfachzugehörigkeiten, die sich je nach Situation und Perspektive ändern können. Das statische Modell eines abgeschlossenen kulturellen Erbes, das eine Ethnie unabhängig von Ort und Zeit prägt, hat ausgedient. In Zeiten globaler Mobilität und Vernetzung existieren keine isolierten Kulturen mehr, weshalb der Begriff der E. zunehmend von „kultureller Differenz", „↑Diversität", „Kosmopolitismus" oder „Hybridität" abgelöst wird.

Literatur

C. Bischoff: Blickregime der Migration, 2016 • A. C. Cöster: Zur Bedeutung von Ethnizität, in: dies.: Frauen in Duisburg-Marxloh, 2016, 310–320 • H. M. Kalinke: Sprachinselforschung (2.7.2015), URL: ome-lexikon.uni-oldenburg.de/ p32772 (abger.: 24.11.2016) • P. Lozoviuk: Interethnik im Wissenschaftsprozess, 2008 • R. Brubaker: Ethnizität ohne Gruppen, 2007 • B. Schmidt-Lauber (Hg.): Ethnizität und Migration, 2007 • M. Feischmidt: Ethnizität – Perspektiven und Konzepte der ethnologischen Forschung, in: ebd., 51–68 • I. Götz: Zur Wirkmacht inszenierter Bilder im Medienzeitalter, in: H. Gerndt/M. Haibl (Hg.): Der Bilderalltag, 2005, 187–198 • V. Heuberger (Hg.): „Bilder vom Anderen". Das Bild vom Anderen: Identitäten, Mentalitäten, Mythen und Stereotypen in multiethnischen europäischen Regionen, 1999 • B. Schmidt-Lauber: „Die verkehrte Hautfarbe". Ethnizität deutscher Namibier als Alltagspraxis, 1998 • R. Jenkins: Rethinking Ethnicity, 1997 • T. H. Eriksen: Kulturterrorismen, 1993 • P. Bourdieu: Die Macht der Repräsentation. in: ders.: Was heißt sprechen?, 1990, 94–103 • K. Köstlin: Volkskulturforschung in Grenzräumen, in: Jb. für ostdeutsche Volkskunde 33 (1990), 1–19 • H. Gerndt (Hg.): Stereotypvorstellungen im Alltagsleben, 1988 • I.-M. Greverus: Ethnizität und Identitätsmanagement, in: Schweizer Zeitschrift für Soziologie 7/2 (1981), 223–232 • I. Weber-Kellermann: Zur Interethnik, 1978 • F. Barth: Ethnic Groups and Boundaries, 1969 • I. Weber-Kellermann: Zur Frage der interethnischen Beziehungen in der „Sprachinselvolkskunde", in: ÖZV XIII (1959), 19–47.
                                                    HEIDRUN ALZHEIMER

II. Rechtliche Anknüpfungen

E. bzw. der Begriff „ethnisch" werden juristisch als Verweis auf die *Volkszugehörigkeit* i. S. d. sozialwissenschaftlichen Volksbegriffs (↑Volk) verwendet. Dadurch entsteht ein Spannungsfeld zum Begriff des ↑Staatsvolks, dem eigentlichen juristischen Volksbegriff, der als Bezugspunkt des verfassungsrechtlichen Demokratieprinzips von der ganz herrschenden Meinung nur über die Summe der Staatsangehörigen definiert wird. Dementsprechend ist strikt zwischen E. und ↑Staatsangehörigkeit bzw. Nationalität zu unterscheiden. Die positiven Anforderungen an die konstituierenden Merkmale einer Ethnie sind nicht abschließend geklärt und können in den systematischen Zusammenhängen der verschiedenen Rechtsgebiete variieren.

1. Antidiskriminierungsrecht

Im Antidiskriminierungsrecht ist der Begriff „ethnische Herkunft" das jüngste der verpönten Differenzierungsmerkmale, die sich dem Oberbegriff Xenophobie zuordnen lassen. Es ist bereits in Art. 1 Abs. 1 der „Internationalen Konvention über die Beseitigung aller Formen der Rassendiskriminierung" vom 21.12.1965 erwähnt. Seine gegenwärtige rechtspraktische Bedeutung verdankt es jedoch der Verankerung in der Kompetenznorm des Art. 19 AEUV (bzw. ihrer wortgleichen Vorgängernormen), die auch Pate für die Formulierung des Art. 21 Abs. 1 EuGRC stand. Auf ihrer Grundlage wurde die grundlegende RL 2000/43/EG des ↑Rates der Europäischen Union vom 29.6.2000 zur Anwendung des Gleichbehandlungsgrundsatzes ohne Unterschied der Rasse oder ethnischen Herkunft erlassen, die v. a. auf den allg.en Zivilrechtsverkehr (außerhalb des persönlichen Nahbereichs) abzielt. Diese wird flankiert von der RL 2000/78/EG des Rates vom 27.11.2000 zur Festlegung eines allg.en Rahmens für die Verwirklichung der Gleichbehandlung in Beschäftigung und Beruf, die ein Verbot der ↑Diskriminierung wegen der ethnischen Herkunft speziell für den Bereich des Arbeitslebens beinhaltet. Beide wurden in Deutschland hauptsächlich durch das AGG umgesetzt, das den Begriff der „ethnischen Herkunft" in § 1 übernommen hat, der aber anschließend auch Eingang in weitere Normen ähnlichen Zuschnitts fand, etwa § 9 S. 1 BBG und § 19a SGB IV. E. ist vom älteren (vgl. bereits Art. 3 Abs. 3 GG, Art. 14 EMRK, Art. 1 Abschnitt A. Abs. 2 GFK) und meist im gleichen Atemzug genannten Merkmal „Rasse" dadurch abzugrenzen, dass letzteres sich allein auf überindividuell auftretende, vererbliche körperliche Merkmale (zumeist die Hautfarbe) bezieht. Im Unterschied zu dem für das EU-Primärrecht grundlegenden Unterscheidungsmerkmal „Staatsangehörigkeit" (vgl. Art. 18, 45 Abs. 2, 49 Abs. 1, 56 Abs. 1 AEUV, Art. 21 Abs. 2 EuGRC), das nach der Rspr. des ↑EuGH in beträchtlichem Umfang Wirkung zwischen Privaten entfaltet, betrifft E. nicht die förmliche juristische Verbindung zwischen einem Staat und seinen Staatsangehörigen, sondern die außerrechtliche Zuordnung zu einer bestimmten Volksgruppe, die sich regelmäßig in der Wahrnehmung oder auch nur Zuschreibung einer auf Volkstum beruhenden kulturellen Andersartigkeit manifestiert. Der EuGH benennt hierfür „Gemeinsamkeit der Staatsangehörigkeit, Religion, Sprache, kulturelle und traditionelle Herkunft und Lebensumgebung" (Urteil vom 16.7.2015, Rs. C-83/14, CHEZ Razpredelenie Bulgaria AD, ECLI:EU:C:2015:480, Rdnr. 46) als bestimmende Faktoren, die freilich nicht kumulativ vorliegen müssen, sondern nur der Typisierung dienen. Dadurch wird E. zum Auffangtatbestand für xenophob motivierte Ungleichbehandlungen, die sich nicht unter die besser greifbaren älteren Diskriminierungsmerkmale subsumieren lassen.

2. Strafrecht

Im strafrechtlichen Zusammenhang dient die „ethnische Herkunft" verschiedentlich als Attribut von ↑Gruppen, die als Angriffsobjekt kollektivschützender Normen ausgewiesen sind.

2.1 Völkermord und weitere Tatbestände des Völkerstrafrechts

Das ↑Völkerstrafrecht greift den Begriff E. im Römischen Statut des IStGH auf, indem es – unter Rückgriff auf die „UN-Konvention über die Verhütung und Bestrafung des ↑Völkermordes" vom 9.12.1948 – in Art. 6 den Völkermord in einer Tatbestandsvariante als Handlung definiert, die in der Absicht begangen wird, eine ethnische Gruppe als solche ganz oder teilweise zu zerstören. Dieser Grundentscheidung folgend, kennt auch Art. 7 (Verbrechen gegen die Menschlichkeit) die Begehungsmodalität, dass im Rahmen und in Kenntnis eines ausgedehnten oder systematischen Angriffs auf die Zivilbevölkerung eine identifizierbare Gruppe oder Gemeinschaft aus ethnischen Gründen verfolgt wird (Abs. 1 lit. h). Darüber hinaus ist das Tatbestandsmerkmal der „erzwungenen Schwangerschaft" nach Art. 7 Abs. 1 lit. g gemäß der Legaldefinition in Abs. 2 lit. f. nur erfüllt, wenn eine zwangsweise geschwängerte Frau in der Absicht, die ethnische Zusammensetzung einer Bevölkerung zu beeinflussen oder andere schwere Verstöße gegen das ↑Völkerrecht zu begehen, rechtswidrig gefangen gehalten wird. Schließlich enthält auch das Römische Statut eine Nichtdiskriminierungsklausel, die eine differenzierende Auslegung anhand u. a. der ethnischen Herkunft verbietet. Da auch dieses Rechtskorpus neben ethnischen alternativ politische, rassische, nationale, kulturelle und religiöse Gesichtspunkte nennt (vgl. die Aufzählung in Art. 7 Abs. 1 lit. h), fällt eine Abgrenzung schwer, zumal gerade in Bürgerkriegssituationen (↑Bürgerkrieg) die Übergänge zwischen den einzelnen Motiven häufig fließend sind. Schon unter dem Gesichtspunkt der Bestimmtheit von Strafnormen *(nulla poena sine lege stricta)* ist der Begriff Rasse auch in diesem Kontext allein auf vererbliche körperliche Merkmale zu beziehen, die zur Kennzeichnung einer von der Mehrheitsgesellschaft unterschiedlichen E. eine Rolle spielen können, aber nicht müssen. E. ist in diesem Zusammenhang der weitere, neuere und angemessenere Begriff, der – ähnlich der unter 1. genann-

ten Definition des EuGH – vornehmlich auf kulturelle und geschichtliche Aspekte abstellt. Der Unterschied zwischen ethnischer und nationaler Herkunft ist umstritten. Mögliche Kriterien sind die gemeinsame Staatsangehörigkeit aller Gruppenmitglieder (dann national, sonst ethnisch), oder ob es sich um eine autochthone (national) oder allochthone (ethnisch) Volksgruppe handelt. Vorzugswürdig ist jedoch die Differenzierung danach, ob sich eine von der restlichen Bevölkerung durch eine kollektive ↑Identität unterscheidbare Gruppe als Teil einer bereits konstituierten oder sich zumindest konstituierenden ↑Nation, deren Angehörige größtenteils in einem anderen Staat leben (z. B. die bosnischen Serben), oder als Volksgruppe ohne eine solche Anbindung (z. B. die Roma auf dem Balkan) versteht. Wo E. und Nationalität nicht als Gegensatzpaar verwendet werden (v. a. in Art. 7 Abs. 2 lit. f), ist diese Unterscheidung obsolet. Der Unterschied zwischen ethnischen und kulturellen Gründen für die Verfolgung einer identifizierbaren Gruppe oder Gemeinschaft lässt sich nur als spezialgesetzliche Hervorhebung des Umstands erklären, dass die Pflege bestimmten Brauchtums unabhängig von Abstammung und Sprache derart in den Vordergrund treten kann, dass Verfolgungshandlungen spezifisch hieran anknüpfen. *Mutatis mutandis* gilt dies auch für die Abgrenzung zwischen ethnischen und politischen sowie religiösen Gruppenidentitäten.

Die Rechtsbegriffe im deutschen VStGB (vgl. v. a. §6 Abs. 1 und §7 Abs. 1 Nr. 10 VStGB) sind dem Römischen Statut nachgebildet und entspr. auszulegen. Das österreichische Völkerstrafrecht pflegt beim überkommenen Tatbestand des Völkermords (§321 öStGB) eine eigenständige Terminologie („Volk" und „Volksstamm"), ohne dass sich hieraus in der Sache Unterschiede ergäben, und übernimmt für den novellierten Straftatbestand des Verbrechens gegen die Menschlichkeit die Begrifflichkeit des Römischen Statuts (vgl. §321a Abs. 3 Z. 4 und Abs. 4 Z. 3 öStGB).

2.2 Volksverhetzung

Der Tatbestand der Volksverhetzung nach §130 StGB weist seit seiner Novellierung zum 22.3.2011 u. a. eine „durch ihre ethnische Herkunft bestimmte Gruppe" als Objekt, gegen welches zu Hass aufzustacheln oder zu Gewalt- und Willkürmaßnahmen aufzufordern verboten ist. Vorher war die Rede von Gruppen, die „durch ihr Volkstum" bestimmt sind. Der Verweis auf die E. ist insoweit unionsrechtlich durch den Sprachgebrauch in Rahmenbeschluss 2008/913/JI induziert, dessen Umsetzung die Neufassung des §130 StGB dient. Für den Rahmenbeschluss wiederum stand, wie insb. Art. 1 Abs. 1 lit. c zeigt, die Terminologie des Völkerstrafrechts Pate, so dass das hieraus resultierende Verständnis von E. auch innerstaatlich gilt.

§283 öStGB teilt diese Vorgeschichte und ist ebenfalls in Anlehnung an das Völkerstrafrecht auszulegen.

3. Staatsrecht

E. dient als Anknüpfungspunkt für bes. kollektive, teilweise auch individuelle Rechte eingesessener ↑Minderheiten im ↑Staatsrecht. Diese haben einen völkerrechtlichen Überbau in Art. 27 des IPbpR, der es Staaten mit ethnischen Minderheiten auferlegt, diesen die Pflege ihres eigenen kulturellen Lebens, das Bekenntnis zu ihrer eigenen Religion und die Verwendung ihrer eigenen Sprache zu gewährleisten. Diese Vorgaben werden konkretisiert durch die Deklaration der Generalversammlung der UNO vom 18.12.1992 über die Rechte von Personen, die zu nationalen oder ethnischen, religiösen und sprachlichen Minderheiten gehören. In ihrem spezielleren Anwendungsbereich adressiert auch die „UNESCO-Konvention gegen Diskriminierung im Unterrichtswesen" vom 14.12.1960 die spezifischen Belange ethnischer Gruppen. Das österreichische Bundesverfassungsgesetz bestimmt im Einklang damit in Art. 8 Abs. 2, dass sich die Republik auf allen staatlichen Ebenen zur „gewachsenen sprachlichen und kulturellen Vielfalt, die in den autochthonen Volksgruppen zum Ausdruck kommt", bekennt und dass Sprache und ↑Kultur, Bestand und Erhaltung dieser Volksgruppen zu achten, zu sichern und zu fördern sind.

Für Deutschland spricht das ↑GG die Volkszugehörigkeit im ethnischen Sinne nur in Art. 116 Abs. 1 GG im Hinblick auf die Erweiterung des Begriffs Deutscher über die deutschen Staatsangehörigen hinaus an. Hierfür sind im Wesentlichen die Bestimmungen des BVFG maßgeblich (vgl. die Definition der deutschen Volkszugehörigkeit in § 6 BVFG), die selektiv an auf E. basierenden Merkmalen anknüpfen und Privilegien wie Zuzugsrechte (§§ 26 ff. BVFG) und soziale Leistungen (§§ 11 ff. BVFG) mit sich bringen, aber zunehmend an Bedeutung verlieren. Explizite Rechte ethnischer Minderheiten in Deutschland sind hingegen ausschließlich in den ↑Landesverfassungen normiert. Art. 6 Abs. 1 SächsVerf adressiert die „im Land lebenden Bürger sorbischer Volkszugehörigkeit" und räumt ihnen neben einem abstrakten „Recht auf Bewahrung ihrer Identität" auch kultusbezogene Sonderrechte im Hinblick auf Schulen sowie vorschulische und kulturelle Einrichtungen ein. Art. 6 Abs. 2 ergänzt, dass „die Lebensbedürfnisse des sorbischen Volkes" in der Landes- und Kommunalplanung zu berücksichtigen sind. Die gleichen Schutzrechte genießen die Sorben/Wenden auch nach Art. 25 BbgVerf; diese geht aber durch die Hervorhebung einer wirksamen politischen Mitgestaltung (Abs. 1), ein ausdrückliches Recht auf Bewahrung der sorbischen/wendischen Sprache und Kultur im öffentlichen Leben einschließlich der Vermittlung in Schulen und Kindertagesstätten (Abs. 3), der Berücksichtigung bei der öffentlichen Beschriftung im Siedlungsgebiet der Minderheit (Abs. 4) und einem Mitwirkungsrecht bei der gesetzlichen Ausgestaltung der Minderheitenrechte (Abs. 5) noch weiter. Von bes.r Bedeutung ist die einfachgesetzliche Befreiung sorbisch/wendischer Wahlvorschläge von der ansonsten geltenden Fünf-Prozent-Hürde bei Landtagswahlen gemäß § 3 Abs. 1 S. 2 des Landeswahlgesetzes. Auch Art. 6 Abs. 2 der VerfSH stellt die kulturelle Eigenständigkeit und die politische Mitwirkung nationaler Minderheiten und Volksgruppen unter den Schutz des Landes, wobei explizit die dänische Minderheit, die Minderheit der deutschen Sinti und Roma sowie die friesische Volksgruppe Schutz und Förderung erhalten. Darüber hinausgehende Privilegierung erfährt die dänische Minderheit durch § 3 Abs. 1 S. 2 des schleswig-holsteinischen Landeswahlgesetzes, der „Parteien der dänischen Minderheit" von der Sperrklausel freistellt. Auf E. eingehende Bestimmungen in den Verfassungen von Ländern ohne autochthone Minoritäten (vgl. Art. 18 MVVerf; Art. 17 Abs. 4 RPVerf; Art. 37 LSAVerf) und die Befreiung von der Fünf-Prozent-Hürde für Landeslisten von Parteien nationaler Minderheiten (§ 6 Abs. 3 S. 2 BWahlG) sind noch weitgehend bedeutungslos geblieben, da eine Ausdehnung der bes.n kollektiven Schutzrechte auf allochthone Volksgruppen bislang in Praxis und Rechtswissenschaft auf Ablehnung stößt.

Literatur

H. Satzger: Internationales und Europäisches Strafrecht, ⁷2016 • E. Lahnsteiner: Minderheiten, 2014 • R. Göbel-Zimmermann/L. Marquardt: Diskriminierung aus Gründen der „Rasse" und wegen der ethnischen Herkunft im Spiegel der Rechtsprechung zum AGG, in: ZAR 32/10 (2012), 369–379 • E. Klein: Status des deutschen Volkszugehörigen und Minderheiten im Ausland, in: HStR, Bd. 10, ³2012, § 212 • D. Murswiek: Schutz der Minderheiten in Deutschland, in: ebd., § 213 • S. Bock: Die (unterlassene) Reform des Volksverhetzungstatbestands, in: ZRP 44/2 (2011), 46–49 • P. Hilpold: Minderheitenschutz im Völkerrecht und im Europarecht – unter besonderer Berücksichtigung der Roma, in: JRP 19/3–4 (2011), 251–262 • N. Althoff: Die Bekämpfung von Diskriminierungen aus Gründen der Rasse und der ethnischen Herkunft in der Europäischen Gemeinschaft ausgehend von Art 13 EG, 2006 • R. Hofmann: Menschenrechte und der Schutz nationaler Minderheiten, in: ZäöRV 65/3 (2005), 587–613 • C. Safferling: Wider die Feinde der Humanität – Der Tatbestand des Völkermordes nach der Römischen Konferenz, in: JuS 41/8 (2001), 735–739 • A. de Zayas: Das Recht auf die Heimat, ethnische Säuberungen und das Internationale Kriegsverbrechertribunal für das ehemalige Jugoslawien, in: AVR, Bd. 35/1, 1997, 29–72 • C. Scherer-Leydecker: Minderheiten und sonstige ethnische Gruppen, 1997 • K. Hailbronner: Der Schutz der Minderheiten im Völkerrecht, in: W. Haller u. a. (Hg.): Im Dienst an der Gemeinschaft, 1989, 75–96 • F. Capotorti: Study on the Rights of Persons Belonging to Ethnic, Religious and Linguistic Minorities, 1979 • E. Pircher: Der vertragliche Schutz ethnischer, sprachlicher und religiöser Minderheiten im Völkerrecht, 1979.
WALTHER MICHL

Ethnologie

Später als die großen geisteswissenschaftlichen Fächer hat die E. ihren Platz im Spektrum der Disziplinen gefunden, die sich mit dem Status von Mensch und Gesellschaft weltweit befassen. Entstanden vor dem Hintergrund der großen Dynamik sozialen und kulturellen Wandels im 19. Jh., beantwortet die E. Fragen nach der ↑Diversität von und zwischen Gesellschaften sowie nach den universalen Grundlagen des Sozialen. Gemeinsam mit den Archäologen verfolgten Ethnologen dabei zunächst den methodischen Weg über die Reste und Spuren, insb. mit Berücksichtigung der als „kulturell geprägt" erscheinenden Phänomene.

Die E. beansprucht zur Lösung drängender gesellschaftlicher Probleme beizutragen. Dies galt im Zeithorizont der Entstehung im 19. Jh., als sie in enger Verschränkung mit ↑Mission und ↑Kolonialismus Fragen der ethnischen Diversität in den kolonial besetzten Gebieten beantwortete. Dies gilt nicht weniger in der Gegenwart, wenn es um die Probleme multikultureller Gesellschaften, um Fragen der kulturellen Diversität oder die große Aufgabe der ↑Integration geht. In welchem Maße der E. dies gelingt, soll zunächst offenbleiben.

Jedoch ist es eine unumstrittene Leistung ethnologischer Forschung, alternative Modelle des Sozialen und von der eigenen ↑Gesellschaft abweichende Kulturformen anschaulich gemacht zu haben. Mit Clifford Geertz und gegen den durch die ↑Globalisierung beschleunigten Trend kultureller Homogenisierung ist es heute die wichtigste Aufgabe der E., zu zeigen, wie Menschen verschiedene kulturelle Lebensformen und Wertordnungen angenommen haben und in welchem Maße solche sich immer wieder durchsetzenden Differenzen ein konstitutiver Teil der *conditio humana* sind.

Obgleich sich die E. heute in einer fundamentalen Umbruchsituation befindet, in der viele Theorien der früheren Phasen einer kritischen Revision unterworfen wurden, erfährt sie doch in den letzten Jahrzehnten eine positive Resonanz im Spektrum der geisteswissenschaftlichen Fächer und insb. im Kontext der Entwicklung eines neuen Konzepts der ↑„Kulturwissenschaft".

1. Herkunft und Zugänge
Schon lange vor der Entstehung der E. waren Gegenbilder zur eigenen ↑Gesellschaft eine starke Motivation, sich mit außereuropäischen Kulturen (↑Kultur) zu befassen. Angefangen mit Charles-Louis de Montesquieu sind die auf der Beobachtung sozialer und kultureller Verhältnisse an „fremden" Orten beruhenden, sog.en *Lettres Persanes* zu einem populären literarischen Genre aufgestiegen. Basierend auf dieser Praxis, zu der auch die Erziehungsromane von Jean-Jacques Rousseau gehören, kann man der E. eine „Geburt aus der Kritik" zuschreiben. Tatsächlich ist die Kritik an der eigenen und vertrauten Gesellschaft bis heute ein wichtiges Merkmal dieser Disziplin.

Allerdings gehört im 19. Jh. zur Entstehung des Faches noch ein weiteres Motiv, das erst in der Folge des erfolgreichen Kampfs um die Abschaffung der ↑Sklaverei eine überzeugte Anhängerschaft fand. Dabei ging

es um die Idee gleicher Rechte von Menschen, unabhängig von ihrer kulturellen Zugehörigkeit oder Rasse (↑Menschenrechte). Die *Ethnological Society of London* wurde im Jahr 1843 von ehemaligen Aktivisten der Abolition gegründet und machte sich zum Ziel, für die Rechte der australischen Aborigines einzutreten sowie für weitere verfolgte Gruppen.

Die Überzeugungskraft des durch Berichte über andere Kulturen vorgehaltenen Spiegels, die aufklärerische Idee der einheitlichen biologischen Grundlagen und die Vorstellung, durch Wissen über Kulturen die Rechte der Angehörigen dieser Kulturen geltend machen zu können, sind die erste Grundlage der E. Damit ist ein historischer Zeitraum vor und um 1850 umschrieben. Damals war E. noch eine Sache gebildeter Dilettanten. Der Weg zur Professionalisierung der Disziplin führte in den darauffolgenden Jahrzehnten über die Anbindung an damals als etabliert und innovativ geltende Fächer, insb. an Biologie und Geschichtswissenschaften (↑Geschichtswissenschaft).

Die Etablierung in der zweiten Hälfte des 19. Jh. war auch mit der Entfaltung von Aktivitäten verbunden, die heute als Praxisfelder bezeichnet würden: Es ging um die koloniale Besitzergreifung weiter Teile der Welt und deren imperiale Einverleibung in die europäischen Machtsphären (↑Imperialismus). ↑Wissenschaft spielte dafür eine große Rolle. Wissen über die als „Kolonien" klassifizierten Länder wurde u. a. auch von Ethnologen beigetragen. Reisende, die sich z. T. selbst als „Völkerkundler" bezeichneten, verfassten Berichte über die in den Kolonien vorgefundene Kolonien, zeichneten sog.e „Völkerkarten" und dokumentierten die lokalen Sprachen dieser Länder. Solche praktischen Tätigkeiten waren wesentlich für die koloniale Administration der Territorien, zugl. formten sie die im Entstehen begriffene E. Mit einigem Recht kann daher das Fach als „Zwitter aus Exotismus und Kolonialismus" bezeichnet werden (Asad 1973).

2. Konzepte des späten 19. Jh.
Das 19. Jh. war sowohl von der schockierenden Erfahrung raschen kulturellen und sozialen Wandels als auch vom starken Eindruck einer überwältigenden ↑Diversität der Kulturen (↑Kultur) bestimmt. Die E. machte es sich vor diesem Hintergrund zur Aufgabe, nach Theorien zu fragen, die eine große Zahl einzelner Kulturen in eine übergreifende Ordnung fassen könnten. Ein solches Paradigma sollte erklären, in welcher Verbindung die auf den ersten Blick ganz unterschiedlichen Kulturen zueinander stehen. Die ersten großen Theorien waren Versuche der Vereinheitlichung. Zugl. sind sie als Entlehnungen der damals dominierenden und bes. dynamischen Disziplinen aufzufassen, insb. aus der Biologie und der Geschichte (↑Geschichtswissenschaft).

So konnte der Streit um den relativen Platz einzelner Kulturen in einem übergreifenden System in Großbritannien nur durch den Rückgriff auf die Evolutionstheorie überwunden werden. Erst nach der Veröffentlichung von Charles Darwins Abstammungslehre fanden ethnologische Autoren wie Edward Tylor und Herbert Spencer mit ihrer Idee der Entwicklung der Kulturen Anerkennung. Sie unterschieden zwischen „primitiven" und „entwickelten" Kulturen und setzen die britische Gesellschaft an die Spitze ihres Systems.

Das Prinzip der Ungleichzeitigkeit der Gegenwart passte hervorragend in mehrere dominante Ideologien (↑Ideologie) jener Zeit. Zum einen fügte es sich in den universalen Erklärungsanspruch der ↑Evolution, die über die Frage der Entstehung ausgeweitet wurde zum Prinzip des *survival of the fittest*. Zum zweiten legitimierte die Theorie der Entwicklung der Kulturen den Überlegenheitsanspruch der britischen Imperialisten (↑Imperialismus), die in der Besetzung der Territorien „rückständiger" Völker eine logische Folge ihrer Position an der Spitze der Evolution sahen. Zum dritten fügte sich die Theorie zur selbst definierten Mission des kolonialen Projektes: Es ging darum, jene Völker zu „zivilisieren", ihnen die europäischen Regeln und Werte bis hin zur Assimilation zu vermitteln. Gerade für die dritte Aufgabe (= *white man's burden*) boten sich die Ethnologen in der ersten Hälfte des 20. Jh. immer wieder an. Sie erklärten sich zu Experten des Kulturwandels und versprachen Widerstand gegen die koloniale Herrschaft durch Wissen über die Strukturen in den unterworfenen Gesellschaften zu überwinden.

Auch die alternative Theorie, die in der zweiten Hälfte des 19. Jh. vorwiegend in den deutschsprachigen Ländern entwickelte wurde und einen Zusammenhang der verschiedenen Kulturen auf der Grundlage des historischen Prozesses der Diffusion von Kulturmerkmalen unterstellte, stellt wenigstens implizit eine affirmative Position gegenüber dem ↑Kolonialismus dar. Die von Ethnologen wie Adolf Bastian, Leo Frobenius und Wilhelm Schmidt vertretene Lehre basiert trotz inhaltlicher Differenzen auf einer weitgehend übereinstimmenden Vorgehensweise. Die genannten Ethnologen sahen, ähnlich wie in der Evolutionslehre, in den anderen Kulturen Spuren früherer Kulturformen in der Gegenwart. Aus der Analyse der kulturellen Phänomene identifizierten sie sog.e Kulturkomplexe, die als Zeugnisse alter, längst untergegangener Kulturen aufgefasst wurden. Kulturelle Differenz, so die kulturhistorische Theorie, entsteht durch weltweite Diffusion, Überlagerung und Vermischung einer kleinen Zahl vorgeschichtlicher „Urkulturen". Auch wenn diese Theorie implizit vom Entwicklungsgedanken geprägt war, stand im Fokus der Forschung der Kulturwandel als historischer Prozess kultureller Begegnungen, die oftmals mit der Dominanz der einen und dem Untergang der anderen einhergehen. Deshalb waren auch Ethnologen wie L. Frobenius davon überzeugt, dass die Gesellschaften in den Kolonien entweder zur Anpassung an die westliche ↑Moderne oder zum Untergang verurteilt seien.

Evolutionismus und Diffusionismus, beide mit Anlehen aus der Biologie bzw. der ↑Geschichtswissenschaft,

haben den Schritt hin zur Etablierung der E. als akademisches Fach unterstützt. Ihre Laboratorien waren die Museen für Völkerkunde, in denen man die handwerklichen Erzeugnisse anderer Gesellschaften als deren „materielle Kultur" zusammentrug. Dies geschah in der Erwartung, durch das Nebeneinanderstellen der Dinge für die zugehörige Gesellschaft eine Evidenz, entweder im Hinblick auf dessen Entwicklungsstufe oder für die Zugehörigkeit zu einem Kulturkomplex, zu finden. Wichtige Proponenten dieser Generation der Theoriebildung, wie E. Tylor und L. Frobenius, gingen den Weg von der Museumstätigkeit (↑Museum) zur Universität und bereiteten somit, lange vor der Etablierung ethnologischer Institute, den Weg für die volle akademische Verankerung.

3. Theorien des frühen 20. Jh.

Es sollte der zweiten Generation von Ethnologen vorbehalten bleiben, die volle Anerkennung durch akademische Institute und Professuren zu erhalten. Noch wichtiger war jedoch in den Jahren ab 1920 ihr Kampf um die Überwindung der evolutionären Theorien (↑Evolution) und damit auch das Abschütteln der eher starren Vorstellung von kultureller Differenz als Spiegelung des Vergangenen oder der „Rückständigkeit". Während die großen Theorien des ausgehenden 19. Jh. ein globales Modell kultureller Unterschiede vertraten, fokussierten sich die Konzepte des 20. Jh. auf die Mikroperspektive und beschrieben vorrangig Differenzen zwischen Gruppen (↑Gruppe) innerhalb der einzelnen Gesellschaften oder auf regionaler Ebene. Mit der weltweiten Durchsetzung der kolonialen Ordnung (↑Kolonialismus), besseren Reisemöglichkeiten und dem Ende der kartografischen Erschließung wurde es für Ethnologen einfacher, sich unmittelbar zu den Gesellschaften zu begeben, sich dort länger aufzuhalten und dabei Alltag und Feste der untersuchten Kulturen (↑Kultur) selbst zu dokumentieren. Die sog.e ethnografische Feldforschung wurde damit zum Standard; die Museen verloren im gleichen Zeitraum weitgehend ihre Bedeutung als Orte der ethnologischen Forschung.

Wenigstens für Großbritannien ist zudem die Theorieentwicklung eng an die Idee gebunden, durch Beschreibung und Analyse von Kulturen zur Durchsetzung der Kolonialmacht beizutragen. Bronislaw Malinowskis Theorie des Funktionalismus unterstellt, jedes Element einer ↑Gesellschaft, von ihm als ↑„Institution" bezeichnet, habe eine funktionale Rolle, die zum Fortbestehen der Gesellschaft insgesamt beiträgt. So wie die gesellschaftliche Definition von „Vater" und „Mutter" essentiell für den Erfolg der Reproduktion ist, so kann die Einrichtung eines Häuptlingstums dazu beitragen, Konflikte innerhalb lokaler Gemeinschaften zu überwinden. Gartenbau, Kriegsführung, Heilung durch Rituale, alle diese Aspekte beschreibt B. Malinowski als Teile eines „funktionierenden Ganzen", das auf den Fortbestand der Gesellschaft abzielt.

Dieses funktionale Modell der Gesellschaft brachte eine wichtige Entwicklung des Faches mit sich: Es ging nun nicht mehr um die Klassifizierung ganzer Kulturen in ein globales Schema, sondern um die genaue Untersuchung sozialer Rollen (↑Soziale Rolle), gesellschaftlicher Einrichtungen, von all dem, was B. Malinowski als „Institution" bezeichnete. Neben diesen Leistungen sind natürlich auch Probleme dieser Theorie zu benennen: So legte B. Malinowski selbst niemals Rechnung darüber ab, wie sehr seine Betrachtung einer ↑Kultur von den kolonialen Rahmenbedingungen abhing. Er machte sich auch nicht klar, dass seine Forderung im Grunde eine unhaltbare Vereinfachung des Modells von Kultur beschrieb. Historischer Wandel, innere politische Konflikte und Auseinandersetzungen um Werturteile (↑Werturteil) wurden nicht berücksichtigt, was Gesellschaften als stabil, vielleicht sogar starr, erscheinen lässt.

Schon sehr bald machte sich sein schärfster Kontrahent, der französische Ethnologe Claude Lévi-Strauss, über die problematischen Verkürzungen lustig, die dem Funktionalismus zugrunde lag. Dass es in jeder Gesellschaft funktionierende Institutionen gebe, sei eine so völlig banale Feststellung, dass man dafür keiner Theorie bedürfe. Dass aber alle Institutionen einer Gesellschaft eine Funktion haben müssten, das sei, so C. Lévi-Strauss, eine völlig unhaltbare Annahme, da es in jeder Gesellschaft funktionslos gewordene, oft sogar unverstandene „Überreste" gebe.

C. Lévi-Strauss entwickelte seinerseits wenig später, in den 1940er Jahren die Theorie des ↑Strukturalismus, die sich v. a. mit der Logik gesellschaftlicher Ordnung und der zugehörigen Denkweise befasst. Aufbauend auf die Einsichten der strukturalen Linguistik und deren Idee von bedeutungstragenden Minimalunterscheidungen zeigte C. Lévi-Strauss, dass es auch im Feld kultureller Phänomene „Minimalpaare" gibt. Der Strukturalismus basiert mithin auf kleinsten bedeutungsrelevanten Unterscheidungen, aus denen sich die Struktur einer Kultur insgesamt entwickeln lässt. Ein überzeugendes Beispiel dafür ist der Totemismus: Nach C. Lévi-Strauss stellt diese Glaubensform nichts anderes dar als ein binäres System von arbiträren Unterscheidungen. Wesentlich ist die sich aus der Unterscheidung ergebende duale Ordnung. Sie kann durch sekundäre Differenzierungen zu vier, acht oder 16 Totemgruppen in einer Gesellschaft führen. Ähnlich erklärt er die Ordnung der Verwandtschaft: Hier handelt es sich um Austauschbeziehungen zwischen zwei Gruppen. Im Bereich der Mythologie hat C. Lévi-Strauss reiche strukturale Ordnungen gefunden und in sehr vielen Beispielen die Existenz der Minimalpaare nachgewiesen.

Zu den Leistungen dieser Theorie gehört das Potential, kulturelle Grenzen (↑Grenze) zu überwinden. Die Denkarbeit des menschlichen Geistes ist im Grundsatz überall gleich, unabhängig davon, zu welcher Gesellschaft ein ↑Individuum zuzurechnen ist. Mythen können gleichzeitig in verschiedenen Kulturen auftreten und auf gleichartigen binären Unterscheidungen beruhen. Nicht die alltägliche Einbettung des ↑Mythos sondern sein Auftreten und seine Verbreitung sind dabei von Bedeutung.

C. Lévi-Strauss hat selbst keine umfangreiche Feldforschung durchgeführt und fand dies auch nicht erforderlich für eine strukturale Analyse von Kulturen. Dies ist eine Schwäche des Strukturalismus: Er betrachtet kaum das alltägliche Geschehen. Die Pragmatik einer lebensweltlichen Perspektive findet hier nur geringe Beachtung, die Regeln sind hingegen umso bedeutender. Sicherlich gibt es keine Kultur ohne Regeln und ohne Zweifel sind Regeln und Normen (↑Norm) von bes.r Bedeutung für die kulturelle ↑Identität. Dennoch kennen Kulturen auch eine pragmatische Seite, die Improvisation zulässt und Normen relativiert.

Funktionalismus und Strukturalismus sind die wichtigsten ethnologischen Theorien der ersten Hälfte des 20. Jh. und sie sind enger miteinander verbunden als es die skizzenhafte Darstellung vermuten lässt. Einiges wurde angedeutet: So interessieren sich beide Theorien mehr für die Binnendifferenzierung von Kulturen. Beide Theorien beruhen auf einer methodologischen Weiterentwicklung, die eine nähere Kenntnis der untersuchten Kulturen zum Ausgangspunkt nimmt. Allerdings ist auch kritisch zu betonen, dass in beiden Theorien historische Veränderungen vernachlässigt werden. Ein Wandel der untersuchten Kulturen wird nur als Störung des Befundes, nicht aber als notwendiger Bestandteil aller lebensfähigen Gesellschaften gesehen.

Unerwähnt blieb bislang die wichtigste gemeinsame Leistung dieser Theorien: Sie bedeuten einen definitiven Abschied von den globalen Ordnungen der Kulturen sowie von evolutionären Modellen. Die Autonomie der E. zeigt sich im Zeithorizont dieser Theorien nicht nur in der akademischen Etablierung an zahlreichen Universitäten Europas, sondern noch deutlicher in der Emanzipation von fachfremden Leitbildern, z. B. aus der Biologie. Mit diesen Theorien hat die E. einen eigenen theoretischen Rahmen gefunden.

4. Neuere Theorien und Methodenentwicklung

Zur Erfolgsgeschichte der E. im 20. Jh. ließe sich noch vieles beitragen. Im Folgenden sei beispielhaft nur die Rolle des Faches für die Erforschung der kulturellen Globalisierung erwähnt. Früher als andere Kulturwissenschaftler haben Ethnologen erkannt, in welchem Ausmaß jede ↑Kultur weltweit von globalen Einflüssen erfasst wird. Die neuen Beobachtungen von Ethnologen wie Arjun Appadurai und Ulf Hannerz beziehen sich auf den an vielen Orten dokumentierten Widerstand gegen die Faktoren, die kulturelle Differenzen infrage stellen oder gar auslöschen. Schon seit Mitte der 1980er Jahre haben die genannten Ethnologen neue Kulturtheorien der Globalisierung vorgelegt, die sich wesentlich mit den neuen Formen der Vermischung sowie der Abgrenzung zwischen globalen Kulturphänomenen und lokalen Kulturen auseinandersetzen.

Auch wenn die ethnologische Beschäftigung mit den kulturellen Folgen der ↗Globalisierung nur eines von zahlreichen Arbeitsgebieten der Gegenwart darstellt, so ist es doch möglich, darauf aufbauend ein neues Selbstverständnis der E. zu erläutern. War die erste Phase (vor 1900) darauf ausgerichtet, eine globale Ordnung der Kulturen herauszuarbeiten, so wurden in der zweiten Phase (1900–50) eher lokale Bezüge und Differenzierungen auf der Ebene von Gruppen (↗Gruppe) innerhalb der Kulturen in den Vordergrund gestellt. Mit der Globalisierungsforschung zeigt die dritte Phase wieder ein größeres Interesse an weltweiten Bezügen, ohne jedoch dabei die Kulturentwicklung auf der Mikroebene zu vernachlässigen. Die dritte Phase ermöglicht mithin eine Synthese aus den beiden früheren Phasen. Sie verlangt nach der Synthese der globalen und lokalen Ebene in der Betrachtung von Kultur und ↗Gesellschaft.

Etwas zugespitzt lässt sich sagen, dass räumliche Bezüge nun sehr viel schwieriger zu bestimmen sind. Es geht nicht mehr darum, „Völkerkarten" zu zeichnen und es ist auch nicht mehr von Interesse, das Funktionieren von „Institutionen" (↗„Institution") innerhalb einer einzelnen Gesellschaft darzulegen. Heute suchen Ethnologen nach den Verbindungen zwischen kulturellen Phänomenen, die einerseits lokale Gruppen betreffen, andererseits auf globale Phänomene verweisen.

Nicht viel anders verhält es sich mit einem weiteren aktuell wichtiger werdenden Thema, den neuen Religionsformen (↗Religion). Solche neuen Phänomene religiösen Ausdrucks wurden von Ethnologen als Resultat der Interaktion von globalen Religionen und lokalen Transformationen beschrieben. Die Verbindung von lokalen Ausdrucksformen und globalen Bezügen ist auch hier zentral, ohne jedoch kulturelle Differenzen zu negieren.

5. Aktuelle Probleme

Im letzten Abschnitt wurde Globalisierungsforschung exemplarisch als neue Phase der E. geschildert. Diese hat damit einen paradigmatischen Wandel durchgemacht. Nachdem in einem frühen Stadium die weltweite Ordnung der Kulturen im Vordergrund stand und in der darauffolgenden Periode das Lokale den Rahmen des Erkenntnisinteresses darstellte, verbindet sich in der Gegenwart Lokales mit Globalem. Beide Ebenen stehen der ethnologischen Auffassung zufolge in Verbindung miteinander, was wechselseitige Beeinflussung aber auch Gegensätzlichkeit miteinschließt. Die bes. Berücksichtigung von Effekten, die zwischen den unterschiedlichen Ebenen entstehen, gehört zu den Stärken der E. und hat ihr eine gewisse Anerkennung eingebracht. Dies gilt insb. im Hinblick auf methodische Fragen, die mehr auf qualitative Daten zielen und die Verflechtungen von Kulturen betrachten.

Aber mit der Auflösung einer klaren räumlichen Einbettung des Untersuchungsgegenstands sind auch neue Probleme für die ethnologische Arbeit entstanden. Dabei geht es zunächst einmal um methodologische Herausforderungen: Wie ist es möglich, einen empirischen Rahmen zu definieren, wenn der Ethnologe zunächst nicht weiß, welche Ausstrahlung möglichweise zunächst als „weit entfernt" aufgefasste Kulturphänomene haben? Wie kann man, im Sinne der interpretativen E. nach C. Geertz, eine hinreichend „dichte Beschreibung" generieren, wenn nicht klar ist, in welchen Bereichen und zwischen welchen Personen ein dichtes Muster der Verflechtungen existiert?

Die methodischen und forschungspraktischen Probleme der „Enträumlichung" sind aber nur ein Teil der aktuellen Fragen an die E. Eine weitere Dimension betrifft die Bestimmung des Konzepts der Kultur. Während in einer frühen Phase die Dokumentation „lokaler Kulturen" als Leitmotiv ethnologischen Arbeitens gelten konnte, herrscht hier eine neue Unsicherheit. Im Kontext der ↗Globalisierung hat eine ↗Kultur keine räumliche ↗Grenze mehr, dennoch gibt es kulturelle Diversität. Inwiefern ist es im Lichte dieser präzisierenden Aussagen überhaupt noch möglich eine Kultur als „Einheit" zu beschreiben? Ethnologen haben den Ausweg gewählt, nicht mehr von Kulturen, sondern eher nur von Akteuren zu berichten. Jeder einzelne Akteur, genauso wie Gruppen (↗Gruppe) können mehrere Kulturen (mit unterschiedlicher Intensität) zugehören; der Begriff der „Bindestrich-Identität" hat in diesem Kontext einige Anerkennung erlangt. Zudem erscheint es sinnvoll, bestimmte Themen an mehreren Orten zu untersuchen, also mobile Forschung zu betreiben. Allerdings geht mit dieser Ausrichtung die Betrachtung von Kulturen als Strukturen oder gar als strukturelle Zwänge verloren. Hier steht die E. vor der Aufgabe einen neuen, mittleren Weg zu definieren, die ihr Erkenntnisinteresse gleichermaßen auf die kulturellen Verbindungen wie auf die Zwänge ausrichtet.

Schließlich führt drittens das neue, auf Verbindungen hin ausgerichtete Paradigma zu Fragen an die eigene Fachgeschichte. Sicherlich ist es für die Einwicklung der E. sinnvoll, neue Prioritäten anzuerkennen. Andererseits entsteht dadurch die Herausforderung, den Wert früherer ethnologischer Arbeiten neu zu bestimmen. Manche Ethnologen haben in den 1980er Jahren die Bedeutung von Ethnographie radikal infrage gestellt und sämtliche frühere empirische Arbeiten zurückgewiesen. Dies geschah u. a. mit der Begründung, dass die früheren Studien die räumliche Begrenzung von Kulturen zu hoch bewertet hätten. Fraglos ist einzuräumen, dass gerade viele theoretische Arbeiten aus der ersten Hälfte des Jh. heute als einseitig oder gar vorbelastet kritisiert werden müssen. Aber sollte nicht das heute verfügbare Spektrum an Methoden als eine Fortentwicklung früherer Methoden gelten? Muss nicht die Anerkennung von zwei in der Gegenwart außerordentlich wichtigen Begriffen, nämlich „Kultur" und ↗„Identität" als eine Bestätigung früherer ethnologischer Arbeit gesehen werden?

E. ist ein im raschen Wandel begriffenes Fach, das mit guten Gründen neue Paradigmata entwickelt hat. Die Wandelbarkeit ist ein Zeichen der Lebendigkeit des Faches; die Erschließung neuer Themen hat der ethnologischen Forschung in vielen sozial- und kultwissenschaftlichen Feldern den Ruf einer willkommenen oder gar als notwendig erachteten Ergänzung gebracht. Zugl. hat jedoch die im Fach noch nicht wirklich bearbeitete Neudefinition von Begriffen und Methoden eine Verunsicherung verursacht. Die Zukunft der E. ist deshalb eng mit der Frage verbunden, ob es gelingen wird, die fachliche Basis wieder auf einen breiten Konsens zu stellen und Begriffe zu finden, die den neu angenommenen Forschungsparadigmata gerecht werden.

Literatur

H. P. Hahn: Ethnologie. Eine Einführung, 2013 • A. D. King: Functionalism and Structuralism, in: I. C. Jarvie (Hg.): The Sage Handbook of the Philosophy of Social Sciences, 2011, 431–444 • H. P. Hahn: Diffusionism, Appropriation, and Globalization, in: Anthropos 103/1 (2008), 191–202 • M. Fischer/P. Bolz/S. Kamel (Hg.): Adolf Bastian and his Universal Archive of Humanity. The Origins of German Anthropology, 2007 • A. L. Tsing (Hg.): Friction. An Ethnography of Global Connection, 2005 • A. Appadurai: Modernity at Large. Cultural Dimensions of Globalization, 1996 • G. E. Marcus: Ethnography in/of the World System: The Emergence of Multi-Sited Ethnography, in: Annual Review of Anthropology, Vol. 24, 1995, 95–117 • D. Miller: Consumption and Commodities, in: Annual Review of Anthropology, Vol. 24, 1995, 141–161 • U. Hannerz: Culture between Center and Periphery. Toward a Macroanthropology, in: Ethnos 54/3–4 (1989), 200–216 • J. Clifford/G. E. Marcus (Hg.): Writing Culture: the Poetics and Politics of Ethnography, 1986 • C. Geertz: Dichte Beschreibung. Bemerkungen zu einer deutenden Theorie von Kultur, in: C. Geertz (Hg.): Dichte Beschreibung, 1983, 7–43 • K.-H. Kohl: Entzauberter Blick. Das Bild vom Guten Wilden und die Erfahrung der Zivilisation, 1981 • T. Asad (Hg.): Anthropology and the Colonial Encounter, 1973 • C. Lévi-Strauss: Rasse und Geschichte, 1972 • G. W. Stocking: What's in a Name? The Origins of the Royal Anthropological Institute (1837–71), in: MAN N. S. 6/3 (1971), 369–390 • B. Malinowski: Eine wissenschaftliche Theorie der Kultur, 1949.   HANS PETER HAHN

Eugenik

E. ist die Lehre von „guten Genen" der Erbhygiene oder Erbgesundheit. Ihre Strategien sind

a) negativ-präventiv (Fortpflanzungsverbote) oder

b) positiv-gestaltend (die Förderung von Genkombinationen mit erwünschten Merkmalen).

Vor dem Hintergrund von Charles Darwins Evolutionstheorie (↑Evolution) und Gregor Mendels Theorie der Vererbung von Merkmalen, die beide davon ausgehen, dass sich biologische Arten verändern, war und ist die E. von Anfang an eng mit weltanschaulichem Streit verbunden. Im Kampf um kulturelle und gesell-schaftliche Anerkennung ist sie im 19. und 20. Jh. häufig entweder als Heilslehre propagiert und als ↑Ideologie bekämpft worden.

1. Der weitere weltanschauliche Hintergrund: Sozial-Darwinismus und Galtons Intelligenzforschung

Der Begriff der E. geht zurück auf Francis Galton: „Eugenics is the science which deals with all influences that improve and develop the inborn qualities of a race" (Galton 1904: 82). Züchtungsforschung, Familiengeschichten und eine statistische Betrachtung von Vererbung führten F. Galton zu eher vorsichtigen Aussagen über die Verbesserung von Vitalwerten, Gesundheit und Intelligenz. E. baut auf dem ↑Sozialdarwinismus auf. Herbert Spencer begründet letzteren als Lehre von der Konkurrenz um Ressourcen, die Höherentwicklung garantieren soll. Angeleitet von Thomas Malthus' Bevölkerungsgesetz (↑Malthusianismus), demzufolge Zivilisationsentwicklung unausweichlich mit einer Knappheit an Nahrung einhergeht, und C. Darwins Konzeption der Selektion, die sich in dem Bild von der Natur als Züchterin zusammenfassen lässt, macht H. Spencer aus der Selektion eine quasimoralische Instanz, indem er ↑Evolution als eine Art Zuchtmeisterin des menschlichen Charakters und Sozialverhaltens versteht. Der moderne ↑Sozialstaat führe zur Degeneration der Gattung. Daher müsse sich der Mensch als Individuum in seinen Glücksvorstellungen dem Gattungswohl unterwerfen.

2. Rassentheorie, Rassenhygiene, die Idee des Germanentums, völkische Ideologien und das NS-Euthanasie-Programm

Die Begründer der deutschen E. waren Alfred Ploetz und Wilhelm Schallmayer. Bei A. Ploetz verbindet sich die Gesundheit der Rasse mit sozialdarwinistischem Gedankengut (↑Sozialdarwinismus): „Rassenhygiene" zielt darauf ab, die schwachen Nachkommen „auszujäten" (Ploetz 1895: 143), ebenso aber auch auf Maßnahmen im Sinne der positiven E. Letztere hatten keinen Erfolg, auch nicht in den NS-Bemühungen (↑Nationalsozialismus) um den „Lebensborn" als Züchtungsanstalt. Für W. Schallmayer führt die ↑Kultur zur Einschränkung der natürlichen Auslese. Die Medizin schützt Geisteskranke und moderne Kriege sind kein Mittel der Selektion. Gerade die unteren Bevölkerungsschichten pflanzen sich überproportional fort. Ludwig Woltmann hält Inzucht und Hochzucht für Mittel gegen die Degeneration der Bevölkerung und bewertet diese als medizinische Eingriffe. Die germanische Rasse sei durch Mischung geg. gefährdet. Für L. Woltmann gibt es keine angeborenen ↑Menschenrechte, er betont die kulturellen Wertunterschiede. Die Verknüpfung von Sozialdarwinismus und Rassentheorien beginnt mit Arthur Gobineau und seinem Werk „Ursprünge einer weltanschaulichen Rassentheorie" (1935). Er propagiert die Wertschätzung der Germanen und formuliert den

Begriff des Ariers. A. Ploetz versteht „Rassenhygiene" als „wissenschaftliche" Weltanschauung (Vogt 1997: 260–306). Die Gründe für die Durchführung des NS-Euthanasieprogramms (↑Euthanasie) waren eher (kriegs-)ökonomischer als rassenhygienischer Art. Das vorgeschlagene Instrumentarium variierte von Autor zu Autor, es umfasste u. a. erbbiologische Eheberatung, Ehegesundheitszeugnisse, Reproduktionsverzicht, Heiratsverbot, freiwillige oder zwangsweise ↑Sterilisation. Positive E. umfasste gezielte Förderung der Fortpflanzung der als hochwertig Geltenden über ein Spektrum von Maßnahmen wie Steuererleichterungen, Belohnungen bis hin zur zugelassenen Polygynie und zu abenteuerlichen Utopien von Zuchtanstalten. Die Blutgruppenforschung sollte der Königsweg der erbbiologischen Rassenanthropologie sein, er erwies sich jedoch als falsch.

3. Pränatal- und Präimplantationsdiagnostik, Posthumanismus und Gentherapie als liberale Eugenik heute?

Die ↑Pränataldiagnostik (PND) und Präimplantationsdiagnostik (PID) beinhalten selektive Verfahren, die dem klassischen Schema der E. ähneln, auch wenn sie sich nicht gegen Eltern mit möglicherweise „defekten" Erbanlagen richtet, sondern gegen bestimmte Formen ihres Nachwuchses. Die PID wird von Eltern durchgeführt, um ein gesundes Kind zu bekommen, nicht um eugenisch zu selektieren. Sie wäre gegen behinderte Kinder gerichtet, wenn die PID für alle verpflichtend wäre. Dann könnte man von einer E. im klassischen Sinne sprechen. Eine allg.e genetische Verbesserung zur Vermeidung von Krankheiten erscheint nicht generell als unerlaubt. E. wäre dann als eine ethisch unzulässige Instrumentalisierung des Kindes zu werten, wenn Eltern das Kind ausschließlich als technisches Produkt betrachten und seine Perfektion Voraussetzung dafür wäre, dass es geliebt wird. Gentechnisch neu designte Menschen (↑Humangenetik), die die Grenzen unserer Art sprengen, dürften nicht leicht zu erzeugen sein. Die interessantesten Merkmale für eine solche Transformation werden oft polygen vererbt. Bei Krankheitsvermeidung würde es sich um positive, liberale E. handeln.

Enhancement, die technische Verbesserung normaler Eigenschaften des gesunden Menschen wie insb. Intelligenz (durch Neurochips oder mithilfe von Gentherapie), führt gelegentlich zu Visionen eines ↑Transhumanismus oder von Cyborgs (Mischwesen aus Organismus und Maschine). Vermischt mit Vorstellungen von künstlicher Intelligenz erhält hier altes eugenisches Gedankengut eine neue Fassade. Die molekularbiologische Forschung der letzten 25 Jahre hat aber sehr deutlich gemacht, dass genetischer Determinismus wie Rassentheorien beim Menschen Ideologien (↑Ideologie) ohne naturwissenschaftliche Basis sind. Epigenetik, also die Erforschung der komplexen Vorgänge bei der Aktivierung genetischer Information, hat Vorstellungen von Vererbung von Merkmalen entscheidend verändert und die Hoffnungen auf Möglichkeiten einer positiven E. stark erschüttert. Zudem können Tötungsmaßnahmen im Sinne der negativen E. aus sittlichen Gründen nicht akzeptiert werden und sind im vorgeburtlichen Bereich zumindest problematisch.

Literatur

B. Irrgang: Posthumanes Menschsein, 2005 • B. Irrgang, Humangenetik auf dem Weg in eine neue Eugenik von unten?, 2002 • J. Habermas: Die Zukunft der menschlichen Natur; 2001 • M. Vogt: Sozialdarwinismus, 1997 • P. Weingart, J. Groll, K. Bayertz (Hg.): Rasse, Blut und Gene, ²1996 • L. Woltmann: Politische Anthropologie, 1936 • A. Gobineau: Die Ungleichheit der Menschenrassen, 1935 • W. Schallmayer: Vererbung und Auslese, 1918 • F. Galton: Art. Eugenics: Its Definition, Scope and Aimes; in: Nature 70/1804 (1904, 82) • A. Ploetz: Grundlinie einer Rassenhygiene. 1. Teil: Die Tüchtigkeit unserer Rasse und der Schutz der Schwachen, 1895 • H. Spencer: A Theory of Population deduced from the General Law of Animal Fertility, in: Westminster Review 57 (1852), 468–501.   BERNHARD IRRGANG

Eurasische Wirtschaftsunion (EWU)

Die EWU wurde am 1.1.2015 von den früheren sowjetischen Unionsrepubliken Russland, Belarus, Kasachstan und Armenien gegründet. Kirgisistan trat ihr im August 2015 bei. Die EWU wird in Russland auch gerne „Eurasische Union" genannt. Dahinter steckt der Wunsch, sie nicht nur als regionales wirtschaftliches Integrationsprojekt, sondern auch als neues politisches Format für den Zusammenschluss der ehemaligen Sowjetrepubliken und mehr noch als Nukleus einer Integration Europas mit seinen eurasischen Nachbarn zur Geltung zu bringen. Wladimir Wladimirowitsch Putin stellte für seine dritte Präsidentschaft eine bes. dynamische und einzigartige Entwicklung der geplanten EWU in Aussicht. Zugl. versicherte er, keineswegs eine Wiederbelebung der Sowjetunion anzustreben. Vielmehr werde die EWU eine Brücke zur ↑EU schlagen und deshalb – so die lockende Botschaft – werde sie auch den Mitgliedern, die eine Integration in die EU anstreben, zum Vorteil gereichen. Diese Visionen einer zwei Kontinente übergreifenden Union kommen freilich mit der politischen und ökonomischen Realität nicht zur Deckung. Noch präsentiert sich die EWU sowohl hinsichtlich ihrer inneren Ausgestaltung als auch hinsichtlich potentieller Mitglieder als eine bescheidene Rumpfgemeinschaft.

Die EWU ist aus der schon seit längerem bestehenden Zollunion hervorgegangen. Diese selbst durchlief einen holprigen Entstehungsprozess. Die Bildung einer Zollunion wurde bereits 1995 von Belarus, Kasachstan und Russland beschlossen. 1996 trat Kirgisistan, 1999 Tadschikistan hinzu. Auf dem Gipfel in Minsk 2001 wurde diese Zollunion in die EWU umgebildet. 2003 gründeten die Initiatoren der Zollunion einen Einheitlichen Wirtschaftsraum zwischen Russland, der Ukraine, Belarus und Kasachstan. 2006 wandte sich die Ukraine davon wieder ab. Das Projekt des Einheitlichen Wirtschaftsraumes blieb daher auf die drei Gründerstaaten der Zollunion begrenzt. Diese trat 2010 in Kraft. Zugl. nahm die Zollunionskommission als erstes supranationales Organ ihre Tätigkeit auf. Sie wurde 2012 durch die Eurasische Wirtschaftskommission ersetzt und ging zusammen mit dem Eurasischen Wirtschaftsraum in der EWU auf.

Die EWU stellt zunächst nur auf eine Vereinheitlichung des Außenhandels ab. Auf der Agenda stehen ein gemeinsamer Außentarif, die Abschaffung interner Zollkontrollen und die Übertragung der Entscheidungskompetenz in Zollfragen an die erwähnte supranationale Eurasische Wirtschaftskommission. Ein eigener Acquis soll für einheitliche Normen in vielen Bereichen sorgen. Die Freizügigkeit für Arbeitnehmer und Kapital bleibt noch eingeschränkt. Von ihrer territorialen Größe her stellt sich die EWU schon jetzt als ein beeindruckendes Projekt dar. Die drei Gründerstaaten decken auch ohne die Ukraine drei Viertel des postsowjetischen Raums ab. Sie bieten einen gemeinsamen Markt für 175 Mio. Menschen. Allerdings bringen die Mitgliedstaaten widerstreitende Interessen ein. Während für Kasachstan wie für Belarus die Wirtschaft im Vordergrund steht, geht es für Russland in erster Linie darum, mit Hilfe der Union den eigenen nationalen Anspruch auf die Rolle als regionale Vormacht und als weltpolitischer Spieler zu unterstreichen. Schon jetzt herrschen asymmetrische Machtverhältnisse. Armenien, Belarus, Kasachstan und Kirgisistan kommen nur für 15 % des BIP auf, und sie stellen nur etwa 20 % der Bevölkerung in der Union. Russland dominiert in jeder anderen Hinsicht und finanziert fast 80 % des Integrationsprozesses. Andererseits profitiert es von der EWU durchaus auch wirtschaftlich. Der Export Russlands in die Länder der Zollunion ist kräftig gestiegen. Auch Belarus trägt wirtschaftlichen Nutzen davon, während Kasachstan eher als Verlierer erscheint. Für Armenien bildet die EWU die Grundlage des politischen Überlebens.

Für Russland ist die EWU sowohl ein Vehikel zur Betonung hegemonialer Ansprüche gegenüber ehemaligen Sowjetrepubliken als auch ein Meilenstein in dem schwierigen Prozess der eigenen Nationsbildung und der Suche nach einem angemessenen internationalen Standort. Nach dem Zerfall der UdSSR bot sich in dem ideologischen Vakuum des Landes der „Eurasianismus" als Strömung an, die ein neues nationales Selbstverständnis generieren konnte. Der „Eurasianismus" rezipiert Vorstellungen russischer Emigranten, die in den 20er Jahren Russlands Weg von einer einzigartigen europäisch/asiatischen Mischkultur und von einem symbiotischen Miteinander islamischer wie christlich orthodoxer Religion geprägt sahen. Unter Boris Nikolajewitsch Jelzin hatte der „Eurasianismus" nur vorüber-

gehend Interesse auf sich gezogen. Während V. V. Putins dritter Präsidentschaft ist diese schon tot geglaubte Raumideologie zu neuer Aktualität gelangt. Dies gilt sowohl für die politische Führung als auch für breite Kreise der Eliten. Zu den Protagonisten des „Eurasianismus" gehört der Philosoph Alexander Geljewitsch Dugin, der Eurasien als eine eigene Zivilisationsstruktur beschreibt, in der Russlands nationale Einzigartigkeit und seine Bestimmung als geopolitischer Pol in Asien wie in ↑Europa zum Ausdruck komme (↑Geopolitik). Großes Interesse zieht auch die in die gleiche Richtung gehende geopolitische Theorie Lew Nikolajewitsch Gumiljows auf sich. Als der kasachische Präsident Nursultan Äbischuly Nasarbajew bereits 1993 erstmals die Idee einer neuen „Eurasischen Gemeinschaft" zur Sprache brachte, bezog er sich ausdrücklich auf dessen Ideenlehre.

Das Projekt einer „Eurasischen Union" wird in den Mitgliedstaaten der EWU wie in westlichen Beiträgen kontrovers diskutiert. Während die Befürworter in diesem Integrationsprojekt die lange gesuchte Lösung von Russlands Identitätsproblem sehen, kritisieren die Gegner die Union als Ausdruck von Russlands neoimperialistischen und selbst expansionistischen Tendenzen. Nicht wenige Kommentatoren neigen jedoch zur Skepsis und meinen, die EWU erwarte das gleiche Schicksal des Abgleitens in die Bedeutungslosigkeit wie die ↑GUS.

Literatur
C. Clover: Black Wind, White Snow. The Rise of Russia's New Nationalism, 2016 • P. Dutkiewicz u. a. (Hg.): Eurasian Integration – The View from Within, 2015 • H. Adomeit: Integrationskonkurrenz EU – Russland, in: OE 62/6–8 (2012), 383–406.   MARGARETA MOMMSEN

Euro ↑Europäische Wirtschafts- und Währungsunion (EWWU)

Eurokrise

I. Wirtschaftlich – II. Politisch

I. Wirtschaftlich

Mit dem Delors-Plan von 1989 wurde die Währungsunion der Eurozone in drei Schritten realisiert und seitdem kontinuierlich erweitert. Seit 2010 geriet der Euro durch das Offenbarwerden von immensen Staatsdefiziten und der Existenzbedrohung unsolider ↑Banken in die ↑Krise, so dass seitdem zunächst verhalten und zunehmend massiver die Möglichkeit des Ausscheidens beteiligter Staaten diskutiert wurde. Diese Krise ist Thema der ↑Geldpolitik, der es um den Erhalt der wesentlichen Geldfunktionen (Tauschmittel, Maßeinheit, Wertaufbewahrungsmittel, Gradmesser für relative Preise) und damit um Preisstabilität innerhalb des Euroraumes geht. Sie fällt in den Kompetenzbereich der

↑EZB. Die Krise ist aber auch Thema der Fiskalpolitik, weil dauerhaft unsolide Staatshaushalte das Vertrauen in die ↑Währung nachhaltig schwächen.

1. Die geldpolitische Idee

Konvergenz, Preisstabilität und Autonomie sind die Grundideen der EWWU, die bei glaubwürdiger Umsetzung Vertrauen stiften sollen. Der 1992 ratifizierte Vertrag von Maastricht, der 2009 im Lissabon-Vertrag aufging, legte folgende *Konvergenzkriterien* für einen Beitritt zur Europäischen Währungsunion fest:

(1) Mindestens zwei Jahre muss das Land ohne Währungsabwertungen mit normalen Bandbreiten am Wechselkursverbund der Europäischen Währungsunion teilgenommen haben.

(2) Die Inflationsrate darf maximal 1,5 % über der Inflationsrate der drei Mitgliedsstaaten aus dem Verbund liegen, die den größten Erfolg in der Preisstabilität aufweisen.

(3) Der Zinssatz für langfristige öffentliche Anleihen darf maximal 2 % über dem entspr.en Zinssatz in den drei Mitgliedsstaaten aus dem Verbund liegen, die den größten Erfolg an Preisstabilität aufweisen.

(4) Die Verschuldung der öffentlichen Haushalte darf maximal 60 % des Bruttoinlandsproduktes betragen.

(5) Der Finanzierungssaldo der öffentlichen Haushalte darf maximal 3 % des Brutto-Inlands-Produktes betragen.

Bei Verstößen gegen die letzten beiden Kriterien hat der Ministerrat zu entscheiden, ob ein übermäßiges Haushaltsdefizit vorliegt und ob Sanktionen eingeleitet werden sollen. Art. 126 Abs. 1 AEUV fordert: „Die Mitgliedstaaten vermeiden übermäßige öffentliche Defizite." Art. 125 Abs. 1 AEUV schließt durch die „No-Bailout-Klausel" eine Gemeinschaftshaftung der Mitgliedstaaten ausdrücklich aus, auch wenn Art. 122 Abb 1 AEUV die ausnahmsweise Gewährung finanzieller Hilfen bei außergewöhnlichen Schwierigkeiten vorsieht. Der Stabilitäts- und Wachstumspakt als Teil des Amsterdamer Vertrages von 1997 standardisierte zur Lösung dieses Zielkonfliktes ein Verfahren, das die solidarische Hilfeleistung an subsidiär zu erbringende wirksame Maßnahmen zum Ziel eines nahezu ausgeglichenen öffentlichen Haushalts bindet.

Die EZB hat vertragsgemäß die alleinige Verantwortung für die europäische Geldpolitik. *Preisstabilität* ist ihr oberstes und unbedingtes Ziel, das sogar durch die in Art. 3 kodifizierten Zielgedanken solidarischer Hilfe der EU nicht relativiert werden darf (Art. 127 Abs. 1 AEUV). Die Steuerung der Geldpolitik darf nicht von politischen Interessen der Staaten beeinflusst werden. Das garantiert der Grundsatz der *Unabhängigkeit* (Art. 130 AEUV).

2. Grundlegende Probleme

Die Zentralisierung der Geldpolitik brachte zwangsläufig Risiken mit sich: „One size fits all" – die EZB-Geldpolitik trifft alle Euro-Länder gleichermaßen, ob sie sich gerade in einer Rezession oder im Boom befinden. Die Geldpolitik kann nicht mehr den nationalen Divergenzen und kulturellen Eigenheiten Rechnung tragen. Eine expansive Geldpolitik (etwa Ankurbelung der Investitionen durch niedrige ↑Zinsen) kann zwar dem von Rezession bedrohten Land helfen, während sie aber zeitgleich einem Land mit boomender Wirtschaft schadet. Die Zentralisierung hat zudem den Mitgliedstaaten die Möglichkeit genommen, durch Auf- oder Abwertungen ihrer Währungen die Wechselkurse der Wirtschaftskraft anzupassen.

Gegen Grundideen wurde systematisch verstoßen. Die Konvergenzkriterien waren von Anfang an aufgeweicht. Griechenland erfüllte keine der Bedingungen und wurde 2001 aufgrund geschönter Berechnungen als vollgültiges Mitglied aufgenommen. Italiens öffentliche Verschuldung mit 120 % des BIP wurde mit Rücksicht auf eine sich vermeintlich abzeichnende Entschuldungspolitik akzeptiert. Kompetenzen zwischen Geld- und Fiskalpolitik sind inzwischen grundlegend verwischt (Rettungsschirme, bedingungslose Garantien, Ankauf von ↑Staatsanleihen geringer Bonität durch die EZB), was Bundesbankpräsident Jens Weidmann ausdrücklich kritisierte: „Die Abwendung der Zahlungsunfähigkeit eines Mitgliedslandes oder die Stützung seines Finanzsystems ist aber gerade nicht Aufgabe der gemeinsamen Geldpolitik – sondern der Finanzpolitik" (Weidmann 2011: 20). Es setzte sich entgegen Art. 125 AEUV die Idee der Haftungsgemeinschaft durch. Vertragsbrüchigkeit, immer wieder ausgeweitete Rettungspakte und verlängerten Ultimaten haben das Vertrauen in den Euro beschädigt.

Hinzu kommt die Target-Problematik: Bei den EZB-Konten der Zentralbanken von in die Krise geratenen Euro-Staaten stehen immense Verbindlichkeiten zu Buche. Misstrauen gegenüber der Bonität von Banken führte dort zu Liquiditätsengpässen und zur Gefährdung des inländischen Zahlungsverkehrs. Geschäftsbanken leihen Liquidität bei ihrer Zentralbank gegen Sicherheiten, deren Standard diese weitgehend selbst bestimmt. Die Refinanzierung geschieht über einen EZB-Transfer, der etwa mit einer entspr.en Forderung der Deutschen Bundesbank gegenüber der EZB zu Buche schlägt: 2017 mit einer Gesamtsumme von über 800 Mrd. Euro. Buchungstechnisch fließt hier deutsches Geld in die Krisenländer ohne demokratisches Mandat und ohne deutsche Sicherheitsstandards. Planwirtschaftlicher Logik folgend wurden marode Banken am Leben gehalten.

3. Sozialethische Bewertungen

Bei den kodifizierten geldpolitischen Grundideen, die dem Euro zugrunde liegen, handelt es sich nach sozialethischer Systematik um Postulate, da der Währungsunion eine transparent entfaltete normative Wertebasis fehlt. Diese Begründungslücke wurde bislang nicht geschlossen, so dass sich Vertreter unterschiedlicher sozialethischer Schulen daran versucht haben, ihre ideologischen Positionen als eine solche Wertebasis zu profilieren.

Nach einer sozialistischen Auslegung (Friedhelm Hengsbach) liegt die Lösung der Krise in einem ordnungspolitischen Systemwechsel. Im Sinne der Bedarfsgerechtigkeit unter einem gegenüber der ↑EZB politisch durchzusetzenden Vorrang des Solidaritätsprinzips (↑Solidarität) sind die geldpolitischen Grundideen der ↑EWWU abzulösen, da es sich bei ihnen um fundamentale Konstruktionsfehler handle. Konsequenzen des in einem neuen Vertrag auszuhandelnden Systemwechsels sind Schuldenerlass, Haftungsgemeinschaft im Sinne eines europäischen Sozialbudgets sowie Beseitigung der Haushaltsrestriktionen und des geldpolitischen Vorrangs der Preisstabilität. Solidarität verbriefe ja juristisch einklagbare Rechtsansprüche auf Hilfe der schwächeren gegenüber den stärkeren Partnern. Die Aufweichung der Budgetrestriktionen soll zudem die Wettbewerbsfähigkeit der Krisenländer stärken. Eine EZB, die nunmehr als verlängerter Arm der Politik verstanden wird, sozialisiert die Risiken von privaten oder staatlichen Finanzgeschäften oder Fiskalentscheidungen. Politisch durchgesetzte Solidarität stärke so eine Kultur gegenseitigen Vertrauens und sozialer Verantwortung und entspreche der Pflicht der Nächstenliebe.

Eine eurokritische liberale Auslegung (Karl Albrecht Schachtschneider; Hans-Werner Sinn; Joachim Starbatty) plädiert für eine Auflösung der Währungsunion. Die Kompetenzüberschreitungen der EZB unter Aufgabe ihrer Autonomie und die Bankenrettungen sowie die schleichende Einführung der Schuldenunion gelten als Vertragsbruch. Sie verstoßen gegen das Eucken'sche Verursacher-/Haftungsprinzip: Wer den Nutzen einer Vereinbarung habe, müsse auch den Schaden tragen, so dass dann Investitionen u. a. ökonomische Entscheidungen sorgfältiger getätigt werden. Die EZB-Politik führe auch zu einer Aushöhlung der Markwirtschaft und wird als etatistische Bankrotterklärung der Euro-Geldpolitik verstanden. Zudem habe sich die EZB in ihrer Zinspolitik mit maßlosen Garantien abhängig gemacht von autoritären Gläubigern wie China, die in hohem Maße europäische Staatsanleihen in ihrem Portfolio halten.

Eine gemäßigte freiheitliche Auslegung (J. Weidmann; Peter Oberender; Alfred Schüller) fordert zur Rettung des Euro die Einhaltung der Vertragskriterien. Im Sinne einer Befähigungsgerechtigkeit, gemäß der Solidarität und Subsidiarität eng verzahnt sind (Nils Goldschmidt, Alexander Lenger), habe jeder Staat einen rechtlichen Anspruch darauf, dass er befähigt wird, Eigenverantwortung zu übernehmen. Wer die durch die Gemeinschaft zur Verfügung gestellten Befähigungsräume nicht zu notwendigen Reformen nutzt, habe die entspr.en Konsequenzen bis hin zum Ausschluss zu tragen. Solidarität versetzt in die Lage, diesen Befreiungsschlag zur Solidität durchzuführen. Diese Hilfe zur

Selbsthilfe schließt eine bedingungslose Schuldenunion aus. Die Autonomie der EZB ist danach ein Gebot der Freiheit. Müsse dagegen die politisch beeinflusste EZB stets die Ausfallbürgschaft für Fehler von Spekulation und Politik übernehmen, folge daraus eine Kultur fortlaufender Verantwortungslosigkeit. Tugendethisch werde ein schlechtes Beispiel der Vertragsbrüchigkeit gegeben. Fiskalische Sorglosigkeit entfessle Verschwendungssucht aus Wahltaktik, töte das Gespür für kreative Eigenverantwortung und einen Geist sozialer ↑Verantwortung auch gegenüber nachfolgenden Generationen ab. ↑Subsidiarität fördere dagegen eine Kultur der Eigenverantwortung auf dazu Fähigen und dadurch gegenseitiges Vertrauen zwischen Starken und Schwachen. Nationale Egoismen treten in den Hintergrund, erarbeitetes Selbstwertgefühl statt entmündigende Alimentierung und europäisches Wir-Gefühl werden danach gestärkt.

Literatur
A. Schüller/E. Nass/J. Höffner: Wirtschaft, Währung, Werte. Die Euro(pa)krise im Lichte der Katholischen Soziallehre, 2014 • J. Starbatty: Tatort Euro, 2013 • K. A. Schachtschneider: Euro-Rettungspolitik – unvernünftig, rechtlos und staatswidrig, in: W. Lachmann (Hg.): Die Zukunft des Euro, 2012, 90–215 • H.-W. Sinn: Die Target-Falle, 2012 • N. Goldschmidt/A. Lenger: Teilhabe und Befähigung als Schlüsselelemente einer modernen Ordnungsethik, in: zfwu 12/2 (2011), 295–313 • F. Hengsbach: Europäische Solidarität – nicht zum Nulltarif, 2011 • J. Weidmann: Aktuelle Herausforderungen für Zentralbanken – Betrachtungen im Licht der Finanz- und Wirtschaftskrise. Rede beim Center for Financial Studies in Frankfurt am Main am 20.06.2011, 2011.   ELMAR NASS

II. Politisch

1. Krisenphänomene und Begrifflichkeit

Der Begriff der E. umfasst eine Fülle von Problemen verschiedener Euro-Staaten (↑Europäische Wirtschafts- und Währungsunion) im Gefolge der globalen Wirtschafts- und Finanzkrise 2008 (↑Finanzmarktkrise), deren Gemeinsamkeit in einem exorbitanten Haushaltsdefizit bzw. einer Verschuldungskrise sowie einem einschneidenden Rückgang der Wirtschaftsleistung besteht. Sie wurde dadurch verschärft, dass den Krisenländern der Lösungsweg einer Währungsabwertung aufgrund ihrer Euro-Mitgliedschaft nicht offen stand. Dies sowie die Befürchtung, ein Ausscheiden einzelner Länder aus dem Euro-Raum könne eine Kettenreaktion auslösen und die Existenz des Euros gefährden, sind die zentralen Gründe, warum sich für diese ↑Staatschulden- und Wirtschaftskrise der Begriff „E." etabliert hat.

Der Begriff ist jedoch insoweit irreführend, als es sich nicht um eine Stabilitätskrise des Euros handelt und dieser auch nicht Auslöser der Probleme in den Krisenstaaten war, was die sehr unterschiedlichen länderspezifischen Krisenursachen verdeutlichen. Denn diese bewegen sich auf einem sehr breiten Spektrum, das von einer temporären Krise eines zentralen Wirtschaftssektors, welche eine bis dahin moderate ↑ Staatsverschuldung aus dem Ruder laufen ließ (wie im Fall Irlands, das vor den umfassenden Bankenrettungspaketen nur eine Staatsverschulung von ca. 40 % des BIP hatte) bis hin zu tiefgreifenden wirtschaftlichen Strukturproblemen in Verbindung mit einem chronischen Haushaltsdefizit, einer dysfunktionalen Verwaltung und klientelistischen Strukturen (wie im Fall Griechenlands) reicht. Entsprechend unterschiedlich gestalteten sich auch die Anforderungen an die einzuleitenden innerstaatlichen Reformen zur Haushaltskonsolidierung. Unterschiedlich fielen demgemäß auch die Erfolge bei der Überwindung der ↑ Krise in den einzelnen Ländern aus.

2. Streitpunkte und Lösungsmechanismen

In einer ersten recht kurzen Phase der E. wurde zunächst grundsätzlich in Frage gestellt, ob die fiskalischen Probleme der Krisenländer einer europäischen Antwort bedürften oder von diesen allein zu lösen seien. Insb. Deutschland verwies dabei auf die sog.e „No-Bailout-Klausel". Die sich verschärfende Krise ließ dann die Überzeugung wachsen, dass es finanzieller Hilfsprogramme bedürfe, um eine neue Finanz- und Bankenkrise – als Reaktion auf mögliche Staatsbankrotte – abzuwenden. In der Folgezeit kam es zu verschiedenen Rettungsmaßnahmen und -paketen. Ersten länderspezifischen Maßnahmen folgte die Einrichtung der EFSF, welche die Form einer nicht EU-rechtlich verankerten privatrechtlichen Kapitalgesellschaft hatte, deren Shareholder die Eurostaaten waren. Ergänzt wurde diese im Rahmen sekundärrechtlicher Regelungen durch den EFSM. Beide nahmen am Kapitalmarkt (↑ Geld- und Kapitalmarkt) günstige Kredite auf und reichten sie an die Krisenländer weiter. Während die Kredite des EFSF durch Garantien der Anteilseigner abgesichert wurden, erfolgten die Garantien des EFSM durch den EU-Haushalt, womit auch Nicht-Euro-Staaten indirekt Haftungsrisiken übernehmen mussten. Bedingung der Gewährung der Hilfskredite war dabei die Verpflichtung der Empfängerländer auf umfassende Reformprogramme, deren Einhaltung von der sog.en Troika, bestehend aus Vertretern der ↑ Europäischen Kommission, der ↑ EZB und des ↑ IWF, überwacht wurde. Als Ersatz für diese ad-hoc eingeführten Mechanismen wurde dann mit dem ESM ein dauerhafter Rettungsschirm eingerichtet. Dieser verfügt neben Kreditgarantien auch über ein eigenes Stammkapital; rechtliche Grundlage ist ein eigenständiger ↑ völkerrechtlicher Vertrag. Ebenfalls zu den finanziellen Hilfsprogrammen gehören die umstrittenen Aufkaufprogramme der EZB für Staatsanleihen, die sich allerdings nicht nur auf Krisenstaaten beschränken.

Während EFSF, EFSM und ESM Instrumente zur finanziellen Hilfe für Krisenstaaten und Durchsetzung von Strukturreformen mittels strikter Konditionalitäts-

politik sind, setzt ein zweiter Instrumentenkasten im Bereich der vorbeugenden wirtschaftspolitischen und fiskalischen Koordinierung an. Dies sind das 2010 beschlossene Europäische Semester zur Verbesserung der wirtschafts- und fiskalpolitischen Koordinierung sowie der 2011 verabschiedete sog.e Six-Pack, bestehend aus sechs Gesetzgebungsakten zur Reform des ↑ Stabilitäts- und Wachstumspaktes; dieser wurde 2013 nochmals um zwei Gesetzgebungsakte, den sog.en Two-Pack ergänzt. Hinzu kam noch der 2012 von 25 EU-Mitgliedstaaten (und damit auch von Nicht-Euro-Staaten) ins Leben gerufene, sog.e Fiskalpakt, der die Form eines eigenständigen völkerrechtlichen Vertrages hat, allerdings das Ziel einer Inkorporation in das ↑ Europarecht benennt.

Darüber hinaus wurde die Etablierung genereller Transfermechanismen diskutiert. Neben der schnell verworfenen Idee eines „europäischen Länderfinanzausgleichs" ist das Konzept der Eurobonds zu nennen, das niedrigere ↑ Zinsen in den Krisenstaaten auf Kosten höherer Zinsen in anderen Staaten bewirkt und somit einen indirekten Transfermechanismus in Kraft gesetzt hätte. Insb. von Deutschland (aber auch anderen Nicht-Krisenländern) wurde dies aber strikt abgelehnt. Damit setzte sich insgesamt eine Krisenbewältigungsstrategie durch, die auf haushaltspolitische Konsolidierungsmaßnahmen, Strukturanpassungsprogramme in den Krisenländern und eine Verschärfung der haushaltspolitischen Koordinierung und Überwachung setzte. Sie wird unter dem Begriff der ↑ Austeritätspolitik subsumiert.

3. Integrationspolitische Implikationen

Integrationspolitisch hat die E. mehrere, über die akuten wirtschafts- und fiskalpolitischen Schwierigkeiten hinausgehende Grundsatzprobleme der ↑ EU deutlich werden lassen. So hat die Debatte über Eurobonds und langfristige Transferzahlungen bzw. die Kritik an der Austeritätspolitik die Fragen der Akzeptanz nationaler Souveränitätsverluste und des notwendigen Maßes europäischer Solidarität sowie die diesbezüglich sehr unterschiedlichen Sichtweisen in der EU in den Fokus treten lassen. In diesem Zusammenhang ist auch die in vielen Ländern zu beobachtende sinkende Zustimmung zum Integrationsprojekt insgesamt zu sehen.

Die in Folge der E. erfolgten Integrationsschritte der Euro-Gruppe (bzw. im Falle des Fiskalpaktes auch weiterer EU-Staaten) berühren schließlich die Frage der Einheitlichkeit des Integrationsrahmens bzw. der differenzierten Integration. In Bezug auf die innereuropäischen Gleichgewichte schließlich hat die E. zu einer neuen Führungsrolle Deutschlands geführt, was insb. auch die bisher den ↑ europäischen Integrationsprozess bestimmende deutsch-französische Parität in Frage stellt. Aber auch in Deutschland musste die Erfahrung gemacht werden, dass ein Integrationsverständnis, das auf der strikten Einhaltung gemeinsam vereinbarter Regeln basiert, nur begrenzt mehrheitsfähig ist und sich teilweise einer „flexiblen" Rechtsauslegung unterordnen muss. Neben diesen negativen Effekten hat die E. aufgrund ihrer dominierenden Rolle in nahezu allen nationalen innenpolitischen Diskursen aber auch den Prozess der Europäisierung der nationalen Öffentlichkeiten vorangetrieben, was langfristig positive Effekte für eine entstehende und sich u. U. vertiefende europäische ↑Öffentlichkeit und damit auch die Demokratiefähigkeit der EU haben könnte.

Literatur

J. Preunkert: Krise und Integration. Gesellschaftsbildung in der Eurokrise, 2015 • L. Bonatti/A. Fracasso: The German Model and the European Crisis, in: JCMS 51/6 (2013), 1023–1039 • F. Illing: Die Eurokrise. Analyse der europäischen Strukturkrise, 2013 • A. Thiele: Das Mandat der EZB und die Eurokrise, 2013 • P. Hall: The Economics and Politics of the Euro Crisis, in: German Politics, 21/4 (2012), 355–371 • F. Scharpf: Die Eurokrise: Ursachen und Folgen, in: ZSE, 9/3 (2011), 324–337 • P. Kauffmann/H. Uterwedde: Verlorene Konvergenz? Deutschland, Frankreich und die Euro-Krise, in: APuZ 43 (2010), 13–19.   DANIEL GÖLER

Europa

I. Allgemeines/Philosophisch-ideengeschichtliche Grundzüge – II. Historische Entwicklungen: Mittelalter – III. Historische Entwicklungen: Frühe Neuzeit – IV. Historische Entwicklungen: Moderne (19./20. Jh.)

I. Allgemeines/Philosophisch-ideengeschichtliche Grundzüge

1. Name und Begriff

E. war nie ein eigener Kontinent aufgrund geographischer Gegebenheiten. Seine Einheit verdankt es der Geschichte. Die Abgrenzung nach Osten und Süden hin war immer unscharf: räumlich ist E. eine Halbinsel Asiens, geomorphologisch ist es eng mit Afrika verbunden. Üblicherweise zieht man die Grenze nach Osten vom Südfuß des Uralgebirges entlang der Nordküste des Kaspischen und der Ostküste des Asowschen Meeres bis zur Straße von Kertsch am Schwarzen Meer. Mit der Türkei und Russland ragen Staaten nach E. hinein, deren Landmasse zum größeren Teil in Asien liegt.

Der Name E. ist mythologischen Ursprungs. Nach der von Herodot überlieferten Sage wurde die phönikische Fürstentocher E. von dem als Stier verkleideten Zeus aus ihrer Heimat nach Kreta entführt. Der E.-Mythos (↑Mythos), wahrscheinlich auf vorgriechische Zeit zurückgehend, gelangte durch Isidor von Sevilla in den Schulunterricht des Mittelalters. E. auf dem Stier wurde seit der Renaissance ein beliebtes Thema der bildenden Kunst. Als abkürzendes Symbol für den zweitkleinsten Kontinent hat sich das Bild bis in die Gegenwart hinein erhalten.

Die moderne politische Ikonographie E.s ist freilich nicht durch den Stier, sondern durch die auf Richard Graf Coudenhove-Kalergi, den Gründer der Pan-E.-Bewegung, zurückgehenden zwölf Sterne geprägt worden (die sich wiederum an das Bild des himmlischen Jerusalem in der Apokalypse des Johannes anlehnen).

Mit der Sage von E. verbinden sich schon im Altertum geographische Vorstellungen. Die Spaltung der Oikumene in die als Inseln vorgestellten Teile Asiens und E.s findet sich schon in der jonischen Kartographie des 6. Jh. v. Chr.. In christlicher Zeit treten biblische Ideen der Völkerherkunft und Weltverteilung hinzu. Um 400 erscheint der E.-Begriff als Bezeichnung der nördlichen römischen Reichsteile am Mittelmeer im Gegensatz zu Asien und Afrika. Im Frankenreich umschreibt er den von christlichen Völkern bewohnten, durch die örtlichen Heiligen kenntlich gemachten nordalpinen Raum. Die Jafet-Historie (Gen 9 und 10) wird seit dem 7. Jh. auf E. hin gedeutet: Ham erhielt von Noach Afrika, Sem Asien und Jafet E.

Für die Begegnung und Entfaltung von Menschen und Völkern bot E. von Anfang an günstige äußere Bedingungen. Extreme Klimaunterschiede waren hier ebenso unbekannt wie ausgedehnte Wüsten, Steppen und Ödländer. Bes. im Süden, Norden und Westen war E. reich gegliedert: kaum ein anderer Teil der Erde besaß eine so lange Küstenstrecke und stand mit dem Meer in so enger Verbindung. Erzeugnisse der verschiedensten Art aus unterschiedlichen geographisch-klimatischen Zonen verwiesen die Menschen auf Austausch, ↑Handel, arbeitsteilige Kooperation. Die Bevölkerungsdichte war immer hoch. Eine Fülle von Völkern lebte in E. auf engem Raum. Dies alles trug dazu bei, dass der europäische Kontinent in einem Jh. dauernden Prozess zum Zentrum von ↑Wissenschaft, ↑Wirtschaft, ↑Zivilisation wurde.

Diese Entwicklung war vorbereitet in den mittelmeerischen Kulturen der Antike. Schon damals begannen sich – trotz engem räumlichem Zusammenhang – *Orient* und *Okzident* (↑Abendland) als etwas Verschiedenes zu empfinden. In den „Persern" des Aischylos werden die Griechen den Persern mit den Worten vorgestellt: „Keines Menschen Knechte sind sie, keinem Menschen untertan" (Aischylos: Zeile 242). Und bei Herodot erregt Solon das Erstaunen des Lyderkönigs Krösus, weil er den Nahen Osten „philosophierend", also allein zum Zweck der Erkenntnis, bereist. Hier werden Grundzüge des europäischen Zugangs zur Welt sichtbar: politisch in der ↑Freiheit gleichberechtigter Menschen (im Unterschied zu Herrschaft und Knechtschaft in orientalischen Reichen) und philosophisch im freien Erkunden und Wissenwollen (im Gegensatz zu östlicher Weisheit und Versenkung). Das reicht bis in unterschiedliche Körperhaltungen: auf der einen Seite das forschende, erfahrende Unterwegssein, auf der anderen die Meditation und das regungslos gesammelte Sitzen. Daher gilt als europäisch eine Lebensordnung, die getragen wird von beweglichen, erfinderischen, anpassungsfähigen Menschen; die bestimmt ist von Entdeckungsfreude und rationalem Zugriff auf die Welt; der die Individualität mehr bedeutet als die Masse, die Freiheit mehr als die Macht.

In den äußeren Verhältnissen E.s, aber noch mehr in der inneren Haltung der Europäer liegt es begründet, dass sich E. immer wieder gegen Versuche der Fremdbestimmung, der Unterwerfung durch äußere Mächte behauptet hat. Im Lauf der Jh. setzte es sich erfolgreich gegen zahlreiche Eroberer aus dem Osten und Südosten (Perser, Hunnen, Mongolen, Türken) zur Wehr. Aber auch Hegemoniebildungen im Inneren waren in E. nie von Dauer: das gilt sowohl für die Ansätze einer spanisch-deutschen Weltmacht im 16. Jh. wie später für die Eroberungen Ludwigs XIV., der ↑ Französischen Revolution und Napoleons – von den tönernen Reichen Benito Mussolinis, Adolf Hitlers, Josef Stalins im 20. Jh. nicht zu reden. Auch das Römische Reich und seine fränkischen und deutschen Fortsetzungen haben dauerhafte Traditionen nur begründet, soweit sie – über die Machtausübung hinaus – Rechtsordnungen und Formen zivilisierten Lebens zu schaffen verstanden. Die europäische Staatenwelt war stets pluralistischer und vielgliedriger als die der byzantinischen, mongolischen, osmanischen und großrussischen Nachbarn. Neben Großreichen und Nationen haben im europäischen politischen Haushalt immer auch kleine Länder, Stadtstaaten, föderative Gebilde eine Rolle gespielt. Kleinräumigkeit ist ein typisches Merkmal europäischen Lebens. „Alles Kolossale und Uniforme ist eindeutig uneuropäisch, und das ist das Geheimnis aller Verfeinerung und aller Eigenart europäischer Zivilisation" (Halecki 1957: 6).

2. Grundzüge der Geschichte

Die Entstehung des modernen E., „the Making of Europe" (Dawson 1932) beginnt mit dem Frankenreich. In den Gewichtsverlagerungen der Karolingerzeit, der „Achsendrehung der Weltgeschichte nach Norden" (Henri Pirenne), grenzt sich das mittelalterliche E. einerseits vom islamischen Südrand des Mittelmeers, anderseits vom byzantinisch beherrschten Ost- und Südost-E. ab. Schon die Truppen, mit denen Karl Martell die Araber besiegte, werden „Europäer" genannt. Als Karls des Großen Feldzug in Italien die Historiker zu einer neuen Kennzeichnung seines Herrschaftsraumes zwingt, wird E. zum Namen jenes Reiches, dessen Haupt der Kaiser – schon damals als *pater Europae* bezeichnet – ist. Die umfassende fränkische Integration schließt das Zeitalter der Völkerwanderung ab. Das Frankenreich und seine ostfränkisch-deutschen Nachfolger treten die Nachfolge des Imperium Romanum an; sie verstehen sich zugl. als Vormacht des ↑ Christentums und als Hüter und Erneuerer antiker Bildung und Kultur.

Das werdende E. wird getragen von Romanen, Germanen und Slawen. Aus dem allmählichen Zerfall der griechischen Oikumene gehen die slawischen Völker und Sprachen hervor. Aus den Resten des römischen Reiches erwächst die Sprach- und Völkervielfalt der Romania. Die germanische Welt kommt als neues Ferment der Staatenbildung (↑ Staat) hinzu; sie schafft die Grundformen der gesellschaftlichen Struktur des Kontinents im Zeitraum von 800 bis 1800: die Adelsherrschaft mit monarchischer Spitze, gestützt auf Grundbesitz und Beherrschung des Landes (↑ Feudalismus). Germanische Lebensformen und –gewohnheiten reichen tief in das staatliche und kirchliche Leben hinein (Fehden, Adelskriege, Eigenkirchenwesen, Laieninvestitur).

Im Ringen um die rechte Ordnung in der christlichen Welt (Investiturstreit) bilden sich freiere Formen der Autonomie von Kirche und politischer Welt heraus; dauerhafte Friedensordnungen entstehen, zunächst zeitlich begrenzt, in kleinen Kreisen; die Macht von Faust und Fehde wird begrenzt, die Ebenbürtigkeit der Monarchen und Staaten findet Anerkennung, es entwickeln sich Ansätze eines gemeinsamen ↑ Rechts (Verbot der Tötung Kriegsgefangener, beginnende territoriale Integrität der Staaten). Zu den Patronen E.s gehören Martin von Tours und Benedikt von Nursia, Columban von Luxeuil und Winfrid Bonifatius – im 20. Jh., in der Zeit Johannes Pauls II., kommen die Slawenapostel Kyrillos und Methodios sowie Birgitta von Schweden, Katharina von Siena und Edith Stein hinzu.

In E. wurden wichtige Pilotprogramme für die moderne Welt entwickelt. Viele Rationalitätsstrukturen der globalen One World haben hier ihren Ursprung. Der beherrschende Zugriff des Menschen auf die ↑ Natur, der Schritt von der gärtnerisch-pflegenden Agrikultur zur ↑ Kultur als einem Werk bewusster Veränderung und Neugestaltung, die Entwicklung von Fernhandel, ↑ Technik, serieller ↑ Produktion, die Entstehung einer Wissenschafts-, aber auch einer Gedächtniskultur – das alles ist europäisch. Weltweit messen und gliedern wir Zeit und Raum mit Maßen, die in E. (z. T. aus älteren jüdischen und vorderasiatischen Quellen) entwickelt und eingeschliffen wurden: Tag, Stunde, Woche, Monat. Zeitrechnung und Zeitmessung sind gemeineuropäisch, die Raummaße immerhin kontinentaleuropäisch (man denke an das Urmeter in Paris!). Das *Projekt Moderne* könnte man in einer Kurzfassung so umschreiben: Herrschaft über Raum und Zeit; Zähmung der Natur; Entfaltung individueller Freiheit. Das Programm hat ein weltweites Echo gefunden; sein Siegeszug ist noch keineswegs am Ende.

Auch spezifische politische Strukturen sind aus dem Experiment hervorgegangen. Für die rechte Ordnung in der Christenheit war E. der erste Versuchs- und Erprobungsort. Die christliche Tradition gab nicht nur die Natur in die Hände des Menschen, sie befreite die Menschen auch vom Druck der antiken religiös-politischen Einheitskulturen. Der moderne Dualismus von Staat und Kirche (politischer Sphäre und Gewissenssphäre [↑ Kirche und Staat]) trat ans Licht: bei Augustinus, in der mittelalterlichen Zweigewaltenlehre, im Investitur-streit, im Wormser Konkordat, dem ersten Vertrag zwischen Kirche und Staat in der Weltgeschichte (1122). Staunend entdeckte man, dass die Christen in der einen Christenheit in zwei Rechtskreisen lebten, die einander gegenüberstanden, die miteinander paktieren, aber auch gegeneinander streiten konnten. Die Welt schwang nicht mehr um eine einzige Achse. ↑Politik wurde aus einem übermächtigen, mit ↑Religion eng verwobenen Schicksal zu einer menschlichen, immer neu zu lösenden Aufgabe: zu Menschenwerk.

In E. entwickelte sich eine bis heute wirksame verbindliche Rechtskultur – beruhend auf christlichen Überlieferungen und auf der Formkraft des Römischen Rechts. Historisch trat sie vor allem als Gegengewicht zu staatlicher und nationaler Machtentfaltung, als Bändigung emotionaler Leidenschaften, als Beitrag zu friedlicher Verstetigung der Politik hervor.

Das Zusammengehörigkeitsgefühl der europäischen Völker gründet in Erfahrungen einer gemeinsamen Geschichte, einer gemeinsamen christlichen Erziehung. ↑Klöster und Kathedralschulen schufen seit dem frühen Mittelalter eine ganz E. formende Bildungstradition. „Schola" und „Clericus" wurden Grundworte für Schule und Gebildete in vielen europäischen Sprachen. Die Universität als Vereinigung aller Wissenschaften, als Hohe Schule für intellektuelle Berufe erwuchs in einem E., das vom Christentum geprägt war. Gebetsverbrüderungen, gemeinsame Feste, christlicher Kalender und christliche Zeitrechnung und nicht zuletzt die „leise integrierende" Wirkung der römischen Liturgie (Tellenbach 1950) – dies alles ließ einen europäischen Kulturraum entstehen, der geprägt wurde von der Botschaft des Christentums, der sich immer wieder herausfordern ließ von antiken Überlieferungen der Poesie und Philosophie und der auf der Grundlage des Lateinischen (im Osten des Griechischen und Kirchenslawischen) eine Fülle eigener nationaler ↑Literaturen hervorbrachte.

Trotz gemeinsamer Prägungen (Rittertum) und gemeinsamer Unternehmungen (Kreuzzüge) blieb das christlich gewordene E. freilich in sich spannungsreich; es verfestigte sich weder zu einer ↑Theokratie, noch erstarrte es in byzantinischen Formen des Cäsaropapismus. Aus dem mittelalterlichen Kampf der Universalgewalten ging kein neues „Drittes Rom" hervor; vielmehr wurden die modernen Völker und Staaten zu Erben des römischen Universalismus. In der europäischen Staatengemeinschaft, die sich im späteren Mittelalter bildet, kann man bereits die Umrisse der modernen National- und Mehrvölkerstaaten erkennen. Die europäische Ausbreitung über die Welt wird von ↑Nationen getragen und vorangetrieben (Portugiesen, Spanier, Engländer, Holländer, Franzosen), wobei sich Motive der ↑Mission, der Suche nach einem Reich im Osten, der Entdeckungs- und Eroberungslust, der Gold- und Herrschgier überlagern. So entstand ein durch ↑Verkehr und Handel verbundener europäisch-atlantischer Raum:

der Atlantik wurde aus dem gefahrendrohenden Okeanos des Mittelalters zu einem vertrauten europäischen Binnenmeer. Das alte E. bildet die Urform dessen, was man später „den Westen" nennt; im 18. Jh. kommen die USA als „neuer Westen" hinzu (↑Westen).

Das neuere E. ist von der christlichen Tradition geprägt, jedoch in ↑Konfessionen gespalten; es bildet eine Zivilisationsgemeinschaft, die jedoch häufig durch Staatenrivalitäten und ↑Kriege erschüttert wird; es bildet ein zunehmend einheitliches („E.-zentrisches") Geschichtsbild, ein „Recht der zivilisierten Staaten" und eine gemeinsame europäische ↑Rationalität und Technik aus – doch es weckt in den unterworfenen Völkern der Welt zugl. den Wunsch nach Befreiung und Selbstverfügung. Auf dem Weg der Kolonisierung (↑Kolonialismus), der Ausbreitung der europäischen Zivilisation, des diplomatischen Verkehrs, des internationalen Rechts entsteht im Lauf der neueren Jh. ein Weltstaatensystem, in dem die Dynamik E.s globale, den ganzen Erdkreis umspannende Formen annimmt. Während die älteren Reiche in historischen Sackgassen enden, beginnt mit der europäischen – und später internationalen – Staatengemeinschaft ein Prozess universeller Verflechtung der Völker und Nationen. Was wir heute ↑Globalisierung nennen – die Entstehung eines Weltmarkts der Kommunikation, des Verkehrs, des Handels und der Kapitalströme –, ist nur der Endpunkt dieser Entwicklung.

3. Europäische Integration

Die Zeit von den großen Entdeckungen bis zum Ersten Weltkrieg steht im Zeichen einer kaum angefochtenen Dominanz der europäischen Kultur. Es ist die Zeit der *Europäisierung* der Welt. Die Europäer übten in der ↑Neuzeit eine politische, wirtschaftliche und kulturelle Vorherrschaft über weite Teile der Welt aus. Am Vorabend des Ersten Weltkriegs war ein Drittel der Erdoberfläche europäisches Kolonial- oder Einflussgebiet. E. setzte die Standards – ob in Technik oder Administration, ob in Wirtschaft oder Militärwesen, ob in den Wissenschaften oder in den Künsten.

Doch im Ersten Weltkrieg zerbrach diese Vorrangstellung, und im Lauf des 20. Jh. schwand die Vorherrschaft E.s in der Welt nahezu ganz dahin. Nach dem Ende der übernationalen Reiche (der Habsburger, Osmanen, Zaren) vervielfältigten sich die Nationalitätenfragen bes. im Osten und Süden des Kontinents. Die 1917–1920 geschlossenen ↑Friedensverträge (von Brest-Litowsk bis Versailles und Sèvres) führten nicht zu dauerhaftem ↑Frieden. Der ↑Völkerbund in Genf erwies sich – ohne amerikanische Beteiligung – als zu schwach zur Kanalisierung der politischen Dynamik E.s. Seit den 20er Jahren strebten autoritäre und totalitäre Regime eine Revision der nach dem Krieg gezogenen nationalstaatlichen Grenzen an. Der alte Kontinent drohte sich in ein „E. der Diktaturen" (Besier/Stoklosa 2006) zu verwandeln.

Die Politik A. Hitlers und J. Stalins und der Zweite Weltkrieg zerstörten das verhängnisvoll geschwächte E.

gänzlich. Es verlor für längere Zeit die Kraft zu einheitlichem politischem Handeln. Der Schwund traf Sieger und Besiegte gemeinsam. Nach zwei ↑Weltkriegen blieb von der Glorie europäischer Herrschaft und Kultur nur noch matter Glanz übrig. Die außereuropäische Welt entzog sich endgültig der Vormundschaft des alten Kontinents. Die Kolonialreiche der Engländer, Franzosen, Holländer, Belgier und Portugiesen lösten sich auf. Ihr Ende führte weltweit zu einer Ent-Europäisierung der Kultur. Zugl. zog der ↑Ost-West-Konflikt eine Grenzlinie mitten durch E. Zum ersten Mal in seiner Geschichte wurde der Kontinent in gegensätzliche Blöcke (↑Warschauer Pakt im Osten, WEU und ↑NATO im Westen) geteilt.

Trotz dieser Schwächung und Teilung war jedoch die geistige und politische Dynamik der Europäer nach 1945 nicht endgültig gebrochen. Im Westen kamen seit 1951 auf Initiative Robert Schumans, Konrad Adenauers und Alcide De Gasperis Prozesse wirtschaftlicher, später politischer Zusammenarbeit in Gang. Diese Entwicklung verband sich seit den 70er Jahren mit den von Polen ausgehenden Freiheitsbewegungen in Mittel- und Ost-E., die 1989–1991 zum Sturz der kommunistischen Herrschaft und zur Auflösung der UdSSR führten.

R. Schumans Initiative betraf die ↑Wirtschaftspolitik, die Bereiche Kohle und Stahl, sie zielte auf die Schaffung gemeinsamer Interessen zwischen Frankreich und Deutschland. Damit kam eine bis heute anhaltende Dynamik in Gang. 1967 entstand aus der Fusion von EGKS, EWG und Euratom die EG. Es folgte die Bildung einer Teil-Exekutive (↑Rat der Europäischen Union, ↑Europäische Kommission), eines ↑EuGH und eines – seit 1979 von den Völkern direkt gewählten – ↑Europäischen Parlaments. 1992 war der ↑Europäische Binnenmarkt vollendet. 1993 lag mit dem hart umkämpften Vertrag von Maastricht ein erster verbindlicher Bauplan für ein Europäisches Haus vor. In den folgenden Jahren wurde die ↑EWWU vollendet, der Schengen-Vertrag über die Abschaffung der stationären Grenzkontrollen geschlossen (1985), der Euro eingeführt (2002). Die EG wurde zur ↑EU. Sie erweiterte sich, am stärksten nach Osten – eine Folge des Falls der Mauer, des Endes der UdSSR, der Befreiung der mittel-, ost- und südosteuropäischen Länder. 2004 kamen zu den 381 Mio. Menschen in 15 EU-Staaten rund 74 Mio. Einwohner der Länder Estland, Lettland, Litauen, Malta, Polen, Ungarn, Slowakei, Slowenien, Tschechien und (Griechisch)Zypern hinzu. Es folgten Bulgarien und Rumänien (2007) und Kroatien (2013).

Westeuropäische Integration und osteuropäische Freiheitsbewegungen haben die Spaltung E.s in zwei Blöcke beendet. Sie waren jedoch bisher nicht imstande, E. seine alte Selbständigkeit und eigenes Gewicht in der Weltpolitik zurückzugeben. Es zeigte sich, dass E. die durch die Auflösung des Ostblocks entstandenen Probleme, v. a. im ehemaligen Jugoslawien, nicht aus eigener Kraft bewältigen konnte. Im Konflikt mit Serbien

musste es die USA und die NATO um Hilfe angehen. Als militärischer Akteur hat die EU nur geringes Gewicht. International relevant ist sie allenfalls in der Klimapolitik. Die EU fühlt sich in erster Linie für den Frieden nach innen verantwortlich, kann jedoch die Weltpolitik und den Weltfrieden kaum mitgestalten. Eine ↑GASP ist erst im Aufbau. So ist die EU nach dem Urteil Janusz Reiters bisher mehr eine Ruhegemeinschaft als ein aktives Element der Weltpolitik.

Trotz mehrerer Anläufe ist es bisher nicht gelungen, der EU eine ↑Verfassung zu geben. Der Verfassungsvertrag von 2005 scheiterte an Einsprüchen in Frankreich und den Niederlanden. Als Ersatz dient gegenwärtig der im Dezember 2009 in Kraft getretene Vertrag von Lissabon. Er erweiterte die EG- und EU-Verträge durch die rechtliche Fusion von EU und EG, schuf das neue Amt des Präsidenten des Europäischen Rates, gründete einen Europäischen Auswärtigen Dienst und entwickelte die Regelungen zu EU-Militäreinsätzen in einer Weise weiter, die es erlaubt, von einer Verteidigungsunion zu sprechen.

Die heutige Lage ist gekennzeichnet durch die Suche nach dem Platz E.s in der gegenwärtigen, nicht mehr bipolaren, sondern multipolaren Welt. Im transatlantischen Dialog der Europäer und der Amerikaner traten heute jene Eigenarten europäischer Kultur hervor, die nicht – oder nur teilweise – ins Spiel der Globalisierung eingegangen sind. Die heimischen Widerlager der europäischen Expansionsdynamik werden sichtbar: Kleinräumigkeit, zähes Festhalten an Traditionen, die Wertschätzung des Verschiedenen, die friedeschaffende Kraft von Rechts- und Sozialstaatlichkeit, die Bedeutung einer allen gemeinsamen (im Zweifel kostenlos zugänglichen) staatsbürgerlichen Grundbildung und anderes mehr. Die meisten EU-Staaten haben die Dynamik des ↑Marktes einer wirtschaftspolitischen Ordnung unterworfen. ↑Sozialpolitik ist für sie ein unentbehrlicher Teil der Ökonomie. Der mit Elementen der „guten Ordnung" gesättigte europäische Begriff von ↑Ökonomie und Politik hebt sich von der – zuletzt in der Computerrevolution bezeugten – globalen Dynamik der USA, ihrem Vertrauen in die eigene Kraft, ihrer imperialen Selbstentfaltung deutlich ab.

Die europäische Integration ist etwas Neues in der Geschichte. Im Gegensatz zum amerikanischen Prinzip des „E pluribus unum" erstrebt sie (nur) so viel Einheit, wie zu gemeinsamem Handeln nötig ist, ohne jedoch die Verschiedenheit der ↑Nationen, der Sprachen, der Lebensweisen zu leugnen und zu nivellieren. Sie verzichtet bewusst auf eine Gemeinsprache, einen europäischen way of life. Ob sie mit diesem Konzept obsiegt, ist offen. Die Risiken sind groß, historische Beispiele und Vorbilder fehlen. Immer wieder treten – wie jüngst mit der Flüchtlingskrise – Rückschläge ein. Doch E. hat sich aus Krisen und Katastrophen immer wieder mit neuer Kraft erhoben. Das Experiment Europäische Integration ist keineswegs am Ende.

Literatur

J. Paulmann: Globale Vorherrschaft und Fortschrittsglaube. Europa 1850–1914, 2016 • R. Schieffer: Christianisierung und Reichsbildungen. Europa 700–1200, 2013 • A. Wirsching: Der Preis der Freiheit. Geschichte Europas in unserer Zeit, 2012 • N. Davies: Vanished Kingdoms – The History of Half Forgotten Europe, 2011 • H. A. Winkler: Geschichte des Westens. Von den Anfängen in der Antike bis zum 20. Jahrhundert, 2009 • G. Besier/K. Stoklosa: Das Europa der Diktaturen: eine neue Geschichte des 20. Jahrhunderts, 2006 • P. Krüger: Das unberechenbare Europa. Epochen des Integrationsprozesses vom späten 18. Jahrhundert bis zur Europäischen Union, 2006 • T. Judt: Postwar. A History of Europe Since 1945, 2005 • D. Cannadine (Hg.): Penguin History of Europe, ab 2001 • M. Salewski: Geschichte Europas. Staaten und Nationen von der Antike bis zur Gegenwart, 2000 • P. Blickle (Hg.): Hdb. der Geschichte Europas, 10 Bde., ab 2000 • W. Schmale: Geschichte Europas, 2000 • R. Elze/K. Repgen (Hg.): Studienbuch Geschichte. Eine europäische Weltgeschichte, 2 Bde., 1999/2000 • N. Davies: Europe. A History, 1996 • B. Beutler (Hg.): Reflexionen über Europa, 1992 • R. Brague: Europe. La voie romaine, 1989 • E. Schmitt (Hg.): Dokumente zur Geschichte der Europäischen Expansion, 7 Bde., 1986–2008 • G. Duby: Europa im Mittelalter, 1986 • A. Langner (Hg.): Katholizismus, nationaler Gedanke und Europa seit 1800, 1985 • D. Gerhard: Old Europe. A Study of Continuity 1000–1800, 1981 • J. Schwarz (Hg.): Der Aufbau Europas. Pläne und Dokumente 1945–1980, 1980 • W. Hallstein: Die Europäische Gemeinschaft, ⁵1979 • K. v. Raumer: 1648/1815: Zum Problem der internationalen Friedensordnung im älteren Europa, 1963 • D. de Rougemont: Europa. Vom Mythos zur Wirklichkeit, 1962 • M. Beloff: Europe and the Europeans, 1957 • J. Fischer: Oriens – Occidens – Europa, 1957 • O. Halecki: Europa. Grenzen und Gliederung seiner Geschichte, 1957 • T. Schieffer: Winfrid-Bonifatius und die christliche Grundlegung Europas, 1954 • H. Gollwitzer: Europabild und Europagedanke, 1951 • G. Tellenbach: Vom Zusammenleben der abendländischen Völker im Mittelalter, 1950 • H. Pirenne: Mahomet et Charlemagne, 1937 • C. Dawson: The making of Europe, 1932.   HANS MAIER

II. Historische Entwicklungen: Mittelalter

1. Antike Voraussetzungen

E. war im geographischen Weltbild der Antike einer von drei Erdteilen im Umfang eines Viertels des Weltganzen mit schwankender Landgrenze zu Asien. Eine bestimmte Identität in politischer, sprachlicher oder religiöser Hinsicht im Unterschied zu den anderen Erdteilen kam E. nicht zu. Jahrhundertelang bestand eine deutlich markierte Zweiteilung in das im Süden und Westen dominierende Imperium Romanum, das auch Teile von Asien und Afrika einschloss, und die politisch kaum organisierten Länder des Nordens und Ostens, die als „barbarisch" empfunden wurden. Nur das Römerreich wurde zum Ausbreitungsraum des ↑Christentums und des ↑Judentums, die ebenso wie später der ↑Islam in Vorderasien wurzelten.

Aus dem Zerfall des Imperiums seit etwa 400 und der sog.en Völkerwanderung ergab sich ein neues Gefüge, das von vier Faktoren bestimmt war: der Etablierung germanisch-romanischer Reiche mit lateinischem Christentum (von England bis Italien), der Selbstbehauptung des östlichen Kaiserstaates (Byzanz) mit orthodoxem Christentum, dem Erwachen heidnischer Völker slawischer Sprache im Osten und germanischer Sprache im Norden sowie seit dem 7. Jh. der arabischen Expansion, die 711 auch in E. Fuß fasste, als sie auf die Iberische Halbinsel vordrang.

2. Früh- und Hochmittelalter

Die Entwicklung vom 8. bis zum 13. Jh. war in E. bestimmt von der Ausbreitung des Christentums im spannungsreichen Nebeneinander von lateinischer und griechischer Kirche.

Im Westen lag die Initiative beim Frankenreich der Karolinger. Sie betrieben mit angelsächsischer Unterstützung die Christianisierung ihres rechtsrheinischen Vorfelds, was in der Unterwerfung und zugl. Missionierung (↑Mission) der Sachsen durch Karl den Großen (768–814) gipfelte. Als Herrscher über einen Großteil der lateinischen Christenheit (vereinzelt literarisch als E. gerühmt) beanspruchte Karl seit seiner Kaiserkrönung (800 durch den Papst) Gleichrangigkeit mit der östlichen Traditionsmacht Byzanz. Die Nachfolger sahen von weiteren Eroberungen ab, sodass die Christianisierung Skandinaviens (mit englischer Beteiligung) vom 9. bis zum 11. Jh. ohne militärische Intervention von außen der Eigenständigkeit Dänemarks, Norwegens und Schwedens Raum gab. Auch nach Osten beschränkte sich die erneute Zwangsmission unter Otto I. (936–73) auf die Elbslawen (Wenden), wohingegen sich Polen, Böhmen, Ungarn und Kroatien bis gegen 1000 durch eigene Anführer der lateinischen Kirche zuwandten.

In Byzanz, das sich in Asien ständig der Araber zu erwehren hatte und als E. bloß eine kleine Provinz westlich der Hauptstadt bezeichnete, blieb das spätantike Leitbild vom Kaiser als Oberhaupt eines Universalreichs aller Gläubigen lebendig. Das Imperium und die griechische Kirche wurden in ihrer Reichweite gleichgesetzt, was es den seit dem 9. Jh. orthodox getauften Bulgaren und Serben sehr schwer machte, sich bis zum Ende des 12. Jh. politisch von Byzanz zu emanzipieren. Nur Russland, das nie zum Römerreich gehört hatte, nahm 988 eigenständig die Orthodoxie an und grenzte sich damit dauerhaft von der lateinischen Welt ab.

Die 711 in Spanien eingedrungenen islamischen Araber errichteten 756 ein gesondertes Emirat, 929 den Kalifat von Córdoba (bis 1031), bevor im 11. Jh. vom christlich gebliebenen Nordrand her die Rückeroberung in Gang kam, die sich bis zum Ende des Mittelalters hinzog. Andere Muslime aus Nordafrika sicherten sich seit 831 die Herrschaft über Sizilien und zeitweilig auch in Unteritalien. Ihnen traten im späten 11. Jh. Normannen aus Nordfrankreich mit Erfolg entgegen und etablierten 1130 im Widerstreit zu beiden christlichen

Imperien ein multikulturelles Königreich mit dem Zentrum Palermo, wo sich eine muslimische Minderheit bis weit ins 13. Jh. hielt.

Die stärkste Dynamik entfaltete die lateinische Sphäre, die, anfangs der griechischen und der arabischen kulturell unterlegen, im Laufe des Mittelalters die anderen Teile E.s überflügelt hat. Das westliche Imperium, das 962 von Otto I. auf der schmaleren Basis des ostfränkischen, später deutschen Reiches sowie großer Teile Italiens (bis nach Rom) erneuert wurde, blieb bis weit ins 11. Jh. die Vormacht, war aber nicht länger der politische Gesamtrahmen der lateinischen Christenheit. Ihn füllte daneben eine wachsende Zahl von prinzipiell gleichrangigen Reichen aus, die durch Könige von Gottes Gnaden mit geistlicher Weihe regiert wurden und schon deshalb einer eigenen Kirchenorganisation (mit Erzbischof) bedurften. Überall setzte sich früher oder später die dynastische Erbfolge durch, während das Kaisertum an die Wahl durch die deutschen Fürsten und die Krönung durch den Papst in Rom gebunden war, was zu immer längeren Unterbrechungen in der Sukzession führte. Von 1056 bis 1155 gab es bis auf vier Jahre keinen allg. anerkannten Kaiser des Westens.

Umso mehr brachte sich als übergeordnete Instanz das Papsttum (↑Papst) zur Geltung, das in der Mitte des 11. Jh. zur Zentralisierung der Gesamtkirche überging (und dabei 1054 den Bruch mit der Orthodoxie in Kauf nahm). Seit dem Investiturstreit entzog es sich der Verfügbarkeit durch weltliche Gebieter und setzte seine geistliche Strafgewalt auch gegen regierende Herrscher ein. Die Päpste ergriffen die Initiative zu den „international" geführten Kreuzzügen und boten legitimierenden Rückhalt für Machtverschiebungen innerhalb von E., was sich zuerst bei den Normannen Unteritaliens, später bei der Formierung christlicher Reiche in Spanien und Portugal zeigte und um 1200 in den Anspruch auf Lehnshoheit über weite Teile des Kontinents mündete. Als oberste Gesetzgeber und Richter der lateinischen Kirche bewirkten sie grenzüberschreitende Rechtseinheit und schufen mit den Laterankonzilien ein Forum gemeinsamer Beratung und Begegnung. Sie förderten gesamtkirchlich agierende Ordensgemeinschaften (↑Orden) und sanktionierten die Entstehung der ersten Universitäten.

Politisch bestand Lateineuropa um 1200 aus sechzehn gleichartigen, auf ↑Adel und ↑Kirche gestützten Königreichen mit dem alpenübergreifenden Imperium in der Mitte. Nachdem Friedrich I. Barbarossa (1152–90) eine direkte Herrschaft in (Ober-)Italien kaum noch durchzusetzen vermocht hatte, gelang infolge der Heirat seines Sohnes Heinrich VI. (1190–97) mit der Erbin des normannischen Sizilien eine Zusammenfassung der ganzen Halbinsel, die freilich das Verhältnis zum Papsttum schwer belastete. Nicht zustande gekommen ist eine eigene ↑Monarchie in Irland und Wales, wo sich die englischen Könige von außen der Herrschaft bemächtigten. Umgekehrt zerfiel in Polen (ebenso wie in

Russland) die bereits erreichte Reichseinheit durch Erbteilungen wieder in einzelne Fürstentümer. Ganz aus dem Rahmen fielen das erst im 9. Jh. besiedelte Island, wo sich bis ins 13. Jh. eine oligarchisch verfasste Bauernrepublik hielt, sowie die autonome Seestadt Venedig, die von einer kaufmännischen Führungsschicht regiert wurde. Byzanz wurde erst im 12. Jh. nach schweren Gebietsverlusten in Kleinasien zu einer vorwiegend europäischen Macht, die jedoch auch auf dem Balkan Einbußen erlitt und sich die Feindschaft der sizilischen Normannen wie auch der Venezianer zuzog. Am Ende standen 1204 die Okkupation Konstantinopels durch den Vierten Kreuzzug und die Errichtung eines lateinischen, dem Papst ergebenen Kaisertums, das indes nicht zur Integration der Orthodoxie in die westliche Kirche führte und nach 57 Jahren wieder erlosch. Zu einer Randerscheinung war der europäische Islam geworden, der seine Herrschaft allein im Süden Spaniens (um Granada) behauptete.

Obgleich das Zusammenwachsen des Kontinents durch die Ausbreitung von städtischem Leben und Geldwirtschaft, die Intensivierung von Fernhandel und Reiseverkehr sowie die gemeinsame lateinische Bildung begünstigt wurde, ist ein explizites E.-Bewusstsein weiterhin kaum fassbar. Vielmehr dominierten die Selbstbeschreibungen als *Christianitas* oder *ecclesia*, auch als *orbis Romanus* oder Okzident (↑Abendland), um einen Kontrast zum Heidentum anderer Weltgegenden einschließlich des Islam auszudrücken. Die Vorstellung von einem politischen Verbund der christlichen Herrscher in E. findet sich so wenig wie gesonderte kartographische Darstellungen des Erdteils.

3. Spätmittelalter

Im Ostseeraum kam im 13./14. Jh. die Christianisierung E.s zum Abschluss. Finnland wurde durch Eroberung der schwedischen Kirche angeschlossen. In Estland wurden anfängliche dänische Missionare vom Ritterorden der Schwertbrüder verdrängt, der auch Livland (um Riga) unterwarf und bald darauf im Deutschen Orden aufging. Dessen Auftrag war es seit 1231, die heidnischen Preußen zu bekehren, was zur Etablierung eines vom Reich und von Polen unabhängigen Ordensstaates neuer Art führte. Am längsten widersetzte sich Litauen, das nach einer episodenhaften früheren Königstaufe (1253) erst 1386 als Folge einer dynastischen Verbindung mit Polen das Christentum annahm.

An der Spitze der lateinischen Welt verfiel die Autorität der Kaiser seit der Absetzung Friedrichs II. durch den Papst (1245) zusehends und damit zugl. die Reichsgewalt südlich der Alpen. Kaiserkrönungen in Rom fanden nur noch 1312, 1328, 1355, 1433 und 1455 statt. Das Papsttum geriet nach seinem Sieg über die Staufer in Italien in wachsende Abhängigkeit von Frankreich und verlegte 1305/09 seine Residenz nach Avignon. Der Versuch, dieses „Exil" zu beenden, führte zum Großen Abendländischen Schisma (1378–1417), in dem ein römischer und ein avignonesischer, zuletzt noch ein dritter Papst konkurrierten. Zu überwinden war der Zwiespalt nur durch ein allg.es, also gesamteuropäisches ↑Konzil, das 1414–18 in Konstanz tagte und einen neuen Papst wählte, der nach Rom zurückkehrte. Seine Nachfolger im 15. Jh. behaupteten ihren innerkirchlichen Primat, verzichteten aber auf aktives Reformhandeln und agierten politisch nur noch im Rahmen Italiens.

Außerhalb des Imperiums kam das größte Gewicht Frankreich und England zu, die seit der normannischen Eroberung des Inselreichs (1066) eng aufeinander bezogen waren. Die englischen Herrscher, die als Vasallen der französischen Könige über reichlichen Festlandsbesitz verfügten, waren im 12. Jh. deutlich überlegen, während im 13. Jh. die Krone Frankreichs die Oberhand gewann und den Engländern die meisten Gebiete abnahm. Aus dem Erbanspruch des englischen Königs auf den französischen Thron erwuchs der Hundertjährige Krieg (1337–1453), an dessen Ende sich die Engländer trotz zeitweise großer Siege ganz aus Frankreich zurückziehen mussten. Mitbedingt durch diesen Ausgang stürzte England in die blutigen Thronwirren der Rosenkriege zwischen den Häusern York und Lancaster (1455–85), während sich die französische Monarchie der Herausforderung durch die nach eigenem Königtum strebenden Herzöge von Burgund zu erwehren hatte.

An seiner Peripherie erlebte E. die Entstehung beachtlicher Großreiche. So wurde Aragon durch den Erwerb von Sizilien (1282), Sardinien (1326) und weiteren Inseln, 1435 auch noch des Königreichs Neapel zur Vormacht im westlichen Mittelmeer, bevor es 1479 durch Heirat zur Vereinigung mit Kastilien und damit zur gesamtspanischen Monarchie kam. Im Norden fanden Dänemark, Norwegen und Schweden 1397 in der Kalmarer Union zusammen, die mit Unterbrechungen bis 1523 Bestand hatte. Im Osten führte der Mongoleneinfall von 1237/42 zur langfristigen Tatarenherrschaft über die russischen Fürstentümer und indirekt zu deren Einigung unter Führung Moskaus. 1301/08 erwarb das in Neapel regierende Haus Anjou die Krone Ungarns und dazu 1370 diejenige Polens, die jedoch nach 1382 wieder verlorenging, als sich das erwähnte Doppelreich Polen-Litauen (1385/86) anbahnte, das tief nach Russland hineinragte. 1387 fiel Ungarn an den Luxemburger Sigismund, der später das römisch-deutsche Königtum, die Krone Böhmens und 1433 noch das Kaisertum hinzugewann. Eine Verbindung mit Böhmen erstrebte 1469 auch der ungarische Wahlkönig Matthias Corvinus (1458–90), der sich zudem Schlesien, Mähren, (Nieder-)Österreich und Steiermark sicherte und zuletzt in Wien residierte.

Die 1261 nach Konstantinopel zurückgekehrten byzantinischen Kaiser herrschten nur noch über ein allseits bedrohtes Kleinreich, das im frühen 14. Jh. den Aufstieg Serbiens zur Großmacht hinnehmen musste, v. a. aber von den türkischen Osmanen stranguliert wurde, die sich ganz Kleinasien unterwarfen und 1354 nach E. übersetzten. In wenigen Jahrzehnten zwangen sie große Teile der Balkanhalbinsel unter ihre islamische Herrschaft und stießen bis an die Grenze Ungarns vor. Dringend erbetene Hilfe aus dem lateinischen Westen blieb aus, weil die gewünschte Kirchenunion nicht durchzusetzen war, so dass die völlig isolierte Kaiserstadt am Bosporus 1453 den Osmanen anheimfiel.

Wie kein Ereignis zuvor hat der Fall von Konstantinopel den Okzident aufgeschreckt und zum Bewusstsein gebracht, dass die Christenheit auf den Kontinent E. reduziert war. Er erschien nun als die gemeinsame „Heimat" (patria) aller Rechtgläubigen, und die Europaei waren aufgerufen, gegen die Türkengefahr zusammenzustehen. Die gleichzeitig an der Westküste Afrikas beginnende koloniale Expansion (↑Kolonialismus) in andere Erdteile tat ein Übriges, um in der ↑Neuzeit E. insgesamt als einen Weltteil mit spezifischem Gepräge erscheinen zu lassen.

Literatur

K. Oschema: Bilder von Europa im Mittelalter, 2013 • R. Schieffer: Christianisierung und Reichsbildungen. Europa 700–1200, 2013 • B. Schneidmüller: Grenzerfahrung und monarchische Ordnung. Europa 1200–1500, 2011.

RUDOLF SCHIEFFER

III. Historische Entwicklungen: Frühe Neuzeit

1. Begriff und Umschreibung

Die Epochenbezeichnung Frühe Neuzeit verdankt sich einem in den 1950er Jahren einsetzenden Forschungsdiskurs, der wenig später zur Einrichtung (oder Umwidmung) der ersten Lehrstühle speziell für die ↑Epoche vom ausgehenden 15. bis zum beginnenden 19. Jh. führte. In Deutschland und im angelsächsischen Bereich (Early Modern History) setzte sich die Begrifflichkeit rasch durch, in anderen Wissensgesellschaften dagegen nicht, etwa in Frankreich, wo man die Epoche der Frühen Neuzeit nach wie vor den temps modernes zuordnet. Auch im Polnischen ist der Begriff bis heute nicht heimisch geworden. Im Übrigen kann der Begriff nur für die Geschichte Alt-E.s eingesetzt werden; seine Übertragbarkeit auf andere Kulturen ist zwar geprüft worden, aber problematisch.

Dabei hat es gute Gründe gegeben, die traditionelle, auf Christoph Cellarius zurückgehende Trias Altertum/Mittelalter/↑Neuzeit zu modifizieren. Diese Erkenntnis speiste sich aus der Konstruktion zweier Epochenschwellen, die so tiefgreifend waren, dass sie E. je grundlegend veränderten: Einerseits wurde um 1500 eine (auch den Menschen um 1800 schon voll bewusste) Zäsur gesetzt, die durch Phänomene wie die Staatsbildung überhaupt und die bürokratische Verdichtung der Staaten, durch die Ausbildung einer auf Interaktionen und Kommunikation (Diplomatie, ↑Außenpolitik) beruhenden Staatengesellschaft, durch das Entstehen eines veränderten („humanistischen") Menschenbildes, durch die (u. a. von emigrierten griechischen Gelehrten bewirkte) „Rückkehr" zu den antiken Gewährsleuten und Idealen und andere „Renaissancen", von denen die ↑„Reformation" der Kirche die größte Dynamik entwickelte, durch die bahnbrechende Entwicklung des Buchdrucks mit beweglichen Lettern und die von ihm ausgelöste erste „Medienrevolution" und nicht zuletzt durch die von der geradezu obsessiv verfolgten Suche nach dem Seeweg nach Indien ausgelösten Erschließung der Welt jenseits der Ozeane gekennzeichnet ist. Das Ende des mehrere Jh. umfassenden Zeitraums einer „alteuropäischen" Gesellschaft bildete die Phase um 1800 mit dem Übergang von feudalen Strukturen und des Prinzips des „ganzen Hauses" zu neuen politischen und gesellschaftlichen Parametern, zur Garantie von ↑Menschen- und Bürgerrechten, in der Perspektive der „modernen" ↑Industriegesellschaft zu gravierenden Veränderungen der ↑Produktion von Massenwaren, die nicht mehr nach den Regeln der alten Zunftordnungen vor sich ging. Schon von der Terminologie her ist damit klar, dass es sich periodologisch um eine Übergangs- und Zwischenepoche zwischen dem Mittelalter und der *eigentlichen* ↑Moderne handelt.

2. Geographie und Sozialstruktur

Über die Physiognomie und die Außengrenzen E.s herrschte am Beginn der Frühen Neuzeit noch längst keine Klarheit. Es gab Karten, die „Europa" ohne Skandinavien und ohne die britischen Inseln darstellten, und ganz unsicher waren sich die Kartenzeichner, wenn es um die Begrenzung E.s nach Osten ging. Hier wurde zunächst der Don – angelehnt an antike Autoritäten – als Grenze E.s nach Asien hin angenommen, ehe sich im 18. Jh. das russische Konstrukt durchzusetzen begann, dem Ural diese Funktion zuzuweisen. Obwohl dagegen gute Gründe vorgebracht werden konnten, ist es allmählich zur *communis opinio* geworden.

Das E. der Frühen Neuzeit war in seinen beiden Teilen, der „lateinischen" und der orthodoxen Christenheit, insofern eine recht homogene Geschichtslandschaft, als sie überwiegend agrarisch strukturiert war – mit agrarischen Bevölkerungsanteilen von bis zu 90 % – und nur wenige verdichtete Gewerbelandschaften (in den südlichen Niederlanden, in Oberdeutschland und in Oberitalien) aufwies. In diese überwiegend dörflich geprägte Struktur waren in unterschiedlicher Dichte ummauerte Städte mit einem hohen Anteil an kommunaler ↑Selbstverwaltung eingesprengt, die als eine Art Charakteristikum Alt-E.s eingestuft werden können. Grundsätzlich galt das ständische Prinzip: In seinen ↑Stand wurde man hinein geboren, ihn hinter sich zu lassen gelang eher selten: durch Bildung und akademischen Aufstieg, durch den Kirchendienst oder durch zeitweise Öffnungen des Amtsadels bzw., wie in England, durch die Aufnahme bürgerlicher Elemente in die *gentry*. Mit dem Stand war auch eine entsprechende Lebensform verbun-

den, bei der in allen Gruppen das Moment der „Ehre" eine Schlüsselrolle spielte. Die Bevölkerungszahlen nahmen zwar überall zu, aber es gab Selbstregulierungsmechanismen, um die Bevölkerung nicht „explodieren" zu lassen, und sie erlebte zudem durch die vielen Kriege und durch Witterungsphänomene wie die sog.e Kleine Eiszeit und viele Epidemien immer auch wieder Rückschläge. Vielerorts in der Mitte E.s bedurfte es zweier Generationen, um die durch den Dreißigjährigen Krieg bedingten Bevölkerungsverluste wieder auszugleichen. Der Anstieg der europäischen Bevölkerung auf ca. 200 Mio. Menschen verdankte sich im Wesentlichen erst dem 18. Jh.

3. Staatlichkeit

Relativ homogen war der Kontinent auch insofern, als die monarchische Struktur der Einzelstaaten deutlich überwog. Ob es Erbmonarchien wie in Frankreich, ob es – wie im Heiligen Römischen Reich oder in Polen nach dem Aussterben der Jagiellonendynastie – Wahlreiche waren: Der Regelfall war ein lebenslang amtierender Fürst, der im Übrigen auch einen geistlichen Status (Kirchenstaat) haben konnte. Nicht-monarchische Gebilde wie die Eidgenossenschaft oder die sich von der Krone Spanien emanzipierenden Niederlande waren zunächst Ausnahmen von der Regel und tendierten zudem (Venedig, Genua) dazu, ihren gewählten Vorstehern einen königsähnlichen Rang zu verschaffen. Freilich waren das nie und nirgendwo – selbst zunächst nicht im Russländischen Reich – Fürsten, die autoritär, also „absolutistisch", hätten agieren können; der Regelfall im frühneuzeitlichen E. war vielmehr der Dualismus zwischen Herrscher und den Ständekorporationen, die „das Land", also die Gesamtbevölkerung vertraten und die personell und wegen des ihnen im Allgemeinen zustehenden Budgetrechts für ein Gemeinwesen unverzichtbar waren. In manchen Staaten – so in England – hat das früh zu parlamentarischen Mitwirkungsrechten (↑Parlament) geführt, in anderen – so in Frankreich – zu Einrichtungen wie den Generalständen, die allerdings nur noch sehr sporadisch einberufen wurden. Ganz entmachten konnte aber selbst in der Hoch-Zeit fürstlichen Selbstbewusstseins der Monarch (↑Monarchie) die Stände nirgendwo, die zudem in den Wahlstaaten mittels Wahlkapitulationen und anderen Fundamentalgesetzen die Fürsten einer ständigen Kontrolle unterwarfen. Ein besonderes, mit den dynastischen Austauschprozessen zusammenhängendes Phänomen des frühneuzeitlichen E. waren die sog.en *composite-monarchies*, deren Spitze es mit sehr heterogenen, auf dem Erbweg kumulierten Territorien mit je unterschiedlichen Verfassungsstrukturen zu tun hatten; das spanische Imperium des 16./17. Jh. ist dafür ein Paradebeispiel mit seinen Besitzungen in den Niederlanden und in Ober- und Süditalien, von der zeitweise bestehenden Personalunion mit Portugal und den überseeischen Besitzungen gar nicht erst zu reden.

Unbeschadet dieses Dualismus Fürst/Stände tendierten die frühneuzeitlichen ↑Staaten im Allgemeinen zu mehrfachen Verdichtungsprozessen mit dem Ziel der Herstellung eines möglichst homogenen Untertanenverbandes und Ausweitung ihrer eigenen Kompetenzen: in Bezug auf die Administration, in denen die Fürsten die Mitwirkung der Stände möglichst zurückzudrängen und ganz auf die Person des Monarchen auszurichten suchten, in Bezug auf die Aneignung des ↑Gewaltmonopols, in Bezug auf die Unterordnung bzw. Instrumentalisierung der ↑Kirche, wie es am schlagendsten in England praktiziert wurde, in Bezug auf das ständige Drehen an der Steuerschraube, das die Inhaber der ↑„Souveränität" in die Lage versetzte, stehende Heere aufzubauen und sich von privaten Kriegsunternehmern des Typus Albrecht von Wallenstein unabhängig zu machen, in Bezug auf die ↑Wirtschaft, indem sie, soweit meerseitig gelegen, sich in den lukrativen Überseehandel der exklusiven Art (Edelmetalle, luxuriöse Rohstoffe) einzuschalten und die großen Unternehmer- und Handelsdynastien (Fugger) an den Rand zu drängen suchten. Die überseeische Welt wurde der dortigen agrarischen und metallenen Ressourcen und des neuen Marktes für eigenen Export wegen zur großen Versuchung für die europäischen Staaten, der sie veranlasste, unter Zurückstellung anderer Prioritäten ganz auf Kapitalgewinn durch Handel (↑Merkantilismus) zu setzen, der sie aber letzten Endes auch nicht davor bewahrte, reihenweise in Staatsbankrotte zu treiben. Das zeitgemäße Instrumentarium wurden ihnen die großen, aus privaten Initiativen hervorgegangenen, dann aber mehr und mehr zu halbstaatlichen Organisationen sich entwickelnden Handelsgesellschaften, denen am Ende gar völkerrechtliche Aufgaben in Übersee überantwortet wurden.

4. Konkurrenzen

Das Nebeneinander relativ vieler Gemeinwesen mit unterschiedlichen Ressourcen und Potentialen machte aus dem frühneuzeitlichen E. einen Kontinent, in dem die Konkurrenz zum bestimmenden Merkmal wurde. Bei aller Tendenz, den Kontinent als eine vom ↑Christentum geprägte Einheit zu verstehen, die sich in vielen Manifesten und Bekenntnissen zu „Europa" und europäischen Friedens- und Konföderationsplänen niederschlug, war der zwischenstaatliche ↑Krieg die bestimmende Signatur Alt-E.s, die fast kein Jahr in diesen drei Jh. völlig kriegsfrei machte. Krieg wurde aus dynastischen Gründen geführt, um Erbansprüche durchzusetzen – die Konjunktur der Erbfolgekriege – oder um dynastischen Bedrohungen entgegenzuwirken. Kriege wurden gegen vermeintliche „Universalmonarchien" unternommen. Krieg wurde aus strategischen Gründen geführt, um vorgeblichen oder tatsächlichen Umklammerungen durch Dritte zu entgehen und um bestimmte strategisch wichtige Punkte zu halten oder zu erobern. Krieg wurde begonnen, um Meereszugänge zu gewin-

nen oder Behinderungen des freien Schiffsverkehrs abzubauen. Krieg wurde nicht zuletzt der *gloire*, des persönlichen Ehrgeizes wegen geführt und von späteren Beobachtern mit einem Sport der Könige gleichgesetzt. Kriege erwuchsen aus Auseinandersetzungen zwischen Ständen und der Krone, Kriege in Außer-E. zwischen den Protagonisten schlugen auf E. zurück. Dass das Machtkartell der Großmächte dann auch einmal einen Krieg zu verhindern suchte und sich zu Lasten des Schwachen skrupellos zu bereichern verstand (Teilungen Polens), fiel da kaum noch ins Gewicht. Krieg, die Permanenz des Krieges wurde zum Normalzustand, wobei erst das 18. Jh. zumindest den Anspruch formulierte, im Zeitalter der sog.e Kabinettskriege die Bevölkerung möglichst aus dem Kriegsgeschehen herauszuhalten und Kriegstechniken zu entwickeln, die mit Methoden der Ermattungsstrategie eher auf die Vermeidung der Schlacht hinausliefen. Kriege beförderten den Aufstieg von Staaten zu Großmächten, die für ihre Kartelle dann verharmlosende Begriffe wie „Gleichgewicht" oder „Convenance" erfanden, und sie waren verantwortlich für den Wiederabstieg von Aufsteiger-Staaten. Die Friedensschlüsse, die die Kriege beendeten – seit der Mitte des 17. Jh. in aller Regel auf großen multilateralen Friedenskongressen –, hatten entgegen ihrer Ewigkeits-Bekundungen immer nur eine sehr begrenzte Halbwertzeit. Auch den Bemühungen des sich seit den spanischen Spätscholastikern und Hugo Grotius entwickelnden neuzeitlichen ↑Völkerrechts um Einhegung und Humanisierung des Krieges blieb der ganz große Durchbruch vorderhand versagt.

Ein eigenes Gewicht kam dem Kampf gegen die Osmanen zu, die seit den 1520er Jahren fast permanent den Südosten E.s bedrohten und als eine existentielle Gefährdung der Christianitas eingestuft wurden (und eine entsprechende Flugschriftenliteratur provozierten). Ihrer von beiden Seiten geübten Grausamkeiten wegen, aber auch weil das Osmanische Reich sich konsequent nur zu befristeten Waffenstillständen mit seinen (christlichen) Anrainern bereitfand, nicht zu „ewigen" Friedensschlüssen, fallen sie aus dem Rahmen der üblichen Kriege heraus, auch deswegen im Übrigen, weil fallweise nach entsprechenden päpstlichen Aufrufen noch einmal größere europäische Koalitionen zum „Türkenkrieg" zusammenfanden.

Und überhaupt war die Frühe Neuzeit eine unruhige Epoche. Die zwischenstaatlichen Kriege, die Übergriffe von muslimischen Korsaren zu Land und zur See, die Türkenkriege, die erst seit dem zweiten Drittel des 18. Jh. an Massivität allmählich abnahmen und mit dafür sorgten, dass sich das lange pejorativ aufgeladene Bild der Osmanen ins Ridiküle veränderte, waren nur die eine Ebene. Die andere waren die endlosen Ketten von sozialen Aufständen gegen die staatlichen Obrigkeiten und deren Handlanger, zu denen oft die Juden gezählt wurden. Ob es Bauern, Handwerker oder soziale Unterschichten waren, sie fanden in allen Teilen

E.s immer wieder Anlass, sich gegen den dramatisch steigenden Steuerdruck, gegen Beschränkungen ihrer Selbstverwaltungsrechte, gegen die Rigidität der Aushebungen, religiöse Unterdrückung oder schlicht des Hungers wegen zu erheben und die Obrigkeiten herauszufordern. Die Aufstände des „Gemeinen Manns" im frühen 16. Jh. wurden dank ihres Rekurses auf ein „göttliches Recht" und damit auf „zeitlose Urnormen" (Burkhardt 1990: 366) legendär und wurden in vielen Regionen Alt-E.s zu einer Art theologisch und altrechtlich begründetem Modell für ↑zivilen Ungehorsam.

Den Revolten von unten entsprachen Umstürze, die von Funktionseliten initiiert oder doch mitgetragen wurden: in England und Schottland ein im Religiösen, aber auch in kontrovers diskutierten Verfassungsfragen wurzelnder Bürgerkrieg, der zu einem monarchielosen Intermezzo, das auch den Charakter eines gesellschaftlichen Laboratoriums hatte, führte (1649–1660); in den Niederlanden ein achtzigjähriger Kampf um die Emanzipation von der Krone Spanien; auf Korsika eine Befreiungsbewegung, der auch sozialrevolutionäre Momente eigneten; in Frankreich schließlich jene „Große Revolution" (↑Französische Revolution), die bis heute als Mutter aller Revolutionen gilt und mit der für französische Historiker, aber längst nicht nur für sie, eine neue Zeit zum Tragen kam.

5. Reformation und Konfessionalisierung

Freilich ging es bei den Bauernaufständen von 1524/5 längst nicht nur um das „alte Recht", um die vermehrten Forderungen des (Territorial-)Staats, sondern um mehr. Hier überlappte sich der Aufruhr gegen die Verdichtung des Staates mit Hilfe des Römischen Rechts zu Lasten der alten Freiheiten bestimmter sozialer Gruppen mit der religiös-politischen Bewegung der „Renaissance" der alten Kirche in Gestalt der Reformation. Es war ein wesentliches Interpretament, die Reformation, die sich dann noch weiter ausdifferenzieren sollte (Zweite Reformation), als die Wiederherstellung der durch das Papsttum (↑Papst) pervertierten alten Kirche zu verstehen, die eine Rückveränderung notwendig machte. Die Kirchenreform mit ihrem Grundtenor der Rückkehr zur alten Kirche teilte, so sehr auch die altgläubig bleibende Gesellschaft sich nach dem Trienter Konzil entsprechenden Ansätzen öffnete, den Kontinent in zwei Hälften, die – pauschal gefasst: ein protestantisch werdender Norden und ein altgläubig bleibender Süden – einander unversöhnlich gegenüberstanden, sich mit Kriegen überzogen und die ↑Konfession, die Fragen von „Wahrheit" und Ritus, zum zentralen Parameter staatlichen Handelns erhoben, wenigstens bis ins frühe 18. Jh. hinein und bis Momente der ↑Toleranz zum Tragen kommen konnten. Das galt nicht nur für das Römisch-Deutsche Reich, wo die Gegensätze im Sinn einer dogmatischen Intoleranz am schroffsten aufeinanderprallten und trotz eines frühen Kompromisses (1555) dann doch in einen Dreißigjährigen Krieg einmünde-

ten, das galt in ganz ähnlicher Weise für Frankreich, wo die Religionskriege (↑Religionskonflikte) einander ablösten und sich dann im ausgehenden 17. Jh. noch einmal reaktivierten, für England, Polen und natürlich die Niederlande. Die Forschung spricht seit geraumer Zeit von dem Prozess der ↑Konfessionalisierung, weil das konfessionelle Paradigma den Prozess der Homogenisierung der einzelnen Gemeinwesen – mit konfessionell-politischen Strukturen, mit Grundsatzdokumenten, mit Methoden der Sozialdisziplinierung – beschleunigte und auf alle Lebensbereiche durchschlug (und somit differente Kulturlandschaften entstehen ließ) und zudem bis weit ins 17. Jh. hinein auch in der zwischenstaatlichen Politik ein maßgebender Ordnungsfaktor wurde; das Eingreifen Gustav Adolfs von Schweden im Reich war vom Religionskriegspathos getragen!

6. Aufklärung und kulturelle Angleichungsprozesse

Die andere ganz E. ergreifende Bewegung, die sich im Unterschied zur Reformation freilich nicht ursprünglich als „Renaissance" verstand, sondern als ein Phänomen, das für Aufbruch in eine neue Zeit stand, das mit dem Moment der Innovation eher kokettierte statt es weit von sich zu weisen, war die ↑Aufklärung. Wie die Reformation, griff auch sie tief in das gesellschaftliche wie das politische Leben ein, etwa in Gestalt von Justizreformen und Rechtskodifikationen, von der Förderung der Alphabetisierung, von Schul- und Universitätsreformen, vom Abschied vom Unwesen von Hexenverfolgungen, von einem neuen Verhältnis zum ↑Judentum, von Ansätzen einer „Bauernbefreiung", von einem veränderten Selbstverständnis der Monarchen („Ich bin der erste Diener meines Staates"). Man hat diese Verflechtung von Aufklärung und „aufgeklärten" Impulsen und Staat mit Schlagworten wie „Aufgeklärter Absolutismus" oder Reformabsolutismus bedacht. Aber den Staaten des ausgehenden 18. Jh. eignete letztlich nicht mehr viel „Absolutistisches".

Es war ein eher mühsamer Prozess, bis „Europa" zu einer gewissen kulturellen Homogenität fand; die unterschiedlichen Konfessionen mit all ihren Implikationen standen dem zunächst entgegen: die Baukunst nahm im katholischen E. lange eine andere Entwicklung als im protestantischen, die Jesuitenuniversitäten waren mit denen im protestantisch-anglikanischen E. nicht vergleichbar, die niederländische Malerei des mittleren 17. Jh. differierte von der zeitgleichen spanischen gravierend, die musikalischen Themen waren gänzlich andere. Immerhin: Die (katholische) *lingua franca* des ausgehenden 17. Jh., das Französische, wurde zunehmend in ganz E. akzeptiert, die Übersetzungen von ↑Literatur aus den „katholischen" Sprachen in protestantische E. und vice versa häuften sich. Die Aufklärung wurde zu einem gesamteuropäischen und konfessionenübergreifenden Diskurs, der beispielsweise auch die schottische Aufklärung in Russland heimisch machte; die Toleranz wurde von einer Denkleistung mehr und mehr zur politischen Praxis. Die vielen durch Publikationen rasch zum Gemeingut werdenden wissenschaftlichen Fortschritte hatten dem vorgearbeitet: Am Ausgang des 18. Jh. war E. zumindest auf dem Weg, zu einer mehr oder weniger homogenen Kulturlandschaft zu werden – einer Kulturlandschaft freilich, die sich einem unaufhörlichen Fortschrittsoptimismus (↑Fortschritt) hingab, den die Zukunft nur teilweise erfüllte.

Literatur

T. Maissen: Geschichte der Frühen Neuzeit, 2013 • K. Vocelka: Frühe Neuzeit 1500–1800, 2013 • R. von Friedeburg: Europa in der frühen Neuzeit, 2012 • H. Neuhaus (Hg.): Die Frühe Neuzeit als Epoche, 2009 • W. Buchholz (Hg.): Das Ende der Frühen Neuzeit im „Dritten Deutschland", 2003 • R. Dürr u. a. (Hg.): Eigene und fremde Frühe Neuzeiten, 2003 • A. Völker-Rasor (Hg.), Frühe Neuzeit, 2000 • H. Schilling: Die neue Zeit. Vom Christenheitseuropa zum Europa der Staaten, 1999 • P. Münch: Lebensformen in der Frühen Neuzeit 1500–1800, 1998 • R. van Dülmen: Gesellschaft der Frühen Neuzeit, 1993 • J. Burkhardt: Frühe Neuzeit, in: R. van Dülmen (Hg.): Fischer Lexikon Geschichte, 1990, 364–385 • S. Skalweit: Der Beginn der Neuzeit: Epochengrenze und Epochenbegriff, 1982.   HEINZ DUCHHARDT

IV. Historische Entwicklungen: Moderne (19./20. Jh.)

Ein „langes" 19. Jh., gefolgt von einem „kurzen" 20. Jh., d. i. eine übliche Periodisierung der Neuesten und Zeitgeschichte E.s. Die ↑Französische Revolution, der Erste Weltkrieg und der Zusammenbruch des Kommunismus in Ost-E. um 1990 als dahinterstehende epochale Wendungen spiegeln jedoch nur unzureichend die politischen, sozioökonomischen und kulturellen Brüche und Kontinuitäten in der Entwicklung des Kontinents über 200 Jahre wider, die zudem höchst ungleichzeitig verlief.

1. Nationalstaatsbildung und wirtschaftlicher Aufbruch

Mit der Niederlage Napoleon Bonapartes gegen die europäischen Koalitionsarmeen 1815 kam es zunächst in großen Teilen des Kontinents zu einer Restauration der etablierten Herrschaften, die sich jedoch allerorten wachsenden National- und Vereinheitlichungsbewegungen gegenüber sahen. Bis in die 1870er Jahre gründeten sich zahlreiche neue Nationalstaaten, die teils aus zerbrechenden Imperien stammten (z. B. Griechenland, Rumänien, Bulgarien), teils eine Vereinigung existierender Herrschaftsgebiete waren oder aus diesen herausgeschnitten wurden (z. B. Belgien, Italien, Deutschland). Mit Frankreich und dem Vereinigten Königreich von Großbritannien und Irland konsolidierten sich zwei traditionell als Nationalstaaten auftretende Mächte, während die drei großen Vielvölkerimperien Österreich-Ungarn, Russland und das Osmanische Reich politisch zunehmend unruhiger wurden und wirtschaft-

lich zurückblieben. Begrenzte militärische Konflikte zwischen einzelnen Mächten (Krimkrieg oder deutsch-französischer Krieg) blieben Ausnahmen in einem Zeitalter, in dem es den Europäern meist gelang, das prekäre Gleichgewicht der Kräfte mittels Diplomatie und Konferenzen zu bewahren. Dazu gehörte auch eine Verteilung der europäischen Interessengebiete in Übersee. Während Portugal und Spanien ihren südamerikanischen Besitz weitgehend verloren, weiteten Briten, Franzosen und Niederländer, später auch Belgier, Italiener und Deutsche, ihre Ansprüche auf zahlreiche afrikanische und asiatische Territorien erheblich aus. E. beherrschte praktisch konkurrenzlos einen Großteil der Welt, was sich erst im Laufe des 20. Jh. ändern sollte.

Die ↑Demokratisierung v. a. des Westens und Nordens sowie partiell des Südens des Kontinents machte Fortschritte, obgleich politische Partizipationsrechte zunächst nur wenigen, vermögenden männlichen Einwohnern zugestanden wurden. Im Osten und Südosten E.s blieben autokratische Strukturen häufig bis ins 20. Jh. erhalten, während in der zweiten Hälfte des 19. Jh. der ↑Liberalismus und, begrenzt, der ↑Sozialismus an politischem Einfluss im Westen E.s gewannen.

Um 1815 lebten rund 170 Mio. Menschen in E. Durch verbesserte Ernährung sowie medizinische und hygienische Fortschritte verringerten sich die Sterberaten in großen Teilen des Kontinents erheblich, was ein solides natürliches Bevölkerungswachstum bedingte (1914 ca. 470 Mio.). Während weit über 50 Mio. Europäer auswanderten (v. a. nach Nord- und Südamerika), gab es kaum außereuropäische Zuwanderung. Auch zwischen den europäischen Staaten hielten sich Migrationsbewegungen zahlenmäßig in Grenzen; lediglich innerhalb von Nationen oder Regionen kam es aufgrund wirtschaftlicher Ungleichgewichte zu erheblichen Bevölkerungsverschiebungen (↑Migration). Zudem sollte nicht vergessen werden, dass E. ein von den drei großen christlichen Religionen dominierter Kontinent war, der eine nur in Ostmittel-E. signifikant große jüdische und allein auf dem Balkan eine muslimische Minderheit verzeichnete. Auch wenn die ↑Säkularisierung schon im 19. Jh. einsetzte, blieb die Bedeutung der Amtskirchen immens. In der zweiten Jahrhunderthälfte setzte zudem ein partielles Wiederaufleben der Volksfrömmigkeit ein (Wallfahrten, Reliquienverehrung, angebliche Marienerscheinungen).

Die auf den britischen Inseln und in Flandern bereits seit dem 18. Jh. sichtbare Industrialisierung (↑Industrialisierung, Industrielle Revolution) erfasste im Laufe des 19. Jh. weite Teile E.s, was nicht nur die wirtschaftlichen, sondern auch die sozialen Strukturen und Lebensbedingungen der Menschen tiefgreifend veränderte. Allerdings waren davon die meisten Regionen des Südens und Ostens E.s erst im 20. Jh. und dann meist in andersartiger Weise betroffen, und auch im früh industrialisierten Nordwesten blieben viele Regionen von Veränderungen lange unberührt. Im Allgemeinen bewirkte die Industrialisierung eine Modernisierung der

Landwirtschaft (↑Land- und Forstwirtschaft), aus der mehr und mehr Arbeitskräfte freigesetzt wurden, die ihrerseits unter Nutzung neuer Antriebskräfte – zuerst der Dampfkraft, später der Elektrizität – in zunehmender Arbeitsteilung immer effizienter eine wachsende Palette von Gütern produzierten. Teile des Kontinents wuchsen durch das seit den 1840er Jahren rapide ausgebaute Eisenbahnnetz enger zusammen; parallel dazu sorgte die elektrische Telegrafie und seit dem späten 19. Jh. das Telefon für eine immense Dynamisierung der Informationsübertragung (Medienrevolution).

Die sich verändernde Wirtschaftsordnung führte zu Arbeitsmigration und beschleunigte die Urbanisierung. Während sich die Mittelklasse deutlich vergrößerte, differenzierte und im Allgemeinen wohlhabender wurde, wuchsen mit einer zahlenmäßig gewaltig ansteigenden Industriearbeiterschaft auch die sozialen Unterschiede in Nordwest-E. Letztere politisierte sich seit dem letzten Drittel des Jh. zunehmend und begann, eigene Interessenvertretungen auszubilden (ebenso die neue Schicht der Angestellten). Im weiterhin maßgeblich agrarisch geprägten Süden und Osten des Kontinents dagegen herrschten bis ins 20. Jh. de facto meist adlige, landbesitzende Eliten, die dem aufstrebenden Bürgertum (↑Bürger, Bürgertum) nur begrenzt politische Mitsprache einräumten. Dennoch ist das europäische 19. Jh. auch als „bürgerliches Zeitalter" bezeichnet worden, was der wirtschaftlichen Potenz und hohen kulturellen sowie wissenschaftlichen Produktivität v.a. des westeuropäischen großstädtischen Bürgertums geschuldet ist. Aus dem Bürgertum heraus entstand spät im 19. Jh. auch eine Bewegung, die die politische Ohnmacht und soziale Unterordnung der Frauen (↑Frauenbewegungen) kritisch hinterfragte, was jedoch zunächst wenig an den überkommenen Geschlechterrollen änderte.

2. Kriege, Spaltung und der schwierige Weg zur Einheit

Der Erste Weltkrieg (1914–18) war seit knapp 100 Jahren der erste paneuropäische Konflikt, der mit seiner „industriellen" Kriegführung viele Mio. Opfer forderte, in weiten Teilen des Kontinents die politische Ordnung radikal veränderte und zahlreiche politische wie gesellschaftliche Grenzen verschob. Wissenschaftlich umstritten ist die Frage nach der Schuld am Kriegsausbruch. Letztlich entscheidend war wohl v.a. der fehlende Wille auf allen Seiten, einen Krieg unbedingt zu vermeiden. Alle Staaten gingen davon aus, dass ein kurzer, harter Kampf die Machtverhältnisse in E. klären würde; der mehrjährige Stellungskrieg in den flandrisch-nordfranzösischen Schützengräben brachte außer unsäglichem Elend jedoch keine wirkliche Entscheidung. Nach dem Waffenstillstand im November 1918 und den in den beiden Folgejahren unterzeichneten Friedensschlüssen zwischen den diversen Kriegsparteien, hatte sich E. grundlegend verändert. Die deutschen, russischen und österreichischen ↑Monarchien zerfielen; zahlreiche Grenzen wurden verändert, ↑Staaten, ↑Na-

tionen und ↑Völker dabei neu gegründet, beschnitten oder zusammengewürfelt, was sogleich neue Konfliktpotentiale schuf. In der Zwischenkriegszeit entwickelten sich mehrheitlich autoritäre oder diktatorische Regime. Benito Mussolini (1922 italienischer Ministerpräsident) war mit seinem faschistischen System Vorbild für zahlreiche weitere Machthaber (↑Faschismus). Lediglich in Skandinavien, auf den britischen Inseln, in Frankreich, dem Beneluxraum und sehr wenigen Staaten Ost- und Südost-E.s hielten sich parlamentarische Demokratien. Im Osten entwickelte sich mit der totalitären Sowjetunion eine ganz neue, nominell sozialistische Gesellschaftsordnung, die ihre Gegner radikal beseitigte und im Westen Ängste vor linken politischen Bewegungen schürte. Seit dem Ersten Weltkrieg war E. in Gestalt der wirtschaftlich und militärisch dominanten USA ein Konkurrent auf weltpolitischer Bühne erwachsen, der sich jedoch nach 1918 zunächst weitgehend aus europäischen politischen Angelegenheiten heraushielt. Während Deutschland seine Kolonien verlor, änderte sich bis zum Zweiten Weltkrieg kaum etwas an der fortdauernden Beherrschung eines Großteils der Welt durch einige wenige europäische Mächte. Lediglich Großbritannien begann damit, seinen großen Siedlungskolonien („Dominions" Kanada, Südafrika, Neuseeland und Australien) durch die Überführung in ein „↑Commonwealth of Nations" weitgehende Unabhängigkeit zuzugestehen.

Seit 1933 etablierte sich in Deutschland mit dem Nationalsozialismus innerhalb kürzester Zeit ein auf verbrecherischer, menschenverachtender Ideologie basierendes totalitäres und auf gewaltsame Expansion ausgerichtetes Regime (↑Totalitarismus). 1939 provozierte dieses einen weiteren Weltkrieg, der zunächst die rasche Eroberung eines Großteils West- und Nord-E.s durch Deutschland und seine Verbündeten nach sich zog. 1941 griff Deutschland die Sowjetunion an und dehnte seinen Machtbereich auf große Teile des östlichen und südöstlichen Kontinents aus. Dabei wurde keinerlei Rücksicht auf die Zivilbevölkerung genommen, die von der NS-Ideologie als „minderwertig" angesehen wurde. Dies galt im Besonderen für die Juden, die im Deutschen Reich bereits seit 1933 systematisch verfolgt worden waren und nun millionenfach in Lagern vernichtet wurden (↑Shoa). Nach dem Kriegseintritt der USA im Jahr 1941 weitete sich der bis dahin maßgeblich europäische zu einem ↑Weltkrieg, der für E. mit der bedingungslosen Kapitulation der deutschen Wehrmacht im Mai 1945 endete. Er hinterließ einen Kontinent, der in großen Teilen zerstört und wirtschaftlich zerrüttet war. V.a. unter amerikanischer Führung und mittels groß angelegter Wirtschaftshilfe gelang dem Westen E.s innerhalb weniger Jahre ein umfangreicher Wiederaufbau. Einer Reihe von ostmitteleuropäischen Staaten wurde von der siegreichen UdSSR ihr sozialistisches politisches System aufgezwungen. Mit der amerikanisch geführten ↑NATO und dem sowjetisch dominierten ↑Warschauer

Pakt entstanden zwei ideologisch unvereinbare militärische Bündnisse, die die Teilung E.s für mehr als vier Jahrzehnte zementierten. Nur wenigen Staaten (Österreich, Jugoslawien, Schweden, Finnland) gelang die politische ↑Neutralität bzw. „Blockfreiheit". Auch Spanien und Portugal, wo die in der Vorkriegszeit etablierten ↑Diktaturen bis in die 1970er Jahre intakt blieben, waren Teil des westlichen, antikommunistischen Bündnisses. Gegenseitiges Misstrauen und ein (atomares) Wettrüsten charakterisierten die Ost-West-Beziehungen, die sich seit den 1970er Jahren u. a. durch die deutsche Ostpolitik ein wenig entspannten. Zunehmende Engpässe und Spannungen in den planwirtschaftlichen Ökonomien des Ostblocks in Kombination mit einer auf Öffnung und Umbau fokussierten Neuausrichtung sowjetischer Politik seit der Mitte der 1980er Jahre führten zum überraschend rapiden Zerfall dieses Systems. Die deutsch-deutsche Wiedervereinigung (↑Deutsche Einheit) nach dem Fall der Berliner Mauer 1989 läutete weitere Regimewechsel ein.

Im Westen E.s entwickelte sich bereits seit 1951 (Gründung der EGKS) eine zunehmende politische Kooperation. Die Römischen Verträge begründeten 1957 die EWG, die eine gemeinsame parlamentarische Versammlung (später ↑Europäisches Parlament) und einen ↑EuGH vorsah. In mehreren Beitrittswellen zwischen 1973 und 2004 wuchs die seit 1993 ↑EU genannte Gemeinschaft auf 28 Mitgliedsstaaten an, aus der jedoch das Vereinigte Königreich aufgrund eines Referendums voraussichtlich 2019 ausscheiden wird. 19 dieser Staaten verwenden mittlerweile die 1999 eingeführte Einheitswährung Euro.

Die europäische Bevölkerung wuchs zwar von etwa 530 Mio. um 1950 auf 730 Mio. ein halbes Jh. später, aber der Anteil der Europäer an der Weltbevölkerung fiel im 20. Jh. stetig. Zahlreiche vor dem Ersten Weltkrieg angelegte gesellschaftliche Veränderungen setzten sich im 20. Jh. fort. Früh erhielten Frauen in den meisten europäischen Staaten die volle politische Mitbestimmung, aber erst in den 1970er Jahren erkämpfte sich die Frauenbewegung weitere maßgebliche Rechte. Im Laufe des 20. Jh. setzten sich industrielle Strukturen auch im Osten (v. a. Schwerindustrie) und partiell im Süden E.s durch, wobei der Wandel hin zur Dienstleistungsgesellschaft nach 1945 immer deutlicher wurde, was u. a. erhebliche Veränderungen in der Entstehung von ↑„Freizeit" und neuer Unterhaltungsmedien beinhaltete. Auch durch grenzüberschreitenden ↑Tourismus (erschwingliche Charterflüge seit den 1970er Jahren) rückte E. enger zusammen. Dazu trugen ferner massive innereuropäische Migration bei. Eklatante Ungleichheit in der wirtschaftlichen Entwicklung zwischen Nordwest- und Süd-E. sorgten dafür, dass die industrialisierten Staaten seit den 1950er Jahren immer multikultureller und letztlich zu Einwanderungsgesellschaften wurden. Die europäischen Kolonialmächte verloren zwischen den 1950er und 1970er Jahren praktisch ihren gesamten überseeischen Besitz und mussten erhebliche Kontingente von Einwanderern aus diesen Territorien integrieren. Überkommene soziale Schichtungen (v. a. die „Arbeiterklasse") wandelten sich sukzessive, was wiederum Auswirkungen auf das politische Spektrum in vielen europäischen Ländern hatte. Auch der politische Einfluss der organisierten ↑Religionsgemeinschaften nahm, je nach Region, mehr oder weniger rasch ab. Wie gut sich die neu formierte, aber fragile europäische „Einheit" angesichts der Probleme des 21. Jh. (außereuropäische Masseneinwanderung, populistische Strömungen, ein der sowjetischen Machtfülle nachtrauerndes Russland, wirtschaftlich expandierende Schwellenländer und eine USA, die E. nicht mehr zwangsläufig als natürlichen Partner in der westlichen Werteordnung begreifen) behaupten kann, bleibt abzuwarten.

Literatur
W. Hippel/B. Stier: Europa zwischen Reform und Revolution, 1800–1950, 2012 • T. Judt: Geschichte Europas von 1945 bis zur Gegenwart, 2009 • R. Liedtke: Geschichte Europas von 1815 bis zur Gegenwart, 2009 • G. Mak: Europa. Eine Reise durch das 20. Jahrhundert, 2005 • W. L. Bernecker: Europa zwischen den Weltkriegen, 1914–1945, 2002 • J. Fisch: Europa zwischen Wachstum und Gleichheit, 1850–1914, 2002.

RAINER LIEDTKE

Europa der Regionen, Euregio

1. Begriffsklärung
Regionen sind in ↑Europa in vielfältiger Weise politisch organisiert. Vorreiter war die 1985 gegründete VRE, welche die Stärkung derer in der ↑EU unterstützte. Der Begriff E. d. R. wird seit Ende der 1980er Jahre in wissenschaftlichen und europapolitischen Debatten verwendet. E. umfasst die vertikale und die horizontale Dimension von Verflechtungs- und Kooperationsstrukturen zwischen Regionen. Der Begriff der Region meint dabei die „dritte Ebene" im EU-Mehrebenensystem in Abgrenzung vom Nationalstaat. Vielfach ist mit E. d. R. ein integrationstheoretisches Konzept gemeint, demzufolge der ↑europäische Integrationsprozess von den Regionen und transnationalen regionalen Zusammenschlüssen (Europaregionen, kurz Euregios) vorangetrieben werden sollte. Die Forderung nach einer starken Rolle von Regionen im Integrationsprozess hat Auswirkungen sowohl auf die innerstaatliche als auch auf die EU-Ebene. So wurde im Zuge innerstaatlicher Dezentralisierungs- und Regionalisierungsprozesse (z. B. Spanien, Großbritannien) ihre Rolle auch in EU-Angelegenheiten gestärkt; hinzu kommt der Ausbau von Mitwirkungsmöglichkeiten direkt auf der EU-Ebene.

2. Regionen in der EU
Die Territorialstruktur der EU-Mitgliedstaaten differiert stark. Sie reicht von unitarischen über regionalisierte bis

hin zu föderalen Staaten (↑Föderalismus). Der Definition einer Region liegt in der EU-Regionalpolitik eine Klassifikation von Gebietseinheiten mit drei Hierarchiestufen zugrunde (NUTS 1–3). Die aktuelle Systematik ist seit dem 1.1.2015 gültig; gemäß der Orientierung an der Verwaltungsgliederung der Mitgliedstaaten gibt es auf der obersten Ebene (NUTS-1) 98 Regionen; in Deutschland gelten die Bundesländer als Region. Auf der NUTS-2-Ebene existieren 276, auf der NUTS-3-Ebene 1 342 Regionen. Integrationspolitisch ist v. a. die NUTS-1-Ebene relevant. Im Hinblick auf die Mitwirkung im EU-Politikprozess ist die Unterscheidung zwischen Regionen mit und ohne eigene Gesetzgebungsbefugnisse relevant.

1992 wurden mit dem Maastricht-Vertrag die Einführung des Subsidiaritätsprinzips (↑Subsidiarität) und die Einsetzung eines AdR beschlossen. Damit war die Hoffnung verbunden, den Regionen durch eine Stärkung der vertikalen Verflechtung eine effektive Vertretung auf EU-Ebene zu ermöglichen. Dies geschah nicht zuletzt auf Betreiben der deutschen Länder, die neue EU-bezogene Mitwirkungsrechte als Kompensation für Transfers von Länderkompetenzen auf die EU-Ebene einforderten (sog.e Let us in-Strategie).

Der AdR nahm 1994 seine Arbeit auf. Gemäß der offenen Definition von Regionen ist die Zusammensetzung des AdR heterogen. Intern ist der AdR mit seinen fünf politischen Fraktionen und sechs Fachkommissionen analog zu parlamentarischen Versammlungen untergliedert. Der AdR muss v. a. zu Fragen der Regional-, Kohäsions- und Strukturpolitik konsultiert werden; seine Stellungnahmen haben für die anderen EU-Organe beratenden Charakter. Eine weitere Stärkung erfuhren lokale und regionale Gebietskörperschaften im Allg.en und der AdR im Bes.n 2009 mit dem Lissabon-Vertrag. So kann der AdR gegen einen Rechtsakt vor dem ↑EuGH Klage erheben, wenn er gegen das Subsidiaritätsprinzip verstößt. Zudem hat der AdR in den letzten Jahren seine Rolle ausbauen können und unterstützt die interregionale Kooperation durch die Organisation von Treffen (z. B. Europäische Woche), durch sein Subsidiaritätsnetzwerk und die Datenbank REGPEX. Gleichwohl sind die Legislativ- und Kontrollfunktion insgesamt schwach entwickelt.

Nicht zuletzt aus Enttäuschung über diesen mangelnden Einfluss haben v. a. die europapolitisch interessierten und starken („europafähigen") Regionen komplementäre sog.e Leave us alone-Strategien entwickelt, die darauf abzielen, unabhängig vom Nationalstaat als Lobbyisten für die eigenen Regionalinteressen in Brüssel aufzutreten. Hierzu gehören etwa die Regionalbüros von Metropolregionen (z. B. FrankfurtRheinMain) und Euregios (z. B. Saar-Lor-Lux oder Tirol-Südtirol-Trentino) ebenso wie die offiziellen Vertretungen etwa der deutschen Länder oder Schottlands.

Insb. die 71 Regionen mit Gesetzgebungsbefugnissen in den sechs regionalisierten und Föderalstaaten sind darum bemüht, ihre innerstaatlichen Mitwirkungsrech-te in EU-Angelegenheiten vis-à-vis ihren nationalen Regierungen auszubauen. Mit dem Subsidiaritätsprotokoll des Lissabon-Vertrags erhalten sie neue Mitwirkungsrechte, sofern von EU-Gesetzesinitiativen Belange betroffen sind, deren Regelung gemäß der innerstaatlichen Kompetenzordnung den Regionen obliegt. Hiervon haben überwiegend die Regionalregierungen profitiert, weniger die Regionalparlamente.

Der Begriff für grenzüberschreitende Europaregionen, die aus zwei und mehr Staaten bestehen, ist Euregio. Ihre horizontal angelegte, interregionale Zusammenarbeit zielt zumeist auf den wirtschaftlichen Bereich ab, umfasst aber auch umweltpolitische oder kulturelle Aspekte. Grundlage ist die sog.e Madrider Konvention des Europarats von 1980 über die grenzüberschreitende Zusammenarbeit zwischen den Regionen Europas. Durch Programme der EU wie etwa INTERREG wird diese Kooperation gefördert; hierzu gehört z. B. die Donauraum- oder Ostseestrategie.

Die VRE als Versammlung der ca. 250 Regionen Europas ist formal ein Verein mit Sitz in Straßburg. Im VRE sind Regionen aus den EU-Staaten sowie auch aus Nicht-EU-Mitgliedstaaten organisiert. Dementsprechend ist nicht nur die EU, sondern auch der ↑Europarat Adressat der VRE-Aktivitäten. Oberste Ziele sind die Unterstützung interregionaler Kooperation sowie die Stärkung von Regionen im EU-Politikprozess.

3. Theoretische Interpretation ihrer Rolle

Theorien europäischer Integration fokussieren zumeist auf die Mitgliedstaaten als zentrale Akteure. Die Rolle von Regionen wird durch das von Liesbet Hooghe und Gary Marks sowie Simona Piattoni entwickelte Konzept des ↑Mehrebenenregierens (Multi-level Governance) erfasst. Die zentrale Annahme lautet, dass die Nationalstaaten nicht länger die alleinigen Akteure in der EU-Politik sind, sondern dass Entscheidungen im Zusammenspiel der supranationalen, nationalen und regionalen Ebene zustande kommen und die regionale Ebene auch selbständig Beziehungen zur EU-Ebene unterhält. Somit sei die vertikale ↑Gewaltenteilung komplexer als in föderalen Modellen. Von hier ausgehend müsse auch die Frage nach der demokratischen ↑Legitimation der EU unter Einbezug des Subsidiaritätsprinzips und der dritten Ebene diskutiert werden.

Der Begriff des Multi-Level Governance hat auch in den europapolitischen Debatten – allen voran im AdR – weite Verbreitung gefunden. Der AdR verabschiedete 2014 eine „Charta der Multilevel Governance in Europa" und fordert darin alle Ebenen – von der lokalen bis zur EU-Ebene – auf, Prinzipien des Mehrebenenregierens zu nutzen und zu fördern. Insgesamt ist in der Debatte um die E. d. R. Ernüchterung eingetreten. Der Beitrag der Regionen zur vertikalen sowie horizontalen Verflechtung und damit zum Fortschreiten der europäischen Integration wird heute realistischer eingeschätzt. So ist von einem „Europa mit den Regionen" die Rede.

Literatur

G. Abels/A. Eppler (Hg.): Subnational Parliaments in the EU Multi-Level Parliamentary System, 2015 • W. Swenden/ N. Bolleyer: Regional Mobilization in the „New Europe": A Research Agenda, in: Regional & Federal Studies 24/3 (2014), 249–262 • W. E. Carroll: The Committee of the Regions: A Functional Analysis of the CoR's Institutional Capacity, in: Regional & Federal Studies 21/3 (2011), 341–354 • C. Panara/A. De Becker (Hg.): The Role of the Regions in EU Governance, 2011 • S. Piattoni: The Theory of Multi-Level Governance, 2010 • E. Anwen: Whatever Happened to the Europe of the Regions?, in: Regional & Federal Studies 18/5 (2008), 483–492 • C. Jeffery (Hg.): The Regional Dimension of the European Union, 1997 • R. Hrbek/S. Weyand: Das Europa der Regionen, 1994.   GABRIELE ABELS

Europäische Agrarpolitik

1. Ziele und Struktur

Die e. A., auf die rund 38 % der Ausgaben des Gemeinschaftshaushaltes entfallen, ist ein wesentliches Politikfeld der ↑EU, das sowohl eine weitgehende Supranationalisierung als auch ein hohes Maß an Marktinterventionen aufweist. Sie ist primärrechtlich verankert und verfolgt gemäß Art. 39 AEUV, seit den Römischen Verträgen in nahezu unveränderter Form, mannigfaltige Zwecke: Das Wachstumsziel zielt auf die Steigerung der Produktivität, das Verteilungsziel soll durch Erhöhung des Pro-Kopf-Einkommens eine angemessene Lebenshaltung gewährleisten und die Belieferung der Verbraucher mit Nahrungsmittel zu niedrigen Preisen sicherstellen, das Stabilitätsziel soll die Agrarmärkte konsolidieren und das Sicherheitsziel die Versorgung der Konsumenten garantieren. Einfluss auf die konkrete Gestaltung der ↑Agrarpolitik haben darüber hinaus die Bestimmungen im Kontext der Handelspolitik (Art. 206 AEUV), die v. a. das Gebot des Abbaus von Handelshemmnissen umfassen.

Die e. A. besteht aus zwei Säulen: Die erste Säule wird durch Direktzahlungen, Maßnahmen zur Regulierung der Agrarmärkte und die gemeinsamen Marktordnungen für einzelne Erzeugnisse gebildet. Die zweite Säule ergänzt die Agrarpolitik seit 1999 und dient der Entwicklung des ländlichen Raums. Sie umfasst nichtproduktbezogene Maßnahmen und ist eine Kombination verschiedener Strategien (Infrastruktur-, ↑Umwelt- und ↑Sozialpolitik). Während die erste Säule vollständig durch den EU-Haushalt finanziert wird, werden die Mittel der zweiten Säule durch nationale Beiträge ergänzt (Ko-Finanzierung). Instrumentell wurden die beiden Säulen anfangs durch den EAGFL umgesetzt. Hierbei war der EAGFL sowohl mit der Abteilung „Garantie" für Anwendungen der Markt- und Preispolitik (erste Säule) als auch mit der Abteilung „Ausrichtung" für strukturpolitische Maßnahmen (zweite Säule) ausgestattet. Ab 2007 erfolgte eine Neustrukturierung in zwei Fonds, dem EGFL und dem ELER, die allerdings inhaltlich die beiden Abteilungen des EAGFL fortführen. Während die EGFL die Finanzierung der Direktzahlungen bewirkt, soll der ELER die Wettbewerbsfähigkeit fördern und zur Verbesserung des Umwelt- und Tierschutzes beitragen. Im Zeitraum des mehrjährigen finanziellen Rahmens 2014–20 werden für die Agrarpolitik voraussichtlich rund 420 Mrd. Euro aufgewendet. Davon entfallen ungefähr 313 Mrd. Euro auf marktbezogene Ausgaben und Direktbeihilfen (entspr. ca. 75 % der Mittel der Agrarpolitik und 29 % des Gesamthaushaltes) sowie rund 96 Mrd. Euro auf die Entwicklung des ländlichen Raums (entspr. 22 % der Mittel für Agrarpolitik und 10 % des Gesamthaushaltes). Die restlichen Mittel werden durch andere Instrumente, wie dem Europäischen Meeres- und Fischereifonds, verausgabt. Die größten Empfängerländer waren im Jahr 2012 Frankreich (rund 9,35 Mrd. Euro), Deutschland (6,8 Mrd. Euro) und Spanien (6,7 Mrd. Euro). Die Höhe der Ausgaben steht im offenkundigen Widerspruch zur gesamtwirtschaftlichen Bedeutung des Agrarsektors, dessen Anteil an der wirtschaftlichen Wertschöpfung sich seit den 1950er Jahren drastisch verringerte. Während er in Deutschland im Jahr 1955 rund 8 % zum BIP beitrug und 18,5 % aller Beschäftigten aufwies, waren es 2009 nur noch 0,5 % bzw. 1,7 %. Obwohl die e. A. weiterhin über eine überproportional hohe Mittelausstattung verfügt, nahm ihr Anteil am Etat von zeitweise bis zu 90 % in den 1970er Jahren seither stetig ab.

2. Instrumente

Die e. A. war seit Beginn ihrer Gründung von einem komplizierten Interventionssystem geprägt. Neben Produktionsquoten waren Preisstützungen für viele landwirtschaftliche Erzeugnisse (wie Getreide, Milchprodukte, Rind- und Kalbfleisch sowie Zucker) die wesentlichen Instrumente in der Periode bis 1992. Preisstützung erfolgte durch drei Verfahren:

a) *Abnahmegarantien* für alle landwirtschaftlichen Erzeugnisse zu einem von den EG-Agrarministern festgelegten Mindestpreis (Interventionspreis). Falls also der entspr.e Weltmarktpreis (der tatsächlich regelmäßig zwischen 50 % und 100 % niedriger war) unter den Interventionspreis fiel, kaufte die Gemeinschaft die Güter auf. Die eingelagerten Produkte wurden bei passender Marktlage (auch auf dem Weltmarkt) verkauft oder aber vernichtet.

b) *Importabschöpfungen*: Gelangte Weltmarktware preislich vergleichsweise günstiger in die Gemeinschaft, erhob diese von den Importeuren die Differenz zwischen Weltmarktpreis und Binnenmarktpreis als eine Art Zoll. Auf diese Weise hatten Produkte von außerhalb der Gemeinschaft nie ein niedrigeres Preisniveau als die europäischen.

c) *Exporterstattungen*: Exporteure konnten sich die Differenz zwischen Weltmarktpreis und Interventionspreis von den EG erstatten lassen. Der Effekt dieser Preisstützungen war ambivalent: Zwar wurden hohe

Versorgungssicherheit und gesicherte ↑Einkommen der Landwirte erreicht, jedoch wurden auch Anreize zur größtmöglichen Ausweitung der ↑Produktion ohne Berücksichtigung negativer Externalitäten gesetzt. Aufgrund ihrer höheren Produktionskapazität und Effizienz profitierten hiervon insb. die großen Erzeuger (mehr als die Hälfte der Zahlungen im Rahmen der Agrarpolitik gingen an wenige, relativ große Höfe) und das Einkommen vieler kleinerer Landwirte blieb weiterhin niedrig. Dieser Stimulus zur Überproduktion und die Industrialisierung der Landwirtschaft führten zu einem erheblichen Anstieg der europäischen Erzeugnisse. Die Agrarpolitik bewirkte darüber hinaus oftmals die Vernichtung von Agrarprodukten, gravierende Umweltschäden und eine Schädigung lokaler Märkte in Entwicklungsländern infolge der Dumpingpreise. Ebenso verursachten die Interventionen hohe ↑Kosten, die vorwiegend die Konsumenten durch hohe Verbraucherpreise zu tragen hatten und die zugl. den EG-Haushalt belasteten. Mit der späteren Entkopplung von Produktion und Mittelzahlung wurde der Übergang zu Marktpreisen eingeleitet. Dieser Systemwechsel wurde aus politischen Gründen jedoch lange herausgezögert. Zur Umsetzung musste den Landwirten ihre Zustimmung vergolten werden, indem Kompensationszahlungen eingeführt wurden. Diese Direktzahlungen orientierten sich an den jeweils bisher empfangenen Zahlungen im Rahmen der Preisstützungen. Seit 2003 sind Zahlungen und Produktion infolge der Implementierung des BPS vollständig entkoppelt.

3. Entstehung und Reformen

Die Agrarpolitik war stets Resultat politischer Prozesse und stand seit je unter latentem Reformdruck. Diese Politisierung wird am grundlegenden Dilemma der GAP deutlich, dass ökonomisch sinnvolle Regelungen aufgrund politischer Widerstände und Partikularinteressen nicht umgesetzt werden können. Der Ursprung des Politikfeldes ist vor dem Hintergrund der bes.n Situation der Nachkriegsjahre einzuordnen, in der der landwirtschaftliche Sektor durch strukturelle Probleme und eine sozioökonomisch schwierige Lage der Landwirte gekennzeichnet war. Zur ausreichenden Versorgung der Bevölkerung waren Nahrungsmittelimporte nötig. Angesichts dieser unsicheren Versorgungslage zeichnete sich unter den europäischen Staaten rasch ein Konsens zu einer gemeinsamen Politik im Rahmen des ↑europäischen Integrationsprozesses ab, nicht zuletzt, um die Abhängigkeit vom Weltmarkt zu verringern. Darüber hinaus gilt allg., dass die Erschließung des Politikfeldes auf einen deutsch-französischen Verhandlungskompromiss bei der Gründung der EWG zurückzuführen ist. Beide Länder schlossen demnach eine informelle Vereinbarung, die Frankreich Absatzmärkte für Agrargüter in Deutschland sowie Unterstützung des landwirtschaftlichen Sektors zusicherte. Als Gegenleistung sollte Deutschland Exportmöglichkeiten für Indus-

trieerzeugnisse nach Frankreich erhalten. Aus diesen Gründen fiel der Politik bereits in der Frühphase der europäischen Integration eine Sonderstellung zu. Auf der Konferenz von Stresa (3.7.1958) einigten sich die EWG-Gründungsstaaten auf die drei Grundprinzipien: Einheit des Marktes (europaweit einheitliche Regelungen für einen freien Warenaustausch), Gemeinschaftspräferenz (Vorrang für Gemeinschaftsprodukte, Schutz vor Niedrigpreisen sowie Schwankungen des Weltmarktes) und gemeinschaftliche, solidarische Finanzierung. Durch das Inkrafttreten der Gemeinschaftspolitik 1962 wurden sie umgesetzt. Sie wurden mittels der GMO mit hoher Regelungsintensität angewendet. Im Einzelnen umfassten sie gemeinsame Wettbewerbsregeln, bindende Koordinierungen der einzelstaatlichen und der europäischen Marktordnungen (wie z. B. die Einführung der Zuckermarktordnung 1958/59). Im Laufe der Zeit war die e. A. immer wieder Gegenstand von Veränderungen und Reformbemühungen. Mit dem Mansholt-Plan (1968) wurde erstmalig eine nachhaltige Reform versucht, welche die landwirtschaftliche Erwerbsbevölkerung binnen zehn Jahren um etwa die Hälfte verringern sollte, indem größere und effizientere Betriebe (↑Betrieb) gefördert wurden. Weitere Anpassungsmaßnahmen strebten eine Modernisierung und die Bekämpfung der Überproduktion an. Ein wesentliches Problem der 1970er Jahre war die Überschreitung der Schwelle zur Eigenversorgung. Da die erzeugten Überschüsse weiterhin abgekauft wurden, die Lagerkapazitäten jedoch begrenzt waren (so wurden 1985 70 kg Getreide für jeden Bürger bevorratet), mussten die Überschüsse vernichtet werden („Butterberge und Milchseen"). Als Lösung galt der Export: Da aber die Weltmarktpreise i. d. R. unter den Binnenmarktpreisen lagen, waren Exportbeihilfen zu leisten. Deren Finanzierung wurde anfangs durch ↑Zölle auf notwendige Agrarimporte (Abschöpfungen) in die Zollunion der EWG gewährleistet, die sich später jedoch stark verringerten. Insgesamt ergaben sich daraus nachteilige Wirkungen auf das Budget: Der Anteil der Agrarausgaben im Gemeinschaftshaushalt stieg von 8 % im Jahr 1965 auf 80 % im Jahr 1969. Außerdem waren die Exportsubventionen mit Hinsicht auf die WTO-Regeln problematisch. Als erste Reaktion auf die Krisenphase wurden Produktionskontrollen etabliert. Durch angebotsbeschränkende Maßnahmen sollten die Überschüsse verkleinert werden. So wurden 1988 freiwillige Flächenstilllegungen mit entspr.en Prämienzahlungen zur Überkompensation des Einkommensverlustes eingeführt. Eine wichtige Zäsur stellte die MacSharry-Reform (1992) dar, deren Anliegen die Senkung der garantierten Abnahmepreise und deren sukzessive Ersetzung durch produktionsunabhängige Direktbeihilfen (Prämien pro Fläche) waren. Die Reform erfolgte unter dem Eindruck der EG-Haushaltskrisen sowie der Uruguay-Verhandlungsrunde der ↑WTO, die auf die Abschaffung der Exportsubventionen abzielte. Wichtiger Bestandteil der MacSharry-Strategie waren neben zeitlich unbegrenzten Ausgleichszahlungen auch Prämien für obligatorische Flächenstilllegungen, die Förderung des Marktmechanismus, Vorruhestandszahlungen, nationale Garantiemengen, Festlegung von Produktionsobermengen und Maßnahmen des ↑Umweltschutzes. Statt direkt in den Preismechanismus zu intervenieren, entfaltet die neue Agrarpolitik ihre Steuerungswirkung mittels Beihilfen. Mit der Reform sollten Anreize geschaffen werden, Produktion stärker an den Erfordernissen des ↑Marktes auszurichten, ohne jedoch zugl. die Einkommenssicherheit der Landwirte zu gefährden. Alle anschließenden Reformen folgten dieser Linie und änderten die Architektur der Agrarpolitik grundlegend. Die Reformen spiegeln auch den gesellschaftlichen Bewusstseinswandel, nicht mehr die Effizienz der Produktion im Vordergrund zu stellen, sondern Landwirtschaft an ökologische und gesundheitliche Standards zu binden. Die Agenda 2000 war eine Reaktion auf die bevorstehende Erweiterung der EU um die postsozialistischen Staaten mit ihren überdimensionierten aber nicht wettbewerbsfähigen Agrarsektoren. Sie setzte die Schritte der vorhergehenden Reform fort (insb. Verringerung der ↑Kosten durch weitere Preisabsenkungen und verstärkte Förderung der Lebensmittelsicherheit). Neu war hingegen die Konditionierung der Kapitalhilfen hinsichtlich der Einhaltung von Umwelt- und Tierschutzanforderungen (Cross Compliance). Dennoch wurde noch keine vollständige Entkopplung erzielt, da sich die Zahlungen weiterhin an produktionsbezogenen Kennziffern orientierten. Die Agrarreform von 2003 (Luxemburger Beschlüsse) sah eine weitere Entkopplung der Direktzahlungen von der Produktion und den verstärkten Gebrauch der Cross Compliance vor. Das produktbezogene Prämiensystem wurde schließlich ab 2005 endgültig ersetzt. Stattdessen erfolgen Zahlungen seitdem unabhängig von der tatsächlichen Bewirtschaftung der Flächen. Mit der Zuckermarktreform (2006) wurde beschlossen, die Ordnungspreise im Zuckermarkt schrittweise zu verringern und anschließend gänzlich abzuschaffen. Infolge des „Health Check" (2008) fand eine Beschleunigung der Agenda-2000-Maßnahmen bei zeitgleicher Begrenzung der EU-Agrarausgaben und der Plafonierung der Direktzahlungen statt. Seit 2014 gilt eine obligatorische Anbaudiversifizierung und Zahlungen sind an eine Flächennutzung im Umweltinteresse (Greening) gebunden. Weiterer Schwerpunkt ist die ↑Liberalisierung des Sektors für Milchprodukte, der nach wie vor vergleichsweise stark reglementiert ist (z. B. durch die Milchquoten). Für den Finanzrahmen 2014–20 wird die Reformpolitik mit sinkender Mittelausstattung fortgeführt, wobei die Finanzressourcen zunehmend von der ersten zur zweiten Säule umgeschichtet werden (Modulation). Die gegenwärtige Agrarpolitik weist trotz aller Reformen anhaltend Dysfunktionalitäten auf: Der Verteilungsmechanismus bevorzugt die Eigentümer relativ großer landwirtschaftlicher Flächen, die auch nicht notwendi-

gerweise als Landwirte tätig sein müssen. Auch behindern die weiterhin starken Interventionen der EU den sich vollziehenden Strukturwandel und befördern somit die Dringlichkeit weiterer Reformen.

Literatur

R. Baldwin/C. Wyplosz: The Economics of European Integration, ⁴2012 • U. Koester: Grundzüge der landwirtschaftlichen Marktlehre, ⁴2010 • A.-C. Knudsen: Farmers on Welfare. The Making of Europe's Common Agricultural Policy, 2009 • K. Patel (Hg.): Fertile Ground for Europe. The History of European Integration and the Common Agricultural Policy since 1945, 2009 • M. Farmer: The possible Impacts of Cross Compliance on Farm Costs and Competitiveness, Institute for European Environmental Policy, 2007 • I. Garzon: Reforming the Common Agricultural Policy, 2006 • A. Greer: Agricultural policy in Europe, 2005 • R. Ackrill: The Common Agricultural Policy, 2001 • A. Burrel/A. Oskam (Hg.): Agrigultural Policy and Enlargement of the European Union, 2000 • R. Anderegg: Grundzüge der Agrarpolitik, 1999 • W. Grant: The Common Agricultural Policy, 1997 • J. Keeler: Agricultural Power in the European Community: Explaining the Fate of CAP and GATT Negotiations, in: CP 28/2 (1996), 127–149 • R. Fennel: The Common Agricultural Policy of the European Community, ²1987 • D. Halverson: Factory Farming: the Experiment That Failed, 1987.　　　　JULIAN DÖRR

Europäische Atomgemeinschaft (Euratom)
↑Europäische Union (EU)

Europäische Ethnologie ↑Volkskunde

Europäische Freihandelsassoziation ↑European Free Trade Association (EFTA)

Europäische Gemeinschaft für Kohle und Stahl (EGKS) ↑Europäische Union (EU)

Europäische Gemeinschaften (EG) ↑Europäische Union (EU)

Europäische Gesellschaft, Societas Europea ↑Aktiengesellschaft

Europäische Gesetzgebung ↑Europarecht

Europäische Innen- und Rechtspolitik

1. Begriff und Bedeutung

Die E. I. R. umfasst die internen Politikbereiche der ↑EU, die zur Verwirklichung des in Art. 3 Abs. 2 EUV genannten Ziels eines RFSR ohne Binnengrenzen erforderlich sind. Zur Gewährleistung des freien Personenverkehrs im ↑Europäischen Binnenmarkt als Raum ohne Binnengrenzen sind, um diese abschaffen zu können, die Sicherung der Außengrenzen der EU und die grenzüberschreitende Zusammenarbeit der für die ↑innere Sicherheit zuständigen Behörden erforderlich.

Daher werden als geeignete Maßnahmen die Kontrollen der Außengrenzen, das ↑Asyl, die Einwanderung sowie die Verhütung und Bekämpfung der ↑Kriminalität genannt. Die EU ist als auf den Mitgliedstaaten als „Herren der Verträge" beruhender ↑„Staatenverbund" zwar kein Staat, übt aber wegen ihrer Supranationalität und ihres hohen Integrationsgrads in erheblichem Umfang Staatsfunktionen aus. Daher unterscheidet sich das Zusammenwirken ihrer Mitgliedstaaten auch in den Bereichen der ↑Innen- und Justizpolitik von herkömmlicher völkerrechtlicher Kooperation. Die Spill-over-Effekte der als „Zweckverband funktioneller Integration" (Ipsen 1972: 196) 1957 gegründeten EWG forderten daher die Einbeziehung und Entwicklung einer E.n I. R., die in Schritten erfolgte.

2. Entwicklung
Begonnen wurde mangels hinreichender Rechtsgrundlage im EWG-Vertrag außerhalb dessen Rahmens. Zum einen durch die mit Billigung des ↑Europäischen Rates 1975 begonnene regelmäßige Erörterung von Fragen der öffentlichen Sicherheit und Ordnung durch die Innenminister der damals sechs Mitgliedstaaten, der sog.en TREVI-Gruppe (benannt wohl nach dem ersten Treffen nahe der Fontana di Trevi in Rom; passt aber auch zu *Terrorisme, Radicalisme, Extremisme, Violence International*). Arbeitsgruppen behandelten ↑Terrorismus, öffentliche Ordnung, Polizeitechnik und Ausbildung, Bekämpfung des organisierten Verbrechens, insb. Drogenkriminalität, die Koordination der erforderlichen Ausgleichsmaßnahmen im Rahmen des Binnenmarktprogramms. Ab 1991 bestand die Ad-hoc-Gruppe Europol. Mit Beobachterstatus wurden die damaligen Drittstaaten Österreich und Schweden, ferner Norwegen, die Schweiz, Marokko, Kanada und die USA einbezogen. 1986 wurden die Ad-hoc-Gruppe Einwanderung, mit Untergruppen u. a. für Asyl, sowie im Rahmen der EPZ die Gruppe „Justizielle Zusammenarbeit" eingerichtet, unterteilt für die Gebiete Zivilrecht und Strafrecht. In diesem Rahmen wurden mehrere völkerrechtliche Übereinkommen erarbeitet. Zum anderen durch das von den fünf Gründungsstaaten (ohne Italien) am 14.6.1985 geschlossene Schengener Übereinkommen betreffend den schrittweisen Abbau der Kontrollen an den gemeinsamen Grenzen sowie am 19.6.1990 das Übereinkommen zu dessen Durchführung, die inhaltlich den Wegfall der Binnengrenzkontrollen, den Grenzübertritt an den Außengrenzen, Aufenthaltstitel und Sichtvermerke, die Zuständigkeit für die Behandlung von Asylanträgen sowie die polizeiliche Zusammenarbeit betreffen und ausdrücklich als Vorläufer einer weiteren Integration im Rahmen der EG/EU konzipiert waren, was auch realisiert wurde. Die EEA schuf für die EPZ einen institutionellen Rahmen auf vertraglicher Grundlage. Durch den Vertrag von Maastricht (in Kraft 1.11.1993), durch den mit der „Gründung" der EU der Prozess der europäischen Integration

auf eine „neue Stufe" gestellt werden sollte (Art. 1 Abs. 1 und 2 EUV), wurden unter deren Dach neben der jetzt EG genannten supranationalen Säule in zwei intergouvernemental strukturierten Säulen neben der GASP auch die bisherige Zusammenarbeit im Bereich Justiz und Inneres (ZBJI, sog.e „Dritte Säule") unter diesem Titel kodifiziert. Als Handlungsformen wurden für die ZBJI gemeinsame Standpunkte, gemeinsame Maßnahmen und Maßnahmen zu deren Durchführung und der Abschluss völkerrechtlicher Abkommen zwischen den Mitgliedstaaten vorgesehen. Durch den Vertrag von Amsterdam (in Kraft 1.5.1999) wurde der Schengen-Besitzstand in das Unionsrecht einbezogen und ein wesentlicher Teil der ZBJI, nämlich Visa, Asyl, Einwanderung und andere Politiken betreffend den freien Personenverkehr durch die Verlagerung in die „erste Säule" (EG) unter dem Titel RFSR „vergemeinschaftet". Die in der „Dritten Säule" verbliebene polizeiliche und justizielle Zusammenarbeit in Strafsachen (PJZS) wurde ausgebaut. Als Rechtsetzungsform wurde dabei der Rahmenbeschluss zur Angleichung der Rechts- und Verwaltungsvorschriften der Mitgliedstaaten eingeführt, der für die Mitgliedstaaten verbindlich ist, aber vom ↑Rat der Europäischen Union einstimmig und ohne Mitwirkung des ↑Europäischen Parlaments beschlossen wird. Bes. bedeutsam ist (und bis zur Ablösung durch neue Regelungen bleibt, vgl. EuGH C-579/15, Rdnr. 27 – Poplawski) insoweit der Rahmenbeschluss 2002/584/JI über den Europäischen Haftbefehl. Zur politischen Ausfüllung des RFSR stellte der Europäische Rat 1999 in Tampere ein Programm mit Leitlinien, konkreten Zielen und einem entspr.en Zeitplan auf, an den sich 2004 das Haager Programm und 2005 ein Aktionsplan bis 2010 anschlossen. Durch den Vertrag von Lissabon wurde die Säulenstruktur aufgelöst, wobei – anders als die GASP – die PJZS voll in den AEUV (Art. 82–89) integriert wurde.

3. Europäische Innen- und Rechtspolitik nach dem Vertrag von Lissabon
3.1 Grundlagen
Durch die Integration der gesamten Grundlagen der E.n I. R. in Art. 67–89 AEUV erhielt diese supranationalen Charakter. Kennzeichnend dafür ist die Rechtsetzung durch unmittelbar geltende Verordnungen und von den Mitgliedstaaten umzusetzende Richtlinien mit Einbeziehung des im ordentlichen Gesetzgebungsverfahren gleichberechtigt mit dem Rat als Unionsgesetzgeber agierenden Europaparlament (↑Europarecht). Dieses Verfahren und die im Titel RFSR enthaltenen Rechtsetzungskompetenzen standen bzw. stehen zur Umsetzung des für die Jahre 2010–2014 beschlossenen Stockholmer Programms und dessen Fortführung durch das Post-Stockholmer-Programm zur Verfügung. Allerdings bestehen für den RFSR Besonderheiten, deren politischer Hintergrund die Sensibilität dieser einen Kernbereich der ↑Souveränität be-

treffenden Materie ist, bei der die Mitgliedstaaten die Übertragung von Hoheitsrechten an Kontrollbefugnisse knüpfen. Der Europäische Rat hat eine Leitungsfunktion; ein ständiger Ausschuss des Rates soll die operative Zusammenarbeit im Bereich der inneren Sicherheit fördern, deren Bedeutung auch in deren freiwilligen Maßnahmen und Maßnahmen des Rates zum Ausdruck kommt; die Zuständigkeit der Mitgliedstaaten für die Aufrechterhaltung der öffentlichen Ordnung und den Schutz der inneren Sicherheit bleibt ausdrücklich unberührt (Art. 72 AEUV), die sich auch gegenüber der gemeinsamen Einwanderungspolitik die Zulassung von Drittstaatsangehörigen zum Arbeitsmarkt vorbehalten (Art. 79 Abs. 5 AEUV). Z.T. bedürfen Maßnahmen der Einstimmigkeit im Rat, z.T. wird das Europäische Parlament nur angehört. In den Bereichen des Strafrechts und des Sozialrechts wurde ein sog.er Notbremsemechanismus eingeführt, der gegenüber Mehrheitsbeschlüssen im Rat geltend gemacht werden kann und durch den deutschen Vertreter im Rat auf Weisung des Bundestages und ggf. des Bundesrates geltend gemacht werden muss (§ 9 IntVG). Großbritannien und Irland sowie Dänemark nehmen im RFSR eine Sonderrolle ein.

3.2 Materien

Grundlegend für den Binnenmarkt als RFSR ist die Übernahme des Schengen-Besitzstandes mit dem Schengener Informationssystem in das Unionsrecht und der durch die VO 562/2006 beschlossene Schengener Grenzkodex. Im Schengen-Raum sind die Grenzkontrollen und die Kontrollen an den Flughäfen grundsätzlich, d.h. vorbehaltlich von seitens der ↑Europäischen Kommission genehmigten (im Zusammenhang mit dem Flüchtlingszustrom aktivierten) Ausnahmesituationen, abgeschafft. Dies erfordert als sicherheitsrechtliche Maßnahmen eine effektive Kontrolle der EU-Außengrenzen mit unionalen Regelungen zu Asyl und Einwanderung, zur Kriminalitäts- und Terrorismusbekämpfung und zur Kooperation der Polizei. Zum Asylrecht wurde 2013 zur Verwirklichung des seit 1999 auf der Basis der ↑Genfer Flüchtlingskonvention angestrebten „Gemeinsamen Europäischen Asylsystems", neben den verbliebenen Richtlinien über Massenzustrom und ausgewogene Verteilung der Belastungen, über die Qualifikation von Anerkennungskriterien und über die Rückführung sich illegal in der EU aufhaltender Drittstaatsangehöriger ein „Asylpaket" erlassen, das z.T. frühere Normen aufhob und durch Richtlinien zur Festlegung von gemeinsamen Normen und Verfahren ersetzte. Der Schutz der EU-Außengrenzen durch die Mitgliedstaaten wird durch die Agentur Frontex koordiniert. Art. 79 AEUV normiert ausdrücklich das Ziel einer wirksamen Steuerung der Migrationsströme, der angemessenen Behandlung von sich legal aufhaltenden Drittstaatsangehörigen und die Verhütung und Bekämpfung von illegaler Einwanderung und Menschen-

handel. Für diese Politik soll gemäß Art. 80 AEUV der Grundsatz der Solidarität und der gerechten Aufteilung der Verantwortlichkeit der Mitgliedstaaten, einschließlich in finanzieller Hinsicht gelten. Die offensichtlichen Defizite und Missstände liegen zum einen am fehlenden Willen einiger Mitgliedstaaten, zum anderen an der grundsätzlichen Unzulänglichkeit des sog.en Dublin-Systems.

Hauptziel der justiziellen Zusammenarbeit in Strafsachen ist die gegenseitige Anerkennung gerichtlicher Urteile und Entscheidungen, ferner der Erlass von Mindestvorschriften im Bereich des Strafprozessrechts sowie des materiellen Strafrechts in Bereichen bes. schwerer Kriminalität mit grenzüberschreitender Dimension (↑Europäisches Strafrecht). Probleme des Europäischen Haftbefehls (vgl. BVerfG NJW 2016, 1149: Bedeutung des Schuldgrundsatzes; EuGH C-404/15 und C-659/15 PPU – Aranyosi und Căldăraru: grundrechtswidrige Haftbedingungen als Überstellungshindernis) zeigen die Notwendigkeit der Wahrung rechtsstaatlicher Grundsätze angesichts Unterschieden in den Mitgliedstaaten und die Grenzen des Konzepts der gegenseitigen Anerkennung. Eurojust (Einheit für justizielle Zusammenarbeit der EU) und Europäisches Justizielles Netz sollen die Zusammenarbeit der nationalen Strafverfolgungsbehörden koordinieren. Die Europäische Staatsanwaltschaft (Art. 86 AEUV) soll zur Bekämpfung von grenzüberschreitender Steuerhinterziehung und Steuerbetrug wegen Bedenken einiger Mitgliedstaaten jetzt im Wege Verstärkter Zusammenarbeit (Art. 20 EUV) installiert werden. Europol ist seit 2016 eine Agentur der EU auf der Basis einer EU-VO.

Die justizielle Zusammenarbeit in Zivilsachen dient der wirtschaftlichen Integration im Binnenmarkt, zunehmend aber auch der Stärkung der Rechtsstellung der Unionsbürger („Zugang zum Recht" im RFSR). Dazu wurde eine Reihe von Verordnungen erlassen (↑Europäisches Prozessrecht).

4. Perspektiven

Die Zukunft der E.n I. R. hängt von der künftigen Entwicklung der EU nach dem gemäß Art. 50 AEUV erfolgten Austritt des Vereinigten Königreichs ab. Nicht nur dieser zeigt, dass die Integrationsbereitschaft der Mitgliedstaaten gerade in diesem Bereich Grenzen hat. Andererseits wird deutlich, dass Innenpolitik in einer als RFSR konzipierten Union eine europäische Angelegenheit ist und zu den dynamischsten Politikfeldern der EU gehört. Der Ansatz eines Europas mehrerer Geschwindigkeiten, wie er bei Schengen verfolgt wurde und jetzt bei der Europäischen Staatsanwaltschaft geplant ist, wirft das Problem der Koordinierung zwischen den insoweit getrennten Mitgliedstaaten auf. Wie generell gilt es, gegenüber dem problematischen „immer enger" die richtige und in den Mitgliedstaaten zu vermittelnde Balance zwischen den Kompetenzen der EU und den Kompetenzen der Mitgliedstaaten zu finden.

Literatur

R. Streinz: Europarecht, [10]2016, § 13 • K.-D. Borchardt: Die rechtlichen Grundlagen der Europäischen Union, [6]2015, §§ 17–20 • E. Pache: Der Raum der Freiheit, der Sicherheit und des Rechts, in: M. Niedobitek (Hg): Europarecht – Politiken der Union, 2014, § 10 • H. P. Ipsen: Europäisches Gemeinschaftsrecht, 1972.   RUDOLF STREINZ

Europäische Interessengruppen ↑ Lobby, ↑ Interessengruppen

Europäische Kommission

1. Begriff

Die E. K. ist eines der in Art. 13 Abs. 1 EUV aufgeführten *Organe* der ↑ EU. Der Begriff „E. K." wird dort erstmals im Primärrecht (↑ Europarecht) verwendet, wobei sie „im Folgenden", d. h. im EUV (vgl. z. B. Art. 17 EUV) und im AEUV (vgl. Art. 244–250 AEUV), als „K." bezeichnet wird. Bereits seit 1993 wurde der Begriff „E. K." gemäß einer mit ihrer autonomen Organisationsgewalt begründeten Entschließung verwendet, obwohl die primärrechtliche Bezeichnung bis zum Vertrag von Lissabon (in Kraft seit 1.12.2009) „K. der Europäischen Gemeinschaften" (EG, EURATOM, bis 2002 EGKS) lautete. Er erfasst sowohl das Kollegium der 28 Kommissare als auch das Organ selbst mit Hauptsitz in Brüssel (einzelnen Dienststellen in Luxemburg; Art. 341 AEUV).

2. Entwicklungsgeschichte

Die urspr. gesondert bestehenden Organe der EG, nämlich die Hohe Behörde der EGKS sowie die jeweilige K. der EWG und der EURATOM wurden 1965 durch den Fusionsvertrag (in Kraft 1967) zusammengeführt. Parallel zur Entwicklung der EG zur EU und der Erweiterung von sechs auf (2017) 28 Mitgliedstaaten erfolgten sowohl strukturelle Änderungen, interne Verwaltungsreformen zur Behebung festgestellter Defizite, Anpassungen an Änderungen im institutionellen Gefüge der EU, insb. im Hinblick auf die verstärkte Rolle des ↑ Europäischen Parlaments, Stärkung der Rolle des K.s-Präsidenten, als auch Veränderungen der Schwerpunkte der K.s-Tätigkeit (z. B. Intensität der Wahrnehmung des Initiativmonopols). Obwohl der Vertrag von Lissabon die Kompetenzen der K. lediglich bestätigte, stärkte er ihre Stellung im institutionellen Gleichgewicht der EU durch Auswirkungen von Kompetenzverschiebungen zwischen den anderen Organen.

3. Zusammensetzung

Die K. besteht einschließlich ihres Präsidenten (seit 2014 Jean-Claude Juncker, Luxemburg) und des Hohen Vertreters der Union für die Außen- und Sicherheitspolitik (seit 2014 Federica Mogherini, Italien), der zugl. Vizepräsident der K. und Vorsitzender im Rat der EU für Auswärtige Angelegenheiten ist (sog.er „Doppelhut") aus je einem Staatsangehörigen jedes Mitgliedstaats, somit derzeit aus 28 Mitgliedern (Art. 17 Abs. 4 EUV). Die in Art. 17 Abs. 5 EUV vorgesehene und sachlich wegen des – durch die Erweiterungen auf eine Größe, die eine sinnvolle Ressortzuteilung zumindest schwierig macht – angewachsenen Kollegiums berechtigte Verkleinerung scheiterte. Der ↑ Europäische Rat beschloss entgegen seiner Intention, aber noch gedeckt vom Wortlaut der Bestimmung einer Irland nach dem ablehnenden ersten Referendum zum Vertrag von Lissabon gegebenen Zusicherung, die Anzahl, die jedem Mitgliedstaat „seinen" Kommissar belässt, beizubehalten. Dies bestätigt, dass ungeachtet der in Art. 17 Abs. 3 UAbs. 3 EUV festgelegten Unabhängigkeit der Mitglieder der K. die jeweilige Nationalität nach wie vor eine Rolle spielt. Die *Ernennung* der K. erfolgt in einem Verfahren, das das Zusammenwirken der Mitgliedstaaten mit dem Europäischen Rat, dem Rat der EU (↑ Rat der Europäischen Union) und dem Europäischen Parlament erfordert (Art. 17 Abs. 7 EUV) und wohl wegen dieser Komplexität auch „Investitur" genannt wird. Die Ernennungsvoraussetzungen „allgemeine Befähigung", „Einsatz für Europa" und „volle Gewähr für die Unabhängigkeit" ändern nichts daran, dass es sich um politische Entscheidungen handelt. Eine entscheidende Rolle hat das Europäische Parlament, das den Präsidenten der K. wählt und dem sich das gesamte Kollegium zur Bestätigung stellen muss, wobei das Europäische Parlament vorab eine Praxis der Befragung der einzelnen Kandidaten durchgesetzt hat. Das Europäische Parlament kann zwar nur einen Präsidenten wählen, den der Europäische Rat vorschlägt. Es kann jedoch durch Festlegungen, wie den Vertretern der Sieger der vorangegangenen Europawahlen als „Spitzenkandidaten", diesem verdeutlichen, wen es zu wählen bereit ist. Dies wirkt sich zwar auf das institutionelle Gleichgewicht aus, ist aber gerechtfertigt, zumal der Europäische Rat gemäß Art. 17 Abs. 1 UAbs. 1 S. 2 EUV das Wahlergebnis berücksichtigen muss.

4. Organisation

Die K. ist hinsichtlich ihrer Beschlussfassung *kollegial* organisiert. Beschlüsse bedürfen der Mehrheit ihrer Mitglieder (2017: 15 Stimmen). Dies entspr. der Gleichheit ihrer Mitglieder. Allerdings hat der *K.s-Präsident* eine herausragende Stellung, die politisch durch die Wahl durch das Europäische Parlament legitimiert ist. Er muss mit den vorgeschlagenen Mitgliedern der K. einverstanden sein. Er legt die Leitlinien fest, nach denen die K. ihre Aufgaben erfüllt, und beschließt über ihre interne Organisation einschließlich der Verteilung der Ressorts (Neuordnung durch Juncker durch Ernennung eines Ersten Vizepräsidenten und von Vizepräsidenten, die für die Koordinierung mehrerer Ressorts zuständig sind). Die *Bürokratie* ist ressortmäßig und hierarchisch organisiert mit Generaldirektionen (z. B.

Wettbewerb, Landwirtschaft) und gleichgestellten Diensten (insb. Juristischer Dienst), Direktionen und Abteilungen.

5. Aufgaben

Die K. ist ein rein *supranationales*, allein dem Wohl der Union verpflichtetes Organ und übt daher ihre Tätigkeit in voller Unabhängigkeit aus. Durch das grundsätzliche Initiativmonopol für EU-Gesetzgebungsakte, die vom Europäischen Parlament und vom Rat erlassen werden, kommt der K. die Funktion zu, die Entwicklung des Unionsrechts in Gang zu halten („Motor der Integration"). Daneben kann sie vom Europäischen Parlament und vom Rat zu delegierter Rechtsetzung (Art. 290 AEUV) und Durchführungsrechtsetzung (Art. 291 AEUV) ermächtigt werden. Sie hat Koordinierungs-, Exekutiv- und Verwaltungsfunktionen. Sie ist die *Exekutive* der EU, wobei für die Durchführung des Unionsrechts allerdings hauptsächlich die Mitgliedstaaten zuständig sind. Sie kontrolliert die Einhaltung des primären und sekundären Unionsrechts und der Urteile des ↑EuGH durch die Mitgliedstaaten (z.B. im Beihilferecht, Art. 107–109 AEUV) und erhebt notfalls gegen diese Aufsichtsklage wegen Vertragsverletzung (Art. 258 AEUV). Gegenüber natürlichen und juristischen Personen, die das Unionsrecht verletzen, hat sie Sanktionsbefugnisse im Kartellrecht (Art. 101–106 AEUV), aber auch z.B. bei Verstößen gegen Subventionsvorschriften im Agrarrecht. Sie ist somit „Hüterin der Verträge". Sie ist zuständig für die Aushandlung (nicht den Abschluss) handelspolitischer (z.B. TTIP und CETA) und sonstiger Abkommen. Abgesehen von der ↑GASP vertritt grundsätzlich sie die EU nach außen. Ihr obliegt die Ausführung des Haushaltsplans. Sie ist dem Europäischen Parlament, dem bereits bei ihrer Besetzung eine entscheidende Rolle zukommt, verantwortlich (Interpellationsrecht, Art. 230 Abs. 2 AEUV; Misstrauensvotum, Art. 234 AEUV; Rechnungslegung, Art. 318 AEUV, jährlicher Gesamtbericht über die Tätigkeit der Union, Art. 249 Abs. 2 AEUV).

6. Politische Bewertung

Sowohl die Institution der K. als auch ihre Tätigkeit wird häufig kritisiert. Dabei werden nicht selten die notwendigen Differenzierungen übersehen, die sich aus der Struktur der EU als Phänomen sui generis ergeben. Sie vereint politische Führung und Vermittlung von Interessen. Sie ist im Rahmen der Verträge zuständig, die neben „vergemeinschafteten" auch intergouvernementale Bereiche (GASP, Wirtschaftspolitik) belassen. Soweit in der „Investitur" der K. ein „Demokratiedefizit" gerügt wird, wird nicht nur wie in der gesamten „Defizitdiskussion" der strukturbedingte Unterschied demokratischer Legitimation in einem Staatenverbund, der zugl. eine Union der Bürger ist (zutreffend zum Ausdruck gebracht in Art. 10 Abs. 2 EUV) nicht beachtet, sondern es werden auch die seit der Gründung der EG, als die

K. in der Tat v.a. als technokratische Institution gesehen wurde, eingetretenen Änderungen, v.a. die entscheidende Rolle des Europäischen Parlaments übersehen. Soweit die Kommunikationsarbeit der K. und ihre Vorschläge zur Rechtsetzung beanstandet werden, ist sicher manches kritikwürdig. Allerdings sind Europäisches Parlament und Rat als Unionsgesetzgeber für die Annahme solcher Vorschläge verantwortlich.

Literatur
D. Kugelmann: Art. 17 EUV, in: R. Streinz (Hg.): EUV/AEUV-Kommentar, ³2018 • M. Ruffert: Art. 17 EUV, in: C. Calliess/M. Ruffert (Hg.): EUV/AEUV-Kommentar, ⁵2016 • F. Schmidt/H. Schmitt von Sydow: Art. 17 EUV, in: H. von der Groeben/J. Schwarze/A. Hatje (Hg.): Europäisches Unionsrecht. Kommentar, ⁷2015 • A. Wonka: Die Europäische Kommission, 2008 • D. Spence: The European Commission, 2006.
RUDOLF STREINZ

Europäische Menschenrechtskonvention (EMRK)

1. Rechtliche Grundlagen

Die EMRK ist das älteste Vertragswerk seiner Art im Rahmen des regionalen Menschenrechtsschutzes. In unmittelbarem Anschluss an die Gründung des ↑Europarats im Jahr 1949 wurde die EMRK in dessen Rahmen ausgearbeitet. Sie wurde am 4.11.1950 in Rom unterzeichnet und trat am 3.9.1953 in Kraft. Zählte die EMRK am Beginn des Jahres 1990 noch 22 Mitgliedstaaten, so hat sich die Zahl in den 90er Jahren bis heute mit 47 Staaten mehr als verdoppelt. Daneben entwickelte sich die Konvention in den knapp sechzig Jahren ihres Bestehens auch inhaltlich weiter: insgesamt 16 ZP sind zur Ratifikation aufgelegt worden. Das 1. ZP vom 20.3.1952, das 4. ZP vom 16.9.1963, das 6. ZP vom 28.4.1983, das 7. ZP vom 22.11.1984, das 12. ZP vom 4.11.2000 und das 13. ZP vom 3.5.2002 erweiterten den Grundrechtsbestand. Das 11. ZP vom 11.5.1994 hat das Rechtsschutzsystem der EMRK einer grundlegenden Neuregelung unterworfen. Das 14. ZP vom 13.5.2004 zielte in erster Linie auf eine Entlastung des EGMR ab.

2. Rechte und Freiheiten

Die EMRK begründet für die Vertragsstaaten die Verpflichtung, allen ihrer Hoheitsgewalt unterstehenden Personen die in ihrem Text sowie im 1., 4., 6., 7., 12. und 13. ZP niedergelegten Rechte und Freiheiten zuzusichern (Art. 1 EMRK), und dies insb. ohne Unterschied des Geschlechts, der Rasse, Hautfarbe, Sprache, Religion, politischen oder sonstigen Anschauung, nationaler oder sozialer Herkunft, Zugehörigkeit zu einer nationalen Minderheit, des Vermögens oder der Geburt (Art. 14 EMRK). Der allg.e Gleichheitssatz des 12. ZP ergänzt das beschränkte Diskriminierungsverbot des

Art. 14 EMRK und erweitert dessen Anwendungsbereich auf Rechte, die durch die Rechtsordnungen der Mitgliedstaaten gewährleistet werden. Dieses Protokoll wurde jedoch nur von einer Minderheit von Staaten ratifiziert.

Hinsichtlich ihres Aufbaus lassen sich in einer Grobgliederung zwei Gruppen von EMRK-Rechten unterscheiden, zum einen ↑Menschenrechte mit primär abwehrrechtlichem Charakter, zum anderen die sog.en Verfahrensgarantien. Die Abwehrrechte umfassen im Kern die Fundamentalgarantien (Recht auf Leben, ergänzt um das Verbot der Todesstrafe sowohl in Friedens- als auch in Kriegszeiten; Folterverbot und Verbot unmenschlicher oder erniedrigender Strafe oder Behandlung; Verbot der Sklaverei und der Zwangsarbeit), die Rechte der Person (Recht auf Achtung des Privat- und Familienlebens; Recht auf Eheschließung und Familiengründung; Glaubens-, Gewissens- und Religionsfreiheit, Recht auf Bildung), die politischen und gemeinschaftsbezogenen ↑Grundrechte (Freiheit der Meinungsäußerung; Versammlungs- und Vereinigungsfreiheit; aktives und passives Wahlrecht), die Garantie der persönlichen Freiheit, das Recht auf Freizügigkeit sowie die Eigentumsgarantie. Zu den Justiz- und Verfahrensgarantien gehören das Recht auf ein faires Verfahren i. S. v. Art. 6 EMRK, der Grundsatz *nullum crimen sine lege*, das Verbot der Doppelbestrafung und -verfolgung, das Recht auf Überprüfung von Strafurteilen, das Recht auf Entschädigung bei Fehlurteilen, Verfahrensgarantien in Ausweisungsverfahren sowie das Recht auf eine wirksame Beschwerde bei einer nationalen Instanz im Falle der Verletzung eines in der EMRK garantierten Rechts.

Die genannten Rechte und Freiheiten gelten nicht uneingeschränkt. Bei den Abwehrrechten folgt die Prüfung der Grundrechtsbeschränkungen dem dreistufigen Schema von Schutzbereich, Eingriff und (soweit es sich nicht um die vorbehaltlos gewährleisteten Rechte des Art. 3 EMRK sowie der Art. 3 und 4 4. ZP handelt) Rechtfertigung des Eingriffs. Am präzisesten ist das normative Programm für die Rechtfertigung in den Art. 8 bis 11 EMRK vorgegeben. Neben dem Vorliegen eines legitimen Ziels muss der Eingriff „in einer demokratischen Gesellschaft" notwendig sein. Hinter dieser Formulierung verbirgt sich der Grundsatz der ↑Verhältnismäßigkeit, wie er in vergleichbarer Form auch bei vielen Grundrechten nationaler Verfassungen Bedingung zulässiger Eingriffe ist. Die in diesem Rahmen stattfindende Prüfung weist aber einige Besonderheiten auf: Zum einen hat das Kriterium der Notwendigkeit in einer demokratischen Gesellschaft auch die Funktion, einen systematischen Zusammenhang für die Auslegung der Konventionsrechte herzustellen, der bei nationalen Verfassungen durch das Staatsorganisationsrecht selbstverständlich ist. Dabei ist im Unterschied zum nationalen Verfassungsrecht kein konkretes System zu berücksichtigen, sondern der Standard europäischer Demokratien

insgesamt. Zum anderen verweist der EGMR im Rahmen der Prüfung der Verhältnismäßigkeit in st.r Rspr. auf einen Beurteilungsspielraum der Mitgliedstaaten *(margin of appreciation)*, der Hand in Hand mit einer europäischen Kontrolle durch den EGMR gehen müsse. Dabei handelt es sich um ein Instrument des Gerichtshofs zur Variation seiner Kontrolldichte je nach betroffenem Grundrecht und Lebensbereich, dem der Fall zuzuordnen ist.

Bei den Verfahrensgarantien geht es dagegen regelmäßig um die Einhaltung detaillierter verfahrensrechtlicher Vorgaben, obwohl sich der Verhältnismäßigkeitsgrundsatz und mit ihm die Abwägungsvorgänge auch hier immer mehr durchsetzen. Wichtigstes Beispiel ist das Recht auf Zugang zu Gericht, dessen Verletzung mit der Frage nach dem legitimen Ziel und der Verhältnismäßigkeit der Beschränkung geprüft wird (st. Rspr. des EGMR seit *Golder v GB*, 1975).

Schließlich kann ein Mitgliedstaat das Ausmaß seiner völkerrechtlichen Verpflichtung nach der EMRK mit Ausnahme des notstandsfesten Kerns der Art. 2, 3, 4 Abs. 1 und 7 EMRK im Falle eines ↑Kriegs oder eines anderen öffentlichen Notstands reduzieren (Art. 15 EMRK). In der bisherigen Praxis haben Großbritannien, Griechenland, Irland, die Türkei, Albanien, Armenien und Frankreich zu diesem Instrument gegriffen, und zwar überwiegend, um einzelne Verfahrensgarantien nach den Art. 5 und 6 EMRK außer Kraft zu setzen.

3. Die Stellung der EMRK im Recht der Mitgliedstaaten

Die Stellung der EMRK im Recht der Mitgliedstaaten und im Besonderen ihr Verhältnis zum nationalen Verfassungsrecht sind uneinheitlich. Insgesamt lassen sich drei Gruppen von Staaten unterscheiden: Staaten, in denen die EMRK Bestandteil der ↑Verfassung ist oder einen vergleichbaren Status genießt; Staaten, in denen die EMRK im Rang über den Gesetzen, nicht aber im Verfassungsrang steht; schließlich Staaten, in denen die EMRK selbst nur im Rang eines einfachen Gesetzes steht, gleichwohl aber als Hilfe für die Auslegung nationaler Grundrechte herangezogen wird. Nach dem GG kommt der EMRK – wie jedem anderen ↑völkerrechtlichen Vertrag – nur der Rang eines einfachen Bundesgesetzes zu (Art. 59 Abs. 2 GG). Das ↑BVerfG hat aber die Auslegung der Grundrechte des ↑GG in den letzten Jahren sukzessive sehr weitgehend für die Berücksichtigung der EMRK-Garantien und der hierzu ergangenen Rspr. des EGMR geöffnet und eine deutlich EMRK-affinere Tonlage eingeschlagen. Im Görgülü-Beschluss (2004) hatte das BVerfG noch betont, dass die EMRK ihre Wirkung nur im Rahmen des demokratischen und rechtsstaatlichen Systems des GG entfalte und eine Unterwerfung unter nicht deutsche Hoheitsakte, die jeder verfassungsrechtlichen Begrenzung und Kontrolle entzogen sei, nicht angestrebt werde. In der Sicherungsverwahrungsentscheidung (2011) heißt es nun, dass die Völkerrechtsfreundlichkeit des GG Ausdruck eines Souveränitätsverständnisses sei, das eine Einbindung in inter- und supranationale Zusammenhänge sowie deren Weiterentwicklung voraussetze und erwarte. Die „Berücksichtigung" der EMRK und der Rspr. des EGMR ist v. a. im Bereich der Verfahrensgarantien erfolgt. Hier hat das BVerfG die insb. in Art. 5, 6 und 7 EMRK garantierten Rechte und ihre Auslegung durch den EGMR herangezogen, um aus dem Rechtsstaatsprinzip einzelne Verfahrensrechte zu entwickeln (z. B. etwa den Grundsatz der Unschuldsvermutung).

4. Das Rechtsschutzsystem
Das Rechtsschutzsystem der EMRK wurde mit dem Inkrafttreten des 11. ZP im Jahr 1998 und des 14. ZP im Jahr 2010 grundlegend reformiert. Die Menschenrechtskommission wurde abgeschafft. Die Rechtskontrolle über die Einhaltung der Verpflichtungen aus der EMRK und ihren ZP ist dem EGMR vorbehalten, der seine Aufgaben als ständiger Gerichtshof wahrnimmt (Art. 19 EMRK). Die Aufgaben des Ministerkomitees im Rahmen der EMRK wurden auf die Überwachung der Einhaltung der Urteile des EGMR nach Art. 46 Abs. 2 EMRK beschränkt.

4.1 Der EGMR
Die Zahl der Richter des EGMR entspr. derjenigen der Vertragsparteien der EMRK (Art. 20 EMRK). Sie vertreten nicht einen der Mitgliedstaaten, sondern agieren als unabhängige Mitglieder des ↑EGMR. Die ↑Richter müssen hohes sittliches Ansehen genießen und entweder die für die Ausübung hoher richterlicher Ämter erforderlichen Voraussetzungen erfüllen oder Rechtsgelehrte von anerkanntem Ruf sein (Art. 21 Abs. 1 EMRK). Sie werden von der Parlamentarischen Versammlung des Europarats für jeden Mitgliedstaat mit Stimmenmehrheit aus einer Liste von drei Kandidaten gewählt, die vom Mitgliedstaat vorgeschlagen werden (Art. 22 EMRK). Ein unabhängiger Expertenausschuss überprüft die Qualität der Kandidaten.

Der EGMR wird in vier verschiedenen Spruchkörpern tätig (Art. 26–31 EMRK): durch Einzelrichter, durch Ausschüsse mit drei Richtern, durch Kammern mit sieben Richtern und durch eine Große Kammer mit 17 Richtern. Das Verfahren der Menschenrechtsbeschwerde ist in den Art. 33–46 EMRK geregelt. Der EGMR kann sowohl von den Mitgliedstaaten (im Wege der Staatenbeschwerde – Art. 33 EMRK) als auch von Privatpersonen (im Wege der Individualbeschwerde – Art. 34 EMRK) angerufen werden. Dabei ist Gegenstand einer Individualbeschwerde die behauptete Verletzung eines Konventionsrechts durch einen der Mitgliedstaaten. Sinn der Staatenbeschwerde dagegen ist es, der Staatengemeinschaft Europas eine Wächterfunktion hinsichtlich der Einhaltung des europäischen Menschenrechtsschutzes zuzuweisen. Die Staatenbeschwerde spielt (schon zahlenmäßig) nur eine geringe Rolle in der Straßburger Praxis.

4.2 Rechtswirkungen der Urteile
Die Vertragsstaaten verpflichten sich gem. Art. 46 Abs. 1 EMRK, in allen Rechtssachen, in denen sie Partei sind, das endgültige Urteil des EGMR zu befolgen. Im Hinblick auf die Wirkung der Entscheidungen lässt sich zwischen einer Rechtskraftwirkung für die beteiligten Parteien und einer Orientierungswirkung im Übrigen unterscheiden. Mit dem 14. ZP wurden zwei neue Möglichkeiten zur besseren Umsetzung von Urteilen des EGMR eingeführt, und zwar die Möglichkeit der authentischen Interpretation der Urteile durch den Gerichtshof und ein bes.s Verfahren bei Verstößen der Staaten gegen die Pflicht zur Befolgung von Urteilen.

Für die Rechtswirkungen von EGMR-Urteilen in Deutschland hat das BVerfG grundlegende Aussagen im Görgülü-Beschluss aus dem Jahr 2004 und in seinem Sicherungsverwahrungsurteil aus dem Jahr 2011 getroffen. Danach erstreckt sich die Bindungswirkung einer Entscheidung des EGMR auf alle staatlichen Organe. Zur Bindung an Recht und Gesetz nach Art. 20 Abs. 3 GG gehöre auch die Berücksichtigung der Gewährleistungen der EMRK und der Entscheidungen des EGMR. Diese Pflicht erfordere von dem zur Entscheidung berufenen Gericht, von der zuständigen Behörde und vom Gesetzgeber, dass die entspr.en Texte und Judikate zur Kenntnis genommen werden und in den jeweiligen Willensbildungsprozess einfließen. Ausdrücklich verweist das BVerfG auf die Möglichkeit einer Wiederaufnahme eines durch rechtskräftiges Urteil abgeschlossenen Verfahrens zugunsten des Verurteilten, wenn der EGMR eine Verletzung der EMRK festgestellt hat und das innerstaatliche Urteil auf dieser Verletzung beruht. Das BVerfG selbst berücksichtigt Entscheidungen des EGMR als Auslegungshilfe auch dann, wenn sie nicht denselben Streitgegenstand betreffen. Insofern verweist das BVerfG ausdrücklich auf die jedenfalls faktische Orientierungs- und Leitfunktion, die der Rspr. des EGMR für die Auslegung der EMRK auch über den konkret entschiedenen Fall hinaus zukommt.

5. Ergebnisse und Ausblick
Sechzig Jahre EMRK und eine Vielzahl von Entscheidungen des EGMR (sowie der EKMR) haben dazu beigetragen, den Schutz der Grundrechte in Europa zu verbreitern und zu verstärken. Die Reihe wichtiger Entscheidungen gegen Deutschland reicht von den Caroline-Fällen (2004 und 2012), die umgangsrechtlichen Urteile (*Elsholz v Deutschland*, 2000) über die mittlerweile zahlreichen Urteile zur Sicherungsverwahrung (*M v Deutschland*, 2009) bis hin zu vielfältigen Entscheidungen zum kirchlichen Arbeitsrecht (*Schüth v Deutschland*, *Obst v Deutschland*, beide 2010). Nicht immer führen Spannungen zwischen deutscher Rspr. und EGMR-Entscheidungen zu Verurteilungen Deutschlands. Häufig ist es ein Prozess des „Rspr.s-Dialogs" nach einer Abfolge von innerstaatlichen und Straßburger Entscheidungen zum selben Rechtsproblem. An dieser Stelle ist

es häufig das BVerfG, das die Spannungen judikativ verarbeitet.

Trotz der insgesamt positiven Bilanz sind die Schwächen des Rechtsschutzsystems der EMRK nicht zu übersehen. Mit dem 11. und 14. ZP ist nur ein Zwischenschritt hin zu einer weitergehenden Strukturreform erfolgt. Angesichts der weiterhin hohen Belastung werden weitere Reformmaßnahmen notwendig sein. Die zwischenzeitig auf über 130 000 angestiegene Zahl anhängiger Beschwerden wird nicht nur auf der Ebene des Filtermechanismus und bei der Behandlung der gleichartigen Beschwerden weitere Maßnahmen erfordern, sondern auch im Bereich der Organisation des Gerichtshofs und der grundsätzlichen Art und Weise des Umgangs mit Beschwerden. Inwiefern der Interlaken-Prozess und die Ergebnisse der Brighton-Konferenz dazu beitragen werden, die Herausforderungen des EGMR durch die Beschwerdeflut zu meistern, bleibt abzuwarten.

Der Beitritt der ↑EU zur EMRK ist seit über 20 Jahren politisches Ziel der Union und seit dem Vertrag von Lissabon rechtliche Verpflichtung (Art. 6 II EUV), für die auch die EMRK geändert werden musste. Mit dem 14. ZP wurde die EMRK-Mitgliedschaft vom Erfordernis der Mitgliedschaft einer Vertragspartei im Europarat gelöst. Art. 59 Abs. 2 EMRK lässt nun den Beitritt der EU ausdrücklich zu. Das negative Gutachten des ↑EuGH zum Beitritt (Gutachten 2/13 vom 18.12.2014) hat der Erreichung eines kohärenten Grundrechtsschutzes und dem Anstieg des Schutzniveaus den Weg versperrt. Aber auch nach dem Gutachten gilt: Der Beitritt der EU zur EMRK ist unionsrechtlich zulässig und zur Vermeidung völkerrechtlicher Konflikte für die Mitgliedstaaten geboten. Gelingt das nicht, müsste die Rechtsschutzlücke, die der Beitritt beseitigen sollte, durch Verfassungsgerichte und EGMR in Verdichtung bisheriger Ansätze geschlossen werden. Der EGMR hat den EU-Mitgliedstaaten und der EU seit dem Bosphorus-Urteil das Privileg einer zurückgenommenen Kontrolle bei Grundrechtseingriffen zugestanden, die in Erfüllung unionsrechtlicher Verpflichtungen ergingen, und dies mit dem „Interesse an internationaler Kooperation" (EGMR 30.6.2005, Ziffer 155) begründet. Es bleibt abzuwarten, ob der EGMR das Gutachten des EuGH zum Anlass einer Rspr.s-Änderung nimmt.

Literatur

J. Meyer-Ladewig/M. Nettesheim/S. von Raumer (Hg.): Europäische Menschenrechtskonvention, Handkommentar, ⁴2017 • C. Grabenwarter/K. Pabel: Europäische Menschenrechtskonvention, ⁶2016 • U. Karpenstein/F. C. Mayer: Konvention zum Schutz der Menschenrechte und Grundfreiheiten: EMRK, ²2015 • D. Ehlers (Hg.): Europäische Grundrechte und Grundfreiheiten, ⁴2014 • C. Grabenwarter: Menschenrechtsschutz und Menschenrechtspolitik durch den EGMR, in: C. Hillgruber (Hg.): Gouvernement des juges – Fluch oder Segen, 2014, 45–78 • D. J. Harris/M. O'Boyle/C. Warbick: Law of the European Convention on Human Rights, ³2014 •

O. Dörr/R. Grote/T. Marauhn (Hg.): EMRK/GG. Konkordanzkommentar zum europäischen und deutschen Grundrechtsschutz, ²2013 • J. A. Frowein/W. Peukert: Europäische Menschenrechtskonvention, ³2009 • P. van Dijk u. a. (Hg.): Theory and Practice of the European Convention on Human Rights, ⁴2006.   **CHRISTOPH GRABENWARTER**

Europäische Parteien

1. Definition

E. P. sind als grenzüberschreitend kooperierende föderative Vereinigungen Dachorganisationen von nationalen ↑Parteien mit vergleichbarer programmatischer Ausrichtung. Auf der Grundlage einer Satzung und eines von den zuständigen Organen verabschiedeten Programms organisieren sie eine Aktionseinheit ihrer Mitgliedsparteien auf europäischer Ebene. Sie bilden keine neue Hierarchie, sondern bestehen parallel zur nationalen Ebene. Ihnen können neben den Parteien der Mitgliedsstaaten und deren Fraktionen im ↑Europäischen Parlament auch Einzelpersonen angehören. Ihr Aktionsfeld ist in erster Linie die ↑EU. Vorrangiges Ziel ist die Teilnahme an den Europawahlen. Im Europäischen Parlament wirken sie durch ↑Fraktionen an der politischen Willensbildung mit. Der Begriff „Partei" reflektiert die supranationale Intention der Mitgliedsorganisationen. Die EU spricht von europäischen politischen Parteien (VO [EU, Euratom] Nr. 1141/2014) oder von politischen Parteien auf europäischer Ebene (Art. 10 Abs. 4 EUV). Der Lissabon-Vertrag anerkennt ihre Rolle bei der Herausbildung eines europäischen politischen Bewusstseins und für den Ausdruck des Willens der Bürgerinnen und Bürger der Union (Art. 10 Abs. 4 EUV); ebenso legt er das Verfahren zur Normierung der Regelungen für die politischen Parteien auf europäischer Ebene sowie die Vorschriften über die Finanzierung fest (Art. 224 AEU). Rechtsstatus, Anerkennung und Finanzierung der e.n P sowie ihrer Stiftungen regelt die VO (EU, Euroatom) Nr. 1141/2014.

2. Entwicklung

Schon früh begannen die wichtigsten Parteien der Staaten, die sich nach dem Zweiten Weltkrieg am europäischen Einigungsprozess beteiligten, damit, mit gleichgesinnten Schwesterparteien in den Mitgliedstaaten zu kooperieren. Im Vorfeld der ersten Direktwahl des Europäischen Parlaments 1979 entstanden dann Parteienbünde. Sowohl Liberale wie Sozialdemokraten und Christliche Demokraten sahen die Notwendigkeit, sich auf die Herausforderung dieser Wahl durch die Bildung europäischer Organisationsstrukturen vorzubereiten. Die Initiative dazu ging v. a. von den delegierten Abgeordneten des Europäischen Parlaments aus, die sich bereits 1952 in der parlamentarischen Versammlung der EGKS und 1958 nach Gründung der EWG und der EURATOM zu Fraktionen zusammengeschlossen hatten und nun im Blick auf den Wahlkampf die Notwendigkeit der Unterstützung durch Parteiorganisationen auf europäischer Ebene sahen. Das traf sich mit dem Bestreben der nationalen Parteien, sich mit Gleichgesinnten in den anderen Mitgliedstaaten abzustimmen und dabei vom Werbeeffekt der Zugehörigkeit zu einer übernationalen Organisation zu profitieren. Dieser Vorgang wiederholte und verdichtete sich im Fünfjahresturnus der darauffolgenden Europawahlen. Gemäß der Logik dieser Entwicklung wurde zu Beginn der 90er Jahre in den Maastricht-Vertrag Art. 138a EUV aufgenommen, der die „politischen Parteien auf europäischer Ebene" erstmals im Primärrecht wahrnimmt und ihnen eine bes. Rolle im ↑europäischen Integrationsprozess zuweist.

Die e.n P. sind in erster Linie auf das Europäische Parlament ausgerichtet. Ihre Stellung im Kontext des Staatenverbundes der EU unterscheidet sich von der Stellung der nationalen (Mutter-)Parteien wesentlich dadurch, dass die Mitgliedstaaten nach wie vor Herren der Verträge sind, die ihrerseits von den nationalen Parteien in ihren ↑Parlamenten legitimiert werden. Zwar wurde das Europäische Parlament mit dem Lissabon-Vertrag signifikant gestärkt. Trotzdem haben die Mitgliedstaaten nach wie vor in essentiellen Bereichen das letzte Wort. Im Zusammenhang mit der Finanz- und der Stabilitätskrise im Euroraum (Eurokrise) hat sich der intergouvernementale Charakter der EU sogar noch verstärkt. Insofern ist der Bezugsrahmen der e.n P. begrenzt. Auch die Struktur der Willensbildung hat noch immer mehr den Charakter diplomatischer Gepflogenheiten als den eines innerparteilichen Verfahrens. Die e.n P. entfalten aber ihre Wirkung im Rahmen der institutionalisierten transnationalen Zusammenarbeit auf die Einstellung und das Verhalten der Führungsgruppen der nationalen Parteien, die die Notwendigkeit erkennen, auf der europäischen Ebene präsent zu sein, Einfluss zu nehmen, ihre Interessen zu wahren und die europäische Entwicklung mitzugestalten.

Entscheidend für den Erfolg einer e.n P. ist auch die Kommunikation zwischen europäischer und nationaler Ebene. Zwar steht die Europapolitik und mit ihr das Europäische Parlament bei Europawahlen häufig noch im Schatten der nationalen Agenda, doch werden die Europapolitiker in wachsendem Maß als wichtige Akteure der nationalen Parteien auf europäischer Ebene wahrgenommen, jedoch kaum als Vertreter der jeweiligen e.n P. Auch die sog.en Europawahlmanifeste der e.n P. spielen in der nationalen Berichterstattung nur eine untergeordnete Rolle.

3. Rechtliche Stellung in der EU
Nach einer Phase der Stagnation brachte der Vertrag von Maastricht neuen Schub in die Entwicklung der e.n P. Die Mitgliedstaaten einigten sich, in den EGV einen eigenen Art. 138a aufzunehmen: „Politische Parteien auf europäischer Ebene sind wichtig als Faktor der Integration in der Union. Sie tragen dazu bei, ein europäisches Bewusstsein herauszubilden und den politischen Willen der Bürger der Union zum Ausdruck zu bringen." Dieser Art. hatte aber nur deklatorischen Charakter, weil er weder Anerkennungskriterien noch Regeln für die Finanzierung enthielt. Nachdem der EuRH im Vorfeld der Regierungskonferenz 2000 die zwischenzeitlich etablierte Quersubventionierung der e.n P. durch die ihnen nahestehenden Fraktionen im Europäischen Parlament, die den Parteien Zuschüsse für die Finanzierung von Personal, Materialien und Dienstleistungen zur Verfügung stellten, kritisiert hatte, wurde der Art. 138a von den Mitgliedstaaten im umnummerierten Art. 191 des Vertrags von Nizza ergänzt: „Der Rat legt gemäß dem Verfahren des Art. 251 die Regelungen für die politischen Parteien auf europäischer Ebene und insbesondere die Vorschriften über ihre Finanzierung fest".

Nach längeren Bemühungen des Europäischen Parlaments kam im Jahr 2003 die „Verordnung des Europäischen Parlaments und des Rats über die Regelungen für die politischen Parteien auf europäischer Ebene und ihre Finanzierung" (VO [EG] Nr. 2004/2003) zustande. Sie erstreckt sich nicht nur auf die politischen Parteien, sondern auch auf deren politische ↑Stiftungen auf europäischer Ebene und legt die Voraussetzungen für die Anerkennung als e. P. wie auch die Bedingungen für die Finanzierung aus dem EU-Haushalt fest. Mit der im Februar 2004 in Kraft getretenen VO erhielten die Parteien zum ersten Mal eine rechtliche Fördergrundlage und direkte Finanzmittel aus dem EU-Haushalt. Damit wurde die Finanzierung durch die Fraktionen beendet und zwischen Partei und Fraktion klar getrennt. Die Parlamentsverwaltung durfte e.n P. ihre Ressourcen nur noch gegen Kostenerstattung zur Verfügung stellen. Dafür erhielten alle e.n P. zusammen im ersten Jahr der neuen Legislaturperiode (2004–2009) 6,5 Mio. Euro aus dem EU-Haushalt. 15 % der Mittel werden dabei als Grundfinanzierung zu gleichen Teilen auf alle e. P. aufgeteilt. Die übrigen 85 % richten sich nach der Zahl ihrer Abgeordneten. Dabei darf die Finanzierung aus dem EU-Haushalt 85 % der Kosten einer Partei oder politischen Stiftung auf europäischer Ebene nicht überschreiten. Die Durchführung dieser VO regelte ein Beschluss des Präsidiums des Europäischen Parlaments vom März 2004.

Im Januar 2008 traten Änderungen der VO 2004/2003 (VO [EG] Nr. 1524/2007) in Kraft, die u. a. mehr Flexibilität hinsichtlich der Übertragbarkeit von Haushaltsmitteln auf das Folgejahr und die Möglichkeit zur Rücklagenbildung enthielten. Die Mittel für die Finanzierung der europäischen politischen Parteien wurden für das Jahr 2008 mit 10,6 Mio. Euro festgelegt.

Auch für die politischen Stiftungen wurden die Finanzierungsregelungen ergänzt. Alle e.n P. hatten bis Ende 2007 im Rahmen eines von der ↑Europäischen Kommission finanzierten Pilotprojekts Stiftungen auf europäischer Ebene gegründet. Ab 2008 übernahm das

Europäische Parlament deren Finanzierung. Diese Stiftungen unterstützen durch ihre Arbeit die Ziele der e.n P. Die ihnen zugewiesenen Mittel dürfen nur zur Finanzierung ihrer Arbeit und keinesfalls zur Finanzierung von Wahlkämpfen verwendet werden.

Mit dem am 1.12.2009 in Kraft getretenen Vertrag von Lissabon wurde der bis dahin geltende Text des Art. 191 des Vertrags von Nizza auf zwei Art., nämlich Art. 10 Abs. 4 des EUV und Art. 224 des AEUV, aufgeteilt. Der Lissabon-Vertrag folgt insoweit dem „Entwurf eines Vertrages über eine Verfassung für Europa" (Art. I-54 Abs. 4 und Art. III-233) des Europäischen Konvents.

Angesichts der anhaltenden Kritik an der geltenden VO u. a. wegen fehlender Kriterien im Hinblick auf die demokratischen Strukturen der e.n P., zu niedrige Grenzen für ↑Spenden, den hohen administrativen Aufwand bei der Dokumentation und insb. den fehlenden europäischen Rechtsstatus reagierte die Europäische Kommission im September 2012 mit dem Entwurf einer VO über Statut und Finanzierung. Die VO vom 22.10.2014 schuf einen eigenen Rechtsstatus der e.n P. und verschaffte ihnen in allen Mitgliedstaaten rechtliche Anerkennung: die zentrale Innovation des neuen Statuts. Steuerlich werden die e.n P. allerdings weiterhin nach den nationalstaatlichen Regelungen behandelt. Die Anerkennung erfolgt über eine (Zulassungs-)Behörde, die von einem einmalig für die Amtszeit von fünf Jahren bestellten Direktor geleitet wird. Die Behörde führt ein Register der Parteien und Stiftungen. Ein Antrag auf Eintragung ist an diese Behörde zu stellen, die beim Europäischen Parlament angesiedelt ist.

Die Kriterien zur Anerkennung als e. P. sind mit einzelnen Ergänzungen aus der VO des Jahres 2003 übernommen; sie wurden jedoch getrennt von den Finanzierungsregelungen. Die Eintragung als e. P. ist Voraussetzung für eine Finanzierung aus dem EU-Budget. Die Anforderungen an die Parteisatzungen wurden erhöht und um Mindestanforderungen an ihre demokratische Verfassung ergänzt.

Ein politisches Bündnis nationaler Parteien kann die Eintragung als e. P. (Kap. II Art. 3 Abs. 1) beantragen, wenn es seinen Sitz in einem Mitgliedstaat hat, wenn es (oder seine Mitglieder) in mindestens einem Viertel der Mitgliedstaaten durch Mitglieder des Europäischen Parlaments, von nationalen oder regionalen Parlamenten oder regionalen Versammlungen vertreten sind oder wenn es oder seine Mitgliedsparteien in mindestens einem Viertel der Mitgliedstaaten bei der letzten Wahl zum Europäischen Parlament mindestens 3 % der abgegebenen Stimmen in jedem dieser Mitgliedstaaten erhalten haben. Insb. müssen Programm und Tätigkeiten im Einklang mit den Werten stehen, auf die sich die Union gemäß Art. 2 EUV gründet. Begründet ist ein Antrag auch, wenn ein Bündnis oder seine Mitglieder an der Wahl zum Europäischen Parlament teilgenommen oder öffentlich die Absicht bekundet haben, an der nächsten Wahl teilnehmen zu wollen. Zwecke finanziellen Gewinns dürfen nicht verfolgt werden.

Vergleichbare Bedingungen (Kap. II Art. 3 Abs. 2) gelten für die Anerkennung als europäische politische Stiftung, wobei eine e. P. nur eine förmlich angeschlossene Stiftung haben kann und beide die Trennung zwischen ihren laufenden Geschäften, Leitungsstrukturen und Rechnungslegungen gewährleisten müssen.

Mit diesen Bestimmungen entfällt die Pflicht, die Finanzierung mittels eines Arbeitsprogramms zu begründen. Die Übertragbarkeit von nicht ausgegebenen Mitteln aus dem Vorjahr wurde erweitert, die Höchstgrenze von Spenden von 12 000 auf 18 000 Euro erhöht. Neben technischen Verstößen, so u. a. im Hinblick auf die Höhe oder den Charakter der Spenden, können auch politische Verstöße geahndet werden, so bspw. im Fall eines Verstoßes gegen die Grundwerte der EU. In letzterem Fall tritt ein aus sechs Mitgliedern bestehender „Ausschuss unabhängiger Persönlichkeiten" zusammen, über dessen Stellungnahme von der Behörde entschieden wird.

4. Nominierung von Spitzenkandidaten

Eine neue Dimension eröffnete die Entscheidung einiger e.r P. nach einem vergeblichen Versuch 2009 für die Europawahl 2014 erstmals Spitzenkandidaten für das Amt des künftigen Kommissionspräsidenten der Wählerschaft zu präsentieren. Personalisierung und Politisierung der europapolitischen Diskussion sollten nicht zuletzt dazu beitragen, die Wahlbeteiligung zu steigern – ohne Erfolg. Die Personalisierungsstrategie funktionierte primär in den Herkunftsländern der Spitzenkandidaten. Das Hauptziel dieser Neuerung bestand allerdings in der Verbindung zwischen der Europawahl und der Einsetzung der Kommissionsspitze. Der Vertrag von Lissabon gibt dem Europäischen Parlament das Recht, den Kommissionspräsidenten zu wählen und weist dem ↑Europäischen Rat die Befugnis zu, dem Parlament „nach entsprechenden Konsultationen" einen Vorschlag zu unterbreiten, wobei er nach Art. 17 Abs. 7 EUV „das Ergebnis der Wahlen zum Europäischen Parlament berücksichtigt". Wie dieser komplexe Entscheidungsprozess im Einzelnen ablaufen soll, lässt der Vertrag offen. Angetrieben von Mitgliedern des Europäischen Parlaments nutzten einige e. P. diese Offenheit, Spitzenkandidaten zu nominieren: für die Europawahl 2014 die EVP Jean-Claude Juncker, die SPE Martin Schulz, die Liberalen Guy Verhofstadt, die Grünen Ska Keller und José Bové sowie die Linke Alexis Tsipras. Nachdem die EVP mit ausreichend deutlichem Abstand vor der SPE abgeschnitten hatte, forderten die Repräsentanten der beiden großen Fraktionen die im Europäischen Rat vertretenen Regierungen auf, J.-C. Juncker vorzuschlagen und signalisierten dafür eine ausreichende Mehrheit, noch bevor das neugewählte Parlament zusammengetreten war. Dem überrumpelten Europäischen Rat blieb, um eine institutionelle Krise zu vermeiden, nichts anderes übrig, als förmlich zu folgen. Der Kandidat wurde schließlich nach einer Vorstellungsrunde bei den einzelnen Fraktionen am 15.6.2014 mit 422 gegen 250 Stimmen zum Präsidenten der Europäischen Kommission gewählt: ein Erfolg der Strategie der führenden e.n P. und zugl. eine Stärkung des Europäischen Parlaments. Der auf diese Weise ins Amt gelangte Kommissionspräsident kündigte daraufhin eine „politische Kommission" an.

5. Die anerkannten europäischen Parteien

Im Jahr 2015 waren vom Europäischen Parlament 15 e. P. anerkannt, die sich hauptsächlich in den acht Fraktionen geschäftsordnungsmäßig organisierten.

Die christlich-demokratisch/konservativ ausgerichtete EVP wurde im Juli 1976 als Zusammenschluss von elf Parteien aus sieben Mitgliedstaaten und der christdemokratischen Fraktion des Europäischen Parlaments in Luxemburg gegründet. Der Kontakt zu den Schwesterparteien außerhalb der EU lief bis 1998 über die EUCD. Nach der Fusion mit der EUCD zählte die EVP im Jahr 2015 53 Mitgliedsparteien aus 27 Mitgliedstaaten, vier Assoziierte Parteien und 21 Beobachter. Nach der Europawahl 2014 umfasst die EVP im Europäischen Parlament als stärkste Fraktion 217 Mitglieder. Der 28-köpfigen Juncker-Kommission gehören 14 EVP-Mitglieder an. Der EVP-Gipfel, an dem im Vorfeld der Europäischen Ratstagungen die nationalen Parteiführer sowie die EVP-Spitzenvertreter der europäischen Institutionen teilnehmen, hat sich zu einem entscheidenden informellen politischen Gremium entwickelt.

Fraktion	Abkürzung (engl.)	Deutsch	Zahlungen 2013 aus EU-Haushalt in Euro
European People's Party	EPP	Europäische Volkspartei (EVP)	6 463 606
Party of European Socialists	PES	Sozialdemokratische Partei Europas (SPE)	4 985 351
Alliance of Liberals and Democrats for Europe Party	ALDE	Allianz der Liberalen und Demokraten für Europa (ALDE)	2 232 476
Alliance of European Conservatives and Reformists	AECR	Allianz der Europäischen Konservativen und Reformisten	1 402 596
European Green Party	EGP	Europäische Grüne Partei (EGP)	1 563 218
Party of the European Left	EL	Die Europäische Linke	947 500
Alliance for Direct Democracy in Europe (NEW)	ADDE	Allianz für Direkte Demokratie in Europa	–
Mouvement pour une Europe des Nations et des Libertés (NEW)	MENL	Bewegung für ein Europa der Nationen und der Freiheit	–
European Free Alliance	EFA	Freie Europäische Allianz	438 864
European Democratic Party	PDE	Europäische Demokratische Partei (EDP)	436 636
European Alliance For Freedom	EAF	Europäische Allianz für Freiheit	384 064
European Christian Political Movement	ECPM	Europäische Christliche Politische Bewegung	305 012
Movement for Europe of Liberties & Democracy	MELD	Bewegung für ein Europa der Freiheit und der Demokratie	593 589
Europeans United for Democracy	EUD	EUDemokraten	196 644
Alliance Européenne des Mouvements Nationaux	AEMN	Allianz der Europäischen Nationalen Bewegungen	350 294

Tab. 1: Übersicht über die europäischen Fraktionen (Stand: Herbst 2015)

Die sozialdemokratisch/sozialistisch ausgerichtete SPE ist durch Umbenennung im November 1992 im Hague aus dem im April 1974 in Luxemburg gegründeten *Bund der Sozialdemokratischen (und Sozialistischen) Parteien Europas* entstanden. Damit trug die Partei dem fortgeschrittenen Integrationsprozess der EU Rechnung. Im Jahr 2015 umfasst die SPE 33 Mitgliedsparteien aus 28 Mitgliedstaaten, 13 Assoziierte Parteien und zwölf Beobachter. Nach der Europawahl 2014 stellt die SPE mit 191 Mitgliedern die zweitstärkste Fraktion des Europäischen Parlaments. Der Europäischen Kommission gehören acht SPE-Mitglieder an. Beginnend 1996 treffen sich die sozialdemokratischen Mitglieder für fast alle Räte der EU i. d. R. vor einer Ratssitzung. Die EVP folgte mit dieser Praxis ab 2005.

Die im März 1976 in Stuttgart gegründete liberal ausgerichtete *Föderation der liberalen und demokratischen Parteien in der Europäischen Gemeinschaft* benannte sich im Dezember 1993 in *Europäische Liberale und Demokratische Reform-Partei* (ELDR) und im November 2012 in *Allianz der Liberalen und Demokraten für Europa* (ALDE) um. Ihr gehören im Jahr 2015 55 Vollmitglieder aus 39 Staaten an. Bei der Europawahl kamen die Liberalen auf 70 Mandate und landeten damit auf dem vierten Platz. Von den 28 Kommissionsmitgliedern gehören den Liberalen fünf an.

Die euroskeptisch/konservativ ausgerichtete *Allianz der Europäischen Konservativen und Reformisten* (AECR) wurde im Jahr 2009 gegründet, nachdem die britischen Konservativen und die tschechische *Demokratische Bürgerpartei* (ODS) die EVP-Europäische Demokraten-Fraktion im Europäischen Parlament verlassen hatten. Sie stellen 2015 im Europäischen Parlament mit 74 Abgeordneten die drittstärkste Fraktion. Ihnen gehört ein Kommissionsmitglied an.

Die grün/alternativ orientierte *Europäische Grüne Partei* (EGP) wurde 1983 gegründet und besteht 2015 aus 38 Mitgliedsparteien, fünf Assoziierten Mitgliedern und zwei Beobachtern. Ihre Fraktion im Europäischen Parlament (Fraktion der Grünen/Freie Europäische Allianz) umfasst 50 Mitglieder.

Die links/sozialistisch ausgerichtete *Partei der Europäischen Linken* (EL) wurde 2004 gegründet und ist 2015 mit 52 Abgeordneten in der *Konföderalen Fraktion der Vereinigten Europäischen Linken/Nordische Grüne Linke* vertreten.

Die euroskeptisch/rechtspopulistisch/nationalkonservativ ausgerichtete *Allianz für direkte Demokratie in Europa* wurde 2014 gegründet und bildet mit verwandten Parteien die 45 Mitglieder umfassende Fraktion *Europa der Freiheit und der direkten Demokratie.*

Die 2014 gegründete euroskeptisch/nationalistisch/ rechtspopulistisch ausgerichtete *Bewegung für ein Europa der Nationen und Freiheiten* bildet mit der 2010 gegründeten *Europäischen Allianz für Freiheit* die 38 Mitglieder umfassende Fraktion *Europa der Nationen und der Freiheit.*

Als weitere e. P. wurden vom Europäischen Parlament anerkannt: *Freie Europäische Allianz* (Regionalparteien in Fraktionen der Konservativen und Grünen, 1981 gegründet); *Europäisch Demokratische Partei* (EDP) (zentristisch, in der Fraktion der Liberalen, 2004 gegründet); *Europäische Christliche Politische Bewegung* (gegründet 2005, bei Konservativen); *Bewegung für ein Europa der Freiheit und der Demokratie* (gegründet 2011, bei Konser-

vativen); *EU-Demokraten* (gegründet 2005, bei Liberalen und fraktionslos); *Allianz der Europäischen Nationalen Bewegungen* (gegründet 2009, bei Nationalisten).

Literatur

R. Hrbek: Europawahl 2014. Kontinuität und neue Facetten, in: Integration 37/3 (2014), 205–227 • J. Leinen/F. Pescher: Von Parteienbündnissen zu „echten Parteien" auf europäischer Ebene? Hintergrund, Gegenstand und Folgen der neuen Regeln für Europäische Parteien, in: Integration 37/3 (2014), 228–246 • A. von Gehlen: Europäische Parteiendemokratie? Institutionelle Voraussetzungen und Funktionsbedingungen der europäischen Parteien zur Minderung des Legitimationsdefizits der EU, 2005 • C.-C. Buhr: Europäische Parteien. Die rechtliche Regelung ihrer Stellung und Finanzierung, 2003 • T. Jansen: Europäische Parteien, in: W. Weidenfeld (Hg.): Europa-Hdb., 2002, 395–409 • T. Jansen: Zur Entwicklung eines europäischen Parteiensystems, in: Integration 18/3 (1995), 157–165 • W. Weidenfeld/W. Wessels (Hg.): Jahrbuch der Europäischen Integration, ab 1980.

REINHOLD BOCKLET

Europäische Richtlinien ↑Europarecht

Europäische Sozialcharta (ESC)

1. Entstehung und Entwicklung

Die ESC ist ein Pfeiler des regionalen europäischen Menschenrechtsschutzes: Sie ergänzt die ↑EMRK durch soziale Rechte. Sie ist ein im Rahmen des ↑Europarats am 18.10.1961 beschlossener völkerrechtlicher Vertrag (ETS No. 035), der am 26.2.1965 in Kraft getreten und bis Ende 2016 von 27 Staaten ratifiziert worden ist. Die Verteilung der ↑Menschenrechte auf zwei Abkommen in Europa entspr. einem global verwendeten Muster, weil auch im Rahmen der ↑Vereinten Nationen bürgerliche und politische Rechte einerseits und wirtschaftliche, soziale und kulturelle Rechte andererseits in verschiedenen Verträgen (Pakte von 1966) niedergelegt worden sind. Sie ist, dem Bekenntnis zur Einheit der Menschenrechte zum Trotz, Ausdruck eines schwierigen Prozesses, in dem sich Staaten auf die rechtliche Absicherung sozialer Rechte verständigt haben. Zunächst bestand im Europarat Uneinigkeit über die Verabschiedung eines entspr.en Vertrags, und man wollte auf der Grundlage gemeinsamer Prinzipien nur eine feierliche Erklärung verabschieden. 1954 wurde aber ein Sozialkomitee errichtet und mit der Ausarbeitung einer Charta beauftragt. Dessen Entwurf wurde 1958 von einer triparitätischen, in der Anlage der ↑Internationalen Arbeitsorganisation nachgebildeten Konferenz begutachtet, um die Vertreter von Arbeitgebern und Arbeitnehmern in den Prozess einzubeziehen. Ein geänderter Entwurf konnte dann 1961 vom Ministerkomitee beschlossen werden.

Zunächst ist die ESC 1988 durch ein ZP ergänzt worden (in Kraft getreten am 4.9.1992, ETS No. 128). Im

Jahr 1996 wurde sie neu gefasst (ESC-R). Die Revision dient der Verstärkung einiger Rechte (insb. auf Nichtdiskriminierung) und der Aufnahme neuer Rechte (wie dem Recht auf Schutz gegen Armut und soziale Ausgrenzung). Die ESC-R trat am 1.7.1999 in Kraft (ETS No. 163), sie ist bis Ende 2016 von 34 Staaten ratifiziert worden, für die damit die ESC außer Anwendung tritt (Art. B ESC-R).

Die Rechte der ESC sollen durch ein Staatenberichtsverfahren implementiert werden. Das ist die Verpflichtung der Staaten, über den Stand der Umsetzung angenommener Verpflichtungen in zweijährlichen Staatenberichten informiert werden (Art. 21 ESC bzw. Art. C ESC-R). Dazu sind Verbesserungen beschlossen worden (Protokoll ETS No. 142 vom 21.10.1991), die zwar offiziell noch nicht in Kraft getreten sind, in der Praxis aber bereits angewendet werden. Für die Kontrolle der Staatenberichte ist zunächst der mit unabhängigen Sachverständigen besetzte *Europäische Ausschuss für soziale Rechte* zuständig. Er veröffentlicht seine Schlussfolgerungen. Auf dieser Grundlage bereitet ein Regierungsausschuss Beschlüsse des Ministerkomitees vor, das Empfehlungen aussprechen kann. Ein unmittelbarer wirkendes Umsetzungsinstrument besteht mit den Kollektivbeschwerden, die durch ein ZP aus dem Jahr 1995, das am 1.7.1998 in Kraft getreten ist (ETS No. 158), eingeführt worden sind. Danach erhalten internationale und national repräsentative Arbeitgeber- und Arbeitnehmerorganisationen die Möglichkeit, Beschwerden vorzubringen, zu denen der Ausschuss für soziale Rechte eine Stellungnahme abgibt; das Ministerkomitee kann dann an den betroffenen Vertragsstaat eine Empfehlung richten, benötigt dafür allerdings bei der Feststellung einer Vertragsverletzung eine Zweidrittelmehrheit (Art. 9 Nr. 1 ZP).

2. Inhalt

Soziale Rechte i.S.d. ESC sind gegenständlich bestimmt. Sie beziehen sich auf vier Lebensbereiche, zwei davon betreffend die Arbeit (Beschäftigung und Arbeitnehmerrechte), ein weiterer bezogen auf Gesundheit, soziale Sicherheit und sozialen Schutz sowie ein vierter betreffend Kinder, Familie und Migration. Von der Anlage her können sie auf die Abwehr von Beeinträchtigungen und ↑Diskriminierungen wie auf die Gewährung von Leistungen und Gleichstellung (soziale Rechte im eigentlichen Sinne) gerichtet sein.

Die ESC enthält in ihrem Teil I programmatische Bestimmungen, die Vertragstaaten dazu verpflichten, die genannten Ziele zu verfolgen. Im Teil II sind in 19 (ESC) bzw. in 31 Art. (ESC-R), die weiter in Absätze bzw. Nummern untergliedert sind, Rechte niedergelegt. Eine Mindestzahl an „Kernartikeln" (fünf von sieben in der ESC, sechs von neun in der ESC-R) und eine Mindestzahl an einzelnen Rechten insgesamt (10 Art. oder 45 Absätze in der ESC, 16 Art. oder 63 Nummern in der ESC-R) müssen von jedem Mitgliedstaat als verbindlich

behandelt werden (vgl. Art. 20 ESC, Art. A ESC-R). Die Kernartikel betreffen das Recht auf Arbeit (Art. 1), das Vereinigungsrecht (Art. 5), das Recht auf Kollektivverhandlungen (Art. 6), das Recht auf soziale Sicherheit (Art. 12), das Recht auf Fürsorge (Art. 13), das Recht der Familie auf sozialen, gesetzlichen und wirtschaftlichen Schutz (Art. 16) und das Recht der Wanderarbeitnehmer und ihrer Familien auf Schutz und Beistand (Art. 19). Die ESC-R zählt dazu ferner das Recht der Kinder und Jugendlichen auf Schutz (Art. 7) sowie das Recht auf Chancengleichheit und Gleichbehandlung in Beschäftigung und Beruf ohne Diskriminierung aufgrund des Geschlechts (Art. 20).

3. Bedeutung

Die ESC wurde von der BRD am 18.10.1981 unterzeichnet und am 27.1.1965 ratifiziert. Bei der ESC-R ist Deutschland nicht über die Unterzeichnung (am 29.6.2007) hinausgekommen. Ebenso wenig ist Deutschland dem ZP von 1988 und dem ZP über die Kollektivbeschwerden beigetreten.

Dieser zögerlichen Haltung entspr. in gewisser Weise die relativ schwache rechtliche Bedeutung der ESC in Deutschland. Sie gilt zwar im Rang eines Bundesgesetzes, und Deutschland hat 67 Rechte von 72 insgesamt als verbindlich angenommen (nämlich nicht: Art. 4 Abs. 4, 7 Abs. 1, 8 Abs. 2 und 4, 10 Abs. 4). Die staatlichen Verpflichtungen sollen aber „keine unmittelbare Wirkung für den einzelnen Bürger" haben (so BAGE 110, 79 zu Art. 4 ESC). Tatsächlich sind die meisten Rechte der ESC zu offen formuliert, um subjektive Rechte zu begründen; zudem sollte der ESC nach Ansicht der Vertragspartner diese Funktion nicht zukommen. Nach anfänglicher Unsicherheit (BVerfGE 58, 233 zur Tariffähigkeit von Gewerkschaften) ist immerhin anerkannt, dass deutsche Behörden und Gerichte die ESC dann zur Auslegung heranziehen müssen, wenn nationale Gesetze Spielräume lassen. Damit können auch „Wertentscheidungen der Verfassung" konkretisiert werden (BAGE 144, 1, in der Sache bestätigt durch BVerfGE 134, 1). Selbst dann allerdings bleibt die Wirkung der ESC beschränkt, weil sie meist inhaltlich hinter den verfassungsrechtlichen Verbürgungen in Deutschland zurück bleibt (zur Vereinbarkeit der Friedenspflicht BAGE 123, 134, der Abwehraussperrung BAGE 48, 195 und dem Verbot von Sympathiestreiks BAGE 48, 160 mit dem Streikrecht; zum Familiennachzug BVerwGE 66, 268; zu Studiengebühren BVerwGE 115, 32).

Die ESC kann vom ↑EuGH nicht unmittelbar angewendet werden (vgl. etwa EuGH vom 5.2.2015, Rs. C-117/14 Rdnr. 23). Allerdings nimmt das EU-Recht (↑Europarecht) an einigen Stellen auf die ESC Bezug (Präambel zum EUV und zur EuGRC sowie in Art. 151 AEUV), und dementsprechend kann die ESC auch über den „Umweg" der ↑EU von deutschen Behörden und Gerichten zu berücksichtigen sein. Eine ähnliche indirekte Bedeutung der ESC ergibt sich im Wege der Auslegung der verbindlicheren EMRK, zumal die Rspr. des ↑EGMR dazu tendiert, auch die ESC heranzuziehen, wenn es um die Herausarbeitung allg. geltender Prinzipien geht.

Insgesamt gesehen ergibt sich damit ein ambivalentes Bild. Die unmittelbare rechtliche Wirkung der ESC bleibt durch weitgehend unbestimmte Formulierungen eingeschränkt, die ESC wird zudem durch andere soziale Rechte im Unions- und ↑Völkerrecht überlagert. In Deutschland kommt eine unverständlich magere Ratifizierungsbilanz hinzu. Andererseits führen gerade die vielfältigen Verknüpfungen dazu, dass die ESC bei der Auslegung anderer Rechtsvorschriften Berücksichtigung finden muss. Damit erfüllt sie letztendlich eine wichtige Funktion: Sie leistet einen wichtigen Beitrag, um in Europa soziale Standards zu setzen.

Literatur

O. De Schutter: The European Social Charter in the context of implementation of the EU Charter of Fundamental Rights, 2016 • U. Becker: European Social Charter (2007), in: R. Wolfrum (Hg.): Max Planck Encyclopedia of Public International Law, URL: http://opil.ouplaw.com/home/epil (abger.: 22.3.2018) • A. Swiatowski (Hg.): Charter of social rights and the Council of Europe, 2007 • U. Becker/B. von Maydell/ A. Nußberger (Hg.): Die Implementierung internationaler Sozialstandards, 2006 • A. Nußberger: Sozialstandards im Völkerrecht, 2005 • L. Samuel: Fundamental Social Rights, ²2002 • J.-F. Akandji-Kombé/S. Leclerc (Hg.): La charte sociale européenne, 2001 • D. Harris/J. Darcy: The European Social Charter, ²2001. ULRICH BECKER

Europäische Union (EU)

1. Begriff

Die EU ist die durch den Vertrag von Maastricht 1992 gegründete supranationale Organisation mit damals 15, derzeit (vor dem für 2019 beabsichtigten Austritt Großbritanniens) 28 Mitgliedstaaten. Dadurch wurde der Entwicklung der EWG zu einer weitere Politikfelder (↑Innen- und ↑Außenpolitik) erfassenden Organisation Rechnung getragen, was in der Umbenennung der EWG in EG und im Drei-Säulen-Modell des Maastricht-Vertrags (Europäische Gemeinschaften EGKS, EG und EURATOM; ↑GASP; ZBJI) zum Ausdruck kam. Durch den Vertrag von Lissabon von 2007, der aktuellen rechtlichen Basis der EU, wurde das Säulenmodell dadurch aufgelöst, dass die EU als Rechtsnachfolgerin (auch) an die Stelle der EG trat (Art. 1 Abs. 3 S. 2 EUV), so dass jetzt als Völkerrechtssubjekt eine einheitliche EU besteht. Dies sollte auch Verwirrungen im Sprachgebrauch (EU/ EG) entgegenwirken, allerdings verbunden mit der Aufgabe des die Besonderheit dieses europäischen Zusammenschlusses treffenden und in allen 24 Amtssprachen der EU kongenialen Begriffs der „Gemeinschaft".

2. Entstehungsgeschichte

2.1 Die Gründung der Europäischen Gemeinschaften
Die Katastrophe des Zweiten Weltkriegs stellte die europäischen Staaten angesichts der Folgen eines Krieges zwischen ihnen und der sich offenbarenden Dominanz der Supermächte USA und UdSSR vor die Aufgabe, kriegerische Auseinandersetzungen untereinander zu verhindern und gemeinsam den politischen Einfluss in der Welt wiederzuerlangen. In seiner berühmten Zürcher Rede forderte Winston Churchill 1946 die „Neugründung der Europäischen Familie" (zit. nach Gasteyger 1991: 40), die insb. eine Partnerschaft zwischen Deutschland und Frankreich erfordere, während er Großbritannien in der Rolle eines Freund und Förderers sah. Die Grundlagen des bis dahin nur theoretisch entwickelten Europagedankens, nämlich der Friedenssicherung, der Supranationalität, der Freiheit von Handel und Verkehr und der Machterhaltung ↑Europas wurden unter dem Eindruck der Bedrohung durch den ↑Ost-West-Konflikt und beschränkt auf Westeuropa zunächst durch die Gründung der EGKS durch den Vertrag von Paris 18.4.1951 (in Kraft 23.7.1952; außer Kraft getreten am 23.7.2002), der die Schlüsselindustrien für die Kriegswirtschaft einer Hohen Behörde (die später in der ↑Europäischen Kommission aufging) unterstellte, zwischen Deutschland, Frankreich, Italien sowie Belgien, den Niederlanden und Luxemburg verwirklicht, wobei weiteren Staaten der Beitritt offen gehalten wurde. Durch ihre Supranationalität (Übertragung von Hoheitsrechten, Mehrheitsprinzip, Begründung von unmittelbaren Rechten für die Bürger der Mitgliedstaaten) unterschied sich die EGKS von herkömmlichen völkerrechtlichen Organisationen wie z.B. dem ↑Europarat. Nachdem sich das unter dem Eindruck dieses Erfolgs angestrebte Projekt einer EVG 1952 jedenfalls so kurze Zeit nach Kriegsende als zu ambitioniert erwies, gingen die Vertragsparteien einen Schritt zurück und beschränkten sich auf eine wirtschaftliche Integration. Der damit verbundene funktionalistische Ansatz erhoffte dabei einen „Spill-over-Effekt" in Richtung einer nachfolgenden politischen Integration. Durch die Römischen Verträge vom 25.3.1957 (in Kraft seit 1.1.1958) wurden die EWG und die EURATOM gegründet. Die EWG enthielt bereits damals die in mehreren Stufen bis Ende 1969 (Ablauf der Übergangszeit) herzustellenden grundlegenden Elemente Zollunion (Abschaffung der Binnenzölle, gemeinsamer Außenzoll) und Gemeinsamer Markt mit den ↑Grundfreiheiten des freien Waren-, und Personen- und (noch abgeschwächt) Kapitalverkehrs.

2.2 Die Entwicklung bis zum Vertrag von Maastricht
Die Pläne zu institutionellen Reformen der EG verfolgten v.a. folgende Ziele:
a) Stärkung der Rolle des ↑Europäischen Parlaments,
b) Verbesserung des Entscheidungsverfahrens im ↑Rat der Europäischen Union,

c) Steigerung der Effizienz der Arbeitsweise der Kommission.

Die Stärkung der Rolle des Europäischen Parlaments wurde v. a. von diesem selbst gefordert. Von Reformberichten wurde dies teilweise, von den Regierungen der Mitgliedstaaten, von denen die dazu notwendigen Initiativen (Praxis des Rates, ggf. Vertragsänderungen) ausgehen müssen, eher zurückhaltend unterstützt. Immerhin wurde das Europäische Parlament 1975 am Haushaltsverfahren beteiligt, seine Anhörung wurde erweitert, es erhielt das wichtige Fragerecht gegenüber Rat und Kommission. Die EEA vom 27./28.2.1986 (in Kraft nach dem in Irland erforderlichen Referendum seit 1.7.1987) beteiligte das Europäische Parlament mit dem Verfahren der Zusammenarbeit an der ↑Gesetzgebung, wobei sein Votum allerdings von Rat mit Einstimmigkeit überstimmt werden konnte. Seit 1979 wird das Europäische Parlament alle fünf Jahre direkt gewählt, wobei bis jetzt trotz gewisser Vereinheitlichungen (z. B. Verhältniswahlrecht) kein einheitliches Wahlverfahren zustande gekommen ist und die Europawahlen innerhalb der unionsrechtlichen Vorgaben nach den nationalen Wahlrechten der Mitgliedstaaten erfolgen. Im Rat wurde die mit Ablauf der einzelnen Stufen der Übergangszeit vorgesehene Mehrheitsabstimmung durch die sog.e Luxemburger Vereinbarung vom 29.1.1966 praktisch außer Kraft gesetzt. Die Rolle der Kommission wurde durch die EEA durch die Ausweitung der Übertragung von Durchführungsbefugnissen gestärkt. Von den Plänen zur Schaffung einer Europäischen Politischen Union setzten sich diejenigen durch, die eine Ergänzung der Integration im Wege der Gründungsverträge durch eine institutionalisierte Zusammenarbeit in den Bereichen außerhalb der Verträge durch eine EPZ in den Bereichen Außen- und Innenpolitik und eine Verklammerung beider Bereiche vorsahen, was durch die (wohl deshalb so genannte) EEA zur Änderung der Verträge erfolgte. Neben den institutionellen Reformen enthielt die EEA als wichtige materielle Regelung das Konzept für den ↑Europäischen Binnenmarkt, das bis 1992 die im Gemeinsamen Markt noch bestehenden Hindernisse für einen Raum ohne Binnengrenzen (s. jetzt Art. 26 AEUV) beseitigen sollte. Zugl. wurde das Mehrheitsprinzip im Rat ausgebaut und auch praktisch durchgesetzt.

2.3 Der Vertrag von Maastricht als „Gründungsvertrag" der EU

Durch den Vertrag von Maastricht vom 7.2.1992 (in Kraft nach Verzögerungen durch ein zunächst negatives Referendum in Dänemark und das nach Verfassungsbeschwerden erforderliche Urteil des ↑BVerfG [BVerfGE 89, 155]) sollte der mit der Gründung der EG eingeleitete Prozess mit der „Gründung" der EU „auf eine neue Stufe" gehoben werden. Entscheidend dafür waren die erheblichen substanziellen Veränderungen sowie für die weitere Entwicklung auch die dafür gesetzten Zielvorgaben. Das Strukturproblem einer großen, eng verbundenen und mit weiten Kompetenzen ausgestatteten Gemeinschaft von im Übrigen souverän bleibenden Staaten (dies hebt der vom BVerfG geprägte Begriff des ↑„Staatenverbundes" hervor) sollte durch das Postulat einer „immer engeren Union der Völker Europas", „in der Entscheidungen möglichst offen und möglichst bürgernah getroffen werden" (Art. 1 Abs. 2 EUV), gelöst werden. Um dies zu verdeutlichen, wurden das Prinzip der begrenzten Einzelermächtigung für die Kompetenzen der EU und die Prinzipien der ↑Subsidiarität und der ↑Verhältnismäßigkeit für deren Ausübung ausdrücklich festgelegt (jetzt Art. 5 EUV) sowie die EU verpflichtet, die „nationale Identität" ihrer Mitgliedstaaten zu achten (jetzt Art. 4 EUV). Die EU als „Union von Völkern und Staaten" stützt sich auf eine in ihrem Gleichgewicht neuartige und mit den Begriffen des ↑Bundesstaats nicht erfassbare doppelgleisige demokratische ↑Legitimation über das Europäische Parlament und den Rat, dessen Mitglieder von den Mitgliedstaaten entsandt und von den nationalen Parlamenten kontrolliert werden (jetzt Art. 10 Abs. 2 EUV). Die bereits in der EEA angelegte Verbindung supranationaler und intergouvernementaler Elemente wurde im Drei-Säulen-Modell mit den Europäischen Gemeinschaften (der jetzt EG genannten EWG, der EURATOM, die nach wie vor neben der EU fortbesteht und mit der EU verbunden ist, vgl. Protokoll Nr. 2 zum Vertrag von Lissabon, ABl.EU 2007 C 306/199, Art. 106a EAGV, und der 2002 auslaufenden EGKS) einerseits und der GASP und ZBJI andererseits auf neuer vertraglicher Grundlage und mit institutionellen Verknüpfungen fortgeführt. Dem ↑Europäischen Rat als politischem Leitungsorgan wurden Zuständigkeiten im Rahmen der EU insgesamt übertragen. Das Europäische Parlament wurde durch das Verfahren der Mitentscheidung im Rahmen von dessen Tragweite zum Mitgesetzgeber mit dem Rat. Mit dem AdR erhielten die Regionen eine, wenngleich nur beratende, Vertretung innerhalb der EU. Materiell am bedeutsamsten und Kernstück des Vertrages war die Schaffung der ↑EWWU, wobei mit der Währungshoheit für die Staaten, die der Währungsunion angehören (urspr. 11, jetzt 19), ein wesentliches Element der ↑Souveränität auf die EU und dort der ↑EZB übertragen wurde. Der EUV führte auch die ↑Unionsbürgerschaft ein, die zur nationalen Staatsbürgerschaft hinzutritt, diese aber nicht ersetzt (jetzt Art. 9 S. 3 EUV), die in ihren vom ↑EuGH entwickelten Wirkungen aber gewaltig unterschätzt wurde. Die erheblichen Änderungen führten in Deutschland dazu, dass an die Stelle der etwas „mageren" (Hans Dieter Jarass) Bestimmung des Art. 24 GG als Grundlage (und Grenze) für die Integration in die EU Art. 23 GG n.F. (ersetzte den nach der deutschen Wiedervereinigung obsoleten Art. 23 GG a.F.) als *lex specialis* gesetzt wurde.

2.4 Die Änderungsverträge
bis zum Vertrag von Lissabon

Der Vertrag von Amsterdam vom 2.10.1997 (in Kraft seit 1.5.1999) brachte zwar einige institutionelle Änderungen. So wurde die Rolle des Europäischen Parlaments durch Ausweitung und Reform des Verfahrens der Mitentscheidung gestärkt. Ein *Hoher Vertreter für die Gemeinsame Außen- und Sicherheitspolitik* unterstützte den Rat in Angelegenheiten der GASP. Mit der Möglichkeit zur verstärkten Zusammenarbeit einzelner Mitgliedstaaten wurde das Konzept eines Europas mehrerer Geschwindigkeiten, das bereits (vorübergehend hinsichtlich des Vereinigten Königreichs) in der ↑Sozialpolitik und in der EWWU bestand, allg. institutionalisiert. Die angesichts der bevorstehenden Erweiterung der EU angestrebte wirkliche Reform der Institutionen gelang aber nicht. Materiell war v. a. die „Vergemeinschaftung", d. h. der Wechsel der Bereiche Visa, ↑Asyl, Einwanderung u. a. Politiken betreffend den freien Personenverkehr von der ZBJI, die auf die PJZS reduziert wurde, in die „Erste Säule" der EG, und das Postulat eines RFSR bedeutsam (jetzt Art. 67, Art. 77–79 AEUV). Auch im Vertrag von Nizza vom 26.2.2001 (verzögert durch ein zunächst ablehnendes Referendum in Irland in Kraft seit 1.2.2003) erfolgten zwar institutionelle Änderungen, das Kernziel der Reform im Hinblick auf die Erweiterung wurde jedoch nur teilweise erreicht. Materiell-inhaltlich erfolgten nur wenige Neuerungen. Nach den widerrechtlichen Sanktionen gegen Österreich wegen der Bildung einer Regierung aus ↑ÖVP/ ↑FPÖ wurde im EUV eine Rechtsgrundlage für ein Sanktionsverfahren gegen Mitgliedstaaten geschaffen, welche die fundamentalen Grundsätze verletzen (jetzt Art. 7 EUV). Die 2000 ausgearbeitete EuGRC wurde von Rat und Kommission sowie vom Europäischen Parlament feierlich proklamiert und vom Europäischen Rat „begrüßt", aber noch nicht in das Primärrecht aufgenommen.

Weil die Reformen der Verträge von Amsterdam und Nizza allenfalls die notwendigsten Anpassungen der Struktur der EU für die anstehenden Erweiterungen brachten, forderten die Erklärungen zur „Zukunft der EU" und von Laeken, dass ein Konvent die Grundlagen für einen Vertrag über eine Verfassung für Europa schaffen sollte. Dieser Verfassungsvertrag (VVE) sollte die bisherigen Verträge (EUV und EGV) ersetzen und deren Inhalte zusammenfassen. Der nach einigen Problemen am 29.10.2004 unterzeichnete Verfassungsvertrag scheiterte an ablehnenden Referenden in Frankreich und den Niederlanden (↑Europäische Verfassung). In der danach eintretenden „Reflexionsphase" wurden Konzepte entwickelt, aus denen nach schwierigen Verhandlungen schließlich der Vertrag von Lissabon hervorging.

2.5 Der Vertrag von Lissabon
2.5.1 Konzept des Vertrags von Lissabon gegenüber dem VVE

Der im Mandat des Europäischen Rates noch Reformvertrag genannte Vertrag von Lissabon wurde am 13.12.2007 unterzeichnet und trat nach einigen Schwierigkeiten im Ratifikationsprozess (zuerst ablehnendes Referendum in Irland; Widerstände der Präsidenten von Polen und Tschechien; Verfassungsbeschwerden und Auflagen des BVerfG [BVerfGE 123, 267] für die deutschen Begleitgesetze IntVG, EUZBBG, EUZBLG) am 1.12.2009 in Kraft. Gegenüber dem VVE wurden konsequent der Verfassungsbegriff und das Verfassungskonzept aufgegeben. Der Begriff „↑Verfassung" wurde von der Mehrheit der Bürger wohl eher negativ empfunden mit der zumindest rechtlich unbegründeten Befürchtung der Ersetzung der nationalen Verfassungen durch die europäische. Alles, was die EU, die ein föderatives System ist, an einen „Staat" erinnern könnte, wurde nicht übernommen: Symbole, die an sich auch wegen der Differenzierungen sinnvollen Bezeichnungen Gesetz bzw. Europäische Verordnung für VO und Europäisches Rahmengesetz für RL, aber auch die ausdrückliche Bestimmung über den Vorrang des Unionsrechts, der gemäß Erklärung Nr. 17 zum Vertrag von Lissabon nach wie vor auf der Rspr. des EuGH beruht (↑Europarecht). Statt eines einheitlichen Vertrags stehen rechtlich gleichrangig der EUV, der gegenüber dem EUV a.F. erhebliche Änderungen enthält, und der AEUV, der die Materien des EGV sowie der PJZS übernimmt, nebeneinander. Dagegen wurden der Inhalt des VVE und damit dessen Änderungen gegenüber den bisherigen Verträgen weitgehend übernommen.

2.5.2 Änderungen gegenüber den bisherigen Verträgen

Der Vertrag von Lissabon schafft die Säulenstruktur des Vertrags von Maastricht formell ganz, materiell allerdings nur eingeschränkt ab. Denn das materielle Recht der GASP ist nicht im AEUV, sondern im EUV geregelt, der auch die intergouvernementalen Besonderheiten der GASP festhält (Art. 24 Abs. 1 UAbs. 2 EUV). Institutionell ist es insb. gelungen, durch Bestimmungen über die Kompetenzverteilung zwischen der EU und ihren Mitgliedstaaten, die das Prinzip der begrenzten Einzelermächtigung präzisieren, diesen ständigen Streitpunkt soweit wie möglich rechtlich zu erfassen (Art. 2–6 AEUV). Durch die Bestimmung der doppelt qualifizierten Mehrheit im Rat (Art. 16 Abs. 4 AEUV) wurde nicht nur eine Streitfrage gelöst, sondern durch den demographischen Faktor (wie bereits im Vertrag von Nizza) ein Gegengewicht gegen die Ungleichheit der Wahl im Europäischen Parlament geschaffen. Die Charta der Grundrechte der EU wurde durch die Einbeziehung in Art. 6 Abs. 1 EUV gleichrangig mit den Verträgen (EUV und AEUV) rechtlich verbindlich. Materiell wurden Änderungen vorgenommen, die die Kompetenzen der EU erweitern (z. B. in Art. 207 AEUV hinsichtlich der Gemeinsamen Handelspolitik), aber auch begrenzend präzisieren. Die Ausweitung des Mitentscheidungsverfahrens des Europäischen Parlaments, das jetzt „ordentliches Gesetzgebungsverfahren" genannt wird (Art. 289 Abs. 1, Art. 294 AEUV), und der Abstimmung mit qualifizierter Mehrheit wurde fortgesetzt.

2.6 Durchgehende Tendenzen der Entwicklung

Als durchgehende Tendenz lässt sich die Kombination von Vertiefung durch zunehmende Kompetenzen der EU und der Erweiterung von sechs auf derzeit 28 Mitgliedstaaten feststellen (1973: Dänemark, Irland, Vereinigtes Königreich; 1981: Griechenland; 1986: Portugal, Spanien; 1995: Finnland, Österreich, Schweden; 2004: Estland, Lettland, Litauen, Malta, Polen, Slowakei, Slowenien, Tschechische Republik, Ungarn, Zypern; 2007: Bulgarien, Rumänien; 2013: Kroatien). Diese Kombination bringt Probleme mit sich, die sich aktuell zeigen, zumal das „immer enger" nicht nur vom jetzt austrittswilligen Vereinigten Königreich nicht akzeptiert wird. Institutionell erfolgte eine stetige Stärkung der Rolle des Europäischen Parlaments (Mitgesetzgeber mit dem Rat; Billigung der Besetzung der Kommission) und die Ausweitung des Mehrheitsprinzips im Rat. Materiell wurden über die Wirtschaftsgemeinschaft hinaus wesentliche Aspekte aller Politikbereiche erfasst oder zumindest berührt, was die politische Gestaltungsfreiheit der Mitgliedstaaten notwendig einschränkt, dort aber auch zu Akzeptanzproblemen führt. Wegen der erforderlichen Koordinierung der auf die EU (EZB) übertragenen Währungspolitik und der in der Kompetenz der Mitgliedstaaten verbliebenen ↑Wirtschaftspolitik ergeben sich rechtlich wie politisch ebenso notwendige wie problematische Kombinationen von supranationalen und intergouvernementalen Elementen.

3. Rechtsnatur der EU

3.1 Die EU als qualitativ neue Entwicklungsstufe des Völkerrechts und qualitativ neue Kategorie der internationalen Organisationen

Wie die EG wurde auch die EU als deren Fortentwicklung durch einen ↑völkerrechtlichen Vertrag gegründet und basiert nach wie vor auf diesem. Eine Änderung der Verträge ist im ordentlichen Vertragsänderungsverfahren nur durch einen Vertrag zwischen allen Mitgliedstaaten möglich, der der Ratifikation durch diese nach Maßgabe ihrer verfassungsrechtlichen Vorschriften bedarf (Art. 48 Abs. 4 EUV). Auch im vereinfachten Änderungsverfahren, das in beschränkten Bereichen möglich ist und bislang durch die Einführung des Art. 136 Abs. 3 AEUV (Ermächtigung der Staaten, deren Währung der Euro ist, zur Einrichtung eines Stabilitätsmechanismus), können die Verträge nicht gegen den Willen eines Mitgliedstaats und dessen Parlament geändert werden (Art. 48 Abs. 6 UAbs. 2 S. 3; Art. 48 Abs. 7 Abs. 3

EUV). Die Mitgliedstaaten können aus der EU auch austreten (Art. 50 EUV). Damit hat sich die EU noch nicht von ihrer völkerrechtlichen Grundlage gelöst.

Wie bereits die EG, für die dies der EuGH festgestellt hat (Rs. 26/62 – van Gend en Loos: „eine neue Rechtsordnung des Völkerrechts"), stellt nach den Fortentwicklungen in diese Richtung erst recht die EU eine qualitativ neue Kategorie dar. Denn die Besonderheiten, die den hohen Integrationsgrad und die Supranationalität der EU kennzeichnen, nämlich die Ausstattung mit eigenen Rechtsetzungsbefugnissen, die Durchgriffswirkung des sekundären (VO, nach der Rspr. des EuGH auch RL) sowie teilweise auch des primaren Unionsrechts, die Einsetzung unabhängiger Organe (Europäische Kommission, EuGH), deren Beschlüsse und Urteile für die Mitgliedstaaten verbindlich sind, und die Möglichkeit von Mehrheitsentscheidungen, durch die Mitgliedstaaten überstimmt werden, aber gleichwohl an den Beschluss gebunden sind (Art. 16 Abs. 3 AEUV), sind in dieser Kumulation und Breite, in der in ihnen angelegten Integrationsdynamik (vgl. die Präambel des EUV: „immer engeren Union"; „um die europäische Integration voranzutreiben") und der dadurch anwachsenden oder zumindest ermöglichten Integrationsdichte in der EU einmalig (↑Europäischer Integrationsprozess).

3.2 Die EU als „Staatenverbund" und Union der Bürger

Das BVerfG hat im Maastricht-Urteil für die Charakterisierung der EU den Begriff „Staatenverbund" geprägt: „Der Vertrag begründet einen europäischen Staatenverbund, der von den Mitgliedstaaten getragen wird und deren nationale Identität achtet; er betrifft die Mitgliedschaft Deutschlands in supranationalen Organisationen, nicht eine Zugehörigkeit zu einem europäischen Staat." (BVerfGE 89, 155/181). Im Lissabon-Urteil wurde dies präzisiert und ergänzt: „Der Begriff des Verbundes erfasst eine enge, auf Dauer angelegte Verbindung souverän bleibender Staaten, die auf vertraglicher Grundlage öffentliche Gewalt ausübt, deren Grundordnung jedoch allein der Verfügung der Mitgliedstaaten unterliegt und in der die Völker – d. h. die staatsangehörigen Bürger – der Mitgliedstaaten die Subjekte demokratischer Legitimation bleiben." (BVerfGE 123, 267/ Ls 1). Ansatzpunkt des BVerfG ist, dass die EU (ungeachtet der Fülle der auf sie übertragenen Kompetenzen und „Staatsfunktionen" [Legislative durch Europäisches Parlament und Rat; Exekutive durch Kommission; Judikative durch EuGH]) auf der fortbestehenden Entscheidung der Mitgliedstaaten und, da die Mitgliedstaaten Demokratien sein müssen (Art. 2, Art. 49 EUV), deren Bürgern basiert. Der Begriff definiert die EU als eigene föderative Kategorie zwischen einem ↑Staat und einem ↑Staatenbund. Er erfasst aber nur einen Teil des Verbundcharakters der EU und auch nur einen Teil der Rechtsnatur der EU, die auch eine Union der Bürger ist. Dies zeigt sich durch deren unmittelbare, wenngleich noch auf die einzelnen Mitgliedstaaten aufgeteilte, Vertretung im Europäischen Parlament (Art. 14 Abs. 2 UAbs. 1 EUV; zur doppelgleisigen Legitimation der EU s. Art. 10 Abs. 2 EUV), und in der Begründung von unmittelbaren Rechten (und Pflichten) für die Unionsbürger durch das Recht der EU, insb. durch die Grundfreiheiten des Europäischen Binnenmarktes sowie durch das Sekundärrecht.

3.3 Rechtspersönlichkeit der EU

Gemäß Art. 47 EUV hat die EU Rechtspersönlichkeit. Damit übernimmt sie als Rechtsnachfolgerin der EG (Art. 1 Abs. 3 S. 3 EUV) deren bereits bestehende Rechtspersönlichkeit und erhält sie (was zuvor strittig war) ausdrücklich auch für die Bereiche GASP und PJZS. Während Art. 335. S. 1 AEUV die Rechts- und Geschäftsfähigkeit in den Mitgliedstaaten der EU betrifft, bezieht sich Art. 47 EUV auf die völkerrechtliche Rechtspersönlichkeit, die der Anerkennung durch die jeweiligen Vertragspartner bedarf und gegenüber der EU ausdrücklich oder durch den Abschluss entspr.er Verträge erfolgt ist. Die Tragweite der völkerrechtlichen Handlungsfähigkeit der EU bestimmt sich nach den ihr insoweit übertragenen Kompetenzen (z. B. Gemeinsame Handelspolitik, Art. 3 Abs. 1 e, Art. 206 f. AEUV; ferner Art. 216 Abs. 1 i. V. m. Art 3 Abs. 2 AEUV: Annexkompetenz zu Binnenkompetenzen; Art. 217 AEUV: Assoziierungsabkommen; Art. 37 EUV: GASP).

3.4 Die EU-Verträge als Verfassung der EU

EUV und AEUV (sowie die über Art. 6 Abs. 1 EUV einbezogene EuGRC) sind als „Grundlage der Union" auch deren Verfassung.

4. Verhältnis der EU zu den Mitgliedstaaten

4.1 Rechtliche und politische Bedeutung

Das Verhältnis der EU zu ihren Mitgliedstaaten hat rechtliche Bedeutung für die Fragen der Grundlage der EU, des Verhältnisses von Unionsrecht und nationalem Recht, den gegenseitigen Rechten und Pflichten, der Abgrenzung der Kompetenzen von EU und Mitgliedstaaten, des Einflusses der Mitgliedstaaten in den Organen der EU, der unionsrechtlichen Vorgaben für die Mitgliedschaft in der EU und den Folgen für die Ausgestaltung der nationalen Rechtsordnung. Ereignisse wie der geplante Austritt des Vereinigten Königreichs aus der EU, für den ein wesentliches Motiv wohl die Wiedergewinnung politischer Gestaltungsfreiheit war, die (wenig effektiven) Maßnahmen gegen Mitgliedstaaten, deren Umgestaltung der Verfassungsordnung die Frage der Vereinbarkeit mit den „Werten" der EU (Art. 2 EUV), insb. der Rechtsstaatlichkeit aufwirft (Polen, Ungarn), die Auswirkungen nationaler Wahlen auf die EU, die deutliche Bekundung, Urteile des EuGH zur europäischen Asylpolitik nicht befolgen zu wollen (Ungarn), generell die Diskussion über „mehr" oder „weniger" Europa offenbaren aber auch ihre eminente politische Bedeutung.

4.2 Die Mitgliedstaaten als Träger der EU

Nicht nur die Gründung der EU und ihre vertragliche Fortentwicklung basiert auf dem Zusammenwirken ihrer Mitgliedstaaten. Auch ihr Fortbestand, ihr Umfang, ihre Fortentwicklung auf der Basis der Verträge und das Funktionieren der EU hängen vom Verhältnis der Mitgliedstaaten untereinander und zur EU ab. Innerhalb der verfahrensrechtlichen Schranken (Art. 48 EUV) sind die Mitgliedstaaten „Herren der Verträge", was sich auch im Austrittsrecht (Art. 50 EUV) zeigt. Als Mitglieder der EU sind sie allerdings an diese gebunden, was die Einschränkung der eigenen politischen Gestaltungsfreiheit zur Folge hat. Die Mitgliedstaaten wirken über ihre Vertreter in den Organen Europäischer Rat (Art. 15 Abs. 2 EUV: Staats- und Regierungschefs) und Rat der Europäischen Union (Art. 16 Abs. 2 EUV: Minister) der EU mit. Für den Vollzug des Unionsrechts sind hauptsächlich die Mitgliedstaaten zuständig, dazu auch verpflichtet sind (Art. 4 Abs. 3 UAbs. 2 EUV; Art. 291 Abs. 1 AEUV). Da die EU abgesehen von den durch den Vertrag von Maastricht eingeführten und im Vertrag von Lissabon verbesserten Maßnahmen zur Durchsetzung von Urteilen des EuGH im Vertragsverletzungsverfahren (Art. 260 Abs. 2 und 3 AEUV: Zwangsgeld und Pauschalbetrag), dem an hohe, im entscheidenden Punkt die Einstimmigkeit ohne den Betroffenen voraussetzende, Voraussetzungen gebundenen Verfahren des Art. 7 EUV sowie Maßnahmen bei einem übermäßigen Defizit (Art. 126 AEUV) keine Sanktionsmöglichkeiten gegenüber den Mitgliedstaaten hat (vgl. Art. 299 Abs. 1 Hauptsatz 2 AEUV), ist sie letztlich auf die „freiwillige" Befolgung des Unionsrechts durch diese angewiesen. Entscheidend ist, dass seitens der Mitgliedstaaten erkannt wird, dass ohne die (grundsätzliche) Anerkennung des Vorrangs des Europarechts und seine Befolgung die EU nicht funktionieren kann und damit auch die mit ihr verbundenen Vorteile verloren gingen und sie dies auch jeweils nach innen vermitteln.

4.3 Loyalitätsgebot und gegenseitig bestehende Pflichten

Zentrale Vorschrift hinsichtlich des Verhältnisses zwischen EU und Mitgliedstaaten ist Art. 4 EUV (früher Art. 10 EGV), der allg.e Grundpflichten der EU, wechselseitige Pflichten von EU und Mitgliedstaaten und Pflichten der Mitgliedstaaten gegenüber der EU festlegt. Die EU achtet die Gleichheit der Mitgliedstaaten vor den Verträgen und ihre jeweilige nationale ↑Identität, die in ihren grundlegenden politischen und verfassungsmäßigen Strukturen einschließlich der regionalen und lokalen ↑Selbstverwaltung zum Ausdruck kommt, sowie die grundlegenden Funktionen des Staates (Art. 4 Abs. 2 EUV). Die EU als föderales Gebilde darf nicht zentralistisch sein. Die Ausgestaltung der inneren Verfassungsstruktur (z. B. zentralistisch oder föderal) obliegt den Mitgliedstaaten, die dabei allerdings an die ↑Werte der EU, die allen Mitgliedstaaten gemeinsam sind oder zumindest sein sollen (Art. 2 EUV), insb. ↑Demokratie, Rechtsstaatlichkeit (↑Rechtsstaat) und Wahrung der ↑Menschenrechte gebunden sind. Die Mitgliedstaaten haben grundsätzlich die Autonomie für Organisation und Verfahren und auch für den Vollzug des Rechts der EU, müssen diesen aber sicherstellen (Art. 291 Abs. 1 AEUV). Dies setzt der Autonomie mit den aus dem Grundsatz der loyalen Zusammenarbeit und der Unterstützungspflicht (Art. 4 Abs. 3) hergeleiteten Geboten der Äquivalenz und der Effektivität Grenzen (↑Europäisches Verwaltungsrecht). Da die nationale Identität eine „jeweilige" ist, kann ihre Präzisierung nur „national" erfolgen und obliegt, soweit sie dafür zuständig sind, letztlich den nationalen Verfassungsgerichten. Insoweit findet die vom BVerfG entwickelte „Identitätskontrolle" einen Anhaltspunkt im Unionsrecht. Die Auslegung des Inhalts des Achtungsgebots des Art. 4 Abs. 2 EUV und die Prüfung der plausiblen Geltendmachung von Identitätsvorbehalten gegenüber dem Recht der EU kommt dagegen dem für die Auslegung der Verträge zuständigen (Art. 19 Abs. 1 S. 2 EUV) EuGH zu. Um angesichts jeweils fortbestehender „Letztentscheidungsrechte" Konflikte zwischen dem EuGH und nationalen Verfassungsgerichten wie dem BVerfG zu vermeiden, ist, wie auch von der gegenseitigen Loyalitätspflicht gefordert, eine gegenseitige Rücksichtnahme erforderlich, für die es auf beiden Seiten Beispiele gibt (BVerfG: „Europarechtsfreundliche" Ausübung der Kontrollmaßstäbe; EuGH: Rs. C-36/02 – Omega [„Laserdrome"], Rdnr. 33 ff.: spezifische Auslegung der Menschenwürde; Rs. C-200/09 – Sayn-Wittgenstein, Rdnr. 81 ff.: Adelsaufhebung in Österreich). Da sich die Pflicht zur Befolgung der Verträge bereits aus dem allg.en Grundsatz *pacta sunt servanda* des ↑Völkerrechts ergibt, sind die in Art. 4 Abs. 3 UAbs. 1 und 2 EUV enthaltenen Pflichten nicht lediglich deklaratorisch, sondern gehen durch die Begründung einer bes.n Loyalitätspflicht darüber hinaus. Dies hat der EuGH durch die darauf (zumindest unterstützend) basierende Herleitung bes.r Pflichten bestätigt (z. B. konkrete Anforderungen an die Umsetzung von EU-RL; Pflicht zur Einräumung des Vorrangs des Unionsrechts; Sicherung der Grundfreiheiten gegen Beeinträchtigungen durch Privatpersonen; Pflicht zum Handeln als „Sachwalter des gemeinsamen Interesses"). Bes. Loyalitätspflichten bestehen im Fall eines bewaffneten Angriffs (Art. 42 Abs. 7 EUV) sowie in Fällen terroristischer Anschläge und Katastrophen (Art. 222 AEUV). Das geforderte Zusammenwirken zwischen EU und Mitgliedstaaten wird hier „im Geiste der Solidarität" (Art. 222 Abs. 1 AEUV) gefordert. Davon spricht auch z. B. Art. 80 AEUV hinsichtlich u. a. der Asylpolitik, wo allerdings dieser „Geist" in mehrfacher Hinsicht fehlte und nach wie vor fehlt.

4.4 Der Verbundgedanke als Charakteristikum der EU
Der Grundsatz der loyalen Zusammenarbeit verankert ein vom EuGH (Rs. 280/81, Rn. 37 – Luxemburg/ Eu-

ropäisches Parlament) seit langem postuliertes unionales Verfassungsprinzip ausdrücklich im EUV. Zwischen der Union und den Mitgliedstaaten besteht ein Verbund, dessen Elemente in den Begriffen Staatenverbund, Verfassungsverbund (EU-Verträge einschließlich EuGRC und Verfassungen der Mitgliedstaaten; vgl. auch die in Art. 2 EUV als „gemeinsam" postulierten Werte) und Verwaltungsverbund (loyaler Vollzug des Unionsrechts durch die Mitgliedstaaten) sowie Rechtsprechungsverbund (durch Art. 267 AEUV institutionalisierter Dialog) zum Ausdruck kommen. Diese Begriffe sind nicht gegensätzlich oder alternativ, sondern behandeln unterschiedliche Aspekte des Verbundgedankens als Charakteristikum der EU.

4.5 Beitritt zur EU
Wie bereits die EWG und die EG ist auch die EU auf Erweiterung angelegt, wobei sich bei ihr angesichts von bereits 28 Mitgliedstaaten die Frage nach Grenzen der Aufnahmekapazität bei Wahrung der bestehenden Struktur stellt. Gemäß Art. 49 Abs. 1 S. 1 EUV kann jeder „europäische Staat" beantragen (ein Anspruch auf Beitritt besteht nicht) Mitglied der EU zu werden. Zieht man den Vergleich mit dem insoweit übereinstimmenden Art. 4 S. 1 der Satzung des Europarats heran, trifft dies geographisch auf alle 47 Staaten des Europarats zu (mit dem geographischen Argument abgelehnt wurde der Beitrittsantrag Marokkos). Die Kommission sieht in einer Mitteilung [KOM (2006) 649 endgültig] den Begriff „europäisch" „aus geographischen, historischen und kulturellen Elementen" zusammengesetzt, „die alle zur europäischen Identität beitragen." Angesichts der nach der Überwindung der Teilung Europas 1989/90 bevorstehenden Erweiterung der EU hat der Europäische Rat 1993 in Kopenhagen vier generelle Kriterien formuliert, die beim Beschluss des Rates und der Zustimmung des Europäischen Parlaments dazu zu berücksichtigen sind (Art. 49 Abs. 1 S. 4 EUV). Vom Beitrittskandidaten wird verlangt:

a) Eine institutionelle Stabilität als Garantie für demokratische und rechtsstaatliche Ordnung, für die Wahrung der Menschenrechte sowie die Achtung und den Schutz von ↑Minderheiten („Verfassungsstaatlichkeit"). Dies fordert jetzt ausdrücklich Art. 49 Abs. 1 S. 1 i. V. m. Art. 2 EUV.

b) Eine funktionsfähige Marktwirtschaft sowie die Fähigkeit, dem Wettbewerbsdruck und den Marktkräften innerhalb der EU standzuhalten („Binnenmarktfähigkeit"). Dafür wurden seitens der EU Unterstützungsmaßnahmen entwickelt.

c) Die Fähigkeit und den Willen, die Mitgliedspflichten zu übernehmen und sich die Ziele der politischen Union sowie der Wirtschafts- und Währungsunion zu eigen zu machen („Integrationswilligkeit").

d) Das letzte Kriterium betrifft die EU selbst, nämlich die Fähigkeit, durch organisatorische und institutionelle Rahmenbedingungen und ohne wirtschaftliche Überforderung und ohne Gefährdung der Vertiefung der Integration neue Mitglieder aufzunehmen („Erweiterungsfähigkeit").

Ob diese Kriterien erfüllt sind, ist im Wesentlichen sicher eine politische Bewertung, die allerdings ernst genommen werden und nach objektiven Kriterien in gleicher Weise gegenüber allen Beitrittskandidaten erfolgen muss, soll die EU als Rechtsgemeinschaft glaubwürdig sein und bleiben. Die Beitrittskandidaten müssen ggf. ihre Rechtsordnung mit den geforderten Kriterien in Einklang bringen. Über den Antrag entscheidet der Rat einstimmig nach Anhörung der Kommission und nach Zustimmung der absoluten Mehrheit der Mitglieder des Europäischen Parlaments (Art. 49 Abs. 1 EUV). Ferner bedarf es eines Vertrages über die Aufnahmebedingungen (Grundprinzip ist die Übernahme des sog.en *acquis communautaire*, d. h. der Gesamtheit des Unionsbestandes (z. B. an politischen Zielsetzungen) und des Rechts der EU (ggf. mit Übergangszeiten) und die erforderliche Anpassung von EUV und AEUV, der von allen Mitgliedstaaten gemäß ihren verfassungsrechtlichen Vorschriften ratifiziert werden muss (Art. 49 Abs. 2 EUV). In Frankreich ist gemäß Art. 88–5 der Verfassung ein Referendum obligatorisch.

Die seit 2005 laufenden ausdrücklich als „ergebnisoffen" (was zweifelhaft ist) deklarierten Beitrittsverhandlungen mit der Türkei (mit der durch das Assoziierungsabkommen und die Beschlüsse des Assoziationsrats bereits bes. Beziehungen bestehen) sind derzeit ausgesetzt, da das Kriterium der Verfassungsstaatlichkeit offensichtlich verfehlt wird. Generell ist fraglich, ob die geforderte Integrationswilligkeit vorliegt. Die ernsthafte Prüfung der Kriterien (einschließlich der „Erweiterungsfähigkeit") ist auch bei den aufgenommenen Beitrittsverhandlungen mit den Staaten mit sog.em „Kandidatenstatus" (Mazedonien, Montenegro, Serbien) sowie bei den Beitrittskandidaten Albanien, Bosnien-Herzegowina und des Kosovo (der von fünf Mitgliedstaaten noch nicht als Staat anerkannt wurde) geboten. Hier wie bei weiteren Staaten bietet sich eher die in Art. 8 EUV verankerte Nachbarschaftspolitik mit Assoziierungsabkommen an. Ein solches wurde (wobei in den Niederlanden ein ablehnendes Referendum übergangen werden musste) mit der Ukraine geschlossen (in Kraft seit 1.9.2017; politisch wegen des Verhältnisses zu Russland problematisch). Island hat seinen 2009 gestellten Beitrittsantrag 2015 zurückgezogen. Mit der ↑Schweiz bestehen bilaterale Abkommen, die durch die sog.e „Guillotineklausel" miteinander verknüpft sind. Die Mitgliedschaft Norwegens scheiterte zweimal an einem Referendum, es ist aber wie Island und Liechtenstein zusammen mit der EU und ihren Mitgliedstaaten Vertragspartei im EWR; ↑EFTA.

4.6 Austritt aus der EU
Durch den mit dem Vertrag von Lissabon eingeführten Art. 50 EUV hat sich die bis dahin strittige Frage, ob ein

Mitgliedstaat aus der EU austreten kann, erledigt. Wohl gerade gegenüber den neuen Mitgliedstaaten eher demonstrativ gedacht, dass die EU keine „Zwangsgemeinschaft" ist, wurde Art. 50 EUV nach einer Volksbefragung im Vereinigten Königreich, in der sich 51,89 % für den „Brexit" aussprachen, aktiviert. Die Verhandlungen über das in Art. 50 Abs. 2 EUV vorgesehene Austrittsabkommen zeigen, welche Probleme bei einem Austritt zu lösen sind und damit auch, wie eng die Mitgliedstaaten, selbst wenn sie weder der Währungsunion des Euro noch dem Schengen-Abkommen (↑Schengen) angehören, in der EU bereits verbunden sind. Kommt es bis 29.3.2019 zu keinem Abkommen oder wird die Frist nicht verlängert, scheidet das Vereinigte Königreich automatisch und ungeregelt aus der EU aus (Art. 50 Abs. 3 EUV). Ein Wiedereintritt ist möglich, aber nur nachdem das Verfahren des Art. 49 EUV durchlaufen ist. Ein Austritt Deutschlands müsste die verfassungsrechtlichen Grenzen des Art. 23 GG beachten.

4.7 Ausschluss aus der EU
Die Verträge sehen keinen Ausschluss aus der EU vor. Selbst bei einer schwerwiegenden und anhaltenden Verletzung der in Art. 2 EUV genannten Werte sieht Art. 7 EUV allein ein Suspendierungsverfahren hinsichtlich bestimmter Rechte vor. Dieses ist als abschließende Regelung gedacht, sodass allenfalls bei dadurch nicht abzuwendenden unerträglichen Zuständen an einen Ausschluss nach völkerrechtlichen Grundsätzen (erhebliche Vertragsverletzungen, *clausula rebus sic stantibus*, Art. 60 Abs. 2, Art. 62 WVRK) zu denken wäre.

5. Verfassungsrechtliche Anforderungen an die EU
5.1 Allgemein
Da mit der Übertragung von Hoheitsrechten auf die EU der eigene politische Gestaltungsspielraum der Mitgliedstaaten erheblich eingeschränkt wird, bedarf es dazu einer verfassungsrechtlichen Ermächtigung, die dafür Bedingungen und Schranken vorsieht, deren Einhaltung ggf. einer gerichtlichen Kontrolle unterliegen. Wenngleich in sehr unterschiedlicher Form und auch unterschiedlichem Ausmaß, sehen dies letztlich die Verfassungen aller Mitgliedstaaten (Sonderfall Vereinigtes Königreich) vor.

5.2 Art. 23 GG als Grundlage der Mitwirkung Deutschlands in der EU
Gemäß Art. 23 Abs. 1 GG wirkt die BRD zur Verwirklichung eines Vereinten Europas bei der Entwicklung der EU mit, die demokratischen, rechtsstaatlichen, sozialen und föderativen Grundsätzen und dem Grundsatz der Subsidiarität verpflichtet ist und einen diesem Grundgesetz im Wesentlichen vergleichbaren Grundrechtsschutz gewährleistet. Hierzu kann der Bund durch Gesetz mit Zustimmung des ↑Bundesrates Hoheitsrechte übertragen. Ggf. sind verfassungsändernde Mehrheiten (Art. 79 Abs. 2 GG) erforderlich. Eine ab-

solute Schranke ist die „Ewigkeitsklausel" des Art. 79 Abs. 3 GG. Diese enthält einerseits eine Ermächtigung, ja durch den Imperativ („wirkt mit") eine Verpflichtung, die es nicht im Belieben der deutschen Staatsorgane lässt, an der EU mitzuwirken (so BVerfGE 123, 267/ 346 f.), wobei sie aber bei der Ausgestaltung weites politisches Ermessen haben. Andererseits werden mit diesen Strukturanforderungen an die EU Schranken der Integrationsermächtigung normiert, die binnengerichtet sind, denen die EU aber entsprechen muss, damit Deutschland in ihr mitwirken darf. Diese haben Parallelen zu den Strukturprinzipien des GG. Bei der Konkretisierung dieser „Grundsätze" muss aber beachtet werden, dass die Strukturen der EU als Integrationsgemeinschaft in entscheidenden Punkten von der Struktur eines Staates zwangsläufig abweichen. Um dem Rechnung zu tragen, sind die Postulate strukturangepasst zu modifizieren, was seitens des BVerfG auch geschehen ist (vgl. zur demokratischen Legitimation der EU BVerfGE 89, 155/182 ff.).

5.3 Maßstäbe der Kontrolle durch das BVerfG
Die Einhaltung der verfassungsrechtlichen Schranken der Integrationsermächtigung (Art. 23 Abs. 1 GG) unterliegt der Kontrolle des BVerfG. Dabei kommen neben der noch nicht aktivierten abstrakten (Art. 93 Abs. 1 Nr. 2 GG) die konkrete Normenkontrolle (Art. 100 Abs. 1 GG: bei Zweifeln an der Rechtmäßigkeit unionsrechtlicher Vorgaben müssen die Instanzgerichte aber vorab die Entscheidung des EuGH gemäß Art. 267 AEUV einholen, BVerfGE 129, 186), der Organstreit (Art. 93 Abs. 1 Nr. 1 GG: hinreichende Beteiligung des ↑ Bundestags gemäß Art. 23 Abs. 2, Abs. 3 i. V. m. EUZBBG und IntVG und des Bundesrats gemäß Art. 23 Abs. 2, Abs. 4–7 i. V. m. EUZBLG und IntVG), der Bund-Länder–Streit (Art. 93 Abs. 1 Nr. 3 GG) sowie die Verfassungsbeschwerde (Art. 93 Abs. 1 Nr. 4a GG) in Betracht. Diese kann nach der Rspr. des BVerfG (↑ Verfassungsgerichtsbarkeit) auf Art. 38 GG (Wahlrecht) mit der Begründung gestützt werden, dass durch die Übertragung von Hoheitsrechten auf die EU dem Bundestag nicht mehr hinreichend „bedeutsame eigene Aufgabenfelder" verbleiben und damit das Wahlrecht ausgehöhlt werde (BVerfGE 89, 155/186 und LS. 5; BVerfGE 123, 267/340 ff., 357 f. und LS. 2b). Kontrollmaßstäbe sind: die Grundrechtskontrolle, die „im Kooperationsverhältnis" mit dem EuGH allerdings „solange" nicht ausgeübt wird (BVerfGE 73, 339/ LS. 2 – Solange II), bis dargelegt werden kann, dass die Kontrolle durch den EuGH unter den geforderten Grundrechtsstandard abgesunken ist (BVerfGE 102,147/ LS. 1 – Bananenmarkt); die Ultra-vires-Kontrolle (Einhaltung der auf die EU übertragenen Befugnisse oder „ausbrechender Rechtsakt", BVerfGE 123, 267/ LS. 4) und die Identitätskontrolle (Wahrung der Identität des GG, vgl. BVerfGE 140, 317). Nach Ansicht des BVerfG ermächtigt Art. 23 GG nicht zu einem „Identitätswechsel" vom

Staatenverbund in einen europäischen Bundesstaat, dazu sei eine neue Verfassung i. S. v. Art. 146 GG erforderlich (BVerfGE 123, 267/331 f., 364). Daher müsse die Kompetenz-Kompetenz, d. h. die Kompetenz, Kompetenzen zu begründen, bei den Mitgliedstaaten verbleiben (so derzeit Art. 48 EUV). Vor Annahme eines Ultra-vires-Akts, der nur bei einem offensichtlichen und strukturell bedeutsamen Kompetenzverstoß vorliegt, muss der EuGH angerufen werden (BVerfGE 126, 286/304 und LS. 1-Honeywell). Dies ist bereits geschehen (BVerfGE 134, 366 – OMT-Vorlagebeschluss; BVerfG, NJW 2017, 2894–2904; EZB-Ankaufprogramm EAPP). Die Kontrolle wird vom BVerfG „europarechtsfreundlich" ausgeübt. Dadurch werden rechtlich unauflösbare Konflikte vermieden (vgl. zuletzt BVerfGE 142, 123 – OMT). Nach innen wird die rechtliche Integrationsverantwortung insb. des Bundestags unter Berücksichtigung von dessen politischer Gestaltungsfreiheit konkretisiert.

6. Struktur und Organisation der EU
6.1 Einheitlichkeit der EU
Von den Zielen des Verfassungsvertrags wurde die Einheitlichkeit der Union, die Rechtsnachfolgerin der EG ist (Art. 1 Abs. 3 S. 3 EUV) und die bislang intergouvernemental strukturierten operativen Felder der GASP und PJZS übernimmt, in den Vertrag von Lissabon übernommen. Die Einheitlichkeit zeigt sich in der Rechtspersönlichkeit (Art. 47 EUV), in den Organen (Art. 13 EUV) und in der Bezeichnung der Rechtsakte (Art. 288 AEUV). Während die PJZS in den RFSR integriert wurde – der allerdings einige institutionelle Besonderheiten aufweist (z. B. ausdrückliche Leitungsfunktion des Europäischen Rates, Art. 68 AEUV; Initiativrecht eines Viertels der Mitgliedstaaten neben der Kommission, Art. 76 b AEUV; sog.er „Notbremsemechanismus", so §9 IntVG zu Art. 82 Abs. 3 UAbs. 1 S. 1, Art. 83 Abs. 3 UAbs. 1 S. 1 AEUV), verbleibt die GASP ungeachtet der Optik einer „einheitlichen" Union das letzte Relikt der vormaligen Säulenstruktur, was sich in den Besonderheiten zeigt, die Art. 24 EUV ausdrücklich hervorhebt. Die Zuständigkeit des EuGH ist grundsätzlich ausgeschlossen (Art. 275 Abs. 1 AEUV, mit Ausnahmen in Abs. 2: „Schiedsrichter" in Streitfällen, ob GASP oder sonstige Kompetenzen vorliegen, Art. 40 EUV; Nichtigkeitsklage, Art. 263 Abs. 4 AEUV, von Individuen gegen restriktive Maßnahmen). Die „spezifische Rolle" von Europäischem Parlament und Kommission bedeutet, dass das Parlament zwar ein Anhörungsrecht hat (Art. 36 EUV), aber keine maßgebliche Rolle im Entscheidungsprozess spielt, und die Kommission nur über die Doppelfunktion des Hohen Vertreters für die GASP in diese eingebunden ist.

6.2 Die Organe und ihr Zusammenwirken
Die zunächst selbstständigen Organe der vormals drei selbstständigen EG wurden 1957 bzw. 1965 fusioniert.

Der durch den Vertrag von Maastricht als Organ der EU installierte Europäische Rat ist seit dem Vertrag von Lissabon ein Organ der jetzt einheitlichen EU, ebenso die EZB unter Beibehaltung ihrer eigenen Rechtspersönlichkeit und Unabhängigkeit. Die in Art. 13 Abs. 2 EUV aufgeführten Organe haben im Wesentlichen folgende Funktionen: Der Europäische Rat soll als Leitungsorgan der EU die für ihre Entwicklung erforderlichen Impulse geben; er legt hierfür die allg.en politischen Zielvorstellungen und Prioritäten fest. Das Europäische Parlament ist zusammen mit dem Rat der EU der europäische Gesetzgeber. Die Europäische Kommission hat grundsätzlich das Initiativmonopol für Gesetzgebungsvorhaben und ist als rein supranationales Organ Hüterin der Verträge sowie die Exekutive der EU. Der EuGH sichert die Wahrung des Rechts als „Schiedsrichter" bei Streitigkeiten zwischen den Organen oder den Mitgliedstaaten sowie zwischen Organen und Mitgliedstaaten bei Klagen von Individuen gegen Handlungen der Organe sowie durch das Monopol für die verbindliche Auslegung der Verträge und die Prüfung der Gültigkeit von Sekundärrecht. Die EZB ist für die Währungspolitik der Mitgliedstaaten der Euro-Zone mit dem vorrangigen Ziel der Sicherung der Preisstabilität verantwortlich. Dem 1975 geschaffenen EuRH obliegt die externe Rechnungsprüfung der allg. und bes. in für „Unregelmäßigkeiten" anfälligen Bereichen (EU-Subventionen) große Bedeutung zukommt (Sonderberichte). Die Organe Europäisches Parlament, Rat und Kommission werden durch beratende Einrichtungen unterstützt, nämlich dem paritätisch durch Vertreter der Arbeitgeber und Arbeitnehmer und der Zivilgesellschaft besetzten EWSA und dem durch den Vertrag von Maastricht geschaffenen AdR. Durch diesen wurde insoweit die „Landesblindheit" der EU beendet, da den regionalen und lokalen Körperschaften (in Deutschland die Länder und die Kommunen) dadurch eine Mitwirkung in der EU selbst ermöglicht wird.

6.3 Supranationalität und Intergouvernementalität

Die ↑Supranationalität der EU zeigt sich in der Unabhängigkeit der Kommission, deren Mitglieder Weisungen von den Regierungen der Mitgliedstaaten weder einholen noch entgegennehmen dürfen (Art. 17 Abs. 3 UAbs. 3 EUV), der Unabhängigkeit der für die Währungspolitik zuständigen EZB (Art. 282 Abs. 3 AEUV) sowie in der Kompetenz zur Rechtsetzung, die im Regelfall mit qualifizierter Mehrheit im Rat (Art. 16 Abs. 3 AEUV) erfolgen kann. Die sog.e „Gemeinschaftsmethode" zeigt sich im ordentlichen Gesetzgebungsverfahren (Art. 289 Abs. 1, Art. 294 AEUV), in dem auf Vorschlag der Kommission das Europäische Parlament und der Rat (dieser mit qualifizierter Mehrheit) gemeinsam den Rechtsakt (VO und RL) beschließen. Bei Uneinigkeit ist ein Vermittlungsverfahren (Art. 294 Abs. 10–14 AEUV) vorgesehen. Zur Vorberei-

tung von Rechtsakten sprechen sich Kommission, Europäisches Parlament und Rat im sog.en „Trilog" ab. Diese Praxis erleichtert die politische Einigung, kann und darf das vertraglich vorgesehene offene Gesetzgebungsverfahren aber nicht überspielen. Das ordentliche Gesetzgebungsverfahren ist der Regelfall und kommt z. B. im bedeutsamen Fall der Verwirklichung des Binnenmarkts (Art. 114 AEUV) zum Tragen. In Materien, in denen die Mitgliedstaaten sich nicht überstimmen lassen wollen (insb. Steuern), kommen bes. Gesetzgebungsverfahren zum Tragen (z. B. Art. 115 AEUV), die die Einstimmigkeit im Rat erfordern. Solche Sicherungsmechanismen der Aufrechterhaltung eines bestimmenden nationalen Einflusses zeigen sich auch im sog.en „Notbremseverfahren" in den Bereichen Sozialpolitik (Art. 48 Abs. 2 S. 1 AEUV) und Strafrecht (Art. 82 Abs. 3 UAbs. 1 S. 1, Art. 83 Abs. 3 UAbs. 1 S. 1 AEUV; ↑Europäisches Strafrecht), in Deutschland verstärkt durch den bestimmenden Einfluss des Bundestags (§ 9 IntVG). Das Konsensprinzip gilt grundsätzlich im Europäischen Rat (Art. 15 Abs. 4 EUV), allerdings mit wichtigen Ausnahmen, die Vetoblockaden verhindern sollen und auch verhindern, was in bedeutsamen Fällen (Art. 17 Abs. 7 S. 1 EUV: Vorschlag des nach der getroffenen Vereinbarung siegreichen „Spitzenkandidaten" der Europawahl 2014 zur Wahl des Kommissionspräsidenten gegen die Stimme des Vereinigten Königreichs; Art. 15 Abs. 5 S. 1 EUV: erneute Wahl des Polen Donald Franciszek Tusk zum Präsidenten des Europäischen Rates gegen die Stimme seines Heimatlandes) bei den überstimmten Staatenvertretern zu (rechtlich unbegründeten) Protesten führte. Dies zeigt, dass die Einbeziehung des Europäischen Rates als Organ der jetzt einheitlichen EU wegen dessen Zusammensetzung und der Stärkung seiner Rolle einerseits den intergouvernementalen Ansatz in der EU stärkte, andererseits wegen der Ausnahmen vom Konsensprinzip (↑Konsens) aber relativierte. Intergouvernementale Elemente kennzeichnen wegen der in Art. 24 Abs. 1 UAbs. 2 EUV dokumentierten Sonderrolle und des dort geltenden Grundsatzes der Einstimmigkeit (Art. 31 Abs. 1 S. 1 EUV) nach wie vor die GASP. Intergouvernemental angelegt ist nach wie vor auch die Wirtschaftspolitik als Teil der EWWU, da diese weiterhin in der Verantwortung der Mitgliedstaaten liegt, die allerdings unionsrechtliche Vorgaben zu beachten haben, deren Einhaltung einem sehr behutsamen und leider auch wenig konsequent ausgeübten unionalen Kontrollverfahren unterliegt (vgl. Art. 120, Art. 121, Art. 126 AEUV). In der Aufspaltung der EWWU zwischen der für die Mitgliedstaaten der Eurozone in die Kompetenz der EU und dort der EZB übertragenen Währungspolitik und der auch bei diesen Mitgliedstaaten verbliebenen Wirtschaftspolitik wird ein „Geburtsfehler" der EWWU gesehen, zumal beide Bereiche schwer abzugrenzen sind. Daher bestehen Pläne, auch die Wirtschaftspolitik zu „vergemeinschaften" (z. B. Überführung des auf einem völkerrechtlichen Vertrag basierenden ESM in das Unionsrecht; Etablierung eines „Europäischen Finanzministers"), die neben politischen (Uneinigkeit der Mitgliedstaaten über die „richtige" Wirtschaftspolitik) auch rechtliche (Budgetrecht der nationalen Parlamente) Probleme aufwerfen.

7. Kompetenzen der EU

Die EU und damit ihre Organe dürfen nur tätig werden, wenn und soweit ihr und ihnen die Kompetenz dazu durch die Verträge, auf denen die EU basiert (EUV und AEUV, Art. 1 Abs. 3 S. 1 EUV; die EuGRC führt ausdrücklich zu keiner Kompetenzerweiterung, Art. 6 Abs. 1 UAbs. 2 EUV, Art. 51 Abs. 2 EuGRC), übertragen wurde. Dieses Prinzip der begrenzten Einzelermächtigung wurde durch den Vertrag von Lissabon noch deutlicher als bislang in Art. 5 Abs. 1 S. 1, Abs. 2 EUV verankert und wird mehrfach betont, auch hinsichtlich der Kehrseite, dass alle der Union nicht in den Verträgen übertragenen Zuständigkeiten bei den Mitgliedstaaten verbleiben (Art. 4 Abs. 1 EUV). Daran knüpft auch Art. 288 Abs. 1 AEUV an, wonach die für die Gesetzgebung der EU zuständigen Organe (Kommission als Initiativorgan, Europäisches Parlament und Rat als Unionsgesetzgeber) die dort vorgesehenen Rechtsakte „für die Ausübung der Zuständigkeiten" annehmen. Sie dürfen daher nur dort tätig werden, wo die Verträge die Verbandskompetenz der EU begründen, und müssen das jeweils vorgeschriebene Verfahren (ordentliches oder bes.s Gesetzgebungsverfahren, wodurch auch die jeweilige Organkompetenz festgelegt wird) einhalten und die jeweils vorgeschriebene Form des Rechtsakts (VO oder RL) verwenden, es sei denn, der Vertrag überlässt ihnen durch den Begriff „Maßnahmen" insoweit die Wahl (so die wichtige und vom EuGH weit interpretierte, z. B. EuGH Rs. C-301/06 – Irland/EP und Rat, Vorratsdatenspeicherung, aber immerhin inhaltlich präzisierte, vgl. EuGH Rs. C-376/98 – Tabakwerbeverbot, Binnenmarktkompetenz, Art. 114 Abs. 1 AEUV). Diese ist allerdings zu begründen (Art. 296 AEUV), wobei der Grundsatz der Verhältnismäßigkeit (Art. 5 Abs. 4 EUV) zu beachten ist. Um die Kompetenzabgrenzung zwischen EU und Mitgliedstaaten zu konkretisieren, wurden durch den Vertrag von Lissabon die Kompetenztypen (ausschließliche und geteilte Zuständigkeit der EU; parallele Zuständigkeit von EU und Mitgliedstaaten; Unterstützungs-, Koordinierungs- und Ergänzungsmaßnahmen als „Beitragskompetenz" der EU) und deren Folgen präzisiert (Art. 2 AEUV) und den einzelnen Kompetenztypen materielle Bereiche zugeordnet (Art. 3–6 AEUV). Diese und die zu deren Verwirklichung vorgesehenen Kompetenzgrundlagen sind im dritten Teil des AEUV („Die internen Politiken und Maßnahmen der Union") geregelt. Dessen Titel I–XXIII und die davon erfassten Gebiete, nämlich Grundfreiheiten des ↑Europäischen Binnenmarkts, RFSR (↑Europäische Innen- und Rechtspolitik), Wettbewerb

und Steuerfragen, Wirtschafts- und Währungspolitik, Beschäftigung, Sozialpolitik, Allg.e und berufliche Bildung, Jugend und Sport, Kultur, Verbraucherschutz, Transeuropäische Netze, Industrie, Wirtschaftlicher, sozialer und territorialer Zusammenhalt, Forschung, technologische Entwicklung und Raumfahrt, Umwelt, Energie, Tourismus und Katastrophenschutz, machen die – wenn auch mit unterschiedlicher Intensität – erfolgte Erfassung weiter Politikbereiche durch das Unionsrecht deutlich. Dies erfordert zum einen die Abgrenzung zu den in der Kompetenz der Mitgliedstaaten und damit in deren politischer Gestaltungsfreiheit verbliebenen Bereiche, zum anderen das loyale Zusammenwirken (vgl. Art. 4 Abs. 3 EUV) und die Verwaltungszusammenarbeit von EU und Mitgliedstaaten (vgl. Art. 197 AEUV). Der Sonderrolle (vgl. Art. 24 EUV) der GASP trägt Art. 2 Abs. 4 AEUV mit Verweis auf die Regelung im EUV (Art. 23–46 EUV) Rechnung. Eine eigene Kategorie ist die Wirtschafts- und Beschäftigungspolitik, die zwar bei den Mitgliedstaaten verbleibt, wegen des Zusammenhangs mit der Währungspolitik im Rahmen der EWWU aber von diesen koordiniert werden muss (Art. 120 ff. AEUV; Art. 145 ff. AEUV). Politische Vereinbarungen ohne rechtliche Verbindlichkeit werden innerhalb der vom Europäischen Rat 2000 eingeführten Methode der sog.en „offenen Koordinierung" (OKM) getroffen, v. a. hinsichtlich der Sozialpolitik.

8. Wirtschaftliche und politische Entwicklung
8.1 Von der Wirtschaftsgemeinschaft zur politischen Union

Die EG haben sich von einer Wirtschaftsgemeinschaft zu einer politischen Union eigener Art entwickelt, die in erheblichem Umfang Staatsfunktionen ausübt, sich in ihrer Struktur aber wegen des Beruhens auf den insoweit souverän bleibenden Mitgliedstaaten von einem Staat deutlich unterscheidet. Neben dem Erfordernis der Ratifikation völkerrechtlicher Verträge durch alle Mitgliedstaaten im ordentlichen Vertragsänderungsverfahren (Art. 48 Abs. 4 EUV) wird dies v. a. durch das Recht deutlich, die EU zwar in einem geordneten Verfahren, wegen der Sunset-Clause bei dessen Scheitern (vgl. Art. 50 Abs. 3 EUV) aber ohne das Erfordernis eines Rechtfertigungsgrundes verlassen zu können. Wenngleich die 1953 geplante EPG zusammen mit der EVG als jedenfalls damals zu ambitioniert scheiterte und die ausdrücklich als „Politische Union" bezeichneten Projekte (z. B. Fouchet-Plan 1961; Davignon-Bericht 1970; Entwurf des Europäischen Parlaments für einen Vertrag zur Gründung der EU 1984) unterschiedliche Ansätze (intergouvernemental oder supranational oder gemischt) verfolgten, der Begriff „Politische Union" nicht in das Primärrecht aufgenommen wurde und über ihn wie hinsichtlich der „Finalität" der EU unterschiedliche Vorstellungen bestehen, ist die stetige Entwicklung in diese Richtung unverkennbar. Deutlich wird dies in der Erweiterung des Konzepts des „Marktbürgers"

(Ipsen 1972: 187) zum Unionsbürger, dessen Bürgerschaft (Art. 20 EUV) der EuGH als „grundlegenden Status der Angehörigen der Mitgliedstaaten" bezeichnet
(EuGH Rs. C-184/99 – Grzelczyk) und darauf weit-
tragende Konsequenzen (Tragweite des Freizügigkeitsrechts, Art. 21 AEUV; Eröffnung des Anwendungs-
bereichs des Diskriminierungsverbots, Art. 18 AEUV)
jedenfalls hinsichtlich dessen „Kernbereichs" gestützt
hat (vgl. z. B. EuGH Rs. C-34/09 – Zambrano). Die damit verbundene Erfassung weiter Politikbereiche wirft
die Frage nach Grenzen einer „immer engeren Union"
(Präambel EUV, Erwägungsgrund 13) und nach der
durch Art. 4 Abs. 2 EUV gebotenen Achtung der *jeweili-*
gen Verfassungsidentität der Mitgliedstaaten auf. Wird
hier das rechte Maß verfehlt, führt dies statt zu den angestrebten integrativen (Präambel EUV, Erwägungsgrund 14) zu desintegrativen Tendenzen, die kennzeichnend für die gegenwärtigen Probleme der EU sind.

8.2 Bilanz: Erfolge und Probleme

In der Erklärung von Rom vom 25.3.2017 zum 60. Jahrestag der Römischen Verträge sind die führenden Vertreter von 27 Mitgliedstaaten und der EU-Organe Europäischer Rat, Europäisches Parlament und Kommission
„stolz auf die Errungenschaften der Europäischen Union" und betonen: „Der Aufbau der europäischen Einheit
ist ein kühnes, auf lange Sicht angelegtes Unterfangen.
Vor sechzig Jahren haben wir nach der Tragödie zweier
Weltkriege beschlossen, uns zusammenzuschließen und
unseren Kontinent aus seinen Trümmern neu aufzubau-
en. Wir haben eine einzigartige Union mit gemeinsamen Institutionen und starken Werten aufgebaut,
eine Gemeinschaft des Friedens, der Freiheit, der Demokratie, der Menschenrechte und der Rechtsstaatlichkeit, eine bedeutende Wirtschaftsmacht mit einem beispiellosen Niveau von Sozialschutz und Wohlfahrt". Mit
der Friedenssicherung durch supranationale Integration
der sich jahrhundertelang bekriegenden Staaten, dem
wirtschaftlichen Fortschritt durch Freiheit des Handels
und Verkehrs in einem Gemeinsamen Markt bzw. Binnenmarkt und der Machterhaltung Europas im Weltmaßstab gegenüber den damaligen und heutigen Super-
mächten USA und UdSSR (jetzt Russland) sowie den
von Jean Monnet bereits 1954 als künftig bedeutsamen
Akteuren erkannten China und Indien, ferner dem nach
dem Krieg sich wirtschaftlich rasch erholenden Japan
durch die von Anfang an grundsätzlich in der ausschließlichen Kompetenz der EWG und jetzt inhaltlich
ausgedehnt (vgl. Art. 207 AEUV) der EU liegenden Gemeinsamen Handelspolitik wurden die Grundlagen des
Europagedankens in der Tat verwirklicht, so dass der
europäische Einigungsprozess eine Erfolgsgeschichte
ist. Nach der 1989/1990 geschehenen Überwindung
der Teilung Europas durch die nach dem Zweiten Weltkrieg errichteten Blocksysteme erfolgte die große Erweiterung um die mittel- und osteuropäischen Staaten, die
aber auch die Frage nach der Vereinbarkeit von Erweite-

rung und Vertiefung und den sowohl der verkraftbaren
Anzahl der Mitgliedstaaten als auch der von diesen gewünschten und in diesen politisch vermittelbaren Gemeinsamkeit und somit nach den Grenzen der Integration und einer „immer engeren Union" aufwarf. Dies
zeigte sich bereits beim Scheitern des Verfassungsvertrags, wobei der Begriff „Verfassung" statt integrativer
desintegrative Wirkung entfaltete und deshalb zusammen mit allen Elementen des Verfassungskonzepts im
Vertrag von Lissabon gestrichen wurde. Die mit der europäischen Integration notwendig verbundene Einschränkung eigener politischer Gestaltungsfreiheit war
auch ein Argument der Befürworter des „Brexit", und
die Widerstände dagegen zeigen sich in der mangelnden Befolgung der auf Art. 78 Abs. 3 AEUV gestützten
Beschlüsse des Rates zur Bewältigung des Flüchtlings-
zustroms und von Urteilen des EuGH, der Nichtigkeits-
klagen dagegen abgewiesen hat (EuGH C-643/15 –
Slowakei/Rat; C-647/15 – Ungarn/Rat) sowie von Mah-
nungen der EU-Kommission zur Wahrung der durch
Art. 2 EUV als „gemeinsam" bezeichneten Werte hinsichtlich der gebotenen Unabhängigkeit von Gerichten.
Die Erklärung von Rom sieht die EU „vor nie dage-
wesenen Herausforderungen auf globaler und nationaler Ebene: regionalen Konflikten, Terrorismus, wachsendem Migrationsdruck, Protektionismus sowie
sozialen und wirtschaftlichen Ungleichheiten". In der
Tat befindet sich die EU in einer „Polykrise" (Juncker
2016: 4), beginnend mit der „Finanzkrise" (↑Finanz-
marktkrise), die zwar von außen (USA) ausgelöst wurde, die die Fehler der Konstruktion der EWWU und
insb. die fehlende Einhaltung ihrer Voraussetzungen
aber weniger verursacht als offenbart und die gemeinsame Währung eher zum „Spaltpilz" als zum Integrationsfaktor machte, fortgesetzt mit der „Flüchtlingskrise",
auf die das ebenfalls mit Konstruktionsfehlern behaftete
Dublin-System nicht vorbereitet sein konnte und die
durch unabgestimmte, wenngleich gut gemeinte einseitige Maßnahmen verschärft wurde, schließlich der Konflikt über die angeblich gemeinsamen „Werte" (Art. 2
EUV), zu deren Einhaltung Art. 7 EUV kein effektives
Sanktionssystem bereithält. Mit den „sozialen und wirtschaftlichen Ungleichheiten" sind Kollateralfolgen des
Binnenmarkts angesprochen, die z.B. durch Betriebsverlagerungen, aber auch generell durch die unterschiedliche Wettbewerbsfähigkeit der Mitgliedstaaten
entstehen können, die ebenso wie andere Probleme der
EWWU durch mangelnde Reformbereitschaft verursacht sind. Dass die Erklärung von Rom durch die
Vertreterin Polens nur zögerlich unterzeichnet wurde,
verdeutlicht die Grenzen der in ihr demonstrativ betonten Gemeinsamkeit („Unsere Union ist ungeteilt und
unteilbar"). Dass sie nur noch von 27 Mitgliedstaaten
unterzeichnet wurde, ist eine Folge des angekündigten
Austritts des Vereinigten Königreichs, womit Art. 50
EUV entgegen den Erwartungen bei seiner Einfügung,
die nur deutlich machen sollte, dass die EU keine

„Zwangsgemeinschaft ist", aktiviert und damit eine, sollte der Austritt wie auch immer vollzogen werden, Schrumpfung der EU realisiert wurde. Die mühsame Bewältigung dieses Austritts selbst eines Mitgliedstaats, der weder der Eurozone noch dem Schengensystem angehört, zeigt aber auch, wie eng die Union mittlerweile verbunden ist, und die dokumentierten nachteiligen Folgen eines Austritts sollten das Bewusstsein für die Vorteile der Zugehörigkeit zu EU schärfen. Wer diese Vorteile genießen will, muss aber auch die damit verbundenen Lasten tragen, ein Zusammenhang, den der EuGH (Rs. 39/72, Rn. 24 – Kommission/Italien) bereits 1973 klargestellt hat.

9. Perspektiven

Die Frage nach der „Finalität" der EU ist ein vielfältiges und wegen der unterschiedlichen Vorstellungen kontrovers diskutiertes Thema. Sieht man die Entwicklung der EU als offenen politischen Prozess, kann und soll auch die Frage letztlich offen bleiben. Letztlich liegt es am Willen der Mitgliedstaaten, auf denen die EU beruht, wohin sie sich entwickelt. Dies kann auch in differenzierter Form („Europa mehrerer Geschwindigkeiten") erfolgen, ein Gedanke, der angesichts der Anzahl und ggf. des weiteren Anwachsens der Mitgliedstaaten (Beitrittsperspektive für weitere Balkanstaaten) und der offenbarten Divergenzen in letzter Zeit verstärkt aufgegriffen wurde. Ein Europa mehrerer Geschwindigkeiten ist auch eines der Szenarien (Nr. 3: „Wer mehr will, tut mehr"), die die Kommission als Antwort auf die „Polykrise" und als Konzept nach dem „Brexit" in ihrem „Weißbuch zur Zukunft Europas – Die EU der 27 im Jahr 2025 – Überlegungen und Szenarien" [COM (2017)2025] vorgelegt hat. Nach einer Analyse der „Faktoren, die Europas Zukunft prägen", werden als Szenarien ferner „Weiter wie bisher" (Nr. 1), „Schwerpunkt Binnenmarkt" (Nr. 2), „Weniger, aber effizienter" (Nr. 4) und „Viel mehr gemeinsames Handeln" (Nr. 5) vorgestellt. Es handelt sich dabei nicht um Vorschläge der Kommission, sondern um den Anstoß eines Reflexionsprozesses. „Weiter wie bisher" eignet sich angesichts der kritischen Bestandsaufnahme natürlich nicht als Programm, wenngleich die Fortsetzung des „Durchwurstelns" (muddling through) durchaus realistisch ist. Es muss aber mit wirklichen Reformen verknüpft werden. „Schwerpunkt Binnenmarkt" sollte zwar dazu anregen, über das „immer enger" nachzudenken, kann aber nicht außer Acht lassen, dass bereits die EWG kein rein ökonomisches Projekt war und dies die EU, deren Ziel jetzt ausdrücklich eine „soziale Marktwirtschaft" ist (Art. 3 EUV), erst recht nicht sein kann. Ein Europa mehrerer Geschwindigkeiten (Nr. 3) hatten wir bereits in der Sozialpolitik ohne das später nachrückende Vereinigte Königreich und haben wir in der Eurozone und im Schengenraum sowie im (bislang wenig genutzten) Verfahren gemäß Art. 20 EUV, Art. 326–334 AEUV, hinsichtlich der GASP Art. 42 Abs. 6, Art. 46 EUV.

Dafür spricht, dass im engeren Kreis eine stärkere Integration ermöglicht wird, die den zunächst fernbleibenden Mitgliedstaaten zum späteren Beitritt offensteht. Problematisch ist aber die Aufspaltung der Union in verschiedene Kreise und deren erforderliche Koordinierung in einem Binnenmarkt. Angedacht werden auch neue Konzepte wie der jederzeit mögliche Austritt (z. B. nach einem Regierungswechsel mit deutlich anderer Politikausrichtung in dem betreffenden Mitgliedstaat) sowie der Ausschluss bei Nichterfüllung der eingegangenen bes.n Verpflichtungen (sei es wegen mangelndem politischem Willen oder mangelnder Leistungsfähigkeit). „Groß im Großen, klein im Kleinen" (Nr. 4) will auf Kritik einerseits an manchen Aktivitäten der Kommission, die sich um „Kleinkram" kümmere (allerdings auch angestoßen durch Lobbyisten aus den Mitgliedstaaten), andererseits an fehlenden Erfolgen im Bereich der GASP, der Flüchtlingspolitik und der Grenzkontrollen reagieren. Dabei darf nicht übersehen werden, dass für Letzteres die fehlende Einigkeit der Mitgliedstaaten verantwortlich ist und entweder die erforderliche Einstimmigkeit oder die Nichtbefolgung eines Mehrheitsbeschlusses die unionale Aktion verhindern. Eine Vertiefung der Integration (Nr. 5) stößt in wesentlichen Bereichen auf politische (unterschiedliche Vorstellungen in der GASP) Hindernisse, die auch mit verfassungsrechtlichen Grenzen (Aushöhlung des Budgetrechts nationaler Parlamente durch zwingende und durchgesetzte unionale Vorgaben) verbunden sein können. Kommissionspräsident Jean-Claude Juncker hat in seiner Erklärung zur Lage der Union 2017 einen „Fahrplan" bis 2019 entwickelt (Szenario 6), der die Szenarien 1, 3, 4 und 5 kombiniert. Letztlich hängt die Realisierung vom Willen der Mitgliedstaaten ab, deren Zustimmung bereits auf der Basis bestehender Verträge im Rat als Mitgesetzgeber zusammen mit dem Europäischen Parlament erforderlich ist, ggf. mit qualifizierter Mehrheit und der Möglichkeit des Überstimmtwerdens und dem Problem der anschließenden Befolgung. Darüber hinausgehende grundlegende Reformen bedürften einer Vertragsänderung und damit neben der Einstimmigkeit der Ratifikation durch alle Mitgliedstaaten gemäß ihren verfassungsrechtlichen Vorschriften, d. h. der Zustimmung der nationalen Parlamente, ggf. (jedenfalls in Irland) der Billigung durch Referenden. Wie schwierig dieser Prozess sein kann, hat der Vertrag von Lissabon gezeigt.

Literatur

C. Calliess: Bausteine einer erneuerten Europäischen Union, in: NVwZ 37/1–2 (2018), 1–9 • F. Schorkopf: „Europas neue Ordnung" – eine plurale Union, in: NVwZ 37/1–2 (2018), 9–17 • Europäische Kommission (Hg.): Erklärung von Rom vom 25.3.2017, 2017 • Europäische Kommission: Weißbuch zur Zukunft Europas, 2017 • U. Haltern: Europarecht. Dogmatik im Kontext, Bd. I, ³2017 • R. Bieber u. a.: Die Europäische Union. Europarecht und Politik, ¹²2016 • J.-C. Juncker: Rede von Kommissionspräsident Jean-Claude Juncker beim Festakt des Europäischen Forums Alpbach, 2016 • J. Bergmann (Hg.):

Handlexikon der Europäischen Union, ⁵2015 • M. Niedobitek (Hg.): Europarecht. Grundlagen der Union, 2014 • R. Streinz: Europäische Union (EUV), in: H. Kube u. a. (Hg.): Leitgedanken des Rechts. FS für Paul Kirchhof, 2013, 1065–1071 • E. Jones/A. Mennon/S. Weatherill (Hg.): The Oxford Handbook of the European Union, 2012 • F. W. Scharpf: Community and Autonomy. Institutions, Policies and Legitimacy in Multilevel Europe, 2010 • C. Calliess: Die neue Europäische Union nach dem Vertrag von Lissabon, 2010 • R. Streinz: Die Verfassung Europas: Unvollendeter Bundesstaat, Staatenverbund oder unvergleichliches Phänomen?, in: H.-G. Hermann u.a. (Hg.): Von den Leges Barbarorum bis zum ius barbarum des Nationalsozialismus. FS für Hermann Nehlsen, 2008, 750–773 • K. Holzinger u.a. (Hg.): Die EU, 2005 • C. Gasteyger: Europa zwischen Spaltung und Einigung 1945–1990, ²1991 • W. Meng: Das Recht der internationalen Organisationen, 1979 • H. P. Ipsen: Europäisches Gemeinschaftsrecht, 1972.

RUDOLF STREINZ

Europäische Verfassung

1. Begriff
Mit e.r V. wird die Grundordnung der ↑EU bezeichnet, das Organisationsstatut, das jede Gemeinschaft und insb. eine Rechtsgemeinschaft, als die sich die EU versteht, in der das Handeln der politischen Akteure an das Recht gebunden ist, benötigt (↑Verfassung). Verbindet man den Begriff „Verfassung" allein mit einem Staat und reduziert ihn darauf, so wird hinsichtlich der EU, die zwar in erheblichem Umfang Staatsfunktionen ausübt, aber kein Staat ist, nicht nur deren „Verfassungsfähigkeit" in Frage gestellt, sondern provoziert dieser Begriff sogar, wie das Beispiel des gescheiterten Verfassungsvertrags zeigt, Widerstände. Der Begriff e. V. bedarf daher eines Verständnisses, das den bes.n Strukturen der EU als Union der Staaten (↑Staatenverbund; vgl. BVerfGE 89, 155, 188; BVerfGE 123, 267, LS. 1) und der Bürger Rechnung trägt. Wegen dieser Besonderheit der EU hat der Begriff „EU-Verfassungsrecht" eine doppelte Bedeutung, indem er einerseits die e. V. als Bestandteil des ↑Europarechts, andererseits die verfassungsrechtlichen Grundlagen für die EU als Integrationsgemeinschaft mit übertragenen Hoheitsrechten (vgl. Art. 23 GG) in ihren Mitgliedstaaten erfasst. Im Zusammenwirken von beidem zeigt sich die EU als „Verfassungsverbund".

2. „Verfassungsfähigkeit" der EU
Die Ablehnung des Begriffs e. V. beruht auf der Annahme, dass eine Verfassung die Existenz eines Staates voraussetze, woraus gefolgert wird, dass die EU mangels Staatsqualität nicht „verfassungsfähig" (Koenig 1998: 275) sei. Soweit – nicht ganz zu Unrecht – begriffsjuristische Deduktionen befürdorte ist, diese Skepsis verständlich. Anders, wenn man sich des Unterschieds der EU zu einem ↑Bundesstaat bewusst ist. Dieser zeigt sich gerade darin, dass die verfassungsgebende Gewalt für die Unionsverträge EUV und AEUV als der Grund-

lage der EU (vgl. Art. 1 Abs. 3 S. 1 EUV) nicht bei den Unionsorganen, sondern den Mitgliedstaaten als „Herren der Verträge" (vgl. Art. 48 Abs. 4 EUV) liegt, was jetzt durch das Austrittsrecht aus der EU (Art. 50 EUV) bestätigt wurde. Daher war für die 2004 beschlossene Verfassung für Europa ein Vertrag erforderlich, der an der fehlenden Ratifikation durch alle Mitgliedstaaten scheiterte. Bezieht man den Begriff „Verfassung" dann nicht nur auf den Staat als die herkömmliche Form, sondern auf alle Erscheinungsformen institutionalisierter politischer ↑Herrschaft, so spricht dies für einen weiten Verfassungsbegriff, der auch das Primärrecht der EU erfasst, da dieses deren öffentliche Gewalt im Interesse der Bürger ordnen und begrenzen soll.

3. Das Scheitern des Verfassungsvertrags
Ziel des in Rom am 29.10.2004 unterzeichneten VVE war es, nachdem bisherige Initiativen allein von privater Seite sowie 1984 vom ↑Europäischen Parlament, somit nicht von den für die europäische Verfassungsgebung zuständigen Organen, erfolgt waren, den Begriff „Verfassung" im EU-Primärrecht zu etablieren. Ein so bezeichnetes einheitliches Dokument sollte nicht nur die grundlegende Struktur und das Rechtssystem der EU, sondern auch die Werte der Gesellschaften, die sie repräsentiert, zum Ausdruck bringen und nicht nur die bisherigen Errungenschaften der EU systematisieren, sondern eine solide und dauerhafte Grundlage für ihre künftige Entwicklung bieten. Für das Scheitern in den Referenden in Frankreich und den Niederlanden gibt es mehrere Gründe. Ein wichtiger Grund war sicher, dass der Begriff „Verfassung" nicht, wie erwartet, Befürwortung durch die Unionsbürger, sondern die Besorgnis auslöste, in einem damit verbundenen europäischen Staat die nationalen Identitäten zu verlieren. Daher wurde im Vertrag von Lissabon, der den Inhalt des Verfassungsvertrags weitgehend übernahm, bewusst nicht nur auf den Verfassungsbegriff, sondern auch auf das Verfassungskonzept verzichtet. Deutlich wird dies in der Aufteilung auf die Verträge EUV, der durch den Verweis in Art. 6 Abs. 1 die EuGRC einbezieht, und AEUV, sowie durch die unterbliebene Übernahme der ausdrücklichen Bestimmung über den Vorrang des Unionsrechts (Art. I-6 VVE), der Bestimmungen über die Symbole der Union (Art. I-8 VVE) und der in Art. I-33 VVE vorgesehenen Bezeichnungen „Europäisches Gesetz" für Verordnung und „Europäisches Rahmengesetz" für RL (jetzt Art. 288 Abs 2 bzw. 3 AEUV).

4. Das EU-Primärrecht als Verfassung der EU
Gleichwohl gibt es eine e. V., nämlich die Gründungsverträge und ihre Fortentwicklung, jetzt der Vertrag von Lissabon. Sie enthalten mit ihren Garantien, insb. den ↑Grundfreiheiten und der EuGRC, der Festlegung der auf die EU übertragenen Kompetenzen und der Verteilung auf ihre Organe in einem der ↑Gewaltenteilung in einem Staat entspr.en institutionellen Gleichgewicht

wesentliche Elemente von Verfassungen. Damit erfüllen sie für die Ausübung europäischer Herrschaftsgewalt deren zentrale Funktion der Legitimation, Zuweisung und Begrenzung von Herrschaft.

Der ↑EuGH bezeichnete bereits den EWG-Vertrag als „Verfassungsurkunde der Gemeinschaft" (EuGH Rs. 294/83 – Les Verts/EP, Rdnr. 23). Im Gutachten zum von ihm blockierten Beitritt der EU zur ↑EMRK betont der EuGH die Elemente der „Verfassungsstruktur" der EU (Gutachten 2/13 Rdnr. 165). Auch wenn der textliche Aufnahme des Begriffs „Verfassung" zurückgewiesen wurde, was – wie zuletzt die Motive für die Befürworter des Brexit – die Grenzen für eine von den Bürgern aller Mitgliedstaaten akzeptierten Integration und damit für die in der Präambel des EUV angestrebte „immer engere Union der Völker Europas" aufzeigen und Mahnung für die Wahrung der Balance zwischen Union und Mitgliedstaaten sein sollte: Die Verträge (EUV, AEUV, EuGRC) leisten einen Beitrag zur Integration der Unionsbürger in einem zusammenwachsenden politischen Gemeinwesen „EU" und einer dieser und ihrer speziellen Struktur adäquaten europäischen Identität neben der gemäß Art. 4 Abs. 2 EUV zu achtenden jeweiligen nationalen Identität. Zur e. n V. gehört, dass die EU auf ihren Mitgliedstaaten basiert und ihre Fortentwicklung durch Verfassungs-, d. h. Primärrechtsänderung vom einstimmigen Willen aller Mitgliedstaaten und je nach deren verfassungsrechtlicher Regelung (so in Irland) auch vom zustimmenden Votum der Bürger getragen sein muss. Wie bereits der Verfassungsvertrag hat der Vertrag von Lissabon keine verfassungsändernde Gewalt der EU konstituiert, sondern diese bei den Mitgliedstaaten belassen. Dies dürfte auf unabsehbare Zeit das politisch Realistische widerspiegeln und muss daher bei den angesichts der gegenwärtigen Krisen der EU diskutierten Reformen berücksichtigt werden.

Literatur

D. Grimm: Europa ja – aber welches? Zur Verfassung der europäischen Demokratie, 2016 • P. Häberle/M. Kotzur: Europäische Verfassungslehre, ⁸2016 • R. Streinz/C. Ohler/ C. Herrmann: Der Vertrag von Lissabon zur Reform der EU, ³2010 • A. von Bogdandy/J. Bast (Hg.): Europäisches Verfassungsrecht, ²2009 • F. Decker/M. Höreth (Hg.): Die Verfassung Europas. Perspektiven des Integrationsprojekts, 2009 • R. Streinz: Was ist neu am Verfassungsvertrag?, in: C. Gaitanides/S. Kadelbach/G. C. Rodríguez Iglesias (Hg.): Europa und seine Verfassung, 2005, 108–127 • N. Petersen: Europäische Verfassung und europäische Legitimität. Ein Beitrag zum kontraktualistischen Argument in der Verfassungstheorie, in: ZaöRV 64/2 (2004), 449–466 • I. Pernice u. a.: Europäisches und nationales Verfassungsrecht, in: VVDStRL, Bd. 60, 2001, 148–349 • C. Koenig: Ist die Europäische Union verfassungsfähig?, in: DÖV 51/7 (1998), 268–275 • D. Grimm: Braucht Europa eine Verfassung?, in: JZ 50/12 (1995), 581–591.

RUDOLF STREINZ

Europäische Verträge ↑Europäische Union (EU)

Europäische Volkspartei (EVP) ↑Europäische Parteien

Europäische Wirtschafts- und Währungsunion (EWWU)

I. Wirtschaftlich – II. Rechtlich

I. Wirtschaftlich

1. Entstehung, Grundlagen und Ziele

Dieser Beitrag beschreibt, analysiert und bewertet die Entstehung, die Grundlagen und die Ziele der EWWU von ihren Anfängen bis zur Gegenwart. Die WWU wird auch als EWWU bezeichnet. Dies verkürzend ist oft auch – nicht ganz korrekt – von der europäischen Währungsunion die Rede. Ähnliches gilt für die englische Bezeichnung *Economic and Monetary Union*, deren Abkürzung EMU oft irrtümlich als *European Monetary Union* ausbuchstabiert wird. Gleichzeitig wird an dem Element „Monetary" in „Monetary Union" überdeutlich, dass es bei der WWU nicht nur um eine unwiderrufliche Festlegung innereuropäischer ↑Wechselkurse („↑Währungsunion"), sondern auch – gerade aus deutscher Sicht sehr einschneidend – um das Betreiben einer gemeinsamen einheitlichen ↑Geldpolitik geht. Die EWWU hat sich seit ihrer Einführung im Jahre 1999 mit zunächst elf Staaten um weitere Staaten auf nunmehr 19 Mitgliedsländer vergrößert: Griechenland (2001), Slowenien (2007), Malta und Zypern (2008), der Slowakei (2009), Estland (2011), Lettland (2014) und Litauen (2015).

1.1 Deutsche Mark

Die Einführung der DM und die Errichtung eines auf Geldwertstabilität orientierten Zentralbanksystems im Jahr 1948 waren wesentliche Treiber für das schnelle „Wirtschaftswunder" nach den kriegsbedingten Verwerfungen in Westdeutschland. Dabei war ein einmaliger Währungsschnitt keineswegs hinreichend. Der international vergleichsweise geringe Wertverlust der DM und ihre Bedeutung als global zweitwichtigste Währung stellten das Resultat einer konsequenten Stabilitätspolitik der „Bank deutscher Länder" und später der ↑Deutschen Bundesbank dar. Für den Erfolg der Bundesbank war ihre politische Unabhängigkeit maßgeblich. Bei der Schaffung der europäischen Währungsunion und des ESZB stellte diese Erfahrung ein wichtiges Vorbild dar.

1.2 Europäische Währungsintegration

Mit der Unterzeichnung des EU-Vertrags (Vertrag von Masstricht) am 7.2.1992 bereitete die Politik bereits kurz nach der Überwindung der deutschen Teilung einer noch umfassenderen Veränderung im deutschen Geld- und Zentralbankwesen den Boden. Denn mit dem Vertrag verpflichteten sich die Partner, bis spätestens Anfang 1999 schrittweise eine EWWU zu verwirklichen. Im Folgenden werden zunächst die historischen Meilensteine dorthin beschrieben.

1.2.1 Werner-Plan

Erste Vorschläge zu einer stufenweisen Verwirklichung einer Währungsunion in Europa hatte es mit dem „Werner-Plan" – benannt nach dem damaligen luxemburgischen Premierminister Pierre Werner – bereits seit 1970 gegeben. Die Initiative zu diesem Bericht kam v. a. vom damaligen Bundeskanzler Willy Brandt. Der Bericht war spezifisch im Hinblick auf das finale Ziel der EWWU, das bereits zehn Jahre später (1980) umgesetzt sein sollte. Die EWWU sollte eine „total and irreversible convertibility of currencies, the elimination of fluctuation in exchange rates, the irrevocable fixing of parity rates and the complete liberalisation of capital flows" beinhalten (Werner u. a. 1970: 10). Der Werner-Bericht empfahl darüber hinaus eine vollständige Zentralisierung der Fiskalpolitik. In diesem Zusammenhang enthielt er den Vorschlag, eine neue Institution mit Entscheidungsgewalt auch über nationale Fiskalpolitiken zu gründen – das „Centre of Decision for Economic Policy" (Gros/Thygesen 1998: 403). Dieses sollte dem ↑Europäischen Parlament gegenüber politisch rechenschaftspflichtig sein. In Bezug auf die Ausgestaltung der Institutionen und des Prozedere einer gemeinsamen Geldpolitik blieb der Bericht aber eher vage.

So wird deutlich, dass der *ganzheitliche Politikansatz* des ehemaligen Luxemburger Staatsministers P. Werner auch seine ↑Finanz- und Währungspolitik umfasst. ↑Geld stellt für ihn nicht nur Zahlungsmittel, sondern auch ein *politisches und sogar philosophisches Mittel* dar. Der von P. Werner bereits in Etappen geplante Euro war die „monetäre Verkörperung einer gemeinsamen politischen Zukunft" (Werner u. a. 1970: 10), also deutlich mehr als ein Fortschritt in Richtung europäischer Integration durch ein konkretes ökonomisches Projekt im Sinne Jean Monnets. Der spätere Euro stellte für ihn – wie heute noch für die Vertreter einer „alternativlosen" Rettung des Euros in seiner gegenwärtigen Zusammensetzung – nicht weniger eine Frage des „Fortschritts oder des Rückschritts der Union" (Werner u. a. 1970: 31) dar. P. Werner sah die wirtschaftlichen Ungleichgewichte in der damaligen EWG kritisch und eine Gemeinschaftswährung als Lösung dieses Problems. Angesichts des schwierigen wirtschaftlichen Umfeldes, das in den 1970er Jahren vorherrschte (Dollar-Verfall, Zusammenbruch des Systems von ↑Bretton Woods und Ölpreisschock), wurden diese Pläne zunächst aber nicht weiter verfolgt. Allerdings wurde 1979 das EWS aus der Taufe gehoben.

1.2.2 Delors-Bericht

Mitte der 1980er Jahre griffen europäische Politiker die Überlegungen zu einer WWU erneut auf. Eine von den Staats- und Regierungschefs beauftragte Sachverstän-

digengruppe um den damaligen EG-Kommissionspräsidenten Jacques Delors legte 1989 einen Bericht vor („Delors-Bericht"), der die Idee einer *schrittweisen, dreistufigen Währungsintegration* enthielt.

In einer *ersten Stufe* sollten die noch bestehenden Beschränkungen des Kapitalverkehrs zwischen Mitgliedstaaten aufgehoben und eine engere Koordinierung der ↑Wirtschafts- und Währungspolitiken herbeigeführt werden. Dies wurde bereits als in Sichtweite befindlich angesehen. Hierfür ist die EcoFin-Entscheidung vom Juni 1988 zu beachten, die Kapitalbewegungen für die meisten EWS-Mitglieder mit Wirkung von Juli 1990 und für vier weitere mit Wirkung von 1992–95 zu liberalisieren, und den generellen Fortschritt bei der Finanzmarktintegration unter dem „1992"-Programm. In der *zweiten Stufe* sollten die grundlegenden Organe und Strukturen installiert werden, darunter v. a. ein europäisches System von unabhängigen Zentralbanken. In der *dritten Stufe* schließlich sollten, als entscheidender Schritt, Wechselkurse unwiderruflich fixiert, die monetären und wirtschaftlichen Kompetenzen auf die Gemeinschaftsorgane übertragen und eine einheitliche ↑Währung eingeführt werden.

Während der Werner-Plan noch eine vollständige Zentralisierung der Fiskalpolitik zur Sicherung einer flexiblen Stabilisierungspolitik mit Ermessensspielräumen empfahl, beließ der Delors-Bericht die Fiskalpolitik in den Händen der Nationalstaaten.

Der Delors-Bericht beinhaltete keinen radikalen Anstieg des EU-Budgets, ließ aber einen Ausbau der Regional- und Strukturpolitiken nach 1993 über die bereits 1988 beschlossene Verdoppelung der Transfers in benachteiligte Regionen hinaus offen. V. a. aber ist keine Rede von der Notwendigkeit eines automatischen Transfermechanismus, der die Effekte asymmetrischer Schocks auf Mitgliedstaaten eliminiert. Insgesamt gesehen offenbarte der Delors-Bericht eine positivere Einschätzung der Fähigkeiten von Preisflexibilität und Faktormobilität, die Anpassungsprobleme innerhalb der EWWU zu beheben, als der Werner-Plan.

Schließlich teilten die Autoren des Delors-Berichts auch nicht die Vorteile einer aktiven, mit viel Ermessensspielraum *(discretion)* versehenen, Fiskalpolitik und betonten stattdessen den Bedarf einer Stärkung der Konvergenz durch mittelfristige Vorgaben für nationale Haushaltspolitiken *(rules)*. Dementsprechend spricht die französische Seite immer noch von *two dreams* in Bezug auf Politikkoordinierung, von denen nur der erste, der disziplinierende, deutsche Ansatz, später im Maastrichter Vertrag implementiert worden sein soll.

Der Delors-Bericht nahm auch den Vorschlag des Werner-Plans, ein *Centre of Decision for Economic Policy* zu gründen, nicht mehr auf. Es sah den bereits existierenden EcoFin-Rat *(Rat Wirtschaft und Finanzen)* als hinreichend für die weniger aktivistischen und mit weniger Ermessensspielraum versehenen Operationen, die ihm vorschwebten, an. In diesem Sinne waren die politischen

Implikationen des Delors-Berichts weniger weitreichend. Die EWWU in ihrer Vision wollte weniger eine politische Union sein, als der Werner-Bericht vorsah.

Ein weiterer entscheidender Unterschied zum Werner-Plan bestand darin, dass die Einführung einer gemeinsamen Währung unmittelbar nach Eintritt in die dritte Stufe vollzogen werden sollte. Dies drücke v. a. die *Irreversibilität* der Bewegung hin zu einer EWWU aus.

Die Vorschläge des Delors-Berichts für das ESZB waren in Bezug auf dessen Mandat, seine Funktionen, seine Struktur und Organisation und seinen Status sehr explizit. Das ESZB sollte auf das *vorrangige Ziel Preisniveaustabilität* verpflichtet werden. Das Adjektiv „vorrangig" wurde nicht zuletzt auf deutschen Druck hin im Entwurf des Statuts und in Art. 105 der vorgeschlagenen Vertragsänderung nachträglich eingefügt. Ist dieses erfüllt, soll das ESZB die allg.e Wirtschaftspolitik auf der Gemeinschaftsebene unterstützen. Das System solle eine *föderale* Struktur haben und von einem Rat geleitet werden, der aus den nationalen Zentralbankgouverneuren und den Mitgliedern eines Direktoriums bestehen sollte, deren Mitglieder vom ↑Europäischen Rat zu ernennen sind.

Der Bericht machte zwar keine Vorschläge für die Stimmrechte bei der Formulierung der gemeinsamen Geldpolitik. Er spezifizierte aber, dass die Mitglieder des ESZB-Rates *unabhängig* von Weisungen der nationalen Regierungen und Gemeinschaftsinstitutionen sein müssen. Dies machte das im Maastrichter Vertrag verankerte *One person, one vote*-Abstimmungsprinzip zu einer natürlichen Wahl. Zudem unterliegt das ESZB umfangreichen Berichtspflichten gegenüber dem Europäischen Parlament und dem Europäischen Rat, um seine Pflicht zur Rechenschaftslegung *(Accountability)* zu erleichtern.

Diese Bestimmungen waren klar und weitreichend. Sie beinhalteten die Hauptprinzipien der beiden deutschen Memoranda von Anfang 1988 und die viel konkreteren Positionen, die vom Bundesbankpräsidenten zu Beginn der Arbeit des Delors-Komitees eingereicht wurden. Die Meinungen der Zentralbank-Gouverneure in der Delors-Kommission konvergierten offensichtlich sehr schnell zu der Ansicht, dass das deutsche Modell der Bundesbank in Bezug auf Mandat, Struktur und Beziehung zu anderen politischen Institutionen das geeignete Vorbild für das ESZB sei. Denn das Bundesbank-Modell war für die Gouverneure, auch aus Eigennutz, sehr attraktiv im Hinblick auf die Autonomie bei der Formulierung und Implementierung der Geldpolitik. Diese Entscheidung basierte aber nicht auf einer eingehenden Prüfung des Bundesbank-Modells oder anderer föderaler Modelle wie das der US-amerikanischen Geldpolitik. Deutsche Interessen wurden auf dem geldpolitischen Gebiet durch die Besetzung des Delors-Komitees mit einer hinreichenden Zahl an Notenbankern durchgesetzt.

Überraschend war, dass sich die politischen Akteure, v. a. aber die Mitglieder des EcoFin-Rats, nicht gegen einen Vorschlag wendeten, der dem ESZB deutlich mehr Unabhängigkeit zukommen ließ als sie ihren eigenen nationalen Notenbanken zu gewähren bereit waren. Tatsächlich gab es keine bedeutenden Meinungsverschiedenheiten über die wichtigsten Regelungen für das ESZB im Rahmen der *Intergovernmental Conference*-Verhandlungen.

Bei der genauen Beschreibung der einzelnen Stufen hin zur EWWU war ein Konsens jedoch schwieriger zu erreichen. So äußerte sich Bundesbankpräsident Karl Otto Pöhl damals dezidiert kritisch zu Formulierungen, die in einer Übergangsphase eine Aufteilung geldpolitischer Kompetenzen zwischen nationalen Notenbanken und dem ESZB zuließen. Hierdurch könne es zu Schwierigkeiten geldpolitischer Koordinierung und zu einer Aufweichung der Währungen kommen. Des Weiteren sahen deutsche Vertreter anders als z. B. die französischen in einer parallelen (privaten) Verwendung der europäischen Währungseinheit *Inflationsgefahren* (↑Inflation) und eine *Erschwerung der Koordinierung nationaler Geldpolitiken*.

1.2.3 Die Beschlüsse von Maastricht

Die Vorschläge des Delors-Komitees bildeten schließlich die *Grundlage für die Beschlüsse von Maastricht*. Der EUV wurde am 7.2.1992 im niederländischen Maastricht vom Europäischen Rat unterzeichnet. Die gemeinsame Währung sollte den ↑Europäischen Binnenmarkt absichern und vollenden, der 1992 weitgehend verwirklicht worden war. Darüber hinaus sollte die gemeinsame Währung die ↑EU auf dem Weg zu einer echten politischen Union weiterbringen. Dieser Prozess hatte bereits im Jahre 1957 mit der Unterzeichnung der Römischen Verträge begonnen und sich später über die Zollunion und das EWS fortgesetzt.

Der Vertrag beinhaltet v. a. Änderungen des EG-Vertrages, in den v. a. die Bestimmungen zur Schaffung der EWWU in drei Stufen eingefügt werden. Gemäß Vertragstext sollte in der EU frühestens zum 1.1.1997, spätestens aber zum 1.1.1999 eine gemeinsame Währung (Euro) eingeführt werden. Ein Land muss bestimmte wirtschaftliche Kriterien (die EU-*Konvergenzkriterien*, auch als *Maastricht-Kriterien* bezeichnet) erfüllen, um an der Währungsunion teilzunehmen. Damit soll die Stabilität der gemeinsamen Währung gesichert werden. Dabei geht es um Kriterien, die Haushalts-, Preisniveau-, Zinssatz- und Wechselkursstabilität gewährleisten sollen. Das Kriterium der Haushaltsstabilität (Defizitquote unter 3 % und Schuldenstandsquote unter 60 % des BIP) wurde später durch die Einrichtung des ↑Stabilitäts- und Wachstumspaktes als dauerhaftes Kriterium ausgelegt, die anderen Kriterien müssen Mitgliedstaaten nur vor der Euro-Einführung erfüllen. Der Fokus lag also auf der *nominalen* Konvergenz und nicht auf der *realwirtschaftlichen* Konvergenz, also ähnlicher

Industriestrukturen, wettbewerbsfähiger realer Wechselkurse und einer hohen Korrelation von Konjunkturzyklen.

Der Vertrag fordert zudem, dass Länder dem Euro beitreten *müssen*, sobald sie die Konvergenzkriterien erfüllen. Die Entscheidung hierüber hat der Ministerrat (↑Rat der Europäischen Union) zu treffen. Lediglich das Vereinigte Königreich und Dänemark behielten sich das Recht vor, selbst über den Beitritt zur Währungsunion zu entscheiden *(opting out)*.

1.2.4 Stufenplan zur Errichtung der EWWU und seine Realisierung

Die Staats- und Regierungschefs der EU einigten sich Ende 1989 darauf, mit der *ersten* Stufe der EWWU bereits am 1.7.1990 zu beginnen. In dieser Phase ging es darum, die nationale Geld- und Fiskalpolitik stärker auf die Erfordernisse der Preisstabilität und Haushaltsdisziplin auszurichten. Dazu sollten auch Maßnahmen beitragen, die die Unabhängigkeit der Zentralbanken von den Regierungen stärkten. Darüber hinaus hoben die teilnehmenden Staaten alle Kapitalverkehrskontrollen auf, um einen uneingeschränkten Kapitalverkehr zu gewährleisten.

Zu Beginn der *zweiten Stufe* der EWWU am 1.1.1994 wurde das EWI als Vorgängerinstitut der ↑EZB mit Sitz in Frankfurt am Main gegründet. Seine Aufgaben bestanden in der regulatorischen, organisatorischen und logistischen Vorbereitung der Währungsunion. Gleichzeitig sollte das EWI die geldpolitische Koordination im Hinblick auf die kommende Währungsunion verbessern. Bis zum Beginn der dritten Stufe der EWWU am 1.1.1999 verblieb die Verantwortung für die Geldpolitik jedoch bei den nationalen Zentralbanken.

Der ↑Europäische Rat ließ im Mai 1998 elf beitrittswillige Länder zur *dritten Stufe* der EWWU zu. Sie alle hatten in den Jahren zuvor Stabilitätserfolge erzielt. Die Staats- und Regierungschefs nominierten zudem die Mitglieder des Direktoriums der EZB. Damit konnten die EZB und das ESZB ihre Arbeit am 1.6.1998 aufnehmen. Zu Beginn der dritten Stufe am 1.1.1999 trat die Währungsunion in Kraft. Der Euro ersetzte in den elf teilnehmenden Ländern (Belgien, Deutschland, Finnland, Frankreich, Irland, Italien, Luxemburg, Niederlande, Österreich, Portugal, Spanien) die bisherigen nationalen Währungen. Zunächst gab es den Euro drei Jahre lang nur als Buchgeld. Vom 1.1.2002 an wurde der Euro in allen zum Euro-Raum gehörenden Staaten auch als Bargeld eingeführt.

Die Deutsche Bundesbank ist als Zentralbank der BRD neben den übrigen nationalen Zentralbanken Teil des Eurosystems sowie des ESZB. Ihr Präsident gehört dem EZB-Rat und dem Erweiterten Rat an. Sie vertritt die deutschen Interessen in zahlreichen internationalen Gremien, darunter bspw. im ↑IWF und im *Europäischen Ausschuss für Systemrisiken*.

Die Bundesbank (2015) beschreibt die Ausgestaltung des Eurosystems und des ESZB, dessen Organe (EZB-Rat, Abstimmungsregeln im EZB-Rat, EZB-Direktorium), der Sicherung der Preisstabilität als Aufgabe des Eurosystems, die Vorteile der Preisniveaustabilität (Lehren aus der Geschichte), die Unabhängigkeit der EZB und des ESZB, den Stabilitäts- und Wachstumspakt, das Verbot der monetären Staatsfinanzierung und den gegenseitigen finanzpolitischen Haftungsausschluss genauer.

Die gegenwärtige deutsche Regierung hat zur Zeit ein großes Interesse, auch Länder wie Polen oder Tschechien zum EWWU-Beitritt zu bewegen, da sie sich hiervon u. a. Mehrheiten für ihren angestrebten geldpolitischen Kurs, der mehr oder weniger dem der früheren Bundesbank entspr., erhofft.

2. Der Ordnungsrahmen der Europäischen Wirtschafts- und Währungsunion
2.1 Fundamentalprinzipien

Die Politiker, die die WWU schufen, folgten zwei Leitgedanken: Zum einen sollten die Vorteile einer Währungsunion nutzbar gemacht werden, zum anderen aber sollten die nationalen Parlamente und Regierungen der Mitgliedstaaten weiterhin für die Finanzpolitik zuständig sein. Als Ergebnis ist die *Geldpolitik* in der Währungsunion *zentralisiert*, während die *Finanzpolitik* dezentral ausgeübt wird – wobei allerdings mehrere institutionalisierte Verfahren für eine Koordination sorgen sollen. Dieser Ordnungsrahmen wurde in Reaktion auf die ↑Finanzmarkt- und ↑Staatsschuldenkrise in mehrfacher Hinsicht weiterentwickelt und gestärkt.

Die *Fundamentalprinzipien*, die dem *System der Wirtschaftspolitik in der EWWU* zugrunde liegen, gehen bis auf die Römischen Verträge oder sogar noch weiter zurück und sind die Folgenden:
a) Scharfe Trennung der Verantwortlichkeiten zwischen Geld- und Fiskalpolitik;
b) Primat der Preisniveaustabilität für die Geldpolitik;
c) Ausrichtung nationaler Fiskalpolitiken an den Grenzen für exzessive Defizite, um Preisniveaustabilität zu gewährleisten (Insolvenzen von Staaten standen bis zur Finanzkrise 2008 noch nicht im Vordergrund).
Die *institutionelle Umgebung*, in der diese beiden klassischen makroökonomischen Politikinstrumente wirken, wird bestimmt durch:
a) Präferenz für marktbasierte Lösungen;
b) Akzeptanz einer beschränkten Umverteilungsfunktion auf der europäischen Ebene, eher fokussiert auf Regionen (nicht Länder) als auf gesellschaftliche Klassen;
c) Durchführung gemeinschaftlicher Politiken auf einer beschränkten Zahl an Gebieten mit einem relativ bescheidenen Budget.
Die EU verfügt somit im weitesten Sinne über einen wohldefinierten Rahmen für die Wirtschaftspolitik, der auch als ↑Ordnungspolitik bezeichnet und als im deutschen Interesse liegend betrachtet werden könnte. Aus deutscher Sicht stellen sich die Vorteile des größeren

Währungsraums aber nur dann ein, wenn die gemeinsame Währung in ihrem Wert stabil ist. Jedes Mitgliedsland in einer Währungsunion muss deshalb nach deutscher Vorstellung seine Wirtschafts-, Finanz- und Lohnpolitik an die veränderten Rahmenbedingungen anpassen. Deshalb sollten bspw. die Tarifparteien bei Lohnerhöhungen die Auswirkungen auf die Wettbewerbsfähigkeit beachten. Denn in einer Währungsunion kann ein Land einem Verlust an internationaler Wettbewerbsfähigkeit – z.B. aufgrund überhöhter Lohnsteigerungen – nicht mehr dadurch entgegenwirken, dass es die eigene Währung abwerten lässt.

Um die Risiken der europäischen Währungsunion mit ihren speziellen Bedingungen zu begrenzen, setzten die politischen Gründer auf eine *Doppelstrategie:* Zum einen sollten rechtliche Vorschriften den Spielraum der nationalen Politiken einschränken, zum anderen sollten „Sanktionen durch den Markt" disziplinierend wirken. Niedergelegt wurden diese Vorschriften zunächst im EUV und im *Stabilitäts- und Wachstumspakt.* Beide Regelwerke wurden im Laufe der Zeit *mehrfach verändert.* So wurde der EUV zum AEUV weiterentwickelt. Insb. in Reaktion auf die Staatsschuldenkrise wurden die Regelwerke um weitere Abkommen ergänzt sowie neue Institutionen geschaffen.

2.2 Maßnahmen zur Eurorettung und Anpassung des Ordnungsrahmens

Erzwungen durch die im Winter 2009/10 ausbrechende Staatsschuldenkrise und ihre Zuspitzung im Mai 2010 wurden von der europäischen Politik zahlreiche Initiativen ergriffen. In einer bisher unbekannten Frequenz von „Krisengipfeln" setzten sie in der Folge vielfältige Rettungsmaßnahmen in Kraft, um die Solvenz aller Euro-Mitgliedsländer zu bewahren und Gefahren für die Stabilität des Finanzsystems durch Ansteckung *(contagion)* in der Eurozone entgegenzuwirken. Darüber hinaus einigten sie sich auf neue Regeln zur Ausgestaltung *(governance)* der Wirtschafts- und Finanzpolitik, um die EU zu stärken und künftigen Krisen vorzubeugen.

Die seit Jahren latente und ab 2010 offenkundig gewordene und bis jetzt ungelöste griechische Staatsschuldenkrise (Finanzkrise) erforderte sogar noch weiter gehende Maßnahmen. Es wurden insgesamt *drei Griechenland-Programme* aufgelegt, die jeweils von der deutschen Bundesregierung mitgetragen wurden. Als Gegenleistung für die Kredite musste sich die griechische Regierung auf *einschneidende Reformen* festlegen, die das jährliche Haushaltsdefizit verringern und makroökonomische Fehlentwicklungen korrigieren. Programmelemente bestanden in signifikanten Kürzungen der Sozialausgaben sowie Steuererhöhungen – umgangssprachlich auch *Austerität* genannt.

Die Einhaltung dieser Bedingungen (Konditionalität) wurde jeweils von der *Troika* (IWF, EZB, ↑Europäische Kommission) überwacht, da es sich um bilaterale Verträge der Euro-Partner mit dem Schuldner Griechenland

handelte. Kritiker sahen hierin trotzdem eine Umgehung der *No Bail-out*-Regel. *Weitere Programmländer* waren Irland, Portugal und Spanien (auf die Bankenrettung begrenzt), die allesamt den Rettungsschirm wieder verlassen haben. Ein weiteres Programmland ist Zypern.

Da die Lage an den ↑Finanzmärkten trotz Verabschiedung des ersten Programms für Griechenland immer dramatischer wurde und die Finanzstabilität in der Eurozone akut bedroht erschien, beschlossen die EU-Politiker eine Folge von Stabilisierungsmaßnahmen: eine *beschleunigte Konsolidierung der öffentlichen Haushalte,* eine *Reform des fiskalischen Regelwerks* und einen großen Rettungsschirm. Finanziell angeschlagene Länder sollten mit den Finanzmitteln dieser Fonds rasch Unterstützung erhalten können, was die privaten Gläubiger der überschuldeten Staaten beruhigen sollte. Bereits 2010 schuf die EU den EFSM und die EFSF als vorübergehende Rettungsmaßnahmen.

Im Dezember 2010 dann beschloss der Europäische Rat, mit dem ESM einen Fonds als permanenten Rettungsschirm einzurichten. Der Fonds soll bereitstehen, um im Krisenfall die gesamte Eurozone zu stabilisieren. Zu diesem Zweck soll er in „vorübergehende" Zahlungsschwierigkeiten geratene Euro-Mitgliedsländer mit Krediten und anderen Maßnahmen unterstützen und diese im Gegenzug nach Maßgabe eines Reformprogramms zu Korrekturmaßnahmen verpflichten. Ziel dabei ist wiederum die Beruhigung der Finanzmärkte. Der ESM stand im weiteren Verlauf der ↑Eurokrise immer wieder als maßgebliches Zentrum von Vorschlägen für eine nachhaltige Weiterentwicklung der ↑Governance der Eurozone im Mittelpunkt, so z.B. für einen EWF.

2.3 Reform des Stabilitäts- und Wachstumspakts und Fiskalpakt

Über die kurzfristigen Rettungsmaßnahmen hinaus erarbeiteten die EU-Politiker zahlreiche Programme, die darauf abzielen, die eigentlichen Ursachen der Krise zu beseitigen und die Währungsunion langfristig zu stabilisieren und zu stärken. Dazu zählt eine *Reform des Stabilitäts- und Wachstumspakts,* die im Dezember 2011 in Kraft getreten ist. Der Pakt sieht seither u.a. *strengere Vorgaben für die staatliche Budgetpolitik* vor, wenn ein Land bei der Schuldenquote die Grenze von 60 % verletzt. Der „überschießende" Prozentsatz muss jährlich um ein Zwanzigstel abgebaut werden. Auch der Sanktionsmechanismus bei Nichtbefolgen der Vorgaben wurde leicht verschärft.

Im Frühjahr 2012 einigten sich die Regierungen von 25 der damals 27 EU-Länder v.a. auf deutsche Initiative auf ein Vertragswerk, das als Gegenstück zur Aufgabe grundlegender Prinzipien bei der Geldpolitik seit Mai 2010 für mehr Haushaltsdisziplin sorgen soll, den sog.en *Fiskalpakt (fiscal compact;* vollständige deutsche Bezeichnung: *Vertrag über Stabilität, Koordinierung und Steuerung in der Wirtschafts- und Währungsunion).* Der Fiskalpakt trat Anfang 2013 in Kraft. Er ergänzt und ver-

schärft den reformierten Stabilitäts- und Wachstumspakt. Da das Vereinigte Königreich und Tschechien ihre
Teilnahme ablehnten, ist der Fiskalpakt keine Ergänzung
des AEUV, sondern ein zwischenstaatliches Abkommen.

Der Fiskalpakt sieht u. a. vor, dass jedes teilnehmende
Land eine „Schuldenbremse" einführen muss. Im Rahmen der Schuldenbremse darf der ↑Staatshaushalt nach
einer Übergangszeit im Normalfall nur ein sehr geringes strukturelles Defizit aufweisen. Verletzt ein Staat
diese Regeln, wird automatisch ein Korrekturmechanis-
mus eingeleitet, der darauf abzielt, die Fehlentwicklung
zu korrigieren. Außerdem wurde im Rahmen des Fiskal-
pakts festgelegt, dass ein Defizitverfahren nur durch
eine Zweidrittel-Mehrheit der Finanzminister gestoppt
werden kann. Insofern geht diese Bestimmung über die
Regeln zum Defizitverfahren im Stabilitäts- und Wachstumspakt hinaus und entspr. deutschen Interessen.

2.4 Weitere Maßnahmen zur Stärkung der Wirtschafts- und Währungsunion

Neben den kurzfristigen Rettungsmaßnahmen erarbeiteten die EU-Politiker zahlreiche Programme, welche
darauf zielen, die eigentlichen Ursachen der Krise zu
beseitigen und die Währungsunion langfristig zu stabilisieren und zu stärken. Neben der *Errichtung des ESM*
zählt Folgendes dazu:

a) Europäisches Semester: Demnach müssen die EU-
Regierungen von 2011 an die Planungen für ihre Staatshaushalte frühzeitig den europäischen Gremien mitteilen und ihre Planungen ggf. anpassen.

*b) Verfahren bei gesamtwirtschaftlichen Ungleichgewich-
ten:* Ein Frühwarnsystem macht die EU-Länder auf entstehende Ungleichgewichte aufmerksam, bspw. in der
Leistungsbilanz. EU-Kommission und Rat können dem
Land Maßnahmen zur Korrektur der Ungleichgewichte
empfehlen und ggf. Sanktionen verhängen. Der deutsche Einfluss zeigt sich hier darin, dass der kritische
Wert für Leistungsbilanzüberschüsse bei 6 % des BIP,
der für Defizite aber schon bei -4 % liegt. Diese Asymmetrie wird von deutscher Seite mit der Argumentation
untermauert, nur Länder mit Leistungsbilanzdefiziten
seien in der Vergangenheit von spekulativen Attacken
heimgesucht worden.

c) Wie weiter oben schon erwähnt, betrifft ein wichtiger Aspekt der deutsch-französischen EWWU-Debatte
die Frage, ob ein gewisser Grad an *Symmetrie makroökonomischer Anpassungen* in der EWWU angestrebt und
schriftlich fixiert werden sollte bzw. könnte. Dies stellt
eine konstante Forderung der französischen Seite seit
spätestens 1974 dar. Man denke nur an die Vision Valéry
Giscard d'Estaings eines auf der Korbwährung ECU basierenden EWS (die von Bundeskanzler Helmut
Schmidt unterstützt wurde) und den Beginn der
EWWU-Debatte durch Frankreich (und Italien) mit
dem Ruf nach Nachfrage-Stimulierung in Deutschland,
als der deutsche Leistungsbilanzüberschuss stetig wuchs
und an den Fourcade-Plan für symmetrischere Interven-

tionsregeln im Rahmen der Währungsschlange. Aber
letztendlich wurde die EWWU *asymmetrisch* ausgestaltet, um eine Konvergenz zur besten und nicht zur durchschnittlichen Performance zu gewährleisten.

d) Euro-Plus-Pakt: Im Frühjahr 2011 einigten sich die
Euroländer sowie einige weitere EU-Länder auf Initiative v. a. der deutschen Bundesregierung auf die Selbstverpflichtung, einmal jährlich konkrete nationale Ziele
und Maßnahmen zur Förderung von Wettbewerbsfähigkeit, Beschäftigung, Tragfähigkeit der öffentlichen Finanzen und Finanzstabilität zu benennen – und sich
an der Umsetzung dieser Ziele messen zu lassen.

Literatur

A. Belke: Der Fiskalpakt als Vertrag außerhalb des EU-Rah-
mens, in: U. von Alemann u. a. (Hg.): Ein soziales Europa ist
möglich, 2015, 285–309 • A. Belke: Rezension Winfried Böttcher. Klassiker des europäischen Denkens – Friedens- und Eu-
ropavorstellungen aus 700 Jahren europäischer Kulturgeschichte, in: Credit and Capital Markets 48/2 (2015), 359–
364 • D. Gros/C. Alcidi: Economic Policy Coordination in the
Euro Area under the European Semester, In-depth Analysis,
2015 • P. Krugman/M. Obstfeld/M. Mélitz: International Economics [10]2015 • C. Alcidi u. a.: State-of-Play in Implementing
Macroeconomic Adjustment Programmes in the Euro Area,
2014 • A. Sapir: France and Germany Must Both Change
Their Economic Strategy (13.2.2014), URL: http://bruegel.
org/2014/02/france-and-germany-must-both-change-eco
nomic-strategy/ (abger.: 27.2.2018) • A. Belke: Towards a Genuine Economic and Monetary Union – Comments on a
Roadmap, in: Politics and Governance 1/1 (2013), 48–65 •
A. Belke: The Eurozone Crisis and Debt Mutualization:
Assessing the Merkel Government View, in: Applied Economics Quarterly – Konjunkturpolitik 58/4 (2012), 265–278 •
A. Belke/B. von Schnurbein: European Monetary Policy and
the ECB Rotation Model. Voting Power of the Core versus the
Periphery, in: Public Choice 151/1 (2012), 289–323 • Euro-
pean Commission/DG ECFIN (Hg.): Current Account Sur-
pluses in the EU, European Economy (2012) • N. Thygesen:
Different Perceptions of EMU Among Member States, Back-
ground for presentation at Euro Symposium Universität
Bayreuth, comments by A. Belke, 2012 • A. Belke: „EU Governance" und Staateninsolvenz – Optionen jenseits der Kom-
missionsvorschläge, in: ORDO 62 (2011), 29–70 • A. Belke/
C. Dreger: Das zweite Rettungspaket für Griechenland, in:
WD 91/9 (2011), 601–607 • A. Belke/C. Dreger: Ramifica-
tions of Debt Restructuring on the Euro Area. The Example
of Large European Economies' Exposure to Greece, in: Inter-
economics – Review of International Trade and Development
46/4 (2011), 188–196 • J. Pisani-Ferry: Only One Bed for Two
Dreams: A Critical Retrospective on the Debate over the Economic Governance of the Euro Area, in: JCMS 44/4, 2006,
823–844 • A. Belke/F. Baumgärtner/W. Kösters: Was bleibt
vom Maastrichter Stabilitätsversprechen?, in: WD 84/1
(2004), 22–25 • A. Szasz: The Road to Monetary Union, 1999
• D. Gros/N. Thygesen: European Monetary Integration,
1998 • A. Belke: Die Maastrichter Beschlüsse, in: wisu 21/8–
9 (1992), 626–628 • A. Belke: Probleme und Risiken der Europäischen Wirtschafts- und Währungsunion, in: wisu 21/11
(1992), 864–866 • A. Belke/B. J. Kruth/W. Kölsters: Monetäre Integration in Europa. Grundlagen, Entwicklungen und

Perspektiven nach den Maastrichter Beschlüssen, in: Wirtschaftliche Grundbildung 2/92 (1992), 17–25 • Committee for the Study of Economic and Monetary Union (Hg.): Report on Economic and Monetary Union in the European Community (the Delors Report), 1989 • K. O. Pöhl: The Further Development of the European Monetary System, in: Committee for the Study of Economic and Monetary Union (Hg.): Report on Economic and Monetary Union in the European Community, 1989, 131–155 • G. Amato: Un Motore per lo SME, Il Sole 24 Ore, 1988 • E. Balladur: Europe's Monetary Construction, Memorandum to ECOFIN Council, Ministry of Finance and Economics, 1988 • F. E. Kydland/E. C. Prescott: Rules Rather than Discretion: The Inconsistency of Optimal Plans, in: JPE 85/3, 1977, 473–490 • N. Kloten: Germany's Monetary and Financial Policy and the European Community, in: W. L. Kohl/G. Basevi (Hg.): West Germany: A European and Global Power, 1970, 177–199 • P. Werner u. a.: Report to the Council and the Commission on the Realisation by Stages of Economic and Monetary Union in the Community (the Werner Report), of the European Communities, Supplement to Bulletin II-1970, 1970 • W. Eucken: Grundsätze der Wirtschaftspolitik, 1952.   ANSGAR BELKE

II. Rechtlich

1. Entstehung

Die EWWU wurde mit Wirkung zum 1.11.1993 von den damals zwölf europäischen Mitgliedstaaten durch den in Maastricht geschlossenen EUV geschaffen. Ihr Grundkonzept beruhte auf Vorarbeiten eines Ausschusses unter Leitung des damaligen Präsidenten der Kommission Jacques Delors aus den Jahren 1988/89, der wiederum auf Überlegungen im Werner-Plan (1970) zurückgreifen konnte. Die Ziele waren, den ↑Europäischen Binnenmarkt um eine gemeinsame ↑Währung zu ergänzen und zugl. ein politisches Signal zu setzen, dass die Mitgliedstaaten um der „immer engeren Union der Völker Europas" (Art. 2 Abs. 2 EUV) willen auf ihre Hoheitsrechte im Bereich der Währungspolitik verzichten. Das deutsche Zustimmungsgesetz zum Vertrag von Maastricht war nach Ansicht des ↑BVerfG verfassungsgemäß. Allerdings betonte das BVerfG, dass die EWWU als Stabilitätsgemeinschaft konzipiert sei, die Grundlage und Gegenstand des deutschen Zustimmungsgesetzes sei. Konstitutive Elemente dieser Stabilitätsgemeinschaft sind das vorrangige Gebot der Preisstabilität, das Verbot der monetären Haushaltsfinanzierung, die Eigenständigkeit der nationalen Haushalte, das Verbot der direkten oder indirekten Vergemeinschaftung von Staatsschulden und die Stabilitätskriterien für eine tragfähige Haushaltswirtschaft.

Die Einführung der EWWU erfolgte in drei Stufen. Die erste Stufe, die den Zeitraum vom 1.7.1990 bis zum 31.12.1993 umfasste, diente v. a. der vollständigen Einführung des freien Kapitalverkehrs zwischen den Mitgliedstaaten. In der zweiten Stufe vom 1.1.1994 bis zum 31.12.1998 wurde das EWI als Vorgängerin der ↑EZB gegründet, das die Vorbereitungen für die Einführung der dritten Stufe traf. Zugl. traten die primärrechtlichen Regelungen zur wirtschaftspolitischen Koordinierung und zur haushaltspolitischen Disziplinierung der Mitgliedstaaten in Kraft. Der Eintritt in die dritte Stufe zum 1.1.1999 erfolgte zunächst nur für die elf Mitgliedstaaten, für die der ↑Rat der Europäischen Union zuvor positiv festgestellt hatte, dass sie die vom europäischen Primärrecht vorgesehenen Konvergenzkriterien erfüllten. Die EZB übernahm die Zuständigkeit für die ↑Geldpolitik für die neue einheitliche Euro-Währung. Die Währungen der teilnehmenden Mitgliedstaaten wurden anhand zuvor festgelegter Umrechnungskurse durch den Euro ersetzt. Zwischen dem 1.1.1999 und dem 31.12.2001 existierte der Euro zunächst nur als Buchgeld, während die Stückelungen der nationalen Währungen (Münzen und Geldscheine) rechtlich als Denominationen des Euro behandelt wurden. Euro-Münzen und Euro-Geldscheine wurden erst ab 1.1.2002 in Verkehr gebracht. Die Euro-Zone wurde mit dem Beitritt Griechenlands im Jahr 2002 um ihr zwölftes Mitglied erweitert und wuchs bis zum Jahr 2015 auf 19 der aktuell 28 Mitgliedstaaten an.

2. Räumliche Geltung

Die Unionsverträge beruhen auf dem Grundsatz, dass alle Mitgliedstaaten der EWWU beitreten und insoweit auch den gleichen haushalts- und währungsrechtlichen Vorgaben unterliegen. Sonderregelungen gelten nur für das Vereinigte Königreich und Dänemark, die sich auf primärrechtliche Ausnahmen in Protokollen zu den Verträgen berufen können. Beide Mitgliedstaaten befinden sich rechtlich noch in der zweiten Stufe der EWWU, können aber jederzeit beantragen, dass sie ihren Sonderstatus aufgeben wollen und dann als Kandidaten zur Aufnahme in den Euroraum behandelt werden. Diesen Kandidatenstatus *(Pre-Ins)* genießen zunächst auch alle nachträglich beigetretenen Mitgliedstaaten. Nach der Terminologie der Verträge sind sie „Mitgliedstaaten mit Ausnahmeregelung" (Art. 139 Abs. 1 AEUV). Bevor der Rat positiv über ihren Beitritt beschließt (Art. 140 Abs. 2 AEUV), müssen sie die Unabhängigkeit ihrer nationalen Zentralbank im innerstaatlichen Recht hergestellt haben und die vertraglichen Konvergenzkriterien erfüllen. Dabei handelt es sich um die Erreichung eines hohen Grades an Preisstabilität, eine auf Dauer tragbare Finanzlage der öffentlichen Hand, die Einhaltung der normalen Bandbreiten des Wechselkursmechanismus des EWS und das Niveau der langfristigen Zinssätze (Art. 140 Abs. 1 AEUV). Nähere Definitionen dieser Kriterien finden sich im dem Primärrecht zugehörigen Protokoll über die Konvergenzkriterien. Die Beschränkung auf diese vier Kriterien ebenso wie die mit ihrer Anwendung verbundenen weiten Beurteilungsspielräume zeigen deutlich, dass die Mitgliedschaft in der EWWU auf einer hochgradig politischen Entscheidung beruht. Gesichtspunkte der realen wirtschaftlichen Konvergenz der Mitgliedstaaten, z. B.

hinsichtlich der Wettbewerbsfähigkeit der Unternehmen und der Struktur der ↑Arbeitsmärkte, finden dagegen nur am Rande Berücksichtigung. Eine Besonderheit des Verfahrens besteht zudem darin, dass sich einzelne Mitgliedstaaten dem Beitritt entziehen können, indem sie nicht am Wechselkursmechanismus II teilnehmen. Dabei handelt es sich um ein System fester ↑Wechselkurse, die durch Vertrag zwischen der EZB und den nationalen Zentralbanken der Beitrittsstaaten vereinbart werden. Da die Teilnahme an diesem Mechanismus nach Auffassung des ↑Europäischen Rates freiwillig ist, soll es sich nicht um eine Rechtsverletzung handeln, wenn eine nationale Zentralbank entweder nicht teilnimmt oder keine Leitkursvereinbarung trifft.

Nach erfolgtem Beitritt eines Mitgliedstaats sehen die Verträge kein Verfahren zur Suspendierung der Mitgliedschaftsrechte oder gar zu einem Austritt aus der EWWU, sondern nur aus der Union im Ganzen vor (Art. 50 EUV). Insoweit wäre eine Änderung der Verträge nach Art. 48 Abs. 6 EUV notwendig, die aber langwierig ist und die Zustimmung aller Mitgliedstaaten erfordert. Immer wieder wurde auch die Möglichkeit eines Austritts auf Grundlage eines völkerrechtlichen Kündigungsrechts *(clausula rebus sic stantibus)* oder europarechtlich im Wege eines *actus contrarius* durch Beschluss des Rates analog Art. 140 AEUV diskutiert. Selbst wenn es diese Möglichkeit geben sollte, führt die Entscheidung für eine Loslösung aus der EWWU zu komplizierten Folgefragen, für die mangels historischer Vorbilder keine passfertigen Antworten vorliegen. Sie betreffen die Abwicklung von Forderungen zwischen den Zentralbanken des Eurosystems im Rahmen des Zahlungssystems TARGET und die Umstellung von öffentlich-rechtlichen wie privatrechtlichen Forderungen, die bislang in Euro denominiert waren, auf eine neue, nationale Währung. Damit verbunden sind wiederum eigentumsrechtliche Fragen, wenn die neue Währung gegenüber dem Euro abwertet. Im Falle des Austritts eines Mitgliedstaats, der zuvor bilaterale und multilaterale Finanzhilfen in Anspruch genommen hat, müsste ggf. über die Restrukturierung der Gläubigerforderungen verhandelt werden.

3. Haushaltsrechtliche Pflichten der Mitgliedstaaten

Die Unionsverträge beruhen auf der Trennung von staatlicher Haushaltspolitik und gemeinschaftlicher Währungspolitik. Sie kommt darin zum Ausdruck, dass die Zuständigkeit für die Haushaltspolitik im autonomen Verantwortungsbereich der Mitgliedstaaten verbleibt, während die Währungspolitik zum ausschließlichen Zuständigkeitsbereich der Union gehört. Eigenverantwortlich entscheiden die Mitgliedstaaten über Art und Umfang ihrer Einnahmen und legen fest, für welche öffentlichen Aufgaben und in welcher Höhe sie im ↑Staatshaushalt Ausgaben veranschlagen. Europarechtliche Einflüsse ergeben sich auf der Einnahmenseite allein aus der sekundärrechtlichen Steuerharmonisierung (Art. 113, 115 AEUV), auf der Ausgabenseite durch das Beihilfenrecht. Die Verträge begrenzen jedoch das Maß der zulässigen öffentlichen Verschuldung nach Art. 126 AEUV, um von der fiskalischen Seite die Stabilität der EWWU zu schützen und damit zugl. die Unabhängigkeit der Geldpolitik zu sichern. Die wirtschaftspolitische Koordinierung der Mitgliedstaaten nach Art. 121 AEUV entfaltet dagegen nur geringe Steuerungskraft auf haushaltspolitische Entscheidungen, zumal die hiermit verbundenen Empfehlungen des Rates rechtlich unverbindlich sind.

Doch auch die von Art. 126 AEUV vorgesehene Begrenzung des Defizits auf 3 % und des Schuldenstands auf 60 % des BIP eines Mitgliedstaats erwies sich bislang nicht als hinreichendes Instrument zur Bewältigung der Gefahren, die von einer nicht mehr tragfähigen Verschuldung ausgehen können. Denn die Verträge überantworten die Durchsetzung dieser Verschuldungsgrenzen der ↑Europäischen Kommission, die einerseits über nur schwache Sanktionsrechte und andererseits über sehr weite Beurteilungsspielräume verfügt. Der sog.e ↑Stabilitäts- und Wachstumspakt, der auf zwei Verordnungen beruht und im Zuge der ↑Staatsschuldenkrise durch weitere Verordnungen zur Überwachung der Haushaltsdisziplin und makroökonomischer Ungleichgewichte *(Sixpack* und *Twopack)* ergänzt wurde, ändert an der geringen politischen Durchsetzungskraft der Verpflichtungen nichts. Über echte Durchgriffsrechte auf haushaltspolitische Entscheidungen in den Mitgliedstaaten verfügt die Kommission nicht. Überaus zweifelhaft sind auch die realen Wirkungen des auf völkerrechtlicher Grundlage vereinbarten „Vertrags über Stabilität, Koordinierung und Steuerung in der Wirtschafts- und Währungsunion" (Fiskalpakt) vom 2.3. 2012, der eine dem deutschen Verfassungsrecht vergleichbare Schuldenbremse vorsieht.

Die haushaltspolitische Autonomie bringt an sich eine umfassende Eigenverantwortung der Mitgliedstaaten für die Folgen ihrer haushaltspolitischen Entscheidungen mit sich. Das *Bail-out*-Verbot nach Art. 125 AEUV sichert diesen Grundsatz ab, da kein Mitgliedstaat die Lasten aus seinen finanziellen Verbindlichkeiten auf andere Mitgliedstaaten oder die Union überwälzen kann. Der Vorschrift liegt der Zweck zugrunde, eine marktkonforme Verschuldung der Mitgliedstaaten in der EWWU durchzusetzen, da die Kapitalmärkte (↑Geld- und Kapitalmarkt) als Disziplinierungsinstrument wirken sollen, indem sie eine unsolide Haushaltspolitik durch Risikoaufschläge auf die Zinsen für Staatsanleihen sanktionieren. Dieses Grundkonzept erfuhr infolge der Schuldenkrise eine wesentliche Ausnahme für die Fälle, in denen die Finanzstabilität im Euroraum insgesamt gefährdet ist (Art. 136 Abs. 3 AEUV).

4. Rechtliche Maßstäbe der Währungspolitik

Die Währungspolitik, die nach Art. 3 Abs. 1 c AEUV zu den ausschließlichen Zuständigkeiten der Union zählt, umfasst die der EZB anvertraute Geldpolitik und die dem Rat zugewiesene Währungsaußen- bzw. Wechselkurspolitik. Gegenstand der Geldpolitik ist die Versorgung der Volkswirtschaft im Euroraum mit Buchgeld und Bargeld. Art. 127 Abs. 1 AEUV verpflichtet die EZB, dabei vorrangig das Ziel der Preisstabilität zu verfolgen. In zulässiger Konkretisierung der primärrechtlichen Vorgabe versteht die EZB hierunter eine mittelfristige Preissteigerung von unter, aber nahe bei 2%. Soweit sie das Ziel der Preisstabilität nicht gefährdet, darf die EZB zudem die ↑Wirtschaftspolitik in der Union unterstützen. Alle geldpolitischen Maßnahmen der EZB müssen einheitlich im Euroraum gelten und dürfen nicht auf die spezifischen volkswirtschaftlichen Bedürfnisse einzelner Mitgliedstaaten zielen. Umstritten ist, ob und in welchem Umfang die EZB zudem einen Beitrag zur Stabilität des Finanzsystems leisten darf. Da die EZB wie alle Organe der Union dem Grundsatz der begrenzten Einzelermächtigung unterliegt, darf sie nur innerhalb des durch die Verträge und die – ebenfalls dem Primärrecht angehörende – Satzung des ESZB gezogenen Rahmens handeln. Dieser Rahmen wird durch das Verbot des Art. 123 Abs. 1 AEUV verstärkt, wonach die Zentralbanken weder den Mitgliedstaaten noch den Unionsorganen oder dem ESM Darlehen zur Verfügung stellen oder von ihnen begebene Anleihen unmittelbar erwerben dürfen. Das Verbot der monetären Haushaltsfinanzierung führt dazu, dass Offenmarktgeschäfte der Zentralbanken auf den Primärmärkten für öffentliche Anleihen, also der Erwerb direkt vom staatlichen Emittenten, ausnahmslos verboten sind. Auf den Sekundärmärkten, auf denen der Handel im Anschluss an die Emission stattfindet, gilt dagegen nur ein Umgehungsverbot. Der ↑EuGH hat daraus das Verbot an die EZB abgeleitet, auf den Sekundärmärkten Kaufgarantien zu stellen, und sie verpflichtet, Vorkehrungen gegen eine Verletzung des Umgehungsverbots zu treffen.

In instrumenteller Hinsicht setzt die EZB ihre Geldpolitik durch Geschäfte mit Kreditinstituten des Euroraums um. Sie schließt mit ihnen besicherte Darlehensverträge oder Repogeschäfte ab oder kauft und verkauft Devisen, Gold und marktgängige Wertpapiere. Die Abwicklung dieser Geschäfte erfolgt über Konten bei der EZB und den nationalen Zentralbanken sowie über das Zahlungssystem TARGET 2. Die EZB kann zudem Mindestreservepflichten der Banken festlegen. Im Bereich der Bargeldemission verfügt die EZB über das ausschließliche Recht, die Ausgabe von Euro-Banknoten zu genehmigen. Das Münzregal liegt dagegen bei den Mitgliedstaaten, für dessen Inanspruchnahme die EZB quantitative Obergrenzen und Vorschriften über die Stückelung und technische Spezifikationen erlässt.

5. Funktionsweise des Eurosystems

Dem Eurosystem gehören die EZB und die nationalen Zentralbanken der Mitgliedstaaten an, die den Euro als Währung eingeführt haben. Alle diese Zentralbanken genießen sachlich-funktionale Unabhängigkeit in Gestalt der Weisungsfreiheit gegenüber den Mitgliedstaaten und den anderen Unionsorganen (Art. 130 AEUV). Die Unabhängigkeit soll eine strikt auf die rechtlichen Vorgaben des Unionsrechts ausgerichtete Geldpolitik ermöglichen. Verbunden damit sind indes auch Beurteilungs- und Entscheidungsspielräume der EZB. Innerhalb des Eurosystems trifft die EZB die geldpolitischen Beschlüsse und erlässt Verordnungen sowie Leitlinien. Die Durchführung der geldpolitischen Vorgaben obliegt grundsätzlich den nationalen Zentralbanken nach dem Schlüssel ihrer Kapitalquoten an der EZB. Zudem beteiligt sich die EZB am Gesamtvolumen der von ihr beschlossenen geldpolitischen Geschäfte mit einem Anteil von 8%.

Das zentrale Beschlussorgan der EZB ist der EZB-Rat, in dem die Präsidenten der nationalen Zentralbanken mit gleicher Stimme vertreten sind. Seit dem 1.1.2015 ist die Zahl ihrer Stimmrechte auf 15 begrenzt, was zur Folge hat, dass die Stimmrechte im Monatswechsel rotieren. Dem EZB-Rat gehören auch die sechs Mitglieder des EZB-Direktoriums an, die über unbeschränkte Stimmrechte verfügen. Das Direktorium bildet das zweite Beschlussorgan, dessen Mitglieder einschließlich des Präsidenten von den Mitgliedstaaten für eine Amtszeit von acht Jahren ernannt werden. Das Direktorium bereitet die geldpolitischen Beschlüsse des EZB-Rats vor und überwacht ihre Durchführung durch die nationalen Zentralbanken.

6. Krisenbewältigung

Mit dem Ausbruch der Schuldenkrise im Euroraum zum Jahresende 2009 begann eine Zeit juristisch wie ökonomisch umstrittener Maßnahmen mit dem Ziel, die Krisenfolgen einzudämmen und die Ursachen zu bekämpfen. Auf die schweren fiskalischen Probleme der Krisenstaaten reagierten die Mitgliedstaaten zunächst mit bilateralen Hilfskrediten, dann mit multilateraler Hilfe durch die neu geschaffene EFSF. Als sich ihre Wirkung als unzureichend erwies, gründeten die Euro-Mitgliedstaaten 2012 den auf Dauer angelegten ESM. Der Streit um die rechtliche Vereinbarkeit dieser Maßnahmen mit dem *Bail-out*-Verbot des Art. 125 AEUV wurde durch die Neueinfügung von Art. 136 Abs. 3 AEUV und Entscheidungen des EuGH wie des BVerfG beigelegt. Tragende Gesichtspunkte waren die Notwendigkeit zur Bekämpfung schwerer Krisen des Finanzsystems und die Vergabe von quantitativ begrenzten Hilfen unter strikten Auflagen zur Haushaltssanierung. Die EZB begleitete die Hilfsmaßnahmen mit verschiedenen Wertpapierkaufprogrammen, die auch den Erwerb von ↑Staatsanleihen der Krisenstaaten einschlossen. Das nie vollzogene OMT-Programm war auf eine Vorlage des BVerfG hin Gegenstand eines EuGH-Urteils im Jahr 2015, das die prinzipielle Zulässigkeit bejahte, aber versuchte, die Wertpapierkäufe mit rechtlichen Schranken zu versehen. Jedenfalls im Ergebnis sah auch das BVerfG die Entscheidung des EuGH als noch mit zwingenden verfassungsrechtlichen Anforderungen vereinbar an. Über weitere geldpolitische Maßnahmen der EZB im Rahmen des sog.en *Quantitative Easing* muss der EuGH auf eine Vorlage des BVerfG hin noch entscheiden. Zu den Krisenmaßnahmen zählte ferner die Schaffung der ↑Bankenunion im Jahr 2014, die mit der Übertragung von weitreichenden aufsichtsrechtlichen Zuständigkeiten über Kreditinstitute auf die EZB verbunden war. Nach wie vor fehlen aber Regeln für eine geordnete Staatsinsolvenz im Euroraum.

Literatur

R. Lastra: International Financial and Monetary Law, ²2015 • C. Ohler: Bankenaufsicht und Geldpolitik in der Währungsunion, 2015 • J.-H. Klement: Der Euro und seine Demokratie, in: ZG 29/2 (2014), 169–196 • W. G. Ringe/P. M. Huber (Hg.): Legal Challenges in the Global Financial Crisis, 2014 • C. Calliess: Die Reform der Wirtschafts- und Währungsunion als Herausforderung für die Integrationsarchitektur der EU, in: DÖV 20 (2013), 785–795 • T. Möllers/F.-C. Zeitler (Hg.): Europa als Rechtsgemeinschaft – Währungsunion und Schuldenkrise, 2013 • M. Ruffert: Mehr Europa – eine rechtswissenschaftliche Perspektive, in: ZG 28/1 (2013), 1–20 • F. Schorkopf: Krisensymptome supranationaler Leitbilder. Zur Notwendigkeit intergouvernementaler Integration, in: ZSE 11/2 (2013), 189–215 • H. Siekmann (Hg.): EWU. Kommentar zur Europäischen Währungsunion, 2013 • A. Thiele: Das Mandat der EZB und die Krise des Euro, 2013 • C. Calliess/C. Schoenfleisch: Auf dem Weg in die europäische „Fiskalunion"?, in: JZ 67/10 (2012), 477–487 • C. Herrmann: Die Bewältigung der Euro-Staatsschulden-Krise an den Grenzen des deutschen und europäischen Währungsverfassungsrechts, in: EuZW 23/21 (2012), 805–812 • C. Joerges: Europas Wirtschaftsverfassung in der Krise, in: Der Staat 51/3 (2012), 357–385 • M. Nettesheim: „Euro-Rettung" und Grundgesetz, in: EuR 46/6 (2011), 765–783 • H. Hahn/U. Häde: Währungsrecht, ²2010 • C. Herrmann: Währungshoheit, Währungsverfassung und subjektive Rechte, 2010 • R. Radtke: Liquiditätshilfen im Eurosystem, 2010 • M. Selmayr: Das Recht der Wirtschafts- und Währungsunion, 2002 • C. Zilioli/M. Selmayr: The Law of the European Central Bank, 2001 • R. Smits: The European Central Bank, 1997.

CHRISTOPH OHLER

Europäische Wirtschaftsgemeinschaft (EWG)
↑Europäische Union (EU)

Europäische Zentralbank (EZB)

1. Der Vertrag von Maastricht

Nach intensiven Vorbereitungen und Verhandlungen beschlossen die Staats- und Regierungschefs der EG im Dezember 1991 auf ihrem Treffen in Maastricht die Einführung einer ↑Europäischen Wirtschafts- und Währungsunion (EWWU). Am 7.2.1992 signierten die Außenminister und Finanzminister einen Vertrag zur Änderung des Gemeinschaftsrechts. Nach der Ratifizierung durch alle Mitgliedstaaten trat der Vertrag von

Maastricht am 1.11.1993 in Kraft. Das Statut über das Europäische System der Zentralbanken (ESZB) und die EZB ist im Protokoll über die Satzung des ESZB und der EZB zum Vertrag enthalten.

Art. 1 des Protokolls – das ESZB – lautet: „Die Europäische Zentralbank (EZB) und die nationalen Zentralbanken bilden nach Artikel 282 Absatz 1 des AEUV das Europäische System der Zentralbanken (ESZB). Die EZB und die nationalen Zentralbanken der Mitgliedstaaten, deren Währung der Euro ist, bilden das Eurosystem. Das ESZB und die EZB nehmen ihre Aufgaben und ihre Tätigkeit nach Maßgabe der Verträge und dieser Satzung wahr." Im Art. 2 des Protokolls sind die Ziele des ESZB festgelegt: „Nach Artikel 127 Absatz 1 und Artikel 282 Absatz 2 (AEUV) ist es das vorrangige Ziel des ESZB, die Preisstabilität zu gewährleisten. Soweit dies ohne Beeinträchtigung des Zieles der Preisstabilität möglich ist, unterstützt das ESZB die allgemeine Wirtschaftspolitik in der Union, um zur Verwirklichung der in Artikel 3 des Vertrages über die Europäische Union festgelegten Ziele der Union beizutragen. Das ESZB handelt im Einklang mit dem Grundsatz einer offenen Marktwirtschaft mit freiem Wettbewerb, […]".

Die Aufgaben des ESZB sind im Art. 3 festgelegt: „Nach Artikel 127 Absatz 2 (AEUV) bestehen die grundlegenden Aufgaben des ESZB darin, die Geldpolitik der Union festzulegen und auszuführen, Devisengeschäfte im Einklang mit Artikel 219 des genannten Vertrags durchzuführen, die offiziellen Währungsreserven der Mitgliedstaaten zu halten und zu verwalten, das reibungslose Funktionieren der Zahlungssysteme zu fördern."

Schließlich hat das ESZB nach Art. 127 Abs. 5 AEUV zur „reibungslosen Durchführung der von den zuständigen Behörden auf dem Gebiet der Aufsicht über die Kreditinstitute und der Stabilität des Finanzsystems ergriffenen Maßnahmen" beizutragen. Mit Unterstützung der nationalen Notenbanken holt die EZB die erforderlichen statistischen Daten ein. Die EZB beschließt ferner, wie das ESZB sich an internationalen Einrichtungen beteiligt und dort vertreten ist.

2. Die EZB – Notenbank des Euroraums

2.1 Aufgaben und Kompetenzen

Die EZB ist die Notenbank des Euroraums. Ihr Sitz ist Frankfurt am Main. Mit der Ernennung der sechs Mitglieder des Direktoriums wurde sie zum 1.6.1998 gegründet. Das Direktorium der EZB besteht aus dem Präsidenten, dem Vizepräsidenten und vier weiteren Mitgliedern (Art. 283 AEUV und Art. 11 der Satzung). Erster Präsident war der Niederländer Willem Frederik Duisenberg. Mit dem Beitritt zum Euroraum übertrugen die teilnehmenden Staaten ihre geldpolitische ↑Souveränität auf die EZB als ihre gemeinsame Notenbank. Seit 1. Januar 1999 ist die EZB verantwortlich für die neue gemeinsame Währung, den Euro. Die EZB hat das ausschließliche Recht (Art. 128 Abs. 1 AEUV), die

Ausgabe von Banknoten innerhalb der Union zu genehmigen. Die Mitgliedstaaten haben das Recht zur Ausgaben von Euro-Münzen (Art. 128 Abs. 2 AEUV); der Umfang der Ausgabe bedarf der Genehmigung durch die EZB. Diese Banknoten und Münzen sind das einzige gesetzliche Zahlungsmittel in der Union.

Art. 130 AEUV verleiht der EZB (und den nationalen Notenbanken) den Status der Unabhängigkeit. Sie darf bei der Wahrung ihrer Befugnisse, Aufgaben und Pflichten keine Weisungen von Organen, Einrichtungen oder sonstigen Stellen der ↗EU, Regierungen der Mitgliedstaaten einholen oder entgegennehmen, noch dürfen diese versuchen, die EZB (oder die nationalen Notenbanken) zu beeinflussen.

Art. 123 AEUV verbietet der EZB und den nationalen Notenbanken die Kreditvergabe an öffentliche Einrichtungen sowie den unmittelbaren Erwerb der von ihnen ausgegebenen Schuldtitel. Dieses Verbot der monetären Finanzierung trägt der Erfahrung Rechnung, dass alle großen Inflationen (↗Inflation) in der Bedienung der Notenpresse zur Finanzierung staatlicher Ausgaben ihren Ursprung haben. Mit der Priorität für die Preisstabilität ist der EZB ein klares Mandat vorgegeben. Der Status der Unabhängigkeit gewährt der europäischen Notenbank die notwendige Freiheit, um ihren geldpolitischen Auftrag erfolgreich durchzuführen. So wie die EZB die gemeinsame Notenbank des Euroraums ist, führt sie eine für den Euroraum einheitliche ↗Geldpolitik durch. Preisstabilität gilt also für den Euroraum insgesamt, gemessen am Harmonisierten Index der Verbraucherpreise, in den die nationalen Preisentwicklungen entspr. dem wirtschaftlichen Gewicht der Mitgliedstaaten eingehen.

2.2 Die Organisation

Nach Art. 9.3 des Protokolls sind die Beschlussorgane der EZB der EZB-Rat und das Direktorium. Dazu kommt (Art. 45) der Erweiterte Rat der EZB. Der EZB-Rat ist das oberste Beschlussorgan der EZB. Er setzt sich aus den sechs Mitgliedern des Direktoriums und den Präsidenten der nationalen Notenbanken des Eurosystems zusammen. Zum Start hatte der Rat 17 Mitglieder. Nach dem Beitritt Litauens im Januar 2015 haben 19 Länder den Euro als gemeinsame Währung. Der EZB-Rat hat seitdem folglich 25 Mitglieder. Der Präsident der Eurogruppe, ein Finanzminister der Währungsunion, und ein Mitglied der ↗Europäischen Kommission können an den Sitzungen des Rates teilnehmen, haben aber kein Stimmrecht. Die Sitzungen werden vom Präsidenten der EZB geleitet. Außer bei einigen finanziellen Fragen (etwa zum Kapital der EZB) hat jedes Mitglied eine Stimme. Die einfache Mehrheit entscheidet (von Ausnahmen abgesehen); bei Stimmengleichheit gibt die Stimme des Präsidenten den Ausschlag.

Da mit dem Beitritt Litauens erstmals mehr als 18 Mitglieder im EZB-Rat vertreten sind, tritt für die Abstimmungen im EZB-Rat seit Anfang 2015 das Rota-

tionsprinzip in Kraft. Danach pausieren die einzelnen Zentralbankpräsidenten entspr. dem verschiedenen wirtschaftlichen und finanziellen Gewicht ihrer Herkunftsländer unterschiedlich häufig bei der Stimmabgabe. Die sechs Mitglieder des Direktoriums bleiben immer stimmberechtigt. Insgesamt werden die Stimmrechte im EZB-Rat auf 21 beschränkt; aber alle Mitglieder haben immer das Recht auf Teilnahme und Mitsprache.

Die Mitglieder des Direktoriums der EZB werden vom ↗Europäischen Rat auf Empfehlung des Rates, der hierzu das ↗Europäische Parlament und den EZB-Rat anhört, aus dem Kreis der in Währungs- oder Bankfragen anerkannten und erfahrenen Persönlichkeiten mit qualifizierter Mehrheit ausgewählt und ernannt. Ihre Amtszeit beträgt acht Jahre; eine Wiederernennung ist nicht zulässig. Nur Staatsangehörige der Mitgliedstaaten können Mitglieder des Direktoriums werden.

Das Direktorium beschließt mit einfacher Mehrheit, bei Stimmengleichheit gibt die Stimme des Präsidenten den Ausschlag. Das Direktorium führt die laufenden Geschäfte, es ist das operationale Entscheidungsgremium der EZB. Dem Direktorium obliegt die Vorbereitung der Sitzungen des EZB-Rates.

Der Erweiterte Rat setzt sich aus dem Präsidenten und Vizepräsidenten der EZB sowie den Präsidenten der Notenbanken aller EU-Länder zusammen (Art. 44 AEUV). Den Vorsitz hat der EZB-Präsident oder bei seiner Verhinderung der EZB-Vizepräsident. Wie beim EZB-Rat können der Präsident des Rates (Ecofin) und ein Mitglied der Kommission an den Sitzungen ohne Stimmrecht teilnehmen. Der Erweiterte Rat hat keine geldpolitischen Kompetenzen. Er besitzt im Wesentlichen beratende Funktionen, v. a. bei der Vorbereitung auf den Beitritt weiterer EU-Länder zum Euro. In diesem Zusammenhang verabschiedet er Konvergenzberichte, die über den Fortschritt dieses Prozesses berichten. Er überwacht ferner das Funktionieren des Wechselkursmechanismus.

2.3 Die geldpolitische Strategie

Am 13.10.1998, also zweieinhalb Monate vor dem Start der ↗Währungsunion verabschiedete der EZB-Rat seine geldpolitische Strategie und teilt diese Entscheidung der Öffentlichkeit mit. Diese stabilitätsorientierte geldpolitische Strategie enthält folgende Bestandteile:

a) Die quantitative Festlegung des vorrangigen Zieles der einheitlichen ↗Geldpolitik. Preisstabilität wird definiert als Anstieg des harmonisierten Verbraucherpreisindex für das Euro-Währungsgebiet von unter 2 % gegenüber dem Vorjahr. Dieses Ziel ist auf mittlere Sicht anzustreben. Bei der Überprüfung der Strategie im Jahre 2003 präzisierte die EZB diese Definition als unter, aber nahe bei 2 %.

b) Um die Preisstabilität zu gewährleisten, stützt sich der Rat auf eine Strategie, die aus zwei Hauptelementen besteht. D. i. zum einen die monetäre Analyse und zum anderen eine umfassende Analyse aller anderen relevanten ökonomischen Daten. Diese sog. Zwei-Säulen- Strategie wurde bald zum Markenzeichen der EZB. Sie ist bis heute die Grundlage der Entscheidungen und der Information für die Öffentlichkeit. Diese Strategie hat nicht zuletzt im Gefolge der globalen ↑Finanzmarktkrise ihre Überlegenheit gegenüber anderen geldpolitischen Strategien wie dem „Inflation Targeting" bewiesen, das der monetären Entwicklung keine Bedeutung beigemessen hat.

2.4 Das geldpolitische Instrumentarium

Der Vertrag enthält nur wenige und zudem sehr allg.e Bestimmungen zum geldpolitischen Instrumentarium. Die EZB war und ist daher weitgehend frei in der Wahl ihrer geldpolitischen Instrumente. Die wichtigste Rolle spielen die Offenmarktgeschäfte. In den wöchentlichen Hauptrefinanzierungsgeschäften stellt die EZB den Kreditinstituten gegen Sicherheiten Zentralbankgeld für eine Woche zur Verfügung. Der Zinssatz für diese Operationen kann von der EZB festgelegt werden oder sich nach dem Prinzip von Angebot und Nachfrage frei bilden. Darüber hinaus führt die EZB Operationen dieser Art mit längerer Laufzeit (3 Monate bis zu 3 Jahren) durch.

Mit den ständigen Fazilitäten eröffnet die EZB den Kreditinstituten die Möglichkeit, Übernachtliquidität in Anspruch zu nehmen (Spitzenrefinanzierungsfazilität) oder ↑Geld bei den Notenbanken einzulegen (Einlagenfazilität). Die EZB legt die dafür geltenden Zinssätze fest.

Schließlich schreibt die EZB im Rahmen der Mindestreservepolitik vor, welche Guthaben die Kreditinstitute im Verhältnis zu ihren Einlagen bzw. bestimmten Wertpapieren bei der Notenbank mindestens halten müssen. Schließlich hat sich die EZB u. a. dazu entschlossen, ein Programm von massiven Wertpapierkäufen (Outright-Operations) durchzuführen *(quantitative easing)*.

2.5 Die Bankenaufsicht

Im November 2014 hat die EZB die Aufsicht über die ↑Banken des Euroraumes übernommen. Grundlage eines entspr.en einstimmigen Beschlusses der Staats- und Regierungschefs ist Art. 127 Abs. 6 AEUV, nach dem „besondere Aufgaben im Zusammenhang mit der Aufsicht über Kreditinstitute und sonstige Finanzinstitute mit Ausnahme von Versicherungsunternehmen der Europäischen Zentralbank übertragen" werden können. Inwieweit dieser Wortlaut die vollständige Übertragung der Kompetenz für die Bankenaufsicht auf die EZB rechtlich erlaubt, war durchaus umstritten. Der einheitliche europäische Aufsichtsmechanismus (Single Supervisory Mechanism) sieht vor, dass die EZB die direkte Aufsicht über die 123 größten Banken bzw. Bankengruppen im Euroraum übernimmt. Dabei nehmen die Länder des Euroraums automatisch am Mechanismus teil, während die übrigen EU-Mitgliedsländer ein Wahlrecht haben. Die übrigen mittelgroßen und kleineren Banken unterliegen wie bisher der direkten Aufsicht der nationalen Bankenaufseher. Die EZB kann jedoch

für die Aufsicht über diese Institute Rahmenbedingungen vorgeben oder unter Umständen auch direkt in die Aufsicht eingreifen.

Die einheitliche Aufsicht gilt als wichtiges Element einer ↑Bankenunion. Nicht zuletzt wegen möglicher Konflikte mit der auf Preisstabilität ausgerichteten Geldpolitik wird allg. eine eigenständige unabhängige europäische Aufsichtsbehörde für die weitaus bessere Lösung gehalten. Dafür wäre allerdings eine Änderung des Vertrages erforderlich.

2.6 Transparenz, Kommunikation, Rechenschaft

Gerade eine unabhängige Notenbank wie die EZB schuldet der Öffentlichkeit Rechenschaft für ihre Politik. In der Demokratie verlangt dies entspr.e Transparenz. Dazu dient die Kommunikation der Notenbank gegenüber der Öffentlichkeit. Art. 15 enthält die Berichtpflichten der EZB (VO 2016/867). Danach erstellt und veröffentlicht die EZB mindestens vierteljährlich Berichte über die Tätigkeit des ESZB. Der konsolidierte Ausweis des ESZB wird wöchentlich veröffentlicht. „Nach Artikel 113 Absatz 3 dieses Vertrages unterbreitet die EZB dem Europäischen Parlament, dem Rat und der Kommission sowie auch dem Europäischen Rat einen Jahresbericht über die Tätigkeit des ESZB und die Geld- und Währungspolitik im vergangenen und im laufenden Jahr." Der Präsident der EZB erscheint vierteljährlich im Europäischen Parlament.

Über die rechtlichen Verpflichtungen hinaus liegt es im Interesse der EZB selbst, ihre Politik und die dahinter stehenden Überlegungen der Öffentlichkeit zu erläutern. Dazu bedient sich die EZB vielfältiger Formen der Kommunikation. Die einleitenden Bemerkungen des Präsidenten in der Pressekonferenz gleich im Anschluss an die geldpolitische Sitzung des EZB-Rates und die Bereitschaft, auf Fragen der anwesenden Pressevertreter zu antworten, stellt ein wichtiges Element dar. Der seit Beginn der Währungsunion im Januar 1999 veröffentlichte Monatsbericht enthält ausführliche Analysen und Sonderaufsätze zu wichtigen Themen. Seit der Umstellung der geldpolitischen Sitzungen des Rates auf einen Sechswochen-Rhythmus Anfang 2015 wurde der Monatsbericht durch das „Economic Bulletin" abgelöst.

Öffentliche Reden der Mitglieder des Direktoriums, die Organisation von Konferenzen und die Teilnahme an Veranstaltungen sind weitere Beiträge zur Kommunikation. Im Wissenschaftsbereich ist v. a. die „Working Paper Series" zu nennen.

3. Eine vorläufige Bilanz

Mit einer geringen Zahl von Jahren ist die EZB immer noch eine sehr junge Notenbank. In der Bilanz ihrer Politik steht die Erhaltung der Preisstabilität – die vorrangige Aufgabe – an oberster Stelle. Mit unter 2 % bestätigt die jahresdurchschnittliche Inflationsrate diesen Erfolg. Im Vergleich dazu lag die entspr.e Rate für die DM, eine der stabilsten Währungen (↑Währung) der

Welt, während der rund 50 Jahre ihrer Existenz mit 2,8 % deutlich höher. Auch wenn es sich beim Euro und der EZB noch um eine relativ kurze Zeit und damit um nicht mehr als eine vorläufige Bilanz handeln kann, ist dieser Erfolg doch mehr als beachtlich, nicht zuletzt vor dem Hintergrund großer Skepsis gegenüber der neuen Währung vor und beim Beginn der ↑Währungsunion.

Auf anderen Feldern gehen die Meinungen weit auseinander. Auf der einen Seite gilt die EZB als Garant der Existenz des Euroraumes. Mit den Ankäufen von Anleihen einiger Krisenländer und v. a. mit der Ankündigung eines Aufkaufprogramms für Anleihen gefährdeter Mitgliedstaaten unter bestimmten Bedingungen (Outright Monetary Transactions [OMT]) hat die EZB die Märkte beruhigt und eine Art Bestandsgarantie für den Euro und den Euroraum abgegeben.

Auf der anderen Seite wird gerade diese – sehr politische oder politiknahe – Rolle sehr kritisch gesehen. Die Frage, inwieweit die EZB damit die Grenze zur verbotenen monetären Finanzierung überschritten hat, ist nach wie vor umstritten. Das gilt auch für die Notfallkredite an griechische Banken (Emergency Liquidity Assistance). Die Zukunft wird erweisen, ob und wie es der EZB gelingt, ohne Reputationsverlust wieder aus dieser politischen Rolle herauszukommen. Mit der Verantwortung für die Bankenaufsicht ist der EZB zudem eine weitere Aufgabe übertragen worden, die zu erheblichen Risiken für ihre Reputation führen kann.

Literatur

Deutsche Bundesbank: Der Start in die Bankenunion – Der einheitliche Aufsichtsmechanismus, Monatsbericht, Oktober 2014 • H. Siekmann (Hg.): EWU – Kommentar zur Europäischen Währungsunion, 2013 • H. James: Making the European Monetary Union, 2012 • European Central Bank: The Monetary Policy of the ECB, 2011 • O. Issing: Der Euro, 2008 • H. P. Scheller: The European Central Bank, 2006 • J. De Haan/S. C. W. Eijffinger/S. Waller: The European Central Bank, 2005 • European Central Bank: Legal Aspects of the European System of Central Banks, 2005 • O. Issing, u. a.: Monetary Policy in the Euro Area, 2001 • C. Zilioli/M. Selmayr: The Law of the European Central Bank, 2001 • D. B. Simmert (Hg.): Die Europäische Zentralbank, 1999.

OTMAR ISSING

Europäischer Binnenmarkt

I. Rechtlich – II. Wirtschaftlich

I. Rechtlich

1. Begriff

Der E. B. als Binnenmarkt der EU soll einen gemeinsamen Wirtschaftsraum ohne Binnengrenzen (↑Grenze) schaffen, in dem der freie Verkehr von Waren, Personen, Dienstleistungen und Kapital (sog.e vier Grundfreiheiten; hinzu kommt die Zahlungsverkehrs-

freiheit) gemäß den Bestimmungen der Verträge (EUV; AEUV; ↑Europarecht) gewährleistet ist. Ziel des E.n B.es war und bleibt, nach den tarifären Handelshemmnissen (↑Zölle und Abgaben gleicher Wirkung, vgl. Art. 30 AEUV) auch die durch unterschiedliche Rechtsordnungen in den derzeit 28 (zur Erklärung Großbritanniens gemäß Art. 50 EUV, aus der EU austreten zu wollen: ↑EU) Mitgliedstaaten für den Waren-, Personen- und Kapital- und Zahlungsverkehr zwischen diesen fortbestehenden Hemmnisse abzuschaffen und das Entstehen neuer Hemmnisse zu verhindern.

2. Entwicklung

Die Grundfreiheiten waren bereits im EWG-Vertrag von 1957 vorgesehen und sollten bis zum Ablauf der Übergangszeit (31.12.1969) schrittweise verwirklicht werden. Die Zollunion (Abschaffung der Binnenzölle und gemeinsamer Außenzoll) wurde bereits vorzeitig (1968) verwirklicht, was das große gemeinsame Interesse daran belegt. Der ↑EuGH erklärte die Waren- und Personenverkehrsfreiheit für unmittelbar anwendbar und zu subjektiven Rechten für die jeweils Berechtigten (Warenverkehrsfreiheit für Produkte, die in einem anderen Mitgliedstaat rechtmäßig hergestellt oder in Verkehr gebracht wurden; Personenverkehrsfreiheiten für Unionsbürger aufgrund wirtschaftlicher Tätigkeit sowie deren Familienangehörige). Wegen des Vorrangs des Gemeinschaftsrechts (Europarecht) waren damit Diskriminierungen aufgrund der Herkunft einer Ware bzw. der Staatsangehörigkeit verboten, entspr.e nationale Vorschriften unanwendbar. Als deutlich wurde, dass der Gemeinsame Markt aber wegen der unterschiedlichen Rechtsordnungen auch durch unterschiedslose, d. h. für in- und ausländische Produkte, für Inländer und EU-Ausländer (formal) gleich geltende Vorschriften behindert werden kann (z. B. durch unterschiedliche Produktvorschriften, vgl. EuGH Rs. C-120/78 – Cassis de Dijon, bzw. durch unterschiedliche Qualifikationsanforderungen für Berufe, vgl. EuGH Rs. C-340/89 – Vlassopoulou), entschied der EuGH, dass die Grundfreiheiten nicht nur Diskriminierungsverbote, sondern auch Beschränkungsverbote sind (grundlegend EuGH Rs. 8/74 – Dassonville), weshalb entspr.e Maßnahmen der Rechtfertigung anhand gemeinschaftsrechtlicher Maßstäbe bedürfen. Um die dabei bestehenden Unsicherheiten zu reduzieren und die entspr.en Entscheidungen durch den demokratisch legitimierten und politisch verantwortlichen Unionsgesetzgeber (↑Rat der Europäischen Union und ↑Europäisches Parlament) vorzunehmen, sollten die fortbestehenden Hemmnisse durch Angleichung oder Ersetzung der nationalen Rechtsordnungen durch Europäische RL oder VO (vgl. Art. 288 Abs. 2 bzw. 3 AEUV) beseitigt werden. 1985 legte die ↑Europäische Kommission dazu ein Weißbuch zur Verwirklichung des jetzt so genannten E.n B.es vor, das die Beseitigung noch bestehender materieller Schranken (Aufhebung der Warenkontrollen und Abschaffung der

Personenkontrollen an den Binnengrenzen), technischer Schranken (Angleichung bzw. Beseitigung handels- bzw. mobilitätshemmender nationaler Vorschriften), steuerlicher Schranken (Harmonisierung der indirekten Steuern; Angleichung der Mehrwertsteuersätze) sowie währungsbedingter Schranken (schwankende ↑Wechselkurse) enthielt. Durch die EEA von 1986 wurden die dafür erforderlichen primärrechtlichen Grundlagen (Kompetenzgrundlagen für die Harmonisierung; Mehrheitsprinzip im Rat) geschaffen. Die Zielvorgabe der Verwirklichung des E.n B.es durch die 282 vorgesehenen Rechtsakte bis 31.12.1992 wurde weitgehend erreicht. Bereits damals zeigte sich aber, dass durch die Fortentwicklung der wirtschaftlichen Prozesse sowie der politischen Bewertungen und des darauf reagierenden Rechts die Verwirklichung und das Funktionieren des E.n B.es eine dauernde Aufgabe ist, was seit dem Vertrag von Lissabon in Art. 26 Abs. 1 AEUV zum Ausdruck kommt. Die seit der EEA bestehende Unterscheidung zwischen den parallel bestehenden Begriffen Gemeinsamer Markt und E. B. wurde durch den Vertrag von Lissabon aufgegeben. Die jetzt durchgehende Verwendung des Begriffs E. B. impliziert eine weite Begriffsbedeutung. Die jeweils erreichten Fortschritte und die nach wie vor bestehenden und auch neu entstehenden Defizite (die sich in einschlägigen Vertragsverletzungsverfahren, vgl. Art. 258 AEUV, gegen die Mitgliedstaaten zeigen) bei der Verwirklichung des E.n B.es werden in den jährlichen Gesamtberichten der EU-Kommission und im „Binnenmarktanzeiger" dokumentiert.

Zur Erreichung des Ziels einer Abschaffung der Personenkontrollen an den Binnengrenzen war eine ZBJI erforderlich, die neben dem Gemeinsamen Markt erfolgte und in der EEA sowie dann im Drei-Säulen-Modell des Vertrags von Maastricht von 1992 institutionalisiert wurde. Durch den Vertrag von Amsterdam von 1997 wurden die Bereiche Asyl, Einwanderung etc. im Rahmen eines RFSR (↑Europäische Innen- und Rechtspolitik) in die erste Säule (EG-Vertrag) verlagert und das Schengener Abkommen (↑Schengen) von 1985 zur Abschaffung der Personenkontrollen (erfasst nicht alle Mitgliedstaaten, vertraglich festgelegte Ausnahmen bestehen für Großbritannien und Irland; einbezogen sind die Schweiz und Liechtenstein) einbezogen. Der Vertrag von Lissabon hebt für die einheitliche EU die Säulenstruktur auf. Die Abschaffung der Kontrollen an den Binnengrenzen setzt eine funktionierende Kontrolle an den EU-Außengrenzen voraus, deren Defizite zur vorübergehenden Wiederaufnahme der Binnenkontrollen führen.

3. Systematik der Grundfreiheiten des Europäischen Binnenmarktes

Die jetzt in Art. 26 Abs. 2 AEUV aufgeführten, urspr. seit Gründung der EWG wegen deren Ziel einer Marktvereinheitlichung bestehenden Freiheiten werden, ohne dass die EU-Verträge diesen Begriff verwenden, wegen ihrer konstituierenden Bedeutung für die freien Verkehrsströme und den freien Wirtschaftsverkehr, wohl aber auch wegen der Begründung von Individualrechten als ↑„Grundfreiheiten" bezeichnet. Sie lassen sich systematisch einteilen in die Warenverkehrsfreiheit, die Personenverkehrsfreiheiten und die Kapitalverkehrsfreiheit. Die Personenverkehrsfreiheiten unterscheiden zwischen der Arbeitnehmerfreizügigkeit (Art. 45–48 AEUV), die Tätigkeiten in abhängiger und weisungsgebundener Beschäftigung erfasst, und der Niederlassungsfreiheit, die die Aufnahme und Ausübung selbstständiger Erwerbstätigkeiten (insb. in dieser Form ausgeübte sog.e ↑freie Berufe sowie Handwerksberufe [↑Handwerk]) sowie die Gründung und Leitung von Unternehmen umfasst (Art. 49–55 AEUV). Während die Niederlassungsfreiheit auf die dauernde Ansässigkeit in einem anderen Mitgliedstaat gerichtet ist, gewährleistet die Dienstleistungsfreiheit (Art. 56–62 AEUV) die vorübergehende Tätigkeit in einem anderen Mitgliedstaat als dem der Ansässigkeit (vgl. Art. 57 Abs. 3 AEUV). Diese Unterscheidung hat Bedeutung für die Schranken der Grundfreiheiten, da vom Dienstleistenden, soll die Grundfreiheit effektiv ausgeübt werden können, nicht das verlangt werden darf, was vom Niedergelassenen hinsichtlich der Einfügung in die Rechtsordnung des Staates seiner dauernden Niederlassung gefordert werden kann. Die Dienstleistungsfreiheit ist zwar als Personenverkehrsfreiheit konzipiert, weist aber, da es zunehmend allein um die Mobilität des Produkts geht, Parallelen zur Warenverkehrsfreiheit auf, mit der es die Gruppe der Produktverkehrsfreiheiten bildet. Die Kapitalverkehrsfreiheit gewährleistet Investitionstätigkeiten jeder Art und einseitige Wertübertragungen von einem Mitgliedstaat in einen anderen und stellt im Gegensatz zu den Personenverkehrsfreiheiten nicht auf die ↑Staatsangehörigkeit ab. Die Zahlungsverkehrsfreiheit ist eine eigenständige Grundfreiheit, zudem aber die notwendige Annexfreiheit zur effektiven Ausübung der anderen Grundfreiheiten, die ohne den freien Transfer von Gehältern, Erlösen und Gewinnen wirkungslos wären.

4. Gewährleistungen der Grundfreiheiten des Europäischen Binnenmarktes

4.1 Diskriminierungs- und Beschränkungsverbote
Alle Grundfreiheiten sind Diskriminierungsverbote. Die Personenverkehrsfreiheiten verlangen die Gleichbehandlung der berechtigten Unionsbürger aus anderen Mitgliedstaaten mit Inländern und greifen damit als bes. Bestimmungen das allg.e Verbot jeder ↑Diskriminierung aufgrund der Staatsangehörigkeit (Art. 18 Abs. 1 AEUV) auf. Erfasst werden sowohl offene als auch verdeckte Diskriminierungen, d. h. die Anknüpfung an Tatbestände, die regelmäßig nur von Inländern erfüllt werden (z. B. Sprache oder Wohnsitzerfordernis). Die Warenverkehrsfreiheit verbietet die allein an die Herkunft anknüpfende Schlechterstellung von Importprodukten gegenüber Inlandsprodukten. Da auch an

sich unterschiedslose Maßnahmen wie für den Absatz im Inland generell geltende Produktvorschriften oder für die Berufstätigkeit generell geltende spezielle Qualifikationsanforderungen die Mobilität und damit das Ziel der Grundfreiheiten des E.n B.es behindern können, hat der EuGH festgestellt, dass diese nicht nur Diskriminierungsverbote, sondern Beschränkungsverbote sind. Zugl. hat er die Gründe, die Beschränkungen der Grundfreiheiten durch die Mitgliedstaaten rechtfertigen können, im Urteil Cassis de Dijon (Rs. 120/78) und der Folge-Rspr. über die ausdrücklich in den Verträgen genannten (z.B. Art. 36 AEUV) hinaus auf alle Gemeinwohlziele (z.B. ↑Verbraucherschutz) erweitert. Ausgenommen sind, da diese direkt gegen den E.n B. gerichtet sind, alle rein wirtschaftlich motivierten Maßnahmen. Als deutlich wurde, dass die für das Beschränkungsverbot grundlegende Dassonville-Formel (EuGH Rs. 8/74, Rdnr. 8), die alle handelsbeschränkenden mitgliedstaatlichen Maßnahmen erfasste und deren Rechtfertigung forderte, zu weit war, wurde der Anwendungsbereich der Grundfreiheiten auf deren eigentlichen Sinngehalt, nämlich den Marktzugang zu eröffnen, eingeschränkt (zunächst EuGH, verbunene Rs. C-267/91 und C-268/91 – Keck; fortentwickelt zum sog.en Drei-Stufen Test: Diskriminierungsverbot – Grundsatz der gegenseitigen Anerkennung/Herkunftslandprinzip – relevante Marktzugangsbeschränkung).

4.2 Subjektive Rechte der Berechtigten der Grundfreiheiten

Nach der Rspr. des EuGH sind alle Grundfreiheiten unmittelbar anwendbar und begründen subjektive Rechte für die Berechtigten. Voraussetzung ist bei den herkömmlichen Grundfreiheiten der Zusammenhang mit einer wirtschaftlichen Tätigkeit. Dies schließt in einer den ↑Grundrechten verpflichteten Union das Verbleiberecht nach Beendigung dieser Tätigkeit oder bei unverschuldeter Arbeitslosigkeit sowie die Einbeziehung von Familienangehörigen ein.

4.3 Verpflichtete der Grundfreiheiten

Die Grundfreiheiten verpflichten in erster Linie die Mitgliedstaaten, die diese nicht ungerechtfertigt beschränken dürfen und auch zu deren Schutz verpflichtet sind. Sie sind auch von den Organen der Union bei der Rechtsetzung zu beachten. Schließlich hat der EuGH zur Gewährleistung der Effektivität und um die Beschränkung durch Private, insb. durch ↑Verbände (z.B. des Sports), deren Maßnahmen in ihrer Wirkung solchen des Staates (Gesetze) gleichkommen können, die sog.e Drittwirkung der Grundfreiheiten postuliert (vgl. EuGH, Rs. 415/93 – Bosman).

4.4 Schranken und Schranke-Schranken der Grundfreiheiten

Alle Grundfreiheiten wurden und werden nach wie vor durch mitgliedstaatliche Beschränkungsmaßnahmen beeinträchtigt. Diese müssen sich an den in Art. 36, Art. 45 Abs. 3, Art. 52, Art. 65 AEUV ausdrücklich verankerten oder den vom EuGH durch die Cassis-Rspr. entwickelten Rechtfertigungsgründen, die nur bei unterschiedslosen Maßnahmen eingewandt werden können, messen lassen. Dafür hat der EuGH einen vierstufigen Rechtfertigungsstandard entwickelt. Nationale Maßnahmen, die die Ausübung der durch den AEUV garantierten grundlegenden Freiheiten behindern oder weniger attraktiv machen können, müssen in nichtdiskriminierender Weise angewandt werden, aus zwingenden Gründen des Allgemeininteresses gerechtfertigt sein, geeignet sein, die Verwirklichung des mit ihnen verfolgten Zieles zu gewährleisten, und sie dürfen nicht über das hinausgehen, was zur Erreichung des Ziels erforderlich ist, somit dem Grundsatz der ↑Verhältnismäßigkeit entsprechen (sog.e Gebhard-Formel, EuGH Rs. C-55/99, Rdnr. 37). Schranken der Grundfreiheiten können sich auch aus den Grundrechten ergeben, wobei Kollisionen durch praktische Konkordanz zu lösen sind (vgl. EuGH Rs. C-112/00 – Schmidberger).

5. Die Unionsbürgerschaft als „Grundfreiheit ohne Markt"

Die durch den Vertrag von Maastricht eingeführte ↑Unionsbürgerschaft gibt u.a. das Recht auf Freizügigkeit im Hoheitsgebiet der Mitgliedstaaten ohne wirtschaftliche Betätigung (Art. 21 AEUV), weshalb sie als „Grundfreiheit ohne Markt" (Wollenschläger 2007) bezeichnet wurde. Ihre Tragweite als „grundlegender Status der Staatsangehörigen der Mitgliedstaaten" (so EuGH Rs. C-184/99 – Grzelczyk) wurde deutlich unterschätzt. In seiner neueren Rspr. hat der EuGH die im AEUV und den Durchführungsvorschriften vorgesehenen Beschränkungen und Bedingungen, die die Nutzung allein zur Erlangung von Sozialleistungen eines anderen Mitgliedstaats verhindern sollen, aktiviert (EuGH Rs. C-333/13 – Dano; Rs. C-67/14 – Alimanovic).

6. Methoden zur Herstellung des Europäischen Binnenmarktes

Die Hemmnisse für den E.n B. können durch die gegenseitige Anerkennung der unterschiedlichen Wertungen der mitgliedstaatlichen Rechtsordnungen oder durch deren Harmonisierung, d.h. deren Angleichung durch Europäische RL bzw. gänzliche Ersetzung durch EU-VO erfolgen. Die gegenseitige Anerkennung ist eine Folge der Dassonville- und Cassis-Rspr. des EuGH, da mitgliedstaatliche Regelungen, die die Mobilität von Produkten oder Personen aus anderen Mitgliedstaaten, die diesen nicht entsprechen, diesen nur dann entgegengehalten werden dürfen, wenn sie nach unionsrechtlichen Maßstäben gerechtfertigt sind. Um auch insoweit einheitliche Maßstäbe und das nötige gegenseitige Vertrauen zu gewinnen, wurden RL zur gegenseitigen Anerkennung von Diplomen, Prüfungszeugnissen und sonstigen Befähigungsnachweisen (vgl. Art. 53 Abs. 1 AEUV; RL

2005/36) sowie über Dienstleistungen im Binnenmarkt (RL 2006/123 – Dienstleistungs-RL) erlassen. Dadurch sowie durch andere EU-RL werden auch die jeweiligen nationalen Rechte angeglichen. In letzter Zeit wurde eine Reihe von EU-RL durch EU-VO ersetzt, z. B. im Lebensmittelrecht (VO 1333/2008 über Zusatzstoffe; VO Nr. 1169/2011 – Lebensmittelinformations-VO).

7. Würdigung

Die Verwirklichung des freien Warenverkehrs und der Personenverkehrsfreiheiten im E.n B. ist eines der zentralen Ziele der EU (Art. 3 Abs. 3 UAbs. 1 S. 1 EUV) und eine der sichtbarsten – und vielleicht gerade deshalb mittlerweile als selbstverständlich betrachteten – Errungenschaften der EU. Ihre Bedeutung wird offenbar, wenn mangels hinreichender Sicherung der Außengrenzen auch in den Schengen-Staaten vorübergehend Grenzkontrollen eingeführt werden. Gleiches gilt, wenn wegen des Austritts Großbritanniens aus der EU die Rechtsstellung der verbleibenden Unionsbürger in Großbritannien bzw. der britischen Staatsbürger in der EU nach dem Verlust dieses Status geregelt werden muss. Die Verhandlungen mit Großbritannien zeigen wie die bilateralen Abkommen der EU mit der Schweiz durch die sog.e Guilottine-Klausel, dass die Grundfreiheiten miteinander verbunden sind, d. h. man die Vorteile des Binnenmarkts nicht ohne Einschränkung der politischen Gestaltungsfreiheit haben kann, der ↑Freihandel mit der Personenverkehrsfreiheit verbunden ist. Die spezifisch ökonomische Sicht, dass die Marktfreiheiten der optimalen ↑Allokation von wirtschaftlichen Ressourcen dienen und zu damit verbundenen Kollateralfolgen wie Betriebsverlagerungen in Mitgliedstaaten mit geringeren Löhnen, Sozialstandards, Umweltauflagen und v. a. ↑Steuern („BEPS", d. h. Gewinnkürzung durch Gewinnverlagerung) führen, haben zur Kritik am Binnenmarkt und am Wettbewerbsgedanken generell geführt. Dabei hatten die Personenverkehrsfreiheiten von Anfang an auch eine soziale Komponente, die zunehmend verstärkt wurde. Der E. B. ist ausdrücklich auf eine „in hohem Maße wettbewerbsfähige soziale Marktwirtschaft" (Art. 3 Abs. 3 S. 2 EUV) ausgerichtet, wodurch die ↑soziale Marktwirtschaft zum spezifisch europäischen Wirtschaftsmodell erklärt wird. Um dies zu erreichen, muss ein „unverfälschter Wettbewerb" (so noch Erwägungsgrund 4, Art. 3 f. EWGV), d. h. ein fairer ↑Wettbewerb gesichert werden, der z. B. unfairen Steuerwettbewerb bekämpft und nicht noch durch die Grundfreiheiten des E.n B.es fördert. Dies verlangt Sicherungen durch verbindliche und effektive Regelungen (Gesetze), was z. B. bei der ↑Liberalisierung des Kapitalverkehrs offenbar versäumt wurde. Ein Schwerpunkt der Rechtsangleichung im E.n B. ist die Stärkung der Rechte der Verbraucher einschließlich der Rechtsdurchsetzung (z. B. RL 2011/83/EU). Allerdings sind die Aktivitäten der EU in manchen Bereichen wegen eines paternalistischen Ansatzes umstritten. Wie generell, gilt es

auch hier, das richtige Maß zu finden. Für die letztlich nötige Akzeptanz des Modells der EU muss der Gesamtvorteil des E.n B.es als deren Kernstück für alle deutlich werden, was durchaus Korrekturen erfordern kann. Obgleich sich manche Prognosen (z. B. Cechini-Bericht 1988) als zu optimistisch erwiesen haben und dies wohl auch für die Ziele der 2012 vom ↑Europäischen Rat beschlossene Wachstumsstrategie für Europa (Europa 2020) gilt, war das E. B.-Projekt in der Gesamtbetrachtung eine Erfolgsgeschichte, was sich aber leider wohl erst durch Folgen der gegenwärtig zu verzeichnenden Abschottungsstrategien zeigen wird, sollten diese realisiert werden.

Literatur
O. Remien: Rechtsangleichung im Binnenmarkt, in: R. Schulze/M. Zuleeg/S. Kadelbach (Hg.): Europarecht. Hdb. für die deutsche Rechtspraxis, ³2015, § 14 • H. J. Blanke: Binnenmarkt, Rechtsangleichung, Grundfreiheiten, in: M. Niedobitek (Hg.): Politiken der Union, 2014, § 2 • W. Frenz: Hdb. Europarecht, Bd. 1, ²2012 • R. Streinz: Unionsrechtliche Grundfreiheiten, in: HGR, Bd. 6/1, 2010, §§ 152–155 • C. Berghold: Erwartete und realisierte Wirkungen des EU-Binnenmarktes, 2009 • F. Wollenschläger: Grundfreiheit ohne Markt. Die Herausbildung der Unionsbürgerschaft im unionsrechtlichen Freizügigkeitsregime, 2007 • A. Hatje (Hg.): Das Binnenmarktrecht als Daueraufgabe, 2002.   RUDOLF STREINZ

II. Wirtschaftlich

1. Historische und politische Perspektive

Der E. B. hat eine historische, eine politische und nicht zuletzt eine ökonomische Dimension. *Historisch* hat sich der E. B. seit der EGKS (1951) über die Römischen Verträge 1957, den Vertrag von Maastricht 1992 und die Gründung einer Währungsunion bis hin zum Vertrag von Lissabon aus dem Jahr 2010 in vielen kleinen Schritten entwickelt. Heute ist der E. B. der weltweit größte seiner Art mit 28 Mitgliedstaaten und mehr als einer halben Mrd. Einwohner. Er ist zugl. Vorbild für Integrationsbemühungen in anderen Teilen der Welt, wie etwa in Asien und in Lateinamerika.

Die *politische Dimension* des E.n B.es ist eng mit der unmittelbaren Nachkriegsphase und der Gründung von EGKS und EWG verknüpft. Die Gründungsväter der europäischen Integration (↑Europäischer Integrationsprozess), allen voran der französische Diplomat und erste Direktor der EGKS, Jean Monnet, sahen in der wirtschaftlichen Kooperation die einzige Chance für einen dauerhaften europäischen Frieden. Die Institutionen der EGKS legten den Grundstein für den E.n B. und die Begründung supranationaler Institutionen – etwa der heutigen ↑EZB. Im Art. 3 des AEUV wird die ausschließliche Kompetenz der ↑EU für die Gestaltung des E.n B.es definiert. Folglich lässt sich festhalten, dass der E. B. ein gesamteuropäisches, politisches Projekt ist.

Die *wirtschaftliche Dimension* des E.n B.es zeichnet

sich durch ein vergrößertes Handelsvolumen aus. Durch den E.n B. erhält Europa wirtschaftliche Größe und Gewicht, aber auch zunehmend weltweiten politischen Einfluss, was den Einzelstaaten so nicht möglich wäre. Der wirtschaftliche Erfolg des E.n B.es mit offenen Grenzen und den vier Grundfreiheiten ist auch der Grund dafür, dass die EU nach wie vor für neue Mitglieder attraktiv ist. Der E. B. führt im Verständnis der Handelstheorie von Jakob Viner zu sog.en handelsschaffenden Effekten, die mögliche handelsumlenkende Effekte deutlich überwiegen. Damit ermöglicht der E. B. ein Handelsvolumen, das die Einzelstaaten bei isolierter Wirtschaftsweise so nicht realisieren könnten.

2. Die vier Grundfreiheiten

Kernpunkt der europäischen Integration und des E.n B.es sind die sog.en vier ↑Grundfreiheiten in Verbindung mit dem Schengener Abkommen (↑Schengen), das seit 1985 den schrittweisen Abbau der Grenzkontrollen in Europa regelt. In der EU herrscht mit wenigen Ausnahmen ein grundsätzlich freier Verkehr für Güter, Dienstleistungen, Kapital und Personen. Eigentlich müsste man als eigene Grundfreiheit darüber hinaus die Ideen- und ↑Meinungsfreiheit aufführen, wie sie sich in der europäischen Pressefreiheit und der Kooperation und wechselseitigen Anerkennung im universitären Bereich (Bologna-Prozess) manifestiert.

2.1 Der freie Güterverkehr

Grundsätzlich gilt, dass ein Produkt, welches in einem Land der EU legal veräußert werden darf, zugl. in allen Ländern zulässig ist. Dieses sog.e Ursprungslandprinzip ist das Kernprinzip des E.n B.es, da es nachhaltig und dauerhaft Anerkennungs- und Bürokratiekosten reduziert. Es ist zugl. Ausdruck eines gegenseitigen Vertrauens der europäischen Partner ineinander, die ein im Nachbarland gefertigtes Produkt genau so behandeln, als wäre es im Inland produziert worden.

Der EuGH hat durch viele Entscheidungen zur Entstehung des E.n B.es maßgeblich beigetragen. Das vermutlich wichtigste Urteil des EuGH betraf die Zulassung eines französischen Likörs für den deutschen Markt im sog.en Cassis de Dijon-Urteil aus dem Jahre 1979. Die Bedeutung des freien Güterverkehrs zeigt sich auch in den Export- und Import-Statistiken der EU-Mitglieder. Die wichtigsten Handelspartner der Europäer sind deren unmittelbare Nachbarn mit einem hohen Anteil von intrasektoralem Handel: Ca. zwei Drittel des europäischen Handels ist Binnenhandel. Insgesamt kann die Warenverkehrsfreiheit bei minimalen Ausnahmen – etwa im Bereich medizinischer Produkte – als weitgehend realisiert angesehen werden.

2.2 Der freie Dienstleistungsverkehr

Das Pendant zum Güterverkehr ist der freie Dienstleistungsverkehr. Jedoch hat in allen europäischen Ländern der Dienstleistungssektor den industriellen Sektor in seiner quantitativen Bedeutung überholt. Es wird unterschieden zwischen personenbezogenen, sachbezogenen und originären ↑Dienstleistungen. Im Prinzip kann jeder Unionsbürger frei wählen, in welchem Land er seinen Urlaub verbringen möchte, wo er sein Bankkonto eröffnen will oder welche technische Serviceberatung er in Anspruch nimmt. Dabei beruht die Dienstleistungsfreiheit ebenfalls auf dem Ursprungslandprinzip, wie sie sich für den Gütersektor als vorteilhaft und effizient erwiesen hat. Gleichwohl hat sich die Übertragung in der Europäischen Dienstleistungs-RL 2006, wie sie von EU-Kommissar Frits Bolkestein vorgeschlagen wurde, als vergleichsweise schwieriger erwiesen. Dies hat vielfältige Gründe: In manchen EU-Ländern und auch in Deutschland gibt es immer noch Tendenzen, die eigenen ↑Handwerke vor der europäischen Konkurrenz abzuschotten. Außerdem werden bestimmte Dienstleistungen immer noch in regulierten Sektoren erbracht, wie z.B. Transportdienstleistungen im Schienennetz der Deutschen Bahn. Insgesamt besteht folglich im Dienstleistungssektor auf europäischer Ebene noch Handlungsbedarf, um das Ziel des freien Dienstleistungsverkehrs zu erreichen.

2.3 Der freie Kapitalverkehr

Der freie Kapitalverkehr ist eine von mehreren ökonomischen Voraussetzungen für einen E.n B. und für eine Währungsunion. Mit dem Vertrag von Maastricht, mit dem die Vorbereitungen für die Einführung des Euro begannen, wurden die Abschaffung von Kapitalverkehrskontrollen und die Einführung einer Notenbankautonomie zwingend vorgeschrieben. Manche EU-Mitglieder – etwa Frankreich oder Italien – machten erstmals in ihrer Geschichte Erfahrungen mit freiem Kapitalverkehr.

Mit der gestiegenen Mobilität der EU-Bürger und Unternehmen sowie zunehmend grenzüberschreitenden Produktionszusammenhängen geht auch eine verstärkte Nutzung der Institutionen des Kapital- und ↑Finanzmarktes einher. Der gestiegenen Effizienz der Kapitalmärkte (↑Geld- und Kapitalmarkt) stehen aber auch Kosten gegenüber, die sich etwa in den legalen und illegalen Möglichkeiten der Steuervermeidung ausdrücken. Außerdem zeigte sich spätestens durch die ↑Finanzmarktkrise 2008 die dringende Notwendigkeit, zu einheitlichen Standards in der Regulierung systemrelevanter europäischer ↑Banken zu gelangen. Vor diesem Hintergrund sind die Bemühungen um eine Europäische ↑Bankenunion als der Versuch zu interpretieren, die Kapitalverkehrsfreiheit mit verbesserten Sicherungsmaßnahmen zu unterstützen.

Insgesamt kann dieser Liberalisierungsbereich jedoch als weitgehend erfolgreich abgeschlossen angesehen werden. Gleichzeitig sind die europäischen Partner zur intensivierten Zusammenarbeit verpflichtet – etwa im Bereich der Besteuerung von mobilem Kapital oder bei den Vorkehrungen gegen Geldwäsche.

2.4 Der freie Personenverkehr

Der freie Personenverkehr garantiert allen EU-Bürgern, dass sie sich im europäischen ↑Arbeitsmarkt prinzipiell frei bewegen dürfen. Ausnahmen gibt es nur wenige – etwa im Bereich der öffentlichen Verwaltung. Für die neuen osteuropäischen EU-Mitglieder gab es anfänglich Übergangsfristen, um angesichts des markanten Lohngefälles zwischen den Gründungsmitgliedern der EU und den Neumitgliedern die Migrationsanreize zu reduzieren. Für Hochqualifizierte ist der freie Personenverkehr quasi schon vollständig realisiert, was u. a. auf die wechselseitige Anerkennung akademischer Abschlüsse zurückzuführen ist. Im Bereich der gering Qualifizierten bestehen allerdings noch nationale Schranken gegen die innereuropäische Zuwanderung. So hat der ↑EuGH entschieden, dass die Nutzung von Sozialleistungen durch EU-Zuwanderer zeitlich begrenzt ist, um die Übernutzung von immer noch nationalstaatlich finanzierten Sicherungssystemen zu verhindern.

Ein bes. weitreichendes Urteil des EuGH zur Personenverkehrsfreiheit betraf den belgischen Fußballer Jean Marc Bosman 1985. Nach einer Klage von J. M. Bosman entschied das Gericht, dass es auch in den nationalen Fußball-Verbänden keine Höchstgrenzen gegen EU-Ausländer geben dürfe. Durch dieses Urteil ist ein europaweit vollkommen liberalisierter Markt für Profisportler entstanden: eine weitreichende Interpretation des freien Personenverkehrs.

3. Europäischer Binnenmarkt und Währungsunion

Urspr. hatten bei der Gründung der EWG 1957 noch alle Mitglieder ausdrücklich auf der Beibehaltung nationaler ↑Währungen bestanden. Jedoch zeigten die ersten Jahre wirtschaftlicher Integration, dass sich die Währungsvielfalt zu einem entscheidenden Handelshemmnis entwickelte.

Deshalb wurde bereits 1970 vom luxemburgischen Premierminister Pierre Werner ein Plan für eine europäische ↑Währungsunion (sog. er Werner-Plan) vorgelegt, der allerdings damals noch nicht durchsetzungsfähig war. 1988 legte dann der Ökonom Paolo Cecchini einen Bericht über die Kosten der Nicht-Verwirklichung Europas und die Vorteile des E.n B.es vor: Auch hier wurden die hohen Kosten der Währungsvielfalt kritisiert. Im April 1989 präsentierte der Präsident der ↑Europäischen Kommission, Jacques Delors, einen Vorschlag für die Einführung einer Währungsunion in drei Schritten. Dieser wurde nach dem Zusammenbruch des Warschauer Pakts Gesprächsgrundlage für die Einigung auf eine einheitliche europäische Währung, wie sie daraufhin im Vertrag von Maastricht 1992 erfolgte.

Obwohl es wissenschaftliche Zweifel gibt, ob Europa ein optimaler Währungsraum für alle Mitglieder der EU i. S. d. Theorie des Nobelpreisträgers Robert Alexander Mundell ist, gehören die E. B. und die ↑EWWU untrennbar zusammen. Die Vorteile einer einheitlichen Währung – etwa die Senkung von Transaktions- und Umtauschkosten, die Reduzierung von Investitionsrisiken und die Stabilisierung von Erwartungen – sind offensichtlich und überwiegen die Risiken und Kosten, die mit dem Verzicht auf das Wechselkursinstrument (↑Wechselkurs) verbunden sind. Für manche Länder mit potentiell weicheren und abwertungsbedrohten Währungen erfordert die Einheitswährung allerdings hohe Anpassungskosten, wie in den zahlreichen Verhandlungen mit Griechenland deutlich wurde. Ein Ausstieg aus der Währungsunion und die Wiedereinführung nationaler Währungen, wie sie vereinzelt gefordert werden, würden jedoch das Fortbestehen des E.n B.es in Frage stellen und dessen Leistungsfähigkeit schwächen.

Literatur

H. Adam/P. Mayer: Europäische Integration, 2014 • H.-J. Wagener/T. Eger: Europäische Integration, 2014 • A. M. El-Agraa: The European Union, Economics and Policies, 2007 • L. Neal: The Economics of Europe and the European Union, 2007 • T. Judt: Geschichte Europas, 2006 • D. Wentzel (Hg.): Europäische Integration – Ordnungspolitische Chancen und Defizite, 2006 • P. Cecchini: The Cost of Non-Europe, 1988.

DIRK WENTZEL

Europäischer Gerichtshof (EuGH)

1. Begriff

EuGH ist die übliche Bezeichnung für den „Gerichtshof" als oberste der vorgesehenen drei Instanzen des Gerichtshofs der Europäischen Union (GEU), der daneben das „Gericht" (EuG; früher Gericht erster Instanz) und (ggf.) Fachgerichte umfasst (Art. 19 Abs. 1 UAbs. 1 S. 1 EUV). Er hat seinen Sitz in Luxemburg und darf nicht mit dem ↑EGMR mit Sitz in Straßburg verwechselt werden.

2. Zusammensetzung

Der EuGH besteht aus einem ↑Richter je Mitgliedstaat, somit 28 Richtern (Stand 2017). Diese werden von den Mitgliedstaaten im gegenseitigen Einvernehmen unter Einschaltung eines Ausschusses „Bewerberprüfung" (Art. 255 AEUV) für eine Amtszeit von sechs Jahren mit der Möglichkeit der Wiederernennung ernannt. Letzteres ist hinsichtlich der Unabhängigkeit nicht unproblematisch, wird aber durch die Vertraulichkeit der Beratung und Abstimmung und fehlender Sondervoten gemildert und ist für die Kontinuität der ↑Rechtsprechung vorteilhaft. Die Richter müssen jede Gewähr für Unabhängigkeit bieten und in ihrem Staat die für die höchsten richterlichen Ämter erforderlichen Voraussetzungen erfüllen oder Juristen von anerkannt hervorragender Befähigung sein. Der EuGH tagt in Kammern mit drei bzw. mit fünf Richtern oder als Große Kammer mit 15 Richtern, in seltenen Fällen als Plenum. Die Zuweisung von Rechtssachen an die Kammern erfolgt in der Praxis durch den von den Richtern gewählten Präsidenten des EuGH (Koen Lenaerts, Belgien; Stand 2017) aus Gründen der Zweckmäßigkeit. Anders als gemäß Art. 101 Abs. 1 S. 2 GG gibt es kein Recht auf den „↑gesetzlichen Richter". Der EuGH wird seit der 2013 erfolgten Erhöhung der Zahl acht von elf Generalanwälten unterstützt, die öffentlich in voller Unparteilichkeit und Unabhängigkeit begründete Schlussanträge zu den Rechtssachen stellen. Der EuGH ist an diese nicht gebunden. Inwieweit er diesen folgt, bedarf entgegen häufig verbreiteter Angaben einer differenzierenden Untersuchung (Ergebnis, Begründung, Modifikationen). Das EuG wurde 1989 zur Entlastung des EuGH eingerichtet und besteht aus mindestens einem Richter je Mitgliedstaat. Es tagt in Kammern mit drei oder fünf Richtern. Das vom ↑Europäischen Parlament und vom ↑Rat der Europäischen Union gemäß Art. 257 Abs. 1 S. 1 AEUV errichtete EuGÖD, bestehend aus sieben Richtern, wurde 2016 aufgelöst; seine Aufgaben wurden dem EuG übertragen, dessen Zahl an Richtern sukzessiv verdoppelt wird (ab 1.9.2019 zwei Richter je Mitgliedstaat), um die generell gestiegene Belastung im Sinne des Art. 47 EuGRC (Recht auf einen wirksamen Rechtsbehelf) bewältigen zu können.

3. Aufgaben

Aufgabe des GEU ist die Sicherung der Wahrung des Rechts bei der Auslegung und Anwendung der Verträge, d. h. des EUV einschließlich der durch Art. 6 Abs. 1 EUV einbezogenen EuGRC (↑Europarecht) und des AEUV. Grundsätzlich (vgl. die Ausnahmen in Art. 24 Abs. 1 UAbs. 2 S. 6 EUV; Art. 275 Abs. 1 AEUV) ausgenommen ist die ↑GASP. Einbezogen sind die Rechtsprinzipien (z. B. Anwendungsvorrang des Unionsrechts) und ↑Allgemeinen Rechtsgrundsätze (vgl. Art. 6 Abs. 3 EUV), die zur Schließung der Lücken und zur Ergänzung des unvollständigen Unionsrechts erforderlich sind. Daher gehört zu den Aufgaben des GEU auch die *Rechtsfortbildung*.

4. Zuständigkeiten

Die Zuständigkeiten des GEU sind enumerativ aufgeführt und lassen sich in „verfassungsrechtliche" (Streitigkeiten zwischen „Verfassungsorganen", d. h. Mitgliedstaaten und Organen der ↑EU), „verwaltungsrechtliche" (Streitigkeiten zwischen Organen der EU und Individuen, d. h. natürlichen und juristischen Personen sowie zwischen der EU und ihren Bediensteten), Rechtsmittel- (zum EuGH gegen Urteile des EuG) und sonstige Verfahren (Vorabentscheidungs-, Amtshaftungs-, Gutachtenverfahren) einteilen. Die *Aufsichtsklage* (Vertragsverletzungsklage) kann von der ↑Europäischen Kommission (Art. 258 AEUV) oder (was sehr selten erfolgt) von einem Mitgliedstaat (Art. 259 AEUV) gegen einen Mitgliedstaat wegen Verletzung des Unionsrechts erhoben werden. Wird von diesem das Urteil des EuGH nicht befolgt, kann dies durch Zwangsgeld oder Verhängung

eines Pauschalbetrags sanktioniert werden (Art. 260 AEUV). Die *Nichtigkeitsklage* (Art. 263 AEUV) dient der Überprüfung von Akten des Sekundärrechts (vgl. Art. 288 AEUV), die die Organe der EU erlassen haben, am Maßstab des EU-Primärrechts (EUV, AEUV, EuGRC, allg.e Rechtsgrundsätze). Sie kann von Organen der EU (z. B. Europäisches Parlament gegen den Rat wegen Erlass eines Rechtsakts ohne hinreichende Mitwirkung des Europäischen Parlaments) oder von Mitgliedstaaten (z. B. wegen Erlass eines Rechtsaktes durch das Europäische Parlament und den Rat ohne hinreichende Kompetenzgrundlage) sowie von Individuen erhoben werden. Als nicht privilegierte Kläger bedürfen Individuen einer bes.n Klagebefugnis (Art. 263 Abs. 4 AEUV). Die *Untätigkeitsklage* (Art. 265 AEUV) richtet sich gegen das Unterlassen einer Beschlussfassung durch EU-Organe. Für Individuen ist insoweit die vom EuGH entwickelte sog.e positive Konkurrentenklage bedeutsam, mit der ein Einschreiten der Kommission gegen einen Konkurrenten wegen Verstoßes gegen das EU-Kartellrecht verlangt wird. Mit der *Amtshaftungsklage* (Art. 268 i. V. m. Art. 340 Abs. 2 AEUV) wird Schadensersatz für ein rechtswidriges Handeln oder Unterlassen eines Organs der EU gefordert. Das *Vorabentscheidungsverfahren* (Art. 267 AEUV) berechtigt bzw. verpflichtet (letztinstanzliche) nationale Gerichte zu Vorlagen an den EuGH nach der Auslegung oder der Gültigkeit (betrifft Sekundärrecht, insoweit Verwerfungsmonopol des EuGH) von Unionsrecht, wenn die Vorlagefrage nach der Auffassung des vorlegenden Gerichts für den Ausgangsrechtsstreits, den dieses entscheidet, erheblich ist. Dadurch wird ein institutionalisierter Dialog zwischen dem EuGH und den nationalen Gerichten begründet. Durch das Unterlassen einer durch das Unionsrecht für letztinstanzliche Gerichte gebotenen Vorlage wird der EuGH als gesetzlicher Richter i. S. v. Art. 101 Abs. 1 S. 2 GG entzogen, was vor dem ↑BVerfG mit der Verfassungsbeschwerde (Art. 93 Abs. 1 Nr. 4a GG) gerügt werden kann. Im *Gutachtenverfahren* (Art. 218 Abs. 11 AEUV) entscheidet der EuGH, ob ein von der EU geschlossener völkerrechtlicher Vertrag mit dem EU-Primärrecht vereinbar ist.

5. Interpretationsmethode und Stil des EuGH

Der EuGH folgt grundsätzlich den allg. anerkannten Auslegungsmethoden (Wortlaut, System, Sinn und Zweck, Entstehungsgeschichte). Die fortschreitende Integration (↑Europäischer Integrationsprozess) als Ziel der Union („immer enger") führt zu einer bes.n Gewichtung der systematischen und teleologischen Methode, wonach der Auslegung der Vorzug gegeben wird, die die Vertragsziele am meisten fördert und die Funktionsfähigkeit der Union sichert (sog.e „effet utile"-Rechtsprechung). Dadurch wurde der EuGH (neben der Europäischen Kommission) zum „Motor der Integration". Angesichts des erreichten Standes der Integration muss der EuGH dieses Selbstverständnis aber überdenken und sich auch als Wahrer der gegenseitigen Kompetenzen von ↑EU und Mitgliedstaaten gemäß dem Prinzip der begrenzten Einzelermächtigung (Art. 5 EUV) und somit auch insoweit als „Verfassungsgericht" verstehen, wofür Ansätze erkennbar sind. Als „eigenständige" Rechtsordnung fordert das Unionsrecht eine unionsrechtliche Begriffsbildung, um einheitlich in allen Mitgliedstaaten gelten zu können. Als supranationales Gericht weist der EuGH Besonderheiten auf, die sich aus den unterschiedlichen Rechtstraditionen der 28 Mitgliedstaaten und der Mehrsprachigkeit (24 Amtssprachen; interne Arbeitssprache des EuGH ist Französisch) ergeben.

6. Verfahren

Die Zuständigkeiten der Instanzen sind in Art. 256 AEUV und der Satzung des Gerichtshofs geregelt. Danach ist das EuG insb. für alle Direktklagen von Individuen zuständig, während alle Vorabentscheidungsersuchen dem EuGH vorbehalten bleiben. Gegen Urteile des EuG sind Rechtsmittel zum EuGH möglich. Die Verfahrenssprache richtet sich nach dem Kläger bzw. dem vorlegenden Gericht. Das Verfahren ist in den Verfahrensordnungen des EuGH bzw. des EuG geregelt.

7. Verhältnis zu anderen Gerichten

Im Verhältnis des EuGH zu den (Verfassungs-)Gerichten der Mitgliedstaaten können Kompetenzkonflikte entstehen, die letztlich wegen der „Letztentscheidung" durch den EuGH in unionsrechtlichen, der Verfassungsgerichte wie dem ↑BVerfG in verfassungsrechtlichen Fragen nur durch gegenseitige Rücksichtnahme vermieden bzw. entschärft werden können. Strittige Fragen sind die verfassungsrechtlichen Grenzen des Vorrangs des Unionsrechts und der Rechtsfortbildung durch den EuGH und die Kompetenz in Grundrechtsfragen. Auch mögliche Konflikte in der Interpretation grundrechtlicher Verbürgungen zwischen dem EuGH und dem EGMR sind durch gegenseitige Rücksichtnahme zu vermeiden. Eine direkte Kontrolle durch den EGMR verhinderte der EuGH, indem er den in Art. 6 Abs. 2 EUV vorgeschriebenen Beitritt der EU zur ↑EMRK durch sein Gutachten 2/13 blockierte. Allerdings sind die Mitgliedstaaten als Vertragsparteien der EMRK auch beim Vollzug von Unionsrecht an diese gebunden und unterliegen der Kontrolle durch den EGMR.

8. Politische Bewertung

Die Rechtsprechung des EuGH wird u. a. hinsichtlich der weiten Begründung von Unionskompetenzen und fehlender dogmatischer Fundierung mit daraus folgenden Begründungsdefiziten kritisiert. Während früher ein unzureichender Grundrechtsschutz bemängelt wurde, stellt sich jetzt die Frage nach der Tragweite unionalen Grundrechtsschutzes mit der Folge des Vorrangs vor nationalem Grundrechtsschutz und entspr.er Einschränkung der Kompetenzen nationaler Verfassungsgerichte.

Insgesamt wird die Arbeit des EuGH aber eher positiv bewertet. Rechtsschutzlücken werden in der restriktiven Auslegung der Klagebefugnis von Individuen (Art. 263 Abs. 4 AEUV) gesehen. In Grundrechtsfragen ist der Kontrollmaßstab differenziert, in Fragen des ↑Datenschutzes strikt (Urteile zur Vorratsdatenspeicherung, zum sog.en „Recht auf Vergessen" [Google] und zur Datenübermittlung in die USA [Safe Harbor]). Eine angemessene Bewertung muss die Besonderheiten supranationaler Gerichtsbarkeit berücksichtigen.

Literatur

J. Kalbheim: Über Reden und Überdenken. Der Kampf um die Rechtsprechungsänderung durch den Europäischen Gerichtshof als Kristallisationspunkt des europäischen juristischen Diskurses, 2016 • K. Riesenhuber (Hg.): Europäische Methodenlehre, ³2015 • H.-W. Rengeling/A. Middeke/M. Gellermann: Hdb. des Rechtsschutzes in der Europäischen Union, ³2014 • M. Pechstein: EU-Prozessrecht, ⁴2011 • I. Pernice: Die Zukunft der Unionsgerichtsbarkeit, in: EuR 46/2 (2011), 151–168 • R. Streinz: Die Rolle des EuGH im Prozess der Europäischen Integration, in: AöR 135/1 (2010), 1–28.

RUDOLF STREINZ

Europäischer Gerichtshof für Menschenrechte (EGMR)

1. Geschichtliche Entwicklung

Der EGMR ist als Organ des Europarats seit 1959 für die Überwachung der Einhaltung der in der ↑EMRK sowie der sie ergänzenden ZP enthaltenen ↑Menschenrechte in den 47 Mitgliedsstaaten des ↑Europarats zuständig. Nach der urspr.en Konzeption der im Jahr 1953 für zehn Staaten in Kraft getretenen EMRK sollte das Kontrollsystem auf drei Pfeilern beruhen, auf der EKMR, dem EGMR und dem Ministerkomitee. Der Gerichtshof war danach für die bindende Auslegung der Konvention sowie für die endgültige Entscheidung über das Vorliegen einer Menschenrechtsverletzung zuständig, konnte aber nicht unmittelbar angerufen werden. Vielmehr funktionierte die EKMR als eine Art Vorprüfungsinstanz, die abschließend über die Zulässigkeit von Beschwerden entscheiden und zur Begründetheit gutachterlich Stellung nehmen konnte. Das aus den Außenministern der Mitgliedsstaaten zusammengesetzte Ministerkomitee konnte Entschließungen politischer Natur abgeben.

Mit dem am 1.11.1998 in Kraft getretenen 11. ZP wurde dieses System grundlegend reformiert, die EKMR abgeschafft und dem EGMR die unmittelbare Zuständigkeit für Individual- und Staatenbeschwerden übertragen; dem Ministerkomitee obliegt die Überwachung der Umsetzung der Urteile in den Vertragsstaaten. Die Reform war aufgrund des exponentiellen Anstiegs der Beschwerden nach dem Beitritt auch der mittel- und osteuropäischen Staaten nach 1990 notwendig geworden.

Zur Vereinfachung des Verfahrens wurde mit dem am 1.6.2010 in Kraft getretenen 14. ZP die Möglichkeit geschaffen, die Abweisung unzulässiger Beschwerden auf Einzelrichter zu übertragen. Das noch nicht in Kraft getretene 15. ZP sieht weitere Verfahrenserleichterungen vor, fügt aber auch den Subsidiaritätsgrundsatz (↗Subsidiarität) in die Präambel der EMRK ein, um die Nachrangigkeit des europäischen Menschenrechtsschutzes gegenüber den Rechtssystemen der Mitgliedsstaaten zu betonen. Mit dem ebenfalls noch nicht in Kraft getretenen 16. ZP soll ein Gutachtenverfahren geschaffen werden, mit dem nationale Höchstgerichte mit dem EGMR über die Auslegung einzelner Konventionsbestimmungen vor dem Erlass bindender Urteile in Dialog treten können.

Nach Art. 6 Abs. 3 EUV ist der Beitritt der ↗EU zur EMRK und damit die Unterwerfung unter die Rechtsprechung des EGMR vorgesehen. Der auf dieser Grundlage ausgearbeitete Vertragsentwurf wurde aber im Gutachten des EuGH 2/13 vom 18.12.2014 für nicht mit Art. 6 Abs. 2 EUV sowie dem dazu ergangenen ZP Nr. 8 vereinbar erklärt mit der Folge, dass eine Überarbeitung dieses Vertrags notwendig ist und für den Beitritt kein konkreter Zeitpunkt feststeht.

2. Funktionsweise

Der Gerichtshof setzt sich aus je einem ↗Richter aus jedem Vertragsstaat (gegenwärtig 47) zusammen. Die Richter werden für neun Jahre von der Parlamentarischen Versammlung auf Vorschlag der jeweiligen Regierungen gewählt. Organisation und Verfahren sowohl des Gerichtshofs wie auch der für ihn unterstützend tätig werdenden Kanzlei sind in der EMRK sowie in der Verfahrensregelung *(Rules of Court)* geregelt. Der Gerichtshof entscheidet in unterschiedlichen Formationen, als Einzelrichter, Ausschuss von drei Richtern, Kammer von sieben Richtern und Große Kammer von 17 Richtern. Von der Mehrheit abweichende Meinungen der Richter können den Urteilen in Sondervoten angefügt werden.

3. Schwerpunkte und Wirkungen der Rechtsprechung

Die Zahl der pro Jahr anhängig gemachten Beschwerden ist von 10 500 im Jahr 2000 auf 63 350 im Jahr 2017 gestiegen. Die meisten Beschwerden kommen aus der Ukraine, der Russischen Föderation, Italien, der Türkei und Rumänien. Etwa ein Drittel der Beschwerden betrifft das Recht auf ein faires Verfahren (Art. 6 EMRK); statistisch häufig sind auch Beschwerden wegen des Verbots von ↗Folter und unmenschlicher Behandlung (Art. 3 EMRK) und des Rechts auf Freiheit und Sicherheit (Art. 5 EMRK). Die Urteile zu Garantien wie Art. 8 EMRK (Recht auf Achtung des Privat- und Familienlebens), Art. 9 EMRK (Gedanken-, Gewissens- und Religionsfreiheit) und Art. 10 EMRK (Freiheit der Meinungsäußerung) fallen zwar statistisch weniger ins Gewicht, sind dennoch aber für die Herausbildung eines europäischen Wertekanons von sehr großer Bedeutung.

Aufgrund der dynamischen Auslegung der EMRK als „lebendiges Instrument" (EGMR, Entscheidung E-1, 168, Nr. 28, S. 273, Tyrer v Vereinigtes Königreich vom 25.4.1978) durchdringt die Rechtsprechung des Gerichtshofs mittlerweile nahezu alle Bereiche des Rechts.

Im ↗Familienrecht war die Entscheidung im Fall Marckx v Belgien wegweisend, in der die zu diesem Zeitpunkt noch in einer Vielzahl von Rechtsordnungen für selbstverständlich erachtete Benachteiligung von unehelichen Kindern für konventionswidrig erklärt wurde. Mit der Rechtsprechung zum Recht biologischer Väter auf Umgang mit ihren Kindern oder zur Regelung der familienrechtlichen Verhältnisse bei Leihmutterschaft hat der Gerichtshof in vielen Mitgliedsstaaten Reformen veranlasst. Ähnlich einflussreich war die Rechtsprechung zum Verbot der ↗Diskriminierung Homosexueller und Transsexueller.

Ein weiterer Schwerpunkt der Rechtsprechung betrifft die Rechte Gefangener. Die Entscheidung des Gerichtshofs, unhygienische Verhältnisse ebenso wie die Überbelegung von Gefängniszellen als unmenschliche Behandlung anzusehen hat wichtige Änderungen im ↗Strafvollzug bewirkt. In Deutschland musste das Recht der Sicherungsverwahrung grundlegend neu gestaltet werden, als der Gerichtshof 2009 die rückwirkende Verlängerung der Sicherungsverwahrung nach Ablauf der Haft für konventionswidrig erklärte. Auch die Voraussetzungen der Untersuchungshaft werden vom Gerichtshof aufgrund des hohen Wertes des Rechts auf Freiheit einer strengen Prüfung unterzogen.

Das aus dem angloamerikanischen Rechtsdenken in die EMRK übernommene Recht auf ein faires Verfahren hat zu einer Vielzahl von Veränderungen im ↗Prozessrecht in allen Mitgliedsstaaten geführt. Innovativ war insb., in einem übermäßig lange dauernden Gerichtsverfahren eine Konventionsverletzung zu sehen.

Die extensive Auslegung des Begriffs der Herrschaftsgewalt *(jurisdiction)* hat dazu geführt, dass auch Militäreinsätze nicht nur innerhalb der Mitgliedsstaaten wie etwa in Tschetschenien, sondern auch im außereuropäischen Ausland wie etwa im Irak zum Gegenstand der Rechtsprechung des Gerichtshofs wurden. Dabei war der Gerichtshof bemüht, im Abgleich mit dem humanitären ↗Völkerrecht einen effektiven Menschenrechtsschutz auch in Konfliktfällen zu gewährleisten.

Wegmarken gesetzt hat der Gerichtshof auch beim Schutz von Flüchtlingen. Auch wenn er für die Gewährung von ↗Asyl nicht zuständig ist, kann er doch prüfen, ob eine Ausweisung zu Folter oder unmenschlicher Behandlung im Heimat- oder Drittstaat führen würde. Zudem fordert der Gerichtshof eine menschenwürdige Grundversorgung von Flüchtlingen ein.

Die Umsetzung der Urteile des EGMR in die nationalen Rechtsordnungen, sei es mit Kompensationszahlungen, sei es mit konkreten Abhilfemaßnahmen oder mit allg.en Reformen, ist völkerrechtliche Pflicht und wird vom Ministerkomitee des Europarats überwacht.

Die Rechtsprechung des EGMR über fast sechs Jahrzehnte hat nicht nur zur Herausbildung grundlegender Standards und zur Harmonisierung des Rechts in den europäischen Staaten geführt, sondern hat darüber auch Vorbildfunktion für den außereuropäischen Menschenrechtsschutz entfaltet.

Literatur

C. Grabenwarter/K. Pabel: Europäische Menschenrechtskonvention, [6]2016 • W. Shabas: The European Convention on Human Rights. A Commentary, 2015 • F. Sudre: Droit européen et international des droits de l'homme, [12]2015 • D. J. Harris u. a.: Law of the European Convention on Human Rights, 2014 • E. Bates: The Evolution of the European Convention on Human Rights, 2011.

ANGELIKA NUßBERGER

Europäischer Integrationsprozess

I. Historische Entwicklung – II. Immer engerer Zusammenschluss der europäischen Völker

I. Historische Entwicklung

1. Definition

Der Begriff der „Europäischen Integration" ist in den Geschichtswissenschaften umstritten. Je nach methodischem Zugriff wird differenziert zwischen politischer, wirtschaftlicher, gesellschaftlicher und kultureller Europäischer ↗Integration. Auch wenn unbestritten ist, dass alle vier Integrationsarten eng miteinander zusammenhängen, gibt es unterschiedliche Auffassungen darüber, welche Bedeutung ihnen im Gesamtprozess zukommen.

Unter politischer Integration versteht man in der Geschichtswissenschaft die Gründung einer ↗internationalen Organisation; die zentralen Akteure sind hierbei Regierungen. Wirtschaftliche Integration meint die Entstehung von ↗Märkten über politische Grenzen hinweg; die Akteure sind hier also v. a. Anbieter von und Nachfrager nach Gütern, Dienstleistungen, Arbeit und Kapital. Die gesellschaftliche Integration konzentriert sich auf transnationale Kontakte von zivilgesellschaftlichen Akteuren (Kirchen, Sportvereinen, Schulen, etc.; ↗Zivilgesellschaft) über politische Grenzen hinweg. Unter kultureller Integration wird dagegen die in der medialen Öffentlichkeit ausgetragene Debatte um den Begriff ↗„Europa" gefasst.

2. Der Prozess der Europäischen Integration

Während man in den Sozialwissenschaften davon ausgeht, dass der Prozess der Europäischen Integration nach 1945 begann, betont die Geschichtswissenschaft inzwischen die Kontinuitätslinien vom frühen 19. Jh. bis in die Gegenwart. Das 19. Jh. und die Zwischenkriegszeit werden aus dieser Perspektive zunehmend nicht mehr als reine „Vorgeschichte" der Europäischen Integration interpretiert, sondern als eigenständige Pha-

se des Integrationsprozesses gesehen, die sich gleichwohl in wichtigen Aspekten von der Zeit nach 1945 unterschied. Insgesamt ergeben sich bis in die Gegenwart fünf verschiedene Phasen der Europäischen Integration. Die erste Phase begann mit dem Wiener Kongress von 1815 und war in politischer Hinsicht gekennzeichnet durch eine im Vergleich zum 18. Jh. verstärkte Institutionalisierung auf internationaler Ebene. Der Wiener Kongress schuf ein neues ↗Völkerrecht, das als „Ius Publicum Europaeum" bezeichnet wurde. Es markiert den Übergang vom fürstenstaatlichen Bellizismus des 18. Jh. zu einer modernen Friedenskultur, die in ihrem Kern bis 1914 erhalten blieb und auf zwei Grundlagen basierte: Erstens auf der Solidarität der – seit 1818 im Prinzip gleichberechtigten – fünf Großmächte, die sich darauf verständigten, im Rahmen eines „Direktoriums" europäische Fragen gemeinsam zu regeln. Hieraus entstand – zweitens – die gemeinsame Verpflichtung zur Friedenserhaltung, was bedeutete, dass ein Krieg zwischen den Großmächten verhindert werden sollte. Zudem etablierte der Wiener Kongress mit der „Zentralkommission für die Rheinschifffahrt" die erste internationale Organisation im modernen Sinne mit dem Ziel, die Freiheit der Schifffahrt auf dem Rhein durch internationales Recht und gemeinsame Standards zu garantieren. Auf der Basis dieser Grundidee wurde in der zweiten Hälfte des 19. Jh. eine Vielzahl von internationalen Organisationen gegründet.

In wirtschaftlicher Hinsicht war die erste Phase der Europäischen Integration charakterisiert durch eine zunehmende transnationale Verflechtung. Bes. die Märkte für Güter (ab den 1860er Jahren) und Kapital waren in hohem Maße transnational verflochten, in geringerem Ausmaß auch die Arbeitsmärkte. Die öffentlichen Europa-Diskurse in dieser ersten Phase wurden durch vier Elemente geprägt: Zum einen spielte das – noch stark von napoleonischen Vorstellungen geprägte – Konzept einer europäischen Universalmonarchie eine Rolle, zweitens die Idee eines abstrakten Gleichgewichts der Mächte, verdichtet im Bild der europäischen Familie. Drittens waren idealistische völkerbündische Vorstellungen von Bedeutung und schließlich als eine schwächere Variante dieses Konzeptes auch Vorschläge für einen europäischen ↗Staatenbund.

Die zweite Phase der Europäischen Integration begann mit dem Ersten Weltkrieg im August 1914 und endete mit dem Ende des Zweiten Weltkriegs in Europa im Mai 1945. Sie war in politischer Hinsicht ambivalent. Einerseits wurden die vielen im 19. Jh. gegründeten internationalen Organisationen mit Kriegsbeginn 1914 inaktiv und stellten ihre Arbeit ein, auch wenn sie nicht formal aufgelöst wurden; gleiches gilt für den Zweiten Weltkrieg. Zwischen 1918 und 1939 nahmen sie ihre Tätigkeit i. d. R. wieder auf, wenn auch in einem anderen, von nationalen Interessen dominierten internationalen Umfeld. Andererseits entstand mit dem ↗Völkerbund eine neue internationale Organisation mit dem

Anspruch, die 1914 zusammengebrochene Ordnung zu ersetzen. Auch wenn er globalen Anspruch erhob, war der Völkerbund im Kern eine europäische Institution, in deren Rahmen einige der bereits vor 1914 existierenden Organisationen aufgingen. Auch wenn er letztlich an der radikalen Revisionspolitik Italiens und des Deutschen Reiches scheiterte, nahm der Völkerbund doch Kerngedanken dessen vorweg, was nach 1945 charakteristisch für die politische Integration Europas werden sollte. In wirtschaftlicher Hinsicht war die zweite Phase durch Protektionismus geprägt. Alle Versuche, die wirtschaftliche Integration der Vorkriegszeit wieder zu beleben, scheiterten spätestens mit der ↑Weltwirtschaftskrise ab 1929. In kultureller Hinsicht wurde „Europa" zwischen 1914 und 1945 als Kontinent in der Krise wahrgenommen. Dies äußerte sich im Topos vom „Untergang des Abendlandes", das gleichermaßen bedroht sei durch die bolschewistische Revolution in Russland und den vermeintlich ungezügelten Kapitalismus der USA. Insb. in den Widerstandsbewegungen gegen den ↑Nationalsozialismus entstanden zwischen 1940 und 1945 eine Vielzahl an Konzeptionen für die europäische politische Einigung, die die konkreten Schritte nach 1945 prägen sollten. Insofern waren Integration und Desintegration in der Epoche der Weltkriege ein Katalysator für die dritte Phase der Europäischen Integration.

Diese begann 1945 und endete um 1970. Die Europäische Integration war geprägt durch drei grundsätzliche Konflikte: Charakteristisch war zum einen die durch den ↑Ost-West-Konflikt bedingte Zweiteilung Europas. In beiden Teilen des Kontinents entstanden internationale Organisationen, die in scharfer politischer, wirtschaftlicher und ideologischer Opposition zueinander standen, gleichwohl in technisch-ökonomischer Hinsicht oft kooperierten. Zweitens war die Notwendigkeit einer Europäischen Integration in Westeuropa unbestritten, allerdings war man uneins darüber, ob der Schwerpunkt auf der wirtschaftlichen oder der politischen Integration liegen sollte. Schließlich war in Westeuropa auch die institutionelle Struktur der europäischen Institutionen umstritten. In diesem Zusammenhang ging es um die Frage, ob die Nationalstaaten Teile ihrer Souveränität übertragen sollten (↑Supranationalität), oder ob es Aufgabe der europäischen Einrichtungen sei, die nationale Politik zu koordinieren (Intergouvernementalismus). Diese Fragen blieben bis 1969 offen. Es war typisch, dass verschiedene europäische Organisationen parallel oder in Konkurrenz zueinander existierten, und keineswegs klar, welche von diesen sich durchsetzen würde. Aus diesem Grunde hat man von der experimentellen Phase der Europäischen Integration gesprochen. Erst mit dem Haager Gipfel der Staats- und Regierungschefs vom Dezember 1969 setzten sich die EG als dominierende Organisation durch. In wirtschaftlicher Hinsicht wurde diese Phase geprägt durch das lang anhaltende wirtschaftliche Wachstum in Westeuropa, begünstigt durch die schrittweise ↑Liberalisie-

rung des Handels in Westeuropa, zunächst im Rahmen der EWG (seit 1958) und der ↑EFTA (seit 1960). In diesem Rahmen erreichten die europäischen Gütermärkte zu Beginn der 1970er Jahre ein Verflechtungsniveau, das in etwa dem unmittelbar vor dem Ersten Weltkrieg entsprach. Doch war das keine einheitliche Entwicklung. Vielmehr entstand, ökonomisch gesehen, ein westeuropäischer Kernraum, der das südliche England, die Benelux-Staaten, Frankreich, die BRD, die Schweiz und das nördliche Italien umfasste. Hier war die wirtschaftliche Verflechtung bes. hoch, während sie v. a. in der südlichen Peripherie, in Griechenland, dem südlichen Italien und der iberischen Halbinsel, deutlich schwächer war. In kultureller Hinsicht setzte sich der in den 1920er Jahren entstandene Abendland-Diskurs (↑Abendland) zunächst fort. Er wurde aber seit den späten 1950er Jahren von einem anderen Diskurs schrittweise abgelöst, der „Europa" als Bestandteil einer nordatlantischen Wertegemeinschaft um die Ideale von wirtschaftlicher Freiheit und Demokratie verstand.

Zu Beginn der 1970er Jahre begann schließlich jene Phase der Europäischen Integration die bis heute andauert. Seit dem Haager Gipfel dominierte die EG, die 1993 zur ↑EU wurde. Ihre steigende Bedeutung und Attraktivität zeigte sich einerseits in der rasch steigenden Zahl der Mitgliedstaaten (1970: 6; 2015: 28). Zudem übertrugen die Mitgliedstaaten der EU weitere zentrale Elemente ihrer nationalen Zuständigkeit, v. a. die Agrarpolitik, die Außenhandelspolitik, die Wettbewerbspolitik und die Geldpolitik. Insgesamt entstand so ein hochkomplexes Mehrebenensystem (↑Mehr-Ebenen-Regieren), das die politischen Prozesse und Strukturen in den Mitgliedstaaten nachhaltig veränderte („Europäisierung"). In wirtschaftlicher Hinsicht war die Europäische Integration in dieser Phase geprägt durch die schrittweise Liberalisierung der Märkte für Dienstleistungen, Kapital und Arbeit in den 1980er und 1990er Jahren. Dies führte zu einer bes. hohen Verflechtung v. a. der Kapitalmärkte. Gleichzeitig bemühte sich die Gemeinschaft im Rahmen der Regional- und ↑Strukturpolitik um die Förderung von strukturschwachen Gebieten in der europäischen Peripherie. Die kulturelle Entwicklung war ambivalent: So entwickelte sich die EU zwar zu einer Wertegemeinschaft, die geprägt wurde durch den Respekt vor den ↑Menschenrechten, der ↑Demokratie und der Ablehnung von ↑Rassismus und ↑Antisemitismus, zugl. wurden die EG/EU seit den 1970er Jahren aber immer auch als krisenhaft wahrgenommen. Diese Krisenwahrnehmung hatte eine doppelte Dimension: Sie bezog sich einerseits darauf, dass seit den 1970er Jahren klar wurde, dass sich die Gemeinschaften nicht schnell zu einer politischen Föderation nach schweizerischem oder US-amerikanischem Vorbild entwickeln würden, wie viele Föderalisten noch in den 1950er und 1960er Jahren gehofft hatten. Andererseits wurde die EU mit dem Vorwurf eines Demokratiedefizits konfrontiert.

3. Motive und Antriebskräfte der Europäischen Integration

Der Prozess der Europäischen Integration wurde von verschiedenen von Motiven und Antriebskräften vorangetrieben, die ebenfalls dem politischen, wirtschaftlichen, gesellschaftlichen und kulturellen Sektor entstammen.

3.1 Politische Motive

Unter den politischen Motiven kann man unterscheiden:

a) Die Deutsche Frage: Seit dem Wiener Kongress ist die Frage, wie das Zentrum Europas, die deutschen Staaten, politisch gestaltet werden sollen, prägend für die Geschichte des Kontinents. Das Kernproblem war, dass mit Deutschland in der Mitte Europas ein wirtschaftliches und politisches Potential existierte, das allen anderen europäischen Nationalstaaten überlegen war und ist, jedoch nicht stark genug, um von den europäischen Nachbarn als natürliche Führungsmacht akzeptiert zu werden. Der Historiker Ludwig Dehio hat diese Situation mit Blick auf das Deutsche Reich von 1871 treffend als „halbe Hegemonie" (Dehio 1955: 123) bezeichnet. Auf dem Wiener Kongress wurde 1815 mit dem Deutschen Bund erstmals ein politisches System errichtet, das aus europäischer und deutscher Sicht eine befriedigende Antwort auf dieses Problem gab. Es brach durch die preußische Expansion und die Reichsgründung in der zweiten Hälfte des 19. Jh. zusammen. 1918 musste erneut eine Antwort auf die Deutsche Frage gefunden werden. Der Vertrag von Versailles jedoch war eine untaugliche Lösung, weil die Siegermächte das Deutsche Reich nicht als gleichberechtigt akzeptierten und diskriminierten. Die Friedensordnung von Versailles wurde von den deutschen Regierungen abgelehnt und scheiterte nicht zuletzt deswegen. Nach dem Zweiten Weltkrieg wurde die Deutsche Frage durch die gleichberechtigte Einbindung des nun westdeutschen Teilstaates in supranationale Organisationen gelöst. Dies erklärt, warum die Europäische Integration insb. in jenen Sektoren vorangetrieben wurde (Kohle und Stahl, später Währungspolitik), in denen die BRD gegenüber den Nachbarstaaten bes. stark war. Aus deutscher Sicht entsprach diesem Motiv der Wunsch nach Selbsteinbindung, weil dies auch den deutschen außenpolitischen Handlungsspielraum ausweitete. Umgekehrt nahm dieser immer dann ab, wenn Deutschland die Europäische Integration blockierte oder verzögerte. An dieser Konstellation hat sich bis in die Gegenwart hinein nichts geändert.

b) Das zweite politische Motiv für die Europäische Integration war die europäische Selbstbehauptung in der Welt. Noch im 19. Jh. war Europa in der Selbstwahrnehmung das Zentrum der Welt gewesen. Durch die ↑Weltkriege wurde dieses Selbstbild in seinen Fundamenten erschüttert, und in der Zwischenkriegszeit entstand erstmals in den Europa-Entwürfen von Richard Coudenhove-Kalergi die Idee eines Europas der „Dritten Kraft" zwischen den USA und Russland. Dieser Gedanke blieb unter den Strukturen des Ost-West-Konfliktes auch nach 1945 dominant. Bis heute ist das Motiv der Selbstbehauptung Europas greifbar, weil keiner der europäischen Staaten das politische und wirtschaftliche Potential hat, sich gegenüber den Großmächten der Welt zu behaupten. Aus diesem Grund übertrugen die europäischen Nationalstaaten wichtige wirtschaftliche und politische Kompetenzen an die EU, die alleine in der Lage erscheint, ihre Interessen in der Welt zu vertreten.

c) Ein weiteres wichtiges Motiv für die Europäische Integration im 19. und 20. Jh. war die Errichtung einer stabilen Staatenordnung zur Sicherung des ↑Friedens. Das Völkerrecht sollte weiterentwickelt werden, um einen (großen) militärischen Konflikt zu verhindern. Mit dem Wiener Kongress wurde deshalb im Rahmen der sog.en Quadrupelallianz (1.3.1814, erneuert am 9.6.1815) und der Heiligen Allianz eine Art Direktorium für Europa geschaffen. Ab 1952 entstand schrittweise ein supranationales europäisches Recht (↑Europarecht), das ebenfalls von dem Kerngedanken geprägt wurde, Konflikte zwischen den europäischen Staaten im Rahmen rechtlicher Regeln zu lösen.

d) Schließlich war die Europäische Integration auch ein Instrument zur Erlangung und Festigung nationaler Unabhängigkeit und ↑Souveränität. Das galt für Staaten, die entweder durch eine aggressive Kriegspolitik (Deutschland, Italien), durch ein diktatorisches Regime (Spanien, Portugal) oder durch eine langjährige Fremdherrschaft (die Staaten Ostmitteleuropas, z. T. auch Irland) von der gleichberechtigten Mitgliedschaft im internationalen System ausgeschlossen waren. Die Selbstintegration dieser Länder in internationale Organisationen, v.a. aber in die supranationale EWG/EU war ein Instrument, „um überhaupt wieder in die Außenpolitik zu kommen" (zit. n. Hentschel 1996: 254), wie Konrad Adenauer am 13.4.1956 prägnant formulierte. Die wirtschaftliche Dimension dieses Motivs hat Alan Milward als „The European Rescue of the Nation State" (1992) bezeichnet.

3.2 Wirtschaftliche Motive

Das wichtigste Ziel der wirtschaftlichen Integration ist die Steigerung des materiellen ↑Wohlstandes. I. d. R. wird dabei zwischen wirtschaftspolitischer und wirtschaftlicher Integration unterschieden.

a) Unter wirtschaftlicher Integration wird v. a. die Verflechtung von Märkten über politische Grenzen hinweg verstanden. Die entscheidenden Akteure sind hier Anbieter und Nachfrager von Gütern, Kapital, Arbeit und Dienstleistungen. Die Rolle staatlicher Akteure beschränkt sich darauf, die Rahmenbedingungen für den freien Handel zu schaffen. Die wirtschaftliche Integration erlebte bereits in der zweiten Hälfte des 19. Jh. eine Boomphase (Cobden-Chevalier-Vertrag vom 23.1.1860), wurde in der Epoche der Weltkriege zwischen

1914 und 1945 stark eingeschränkt und ist seither wieder dominant. Seit 1992 sind im Rahmen der EU die Märkte für Güter, Dienstleistungen, Arbeit und Kapital vollständig frei. Grundlegend ist hierbei die in der ökonomischen Wissenschaft vorherrschende Ansicht, dass der ↗Freihandel im Allgemeinen zur Wohlstandssteigerung der Gesellschaft insgesamt beiträgt.

b) Von wirtschafts*politischer* Integration spricht man, wenn Regierungen oder öffentliche Verwaltungen die wirtschaftliche Verflechtung nicht den Akteuren auf den Märkten alleine überlassen, sondern aktiv gestalten. Dies geschieht entweder auf intergouvernementaler Ebene, wenn Staaten gemeinsame Standards in technischer, betrieblicher oder rechtlicher Hinsicht für einen bestimmten Sektor vereinbaren. Sie können aber auch Teile nationaler Souveränität in konkreten Bereichen an supranationale Organisationen delegieren. Beispiele hierfür sind die gemeinsame Agrarpolitik, die Außenhandelspolitik und die Währungspolitik der EU.

3.3 Gesellschaftliche Motive

Ähnlich strukturiert wie die wirtschaftliche Europäische Integration ist die der Gesellschaft. Hier geht es allerdings nicht um die Wohlstandssteigerung im engeren materiellen Sinne, sondern um den Wunsch von Gruppen oder Individuen, Kontakte mit dem Ausland aufzunehmen oder zu erhalten.

a) Ein zentraler Aspekt gesellschaftlicher Integration ist die transnationale Verflechtung von Gesellschaften. Wichtige Akteure sind in diesem Zusammenhang z. B. die Kirchen, Sportler, Schüler und Studenten, aber auch Wissenschaftler und Touristen. Die transnationale Verflechtung der europäischen Gesellschaften hat seit 1945 stark zugenommen, v. a. wegen der stetigen Verbesserung der Verkehrs- und Kommunikationsinfrastrukturen.

b) Ein zweiter wichtiger Aspekt ist die Frage nach der Angleichung der europäischen Gesellschaften. In der Forschung wurde in den letzten Jahren gefragt, ob die intensivere transnationale Verflechtung zu einer europäischen Gesellschaft führe, die die nationalen Gesellschaften ablöse. Die bisherige Antwort ist differenziert: Einerseits gab es eine zunehmend intensive Verflechtung, andererseits kann man nur bedingt von einer Vereinheitlichung der Gesellschaften sprechen. Charakteristisch ist vielmehr eine wechselseitige Durchdringung von Lebens- und Verhaltensweisen in dem Sinne, dass fremde Sitten und Gebräuche in die nationalen Gesellschaften integriert, aber diesen angepasst wurden. Umgekehrt veränderten sich auch die Gesellschaften. Gesellschaftliche Integration ist daher als ein Prozess zu verstehen, der durch permanente wechselseitige Durchdringung, durch Anpassung wie Ablehnung geprägt ist, ohne dass ein Ziel des Prozesses erkennbar oder überhaupt zu formulieren wäre. Hinzu kommt, dass in diesem Sektor die Abgrenzung zwischen europäischer und globaler Verflechtung fließend ist.

c) Gleichwohl lassen sich makrosoziologisch gesellschaftliche Anpassungs- und Angleichungsprozesse identifizieren. So glich sich bspw. das Heiratsalter der europäischen Menschen zunehmend an. Gleiches gilt für die Schulbildung und nicht zuletzt für die Fremdsprachenkenntnisse der Europäer. Zudem entstanden in konkreten Sektoren transnationale europäische Teilöffentlichkeiten, gemeinsame Kommunikationsräume über nationale Grenzen hinweg.

3.4 Kulturelle Motive

Ziel der europäischen kulturellen Integration ist die mentale Selbstverortung von Individuen oder Gruppen. Europäische kulturelle Integration ist daher eng mit dem Begriff der europäischen ↗Identität verbunden und wird in der Forschung unter zwei Aspekten diskutiert.

a) Der essentialistische Identitätsbegriff geht davon aus, dass es eine europäische Identität gibt, die diesen Kontinent durch bestimmte Eigenschaften von anderen Kontinenten auf der Welt unterscheidet und die sich aus den Quellen der europäischen Geschichte rekonstruieren lässt. Die Aufgabe der Geschichtswissenschaft ist es aus dieser Sicht, die in der europäischen Geschichte verborgene Identität zu rekonstruieren. V. a. in der experimentellen Phase der Europäischen Integration zwischen 1945 und 1969 hatte die essentialistische europäische Identitätssuche eine Hochkonjunktur und ist verbunden mit Namen wie Denis de Rougement, Heinz Gollwitzer und Federico Chabord. Gegenwärtig wird der Ansatz nur von einer Minderheit der Europa-Forscher vertreten. Sie drückt sich aber in der seit den 1970er Jahren verstärkten Suche nach europäischen ↗Symbolen (Fahne, Hymne, Gedenktage) aus.

b) Der konstruktivistische Identitätsbegriff hingegen geht davon aus, dass es eine objektiv existierende europäische Identität nicht gibt und nicht geben kann. „Europa" existiert aus dieser Perspektive nicht an sich, sondern erscheint nur als ein diskursiv erzeugtes Konstrukt (↗Konstruktivismus). Europäische Identität entsteht so durch die immer wieder neuen Selbstzuschreibungen der Europäer oder als eine Fremdzuschreibung von außen. Es komme darauf an, zu erforschen, was Menschen zu verschiedenen Zeitpunkten unter dem Begriff „Europa" verstanden.

Literatur

W. Loth: Europas Einigung, 2014 • G. Thiemeyer: Europäische Integration, 2010 • M. Schulz: Das europäische Konzert der Großmächte als Sicherheitsrat 1815–1860, 2009 • J. Mittag: Kleine Geschichte der Europäischen Union, 2008 • W. Schmale: Geschichte und Zukunft der europäischen Identität, 2008 • H. Kaelble: Sozialgeschichte Europas, 2007 • P. Krüger: Das unberechenbare Europa, 2006 • V. Hentschel: Ludwig Erhard. Ein Politikerleben, 1996 • A. Milward: The European Rescue of the Nation-State, 1992 • L. Dehio: Das sterbende Staatensystem, in: ders.: Deutschland und die Weltpolitik im 20. Jahrhundert, 1955, 123–141.

GUIDO THIEMEYER

II. Immer engerer Zusammenschluss der europäischen Völker

1. Überblick: Konstitutionelle Umsetzung der Europaidee

Im engeren politischen Sinn handelt es sich beim E.n I. um das europäische Einigungsprojekt seit dem Ende des Zweiten Weltkriegs, das mit der Ratifizierung des Vertrags von Lissabon 2009 seinen bisherigen Höhepunkt erreicht hat. Der Begriff bezeichnet einen offenen, auf einen „immer engeren Zusammenschluss der europäischen Völker" (Präambel des AEUV) ausgerichteten Verdichtungsprozess nationalstaatlicher Kooperation, der angefangen mit der Gründung der EGKS (1952), über die Römischen Verträge (1958) und weitere Vertragsfortentwicklungen in der Gründung der ↑EU durch den Vertrag von Maastricht (1993) mündete und durch die Vertragsreformen von Amsterdam (1999), Nizza (2002) und Lissabon seine gegenwärtige Gestalt erlangt hat.

Insgesamt umschreibt der E. I. die schrittweise ↑Konstitutionalisierung der Europaidee, indem die Mitgliedstaaten ausgewählte Entscheidungskompetenzen und damit auch spezifische Bereiche ihrer ↑Souveränität an die EG bzw. an die EU als gemeinsame Regelungsebene jenseits des Nationalstaates übertragen. Die Zuständigkeitsverteilung im so entstandenen Mehrebenensystem (↑Mehr-Ebenen-Regieren) von Mitgliedstaaten und Gemeinschaft bzw. Union wird durch das Europäische Vertragswerk (EUV und AEUV) festgeschrieben, wobei die Prinzipien der „begrenzten Einzelermächtigung", der ↑„Verhältnismäßigkeit" sowie der ↑„Subsidiarität" zu beachten sind (Art. 4 und 5 EUV). In der Zuständigkeitsverteilung kommt auch die zentrale Rolle der Mitgliedstaaten zum Ausdruck, die als „Herren der Verträge" (BVerfGE 89, 155, 190) über Integrationsfortschritt und -tiefe entscheiden.

Neben dieser bewussten Akteurschaft ist allerdings die bisherige Einigungsgeschichte auch durch Integrationsdynamiken und -automatismen geprägt: zum einen infolge der politischen Gestaltungsmacht der ↑Europäischen Kommission, welcher unter den EU-Institutionen exklusiv das Initiativrecht zukommt und welche angesichts ihres supranationalen Charakters eben nicht nur „Hüterin der Verträge" ist, sondern auch als „Motor der Union" gilt; zum anderen durch eine integrationsfreundliche Rechtsprechung des ↑EuGH, der sich in seiner Spruchpraxis nach der in der Präambel des europäischen Vertragswerks formulierten Maßgabe der „immer engeren Union" richtet. Ebenso relativiert sich die Rolle der Mitgliedstaaten als Gestalter der europäischen Politiken bei der Wahrnehmung der einmal an die Gemeinschaft bzw. Union übertragenen Kompetenzen: Der Umfang der nationalstaatlichen Mitsteuerung variiert von Politikfeld zu Politikfeld – je nachdem, ob es europarechtlich dem intergouvernementalen oder dem supranationalen Zuständigkeitsbereich zugeordnet ist.

Der erste Entscheidungsmodus betrifft Politikbereiche, die zwar europäisch koordiniert werden, letztlich aber nach wie vor nationalstaatliche Domänen verbleiben (so z.B. im Falle der ↑GASP); der letztere Modus bezieht sich auf Politikfelder, die „vergemeinschaftet" sind (so etwa die Außenhandelspolitik oder die Währungspolitik der Euro-Mitgliedstaaten). Wo beim Ersteren angesichts der i.d.R. vorgeschriebenen Einstimmigkeit der Entscheidung jedem einzelnen Mitgliedstaat ein Veto-Recht zukommt, können beim Letzteren einzelne Staaten überstimmt werden, sind allerdings durch den Rechtsakt ebenso gebunden. Schon daraus wird ersichtlich, dass der E. I. zu der Etablierung eines neuen, transnationalen politischen Systems geführt hat: Durch die stete Übertragung von Souveränitätsrechten an die Union und deren konstitutionelle Möglichkeit, durch gemeinschaftliche Rechtsakte in die Nationalstaaten „hineinzuregieren", ist ein ↑„Staatenverbund" (BVerfGE 89, 155) entstanden, der zunehmend quasi-staatliche Merkmale aufweist. Hiermit korreliert auch, dass die EU mit dem Vertrag von Lissabon nunmehr auch eine eigenständige Rechtspersönlichkeit darstellt (Art. 47 EUV) und somit berechtigt ist, als ein mit den Nationalstaaten vergleichbarer Akteur ↑völkerrechtliche Verträge zu schließen.

Auch wenn der E. I. ein primär (friedens-)politisches Projekt ist, folgte er von Anfang an gleichermaßen ökonomischen Motivationen, sprich der Integration der Märkte bis hin zur Realisierung des ↑Europäischen Binnenmarktes und zur Verwirklichung der ↑EWWU, die auch die mitgliedstaatlichen Volkswirtschaften grundlegend verändert und denationalisiert haben. Ebenso weist er gesellschaftliche und kulturelle Dimensionen auf. Zwar stellen diese Felder formaliter nach wie vor Hoheitsbereiche der Mitgliedstaaten dar; allerdings strahlen intergouvernementale und supranationale europäische Politiken auf sie aus und führen zu Konvergenzeffekten, sei es infolge von steigender Mobilität auf Grundlage der vier ↑Grundfreiheiten, sei es durch die Förderung kultureller Zusammenarbeit oder durch bildungspolitische Maßnahmen wie „Erasmus": Mit der fortschreitenden Europäischen Integration gewinnen die grenzüberschreitenden Verflechtungen und Anpassungen auch im kulturellen und gesellschaftlichen Bereich an Breite und Tiefe.

2. Ideengeleiteter Prozess mit offener Finalität

Der E. I. folgt weder einer konkreten vorgezeichneten europäischen Idee noch einem einheitlichen ordnungspolitischen Entwurf. Gleichwohl ist er in die kulturellen Traditionsströme des 19. und frühen 20. Jh. eingebettet und gründet auf dem Fundament früherer Europaideen.

2.1 Normative Bewegmomente

Es waren insb. die geistigen Grundlagen des ↑Föderalismus, in denen die Gründer und Wegbegleiter des E.n I.es Inspiration für die Schaffung einer anhaltend friedlichen Ordnung im Nachkriegseuropa sahen – sei es in Winston Churchills Vorstellung der „Vereinigten Staaten von Europa" (entspr. seiner Zürcher Rede vom 19.9.1946), sei es in Robert Schumans Plan einer vorerst sektoral begrenzten, gleichwohl supranationalen Integration (Schuman-Plan vom 9.5.1950), die nach einschlägiger Konzeptionierung durch Jean Monnet „die ersten konkreten Etappen einer europäischen Föderation" (zit. n. Oppermann/Classen/Nettesheim 2016: 8) darstellen sollte. Auch wenn der Zielpunkt insgesamt im Vagen lag, bestand von Anfang an Grundkonsens über die Bewegmomente und Leitmotive des Projekts: ↑Frieden und ↑Wohlstand, ↑Freiheit und ↑Mobilität, Bekenntnis zu ↑Demokratie, ↑Pluralismus und ↑Toleranz.

Die Dynamik des E.n I.es liegt in kleinen Schritten, die sich situativ ergeben und perspektivisch in einer neuen Form europäischen Zusammenlebens münden sollen. Demzufolge ist der Prozess zwar insgesamt nach vorne gerichtet, gleichwohl auch von Phasen der Stagnation und Rückschlägen geprägt.

2.2 Theorien der Europäischen Integration

Von den Anfängen an ist mit dem E.n I. die theoretische Anstrengung einhergegangen, ihn analytisch zu beschreiben, die jeweils gegenwärtigen Herausforderungen einzuordnen und mögliche Entwicklungen vorauszuzeichnen.

Wo die ersten Nachkriegsbestrebungen vorrangig auf föderalistischen Grundideen fußten, denen zufolge die Integration auf freiwilligen, vernunftgeleiteten Entscheidungen gründet, welche perspektivisch zur Schaffung einer friedvollen europäischen Föderation führen sollen, setzte nach der Gründung der EGKS der Funktionalismus als zentrales Erklärungsmuster an. Für diesen folgte die Europäische Integration einer umgekehrten Logik: Sie sei nicht primär Ausdruck einer normativen Zielsetzung, sondern speise sich gemäß des Credos *form follows function* aus konkreten technisch-funktionalen Kooperationszwängen im Bereich der sog.en *low politics*, wobei sich aus unmittelbaren funktionalen Erfordernissen institutionelle und vertragliche Lösungen ergeben. Mit dem Schub durch die Römischen Verträge (1958) wurde der Funktionalismus zugunsten des Neofunktionalismus revidiert: Dieser erkannte Integrationsdynamiken – jenseits der technischen Zusammenhänge – auch im genuin politischen Bereich mit erkennbaren *spill over*-Prozessen von einem Politikfeld zum nächsten. Eine Modifikation erfuhr er infolge Charles de Gaulles Blockadepolitik in den 1960er Jahren, welche die Automatismen des E.n I.es in Frage stellte und die Möglichkeiten der Stagnation *(encapsulation)* sowie der eventuellen Rückschritte *(spill back)* konzeptualisierte.

Zeitgleich wurde der Intergouvernementalismus in die integrationstheoretische Debatte eingeführt, der sich für die Rückkehr zu einer staatszentrierten realistischen Position aussprach, zumal die ↑Integration ein kalkulierter Willensakt von souveränen Staaten und weniger Ausdruck funktionaler Notwendigkeiten sei. Schließlich führte der erneute Integrationsboom infolge der EEA (1987) und des Maastrichter Vertrages (1993) zu einer Renaissance neofunktionalistischer Erklärungsansätze (etwa in Form von Wolfgang Wessels Fusionsthese [1992]) sowie insb. zur Etablierung des liberalen Intergouvernementalismus. Auch letzterer sieht in der Europäischen Integration das Resultat des Aushandelns nationalstaatlicher Interessen. Allerdings seien die Staaten keine einheitlichen Akteure; vielmehr ergäben sich deren Präferenzen aus dem Wechselspiel rational agierender Individuen und sozialer ↑Gruppen. Nach der abgeschlossenen liberal-demokratischen Präferenzbildungsphase innerhalb der Nationalstaaten werden die Interessen in einer zweiten Stufe von den nationalen Regierungen entspr. ihrer relativen Machtposition auf europäischer Ebene vertreten. Die Institutionalisierung supranationaler Entscheidungsstrukturen stellt dabei vorrangig einen pragmatischen Akt dar, der zur Verbesserung der Verhandlungsbedingungen führen soll. Die europäischen Institutionen bleiben im Schatten der souveränen Entscheidungen der Nationalstaaten und sind bzgl. ihrer Stabilität v. a. auf gemeinsame ökonomische ↑Interessen angewiesen.

3. Kulminierende Spannungsfelder

Durch den erreichten Integrationsstand haben sich zunehmend Spannungsfelder herauskristallisiert und verhärtet, die das heutige europäische Mehrebenensystem nicht nur hinsichtlich seiner politischen Handlungsfähigkeit herausfordern, sondern es vielmehr in seinem Bestand gefährden.

3.1 Vertiefung v Erweiterung

Bereits seit seinen Anfängen in den 1950er Jahren prägt den E.n I. die Dialektik zwischen Vertiefung und Erweiterung und damit das Dilemma zwischen einer Ausweitung der vergemeinschafteten Kompetenzen und der Erhöhung der Regelungsdichte auf der einen Seite und der räumlichen Erweiterung durch die Aufnahme neuer Mitgliedstaaten auf der anderen. Beide stehen in einem spannungsreichen Verhältnis zueinander, zumal eine Erweiterung stets Herausforderungen für die innere Einheitlichkeit und damit Einheit bedeutet und die Vertiefung wieder zu einer Exklusivität führt, welche Erweiterung angesichts der Anpassungszwänge zu einem delikaten Unterfangen werden lässt. Wo bis in die 1990er Jahre beide Entwicklungen in Balance gehalten werden konnten, stellt die seitdem entstandene Situation die EU vor eine Zerreißprobe. So hat sich spätestens mit dem durch den Vertrag von Maastricht erreichten Integrationsniveau – mit dem Binnenmarkt und der allmählichen Hinwendung zu einer politischen Union – der Charakter der Gemeinschaften verändert. Die bis dahin dominierende „negative Integration", welche vorrangig durch den Abbau von Regelungen und Hemmnissen auf marktschaffende Maßnahmen abstellte, schwenkte in die „positive Integration" um: Im Mittelpunkt stehen seitdem marktkorrigierende Maßnahmen, welche mit neuen, gemeinsamen Regelungen zur inhaltlichen Gestaltung der entstehenden Gemeinschaft und der von ihr verantworteten Politiken einhergehen. Dabei hat sich durch die Verstetigung des E.n I.es ein eigenständiges ↑politisches System etabliert, das in seiner Politikgestaltungskompetenz immer größere Autonomien gegenüber unmittelbarer nationalstaatlicher Mitsteuerung erlangt. Gleichzeitig sind v. a. im Zuge der EWWU neue Integrationszwänge entstanden, zumal der Fortbestand der Gemeinschaftswährung geradezu auf weitergehende fiskalische und sozioökonomische Harmonisierungen angewiesen ist. Der E. I. scheint sich immer mehr von der Logik der bewussten Willensakte der Mitgliedstaaten loszulösen.

Demgegenüber steht der Erweiterungsschub, der die Union seit 1994 von zwölf Mitgliedstaaten auf gegenwärtig 28 hat anwachsen lassen. Insb. der Beitritt der Staaten aus Ostmittel- und Osteuropa hat die sozialen und sozioökonomischen Disparitäten im Rahmen der Gemeinschaft verstärkt und binneneuropäische Konfliktlinien hinsichtlich abweichender fiskalpolitischer und staatsphilosophischer Ordnungsvorstellungen sowie unterschiedlich ausgeprägter Solidaritätsvorstellungen verschärft. Diese Vielfalt steht den Konvergenzerfordernissen und funktionalen Integrationszwängen, welche die erfolgte Vertiefung nach sich zieht, diametral entgegen.

Zum einen wird die Handlungsfähigkeit der Union eingeschränkt, da die Entscheidungsfindung zunehmend das Ergebnis langwieriger Aushandlungsprozesse ist und dabei auf dem kleinsten gemeinsamen Nenner erfolgt, der der Komplexität der zu bewältigenden Herausforderungen und dem Problemlösungsdruck nur bedingt gerecht werden kann. In Bereichen, in denen qualifizierte Mehrheit als Entscheidungsmodus zulässig ist, kommt es zum anderen zu Legitimitätseinbußen infolge der Majorisierung von Minderheiten. Wo also der E. I. bis in die 1990er Jahre durch einen *permissive Consensus* gekennzeichnet war, indem er grenzüberschreitend eine stillschweigende, unhinterfragte Unterstützung genoss, wird er seitdem zunehmend durch kritische Thematisierung in der Öffentlichkeit, durch offen artikulierte Legitimitätsforderungen bis hin zu organisierten Protesten hinterfragt. Dieses öffentliche Unbehagen wird seit den Krisenjahren 2007 ff. unionsweit zunehmend durch politische Akteure aufgegriffen und kanalisiert, was letztlich in einer ansteigenden Renationalisierungsrhetorik und -tendenz resultiert.

3.2 In der Demokratiefalle
Auch das zweite relevante Spannungsfeld ergibt sich aus dem Voranschreiten des E.n I.es, zumal einem zunehmend autonomen Gestaltungsspielraum auf europäischer Ebene ein nach wie vor nationalstaatlich geprägter Legitimations- und Repräsentationsrahmen entgegensteht. Trotz aller Bemühungen seit den späten 1970er Jahren, dieses Missverhältnis durch eine Demokratisierung der EU-Governance aufzulösen, wird dieses Dilemma tiefer. Denn entspr.e Reformmaßnahmen – wie etwa die Direktwahl des ↑Europäischen Parlaments seit 1979, die stetige Aufwertung der europaparlamentarischen Kompetenzen und Kontrollrechte oder die Etablierung des OGV als des wichtigsten Rechtssetzungsverfahrens (Art. 294 AEUV) – fokussieren lediglich eine Dimension demokratischen Regierens. Demokratie verwirklicht sich allerdings nicht alleine durch formale Strukturen der Herrschaftsorganisation, sondern auch durch einen Demos, d. h. durch kollektive Staatsbürgerschaft (↑Staatsangehörigkeit). Damit eine politische Ordnung überhaupt demokratische Qualität entfalten kann, bedarf es gesellschaftlicher Voraussetzungen: ein Mindestmaß an Gemeinschaftsgefühl, das die Loyalität der Unionsbürger gegenüber der politischen Ordnung gewährleistet, zur politischen Beteiligung animiert und die Akzeptanz von Mehrheitsentscheidungen sicherstellt; ebenso eine ausgebildete, systemweite Öffentlichkeitssphäre, welche Grundlage für Meinungs- und Willensbildungsprozesse und damit für Steuerung und Kontrolle der politischen Ordnung ist. Ebenso unabdingbar sind systemweite Vermittlungsagenturen zwischen Unionsbürgern und politischen Entscheidungsträgern, also ↑Interessengruppen, politische ↑Parteien (↑Europäische Parteien), zivilgesellschaftliche Strukturen (↑Zivilgesellschaft). Denn erst sie gewährleisten die gesamtgesellschaftliche Interessenvermittlung, Konfliktsteuerung und Moderation und entscheiden somit wesentlich über den Grad gesellschaftlicher Integration. Alle diese gesellschaftlichen Komponenten sind allenfalls in Ansätzen ausgebildet.

Mithin ist der E. I. in eine Demokratiefalle geraten: Durch die formaldemokratischen Strukturen und Reformanstrengungen hin zu einer demokratischeren, transparenteren und effizienteren Union weckt er Illusionen, denen die EU nicht genügen kann und die sie letztlich in ihrer Existenz bedrohen.

3.3 Zukunft
Das Paradigma der „immer engeren Union" scheint angesichts der Spannungsfelder sowie neuer Konfliktlinien infolge der ↑Euro- und der Flüchtlingskrise durch das Bild einer in unterschiedliche Lager auseinanderstrebenden EU abgelöst zu werden: Nicht nur stehen sich etwa in der Fiskalpolitik der Norden und Süden Europas entgegen oder im Rahmen der Bewältigung der Flüchtlingskrise der Westen und der Osten; vielmehr keimen in vielen Mitgliedstaaten nationalistische Reflexe auf, die von Forderungen nach einer Revision des E.n I.es bis zum Austritt aus der Gemeinschaft reichen. Letzteres zeigt sich nicht nur an dem sog.en Brexit-Votum, mit dem sich die britische Bevölkerung am

23.6.2016 mehrheitlich für das Ausscheiden des Vereinigten Königreichs aus der EU ausgesprochen hat, sondern gehört als Forderung zum Standardrepertoire diverser populistischer Akteure auf dem europäischen Festland. Gleichwohl stehen einem Zerfall der EU indes substanzielle Momente entgegen: Neben ökonomischen Motivationen sind dies funktionale Kooperationszwänge angesichts der umfassenden Herausforderungen, mit denen Europas Staatenwelt konfrontiert ist – seien dies Ungewissheiten in der globalen Ordnung angesichts nicht vorausschaubarer Entwicklungen in benachbarten Weltregionen, seien es Anstrengungen für den Klimaschutz (↑Klimawandel) oder die Entwicklungshilfe, sei es die Einhegung des internationalen ↑Terrorismus und der organisierten ↑Kriminalität.

Vor diesem Hintergrund zeichnet sich die „differenzierte Integration" als wahrscheinliches Strukturierungsmerkmal für den weiteren E.n I. ab, wie sie in den 1990er Jahren konzeptualisiert und in Ansätzen bereits im Vertragswerk verankert worden ist (vgl. u. a. für das Europäische Vertragswerk z. B. die Regelungen der Ständigen Strukturierten Zusammenarbeit im Rahmen der GASP in Art. 42 EUV). In Zukunft könnten sich nicht alle Staaten gleichzeitig auf demselben Integrationsniveau befinden; Staaten, die stärkere Integration anstreben, um die Gemeinschaft effektiver zu gestalten, werden einen Kern bilden, um den sich verschiedene konzentrische Kreise entwickeln. Entscheidend ist die Durchlässigkeit dieser Struktur, sodass Staaten aus der Peripherie grundsätzlich in den Gravitationspunkt nachziehen können. Dennoch ist davon auszugehen, dass der E. I. kein gleichgerichteter Prozess zu einer immer stärkeren Integration bleiben, sondern zunehmend durch Phasen geprägt wird, in denen gemeinsame Besitzstände auch abgebaut und renationalisiert werden, andererseits auch einzelne Staaten temporär wie auch dauerhaft ausscheren können. Umgekehrt ist auch denkbar, dass an unterschiedlichen Politikfeldern im Sinne einer externen Differenzierung auch Staaten mitwirken, die formell keine Mitglieder der Union sind.

Unterm Strich wird die E. I. auch künftig zu einem „immer engeren Zusammenschluss der europäischen Völker" tendieren: Der Modus der differenzierten Integration wird allerdings dazu führen, dass das bislang vorherrschende Leitbild einer einheitlichen europäischen politischen Ordnung durch die realpolitische Alternative eines funktionalen Netzwerks unterschiedlich stark europäisierter Nationalstaaten abgelöst wird.

Literatur

T. Oppermann/C. Classen/M. Nettesheim: Europarecht, ⁷2016 • M. Bach: Europa ohne Gesellschaft. Politische Soziologie der europäischen Integration, ²2015 • P. Graf Kielmansegg: Wohin des Wegs, Europa?, 2015 • E. Stratenschulte (Hg.): Anfang vom Ende? Formen differenzierter Integration und ihre Konsequenzen, 2015 • W. Böttcher (Hg.): Klassiker des Europäischen Denkens, 2014 • M. Gehler: Von der Utopie zur Realität, 2014 • W. Weidenfeld: § 80 Die Europäische Uni-

on und ihre föderale Gestalt, in: I. Härtel (Hg.): Hdb. Föderalismus, Bd. 4, 2012, 5–36 • J. Habermas: Zur Verfassung Europas, 2011 • O. Kalina: Ein Kontinent – eine Nation? Prolegomena zur Bildung eines supranationalen Demos im Rahmen der EU, 2009 • A. Stubb: A Categorization of Differentiated Integration, in: JCMS 37/2 (1996), 283–295 • R. Dahl: A Democratic Dilemma. System Effectiveness versus Citizen Participation, in: PSQ 109/1 (1994), 23–34 • A. Moravcsik: Preferences and Power in the European Community. A Liberal Intergovernmentalist Approach, in: JCMS 31/4 (1993), 473–524 • W. Wessels: Staat und (westeuropäische) Integration. Die Fusionsthese, in: M. Kreile (Hg.): Die Integration Europas, 1992, 36–61 • D. Mitrany: The Functional Theory of Politics, 1975 • L. Lindberg/S. Scheingold: Europe's Would-Be Polity. Patterns of Change in the European Community, 1970 • P. Schmitter: A Revised Theory of Regional Integration, in: IO 24/4 (1970), 836–868 • S. Hoffmann: Obstinate or Obsolete? The Fate of the Nation State and the Case of Western Europe, in: Daedalus 95/3 (1966), 862–915 • C. Friedrich: Nationaler und internationaler Föderalismus in Theorie und Praxis, in: PVS 5/2 (1964), 154–187 • E. Haas: Beyond the Nation-State. Functionalism and International Organization, 1964.   ANDREAS KALINA

Europäischer Rat

1. Begriff

Der E. R., nicht zu verwechseln mit dem ↑Rat (der Europäischen Union) und dem ↑Europarat (Organisation mit 47 Vertragsparteien, Sitz in Straßburg), ist seit dem Vertrag von Lissabon (in Kraft seit 1.12.2009) ausdrücklich (Art. 13 Abs. 1 UAbs. 2 EUV) ein Organ der ↑EU.

2. Zusammensetzung

Der E. R. setzt sich zusammen aus den *Staats- und Regierungschefs* der 28 Mitgliedstaaten (Stand 2017) der EU sowie dem Präsidenten des E.n R.s und dem Präsidenten der ↑Europäischen Kommission (Art. 16 Abs. 2 S. 1 EUV). Die Unterscheidung zwischen Staats- und Regierungschefs stellt darauf ab, dass die Mitgliedstaaten im E.n R. durch denjenigen vertreten sein sollen, der nach dem Verfassungsrecht des jeweiligen Staates die politische Macht hat. Daher wird Deutschland durch den Bundeskanzler (2017: Bundeskanzlerin Angela Merkel) vertreten, der gemäß Art. 65 S. 1 GG die Richtlinien der Politik bestimmt, ebenso Österreich (trotz der Direktwahl des Bundespräsidenten, Art. 60 Abs. 1 S. 1 B-VG), die Monarchien Belgien, Dänemark, Luxemburg, Niederlande, Schweden, Spanien und Vereinigtes Königreich durch den Premierminister bzw. Ministerpräsidenten, Frankreich aber durch den Präsidenten der Republik (der den Premierminister ernennt, Art. 8 S. 1 Französische Verfassung). Eventuelle Streitfragen des Vertretungsrechts sind innerhalb des Mitgliedstaats zu klären. Der Präsident des E.n R.s wird von diesem mit qualifizierter Mehrheit (Art. 235 Abs. 1 UAbs. 2 S. 1 AEUV) für eine Amtszeit von zweieinhalb Jahren gewählt, einmalige Wiederwahl ist möglich (Art. 15 Ab. 5

S. 1 EUV). Er darf kein einzelstaatliches Amt ausüben (Art. 15 Abs. 6 UAbs. 3 EUV). Er (auch um eine doppelte Stimme eines Mitgliedstaats zu vermeiden) und der Präsident der Kommission nehmen an Abstimmungen im E. R. nicht teil (Art. 235 Abs 1 UAbs. 2 S. 2 AEUV). Der Hohe Vertreter der Union für die Außen- und Sicherheitspolitik, der zugl. der Europäischen Kommission und dem Rat der Europäischen Union angehört, nimmt an den Arbeiten des E.n R.s teil (Art. 15 Abs. 2 S. 2 EUV). Der E. R. tritt mindestens zweimal pro Halbjahr zusammen, ferner zu außerordentlichen Tagungen, wenn es die Lage (z. B. Finanzkrise, Flüchtlingsproblem) erfordert. Er wird vom Generalsekretär des Rates unterstützt (Art. 235 Abs. 4 EUV).

3. Entwicklung

Von 1969–1974 trafen sich die Staats- und Regierungschefs der Mitgliedstaaten jährlich zu sog.en „Gipfeltreffen". Auf dem Treffen 1974 in Paris wurde deren Institutionalisierung als E. R. im Rahmen der EPZ, d. h. den nicht in den EG-Verträgen geregelten, aber deren Materien berührenden Bereichen (Innenpolitik, Außen- und Sicherheitspolitik) beschlossen. In der EEA wurde 1986 der E. R. erstmals vertraglich verankert, in der Säulenkonstruktion des Vertrags von Maastricht (1992) wurde er als Leitungsorgan der dadurch „gegründeten" EU bestätigt und in dieser Funktion bestärkt. Diese Funktion behält er auch nach dem Vertrag von Lissabon (2009) als Organ der jetzt einheitlichen EU bei. Dabei kam es zu erheblichen Änderungen und zu einer weiteren Stärkung der Rolle des E.n R.s, v. a. im Verhältnis zum Rat. Um Kontinuität und einheitliche Vertretung der EU nach außen zu demonstrieren, wurde (anders als beim Rat) das bisherige Rotationssystem der „Präsidentschaft" abgeschafft und das Amt des *Präsidenten des E.n R.s* geschaffen. Dieser wird vom E.n R. mit qualifizierter Mehrheit für eine Amtszeit von zweieinhalb Jahren mit einmaliger Möglichkeit der Wiederwahl gewählt (Art. 15 Abs. 5 EUV: 2009–2014 Herman Van Rompuy, Belgien; 2014 Donald Tusk, Polen, der 2017 ohne Zustimmung Polens wiedergewählt wurde). Die Einbeziehung als Organ der EU soll den Abbau intergouvernementaler Strukturen dokumentieren, die in Bereichen wie der ↑GASP und der ↑EWWU gleichwohl erhalten bleiben.

4. Aufgaben

Als *Leitungsorgan* gibt der E. R. gemäß Art. 15 Abs. 1 S. 1 EUV der Union die für ihre Entwicklung erforderlichen Impulse und legt die allg.en politischen Zielvorstellungen und Prioritäten hierfür fest. Der juristische Gehalt dieser in der Praxis regelmäßig als „Schlussfolgerungen des Vorsitzes" veröffentlichten Beschlüsse beschränkt sich auf eine politische Verbindlichkeit. Für die anderen Organe verbindliche Beschlüsse erlässt der E. R. im Organisationsbereich. Ferner sind im Bereich der GASP und zur Koordinierung der ↑Wirtschaftspoli-

tik seine allg.en Leitlinien Grundlage von Beschlüssen des Rates. Darüber hinaus hat der E. R. aber gegenüber dem Rat keine Weisungsbefugnisse. Die Beschlussfassung erfolgt im Konsens (Art. 15 Abs. 4 EUV), d. h. ohne förmliche Abstimmung, bei rechtsförmlichen Beschlüssen einstimmig, mit qualifizierter oder mit einfacher Mehrheit. Der E. R. ist das dominante Organ in der GASP und der GSVP. Er wird ausdrücklich nicht gesetzgeberisch (d. h. hinsichtlich Sekundärrecht) tätig (Art. 15 Abs. 1 S. 2 EUV). Er ist jedoch in das Verfahren zur Änderung der EU-Verträge (Primärrecht) eingebunden (Art. 48 Abs. 3 EUV), im vereinfachten Vertragsänderungsverfahren (Art. 48 Abs. 6 und 7 EUV) und im besonderen Vertragsänderungsverfahren im Bereich der GASP (Art. 42 Abs. 2 UAbs. 1 S. 2 EUV) sogar als beschließendes Organ. Er kann die Kompetenzen der Europäischen Staatsanwaltschaft erweitern (Art. 86 Abs. 4 EUV). Insoweit bedarf der deutsche Vertreter im E.n R. der Ermächtigung durch ein jeweiliges Gesetz (§ 2 und § 4 bzw. § 3 bzw. § 7 IntVG). Er ist schließlich in das sog.e „Notbremseverfahren" (Art. 48 Abs. 2 S. 1, Art. 82 Abs. 3 UAbs. 1 S. 1, Art. 83 Abs. 3 UAbs. 1 S. 1 AEUV) eingebunden, durch das die jeweiligen Vertreter der Mitgliedstaaten als politisch heikel empfundene Maßnahmen blockieren können und das der deutsche Vertreter auf Weisung des Bundestages bzw. Bundesrates auslösen muss (§ 9 IntVG). Der E. R. stellt einstimmig (ohne den Vertreter des betroffenen Mitgliedstaats, Art. 7 Abs. 5 EUV, Art. 354 AEUV) das Vorliegen einer schwerwiegenden und andauernden Verletzung der Werte der EU (Art. 2 EUV) fest, die zur Aussetzung von Mitgliedschaftsrechten durch den Rat führen kann (Art. 7 Abs. 2 bzw. 3 EUV). Er ist an der „Investitur" der Europäischen Kommission beteiligt.

5. Politische Bewertung

Während das ↑Europäische Parlament die „Union der Bürger" repräsentiert, dokumentiert die Zusammensetzung des E.n R.s die EU als „Staatenverbund", weshalb deren demokratische ↑Legitimation zweigleisig ist und der E. R. wie der Rat der jeweiligen Rückkoppelung an die nationalen Parlamente bedarf (vgl. Art. 10 Abs. 2 EUV). Die Einbeziehung des Kommissionspräsidenten dient der auch innerhalb der jetzt einheitlichen EU gebotenen Kohärenz (vgl. Art. 13 Abs. 1 EUV). Der *Präsident des E.n R.s* hat Leitungs- und Koordinierungsaufgaben und vertritt die EU nach außen (Art. 15 Abs. 6 EUV). Dabei sind allerdings *kompetenzielle Spannungen* mit dem Präsidenten des Europäischen Parlaments, dem Kommissionspräsidenten, dem Hohen Vertreter für die GASP und dem jeweiligen Vorsitz des Rates sowie ggf. dem Vorsitzenden der EURO-Gruppe in den Verträgen selbst angelegt und erschweren systembedingt einen einheitlichen Auftritt der EU. Die große politische Bedeutung des E.n R.s zeigt sich in Krisenzeiten, insb. hinsichtlich der EWWU. Hier ergänzen sich die „Gemeinschaftsmethode" und der intergouvernementale Ansatz.

Literatur

E. Lenski: Art. 15 EUV, in: H. von der Groeben/J. Schwarze/ A. Hatje (Hg.): Europäisches Unionsrecht. Kommentar, ⁷2015 • U. Puetter: The European Council and the Council. New intergovernmentalism and institutional change, 2014 • W. Wessels/T. Traguth: Der hauptamtliche Präsident des Europäischen Rates: „Herr" oder „Diener" im Haus Europa?, in: Integration 33/4 (2010), 297–311.   RUDOLF STREINZ

Europäischer Rechnungshof (EuRH) ↑Europäische Union (EU)

Europäischer Stabilitätsmechanismus (ESM) ↑Europäische Wirtschafts- und Währungsunion (EWWU)

Europäischer Wirtschafts- und Sozialausschuss (EWSA) ↑Europäische Union (EU)

Europäisches Finanzaufsichtssystem (European System Of Financial Supervision, ESFS) ↑Finanzaufsicht

Europäisches Parlament

Das E. P. ist das direkt gewählte und unmittelbar legitimierte parlamentarische Organ der ↑EU, deren Arbeitsweise auf der repräsentativen Demokratie beruht (Art. 10 Abs. 1 EUV). Es ist die unmittelbare Vertretung der Bürgerinnen und Bürger der EU-Mitgliedstaaten (Art. 10 Abs. 2 S. 1 EUV). Die Sicherstellung der Nähe der EU zu den Bürgerinnen und Bürgern ist Anspruch, Aufgabe und wesentliche Legitimationsquelle des E.n P.s Im Unterschied zu anderen internationalen Organisationen sollten schon die Gründungsverträge der EG (EGKS-Vertrag, Euratom-Vertrag und EWG-Vertrag) durch die Einfügung einer parlamentarischen Vertretung eigenständig legitimiert werden. Sie waren von Anfang an auf eine Weiterentwicklung der Institutionen, Entscheidungsverfahren sowie der funktionalen Reichweite angelegt.

1. Entstehung
Bereits mit dem EGKS-Vertrag vom 18.4.1951 wurde die Gemeinsame Versammlung (Art. 3), bestehend „aus (78) Vertretern der Völker der in der Gemeinschaft zusammengeschlossenen Staaten" geschaffen und der Hohen Behörde als parlamentarisches Kontrollorgan gegenübergestellt. An ihre Stelle trat bei der Gründung von EWG und Euratom auf Grundlage des gleichzeitig geschlossenen Abkommens über Gemeinsame Organe für die Europäischen Gemeinschaften vom 25.3.1957 die („einzige") Versammlung (Art. 1), welche die in den drei Gemeinschaftsverträgen jeweils der Versammlung übertragenen Befugnisse und Zuständigkeiten ausübte. Diese Versammlung gab sich am 19.3.1958 im

Deutschen und Niederländischen den Namen E. P. und dehnte diese Bezeichnung am 30.3.1962 auf alle Gemeinschaftssprachen aus.

2. Direktwahl
Seit 1979 werden auf Grund des Aktes zur Einführung allg.er unmittelbarer Wahlen der Abgeordneten des E.n P.s vom 20.9.1976 die Abgeordneten alle fünf Jahre in allg.er, unmittelbarer, freier und geheimer Wahl gewählt (Art. 14 Abs. 3 EUV). Die Wahlperiode ist seit 1995 mit der Amtsperiode der ↑Europäischen Kommission synchronisiert. Wahlberechtigt sind Bürgerinnen und Bürger der EU an ihrem Wohnsitz oder in ihrem Herkunftsland (Art. 20 Abs. 2 S. 2 b und Art. 22 Abs. 2 AEUV). Gemäß Art. 7 Abs. 2 des Aktes richtet sich das Wahlverfahren in jedem Mitgliedstaat nach den innerstaatlichen Vorschriften, soweit der Direktwahlakt keine Vorschriften enthält. Seit dem Einlenken Großbritanniens 1999 gilt in allen Mitgliedstaaten jedoch ein Verhältniswahlsystem. In der Bundesrepublik Deutschland z. B. werden die Europaabgeordneten nach den Grundsätzen der Verhältniswahl mit Listenwahlvorschlägen gewählt, wobei diese für ein Land oder als gemeinsame Liste für alle Länder aufgestellt werden können. Eine Sperrklausel ist nach dem Urteil des BVerfG vom 26.2.2014 nichtig, was bei der Europawahl 2014 dazu geführt hat, dass sieben Splitterparteien mit je einem Abgeordneten ins E. P. einziehen konnten.

Nach dem Lissabon-Vertrag (Art. 223 Abs. 1 u. 2 AEUV) hat das E. P. einen Entwurf der erforderlichen Bestimmungen für die allg.e unmittelbare Wahl seiner Mitglieder nach einem einheitlichen Verfahren in allen Mitgliedstaaten oder im Einklang mit den allen Mitgliedstaaten gemeinsamen Grundsätzen zu erstellen. Der ↑Rat der Europäischen Union erlässt die erforderlichen Bestimmungen einstimmig gemäß einem bes.n Gesetzgebungsverfahren und nach Zustimmung des E.n P.s, die mit der Mehrheit seiner Mitglieder erteilt werden muss. Sie bedürfen allerdings der Ratifizierung durch die Mitgliedstaaten. Ein entspr.er Ratsbeschluss ist bisher jedoch nicht zustande gekommen.

Mit der Einführung der Direktwahl 1979 wurde die Mitgliederzahl des E.n P.s von 198 (nach dem Beitritt Großbritanniens, Irlands und Dänemarks) auf 410 erhöht, um eine stärkere Differenzierung und Annäherung an die Einwohnerzahl der verschiedenen Mitgliedstaaten zu erreichen. Auf die vier großen Mitgliedstaaten entfielen je 81 Sitze, Niederlande 25, Belgien 24, Dänemark 16, Irland 15 und Luxemburg sechs. Die folgenden Erweiterungen führten schrittweise zu Steigerungen der Abgeordnetenzahlen.

3. Mandatsverteilung im Lissabon-Vertrag
Der Lissabon-Vertrag schuf ein neues System der Mandatsverteilung. Er legt die Höchstzahl der Mandate im E.n P. auf 750 „zuzüglich des Präsidenten" fest (Art. 14 Abs. 2 S. 2 EUV). Die Mindestzahl pro Mitgliedstaat

beträgt sechs, die Höchstzahl 96 Sitze (Art. 14 Abs. 2
S. 3 und 4 EUV), was für Deutschland einen Verlust
von drei Mandaten bedeutete. Mit Beginn der 8. Wahlperiode 2014 hat das E. P. nun die vertraglich festgeschriebenen 751 Mitglieder (einschließlich Kroa-
tiens). Im Fall weiterer Beitritte muss die Zahl der
Mandate der einzelnen Mitgliedstaaten in diesem Rahmen im Wege des politischen Kompromisses „degressiv
proportional" angepasst werden. Der ↑Europäische Rat
erlässt dazu einstimmig auf Initiative des E.n P.s und
mit dessen Zustimmung einen entspr.en Beschluss
(Art. 14 Abs. 2 II EUV).

Die Sitzverteilung auf die Mitgliedstaaten verhält sich
nach dem Lissabon-Vertrag nur begrenzt proportional
zur Einwohnerzahl. In Deutschland, Frankreich und
Spanien z. B. vertritt ein Abgeordneter etwa 850 000, in
Griechenland 530 000, in Litauen 300 000 und in Malta
66 000 Bürger. Das Gewicht der Stimme des Staatsangehörigen eines bevölkerungsschwachen Mitgliedstaates
kann etwa das Zwölffache des Gewichts der Stimme des
Staatsangehörigen eines bevölkerungsstarken Mitgliedstaates betragen. Damit bleibt die Zusammensetzung
unter dem Legitimationsgesichtspunkt des demokratischen Elementarerfordernisses der Stimmengleichwer-
tigkeit jedes Bürgers unverändert unbefriedigend.

4. Bedeutung der Direktwahl

Allg. wird die Europawahl wie Kommunal- oder Landtagswahlen als „Sekundärwahl" oder „Nebenwahl" gewertet, deren Themen und politische Bedeutung sich
vorrangig aus dem Zusammenhang der nationalen Politik ableiten. Nach wie vor dienen Europawahlen neben
der Auswahl von Mandatsträgern v. a. der Sanktionie-
rung nationaler Regierungspolitik, dem auch die nationalen ↑Parteien im Wahlkampf Rechnung tragen. Darunter leidet bes. die Legitimierung der EU durch das
direkt gewählte E. P. Bei der ersten Direktwahl des E.n
P.s im Jahr 1979 lag die Wahlbeteiligung in der damals
nur neun Mitgliedstaaten zählenden EU bei 66 %. Seitdem ist sie kontinuierlich gesunken: 2014 auf 43,37 %.

5. Sitz

Nach wie vor politisch umstritten ist die Frage des Sitzes.
Zwar hat der Gipfel von Edinburgh 1992 einen eindeutigen Beschluss gefasst, der mit dem Protokoll Nr. 8 zum
Vertrag von Amsterdam 1997 Bestandteil des EU-Ver-
tragswerkes geworden ist. Darin heißt es: „Das Europäische Parlament hat seinen Sitz in Straßburg; dort finden
die zwölf monatlichen Plenartagungen einschließlich
der Haushaltstagung statt. Zusätzliche Plenartagungen
finden in Brüssel statt. Die Ausschüsse des Europäischen Parlaments treten in Brüssel zusammen. Das
Generalsekretariat des Europäischen Parlaments und
dessen Dienststellen verbleiben in Luxemburg." Im
Wettlauf bauten ab den 80er Jahren sowohl Frankreich
in Straßburg als auch Belgien in Brüssel umfangreiche
räumliche Kapazitäten aus. 1993 nahm das E. P. seinen

großen Gebäudekomplex in Brüssel in Betrieb, dem bis
2008 mehrere Erweiterungsbauten folgten, so dass der
Arbeitsalltag der Abgeordneten, Fraktionen, Ausschüsse und interparlamentarischen Delegationen sich am
Sitz von Kommission und Rat in Brüssel vollzieht.

6. Selbstorganisationsrecht

Das E. P. kann seine inneren Angelegenheiten autonom
regeln. Es hat sich im Rahmen seines Selbstorganisationsrechts gemäß Art. 232 Abs. 1 AEUV eine Geschäftsordnung (GOEP) gegeben. Allerdings enthält
der Lissabon-Vertrag einige Vorgaben hinsichtlich der
jährlichen Sitzungsperiode (Art. 229 AEUV), der Wahl
von Präsident und Präsidium (Art. 14 Abs. 4 AEUV),
der Anhörung der Kommission (Art. 230 Abs. 1
AEUV), erforderlicher Mehrheiten (Art. 231 AEUV)
und der Veröffentlichung der Protokolle (Art. 232
AEUV). Das E. P. legt im Rahmen des Protokolls Nr. 8
zum Vertrag von Amsterdam die Häufigkeit, Dauer und
Tagesordnung seiner Plenarsitzungen selbst fest. Es hat
sich darüber hinaus arbeitsteilig in Ausschüssen und
↑Fraktionen organisiert. Die Ausschüsse spiegeln in
ihrer Zusammensetzung die Mehrheitsverhältnisse des
Plenums (Art. 199 Abs. 1 GOEP). Daneben können ad
hoc-Ausschüsse sowie Untersuchungsausschüsse gebildet werden (Art. 197, 198 GOEP; Art. 226 AEUV).

In den Grenzen des Protokolls über die Vorrechte und
Befreiungen der EU und des Direktwahlaktes ist das
E. P. befugt, „Regelungen und allgemeine Bedingungen"
für die Aufgabenerfüllung der Abgeordneten festzulegen, die allerdings der Zustimmung des Rates bedürfen
(Art. 223 Abs. 2 AEUV). Ein entspr.er Beschluss kam
erst 2005 zustande. Er trat am 14.7.2009 in Kraft. Das
Abgeordnetenstatut regelt die Rechte der Abgeordneten
u. a. vom freien Mandat, über das Stimmrecht im E.n P.
bis zur Mitgliedschaft in einer Fraktion. Es hat auch eine
weitgehende Angleichung der Bezüge vorgenommen.
Danach haben die Abgeordneten Anspruch auf angemessene Entschädigung (38,5 % der Grundbezüge
eines Richters am EuGH), Übergangsgeld und Ruhe-
gehalt sowie auf Erstattung der mandatsbedingten
Kosten und die Nutzung der Büro- und Kommunika-
tionseinrichtungen und Dienstfahrzeuge des E.n P.s sowie eine Zulage für persönliche Mitarbeiter. Für die
Mitarbeiter an den drei Arbeitsorten wurde ein Assis-
tentenstatut geschaffen. Das E. P. hat zu seiner verwal-
tungsmäßigen Unterstützung ein Generalsekretariat
(Art. 222 GOEP) eingerichtet, dem die technische Vorbereitung und Assistenz bei den Sitzungen des Parlaments und seiner Organe obliegt. Es umfasst über
6 700 Bedienstete (davon ein großer Teil im Sprachen-
dienst) in zehn Generaldirektionen und im Juristischen
Dienst. Angesiedelt ist es in Luxemburg und Brüssel.

7. Organe

Aus der Mitte des E.n P.s werden zahlreiche Leitungs-
und Koordinationsgremien gebildet. Zu Beginn der Le-

gislaturperiode wählen die Abgeordneten für einen Zeitraum von zweieinhalb Jahren den Präsidenten, 14 Vizepräsidenten und fünf Quästoren. Fraktionen, Ausschüsse und interparlamentarischen Delegationen wählen ihre Vorstände. Der Präsident hat die Leitung über sämtliche Arbeiten des Parlaments und seiner Organe inne. Er unterzeichnet jeden Gesetzgebungsakt im Ordentlichen Gesetzgebungsverfahren (OGV) sowie den Haushaltsplan der EU. Die Vizepräsidenten bilden mit dem Präsidenten und den Quästoren, die für Verwaltungs- und Finanzfragen der Abgeordneten zuständig sind, das Präsidium (Art. 24 GOEP). Dieses trifft Entscheidungen zur internen Organisation, ernennt den Generalsekretär, bestimmt den Stellenplan des Generalsekretariats und entscheidet über die Durchführung der Plenartagungen. Außerdem stellt es den Vorentwurf des Haushaltsplans des E.n P.s auf. Der Präsident bildet mit den Fraktionsvorsitzenden die Konferenz der Präsidenten, die über die laufende Arbeitsorganisation sowie über Fragen im Zusammenhang mit der Gesetzgebungsplanung entscheidet (Art. 26, 27 GOEP).

Das E. P. gehört zum Typus der Arbeitsparlamente. In den Ausschüssen werden dementsprechend die gesetzgeberischen und kontrollierenden Kompetenzen wahrgenommen. Die Ausschüsse werden auf Vorschlag der Präsidentenkonferenz vom E.n P. eingesetzt und in ihren Zuständigkeiten (Art. 196 GOEP) festgelegt. 2017 gab es 20 ständige Ausschüsse. Neben den ständigen Ausschüssen haben die zahlreichen interparlamentarischen Delegationen die Aufgabe, formelle Kontakte zu Parlamenten in Drittstaaten und internationalen Organisationen zu pflegen.

8. Fraktionen

Von zentraler Bedeutung für die legitimierende und integrierende Leistung des E.n P.s sind die Fraktionen. Ihre Funktion ist, die unterschiedlichen Ziele und Interessen der Wähler zu artikulieren, sie in den parlamentarischen Willensbildungsprozess auf europäischer Ebene einzubringen und in Mehrheitsentscheidungen verbindlich zu machen. Im Unterschied zu den nationalen parlamentarischen Regierungssystemen müssen sie aber keine Regierung bilden oder unterstützen. Außerdem sind die einzelnen Fraktionen aus Mitgliedern zwar verwandter aber doch unterschiedlicher nationaler Parteien zusammengesetzt. Beides trägt zu einem geringeren Zusammenhalt als in nationalen ↗Parlamenten bei, führt aber auch zu höherer Flexibilität und zu fließender Mehrheitsbildung.

Die Rechtsstellung ergibt sich aus Art. 33 GOEP. Für die Bildung einer Fraktion sind mindestens 25 Mitglieder aus mindestens einem Viertel der Mitgliedstaaten erforderlich. Die Fraktionen müssen eine gemeinsame weltanschauliche Ausrichtung besitzen. Es kann daher keine „gemischte" oder „technische" Fraktion geben, in der sich fraktionslose Abgeordnete nur zu dem Zweck zusammenschließen, sich die Vorteile des Fraktionsstatus zu sichern. Eine solche gemischte Fraktion existierte bis 2001, wurde aber nach einem Urteil des EuGH aufgelöst.

Die interne Organisation besteht ähnlich einer nationalen Parlamentsfraktion aus Vorstand, Sekretariat und Mitarbeiterstab. Hinzu kommen nationale Delegationen, die sich aus Fraktionsmitgliedern der gleichen Nationalität zusammensetzen und als wichtiges Bindeglied zur Mutterpartei im Mitgliedstaat fungieren.

EVP	Fraktion der Europäischen Volkspartei (Christdemokraten); darunter: 29 CDU; 5 CSU; 5 ÖVP;	216
S&D	Fraktion der Progressiven Allianz der Sozialdemokraten im E. P.; darunter: 27 SPD; 5 SPÖ;	190
EKR	Fraktion der Europäischen Konservativen und Reformisten darunter: 7 AfD; 1 Familienpartei Deutschlands;	75
ALDE	Fraktion der Allianz der Liberalen und Demokraten für Europa darunter: 3 FDP; 1 FW; 1 NEOS	70
GUE/NGL	Konföderale Fraktion der Vereinigten Europäischen Linken/Nordische Grüne Linke darunter: 7 Die Linke; 1 Tierschutzpartei;	52
Grüne/EFA	Fraktion Die Grünen/Europäische Freie Allianz darunter: 11 Bündnis 90/Die Grünen; 1 Piratenpartei Deutschland; 3 Die Grünen – Die Grüne Alternative; 1 ÖDP;	50
EFD	Fraktion Europa der Freiheit und der direkten Demokratie	45
ENF	Fraktion Europa der Nationen und der Freiheit darunter: 4 FPÖ;	38
Fraktionslos		15

Zusammensetzung des E.n P.s nach Fraktionen (2014–2019)

Fraktionen und fraktionslose Mitglieder erhalten ihre Mittel aus dem Parlamentshaushalt. Über die Verteilung wird jährlich auf Vorschlag der Konferenz der Präsidenten und des Präsidiums entschieden. Nach Abzug des den fraktionslosen Mitgliedern zustehenden Anteils werden 2,5 % zu gleichen Teilen auf die Fraktionen aufgeteilt, 97,5 % werden im Verhältnis der von jeder Fraktion errungenen Mandate vergeben.

9. Gesetzgebungsrecht

Nach Art. 14 Abs. 1 EUV wird das E. P. gemeinsam mit dem Rat als Gesetzgeber tätig und übt gemeinsam mit ihm die Haushaltsbefugnisse aus. Außerdem erfüllt es Aufgaben der ↑politischen Kontrolle und Beratung. Es wählt den Präsidenten der Kommission. Im Vergleich zum Anfang 1952 ist das E. P. mit dem Ausbau seiner Kompetenzen parallel zur Verdichtung der Integration der EU bis zum Vertrag von Lissabon große Schritte vorangekommen. Es wäre allerdings verfehlt, die Kompetenzausstattung an den parlamentarischen Modellen der Mitgliedstaaten zu messen. Vielmehr kommt es darauf an, dem ↑Staatenverbund der EU durch das E. P. ein möglichst hohes Maß an demokratisch-parlamentarischer ↑Legitimation zuzuführen. Insofern ist das E. P. nicht in bekannte Parlaments- oder Versammlungstypologien einzuordnen. Auch in seiner bes. Funktion der Integration der Völker ist es auf die Unterstützung der nationalen Parlamente angewiesen.

Die Gesetzgebungsbefugnis bildet seit dem Vertrag von Lissabon die wichtigste Kompetenz. Das Fundament zu ihrer Wahrnehmung bildet das OGV, früher Mitentscheidungsverfahren, nach Art. 289 Abs. 1 und Art. 294 AEUV, bei dem auf der Grundlage eines Kommissionsvorschlags E. P. und Rat gleichberechtigt über die Verabschiedung europäischen Sekundärrechts verhandeln und gemeinsam beschließen. Der Lissabon-Vertrag hat den Anwendungsbereich für das OGV von 45 auf 85 fachspezifische Handlungsermächtigungen ausgedehnt. Hierzu gehören fast alle Einzelbestimmungen in der Justiz- und Innenpolitik, die Rahmenbeschlüsse zur Landwirtschafts- und Fischereipolitik, die Handelspolitik, Teilaspekte der wirtschaftspolitischen Koordinierung sowie Katastrophenschutz und Verwaltungszusammenarbeit.

Art. 294 AEUV sieht vor, dass die Kommission Rat und E. P. einen Vorschlag unterbreitet. Daran schließen sich bis zu drei Lesungen in beiden Organen an. Gemäß den Protokollen Nr. 1 und Nr. 2 zum Lissabon-Vertrag sind die nationalen Parlamente vor der ersten Lesung des E.n P.s mit einer Frist von acht Wochen im Hinblick auf die Einhaltung des Subsidiaritätsprinzips zu konsultieren, wobei jedes nationale Parlament zwei Stimmen hat.

10. Besonderes Gesetzgebungsverfahren

In bestimmten Fällen werden Gesetzgebungsakte in einem bes. Gesetzgebungsverfahren angenommen

(Art. 289 Abs. 2 AEUV). Gesetzgebungsakte des E.n P.s unter Beteiligung des Rates betreffen die Regelungen und allg.en Bedingungen für die Wahrnehmung der Aufgaben der Mitglieder des E.n P.s (Art. 223 Abs. 2 AEUV), die Bestimmungen über das parlamentarische Untersuchungsrecht (Art. 226 Abs. 3 AEUV) sowie die Regelungen über den Bürgerbeauftragten (Art. 228 Abs. 4 AEUV). Die Mitwirkung des Rates beschränkt sich auf Zustimmung oder Ablehnung.

Den Schwerpunkt des bes. Gesetzgebungsverfahrens bildet die Annahme eines Gesetzgebungsaktes durch den Rat unter Beteiligung des E.n P.s (Zustimmungs- oder Anhörungsverfahren). Das Zustimmungserfordernis, das dem E.n P. eine Vetoposition sichert, wurde durch die EEA für Beitritte zur EU und den Abschluss von Assoziierungsabkommen eingeführt und durch den Maastrichter Vertrag sowie den Lissabonner Vertrag auf Beschlüsse des Rates von größerer Tragweite für die Organisation der EU sowie auf alle internationalen Übereinkommen ausgedehnt.

Die Zahl der Fälle der Anhörung des E.n P.s wurde durch den Lissabon-Vertrag kaum reduziert. Sie liegt nach wie vor bei 112 Handlungsermächtigungen des Rates (z.B. zum Aufenthaltsrecht mit Blick auf Pässe und Personalausweise, zur sozialen Sicherheit und zur Sozialversicherung, zum aktiven und passiven Wahlrecht bei Kommunalwahlen und bei Wahlen zum E.n P., zu Maßnahmen des Kapitalverkehrs mit Drittstaaten, zur Steuerharmonisierung und Körperschaftsteuer).

Der Lissabon-Vertrag schuf in Art. 290 AEUV die Möglichkeit, der Kommission die Befugnis zu übertragen, Rechtsakte ohne Gesetzescharakter mit allg.er Geltung zur Ergänzung oder Änderung bestimmter nicht wesentlicher Vorschriften des betreffenden Gesetzesaktes zu erlassen (sog.e Delegierte Rechtsakte). Dabei sind Ziele, Inhalte, Geltungsbereich und Dauer der Befugnisübertragung ausdrücklich festzulegen. Um die Durchführung der verbindlichen Rechtsakte der Union nach einheitlichen Bedingungen in den Mitgliedstaaten sicherzustellen, können die Kommission oder in entspr.en Sonderfällen der Rat sog.e Durchführungsrechtsakte (Art. 291 AEUV) erlassen.

Grundsätzlich verfügt die Kommission auch nach dem Lissabon-Vertrag über das Initiativmonopol zum Erlass europäischen Sekundärrechts (Art. 17 Abs. 2 EUV). Seit dem Maastricht-Vertrag hat das E. P. allerdings das Recht („unvollkommenes Initiativrecht"), an die Kommission eine Aufforderung zur Vorlage von geeigneten Vorschlägen (Art. 225 AEUV) zu richten, was dem Recht des Rates nach Art. 241 und Art. 135 AEUV entspricht. Das E. P. benennt regelmäßig im Rahmen seiner Entschließung zum jährlichen Arbeitsprogramm der Kommission die erforderlichen Initiativen, wobei die Kommission nun explizit verpflichtet ist, ihre Gründe mitzuteilen, wenn sie der Aufforderung des E.n P.s nicht nachkommt.

11. Haushaltsrecht

Das E. P. war von Anfang an am Haushaltsverfahren beteiligt. Bis 1970 verfügte aber nur der Rat über die Entscheidungsbefugnis. Erst mit dem Vertrag von 1970 erhielt das E. P. die Letztentscheidungsgewalt über die nichtobligatorischen Ausgaben und mit dem Vertrag von 1975 die Möglichkeit, den gesamten Haushaltsplan abzulehnen. Der Vertrag von Lissabon hat schließlich das zwischenzeitlich entwickelte und auf interinstitutionellen Vereinbarungen zwischen E.m P., Kommission und Rat beruhende Haushaltsverfahren abgelöst und die Haushaltsbestimmungen einer grundlegenden Revision unterzogen. Zunächst legt der Rat gem. Art. 311 AEUV nach Anhörung des E.n P.s einstimmig die Art und Höhe der Eigenmittel fest. Dieser Beschluss bedarf der Ratifizierung durch die nationalen Parlamente. Danach beschließt der Rat einstimmig und nach Zustimmung des E.n P.s, die mit der Mehrheit seiner Mitglieder erfolgen muss, über den mehrjährigen Finanzrahmen (Art. 312 AEUV), in dem u. a. die jährlichen Obergrenzen der Mittel für Verpflichtungen und Zahlungen festgelegt werden. Darauf folgt der Beschluss über den Jahreshaushalt entspr. dem Haushaltsverfahren nach Art. 314 AEUV, das sich im Wesentlichen am OGV gem. Art. 294 AEUV orientiert. Damit trägt das E. P. gemeinsam mit dem Rat die Verantwortung für die Verteilung aller Finanzmittel der Union. Allerdings entscheiden die Mitgliedstaaten im Rahmen des Eigenmittelbeschlusses über die längerfristige Ausgabenpolitik der Union.

Im Bereich der Haushaltskontrolle war und ist das E. P. allein verantwortlich, da der Rat nur eine Empfehlung abgibt, die die Grundlage der Entscheidung des E.n P.s über die Entlastung der Kommission zur Ausführung des Haushaltsplans bildet (Art. 319 Abs. 1 AEUV). Dafür erstattet der EuRH nach Abschluss eines jeden Haushaltsjahres einen Jahresbericht (Art. 287 Abs. 4 AEUV) und legt gem. Art. 287 Abs. 1, II AEUV „eine Erklärung über die Zuverlässigkeit der Rechnungsführung sowie die Rechtmäßigkeit und Ordnungsmäßigkeit der zugrunde liegenden Vorgänge" vor. Die Kontrolle erstreckt sich auf die Verwendung von Haushaltsmitteln, sowohl bei Organen und juristischen Personen der Union als auch bei Dritten, die durch ↑Subventionen der EU begünstigt werden (Art. 287 Abs. 3 AEUV).

12. Kontrolle

Das Recht, von anderen Institutionen Informationen zu verlangen, über die gewonnenen Erkenntnisse öffentlich zu beraten und gegebenenfalls Sanktionen zu beschließen, gehört zu den grundlegenden parlamentarischen Funktionen. War urspr. das Kontrollrecht des E.n P.s nur auf die Kommission gerichtet, umfasst es nunmehr die gesamte Tätigkeit der Organe und Einrichtungen der Union mit Ausnahme der Gerichte (Art. 226 AEUV).

Das stärkste Kontrollrecht besitzt das E. P. im ↑Misstrauensvotum gegen die Kommission nach Art. 234 AEUV. Der Antrag kann nur mit der Mehrheit von zwei Dritteln der abgegebenen Stimmen, die auch die Mehrheit der Abgeordneten repräsentieren müssen, angenommen werden. In diesem Fall müssen die Mitglieder der Kommission geschlossen ihr Amt niederlegen. Bis 2017 wurden zwölf Misstrauensanträge gestellt, von denen keiner angenommen wurde. Der Rücktritt der Kommission (Jacques Santer) im März 1999 wurde durch die Verweigerung der Entlastung durch das E. P. für die Haushaltsführung ausgelöst.

13. Wahlrechte

Seit 1994 ist das E. P. förmlich am Verfahren zur Ernennung der Kommission beteiligt. Gemäß Art. 17 Abs. 7 EUV des Vertrags von Lissabon „wählt" es nun den Präsidenten der Kommission, nachdem der Europäische Rat ihm nach entspr.en Konsultationen mit qualifizierter Mehrheit einen Kandidaten vorgeschlagen hat, wobei er das Ergebnis der Wahlen zum E.n P. berücksichtigt. Erhält dieser Kandidat nicht die Mehrheit, schlägt der Europäische Rat einen neuen Kandidaten vor. Der Rat nimmt, im Einvernehmen mit dem gewählten Präsidenten und nach Anhörungen im E.n P., dessen Personalvorschläge für die Kommission an. Danach stellt sich die gesamte Kommission einem Zustimmungsvotum, worauf sie vom Europäischen Rat ernannt wird. Mit der Nominierung und Durchsetzung des „siegreichen Spitzenkandidaten" (Jean-Claude Juncker) als Kommissionspräsidenten stellten die ↑europäischen Parteien/Fraktionen bei der Europawahl 2014 erstmals einen unmittelbaren legitimatorischen Zusammenhang zwischen E.m P. und Kommissionspräsident her.

Das E. P. wählt außerdem den Bürgerbeauftragten der EU (Art. 228 AEUV) und es entscheidet gemeinsam mit dem Rat über die Ernennung des Europäischen Datenschutzbeauftragten (Art. 16 Abs. 2 EUV). Eine Anhörung des E.n P.s erfolgt vor der Ernennung der Mitglieder des Direktoriums der ↑EZB gem. Art. 283 AEUV und der Mitglieder des Rechnungshofes gem. Art. 286 Abs. 2 AEUV. Im Sekundärrecht zeichnet sich eine Tendenz zu verstärkter Mitwirkung des E.n P.s bei Ernennungen ab (z. B. beim ESFS).

14. Repräsentations- und Beratungsfunktion

Als Organ der repräsentativen Demokratie (Art. 10 Abs. 1 EUV) gehört zu den Aufgaben des E.n P.s die Artikulation und Einbringung der Interessen der Bürger und Völker in den öffentlichen Beratungs- und Entscheidungsprozess mittels Aggregation unterschiedlicher politischer Positionen sowie die Vermittlung der Entscheidungen zu den gesellschaftlichen Gruppen und Bürgern. Träger und zugl. Vermittler dieses Legitimationsprozesses sind in erster Linie die Abgeordneten und ihre Parteien/Fraktionen, aber auch ↑Verbände, gesellschaftliche Gruppen und Massenmedien. Im Ringen um das europäische Gemeinwohl ist das E. P. befugt, „über jede Frage zu beraten, die die Gemeinschaften betrifft", sowie „Entschließungen über derartige Fragen anzunehmen" (EuGH, Rs. 230/81). Die Verfahren bestimmt das E. P. im Rahmen seines Selbstorganisationsrechts (Art. 232, Abs. 1 AEUV). Dazu kommt die Pflege der Beziehungen zu den Parlamenten der EU-Mitgliedstaaten, den assoziierten und weiteren Drittstaaten.

Die Rechte des E.n P.s wurden im Zuge der Vertragsänderungen von der EEA über Maastricht bis Lissabon sowie durch zahlreiche interinstitutionelle Vereinbarungen zwischen den EU-Organen beständig ausgeweitet. Trotzdem tun sich die Unionsbürger immer noch schwer mit dem einzigen direkt gewählten supranationalen Parlament.

Literatur

R. Streinz (Hg.): EUV/AEUV, Vertrag über die Europäische Union und Vertrag über die Arbeitsweise der Europäischen Union, ³2018 • R. Bieber/A. Epiney/M. Haag: Die Europäische Union, Europarecht und Politik, ¹¹2015 • D. Dialer/A. Maurer/M. Richter: Handbuch zum Europäischen Parlament, 2014 • A. Maurer: Die Kreationsfunktion des Europäischen Parlaments im Spannungsfeld zwischen Politisierungsimpulsen und Systemerfordernissen, in: ZfP 61/8 (2014), 301–326 • G. Abels/A. Eppler (Hg.): Auf dem Weg zum Mehrebenenparlamentarismus?, Baden-Baden, 2011 • R. Corbett/F. Jacobs/M. Shackleton: The European Parliament, ⁸2011 • D. Dialer/E. Lichtenberger/H. Neisser (Hg.): Das Europäische Parlament, 2010 • A. Maurer: Mehrebenendemokratie und Mehrebenenparlamentarismus. Das Europäische Parlament und die nationalen Parlamente nach Lissabon, in: S. Kadelbach (Hg.): Europäische Integration und parlamentarische Demokratie, 2009, 19–58 • B. Rittberger: Building, Europe's Parliament. Democratic Representation Beyond the Nation-State, 2005 • A. Maurer: Parlamentarische Demokratie in der Europäischen Union, 2002 • M. Shackleton: The Politics of Codecision, in: JCMS 2 (2000), 325–342 • C. Lenz: Ein einheitliches Verfahren für die Wahl des Europäischen Parlaments, 1995 • W. Wessels: Wird das Europäische Parlament zum Parlament? in: A. Randelshofer/R. Scholz/D. Wilke (Hg.): Gedächtnisschrift für Eberhard Grabitz, 1995, 879–904 • P. M. Huber: Die Rolle des Demokratieprinzips im europäischen Integrationsprozess, in: Staatswissenschaften und Staatspraxis 3 (1992), 349–378 • O. Schmuck/W. Wessels (Hg.): Das Europäische Parlament im dynamischen Integrationsprozess, 1989 • E. Grabitz/T. Läufer: Das Europäische Parlament, 1980;

REINHOLD BOCKLET

Europäisches Privatrecht

Der Begriff E. P. ist von der Wissenschaft geprägt. Er fand erst seit den 1980er Jahren größere Verbreitung und kennzeichnet ein zunehmendes Bewusstsein für europäische Gemeinsamkeiten im ↑Privatrecht über die staatlichen und sprachlichen Grenzen hinweg. Nach Auffassung vieler Rechtswissenschaftler gehört die allmähliche Herausbildung eines E.n P.s zu den bedeutsamsten juristischen Entwicklungen der Gegenwart.

Privatrecht umschreibt dabei das Rechtsgebiet, das die Rechtsbeziehungen zwischen rechtlich gleichgestellten natürlichen wie ↑juristischen Personen regelt. Der Gegenbegriff ist ↑öffentliches Recht; das sind diejenigen Rechtssätze, die staatliche Stellen als Träger hoheitlicher Gewalt als solche berechtigen oder verpflichten. Gerade in der Zusammensetzung E. P. wird der Begriff Privatrecht sehr weit verstanden. Er bezeichnet nicht nur das in Deutschland überwiegend im ↑BGB geregelte Zivilrecht, sondern auch zahlreiche Materien des sog.en Sonderprivatrechts wie ↑Handelsrecht, Lauterkeitsrecht, ↑Gesellschaftsrecht, ↑Arbeitsrecht, Wettbewerbsrecht oder das Recht des geistigen Eigentums (↑Immaterialgüterrecht).

Der Begriff E. P. kann auch in Hinblick auf die damit gemeinten europäischen Rechtsquellen eine engere oder weitere Bedeutung haben. Je nach Zusammenhang kann er umschreiben:

a) den privatrechtlichen Teil des Rechts der EU, das sog.e Unionsprivatrecht oder EU-Privatrecht; dies umfasst nicht nur die Rechtsetzung der EU in VO und RL (↑Europarecht), sondern auch die Rspr. des ↑EuGH, der Begriffe, Regeln und Grundsätze schafft, die für das gesamte Recht der EU maßgeblich sind; in der letzten Zeit finden auch die privatrechtlichen Wirkungen der ↑völkerrechtlichen Verträge, die der ↑EU zugrunde liegen, immer mehr Aufmerksamkeit;

b) den privatrechtlichen Teil des Rechts anderer europäischer Organisationen, insb. des ↑Europarats und der ↑EMRK;

c) diejenigen Teile des nationalen Privatrechts, die vom Recht der EU geprägt werden; dies sind zunächst die zahlreichen nationalen Gesetze zur Umsetzung von EU-Recht, aber auch die Einflussfelder der Rspr. des EuGH im nicht durch RL oder VO harmonisierten nationalen Recht;

d) von Rechtswissenschaftlern auf rechtsvergleichender Grundlage formulierte Werke mit Definitionen, Grundsätzen und Regeln des E.n P.s; Pionierfunktion hatten die *Principles of European Contract Law*, seitdem sind zahlreiche weitere hinzugetreten, von denen der durch Forschungsmittel der EU geförderte *Draft Common Frame of Reference on European Private Law* (2009) das bei weitem umfangreichste und politisch wohl ambitionierteste war; diese Arbeitsrichtung ist jedoch – auch aufgrund erheblicher Kritik im wissenschaftlichen Schrifttum – inzwischen weniger stark verbreitet;

e) Gemeinsamkeiten der nationalen Privatrechtsordnungen der europäischen Staaten; solche Gemeinsamkeiten werden häufig aufgrund der gemeinsamen Rechtstradition vieler Länder, nicht zuletzt durch den überragenden Einfluss des römischen Rechts, und durch ähnliche politische, wirtschaftliche und soziale Entwicklungen erklärt.

E.P. ist daher kein einschichtiges geschlossenes Rechtsgebiet. Es besteht aus sehr zahlreichen größeren und kleineren Einzelbausteinen, die sich sowohl auf der Ebene des EU-Rechts als auch in den vielen nationalen Rechtsordnungen finden. Diese Einzelbausteine greifen in vielfacher Weise ineinander und beeinflussen sich wechselseitig, bilden aber ein nur sehr lückenhaftes Ganzes. Insb. die Gesetzgebung der EU ist das Produkt eher kurzfristiger politischer Entscheidungen und Entwicklungen, denen kein langfristiger übergreifender Plan zugrunde liegt. Zahlreiche wissenschaftliche Arbeiten suchen durch ↗Rechtsvergleichung und Aufarbeitung der rechtshistorischen Grundlagen nach gemeinsamen Strukturmerkmalen und zielen auf Systematisierung der vielen Teilgebiete.

Wesentliche Charakteristika des E.n P.s werden zum einen durch die gemeinsame europäische Rechtsentwicklung und ähnliche politische, ökonomische und gesellschaftliche Systeme, zum anderen durch die Ziele und Politiken der EU und der anderen europäischen Organisationen bestimmt. Einflussreich sind insb. die vier ↗Grundfreiheiten der EU, also Warenverkehrs-, Dienstleistungs-, Personenverkehrs- und Kapitalverkehrsfreiheit, sowie die ↗Menschenrechte und Grundfreiheiten der EMRK.

Eine Vorreiterrolle bei der Herausbildung des E.n P.s hatten die ↗Rechtsgeschichte und die Rechtsvergleichung. Seitdem entstanden zahlreiche Lehrbücher, Schriftenreihen, Zeitschriften (ZEuP, ERPL, Europa e Diritto Privato), Sammlungen von Rechtsquellen sowie *Casebooks*, aus denen die „Ius Commune Casebooks for the Common Law of Europe" herausragen. Die Entwicklung spiegelt sich auch innerhalb der Universitäten und der Juristenausbildung. Zahlreiche juristische Fakultäten bieten Studiengänge mit Ausrichtung auf das E.P. an. Es entstehen Institute, Graduiertenkollegs und Lehrstühle für E.P. oder ↗Europäisches Wirtschaftsrecht.

Die Entwicklung des E.n P.s als eigenständig wahrgenommenes und beforschtes Rechtsgebiet war nicht nur maßgeblich durch das Fortschreiten der Rechtssetzung der EU beeinflusst, sondern hat auch auf die Rechtsetzung der EU zurückgewirkt. Insb. der *Draft Common Frame of Reference* hat mehrfach bei der Abfassung von EU-Rechtsakten als Inspirationsquelle gedient. Jedoch ist sein Einfluss insgesamt weit hinter den Erwartungen einiger Beteiligter zurückgeblieben, die darin eine Blaupause für ein zukünftiges europäisches BGB sahen. Der auf Grundlage des *Draft Common Frame of Reference* ausgearbeitete Entwurf eines Gemeinsamen Europäischen Kaufrechts wurde trotz nachdrücklicher Unterstützung durch das ↗Europäische Parlament nicht verabschiedet, da mehrere Mitgliedstaaten im ↗Rat der Europäischen Union blockierten. Die Rechtsetzung der EU auf dem Gebiet des Privatrechts beschränkt sich nach wie vor auf zahlreiche Einzelmaßnahmen. In den letzten 25 Jahren scheinen die wichtigsten Triebkräfte für privatrechtliche EU-

Rechtsakte technische Entwicklungen, insb. in den Bereichen Telekommunikation und ↗Digitalisierung, gewesen zu sein.

Literatur

A. Hartkamp/C. Sieburgh/W. Devroe: European Law and Private Law, 2017 • R. Schulze/F. Zoll: Europäisches Vertragsrecht, ²2017 • B. Heiderhoff: Europäisches Privatrecht, ⁴2016 • H. Schulte-Nölke: Europäisierung des Haftungsrechts, in: E. Lorenz (Hg.): Karlsruher Forum 2015. Europäisierung des Haftungsrechts und des Versicherungsvertragsrechts, 2016, 5–65 • R. Schulze/R. Zimmermann (Hg.): Europäisches Privatrecht – Basistexte, ⁵2016 • C. von Bar: Gemeineuropäisches Sachenrecht, Bd. 1, 2015 • H. Kötz: Europäisches Vertragsrecht, ²2015 • K. Riesenhuber: EU-Privatrecht, 2013 • H. Schulte-Nölke, u.a. (Hg.): Der Entwurf für ein optionales europäisches Kaufrecht, 2012 • S. van Erp/B. Akkermans: Property Law, 2012 • Commission Expert Group on European Contract Law: Feasibility Study for a Future Instrument in European contract law, in: R. Schulze/J. Stuyck (Hg.): Towards a European Contract Law, 2011, 217–276 • H. Beale u.a.: Contract Law, ²2010 • C. von Bar u.a. (Hg.): Principles, Definitions and Model Rules of European Private Law, Draft Common Frame of Reference (DCFR), 2009 • J. Basedow/K. Hopt/R. Zimmermann (Hg.): Handwörterbuch des europäischen Privatrechts, 2009 • F. Ranieri: Europäisches Obligationenrecht, ³2009 • Research Group on the Existing EC Private Law (Acquis Group): Principles of the Existing EC Contract Law (Acquis Principles) – Contract II, 2009 • Association Henri Capitant des amis de la culture juridique française (Hg.): Principes contractuels communs, 2008 • O. Lando u.a. (Hg.): Principles of European Contract Law, Part III, 2003 • Académie des Privatistes Européens/G. Gandolfi (Hg.): Code européen des contrats, Avant-projet, Livre premier, 2002 • W. van Gerven/J. Lever/P. Larouche: Tort Law, 2001 • O. Lando/H. Beale Hugh (Hg.): Principles of European Contract Law, Parts I and II, 2000 • C. von Bar: Gemeineuropäisches Deliktsrecht, 2 Bde., 1996/1999 • H. Coing: Europäisches Privatrecht, 2 Bde., 1985/1989.

HANS SCHULTE-NÖLKE

Europäisches Prozessrecht

1. Begriff

Die Bestimmung des Begriffs „E.P." hat an seinen einzelnen Begriffselementen anzusetzen. Prozess leitet sich vom lateinischen *processus* = „Fortgang" ab. Wie das Wort Prozedere als Synonym für Verfahren zeigt, sind weitere Beschränkungen nicht zwingend begriffsimmanent. Gleichwohl ist heutzutage ein engeres Begriffsverständnis üblich: Prozess ist nur jedes streitige Verfahren vor einem Gericht. Streitig ist ein Verfahren, wenn sich (mindestens) zwei Parteien mit gegenläufigen Interessen gegenüberstehen. Hierdurch werden nicht-kontradiktorische Verfahren (z.B. Verfahren der freiwilligen Gerichtsbarkeit) ausgeschlossen. Durch den Bezug auf ein Gericht scheiden außergerichtliche Verfahren (z.B. Alternative Streitbeilegung) aus. Die präzise Trennlinie hängt freilich vom jeweiligen Gerichtsbegriff ab. Für einen formellen Gerichtsbegriff ist zentral, dass ein bestimmter Spruchkörper auf gesetzlicher Grundlage mit der Aufgabe betraut ist, ↑Recht zu sprechen. Ein materieller Gerichtsbegriff betont die sachliche Unabhängigkeit gegenüber Exekutive und Legislative und die Unparteilichkeit im Verhältnis zu den Parteien. Letztlich kann der Gerichtsbegriff stets nur kontextspezifisch bestimmt werden. So versteht z. B. der ↑EuGH im Rahmen des Vorabentscheidungsverfahrens nach Art. 267 AEUV unter Gericht jeden ständigen Spruchkörper in Rechtssachen auf gesetzlicher Grundlage, in dem unabhängige ↑Richter anhand von Rechtsnormen in einem streitigen, rechtsstaatlich geordneten Verfahren entscheiden. Ohne Bedeutung ist die Art der ↑Gerichtsbarkeit. Sie kann Verfassungs-, Verwaltungs-, Straf-, Zivil-, Arbeits- oder Finanzgerichtsbarkeit sein.

Vor diesem Hintergrund umfasst der Begriff ↑Prozessrecht v. a. sämtliche rechtliche Regelungen über Einleitung, Durchführung und Beendigung eines Prozesses; man mag aber auch noch die Gerichtsorganisation hierzu zählen wollen. Gegenbegriff ist das Sachrecht bzw. materielle Recht als das die Interessenkonflikte der potentiell Berechtigten und Verpflichteten entscheidende Recht. Im Verhältnis zum Sachrecht hat das Prozessrecht primär dienende Funktion. Gerät ein subjektives Recht in Streit, soll es ihm zur Durchsetzung verhelfen. Es hat insofern Rechtsschutzfunktion.

Das Attribut europäisch wird üblicherweise speziell auf die ↑EU – nichts anderes gilt für ihre Vorgängergemeinschaften – bezogen; gelegentlich meint es aber auch andere europäische Institutionen (z. B. ↑EMRK). Insofern ist es regelmäßig rechtsquellenspezifisch zu verstehen. Europäisch ist das Prozessrecht demnach, wenn die EU für die Rechtssetzung verantwortlich gezeichnet hat. Bisweilen wird auch ein adressatenspezifisches Verständnis verwendet. Dann ist gemeint, dass das Prozessrecht für ein Gericht der EU (EuGH, EuG) gilt.

2. Geschichtliche Entwicklung

Während die Art der Gerichtsbarkeit und damit die jeweilige Sachmaterie für die Qualifikation als E. P. unerheblich ist, so spielte sie doch eine ganz wesentliche Rolle für seine Entwicklung, soweit es rechtsquellenspezifisch verstanden wird. Da für die EU und von jeher das Prinzip der begrenzten Einzelermächtigung galt, konnte sie nur tätig werden, soweit eine entspr.e Kompetenz bestand. Auf der Grundlage von Art. 220 EWGV wurde bereits frühzeitig das „Europäische Gerichtsstands- und Vollstreckungsübereinkommen" (EuGVÜ) 1968 als ↑völkerrechtlicher Vertrag geschaffen, das eine Vereinheitlichung der internationalen Zuständigkeit und eine vereinfachte grenzüberschreitende Anerkennung und Vollstreckbarkeit gerichtlicher Entscheidungen in Zivil- und Handelssachen bewirkte. Den Beginn einer neuen Zeitrechnung markierte Art. 65 EGV idF des Vertrags von Amsterdam, der die justizielle Zusammenarbeit in Zivilsachen mit Ausnahme für Dänemark und Sonder-

regeln für das Vereinigte Königreich und Irland vergemeinschaftete und heute in Art. 81 AEUV fortlebt. Soweit ein Tätigwerden der EU danach stets einen grenzüberschreitenden Bezug der justiziellen Zusammenarbeit verlangt, kann auf seiner Basis zwar keine umfassende europäische Zivilprozessordnung geschaffen werden. Für zivilprozessuale Streitigkeiten mit grenzüberschreitendem Bezug sind in den 2000er Jahren indessen eine Vielzahl von VO und RL verabschiedet worden, die überwiegend das nationale Zivilprozessrecht modifizieren, teils aber auch originär europäische Verfahren vorsehen.

Der Integrationsprozess im ↑Europäischen Strafrecht rückte erst mit dem Vertrag von Maastricht und seiner gegenüber der urspr.n Zielsetzung als Wirtschaftsgemeinschaft ehrgeizigeren Zielvorgabe einer verstärkt politischen Union in den Fokus. Zunächst Teil der Zusammenarbeit im Bereich Justiz und Inneres (ZBJI) als der sog.en „3. Säule" der EU, verblieb die justizielle Zusammenarbeit in Strafsachen dort als Residuum auch nach dem Vertrag von Amsterdam als Teil der polizeilichen und justiziellen Zusammenarbeit in Strafsachen (PJZS). Sie findet nach der Abschaffung des Säulenmodells durch den Vertrag von Lissabon ihre eigenständige Rechtsgrundlage in Art. 82 AEUV. Viele der hier ergangenen Rechtsakte betreffen indessen nicht allein den Strafprozess, sondern bereits das zu ihm hinführende Ermittlungsverfahren.

Eine vergleichbare justizielle Zusammenarbeit in Verwaltungssachen hat sich noch nicht entwickelt. Hier konzentriert sich die Kooperation bislang auf behördliche Verfahren.

Adressatenspezifisch als das Verfahrensrecht der Gerichte der EU verstanden, gibt es demgegenüber das E. P. so lange wie die jeweilige Gerichtsbarkeit der EU selbst.

3. Rechtlicher Rahmen

Den rechtlichen Rahmen für ein EU-rechtsquellenspezifisch verstandenes E. P. liefert das Primärrecht der EU, das mit seinen Kompetenzgrundlagen und seinen Verfahrensgrundrechten der prozessrechtlichen Rechtssetzungstätigkeit der EU Grenzen zieht. Ein adressatenspezifisches Verständnis verweist ebenfalls auf das Primärrecht, das nicht nur einen rechtlichen Rahmen absteckt, sondern ihn in wesentlichen Aspekten bereits ausgestaltet, wie insb. die Regelungen zu den Rechtsschutzformen und das Protokoll über die Satzung des EuGH. Bei einem sachverhaltsspezifischen Verständnis des E.n P.s rückt auch die Rechtssetzungstätigkeit der Mitgliedstaaten in den Blick, die insb. die ↑Grundfreiheiten sowie den Äquivalenz- und Effektivitätsgrundsatz zu wahren hat.

4. Praktische Bedeutung

In Abhängigkeit von der Sachmaterie entfaltet ein rechtsquellenspezifisch verstandenes E. P. eine höchst unterschiedliche Bedeutung. Insb. für den Zivilprozess sind die einschlägigen Rechtsakte Legion: Die VO 2012/1245/EU zur internationalen Zuständigkeit sowie Anerkennung und Vollstreckung von Entscheidungen in Zivil- und Handelssachen, die VO 2003/2201/EG zur internationalen Zuständigkeit sowie Anerkennung und Vollstreckung von Entscheidungen in Ehe- und Kindschaftssachen, die VO 2009/4/EG (auch) zur internationalen Zuständigkeit sowie Anerkennung und Vollstreckung von Entscheidungen in Unterhaltssachen, die VO 2012/650/EU (auch) zur internationalen Zuständigkeit und Anerkennung und Vollstreckung von Entscheidungen in Erbsachen, die VO 2004/805/EG zur Einführung eines Europäischen Vollstreckungstitels für unbestrittene Forderungen, die VO 2007/861/EG zur Einführung eines europäischen Verfahrens für geringfügige Forderungen, die VO 2006/1896/EG zur Einführung eines Europäischen Mahnverfahrens, die VO 2007/1393/EG (auch) über die Zustellung gerichtlicher Schriftstücke in Zivil- und Handelssachen, die VO 2001/1206/EG über die Zusammenarbeit zwischen den Gerichten der Mitgliedstaaten auf dem Gebiet der Beweisaufnahme in Zivil- oder Handelssachen, die RL 2003/8/EG (auch) zur Prozesskostenhilfe und die RL 2009/22/EG über Unterlassungsklagen zum Schutz der Verbraucherinteressen.

Zunehmende Bedeutung haben in jüngerer Vergangenheit auch Rechtsakte mit Relevanz für den Strafprozess gewonnen, wenngleich sie sich regelmäßig übergreifend auf das gesamte Strafverfahren beziehen: RL 2010/64/EU gewährt ein Recht auf Dolmetschleistungen und Übersetzungen, RL 2012/13/EU ein Recht auf Belehrung und Unterrichtung, RL 2013/48/EU ein Recht auf Zugang zu einem Rechtsbeistand, ein Recht auf Benachrichtigung eines Dritten bei Freiheitsentzug und ein Recht auf Kommunikation mit Dritten und mit Konsularbehörden während des Freiheitsentzugs. RL 2016/800/EU sieht Verfahrensgarantien für Kinder als Verdächtige oder beschuldigte Personen vor, RL 2016/343/EU die Stärkung bestimmter Aspekte der Unschuldsvermutung und des Rechts auf Anwesenheit in der Verhandlung, RL 2016/1919/EU Prozesskostenhilfe für Verdächtige und beschuldigte Personen und RL 2014/41/EU eine Europäische Ermittlungsanordnung in Strafsachen.

Zum adressatenspezifisch verstandenen E.n P. zählen die Verfahrensordnungen von EuGH und EuG und die auf ihrer Grundlage erlassenen praktischen Regeln (z. B. Praktische Anweisungen für Klagen und Rechtsmittel, Praktische Anweisungen für die Parteien vor dem Gericht). Es gewinnt in dem Maße an Einfluss, wie Rechtsschutz originär durch die Gerichte der EU gewährt wird.

Die praktische Bedeutung eines sachverhaltsspezifisch verstandenen E.n P.s hat in den vergangenen Jahren insofern zugenommen, als der EuGH sich zunehmend bemüßigt sieht, die Verfahrensautonomie der Mitgliedstaaten im Prozessrecht im Interesse des unionsrechtlichen Effektivitätsgrundsatzes zu relativieren. Ein Beispiel aus der jüngsten Vergangenheit ist etwa die Rs. *Faber v Autobedrijf Hazet Ochten* (Urteil vom 4.6.2015, Rs. C-497/13), in der der EuGH die Pflicht zur Prüfung der Verbrauchereigenschaft von Amts wegen annahm und damit die Beweislastverteilung nach nationalem Recht konterkarierte.

Literatur
S. Leible/J. P. Terhechte (Hg.): Enzyklopädie Europarecht, Bd. 3, 2014 • A. Thiele: Europäisches Prozessrecht, ²2014.

STEFAN LEIBLE

Europäisches Recht ↑Europarecht

Europäisches Strafrecht

1. Begriff und Entwicklung

Unter dem Begriff e. S. ist keine dem nationalen S. vergleichbare eigenständige S.s-Ordnung zu verstehen. Es handelt sich vielmehr um einen Sammelbegriff, der materiell-rechtlich in erster Linie das erst im Entstehen begriffene supranationale S. der ↑EU sowie die vom Einfluss des ↑Europarechts beeinflussten (europäisierten) S.s-Vorschriften der Mitgliedstaaten und im prozessrechtlichen Bereich die EU-Instrumente auf dem Gebiet der justiziellen Zusammenarbeit in Strafsachen erfasst.

Vor Inkrafttreten des Vertrags von Lissabon zum 1.12.2009 bestanden im Rahmen der im Wesentlichen intergouvernemental ausgestalteten „Dritten Säule der EU" bereits Rechtsgrundlagen zum Erlass strafrechtlicher Rechtsakte. Es handelte sich v. a. um Rahmenbeschlüsse (z. B. Rahmenbeschluss über den Europäischen Haftbefehl), die jedoch nur einstimmig und ohne Mitentscheidungsrecht des ↑Europäischen Parlaments erlassen werden konnten. Die supranational geprägte „Erste Säule" (EGV) enthielt keine expliziten Rechtsgrundlagen zum Erlass strafrechtlich relevanter Rechtsakte. Auf Grundlage des Vertrags von Lissabon wurde die „Dritte Säule" vergemeinschaftet, so dass der AEUV nunmehr weitergehende Rechtsgrundlagen für strafrechtliche Rechtsakte (VO, RL) enthält, die grundsätzlich im Wege des ordentlichen Gesetzgebungsverfahrens (v. a. Mehrheitsbeschluss im ↑Rat der Europäischen Union, notwendige Zustimmung des Europäischen Parlaments) zu erlassen sind. Im Bereich der justiziellen Zusammenarbeit wurde das Prinzip der gegenseitigen Anerkennung primärrechtlich anerkannt.

2. Supranationales (europäisches) Strafrecht

Die Rechtsordnung der EU enthält bislang nur Sanktionsvorschriften ohne kriminalstrafrechtlichen Charakter. Die vorhandenen Sanktionsnormen (Geldbußen, sonstige finanziellen Sanktionen sowie andere Rechtsverluste, wie z. B. Entzug von Lizenzen) müssen aber – zumindest teilweise – einem S. „im weiteren Sinn" zugeordnet werden. In Anlehnung an die sog.e „Engel"-Rspr. des ↑EGMR (Urteil vom 8.6.1976 – 5100/71) gehören hierher alle Sanktionen repressiver Natur bzw. solche, die mit einer bes. schweren Rechtsguteinbuße für den Täter einhergehen, was v.a. auf die – praktisch sehr bedeutsamen – Geldbußen (z.B. im EU-Kartellrecht) zutrifft. Kriminal-S. zeichnet sich demgegenüber durch ein sozialethisches Unwerturteil aus, welches mit der Verurteilung ausgesprochen wird; dies trifft regelmäßig auf die Verhängung von Freiheits- und Geldstrafen zu, die allen mitgliedstaatlichen Rechtsordnungen bekannt sind. Unmittelbar in den Mitgliedstaaten anwendbare Kriminalstraftatbestände enthält das EU-Recht bislang nicht. Ob die EU eine Kompetenz besitzt, solche Straftatbestände zu erlassen, ist umstritten. Der neu geschaffene Art. 83 AEUV jedenfalls lässt nur den Erlass von RL zum Zweck einer Mindestangleichung von Straftatbeständen und Strafen zu, weshalb supranationale Straftatbestände auf dieser Rechtsgrundlage nicht erlassen werden können (s.u.). Demgegenüber ist insb. der Wortlaut des Art. 325 Abs. 4 AEUV weit gefasst, er lässt zur „Bekämpfung von Betrügereien, die sich gegen die finanziellen Interessen der Union richten" u.a. auch den Erlass von VO zu; denkbar wäre somit der Erlass eines europäischen Betrugstatbestands (und begleitender, die finanziellen Interessen der EU schützender Tatbestände), stets vorausgesetzt, die allg.en Kompetenzausübungsschranken der ↑Verhältnismäßigkeit und der ↑Subsidiarität (Art. 5 Abs. 1 S. 2 EUV) stehen nicht entgegen. Anhaltspunkte für ein solches EU-S. bietet insoweit das im Jahr 2000 von einer Sachverständigengruppe im Auftrag der ↑Europäischen Kommission veröffentlichte „Corpus Juris der strafrechtlichen Regelungen zum Schutz der finanziellen Interessen der EU", welches u.a. eine Reihe von Tatbeständen (mit Normen des Allg.en Teils) enthält.

3. Europäisierung und Harmonisierung des nationalen Strafrechts

Wie jeder andere Teil der nationalen Rechtsordnungen unterliegt auch das ↑Straf- und ↑Strafprozessrecht den Vorgaben des EU-Rechts. Der bes.n Sensibilität dieses Rechtsgebiets, welches auch in den Augen des ↑BVerfG in den sozialethischen und kulturellen Wertvorstellungen der Rechtsgemeinschaft wurzelt, kann und muss jedoch durch bes. Rücksichtnahme („strafrechtsspezifisches Schonungsgebot") Rechnung getragen werden, da auch der EUV zur Wahrung der nationalen Identität und zum Schutz der kulturellen Vielfalt verpflichtet (Art. 3 Abs. 3 UA 4; Art. 4 Abs. 2 EUV).

3.1 Primärrechtliche Ober- und Untergrenzen für nationales Strafrecht

Der nationale Strafgesetzgeber darf dabei zunächst keine Strafgesetze erlassen, die im Widerspruch zu europäischem Recht stehen. Im Anwendungsbereich des EU-Rechts stellen daher v.a. auch der Verhältnismäßigkeitsgrundsatz und das Diskriminierungsverbot Obergrenzen für das inkriminierte Verhalten und die an-

gedrohten Strafen dar. Rein nationale Sachverhalte und solche potentiellen Beeinträchtigungen von ↑Grundfreiheiten, die lediglich notwendige Reflexe eines nationalen S.s sind (z.B. die Beeinträchtigungen der Grundfreiheiten durch Freiheitsstrafen), werden hiervon nicht erfasst. Darüber hinaus bildet das EU-Recht eine Untergrenze, die dazu führen kann, dass ein Mitgliedstaat einen Verstoß gegen EU-Recht unter Strafe stellen muss. Der ↑EuGH (Rs. 68/88, Griechischer Maisskandal) sieht die Mitgliedstaaten aus dem allg.en Loyalitätsgebot (Art. 4 Abs. 3 EUV) verpflichtet, Verstöße gegen das europäische Recht nach ähnlichen sachlichen und verfahrensrechtlichen Regeln zu ahnden wie nach Art und Schwere gleichartiger Verstöße gegen nationales Recht (sog.e Assimilierungspflicht), wobei die Sanktion jedenfalls wirksam, verhältnismäßig und abschreckend sein muss (sog.e Mindesttrias). Die Wahl der konkreten Sanktion bleibt aber dem jeweiligen Staat überlassen.

3.2 Sekundärrechtliche Rechtsangleichung (Harmonisierung)

Darüber hinaus erlaubt der AEUV eine Angleichung der nationalen S.s-Ordnungen durch Erlass von RL, die eine Mindestharmonisierung bzgl. des zu bestrafenden Verhaltens und der Strafen vorschreiben. Dadurch sind schärfere nationale Strafnormen und -rahmen von vornherein nicht ausgeschlossen, was einer vielfach kritisierten zunehmenden Punitivität Vorschub leistet. Art. 83 Abs. 1 AEUV erlaubt diese Mindestharmonisierung im Hinblick auf bestimmte Erscheinungsformen bes. schwerer grenzüberschreitender ↑Kriminalität (wie z.B. ↑Terrorismus, Menschenhandel, Computerkriminalität); Art. 83 Abs. 2 AEUV beinhaltet eine Annex-Kompetenz, die es erlaubt, strafrechtliche Angleichungs-RL in Bereichen zu erlassen, die bereits durch Unionsrecht harmonisiert wurden. Letzteres soll allerdings nur möglich sein, wenn strafrechtliche Regelungen insoweit „unerlässlich" sind, ein Kriterium, welchem das BVerfG in seinem Lissabon-Urteil (BVerfGE 123, 267 ff.) maßgebliches restriktives Potenzial beigemessen hat, um einer Ausuferung der EU-Kompetenzen entgegenzuwirken.

Für beide Kompetenznormen beinhaltet Art. 83 Abs. 3 AEUV eine „Notbremse", die es jedem Mitgliedstaat erlaubt, sich unter Berufung auf „grundlegende Aspekte seiner Strafrechtsordnung" einer Mehrheitsentscheidung zu entziehen, so dass eine eventuell im Wege der verstärkten Zusammenarbeit zwischen den anderen Mitgliedstaaten vereinbarte RL nicht für den sich verweigernden Staat gilt. Der Abschied vom ehemaligen Einstimmigkeitserfordernis wird hierdurch teilweise wieder zurückgenommen.

4. Europäisierung der Strafrechtsanwendung in den Mitgliedstaaten

Da das S. keine unionsrechtsresistente Materie ist, muss das EU-Recht auch bei der Rechtsanwendung durch die Strafgerichte Beachtung finden. Dies bedeutet zum einen, dass Straftatbestände, die unmittelbar anwendbarem EU-Recht (z. B. Grundfreiheiten, VO) entgegenstehen, nicht angewendet werden dürfen. Strafrechtsdogmatisch ist dann bereits der Tatbestand nicht erfüllt, dieser wird vielmehr „neutralisiert". Bestehen – insb. bei Vorschriften, die EU-RL umsetzen – mehrere Auslegungsmöglichkeiten, so ist diejenige heranzuziehen, die mit dem EU-Recht im Einklang steht und den effet utile desselben am besten gewährleistet (richtlinien- bzw. unionsrechtskonforme Auslegung).

5. Strafverfolgung in der Europäischen Union

Die Strafverfolgung in der EU bleibt grundsätzlich eine Aufgabe der Mitgliedstaaten. Der Fokus des EU-Rechts liegt auf einer Vereinfachung der immer häufiger werdenden grenzüberschreitenden Verfahren durch Stärkung der justiziellen Zusammenarbeit, insb. im Bereich der Rechtshilfe (↑Amts- und Rechtshilfe). Ausgangspunkt ist dabei das von der EU verfolgte Ziel, dass sämtliche Mitgliedstaaten einen einheitlichen Rechtsraum, einen „RFSR" bilden sollen. Angesichts der verbleibenden Unterschiede in den S.s-Ordnungen soll eine effektive Zusammenarbeit der Strafverfolgungsbehörden gleichwohl dadurch erreicht werden, dass justizielle Entscheidungen, die in einem Mitgliedstaat erlassen werden, von jedem Gericht und jeder Behörde der anderen Mitgliedstaaten anerkannt und vollstreckt werden. Dementsprechend ist etwa das früher langwierige Auslieferungsverfahren durch Einführung des Europäischen Haftbefehls (in weiten Teilen) durch ein zeitsparendes Übergabeverfahren ersetzt worden. Art. 82 Abs. 1 AEUV enthält hier Rechtsgrundlagen für Rechtsakte zur Ausgestaltung der gegenseitigen Anerkennung in Strafsachen; ergänzend enthält Art. 82 Abs. 2 AEUV eine Basis für Rechtsangleichungsmaßnahmen, auf Grundlage derer eine Mindestharmonisierung im Strafprozessrecht betrieben und so u. a. einem zu weitgehenden Abbau von Beschuldigtenrechten, welcher mit zunehmender Umsetzung der gegenseitigen Anerkennung vielfach droht, entgegengewirkt werden kann – zumindest dann, wenn hiervon stärker als bisher Gebrauch gemacht wird. Auch bzgl. Art. 82 Abs. 2 AEUV ist in Abs. 3 jedoch der bereits aus dem materiellen Recht bekannte Notbremsemechanismus vorgesehen. Daneben folgt aus Art. 50 EuGRC und Art. 54 SDÜ ein zwischenstaatliches Doppelbestrafungsverbot (ne bis in idem), welches ebenfalls einen Ausfluss der gegenseitigen Anerkennung (allerdings zugunsten des Beschuldigten) darstellt. Für die Verfolgung von Straftaten gegen die finanziellen Interessen der EU und – ggf. später – bzgl. schwerer grenzüberschreitender Kriminalität wurde jüngst die in Art. 86 AEUV vorgesehene Schaffung einer Europäischen Staatsanwaltschaft realisiert.

Literatur

H. Satzger: Internationales und Europäisches Strafrecht, [8]2018 • P. Asp (Hg.): The European Public Prosecutor's Office, Legal and Criminal Policy Perspectives, 2015 • B. Hecker: Europäisches Strafrecht, [5]2015 • K. Ambos: Internationales Strafrecht, [4]2014 • R. Esser: Europäisches und Internationales Strafrecht, 2014 • L. Neumann: Das US-amerikanische Strafrechtssystem als Modell für die vertikale Kompetenzverteilung im Strafrechtssystem der EU?, 2014 • U. Sieber/H. Satzger/B. von Heintschel-Heinegg (Hg.): Europäisches Strafrecht, 2014 • F. Zimmermann: Strafgewaltkonflikte in der Europäischen Union, 2014 • M. Böse (Hg.): Enzyklopädie Europarecht, Bd. 9: Europäisches Strafrecht, 2013 • ECPI: Manifest zum Europäischen Strafverfahrensrecht, in: ZIS 8/11 (2013), 412–429 • P. Asp: The Substantive Criminal Law Competence of the EU, 2012 • A. Klip: European Criminal Law, 2012 • S. Gless: Internationales Strafrecht, 2011 • C. Safferling: Internationales Strafrecht, 2011 • ECPI: Manifest zur Europäischen Kriminalpolitik, in: ZIS 4/12 (2009), 697–706 • V. Mitsilegas: EU Criminal Law, 2009 • C. Schröder: Europäische Richtlinien und deutsches Strafrecht, 2002 • K. Tiedemann (Hg.): Wirtschaftsstrafrecht in der Europäischen Union, 2002 • H. Satzger: Die Europäisierung des Strafrechts, 2001 • M. Delmas-Marty/J. Vervaele. (Hg.): The Implementation of the Corpus Juris in the Member States, 2000.

HELMUT SATZGER

Europäisches System der Zentralbanken (ESZB)
↑Europäische Zentralbank

Europäisches Verwaltungsrecht

1. Begriff

Das e. V. im engen Sinne umfasst die Rechtsmaterien, die im Zusammenhang mit der Setzung und dem Vollzug des Rechts der ↑EU und der EURATOM stehen. Demgegenüber bezieht sich der Begriff des e.n V.s im weiten Sinne auf alle zwischenstaatlichen Organisationen Europas (ohne räumliche Beschränkung auf die EU), also etwa auch die Verwaltung des ↑Europarates oder des EWR. Gegenstand dieses Artikels ist nur das e. V. im engen Sinne.

2. Rechtsquellen und Unionskompetenzen

Das e. V. speist sich aus sämtlichen Rechtsquellen der EU. Diese sind das Primärrecht, sprich die Unionsverträge (EUV, AEUV, EURATOM-Vertrag) sowie die EuGRC, daneben die auf der Grundlage des Primärrechts erlassenen Sekundärrechtsakte (insb. RL, VO, Beschluss) und das Tertiärrecht als Produkt der administrativen Rechtsetzung durch die ↑Europäische Kommission oder Unionsagenturen in Form von delegierten Rechtsakten (Art. 290 AEUV) sowie Durchführungsrechtsakten (Art. 291 Abs. 2 AEUV).

Über Kompetenzen zur verwaltungsrechtlichen Rechtsetzung verfügt die EU nur, sofern und soweit sie von den Mitgliedstaaten nach dem Prinzip der begrenzten Einzelermächtigung (Art. 5 Abs. 1 und 2 EUV) hierzu ermächtigt wurde. Durchbrochen wird dieses Prinzip durch die Lehre von den ungeschriebenen Unionskompetenzen (implied powers) sowie durch die Vertragsabrundungskompetenz gemäß Art. 352 AEUV. Das Verwaltungssystem der EU beruht auf der Aufteilung der Aufgaben und Zuständigkeiten zwischen den Unionsorganen und den Mitgliedstaaten (Trennungsprinzip). Dabei wird die Kompetenz zur Durchführung des Unionsrechts in Art. 291 Abs. 1 AEUV grundsätzlich den Mitgliedstaaten zugewiesen (Grundsatz des indirekten Vollzugs; s. 4.) und liegt nur ausnahmsweise bei der EU (direkter Vollzug; s. 3.). Diese Zweiteilung erfährt jedoch durch das Verbundverwaltungsrecht (Kooperationsprinzip; s. 5.) eine zunehmende Relativierung.

3. Eigenverwaltungsrecht der EU

Das Eigenverwaltungsrecht der EU beschreibt den direkten Vollzug des Rechts der EU durch Organe, Einrichtungen und sonstige Stellen der EU. Unter den Verwaltungsorganen nimmt die Kommission eine Schlüsselrolle ein, wobei in jüngerer Zeit aber auch die Bedeutung von selbständigen Unionsagenturen und Ausschüssen (insb. Komitologie-Ausschüsse) stetig wächst. Generell ist eine fortschreitende Diversifizierung der Unionsverwaltung festzustellen, begleitet von einem Trend zur Zentralisierung von Verwaltungsaufgaben auf Unionsebene.

Gegenstände des Eigenverwaltungsrechts sind Regelungen betreffend das Personal und die Organisation der EU selbst (z. B. EU-Beamtenrecht, Geschäftsordnungen der EU-Organe), aber auch Vollzugsakte mit unmittelbarer Außenwirkung gegenüber Privaten, etwa im Rahmen der Wettbewerbsaufsicht. Als Handlungsformen kommen die in Art. 288 AEUV aufgeführten Rechtsakte in Betracht, wobei der Beschluss (Art. 288 Abs. 4 AEUV) eine bes. Bedeutung hat.

Bislang werden die Unionsorgane im EU-Eigenverwaltungsrecht auf der Grundlage des jeweiligen bereichsspezifischen EU-Verfahrensrechts tätig. Etwaige Lücken im geschriebenen Recht werden über die vom ↑EuGH im Wege wertender Rechtsvergleichung entwickelten ↑Allgemeinen Rechtsgrundsätze geschlossen. In jüngster Zeit weist die Entwicklung jedoch in Richtung einer, vom ↑Europäischen Parlament angestrebten, einheitlichen ↑Kodifikation des Eigenverwaltungsrechts der EU, für die mit den von einer europäischen Forschergruppe ausgearbeiteten „ReNEUAL-Model Rules" (2014) ein erster konkreter Entwurf vorliegt. Eine Kodifikation des EU-Eigenverwaltungsrechts könnte einen Beitrag zu mehr ↑Deregulierung, Transparenz und Systembildung im e.n V. leisten.

4. Unionsverwaltungsrecht

Das Unionsverwaltungsrecht steht für das unionsrechtlich überlagerte und überformte („europäisierte") nationale Recht der Mitgliedstaaten, das diese beim indirekten Vollzug des Unionsrechts anwenden (zum indirekten Vollzug als Regelfall im e.n V. s. o. 2.). Beim unmittelbaren indirekten Vollzug implementieren nationale Behörden unmittelbar geltendes Unionsrecht

(insb. VO) im Einzelfall. Beim mittelbaren indirekten Vollzug schaffen die Mitgliedstaaten dagegen in Umsetzung von Unionsrecht (insb. RL) zunächst selbst nationales Recht und vollziehen dieses dann durch ihre Behörden. Den Mitgliedstaaten kommt dabei grundsätzlich eine Verfahrensautonomie zu. Diese besagt, dass sich der indirekte Vollzug, soweit es an einheitlichen unionsrechtlichen Regelungen fehlt, im Prinzip nach den Vorschriften des nationalen Verwaltungsverfahrens und der nationalen Verwaltungsorganisation erfolgt. Grenzen der Verfahrensautonomie folgen jedoch gemäß dem Grundsatz der loyalen Zusammenarbeit (Art. 4 Abs. 3 EUV) aus dem Effektivitäts- und Äquivalenzgebot. Danach darf die Anwendung des nationalen Rechts nicht dazu führen, dass die praktische Wirksamkeit des Unionsrechts unmöglich gemacht oder wesentlich erschwert wird (Effektivitätsgebot) oder dass es zu einer Diskriminierung von Sachverhalten mit Unionsrechtsbezug gegenüber solchen mit rein innerstaatlichem Bezug kommt (Äquivalenzgebot).

Aus den sekundärrechtlichen Vorgaben des Unionsrechts, aber auch aus dem in einer Vielzahl an Entscheidungen richterrechtlich „ausbuchstabierten" Effektivitätsgebot als dem „Passepartout" des Unionsverwaltungsrechts, folgt eine, im Einzelnen unterschiedlich weit gehende, Europäisierung des nationalen ↑Verwaltungsrechts. Die Europäisierung ist dabei zum einen eine materielle, bezieht sich also auf das materielle (nationale) Recht, insb. das bes. Verwaltungsrecht. Einzelne Rechtsgebiete wie das Umwelt- und ↑Wirtschaftsverwaltungsrecht beruhen schon längst zum überwiegenden Teil (die Zahlen schwanken zwischen 70 und 80 %) auf Vorgaben „aus Brüssel", während andere Bereiche wie das Polizei-, Kommunal- oder Schulrecht deutlich weniger oder kaum unionsrechtlich „imprägniert" sind. Zu beobachten ist zum anderen eine formelle Europäisierung. Diese erfasst v. a. das nationale Verwaltungsverfahrensrecht (prozedurale Europäisierung), wie beispielhaft die Überformung der nationalen Dogmatik der §§ 48–49a VwVfG bei der Aufhebung unionsrechtswidriger Verwaltungsakte zeigt. Erheblich von der formellen Europäisierung betroffen ist ferner das nationale ↑Verwaltungsprozessrecht (prozessuale Europäisierung). Nationale Institute wie die Verletztenklage (§ 42 Abs. 2 VwGO) oder Strukturen wie die des vorläufigen Rechtsschutzes (§§ 80, 80a, 123 VwGO) stehen *pars pro toto* für dessen unionsrechtliche Überformung.

Als allg.e Entwicklungslinien der Europäisierung des Verwaltungsrechts fallen ein Bedeutungszuwachs des Verfahrensgedankens (Proseduralisierung), eine Stärkung von Transparenz, ein Ausbau von Partizipationsrechten der Öffentlichkeit, eine verstärkte Eröffnung administrativer Entscheidungsspielräume sowie eine Tendenz zur Finalprogrammierung (statt Konditionalprogrammierung) und zur Entpolitisierung einer „völlig unabhängigen" ↑Verwaltung (technokratisches Verwaltungsmodell) auf, die aus deutscher Perspektive teilweise zu positiven Reformimpulsen geführt haben (z. B. Eigenwert des Verfahrens), die sich z. T. aber auch an verfassungsrechtlichen Vorgaben des freiheitlichen, demokratischen ↗Rechtsstaats (Art. 19 Abs. 4, 20 Abs. 2 und 3 GG) reiben und daher kritisch zu betrachten sind (z. B. unabhängige Regulierungsverwaltung).

5. Europäisches Verwaltungsverbundrecht

Die Dichotomie von direktem und indirektem Vollzug stößt mit fortschreitender Integration immer mehr an ihre Grenzen. Die komplexen Verschränkungen zwischen der EU und Mitgliedstaaten in einem Mehrebenen-System und die Lösung von hierarchiebedingten Problemen erfordert die Ausprägung eines Verwaltungsrechts, in dem EU und Mitgliedstaaten einen Verbund bilden. Das Recht des Europäischen Verwaltungsverbunds ist geprägt durch Kooperation in vertikaler Hinsicht (Union-Mitgliedstaaten), aber auch in horizontaler Dimension (Mitgliedstaaten untereinander). Die Verflechtungen betreffen unterschiedlichste Bereiche (Rechtsetzung, Information, Vollzug, Organisation, Aufsicht u. a.) und weisen nicht selten netzwerkartige Strukturen auf. Typische Erscheinungsform der Europäischen Verbundverwaltung ist die aktive Zusammenarbeit nationaler und unionaler Behörden in gestuften Entscheidungsverfahren, welche etwa im Zoll- und Beihilfenrecht eine erhebliche Rolle spielen.

Literatur

T. Siegel: Europäisierung des Öffentlichen Rechts, 2012 • T. von Danwitz: Europäisches Verwaltungsrecht, 2008 • J. Schwarze: Bestand und Perspektiven des europäischen Verwaltungsrechts, 2008 • E. Schmidt-Aßmann/B. Schöndorf-Haubold (Hg.): Der Europäische Verwaltungsverbund, 2005.
WOLFGANG KAHL

Europäisches Wirtschaftsrecht

1. Allgemein

Mit dem Begriff ↗ Wirtschaftsrecht werden alle Rechtsnormen zur Regelung des Wirtschaftslebens bezeichnet; erfasst werden insofern Normen des ↗Privatrechts, des ↗öffentlichen Rechts und des ↗Strafrechts. Geregelt werden das Verhältnis der Wirtschaftssubjekte untereinander sowie ihr Verhältnis zum ↗Staat. Wirtschaftsrecht wird dabei von allen staatlichen Ebenen gesetzt, wobei in Deutschland die Bundesgesetzgebung die Hauptrolle spielt. Bspw. finden sich das Bürgerliche Recht sowie das Handels- und Gesellschaftsrecht in Deutschland in Bundesgesetzen, das gleiche gilt für das Strafrecht sowie große Teile des öffentlichen Wirtschaftsrechts. Der Begriff des E.n W.s umfasst in seiner weitesten Bedeutung die wirtschaftsrechtlichen Regelungen auf der Ebene der EU, ihrer Mitgliedstaaten sowie auch der übrigen europäischen Staaten. Üblicherweise wird mit dem Begriff des E.n W.s jedoch auf die

Rechtsquelle hingewiesen. Gemeint sind dann die zur Regelung des Wirtschaftslebens erlassenen Rechtsvorschriften der ↗EU.

2. Wirtschaftsrecht der EU

Das ↗Wirtschaftsrecht ist in der ↗EU von großer Bedeutung, es war der zentrale Gegenstand des Vertrags über die EWG. Hieran hat sich durch die späteren Vertragsänderungen nichts geändert. Zu den Zielen der EU gehört die Errichtung eines Binnenmarkts (Art. 3 Abs. 3 EUV; ↗Europäischer Binnenmarkt) als eines Raums „ohne Binnengrenzen, in dem der freie Verkehr von Waren, Personen, Dienstleistungen und Kapital (↗Grundfreiheiten) gemäß den Bestimmungen der Verträge gewährleistet ist" (Art. 26 Abs. 2 AEUV) sowie die Errichtung einer „Wirtschafts- und Währungsunion, deren Währung der Euro ist" (Art. 3 Abs. 4 EUV; ↗EWWU). Zu diesem Zweck sind der EU im Bereich des Wirtschaftsrechts eine Vielzahl von ausschließlichen (z. B. Zollunion, Wettbewerbsregeln [↗Wettbewerbsrecht], Währungspolitik, gemeinsame Handelspolitik – Art. 3 Abs. 1 AEUV) und geteilten (z. B. Binnenmarkt, ↗Sozialpolitik, wirtschaftlicher Zusammenhalt, Landwirtschaft und Fischerei, ↗Verbraucherschutz, ↗Verkehr, transeuropäische Netze, Energie [↗Energierecht] – Art. 4 Abs. 2 AEUV) Zuständigkeiten eingeräumt. Unterschieden werden können das Europäische Binnenmarktrecht, welches als primäres und sekundäres Unionsrecht auf die Verwirklichung und Funktionsfähigkeit des Binnenmarkts als gemeinsamen Marktes zielt, und das Europäische Außenwirtschaftsrecht, welches die gemeinsame Handelspolitik bezeichnet und sich auf die Funktionsfähigkeit des Binnenmarkts im Verhältnis zu Drittländern bezieht. Aus den entsprechenden Zuständigkeiten der EU resultieren eine Vielzahl europäischer wirtschaftsrechtlicher Vorschriften, von denen hier nur einige aus dem Bereich des Binnenmarktrechts beispielhaft vorgestellt werden können.

2.1 Grundfreiheiten

Der Vertrag über die Arbeitsweise der EU (AEUV) garantiert verschiedene ↗Grundfreiheiten für den grenzüberschreitenden ↗Verkehr. Um diese von den Grund- und Menschenrechten (↗Grundrechte, ↗Menschenrechte) abzugrenzen, werden sie auch als Marktfreiheiten bezeichnet. In der Sache handelt es sich durchaus um wirtschaftliche Grundrechte. Gewährleistet wird der freie Waren-, Personen-, Dienstleistungs- sowie Kapital- und Zahlungsverkehr (vgl. Art. 26 Abs. 2 AEUV). Zollunion und Warenverkehrsfreiheit verbieten Ein- und Ausfuhrzölle (Art. 28 AEUV, ↗Zoll) sowie mengenmäßige Ein- und Ausfuhrbeschränkungen zwischen den Mitgliedstaaten (Art. 34 f. AEUV). Ebenfalls verboten sind Abgaben bzw. Maßnahmen gleicher Wirkung. Zum freien Personenverkehr gehört einerseits die Freizügigkeit der Arbeitnehmer (Art. 45 AEUV) und andererseits auch die Niederlassungsfreiheit (Art. 49

AEUV). Die Dienstleistungsfreiheit verbietet Beschränkungen des freien Dienstleistungsverkehrs innerhalb der Union für „Angehörige der Mitgliedstaaten, die in einem anderen Mitgliedstaat als demjenigen des Leistungsempfängers ansässig sind" (Art. 56 AEUV). Demgegenüber verbietet die Kapital- und Zahlungsverkehrsfreiheit Beschränkungen des Kapital- und Zahlungsverkehrs nicht nur zwischen den Mitgliedstaaten, sondern auch zwischen Mitgliedstaaten und dritten Ländern (Art. 63 AEUV). Die Grundfreiheiten werden mittlerweile nicht nur als Verbot der ↑Diskriminierung, sondern darüber hinaus generell als Beschränkungsverbote verstanden. Sie sollen den freien Marktzugang zu den nationalen Teilmärkten innerhalb des Binnenmarktes gewährleisten und dazu beitragen, dass die nationalen Teilmärkte immer mehr zu einem Binnenmarkt verschmelzen (↑Europäischer Binnenmarkt). Sie wirken jedoch nur im grenzüberschreitenden Verkehr und erfassen reine Inlandssachverhalte nicht, so dass es weiterhin zu einer Inländerdiskriminierung kommen kann.

2.2 Wettbewerbsrecht

Die wettbewerbsrechtlichen Vorschriften des AEUV richten sich an Unternehmen und verbieten wettbewerbsbeschränkende Absprachen (Art. 101 AEUV) sowie den Missbrauch einer marktbeherrschenden Stellung (Art. 102 AEUV). Neben diese primärrechtlichen Vorschriften tritt die FKVO als europäisches Sekundärrecht. Sie dient der Kontrolle von Unternehmenszusammenschlüssen, um eine erhebliche Behinderung wirksamen ↑Wettbewerbs, insb. durch Begründung oder Verstärkung einer marktbeherrschenden Stellung, zu vermeiden (vgl. Art. 2 Abs. 2, 3 FKVO). Die genannten wettbewerbsrechtlichen Vorschriften ergänzen die ↑Grundfreiheiten. Während letztere staatliche ↑Wettbewerbsbeschränkungen und -verzerrungen zu verhindern suchen, wirkt das ↑Wettbewerbsrecht entsprechenden Bestrebungen von Marktteilnehmern entgegen. Die Vorschriften des Beihilfrechts (Art. 107 AEUV) adressieren demgegenüber wieder staatliche Eingriffe und verbieten staatliche Beihilfen, „die durch die Begünstigung bestimmter Unternehmen oder Produktionszweige den Wettbewerb verfälschen oder zu verfälschen drohen" (↑Subvention).

2.3 Rechtsangleichung und Rechtsvereinheitlichung

Neben den primärrechtlichen Vorschriften des E.n W.s existieren eine Vielzahl von sekundärrechtlichen Vorschriften, die insb. zur Verwirklichung des ↑Europäischen Binnenmarktes und der ↑Grundfreiheiten erlassen wurden. So räumt der AEUV der Union etwa in Art. 46 AEUV das Recht zum Erlass von Verordnungen und Richtlinien zur Herstellung der Arbeitnehmerfreizügigkeit und in Art. 50 AEUV zum Erlass von Richtlinien zur Verwirklichung der Niederlassungsfreiheit ein. Art. 59 AEUV sieht den Erlass von Richtlinien zur Liberalisierung bestimmter Dienstleistungen vor. Daneben bestehen weitere Unionskompetenzen zur Setzung europäischen Rechts. Zu nennen sind hier insb. Artikel 114 AEUV, der „Maßnahmen zur Angleichung der Rechts- und Verwaltungsvorschriften der Mitgliedstaaten, welche die Errichtung und das Funktionieren des Binnenmarkts zum Gegenstand haben", gestattet, sowie Art. 352 AEUV. Letzterer beinhaltet eine Auffangkompetenz der ↑EU, die bereits verschiedentlich zur Rechtsvereinheitlichung genutzt wurde. Von den genannten Kompetenzen ist vielfach Gebrauch gemacht worden, was zu einer erheblichen unionsrechtlichen Überformung von großen Bereichen des nationalen ↑Wirtschaftsrechts und damit zur Entstehung genuin E.n W.s geführt hat. Beispielhaft genannt sei hier etwa das ↑Gesellschaftsrecht. Die europäischen Regelungen betreffen hier u. a. die Gründung und Publizität von Kapitalgesellschaften, ihre Kapitalaufbringung und -erhaltung, das Umwandlungs- und Übernahmerecht, Aktionärsrechte, Zweigniederlassungen und Einpersonengesellschaften, die Bilanzierung und Prüfung. Zudem wurden u. a. mit der Europäischen Aktiengesellschaft (Societas Europaea, SE) genuin europäische Rechtsformen geschaffen. Eine ähnliche Regelungsdichte weist das europäische ↑Kapitalmarktrecht auf. Zu nennen sind auch die Bereiche des ↑Arbeitsrechts, ↑Versicherungsrechts, Lauterkeitsrechts (↑Wettbewerbsrecht), des ↑Verbraucherschutzes sowie des Gewerblichen Rechtsschutzes und ↑Urheberrechts.

Literatur

W. Kilian: Europäisches Wirtschaftsrecht, ⁵2016 • M. A. Dauses: Handbuch des EU-Wirtschaftsrechts, 36. Erg.-Lfg., Stand Oktober 2014 • S. Enchelmaier: Europäisches Wirtschaftsrecht, 2005.   CHRISTIAN KERSTING

Europarat

Der E. ist eine internationale Organisation mit Sitz in Straßburg, die im Jahr 1949 gegründet wurde. Gründungsstaaten waren Deutschland, Frankreich, Großbritannien, Italien, die Beneluxstaaten, Dänemark, Norwegen, Schweden, Irland, Griechenland und die Türkei. Sukzessive sind weitere europäische Staaten dem E. beigetreten. Nach dem Fall der Berliner Mauer im Jahr 1989 hat der E. recht schnell den mittel- und osteuropäischen Staaten, Russland sowie weiteren Staaten der ehemaligen UdSSR (Ausnahme: Weißrussland) die Mitgliedschaft angetragen, so dass es zu einem raschen und umfangreichen Anstieg der Mitgliederzahlen kam. Derzeit hat der E. 47 Mitglieder, darunter alle Mitgliedstaaten der ↑EU, aber nicht die Union selbst, und erfasst eine Bevölkerung von ca. 800 Mio.; er bildet somit die größte gesamteuropäische Organisation.

Die Gründung des E.s in der Zeit unmittelbar nach dem Zweiten Weltkrieg war ein Projekt zur Sicherung des Friedens in Europa. Ziel des E.s ist es von jeher, ein gemeinsames Europa auf der Grundlage von ↑Demokratie, ↑Menschenrechten und Rechtsstaatlichkeit (↑Rechtsstaat) aufzubauen. In diesem Sinne kann man den E. als ein „gesamteuropäisches Forum auf der Grundlage eines gemeinsamen Bestandes an rechtsstaatlichen und demokratischen Strukturprinzipien" (Herdegen 2015: Rdnr. 7) verstehen. Dementsprechend werden in Art. 1 und Art. 3 der Satzung des E.s, eines ↑völkerrechtlichen Vertrags, der die rechtliche Grundlage des E.s bildet, Zielsetzung und Aufgabe des E.s mit dem Bekenntnis zu Rechtsstaatlichkeit und Menschenrechten niedergelegt und die Mitgliedstaaten zur aktiven Mitarbeit bei der Verfolgung dieser Ziele verpflichtet. Jedes Mitglied des E.s erkennt den Grundsatz der Vorherrschaft des Rechts und den Grundsatz an, dass jeder, der seiner Hoheitsgewalt unterliegt, Menschenrechte genießt. Die Verbindung zwischen den Mitgliedstaaten soll intensiviert, wirtschaftlicher und sozialer Fortschritt gefördert werden. Anders als die EU, die vom E. organisatorisch klar zu trennen ist, hat der E. keine hoheitlichen Befugnisse gegenüber den Mitgliedstaaten, ihm kommen keine Rechtsetzungsbefugnisse zu. Die Ziele des E.s werden durch Konsultationen, Empfehlungen und Übereinkommen verfolgt, die insb. Standards im Bereich der Menschenrechte, des Rechtsstaats, der Demokratie und des Sozialen und Kulturellen entwickeln und harmonisieren. Auch ohne unmittelbare rechtliche Verbindlichkeit sind diese Instrumente gegenüber den Mitgliedstaaten politisch wirksam.

Handelnde Organe des E.s sind das Ministerkomitee und die Parlamentarische Versammlung (PACE). Das Ministerkomitee ist mit den Außenministern oder ihren ständigen diplomatischen Vertretern in Straßburg der Mitgliedstaaten besetzt und bildet das zentrale Entscheidungs- und Exekutivorgan des E.s. Es trifft verbindliche Beschlüsse zur Organisation des E.s, verabschiedet den Haushalt, es billigt Übereinkommen (conventions) hinsichtlich der politischen Aufgaben des E.s und kann Entschließungen (resolutions) fassen oder Empfehlungen (recommendations) an die Regierungen der Mitgliedstaaten richten. Die PACE besteht aus 318 Abgeordneten, die von den Parlamenten der Mitgliedstaaten aus ihrer Mitte gewählt werden; sie bringt ein parlamentarisches Element in das System des E.s. Die Zahl der Sitze pro Mitgliedstaat ist von der Bevölkerungszahl abhängig (2–18 Sitze). Die PACE kann sich mit allen Fragen befassen, die in den Aufgabenbereich des E.s fallen und diesbezüglich Stellungnahmen und Empfehlungen gegenüber dem Ministerkomitee abgeben. Ministerkomitee und PACE können Komitees und Ausschüsse einsetzen, die ihnen zugewiesene bes. Aufgaben wahrnehmen. Wichtige Beispiele sind das *European Committee for the Prevention of Torture and Inhuman or Degrading Treatment or Punishment* (Anti-Folter-Komitee), das Haftanstalten der Mitgliedstaaten regelmäßig unangekündigte Besuche abstattet, um die Behandlung der festgehaltenen Personen zu überprüfen, oder die Venedig-Kommission *(Venice Commission)*, die seit 1990 Staaten in Mittel- und Osteuropa im Prozess der Verfassungsgebung und -änderung zur Entwicklung von Demokratie, Rechtsstaatlichkeit und Menschenrechten berät. Der Generalsekretär wird von der PACE für die Dauer von fünf Jahren gewählt; er vertritt den E. nach außen. Das Sekretariat des E.s besteht aus über 2 000 Experten aus den unterschiedlichsten Fachgebieten, die im Auftrag des Ministerkomitees sämtliche Aktivitäten des E.s erarbeiten, organisieren, koordinieren und leiten. Es ist in drei thematisch aufgeteilte Generaldirektionen gegliedert.

Der *Menschenrechtskommissar* ist eine unabhängige Einrichtung, die seit 1999 vom Ministerkomitee für eine einmalige Amtszeit von sechs Jahre eingesetzt wird. Er setzt sich in den Mitgliedstaaten für den Schutz der Menschenrechte und die Sensibilisierung der Öffentlichkeit für Menschenrechte ein und wirkt als Berater in menschenrechtlichen Fragen.

Der E. befasst sich mit einer großen Bandbreite von Themen (ausdrückliche Ausnahme: Verteidigung), insb. Menschenrechten, Weiterentwicklung demokratischer und rechtsstaatlicher Strukturen und Standards, rechtliche Zusammenarbeit, Medien, Datenschutz, soziale, wirtschaftliche und kulturelle Entwicklung, Umweltschutz, Gesundheit, Bildung, lokale und regionale Selbstverwaltung u. a. Im Bereich der Menschenrechte stellt die Abschaffung der ↑Todesstrafe, die seit 1997 zur Bedingung eines Beitritts gemacht wurde, eine wesentliche Errungenschaft. Wichtige Konventionen (völkerrechtliche Übereinkommen) des E.s sind u. a. die ↑EMRK (1950) mit 14 Zusatzprotokollen, die ↑ESC (1961, revidiert 1996), das „Europäische Übereinkommen zur Verhütung von Folter und unmenschlicher oder erniedrigender Behandlung oder Strafe" (1987), das „Rahmenübereinkommen zum Schutz nationaler Minderheiten" (1995), das „Europäisches Übereinkommen über die Ausübung von Kinderrechten" (1996), das „Übereinkommen zum Schutz der Menschenrechte und der Menschenwürde im Hinblick auf die Anwendung von Biologie und Medizin" („Oviedo-Konvention", 1997), das „Übereinkommen über Computerkriminalität" (2001) und das „Übereinkommen des Europarats zur Verhütung des Terrorismus" (2005). Weitere Abkommen betreffen Fragen der Wirtschaft, der Bildung, der Kultur und der innereuropäischen Migration. Die Abkommen werden mit unterschiedlichen Instrumentarien und Institutionen in den Mitgliedstaaten, die sie ratifiziert haben, umgesetzt.

Der ↑EGMR ist kein Organ des E.s, ist aber mit diesem über die EMRK verbunden. Er ist ein ständiges rechtsprechendes Organ, besetzt mit einem Richter pro Mitgliedstaat und bildet ein Instrument des regionalen Menschenrechtsschutzes. Seine Aufgabe ist die Rechtsprechung über die in der EMRK gewährleisteten Menschenrechte, wobei er entweder im Wege einer Individualbeschwerde einer Person tätig wird, die sich durch das Verhalten eines Mitgliedstaats in ihren Menschenrechten verletzt sieht, oder – weitaus seltener – im Wege der Staatenbeschwerde angerufen wird. Über die Durchführung der Urteile wacht das Ministerkomitee. Die Mitgliedstaaten der EMRK sind verpflichtet, die Rechtsprechungsautorität des EGMR anzuerkennen. Insgesamt liegt mit der Individualbeschwerde angesichts der Rechtsprechungskompetenz des EGMR ein effektives Verfahren zur Durchsetzung der Menschenrechte vor, das menschenrechtliche und rechtsstaatliche Grundsätze in den Mitgliedstaten absichert. Leitlinien der umfangreichen Rechtsprechung des EGMR haben Rückwirkungen auf den Grundrechtsschutz in den Mitgliedstaaten und entfalten bes. Bedeutung für den Grundrechtsschutz in der EU.

Literatur
S. Schmahl/M. Breuer (Hg.): The Council of Europe. Its Law and Policies, 2017 • C. Grabenwarter/K. Pabel: Europäische Menschenrechtskonvention, [6]2016 • M. Herdegen: Europarecht, [17]2015, § 1 • T. Kleinsorge (Hg.): Council of Europe 2010.   KATHARINA PABEL

Europarecht

1. Begriff

Unter E. im weiteren Sinne versteht man das Recht der europäischen internationalen Organisationen. Hervorzuheben ist insoweit der ↑Europarat, in dessen Rahmen neben weiteren Abkommen die EMRK entstanden ist. Weitere Organisationen sind die ↑EFTA, die ↑OECD und die ↑OSZE. Als spezielles Rechtsgebiet hat sich wegen seiner großen praktischen Bedeutung, aber auch wegen seiner Besonderheiten (↑Supranationalität) als E. „im engeren Sinne" das Recht der EG, jetzt das Recht der ↑EU herausgebildet. Dieses knüpft in manchen Bereichen an andere europäische internationale Organisationen an, insb. an die EFTA durch den Vertrag über den EWR und den Europarat (vgl. Art. 220 AEUV), wobei die EMRK für das EU-Recht selbst bedeutsam ist.

2. Recht der EU

2.1 Einteilung und Begriffe

Das Unionsrecht wird hinsichtlich des Ranges in Primär-, Sekundär- und Tertiärrecht eingeteilt. Diese Einteilung ist praktisch bedeutsam, weil das Primärrecht Prüfungsmaßstab für die Rechtmäßigkeit von Sekundär- und Tertiärrecht, das Sekundärrecht Prüfungsmaßstab für Tertiärrecht ist. Insoweit besteht eine Prüfungspflicht für unionale, aber auch für nationale Behörden und Gerichte (↑Gerichtsbarkeit). Für die verbindliche Entscheidung über die Vereinbarkeit mit höherrangigem Unionsrecht ist allein der ↑EuGH zuständig, weshalb ggf. von nationalen Gerichten dessen Vorabentscheidung eingeholt werden muss (vgl. Art. 267 Abs. 1

b AEUV; EuGH Rs. 314/85 – Foto-Frost). Hinsichtlich des Regelungsgegenstandes wird zwischen institutionellem und materiellem Recht unterschieden.

2.2 Primärrecht

Das Primärrecht besteht aus unterschiedlichen Rechtsquellen, ist in seinem Rang und seinem Charakter aber einheitlich. Seit dem Vertrag von Lissabon gehören dazu der EUV und der AEUV einschließlich der Protokolle und Anhänge dazu (Art. 51 EUV; anders Erklärungen, die zur Auslegung der Verträge herangezogen werden können) sowie die durch Art. 6 Abs. 1 EUV mit gleichem Rang einbezogene EuGRC. Die Verträge beruhen auf völkerrechtlichen Verträgen zwischen den Mitgliedstaaten und können im ordentlichen Verfahren nur durch solche geändert werden (Art. 48 Abs. 4 EUV). Auch Änderungen im vereinfachten Verfahren können nicht gegen den Willen der Mitgliedstaaten und ihrer Parlamente erfolgen (vgl. Art. 48 Abs. 6 und 7 EUV). Ferner gehören zum Primärrecht die ↑allg.en Rechtsgrundätze, denen diese Qualität zukommt, insb. die neben der EuGRC fortbestehenden Unionsgrundrechte und rechtsstaatlichen Prinzipien (Art. 6 Abs. 3 EUV). Als verbindliche Auslegungen der Verträge haben auch die vom EuGH entwickelten Strukturprinzipien und daraus hergeleitete Folgerungen (Vorrang des Unionsrechts, unmittelbare Anwendbarkeit von Bestimmungen des Primärrechts und von RL, Begründung subjektiver Rechte, Schadensersatz bei Verstößen der Mitgliedstaaten gegen Unionsrecht) den primärrechtlichen Rang.

2.3 Sekundärrecht

2.3.1 Begriff

Sekundärrecht ist das von den Organen der EU nach Maßgabe der Verträge erlassene Recht (vgl. Art. 288 Abs. 1 AEUV). Es heißt so, weil es wegen des Prinzips der begrenzten Einzelermächtigung (Art. 5 Abs. 1 und 2 EUV) jeweils einer Rechtsgrundlage im Primärrecht bedarf, weshalb es auch als abgeleitetes Recht bezeichnet wird. Die im E. insoweit vorgesehenen Typen der Rechtsakte sind in Art. 288 Abs. 2–5 AEUV aufgeführt. Die konkreten Kompetenzgrundlagen dafür sind in den jeweiligen materiellen Bestimmungen der Politikbereiche aufzusuchen. Die Kompetenztypen und die ihnen zugeordneten Materien sind in Art. 2–6 AEUV geregelt.

2.3.2 Verordnung

Gemäß Art. 288 Abs. 2 AEUV hat die VO allg.e Geltung, ist in allen Teilen verbindlich und gilt unmittelbar in jedem Mitgliedstaat. Sie regelt eine unbestimmte Vielzahl von Sachverhalten generell und abstrakt und erfüllt damit die materiellen Bedingungen eines ↑Gesetzes, weshalb sie im VVE (↑Europäische Verfassung), soweit sie vom Unionsgesetzgeber ↑Europäisches Parlament und ↑Rat der Europäischen Union erlassen wird, zutreffend „Europäisches Gesetz" genannt wurde, was leider der Vertrag von Lissabon im Zusammenhang mit der intendierten Streichung aller „staatsähnlichen" Elemente nicht übernahm. Wegen ihrer unmittelbaren Geltung in den Mitgliedstaaten hat sie Durchgriffswirkung und bedarf nicht einer Bestätigung durch nationale Organe, die sogar unzulässig ist (EuGH Rs. 272/83 – Kommission/Italien). Diese haben die VO anzuwenden und wegen des Anwendungsvorrangs des Unionsrechts entgegenstehendes nationales Recht außer Anwendung zu lassen. Zulässig sind allein punktuelle Normwiederholungen im Rahmen eines zusammenhängenden Gesetzeswerks mit ausdrücklichem Verweis auf das vorrangige Unionsrecht (Beispiel: Verweise im LFGB auf die EU-BasisVO 178/2002). Soweit in der VO nationale Durchführungsakte vorgesehen oder solche zur effektiven Durchsetzung (z. B. durch Bewehrung mit Bußgeld- oder Straftatbeständen) der Regelungen erforderlich sind, sind die Mitgliedstaaten verpflichtet, diese zu erlassen (s. u. 4.2). Sie dürfen dabei aber keine Maßnahmen ergreifen, die eine Änderung der Tragweite einer VO oder eine Ergänzung ihrer Vorschriften zum Gegenstand haben.

2.3.3 Richtlinie

Die RL unterscheidet sich von der VO dadurch, dass sie der Umsetzung durch die Mitgliedstaaten bedarf. Diese müssen die durch die RL vorgegebenen Ziele, ggf. deren bereits sehr präzisen Inhalt (Beispiel: RL 2000/84 über die Sommerzeit), in nationale Rechtsnormen umsetzen (gestufte Verbindlichkeit). Um die Verbindlichkeit als Rechtsnorm deutlicher zu machen, sah der VVE die Bezeichnung „Europäisches Rahmengesetz" vor, die im Vertrag von Lissabon nicht übernommen wurde. Die in Art. 288 Abs. 3 AEUV vorgesehene „Wahl der Form und der Mittel" hat der EuGH zur Sicherstellung der praktischen Wirksamkeit dahingehend eingeschränkt, dass er für den Umsetzungsakt die Qualität einer verbindlichen Rechtsnorm fordert (Publizität, Außenwirkung zur Durchsetzung von durch RL begründeten Rechten von Individuen, ↑Rechtssicherheit). Die bloße Verwaltungspraxis und auch Verwaltungsvorschriften genügen nicht (EuGH Rs. C-361/88 und Rs. C-59/89 – Kommission/Deutschland). Für die ordnungsgemäße Umsetzung ist der nach dem nationalen Verfassungsrecht zuständige Gesetzgeber verantwortlich. Eigenmächtige, in der RL nicht vorgesehene Abweichungen wie der Erlass von Übergangsvorschriften sind unzulässig (EuGH Rs. C-396/92 – Bund Naturschutz u.a./Freistaat Bayern hinsichtlich UVP-RL bzw. UVPG). Soweit allg.e Umsetzungsprobleme bestehen (z. B. tatsächliche Unmöglichkeit der Einhaltung festgesetzter Grenzwerte), kann dem allein durch Änderungen der RL durch den Unionsgesetzgeber Rechnung getragen werden. Soweit das nationale Recht durch RL determiniert ist, muss es richtlinienkonform ausgelegt werden (EuGH Rs. 79/83 – Harz/Tradax). Bereits vor Ablauf

der Umsetzungsfrist dürfen keine Vorschriften erlassen werden, die die Erreichung des mit der RL verfolgten Ziels gefährden (Vorwirkungen, Frustrationsverbot; EuGH Rs. C-212/04 – Adeneler).

Der Nachteil der RL gegenüber der VO ist ihre Umsetzungsbedürftigkeit, die wegen fehlender, verzögerter oder unzureichender Umsetzung durch die Mitgliedstaaten zu Defiziten der Einheitlichkeit des Unionsrechts geführt hat. Soweit dies rechtlich möglich ist und politisch durchsetzbar erscheint, gibt die ↑Europäische Kommission als Initiativorgan der Rechtsetzung der VO den Vorzug, was vom Unionsgesetzgeber Europäisches Parlament und Rat in jüngster Zeit auch häufig bestätigt wird. Dem allg.en Ansatz des *effet utile* entspr. hat der EuGH zudem RL unmittelbare Wirkung zuerkannt, wenn sie hinreichend bestimmt (*self-executing*) sind, die Umsetzungsfrist abgelaufen ist und dadurch keine Verpflichtung eines Individuums gegenüber dem Staat oder eine unmittelbare Verpflichtung gegenüber einem anderen Individuum (sog.e horizontale Wirkung) herbeigeführt wird (EuGH Rs. 8/81 – Becker; Rs. C-91/92 – Faccini Dori). Die unterbliebene Umsetzung von RL war auch der Ausgangspunkt der ↑Rechtsprechung des EuGH zum im Unionsrecht wurzelnden Schadensersatzanspruch (↑Schadensersatz) gegenüber Mitgliedstaaten wegen Verstößen gegen das Unionsrecht (EuGH verb. Rs. C-6/90 und C-9/90 – Francovich).

2.3.4 Beschluss

Der aus dem VVE übernommene Begriff „Beschluss" (Art. 288 Abs. 4 AEUV) fasst sehr unterschiedliche Handlungsformen des vorherigen Unions- bzw. Gemeinschaftsrechts zusammen, nämlich die bisherige „Entscheidung" sowie die Beschlüsse im Bereich der GASP. Hinzu kommen Beschlüsse, die bislang als flexibles Instrument genutzt wurden und jetzt primärrechtlich verankert wurden. Gemeinsam ist allen Beschlüssen die Verbindlichkeit in allen ihren Teilen (Art. 288 Abs. 4 S. 1 AEUV). Der bisherigen Entscheidung entsprechen Beschlüsse, die an bestimmte Adressaten gerichtet und nur für diese verbindlich sind (Art. 288 Abs. 4 S. 2 AEUV). Dies sind i. d. R. von der Kommission erlassene Verwaltungsakte (↑Europäisches Verwaltungsrecht) gegenüber Individuen (z. B. Sanktionen wegen Verstößen gegen das Kartellrecht) oder gegenüber Mitgliedstaaten (z. B. Beanstandung unionsrechtswidrig gewährter nationaler Beihilfen). Sie haben unmittelbare Wirkung. Adressatenlose Beschlüsse erfassen die bereits bisher als „Beschluss" ergangenen adressatenlosen Rechtshandlungen mit normativem Charakter v. a. im Bereich der GASP (jetzt Art. 25 b bzw. Art. 26 Abs. 1 S. 2, Abs. 2 EUV).

2.3.5 Empfehlungen und Stellungnahmen

Diese sind gemäß Art. 288 Abs. 5 AEUV nicht verbindlich. Sie bedürfen wegen des Prinzips der begrenzten Einzelermächtigung (Art. 5 EUV) einer Kompetenzgrundlage in den Verträgen, haben politische Wirkungen und sind bei der Auslegung nationaler Rechtsvorschriften zu berücksichtigen (EuGH Rs. C-322/88 – Grimaldi).

2.3.6 Rechtsetzung von Sekundärrecht

Die Gesetzgebungsinitiative kommt grundsätzlich, d. h. abgesehen von wenigen Ausnahmefällen, generell der Kommission zu (Art. 17 Abs. 1 S. 1 EUV). Ausdrücklich so bezeichneter „Gesetzgeber" der EU sind aber das Europäisches Parlament (Art. 14 Abs. 1 S. 1 EUV) und der Rat (Art. 16 Abs. 1 S. 1 EUV). Gesetzgebungsverfahren sind Verfahren, in denen Europäisches Parlament und der Rat beteiligt sind und die mit „Gesetzgebungsakten" enden (Art. 289 Abs. 3 AEUV). Im Regelfall, dem „ordentlichen Gesetzgebungsverfahren" (Art. 289 Abs. 1, Art. 294 AEUV), das im Wesentlichen dem im Vertrag von Maastricht (1992) eingeführten Verfahren der Mitentscheidung entspricht, wirken diese gleichberechtigt zusammen. Das Verfahren sieht grundsätzlich zwei, bei Erforderlichkeit eines Vermittlungsverfahrens drei Lesungen vor. Der Rat beschließt dabei mit qualifizierter Mehrheit (Art. 16 Abs. 4 EUV), d. h. 55 % der Mitglieder (Mehrheit der Mitgliedstaaten), wobei diese 65 % der Bevölkerung der EU ausmachen müssen (sog. er demographischer Faktor). Das Europäische Parlament beschließt mit der Mehrheit der abgegebenen Stimmen. Dies entspr. der von Art. 10 Abs. 2 EUV geforderten doppelten demokratischen ↑Legitimation der EU. Das Zusammenwirken von Kommission, Europäischem Parlament und Rat mit der wechselseitigen Überprüfung der Vorschläge, Standpunkte und Abänderungen führt zu einer eingehenden Diskussion, die in einer Union der Staaten und der Bürger erforderlich ist, um letztlich zu einem für alle Beteiligten akzeptablen Kompromiss zu gelangen (Beispiel: Entstehung der Dienstleistungs-RL 2006/123/EG). Um dies zu erreichen, kann eine Abstimmung zwischen diesen Organen im informellen „Trilog"-Verfahren erfolgen. Dieses wird wegen fehlender Öffentlichkeit kritisiert, trägt aber zur Effektivität bei und ersetzt nicht das in den Verträgen vorgesehene Verfahren, das nicht nur im Parlament, sondern jetzt auch im Rat öffentlich ist (Art. 16 Abs. 8 EUV). Das ordentliche Gesetzgebungsverfahren kommt dann zum Tragen, wenn es in der relevanten Kompetenzvorschrift angeordnet wird (z. B. Art. 114 AEUV für Maßnahmen zur Herstellung des Europäischen Binnenmarktes, soweit nicht spezielle Vorschriften einschlägig sind, z. B. Art. 53 Abs. 1 i. V. m. Art. 62 AEUV für die Dienstleistungs-RL 2006/123/EG). Bes. Gesetzgebungsverfahren sind das Zustimmungsverfahren (meist einstimmiger Beschluss des Rates mit Zustimmung des Europäischen Parlaments, z. B. Art. 19 Abs. 1 AEUV für Antidiskriminierungsmaßnahmen; Art. 86 Abs. 1, Abs. 4 AEUV für Europäische Staatsanwaltschaft) und das Verfahren der bloßen (allerdings für die Rechtmäßigkeit der Norm erforderlichen) Anhörung

des Europäischen Parlaments (z. B. Art. 81 Abs. 3 UAbs. 1 AEUV: Familienrecht; Art. 113 AEUV: Rechtsangleichung im Steuerrecht; Art. 115 AEUV für die gemäß Art. 114 Abs. 2 nicht von Art. 114 AEUV erfassten Bereiche zur Herstellung des Binnenmarkts; bestimmte Bereiche der EWWU, Art. 126 Abs. 4 UAbs. 2 und 3, Art. 127 Abs. 6 AEUV sowie des Umweltrechts, Art. 192 Abs. 2 UAbs. 1 AEUV). Soweit dies ausdrücklich angeordnet wird, sind auch die beratenden Einrichtungen EWSA und AdR zu beteiligen (z. B. Art. 114 Abs. 1 AEUV: EWSA; Art. 192 Abs. 1 AEUV: EWSA und AdR).

Welcher Rechtsaktstyp gewählt werden kann, ergibt sich aus der jeweiligen Kompetenznorm. Soweit diese „Maßnahmen" (so z. B. Art. 114 Abs. 1 AEUV) oder „Vorkehrungen" (so z. B. Art. 19 Abs. 1 AEUV) vorsieht, eröffnet dies jede der in Art. 288 AEUV genannten Handlungsformen. Sind allein RL genannt (so z. B. Art. 115 AEUV), kommen nur diese in Frage. Da der in Art. 5 Abs. 4 EUV normierte Grundsatz der ↑Verhältnismäßigkeit auch dahingehend verstanden wird, dass wegen der geringeren Einschränkung der Gestaltungsmöglichkeit der Mitgliedstaaten „unter sonst gleichen Gegebenheiten" der RL der Vorzug zu geben sei, dieser Grundsatz gemäß Art. 296 Abs. 1 AEUV zu beachten ist und sich die in Art. 296 Abs. 2 AEUV enthaltene Begründungspflicht auch auf die Wahl der Handlungsform erstreckt, muss der Vorzug des Typs VO begründet werden. Hierfür kann die Sicherstellung der Einheitlichkeit des Unionsrechts angeführt werden, zumal dann, wenn weder verfassungsrechtliche Gründe noch die Einfügung in die jeweilige nationale Rechtsordnung eine RL erfordern bzw. empfehlen. Daher ist der Typ VO erforderlich, wenn mit dem Rechtsakt zugl. Einrichtungen der Union errichtet werden (so z. B. die EFSA durch die sog.e Basis-VO 178/2002 für Lebensmittelrecht), bes. sinnvoll, wenn es um die Regelung einer neuen Materie geht (so bei der sog.en Novel-Food-VO 258/97), und gerechtfertigt, wenn und soweit die Materie eine Rechtsvereinheitlichung und nicht nur eine Rechtsangleichung nahelegt. Dies ist z. B. bei Grundanforderungen an die Lebensmittelsicherheit der Fall. Deshalb wurden die bereits für die Akzeptanz der gegenseitigen Anerkennung von in einem anderen Mitgliedstaat hergestellten und geprüften Produkten, ohne den freien Warenverkehr behindernde zusätzliche Qualitätsanforderungen zu verlangen und Doppelkontrollen vorzunehmen, erforderlichen RL über Zusatzstoffe (RL 94/35, RL 94/36, RL 95/2/EG) und die Lebensmittelüberwachung (z. B. RL 89/397/EWG) sowie die Etikettierung von Lebensmitteln (RL 2000/13/EG) nach und nach durch VO ersetzt (VO 1333/2008 über Lebensmittelzusatzstoffe; VO 882/2004 über amtliche Kontrollen zur Überprüfung der Einhaltung des Lebensmittel- und Futtermittelrechts; mit Wirkung vom 14.12.2019 aufgehoben und abgelöst durch VO 2017/625; Lebensmittelinformations-VO 1169/2011 – LMIV).

2.4 Tertiärrecht

Als Tertiärrecht wird auf Ermächtigungen im Sekundärrecht gestütztes Recht bezeichnet. Gemäß Art. 290 Abs. 1 AEUV kann in Gesetzgebungsakten, d. h. in einem Gesetzgebungsverfahren und damit von Europäischem Parlament und Rat erlassenem Sekundärrecht (Art. 289 Abs. 3 AEUV), der Kommission (nach EuGH C-270/12 – ESMA auch Agenturen der EU-Eigenverwaltung) die Befugnis erteilt werden, „Rechtsakte ohne Gesetzescharakter mit allgemeiner Geltung" (deswegen handelt es sich gleichwohl um Gesetze im materiellen Sinn) zur Ergänzung oder Änderung bestimmter „nicht wesentlicher Vorschriften des betreffenden Gesetzgebungsakts" zu erlassen (ausdrücklich als solche zu bezeichnende „delegierte Rechtsakte", Art. 290 Abs. 3 AEUV). Die „wesentlichen"Aspekte eines Bereichs sind dabei dem Gesetzgebungsakt vorbehalten, der Ziele, Inhalt, Geltungsbereich und Dauer der Befugnisübertragung ausdrücklich festlegen muss (vgl. die Regelung in Art. 80 Abs. 1 S. 2 GG). Durch die Festlegung von Bedingungen wie der Widerrufsmöglichkeit im Gesetzgebungsakt behalten Europäisches Parlament und Rat die Kontrolle (Art. 290 Abs. 2 AEUV). Beispiel: Art. 51 LMIV – VO 1169/2011. Gemäß Art. 291 AEUV können die Kommission (ausnahmsweise auch der Rat) ermächtigt werden, ausdrücklich als solche zu bezeichnende „Durchführungsrechtsakte" zu erlassen. Die Wahrnehmung dieser Durchführungsbefugnisse durch die Kommission obliegt den Mitgliedstaaten gemäß der sog.en Komitologie-VO Nr. 182/2011 über von diesen besetzte Ausschüsse. Dieses Ausschussverfahren spielt im Lebensmittelrecht durch die Beteiligung des Ständigen Ausschusses für die Lebensmittelkette und die Tiergesundheit (jetzt für Pflanzen, Tiere, Lebensmittel und Futtermittel, Art. 58 Basis-VO 178/2002) eine große Rolle.

2.5 Von der EU geschlossene völkerrechtliche Verträge

Die EU hat, wie bereits zuvor die EG, Völkerrechtsfähigkeit (Art. 47 EUV) und kann, soweit ihr entspr.e Kompetenzen übertragen wurden, ↑völkerrechtliche Verträge mit Drittstaaten schließen. Diese Verträge sind gemäß Art. 216 Abs. 2 AEUV für die Organe der EU und für die Mitgliedstaaten verbindlich. Sie bilden einen „integrierenden Bestandteil"der Unionsrechtsordnung (EuGH Rs. 181/73 – Haegemann). Sie haben wegen der Bindung der Unionsorgane Vorrang vor dem durch diese erlassenen Sekundärrecht (vgl. Art. 288 AEUV), müssen aber wegen der Überprüfungsmöglichkeit durch den EuGH (Art. 218 Abs. 11 AEUV) mit dem Primärrecht vereinbar sein. Soweit Bestimmungen dieser Verträge unmittelbare Wirkung haben, können sie vor dem EuGH durchsetzbare Rechte für Individuen begründen (vgl. z. B. EuGH Rs. C-365/03 – Simutenkov). Gleiches gilt für Beschlüsse von durch solche Verträge geschaffenen Ausschüssen, z.B. dem Assoziationsrat EWG-Türkei (EuGH Rs. C-192/89 – Sevince). Bes. bedeutsam sind von der EU geschlossene Handelsabkommen, da die EU für die Gemeinsame Handelspolitik gemäß Art. 207 AEUV die ausschließliche Kompetenz hat (Art. 3 Abs. 1 e AEUV). Soweit die in solchen Verträgen geregelten Materien nicht von dieser Kompetenz erfasst sind, ist ein sog.es gemischtes Abkommen zwischen der EU und ihren Mitgliedstaaten einerseits und den Drittstaaten andererseits erforderlich. Dies ist z. B. dann der Fall, wenn das Abkommen Bestimmungen über die Beilegung von Investor-Staat-Streitigkeiten oder Portfolioinvestitionen enthält (EuGH Gutachten 2/15 – Singapur-Abkommen). Daher sind das CETA-Abkommen mit Kanada und das (sehr umstrittene und wohl wegen Widerständen auf beiden Seiten gescheiterte) TTIP-Abkommen mit den USA gemischte Abkommen.

2.6 Die Relevanz der EMRK für das EU-Europarecht

Gemäß Art. 6 Abs. 2 EUV „tritt"die EU der ↑EMRK bei. Damit wurde nicht nur die angesichts des Gutachtens 2/ 94 des EuGH (EMRK-Beitritt I) erforderliche Rechtsgrundlage geschaffen, sondern die EU zum Beitritt verpflichtet. Die dafür erforderliche Änderung der EMRK, der nur Mitglieder des Europarats und damit Staaten beitreten konnten, erfolgte durch die Einfügung von Art. 59 Abs. 2 EMRK. Der Beitritt wird aber durch das gemäß Art. 218 Abs. 11 AEUV erstattete Gutachten 2/13 des EuGH (EMRK-Beitritt II) blockiert, das den zwischen der EU und den Mitgliedstaaten des Europarats und damit der EMRK ausgehandelten Beitrittsvertrag für mit dem Unionsrecht unvereinbar erklärte. Eigentlicher Grund für die negative Bewertung des EuGH dürfte die von ihm nicht gewollte Kontrolle durch den ↑EGMR sein. Denn nach dem Beitritt wäre die EMRK nicht nur wie bislang Rechtserkenntnisquelle für die Entwicklung der allg.en Rechtsgrundsätze durch den EuGH (Art. 6 Abs. 3 EUV), sondern Rechtsquelle, die die Organe der EU und damit auch den EuGH bindet. Bereits bislang hat die EMRK für das EU-Recht aber darüber hinaus Bedeutung. Denn soweit die EuGRC Rechte enthält, die den durch die EMRK garantierten Rechten entsprechen, haben sie die gleiche Bedeutung und Tragweite, wie sie ihnen in der EMRK verliehen wird, es sei denn, das EU-Recht gewährt einen weiter gehenden Schutz (Art. 52 Abs. 3 EuGRC). Ferner sind die Mitgliedstaaten der EU als Vertragsparteien der EMRK an diese auch beim Vollzug des Unionsrechts gebunden, was der Kontrolle durch den EGMR unterliegt (vgl. EGMR Nr. 45036/98 – Bosphorus/Irland. Aber Vermutung der Einhaltung der EMRK, „solange" der Grundrechtsschutz durch EU-Recht und EuGH-Rspr. äquivalent ist).

3. Institutionelles Recht

3.1 Begriff

Unter institutionellem Recht versteht man die Normen, die die Organstruktur und damit den institutionellen Aufbau der EU und ihrer Organe (Europäisches Parlament; ↑Europäischer Rat; Rat der EU; Europäische Kommission; EuGH) und deren Funktionsweise regeln.

Dazu gehören auch die Bestimmungen über das Rechtsetzungsverfahren beim Erlass von Sekundär- und Tertiärrecht.

3.2 Funktion der Organe im System der EU

Gemäß Art. 13 Abs. 2 S. 1 EUV handelt jedes Organ nach Maßgabe der ihm in den Verträgen zugewiesenen Befugnisse nach den Verfahren, Bedingungen und Zielen, die in den Verträgen festgelegt sind. Damit wird sowohl auf das für das vertikale Verhältnis der EU zu ihren Mitgliedstaaten grundlegende Prinzip der begrenzten Einzelermächtigung als auch auf die im horizontalen Verhältnis zu beachtende Organkompetenz Bezug genommen. Dies dient der Herstellung eines institutionellen Gleichgewichts als der Rechtsnatur der Union angepasstem Äquivalent zur ↑Gewaltenteilung eines demokratischen Rechtsstaats. Verstöße dagegen können in Verfahren vor dem EuGH gerügt werden (vgl. EuGH Rs. 138/79 – Roquette Frères/Rat: unterbliebene Anhörung des Europäischen Parlaments). Die Organe sind zu loyaler Zusammenarbeit verpflichtet (Art. 13 Abs. 2 S. 2 EUV), um den Zweck des institutionellen Rahmens der Union, ihren in Art. 2 EUV festgelegten Werten Geltung zu verschaffen, ihre in Art. 3 EUV aufgeführten Ziele zu verfolgen, ihren Interessen, denen der Bürger wie der Staaten, zu dienen sowie die Kohärenz (vgl. Art. 7 AEUV), Effizienz und Kontinuität ihrer Politik und ihrer Maßnahmen sicherzustellen (Art. 13 Abs. 1 EUV). Dabei sind entgegengesetzte ↑Interessen, z. B. Umwelt und Landwirtschaft bzw. Industrie, auszugleichen und v. a. widersprüchliche Maßnahmen wie die Förderung von Industrieanlagen in einem Naturschutzgebiet oder die Förderung des Tabakanbaus bei gleichzeitiger Bekämpfung des Rauchens zu vermeiden. Da das Europäische Parlament durch die Direktwahl und der Rat durch die Vertretung der Mitgliedstaaten in ihm politisch besetzte Einrichtungen sind, dürfen insb. sie eigene politische Interessen und Wertungen verfolgen. Sie und insb. der Rat, der wie der Europäische Rat eine „Doppelnatur" (Herdegen 2017: §7 Rdnr. 4) als Unionsorgan mit rechtlich und politisch in den Mitgliedstaaten rückgebundenen Vertretern (vgl. Art. 10 Abs. 2 UAbs. 2 EUV) hat, müssen aber v. a. als Unionsgesetzgeber ggf. zu Kompromissen im Interesse des Wohls der Union bereit sein. Dazu kann die allein dem Unionsinteresse verpflichtete Kommission (Art. 17 Abs. 1 S. 1, Abs. 3 UAbs. 3 EUV) als Initiativ- und Vermittlungsorgan beitragen. Zur Verbesserung der Zusammenarbeit wurden Interorganvereinbarungen getroffen, die jetzt in Art. 295 AEUV ausdrücklich vorgesehen sind, auch intern bindenden Charakter haben können, von den Regelungen der Verträge aber nicht abweichen dürfen.

3.3 Sitz der Organe und sonstigen Einrichtungen der EU

Nachdem man sich lange Zeit lediglich über „vorläufige Arbeitsorte" der Organe einigen konnte, wurde 1992 durch einen Beschluss und 1997 bestätigt durch ein Protokoll zum Vertrag von Amsterdam (jetzt Protokoll Nr. 6 zum Vertrag von Lissabon, ABl.EU 2016 Nr. C 202/265) Brüssel als Sitz der Organe Rat (mit Tagungen auch in Luxemburg) und Kommission, ferner des EWSA und des AdR bestimmt. Sitz des Europäischen Parlaments ist Straßburg, seine Ausschüsse und z. T. auch das Plenum tagen in Brüssel, sein Sekretariat ist in Luxemburg. An dieser politisch kritisierten Aufteilung wird sich nichts ändern, da Frankreich auf einer primärrechtlichen (vgl. Art. 51 EUV) Sicherung des Sitzes sowie der dort stattfindenden zwölf Plenartagungen einschließlich der Haushaltstagung bestand. Der EuGH und der EuRH haben den Sitz in Luxemburg, ebenso die EIB. Sitz der EZB ist Frankfurt. Europol hat seinen Sitz in Den Haag. Der Sitz weiterer Einrichtungen und Dienststellen der EU wurde durch den Beschluss der Regierungen der Mitgliedstaaten von 1993 (ABl.EG 1993 Nr. C 323/1) bzw. den Beschluss der Staats- und Regierungschefs von 2003 (ABl.EG 2004 Nr. L 29/15) sowie für später begründete Einrichtungen durch oder aufgrund Beschlüssen des Europäischen Rates festgelegt. So ist z. B. Alicante Sitz des EUIPO (früher HABM), Parma Sitz der EFSA, Wien Sitz der Agentur für Grundrechte. Welche Bedeutung die Mitgliedstaaten der Zuteilung von EU-Einrichtungen zumessen, zeigen nicht nur die primärrechtliche Fixierung von Straßburg, sondern auch die Klärung von Streitigkeiten durch den EuGH (Rs. 108/83 – Luxemburg/Europäisches Parlament) und dass die Verlagerung der EMA und der EBA nach dem Brexit von London nach Amsterdam bzw. Paris nach Stimmengleichheit jeweils durch Losentscheid (gegen Mailand bzw. Dublin) erfolgte und Italien die Entscheidung überprüfen lassen will.

3.4 Sprachenregelung der EU

Der organisatorische, personelle und finanzielle Aufwand der Vielsprachigkeit von 28 Mitgliedstaaten ist erheblich. In einem ↑Europa, dessen kulturelle Vielfalt durch die Einheit nicht beseitigt werden soll (Leitspruch der EU gemäß Art. I-8 VVE: „In Vielfalt geeint") und das die prinzipielle Gleichheit auch der kleinen Mitgliedstaaten anerkennt (vgl. Art. 4 Abs. 2 S. 1 EUV), stehen den Vorschlägen, sich auf eine gemeinsame Sprache zu einigen, nicht nur politische und rechtliche (z. B. Verständlichkeit von Rechtsakten für alle Unionsbürger), sondern auch soziale und kulturelle Einwände entgegen. Die Möglichkeit, sich mit den Unionsorganen in seiner eigenen Sprache in Verbindung zu setzen (Art. 24 Abs. 4 AEUV, Art. 41 Abs. 4 EuGRC), ist ein nicht zu unterschätzender Integrationsfaktor. Während beim EGKS-Vertrag allein Französisch die authentische, d. h. verbindliche Sprache war, sind dies für das Primärrecht gemäß Art. 55 EUV Bulgarisch, Dänisch, Deutsch, Englisch, Estnisch, Finnisch, Französisch, Griechisch, Irisch (= Gälisch), Italienisch, Kroatisch, Lettisch, Litauisch, Maltesisch, Niederländisch, Polnisch, Portugiesisch, Rumänisch, Schwedisch, Slowakisch, Slowenisch, Spanisch, Ungarisch und Tschechisch. Diese Sprachen sind gleichermaßen verbindlich. Sich dabei zeigende Textdivergenzen sind durch Auslegung zu klären, wobei Sinn und Zweck der auszulegenden Norm entscheidend ist (teleologische Auslegung; vgl. dazu EuGH Rs. 100/84 – Kommission/Vereinigtes Königreich). Diese authentischen Sprachen sind zugl. grundsätzlich, d. h. mit Ausnahmen für die EZB und das EUIPO (↑Patentrecht) Amtssprachen und Arbeitssprachen. In der Praxis wurde zunächst das Französische, jetzt das Englische bevorzugt (nach einer Dienstanweisung soll das Deutsche einbezogen sein). Beim EuGH ist Französisch die interne Sprache, während die Verfahrenssprache vom Kläger gewählt werden kann. Welche Sensibilität der Sprachenfrage entgegengebracht wird, zeigen die Hindernisse bei der Einrichtung eines Europäischen Patents, das wegen der in Art. 118 Abs. 2 AEUV vorgeschriebenen Einstimmigkeit nur im Wege der verstärkten Zusammenarbeit (Art. 20 EUV, Art. 326–334 AEUV) ohne Italien und Spanien zustande kam (vgl. dazu EuGH Rs. C-146/13 – Spanien/Europäisches Parlament und Rs. C-147/13 – Spanien/Rat).

4. Materielles Recht
4.1 Begriff
Unter materiellem E. versteht man Normen, die die sachlichen Zielsetzungen der Union und die ihr für deren Realisierung übertragenen Kompetenzen, somit die sog.en Politiken der EU betreffen. Wegen des Prinzips der begrenzten Einzelermächtigung (Art. 5 Abs. 1 und 2 EUV) sind diese erschöpfend (vgl. Art. 4 Abs. 1 EUV) in den Verträgen aufgeführt (Art. 26–197 AEUV: Die internen Politiken und Maßnahmen der Union. Ferner Assoziierung der überseeischen Länder und Hoheitsgebiete, Art. 198–204 AEUV, Auswärtiges Handeln, Art. 205–222 AEUV und Art. 21–22 EUV sowie GASP, Art. 23–46 EUV). Allerdings eröffnet der vom EuGH weit ausgelegte Art. 114 AEUV (vgl. dazu EuGH Rs. C-270/12 – Vereinigtes Königreich/Europäisches Parlament und Rat – ESMA-VO) für die Realisierung des Binnenmarkts erhebliche (allerdings nicht unbegrenzte, vgl. EuGH Rs. C-376/98 – Deutschland/Europäisches Parlament und Rat – Tabakwerbeverbot) Gestaltungsspielräume. Die Vertragsergänzungskompetenz (jetzt Art. 352 AEUV: „Flexibilitätsklausel") hat wegen des Einstimmigkeitsprinzips und verfassungsrechtlicher Rückkoppelungen (vgl. § 8 IntVG) an Bedeutung verloren. Wegen der zunehmenden Durchdringung der nationalen Rechtsordnungen durch unionsrechtliche Vorgaben des Primär- und des Sekundärrechts gibt es trotz des Prinzips der begrenzten Einzelermächtigung kaum noch gänzlich „unionsrechtsfeste" Bereiche. Denn selbst wenn eine Materie (z. B. Polizeirecht) an sich in der Kompetenz der Mitgliedstaaten verblieben ist, entbindet das diese nicht von der Beachtung der Grundfreiheiten (vgl. z. B. EuGH Rs. C-265/95 – Kommission/

Frankreich: Pflicht zur Unterbindung von Agrarblockaden, die von privater Seite ausgehen).

4.2 Binnenmarkt
Kernstück der EU ist nach wie vor der ↑Europäische Binnenmarkt als Raum ohne Binnengrenzen, in dem der freie Verkehr von Waren, Personen, Dienstleistungen und Kapital gemäß den Bestimmungen der Verträge gewährleistet ist (Art. 26 Abs. 2 AEUV). Zur Verwirklichung des dem Binnenmarkt vorausgehenden Gemeinsamen Marktes trug zunächst die durch die Rspr. des EuGH bewirkte gegenseitige Anerkennung (grundlegend EuGH Rs. 8/74 – Dassonville; Rs. 120/78 – Cassis de Dijon; Rs. C-340/89 – Vlassopoulou) bei, da diese den ↑Grundfreiheiten auch ohne sekundärrechtliche Verwirklichung unmittelbare Wirkung als subjektiven Rechten zusprach (grundlegend EuGH Rs. 2/74 – Reyners). Um fortbestehende Unsicherheiten hinsichtlich der möglichen Rechtfertigung mitgliedstaatlicher Beschränkungsmaßnahmen zu beseitigen und dies nicht allein dem EuGH zu überlassen, war gleichwohl die Beseitigung von Hemmnissen mittels Harmonisierung durch RL und VO erforderlich. Dazu leistete die Verwirklichung des Binnenmarktprogramms des Weißbuchs von 1985, die im Wesentlichen innerhalb der Zielvorgabe bis 1992 erfolgte, einen wesentlichen Beitrag. Durch RL wie der über Berufsqualifikationen (RL 2005/36) wurde auch das Konzept der gegenseitigen Anerkennung präzisiert und mit dem Konzept der Harmonisierung verbunden (vgl. Art. 53 AEUV). Dadurch und z. B. durch die Dienstleistungs-RL (RL 2006/123) wurde die bes. schwierige Verwirklichung der Niederlassungs- und der Dienstleistungsfreiheit vorangetrieben. Gleichwohl bleibt die Realisierung des Binnenmarktes und seines Funktionierens (zutreffend die Ergänzung in Art. 26 Abs. 1 AEUV) eine ständige Aufgabe. Dies bestätigt die Vielzahl von RL und zunehmend VO, die jedes Jahr erlassen werden, und die Anzahl von Vertragsverletzungsverfahren wegen Verstößen gegen die Bestimmungen des Binnenmarktes. Über den aktuellen Stand des Binnenmarktes informieren die Binnenmarkt-Anzeiger der Kommission. Wesentlich zur Kontrolle mitgliedstaatlicher Beschränkungsmaßnahmen trägt auch die RL über das Informationsverfahren (RL 83/189; geändert durch RL 98/48. aktuell RL 2015/1535) bei, das die Mitgliedstaaten verpflichtet, diese der Kommission zu notifizieren. Andernfalls droht wegen des Vorrangs des Unionsrechts, dass die betreffenden mitgliedstaatlichen Vorschriften im Kollisionsfall nicht anwendbar sind (vgl. EuGH Rs. C-194/94 – CIA Security International/Signalson).

4.3 Unionsbürgerschaft
Durch die mit dem Vertrag von Maastricht eingeführte ↑Unionsbürgerschaft (Art. 9 EUV, Art. 20 AEUV) erhielten die Staatsangehörigen der Mitgliedstaaten, die zugl. Unionsbürger sind (Art. 20 Abs. 1 S. 2 und 3

AEUV), von der wirtschaftlichen Betätigung unabhängige (daher „Grundfreiheit ohne Markt" [Wollenschläger 2017]) bes. Rechte, insb. das Recht auf Freizügigkeit (Art. 21 AEUV) mit dem daran anknüpfenden Diskriminierungsverbot (Art. 18 AEUV). Ferner haben sie das Wahlrecht (Art. 22 AEUV) bei Europawahlen und Kommunalwahlen im jeweiligen Aufenthaltsstaat. Aus ihr können auch Berechtigungen für Staatsangehörige gegenüber ihrem Staat erwachsen, z. B. im Einkommensteuerrecht (EuGH Rs. C-520/04 – Turpeinen) und in der Bildungspolitik (EuGH verb. Rs. C-11/06 und 12/06 – Morgan [Ausbildungsförderung bei Studium im Ausland]). Die Tragweite, die der EuGH diesem „grundlegenden Status der Staatsangehörigen der Mitgliedstaaten" (so EuGH Rs. C-184/99 – Grzelczyk) zumaß, führte und führt nach wie vor zu Problemen, denen der EuGH teilweise durch Einschränkungen seiner Rspr. hinsichtlich des Anspruchs auf Sozialleistungen begegnet (vgl. EuGH Rs. C-333/13 – Dano). Andererseits ist der „Kernbereich" des grundlegenden Status bes. geschützt (vgl. EuGH Rs. C-34/09 – Zambrano; zu Grenzen aber EuGH Rs. C-434/09 – McCarthy).

4.4 Europäische Innen- und Rechtspolitik
Die Verflechtung der Mitgliedstaaten durch Folgen des Gemeinsamen Marktes bzw. Binnenmarktes hat dazu geführt, dass die Beziehungen zwischen ihnen insoweit nicht mehr als außenpolitisch geprägt, sondern als eigenes Gebiet ↑Europäische Innen- und Rechtspolitik zu sehen sind.

4.5 EU-Außenpolitik
Soweit die Völkerrechtssubjektivität der EU (Art. 47 EUV) von Drittstaaten und ↑Internationalen Organisationen anerkannt wird (was weitgehend erfolgt ist) und ihr die Verträge entspr.e Kompetenzen verleihen, kann die EU eine eigene ↑Außenpolitik betreiben. Die EU unterhält Beziehungen zu Internationalen Organisationen (Art. 220 AEUV) als Beobachter (so bei den ↑Vereinten Nationen) oder als Mitglied (z. B. ↑FAO, ↑WTO). Soweit die Gemeinsame Handelspolitik reicht, fällt diese in die ausschließliche Kompetenz der EU und gehört zu den Materien, in denen sich das gemeinsame Auftreten im Weltmaßstab als bes. wichtig erweist. Die ↑GASP hat dagegen nach wie vor eine Sonderstellung, die in Art. 24 Abs. 1 UAbs. 2 EUV ausdrücklich betont und in ihrem intergouvernemental geprägten Charakter verdeutlicht wird (Gewicht des Europäischen Rates und des Rates im Verhältnis zu Kommission und Europäischem Parlament; Grundsatz der Einstimmigkeit; Ausschluss von Gesetzgebungsakten; Unzuständigkeit des EuGH mit Ausnahme von Abgrenzungsfragen zu sonstigen Politiken und zum Rechtsschutz von Individuen).

4.6 Wettbewerbspolitik
Das Wirtschaftssystem der EU beruht auf einem Binnenmarkt als einem System, „das den Wettbewerb vor Verfälschungen schützt" (Protokoll Nr. 27, ABl.EU 2016 Nr. L 202/309), und strebt eine „in hohem Maße wettbewerbsfähige soziale Marktwirtschaft" an (Art. 3 Abs. 3 EUV). Dies verlangt einerseits die Berücksichtigung sozialer Aspekte bei der Ausgestaltung der wirtschaftlichen Rechte (insb. Personenverkehrsfreiheit, vgl. dazu VO 492/2011), andererseits eine effektive Kontrolle und Bekämpfung mitgliedstaatlicher Maßnahmen, die durch die Bevorzugung heimischer ↑Unternehmen den ↑Wettbewerb innerhalb der EU zu verfälschen drohen. Dazu hat die EU und in ihr als Vollzugsorgan die Kommission Kompetenzen im Kartellrecht (Kartellverbot, Art. 101 AEUV; Verbot des Missbrauchs einer marktbeherrschenden Stellung, Art. 102 AEUV; Fusionskontrolle, VO 139/2004) und im Beihilfenrecht (Art. 107–109 AEUV) mit entspr.en Sanktionsbefugnissen gegenüber Unternehmen (Bußgelder, Kartell-VO 1/2003) und gegenüber Mitgliedstaaten. Besonderheiten bestehen hinsichtlich öffentlichen Unternehmen (Art. 106 AEUV), wobei das Spannungsverhältnis zwischen Wettbewerbspolitik und öffentlichen Leistungen der Daseinsvorsorge („Dienste von allgemeinem wirtschaftlichem Interesse") aufgelöst werden muss (vgl. Art. 14 AEUV). Ein weiteres wichtiges Gebiet ist das ↑Vergaberecht (Allgemeine Vergabe-RL 2004/18; Sektoren-RL 2004/17).

4.7 Sozialpolitik
Obwohl „die stetige Besserung der Lebens- und Beschäftigungsbedingungen" der Völker der Mitgliedstaaten ein „wesentliches Ziel" der EU ist und sozialpolitische Zielsetzungen im AEUV weiter differenziert werden, konnte sich die ↑Sozialpolitik auf Unionsebene wegen der begrenzten Kompetenzen der EU stärker nur im Zusammenhang mit anderen Bereichen wie den Personenverkehrsfreiheiten (vgl. VO 1612/68, jetzt VO 492/2011) entfalten. Grund dafür sind unterschiedliche Traditionen, Konzeptionen und ökonomische Möglichkeiten der einzelnen Mitgliedstaaten, die auch jetzt einer „Sozialunion" Grenzen setzen. Die Einbeziehung der 1989 von elf Staats- und Regierungschefs (ohne das Vereinigte Königreich) der damals zwölf Mitgliedstaaten der EU angenommenen „Gemeinschaftscharta der sozialen Grundrechte der Arbeitnehmer" sowie der ↑ESC in Art. 151 Abs. 1 AEUV zeigt das Bestreben, die Gleichrangigkeit der sozialen mit der wirtschaftlichen Dimension deutlich zu machen. Dies ist bei der Auslegung von Rechtsakten zu berücksichtigen (EuGH Rs. C-322/88 – Grimaldi). Die allg.e sozialpolitische Tätigkeit der EU (Art. 153 AEUV) kann im Verhältnis zu den Mitgliedstaaten nur unterstützend und ergänzend sein und schließt Harmonisierungsmaßnahmen ausdrücklich aus. Dies darf auch nicht durch Maßnahmen der sog.en offenen Koordinierung, dem vom Europäischen Rat 2000 beschlossenen Verfahren der mittelfristigen Abstimmung der Sozialpolitik der Mitgliedstaaten, überspielt werden. Durch Sekundärrecht gesichert wurden

aber die durch das Gebrauchmachen von der Arbeitnehmerfreizügigkeit und der Niederlassungs- und Dienstleistungsfreiheit der Selbständigen erworbenen Sozialversicherungsansprüche (VO 1408/71, VO 1390/81, jetzt VO 883/2004). Ferner wurden Mindestvorschriften für den technischen Arbeitsschutz und den sozialen Arbeitsschutz erlassen. Erhebliche Bedeutung hatten und haben das Diskriminierungsverbot des Art. 157 AEUV und die dazu ergangene Rspr. des EuGH für das ↑Arbeitsrecht, insb. für die Gleichbehandlung von Männern und Frauen (RL 76/207, jetzt Gleichbehandlungs-RL 2006/54). Weitere Antidiskriminierungsmaßnahmen wurden auf Art. 19 AEUV gestützt.

4.8 Gemeinsame Agrarpolitik

Die GAP war ein „Eckpfeiler des europäischen Einigungswerks" (Grünbuch der EG-Kommission 1985), entwickelte sich zur teuersten Politik der EU überhaupt und beansprucht nach wie vor 40 % des EU-Haushalts (↑Europäische Agrarpolitik). Probleme, die sich u.a. aus dem Wechsel vom Agrarimportgebiet nach dem Zweiten Weltkrieg nicht nur zu einem eindrucksvollen Selbstversorgungsgrad, sondern zur Überversorgung mit Absatzschwierigkeiten („Butterberge" und WTO-widrige Exportsubventionen) ergaben, ferner der sachgerechten ↑Allokation der Mittel, erforderten Reformen, deren Durchführung sich als schwierig erwies. Der „GAP-Gesundheitscheck" 2008 zielte u.a. darauf ab, den Schwerpunkt von Direktzahlungen an Landwirte auf Investitionen in die Entwicklung des ländlichen Raumes zu verlagern und das Prinzip der Entkoppelung von Beihilfe und Produktion abzumildern. 2013 wurden vier Grund-VO (VO 1305–1308/2013) mit der Befugnis zu delegierter Rechtsetzung (Art. 290 AEUV) erlassen, um den Herausforderungen an die GAP bis 2020 gerecht zu werden. Die Reformen erfolgen nach wie vor im Zusammenhang mit den stark agrarisch geprägten Staaten der EU-Osterweiterung und den Anforderungen des Welthandelsrechts (WTO). Bedeutsam ist auch die gemeinsame Fischereipolitik im EU-Meer der 200-Seemeilen-Wirtschaftszone.

4.9 Umweltpolitik

Weil Umweltvorschriften der Mitgliedstaaten die Wettbewerbsituation beeinflussen und damit ein Zusammenhang mit dem Gemeinsamen Markt bzw. Binnenmarkt bestand, wurden bereits vor der 1987 erfolgten Einführung einer eigenen Kompetenzgrundlage durch die EEA Rechtsakte der EWG erlassen. Die Art. 191–193 AEUV sind jetzt eine gesicherte Basis für eine spezifische ↑Umweltpolitik der EU. Deren Ziele sind die Umwelt zu erhalten, zu schützen und ihre Qualität zu verbessern, zum Schutze der menschlichen ↑Gesundheit beizutragen und eine umsichtige und rationale Verwendung der natürlichen Ressourcen zu gewährleisten, ferner die Förderung von Maßnahmen auf internationaler Ebene zur Bewältigung regionaler oder globaler Umweltprobleme (z.B. Klimaschutz, zuletzt Pariser Abkommen). Grundsätze sind das Vorsorgeprinzip, das Prinzip der Bekämpfung am Ursprung, das Verursacherprinzip und das Prinzip der nachhaltigen Entwicklung (*sustainable development*; ↑Nachhaltigkeit). Durch die Querschnittsklausel des Art. 11 AEUV wird die Umweltpolitik zum Bestandteil aller Unionspolitiken. Harmonisierungsmaßnahmen zur Herstellung des Binnenmarktes gehen im Bereich ↑Umweltschutz „von einem hohen Schutzniveau" aus (Art. 114 Abs. 3 AEUV). Vorgaben des EU-Umweltrechts haben sowohl auf das materielle Recht als auch auf das Verfahrensrecht der Mitgliedstaaten erhebliche Auswirkungen.

4.10 Wirtschafts- und Währungspolitik

Während die ↑Wirtschaftspolitik nach wie vor in der Kompetenz der Mitgliedstaaten verbleibt, die diese allerdings nach unionsrechtlichen Vorgaben koordinieren müssen (Art. 120 AEUV), wurde die Währungspolitik für die Mitgliedstaaten der Eurozone auf die EU und dort auf die ↑EZB übertragen. In dieser Aufteilung wird ein Grundproblem der ↑EWWU gesehen.

5. Bezüge zum Recht der Mitgliedstaaten

5.1 Anwendungsvorrang des Unionsrechts

Das EU-Recht hat im Fall einer Kollision mit dem Recht der Mitgliedstaaten Vorrang vor diesem mit der Folge, dass das nationale Recht insoweit nicht angewendet werden darf. Dies beruht, nachdem die ausdrückliche Anordnung im VVE (Art. I-6 VVE) nach dessen Scheitern nicht in den Vertrag von Lissabon übernommen wurde, nach wie vor auf dem grundlegenden Urteil des EuGH im Fall Costa/ENEL (Rs. 6/64). Die Erklärung Nr. 17 zum Vertrag von Lissabon (ABl. EU 2016 Nr. C 202/344) stellt dies klar. Der EuGH begründet den Vorrang letztlich damit, dass andernfalls die Funktionsfähigkeit der EU gefährdet wäre. Der Anwendungsvorrang wird von den (Verfassungs-)Gerichten der Mitgliedstaaten, abgesehen von verfassungsrechtlichen Restvorbehalten, anerkannt. Das ↑BVerfG begründet dies damit, dass die in Art. 23 Abs. 1 GG (damals Art. 24 Abs. 1 GG) enthaltene Befugnis zur Übertragung von Hoheitsrechten auf die EU „bei sachgerechter Auslegung" besage, dass die Hoheitsakte der Organe der EU „vom ursprünglich ausschließlichen Hoheitsträger anzuerkennen sind" (BVerfGE 31, 145 – Lütticke).

5.2 Pflicht der Mitgliedstaaten zum ordnungsmäßen Vollzug des Unionsrechts

Gemäß Art. 291 Abs. 1 AEUV, der insoweit an das Loyalitätsgebot des Art. 4 Abs. 3 EUV anknüpft, ergreifen die Mitgliedstaaten alle zur Durchführung der verbindlichen Rechtsakte der Union, d.h. des Sekundärrechts, erforderlichen Maßnahmen nach innerstaatlichem Recht. Daher müssen EU-RL ordnungsgemäß umgesetzt und das deutsche Umsetzungsgesetz richtlinienkonform angewandt und EU-VO vollzogen werden. Zum Vollzug des Unionsrechts gehört darüber hinaus die Beachtung des EU-Primärrechts und insb. dessen Anwendungsvorrang. Dies erfordert ggf. Modifikationen des für den Vollzug von Unionsrecht mangels spezieller Bestimmungen des Unionsrechts anwendbaren innerstaatlichen Verwaltungsverfahrens- und ↗Verwaltungsprozessrechts. Beispiele: Die nach einem Beschluss der Kommission, der den Verstoß einer nach nationalem Recht gewährten Beihilfe gegen Art. 107 AEUV feststellt (Art. 108 AEUV), gebotene Rücknahme des Beihilfebescheids erfolgt in Deutschland zwar nach § 48 VwVfG (bzw. entspr. em Landesrecht). Allerdings ist wegen des Effektivitätsgebots das in § 48 Abs. 1 VwVfG eingeräumte Ermessen („kann") auf null reduziert, ist bei der Abwägung zwischen Vertrauensschutz des Begünstigtem und dem öffentlichen Interesse an einer Rücknahme das Unionsinteresse bes. zu berücksichtigen (Art. 48 Abs. 2 und 3 VwVfG) und findet die Frist des § 48 Abs. 4 VwVfG keine Anwendung (vgl. dazu EuGH Rs. 310/85 – Deufil; Rs. C-24/95 – Alcan). Zudem ist der Begünstigte präkludiert, wenn er nach Kenntnis des gegen den Mitgliedstaat ergangenen Beschlusses der Kommission diesen nicht mit der Nichtigkeitsklage (Art. 263 Abs. 4 AEUV) angefochten hat (EuGH Rs. C-188/92 – TWD Deggendorf). Die Anordnung der Vollziehung deutscher Verwaltungsakte, die zur Durchführung des Unionsrechts erlassen werden, kann im Unionsinteresse geboten sein (§ 80 Abs. 2 Nr. 4 VwGO; vgl. dazu EuGH Rs. C-217/88 – Tafelwein). Von § 42 Abs. 2 VwGO geforderte subjektive Rechte können sich aus dem Unionsrecht, insb. dem EU-Umweltrecht ergeben. Wenn der Anwendungsvorrang des Unionsrechts wie im Fall des als „inkohärent" beanstandeten deutschen Glücksspielrechts zu dessen praktischer Unanwendbarkeit führt (vgl. EuGH Rs. C-336/14 – Sebat Ince), besteht bes.r rechtspolitischer Handlungsbedarf, ein dem Unionsrecht entspr.es System zu schaffen.

5.3 Zusammenwirken von EuGH und nationalen Gerichten

Da der Vollzug des Unionsrechts hauptsächlich den Mitgliedstaaten obliegt, ist die Wahrung des Unionsrechts in erheblichem Umfang auch eine Aufgabe der nationalen Gerichte. Dies betrifft das ↗öffentliche Recht (Verfassungs- und Verwaltungsrecht), das Zivilrecht (z.B. Vorgaben von EU-RL für das ↗BGB), zunehmend auch das ↗Strafrecht (z.B. justizielle Rechte, Art. 47–50 EuGRC bei der Durchführung des Rechts der Union, Art. 51 Abs. 1 S. 1 GRC). Diese Verpflichtung ergibt sich für die Gerichte als Organe der Mitgliedstaaten aus deren Unterstützungs- und Erfüllungspflicht (Loyalitätsgebot des Art. 4 Abs. 3 EUV). Art. 19 Abs. 1 UAbs. 2 EUV verpflichtet die Mitgliedstaaten zudem, die erforderlichen Rechtsbehelfe zu schaffen, damit ein wirksamer Rechtsschutz in den vom Unionsrecht erfassten Bereichen gewährleistet ist (vgl. dazu EuGH Rs. C-

583/11 P – Inuit zur Ergänzung eingeschränkten Rechtsschutzes vor dem EuGH). Das Vorabentscheidungsverfahren (Art. 267 AEUV) eröffnet einen judiziellen Dialog zwischen den nationalen Gerichten und dem EuGH und sichert durch dessen Entscheidungsmonopol über die Auslegung des Unionsrechts allg. und über die Gültigkeit von Sekundärrecht dessen Einheitlichkeit. Das Vorlagerecht ist allen nationalen Gerichten unionsrechtlich gesichert und darf durch nationale Maßnahmen nicht beschränkt werden. Art. 267 Abs. 3 AEUV begründet für letztinstanzliche Gerichte einschließlich Verfassungsgerichte (↗Verfassungsgerichtsbarkeit) eine Vorlagepflicht. Eine Ausnahme davon besteht nur dann, wenn die Lösung der unionsrechtlichen Frage offensichtlich (*acte clair*) oder vom EuGH bereits entschieden (*acte éclairé*) ist. Ein Verstoß gegen diese Vorlagepflicht könnte unionsrechtlich allein durch die Kommission in einem Vertragsverletzungsverfahren (Art. 258 AEUV) gegen den betreffenden Mitgliedstaat gerügt werden. Verfassungsrechtlich besteht in Deutschland die Möglichkeit, das willkürliche Unterlassen einer Vorlage an den EuGH mit der Verfassungsbeschwerde (Art. 93 Abs. 1 Nr. 4a GG) zu rügen. Denn durch die Einbeziehung des Unionsrechts in die in Deutschland geltende Rechtsordnung ist der EuGH ↗gesetzlicher Richter i.S.d. Art. 101 Abs. 1 S. 2 GG, dem niemand entzogen werden darf (BVerfGE 73, 339/366ff. – Solange II; BVerfGE 75, 223/233 f.; BVerfGE 126, 286/315 ff. – Honeywell). Zu Österreich vgl. ÖVerfGH, EuZW 1995, 329/332 zu Art. 83 Abs. 2 B-VG.

6. Perspektiven

Die Zukunft des E.s hängt von der weiteren Entwicklung der EU ab, ob und welche Ansätze des „Weißbuchs zur Zukunft Europas" (Europäische Kommission 2017) verfolgt werden und wie der Brexit und seine Folgen gelöst werden. Dem Übergang von der Einstimmigkeit zur qualifizierten Mehrheit, wie sie bei der *Münchner Sicherheitskonferenz* 2018 vom Kommissionspräsidenten Jean-Claude Juncker zur Beseitigung eines hauptsächlichen Hindernisses gefordert wurde, stehen gerade in den politisch sensiblen Bereichen wie der GASP nicht nur politische Gegensätze entgegen, sondern auch grundsätzliche Bedenken, hier durch Mehrheitsbeschlüsse gebunden werden zu können. Wahrscheinlicher ist in diesem Bereich – wie in anderen kontrovers diskutierten Bereichen auch – eine verstärkte Zusammenarbeit der Mitgliedstaaten, die sich daran beteiligen wollen, wie die am 11.12.2017 von 25 Mitgliedstaaten (ohne Vereinigtes Königreich, Malta und Dänemark) beschlossene PESCO (vgl. Art. 42 Abs. 6, Art. 46 EUV), v.a. zur gemeinsamen Entwicklung und Beschaffung von Waffensystemen. Im Übrigen werden wohl die in den Verträgen enthaltenen Kompetenzen so weit wie möglich ausgenutzt (wenn nicht überdehnt), da der Vertrag von Lissabon gezeigt hat, wie schwierig eine generelle Vertragsänderung durchzusetzen ist.

Literatur
Europäische Kommission (Hg.): Weißbuch zur Zukunft Europas, 2017 • U. Haltern: Europarecht. Dogmatik im Kontext, 2 Bde., ³2017 • M. Herdegen: Europarecht, ¹⁹2017 S. Hobe: Europarecht, ⁹2017 • W. Schroeder: Grundkurs Europarecht, ⁵2017 • F. Wollenschläger: Grundfreiheiten ohne Markt, ²2017 • A. Haratsch/C. Koenig/M. Pechstein: Europarecht, ¹⁰2016 • T. Oppermann/C. Classen/M. Nettesheim: Europarecht, ⁷2016 • R. Streinz: Europarecht, ¹⁰2016 • K.-D. Borchardt: Die rechtlichen Grundlagen der Europäischen Union, ⁶2015 • P. Craig/G. de Búrca: European Union Law, ⁶2015 • T. Haag/J. Hänni: Europarecht. Die europäischen Institutionen aus schweizerischer Sicht, ⁴2015 • M. Niedobitek (Hg.): Europarecht. Politiken der Union, 2014 • A. Hatje/P.-C. Müller-Graff (Hg.): Enzyklopädie Europarecht, 10 Bde., 2013–15 • K. Lenaerts/P. Van Nuffel: European Union Law, ³2011 • W. Frenz: Europarecht, 6 Bde., ²2007–15.

RUDOLF STREINZ

European Free Trade Association (EFTA)

1. Gründung und Entwicklung

Die Europäische Freihandelsassoziation wurde nach dem Scheitern der vom Vereinigten Königreich initiierten *Maudling*-Verhandlungen zur Schaffung einer OEEC-weiten (westeuropäischen) Freihandelszone und der Gründung der EWG (1957/1958) zwischen dem Vereinigten Königreich, Dänemark, Norwegen, Österreich, Portugal, Schweden und der Schweiz durch das EFTA-Übereinkommen *(Stockholmer Konvention)* vom 4.1.1960 gegründet, das am 3.5.1960 in Kraft trat. Durch die Zollunion mit der Schweiz war Liechtenstein einbezogen, das 1991 als Vollmitglied beitrat. Finnland, mit dem seit 1961 ein Assoziierungsabkommen bestand, wurde 1986 Vollmitglied. 1970 ist Island beigetreten. Während das Vereinigte Königreich (ähnlich die skandinavischen Staaten) damals wegen der mit der Übertragung von Hoheitsrechten auf eine Integrationsgemeinschaft wie der EWG, jetzt ↑EU, verbundenen Einschränkung nationaler Souveränität fernblieb, sahen sich Österreich (gebunden durch den Staatsvertrag von 1955), Schweden und die Schweiz durch ihre Neutralitätspolitik gehindert. 1973 traten Dänemark und das Vereinigte Königreich, 1986 Portugal, 1995 Finnland, Österreich und Schweden der EWG bzw. EU bei, so dass die *„Rest-EFTA"* mit Norwegen (dessen Beitritt zur EU 1972 und 1994 jeweils an einem Referendum scheiterte), Island (das seinen nach der Finanzkrise 2009 gestellten Beitrittsantrag zur EU 2015 zurückgezogen hat), Liechtenstein und der Schweiz (dessen Beitrittsantrag von 1992 nach einem ablehnenden Referendum, erneute Ablehnung 2001, ruhte und 2016 zurückgezogen wurde) nur noch vier Staaten umfasst. Zur EU bestehen über den EWR und bilaterale Verträge der Schweiz bes.e Beziehungen. Zur Anpassung an den EWR-Vertrag und an die seit 1995 bestehende ↑WTO wurde das EFTA-Übereinkommen durch das *Vaduzer Abkommen* vom 21.6.2001, in Kraft seit 1.6.2002, hinsichtlich der Freiheiten des Personenverkehrs, von Dienstleistungen und Kapital sowie des Schutzes des geistigen Eigentums ergänzt.

2. Ziele

Die EFTA sollte einerseits die EWG im Sinn eines alle OEEC-Staaten umfassenden Marktes ergänzen. Sie war andererseits ihr Gegenstück. Während die EWG bereits auf eine „immer engere", über die wirtschaftliche zur politischen kommende Integration gerichtet war, verzichtete die EFTA bewusst darauf. Währen für die EWG und jetzt, obwohl Art. 28 AEUV diese Formulierung (wohl als Selbstverständlichkeit) nicht übernahm, die EU die Zollunion mit der Abschaffung der Binnenzölle und dem gemeinsamen Außenzoll „Grundlage der Gemeinschaft" (Art. 9 EWGV/Art. 23 EGV) ist, verzichtet die EFTA zur Aufrechterhaltung der Dispositionsfreiheit ihrer Mitglieder gegenüber Drittländern auf Letzteren und beschränkt sich auf eine *Freihandelszone*. Um Verzerrungen durch den Import über das Mitglied mit dem geringsten Außenzoll zu verhindern, sind wegen der Abschaffung der Binnenzölle in dieser Ursprungsregeln erforderlich. Wegen erheblicher struktureller Unterschiede sind landwirtschaftliche Produkte grundsätzlich nicht einbezogen. Ziele waren und sind die Förderung von Wirtschaftswachstum, Vollbeschäftigung, Produktionssteigerung und finanzielle Stabilität zur stetigen Verbesserung des Lebensstandards, die Gewährleistung gerechter Handels- und Wettbewerbsbedingungen, die Erzielung und Aufrechterhaltung eines Ausgleichs zwischen den Partnern und den verschiedenen Wirtschaftssektoren und ein aktiver Beitrag zur Ausweitung des Welthandels sowie die durch das Vaduzer Abkommen hinzugefügten Ziele (Art. 2 EFTA-Übereinkommen).

3. Organe

Zu unterscheiden sind allg.e und primär EWR-bezogene EFTA-Organe. Der bewusst im Gegensatz zur EWG nicht supranational ausgerichtete Struktur entspr. wurde als einziges *allg.es*, d. h. allein auf die EFTA bezogenes Organ mit Entscheidungsbefugnissen der *EFTA-Rat* geschaffen. Dieser setzt sich aus Mitgliedern oder Vertretern der Regierungen der vier Mitgliedstaaten zusammen, die je eine Stimme haben. Bei Entscheidungen, die den Mitgliedstaaten neue Verpflichtungen auferlegen, ist Einstimmigkeit erforderlich. Der EFTA-Rat ist für das gute Funktionieren des EFTA-Übereinkommens verantwortlich. Er wird durch einen *Beratenden Ausschuss* unterstützt, der aus sechs Vertretern der Industrie, der Wirtschaft und der Gewerkschaften aus jedem EFTA-Staat besteht.

Im Hinblick auf die Schaffung des EWR, dem mit Island, Norwegen und Liechtenstein drei EFTA-Mitglieder (somit EFTA/EWR-Staaten), nicht aber die Schweiz angehören, musste die EFTA *zusätzliche Organe* zur Abwicklung der EWR-Abkommen einrichten. Die

EFTA-Überwachungsbehörde (Sitz in Brüssel) ist die der ↑Europäischen Kommission entspr.e Exekutivbehörde der EFTA mit Kontrollbefugnissen in den Bereichen Wettbewerbspolitik, öffentliches Auftragswesen und staatliche Beihilfen, allerdings ohne Rechtsetzungsbefugnisse. Sie besteht aus drei unabhängigen Mitgliedern, die von den EFTA/EWR-Staaten im gegenseitigen Einvernehmen für eine Amtszeit von vier Jahren gewählt werden (Wiederwahl möglich). Der *EFTA-Gerichtshof* (Sitz in Luxemburg) ist für Klagen gegen die EFTA-Überwachungsbehörde und gegen die EFTA/EWR-Staaten aus dem EWR-Abkommen zuständig. Er setzt sich aus je einem Richter zusammen, die die EFTA/EWR-Staaten im gegenseitigen Einvernehmen für eine Amtszeit von sechs Jahren wählen (Wiederwahl möglich). Der *Ständige Ausschuss der EFTA-Staaten*, der sich aus je einem an die Weisungen ihrer Regierung gebundenen Vertreter pro EFTA/EWR-Staat (der Vertreter der Schweiz sowie der EFTA-Überwachungsbehörde haben Beobachterstatus) und dem verschiedene Unterausschüsse und Arbeitsgruppen angegliedert sind, ist insb. für den Meinungsaustausch über die gemeinsame Beschlussfassung der EFTA-Staaten im Rahmen des EWR zuständig. Der *Parlamentarische Ausschuss*, bestehend aus Abgeordneten der nationalen Parlamente Norwegens (6), Islands (5), der Schweiz (5) und Liechtensteins (2), hat ausschließlich beratende Funktion. Soweit Angelegenheiten des EWR behandelt werden, haben die schweizerischen Abgeordneten lediglich Beobachterstatus. Der Gesamtkoordination der EFTA dient das *Sekretariat* (Hauptsitz in Genf).

4. EFTA und Europäische Union (EU)

Während in den ersten Jahren ihres Bestehens zwischen EFTA und EWG eine Rivalität bestand, entwickelten sich nach dem Übertritt von Vereinigtem Königreich und Dänemark und der deutlich stärkeren Rolle der EWG pragmatische bilaterale Beziehungen. Zunächst wurden zwischen der EWG und den einzelnen verbliebenen EFTA-Staaten bilaterale Freihandelsabkommen, später ergänzt durch Zusatzvereinbarungen, abgeschlossen. Um diese Beziehungen zu intensivieren und die EFTA-Staaten in den bis 1992 entwickelten EG-Binnenmarkt einzubeziehen, wurde 1993 der *EWR-Vertrag* geschlossen, der am 1.1.1994 in Kraft trat. Finnland, Österreich und Schweden traten jedoch bereits zum 1.1.1995 der EU bei, während die Schweiz nach einem ablehnenden Referendum den EWR-Vertrag nicht ratifizierte. Dies und das Fehlen gemeinsamer Organe führte dazu, dass die Organisation des EWR und damit auch die Einbeziehung der EFTA bzw. ihrer Mitgliedstaaten in diesen äußerst kompliziert sind. Die Schweiz ist mit der EU durch eine Reihe bilateraler Abkommen verbunden, die durch die sog.e Guillotine-Klausel (d. h. Kündigung aller bei Kündigung eines dieser Abkommen) voneinander abhängen. Hinzu kommt der autonome Nachvollzug von EU-Recht durch die Schweiz.

5. EFTA und Drittstaaten

Nach dem Ende des Ost-West-Konflikts schlossen die EFTA-Staaten mit den mittel- und osteuropäischen Staaten Kooperationsabkommen, die durch deren Beitritt zur EU (2004, 2007, 2013) und die dadurch herbeigeführte Verbindung über den EWR bzw. die bilateralen Abkommen der EU mit der Schweiz obsolet sind. Freihandelsabkommen bestehen im Kontext der EU-Nachbarschaftspolitik mit den Staaten des Mittelmeerraums, ferner u. a. mit der Ukraine, der Türkei, den Staaten des Golf-Kooperationsrats, der Südafrikanischen Zollunion, Kanada, Südkorea, Staaten Mittel- und Südamerikas.

6. Ausblick

Die EFTA spielte lange Zeit eine wichtige Rolle in der Verbindung der EWG zu den Staaten, die ihr noch nicht beitreten wollten. Mit dem Übertritt der meisten EFTA-Staaten zur EU hat sie an Bedeutung verloren. Ihre Funktion beschränkt sich im Wesentlichen auf die Tätigkeit im Rahmen des EWR, die durch den fehlenden Beitritt der Schweiz kompliziert wird. Für Staaten mit (auch zweifelhafter) EU-Beitrittsperspektive sind der EWR und damit die EFTA wenig attraktiv. Gleiches gilt wohl auch für das Vereinigte Königreich, das den Austrittsprozess aus der EU (Art. 50 EUV) eingeleitet hat (sog.er „Brexit"), da die angestrebte Verbindung zum ↑Europäischen Binnenmarkt auch die im Referendum für die Befürworter des Austritts mitentscheidende Personenverkehrsfreiheit umfasst und der EWR die Bindung an EU-Vorschriften und ggf. die Rechtsprechung des EuGH sowie Beitragszahlungen ohne Mitwirkung in den EU-Organen vorsieht.

Literatur

T. Jaag/J. Hänni: Europarecht. Die europäischen Institutionen aus schweizerischer Sicht, ⁴2015 • B. Steppacher: EFTA (European Free Trade Association), in: J. Bergmann (Hg.): Handlexikon der Europäischen Union, ⁵2015, 250–254.

RUDOLF STREINZ

Europol ↑Europäische Innen- und Rechtspolitik

Euthanasie

I. Geschichtlich – II. Philosophisch – III. Rechtlich

I. Geschichtlich

Das Wort *euthanasía* (vom griechischen *eu~*, gut, und *thánatos*, Tod) bezeichnete in der Antike entweder ein leichtes und schmerzloses Sterben oder aber einen guten und ehrenvollen Tod. Mit dem Vordringen christlicher Vorstellungen kam der Begriff außer Gebrauch, im ausgehenden Mittelalter und in der Frühen Neuzeit wurde er gelegentlich in die Tradition der *ars moriendi* gestellt. Um die Wende vom 18. zum 19. Jh. bekam der Begriff der *euthanasia medica* eine spezifisch ärztliche Ausrichtung. In der ersten Hälfte des 19. Jh. bedeutete er Sterbebegleitung *ohne* Lebensverkürzung und umfasste ärztliche und pflegerische Tätigkeiten am Sterbebett. Der Gedanke der ↑Sterbehilfe wurde zu dieser Zeit in Schriften zur ärztlichen Berufsethik ausdrücklich zurückgewiesen – in scharfer Abgrenzung zu einzelnen Vertretern der Ärzteschaft, die damals bereits für eine Sterbehilfe bei unheilbar kranken Menschen plädierten.

Erst um die Wende vom 19. zum 20. Jh. verschob sich das Bedeutungsfeld des Begriffs E. so weit, dass es – was das Recht des Arztes über Leben und Tod anging – geradezu zu einer Bedeutungsumkehrung kam. Gegen Ende der 1920er Jahre war das Wort bereits zu einem Synonym für schmerzlose Tötung geworden. Dies war die unmittelbare Folge der juristischen, medizinischen und philosophischen Diskussionen um Sterbehilfe und Tötung auf Verlangen, die in Deutschland mit der Schrift von Adolf Jost „Das Recht auf den Tod" (Jost: 1895) einsetzte. Im Anschluss an die Schrift des Strafrechtlers Karl Bindung und des Psychiaters Alfred Erich Hoche über „Die Freigabe der Vernichtung lebensunwerten Lebens" (Bindung/Hoche 1920) spitzte sich die Diskussion auf die Tötung von Menschen mit schweren geistigen ↑Behinderungen und unheilbaren psychischen Erkrankungen zu. Hier gab es Wechselwirkungen mit der parallel stattfindenden Diskussion um die ↑Eugenik.

Vor dem Hintergrund des Zweiten Weltkrieges wurden die deutschen Heil- und Pflegeanstalten zum Schauplatz eines in der Weltgeschichte einzigartigen Massenmordes. Neueste Schätzungen gehen davon aus, dass in den Grenzen des Deutschen Reiches – einschließlich der annektierten Gebiete – etwa 196 000 psychisch erkrankte und geistig behinderte Menschen ermordet wurden. Rechnet man die etwa 80 000 Toten auf den besetzten polnischen, sowjetischen und französischen Territorien sowie die etwa 20 000 im Rahmen der „Sonderbehandlung 14f13" in den E.-Zentren ermordeten KZ-Häftlinge hinzu, erhöht sich die Opferzahl nach gegenwärtigem Kenntnisstand auf fast 300 000.

Es sind verschiedene Formen und Phasen dieses Massenmordes zu unterscheiden:

a) die Erschießung und Vergasung von polnischen und deutschen Patienten in Pommern, Ostpreußen und im besetzten Polen zu Beginn des Zweiten Weltkriegs;

b) die Ermordung von 5 000 bis 10 000 behinderten Kindern und Jugendlichen in mehr als dreißig „Kinderfachabteilungen" von 1939 bis 1945 durch überdosierte Medikamente und Nahrungsentzug;

c) die „Aktion T4", die Vergasung von etwa 70 000 Psychiatriepatient/innen in sechs eigens mit Gaskammern ausgerüsteten „Tötungsanstalten" (Grafeneck bei Münsingen, Hadamar bei Limburg, Brandenburg an der Havel, Bernburg an der Saale, Sonnenstein bei Pirna, Hartheim bei Linz) von Januar 1940 bis August 1941;

d) die „Sonderaktion" gegen mehr als 1 000 jüdische Patient/innen im Jahre 1940;

e) die „regionale Euthanasie", d. h. die Fortführung des Massenmordes nach dem Stopp der „Aktion T4" in vielen Heil- und Pflegeanstalten ab August 1941, die nun nicht mehr zentral gesteuert, sondern von den Mittelinstanzen – den Landes- und Provinzialverwaltungen – getragen wurde.

Die E. war eine von einem Herrschaftsapparat bewusst und absichtlich ins Werk gesetzte, planrational durchgeführte, tendenziell vollständige Vernichtung einer fest umrissenen Gruppe von Menschen – sie erfüllt damit alle Kriterien eines Genozids (↑Völkermord). In der Geschichte des „Dritten Reiches" markierte die E. den Umschlagpunkt von der Verfolgung zur Vernichtung. Bis 1939 hatte der nationalsozialistische Staat seine „inneren Feinde" zwar entrechtet und entwürdigt, verfolgt und vertrieben, in Lager verschleppt, in vielen Fällen auch ermordet, eine systematische Vernichtung ganzer Menschengruppen hatte es jedoch nicht gegeben. In der Genesis der ↑Shoa kam der E. die Rolle eines Katalysators zu – zwischen dem Krankenmord und den Morden an den europäischen Juden, Sinti und Roma, „Fremdvölkischen" und „Gemeinschaftsfremden" bestanden vielfältige Verbindungslinien.

Die „Vernichtung lebensunwerten Lebens" fungierte in der biopolitischen Entwicklungsdiktatur des ↑Nationalsozialismus als Instrument einer Optimierung des „Volkskörpers". Wohl kein anderer Genozid gründete sich in so hohem Maße auf den Sachverstand und die Mitwirkung von Experten aus der ↑Medizin und den ↑Biowissenschaften.

Nach dem Ende des Zweiten Weltkriegs standen das internationale ↑Völkerrecht und die Rechtsprechung der Nachfolgestaaten des Deutschen Reiches vor der Aufgabe, die Medizinverbrechen des NS-Regimes strafrechtlich zu ahnden. Der Nürnberger Ärzteprozess 1946/47 endete nicht nur mit der Verurteilung mehrerer Hauptverantwortlicher. Mit dem „Nürnberger Kodex" schuf sich das Gericht darüber hinaus eine Beurteilungsgrundlage für verbrecherische Menschenversuche. Im Hinblick auf die aktive Sterbehilfe hat die strafrechtliche Aufarbeitung der E. kein dem Nürnberger Kodex vergleichbares Dokument hervorgebracht. Doch dürften die E.-Prozesse dazu beigetragen haben, dass die aktive Sterbehilfe in Deutschland lange Zeit ein Tabu gewesen ist und dass die aktuellen Debatten um eine Lockerung der Zulässigkeitsregeln von großer Sensibilität geprägt sind.

Literatur

G. Aly: Die Belasteten. „Euthanasie" 1939–1945, 2013 • G. Hohendorf: Der Tod als Erlösung vom Leiden. Geschichte und Ethik der Sterbehilfe seit dem Ende des 19. Jahrhunderts in Deutschland, 2013 • M. Rotzoll u. a. (Hg.): Die nationalsozialistische „Euthanasie"-Aktion „T4", 2010 • U. Benzenhöfer: Der gute Tod? Geschichte der Euthanasie und Sterbehilfe, 2009 • W. Süß: Der „Volkskörper" im Krieg. Gesundheitspolitik, medizinische Versorgung und Krankenmord im nationalsozialistischen Deutschland 1939–1945, 2003 • H. Faulstich: Die Zahl der „Euthanasie"-Opfer, in:

A. Frewer/C. Eickhoff (Hg.): „Euthanasie" und die aktuelle Sterbehilfe-Debatte, 2000, 218–234 • H. Friedlander: Der Weg zum NS-Genozid, 1997 • H.-W. Schmuhl: Rassenhygiene, Nationalsozialismus, Euthanasie, ²1992 • K. Binding/A. E. Hoche: Die Freigabe der Vernichtung lebensunwerten Lebens: Ihr Maß und ihre Form, 1920 • A. Jost: Das Recht auf den Tod, 1895.   HANS-WALTER SCHMUHL

II. Philosophisch

Der Begriff E. ist im Zusammenhang ärztlicher Erleichterungen des Sterbevorgangs gegenwärtig sowohl in den Benelux-Ländern als auch im angelsächsischen Schrifttum gebräuchlich. Im deutschen Sprachraum wird der Ausdruck „E." zumeist vermieden, weil er durch die Nationalsozialisten (↗Nationalsozialismus) verwendet wurde, um die gezielte Ermordung von für lebensunwert erklärten Menschen zu bezeichnen, welche an ↗Behinderungen, erblichen Krankheiten und seelischen Krankheiten litten. Der im deutschen Sprachraum in der rechtspolitischen Diskussion übliche Terminus ist „Sterbehilfe". Allerdings gibt es Anhaltspunkte dafür, dass eine semantische Differenz erst nach dem Zweiten Weltkrieg erkennbar wird. Zwar hatte der Leipziger Strafrechtler Karl Binding in seinen Darlegungen unter dem Titel „Die Freigabe der Vernichtung lebensunwerten Lebens" (1920) den Neologismus Sterbehilfe als unschön zugunsten des Begriffs der E. abgelehnt, doch benutzten die Nationalsozialisten in ihren Planungen und für die Tötungen Kranker und Behinderter neben dem Ausdruck „Gnadentod" sowohl den Terminus „E." als auch „Sterbehilfe". Gleichwohl hat sich in Deutschland die Überzeugung durchgesetzt, dass eine Diskussion des ethischen Dilemmas nur dann möglich ist, wenn eine eindeutige, auch begriffliche Abgrenzung von den Verbrechen und dem Sprachgebrauch der Nazis erfolgt. Dies sieht man zumeist mit dem Ausdruck „Sterbehilfe" als gegeben an. Sowohl in der rechtswissenschaftlichen wie in der rechtspolitischen Diskussion hat sich dabei die Unterscheidung zwischen aktiver Sterbehilfe, passiver Sterbehilfe und indirekter Sterbehilfe etabliert.

1. Aktive, passive und indirekte Sterbehilfe

Aktive Sterbehilfe wird zumeist als direkte aktive Tötung verstanden und strafrechtlich unter dem Titel einer Tötung auf Verlangen bewertet, sofern die Einwilligung des Opfers vorliegt. Anders verhält es sich mit der passiven Sterbehilfe, unter der der Verzicht oder der Abbau von lebensverlängernden Maßnahmen verstanden wird, der das Eintreten des Todes zur Folge hat. Als solche Maßnahmen gelten vor allem die parenterale Ernährung (Infusion), die Ernährung über eine Sonde, der Einsatz von Respiratoren, die Gabe Herz und Kreislauf aktivierender Medikamente sowie die Behandlung hinzutretender Erkrankungen (z. B. durch Antibiotika). Unter den Begriff der indirekten Sterbehilfe fallen palliativ-medizinische Maßnahmen, die eine Lebensverkürzung mitbewirken können. Insofern hier eine Tätigkeit vorliegt, spricht man auch von indirekter aktiver Sterbehilfe.

2. Suizidassistenz

Die Beihilfe zum Suizid unterscheidet sich von einer aktiven Tötung auf Verlangen dadurch, dass der Suizident die Herrschaft über den Tatverlauf hat. Beihilfe kann etwa durch die Beschaffung eines tödlichen Pharmakons geleistet werden. Solche tätige Beihilfe ist wiederum auch rechtlich von der Nichthinderung eines Suizids zu unterscheiden.

3. Ethisch-rechtspolitische Debatte

Die ethische und rechtspolitische Debatte um die Sterbehilfe hat ihr Zentrum in der unterschiedlichen Einschätzung der Erlaubtheit der aktiven Sterbehilfe. Argumente und Analogien, die in dieser Kontroverse eine Rolle spielen, zeigen die Komplexität der Situationen am Lebensende und der damit verbundenen moralischen Herausforderung. So begegnen Argumente, die von der Akzeptanz des ↗Suizids auf die Legitimität der aktiven Sterbehilfe zielen, oder Vergleiche zwischen der passiven und der aktiven Sterbehilfe oder zwischen der gezielten Tötung und der Lebensverkürzung infolge einer Schmerztherapie. Andererseits wird das Verlangen von Kranken, Leidenden und Sterbenden nach aktiver Herbeiführung des Todes diskutiert, indem die bestehenden Verhältnisse der Palliativmedizin und der Sterbebegleitung auf ihre Verbesserungswürdigkeit und Verbesserungsfähigkeit befragt werden. Neben der Authentizität und der moralischen Berechtigung des Wunsches nach Sterbehilfe stehen vor allem die Folgen für die Rolle der Mediziner und für die Gesellschaft insgesamt bei Befürwortern wie Gegnern der Sterbehilfe zur Diskussion.

Trotz mannigfacher Verstöße und vielfältiger Einschränkungsmöglichkeiten wird das Tötungsverbot kultur- und epochenübergreifend als allgemeine Regel verstanden, welche für das Zusammenleben der Menschen eine fundamentale Rolle hat. Zu den möglichen und moralisch unter bestimmten Voraussetzungen relevanten Eingrenzungen gehören die Forderungen nach einem Verbot der Tötung Unschuldiger und auch nach dem Verbot der Fremdtötung. Im Rahmen der Sterbehilfediskussion ist darauf zu verweisen, dass das Verbot der Tötung Unschuldiger prinzipiell auch ein Selbsttötungsverbot einschließen kann. Klammert das Verbot der Tötung Unschuldiger vor allem die Notwehrsituation aus, so impliziert das Verbot der Fremdtötung eine separate Betrachtung des Suizids. Aufgrund der fundamentalen Bedeutung des ↗Lebens hat die Rettung des Lebens generell einen hohen moralischen Stellenwert. Allerdings gibt es in der Betrachtung der Folgen intensivmedizinischer Behandlung und lebensrettender Maßnahmen in der Notfallmedizin seit langem und über die verschiedenen ethischen Einschätzungen hinweg einen weitgehenden Konsens über das Erfordernis der Therapiebegrenzung und des Behandlungsabbruchs auch im Interesse des Patienten. Die Linderung des Leidens tritt in dieser Phase in den Vordergrund und wird zur primären ärztlichen Verpflichtung.

Während die Forderung nach einem würdevollen Sterben sowohl von Befürwortern wie Gegnern der aktiven Sterbehilfe erhoben wird, ist die Selbstbestimmung, die in der Würde ihre Grundlage hat, das wichtigste Argument, dem Verlangen eines Sterbewilligen zu entsprechen, und damit das zentrale Argument für eine Legalisierung der aktiven Sterbehilfe. Die wenigen Vorstöße zu einer rechtlichen Liberalisierung der aktiven Sterbehilfe zeigen, dass zum Prinzip der Selbstbestimmung noch das Motiv des Mitleids hinzutreten muss, um einen Ausnahmetatbestand zum Tötungsverbot zu konstituieren. Für die Zurückhaltung aller Gesetzgeber in diesem Bereich sind auch die Zweifel an einer freien Willensbildung der nach Sterbehilfe Verlangenden ausschlaggebend. Denn es erweist sich als schwierig, die Authentizität des Wunsches zu prüfen und zu verifizieren. Wann ist der Suizidversuch Appell, wann ist er momentaner Ausdruck der Resignation?

Die Mehrzahl der Staaten geht nach wie vor davon aus, dass bei der Prüfung der Frage, ob die Freigabe der Tötung auf Verlangen eine ernste Schädigung des ↑Gemeinwohls darstellen würde, die Beweislast bei demjenigen liegt, der die Tötung freigeben will. Auf dieser Grundlage gilt, dass die Tötung auf Verlangen – wenn überhaupt – nur unter sehr eingeschränkten und kontrollierten Bedingungen dem Zugriff des Strafrechts entzogen werden kann. Die weltweit bei weitem vorherrschende Position ist, sie als Straftat anzusehen, welche nur im Einzelfall Verständnis, Milderung der Strafe oder Straffreistellung erfahren darf. Ein wichtiger Grund hierfür ist die Sorge vor einem moralischen Dammbruch. Vor allem der Übergang von der Sterbehilfe in Situationen unerträglichen Leidens zur Sterbehilfe ohne diese Voraussetzung und der Übergang von der verlangten E. zur E. ohne Einwilligung werden als ein solcher Dammbruch gedeutet. Die Debatte um die Gültigkeit und Aussagekraft dieser Hinweise bezieht sich auf die Praxis der Sterbehilfe vor allem in den Ländern, in denen die aktive Sterbehilfe begrenzt legalisiert wurde. In der Kontroverse beziehen sich beide Seiten auf empirische Befunde und deuten diese zum Teil in unterschiedlicher Weise. Auch der Hinweis auf die Gefahr einer schwindenden Solidarität mit Leidenden und Sterbenden ist als ein Dammbruchargument zu deuten, wenn diese Gefahr aus der Legalisierung von aktiver Sterbehilfe unter bestimmten Bedingungen begründet wird.

Literatur

M. Fuchs/L. Hönings: Sterbehilfe und selbstbestimmtes Sterben, 2014 • M. Zimmermann-Acklin: Sterben als Aufgabe? Ethische Überlegungen zu schwierigen Entscheidungen am Lebensende, in: B. Winiger u. a.: Ethik und Recht in der Bioethik, 2013, 159–173 • C. Grimm/I. Hillebrand: Sterbehilfe, 2009 • Council of Europe (Hg.): Euthanasia, 2 Bde., 2004 • D. W. Brock u. a.: Death and Dying: Euthanasia and Sustaining Life, in: W. T. Reich (Hg.): Encyclopedia of Bioethics, 1995, 554–588 • B. A. Brody: Suicide and Euthanasia, 1989.

MICHAEL FUCHS

III. Rechtlich

E. ist kein Rechtsbegriff. Aber das Recht kennt der Sache nach den als E. bezeichneten Tatbestand. (Aktive) E. stellt rechtlich betrachtet die zum Zweck der Leidensbeendigung vorgenommene, vorsätzliche Tötung eines anderen Menschen mit dessen Einwilligung dar. Für die rechtliche Bewertung entscheidend ist die Frage, ob die Einwilligung des Getöteten wirksam ist und die Tat rechtfertigt.

Nach deutschem Strafrecht macht sich auch derjenige strafbar, der sich durch das ernstliche und ausdrückliche Verlangen des Getöteten zu dessen Tötung bestimmen lässt (§ 216 StGB). Selbst wer einen Schwerstkranken auf dessen Wunsch tötet, um sein Leiden zu beenden, handelt rechtswidrig und macht sich strafbar. Das ↑Selbstbestimmungsrecht berechtigt eine Person zur Abwehr nicht gewollter Eingriffe in ihre körperliche Unversehrtheit und in den unbeeinflussten Fortgang ihres Lebens und Sterbens; es vermittelt ihr aber kein Recht darauf, Dritte zu selbständigen Eingriffen in das Leben ohne Zusammenhang mit einer medizinischen Behandlung zu ermächtigen. Bei einer gezielten, vom Krankheitsprozess abgekoppelten Beendigung des Lebens scheidet folglich eine Rechtfertigung durch Einwilligung des Betroffenen aus.

§ 216 StGB ist rechtspolitisch umstritten. Teilweise wird gefordert, die Strafbarkeit konsentierter aktiver Sterbehilfe jedenfalls für solche Fälle aufzuheben, in denen ein Todkranker sie ohne äußeren Druck und bei vollem Bewusstsein verlange.

Dass eine Tötung auch bei einem darauf gerichteten Wunsch des Betroffenen nicht statthaft ist, entspricht dem Willen des Verfassungsgebers. Die Väter und Mütter des GG waren der Auffassung, dass niemand der eigenen Tötung durch seine Einwilligung den Unrechtscharakter nehmen kann.

Verfassungsrechtlich folgt dies aus dem Zusammenhang des Grundrechts auf Leben mit der Garantie der Unantastbarkeit der ↑Menschenwürde (Art. 1 Abs. 1 GG). Das Leben bildet die „vitale Basis der Menschenwürde" (BVerfGE 39, 1). „Die Würde des Menschen ist unantastbar" heißt, dass das Leben eines Menschen niemals und von niemandem rechtmäßig mit der Begründung ausgelöscht werden darf, es sei nicht mehr wert, gelebt zu werden. Der Lebensmüde bringt durch seine Entscheidung für den Tod zum Ausdruck: Mein Leben ist es *für mich* nicht mehr wert, weiter gelebt zu werden. Der Dritte, der sich auf seine Bitte hin frei verantwort-

lich für die Ausführung entscheidet und damit die Letzt-
verantwortung für das Geschehen übernimmt, übernimmt auch diese Einschätzung als *externe:* Für diesen
Menschen ist es besser, getötet zu werden als weiterzu-
leben. Sein Leben ist nicht mehr lebenswert. Eine
Rechtsordnung, die auf der unantastbaren ↑Würde des
Menschen, jedes Menschen gründet, die jedem Menschen Wert und Würde zuschreibt, kann die handlungsleitende externe Bewertung eines menschlichen Lebens
als „nicht mehr lebenswert" unter keinen Umständen
akzeptieren. Die Menschenwürde verlangt vielmehr,
dass dem Leben eines Menschen in jeder Situation ein
positiver Wert zuerkannt wird; dies gilt auch für Menschen, die im maßgeblichen Zeitpunkt ihren eigenen
Tod wünschen. Die Tötung auf Verlangen muss daher
in jedem Fall als objektiv unrichtig, d.h. rechtswidrig
bezeichnet werden. Sie darf in staatlichen Einrichtungen nicht durchgeführt werden, und der Staat ist in der
Pflicht, alles zu tun, um zu verhindern, dass Private,
seien es Ärzte oder andere, solches tun.

Die Rechtslage nach deutschem Recht steht in Übereinstimmung mit der EMRK. Art. 2 EMRK gibt kein
Recht darauf, mit Hilfe Dritter zu sterben (EGMR, Fall
Pretty v Vereinigtes Königreich, Beschwerde Nr. 2346/
02, Urteil vom 29.4.2002, §§ 39 f.). Der EGMR sieht den
Wunsch einer Person, die an einer schweren, unweigerlich zum Tod führenden Krankheit leidet, aber aufgrund
ihres Krankheitszustandes sich nicht mehr selbst töten
kann, mit Hilfe ihres Ehegatten aus dem Leben zu scheiden, zwar als vom Recht auf Achtung des Privatlebens
(Art. 8 Abs. 1 EMRK) erfasst an (Fall Pretty, §§ 65, 67;
s. auch den Fall Haas v Schweiz, Beschwerde Nr. 31322/
07, EGMR, Urteil vom 20.1.2011, § 51). Er hat gleichwohl ein im englischen Recht enthaltenes strafbewehr-
tes Verbot assistierter Selbsttötung mit der Begründung
gerechtfertigt, dass das Gesetz dazu bestimmt sei, das
Leben dadurch zu sichern, die Schwächsten und Verletz-
lichsten und insb. diejenigen zu schützen, die nicht
mehr in der Lage sind „to take informed decisions
against acts intended to end life or to assist in ending
life" (Fall Pretty, § 74). Es sei in erster Linie Sache der
Konventionsstaaten, die Missbrauchsgefahr im Fall der
Erlaubnis assistierten ↑Suizids abzuschätzen. Für die
Tötung auf Verlangen dürfte nichts anderes gelten. Die
Begründung des EGMR macht indes deutlich, dass er
auch die gegenteilige gesetzgeberische Entscheidung
billigen würde.

In den Niederlanden ist eine Tötung auf Verlangen
nicht strafbar, wenn sie von einem Arzt begangen wird
und dieser bestimmte „Sorgfaltskriterien" eingehalten
hat (freiwillige Bitte des Patienten nach reiflicher Überlegung; aussichtsloser Zustand und unerträgliches Leid;
Aufklärung des Patienten; gleiche Einschätzung durch
einen zweiten, unabhängigen Arzt; ärztliches Handeln
lege artis). In Belgien ist E. noch weitergehend frei-
gegeben, auch bei Minderjährigen. In beiden Ländern
sind die Fallzahlen aktiver Sterbehilfe deutlich angestie-

gen. Zudem gibt es Anhaltspunkte dafür, dass die beschränkte Zulassung der Tötung auf Verlangen zugl. zu
einer Zunahme von Tötungen ohne Verlangen geführt
hat, was die Gefahr eines Dammbruchs begründet. Es
kommt zu einem negativen Bewusstseinswandel im Umgang mit dem Leben, insb. erhöht sich die Bereitschaft,
auch ohne oder gar gegen den freien Willen des Sterbenden dessen Leben zu beenden, weil es von Dritten als
sinnlos und nicht mehr lebenswert angesehen wird.

Literatur

D. Lorenz: Aktuelle Verfassungsfragen der Euthanasie, in:
JZ 64/2 (2009), 57–67 • G. Duttge: Lebensschutz und Selbstbestimmung am Lebensende, in: ZfL 13/2 (2004), 30–38 •
R. Ingelfinger: Grundlagen und Grenzbereiche des Tötungs-
verbots, 2004 • K. Khorrami: Die „Euthanasie-Gesetze" im
Vergleich, in: MedR 21/1 (2003), 19–25 • K. Schmoller:
Lebensschutz bis zum Ende? Strafrechtliche Reflexionen zur
internationalen Euthanasiediskussion, in: ÖJZ 55/10 (2000),
361–377.   CHRISTIAN HILLGRUBER

Evaluation

E. verweist allg. auf eine Leistung des menschlichen Er-
fahrens zur reflexiven Einschätzung oder Bewertung
von Menschen, Dingen, Situationen und Handlungen.
E. bewertet etwas, indem es danach fragt, ob es einen
intendierten Zweck erfüllt. In ihrer jüngeren, aus dem
Englischen übernommenen Bedeutung bezeichnet professionelle E. einen sozialen Prozess der systematischen
Sammlung und nachvollziehbaren Bewertung eines
Produkts, eines Projektes, einer Person oder Personengruppe, einer Maßnahme, eines Programmes oder anderer Aktivitäten. E. hat einen klar definierten Gegenstand und wird von Experten anhand ausdrücklicher
Kriterien und auf der Grundlage empirisch erhobener
Daten durchgeführt, deren *Auswertung* bestimmten Regeln folgt. Zur Systematisierung und methodischen Legitimation hat sich eine eigenständige E.s-Forschung
ausgebildet, bei der vorwiegend sozialwissenschaftliche
Forschungsmethoden und -techniken zur Bewertung
eingesetzt werden.

1. Entwicklung der Evaluation

Wert und Bewertung sind klassische Kategorien der
↑Geisteswissenschaften und ↑Sozialwissenschaften.
Die heutige Verwendung des Begriffes der E., die im
Französischen einsetzt, wird aber vom angelsächsischen
Sprachraum bestimmt, wo er ab ca. 1900 stetig an Bedeutung gewinnt und nach 1980 seinen Höhepunkt erreicht. Im deutschsprachigen Raum wird E. vor 1960
wenig verwendet; zwischen 1960 und 1980 verfünffacht
sich die Zahl der Publikationen und steigt seither fast
exponentiell an. E. ist untrennbar mit der jüngeren Geschichte staatlicher Reformprogramme und Steuerungs-
versuche verbunden, um einer kritischen ↑Öffentlich-
keit oder anderen formalen Organisationen gegenüber

Rechenschaft über Wirksamkeit, Qualität und Effizienz abzugeben. Unter Rückgriff auf Methoden aus der Psychologie, Soziologie, Politikwissenschaft und Marktforschung setzt die E. in den USA im Bildungsbereich ein. Ihre Entwicklung kann in verschiedene Phasen unterschieden werden: Die Ausbildung des Taylorismus (nach Frederick Winslow Taylor) und der psychologischen Messtechnik kann als eine Vorphase der E. angesehen werden. Ihren eigentlichen Beginn nimmt sie in den 1930er Jahren mit Ralph Tyler, der als „Vater der E." gilt. Er entwickelte Messverfahren für die Akkreditierung von Lernleistungen. In der zweiten Phase steht die Beschreibung stärker im Vordergrund. Im Rahmen etwa der „Eight Year Study" wird nun auch überprüft, ob und wie die gesetzten Ziele erreicht werden. Die dritte Phase betont die Beurteilung: Nun treten zum Messen und Beschreiben auch häufig experimentell untersuchte Kriterien der Bewertung von Leistungsfähigkeit hinzu. Die vierte Phase folgt einer scharfen Kritik am Nutzen des E.s-Wissens in den 1980er Jahren; diese führt zur Umstellung auf stärker betriebswirtschaftlich orientierte Methoden wie das New Public Management und das ↑Qualitätsmanagement, die auf den breiten *Instrumental Use* zielen. In der jüngsten Phase werden schließlich demokratische Prozesse verstärkt und, etwa bei der „Empowerment E." (Fettermann 1994), die Perspektiven der Beteiligten zunehmend auch mithilfe qualitativer, responsiver Verfahren einbezogen und auf Aktivitäten wie Qualitätssicherung, Qualitätszirkel sowie die Ermittlung von Benchmarks zum Leistungsvergleich erweitert. In Deutschland setzt die E. mit der Planungseuphorie und der Curriculums-E. ab 1960 ein und weitet sich auf große Bereiche der öffentlichen, aber auch privaten ↑Dienstleistungen aus, wie etwa im Hochschulsystem, im Bildungssystem, in der ↑Umweltpolitik und bei therapeutischen Maßnahmen. In jüngerer Zeit findet sie sich auch etwa in Form des Qualitätsmanagements im ökonomischen Bereich. Folgt sie in den 1970er Jahren einem kritischen Impuls, so folgt sie heute zunehmend der amerikanischen wirkungsorientierten Entwicklung.

2. Institutionalisierung der Evaluation
Die Systematisierung der E. wird zunächst in den USA vollzogen, sie gewinnt dann im Rahmen transnationaler Vergleichsstudien (PISA) eine transnationale Bedeutung. In den USA ist die E. bereits eine eigenständige universitäre Disziplin. Zwischenzeitlich gibt es über 20 nationale und internationale E.s-Gesellschaften, so auch in Deutschland (DeGEval), Österreich und der Schweiz (SEVAL); international gibt es auf E. spezialisierte Institutionen in zahlreichen anderen Ländern sowie in transnationalen Einrichtungen, wie etwa der UNO, der EU, der OECD oder dem IWF. Neben dem Ausbau verschiedenster spezialisierte Forschungsabteilungen weisen auf E. spezialisierte Studiengänge sowie Handbücher zur E. allg. auf eine zunehmende Professionalisierung hin.

3. Evaluationsforschung
E.s-Forschung bezeichnet die „explizite Verwendung wissenschaftlicher Forschungsmethoden und Techniken für den Zweck der Durchführung einer Bewertung" (Wottawa/Thierau 1998: 13) und „betont die Möglichkeit des Beweises anstelle der reinen Behauptung bzgl. des Wertes und Nutzens einer bestimmen sozialen Aktivität" (Wottawa/Thierau 1998: 13). Die E.s-Forschung widmet sich nicht nur der Frage, was, wie und wer evaluiert wird, sondern zielt auch auf die Frage nach der Bewertung der E.s-Verfahren selbst. Die E.s-Forschung weist einen „dualen" Charakter auf, da sie zugleich wertend und analytisch beschreibend sein soll. Von der wissenschaftlichen ↑Forschung unterscheidet sie sich durch häufig implizite Theorieanlagen, begrenzte Fragestellungen, hohen Zeitdruck der Durchführung, Einfluss von Machtinteressen, begrenzte Publikationsmöglichkeiten und ihren intervenierenden Charakter. Sie folgt häufig einem „rationalistischen Ansatz […]" (Stamm 2003: 61), der hypothesenbildend verfährt und standardisierte Methoden der ↑empirischen Sozialforschung (z. B. Fragebögen mit quantitativer Auswertung) einsetzt, aber auch klinische Studien und Experimente. In jüngerer Zeit breitet sich vermehrt eine qualitative E.s-Forschung aus, in der auch explorative Erhebungen durchgeführt und interpretative Methoden eingesetzt werden. Diese Forschung geht einher mit der Ausbreitung des „konstruktivistische[n]" Paradigmas, das von der Konstruiertheit der Bewertung ausgeht (Stamm 2003: 63). Dadurch ergibt sich eine Verbindung mit stärker wissenssoziologisch ausgerichteten Untersuchungen, die die E. (und Valuation) als ein soziales Phänomen und als soziale Konstruktion(↑Konstruktivismus) ansehen.

4. Formen der Evaluation
Helmut Kromrey unterschied drei verschiedene Grundformen der E., die sich wiederum in verschiedene Einzelmodelle unterscheiden lassen: Die *methodenorientierte* E., wie sie beispielsweise als Objectives-Oriented E. schon von R. Tyler begründet wurde, die *nutzerorientierte* E., wie etwa die Utilization-Focused E. und die *bewertungsorientierte* E., wie etwa das Valuing. E.en unterscheiden sich auch hinsichtlich der Skala ihres Gegenstandes. Sie können sich als Mikro-E.en auf einzelne Handlungen (↑Handeln, Handlung), ↑Individuen, ↑Gruppen (z. B. Schulklassen) oder als Makro-E.en auf ↑Hochschulen, Hochschulsysteme oder ganze Bildungssysteme (z. B. PISA) beziehen. Auch zeitlich variiert die E.: Es kann sich um eine rückblickende Bewertung von etwas Vergangenem handeln, sie kann einen gleichzeitig zur E. ablaufenden Prozess begleiten oder eine prospektive Bewertung vornehmen. Ihre Organisationsform kann intern, extern oder eine Selbst-E. sein. Ihr systematischer Charakter zeichnet sich dadurch aus, dass empirische Daten erhoben werden, auf die verschiedene Analyseperspektiven (Kontext, Input, Pro-

zess) angelegt und die mithilfe der genannten Methoden anhand vereinbarter und ausdrücklicher Gütekriterien bewertet werden. Dazu können einmal die Kriterien der empirischen Sozialwissenschaft gehören, wie Validität, Reliabilität und Objektivität, aber auch praktische Kriterien, wie etwa Glaubwürdigkeit, Übertragbarkeit, Verlässlichkeit und Bestätigbarkeit, Wirksamkeit, Effizienz, ↑Nutzen, Relevanz, ↑Kosten, Qualität, Akzeptanz, (Neben-)Wirkungen und Folgen. In jüngerer Zeit setzen sich auch Kriterien wie Transparenz, Intervention und ↑Kommunikation durch. E.en können die Form von Leistungsindikatoren, Rankings oder Akkreditierungssystemen annehmen. Bei der E. können verschiedene Rollenbilder leitend sein, wie die E. als Faktensammeln, als Begutachtung, als Moderation oder als Entwicklungshilfe. Dabei stehen verschiedene Handlungsstrategien im Vordergrund, die von der neutralen Beobachtung über die Begleitung im E.s-Verlauf bis hin zur dabei angestrebten Veränderung reichen können. Der E. werden unterschiedliche manifeste Funktionen zugeschrieben, wie ↑Legitimation, Kontrolle, Überprüfung oder Entwicklung; sie ist aber häufig auch mit latenten Funktionen verbunden, wie Beschönigung, Rechtfertigung, Weißwaschen, Untergrabung, Aufschiebung, Imponieren, Verzerrung.

5. Bewertung der Evaluation

Sofern sie sich auf öffentliche Maßnahmen bezieht, steht E. im Zusammenhang mit dem Übergang vom patriarchal sorgenden ↑Wohlfahrtsstaat zum aktivierenden schlanken Staat und der Ausbildung einer zivilgesellschaftlichen Kultur (↑Zivilgesellschaft), die auch mit Begriffen wie Monitoring, Auditing oder Aktivierung bezeichnet wird. Sie wird als Beitrag zur Durchsetzung von Werten wie Rationalität, Effektivität und Effizienz angesehen. Darauf zielen aber auch kritische Stimmen. So sieht Christine Schwarz die „Evaluation als modernes Ritual" an (Schwarz 2006). Thomas Höhne bringt sie mit der „Durchsetzung neoliberaler Programmatiken und Praktiken" (Höhne 2006: 204) in Verbindung, wie sie im New Public Management, Total Quality Management und Governance-Modellen (↑Governance) zum Ausdruck kommt; sie folge weniger einer funktionalen Notwendigkeit, sondern diene der Durchsetzung eines globalen Rationalitätsmodells. Am Beispiel der E. in der ↑Wissenschaft betont Richard Münch, dass E. nicht zur Gleichheit beitrage, sondern bestehende Statushierarchien lediglich verändere bzw. neue Statushierarchien erzeuge.

Literatur

M. Lamont: Toward a Comparative Sociology of Valuation and Evaluation, in: Annu. Rev. Sociol. 38/1 (2012), 201–221 • M. Scriven: The Logic of Valuing, 2012 • T. Widmer: Evaluation, 2009 • R. Münch: Stratifikation durch Evaluation, in: ZfS 37/1 (2008), 60–80 • M. Q. Patton: Utilization Focused Evaluation, 2008 • U. Flick: Qualitative Evaluationsforschung, 2006 • T. Höhne: Evaluation als Medium der Exklusion, in: S. Weber/S. Maurer (Hg.): Gouvernementalität und Erziehungswissenschaft, 2006, 197–218 • E. v. Kardoff: Zur gesellschaftlichen Bedeutung und Entwicklung (qualitativer) Evaluationsforschung, in: U. Flick: Qualitative Evaluationsforschung (Hg.), 2006, 63–91 • C. Schwarz: Evaluation als modernes Ritual, 2006 • M. Stamm: Evaluation und ihre Folgen für die Bildung, 2003 • H. Kromrey: Evaluation – ein vielschichtiges Konzept, in: SuB 24/2 (2001), 127–164 • W. Wottaw/H. Thierau: Lehrbuch Evaluation, 1998 • D. M. Fetterman: Empowerment Evaluation, 1994 • C. Wulf: Evaluation, 1972.   HUBERT KNOBLAUCH

Evangelischer Erziehungsverband (EREV)

↑Christliche Bildungs- und Erziehungsverbände

Evangelische Arbeitsgemeinschaft Familie (EAF)

↑Familienverbände, christliche

Evangelische Hilfswerke

1. Einführung

Die Anfänge der e.n H. im Rahmen des Entwicklungsdienstes der Kirchen liegen in den späten 1950er Jahren. Ihre Institutionalisierung vollzog sich parallel zum Beginn der staatlichen Entwicklungszusammenarbeit (EZ) und ist auch als Antwort auf den Prozess des Unabhängig-Werdens der ehemaligen Kolonien und die Entstehung eigenständiger Kirchen in diesen Ländern zu sehen. Nach der weiteren Ausdifferenzierung e.r H. erfolgte 2012 ihre institutionelle Bündelung unter dem Dach des EWDE mit Sitz in Berlin.

2. Geschichte und Struktur

Die ersten systematischen Bemühungen der protestantischen Kirchen (↑Protestantismus), grenzüberschreitende Hilfe zu leisten, reichen in die Zeit nach dem Ersten Weltkrieg zurück. Das 1922 gegründete „Europäische Zentralbüro für zwischenkirchliche Hilfe" unterstützte die Kirchen Europas beim Wiederaufbau und bei der Hilfe für Flüchtlinge. Auch nach dem Zweiten Weltkrieg wurden u. a. beim LWB und dem 1948 gegründeten ÖRK Hilfsstrukturen geschaffen, um die Not in den kriegszerstörten Ländern zu lindern. Das 1945 von der Kirchenversammlung gegründete „Hilfswerk der evangelischen Kirche", aus dem später 1957 das ↑Diakonische Werk (DW) hervorging, sollte den kirchlichen Beitrag zum Wiederaufbau und die Hilfe für Vertriebene und Flüchtlinge (↑Flucht und Vertreibung) organisieren. Es konnte sich hierfür v.a. auf die Solidarität der Kirchen aus Europa und den USA stützen. Das Hilfswerk der ↑EKD und der deutsche Zweig des LWB wurden ab Mitte der 1950er Jahre ihrerseits als Spender für ökumenische Hilfsprogramme aktiv. Im Advent 1959 baten der Rat der EKD und die evangelischen Freikirchen die ⸱ evangelischen Christen in beiden Teilen Deutschlands mit dem Aufruf „Brot für die Welt" um ein Weihnachtsopfer für die Notleidenden. Die zunächst als einmalige Spendenaktion (↑Spende) gedachte Sammlung wurde angesichts ihres Erfolgs und der wachsenden öffentlichen Aufmerksamkeit für die Notlagen in der Welt fortgesetzt und unter dem Dach des DW der EKD organisatorisch verortet. Die erste Aktion hat eine Initialzündung ausgelöst. Sie hat zugl. den Anstoß dafür gegeben, dass sich die EZ als eigenständiges Tätigkeitsfeld der Kirche etablieren konnte. Auch im Bund der Evangelischen Kirchen der DDR wurde für BfdW gesammelt, die Aktion verfügte allerdings in der DDR nie über eine eigene institutionelle Struktur.

Dem 1960 vorgetragenen Angebot der Regierung Konrad Adenauers, den Kirchen staatliche Mittel für die EZ zur Verfügung zu stellen, begegnete BfdW auch mit Rücksicht auf die Kirchen im Osten mit Zurückhaltung. Während die KZE unter dem Dach des Bischöflichen Hilfswerks „Misereor" angesiedelt wurde, gründete die evangelische Seite daher mit der EZE 1962 in Bonn eine Organisation, die Entwicklungsprojekte mithilfe staatlicher EZ-Mittel umsetzte. 1960 war zudem auf Initiative von BfdW der Verein DÜ als Agentur für die Vermittlung von Fachkräften gegründet worden. Die Synode der EKD beschloss 1968, dass die Kirchen einen höheren Beitrag zur Bekämpfung der Not in der Welt leisten müssten und dass dafür – neben den Kollekten – auch Haushaltsmittel im Umfang von 2% bereitgestellt werden sollten. Zur Koordination der Vergabe und zur Förderung der entwicklungsbezogenen Inlandsarbeit wurde 1969 ein Referat für den KED im Kirchenamt der EKD eingerichtet. Die Koordination der fünf Werke BfdW, DÜ, EZE, KED und „Evangelischem Missionswerk" oblag dem Vorstand der Arbeitsgemeinschaft KED.

Aus der Fusion von EZE, DÜ, KED, „Ökumenischem Weltdienst" und „Ökumenischem Stipendienwerk" entstand 1991 der EED mit Sitz in Bonn, der für seine Projekte in erster Linie staatliche EZ-Mittel und kirchliche Haushaltsmittel zur Verfügung hatte, wohingegen BfdW als spendensammelndes Werk noch unter dem Dach des DW verblieb. 2012 entstand durch die Fusion von EED und DW das EWDE mit Sitz in Berlin. Es bildet nunmehr das größte kirchliche Hilfswerk dieser Art in Europa.

3. Konzeptionelle Grundsätze

Die ersten evangelischen Sammelaktionen für die Hungernden waren Ausdruck des Dankes für die internationale Unterstützung, welche Deutschland nach dem Krieg erfahren hatten. „Nur die Not" sollte der Maßstab dieser Hilfe sein und daher allen Notleidenden, egal welcher Volkszugehörigkeit, Religion oder politischen Orientierung, zukommen. Aus dieser Grundmotivation heraus ging BfdW in seinem ersten Jahrzehnt auf Distanz zur staatlichen ↑Entwicklungspolitik, der damals vorgeworfen wurde, zu stark von außen- und wirtschaftspolitischen Eigeninteressen geprägt zu sein.

Nach dem karitativen Ansatz der Anfangsjahre rückten im Laufe der 1960er Jahre Fragen der sozialen ↑Gerechtigkeit und der Entwicklungsförderung in den Vordergrund. Zugl. wurde die Notwendigkeit einer bewusstseinsbildenden Arbeit im eigenen Land als Bestandteil des entwicklungsbezogenen Handelns der Kirche anerkannt. Es waren v. a. Impulse aus der weltweiten Ökumene, insb. der Vollversammlung des ↑ÖRK 1968 in Uppsala, die eine stärkere Profilierung des kirchlichen Entwicklungshandelns angestoßen haben. 1973 legte die EKD die Denkschrift „Der Entwicklungsdienst der Kirche – ein Beitrag für Frieden und Gerechtigkeit" vor, die in den folgenden Jahrzehnten als theologische und konzeptionelle Grundlegung evangelischer EZ breite Anerkennung fand. Die Entwicklungsverantwortung der Kirche wird darin ins Zentrum der Praxis des christlichen Glaubens gerückt: „[d]er christliche Glaube findet im entwicklungspolitischen Engagement unter den heutigen Umständen eine entscheidende Bewährungsprobe" (Rat der EKD 1973: 50). Die Kirche wird aufgefordert, sich an der Schaffung „einer weltweiten verantwortlichen Gesellschaft mit Gerechtigkeit für alle" (Rat der EKD 1973: 17) zu beteiligen. Die Entwicklungsverantwortung der Kirchen ist am Ziel der sozialen Gerechtigkeit orientiert. Christliche ↑Solidarität äußert sich in erster Linie im Beistand für die Armen und Unterdrückten. „Den Armen Gerechtigkeit" lautete die Grundsatzerklärung von BfdW 1989. Neben dem Empowerment der Benachteiligten liegt die Einflussnahme auf politische Rahmenbedingungen, die die Überwindung von sozialer Ungerechtigkeit behindern, im Mandat des Handelns e.r H. Dabei sind e. H. i. d. R. nicht selbst im Süden operativ tätig, sondern unterstützen gemäß dem Partnerschaftsprinzip lokale Partnerorganisationen in der Umsetzung ihrer Arbeit vor Ort.

4. Das EWDE

Im 2012 gegründeten EWDE arbeiten Diakonie Deutschland – Evangelischer Bundesverband und Brot für die Welt – Evangelischer Entwicklungsdienst zusammen. BfdW nimmt für die evangelischen Kirchen die Aufgaben des Entwicklungsdienstes, der humanitären Hilfe und der weltweiten zwischenkirchlichen Hilfe wahr. Diakonie, Katastrophenhilfe und Kirchen helfen Kirchen sind Teil des Werkes BfdW. Die Mitgliedschaft des EWDE setzt sich aus mehr als 120 Mitgliedern zusammen, darunter die evangelischen Landes- und Freikirchen, die diakonischen Landes- und Fachverbände, sowie die EKD. BfdW standen 2016 insgesamt 274 Mio. Euro zur Verfügung, davon 140 Mio. aus staatlichen Mitteln des BMZ, Spenden und Kollekten in Höhe von 62 Mio. Euro sowie kirchliche Mittel von 54 Mio. Euro. Weltweit bewilligte das Werk 2016 631 neue Projekte.

Die Fusion von Diakonie und Entwicklungsdienst ermöglicht eine engere Verzahnung von diakonischer Arbeit im Inland und internationaler EZ, was sich angesichts der Herausforderungen der globalisierten Welt

(↑Globalisierung) u. a. in Fragen der internationalen ↑Sozialpolitik, von ↑Migration und Flucht, der Hilfe im Katastrophenfall oder im Blick auf die Umsetzung der „Agenda 2030" der ↑UNO bes. bewährt.

Literatur
Brot für die Welt: Jahresbericht 2016 • U. Willems: Entwicklung, Interesse und Moral, 1998 • Rat der EKD: Der Entwicklungsdienst der Kirche, 1973 • C. Berg: Brot für die Welt – Dokumente, 1962.　　　　　　　　　　KLAUS SEITZ

Evangelische Kirche in Deutschland (EKD)

Die EKD ist gemäß Art. 1 Abs. 1 ihrer Grundordnung „die Gemeinschaft ihrer lutherischen, reformierten und unierten Gliedkirchen." Sie ist Ausdruck des in Landeskirchen gegliederten ↑Protestantismus in Deutschland. In der EKD finden sich somit alle evangelischen Landeskirchen auf dem Gebiet der BRD zusammen und in ihr bildet sich die konfessionelle Ausdifferenzierung des Protestantismus in Deutschland ab. Bei den 20 Landeskirchen, die als Gliedkirchen die EKD bilden, handelt es sich um die Evangelische Landeskirche Anhalts, Evangelische Landeskirche in Baden, Evangelisch-Lutherische Kirche in Bayern, Evangelische Kirche Berlin-Brandenburg-schlesische Oberlausitz, Evangelisch-lutherische Landeskirche in Braunschweig, Bremische Evangelische Kirche, Evangelisch-lutherische Landeskirche Hannovers, Evangelische Kirche in Hessen und Nassau, Evangelische Kirche von Kurhessen-Waldeck, Lippische Landeskirche, Evangelische Kirche in Mitteldeutschland, Evangelisch-Lutherische Kirche in Norddeutschland (Nordkirche), Evangelisch-Lutherische Kirche in Oldenburg, Evangelische Kirche der Pfalz, Evangelisch-reformierte Kirche, Evangelische Kirche im Rheinland, Evangelisch-Lutherische Landeskirche Sachsens, Evangelisch-Lutherische Landeskirche Schaumburg-Lippe, Evangelische Kirche von Westfalen, Evangelische Landeskirche in Württemberg.

Die Territorien der Gliedkirchen der EKD orientieren sich weitgehend an historischen politischen Grenzen des 19. Jh. Seit Gründung der EKD im Jahr 1945 haben sich allerdings verschiedene Fusionen von Landeskirchen ergeben, die zu der heutigen Gliederung geführt haben. Ende 2016 hatten die Landeskirchen zusammen etwa 21,9 Mio. Kirchenmitglieder, „die durch (ihre) … Mitgliedschaft in einer Kirchengemeinde und in einer Gliedkirche … zugleich der Evangelischen Kirche in Deutschland" angehören (Art. 1 Abs. 4 der Grundordnung der EKD).

1. Geschichte, Entwicklung und Selbstverständnis
Eine übergreifende kirchliche Gesamtorganisation des deutschen Protestantismus hat es aufgrund der konfessionellen und politischen Ausdifferenzierungen seit der Reformationszeit über Jahrhunderte hinweg nicht gege-

ben. Im Zuge des Augsburger Religionsfriedens von 1555 bildete sich vielmehr eine Vielzahl von Territorialkirchen. Nach dem reichsrechtlich geltenden Grundsatz *cuius regio eius religio* übten in diesen protestantischen Territorialkirchen die jeweiligen Landesherrn die oberste Kirchenleitung aus. In konfessioneller Prägung bildeten sich im Zuge der weiteren, v. a. politischen Entwicklung die territorial begrenzten, partikularen Landeskirchen als eigenständige kirchliche Rechtspersönlichkeiten heraus. Partikularität und konfessionelle Differenzen hinderten die Entwicklung eines protestantischen Einheitsbewusstseins trotz der Gemeinsamkeiten im Bekenntnis und im Gegenüber zum ↑Katholizismus bis zum Beginn des 19. Jh. Im Wege standen zum einen die Spannung zwischen dem ideellen Einheitswunsch und dem geschichtlich entstandenen landeskirchlichen Autonomie, zum anderen die konzeptionell unterschiedlichen Vorstellungen von Unionen zwischen Reformierten und Lutheranern sowie drittens Vorbehalte des konfessionsbewussten ↑Luthertums. Unionsschlüsse zwischen den ↑Konfessionen, sei es als bloße Verwaltungsunionen oder als bekenntnisverbindende Konsens-Unionen, förderten Einigungsbestrebungen über die Einzelterritorien hinweg zunächst weniger, als dass sie zu einer Abgrenzung der partikularen Einheiten führten.

1.1 Entwicklung von Zusammenarbeit
Im Zuge politischer Einigungsbewegungen wuchs das Bemühen um eine kirchliche Einigung im deutschen Protestantismus. Die Vorstellungen einer Konföderation konfessionell selbständiger Kirchen – Gegenstand von Beratungen auf dem Wittenberger Kirchentag im September 1848 – wurden aber nicht verwirklicht. In dem geschäftsführenden Ausschuss eines vorgesehenen „Deutschen Evangelischen Kirchenbundes" versagten die vorgesehenen Vertreter des konfessionellen Luthertums ihre Mitarbeit. Aus diesen Bemühungen ging jedoch eine Zusammenarbeit in Form pragmatischer kirchenpolitischer Kooperationen hervor, allerdings in klarer Abgrenzung von der Idee einer nationalkirchlichen Gesamtorganisation. Mit der „Deutschen Evangelischen Kirchenkonferenz" (nach ihrem Tagungsort auch „Eisenacher Konferenz" genannt) entstand ab 1852 eine Zusammenkunft, die regelmäßig alle zwei Jahre Vertreter von Kirchenleitungen zusammenführte. Gemäß ihrem Ziel gelang es der Konferenz, die bis ins Jahr 1922 in dieser Form zusammenkam, „auf der Grundlage des Bekenntnisses, wichtigere Fragen des kirchlichen Lebens in freiem Austausche zu besprechen und, unbeschadet der Selbständigkeit der einzelnen Landeskirche, ein Band ihres Zusammengehörens darzustellen und die einheitliche Entwickelung ihrer Zustände zu fördern" (Huber/Huber 1976: 297). Konkret gelangen etwa eine Gesangbuchreform, die Revision der Lutherbibel, die Empfehlung einer einheitlichen Perikopenordnung, eine Reform der kirchlichen Amtshandlungen. Als stän-

diges, handlungsfähiges Organ wurde der Deutschen Evangelischen Kirchenkonferenz 1903 ein „Deutscher Evangelischer Kirchenausschuss" vorangestellt, der 1905 durch preußischen Erlass als K. d. ö. R. anerkannt wurde. Nach dem Ende des landesherrlichen Kirchenregiments infolge des Ersten Weltkriegs und unter der ↑WRV löste 1922 ein „Deutscher Evangelischer Kirchenbund" die bisherige Konferenz ab, nunmehr als ein Mittel der gemeinsamen Vertretung der territorial und kirchenrechtlich wieder gefestigten Landeskirchen gegenüber dem Staat. Gemäß Art. 137 Abs. 5 WRV war dieser Bund als ein Zusammenschluss mehrerer öffentlich-rechtlich verfasster ↑Religionsgemeinschaften selbst öffentlich-rechtliche Körperschaft.

1.2 Protestantismus im Nationalsozialismus
Vorstellungen von einer Nationalkirche erhielten durch die Machtergreifung der Nationalsozialisten (↑Nationalsozialismus) neuen Auftrieb. Adolf Hitlers Gleichschaltung machte auch vor dem Bereich der Kirchenpolitik nicht halt. Mit Hilfe der neuen Glaubensbewegung der „Deutschen Christen" wurde Mitte 1933 die „Deutsche Evangelische Kirche" als in den Kompetenzen erheblich gestärkter Zusammenschluss der Landeskirchen im Sinne einer zentralistischen Bundeskirche errichtet, an deren Spitze ein „Reichsbischof" stand. Ihre Verfassung aber bildete einen nicht funktionsfähigen Kompromiss zwischen Unitarismus und Führerprinzip einerseits und föderalen Elementen andererseits. Gegen diese Reichskirche regte sich Widerstand. Entschließungen, v. a. die „Barmer Theologische Erklärung", die 1934 von der „Barmer Bekenntnissynode" beschlossen wurden, an der sich Vertreter aus 18 damaligen Landeskirchen beteiligten, wurden zu maßgebenden Grundlagen der Arbeit der ↑„Bekennenden Kirche". Diese widersetzte sich dem Zentralismus und bestand darauf, dass die Deutsche Evangelische Kirche ein Bund bekenntnismäßig bestimmter Landeskirchen bleiben müsse. So begann ihr Zerfall bereits mit dem Jahr 1934. Am Ende des NS-Staates befand sich die Deutsche Evangelische Kirche faktisch in organisatorischer Auflösung.

1.3 Gründung und Anfangsphase der Evangelischen Kirche in Deutschland
Vor dem Hintergrund der durch die nationalsozialistische Gleichschaltung belasteten und letztlich gescheiterten zentralistischen Nationalkirche in den 30er Jahren des 20. Jh. kam nach dem Zweiten Weltkrieg eine Neuordnung des Protestantismus in Deutschland nur auf der Grundlage autonomer, bekenntnisgebundener Landeskirchen in Frage. Unter den Eindrücken der zurückliegenden Zeit gewann die unterschiedliche Bekenntnisbindung der einzelnen Landeskirchen beim schwierigen Ringen um eine gesamtkirchliche protestantische Ordnung in Deutschland eine bes. Bedeutung. Noch 1945 beschloss eine erste Kirchenversammlung in Treysa die Fortsetzung des bisherigen Zusammenschlusses der

deutschen evangelischen Landeskirchen als „Evangelische Kirche in Deutschland". Die Ausarbeitung der endgültigen Grundordnung bedurfte aber einer Kompromissbildung der widerstreitenden Vorstellungen für die neue gesamtevangelische Ordnung. Grundlegende Divergenzen bestanden zwischen den Vertretern des aus der Bekennenden Kirche hervorgegangenen Bruderrates einerseits und den Vertretern des Luthertums andererseits v. a. in der Frage des Abendmahlsverständnisses und hinsichtlich des Selbstverständnisses der EKD. Die lutherischen Vertreter hielten die EKD nur als einen Bund bekenntnisverschiedener Kirchen für möglich und suchten sich gegen einen mit Unionismus gleichgesetzten Zentralismus zu wehren. Dagegen zielten die Bemühungen der Vertreter des Bruderrates auf eine EKD, die als Einheitskirche ihre Bekenntnisbindung in der Barmer Theologischen Erklärung haben sollte. Parallel zu diesem Prozess bildete sich die ↑„Vereinigte Evangelisch-Lutherische Kirche Deutschlands" (VELKD), in der sich bis auf drei alle lutherischen Landeskirchen zu einer Kirche verbanden. In dieser Situation war die Formulierung einer Grundordnung für die EKD nur als Kompromiss möglich, bei dem sowohl die Frage des Selbstverständnisses der EKD als auch die der Kanzel- und Abendmahlsgemeinschaft ungeklärt bleiben musste. Gleichwohl wurde die Existenznotwendigkeit der EKD für die Einheit des Protestantismus in Deutschland akzeptiert. Die am 13.7.1948 beschlossene Grundordnung, die die EKD als „Bund lutherischer, reformierter und unierter Kirchen" konstituierte, ließ in ihrer ursprünglichen Fassung dementsprechend die Gegensätze erkennen, die bei ihrer Entstehung überbrückt werden mussten. Von Beginn an ist vor diesem Hintergrund in der EKD die Diskussion kontrovers darüber geführt worden, ob die EKD „Kirche" sei. Diese Diskussion ist für das Zusammenleben der EKD-Gliedkirchen in den ersten Jahrzehnten bestimmend geblieben. Mit Blick darauf beschreibt der lutherische Systematiker Peter Brunner das Dilemma, das diese Diskussion bestimmte und damit der Vertiefung der Gemeinschaft innerhalb der EKD in der weiteren Zeit im Wege stand: „Damit stehen wir vor der Tatsache, dass die reformierten und unierten Kirchen in der EKD diese zwar aufrichtig als einen Bund bekenntnisbestimmter Kirchen anerkennen, aber gleichzeitig von ihrem dogmatischen Standort aus als Kirche, die durch das Band der *unitas* zusammengehalten ist, in Anspruch nehmen können, ja dazu sogar genötigt sind. Auf der anderen Seite stehen die lutherischen Kirchen (...). Diese Kirchen können die EKD nur in einem uneigentlichen Sinn Kirche nennen. (...) Die bestehende Gemeinschaft der deutschen evangelischen Christenheit und eine durch *communio* verbundene Kirche sind für die lutherischen Kirchen zwei verschiedene Größen." (Brunner 1953/54: 161 f.). Ausgehend von den grundlegenden Fragen der Kircheneigenschaft der EKD und der Kanzel- und Abendmahlsgemeinschaft zwischen den Gliedkirchen der EKD

wurden bereits 1947 theologische Lehrgespräche initiiert, die maßgebend die Anfangszeit der EKD bestimmten. In zwei Kommissionen für das Abend-
mahlsgespräch in der EKD wurden nach dem Ort
der Zusammenkunft als „Arnoldshainer Abendmahls-
thesen" bezeichnete, als verbindlich verstandene Ergebnisse des theologischen Gesprächs formuliert, die aber
nicht die Zustimmung aller Gliedkirchen und deshalb
zunächst noch nicht Eingang in die Grundordnung der
EKD fanden. In den ersten zwei Jahrzehnten der Existenz der EKD hatten sich so aufgrund der konfessionellen Bindungen Gruppierungen einzelner Gliedkirchen
herausgebildet, was als Blockbildung empfunden wurde
zwischen den Kirchen der Vereinigten Evangelisch-
Lutherischen Kirche Deutschlands einerseits und den
übrigen überwiegend uniert geprägten Gliedkirchen
der EKD andererseits, die seit 1967 in einer „Arnoldshainer Konferenz" zur Zusammenarbeit lose zusammengeschlossen waren. Zu den Mitgliedskirchen der
Arnoldshainer Konferenz gehörten auch die Mitgliedskirchen der aus der altpreußischen Union hervorgegangenen „Evangelischen Kirche der Union".

Zu den prägenden Ereignissen der Anfangsphase der
EKD gehört ferner der Verlust der gesamtdeutschen
Einheit über die Grenze zur ↑DDR hinweg. War es bereits seit dem Bau der Berliner Mauer 1961 nahezu unmöglich geworden, die organisatorische Einheit gemeinsam aufrecht zu erhalten, erzwangen weitere staatliche
Behinderungsmaßnahmen gegenüber den gesamtkirchlichen Leitungsgremien der EKD ein organisatorisches
Auseinandertreten. Diese Entwicklung gelangte zu
einem Abschluss durch die Gründung eines selbständigen „Bundes der Evangelischen Kirchen in der DDR"
(BEK) durch die seinerzeit acht Landeskirchen in der
DDR im Jahr 1969. Die so erzwungene Trennung konnte nach der deutschen Wiedervereinigung durch die
Herstellung der Einheit der EKD im Jahr 1991 überwunden werden.

1.4 Leuenberger Konkordie und ihre Konsequenzen
für die Evangelische Kirche in Deutschland
Parallel zu den die Herstellung der Kanzel- und Abendmahlsgemeinschaft betreffenden lutherisch-reformier-
ten Lehrgesprächen im deutschen Kontext und sich gegenseitig befruchtend verlief in den 60er und 70er
Jahren des 20. Jh. ein Prozess von Lehrgesprächen zwischen den europäischen reformatorischen Kirchen, der
im März 1973 zum Beschluss der „Konkordie reforma-
torischer Kirchen in Europa (Leuenberger Konkordie)"
führte. Mit der Leuenberger Konkordie haben lutherische, reformierte und unierte Kirchen Europas in der
Bindung an die sie verpflichtenden Bekenntnisse und
unter Berücksichtigung ihrer Traditionen die theologischen Grundlagen ihrer Kirchengemeinschaft dargelegt,
das gemeinsame Verständnis des Evangeliums formuliert und einander Gemeinschaft an Wort und Sakrament gewährt. Dies schließt Kanzel- und Abendmahls-

gemeinschaft und die gegenseitige Anerkennung der
Ordination ein. Mit der „Erklärung und Verwirklichung
der Kirchengemeinschaft" in der Leuenberger Konkordie wird festgestellt, dass die der hiermit erklärten Kirchengemeinschaft seit dem 16. Jh. entgegenstehenden
Trennungen aufgehoben sind. „Kirchengemeinschaft
im Sinne dieser Konkordie bedeutet, dass die Kirchen
verschiedenen Bekenntnisstandes aufgrund der gewonnenen Übereinstimmung im Verständnis des Evangeliums einander Gemeinschaft an Wort und Sakrament
gewähren und eine möglichst große Gemeinsamkeit in
Zeugnis und Dienst an der Welt erstreben" (Art. 29 Leuenberger Konkordie). Die Leuenberger Konkordie ist
unmittelbar von allen Gliedkirchen der EKD und inzwischen auch von der EKD selbst unterzeichnet worden.
Die Signatarkirchen der Leuenberger Konkordie bilden
heute als Mitgliedskirchen die „Gemeinschaft Evangelischer Kirchen in Europa" (GEKE). Die Leuenberger
Konkordie ist zu einem wichtigen Schlüssel für die Weiterentwicklung der EKD geworden. Im Jahr 1984 hat
die in der Konkordie ausgesprochene Kirchengemeinschaft durch Änderung der Art. 1 und 4 Eingang in die
Grundordnung der EKD gefunden. Eine im Zuge der
deutschen und europäischen Lehrgespräche und ihrer
Ergebnisse in den 70er Jahren des 20. Jh. angestrebte
grundlegende Novellierung der Grundordnung der
EKD, die nicht zuletzt auf erweiterte Kompetenzen der
EKD im Verhältnis zu den Gliedkirchen abstellte, ist
allerdings nicht zustande gekommen. Eine weitere
wichtige Änderung hat die Grundordnung der EKD unter dem Einfluss der Leuenberger Konkordie im Rahmen der Herstellung der Einheit der EKD im Jahr 1991
erfahren, als insb. auf Wunsch der östlichen Gliedkirchen in Art. 1 der Begriff „Bund" durch den Begriff
„Gemeinschaft" ersetzt wurde. Die EKD ist seitdem die
„Gemeinschaft ihrer lutherischen, reformierten und
unierten Gliedkirchen".

1.5 Reformprozess und Verbindungsmodell:
Evangelische Kirche in Deutschland
zu Beginn des 21. Jahrhunderts
Bestimmende Einflüsse der Weiterentwicklung der
EKD zu Beginn des 21. Jh. sind der zunehmende demographische Wandel und eine wachsende ↑Säkulari-
sierung der Gesellschaft in Deutschland. Wichtige Erkenntnisse hierüber sind aus den alle zehn Jahre
durchgeführten Kirchenmitgliedschaftsuntersuchungen
der EKD zu gewinnen. Mit dem Impulspapier „Kirche
der Freiheit" hat der Rat der EKD 2006 auf die Entwicklungen reagiert und einen EKD-weiten Reformprozess
angestoßen, der auf einen innerkirchlichen Mentalitäts-
wandel abzielt. Mit einer Fülle von Aktivitäten und
Maßnahmen ist auf Ebene der EKD und auch auf lan-
deskirchlicher Ebene darauf reagiert worden. Dazu zählen nicht zuletzt eine Reihe von landeskirchlichen Fusionen wie etwa 2009 die der Evangelischen Kirche der
Kirchenprovinz Sachsen und der Evangelisch-Lutheri-

schen Kirche in Thüringen zur Evangelischen Kirche in Mitteldeutschland oder 2012 die der Nordelbischen Evangelisch-Lutherischen Kirche, der Evangelisch-Lutherischen Landeskirche Mecklenburgs und der Pommerschen Evangelischen Kirche zur Evangelisch-Lutherischen Kirche in Norddeutschland (Nordkirche). Weitere Wirkungen des Reformprozesses zeigen sich bei der Gestaltung der nach Themen gegliederten Reformationsdekade im Vorfeld des 500-jährigen Reformationsjubiläums (↑Reformation) im Jahr 2017 und der Konzeption des Jubiläumsjahres.

Ein weiterer Prozess ist zu Beginn des 21. Jh., die Entwicklung der EKD und die weiteren Bemühungen um die Einigung im deutschen Protestantismus wichtig geworden: die Umsetzung eines sog.en „Verbindungsmodells". Unter Berücksichtigung der konfessionell bedingten landeskirchlichen Autonomie und des Selbstverständnisses der EKD als Gemeinschaft ihrer Gliedkirchen haben sich die gliedkirchlichen Zusammenschlüsse EKD, VELKD und ↑UEK 2005 – und damit 60 Jahre nach Gründung der EKD – verpflichtet, die bestehende Kirchengemeinschaft zu vertiefen, die Gemeinsamkeit in den wesentlichen Bereichen des kirchlichen Lebens und Handelns zu fördern und so die Gemeinschaft der lutherischen, reformierten und unierten Gliedkirchen in der Evangelischen Kirche in Deutschland zu stärken. Zu dem Zweck wurde verabredet, die theologische Arbeit zu vertiefen, gemeinsame Aufgaben wirksamer für die Gliedkirchen wahrzunehmen und die Zusammenarbeit sowie die Beratung und Unterstützung der Gliedkirchen auszubauen, indem die Kräfte gebündelt werden. Dabei folgt das Zusammenwirken dem Grundsatz, soviel Gemeinsamkeit aller Gliedkirchen der EKD zu erreichen wie möglich und dabei soviel Differenzierung vorzusehen, wie aus dem Selbstverständnis von der Union Evangelischer Kirchen und der Vereinigten Evangelisch-Lutherischen Kirche Deutschlands nötig ist. Eine engere Zusammenarbeit der Organe und der Kirchenverwaltungen der gliedkirchlichen Zusammenschlüsse wurde verabredet und durch Maßnahmen eingeleitet. Nach einer ersten Evaluation ist durch die mittlerweile verbunden tagenden synodalen Gremien ab 2013 die Herstellung einer vertieften und verdichteten Gemeinschaft von EKD, der Union Evangelischer Kirchen und der Vereinigten Evangelisch-Lutherischen Kirche Deutschlands in der EKD beschlossen worden, mit dem Ziel, stärker noch als bisher die Eigenständigkeiten jeweils auf ihre Dienstbarkeit für das Ganze auszurichten. In diesem Zusammenhang ist insb. ein neu organisiertes Kirchenamt der EKD als gemeinsame Verwaltungsstruktur vorgesehen.

Im Zuge der Weiterentwicklung des Verbindungsmodells und in weiterer Konsequenz aus der Leuenberger Konkordie ist darüber hinaus eine erneute Grundordnungsänderung ins Auge gefasst worden, die zu Beginn des Jahres 2018 noch nicht umgesetzt ist und die dem gewachsenen Selbstverständnis der EKD als

„Kirche" im theologischen Sinn Rechnung trägt. Maßgebend die Arbeit im Theologischen Ausschuss der VELKD hat mit Bezug auf die Leuenberger Konkordie deutlich gemacht, dass die EKD ihre ekklesiale Funktion als „Kirche" gerade darin erfüllt, dass sie aufgrund der gewonnenen Übereinstimmung im Verständnis des Evangeliums (Art. 29 Leuenberger Konkordie) für die Einheit in der bleibenden Vielfalt der Bekenntnisse der Gliedkirchen einsteht, weshalb sie, die EKD, nicht selbst eines dieser vielfältigen Bekenntnisse zu ihrer Bekenntnisgrundlage erklärt. So eröffnet die Leuenberger Konkordie die Erkenntnis, dass eine Gemeinschaft von Kirchen, die das gemeinsame Verständnis von Evangelium und Sakrament teilt, selbst Kirche genannt werden kann. Mit dieser theologischen Einsicht hat sich die EKD über die komplizierten Lehrgespräche in der zweiten Hälfte des 20. Jh. hinaus als „Kirche" im vollen theologischen Sinn erwiesen. Konnte nach den Änderungen der Grundordnung der EKD in den 80er Jahren und Anfang der 90er Jahre des 20. Jh. die EKD bereits „mit Fug und Recht selbst als ‚Kirche' bezeichnet werden, wie immer man den Kirchenbegriff theologisch und kirchenrechtlich definieren mag" (Heckel 1991: 153), so ist diese Tatsache nunmehr auch theologisch im Konsens geklärt. Die EKD ist somit gerade deshalb selbst Kirche, weil sie die Gemeinschaft von in der Leuenberger Konkordie verbundenen bekenntnisverschiedenen Landeskirchen ist und weil ihre ekklesiologische Funktion der Erhalt der Vielfalt der Bekenntnisse ist. Ob diese gemeinsame theologische Erkenntnis ihren Niederschlag zudem in einer entsprechend eindeutigen Formulierung in der Grundordnung der EKD findet, steht zu Beginn des Jahres 2018 noch nicht fest. Dem in beiden Fällen nahezu einstimmigen Beschluss von EKD-Synode und Kirchenkonferenz, in Art. 1 Abs. 1 der Grundordnung der EKD den auf die EKD bezogenen Satz „Sie ist als Gemeinschaft ihrer Gliedkirchen Kirche" anzuhängen, müssen wegen der bes.n Bedeutung dieser Aussage für die Grundordnung der EKD alle Gliedkirchen der EKD zustimmen.

2. Aufgaben und Struktur
2.1 Aufgaben
Als Zusammenschluss von Gliedkirchen, die ihrerseits K.d.ö.R. sind, ist gemäß Art. 137 Abs. 5 WRV, der durch Art. 140 GG voll geltendes Recht des Grundgesetzes ist, auch die EKD K.d.ö.R. Ihre grundlegenden Aufgaben ergeben sich insb. aus Art. 6 der Grundordnung, wonach die EKD sich um Festigung und Vertiefung der Gemeinschaft unter den Gliedkirchen bemühen und den Austausch ihrer Kräfte und Mittel fördern muss. Dabei wirkt die EKD dahin, dass die Gliedkirchen, soweit nicht ihr Bekenntnis entgegensteht, in den wesentlichen Fragen des kirchlichen Lebens und Handelns nach übereinstimmenden Grundsätzen verfahren. Damit erweist sich die EKD in ihrem Grundauftrag als föderal geprägte, nicht auf zentralisti-

sche Organisation angelegte Kirche. Die EKD kann dementsprechend durch Initiierung von Gesetzgebung oder durch das Setzen von Richtlinien oder das Erteilen von Anregungen die Rechtsvereinheitlichung zwischen den Gliedkirchen fördern. In konkreten Bereichen nehmen die Gliedkirchen die Möglichkeit wahr, Aufgaben gemeinsam durch die EKD zu erfüllen. Zunehmend gibt es Aufgaben, die sich nur sinnvoll gemeinsam auf EKD-Ebene erfüllen lassen. Zu diesem Zweck unterhält die EKD Einrichtungen und Institute, wie etwa das Kirchenrechtliche Institut der EKD, das Sozialwissenschaftliche Institut der EKD, das Konfessionskundliche Institut der EKD, das Institut für Kirchenbau und Kirchenkunst oder die Evangelische Zentralstelle für Weltanschauungsgemeinschaften. An der gemeinsamen Durchführung der Datenschutzaufsicht beteiligen sich die meisten Gliedkirchen. Weitere Zuständigkeitsbereiche der EKD im Interesse ihrer Gliedkirchen finden sich in den Art.n 14 bis 20 der Grundordnung der EKD. V. a. die diakonische Tätigkeit findet hier Erwähnung (Art. 15), weshalb etwa das Evangelische Werk für Diakonie und Entwicklung (EWDE) als Wesens- und Lebensäußerung der Kirche beschrieben wird. Die Arbeit der Missionsgesellschaften, die Diasporaarbeit (Art. 16) und die ↑Seelsorge in Bundeswehr und Bundespolizei (Art. 18) (↑Anstaltsseelsorge) werden genannt. Die EKD vertritt die gesamtkirchlichen Anliegen gegenüber allen Inhabern öffentlicher Gewalt (Art. 19). Dazu bedient sich der Rat der EKD seines Bevollmächtigten mit Sitz in Berlin und einem Büro in Brüssel. Wichtige Aufgaben erfüllt die EKD in den Bereichen von ↑Theologie und öffentlicher Verantwortung und bedient sich dabei der kirchlichen publizistischen Einrichtungen. In Wahrnehmung der ihr zugewiesenen Aufgaben tritt die EKD mit Äußerungen in unterschiedlichen Formaten an die ↑Öffentlichkeit. Die in den Art.n 32 bis 32c der Grundordnung näher beschriebene Kirchengerichtsbarkeit wird durch Übertragung seitens der Gliedkirchen auf die EKD ausgebaut. Die Kompetenzen der EKD im Bereich der ↑Ökumene sind in Art. 17 beschrieben: Die EKD ist Mitglied im ÖRK, in der KEK und in der ACK. Sie pflegt Beziehungen mit den weltweiten christlichen Gemeinschaften, mit ökumenischen Organisationen sowie mit anderen Kirchen. Die EKD fördert den Dienst an evangelischen Christen deutscher Sprache oder Herkunft im Ausland in partnerschaftlicher Zusammenarbeit mit deren Kirchen und ↑Gemeinden oder nimmt diesen Dienst in Gemeinschaft mit anderen Kirchen wahr. In gleicher Weise fördert sie in ihrem Bereich den Dienst der Gliedkirchen an Christen fremder Sprache oder Herkunft in partnerschaftlicher Zusammenarbeit mit den Kirchen der Heimatländer. Gewachsen ist die Ökumene zwischen der EKD und ihren Gliedkirchen einerseits und der römisch-katholischen Kirche (↑Katholische Kirche) andererseits. Dies wird im Jahr 2017 bes. sichtbar an dem erstmals nicht in protestantischer Abgrenzung, sondern in ökumenischer und internatio-

naler Weite begangenen Reformationsjubiläum. Gemeinsam als „Christusfest" verstanden, gelingt im Rahmen des 500-jährigen Reformationsjubiläums die Demonstration der ökumenischen Verbundenheit der evangelischen und römisch-katholischen Kirchen in Deutschland, etwa durch die Feier gemeinsamer Versöhnungsgottesdienste.

2.2 Organe

Die EKD handelt durch ihre drei Organe – Synode, Kirchenkonferenz und Rat –, von denen formal keines einem anderen übergeordnet ist. Die Synode (Art. 23), in die die Landeskirchen nach bestimmtem Schlüssel für eine Amtszeit von sechs Jahren Vertreter entsenden, hat die Aufgabe, der Erhaltung und dem inneren Wachstum der EKD zu dienen. Sie „bespricht die Arbeit der EKD" und „erörtert Fragen des kirchlichen Lebens". Sie beschließt Kirchengesetze, hat das Budgetrecht, erlässt Kundgebungen und gibt dem Rat Richtlinien. Die Synode der EKD besteht aus 100 Mitgliedern, die nach einem bestimmten gesetzlich geregelten Schlüssel von den Gliedkirchen gewählt werden, und weiteren 20 Mitgliedern, die der Rat beruft, um gesamtkirchlich wichtige Persönlichkeiten berücksichtigen zu können. Insofern erweist sich die Synode nicht als ein demokratisch zusammengesetztes Gremium. In aller Regel tagt sie einmal im Jahr an wechselnden Orten. Die vorbereitende Tagungsarbeit der EKD wird in Ausschüssen geleistet. Seit einer Geschäftsordnungsänderung 2015 sind als ständige Ausschüsse der Ausschuss Schrift und Verkündigung, der Rechtsausschuss, der Haushaltsausschuss und der Nominierungsausschuss gesetzt. Daneben können für jede Amtsperiode weitere ständige Ausschüsse eingesetzt werden.

Gemeinsam mit der Kirchenkonferenz wählt die Synode Rat und Ratsvorsitz. Die Kirchenkonferenz (Art. 28) hat als das v. a. föderale Organ der EKD die Aufgabe, über die Arbeit der EKD und die gemeinsamen Anliegen der Gliedkirchen zu beraten. Sie ist ein ständiges Gremium, zusammengesetzt aus Vertretern jeder Kirchenleitung der Gliedkirchen. Vier- bis fünfmal pro Jahr kommt die Kirchenkonferenz zusammen.

Häufiger, nämlich zehn- bis zwölfmal, tagt der Rat der EKD (Art. 29). Er vertritt die EKD nach außen und hat die Aufgabe, die EKD zu leiten und zu verwalten. Er ist zuständig, soweit nicht andere Organe ausdrücklich für zuständig erklärt werden. Der Rat hat 15 Mitglieder, von denen der oder die Präses der Synode dem Rat qua Amt angehört. Bei der Wahl müssen alle übrigen 14 Mitglieder eine Mehrheit von zwei Dritteln der abgegebenen Stimmen hinter sich vereinen. Auch wenn dieses Wahlverfahren langwierig, gelegentlich auch unerfreulich ist, so ist eine Zweidrittelmehrheit für die Gewählten ein hohes Gut. Die Amtsperiode dauert sechs Jahre. Der Rat kann sich bei der Aufgabenausübung der i. d. R. von ihm besetzten Kammern und Kommissionen bedienen. Aus den Mitgliedern des

Rates wählen Synode und Kirchenkonferenz den Ratsvorsitzenden und seinen Stellvertreter jeweils mit Zweidrittelmehrheit. Die Grundordnung misst dem Ratsvorsitzenden, der ein *primus inter pares* ist, keine übermäßigen Kompetenzen zu. Er muss nicht einmal ein Geistlicher sein. Faktisch aber waren bisher nur Leitende Geistliche in dieser Position und haben das Amt durch ihre jeweilige Persönlichkeit geprägt. Ratsvorsitzende waren: Dr. Theophil Heinrich Wurm, Landesbischof der Evangelischen Landeskirche in Württemberg (1945–1949); Dr. Otto Dibelius, Bischof der Evangelischen Kirche in Berlin-Brandenburg (1949–1961); Dr. Kurt Scharf, Bischof der Evangelischen Kirche in Berlin-Brandenburg (1961–1967); Dr. Hermann Dietzfelbinger, Landesbischof der Evangelisch-Lutherischen Kirche in Bayern (1967–1973); Dr. Helmut Claß, Landesbischof der Evangelischen Landeskirche in Württemberg (1973–1979); Prof. Dr. Eduard Lohse, Landesbischof der Evangelisch-lutherischen Landeskirche Hannovers (1979–1985); Dr. Martin Kruse, Bischof der Evangelischen Kirche in Berlin-Brandenburg (1985–1991); Prof. Dr. Klaus Engelhardt, Landesbischof der Evangelischen Landeskirche in Baden (1991–1997); Manfred Kock, Präses der Evangelischen Kirche im Rheinland (1997–2003); Prof. Dr. Wolfgang Huber, Bischof der Evangelischen Kirche Berlin-Brandenburgschlesische Oberlausitz (2003–2009); Dr. Margot Käßmann, Landesbischöfin der Evangelisch-lutherischen Landeskirche Hannovers (2009–2010); Dr. h. c. Nikolaus Schneider, Präses der Evangelischen Kirche im Rheinland (2010–2014); Prof. Dr. Heinrich Bedford-Strohm, Landesbischof der Evangelisch-Lutherischen Kirche in Bayern (seit 2014).

2.3 Kirchenamt der EKD, Finanzierung der EKD
Das Kirchenamt der EKD dient als Geschäftsstelle allen drei Organen der EKD sowie der weiteren gliedkirchlichen Zusammenschlüsse (Art. 31). Es wirkt u. a. an der Zusammenarbeit der EKD mit ihren Gliedkirchen und den gliedkirchlichen Zusammenschlüssen mit, holt, etwa im Rahmen von Gesetzgebungsverfahren, Stellungnahmen der Gliedkirchen ein, leitet die Arbeiten und Planungen der EKD ein und bereitet die Entscheidungen der Organe vor. Das Kirchenamt wird von einem Kollegium unter Vorsitz eines Präsidenten geleitet, das dabei den vom Rat erlassenen Richtlinien und der Geschäftsordnung unterliegt. Seit 2015 befindet sich das Kirchenamt der EKD in einem Organisationsentwicklungsprozess im Rahmen der Vertiefung und Verdichtung des Verbindungsmodells, in dessen Zuge es zu einer weitreichenden Umstrukturierung kommen wird.

Die EKD hat keine eigenen Kirchensteuereinnahmen (↑Kirchensteuer), sondern wird durch bei den Gliedkirchen erhobene Umlagen finanziert. Ein zwischenkirchlicher Finanzausgleich zwischen den Gliedkirchen der EKD findet über den Haushalt der EKD statt. Das Finanzwesen der EKD wird regelmäßig in einer Fülle von

Veröffentlichungen, auch auf entsprechenden Internetseiten, transparent dokumentiert.

Literatur
C. Link: Kirchliche Rechtsgeschichte, ³2016 • A.-R. Wellert: Kirchliche Zusammenschlüsse, in: HerKR, 2016, § 13 • H. de Wall/St. Muckel: Kirchenrecht, ⁴2014 • H. Claessen: Grundordnung der Evangelischen Kirche in Deutschland. Kommentar und Geschichte, 2007 • C. Thiele: Einigungsbestrebungen im deutschen Protestantismus im 19. und 20. Jahrhundert, in: ZRG KA 89/XI, 2003, 532–569 • E. Lessing: Leuenberger Konkordie, in: RGG, Bd. 4, ⁴2002, 290–292 • W.-D. Hauschild: Evangelische Kirche in Deutschland, in: RGG, Bd. 2, ⁴1999, 1713–1717 • M. Heckel: Rechtsprobleme der kirchlichen Wiedervereinigung, in: ZevKR, Bd. 36, 1991, 113–198 • E. R. Huber/W. Huber: Staat und Kirche im 19. und 20. Jahrhundert, Bd. 2, 1976 • H. Brunotte: Die Grundordnung der Evangelischen Kirche in Deutschland. Ihre Entstehung und ihre Probleme, 1954 • P. Brunner: Eisenach 1948, in: ZevKR, Bd. 3, 1953/54, 126–163.
CHRISTOPH THIELE

Evangelische Kirchenverträge

1. Begriffsbestimmung
Der Begriff der e. n K. kann in einem weiten und in einem engeren Sinne verstanden werden: Im weiteren Sinne werden darunter alle Vereinbarungen eines staatlichen Vertragspartners mit der (verfassten) evangelischen Kirche verstanden, d. h. v. a. mit den Landeskirchen, aber auch mit ihren nationalen (z. B. ↑EKD) und sogar internationalen Zusammenschlüssen (z. B. Weltgemeinschaft Reformierter Kirchen). Im engeren Sinne werden als e. K. die umfassenden, das Grundverhältnis festlegenden Verträge zwischen den evangelischen Landeskirchen und den Bundesländern in Deutschland bezeichnet; die gängigere Bezeichnung hierfür dürfte „Evangelischer Staatskirchenvertrag" sein. Sie werden nach Art der völkerrechtlichen Verträge feierlich unterzeichnet, vom Parlament in einfaches Gesetzesrecht umgesetzt und anschließend ratifiziert. Der Begriff des e. n K.s wird zumeist – so auch hier – in diesem Sinne gebraucht.

2. Historie
Bereits vor der Trennung von Staat und Kirche (↑Kirche und Staat) durch die ↑WRV finden sich erste vertragsähnliche Abkommen zu Einzelfragen als „In-Sich-Geschäfte" zwischen weltlichem Herrscher und *Summus Episcopus*, meist über finanzielle Fragen (z. B. sog.e Bauschsummenabkommen im Großherzogtum Oldenburg 1870 und 1883).

Echte e. K. wurden aber erst in der Weimarer Republik geschlossen. Dieses Vertragscorpus ist zu einem großen Teil heute noch gültig bzw. wurde lediglich modifiziert (so in Baden, Bayern, NRW und Saarland) oder kommt subsidiär zur Anwendung, wenn neuere Verträge lückenhaft sind. Die Inhalte ähneln bereits stark denen der heutigen Verträge.

Nach 1945 übernehmen die e.n K. eine Vorreiterrolle: Der erste Staatskirchenvertrag der BRD, der Evangelische Kirchenvertrag Niedersachsen („Loccumer Vertrag") von 1955, entwickelt sich zur Schablone für alle nachfolgenden evangelischen, katholischen und auch jüdischen Staatsverträge bis in die heutige Zeit hinein. Bald existierte in Deutschland ein nahezu flächendeckendes Vertragssystem.

Auf Bundesebene bestehen auf Seiten der evangelischen Kirchen nur Einzelvereinbarungen zu Gegenständen, die in die Bundeskompetenz fallen (z.B. Militärseelsorgevertrag zwischen Bund und EKD von 1957).

Nach der Wiedervereinigung erlebte das Staatskirchenvertragsrecht eine neue Blüte: Es entstand eine neue Vertragsgeneration in den neuen Bundesländern, die als Ausdruck des Willens der Fortführung einer Tradition und der Anpassung der Rechtslage an Westdeutschland, aber auch der Wahrnehmung der Kirchen als intakte gesellschaftliche Institution und Anerkennung für die Unterstützung der friedlichen Revolution verstanden werden kann.

In Reaktion darauf wurden auch im Westen (Berlin [2006], Bremen [2002], Hamburg [2006]) einige neue e. K. geschlossen. Möglicherweise haben auch erst der Abschluss jüdischer Staatsverträge und das Paritätsgebot zum Vertragsschluss auch mit den christlichen Kirchen verholfen.

Ein absolutes Novum und, soweit ersichtlich, den einzigen e.n K. mit einem internationalen kirchlichen Zusammenschluss stellt der Vertrag der BRD mit der Weltgemeinschaft Reformierter Kirchen aus dem Jahr 2014 anlässlich deren Umzugs nach Deutschland (Hannover) dar. Das Abschlussprozedere und seine Umsetzung in einfaches Gesetzesrecht folgen der Tradition der klassischen K.

3. Inhalte
Die früh etablierte klassische Trias der K. besteht aus Präambel, materiellen Regelungen und Schlussvorschriften zur Kooperation und Konfliktbeilegung.

3.1 Präambeln
Die Präambeln sind Ausdruck und Zeitzeugnis des in der jeweiligen Epoche vorherrschenden Verhältnisses von Staat und Kirche, des Selbstverständnisses der Kirche, des jeweiligen juristischen Stils. Die Weimarer e.n K. besitzen extrem nüchterne Präambeln. Offenbar bestand trotz der unmittelbar vorausgehenden massiven Umwälzung durch die Abschaffung des Staatskirchentums keine Erklärungsnot. Der Loccumer Vertrag setzt einen neuen Trend mit recht ausführlicher Prosa in der Präambel. Noch umfangreicher werden die Verträge nach der Wiedervereinigung. Die Präambel wird mit zunehmender ↑Säkularisierung von Gesell-

schaft und Politik bemerkenswerterweise immer länger und detailreicher.

3.2 Materielle Inhalte
Die materiellen Regelungen der e.n K. lassen sich im Wesentlichen zwei Kategorien zuordnen: Wiederholungen und Konkretisierungen der grund- und staatskirchenrechtlichen Garantien des ↑GG und spezielle Einzelregelungen. Letztere bilden den Kern der e. K. V. a. geht es dabei um die Höhe und Auszahlungsweise der Staatsleistungen, um die Gewährung sonstiger finanzieller Zuschüsse, um denkmalpflegerische Absprachen (↑Denkmal), kirchliche Bildungs- und Sozialeinrichtungen, Hochschultheologie, Ausbildung der Geistlichen und Religionslehrer, Eigentumsfragen, Ausgestaltung des ↑Religionsunterrichts, der Kirchensteuererhebung (↑Kirchensteuer) und der kirchlichen Ämterbesetzung (↑Amt), Beteiligung am öffentlich-rechtlichen ↑Rundfunk und Spendensammlungen (↑Spende).

Es besteht ein eindeutiges Übergewicht auf Seiten staatlicher Verpflichtungen; die Verpflichtungen für die Kirchen sind demgegenüber eher rar.

3.3 Kooperationsklauseln
Von bes.r Bedeutung sind im neutralen Staat und angesichts der Trennung von Staat und Kirche die meist am Ende, teilweise aber auch am Anfang des Vertrags stehenden Kooperationsklauseln. Fast immer findet sich die Freundschaftsklausel (*amicabilis compositio*), der zufolge die Vertragsparteien sich verpflichten, „Meinungsverschiedenheiten über die Auslegung dieses Vertrages auf freundschaftliche Weise bei[zu]legen" (z. B. Art. 22 Abs. 1 Evangelischer Kirchenvertrag Bremen), und die *clausula rebus sic stantibus* (z. B. Art. 22 Abs. 2 Evangelischer Kirchenvertrag Bremen). Ebenfalls häufig sind Kooperationsklauseln, häufig verbunden mit der Verabredung, eine Kontaktstelle einzurichten (z. B. Art. 2 Loccumer Vertrag), und Gleichbehandlungsklauseln, die der vertragschließenden Kirche zusichern, bei Besserstellung einer anderen ↑Religionsgemeinschaft eine Vertragsanpassung zu prüfen (z. B. Art. 27 Evangelischer Kirchenvertrag Berlin; Art. 23 Evangelischer Kirchenvertrag Hamburg).

4. Rechtliche Einordnung
4.1 Rechtsnatur
Die e.n K. sind Staatsverträge (so ausdrücklich [nur] Art. 182 BayVerf) eigener Art.

Mangels Völkerrechtlichkeit des kirchlichen Vertragspartners handelt es sich nicht um ↑völkerrechtliche Verträge. Das staatskirchenrechtliche Pendant zum e.n K. auf katholischer Seite ist der Staatskirchenvertrag mit den Bistümern, nicht das ↑Konkordat mit dem ↑Heiligen Stuhl.

Die Verträge sind auch nicht dem Verwaltungsrecht zuzuordnen, weil sie Gegenstände behandeln, die aufgrund der Wesentlichkeitstheorie der Regelung durch die Legislative vorbehalten sind. Aber auch ansonsten wird der Vertragsinhalt durch den Vertragsschluss und die anschließende Zustimmung im Parlament nach dem Willen des staatlichen Vertragspartners dem Verwaltungsrechtsregime enthoben.

4.2 Rang; gerichtliche Durchsetzbarkeit

Durch die Zustimmung des Parlaments erhält der Inhalt des e.n K.s den Rang einfachen Gesetzesrechts. Gegen vertragswidriges späteres Recht kann die Kirche deshalb nur in Einzelfällen bei Vorliegen eines bes.n Vertrauensschutzes mittels Verfassungsbeschwerde gerichtlich vorgehen. Anders ist dies nur aufgrund verfassungsrechtlicher Rangerhöhung des Umsetzungsgesetzes in Baden-Württemberg (Art. 8 BadWüVerf), Hessen (Art. 67 Abs. 2 HessVerf) und NRW (Art. 23 Abs. 2 NRWVerf). Eine Rangerhöhung über die Landesverfassung hinaus, wie in Art. 8 BadWüVerf vorgesehen, ist demgegenüber jedoch grundgesetzwidrig. Dem e.n K. selbst kommt daneben nach hiesiger Ansicht kein Rang im Rechtssystem zu, er wirkt nur *inter partes*. Pflichtverletzungen der Verwaltung aus dem e.n K. können durch die vertragschließende Religionsgemeinschaft vor den Verwaltungsgerichten (↑Verwaltungsgerichtsbarkeit) geltend gemacht werden, ebenso umgekehrt Pflichtverletzungen der Kirchen.

4.3 Legitimation

Das GG kennt weder ein Ge- noch ein Verbot zum Abschluss von e.n K. Da sie den Schöpfern des GG jedoch als Regelungsinstrument bekannt waren, darf davon ausgegangen werden, dass sie ihre ↑Legitimität voraussetzten. Dafür sprechen auch Art. 123 Abs. 2 GG, welcher hiesigen Ermessens auch das Reichskonkordat mit umfassen sollte, und der Wortlaut von Art. 138 Abs. 1 S. 1 WRV.

Einige Landesverfassungen gehen demgegenüber ausdrücklich von der Existenz und vom Abschluss von e.n K. aus (Art. 50 Abs. 1 HessVerf [„Vereinbarung"]; Art. 9 Abs. 2 MVVerf; Art. 23 Abs. 2 NRWVerf; Art. 109 Abs. 2 S. 3 SächsVerf; Art. 32 Abs. 4 LSAVerf).

Der e. K. ist v. a. ein optimales, wenn auch nicht das einzig denkbare, Instrument zur Erfüllung des verfassungsrechtlichen materiellen Mitwirkungsvorbehalts im Bereich der *res mixtae*, z. B. beim Religionsunterricht (Art. 7 Abs. 3 GG).

5. Würdigung der Kirchenverträge

Die e.n K. als Teil des staatskirchenrechtlichen Vertragskorpus sind ein bewährtes Instrument der Koordination, Befriedung und der Herstellung von Einzelfallgerechtigkeit. Sofern ersichtlich, ist es jedenfalls in der BRD (anders als bei der römisch-katholischen Kirche [↑Katholische Kirche] mit dem Konkordatsstreit, BVerfGE 6, 309) kaum zu größeren Rechtsstreitigkeiten um die e.n K. gekommen.

Das Vertragsregime überdauerte mehrere Staatsfor-men, Diktaturen und Ideologien und kann, bisher Ausnahmeinstrumentarium, heute angesichts stärkerer koordinativer Tendenzen im ↑öffentlichen Recht eine Vorreiterrolle beanspruchen. Die extreme wenn nicht rechtliche, so doch faktische Bestandskraft der religionsverfassungsrechtlichen Verträge ist freilich bei jedem neuen Vertragsschluss zu bedenken.

Literatur

C. Waldhoff/D. Rennert: Loccum als „Erinnerungsort" des Staatskirchenrechts. 60 Jahre Niedersächsischer evangelischer Kirchenvertrag, in: NdsVBl. 23/2 (2016), 33–38 • J. Lutz-Bachmann: Mater rixarum? Verträge des Staates mit jüdischen und muslimischen Religionsgemeinschaften, 2015 • H. M. Heinig: Staatskirchenrecht nach 1945 und 25 Jahre Düsseldorfer Vertrag, in: KuR 15/2 (2009), 196–206 • K. Schier: Die Bestandskraft staatskirchenrechtlicher Verträge, 2009 • M. Richter/A. Ziekow: Der Evangelische Kirchenvertrag Berlin, in: ZevKR 53/1 (2008), 1–27 • S. Mückl (Hg.): Das Recht der Staatskirchenverträge, 2007 • A. Vulpius: Zehn Jahre Evangelischer Kirchenvertrag Sachsen-Anhalt, in: KuR 10/1 (2004), 79–82 • A. Vulpius: Betrachtungen zu den evangelischen Kirchenverträgen in den neuen Ländern, in: C. Grabenwarter/N. Lüdecke (Hg.): Standpunkte im Kirchen- und Staatskirchenrecht, 2002, 216–234 • D. Wengenroth: Die Rechtsnatur der Staatskirchenverträge und ihr Rang im staatlichen Recht, 2001 • H. U. Anke: Die Neubestimmung des Staat-Kirche-Verhältnisses in den neuen Ländern durch Staatskirchenverträge, 2000 • G. Czermak: Rechtsnatur und Legitimation der Verträge zwischen Staat und Religionsgemeinschaften, in: Der Staat 39/1 (2000), 69–85 • A. von Campenhausen: Vier neue Staatskirchenverträge in vier neuen Ländern, in: NVwZ 14/8 (1995), 757–761 • A. Hollerbach: Die vertragsrechtlichen Grundlagen des Staatskirchenrechts, in: HdbStKirchR, Bd. 1, ²1994, § 7 • H. Weber: Der Wittenberger Vertrag. Ein Loccum für die neuen Bundesländer?, in: NVwZ 13/8 (1994), 759–765 • U. Scheuner: Kirchenverträge in ihrem Verhältnis zu Staatsgesetz und Staatsverfassung, in: H. Brunotte u. a. (Hg.): FS für Erich Ruppel zum 65. Geburtstag, 1968, 312–328 • H. Quaritsch: Kirchenvertrag und Staatsgesetz, in: H. P. Ipsen (Hg.): Hamburger Festschrift für Friedrich Schack zum 80. Geburtstag, 1966, 125–142 • A. Hollerbach: Verträge zwischen Staat und Kirche in der Bundesrepublik Deutschland, 1965 • H. Rust: Die Rechtsnatur von Konkordaten und Kirchenverträgen unter besonderer Berücksichtigung der Bayerischen Verträge von 1924, 1964 • S. Grundmann: Das Verhältnis von Staat und Kirche auf der Grundlage des Vertragskirchenrechts, in: ÖAKR 13 (1962), 281–300 • U. Scheuner: Die staatskirchenrechtliche Tragweite des niedersächsischen Kirchenvertrages von Kloster Loccum, in: ZevKR 6/1 (1957/58), 1–37 • R. Smend: Der Niedersächsische Kirchenvertrag und das heutige deutsche Staatskirchenrecht, in: JZ 11/2 1956, 50–53 • E. R. Huber: Verträge zwischen Staat und Kirche im Deutschen Reich, 1930 • G. Anschütz: Die bayerischen Kirchenverträge von 1925, in: ADLZ 77/9 (1925), 181–186.

Zusammenstellungen der Konkordate und Kirchenverträge

K. Schier: Die Bestandskraft staatskirchenrechtlicher Verträge, 2009, Anhang • J. Listl (Hg.): Die Konkordate und Kirchenverträge in der Bundesrepublik Deutschland, 2 Bde., 1987 •

W. Weber (Hg.): Die deutschen Konkordate und Kirchenverträge der Gegenwart, 2 Bde., 1962/71.

JULIA LUTZ-BACHMANN

Evangelische Organisationen

1. Einleitung

Der deutsche ↑Protestantismus ist in einer zweifachen Gestalt organisiert: Die verfasste evangelische Kirche baut sich lokal und regional von den Ortsgemeinden über Kirchenkreise bzw. Dekanate bis hin zu selbständigen Landeskirchen auf, die sich ihrerseits in der ↑EKD zusammengeschlossen haben. Daneben besteht der Verbandsprotestantismus, der im engeren Sinn den Bereich der e.n O. umfasst, mit einer Vielzahl von Vereinen, Verbänden und Institutionen. Um das Neben-, Mit- und z.T. auch Gegeneinander des kirchlichen und des verbandlichen Protestantismus zu verstehen, ist ein Blick in die geschichtliche Entwicklung notwendig. Danach soll die Vielfalt der unterschiedlichen Organisationen systematisch dargestellt werden.

2. Historische Entwicklung

2.1. Die Anfänge des kirchlichen Vereinswesens
Ausgehend von der landesherrlichen ↑Kirchenverfassung seit der Zeit der ↑Reformation waren die evangelischen Kirchen Teil der obrigkeitlichen Ordnung. Von wenigen, frühen presbyterial-synodalen Ordnungsformen abgesehen, entwickelten sie keine eigene Organisationsgestalt. Erst mit dem Pietismus und später der Erweckungs- wie auch der Aufklärungsbewegung entstanden seit dem 18. Jh. neuartige Organisationsformen, die wesentlich auf dem sich insb. im 19. Jh. entfaltenden Vereinswesen basierten. Diese Initiativen wurden v.a. von der zeitgenössischen lutherischen Orthodoxie vielfach abgelehnt und offen bekämpft.

Ausgehend von den von Philipp Jacob Spener mit Bezug auf den reformatorischen Grundsatz des „Priestertums aller Gläubigen" gegründeten, informellen *Collegia pietatis* seit 1670 in Frankfurt kam es durch den Pietismus zu verschiedenen Formen der Selbstorganisation. August Hermann Francke gelang eine dauerhafte Organisation wichtiger pietistischer Anliegen, indem er 1695 eine Armenschule und ein Waisenhaus gründete, ebenso die *dänisch-hallische Mission*, die seit 1706 Missionare (↑Mission) aussandte, oder 1710 die bis heute bestehende *Cansteinsche Bibelanstalt* zur Bibelverbreitung. Erwähnenswert ist ferner die aus der böhmisch-mährischen *Brüderunität* unter dem Einfluss von Graf Nikolaus Ludwig von Zinzendorf und Pottendorf hervorgegangene *Herrnhuter Bewegung* (seit 1722), die ebenfalls umfangreiche Missionstätigkeiten in den von Europäern kolonisierten Gebieten (↑Kolonialismus) entwickelte.

In einer ideellen Kontinuität zu diesen Ansätzen entstand seit dem Ende des 18. Jh. der Verbandsprotestantismus im engeren Sinn. Die 1780 in Basel gegründete, bis 1839 bestehende *Deutsche Christentumsgesellschaft* markiert den Ausgangspunkt. In kritischer Distanz zur Aufklärungstheologie verfolgte sie durch die Verbreitung volksmissionarischer Schriften das Ziel einer Verteidigung des traditionellen evangelischen Glaubens. Neben der Baseler Hauptgesellschaft bildeten sich zahlreiche regionale Vereinigungen sowie Tochtergesellschaften. Nach den napoleonischen Kriegen wurde in Deutschland eine Vielzahl protestantischer Einrichtungen der Jugendfürsorge gegründet, sowohl in pietistischer Tradition als auch motiviert durch die Aufklärungstheologie. Ein weiterer Schwerpunkt der Vereinsgründungen im Vormärz betraf Aktivitäten zur Verbreitung und Förderung des evangelischen Glaubens, etwa die 1835 gegründete *Rheinische Mission*, die sich auf Übersee-Gebiete konzentrierte, oder die Unterstützung von Protestanten in mehrheitlich katholischen Regionen durch das 1832 bzw. 1844 gegründete *Gustav-Adolf-Werk*. Diese Initiativen waren im 19. Jh. von einem starken konfessionell-protestantischen Bewusstsein geprägt.

Ein neues Niveau des Verbandsprotestantismus wurde mit der Gründung der *Inneren Mission* (IM) durch Johann Hinrich Wichern in den Jahren 1848/49 erreicht. J. H. Wicherns IM war der Versuch, angesichts der ↑sozialen Frage diakonische Hilfe mit volksmissionarischen Anliegen zu verknüpfen. Durch den reichsweit tätigen *Centralverband* in Verbindung mit den regionalen und lokalen Gliederungen gelang es der IM seit den 1850er Jahren, eine verbandliche Zweitstruktur neben der verfassten Kirche zu gründen, wobei eine Vielzahl sozialdiakonischer Einrichtungen der Kinder-, Jugend- und Familienfürsorge, der Krankenhilfe, der Gesundheitsversorgung und der Behindertenfürsorge geschaffen wurden. Daneben wurden volksmissionarische Aktivitäten durch die Traktatemission und durch die Anstellung eigener Prediger organisiert. Die verfasste Kirche sah bzgl. ↑Seelsorge und Verkündigung v.a. in den von der IM gegründeten Stadtmissionen eine Konkurrenz.

2.2. Die Gründung alters-, berufs- und geschlechtsspezifischer evangelischer Organisationen

Nach Vorläufern in der Erweckungsbewegung (Missionsjünglingsvereine, Studentenbibelkreise) bildete sich als erste große unabhängige Jugendorganisation in der Mitte des 19. Jh. der *Christliche Verein Junger Männer* (CVJM), der ökumenisch-protestantisch arbeitete und christlich orientierte Bildungsprogramme sowie soziale Hilfen für junge Menschen bot. 1855 wurde der Verein als weltweite Bewegung in Paris gegründet; er bildete in allen europäischen Ländern schnell Zweigvereine und wurde seit 1894 auch für die weibliche Jugend tätig. Seit dem Ende des 19. Jh. bildeten sich in Deutschland, z.T. beeinflusst durch den CVJM, Schülerbibelkreise sowie die *Deutsch-christliche Studentenvereinigung*, die ihre Arbeit zunächst auf höhere Schüler und Studierende konzentrierte.

Vor dem Hintergrund der forcierten Industrialisierung (↑Industrialisierung, Industrielle Revolution) gründeten Bergarbeiter im Jahr 1882 die *Bewegung der evangelischen Arbeitervereine*, deren Vertreter seit der Mitte der 1890er Jahre vielfach engagiert in den interkonfessionellen christlichen Gewerkschaftsverbänden (↑Christliche Arbeitnehmerorganisationen) mitarbeiteten. In enger Verbindung hierzu wurden evangelische Handwerker- und Gesellenvereine gegründet, die wichtige Impulse zur Organisation des *Deutsch-nationalen Handlungsgehilfenverbandes* gaben, einer Vorform der späteren Angestelltengewerkschaften. Eher akademisch orientiert war der 1890 gegründete *Evangelisch-Soziale Kongress*, dessen Ziele eine vorurteilslose Analyse der sozialen Situation und die Fruchtbarmachung evangelischen Geistes zur Lösung der sozialen Frage waren.

Bes. Bedeutung für das kirchliche Leben entfalteten die um die Jahrhundertwende gegründeten evangelischen Frauenorganisationen (↑Christliche Frauenverbände), die stärker gemeindlich arbeitende *Evangelische Frauenhilfe* und der kirchen- und gesellschaftspolitisch aktive *Deutsch-Evangelische Frauenbund*, denen es gelang, einen großen Teil der evangelischen Frauen zu organisieren und die sehr schnell zu den mitgliederstärksten e.n O. wurden. 1918 gründete sich als Zusammenschluss dieser Verbände die bis heute bestehende *EFD*, die als Dachverband frauenspezifische Themen in Kirche und Gesellschaft vertritt und im *Deutschen Komitee der ökumenischen Arbeit des Weltgebetstages der Frauen* den Protestantismus repräsentiert.

2.3. Kirchenpolitische Organisationen
und Krise des Verbandsprotestantismus in der NS-Zeit
Neben den missionarischen, sozialdiakonischen, an Lebensphasen sowie Berufen orientierten Verbänden differenzierte sich der ↑Protestantismus seit der zweiten Hälfte des 19. Jh. kirchenpolitisch aus: 1863 wurde der *Allgemeine Deutsche Protestantenverein* als Bewegung des bildungsbürgerlichen Protestantismus gegründet, dem wenig später die Gründung der orthodox-konservativen *Positiven Union* sowie einer *Evangelischen Vereinigung*, eine sog.e Mittelpartei, folgte. Pietistische Gruppen gründeten 1897 den bis heute bestehenden Dachverband der Werke und Verbände der Gemeinschaftsbewegung, den *Evangelischen Gnadauer Gemeinschaftsverband*. In der Weimarer Republik entstanden die Bewegung der religiösen Sozialisten und die völkisch orientierten *Deutschen Christen*. Diese Gruppen konkurrierten bei Presbyteriums- und Synodenwahlen und waren bis 1933 in z.T. heftige theologische, kirchen- und allg.-politische Auseinandersetzungen verstrickt. Insgesamt kann die Zeit zwischen 1871 und dem Jahr 1933 als Höhepunkt des Verbandsprotestantismus bezeichnet werden, wobei auch die verfasste Kirche allmählich den Gewinn der im kirchlichen Vorfeld agierenden protestantischen Organisationen erkannte und sich in manchen Feldern eine Arbeitsteilung zwischen Verbandsprotestantismus

und evangelischer Kirche entwickelte. Die Mitgliederzahlen der Vereine, insb. der Frauenverbände, waren hoch. In der Zeit des ↑Nationalsozialismus geriet der Verbandsprotestantismus in eine tiefe Krise: 1933 ließen sich viele Vereine gleichschalten oder lösten sich auf, seit der 1936 forcierten Entkonfessionalisierung des öffentlichen Lebens wurden die noch bestehenden Vereine auf das Wirken im engen religiösen Bereich zurückgedrängt. Während das NS-Regime den Verbandsprotestantismus zurückdrängen, aber nicht grundsätzlich auflösen konnte, gelang dies weitgehend der Religionspolitik der ↑SED, die nur unmittelbar kirchliche Aktivitäten in einem streng reglementierten Rahmen duldete.

3. Evangelische Organisationen in der Bundesrepublik
3.1. Die „Verkirchlichung" nach 1945
Während durch die NS-Zeit und in der DDR der Prozess der Verkirchlichung von außen aufgezwungen war, lässt sich in der ↑BRD nach 1945 eine bewusste Verkirchlichung des ↑Protestantismus erkennen. Äußere Mission und Diakonie wurden bereits in der Grundordnung der ↑EKD von 1948 als „Wesens- und Lebensäußerung" der Kirche definiert; seither hat sich eine engere Verzahnung von Amtskirchen sowie Missionsgesellschaften und Diakonie entwickelt. Zudem gründeten die evangelischen Landeskirchen ihrerseits 1945 das *Evangelische Hilfswerk*, das ebenfalls diakonische Aufgaben übernahm. Während die Frauenvereine (↑Christliche Frauenverbände) recht schnell als eigenständige Vereine nach 1945 ihre Aktivität wieder aufnehmen konnten und ein starkes Vereinsleben bis in die Gegenwart entwickelten, gab es im Bereich der Männer-, Berufs-, Sozial- und Jugendarbeit eine starke Konkurrenz durch gemeindliche und durch neu geschaffene gesamtkirchliche Angebote. Vor diesem Hintergrund spielen etwa die Arbeiter- und Handwerksbewegung heute nur noch eine marginale Rolle, ein großer Teil ihrer Aktivitäten ist in die kirchliche Männerarbeit (↑Christliche Männerverbände) oder in den Kirchlichen Dienst in der Arbeitswelt integriert worden. Auch die Jugend- und die Schüler/innen- sowie die Studierendenarbeit ist in hohem Maße verkirchlicht: CVJM, evangelische Pfadfindergruppen und kleinere, durch bestimmte Frömmigkeitskulturen geprägte Gruppen bestehen fort, der Großteil der Arbeit mit Jugendlichen und jungen Erwachsenen ist allerdings kirchlich organisiert. Die aej bildet den Dachverband aller evangelischen Jugendverbände und kirchlichen Aktivitäten. Eine Eigenständigkeit sicherte sich demgegenüber das durch einen längeren Fusionsprozess von IM und *Evangelischem Hilfswerk* 1975 gegründete ↑Diakonische Werk (DW).

3.2. Neugründungen und aktuelle Entwicklungen
Wichtigste Neugründung nach 1945 ist der ↑*Deutsche Evangelische Kirchentag*, der als eigenständige Laienorganisation das Ziel verfolgt, Christen zu einem besseren Verständnis ihres Auftrages in der Welt zu verhelfen.

Der Kirchentag versteht sich als Begegnungs- und Dialogfeld zwischen Kirche und Öffentlichkeit, er ist von der verfassten Kirche formal unabhängig, allerdings auf deren finanzielle und personelle Unterstützung angewiesen und versucht seinerseits, kirchenreformerische Impulse zu setzen. Ebenfalls als Begegnungsinstitution zwischen Kirche und Öffentlichkeit wurden nach 1945 evangelische ↑Akademien gegründet, die von den jeweiligen Landeskirchen getragen werden, häufig jedoch durch einen vereinsrechtlich organisierten Freundeskreis ein gewisses Eigenleben entfalten. V. a. durch die Kirchentage und Akademien wird gegenwärtig die Bildungsarbeit der sozial- und berufsethischen Verbände aus der Zeit vor 1945 in veränderter Gestalt fortgeführt.

Seit den 1970er Jahren ist ein Bedeutungsverlust der traditionellen evangelischen Vereine – mit Ausnahme des Diakonischen Werkes – zu verzeichnen. Insb. die evangelischen Frauenvereine und die eigenständigen Verbände der Jugendarbeit (↑Christliche Jugendverbände), müssen Mitgliederverluste hinnehmen. Sie werden nach wie vor ehrenamtlich getragen, durch kirchliche Mittel unterstützt und bilden auf diese Art und Weise einen Rahmen, der alters- oder geschlechtsspezifische Angebote des Protestantismus vielfach auch für Nichtmitglieder bietet und auf diese Art und Weise eine kirchliche Angebotsstruktur in Ergänzung zu den *Ortsgemeinden* ausbildet. Ferner sind im Umfeld der neuen sozialen Bewegungen seit den 1970er Jahren verschiedene evangelische Initiativgruppen für gesellschaftspolitische Anliegen entstanden, wobei die Friedens-, die Umwelt- und die neue ↑Frauenbewegung – oft in enger Verzahnung mit entspr.en säkularen Gruppen – eine bes. Dynamik im Protestantismus entfalteten. Daneben haben sich neue Formen der Selbstorganisation im Umfeld des diakonischen Handelns gebildet, Selbsthilfegruppen oder die Hospizbewegung, die neue Impulse für die Ausbildung diakonischer Aktivitäten gesetzt und zu deren Selbstmodernisierung erheblich beigetragen haben. Die vornehmlich im Umfeld der neuen sozialen Bewegungen entstandenen Gruppen haben nicht allein im Protestantismus Innovationen gefördert, sondern gleichzeitig zur Neuformatierung der bundesdeutschen ↑Zivilgesellschaft beigetragen.

Während diese Initiativen vorrangig dem sog.en Linksprotestantismus zuzuordnen sind, hat sich zeitlich parallel und in Abgrenzung hierzu in der Tradition des Pietismus mit politisch mehrheitlich konservativer Ausrichtung die evangelikale Bewegung neu organisiert. In vielen Bereichen, etwa in modernen Formen der Volksmission (*Pro Christ*), in der Hilfe für Christen in Ländern des Südens, in der kirchlichen Publizistik, hat diese Bewegung, welche landeskirchliche Gemeinschaften des *Gnadauer Verbandes* ebenso wie freikirchliche Organisationen umfasst, Parallelstrukturen zur verfassten Kirche entwickelt; sie umfassen ein breites Spektrum von radikaler Kritik, kritisch-distanzierter Mitarbeit und aktiver Kooperation gegenüber den Amtskirchen.

Generell lässt sich zu Beginn des 21. Jh. feststellen, dass die traditionellen protestantischen Vereine, die auf hoher Verbindlichkeit und freiwilliger Selbstorganisation beruhten, in die Krise geraten und oft durch Initiativgruppen und netzwerkartige Organisationsformen ersetzt worden sind. Insb. das DW mit seiner hochgradigen Professionalisierung und Integration in den bundesdeutschen ↑Sozialstaat basiert jedoch nach wie vor auf dem Vereinsprinzip und ist gegenwärtig im Sinn einer Zweitstruktur weithin parallel zu den Organisationsformen der verfassten Kirche strukturiert. Demgegenüber ist ein Großteil der alters-, geschlechts- und berufsspezifischen Arbeitsformen des Verbandsprotestantismus aus der Zeit vor 1945 weitgehend in amtskirchliche Handlungsfelder integriert oder von diesen stark geprägt und finanziell wie personell unterstützt, oft durch sog.e Funktionspfarrstellen. Auf diese Art und Weise hat sich ein Netzwerk funktional-differenzierter Angebote für Kirchenmitglieder neben den Ortsgemeinden entwickelt. Dieses fluide Arbeitsfeld versteht sich teils als Bindeglied, teils als Interessenvertretung gesellschaftlicher oder frömmigkeitsspezifischer Anliegen im Bereich der evangelischen Kirche und eröffnet ein hohes Maß eigenständiger Partizipation, allerdings oft in Distanz zu der presbyterial-synodalen Organisation der verfassten Kirche.

Literatur

W. Damberg/T. Jähnichen (Hg.): Neue soziale Bewegungen als Herausforderung sozialkirchlichen Handelns, 2015 • A. Henkelmann/T. Jähnichen/U. Kaminsky/K. Kunter: Abschied von der konfessionellen Identität? Diakonie und Caritas in der Modernisierung des deutschen Sozialstaats seit den 1960er Jahren, 2012 • J.-C. Kaiser: Evangelische Kirche und sozialer Staat, 2008 • U. Röper/C. Jüllig: Die Macht der Nächstenliebe. Einhundertfünfzig Jahre Innere Mission und Diakonie 1848–1998, ²2007 • J.-C. Kaiser: Vereine/Vereinswesen, in: RGG 4, Bd. 8, 2005, 958–961 • H. Schröter: Kirchentag als vor-läufige Kirche, 1993 • I. Leitz (Hg.): Frauenstimmen. Eine Bestandsaufnahme evangelischer Frauenarbeit, 1992 • M. Affolderbach (Hg.): Grundsatztexte zur evangelischen Jugendarbeit, 1982.

TRAUGOTT JÄHNICHEN

Evangelische Sozialethik ↑Christliche Sozialethik

Evangelische Zentralstelle Für Entwicklungshilfe (EZE) ↑Evangelische Hilfswerke

Evangelisches Kirchenrecht ↑Kirchenrecht

Evangelisierung

Der theologische Begriff „E." bezeichnet die bleibende missionarische Aufgabe der Kirche (↑Katholische Kirche), die christliche Botschaft zu verbreiten. Er ergänzt den operativen Terminus der ↑Mission, der universalen

Sendung, mit dem unverwechselbaren Inhalt der E., dem Evangelium von Jesus Christus (Mk 1,1).

Biblischen Ursprungs, leitet sich das Wort von dem griechischen Verb εὐαγγελίζεσθαι (euangelízesthai) ab und bedeutet, das Evangelium, die Frohe Botschaft zu verkünden. Darauf nimmt das NT vielfach Bezug und spricht vom Evangelisieren (Röm 1,15), zumeist mit inhaltlicher Spezifizierung, etwa das Evangelium vom ↑Reich Gottes verkünden (Lk 16,16), den ↑Glauben und die ↑Liebe (1 Thess 3,6) oder das Wort des Herrn (Apg 8,4). Auch die „Antrittspredigt" Jesu nennt als Sendung des Gesalbten, „die Armen zu evangelisieren" (Lk 4,18), was sie zu befreien, zu heilen und in Freiheit zu setzen einschließt. Das Verb ist schwer zu übersetzen und wird daher meist, manchmal bis zur Unkenntlichkeit, paraphrasiert.

In der Geschichte der Ausbreitung des ↑Christentums blieb die lateinische Übersetzung „evangelizare" (Vulgata) zwar erhalten, doch man nutzte andere Begriffe für den Missionsauftrag Jesu, mit dem alle vier Evangelien enden und zugl. einen neuen Anfang setzen (etwa Mt 28,18–20). Die große Variationsbreite, in der das Mittelalter von *praedicatio, propagatio, promulgatio, conversio* u.a. sprach, wurde in der Frühen ↑Neuzeit vom Neologismus „Mission" abgelöst, der dem jesuitischen Milieu entstammte und von der römischen Kongregation *De propaganda fide* übernommen wurde. Der führende Missionstheoretiker des 16. Jh. in Peru, José de Acosta, entfaltete in seinem Handbuch *De procuranda Indorum salute* (1588) parallel zum Missionsbegriff eine „neue Methode der Evangelisierung", die auf dem guten Beispiel und der Integrität des Lebens beruht sowie die Kenntnis der jeweiligen Sprachen und Kulturen fordert. Doch erst auf dem ↑Zweiten Vatikanischen Konzil wurde E. als Leitwort wiederentdeckt und offiziell dem Missionsbegriff an die Seite gestellt, der durch die Dekolonisation in der Mitte des 20. Jh. kontrovers debattiert wurde. Die protestantische Sprachtradition kennt analoge Begriffe wie „Evangelisation" oder „evangelism". Im Prozess der E. sollen die Kirche und die Gläubigen sich durch den gesandten Logos und den Hl. Geist selbst evangelisieren (lassen), um aus dieser Dynamik durch Zeugnis und Wort *ad extra* zu evangelisieren. Ein entscheidendes Moment in der *longue durée* und der andauernden Ausbreitung des Christentums besteht in dieser Dialektik der Selbst(-E.) und der E. „bis an die Grenzen der Erde" (Apg 1,6).

Das ↑Konzil greift v.a. im Dekret über die Missionstätigkeit das Leitwort der E. auf und betont, dass die ganze Kirche missionarisch und das „Werk der Evangelisierung" eine grundlegende Pflicht des Volkes Gottes sei (AG 35). Ziel der missionarischen Tätigkeit ist „die Evangelisierung und die Einpflanzung der Kirche in den Völkern bzw. Gruppen, in denen sie noch nicht verwurzelt ist" (AG 6). Die dogmatische Konstitution über die Kirche bestimmt die E. als „die sowohl durch das Zeugnis des Lebens als auch durch das Wort vor-gebrachte Botschaft Christi" in den gewöhnlichen Verhältnissen der Welt (LG 35). Auch die ↑Laien üben aufgrund der Teilnahme am dreifachen ↑Amt Christi ein Apostolat aus, das auf personaler und struktureller Ebene zum Ausdruck kommt, nämlich durch „die Evangelisierung und Heiligung der Menschen" und für „die Erfüllung und Vervollkommnung der Ordnung der zeitlichen Dinge mit evangelischem Geist" (Apostolicam actuositatem 2).

Das „Gesetz jeder Evangelisierung", das die Pastoralkonstitution betont, besteht darin, dass die Verkündigung des geoffenbarten Wortes „angepasst" sein müsse, damit jedes Volk auf seine Weise die Botschaft Christi aussagen könne und der Austausch zwischen Kirche und Kulturen der Völker gefördert werde (GS 44). Das Konzil führt mithin ein kontextuelles E.s-Verständnis ein, das später als ↑Inkulturation oder ↑Interkulturalität nachhaltige Wirkung entfaltet hat. Nachkonziliar änderte die *Propaganda fide*, das für die Mission zuständige römische Dikasterium, seinen Namen in Kongregation für die E. der Völker (*pro gentium evangelizatione*, seit 1967). Normativ ging dieses Verständnis auch in den CIC/1983 ein (can. 781–792).

In der Linie des Konzils implementierte Paul VI. mit dem Apostolischen Schreiben *Evangelii nuntiandi* (1975) das E.s-Paradigma und brachte es auf die Formel der „ecclesia semper evangelizanda" (EN 15). Der Akzent liegt auf einem fünfstufigen Prozess vom nonverbalen Zeugnis des gelebten Glaubens und der ausdrücklichen Verkündigung zur Zustimmung des Herzens und zum Eintritt in die kirchliche Gemeinschaft bis zum Echtheitstest der letzten Stufe, der Weitergabe des Glaubens (EN 21–24) an potentiell alle Menschen. Dabei wird E. eng verbunden mit menschlicher Entfaltung im Sinn von Entwicklung und Befreiung (EN 30f.).

An der neuen Leitkategorie E. orientierten sich in der Folgezeit zahlreiche Ortskirchen. So thematisierte der lateinamerikanische Episkopat in Puebla (1979) die Fragen der E. auf dem Subkontinent und sprach von einer „befreienden Evangelisierung" (Puebla 487). Hier wie in Santo Domingo (1992) und Aparecida (2007) gewinnt die Förderung des Menschen (promoción humana) an Bedeutung für eine integrale E.; damit rücken zugleich Themen wie ↑Menschenrechte, Verarmung, ↑Arbeit, ↑Ökologie, ↑Mobilität, ↑Demokratie, ↑Wirtschaftsordnung, ↑Familie und Lebensschutz in den Blick.

Die Päpste Johannes Paul II. und Benedikt XVI. hatten ebenfalls Anteil an der Entwicklung des Schlüsselbegriffs der E., insb. der „Neu-Evangelisierung" So hob die Missionsenzyklika *Redemptoris missio* (1990) eine dreigliedrige Typologie der Adressaten hervor, welche die Mission *ad gentes*, die Seelsorgetätigkeit der Kirche und die „neue Evangelisierung" in Ländern mit alter christlicher, aber verlorener Tradition unterschied („Redemptoris missio" 33). Im Anschluss daran maß Papst Benedikt XVI. dem Thema der Neu-E. eine solche Bedeutung bei, dass er einen neuen *Päpstlichen Rat zur För-*

derung der Neu-E. einrichtete, in dem die säkularisierten Gegenden Europa, beide Amerikas und Australien, nicht aber die Kontinente Afrika und Asien vertreten sind. Papst Franziskus verknüpft im Apostolischen Schreiben *Evangelii gaudium* (2013) E. mit missionarischer Umgestaltung und Kirchenreform. Wie seine Vorgänger unterscheidet er drei konzentrisch geordnete Dimensionen: 1) die gewöhnliche Seelsorge unter Gläubigen; 2) die Sorge für Getaufte, doch Abständige; 3) die Zuwendung zu allen, die Christus nicht kennen oder ablehnen. Dabei betont er „die soziale Dimension der E.", bis hin zur Eingliederung der Armen (EG 176.186). Damit hat die Weltkirche durch die Leitkategorie der E. ein neues Profil ihres Missionsverständnisses gewonnen.

Literatur

Quellen

Die deutschen Bischöfe: Allen Völkern Sein Heil. Die Mission der Weltkirche, in: DDB 76 (2004) • Die deutschen Bischöfe: „Zeit zur Aussaat". Missionarisch Kirche sein, in: DDB 68 (2000) • José de Acosta: De procuranda indorum salute (lib. II, cc. 12–19), Bd. 1, 1984, 338–378 • Die Evangelisierung in der Gegenwart und Zukunft Lateinamerikas. Dokument der III. Generalkonferenz des lateinamerikanischen Episkopats in: Puebla (StW 8), 1979.

Literatur

K. Krämer/K. Vellguth (Hg.): Evangelii gaudium. Stimmen der Weltkirche, 2015 • R. Fisichella: Was ist Neuevangelisierung?, 2012 • A. Dulles: Evangelization for the Third Millennium, 2009 • M. Sievernich: Die christliche Mission. Geschichte und Gegenwart, 2009 • J. Müller (Hg.): Neuevangelisierung Europas. Chancen und Versuchungen, 1993 • L. Gera: Evangelisierung und Förderung des Menschen, in: P. Hünermann/J. C. Scannone (Hg.): Lateinamerika und die katholische Soziallehre, Bd. 1, 1993, 245–299 • M. Dhavamony (Hg.): Evangelisation, 1975.

MICHAEL SIEVERNICH

Evolution

I. Naturwissenschaftliche Perspektiven –
II. Philosophische und theologische Aspekte

I. Naturwissenschaftliche Perspektiven

E. bedeutet Entwicklung. Es gibt verschiedene Bereiche, in denen Entwicklungsprozesse stattfinden, so im Kosmos, in der Chemie, in der Biologie oder in der Gesellschaft. Hier geht es nur um die biologische E. Diese hat zwei Hauptaspekte, die Entwicklung des einzelnen ↗Individuums während seiner Lebenszeit (Individualentwicklung, Ontogenese) und die Entwicklung der Arten (Stammesentwicklung, Phylogenese). Zu unterscheiden ist die biologische E. als beobachtbare Tatsache von der E.s-Theorie, welche zur Aufgabe hat, die E. zu deuten und zu erklären.

1. Evolution als Tatsache

Eine direkte Beobachtung der E. ist wegen der langen Zeiten zwischen den Generationen im Allgemeinen nicht möglich. Die Verwandtschaft der Arten von Lebewesen wurde jedoch auf Grund ihres Aussehens mit den Mitteln der Morphologie festgestellt. Der Stammbaum der Lebewesen wurde so bis in die Mitte des 20. Jh. rekonstruiert. Mit dem Aufkommen der Molekularbiologie konnte dann auch die genetische Information der heute lebenden Organismen verglichen und damit ein genetischer Stammbaum erstellt werden. Der morphologische und der molekulargenetische Stammbaum stimmen bis auf wenige Ausnahmen überein. Eine direkte Beobachtung der E. ist bisher nur bei Bakterien, Viren und RNA-Molekülen im Labor wegen der kurzen Generationszeiten möglich. Unter experimentellen Bedingungen lassen sich die Einflüsse von E.s-Dynamik und Umwelt klar trennen.

2. Theorie der Evolution

Die Vermutung, dass die Lebewesen durch E. entstanden sind und die Arten sich im Laufe der Zeit ändern können, findet sich schon bei den vorsokratischen Philosophen Anaximander und Empedokles. Bei Aristoteles, im Mittelalter und in der Neuzeit bis hin zu Carl von Linné herrschte die Auffassung vor, dass die Arten konstant seien. Erst gegen Ende des 18. Jh. traten Zweifel an der Konstanz der Arten auf, so bei C. von Linné in der letzten Auflage von „Systema naturae" (Linné 1766). In der Kritik der Urteilskraft äußert Immanuel Kant die Vermutung einer „wirklichen Verwandtschaft" der Arten durch die „Erzeugung von einer gemeinschaftlichen Urmutter" (Kant 1790: B368/9). Jean-Baptiste de Lamarck war der erste, der eine Theorie der Abstammung konsequent vertrat. Er behauptete die Vererbung erworbener Eigenschaften, welche in der Folge zu Veränderungen der Generationen führen würden. Sein Gegenspieler war Georges Baron de Cuvier. Er hielt an der Konstanz der Arten fest. Fossilien hielt er für Reste ausgestorbener Arten, die durch Katastrophen zugrunde gegangen seien.

Der Theorie von Charles Darwin waren Veröffentlichungen von Thomas Robert Malthus und Charles Lyell vorausgegangen. Gemäß der Doktrin von T. R. Malthus vermehren sich die Menschen in geometrischer Progression, während die Nahrungsmittelproduktion nur linear zunimmt. Wenn das Bevölkerungswachstum nicht eingedämmt wird, müssen große Teile der Gesellschaft den Hungertod sterben. Der Geologe C. Lyell hatte gezeigt, dass die Erde sich ständig verändert, die Veränderungen aber in kleinen Schritten erfolgen. C. Darwin war beeindruckt von diesen Veröffentlichungen. Auf seinen ausgedehnten Forschungsreisen, insb. zu den Galapagos Inseln, erhob er zahlreiche Befunde, die ihn zu der Auffassung brachten, dass die Arten nicht konstant sind, sondern sich wandeln. Die Individuen unterscheiden sich in zahlreichen Merkmalen *(Variabi-*

lität). Im Kampf ums Dasein *(struggle for life)* überleben nur die am besten angepassten Individuen und Arten *(survival of the fittest),* da sie mehr Nachkommen hinterlassen als die schlechter angepassten. Damit war die *Selektionstheorie* formuliert, die besagt, dass bei begrenzten Umweltressourcen eine Auslese der Individuen erfolgt. Die Selektion führt dazu, dass die Populationsdichte entgegen der Doktrin von T. R. Malthus konstant bleibt. Ein Artenwandel vollzieht sich im Laufe vieler Generationen in kleinen Schritten, ähnlich wie dies von C. Lyell für die Veränderungen in den geologischen Formationen festgestellt worden war. Aus dem Artenwandel schloss C. Darwin ferner, dass die Arten sich aus Urformen entwickelt haben und letztlich von gemeinsamen einzelligen Urwesen abstammen *(Abstammungslehre, Deszendenztheorie).*

Alfred Russel Wallace kam bei seinen Forschungen zum gleichen Ergebnis wie C. Darwin. Beide stellten ihre Theorie in zwei Aufsätzen vor, die 1858 vor der *Linnean Society* in London verlesen wurden. Der Begriff E. kam in diesen Aufsätzen noch nicht vor. 1859 stellte C. Darwin seine Abstammungslehre in umfassender Weise dar in dem Buch „On the origin of species by means of natural selection" (Darwin 1859). Dieses Datum gilt als Anfang der wissenschaftlichen Abstammungslehre. Obwohl A. R. Wallace zu denselben Ergebnissen gekommen war, anerkannte er den Publikationsvorsprung von C. Darwin und nannte die Abstammungslehre *Darwinismus.* C. Darwin wandte seine Lehre auch auf den Menschen an. In seinem Buch „The descent of man, and selection in relation to sex" (Darwin 1871) folgerte er aus seinem Material, dass Menschen und Menschenaffen von gemeinsamen Vorfahren abstammten.

Die wesentlichen Aussagen der Darwin'schen Theorie lassen sich in den folgenden vier *Hauptthesen* zusammenfassen:

a) Die verschiedenen Arten stammen aus einer gemeinsamen Wurzel.

b) Der Artenwandel vollzieht sich in kleinen Schritten (Gradualismus).

c) Im Verlaufe der Erdgeschichte wurde die Zahl der Arten vervielfacht.

d) Die natürliche Selektion bewirkt den Artenwandel. Sie wurde von C. Darwin und A. R. Wallace als der wichtigste Faktor für die E. angesehen.

C. Darwin hatte falsche Vorstellungen über die Vererbung. Er unterschied nicht zwischen Körper- und Keimbahnzellen und glaubte wie J.-B. de Lamarck an die Vererbung erworbener Körpereigenschaften. Grundlegende Erkenntnisse über die Vererbung sind Gregor Mendel zu verdanken. Er hatte mit seinen Experimenten gezeigt, dass vererbbare Eigenschaften nicht durch „Mischen" des väterlichen und mütterlichen Erbmaterials weitergegeben werden, sondern in Form von „Erbpaketen", die heute *Gene* heißen. Veränderungen im Erbgut kommen auf zwei verschiedene Weisen zustande:

a) Die Gene werden verschieden rekombiniert. Dadurch entstehen neue Kombinationen mit neuen Eigenschaften für den Träger.

b) In den einzelnen Genen treten Veränderungen auf, die wir heute Mutationen nennen.

Die Varianten in den Veränderungen werden heute als Allele bezeichnet. August Weismann gelang es zu zeigen, dass die wichtigste Quelle der biologischen Variabilität in der sexuellen Fortpflanzung und der damit verbundenen Rekombination der Gene besteht. Diese erweiterte Version der Abstammungslehre, die auch von A. R. Wallace unterstützt wurde, wird *Neodarwinismus* (1890–1910) genannt. Durch die Molekularbiologie wurden die Vorstellungen C. Darwins bzgl. Vererbung widerlegt und die Befunde von G. Mendel und A. Weismann bestätigt.

Bis zur Mitte des 20. Jh. waren „Evolutionstheorie und Genetik unversöhnlich zerstritten hinsichtlich der Bedeutung von kontinuierlicher Selektion und sprunghaften Mutationsschritten" (Schuster 2007: 29). Erst nach dem Zweiten Weltkrieg gelang eine Synthese der Vererbungslehre von G. Mendel, der Chromosomentheorie der Vererbung und der E.s-Theorie zur *synthetischen Theorie der biologischen E.* (Synonym: *Moderne E.s-Theorie).* Diese Synthese ist in erster Linie Theodosius Dobzhansky, Ernst Mayr und Julian Huxley zu verdanken. Nach 1950 wurde die synthetische Theorie mit weiteren Disziplinen erheblich ausgebaut zur *erweiterten synthetischen Theorie der biologischen E.* Die Erweiterung wurde v. a. durch den Einbezug der Molekularbiologie möglich, welche die Struktur der DNA und die Weise der Übertragung der Information auf die Synthese der Proteine entdeckte. Die erweiterte synthetische Theorie wird heute auch einfach E.s-Biologie genannt. „Eine in wenigen Worten zusammen zu fassende ‚Evolutionstheorie' gibt es daher heute nicht mehr." (Kutschera 2009: 268).

Mit dem Einbezug der Molekularbiologie ist es auch möglich geworden, *Mutationen* (Veränderungen am Genom) besser zu verstehen und zu charakterisieren. Mutationen können als Fehler beim Kopieren der genetischen Information, aber auch durch externe Einflüsse (Strahlung, chemische Substanzen etc.) auftreten. Sie können auftreten, wenn einzelne Nukleotide der DNA verändert werden (Punktmutation) oder wenn ein Abschnitt der DNA mehrfach kopiert (Insertion) oder nicht kopiert wird (Deletion).

Im Neodarwinismus und in der synthetischen Theorie geht man davon aus, dass Mutationen nicht zielgerichtet sind. Veränderungen und Anpassungen erscheinen nur im Nachhinein als zweckdienlich. Die Zielgerichtetheit ist nicht Triebkraft der E., sondern kann nur als Ergebnis festgestellt werden.

3. Ungelöste Probleme der Evolutionstheorie

Die Thesen der E.s-Theorie können viele, aber nicht alle Vorgänge der Phylogenese erklären. Es bleiben noch etliche Fragen offen. Somit hat die E.s-Theorie trotz des

Einbezugs vieler zusätzlicher Disziplinen noch nicht den Stand einer vollständigen Theorie erreicht.

In der Theorie der E. ist immer wieder vom *Zufall* die Rede. Es bleibt aber ungeklärt, was damit gemeint ist. Viele verstehen darunter wie Jacques Monod den blinden oder reinen Zufall. Der reine Zufall soll „Grundlage des wunderbaren Gebäudes der E." (Monod 1971: 141) sein. Wenn damit gemeint ist, dass aus Nichts durch Zufall etwas entsteht, dann ist die Aussage sinnlos, weil „jede Definition von Zufall einen bestimmten Zustand, ein Ereignis oder einen Prozess voraussetzt." (Weingartner 2002: 252) Die Entstehung der Welt aus Nichts ist Thema der Schöpfungstheologie. Wenn mit Zufall nicht berechenbare Ereignisse wie etwa der radioaktive Zerfall oder die eingeschränkte Information infolge von quantenmechanischer Unschärfe gemeint sind, dann handelt es sich um einen *objektiven* Zufall. Bei der E. geht es aber meist um den *subjektiven* Zufall. Für den Beobachter erscheint ein Ereignis als zufällig, wenn er die Ursachen für dieses Ereignis nicht kennt oder nicht kennen kann. Diese Art des Zufalls ergibt sich aus der Unmöglichkeit einer vollständigen Beschreibung. In diesem Sinne erfolgen Mutationen zufällig.

Die klassischen Mechanismen der E.s-Theorie (Variation und Selektion) reichen nicht aus, um die größeren *Übergänge* von einer *hierarchischen Stufe* zur nächsten zu erklären. Peter Schuster listet eine Reihe solcher Stufen auf, aus denen hier nur drei ausgewählt seien:

a) Die Entstehung einer Zelle mit Metabolismus und Strukturierung in Kompartimente.

b) Der Übergang von einzelligen zu mehrzelligen Organismen.

c) Die Entwicklung der gegenwärtigen menschlichen Gesellschaften, die über ↑Sprache und Schrift verfügen.

Diese größeren Übergänge sind begleitet von einer Zunahme an Komplexität. Elemente, die auf der niedrigeren Ebene Konkurrenten sind, werden in eine synergetische Einheit integriert und kooperieren dort im Dienste einer gemeinsamen Funktion. Die Konkurrenten wirken in der neuen Einheit zusammen i. S. d. *Selbstorganisation*. Dadurch entsteht ein System mit neuartigen Eigenschaften. Manfred Eigen und P. Schuster haben mit dem „katalytischen Hyperzyklus" (Eigen/Schuster 1979) einen Mechanismus vorgeschlagen, der zur Integration von vorher kompetitiven Elementen zu einer kooperativen Funktionseinheit führt.

Einige E.s-Theoretiker halten daran fest, dass es in der E. keinen ↑*Fortschritt* gibt. Tatsächlich darf man den Begriff Fortschritt nicht unbesehen gebrauchen, sondern muss dafür ein Referenzsystem angeben. Wird nun die Zunahme der Komplexität als Referenzsystem genommen, dann bleibt das Dogma, dass es in der E. keinen Fortschritt gibt, unverständlich. Es lässt sich nämlich zeigen, dass es in der E. ein stetiges Fortschreiten von einfacheren zu komplexeren Systemen gibt. Mit der ständig zunehmenden Komplexität wird eine wachsende Flexi-

bilität und Lernfähigkeit erreicht. Die beiden Hauptpfeiler des Fortschritts in der E. sind also die ständig zunehmende Komplexität und als Folge die zunehmende Befreiung der Lebewesen aus den Zwängen der ↑Natur. Die Feststellung, dass es in der E. Fortschritt gibt, erlaubt freilich im Rahmen der Naturwissenschaften noch nicht den Schluss, dass die E. auf ein Ziel hin steuert.

4. Die Stellung des Menschen in der Evolution

Bei E.s-Biologen ist die Stellung des Menschen in der E. umstritten. Die Beurteilung reicht von größter Naturkatastrophe (Franz Manfred Wuketits) über sterbliches Vehikel für die Weitergabe der egoistischen Gene (Richard Dawkins) bis zum reinen Zufallsprodukt (Stephen Jay Gould). Hält man sich aber an das genannte Referenzsystem der zunehmenden Komplexität, dann ist der Mensch zwar in bestimmten Einzelleistungen (z. B. Hören im Ultraschallbereich, Riechen) anderen Lebewesen unterlegen, aber in der Summe und Vielfalt seiner Fähigkeiten überschreitet er alle anderen Lebewesen. Das geht ganz bes. deutlich aus der Analyse von Struktur und Funktion des Gehirns und der damit verbundenen geistigen Fähigkeiten (Sprache, Schrift, geistige Flexibilität) hervor. Auf Grund dieser Komplexität der Organisation wird der Mensch zu einem Wesen, das über einen großen Raum der ↑Freiheit verfügt. Unter diesem Gesichtspunkt kann der Mensch zu Recht als „Krone der Evolution" bezeichnet werden (Neuweiler 2009). Mit diesen enormen Fähigkeiten ist der Mensch zum Schöpfer der *kulturellen* E. geworden, welche über die natürliche E. hinaus und mit wesentlich schnellerem Schritt voran geht als diese.

5. Die wissenschaftlichen Grenzen der Evolutionstheorie

Als Naturwissenschaft ist die E.s-Theorie an die Regeln der naturwissenschaftlichen Forschung gebunden und sollte sich auch auf die Erforschung ihres Gegenstandes beschränken. Doch schon C. Darwin ging über sein Forschungsgebiet hinaus, indem er die Schöpfungslehre ablehnte und damit einen weltanschaulichen Streit entfachte. Während Kardinal John Henry Newman und andere Zeitgenossen C. Darwins keine grundsätzlichen Probleme zwischen der Abstammungslehre C. Darwins und einer Schöpfungstheologie sahen, trieben radikale Evolutionisten wie Ernst Haeckel den Streit mit der ↑Religion noch erheblich weiter. E. Haeckel wollte mit der E.s-Theorie beweisen, dass es keinen persönlichen Gott gibt, der das Universum in einer sinnvollen Weise erschafft. Für seine Beweisführung fälschte er in massiver Weise biologische Daten, um so das sog.e *biogenetische Grundgesetz* zu begründen. Die Fälschungen wurden bereits von zeitgenössischen Wissenschaftlern aufgedeckt und von E. Haeckel selbst nicht nur zugegeben, sondern auch im Dienste der Unterstützung seiner ↑Weltanschauung verteidigt. Sie werden aber auch heute von E.s-Biologen noch nicht als Fälschungen gesehen, sondern als „Stilisierungen" verharmlost (Kutschera 2015:

301–305). Die biologische Forschung hat inzwischen gezeigt, dass die Rekapitulation der Phylogenese in der Ontogenese, wie sie im *biogenetischen Grundgesetz* behauptet wird, in dieser Form nicht zutrifft. Deshalb wird das „Gesetz" seit einigen Jahrzehnten zur „Regel" abgemildert, was aber noch immer nicht der biologischen Realität entspr. Wenn man die Phylogenese zur Ursache der Ontogenese macht, dann hat man noch nicht verstanden, warum sich die Körperform in der Ontogenese in einer bestimmten Weise entwickelt. Schon Wilhelm His hatte gezeigt, dass die Ontogenese der Phylogenese vorausgeht und nur über die Ontogenese die Phylogenese vorangetrieben wird. Diese Forschungsrichtung der Embryologie hat sich seither sehr bewährt und findet in den letzten Jahren neben der Molekularbiologie und der Epigenetik wieder großes Interesse.

Trotz der weltanschaulich motivierten Fälschungen steht E. Haeckel bei einigen E.s-Biologen bis heute in hohem Ansehen. Der Einsatz der E.s-Theorie für den weltanschaulichen Kampf gegen die Religion hat noch kein Ende gefunden. Für Daniel Dennett ist der Tod Gottes die notwendige Konsequenz von C. Darwins Lehre. R. Dawkins versucht mit Hilfe der E.s-Theorie den „Gotteswahn" (Dawkin 2007) aus den Köpfen der Menschen zu vertreiben. E.s-Biologen kritisieren bis heute sogar in Lehrbüchern den christlichen Glauben und die christliche ↑Ethik und äußern sich über Seele und ↑Tod. Ebenso wenig wie die weltanschaulich orientierten Evolutionisten sind die Vertreter des *Kreationismus* und des *Intelligent Design* geeignete Gesprächspartner einer streng naturwissenschaftlich orientierten E.s-Theorie, weil sie mit ihrer Argumentation nicht die naturwissenschaftliche Methode und ihre Grenzen respektieren.

Der bis heute anhaltende Streit über die E. ließe sich entschärfen, wenn nicht sogar vermeiden, wenn man die Grenzen von ↑Wissenschaft und ↑Glauben reflektieren und anerkennen würde. Wir haben zwei verschiedene Zugangsweisen zum Verstehen der Welt und der Lebewesen. Zwischen diesen beiden Zugangsweisen besteht eine *epistemische Differenz*. Die ↑Naturwissenschaft erforscht die *Wirkursachen*. Der Glaube an einen übernatürlichen Plan, an eine Teleologie des Kosmos, steht unter der Vorstellung von *Zielursachen*.

Literatur

U. Kutschera: Evolutionsbiologie, ⁴2015 • S. Piccolo: Die Mechanik der Zelle, in: Spektrum der Wissenschaft 8/15 (2015), 21–27 • G. Rager: Grundzüge einer modernen Anthropologie, 2012 • U. Kutschera: Darwinismus, Dobzhanskyismus und die biologische Theorie der Evolution, in: S. Borrmann/G. Rager (Hg.): Kosmologie, Evolution und Evolutionäre Anthropologie, 2009, 255–270 • P. Schuster: From belief to facts in Evolutionary theory, in: ebd., 307–325 • P. Weingartner: Kinds of chance and randomness in: ebd., 223–254 • G. Neuweiler: Und wir sind es doch – die Krone der Evolution, 2009 • R. Dawkins: Der Gotteswahn, 2007 • P. Schuster: Evolution und Design, in: S. O. Horn/S. Wiedenhofer (Hg): Schöpfung und Evolution, 2007, 25–56 • D. Dennett: Süßigkeit für den Geist, in: Der Spiegel, 60/52 (2005), 148–150 • F. Wuketits: Naturkatastrophe Mensch, 1998 • S. J. Gould: Zufall Mensch, 1991 • E. Mayr: Die Entwicklung der biologischen Gedankenwelt, 1984 • M. Eigen/P. Schuster: The hypercycle. A principle of Natural Self-Organization, 1979 • R. Dawkins: Das egoistische Gen, 1978 • W. J. Hamilton/H. W. Mossman: Human Embryology, ⁴1972 • J. Monod: Zufall und Notwendigkeit, 1971 • J. Huxley: Evolution. The modern synthesis, 1942 • E. Mayr: Systematics and the origin of species, 1942 • T. Dobzhansky: Genetics and the origin of species, 1937 • E. Haeckel: Natürliche Schöpfungsgeschichte, ⁹1898 • W. His: Unsere Körperform und das physiologische Problem ihrer Entstehung, 1874 • C. Darwin: The descent of man, and selection in relation to sex, 1871 • C. Darwin: On the origin of species by means of natural selection, 1859 • C. Lyell: Principles of geology, 3 Bde., 1830–33 • J.-B. de Lamarck: Philosophie zoologique, 1809 • T. R. Malthus: An essay on the principle of population, 1798 • I. Kant: Kritik der Urteilskraft, 1790 • C. von Linné: Systema naturae, ¹²1766.　　GÜNTER RAGER

II. Philosophische und theologische Aspekte

Für unsere lebensweltliche Erfahrung war über viele Jahrtausende klar, dass die Arten unveränderlich sind. Ein wörtliches Verständnis des Buches Genesis scheint dieser These sogar einen göttlichen Stempel aufzudrücken, indem Gott dort so dargestellt wird, als habe er die verschiedenen Arten in separaten Akten erschaffen. Dass sich die Lebewesen verändern, hätte man aufgrund menschlicher Züchtungserfolge erkennen können, in denen allerdings nie die Artgrenzen überschritten wurden. Dass eine solche Überschreitung dennoch möglich ist, erkannte Charles Darwin erstmals, als er als junger Mann die Galapagosinseln besuchte, wo sich offenkundig aus einer einzigen Finkensorte durch die Isolation des Inseldaseins ganz verschiedene Sorten gebildet hatten. C. Darwin übertrug diese Einsicht auf die Entwicklung als Ganze im Sinn einer „natürlichen Zuchtwahl". Demnach sind es die Umweltbedingungen, die zufällig verschieden ausgestattete Lebewesen gemäß ihrer Effizienz in der Ausnutzung der Ressourcen bevorzugen, so dass sie sich stärker vermehren und die weniger Angepassten schließlich eliminieren. Der Mechanismus der Vererbung war C. Darwin allerdings noch nicht bekannt. Er wurde erst im 20. Jh. von Francis Crick und James Dewey Watson entdeckt, welche die Doppelhelix als Grundlage der Vererbung ausfindig machten. Seither gibt es die sog.e „synthetische Theorie" als eine Verbindung von E.s-Theorie und Mikrobiologie.

Die synthetische Theorie zeichnet sich wie alle guten Theorien durch Einfachheit und Fruchtbarkeit aus, d. h. sie beruht auf wenigen, klaren Prinzipien und erklärt doch eine große Fülle von Phänomenen. Tatsächlich wurde sie im Experiment oder in der Feldforschung immer wieder bestätigt. Schon C. Darwin wandte seine Theorie auch auf den Menschen an. Es schien ihm nicht plausibel anzunehmen, dass der Mensch eine Ausnahme in der natürlichen Entwicklung bilden sollte.

Die E.s-Theorie hat allerdings gravierende philosophische und theologische Konsequenzen. Vor C. Darwin hatte man angenommen, dass die offenkundige Zweckmäßigkeit im Verhalten und Bau der Organismen von Gott stammen müsse, da sie auf einen vernünftigen Ursprung hindeuteten. C. Darwin, der urspr. angefangen hatte, Theologie zu studieren, kannte den teleologischen Gottesbeweis von William Paley: Wenn jemand am Meeresstrand eine komplizierte Uhr fände, wäre er gezwungen, auf einen intelligenten Uhrmacher zu schließen. Die Lebewesen seien ebenfalls wundersam eingerichtete, zweckmäßige Gebilde, die den Schluss auf einen göttlichen Urheber nötig machten. Für C. Darwin stellte sich die Sachlage nun anders dar: Die wundersame Einrichtung der Lebewesen ist Resultat eines blinden, nicht gerichteten Prozesses. Die Zweckmäßigen sind übriggeblieben und nicht etwa gewollt, und ihre Zweckmäßigkeit verdankt sich lediglich bestimmten Zufallsschwankungen, die negativ, neutral oder lebensdienlich waren, während die weniger Angepassten verschwinden mussten. C. Darwins Zweifel an der Schöpfungstheologie verdankte sich wesentlich dieser Mitleidslosigkeit der natürlichen Entwicklung. Seitdem muss die Theodizeeproblematik auch auf die ↑Natur bezogen werden.

Philosophisch ist v. a. von Belang, dass die Mischung aus Zufall und Notwendigkeit, d. h. aus ungerichteten Mutationen und neutralen Gesetzmäßigkeiten, keine Sinnperspektiven mehr eröffnet. So wie der Fortschritt der Physik seit Galileo Galilei und Isaac Newton die unbelebte Natur ihres Telos beraubt hatte, verschwand nun die Teleologie auch aus der belebten Natur und schließlich aus der sozialen Welt des Menschen, denn man versuchte, v. a. im Verlauf des 20. Jh., den Darwinismus in den sozialen Bereich zu übertragen. Die fundamentalen Eigenschaften des Menschen sind Erkennen und Handeln, und so entwickelte sich eine evolutionäre Erkenntnistheorie und eine ↑Soziobiologie, die das Erkennen und Handeln als Anpassungsphänomene zu erklären suchten. In der zweiten Hälfte des 20. Jh. bezog man dieses naturalistische Schema sogar auf den menschlichen Geist und das menschliche Bewusstsein, so etwa in den funktionalistischen Computertheorien. Hier allerdings scheinen Grenzen des darwinistischen Paradigmas erkennbar zu werden. So greift es etwa zu kurz, wenn wir menschliches Erkennen als Anpassungsphänomen interpretieren, denn solche Phänomene werden nach Effizienzgesichtspunkten beurteilt. Menschliches Erkennen aber kann wahr oder falsch sein. ↑Wahrheit und Effizienz sind nicht dasselbe, denn Vieles, was effizient ist (wie z. B. der Placeboeffekt), beruht nicht auf Wahrheit und umgekehrt. Im selben Sinn hat die Soziobiologie ihre deutlichen Grenzen z. B. an der ↑Moral. Die Sorge für die Schwachen, Alten und Kranken ist anti-evolutionär, denn in der Natur werden die Schwachen, Alten und Kranken mitleidlos ausgerottet. Ebenso traten bei der Naturalisierung des menschlichen Geistes elementare, vermutlich unlösbare Probleme auf. So scheint es etwa nicht zu gelingen, das Bewusstsein zu funktionalisieren. Ähnliches gilt für Intentionalität, Normativität u. a. Phänomene.

Heißt das, dass der Darwinismus falsch ist? So wird es manchmal dargestellt, und religiöse Fundamentalisten (↑Fundamentalismus) verweisen auf solche Grenzen des Darwinismus, um ihn als eine Irrlehre zu brandmarken. Es könnte aber auch der Fall sein, dass der Darwinismus zwar wohl begründet ist, aber dennoch nicht hinreicht, um die Menschenwelt in ihrer Ganzheit zu erklären. Es wäre möglich, dass der Darwinismus der Newtonschen Theorie ähnelt, die eine Fülle von physikalischen Phänomenen erklärbar machte, nicht aber das Licht. Als es im Laufe des 19. Jh. dennoch gelang, die Eigenschaften des Lichtes physikalisch zu erklären, musste man die Ontologie verändern. Es zeigte sich, dass es nicht nur materielle Partikel und die zwischen ihnen wirkenden mechanischen Kräfte gibt, sondern auch elektrische Ladungen und Felder, die in Termen der Newtonschen Physik nicht zu deuten sind. In diesem Sinn wird heute von den sog.en „Protopanpsychisten" im Licht der E.s-Theorie eine radikale Änderung der Ontologie gefordert. Andernfalls entsteht das Problem der Emergenz, also des Entstehens von radikal Neuem. Wie tritt der Mensch mit seinen darwinistisch nicht zu erklärenden Eigenschaften in Erscheinung? Wie gelingt es der Natur, aus Nicht-Lebendigem Lebendiges hervorzubringen, aus Nicht-Bewusstem bewusstseinsbegabte Lebewesen? Tatsächlich ist der Begriff der Emergenz eher ein Etikett für etwas, das wir nicht verstanden haben, als ein seriöses wissenschaftliches oder philosophisches Konzept. Manche Emergenztheoretiker sprechen von einer „natürlichen Pietät", mit der wir das unerklärliche Entstehen des Neuen zur Kenntnis nehmen sollten. Andere, wie Charles Sanders Peirce oder Alfred North Whitehead, deuten die Entstehung des Neuen im Rahmen einer evolutionären Metaphysik, die dann aber nicht mehr naturalistisch ausfällt. Offenbar haben wir keine zwingenden Argumente für die eine oder andere Position. Damit gibt es aber auch keine zwingenden Argumente gegen eine theistische Lösung, wie sie die „neuen Atheisten" (↑Atheismus), allen voran Richard Dawkins, vorzubringen bemüht sind. C. Darwin selbst war Agnostiker, kein Atheist. Es scheint, dass der wissenschaftliche Sachverhalt zu weiterreichenden Schlussfolgerungen nicht berechtigt.

Der Theologie ist es aufgegeben, naturwissenschaftliche Aussagen über die E. des Lebendigen im Licht des Schöpfungsglaubens zu deuten. Sofern Gott dabei nicht als Wirkursache auf einer Ebene mit natürlichen Ursachen verstanden, sondern als Erstursache des gesamten Naturprozesses bzw. als Bedingung seiner Möglichkeit reflektiert wird, können Konflikte mit den ↑Naturwissenschaften vermieden werden und bleiben theologische Aussagen über Gottes Weltplan, seine Vorsehung, die Fortdauer seines Schöpfungswirkens und die gottgewollte Sonderstellung des Menschen in einem evolutiven Kosmos möglich. Eine solche „Berücksichtigung der in den verschiedenen Ordnungen des Wissens verwendeten Methode" (Johannes Paul II.1996: 6) ist mittlerweile vom katholischen Lehramt ausdrücklich anerkannt worden. Ein theologischer *Kreationismus*, der versucht, in den biblischen Urgeschichten eine (mehr oder weniger) exakte Beschreibung des Schöpfungsablaufes zu finden, dafür empirische Belege beizubringen und mit Hilfe der Bibel Alternativen zur E.s-Theorie zu formulieren, verkennt dagegen die Intention der biblischen Texte und führt in unnötige Konflikte zwischen ↑Glaube und ↑Wissenschaft. Eine methodologische Grenzüberschreitung sieht die Mehrzahl heutiger Theologen auch in der Unterstützung von *Intelligent Design-Theorien*, die häufig als naturwissenschaftlich argumentierende Varianten des teleologischen Gottesbeweises auftreten. Anders ist der theologische Versuch zu bewerten, bestimmte unbestrittene Faktoren in evolutiven Erklärungsmodellen, wie das Phänomen der Kontingenz und Zufälligkeit von Naturprozessen, die mathematisch einfache Beschreibbarkeit der Natur oder die Feinabstimmung der Naturkonstanten, als Anknüpfungspunkte für den Dialog zwischen ↑Theologie und Naturwissenschaften zu identifizieren.

Literatur

H.-D. Mutschler: Halbierte Wirklichkeit. Warum der Materialismus die Welt nicht erklärt, 2014 • A. E. McGrath: Darwinism and the Divine. Evolutionary Thought and Natural Theology, 2011 • H. Kessler: Evolution und Schöpfung in neuer Sicht, 2009 • C. Kummer: Der Fall Darwin. Evolutionstheorie contra Schöpfungsglaube, 2009 • R. Dawkins: Der Gotteswahn, 2007 • V. Hösle/C. Illies: Darwin, 2005 • E. Voland: Grundriß der Soziobiologie, ²2000 • A. Stephan: Emergenz: von der Unvorhersagbarkeit zur Selbstorganisation, 1999 • Johannes Paul II.: Botschaft an die Teilnehmer der Vollversammlung der Päpstlichen Akademie der Wissenschaften, 1996 • G. Vollmer: Auf der Suche nach der Ordnung, 1995 • G. Keil: Kritik des Naturalismus, 1993 • C. S. Peirce: Naturordnung und Zeichenprozess, 1991 • A. N. Whitehead: Prozeß und Realität, Frankfurt 1987.
HANS-DIETER MUTSCHLER

Exekutive ↑Gewaltenteilung, ↑Regierungssysteme, ↑Verwaltung

Existenzminimum

I. Wirtschaftlich – II. Rechtlich

I. Wirtschaftlich

1. Allgemeines

Unter dem E. versteht man die wirtschaftlichen Ressourcen, die bei sparsamer Wirtschaftsweise erforderlich sind, um einen als unbedingt notwendig anerkannten Mindestbedarf abzudecken. Die sozialwissenschaftliche Literatur unterscheidet dabei zwischen dem physischen und dem soziokulturellen E. Unter dem physischen E. ist die Summe der Aufwendungen zur Aufrechterhaltung der physischen Existenz zu verstehen, also die existenziell notwendigen Ausgaben für Nahrung, Kleidung, Unterkunft und Heizung sowie Hygiene und Gesundheit. Personen, deren Konsummöglichkeiten das physische E. unterschreiten, gelten als extrem arm. Das soziokulturelle E. umfasst neben diesen Aufwendungen auch Ausgaben zur Pflege zwischenmenschlicher Beziehungen und zur Teilhabe am gesellschaftlichen, kulturellen und politischen Leben. Beide Konzepte, physisches wie soziokulturelles E., sind von äußeren Faktoren wie klimatischen Gegebenheiten, dem regionalen Preisniveau und gesellschaftlichen Konventionen abhängig und somit kulturspezifisch.

Für die Wirtschafts- und Sozialordnung der BRD ist das soziokulturelle E. von bes.r Bedeutung. So ist der deutsche Staat aufgrund Art. 1 GG (Garantie der ↑Menschenwürde) i. V. m. dem Sozialstaatsgebot (Art. 20 und 28 GG; ↑Sozialstaat) verpflichtet, allen Gesellschaftsmitgliedern das E. zu gewährleisten. Nach der Rechtsprechung des ↑BVerfG bezieht sich diese Gewährleistungspflicht explizit auf das soziokulturelle E., denn „der Mensch als Person existiert notwendig in sozialen Bezügen" (BVerfG Urteil vom 9.2.2010, 1 BvL 1/09, 1 BvL3/09, 1 BvL 4/09, Rdnr. 135). Dieser Anspruch wird durch das System der Grundsicherung, also die ↑Sozialhilfe (SGB XII) und die Grundsicherung für Arbeitsuchende (SGB II), sichergestellt. Für Asylbewerber gelten leicht abweichende Vorschriften durch das AsylbLG. Nach dem SGB setzt sich das E. einer Person aus dem Regelbedarf und dem Bedarf für Unterkunft und Heizung zusammen. Im Regelbedarf sind die für notwendig erachteten Ausgaben für die persönlichen Bedürfnisse des täglichen Lebens und der sozialen Teilhabe zusammengefasst. Kinder haben darüber hinaus Anspruch auf Leistungen zur Abdeckung spezifischer Bildungs- und Teilhabebedarfe.

Aufgrund des Sozialstaatsprinzips ist der Gesetzgeber darüber hinaus verpflichtet, nur dasjenige ↑Einkommen zu besteuern, welches für den Steuerpflichtigen frei verfügbar („disponibel") ist. Als nicht disponibel und somit nicht steuerpflichtig gelten der sozialhilferechtliche Sachbedarf sowie der Versorgungsbedarf für den Krankheits- und Pflegefall, insb. die entspr.en Versicherungsbeiträge. Als ebenfalls indisponibel sind das sächliche E. unterhaltsberechtigter Kinder (Sachbedarf) sowie die kindbezogenen Vorsorgeaufwendungen anzusehen. Darüber hinaus wird die steuerliche Leistungsfähigkeit von Eltern durch den Betreuungs- und Erziehungsbedarf eines Kindes gemindert.

Die steuerliche Verschonung des E.s erfolgt für den Steuerpflichtigen durch den Grundfreibetrag des Einkommensteuertarifs (die sog.e „tarifliche Nullzone"). Die Berücksichtigung der verminderten steuerlichen Leistungsfähigkeit von Eltern wird durch den Kinderfreibetrag und den Freibetrag für Betreuung und Erziehung sichergestellt. Die kindbedingten steuerlichen Freibeträge werden seit 1996 mit dem Kindergeld verrechnet, so dass für die meisten Familien die steuerliche Verschonung des E.s durch das Kindergeld erfolgt. Alle steuerlichen Freibeträge müssen regelmäßig an die Entwicklung des soziokulturellen E.s angepasst werden. Hierzu legt die Bundesregierung alle zwei Jahre einen E.-Bericht vor, in dem die Höhe des steuerfrei zu stellenden E.s und die Berechnungsgrundlagen dargestellt werden.

2. Berechnung

Das physische E. spielt v.a. in der internationalen Armutsberichterstattung eine Rolle. Als extrem arm bezeichnet die ↗Weltbank Personen, welche kaufkraftbereinigt weniger als 1,90 US-Dollar täglich zur Verfügung haben. Diese sog.e Hungergrenze wird seit 1985 berechnet und regelmäßig angepasst. Nach Berechnungen der Weltbank ist der Anteil der in extremer ↗Armut lebenden Menschen in den vergangenen Jahren deutlich zurückgegangen. Mussten im Jahr 1990 noch 2 Mrd. Menschen, das waren 44 % der Weltbevölkerung, mit einem Einkommen von weniger als 1,90 US-Dollar auskommen, so waren es 2015 noch 700 Mio. Menschen, das entspr. 9,6 % der Weltbevölkerung.

Für die Berechnung des soziokulturellen E.s existieren zwei Verfahren: das Warenkorb- und das Statistikmodell. Beim Warenkorbmodell werden von einer Kommission zunächst jene Güter und Dienstleistungen bestimmt, welche für ein menschenwürdiges Leben erforderlich sind. Diese Güter und Dienstleistungen werden anschließend mit Preisen bewertet, die sich im unteren Bereich des Marktpreisspektrums bewegen. Die Summe dieser Aufwendungen stellen den sog.en Regelbedarf dar, der zusammen mit den Aufwendungen für Unterkunft und Heizung (dem „Wohnbedarf") das soziokulturelle E. ergibt. An diesem Verfahren wird kritisiert, dass sich der Bedarf nicht an einer objektivierbaren Größe orientiert, sondern durch ein externes Gremium subjektiv festgelegt wird. Dieser Kritik versucht das Statistikmodell zu begegnen. Nach diesem Modell werden die Leistungen nach den tatsächlichen, statistisch ermittelten Verbrauchsausgaben unterer Einkommensgruppen bemessen. Um Zirkelschlüsse zu vermeiden, werden bei dieser Berechnung die Bezieher von Grundsicherungsleistungen ausgeklammert. Das Konsumniveau

dieser Gruppen ergibt dann den Regelbedarf. Beim Statistikmodell wird v.a. die Durchschnittsbildung bei der Ermittlung der Verbrauchsausgaben kritisiert. Wenn bspw. die Ausgaben für einen Internet-Zugang als bedarfsrelevant angesehen werden, ein günstiger Internetanschluss 40 Euro monatlich kostet und 70 % der einkommensschwächsten Haushalte über einen entspr.en Internetanschluss verfügen, so beträgt der nach dem Statistikmodell ermittelte Regelbedarf 28 Euro. Dies ist jedoch unzureichend, um den als existenzminimal anerkannten Kommunikationsbedarf abzudecken.

In Deutschland erfolgte die Ermittlung der sozialhilferechtlichen Regelbedarfe bis 1990 nach dem Warenkorbmodell. Derzeit findet ein sog.es modifiziertes Statistikmodell Anwendung (§ 28 SGB XII i.V.m. RBEG). Dabei werden auf der Grundlage der EVS des StBA zunächst Referenzhaushalte gebildet. Die EVS ist eine bevölkerungsrepräsentative Haushaltsbefragung, die alle fünf Jahre durchgeführt wird. Für Einpersonenhaushalte werden die 15 % einkommensärmsten, für Familienhaushalte die 20 % einkommensärmsten Haushalte (ohne Bezieher von Grundsicherungsleistungen) als Referenzgruppe herangezogen. Anschließend werden gemäß dem Statistikmodell die Verbrauchsausgaben dieser Personengruppen empirisch ermittelt. Von diesen Aufwendungen werden jedoch bestimmte Ausgaben als nicht regelsatzrelevant ausgeklammert; lediglich die als regelsatzrelevant anerkannten Konsumausgaben werden zur Bestimmung des E.s herangezogen. Während der Regelsätze für Kinder und Jugendliche urspr. als ein bestimmter Prozentsatz des Regelsatzes von Erwachsenen bestimmt wurde (sog.e abgeleitete Regelsätze), werden seit 2010 für Kinder und Jugendliche eigenständige Bedarfssätze ermittelt. Bestimmte Personengruppen wie Alleinerziehende oder Menschen mit Behinderung erhalten entspr.e Mehrbedarfszuschläge. Zwischen den Erhebungen der EVS werden die Regelsätze mittels eines Indexverfahrens fortgeschrieben. Die so ermittelten Regelbedarfe werden auch den Beziehern von Grundsicherungsleistungen für Arbeitsuchende (SGB II) zugrunde gelegt.

Die nachstehende Tab. 1 gibt die Entwicklung des sozialhilferechtlichen und des steuerrechtlichen E.s für alleinstehende Erwachsene auf Basis der E.-Berichte und des Einkommensteuerrechts wieder.

	Regelsatz (monatlich)	Wohnbedarf (monatlich)	Heizkosten (monatlich)	Sächliches Existenzminimum (jährlich)	Grundfreibetrag (§ 32a EStG)
2001	278	179	36	6 402	6 681
2005	347	216	50	7 356	7 664
2010	364	210	64	7 656	7 664
2015	399	249	58	8 472	8 354
2018	414	283	53	9 000	8 652

Tab. 1: Entwicklung des sozialhilferechtlichen und des steuerrechtlichen E.s für alleinstehende Erwachsene auf Basis der E.-Berichte. (Quellen: Bundesfinanzministerium; § 32 a EStG; Angaben in Euro)

Am modifizierten Statistikmodell wird v. a. die intransparente Bereinigung der statistisch ermittelten Konsumausgaben kritisiert. Der Gesetzgeber besitzt zwar einen gewissen Entscheidungsspielraum bei der Einschätzung des notwendigen Bedarfs. Dieser Regelbedarf muss jedoch zeit- und realitätsgerecht festgelegt werden und tragfähig begründbar sein.

Literatur

C. Dudel u. a.: Regelbedarfsermittlung für die Grundsicherung. Perspektiven für die Weiterentwicklung, in: Sozialer Fortschritt 66/6 (2017), 433–450 • R. Schüssler: Sozialrechtliche Regelbedarfsleistungen. Kritik und Reformbedarf, in: WD 95/1 (2015), 63–67 • I. Becker/R. Schüssler: Das Grundsicherungsniveau. Ergebnis der Verteilungswirkung und normativer Setzungen, in: Hans Böckler Stiftung (Hg.): Arbeitspapier 298, 2014 • F. Thießen/C. Fischer: Die Höhe der sozialen Mindestsicherung. Eine Neuberechnung „bottom up", in: ZfW 57/2 (2008), 144–173 • T. Thormählen/R. Schmidtke: Zehn Jahre Existenzminimumbericht – eine Bilanz, in: WD 85/5 (2005), 304–311 • Bundesfinanzministerium (Hg.): Bericht über die Höhe des steuerfrei zu stellenden Existenzminimums von Erwachsenen und Kindern (Existenzminimumbericht), ab 1994.   JÖRG ALTHAMMER

II. Rechtlich

1. Begriff

Das E. bezeichnet die materiellen Voraussetzungen, die für das Dasein eines Menschen notwendig sind. Sein Inhalt und Umfang sind dynamisch, sie hängen ab von den gesellschaftlichen Anschauungen sowie den wirtschaftlichen und technischen Gegebenheiten. Seit Gründung der BRD haben sich die menschlichen Lebensbedingungen kontinuierlich verbessert, was zu seiner steten Erhöhung geführt hat. War urspr. allein die physische Existenz des Einzelnen maßgebend und so nur sein Bedarf an Nahrung, Kleidung, Hausrat, Unterkunft, Heizung, Hygiene und Gesundheit umfasst (sächliches, physisches E.), so ändern sich die Maßstäbe mit dem ↑GG, das alle Staatsgewalt zu Achtung und Schutz der ↑Menschenwürde verpflichtet. Gewährleistet sein müssen hiernach auch die Möglichkeit zur Pflege zwischenmenschlicher Beziehungen und ein Mindestmaß an Teilhabe am gesellschaftlichen, kulturellen und politischen Leben (soziokulturelles, kulturelles, soziales E.). Rechtspolitisch wird zudem ein ökologisches E. i. S. d. Garantie eines für menschliches Leben notwendigen Mindestbestandes an fundamentalen Lebensgrundlagen diskutiert. In der Logik des Begriffs angelegt ist auch eine Senkung des Niveaus, wenn sich gesellschaftliche Anschauungen und allg.er Lebensstandard zurückentwickeln.

2. Abgrenzung

Das E. ist abzugrenzen von verwandten Fragestellungen. Die Kategorie der ↑Armut bemisst sich nicht nach einem für ein menschenwürdiges Dasein notwendigen materiellen Mindestbedarf, sondern nach dem Nichterreichen eines hiervon unabhängigen Durchschnittseinkommens der Bevölkerung. Das Konzept des Mindestlohns zielt auf die Absicherung des E.s abhängig Beschäftigter und ihrer Familie durch die staatliche Festsetzung von Löhnen; Personen, die mit ihrer beruflichen Tätigkeit ein ↑Einkommen unterhalb des E.s erzielen, gewährt das ↑Sozialrecht einen Anspruch auf ihr Einkommen ergänzende staatliche Leistungen (sog.e Aufstocker).

3. Historische Grundlagen

Der Begriff E. entstammt den Wirtschaftswissenschaften und wurde dort erstmals in der Mitte des 19. Jh. verwandt. Die Versorgung der Bedürftigen mit dem Lebensnotwendigen ist dagegen ein kontinuierliches Grundproblem menschlicher Vergesellschaftung. Urspr. wurde sie als Armenhilfe von der Gesellschaft getragen, in Europa mit dem Aufkommen des Christentums in erster Linie von den Kirchen. Im Zuge des Aufstiegs weltlicher Ordnungsgewalten seit dem 13. Jh. nahmen sich auch städtische und territoriale Potenzen der Bedürftigenversorgung an, bis diese sich zum Ausgang des 18. Jh. hin schrittweise zu einer staatlichen Aufgabe entwickelte (§ 5 II PrALR). In der Folgezeit wurde das E. geregelt in Fürsorgegesetzen der Länder und später auch des Reichs. Die „Reichsgrundsätze über Voraussetzung, Art und Maß der öffentlichen Fürsorge" vom 4.12.1924 (RGBl. I, 765) galten in der BRD fort bis zu deren Ablösung zum 1.6.1962 durch das BSHG. Mit der Zusammenlegung von ↑Sozial- und Arbeitslosenhilfe in den Gesetzen zur Reform des Arbeitsmarktes zur Umsetzung des Programms der „Agenda 2010" findet sich die Bedürftigenversorgung seit dem 1.1.2005 im SGB II als „Hilfe für Arbeitsuchende" (Arbeitslosengeld II, sog. Hartz IV) sowie im SGB XII als „Grundsicherung im Alter und bei Erwerbsminderung". Die Ermittlung des monatlichen Bedarfs erfolgte unter Geltung des BSHG zunächst nach dem Warenkorbmodell, dessen Grundlage ein vom „Deutschen Verein für öffentliche und private Fürsorge e. V." konzipierter Warenkorb bildete, der sich an den Lebens- und Verbrauchsgewohnheiten unterer Einkommensgruppen orientierte; seit dem Jahre 1990 wird ein auf Einkommens- und Verbrauchsstichproben basierendes Statistikmodell verwandt.

4. Verfassungsrechtliche Vorgaben

Unter dem GG ergibt sich aus der Garantie der Menschenwürde i. V. m. dem Sozialstaatsprinzip (↑Sozialstaat) ein Grundrecht auf Gewährleistung eines menschenwürdigen E.s. Diese Gewährleistung ist durch einen gesetzlichen Anspruch zu sichern, der stets den gesamten existenznotwenigen Bedarf jedes individuellen Grundrechtsträgers deckt. Zur genauen Bezifferung des Anspruchs trifft das GG keine Aussagen, sondern überantwortet seine Festlegung dem parlamentarischen

Gesetzgeber. Dieser verfügt über einen Gestaltungsspielraum, solange seine Entscheidungen über die „unbedingt erforderlichen" Mittel nicht evident unzureichend sind. Der Gesetzgeber hat sich am jeweiligen Entwicklungsstand des Gemeinwesens zu orientieren und zur Ermittlung des Anspruchsumfangs alle existenznotwendigen Aufwendungen folgerichtig in einem transparenten und sachgerechten Verfahren realitätsgerecht sowie nachvollziehbar auf der Grundlage verlässlicher Zahlen und schlüssiger Berechnungsverfahren zu bemessen und stetig zu aktualisieren. Bedarfe können gruppenbezogen erfasst, typisiert und pauschaliert werden, wobei für einen unabweisbaren, laufenden, nicht nur einmaligen bes.n Bedarf ein zusätzlicher Leistungsanspruch vorzusehen ist. Die Verwirklichung des Grundrechts auf Gewährleistung eines menschenwürdigen E.s ist ein Anwendungsfall der Idee des Grundrechtsschutzes durch Verfahren.

Der Staat darf seine Hilfen in Form von Geld-, Sachoder Dienstleistungen zur Verfügung stellen. Er braucht die Leistungen auch nicht notwendig selbst zu erbringen, sondern kann andere Akteure, etwa Träger der freien ↑Wohlfahrtspflege, in die Realisierung seiner Aufgabe einbeziehen; ihn trifft lediglich eine Gewährleistungs-, keine Erfüllungsverantwortung. Die selbstverantwortliche Sicherung der eigenen und familiären materiellen Existenz durch eigene Erwerbstätigkeit, den Einsatz des eigenen Vermögens oder Zuwendungen Dritter hat immer Vorrang vor der Hilfe der Gemeinschaft; es gilt der Grundsatz der ↑Subsidiarität. Das Konzept des bedingungslosen ↑Grundeinkommens möchte demgegenüber jedermann einen Anspruch gegen die Gemeinschaft auf Gewährung des E.s zuerkennen, der von seiner Bedürftigkeit wie auch seinen Möglichkeiten, seinen Lebensunterhalt durch eine eigene Beschäftigung selbst zu verdienen, unabhängig sein soll.

Die Versorgung von bedürftigen Personen mit dem für ihre Existenz Notwendigen wurde bis in die Mitte des 20 Jh. unter dem Aspekt der öffentlichen Ordnung als eine allein objektiv-rechtliche Pflicht des Staates verstanden. Unter dem GG hielt das BVerwG hingegen von Beginn an nur eine Auslegung des Fürsorgerechts für mit der Verfassung vereinbar, die dem Bedürftigen ein subjektives Recht auf Hilfe zuerkennt. Das ↑BVerfG hat einen verfassungsunmittelbaren Anspruch des Einzelnen auf die Gewährleistung des E.s erst spät im Jahre 2010 in seiner Entscheidung über die Zusammenlegung von Arbeitslosen- und Sozialhilfe anerkannt. Das dort formulierte Grundrecht ist aufgrund seiner Fundierung in der Menschenwürde ein Jedermann-Grundrecht und steht so deutschen und ausländischen Staatsangehörigen, die sich in der BRD aufhalten, gleichermaßen zu.

5. Beachtung in der gesamten Rechtsordnung

Das sich aus dem GG ergebende Grundrecht des Einzelnen auf Gewährleistung eines menschenwürdigen E.s ist in der gesamten Rechtsordnung zu beachten. So schützt das Zivilrecht das E., indem es familienrechtliche Unterhaltpflichten begrenzt (§ 1603 BGB), Abtretungen und Aufrechnungen verbietet (§§ 394, 400 BGB) sowie in den Verfahren der ↑Zwangsvollstreckung Gegenstände von der Pfändung (§§ 765a, 811, 850 ZPO) und der ↑Insolvenz aus der Masse ausnimmt (§ 36 InsO). Das ↑Steuerrecht darf dem Einzelnen nur so viel nehmen, dass ihm und seiner Familie das E. verbleibt; das Gesetz muss dabei das E. von Kindern nicht notwendig durch einen Abzug von der Bemessungsgrundlage der ESt, sondern kann dieses auch durch die Gewährung eines Kindergeldes an die Eltern berücksichtigen. Ein Abstandsgebot, wonach das steuerfrei verbleibende Einkommen über dem E. zu liegen hat, ist verfassungsrechtlich nicht zwingend, sondern allein eine Forderung praktischer Vernunft. Seit dem Jahre 1995 erstattet die Bundesregierung zuerst im Abstand von drei, seit dem Jahre 1999 im Abstand von zwei Jahren einen E.-Bericht, um dem Bundestag für die Bemessung des von der ESt freizustellenden E.s eine Grundlage zu bieten.

6. Europäisierung und Internationalisierung

Die ↑EU anerkennt und achtet nach Maßgabe ihrer und der mitgliedstaatlichen Rechtsvorschriften das Recht auf eine soziale Unterstützung die allen, die nicht über ausreichende Mittel verfügen, ein menschenwürdiges Dasein sicherstellen sollen (Art. 34 Abs. 3 EuGRC). Selbst kann die EU lediglich Mindeststandards zum Schutz von Arbeitnehmern setzen (Art. 153 Abs. 1 c AEUV); im Übrigen ist sie auf eine Koordinierungsfunktion beschränkt (Art. 156 Abs. 1 AEUV). Völkerrechtlich hat sich Deutschland in einer Reihe von Abkommen dazu verpflichtet, das Recht auf Gewährung des E.s eines jeden anzuerkennen (z. B. Art. 11 Abs. 1 IPwskR, Teil I Nr. 13 und Teil II Art. 13 Nr. 1 ESC). Der Europäisierung und Internationalisierung der ↑Sozialpolitik sind durch das GG insgesamt Grenzen gesetzt, da die wesentlichen Entscheidungen, namentlich die Existenzsicherung des Einzelnen, unter seiner Geltung unaufgebbar primäre Aufgabe der Mitgliedstaaten zu bleiben haben.

Literatur

P. Axer: Das Grundrecht auf Gewährleistung eines menschenwürdigen Existenzminimums und die Sicherung sozialer Grundrechtsvoraussetzungen, in: M. Anderheide (Hg.): Verfassungsvoraussetzungen. Gedächtnisschrift für Winfried Brugger, 2013, 335–353 • S. Rixen: Was folgt aus der Folgerichtigkeit? „Hartz IV" auf dem Prüfstand des Bundesverfassungsgerichts, in: SGb 57/4 (2010), 240–245 • C. Seiler: Das Grundrecht auf ein menschenwürdiges Existenzminimum, in: JZ 65/ 10 (2010), 500–505 • A. von Arnauld: Das Existenzminimum, in: ders./A. Musil (Hg.): Strukturfragen des Sozialverfassungsrechts, 2009, 251–307 • M. Wallerath: Zur Dogmatik eines Rechts auf Sicherung des Existenzminimums, in: JZ 63/4 (2008), 157–168 • W. G. Leisner: Existenzsicherung im Öffentlichen Recht, 2007 • M. Stolleis: Geschichte des Sozialrechts in Deutschland, 2000 • M. Lehner: Einkommensteuerrecht und Sozialhilferecht, 1993 • H. Zacher: Die Sozialpolitik der Bundesrepublik Deutschland in den ersten zehn Jahren, 1980 • K. Umpfenbach: Lehrbuch der Finanzwissenschaft. Erster Theil, 1859.   SEBASTIAN MÜLLER-FRANKEN

Existenzphilosophie

Die E. ist eine Richtung der Philosophie, in deren Zentrum die Seinsweise des individuellen, einmaligen Menschen steht. Statt nach einem allgemeinen „Wesen" des Menschen zu fragen, bezieht sich die E. auf den Einzelnen, der in einer konkreten, historischen und sozialen Welt unvertretbar sein je eigenes ↑Leben zu führen hat. Seine „Existenz" interpretiert sie ausgehend von Kontingenzerfahrungen etwa bei Leid, Scheitern und ↑Tod. Ihre ethischen Untersuchungen setzen nicht bei abstrakten Normen, sondern Phänomenen wie ↑Verantwortung und Engagement an.

Die E. entsteht Mitte des 19. Jh. mit Søren Kierkegaards Begriff individueller menschlicher Existenz. Sie ist beeinflusst durch die Lebensphilosophie (Friedrich Nietzsche, Henri Bergson, Wilhelm Dilthey) sowie durch die Phänomenologie Edmund Husserls. Nach dem Ersten Weltkrieg gelten als wichtigste Vertreter in Deutschland Karl Jaspers und Martin Heidegger, dessen als Fundamentalontologie intendierte Daseinsanalyse im Rahmen der E. rezipiert wurde. Christliche E.n finden sich bei Peter Wust und Gabriel Marcel. Synonym mit E. oder primär bezogen auf die französische E. ist auch die Bezeichnung Existenzialismus üblich geworden. Jean-Paul Sartre grenzt seine Konzeption, die in intensiver Auseinandersetzung mit dem Denken E. Husserls und M. Heideggers entstanden ist, als atheistischen Existenzialismus von einer christlichen E. ab. Zur französischen E., die in den 1940er Jahren eine Blütezeit hat, werden weiter Albert Camus und Simone de Beauvoir sowie z. T. Maurice Merleau-Ponty gerechnet.

Der Begriff der Existenz bedeutet im Kontext dieser Ansätze eine Absetzung gegen die metaphysische Tradition, welche Existenz im Sinne der bloßen Tatsache, dass etwas ist, versteht und von der ontologisch entscheidenden Essenz (Wesen, Ousia, Substanz) als der Bestimmung, was etwas ist, unterscheidet. M. Heideggers auf diesem Hintergrund paradoxe Aussage „Das ‚Wesen' des Daseins liegt in seiner Existenz." (Heidegger 1993: 42) bringt die Aufgabe zum Ausdruck, eine neuartige ontologische Interpretation des menschlichen Daseins zu entwickeln.

Die Frage der menschlichen Existenz hat zuerst S. Kierkegaard in seiner Kritik am Wesensdenken Georg Wilhelm Friedrich Hegels aufgeworfen. Einer abstrakten Erfassung der Subjektivität in G. W. F. Hegels Geschichts- und Systemphilosophie (↑Geschichte, Geschichtsphilosophie) mit dem Anspruch auf Wissen des Ganzen stellt S. Kierkegaard die in ethisch-religiöser Hinsicht relevante Existenz des individuellen Selbst

entgegen. Das menschliche Selbst interpretiert er formal als „ein Verhältnis, das sich zu sich selbst verhält" (Kierkegaard 1954: 8). Nicht eine wissenschaftlich-objektive Einstellung sieht er aber als entscheidend für das Verhalten des Menschen zu sich selbst an, sondern „subjektiv zu werden, d. h. in Wahrheit Subjekt zu werden" und „das zu sein, was man dadurch ist, dass man es geworden ist" (Kierkegaard 1957: 120). Die Bekümmerung um den faktischen und geschichtlichen Vollzug des je eigenen Lebens, das prozesshaft-zeitlich und fragmentarisch gedacht wird, bestimmt die Existenz. Existenz meint insb. auch eine paradoxe bzw. rational nicht gänzlich erfassbare Faktizität der Subjektivität (↑Subjekt).

Wie das christliche Denken Kierkegaards wenden sich die für die E. prägenden Ansätze der Lebensphilosophie gegen Objektivierungstendenzen, etwa im ↑Positivismus und Historismus, aber auch gegen die idealistische Philosophie (↑Idealismus) und die rationalistische Erkenntnistheorie. Sie stellen dem bewusstseinsphilosophischen Paradigma seit René Descartes das Leben gegenüber und lehnen insb. ein Primat des Theoretischen ab. Insgesamt nehmen die um den Begriff der Existenz konzentrierten Bemühungen zum Subjektproblem eine konkrete, handelnd-tätige Subjektivität zum Ausgangspunkt, die immer schon in der Welt bzw. in Situationen ist. Hier setzen Analysen zu konstitutiven Aspekten wie zur Leiblichkeit, zur Zeitlichkeit (↑Zeit) und Geschichtlichkeit sowie zum Mitsein mit anderen an.

Dass die Existenz nach S. Kierkegaard für wissenschaftlich-systematische Zugriffe unzugänglich ist, prägt auch die Methode der späteren E. K. Jaspers betont vor lehrbaren Resultaten den appellierenden Charakter der Existenzerhellung. Romane und Dramen des französischen Existenzialismus sind Beispiel dafür, wie künstlerische Texte zur Vergegenwärtigung existentieller Erfahrung dienen können. Eine systematische Perspektive etablieren v. a. M. Heidegger und J.-P. Sartre, die ihre Analysen der Existenz in den Rahmen neuer, phänomenologischer Ontologien stellen. Die E. geht dabei zurück auf Phänomene der alltäglichen Erfahrung wie auch außergewöhnliche Erlebnisse, welche die Existenz in ihrer grundlegenden endlichen Verfassung zeigen: Grenzsituationen (K. Jaspers) wie Leiden, Schuld und Kampf, Erfahrungen der Absurdität und Kontingenz oder Stimmungen wie Langeweile, Verzweiflung und Angst.

Eine prominente Rolle in der E. spielt die Angst, durch die sich ↑Freiheit erschließt. Als Stimmung, die nicht auf spezielle Gegenstände bezogen ist, vereinzelt sie das Selbst und wirft es auf das grundsätzliche In-der-Welt-sein zurück. Angst als „Schwindel der Freiheit" (Kierkegaard 1952: 60) macht die eigenen Möglichkeiten und die unbestimmte ↑Zukunft bewusst. Die Ethik der E. geht zunächst vom subjektiven Gesichtspunkt der Authentizität und Selbstwahl aus. Dem gelten in der E. verschiedene Analysen grundlegender Modi oder Haltungen des eigentlichen und uneigentlichen (M. Heidegger) bzw. des aufrichtigen und unredlichen *(mauvaise foi)* Existierens (J.-P. Sartre). Aus der Freiheit ergibt sich in der E. die Aufforderung zum Engagement (G. Marcel), zu einer Haltung der Entschlossenheit (M. Heidegger) und zum Übernehmen von Verantwortung (J.-P. Sartre). Eine Perspektive auf die Achtung der Freiheit der anderen, ohne die eine authentische Verwirklichung der eigenen Freiheit nicht möglich ist, findet sich v. a. bei K. Jaspers und im französischen Existenzialismus.

Die E. setzt sich mit Absurdität als grundsätzlicher Erfahrung von Widersinnigkeit und Sinnlosigkeit auseinander. S. Kierkegaard zufolge stößt der Mensch bei der paradoxen Vorstellung des christlichen Gottmenschen an die Grenzen seiner Vernunft (↑ Vernunft – Verstand). Der für ein gelingendes Selbstsein entscheidende ↑ Glaube ist nur durch einen Sprung möglich. Die Grenzsituationen bei K. Jaspers sind existenzielle Widersprüche, die ein Transzendieren (↑ Transzendenz) des Menschen auf ein ihn umgreifendes, auch durch Gottesvorstellungen nicht objektivierbares Sein auslösen. Die positiven Religionen (↑ Religion) gelten nach K. Jaspers nicht absolut, in ihnen können sich dennoch Chiffren manifestieren, die die Existenz auf eine unverfügbare Transzendenz als ihren Grund verweisen. Ohne Transzendenzbezug wird der Mensch bei S. Kierkegaard und K. Jaspers als zerrissen angesehen. Der sog.en atheistischen E. A. Camus', J.-P. Sartres und S. de Beauvoirs geht es nicht um Beweise der Nichtexistenz Gottes, sondern um eine Auseinandersetzung mit der Existenz des modernen Menschen, für die eine abnehmende Bedeutung von Religion charakteristisch ist. Absurdität erscheint v. a. als ↑ Kontingenz und bildet den Ausgangspunkt des Existierens, das ohne die Entwürfe des „Menschen, dazu verurteilt, frei zu sein" (Sartre 2016: 639), selbst sinnlos ist. Er allein muss die Kontingenzen des Lebens bewältigen und strebt nach Sinn, auch wenn zu seinen Projekten immer wieder Scheitern gehört. Absurdität bedeutet dabei nicht, dass der Mensch grundsätzlich unglücklich ist, wie A. Camus mit dem Mythos des Sisyphos veranschaulicht.

Literatur

J. P. Sartre: Das Sein und das Nichts, in: ders.: Gesammelte Werke, Philosophische Schriften, Bd. 3, ¹⁹2016 • A. Camus: Der Mythos des Sisyphos, ¹⁹2014 • M. Heidegger: Brief über den Humanismus, in: ders: Gesamtausgabe, Bd. 9, ³2004, 313–364 • J.-P. Sartre: Der Existenzialismus ist ein Humanismus, 2000 • M. Heidegger: Sein und Zeit, ¹⁷1993 • K. Jaspers: Vernunft und Existenz, ⁴1987 • K. Jaspers: Existenzphilosophie, ⁴1974 • K. Jaspers: Existenzerhellung, ⁴1973 • P. Wust: Ungewissheit und Wagnis, in: ders. Gesammelte Werke, Bd. 4, 1965 • S. Kierkegaard: Abschließende unwissenschaftliche Nachschrift zu den philosophischen Brocken, in: ders.: Gesammelte Werke, 16. Abt., Bd. 1–2, 1957 f. • G. Marcel: Metaphysisches Tagebuch, 1955 • S. Kierkegaard: Krankheit zum Tode, in: ders.: Gesammelte Werke, 24.–25. Abt., 1954 • S. Kierkegaard: Der Begriff der Angst, in: ders.: Gesammelte Werke, 11.–12. Abt., 1952 • S. de Beauvoir: Pour une morale de l'ambiguité, 1947.   JOCHEN SATTLER

Externe Effekte

Unter e.n E.n versteht man allg.e Kosten oder Erträge, die nicht bei ihrem Verursacher anfallen und dadurch ggf. wirtschaftliche Fehlentscheidungen verursachen. Im Folgenden werden behandelt: (1) Technologische e. E., (2) Pekuniäre e. E., (3) Fiskalische e. E. und (4) Grenzen der Internalisierung e.r E.

1. Technologische externe Effekte

Der Begriff externer Kosten geht auf Arthur Cecil Pigou zurück. Heute spricht man allg.er von *technologischen Externalitäten*, die sowohl negativer als auch positiver Art sein können. Beispielsweise kommt eine Impfung nicht nur dem Geimpften selbst zugute, sondern schützt auch andere vor Ansteckung.

Während von Gütern mit negativen e.n E.n im Allgemeinen zu viel produziert wird, ist die Produktion von Gütern mit positiven e.n E.n typischerweise zu niedrig. Der Grund ist in beiden Fällen die fehlende bzw. unzureichende Kompensation des Verursachers für die externen Kosten bzw. Nutzen. Vielfach wird darin ein Marktversagen gesehen, obwohl hier gerade das Fehlen eines Marktes zu den Fehlallokationen führt. So kann beispielsweise der e. E. des Ausstoßes von CO_2 durch einen künstlich erzeugten Markt wie den EU-Emissionsrechtehandel (↑ Emissionshandel) geheilt werden.

Wenn auch bei verursachungsgerechter Anlastung (Internalisierung) e.r E. keine Effizienzsteigerung zu erwarten wäre, spricht man von *Pareto-irrelevanten Externalitäten*. Grund dafür könnte z. B. sein, dass die Internalisierung im Vergleich zu ihrem Nutzen zu kostenaufwändig wäre. Nicht jeder technologische e. E. rechtfertigt daher staatliches Eingreifen.

Schon A. C. Pigou empfahl eine (später nach ihm benannte) Steuer auf ökonomische Aktivitäten, die relevante externe Kosten verursachen. Analog kann die Internalisierung positiver Externalitäten durch entspr.e Subventionen erfolgen (Preisansatz). Der alternative Mengenansatz legt dagegen das Ausmaß der gewünschten bzw. tolerierten Aktivität fest und macht dieses durch entspr.e Zertifikate handelbar. Der Preis der Externalität ergibt sich dann im Wettbewerb, was zumindest im theoretischen Modell zu effizientem Verhalten der Marktteilnehmer (Pareto-optimale Allokation) führt. Von letzterem Verfahren wird beispielsweise im EU-weiten Emissionsrechtehandel für den CO_2-Ausstoß Gebrauch gemacht. Nach dem sog.en Coase-Theorem könnte sich eine optimale Internalisierung auch durch private Verhandlungen zwischen Verursachern und Betroffenen e.r E. ergeben. Dafür müssen allerdings in der Realität meist nicht gegebene, ideale Bedingungen vorliegen, insb. die Abwesenheit von Verhandlungs- und Implementierungskosten (sog.e Transaktionskosten).

Gelingt eine Internalisierung e.r E. nicht, wird häufig zum Mittel des Ordnungsrechtes gegriffen. Die entspr. en Aktivitäten werden dann durch Verbote (z.B. produktspezifische Emissionshöchstwerte) eingeschränkt oder durch Gebote (z.B. eine Impfpflicht) erzwungen. Der Vorteil liegt hier in der relativ einfachen Implementierung, nachteilig ist jedoch der starke Eingriff in die individuelle Handlungsfreiheit, der i.d.R. zu Bürokratie und unnötig hohen Vermeidungskosten führt. Häufig findet man auch Internalisierungsmaßnahmen und ordnungsrechtliche Maßnahmen nebeneinander, was zu Widersprüchen führen kann.

2. Pekuniäre externe Effekte

Pekuniäre (sog.e marktmäßige) Externalitäten treten auf, wenn sich aufgrund der Aktivität eines Marktteilnehmers die Marktdaten (Kosten, Preise) für andere Marktteilnehmer ändern. Bspw. führt die vermehrte Nachfrage nach Immobilien durch wohlhabende Wohnungssuchende zu steigenden Wohnkosten auch für andere. Damit ist allerdings, anders als bei technologischen Externalitäten, keine Verletzung der Bedingungen für Allokationseffizienz verbunden. Vielmehr ist es gerade die Funktion von Marktpreisen, veränderte Knappheiten anzuzeigen und entspr.e Anpassungsreaktionen von Angebot und Nachfrage auszulösen. Schädliche Externalitäten liegen daher im Allgemeinen nur dann vor, wenn sie sich direkt (technologisch), d.h. nicht über Preise und dadurch ausgelöste Marktreaktionen auswirken.

Eine Ausnahme davon ist eine bes., von Tibor Scitovsky (1954) in die Diskussion gebrachte Art pekuniärer e.r E. Sie treten v.a. in der Regionalökonomik auf und wurden bereits von dem Standorttheoretiker Alfred Weber und später von Alfred Marshall beschrieben. Siedelt sich etwa ein zusätzliches Unternehmen an, so bereichert es die betreffende Region einerseits um zusätzliche Nachfrage, Arbeitsplätze und ggf. technologisches Wissen. Umgekehrt profitiert jeder Neuansiedler in ähnlicher Weise von der Nähe zu anderen Unternehmen und dem Vorhandensein des lokalen Güter- und Arbeitsmarktes. Man spricht hier von *Agglomerationseffekten*, die u.U. auch negativ sein können. Nach Alfred Weber (1912) unterteilt man sie in *Lokalisationseffekte* (Vorteile aus der räumlichen Nähe von Unternehmen des gleichen Sektors) und *Urbanisationseffekte* (Vorteile aus der räumlichen Nähe von Unternehmen). Eine zunehmende Rolle spielen dabei e.E. ausgehend vom Humankapital, worauf v.a. Robert Lucas (1988) hingewiesen hat.

Obwohl viele dieser Effekte über Preise und Marktreaktionen wirken, stellen sie dennoch die gesamtwirtschaftliche Effizienz rein dezentraler Standortentscheidungen in Frage. So verbilligt bspw. ein steigender Agglomerationsgrad möglicherweise die Kosten der Infrastruktur für alle Unternehmen oder Einwohner, ohne dass dieser Effekt vollständig in die Kostenrechnung eines Ansiedlungswilligen eingehen würde. Hierin liegt eine Begründung für die staatliche Beeinflussung privatwirtschaftlicher Standortentscheidungen, wie sie in der regionalen Wirtschaftspolitik erfolgt.

3. Fiskalische externe Effekte

Eine weitere Spielart e.r E. entsteht durch die gemeinsame Finanzierung von Clubgütern wie Versicherungen oder Infrastruktur. Betreibt etwa jemand ein risikoreiches Hobby oder führt er ein ungesundes Leben, so belastet er dadurch tendenziell auch andere Mitglieder einer Kranken- oder Lebensversicherung mit zusätzlichen Kosten. Das gleiche gilt u.U., wenn ein Bürger oder ein Unternehmen öffentliche Güter überdurchschnittlich stark in Anspruch nimmt. Bspw. sind die Kosten der Straßenabnutzung durch einen Lkw ungleich höher als durch einen Pkw, was jedoch nur unzureichend in die privaten Fahrtkosten eingeht.

Die idealtypische Lösung dieses Problems wäre entspr. differenzierte Beiträge und Gebühren. Dies scheitert jedoch oft an prohibitiv hohen Transaktionskosten oder an rechtlichen Hürden. So verursachen Frauen und Männer unterschiedlich hohe Kosten in der Krankenversicherung, jedoch gelten entspr. differenzierte Beiträge gemäß dem allg.en Gleichheitsgrundsatz (↑Gleichheit) als verbotene Geschlechterdiskriminierung. Infolgedessen greift man vielfach zum Mittel der direkten oder indirekten Verhaltensbeeinflussung, um fiskalische Externalitäten in Grenzen zu halten.

4. Grenzen der Internalisierung externer Effekte

In einer hochentwickelten Gesellschaft sind e.E. praktisch allgegenwärtig. Das gilt zum einen für pekuniäre Externalitäten, die praktisch bei jeder Marktaktivität entstehen. Abgesehen von der spezifischen Problematik regionaler *Agglomerationseffekte* ist mit ihnen kein Allokationsproblem verbunden. Zum anderen entstehen aber beim Zusammenleben zahlreicher Menschen auf engem Raum zwangsläufig auch technologische e.E. Dazu gehören Umweltbelastungen durch Lärm oder Abgase ebenso wie Beeinträchtigungen der Sicherheit etwa durch Verkehrsunfälle. Daraus werden starke Eingriffe in die persönliche Handlungsfreiheit wie z.B. Helm- und Gurtpflicht selbst dann abgeleitet, wenn nur die eigene Sicherheit betroffen ist. Dies wiederum steht tendenziell im Konflikt mit anderen Zielen, insb. der persönlichen Freiheit, sodass hier eine entspr.e Abwägung vorzunehmen ist. Aber auch positive Externalitäten sind praktisch allgegenwärtig, wenn man sie nur weit genug definiert. Beispiele sind der Denkmalschutz und die Vorbildfunktion von Erwachsenen im Straßenverkehr, die jeweils zu entspr.en Verhaltensgeboten führen.

Literatur

M. Fritsch/T. Wein/H.J. Ewers: Marktversagen und Wirtschaftspolitik, 2007 • U. van Suntum: Die Wahl zwischen Sicherheit und Freiheit aus individueller und gesellschaftlicher Sicht, in: M. Erlei/C. Christl (Hg.): Beiträge zur angewandten Wirtschaftstheorie (1999), 1–16 • E. Sohmen: Allokationstheorie und Wirtschaftspolitik, 1992 • R. E. Lucas: On the Mechanics of Economic Development, in: Journal of Monetary Economics 22/1 (1988), 3–42 • R. Coase: The Problem of Social Cost, in: Journal of Law & Economics, 3 (1960), 1–44 • T. Scitovsky: Two Concepts of External Economics, in: Journal of Political Economy, 62/2 (1954), 143–151 • A. C. Pigou: Wealth and Welfare, 1912 • A. Weber: Reine Theorie des Standorts, 1909 • A. Marshall: Principles of Economics, 1890.   ULRICH VAN SUNTUM

Externe Kosten ↑Kosten

Extremismus

1. Entwicklung und Bedeutung des Begriffs
1.1 Begriffsgeschichte
Der Begriff E. weist dem Sinn nach eine lange Tradition auf. Mit seiner „Mischverfassung" hat Aristoteles in gewisser Weise den Grundstein für die Theorie des demokratischen Verfassungsstaates gelegt. Das Wort E. erschien bereits 1646 beim Calvinisten Ludwig Camerarius, der es auf die Jesuiten anwandte. Es wurde aber nicht rezipiert. Der Leipziger Philosoph Wilhelm Traugott Krug hatte 1838 in einem Handwörterbuch den Begriff erstmals vergleichend gebraucht – für (rechten) „Absolutismus" wie (linken) „Radikalismus". Im Zuge der Russischen Revolution fand der Terminus in England und Frankreich weite Verwendung, zunächst beschränkt auf den Links-E. Von den 1920er Jahren an spielte E. in der wissenschaftlichen Forschung eine gewisse Rolle, ohne jedoch annähernd die Bedeutung des Terminus ↑Totalitarismus zu erreichen. Nach dem Zweiten Weltkrieg stellte u. a. Seymour Martin Lipset den Gegensatz von ↑Pluralismus und ↑Monismus als zentral für E. heraus. In Deutschland knüpfte Erwin Kurt Scheuch an die Forschung von S. M. Lipset an und entwickelte sie in empirischen Analysen weiter. Hans-Dieter Klingemann und Franz Urban Pappi unterschieden zwischen einer Ziel- und Mitteldimension. Damit war die empirische Sozialwissenschaft in den Anfängen der E.-Forschung dominierend. 1987 bezeichneten Uwe Backes und Eckhard Jesse sie als ein „Stiefkind der Politikwissenschaft". Dieses Urteil trifft z. T. noch immer zu, da etwa Kommunismus-, Rechts-E.- und Islamismusforschung häufig nicht als Einheit gelten.

1.2 Definition
Der politische E. mit seinen höchst unterschiedlichen Varianten ist der Widerpart des demokratischen Verfassungsstaates. Dieser fußt auf der demokratischen und der konstitutionellen Komponente. Mit der demokratischen ist die Anerkennung des Prinzips der ↑Volkssouveränität und das Ethos fundamentaler Menschengleichheit gemeint. Die konstitutionelle stellt insb. auf die Geltung des Rechtsstaatsprinzips (↑Rechtsstaat) ab. Der demokratische Verfassungsstaat ist also eine Synthese aus älteren Traditionen der Freiheitssicherung mit neueren Formen der ↑Demokratie. Extremistische Bestrebungen lehnen mindestens eines der beiden Elemente ab. Während Links-E. mit der konstitutionellen Komponente im Konflikt steht, gilt das Gleiche für den Rechts-E. im Hinblick auf die demokratische. In der Praxis verwischen sich die Unterschiede allerdings vielfältig. Rechts-E. verneint das ethische Prinzip der Fundamentalgleichheit der Menschen. Links-E. verabsolutiert – in der Theorie – das Gleichheitsdogma.

Gelangt eine extremistische Kraft an die politische Macht, kommt es zu einer defekten Demokratie, einem autoritären Regime oder einer totalitären ↑Diktatur. Auch wenn Extremismen Gemeinsamkeiten und Analogien aufweisen (z. B. exklusiver Wahrheitsanspruch, Geschichtsdeterminismus, Missionsbewusstsein, Dogmatismus, ausgeprägte Freund-Feind-Stereotypen, vorgegebenes Gemeinwohl, Ablehnung des Pluralismus, keine Anerkennung der Universalität der Menschenrechte), gibt es zwischen ihnen vielfältige Unterschiede. Die teils empirische, teils normative E.-Forschung ist ein wichtiger Zweig der Politikwissenschaft. Zuweilen legitimiert der eine E. seine Existenzberechtigung mit dem Kampf gegen einen anderen E. Rechts- und Linksextremisten sind – den Enden eines Hufeisens gleich – benachbart und entfernt zugleich.

Wer den E. nach der jeweiligen Aktions- und Organisationsweise definiert, kommt mit Übergangszonen zu einer Auffächerung, die vier Varianten umfasst:
a) E., der ↑Gewalt anwendet und eine feste Organisation besitzt. Hierunter fällt der ↑Terrorismus.
b) E., der Gewalt anwendet und über keine feste Organisation verfügt. Zu dieser Kategorie gehören subkulturelle „Szenen".
c) E., der keine Gewalt anwendet und fest organisiert ist. Hierzu zählen entspr.e ↑Parteien.
d) E., der keine Gewalt anwendet und nicht fest organisiert ist. Dabei handelt es sich vornehmlich um ↑Intellektuelle, die den demokratischen Staat zu delegitimieren suchen.
In der Theorie scheinen viele Probleme klein, die in der Praxis große Schwierigkeiten bereiten. Schließlich bringen die meisten antidemokratischen Gruppierungen ihre Ablehnung des demokratischen Verfassungsstaates nicht ungeschützt zum Ausdruck. Umgekehrt kann nicht jede Organisation, die „etablierten" Kräften „auf die Nerven geht" und politisch unbequem ist, als verfassungsfeindlich abgetan werden. Aus der Existenz von Grauzonen lässt sich allerdings nicht die Schlussfolgerung ziehen, der Begriff des E. sei obsolet.

Dieser konkurriert mit ↑Radikalismus und ↑Populismus. Radikalismus ist nicht durchwegs negativ konnotiert, da ein Repräsentant des Radikalismus den Ursachen eines Problems auf den Grund gehen will. In manchen Ländern kommt diesem Begriff beinahe eine positive Bedeutung zu. Populismus, eher negativ konnotiert, zielt v. a. auf die Art und Weise, wie (simpel) eine politische Kraft gegen „die da oben" agiert und wie sie sich auf den „wahren Volkswillen" beruft. Eine Partei des E. kann populistisch sein, muss es aber nicht, eine demokratische ebenso. Radikalismus und Populismus können den Begriff des E. nicht ersetzen. Es ist ebenso verwirrend, jene Kräfte, die zwischen demokratisch und extremistisch angesiedelt sind, mit diesen Termini zu bedenken.

1.3 Feindbilder

Extremismen operieren zwar mit Heilsversprechen und entwickeln utopische Vorstellungen (↑Utopie) einer zukünftigen Gesellschaft, benötigen aber Feindbilder. Diese sind beim Rechts- und Links-E. sowie dem ↑Fundamentalismus ähnlich (der ↑Westen und die ↑Globalisierung etwa) und unterschiedlich zugl. („Fremde", „Faschisten", „moderne Gesellschaft"). Sie gehen deutlich über mit Stereotypen angereicherte ↑Vorurteile hinaus.

In Deutschland gibt es zwar ideologische Überlappungen (z. B. beim Kampf gegen Amerika und die Globalisierung), aber es besteht keine Kooperation bei der Ablehnung des demokratischen Verfassungsstaates. Die Funktionen von Feindbildern sind mannigfaltig. Sie dienen u. a. dazu, die Identität von Extremisten zu festigen, die eigene Richtung zu mobilisieren und „zusammenzuschweißen", den Feind zu dämonisieren. Sie erhöhen das Selbstwertgefühl. Extremismen benötigen Feindbilder nicht zuletzt, um für das eigene Anliegen Gehör zu finden. Bei ihnen ist das „Anti" vielfach stärker entwickelt als das „Pro". Der Feind wird als geschlossene Kraft perzipiert. Wer solche Bilder verwendet, immunisiert die eigene Position. Feindbilder gehen oft mit ↑Verschwörungstheorien einher.

1.4 Intensitätsgrad

Zwar ist – von der Wortbedeutung her – E. ein nicht steigerbarer Superlativ, aber gleichwohl gibt es im antidemokratischen Intensitätsgrad Unterschiede, wie dies ebenso für Diktaturen gilt. Bei Parteien dienen als Bestimmungsgründe die klassischen Kriterien: ↑Ideologie, politische ↑Strategie, Organisation. So ließe sich etwa zwischen einem „harten" E. der NPD und einem „weichen" E. der Partei „Die Linke" differenzieren. Dabei besteht kein zwingender Zusammenhang zwischen dem Intensitätsgrad des E. und seiner Gefährlichkeit.

Der Intensitätsgrad des jeweiligen extremistischen Phänomens hängt von einer Reihe von Faktoren ab (wie z. B. Akzeptanz des staatlichen ↑Gewaltmonopols auf der einen Seite und Bejahung bzw. sogar Anwendung von Gewalt auf der anderen), jedoch nicht davon, ob es sich um eine linke, rechte oder fundamentalistische Bestrebung handelt. Die politischen Extremismen von linker, rechter oder fundamentalistischer Seite sind verschieden, wobei diese Verschiedenheit nicht i. S. v. „schlimmer" oder „weniger schlimm" zu interpretieren ist.

Die Intensität von Feindbildern lässt Rückschlüsse darauf zu, ob die betreffende Gruppierung eher eine harte oder eine milde Form des E. ist. Gleiches gilt spiegelbildlich für „Freundbilder" von tatsächlichen oder vermeintlichen Extremisten. Wer die Ideologie autoritärer oder totalitärer Staaten offen unterstützt, verficht im Allgemeinen eine harte Form.

2. Varianten

Unter Rechts-E. fallen alle strikt antiegalitär ausgerichteten Strömungen – einerseits ↑Rassismus, andererseits ↑Nationalismus. Mit Links-E. ist einerseits jene Art des E. gemeint, die alle gesellschaftlichen Übel auf die kapitalistische Klassengesellschaft zurückführt, wie dies beim ↑Kommunismus der Fall ist, oder die generell jede Form der Herrschaft ablehnt, wie das für den Anarchismus (↑Anarchie, Anarchismus) gilt. Der religiös geprägte Fundamentalismus – etwa in der Form des Islamismus – gilt als eine eigenständige Form des E., die sich der gängigen Rechts-Links-Dimension entzieht. Extremistischer Fundamentalismus strebt einen Gottesstaat an (↑Theokratie). Der „Heilige Krieg" zielt gegen die westliche Welt. Rechts- und linksextremistische sowie fundamentalistische Kräfte bekämpfen sich oft untereinander: Dies ist Ausdruck eines hohen ideologischen Dogmatismus.

Kaum ein Begriff ist so häufig missverständlich rezipiert worden wie der von S. M. Lipset geprägte „Extremismus der Mitte". Dessen Kernthese lautet, in jeder sozialen Schicht seien neben demokratischen Positionen auch extremistische beheimatet. Die demokratische Variante der Mittelklasse sei der ↑Liberalismus, der „Extremismus der Mitte" der ↑Faschismus. Der Begriff des „Extremismus der Mitte" kam im Zusammenhang v. a. mit fremdenfeindlichen Ausschreitungen und den Erfolgen rechtsextremer bzw. -populistischer Parteien in der ersten Hälfte der 1990er Jahre erneut auf, allerdings in einem anderen Sinn. Wer vom „Extremismus der Mitte" spricht, entgrenzt den E.-Begriff und macht ihn unbrauchbar, delegitimiert gar den demokratischen Verfassungsstaat. Der Topos vom „Extremismus der Mitte" zielt auf eine begrifflich diffus bleibende Mitte der Gesellschaft.

3. Erscheinungsformen in der BRD
3.1 Rechtsextremismus

a) Der Rechtsterrorismus spielte in der BRD lange eher eine marginale Rolle (z. B. Anfang der 80er Jahre). Durch die Untaten eines „Nationalsozialistischen Untergrundes" wurde die Öffentlichkeit aufgeschreckt. Diese Morde einer Kleinstgruppe an neun Kleingewerbebetreibenden ausländischer Herkunft und an einer deutschen Polizistin lösten einen gesellschaftlichen Schock aus.

b) Die Zahl der gewaltbereiten Rechtsextremisten ist seit der deutschen Einheit angestiegen (Ende 2016: 8 500). Die Ursachen im Osten sind zum einen in den sozial-ökonomischen Folgen der ↑deutschen Einheit zu suchen, zum anderen wohl auch in den Verhältnissen der wenig weltoffenen ostdeutschen Gesellschaft. Die Zahl der jährlichen Gewalttaten mit rechtsextremistisch motiviertem Hintergrund liegt (mit Schwankungen) bei rund 1 000. Wenige Jahre nach der deutschen Einheit gab es einen massiven Anstieg solcher Delikte, unter denen Körperverletzungen dominierten. Auch hier sticht der Osten hervor. Die häufig unter Alkoholeinfluss begangenen Taten, v. a. gegen Personen aus anderen Kulturkreisen, dgl. gegen tatsächliche oder vermeintliche Linksextremisten, sind selten geplant (expressive Gewalt).

c) Weder vor noch nach der deutschen Einheit spielte der parlamentsorientierte Rechts-E. eine nennenswerte Rolle. Zwar gelang der „Deutschen Rechtspartei" der Sprung in den ersten Deutschen Bundestag (die Fünfprozentklausel galt nur landesweit), doch in der Folge war dies keiner rechtsextremistischen Kraft mehr beschieden. Die ↑NPD scheiterte 1969 mit 4,3 % knapp an der Fünfprozenthürde, nachdem sie zuvor sieben Mal in Landtagen repräsentiert gewesen war (1966–68). Der radikalisierten NPD (Mitgliederbestand Ende 2017: unter 5 000) blieben im vereinigten Deutschland größere Erfolge versagt (bestes Bundestagswahlergebnis 2005: 1,6 %; 2017: 0,4 %). Immerhin gelangte sie in Sachsen und Mecklenburg zweimal in die Landtage (2004–09 sowie 2006–11). Auch andere rechtsextreme Parteien zogen zeitweilig in Landtage ein – die „Republikaner" zweimal in Baden-Württemberg (1992/96) und die (inzwischen mit der NPD verschmolzene) DVU in Sachsen-Anhalt (1998) und zweimal in Brandenburg (1999/2004). Der parteiförmige E. von rechts schneidet im Osten Deutschlands besser ab als im Westen. So erreichte die NPD bei den Bundestagswahlen 2013 im Osten Deutschlands 2,8 % und im Westen 1,0 % (insgesamt 1,3 %). – In den letzten Jahren entstandene Kleinstparteien wie „Die Rechte" und der „Der III. Weg" treten aggressiv auf. Die 2013 gegründete und 2017 mit 12,5 % der Stimmen in den Bundestag eingezogene AfD ist keine rechtsextremistische Partei, obwohl es in ihr auch Kräfte gibt, die den demokratischen Verfassungsstaat in Zweifel ziehen.

d) Im intellektuellen Diskurs ist Rechtsextremisten nicht annähernd der Durchbruch gelungen. Sie konnten so gut wie niemals Einfluss auf die Mehrheitskultur gewinnen und verblieben in ihrem abgeschotteten Milieu. Doch gibt es seit längerem eine gewisse Intellektualisierung, die mit dem diffusen Begriff der „Neuen Rechten" nur unzureichend umschrieben ist.

3.2 Linksextremismus

a) Der Terrorismus in Deutschland war ein Spaltprodukt der Studentenbewegung. Neben der RAF, die für zahlreiche Morde in den 1970er und 1980er Jahren an den Repräsentanten des Staates verantwortlich war, und der in Berlin operierenden „Bewegung 2. Juni" gab

es die „Revolutionären Zellen", die sich zwar abschotteten, aber nicht in den Untergrund abtauchten.

b) Der Verfassungsschutz zählt zu den gewaltbereiten Linksextremisten 8 500 Personen (Ende 2016). Die Gewaltdelikte belaufen sich jährlich auf etwa 1 000. Dieser Links-E., dessen „Massenmilitanz" etwa am 1. Mai hervortritt, wird v. a. von der Szene der Autonomen getragen. Diese Szene, die in manchen westdeutschen Universitätsstädten stark beheimatet ist, bekämpft mit ihren militanten Aktionen das „Schweinesystem". Sie propagiert „Gewalt gegen Sachen", nicht „Gewalt gegen Personen". Zu ihren klandestinen Aktionen zählen schon seit Jahren Brandanschläge auf „Luxusautos". Beim „Kampf gegen den Faschismus" ist Gewaltanwendung aus Sicht der Autonomen legitimiert (instrumentelle Gewalt).

c) Die PDS, Linkspartei (2005–07) und ↑„Die Linke" (seit 2007) verficht einen schwachen E. Von den 60 600 Mitgliedern gehört nur ein kleiner Teil offen verfassungsfeindlichen Zusammenschlüssen an. Erfolge waren nach der deutschen Einheit zunächst nicht absehbar. Doch nur nach der Wahl 2002 war sie nicht im Bundestag vertreten. Bei der Bundestagswahl 2017 erreichte sie 9,2 % der Stimmen (West: 7,4 %; Ost: 17,8 %), bei der Wahl 2009 sogar 11,9 %. Die PDS bzw. „Die Linke" zog bei allen Landtagswahlen in die Parlamente der neuen Bundesländer ein. Die Tendenz wies anfangs nahezu beständig nach oben. Allerdings schneidet sie in denjenigen Ländern deutlich schlechter ab, in denen sie als Juniorpartner eine Koalition eingegangen war (Mecklenburg-Vorpommern, Berlin und Brandenburg). In Thüringen stellt sie nach der Wahl 2014 sogar den Ministerpräsidenten. Lange war die PDS in den alten Bundesländern eine zu vernachlässigende Größe. Durch ihren Zusammenschluss mit der (westlichen) WASG 2007 trat jedoch ein Wandel ein. Bis auf Baden-Württemberg, Bayern und Rheinland-Pfalz war die Partei zeitweilig in den Landtagen vertreten. – Die Ergebnisse für die DKP und die MLPD (↑Kommunistische Parteien) sind vernachlässigenswert, sofern beide Parteien überhaupt antreten.

d) Linksextremisten verbinden ihren Antifaschismus mit Attacken gegen das etablierte Wirtschafts- und Gesellschaftssystem – gegen ↑„Neoliberalismus", gegen „Marktliberalismus". Antifaschismus hat eine weitaus stärkere Mobilisierungs- und Zugkraft als Antikommunismus. Im intellektuellen Milieu gibt es neben „Antiimperialisten", die ihren Hauptfeind in den USA sehen, auch „Antideutsche", die erst mit der deutschen Einheit entstanden sind.

3.3 Fundamentalismus

Z. T. umfassen die abgeschotteten islamistischen Netzwerke (↑Islamismus) Personen, die aus muslimischen Ländern eingewandert sind, z. T. Konvertiten, die das Missionsbewusstsein des Salafismus fasziniert („Homegrown"-Netzwerke). Bes.s Aufsehen erregten die Anschlagspläne einer sog.en Sauerland-Zelle, deren Mitglieder einer usbekischen „Islamistischen Dschihad-Union" angehörten. Bei aller Unterschiedlichkeit der Einschätzungen besteht in einem Punkt Konsens: Die abstrakte Gefährdung durch den islamistischen Fundamentalismus könnte zu einer konkreten werden. 2016, im Zuge der Flüchtlingsströme, war dies der Fall. Der schwerste Anschlag ereignete sich zu Weihnachten 2016 auf dem Berliner Breitscheidplatz mit 12 Toten und 50 Verletzten. Der islamistische Fundamentalismus findet keinen Anklang bei militanten Gruppierungen von rechts und links, wie diese auch nicht durch fundamentalistische Kräfte unterstützt werden. Die Mitgliederzahl islamistischer Organisationen betrug Ende 2016 knapp 25 000, wobei 10 000 Personen der sich zunehmend mäßigenden Vereinigung „Millî Görüş" angehören.

4. Kritik am Begriff
4.1 Kritik

Die Kritik am Begriff und an der Forschung zum E. reicht von Detail- bis zu Fundamentalkritik. So heißt es, Analysen zum E. seien unterkomplex, staatszentriert, ideologiegesättigt, auf Analogien höchst unterschiedlicher Phänomene bedacht und stark an der als repressiv geltenden streitbaren Demokratie orientiert, also auf den Erhalt des Status quo. V. a. die vergleichende Forschung zum E. – die das Äquidistanzgebot bejaht – ruft viele Einwände hervor. Der Begriff des E. sei unbrauchbar, weil er gänzlich verschiedenartige Phänomene gleichsetze und damit den Einfluss rechtsextremistischer Ideologien relativiere. Mit der Fixierung auf den „Rand" gelte die „Mitte" als „normal", kämen Schwächen der Demokratie nicht angemessen zur Sprache.

4.2 Gegenkritik

Diese Kritik beruht zum einen auf Unterstellungen, zum anderen auf einem Verständnis, das dem der normativen E.-Forschung entgegensteht. Offenbar wird ein oft antifaschistisches Konzept bevorzugt. Der antiextremistische ↑Konsens ist heute nicht mehr so selbstverständlich wie früher. Eine lediglich antifaschistische, eine lediglich antikommunistische sowie eine lediglich antifundamentalistische Position trägt nicht. Diese Maxime ist eine Konsequenz aus dem antithetischen Verhältnis von E. und Demokratie. Mit „Anti-E." steht das Gebot der Äquidistanz in engem Zusammenhang. Wer „gesellschaftliche Alternativen" anstrebt, ruft die E.-Forschung nicht auf den Plan, sofern diese sich innerhalb des Verfassungsbogens bewegen.

5. Bekämpfung

Die im antiextremistisch ausgerichteten ↑GG verankerte Konzeption der streitbaren Demokratie will die Hilflosigkeit der relativistisch geprägten Demokratie des Weimarer Typs überwinden. Ihr zentraler Gedanke ist die Vorverlagerung des Demokratieschutzes in den Bereich des legalen politischen Handelns. Alle Varianten der streitbaren Demokratie umfassen drei Charakteristika: die Wertgebundenheit, die Abwehrbereitschaft und die Vorverlagerung des Demokratieschutzes, wobei dieser letzte Punkt eine Präzisierung des zweiten darstellt. Wertgebundenheit meint, dass der Verfassungsstaat eine Reihe von Merkmalen nicht zur Disposition stellt (↑Menschenwürde und Staatsstrukturprinzipien). Zur Abwehrbereitschaft gehört die Verteidigung des demokratischen Verfassungsstaates gegenüber extremistischen Positionen. Art. 9 Abs. 2 GG sieht die Möglichkeit des Vereinigungsverbots, Art. 21 Abs. 2 die des Parteiverbots vor. Nach Art. 18 GG können ↑Grundrechte verwirkt werden. Vorverlagerung des Demokratieschutzes meint: Der demokratische Verfassungsstaat kann nicht erst bei einem Verstoß gegen (Straf-)Gesetze reagieren. Der Zusammenhang von Wehrhaftigkeit und Werthaftigkeit liegt auf der Hand. Ein Staat, der auf unveränderbaren Werten ruht, muss abwehrbereit sein. Und wer Abwehrbereitschaft bejaht, kommt ohne Wertgebundenheit nicht aus. Die Verfassungsschutzberichte (↑Verfassungsschutz), deren Entstehung auf die antisemitischen Schmierereien an der Jahreswende 1959/60 zu datieren ist, sind ein legitimer Ausdruck der Sorge des demokratischen Staates vor Unterwanderung, dürfen jedoch keine Verdachtsberichterstattung pflegen. Mittlerweile erstellt sie jedes Bundesland.

Allerdings wirft die Vorverlagerung des Demokratieschutzes für die zu gewährleistende Liberalität des Staates gravierende Probleme auf. Wird nicht gerade dadurch, dass die Legalität des Verhaltens keineswegs der einzige Maßstab für die Beurteilung ist, die Demokratie unterminiert und ↑Legalität gegen ↑Legitimität ausgespielt? Fördert die streitbare Demokratie, wenn auch unbeabsichtigt, McCarthyismus?

1952 wurde die SRP verboten, 1956 die KPD. Die junge – verunsicherte – Demokratie wollte mit den beiden Verboten Exempel statuieren. Die Urteile des Gerichts zeichneten sich in hohem Maße durch Zurückhaltung und Liberalität aus. Gegen die NPD wurde 2001 ein Verbotsverfahren eingeleitet – von der Bundesregierung, dem Bundestag und dem Bundesrat. Aufgrund verschiedener Pannen (z. B. Existenz von V-Leuten in der Führungsspitze der Partei) stellte das ↑BVerfG im März 2003 das Verfahren ein. 2013 wurde vom Bundesrat ein erneuter Verbotsantrag erfolglos gestellt, da das BVerfG im Urteil von 2017 zwar die Verfassungsfeindlichkeit der Partei erkannte, aber die konkrete Gefährdung der ↑freiheitlichen demokratischen Grundordnung durch sie verneinte. Die Zahl der Verbote gegen bloße Vereinigungen ist beträchtlich, insb. gegen solche von rechts. Hingegen ist die Grundrechtsverwirkung wohl viermal gegen Rechtsextremisten beantragt, jedoch niemals vollzogen worden.

Literatur

E. Jesse/T. Mannewitz (Hg.) Hdb. der Extremismusforschung, 2018 • O. Decker/J. Kiess/E. Brähler: Die enthemmte

Mitte. Rechtsextreme Einstellung in Deutschland, 2016 •
A. Zick u. a.: Gespaltene Mitte – feindselige Zustände. Rechtsextreme Einstellungen in Deutschland 2016 • J. Ackermann
u. a.: Metamorphosen des Extremismusbegriffes, 2015 •
E. Jesse: Extremismus und Demokratie, Parteien und Wahlen,
2015 • E. Jesse (Hg.): Wie gefährlich ist Extremismus?, 2015 •
P. R. Neumann: Die neuen Dschihadisten, 2015 • K. Schro-
eder/M. Deutz-Schroeder: Gegen Staat und Kapital – für die
Revolution!, 2015 • U. Backes u. a.: Rechts motivierte Mehr-
fach- und Intensivtäter in Sachsen, 2014 • A. Pfahl-Traughber:
Linksextremismus in Deutschland. Eine kritische Bestandsaufnahme, 2014 • G. Botsch: Die extreme Rechte in der Bundesrepublik 1949 bis heute, 2012 • A. Bötticher/M. Mares:
Extremismus, 2012 • J. Gerlach: Die Vereinsverbotspraxis der
streitbaren Demokratie, 2012 • T. Mannewitz: Linksextremistische Parteien in Europa nach 1990, 2012 • Forum für kritische Rechtsextremismusforschung (Hg.): Ordnung. Macht.
Extremismus, 2011 • E. Jesse/T. Thieme (Hg.): Extremismus
in den EU-Staaten, 2011 • K. Arzheimer: Die Wähler der extremen Rechten 1980–2002, 2008 • T. Thieme: Hammer, Sichel, Hakenkreuz. Parteipolitischer Extremismus in Ostmitteleuropa, 2007 • U. Backes: Politische Extreme. Eine Wort-
und Begriffsgeschichte von der Antike bis zur Gegenwart,
2006 • N. Bobbio: Rechts und Links. Gründe und Bedeutungen einer politischen Unterscheidung, 2006 • J. Urban: Die
Bekämpfung des Internationalen Islamistischen Terrorismus,
2006 • U. Backes/E. Jesse: Vergleichende Extremismusforschung, 2005 • S. Kailitz: Politischer Extremismus in der Bundesrepublik Deutschland, 2004 • G. Kepel: Das Schwarzbuch
des Dschihad. Aufstieg und Niedergang des Islamismus, 2002
• J. W. Falter/H.-G. Jaschke/J. Winkler (Hg.): Rechtsextremismus, 1996 • U. Backes: Politischer Extremismus in demokratischen Verfassungsstaaten, 1989 • U. Backes/A. Gallus/
E. Jesse (Hg.): Jahrbuch Extremismus & Demokratie, ab 1989
• S. M. Lipset/E. Raab: The Politics of Unreason. Right Wing
Extremism in America, 1978.   ECKHARD JESSE

F

Fachhochschulen ↑Hochschulen

Failed state

1. Definition

F. s. bezeichnet einen ↑Staat, der insofern „gescheitert"
ist, als er nicht oder nicht mehr dazu in der Lage ist,
wesentliche Staatsfunktionen auszuüben. Zu diesen
grundlegenden Funktionen zählen insb. das staatliche
↑Gewaltmonopol und die Aufrechterhaltung der öffentlichen Ordnung; diese sind wiederum Voraussetzungen für die Wahrnehmung zahlreicher weiterer
Staatsfunktionen wie der verbindlichen Durchsetzung
allg.er Normen sowie des Unterhalts von Infrastruktur
und allg.er Daseinsvorsorge. Die Vorstufe eines f. s.
wird als *failing state*, der dorthin führende Prozess als
state failure oder Staatszerfall bezeichnet.

Die Bezeichnung f. s. bezieht sich ausschließlich auf
die faktische Leistungsfähigkeit des betreffenden Staates
und ist unabhängig von seinem völker- oder verfassungsrechtlichen Status. Ein Staat, der von keinem oder
nur wenigen anderen Staaten als ein solcher anerkannt
wird, aber zur effektiven Wahrnehmung von Staatsfunktionen in der Lage ist, ist nicht als f. s. zu qualifizieren. *State failure* wird i. d. R. als ein im Inneren ablau-
fender Prozess verstanden und nicht im Sinne einer von
außen herbeigeführten Staatszerstörung, etwa durch
militärische Eroberung durch einen anderen Staat. Ein
zirkuläres Verhältnis besteht zwischen ↑Bürgerkriegen
und Staatszerfall, bei dem das Vorhandensein einer Variable die andere befördert. F. s.s gelten als permissives
Umfeld für ↑Terrorismus, ↑Piraterie und andere Formen der organisierten ↑Kriminalität, häufig mit nachteiligen Auswirkungen auf andere Länder. Staatszerfall
ist auch insofern über das jeweils betroffene Land hinaus problematisch, da jede regionale und internationale Ordnung auf funktionierende staatliche Strukturen
als Fundament angewiesen sind – jedenfalls solange, als
keine den heutigen Rahmenbedingungen angemessenen Alternativen zur Staatlichkeit erkennbar sind.

2. Entwicklung

F. s.s und *state failure* gehören zu den vergleichsweise
jungen Gegenständen der internationalen Politik, des
internationalen Rechts und der Politikwissenschaft.
Das Thema ist sehr viel stärker von außen- und entwicklungspolitischen Praktikern, Stiftungen und Think
Tanks als von universitärer Forschung geprägt. Der Begriff wird seit den frühen 1990er Jahren verwendet. Das
Phänomen gescheiterter Staaten ist aber keineswegs
neu, wie etwa in einem der ersten Texte behauptet, die
den Ausdruck f. s. verwendeten (Helman/Ratner 1992/

93: 3). Im späten 19. Jh. hätten z. B. China oder das Osmanische Reich mit einiger Berechtigung als *failing
states* bezeichnet werden können. Doch auch wenn f. s.s
durch die Entwicklungsforschung zuvor schon ansatzweise sozialwissenschaftlich erfasst worden waren, wurden sie als solche erst nach dem Ende des ↑Kalten Krieges in größerem Umfang problematisiert. Die seit den
1990er Jahren gestiegene Aufmerksamkeit hängt eng
mit dem ebenfalls gewachsenen Bewusstsein für eine
durch den Globalisierungsprozess „geschrumpfte" und
stärker interdependente Welt zusammen. Die Auswirkungen von Staatszerfall rückten sowohl in der medialen Vermittlung als auch in ihren konkreten Effekten
stärker an die wohlhabenden Länder der sog.en
OECD-Welt heran, etwa in Gestalt der Flucht (↑Flucht
und Vertreibung) von Menschen aus solchen Ländern,
in denen staatliche Strukturen zusammengebrochen
waren.

Anfang der 1990er Jahre begann der damals nicht
durch den Antagonismus von Washington und Moskau
blockierte Sicherheitsrat der UNO sich verstärkt mit
Bürgerkriegen als einem Problem für die internationale
Sicherheit zu befassen. Waren UN-Friedensmissionen
bei inneren Konflikten während des Kalten Krieges
noch seltene Ausnahmen gewesen, so wurde die Beilegung solcher Konflikte nun zu einer der zentralen Aufgaben der ↑UNO (die sie freilich bei fehlendem Willen
der maßgeblichen Staaten nur bedingt erfüllen konnte).
Im Juni 1992 legte der damalige UN-Generalsekretär
Boutros Boutros-Ghali seinen Bericht „An Agenda for
Peace" (1992) vor: Darin ist zwar noch nicht ausdrücklich von f. s.s die Rede, doch der Sache nach wird *state
failure* als ein friedensgefährdendes Problem behandelt,
dem eine „präventive Diplomatie" (Boutros-Ghali 1992)
vorbeugen sollte. Jugoslawien, Somalia und Ruanda waren in den 1990er Jahre die wohl am stärksten wahrgenommenen Fälle, in denen Staatszerfall zu katastrophalen Folgen für die jeweilige Bevölkerung führte.
Trotz gegenteiliger Absichtserklärungen fanden weder
die UNO noch die Staatengemeinschaft probate Mittel
gegen diese schädlichen Auswirkungen.

Während gescheiterte Staaten in den 1990er Jahren
noch v. a. unter humanitären und entwicklungspolitischen Gesichtspunkten thematisiert wurden, folgte
den Terrorakten des 11.9.2001 insb. in den USA eine
sicherheitspolitische Wende. Da die Angriffe in New
York und Washington von einer nicht-staatlichen Gruppe ausgeführt wurden, die zumindest teilweise vom de-
stabilisierten Afghanistan aus operierte, rückten f. s.s als
Operationsgebiet und Rückzugsraum für Terrorgruppen
in den Fokus der Außen- und Sicherheitspolitik der
USA.

Ein Novum stellte die Beschäftigung mit f. s.s insofern dar, als traditionell nur militärisch starke Staaten mit revisionistischen oder revolutionären Absichten als gefährlich für die eigene Sicherheit gegolten hatten, nicht aber die Schwäche von scheiternden Staaten. Die Nationale Sicherheitsstrategie der USA aus dem Jahr 2002 („Bush-Doktrin") hielt zum Problem fest: „America is now threatened less by conquering states than we are by failing ones" (Bush 2002: 1). Auch die im Folgejahr veröffentlichte Europäische Sicherheitsstrategie erklärte das Scheitern von Staaten zu einer Hauptbedrohung: „Schlechte Staatsführung, d. h. Korruption, Machtmissbrauch, schwache Institutionen und mangelnde Rechenschaftspflicht sowie zivile Konflikte zersetzen Staaten von innen heraus. [...] Das Scheitern eines Staates [...] ist ein alarmierendes Phänomen, das die globale Politikgestaltung untergräbt und die regionale Instabilität vergrößert" (Europäischer Rat 2003: 4).

Die Beschäftigung mit f. s.s hat ihren vorläufigen Höhepunkt möglicherweise in den 2000er Jahren überschritten. Mit der sich in der Mitte der 2010er Jahre abzeichnenden Wiederkehr von Konfliktkonstellationen zwischen Groß- und Regionalmächten sowie der gewachsenen Skepsis, Probleme des Staatszerfalls von außen lösen zu können, scheint in westlichen Staaten das Interesse am Thema eher zurückzugehen, ohne dass das Problem weniger virulent geworden wäre.

3. Definitionen und konzeptionelle Fragen

Es gibt keine allg. akzeptierte Definition dessen, was einen f. s. ausmacht, oder an welchen Kriterien sich das Scheitern eines Staates bemessen ließe. Konsens scheint nur dahingehend zu bestehen, dass es sich beim „Scheitern" eines Staates nicht um eine binäre Entweder-oder-Codierung, sondern um eine relative Größe auf einem Kontinuum handelt. Dieses Kontinuum reicht vom umfassend „funktionierenden" Staat bis hin zum kollabierten, der zwar noch auf dem Papier besteht, aber ohne handlungsfähige Organe und ohne physischen Schutz für seine Bürger ist.

Verschiedene Stellen haben sich um eine systematische Herangehensweise an das Problem der f. s.s und um deren Klassifizierung bemüht. Viel beachtet wird der seit 2005 jährlich von der in Washington ansässigen privaten Stiftung *Fund for Peace* erstellte und in der Zeitschrift FP veröffentlichte „Fragile States Index" (FSI), der bis 2013 den Titel „Failed States Index" trug. Dieser Index stuft 178 Staaten der Erde anhand einer in zwölf Kategorien vergebenen Punktzahl nach ihrer Stabilität ein. Ein ideal funktionierender Staat käme auf eine Punktezahl von 0, ein vollständig gescheiterter auf 120. Die Kategorien umfassen neben der Existenz gewaltsamer Konflikte und der Effektivität des Regierungshandelns u. a. auch die demographische Entwicklung, Einkommensverteilung, Gesundheitsversorgung sowie den Stand der Bürger- und Menschenrechte in einem Land. In dem für das Jahr 2016 publizierten FSI hat Finnland die niedrigste Punktzahl und ist damit am weitesten von der Einstufung als „fragiler Staat" entfernt. In die Kategorie mit der höchsten Punktzahl *(very high alert)* fielen Somalia, Südsudan, die Zentralafrikanische Republik, Jemen, Sudan, Syrien, Tschad und die Demokratische Republik Kongo, gefolgt von Afghanistan, Haiti und Irak in der zweithöchsten Kategorie *(high alert)*. Deutschland nimmt unter den 178 Ländern den Rang 165 ein und ist der zweitbesten Kategorie der „nachhaltigen" Länder zugeordnet. Die USA, Frankreich und Großbritannien werden zur drittbesten Kategorie der „sehr stabilen" Länder gezählt. Mittlere Werte auf der Punkteskale werden z. B. für Brasilien, China oder Indonesien vergeben.

Der unter Leitung von Steward Patrick und Susan Rice für die *Brookings Institution* im Jahr 2008 entworfene „Index of State Weakness in the Developing World" grenzt sich methodisch und inhaltlich vom FSI ab. S. Patrick und S. Rice untersuchen 141 Entwicklungs- und Schwellenländer (zu denen auch die osteuropäischen Staaten gerechnet werden) anhand von 20 Kategorien. Die Autoren nehmen für sich in Anspruch, vom FSI unterbewertete Faktoren von *state weakness* wie mangelnde Gesundheitsversorgung oder Defizite im Bildungssystem besser in ihre Analyse zu integrieren. Dieser Index ist allerdings seit 2008 nicht noch einmal erstellt worden und kann insofern nicht mehr als aktuell gelten.

4. Kritik

Begriff und Paradigma des f. s. sind vielfach kritisiert worden. Kritik richtete sich u. a. auf die inhaltliche Unbestimmtheit, den inflationären Gebrauch sowie die Neigung, sehr unterschiedliche Staats- und Regierungsformen unter den Ausdruck f. s. zu subsummieren, sofern sie von einer implizit oder explizit vorausgesetzten Norm abweichen. Kritisiert wird, dass die vielen nach 1990 aus der ↑ Politikberatung hervorgegangenen Studien das Thema ahistorisch, teleologisch und unreflektiert-normativ angehen, indem sie einen „natürlichen Fortschritt" hin zu liberalen und demokratischen Strukturen voraussetzen. Zudem würde die Verantwortung für das Scheitern von Staaten einseitig den betroffenen Länder zugewiesen, ohne nach der Mitverantwortung der Staaten des „globalen Nordens" zu fragen – sei es als frühere Kolonialmächte (↑ Kolonialismus), sei es als Nachfrager von problematischen Gütern, die in Räumen schwacher und korrupter Staatlichkeit gehandelt werden. Schließlich wird argumentiert, das Konzept sei zu allg. gefasst und verwische wichtige Unterschiede, als dass davon sinnvolle Handlungsempfehlungen für die entwicklungspolitische Praxis (↑ Entwicklungspolitik) abgeleitet werden könnten: „imprecise concepts make for poor scholarship and bad policy" (Call 2008: 1505). Dennoch fände diese Übersetzung in praktische Maßnahmen statt, die undifferenziert und stereotyp auf die „Stärkung" (Call 2008:1497) von staatlichen Organen abzielten.

Grundlegende Kritik, die sich für die Preisgabe des Begriffs bzw. für seine Beschränkung auf den empirisch seltenen Fall vollständig kollabierter Staaten ausgesprochen hat, ist dennoch eine Minderheitenposition geblieben. Auch Autoren, die sich der analytischen Schwächen des Begriffs bewusst sind, plädieren für seine Beibehaltung, da er ein real beobachtbares Phänomen griffig beschreibe. Um bestehende konzeptionelle Defizite zu beheben, ist u. a. vorgeschlagen worden, bei der Analyse von Staatszerfall genauer danach zu differenzieren, ob das Fehlen effektiven Regierens eher an den fehlenden Kapazitäten des Landes oder eher am fehlenden Willen seiner Regenten liegt.

Literatur

J. Messner (Hg.): Fragile States Index, 2016 • The Fund for Peace: Fragile States Index (2016), URL: http://library.fundforpeace.org/fsi (abger.: 19.3.2018) • T. Howard: Failed States and the Origins of Violence, 2014 • D. Halvorson: States of Disorder. Understanding State Failure and Intervention in the Periphery, 2013 • S. Patrick: Weak Links. Fragile States, Global Treats, and the International Security, 2011 • K. Marten: Failing States and Conflict, in: R. Denemark (Hg.): International Studies Encyclopedia, Bd. 4, 2010, 2012–2022 • C. Call: The Fallacy of the „Failed State", in: Third World Quarterly 29/8 (2008), 1491–1507 • S. Rice/S. Patrick: Index of State Weakness in the Developing World (2008), URL: https://www.brookings.edu/wp-content/uploads/2016/06/02_weak_states_index.pdf (abger.: 19.3.2018) • A. Vinci: Anarchy, Failed States, and Armed Groups, in: ISQ 52/2 (2008), 295–314 • P. Collier: The Bottom Billion. Why the Poorest Countries Are Failing and What Can Be Done About It, 2007 • S. Patrick: „Failed" States and Global Security, in: ISR 9/4 (2007), 644–662 • J. Crawford, The Creation of States in International Law, ²2006 • R. Dorff: Failed States After 9/11, in: Int. Stud. Perspect. 6/1 (2005), 20–34 • R. Rotberg (Hg.): When States Fail, 2004 • Europäischer Rat: Ein sicheres Europa in einer besseren Welt. Europäische Sicherheitsstrategie, 2003 • G. Bush: The National Security Strategy of the United States of America, 2002 • R. Rotberg: Failed States in a World of Terror, in: ForAff 81/4 (2002), 127–140 • G. Hartman/S. Ratner: Saving Failed States, in: FP 89 (1992/93), 3–20 • B. Boutros-Ghali: An Agenda for Peace. Preventive Diplomacy, Peacemaking, and Peace-keeping, 1992.

CARLO MASALA UND
TILL FLORIAN TÖMMEL

Familie

I. Theologisch – II. Soziologisch –
III. Pädagogisch – IV. Rechtlich

I. Theologisch

1. Familie als Lebensform

In christlich-theologischer Sicht ist die F. eine elementare, in der Schöpfung begründete Form gemeinsamen Lebens. Als ein Geflecht substanzieller Relationen stellt F. eine Lebensform dar, deren Sein weder in bloßer Veränderungsprozessualität aufgeht noch durch abstrakte Vergesetzlichung in seiner Identität erhalten werden kann, sondern der die Kraft des je eigenen Anfangs und der Erneuerung aus einer unverrechenbaren Zukunft heraus eigen ist. Inhaltlich betrachtet ist das theologische Verständnis von der F. als Lebensform v. a. durch zwei Faktoren geprägt worden: zum einen ist es die Rezeption der aristotelischen Hauslehre (oeconomia) und deren Umformung aus dem Geist der biblischen Tradition, zum anderen die Entwicklung der Ehetheologie und die Heraushebung der ↑Ehe als Institution göttlichen Rechts. Dadurch entstanden Ungleichgewichte zwischen der dogmatischen Hochschätzung der Ehe als ↑Sakrament und einer naturrechtlichen (↑Naturrecht), d. h. an Gesamtzwecken orientierten Grundlegung der F. Erst die konsequente personalistische und heilsgeschichtliche Ausrichtung der konziliaren und nachkonziliaren Theologie sowie das erneuerte Selbstverständnis einer Kirche, die sich auch als familia Dei begreifen kann, haben die notwendigen Korrekturen und die Ausbildung eines Ansatzes ermöglicht, welcher die F. in ihrer bes.n Subjektivität, d. h. als Gemeinschaftssubjekt wahrnimmt und in den Mittelpunkt stellt. Maßgebliche Impulse gingen hierbei vom ↑Zweiten Vatikanischen Konzil, insb. von der Pastoralkonstitution GS, der Verkündigung Papst Johannes Pauls II. (vgl. bes. das Apostolische Schreiben FC und den „Brief an die Familien") sowie dem von Papst Franziskus initiierten Dialogprozess (vgl. die beiden Bischofssynoden von 2014 und 2015 und das nachsynodale Apostolische Schreiben AL von 2016).

In theologischer Sicht ist die F. ein Geheimnis verdankter ↑Freiheit, denn als Lebensform konstituiert sie sich in einer doppelten Genealogie, der Genealogie der Person und der Genealogie der Generation (vgl. „Brief an die Familien" 7). Beides ist nicht voneinander trennbar, denn F. ist communio, d. h. Gemeinsamkeit personaler ↑Liebe, und communitas, d. h. Gemeinschaft, ein intergenerationaler Lebenszusammenhang, der den Menschen von Anfang an umgibt und seinen existentiellen Horizont in spezifischer Weise formt. Daher steht die F. unter einem doppelten Wesensgesetz: dem der Liebe und dem des Lebens – Gesetzlichkeiten, die in strikter Weise miteinander verschränkt sind und dadurch der F. die Wirksamkeit einer Lebensform verleihen, welche der Selbstzwecklichkeit des Menschen als ↑Person in urspr.er Weise zu entsprechen vermag. Genauerhin erschließt sich das Wesen der F. aus der Analogie des Glaubens an den lebendigen Gott, der den Menschen als sein Abbild erschaffen und der im Geheimnis der Fleischwerdung des Wortes den Menschen sich selbst kund gemacht hat (vgl. GS 22). Die christliche Erinnerung des Leidens und der Auferstehung Jesu Christi ist zugl. die Erneuerung des menschlichen Gedächtnisses, des Grundvermögens der Entsprechung, auf den „Anfang" hin, d. h. auf die F. „im Plan Gottes" (FC 10) und ihre Bestimmung zur Gemeinschaft mit Gott in der Liebe. Es ist in je größerer Verschiedenheit und unter Wahrung der absoluten Transzendenz des Schöpfergottes die Ähnlichkeitsbeziehung „zwischen den göttlichen Personen und der Einheit der Kinder Gottes in der Wahrheit und der Liebe" (vgl. GS 24), welche auch das familiale „Wir" in seiner spezifischen Subjekthaftigkeit ansichtig werden lässt. In diesem Sinne ist die Heilige F. die Verkörperung dieser Relation in konkretester Nähe, in der die „schöne Liebe", welche alles bloße „gut für" übersteigt, die Wahrheit der F. bezeugt. Diese Wahrheit aber ist die Verwirklichung aller Personalität in der aufrichtigen, beständigen und unwiderruflichen Hingabe seiner selbst. Das familiale „Wir" ist weder eine Aggregation von Individuen noch ein Kollektiv, sondern *communio personarum*, eine Gemeinschaft von Personen, die in der Liebe vereint sind (vgl. „Brief an die Familien" 6). Eine solche Gemeinschaft kann nur aus der Freiheit gegenseitigen Sich-Schenkens heraus begründet werden, wie dies im Akt der Eheschließung von Mann und Frau geschieht. Die jüdisch-christliche Tradition beharrt daher gegenüber allen familiären bzw. verwandtschaftlichen Bindungen und Autoritäten auf der willentlichen Freiheit von Mann und Frau bei der Eheschließung. Es entsteht ein „Bund" des Lebens und der Liebe, der sich göttlicher Urheberschaft verdankt und unbeliebige Sinngehalte der Intimität, Einheit und Treue, des unbedingten Einstehens füreinander sowie umfassender ↑Verantwortung und Sorge für die Nachkommenschaft enthält (vgl. GS 48). Als gemeinsame Güter der Liebe beinhalten sie eine objektive Verpflichtung. Um dieser Güter der Liebe in ihrer Bedeutung für die Entfaltung des Menschen als Person willen sieht die christliche Theologie in der ehebezogenen F. ein Leitbild, zu dem es letztlich keine Alternative gibt. Die Sakramentalität der Ehe ist somit der Verbindungspunkt der Genealogie der Person und der Genealogie der Generation, die Grundlage im Glauben gelebter familialer Kommunikation und Tradition, d. h. dessen, was die F. zur „Hauskirche" (vgl. LG 11), werden lässt.

2. Familiale Tradition und Kommunikation

Ein Spezifikum familialer Lebensform ist, dass sie ↑Tradition in Gang setzt und hält. Sie bestimmt für jeden Einzelnen den Moment, an dem er in die Sozialkultur eintritt, welche Leben und Existenz ermöglicht. Die F. umfängt jenen ersten Moment dieser Zugehörigkeit, aus dem alle anderen entströmen. Der initiatorische Charakter familialer Kommunikation erschöpft sich nicht in einem einmaligen Tradierungsvorgang, den man hinter sich lassen würde, er begleitet vielmehr durch das Leben hindurch. Im Vorgang des Tradierens halten Eltern, Großeltern und andere Bezugspersonen die Kette der Weitergabe von Lebenswissen in Gang. Was sie selbst einst als Kinder empfangen haben, empfangen sie aufs Neue und in vertieftem Maße, indem sie es an die eigenen Kinder weitergeben. Was die F. in diesen Zusammenhängen kommuniziert, ist das beständige praktische Umgehen mit den vielfältigen Aspekten

des menschlichen Lebens, in das jedes neue Glied eingewiesen wird. Da in diesen Vorgängen ein elementares Bewusstsein für die Grundwerte und Grundprinzipien des Menschlichen geweckt wird, spricht das Konzil von der F. als einer „Art Schule reich entfalteter Humanität" (GS 52). Jede F. hat ihre eigene F.n-Geschichte und -Erfahrung, die ihre Identität ausmacht; es sind Erfahrungen, welche die Glieder der F. in den Stand versetzen, Lebensziele zu verfolgen, Freundschaften zu pflegen, mit Leid und Enttäuschungen umzugehen und schließlich auch dem ↑Tod zu begegnen. So verschieden F.n auch sein mögen, im Hinblick auf den Tradierungsprozess verkörpern sie doch immer auch die gleichen Arten von Lebensgütern. Diese Weitergabe von Gütern schließt elementare menschliche Fähigkeiten und elementares Lebenswissen ein. Wesentlich für beides ist jedoch die Weitergabe von Liebe. Die F. provoziert eine emotionale Antwort auf die Welt menschlicher Kommunikation, eine Antwort, die es einem Menschen erst ermöglicht, in dieser sein eigenes Gut zu verfolgen. Dies impliziert, dass die Weitergabe von Liebe von der Weckung der Erkenntnisfähigkeit von Gut (↑Gute, das) und Böse begleitet sein muss. In dem Maße aber, in dem die Güte, welche die Liebe anstrebt, dem Bösen, das die Furcht zu vermeiden lehrt, vorgeordnet ist, trifft das allg.e Verständnis der F. als Gemeinschaft der Liebe den zentralen Aspekt familialer Kommunikation. „Liebesgemeinschaft" ist die F. von daher auch nicht einfach im Sinne einer „liebenden Gemeinschaft", sondern als eine Gemeinschaft, welche die Liebe kommuniziert und diese Kommunikation zum primären Daseinsgrund hat. Was hierbei in der F. kommuniziert wird, ist die Fähigkeit, auf Gutes mit emotionaler Wärme zu reagieren. Es ist die Liebe, für die das Griechische ein eigenes Wort – *storgé* – kennt: die Liebe der Affinität. Kommunikation der Liebe und Unterscheidung der Liebe sind untrennbare Momente familialer Kommunikation und lebendiger Tradition.

Das Leben einer F. ist nicht auf sich selbst bezogen, sondern ermöglicht gerade das konstruktive Engagement im Rahmen anderer Formen sozialen Lebens. Dies spiegelt sich in der ↑Erziehung von Kindern wider. Erziehung beginnt in der F., aber sie endet nicht dort. Der Erziehungsauftrag der F. bedeutet daher auch, in jedem persönlichen Fall die geeigneten Wege der Selbstüberschreitung in das Leben der weiteren Gesellschaft im Hinblick auf ein universales und höchstes Gut hin zu finden. Solcherart ↑Transzendenz in der F. zu ermöglichen, macht die innere Freiheit der F. im Sinne eines diskreten Binnenverhältnisses des in ihr präsenten „guten Lebens" aus. Dies ist dort erfahrbar, wo Menschen die Freiheit wahrnehmen, einer Berufung Folge zu leisten. Das kann auf eine andere Lebensform, nämlich die der Jungfräulichkeit, hinzielen als auch darauf, innerhalb von Ehe und F. in bestimmter Weise zu leben und handeln. Die Güter der Freiheit, welche die F. konkret zu vermitteln vermag, kommen nicht allein den Kindern zu, sondern ebenso auch den Eltern. Die Übernahme und Annahme der Elternrolle vermittelt die Freiheit, den Kindern gegenüber sich zu verhalten und ihnen zu geben, was sie niemals anderen gegenüber sein oder geben könnten. So ist Elternschaft eine „Berufung" im Sinne eines Lebens-Dienstes der Liebe. Indem dieses Moment sittlicher Freiheit all das übersteigt, was die F. tradieren kann, erfüllt es das Gut der F. in seiner spezifischen Dignität und vollendet ihren spezifischen Dienst als Schule der ↑Humanität.

3. Familie und Gesellschaft

In theologischer Sicht ist die F. das Fundament und die „Lebenszelle" der Gesellschaft (vgl. GS 52, FC 46). Die bes. Dignität, die der F. als sozialer Institution zukommt, gründet darin, dass sie mehr als jede andere Institution Subjekt ist; denn das, was ihre sittliche Substanz ausmacht, ist das Anerkennungsverhältnis des „Ehre!", wie es das 4. Gebot des Dekalogs (↑Zehn Gebote) zum Ausdruck bringt (vgl. „Brief an die Familien" 17). Da die F. im Plan Gottes das „Gut des ,Zusammenseins'" verwirklicht, kann dieser Imperativ bei allen Asymmetrien zwischen Eltern und Kindern nur in Wechselseitigkeit sinnvoll verstanden werden. Ohne diesen tugendethischen Kern familialer Selbstschätzung fehlt auch allen Rechten des Menschen ein notwendiges Moment. Umgekehrt ist das durch familiale sittliche Selbstschätzung zu verwirklichende gemeinsame Gut der F. der Grund der der F. eigenen „Souveränität" („libertas et immunitas", vgl. „Brief an die Familien" 17) als ihres Anspruchs auf Anerkennung in ihren Rechten und im Recht der Gesellschaft (vgl. die „Charta der Familienrechte"). Die hervorgehobene Bedeutung der F. im Dienste einer „Zivilisation der Liebe" darf jedoch nicht dazu führen, die F. zu totalisieren. Die Rede von den „Drei Ständen" – Kirche, Haushalt, politisches Gemeinwesen (*ecclesia, oeconomia, politia*) –, wie sie etwa die lutherische Tradition betont, versteht diese als je eigene Institutionen der Freiheit, die nicht auf eine Grundform reduziert werden können.

Die neuere Theologie der F., wie sie v. a. im Kontext der beiden Bischofssynoden von 2014 und 2015 sich geformt hat, nimmt das Verhältnis von F. und Gesellschaft nicht nur unter grund- und menschenrechtlichen Gesichtspunkten wahr, sondern auch im Horizont von Globalität. Die vielen Gesichter der ↑Globalisierung wie etwa die Internationalisierung der Märkte, die Zunahme weltweiter Vernetzung durch neue Kommunikations- und Informationstechnologien, die vermehrte Instabilität und Verwundbarkeit lokaler Märkte durch externe weltweite Krisen oder Ereignisse haben Einfluss auf die Lebensgestaltung von Menschen in Ehe und F.; Krieg und Gewalt, Flucht und Vertreibung, Armut und soziale Ausgrenzung, kulturelle und soziale Widersprüche gefährden F. in ihrer Existenz (vgl. AL 21–57). Die kritische Wahrnehmung dieser Prozesse wie aber auch all der gegen das Leben gerichteten Mentalitäten haben das Bewusstsein sowohl für die hohe Verletzlichkeit heutiger F. geschärft als auch für die Kostbarkeit des „globalen" Gutes der F. Umso mehr gilt es vom Glauben her, den missionarischen Charakter der F. stärker zu profilieren und durch Bezeugung der Erlösungsbedürftigkeit wie aber auch der Erlösungsfähigkeit des Menschen im Geflecht von *communio* und *communitas* das „Evangelium der Familie" („Brief an die Familien" 23; AL 200–204) in der Christusnachfolge je neu zu verkünden.

Literatur

L. Häberle/J. Hattler: Ehe und Familie – Säulen des Gemeinwohls, 2014 • F. Becchina: Die Kirche als „Familie Gottes", 1998 • Johannes Paul II.: Brief an die Familien, 1994 • E. Dassmann/G. Schöllgen: Haus II (Hausgemeinschaft), in: RAC XIII (1986), 801–905 • Päpstlicher Rat für die Familie: Charta der Familienrechte, 1983 • D. Schwab: Familie, in: GGB, Bd. 2, 1975, 253–301. GERHARD HÖVER

II. Soziologisch

1. Ist die „Krise der Familie" überwunden?

Die F. gehört zu den Lebensbereichen, die immer wieder Gegenstand ideologischer Auseinandersetzungen waren. Jahrzehntelang bewegte sich ein Teil des öffentlichen Diskurses zur F. im Spannungsfeld zwischen Dramatisierung und Beschwichtigung. Die F. wurde vielfach als überholt dargestellt, sie sei eine untergehende Lebensform. Seit Mitte der 1960er Jahre machte sich ein tiefgreifender Strukturwandel bemerkbar, der vielfach als Abkehr von der F. oder als Niedergang der F. interpretiert wurde: Geburtenrückgang und Anstieg von Kinderlosigkeit; Rückgang der Eheschließungen, Anstieg der Scheidungen; ein Trend zum Alleinleben. Die Krisendiagnose war allerdings oberflächlich: Es kam zu einem Aufschub der F.-n-Gründung, aber die grundsätzliche Neigung dazu blieb weiterhin sehr hoch. Es kam zu einer stärkeren Toleranz gegenüber alternativen Lebensformen, Unverheiratete werden nicht mehr diskriminiert. Gleichwohl bleibt die ↑Ehe bzw. die monogame Paarbeziehung das bevorzugte Beziehungsmodell, doch wird der Anspruch der Dauerhaftigkeit immer häufiger aufgegeben („serielle Monogamie").

Erklärungsversuche für den Wandel beziehen sich allg. meist auf langfristige Prozesse der ↑Modernisierung, Differenzierung und ↑Individualisierung. Für die Geschwindigkeit des Wandels zwischen 1965 und 1975 werden die kulturellen Umwälzungen dieser Jahre verantwortlich gemacht („sexuelle Revolution", Antiautoritarismus, Werte-Liberalisierung usw.). Der Bildungsexpansion (↑Bildung) der 1970er-Jahre kommt dabei eine bes. Bedeutung zu. Sie hat – zusammen mit dem ↑Feminismus – zu einer strukturellen Verbesserung der Situation der Frauen geführt, mit weitreichenden Auswirkungen auf das Geschlechterverhältnis (↑Gender) in Paarbeziehungen und F.n.

2. Ist die Familie universell?

Oft wird die F. als „anthropologische Konstante" bezeichnet, d. h., bei allen kulturellen Unterschieden der Strukturen, Funktionen und Formen von F. gibt es keine Kulturen ohne F. Es gab in der Frühgeschichte der Menschheit Mutter-Kind-Einheiten, die jedoch nur überleben konnten, wenn es einen sie schützenden Kontext gab: also etwa eine Gruppe von engen Verwandten oder sonstigen Nahestehenden. Das hat nicht nur F.n-Bildung, sondern wohl auch patriarchale Tendenzen begünstigt. Funktionalistisch gesprochen muss jede Gesellschaft das Nachwuchsproblem lösen. Das macht zwar nicht zwingend bestimmte F.n-Strukturen notwendig, doch ist es schwer vorstellbar, dass sich in der ↑Evolution nicht familien-ähnliche Institutionen herausgebildet hätten.

3. Besonderheiten der westlichen Entwicklung

In der Entwicklung der F. in Europa, insb. in Mittel-, West- und Nordeuropa, hat nicht zuletzt der christliche Einfluss eine stärkere Herauslösung der Klein-F. aus dem Verwandtschaftsverbund gefördert und damit hat das Ehepaar an Bedeutung gewonnen (konjugale F.), im Unterschied zu anderen Weltregionen. Der westliche ↑Individualismus hat mit dazu beigetragen, die Dominanz von Verwandtschaftsgruppen, Sippen, F.n-Verbänden usw. zu schwächen zugunsten des Paares und des Individuums innerhalb der F. Im 18. Jh. war der Übergang von der vormodernen Hausgemeinschaft zur bürgerlichen F., in der sich eine Zone der Privatheit und Intimität herausbildete, eine wichtige Etappe zur Herausbildung der modernen Gesellschaft.

4. Struktur der modernen Kleinfamilie

Die Grundstruktur der modernen westlichen Kern-F. lässt sich als Kombination zweier Strukturmerkmale darstellen: Filiation und Konjugalität, also Eltern-Kind-Beziehung und eheliche Paarbeziehung. Der enge Zusammenhang von zwei ↑Generationen und zwei Geschlechtern macht die Kernstruktur aus. Das Generationsverhältnis ist hierarchisch organisiert, jedoch nicht als Machtbeziehung, sondern als sozialisatorische Verantwortungsbeziehung. Das Geschlechterverhältnis war lange Zeit asymmetrisch gedacht und geprägt von der klassischen Vorstellung eines komplementären Verhältnisses, wie es in der bürgerlichen F. seit dem 18. Jh. entstand, bei dem den Frauen die emotionale und innerhäusliche, den Männern die vernunftorientiert-außerhäusliche Rolle zugeschrieben wurde („Polarisierung der Geschlechtscharaktere" [Hausen 1976]). Diese Rollenzuschreibung, wie überhaupt das Festhalten an einem Modell von *Normal-F.,* wurde vielfach kritisiert. Inzwischen hat auch die F.n-Forschung dieses Modell weitgehend aufgegeben. Für eine Minimaldefinition von F. genügt heute die Filiation, speziell die Mutter-Kind-Dyade. Die Mindestbedingung, um von „F." sprechen zu können, ist also eine Beziehung zwischen einem Kind und einem Elternteil. Die Veränderung der Geschlechtsrollen hat dazu geführt, das Verhältnis der Eltern als partnerschaftlich-egalitär zu definieren, unabhängig von Geschlechterzuschreibungen.

Das westliche F.n-System ist als „offenes, multilineares Gatten-Familien-System" (Parsons 1964: 85) bezeichnet worden: Es gibt, abgesehen vom Endogamieverbot, keine Regel, wer mit wem eine Paarbeziehung eingehen und eine F. gründen darf. Es gibt also auch keine bevorzugten Heiratspartner. Damit ist die Stellung der Verwandten und der Herkunfts-F. weniger wichtig als bspw. in Kulturen, wo von den Söhnen erwartet wird, eine Kreuzcousine (Tochter des Mutterbruders oder der Vaterschwester) zu heiraten. Das neolokale Prinzip – die Kinder-Generation lebt nur bis zur Gründung eines eigenen Haushalts bei den Eltern – und die Eigenständigkeit des Ehepaares machen die Unterscheidung zwischen Herkunfts- und Zeugungs-F. wichtig. Jede F. besteht deshalb i. d. R. aus mindestens zwei Haushalten.

5. Aufgaben und Funktionen der Familie und Funktionsverlust

Im Rahmen der Theorie funktionaler Differenzierung wird nach *Funktionen* (Aufgaben, Leistungen, Beiträgen) der F. für die Gesellschaft und deren Teilbereiche gefragt. Man spricht in historischer Perspektive manchmal vom *Funktionsverlust* der F. beim Übergang zur ↑Moderne. Es ist sinnvoller, von *Funktionsspezialisierung* zu sprechen, denn mit dem Übergang zur Moderne verlor die F. zwar eine Reihe von politischen, ökonomischen und rechtlichen Funktionen, andere blieben aber erhalten, differenzierten sich weiter aus und wurden wichtiger. Vier Grundfunktionen können unterschieden werden:

a) biologische Reproduktion;
b) ↑Sozialisation;
c) soziale Reproduktion;
d) Statuszuweisung.

Die aktuelle Diskussion dreht sich v. a. um die Frage nach der Schwächung dieser Funktionen durch Auslagerung an private Dienste und Aufgabenverlagerung an den ↑Wohlfahrtsstaat.

Nach wie vor gilt die *biologische Reproduktion* der Bevölkerung als eine zentrale Funktion und ein Privileg der F. Wenn eine Gesellschaft ihre Nachwuchsproduktion sichern und steuern will, wird sie sich zuerst mit der Frage nach der Absicht zur F.n-Gründung bei Paaren befassen. Zwar gibt es Anzeichen der Schwächung dieser familialen Funktion im Sinne einer Stärkung matrilinearer Tendenzen und einer relativen Schwächung der Konjugalität, denn immer häufiger wird Mutterschaft ohne klassische F.n-Konstellation konstituiert oder fortgesetzt. Aber immer noch leben etwa 80 % der Kinder bei ihren beiden biologisch-sozialen Eltern.

Die F. hat nicht nur das Monopol auf die Zeugung und Geburt von Kindern, sondern auch auf die ↑Erziehung im grundlegenden Sinn: Die *primäre Sozialisation* gehört immer noch zu den wichtigsten Funktionen der F. Bes. in Deutschland hat die F. praktisch das Monopol für die Kleinkind-Sozialisation. Die Anforderungen an eine gute Erziehung sind weiter gestiegen; das fördert allerdings auch Professionalisierungstendenzen i. S. d. Auslagerung bestimmter Sozialisationsleistungen aus der F., die sich überfordert sieht. Insgesamt belegt die Forschung aber die weiterhin enorme Bedeutung der Sozialisation in der F. für die Persönlichkeitsentwicklung von Kindern und ihre soziale Integration.

Die dritte Funktion lässt sich als *soziale Reproduktion* bezeichnen. Es geht dabei um Regeneration (von der Arbeit), um Erholung und Entspannung, kurz gesagt um alles, was der Mensch braucht, um wieder leistungsfähig zu werden, vom Essen bis zum Schlafen. Weiterhin geht es um emotionale Stabilisierung und ↑Gesundheit, Unterstützung und wechselseitige Hilfe, um die „Versorgung" der F.n-Mitglieder mit affektiven Bindungen, ↑Solidarität, Intimität und emotionaler Sicherheit in einem basalen Sinn. Ebenso geht es um die Ausbildung von Individualität. Allerdings werden auch Elemente der sozialen Reproduktionsfunktion zunehmend ausgelagert, wie etwa Kochen, Essen oder Freizeiterholung und Gesundheit. Manche Autoren sehen deshalb die Gefahr der Erodierung dieser Funktion durch Kommerzialisierung der Intimität.

Schließlich hat die Herkunfts-F. für die Kinder immer noch eine große Bedeutung i. S. d. sozialen Platzierung und Statuszuweisung: Der Lebenserfolg eines Menschen hängt immer noch stark davon ab, welcher sozialen Schicht seine F. zugehört. Zwar kommt dem Bildungssystem eine vermittelnde Funktion bei der Statuszuweisung zu, indem es Chancen für einen sozialen Aufstieg bietet und die herkunftsbedingten Vor- und Nachteile ausgleichen soll. Es scheint aber, dass sich seit den frühen Untersuchungen des französischen Soziologen Pierre Bourdieu bis zu den internationalen PISA-Studien an der grundlegenden Diagnose der Reproduktion ↑sozialer Ungleichheit durch die familiäre Herkunft sowohl in empirischer als auch in theoretischer Hinsicht wenig geändert hat.

6. Pluralisierung familialer Lebensformen

Mit dem Aufstieg der These vom Niedergang der F. setzte sich bald auch die Formel „Pluralisierung von Lebensformen" durch, derzufolge die F. nur noch eine von zahlreichen, gleichwertigen Lebensformen ist. Die Grundidee stammt z. T. aus der Differenzierungstheorie, z. T. aus der Individualisierungsdebatte. Der gemeinsame Nenner dieser an sich sehr unterschiedlichen Theorien war, dass sich seit dem Strukturwandel der 1960er Jahre in den Ländern der westlichen Welt die vormals einheitliche (bürgerliche Klein-)F. als Lebensmittelpunkt der Menschen zunehmend auflöste und anstelle des einen normativen Modells sich eine breiter werdende Palette von Lebensformen entwickelte – eine Palette, aus der

die Menschen auswählen, was ihnen am besten entspr.: Klein-F. oder Alleinleben, nichteheliche Lebensgemeinschaft oder Adoptions-F., Patchwork-F., *living-apart-together* usw. Tatsächlich haben diese Lebensformen an Bedeutung gewonnen, allerdings setzen sich im Lebensverlauf bei den älteren Erwachsenen Ehe und F. immer noch weitgehend durch, so dass die „Pluralisierung von Lebensformen" (Burkart 2018: 98) empirisch v. a. für die Lebensphase des jungen Erwachsenenalters zutrifft.

Literatur

G. Burkart: Soziologie der Paarbeziehung, 2018 • G. Burkart: Familiensoziologie, 2008 • P. Bourdieu/J.-C Passeron: Die Erben. Studenten, Bildung und Kultur, 2007 • M. Prenzel u. a. (PISA-Konsortium Deutschland): PISA 2006. Die Ergebnisse der dritten internationalen Vergleichsstudie, 2007 • A. R. Hochschild: The commercialization of intimate life: Notes from home and work, 2003 • M. Hartmann: Der Mythos von den Leistungseliten, 2002 • S. B. Hrdy: Mutter Natur. Die weibliche Seite der Evolution, 2002 • J. Huinink: Bildung und Familienentwicklung im Lebensverlauf, in: ZfEw 3 (2000), 209–227 • F.-X. Kaufmann: Zukunft der Familien, 1990 • H. Tyrell: Ehe und Familie: Institutionalisierung und Deinstitutionalisierung, in: K. Lüscher/F. Schultheis/M. Wehrspaun (Hg.): Die „postmoderne" Familie, 1988, 145–156 • R. von Dülmen: Kultur und Alltag in der Frühen Neuzeit. Das Haus und seine Menschen 16.–18. Jh., Bd. 1, 1980 • K. Hausen: Die Polarisierung der Geschlechtscharaktere. Eine Spiegelung der Dissoziation von Erwerbs- und Familienleben, in: W. Conze (Hg.): Sozialgeschichte der Familie in der Neuzeit Europas, 1976, 363–393 • P. Bourdieu/J.-C Passeron: Die Illusion der Chancengleichheit, 1970 • T. Parsons: Das Verwandtschaftssystem in den Vereinigten Staaten, in: ders.: Beiträge zur soziologischen Theorie, 1964, 84–108.

GÜNTER BURKART

III. Pädagogisch

1. Pädagogische Traditionslinien

Das Bemühen, Eltern in ihrer Betreuungs-, Erziehungs- und Bildungsaufgabe, F.n in ihrer Alltagsbewältigung professionell zu unterstützen sowie Erziehungspraktiken erziehungswissenschaftlich zu reflektieren, hat eine lange pädagogische Tradition. So kritisiert schon Augustinus im dritten Jh. n. Chr. den zu seiner Zeit üblichen autoritären Erziehungsstil in Schule und F. und fordert eine am Kind orientierte, antiautoritäre und gewaltfreie Pädagogik. 1657 begründet und konzipiert der Theologe und Pädagoge Johann Amos Comenius in seiner „Didactica Magna" eine innovative „Mutterschul" zur allg.en Verbesserung der familialen Erziehungs- und Bildungsverhältnisse. Die radikalen Überlegungen in Jean-Jacques Rousseaus Schriften lassen im revolutionären Diskurs der ↑Aufklärung des 18. Jh. erstmals ein Bild von ↑Kindheit entstehen, das ein Recht auf Eigenständigkeit einklagt und die Frage nach einer angemessenen ↑Erziehung auch in der F. breitenwirksam zum Thema macht. Parallel zur zunehmenden gesellschaftlichen Institutionalisierung der Lebensphase Kindheit i. S. eines eigenständigen Abschnitts im Lebenslauf verfestigen sich neue Vorstellungen von F., Mütterlichkeit und Väterlichkeit. Der an Frauen adressierte familiale Pflege-, Betreuungs- und Erziehungsauftrag wird dabei naturalistisch begründet, also an das biologische Geschlecht der Frau gekoppelt, während der ökonomische Ernährerauftrag an das männliche Geschlecht gebunden wird. Diese geschlechtsspezifische Rollenverteilung und das damit verbundene F.n-Leitbild der auf ↑ Ehe basierten bürgerlichen Klein-F. wandelt sich nur langsam, angestoßen durch Emanzipationsbestrebungen im 19. Jh., die jedoch erst in den 1970er Jahren spürbar politischen Einfluss entwickeln. Heute – im Kontext der aktuellen Diskurse um F.n-Leitbilder, ↑ Gender und ↑ Diversität – wird F. nicht mehr als sozial normiertes Konstrukt, sondern als eine komplexe temporäre Herstellungsleistung betrachtet. Diese aktuelle Perspektive des sog.en *Doing Family* lenkt dabei – unabhängig von F.n-Form und -Konstellation – den pädagogischen Blick auf die alltäglichen familialen Praktiken. Damit verschieben sich nicht nur die erziehungswissenschaftlichen Diskurse sowie die praxeologischen Angebote des teils stark sozialpädagogisch bzw. sozialarbeiterisch geprägten Interventionssystem, welches sich in familienunterstützende, familienergänzende und familienersetzende Dienste ausdifferenziert. Darüber hinaus lässt sich ein tiefgreifender Wandel

a) vom Befehlshaushalt hin zum Verhandlungshaushalt (↑ Emanzipation; zunehmende, von Lebensalter und Geschlecht unabhängige Gleichberechtigung),

b) von der Erziehung hin zur Beziehung (Erziehungsstil) sowie

c) von der Intervention hin zur Prävention (↑ Sozialpolitik)

konstatieren. Diese Transformationsprozesse stärken und erweitern das System der F.n-Bildung sozialpolitisch und untermauern ihre hohe gesellschaftliche Relevanz.

2. Rechtliche Grundlagen

Die historischen Linien der rechtlich institutionalisierten F.n-Bildung etwa in Form von Haushalts- und Erziehungsunterweisungen (19. Jh.), im haushaltsorientierten nationalsozialistischen Mutterkult (Anfang 20. Jh.) oder in Form der Ausweitung auf Väter (ab Mitte des 20. Jh.) verweisen von Anfang an auf die Spannungspole zwischen „staatlichen Kontrollaspekten einerseits und Angeboten von Unterstützung sowie selbstbestimmter Reflexion familialen Handelns andererseits" (Heitkötter/Thiessen 2011: 422). F.n-pädagogisch adressierte Angebote sind dabei an die zeitgeschichtlich vorherrschenden Konstruktionen von Gesellschaft, F., Kindheit und Geschlecht gekoppelt und teils auch fundamentalen Revisionen unterworfen: Repressiv (etwa im ↑ Nationalsozialismus), emanzipatorisch (etwa durch die 1968er Umwälzungen) oder innovativ (etwa durch die aktuelle Geschlechterdebatte). Neben den allg.en familienrecht-

lichen Verortungen im ↑ GG sind die pädagogischen Zugänge zur F.n-Bildung vorwiegend im achten Buch des ↑ SGB verankert. Neben grundlegenden Klärungen zum Recht auf Erziehung, Elternverantwortung und ↑ Jugendhilfe im ersten Kap. ist v. a. der mit „Förderung der Erziehung in der F." überschriebene zweite Abschnitt von Kap. 2 pädagogisch relevant. So schreibt § 16 folgende Ziele fest: Alle F.n sollen (§ 16 Abs. 1 SGB VIII) durch entspr.e Angebote in ihrer pädagogischen Kompetenz, insb. i. S. gewaltfreier Erziehung, gefördert werden, (§ 16 Abs. 2 SGB VIII) nicht nur in Problemfällen, sondern in allg.en Erziehungsfragen unterstützt werden sowie (§ 16 Abs. 3 SGB VIII) bereits in der vorfamilialen Phase präventiv unterstützt werden. Neben dem (erst) im Jahre 2000 in Kraft getretenen Gesetz zum Recht des Kindes auf gewaltfreie Erziehung (§ 1631 Abs. 2 BGB), wonach körperliche Bestrafungen, seelische Verletzungen u. a. entwürdigende Maßnahmen unzulässig sind, hat das im Jahre 2016 verabschiedete Präventionsgesetz (§§ 20 ff. SGB V) zu einer bisher noch nicht bewältigten Expansion familienpädagogisch orientierter Angebote der Prävention und Intervention geführt.

3. Zieldimensionen und Systematisierung

F., so der achte F.n-Bericht, „erbringt unverzichtbare Leistungen für das Gemeinwesen, indem sie Humanvermögen produziert, private und teilweise öffentliche Fürsorge leistet und sozialen Zusammenhalt stiftet. Familie als Herstellungsleistung wird dadurch selbst zum Akteur mit eigenen Ressourcen, Handlungs- und Innovationspotentialen, die sie an den Schnittstellen zwischen Privatheit und öffentlichen Institutionen – dazu zählen vor allem Betreuungs-, Bildungs- und wohlfahrtsstaatliche Institutionen, das Erwerbssystem sowie der soziale Nahraum – entwickeln und entfalten kann" (Bundesministerium für Familie, Senioren, Frauen und Jugend 2012: 4). Diese Leistungen im alltäglichen Prozess des *Doing Family* werden aber nicht naturgemäß und selbstverständlich erbracht. Um diese familialen Anstrengungen sicherzustellen und zu fördern, sind bes. gesellschaftliche Anstrengungen nötig, die pädagogisch auf folgende acht Kompetenzbereiche zielen:

a) Elterliche Erziehungskompetenz,

b) Beziehungs- und Kommunikationskompetenz,

c) Alltagskompetenz,

d) Partizipationskompetenz i. S. d. Inanspruchnahme von Angeboten der Frühen Hilfen, der ↑ Kindertagestätten und F.n-Zentren, der ↑ Schulen sowie von Angeboten informeller (Nachbarschafts-)Netzwerke und institutionalisierter Hilfesysteme,

e) Medienkompetenz,

f) Gesundheitskompetenz,

g) Konsumkompetenz sowie

h) die Fähigkeit zur Work-Family-Life-Balance.

Diese umfangreichen Angebote und Aufgaben der F.n-Bildung werden je nach Blickwinkel unterschiedlich systematisiert und lassen sich wie folgt gliedern.

a) Angebote entlang familialer Lebensphasen, die v. a. die Bewältigung sog.er ökologischer Übergänge (werdende Elternschaft, Übergänge in Tagesstätte, Schule, Beruf, Empty-Nest-Phase) fokussieren.

b) Angebote, die spezifischen familialen Aufgaben zugeordnet werden, wie Pflege, Erziehung, Bindung, Gesundheit, Alltag, Hauswirtschaft, Kommunikation oder Bürokratie.

c) Angebote, die auf spezifische F.n-Formen, wie etwa unvollständige, sich in Trennung befindende, Patchwork-, Regenbogen- oder Pflege-F.n, abzielen.

d) Vorwiegend an F.n-Resilienz orientierte Angebote für bes. familiale Belastungen, die etwa durch Arbeitslosigkeit, Armut, Gewalt, Sucht, Krieg, Flucht, Krankheit, Behinderung oder soziale Benachteiligung entstehen. Und schließlich

e) Angebote für spezifische Zielgruppen, etwa Väter, Mütter, Eltern, Großeltern, Kinder, Tagespflegepersonen und weitere affine Berufsgruppen.

Eine zweite, sozialräumliche Systematisierung der Angebote der F.n-Bildung zielt auf folgende vier Settings:

a) Institutionelle, vorwiegend präventiv ausgerichtete F.n-Bildung in Form von F.n-Bildungsstätten, Angeboten der ↑Erwachsenenbildung, Kindertagesstätten, Schulen (↑Bildung) sowie in Form von Institutionen, Organisationen und Vereinen, die nur in Teilen F.n-Bildung anbieten wie Jugendämter, Pfarrgemeinden, Eltern-, Jugend- und Wohlfahrtsverbände.

b) Informelle F.n-Bildung und F.n-Selbsthilfe, die i. d. R. als niedrigschwellige und langfristig angelegte Netzwerkangebote Erfahrungsaustausch, Information, Orientierung und soziale ↑Partizipation ermöglichen.

c) Mediale F.n-Bildung zielt auf die Wissensvermittlung durch klassische Printmedien, etwa in Form von Ratgebern, Elternzeitschriften, Elternbriefen sowie durch elektronische und digitale Medien, etwa durch Chats, Online-Erziehungskurse oder (strittige) TV-Erziehungsberatungsformate.

d) Aufsuchende F.n-Bildung für F.n in bes.n soziokulturellen, ökonomischen und/oder psychischen Lagen, die von den Angeboten a-c nicht erreicht werden und professionelle pädagogische Unterstützung benötigen.

Insb. das Präventionsgesetz (SGB V) zielt auf die präventive Förderung von Kindern etwa mit suchtbelasteten, psychisch erkrankten, überforderten und hilfebedürftigen Elternteilen in den genannten Settings.

4. Herausforderungen für die Familienbildung

Obschon die F.n-Bildung auf einer 100-jährigen Tradition fußt, eine mittlerweile etablierte, für Teilnehmer nicht stigmatisierende gesellschaftliche Stellung einnimmt und in Theorie und Praxis fundiert und ausdifferenziert ist, zeigen sich drängende Handlungs- und Klärungsbedarfe. Seit Jahren ist das Problem bekannt, aber ungelöst, dass genau jene F.n, welche die Unterstützung am nötigsten hätten, von der F.n-Bildung am wenigsten erreicht werden. Aufgrund der Situierung

zwischen Jugendhilfe und Erwachsenenbildung wäre auf professionsspezifischer Ebene zu klären, ob die Profession ↑Soziale Arbeit oder die Pädagogik/Erziehungswissenschaft für Angebote der F.n-Bildung zuständig ist und welche inhaltlichen und didaktischen Schwerpunkte in den Studiengängen gelegt werden müssten, um die Qualität zu steigern – und dies bes. vor dem Hintergrund, dass weniger als 10 % der in der F.n-Bildung Tätigen einschlägig ausgebildet und fest beschäftigt, die übrigen 90 % aber (angelernte) Honorarkräfte sind. Dieser Sachverhalt wirft grundlegende Fragen nach Qualitätssicherung, Theorie-Praxis-Transfer oder auch nach der gesellschaftlichen Wertschätzung von F., F.n-Bildung und Pädagogik auf. Die aktuell größte Herausforderung dürfte darin bestehen, die durch das Präventionsgesetz rechtlich verbindlichen Aufgaben der F.n-Bildung in strukturellen Einklang mit der enormen Angebots- und Qualitätsvielfalt auf kommunaler, träger- und länderspezifischer Ebene zu bringen.

Literatur

K. Jurczyk/A. Lange/B. Thiessen (Hg.): Doing Family, 2014 • M. Obermaier/C. Hoffmann: Projekt Frühkindliche Erziehung, 2013 • W. Stange/R. Krüger/A. Henschel/C. Schnitt (Hg.): Erziehungs- und Bildungspartnerschaften, 2013 • Bundesministerium für Familie, Senioren, Frauen und Jugend: Zeit für Familie: Familienzeitpolitik als Chance einer nachhaltigen Familienpolitik. Achter Familienbericht, 2012 • H. Macha: Familie, in: M. Obermaier (Hg.): Humane Ökologie. Gesellschaftliche Fragmentierungen – Pädagogische Suchbewegungen, 2012, 131–144 • R. Peuckert: Familienformen im Wandel. 2012 • M. Heitkötter/B. Thiessen: Familienbildung: Entwicklungen und Herausforderungen, in: H. Macha/M. Witzke (Hg.): Familie. Hdb. der Erziehungswissenschaft, Bd. 5, 2011, 421–434 • W. Thole (Hg.): Grundriss Soziale Arbeit. 2010.   MICHAEL OBERMAIER

IV. Rechtlich

1. Die Familie als Gegenstand des Rechts

Vor dem Hintergrund des im 19. Jh. ausgebildeten gesellschaftlichen Bewusstseins ihrer Gefährdung durch kollektivistische und individualistische Strömungen ist die F. in Deutschland seit der ↑WRV von 1919 Gegenstand verfassungsrechtlichen Schutzes. Dieser zeichnet sich durch die Verknüpfung traditionsanknüpfend-bewahrender und reformierend-fortentwickelnder Ansätze aus. Unter der Geltung des ↑GG belegen das die Garantie eines bes.n Schutzes der F. durch die staatliche Ordnung sowie die Gewährleistung des ↑Elternrechts auf der einen Seite, die Stärkung des ↑Mutterschutzes und die Verbesserung der Rechtsstellung nichtehelicher Kinder auf der anderen Seite.

2. Der Familienbegriff des Rechts

Weder die Verfassung noch das einfache Gesetzesrecht enthalten eine Definition der F., sondern setzen diese voraus. Aufgrund seiner Anknüpfung an das verfassungsgeberisch vorgefundene F.n-Verständnis versteht das GG unter einer F. die umfassende Gemeinschaft von Eltern und ihren Kindern, in der den Eltern Rechte und Pflichten zur Pflege und ↑Erziehung der Kinder erwachsen. Die familiäre Gemeinschaft kann in den verschiedenen Phasen ihrer Entwicklung von einer Lebens- und Erziehungsgemeinschaft zur Haus- und schließlich zur Begegnungsgemeinschaft werden. Die ↑Ehe ist keine begriffsnotwendige Grundlage der F., weshalb den F.n-Begriff auch nichteheliche Lebensgemeinschaften mit ihren Kindern erfüllen. Ein Kind, das nicht mit Mutter und Vater zusammenlebt, für das aber beide Elternteile tatsächlich Verantwortung tragen, gehört zwei F.n an, der F. mit der Mutter und der mit dem Vater. Vom F.n-Begriff des GG umschlossen wird auch die Gemeinschaft mit Stief-, Adoptiv- und Pflegekindern. Nach bundesverfassungsgerichtlicher Judikatur unterfallen auch gleichgeschlechtliche Verbindungen, die in Gemeinschaft mit Kindern leben, dem F.n-Begriff. Eine F. stellt nicht nur die aus Eltern und Kindern bestehende bürgerliche Klein-F., sondern auch die Groß-F. dar, sofern zwischen deren Mitgliedern Beziehungen bestehen, die von familiärer Verbundenheit geprägt sind. Das kann insb. zwischen Großeltern und Enkelkindern, aber auch zwischen nahen Verwandten in der Seitenlinie der Fall sein. Das F.n-Verständnis des GG ist aufgrund des Vorrangs der Verfassung auch für den zivilrechtlichen F.n-Begriff maßgeblich (↑Familienrecht).

3. Die familienbezogenen Gewährleistungen des Verfassungsrechts

Die familienbezogenen Gewährleistungen enthält auf verfassungsrechtlicher Ebene Art. 6 GG. Sie stehen miteinander in innerem Zusammenhang.

3.1 Art. 6 Abs. 1 GG: Der „besondere Schutz" der Familie

Gemäß Art. 6 Abs. 1 GG steht die F. „unter dem besonderen Schutze der staatlichen Ordnung". Hieraus resultieren drei verschiedene Gewährleistungsdimensionen: ein ↑Grundrecht, eine Institutsgarantie und eine wertentscheidende Grundsatznorm.

Als Grund- bzw. Abwehrrecht schützt Art. 6 Abs. 1 GG die F. als eigenständigen Lebensraum gegen staatliche Eingriffe. Dieser Schutz reicht von der F.n-Gründung über die Ausgestaltung des gemeinschaftlichen Zusammenlebens bis hin zu den familiären Beziehungen zwischen den nicht (mehr) in häuslicher Gemeinschaft miteinander lebenden F.n-Mitgliedern. Gewährleistet wird die Freiheit, die familiäre Gemeinschaft nach eigenen Vorstellungen auszugestalten. Hinsichtlich der Schutzwirkung ist nach bundesverfassungsgerichtlicher Judikatur danach zu differenzieren, ob die F. als Lebens- und Erziehungs-, Haus- oder Begegnungsgemeinschaft betroffen ist.

Der grundrechtliche Schutz der F. wird ergänzt durch eine Instituts- bzw. ↑Einrichtungsgarantie, die Bestand und wesensbestimmende Merkmale des Instituts F. gewährleistet. Diese Garantie steht nicht nur der Abschaffung, sondern auch wesensrelevanten Änderungen des Rechtsinstituts der F. entgegen.

Darüber hinaus stellt Art. 6 Abs. 1 GG auch eine wertentscheidende Grundsatznorm dar. Als solche normiert die Vorschrift eine verbindliche Wertentscheidung des GG, die für den gesamten Bereich des die F. betreffenden privaten und öffentlichen Rechts zu beachten ist. Sie verbietet dem Staat nicht nur, die F. als Keimzelle der Gesellschaft zu beeinträchtigen oder zu benachteiligen, sondern gebietet ihm auch, diese zu fördern sowie vor Beeinträchtigungen durch Dritte zu bewahren.

3.2 Art. 6 Abs. 2 GG: Elternrecht und staatliches Wächteramt

Der „besondere Schutz" der F. erfährt durch Art. 6 Abs. 2 und 3 GG, deren Regelungen die Eltern-Kind-Beziehung betreffen, bereichsspezifische Ausgestaltung und Verfestigung. Art. 6 Abs. 2 GG garantiert den Vorrang der Eltern bei der Pflege und Erziehung der Kinder und gewährleistet hierzu in S. 1 GG das sog.e Elternrecht. Dieses wird in drei Gewährleistungsdimensionen – als fiduziarisches Grundrecht, Institutsgarantie und wertentscheidende Grundsatznorm – geschützt. Als Grundrecht enthält es ein Abwehrrecht der Eltern gegen staatliche Eingriffe in Fragen der Sorge für das körperliche Wohl (Pflege) und für die seelisch-geistige Entwicklung (Erziehung) des Kindes. Oberste Richtschnur für die Ausübung des Elternrechts ist das ↑Kindeswohl. Art. 6 Abs. 2 S. 2 GG weist der staatlichen Gemeinschaft das sog.e Wächteramt hierüber zu. Dieses ermöglicht im Falle einer auf elterlichem Fehlverhalten beruhenden schwerwiegenden Beeinträchtigung des Kindeswohls nicht nur staatliche Kontrolle und Überwachung, sondern auch Intervention, gestattet indes kein staatliches Tätigwerden, um entgegen dem Elternwillen lediglich für eine (vermeintlich oder tatsächlich) bessere Entwicklung des Kindes zu sorgen.

3.3 Art. 6 Abs. 3 GG: Trennung des Kindes von seiner Familie

Art. 6 Abs. 3 GG regelt die entgegen dem Willen der Erziehungsberechtigten erfolgende Trennung des Kindes von der F. als intensivsten Anwendungsfall des staatlichen Wächteramtes. Die Vorschrift normiert ein Abwehrrecht gegen staatliche Maßnahmen, die darauf abzielen, ein Kind ohne gesetzliche Grundlage oder das Vorliegen der näher benannten Voraussetzungen aus der häuslichen F.n-Gemeinschaft herauszunehmen; zugl. begründet sie einen Vorbehalt für den Gesetzgeber, unter den dort aufgeführten Voraussetzungen eine Trennung zuzulassen. Trennungsvoraussetzung ist entweder das Versagen der Erziehungsberechtigten oder die drohende Verwahrlosung des Kindes aus anderen Gründen.

3.4 Art. 6 Abs. 4 und 5 GG: Mutterschutz und Gleichstellung nichtehelicher Kinder

Während Art. 6 Abs. 4 GG einen Ausgleich der mit Schwangerschaft und Mutterschaft zusammenhängenden Belastungen intendiert, normiert Art. 6 Abs. 5 GG den verfassungsrechtlichen Auftrag, nichtehelich geborenen Kindern die gleichen Entwicklungs- und Lebensbedingungen wie ehelich geborenen Kindern zu eröffnen. Hierzu enthalten beide Vorschriften jeweils ein Grundrecht, einen Auftrag an den Gesetzgeber und eine wertentscheidende Grundsatznorm. Aus dem in Art. 6 Abs. 4 GG lozierten Fürsorgeanspruch der Mutter folgt u. a. die Verpflichtung des Staates darauf hinzuwirken, dass eine Schwangerschaft nicht wegen einer bestehenden oder nach der Geburt des Kindes drohenden materiellen Notlage abgebrochen wird, aus der leistungsrechtlichen Dimension des Art. 6 Abs. 5 GG die verbindliche Pflicht, tatsächlich gleiche Entwicklungsvoraussetzungen für nichteheliche und eheliche Kinder zu schaffen.

Literatur

A. Uhle: Abschied vom engen Familienbegriff – Zur Rejustierung des bundesverfassungsgerichtlichen Familienverständnisses, in: NVwZ 34/5 (2015), 272–275 • A. Uhle (Hg.): Zur Disposition gestellt? Der besondere Schutz von Ehe und Familie zwischen Verfassungsanspruch und Verfassungswirklichkeit, 2014 • A. Uhle: Art. 6 GG, in: V. Epping/C. Hillgruber (Hg.): Kommentar zum Grundgesetz, ²2013, 239–284 • U. Steiner: Schutz von Ehe und Familie, in: HGR, Bd. 4, 2011, 1249–1278 • J. Ipsen: Ehe und Familie, in: HStR Bd. 7, ³2009, § 154, 431–476 • F. Gräfin Nesselrode: Das Spannungsverhältnis zwischen Ehe und Familie in Art. 6 des Grundgesetzes, 2007 • S. Bauszus: Der Topos von der Großfamilie in der familien- und erbrechtlichen Diskussion, 2006 • P. Berens: Der Grundrechtsschutz der Familie unter besonderer Berücksichtigung der kinderreichen Familien, 2004 • U. Di Fabio: Der Schutz von Ehe und Familie: Verfassungsentscheidung für die vitale Gesellschaft, in: NJW 56/14 (2003), 993–998 • J. P. Tettinger: Der grundgesetzlich gewährleistete besondere Schutz von Ehe und Familie, in: EssGespr. 35 (2001), 117–153 • M. Pechstein: Familiengerechtigkeit als Gestaltungsgebot für die staatliche Ordnung, 1994 • V. Schmid: Die Familie in Art. 6 des Grundgesetzes, 1989 • K. H. Friauf: Verfassungsgarantie und sozialer Wandel – das Beispiel von Ehe und Familie, in: NJW 39/42 (1986), 2595–2602 • P. Häberle: Verfassungsschutz der Familie – Familienpolitik im Verfassungsstaat, 1984 • E. Giesen: Ehe und Familie in der Ordnung des GG, in: JZ 37/23–24 (1982), 817–829 • J. Gernhuber: Ehe und Familie als Begriff des Rechts, in: FamRZ 28/8 (1981), 721–727 • H. Lecheler: Der Schutz der Familie, in: FamRZ 26/1 (1979), 1–8.   ARND UHLE

Familienbund der Katholiken (FDK) ↑Familienverbände, christliche

Familienleistungsausgleich ↑Familienpolitik

Familienplanung ↑Geburtenregelung

Familienpolitik

I. Grundlagen – II. Von Leitbildern zu Realitäten – III. Entwicklung der Familienförderung

I. Grundlagen

1. Begriff, Begründung und Motive

Unter F. sind alle Maßnahmen zu verstehen, mit denen der Staat das Ziel verfolgt, Familien zu fördern oder normativ zu gestalten und die einzelnen Familienmitglieder bei der Erfüllung familialer Aufgaben zu unterstützen. Die Begründung für staatliche Eingriffe in einen eigentlich überaus privaten Bereich ergibt sich aus der Bedeutung der ↑Familie für die ganze Gesellschaft. Familien erfüllen Funktionen wie die materielle Versorgung ihrer Mitglieder, die ↑Erziehung von Kindern und die Pflege älterer Familienangehöriger, von denen die Gesellschaft als Ganzes profitiert. Die Begründung für F. ist somit das Interesse des Staates an diesen Leistungen.

Mit Franz-Xaver Kaufmann lassen sich sieben Motive familienpolitischen Handelns unterscheiden. Danach können Staaten F. mit einem *institutionellen* Motiv betreiben, um die Familie als Wert an sich zu fördern. Ein *bevölkerungspolitisches* Motiv herrscht, wo Staaten explizit auf Entwicklung und Struktur der Bevölkerung einwirken. Dabei kann eine Begrenzung oder eine Erhöhung des Bevölkerungswachstums angestrebt werden. Mit einem *eugenischen* Motiv (↑Eugenik), das in der ersten Hälfte des 20. Jh. weit verbreitet war, suchten Staaten die Erbgesundheit von Familien zu „verbessern". *Wirtschaftspolitische* Motive sehen in der Familie eine Institution, die der Förderung von ↑Humankapital dient, etwa unter dem Aspekt der Erzeugung von Arbeitskräften. An Bedeutung gewonnen hat insb. das *sozialpolitische* Motiv, das Benachteiligungen der Familien abzubauen und Familienarmut zu bekämpfen sucht. Um den Abbau von Benachteiligungen der Frauen geht es dem *geschlechterpolitischen* Motiv. Schließlich können die Bedürfnisse und Rechte von Kindern im Zentrum stehen, wenn F. mit einem *Kinderwohlfahrtsmotiv* begründet wird. Diese Motive können je nach aktueller Problemlage unterschiedliche Gewichtung erfahren.

2. Ziele, Aufgaben und Politikbereiche

Das ↑GG der BRD stellt ↑Ehe und Familie mit Art. 6 Abs. 1 GG unter den „besonderen Schutz der staatlichen Ordnung". Dieser Schutzauftrag gibt der F. eine dreifache Zielsetzung: Zum ersten wird der Staat verpflichtet, in seiner Rechtsordnung die Institutionen Ehe und Familie als Keimzelle jeder staatlichen Gemeinschaft zu schützen und sie vor Beeinträchtigungen zu bewahren. Zum zweiten soll die Familie durch materielle und sonstige Unterstützung in die Lage versetzt werden, ihre gesellschaftlichen Funktionen zu erfüllen. Drittens aber muss der freiheitlich-demokratische Staat die Freiheit und Eigenverantwortung der Bürger respektieren und die Familie und ihre Mitglieder auch in ihrer Selbstbestimmung schützen.

Aus diesen Zielen der F. leiten sich ganz unterschiedliche konkrete Aufgaben ab. Im „Siebten Familienbericht" der Bundesregierung wird zwischen Familienlastenausgleich und Familienleistungsausgleich unterschieden: „Familienpolitische Leistungen, die aus dem Kriterium der Bedarfsgerechtigkeit und der Lebensstandardsicherung abgeleitet sind, zielen darauf ab, bestimmte Belastungen der Eltern zu kompensieren, die durch die Geburt und Erziehung der Kinder entstehen. Diese Instrumente lassen sich unter dem Oberbegriff des Familienlastenausgleichs zusammenfassen. Daneben ist es eine weitere Aufgabe der staatlichen Familienpolitik, jene Leistungen der Erziehung, Versorgung und Bildung der Kinder zu kompensieren, die die Familien für die Gesellschaft erbringen, die aber nicht über den Markt abgegolten werden. Diese Leistungen fasst man als Familienleistungsausgleich zusammen" (BMFSFJ 2006: 56).

F. ist demnach sowohl Gegenstand von Sozial- und Wirtschaftspolitik, als auch von Bildungs-, Struktur- oder Rechtspolitik. So muss der Staat im Rahmen seiner Sozialpolitik dafür sorgen, dass Familien hinsichtlich ihrer Einkommens- und Vermögenslage ein angemessener Ausgleich für ihre Leistungen gewährt wird. Die mit der ↑ Betreuung, Erziehung und Ausbildung von Kindern verbundenen ökonomischen Aufwendungen müssen im Interesse sozialer ↑ Gerechtigkeit zumindest partiell ausgeglichen werden. Die steuerliche Freistellung des Mindestbedarfs oder auch die Gewährung von Kindergeld sollen diesem Ziel dienen. Auch die finanzielle Anerkennung der durch die familieninterne Betreuung entstehenden Kosten (so z. B. das bis 2007 gezahlte Erziehungsgeld) und die Anerkennung von Kindererziehungszeiten in der Rentenversicherung sind eine sozialpolitische Aufgabe.

Stärker in den Bereich Wirtschaftspolitik gehören familienpolitische Maßnahmen, die eine Verbesserung der Vereinbarkeit von Familien- und Erwerbstätigkeit ermöglichen sollen. Hierzu gehört z. B. die Gestaltung einer familienfreundlichen Arbeitswelt durch Flexibilisierung der Arbeitsorte und Arbeitszeiten, die Sicherung eines außerfamilialen Betreuungsangebotes usw.

Bildungspolitisch muss der Staat dafür sorgen, dass Eltern bei ihrer Erziehungsaufgabe unterstützt werden, v. a. in Kindergärten und ↑ Schulen. Auch die erwachsenen Familienmitglieder haben Anspruch auf öffentliche Bildungs- und Beratungseinrichtungen. Von Relevanz ist außerdem die Förderung des familiengerechten Wohnungsbaus. Durch strukturpolitische Maßnahmen soll der Staat z. B. auf eine möglichst flächendeckende Einrichtung von ↑ Kindertagesstätten hinwirken. Rechtspolitischer Gestaltung unterliegen z. B. das Unterhaltsrecht oder das Adoptionsrecht.

Die Liste familienpolitisch relevanter Politikbereiche ließe sich weiter fortsetzen. F. erweist sich somit keineswegs als geschlossenes und einheitliches Politikfeld. Sie gestaltet sich vielmehr als Querschnittsaufgabe, an der viele Akteure beteiligt sind. Bund, Länder und Kommunen haben eigene familienpolitische Verantwortung. Auch nichtstaatliche Akteure wie Tarifpartner, Familienverbände und Kirchen sind von Bedeutung. Nicht zu unterschätzen ist zudem die Rolle von Gerichten, insb. des ↑ BVerfG. Dessen Entscheidungen, z. B. zur Berücksichtigung von Erziehungsleistungen im Rahmen von Sozialversicherungen (1992), zum Steuerfreibetrag für das Existenzminimum von Kindern (1998) oder zur steuerlichen Gleichstellung gleichgeschlechtlicher Lebenspartnerschaften (2013), trugen maßgeblich zur Gestaltung der F. bei.

3. Herausforderungen und Probleme

In Deutschland wurde noch nie so viel in F. investiert wie im 21. Jh. Insgesamt 156 familienpolitische Maßnahmen listete die Bundesregierung in einer Bestandsaufnahme des Jahres 2012 auf. Die Summe aller ehe- und familienbezogenen Leistungen umfasste mehr als 200 Mrd. Euro pro Jahr. Familienförderung im engeren Sinn, also z. B. Kindergeld, Kinderfreibeträge und Realtransfers wie die Finanzierung von Kinderbetreuungseinrichtungen, betrug 55,4 Mrd. Euro.

Trotz dieser gewaltigen Investitionen werden Defizite beklagt. Je nach Interessenlage werden dabei höchst unterschiedliche Aspekte kritisiert. Die einen sehen in der Tatsache, dass es bislang nicht gelungen ist, die Geburtenrate signifikant zu erhöhen, ein Scheitern der F. Andere bemängeln, dass sich die wirtschaftliche Lage von Familien nicht entscheidend verbessert habe. Wieder andere meinen, es werde nicht genug für die Vereinbarkeit von Elternschaft und Erwerbstätigkeit getan. Nicht wenige beklagen die vielerorts zu beobachtende Kinderunfreundlichkeit der Gesellschaft.

Die offensichtlichen Defizite der F. haben viele Ursachen. Ein Hauptgrund ist der Charakter von F. selbst als „Querschnittsdisziplin" (Lampert 2008: 350). Die Verwirklichung ihrer Ziele ist abhängig vom Einsatz sozial-, wirtschafts-, bildungs- und rechtspolitischer Instrumente und vom Zusammenwirken von Bund, Ländern und Gemeinden. Hinzu kommt die Rechtsprechung der Gerichte. Diese strukturelle Zersplitterung verhindert, dass F. als einheitliches Konzept gestaltet werden kann.

Auch die unterschiedlichen gesellschaftspolitischen Zielsetzungen der politischen Akteure erschweren Stringenz. ↑ CDU und noch stärker ↑ CSU verfolgen eher eine traditionelle Institutionenpolitik, während ↑ SPD und ↑ Bündnis 90/Die Grünen von jeher eine F. favorisierten, durch die sie individuelle Familienmitglieder (Frauen, Kinder) verstärkt zu fördern suchten. Zwar haben sich die familienpolitischen Grundsätze der Bundestagsparteien seit den 1990er Jahren angenähert. Dennoch war bislang noch mit jedem Regierungswechsel auch eine Korrektur der F. verbunden. Zugl. besteht die Gefahr, dass die politischen Parteien im Interesse der Stimmenmaximierung verstärkt Rücksicht auf die steigende Zahl kinderloser Wähler nehmen und F. vernachlässigen.

Das eigentliche Problem ist, dass dieses Politikfeld kaum zu evaluieren ist. Die Effekte familienpolitischer Maßnahmen lassen sich nur schwer bewerten. Es reicht sicher nicht aus, F. nach der Entwicklung der Fertilität oder der Zahl berufstätiger Mütter zu bemessen. Die psychisch-emotionalen, sozialen und gesamtgesellschaftlichen Leistungen der Familie lassen sich ohnehin nicht quantifizieren.

Literatur

K. Stüwe: Herausforderung Familienpolitik. Begründung, Entwicklung und Probleme eines Politikfeldes, in: Zeitansagen 18 (2015), 4–11 • M. Robila (Hg.): Handbook of Family Policies across the Globe, 2014 • BMFSFJ (Hg.): Bestandsaufnahme der familienbezogenen Leistungen und Maßnahmen des Staates im Jahr 2010 (2012), URL: http://www.bmfsfj.de/RedaktionBMFSFJ/Abteilung2/Pdf-Anlagen/familienbezogene-leistungen-tableau-2010,property=pdf,bereich=bmfsfj,sprache=de,rwb=true.pdf (abger.: 13.3.2018) • I. Gerlach: Familienpolitik. Policy-Analyse, ²2009 • A. Rauscher u. a. (Hg.): Hdb. der Katholischen Soziallehre, 2008 • P. Kirchhof: Normativ-rechtliche Vorgaben der Familienpolitik, in: ebd., 311–330 • H. Lampert: Aufgaben und Ziele der Familienpolitik, in: ebd., 341–353 • BMFSFJ (Hg.): Familie zwischen Flexibilität und Verlässlichkeit. Perspektiven für eine lebensbezogene Familienpolitik. Siebter Familienbericht, 2006 • J. Althammer (Hg.): Familienpolitik und soziale Sicherung, 2005 • F.-X. Kaufmann: Schrumpfende Gesellschaft, 2005 • F.-X. Kaufmann: Politics and policies towards the family in Europe. A framework and an inquiry into their differences and convergences, in: F.-X. Kaufmann u. a. (Hg.): Family life and family policies in Europe, 2002, 419–477 • H.-J. Schulze: Stability and Complexity. Perspectives for a Child-oriented Family Policy, 2000 • M. Wingen: Familienpolitik, 1997 • F.-X. Kaufmann: Zukunft der Familie im vereinigten Deutschland, 1995.

KLAUS STÜWE

II. Von Leitbildern zu Realitäten

Seit Beginn des 21. Jh. diskutiert Deutschland mit erhöhter Intensität über F. Es geht dabei um Leistungspotenziale und -grenzen von Eltern ebenso wie um den Schutz und die frühe Förderung und Bildung der Kinder (↗ Früherziehung). Es geht um die Frage, wie die einst von der Sachverständigenkommission des Fünften Familienberichts beklagte „strukturelle Rücksichtslosigkeit der gesellschaftlichen Verhältnisse gegenüber den Familien" (Bundesministerium für Familie und Senioren 1994: 21) gelindert werden könnte und auch darum, wie die Lebensform ↗ Familie unter den Rahmenbedingungen einer globalisierten Gesellschaft mit ihrem Imperativ des „flexiblen Menschen" (Sennett 2000) überhaupt ermöglicht werden kann.

Weniger als früher kreisen die Debatten um vermeintlich „richtige" Familienleitbilder. Stattdessen sind v. a. Versuche einer Ausrichtung der F. an einer pluralisierten Familienwirklichkeit erkennbar. Vielfalt und tägliche Herausforderungen der Herstellung von Familienleben i. S. v. „Doing Family" (Jurczyk/Lange/Thiessen 2014) sind der Referenzrahmen, von dem aus nach Potenzialen von Familie ebenso gefragt wird wie nach der dafür benötigten Unterstützung. In Anbetracht zunehmend pluraler Formen von Elternschaft mit einem Rückgang des Anteils verheirateter Eltern, einer ansteigenden Zahl Alleinerziehender sowie vermehrter Varianten sozialer Elternschaft (z. B. Stiefeltern, Adoptiveltern, Pflegefamilien) entwickelt sich ein eher offenes Familienverständnis, das der damalige Bundespräsident Horst Köhler lakonisch zusammenfasste: „[W]o Kinder sind, da ist Familie" (Köhler 2006: 2). Darüber hinaus sind Mütter und Väter in einer alternden Gesellschaft bei der Unterstützung, Versorgung und Pflege der eigenen Eltern gefordert, womit Anforderungen einer „familial bedingte[n]" (BMFSFJ 2012: 36) Fürsorge auch im Generationenkontext zu betrachten sind.

Die Herausforderung für Staat und ↗ Zivilgesellschaft liegt darin, diesen Realitäten gerecht zu werden, also Familien durch Angebote und Leistungen zu entlasten und sie zugleich als private Form der Vergemeinschaftung in ihrem sozialen Handeln wirkungsvoll zu unterstützen. In diesem Sinne müssen Familien ihre auch verfassungsrechtlich geschützte vorrangige Zuständigkeit für das Wohl ihrer Kinder behalten und zugl. dazu befähigt bzw. darin unterstützt werden, den damit verbundenen Aufgaben gerecht zu werden. Darin liegt eine wesentliche Konstante, der F. trotz einiger Veränderungen folgt.

Das Festhalten an dieser elementaren Zuständigkeit der Familie und ihre gleichzeitige intensivere öffentliche Unterstützung einschließlich verstärkter Übernahme von öffentlicher Verantwortung für das Aufwachsen der nachfolgenden ↗ Generation geht mit vielfältigen monetären, rechtlichen sowie infrastrukturellen Maßnahmen und Regelungen einher, aber auch mit erhöhten Erwartungen an „gute" Elternschaft. Dabei lassen sich die Angebote der F. danach unterscheiden, ob es sich um familienunterstützende Maßnahmen, familienergänzende Angebote oder familienersetzende Hilfen handelt.

1. Familienunterstützende Maßnahmen

Jahrzehntelang setzte die bundesdeutsche F. überwiegend auf finanzielle Leistungen. Familien wurden seit den 1950er Jahren v. a. mittels Kindergeld und Ehegattensplitting gefördert. Dabei wurde Familie v. a. als ein sich selbst regulierendes Beziehungsnetzwerk verstanden, das geschützt und durch politische Interventionen möglichst wenig „irritiert" werden sollte. Infolgedessen gab der Staat im Jahr 2010 z. B. etwa 39 Mrd. Euro für Kindergeld aus, während sich die Kosten des Ehegattensplittings auf etwa 20 Mrd. Euro beliefen. Demgegenüber addierten sich die Ausgaben für Kindertagesbetreuung, der wichtigsten familienbezogenen Infrastruktur, lediglich auf 16 Mrd. Euro.

Einvernehmen besteht inzwischen darin, dass Familien – wie der Siebte Familienbericht formulierte – nicht nur Geld, sondern auch Zeit und Infrastruktur benötigen (z. B. haushaltsnahe Dienstleistungen, Kinderbetreuungsangebote) und dass zugl. die Vereinbarkeit von Beruf und Familie verbessert werden muss. Entgegen dem allg.en Eindruck, dass seit der Jahrhundertwende v. a. die Infrastruktur verbessert worden sei, wurden auch in jüngerer Zeit monetäre Leistungen ausgeweitet, sei es durch deutliche Erhöhungen des Kindergeldes, Einführung eines Elterngeldes im ersten Lebensjahr des Kindes und Einführung eines Kinderzuschlags sowie durch das ab 2013 gewährte und 2015 vom ↑BVerfG als bundesgesetzliche (nicht als landesgesetzliche) Regelung wieder verworfene Betreuungsgeld.

Nicht-monetäre Formen unterstützender Maßnahmen wurden im Vergleich dazu lange Zeit unterschätzt. Dazu zählen etwa Angebote der Familienberatung und der Familienbildung, der Ausbau von Familienzentren, die frühen Hilfen und die Angebote ambulanter familienunterstützender Hilfen wie haushaltsnahe Dienstleistungen oder sozialpädagogische Familienhilfen. All diese Maßnahmen versuchen, die Handlungs- und Leistungsfähigkeit der Familie oder einzelner Familienmitglieder zu erhalten oder zu verbessern.

2. Familienergänzende Angebote

Familienergänzende Angebote sind Bestandteil staatlicher oder staatlich geförderter Infrastrukturpolitik. Sie umfassen soziale Dienstleistungen, die von öffentlichen oder zivilgesellschaftlichen (selten von privatgewerblichen) Anbietern erbracht werden. Der Ausbau einer entspr.en Infrastruktur wurde in Deutschland seit der Jahrhundertwende intensiviert, was insb. an zwei Großprojekten von nationaler Tragweite deutlich wurde: dem Ausbau der Kindertageseinrichtungen und der Ganztagsschulen.

a) Ausbau der Kindertagesbetreuung: Ein frühzeitig einsetzendes öffentliches Bildungs-, Betreuungs- und Erziehungsangebot eröffnet Möglichkeiten einer familienergänzenden frühen ↑Bildung sämtlicher Kinder sowie einer besseren Chancengerechtigkeit (↑Chancengerechtigkeit, Chancengleichheit) für Kinder aus benachteiligten Herkunftsmilieus. Gleichzeitig kann öffentlich bereitgestellte Kindertagesbetreuung (↑Kindertagesstätte) die Vereinbarkeit von Beruf und Familie verbessern. So wurden noch 1960 in Westdeutschland 15 % aller Kinder unter sechs Jahren in Einrichtungen betreut (fast ausschließlich in den beiden letzten Jahren vor der Einschulung). 2015 waren es in West- und Ostdeutschland zusammen bereits 71 % aller unter Sechsjährigen. Der Ausbau des Angebots wurde u. a. durch Rechtsansprüche auf einen Kindergartenplatz (1996) sowie auf einen Betreuungsplatz für Ein- und Zweijährige (2014) forciert. Für Kinder in den ersten Lebensjahren ist damit neben der Familie ein neuer Lern- und Lebensort entstanden, mehrheitlich in Trägerschaft zivilgesell-

schaftlicher, nicht-staatlicher Akteure, was zugl. zu einer stärkeren Institutionalisierung der frühen Kindheit noch vor der Grundschule beiträgt.

b) Ausbau der Ganztagsschule: Im Schuljahr 2013/14 waren nach Angaben der KMK fast 60 % aller Schulen Ganztagsschulen, darunter mehr als jede zweite Grundschule (52 %) und mehr als zwei Drittel der nicht-gymnasialen Schulen der Sekundarstufe I (69 %). Diese Entwicklung ist die umfassendste Reform der ↑Schule. Sie eröffnet auch mit Blick auf Familien mit Kindern im Schulalter erhebliche Potenziale. So ist eine wesentliche Triebfeder des Ausbaus der Ganztagesgrundschule auch die Schaffung eines verlässlichen Betreuungsangebots für Grundschulkinder und die bessere Vereinbarkeit von Familie und Beruf. Auf diese Weise werden Eltern und Familien im Prozess des Aufwachsens der Kinder durch verbesserte soziale Infrastruktur unterstützt und entlastet.

Beide familienergänzenden Angebote tragen zu einer sozialstaatlichen und öffentlichen Verantwortungserweiterung für Heranwachsende bei. Dennoch bleibt die Familie das bedeutsamste Beziehungsgefüge für Kinder.

3. Familienersetzende Hilfen

Wichtig sind familienersetzende Hilfen, sind diese doch Ausdruck einer am ↑Kindeswohl orientierten Wohlfahrtspolitik. So wächst eine vergleichsweise kleine Gruppe von Kindern und Jugendlichen phasenweise außerhalb der Herkunftsfamilie auf. Basis hierfür sind die im SGB VIII geregelten „Hilfen zur Erziehung". Im Jahr 2014 lebten knapp 110 000 Kinder und Jugendliche in Heimen; knapp 85 000 waren darüber hinaus mittel- und längerfristig in Pflegefamilien untergebracht: zusammen etwas mehr als 1 % der altersgleichen Bevölkerung. Dabei weist die Statistik über die im Jahr 2013 beendeten Hilfen aus, dass diese Kinder und Jugendlichen im Schnitt 43 Monate in Pflegefamilien bzw. 20 Monate in stationären Einrichtungen der ↑Jugendhilfe lebten. Insb. bei stationären Angeboten zeigt sich ein enger Zusammenhang zwischen Lebenslagen der Familien (Alleinerziehende, ↑Armut, ↑Migration) und einem Erziehungsbedarf außerhalb der Familie. So trifft das Kind eines alleinerziehenden Elternteils eine fünffach höhere Wahrscheinlichkeit, in einem Heim oder einer Pflegefamilie untergebracht zu werden als ein Kind aus einer zusammenlebenden Familie. Verstärkt wird dieser Bedarf noch bei einer sozio-ökonomisch prekären Familiensituation.

4. Ausblick

Die Weiterentwicklung der F. zu Beginn des 21. Jh. hat dazu beigetragen, Familien besser gerecht zu werden. Mit der Ausrichtung am Modell der Zweiverdiener-Familie bzw. an der individuellen Erwerbstätigkeit von erwachsenen Männern wie Frauen entsprach die F. auch den Erwartungen von Wirtschaftsverbänden und Arbeitgebern. Der Ausbau der familienergänzenden Angebote wurde nicht zuletzt auch aufgrund des steigenden Bedarfs an Erwerbstätigen am ↑Arbeitsmarkt vorangetrieben. Mithilfe des erweiterten Betreuungsangebots kann die Vereinbarkeit von Beruf und Familie zwar deutlich besser realisiert werden als früher. Wenn aber damit zugl. die Erwartung umfassender zeitlicher Verfügbarkeit von Eltern im Beruf weiter steigt, werden die Dilemmata der zeitlichen Vereinbarkeit bestehen bleiben. Infolgedessen sind inzwischen verstärkt Initiativen einer neuen Zeitpolitik für Familien auszumachen. Veränderungen lassen sich schließlich auch im Verhältnis des Bildungssystems zur Familie konstatieren: Mit der Neuausrichtung der F. und dem Ausbau unterstützender und ergänzender Angebote geht die Hoffnung einher, die in Deutschland seit langem beklagten herkunftsbedingten ungleichen Startchancen von Kindern ausgleichen zu können. Bisher ist jedoch nur ansatzweise zu erkennen, dass sich die Hoffnung auf besser gelingende Bildungsprozesse durch stärkere Übernahme öffentlicher Verantwortung für alle gleichermaßen erfüllt.

Literatur

K. Jurczyk: Zeit für Care, in: R. Hoffmann/C. Bogedan (Hg.): Arbeit der Zukunft, 2015, 260–288 • S. Fendrich/J. Pothmann/A. Tabel: Monitor Hilfen zur Erziehung 2014, 2014 • K. Jurczyk/A. Lange/B. Thiessen (Hg.): Doing Family – Familienalltag heute, 2014 • Prognos: Gesamtevaluation der ehe- und familienbezogenen Maßnahmen und Leistungen in Deutschland, 2014 • F. Berth/T. Rauschenbach: Welche Unterstützung Eltern erhalten – und welche sie benötigen, in: K. Hurrelmann/T. Schultz (Hg.): Staatshilfe für Eltern. Brauchen wir das Betreuungsgeld, 2013, 28–45 • BMFSFJ: Generationenbeziehungen – Herausforderungen und Potenziale, 2012 • BMFSFJ: Bestandsaufnahme der familienbezogenen Leistungen und Maßnahmen des Staates im Jahr 2010 (2013) URL: www.bmfsfj.de/RedaktionBMFSFJ/Abteilung2/Pdf-Anlagen/familienbezogene-leistungen-tableau-2010,property= pdf,bereich=bmfsfj,sprache=de,rwb=true.pdf (abger.: 21.3. 2018) • BMFSFJ (Hg.): Familie zwischen Flexibilität und Verlässlichkeit. Perspektiven für eine lebensbezogene Familienpolitik. Siebter Familienbericht, 2006 • H. Köhler: Kinder selbstverständlich! Rede am 18.1.2006 (2006) URL: www. bundespraesident.de/SharedDocs/Reden/DE/Horst-Koehler /Reden/2006/01/20060118_Rede.html (abger.: 21.3.2018) • C. Kuller: Familienpolitik im föderativen Sozialstaat. Die Formierung eines Politikfeldes in der Bundesrepublik 1949– 1975, 2004 • R. Sennett: Der flexible Mensch, 2000 • Bundesministerium für Familie und Senioren (Hg.): Familien und Familienpolitik im geeinten Deutschland – Zukunft des Humanvermögens. Fünfter Familienbericht, BT-Drs. 12/7560, 1994. THOMAS RAUSCHENBACH

III. Entwicklung der Familienförderung

Art. 6 GG stellt ↑Ehe und ↑Familie unter den Schutz der staatlichen Ordnung und betont das natürliche Recht und die Pflicht der Eltern zur Pflege und Erziehung ihrer Kinder. Kinder dürfen nur dann von ihren Eltern getrennt werden, wenn die Erziehungsberechtigten versagen. Art. 6 formuliert auch den Anspruch der Mutter auf Schutz und Fürsorge der Gemeinschaft und betont, dass unabhängig von der elterlichen Lebensform alle Kinder einen Anspruch auf gleiche Bedingungen für ihre leibliche und seelische Entwicklung haben. Die Verantwortung der Eltern wird durch die Formulierung des staatlichen Wächteramts unterstrichen.

Die durch den Deutschen Bundestag 1991 angenommene UN-Kinderrechtskonvention definiert zur Realisierung dieser Verantwortung präzise ↑Kinderrechte: Recht auf Bildung und Ausbildung, Recht auf Gesundheit, Recht auf Freizeit, Spiel und Erholung, Recht auf Privatsphäre und gewaltfreie Erziehung, Recht auf Teilhabe bei Behinderung, Recht, sich zu informieren und gehört zu werden, Recht auf Gleichbehandlung und Schutz vor Diskriminierung, Recht auf einen Namen und eine Staatsangehörigkeit, Recht auf eine Familie und die elterliche Fürsorge und ein sicheres Zuhause.

Dieser Anforderungskatalog erklärt, warum F. i. d. R. als eine in vielen Politikfeldern verankerte Querschnittsaufgabe bezeichnet wird, welche die konkreten Lebensverhältnisse vor Ort und zugleich die Zuständigkeit der Bundesländer (↑Bildung) und des Bundes (↑Gesundheit) betrifft.

Herausforderungen liegen wesentlich zudem darin, dass die im GG verwendeten Begriffe einem sprachlichen, aber auch durch die sich verändernden Lebensverhältnisse in der Gesellschaft einem begrifflichen Wandel unterliegen. Das ↑GG von 1949 hat sich stark auf die Partnerschaft von Mann und Frau in der Ehe und die Beziehung der Eltern zu ihren nicht volljährigen Kindern konzentriert. Heute spielen infolge der gestiegenen Lebenserwartung auch die Beziehungen der erwachsenen Kinder zu ihren Eltern eine Rolle. Die Entwicklung der Gleichberechtigung von Mann und Frau in allen Lebensbereichen hat dazu geführt, die Beziehungen zwischen Partnerin und Partner nicht mehr allein unter der Perspektive von Ehe und Familie zu sehen, sondern auch nach den Konsequenzen für die Ausgestaltung der Pflege und Erziehung von Kindern zu fragen. In einer Gesellschaft mit hohen Scheidungsquoten und dem Regelfall, dass Kinder weiterhin bei der Mutter leben, stellt sich das Problem, den bes.n Schutz von Müttern zu gewährleisten.

1. Familienleitbilder, Dynamik des sozialen Wandels und Funktionen der Familie

Trotz der nach dem Zweiten Weltkrieg gestiegenen Scheidungszahlen wurde die Familie als Institution interpretiert, in der Mutter und Vater zusammen in einer auf Dauer angelegten Gemeinschaft für ihre Kinder sorgen. Diese Position war auch in der Wissenschaft zu finden. Talcott Parsons versuchte nachzuweisen, dass diese Lebensform in ihrer Ausprägung universell und die Aufgabenteilung zwischen dem berufstätigen Vater und der fürsorglichen Mutter auch eine funktionale Voraussetzung für das Gelingen der kindlichen ↑Sozialisation sei.

Die starke Betonung der Ehe und der Familie als Institutionen mit eigenen Rechten und Pflichten auch gegenüber dem Staat hängt mit dem Prinzip der ↑Subsidiarität zusammen, von dem Art. 6 GG geprägt ist. Dort kommt zum Ausdruck, dass es zunächst die Aufgabe der Eltern ist, ihre Kinder zu erziehen und für sie zu sorgen; die Aufgabe der staatlichen Gemeinschaft ist es, dies zu ermöglichen (schützen) und gleichzeitig zu gewährleisten (Wächteramt).

Das hat Auswirkungen auf die Gesetzgebung wie auf die Unterstützungsleistungen von Staat und Gesellschaft. So gibt es in der BRD anders als etwa in Frankreich keine Kindergartenpflicht, sondern ein Recht auf einen Kindergartenplatz (1995) und auf einen Krippenplatz (2007), das die Eltern für ihre Kinder wahrnehmen können, aber nicht müssen. Wenn über die Vielfalt der verschiedenen Trägereinrichtungen von Angeboten geklagt wird oder auch über unterschiedliche Strategien und Konzepte der einzelnen Bundesländer und Kommunen, so ist das nicht nur Ausdruck der föderalen Staatsstruktur (↑Föderalismus), sondern auch Ausdruck dieses Subsidiaritätsprinzips, das die Eltern zu den Hauptakteuren macht, die durch Angebote anderer Akteure und des Staates unterstützt werden.

Die Sichtweise auf Ehe und Familie als Institution, die es zu schützen gilt, hat viele Rechtsbereiche auch außerhalb des Familienrechts geprägt, etwa das ↑Steuerrecht mit dem Ehegattensplitting (1957), das ↑Sozialrecht (Witwenrente), oder auch den engeren Bereich des Familienrechts mit dem Unterhaltsrecht. Der Wandel der familiären Lebensformen, wie das Entstehen nichtehelicher Lebensgemeinschaften oder auch die in den 1970er Jahren weiter deutliche Zunahme der Scheidungen, hat zu der Vorstellung geführt, dass angesichts dieser zunehmenden Vielfalt der Schutz von Ehe und Familie am ehesten dadurch zu erreichen sei, dass die Aufgaben, die die Ehepartner und Eltern füreinander und für ihre Kinder wahrnehmen, politisch unterstützt werden, während die Bedeutung der Förderung der Institution „Ehe" in der politischen Diskussion an Bedeutung verloren hat. Der Fünfte Familienbericht (1994) hat diesen Perspektivwechsel damit begründet, dass in der Familie die Basis für die Entwicklung des ↑Humankapitals einer jeden Gesellschaft gelegt wird. Die Leistung der Familie für die Gesellschaft ist demnach die Legitimationsbasis der F. Daher wird auch nicht mehr vom Familienlastenausgleich gesprochen, sondern vom Familienleistungsausgleich.

Der Siebte Familienbericht (2006) hat diese Sicht elterlicher Fürsorge und Erziehung als zentrale Aufgaben für die Entwicklung des Humanvermögens in den modernen Gesellschaften wieder aufgegriffen. Darin wurde der Vorschlag gemacht, die familienpolitischen Leistungen und Unterstützungsmaßnahmen danach zu unterscheiden, ob sie als finanzielle Leistungen der Sicherung der materiellen Existenzbasis von Familien dienen, ob sie durch Angebote einer familien- und kinderorientierten Infrastruktur die Eltern unterstützen und ob sie durch eine Zeitpolitik den Eltern und den Kindern jene Zeitfenster ermöglichen, die erforderlich sind, damit die Kinder die Fürsorge und Erziehung erfahren können, die sie für ihre Entwicklung benötigen.

2. Vom Familienlastenausgleich zum Familienleistungsausgleich

Konrad Adenauer begründete 1953 die Einrichtung des Familienministeriums mit der demographischen Perspektive der „wachsenden Überalterung des deutschen Volkes", weil „die Langlebigkeit wächst und die Geburtenzahl abnimmt." Nach seiner Meinung könne der technische Fortschritt die zunehmende Verringerung des Anteils der Menschen, die im „produktiven Alter" stehen, nicht ausgleichen, weswegen eine „zielbewusste Familienpolitik" die Familie zu fördern habe, um diesem Prozess entgegenzuwirken (zit. n. Wingen 1993: 85).

K. Adenauers Argumentation findet sich noch immer in der Begründung der Demographiestrategie der Bundesregierung (2015). Geändert haben sich nur die Handlungsfelder. K. Adenauer setzte auf die finanzielle Förderung, während man inzwischen hofft, diese Entwicklung durch Mobilisierung aller Erwerbsfähigen für den ↑Arbeitsmarkt sowie durch Einwanderung abzumildern.

Ein zentrales Element der finanziellen Förderung waren die Steuerfreibeträge, die schon seit 1946 vom ersten Kind an berücksichtigt wurden. Dadurch kann das ↑Existenzminimum von Kindern verfassungsgemäß steuerfrei gestellt und zugl. das Prinzip der Besteuerung nach Leistungsfähigkeit gesichert werden, weil bei der progressiven Besteuerung die Entlastungseffekte mit Zunahme der Progression auch größer werden. Die in sich konsistente Konstruktion hatte den familienpolitisch gewünschten Effekt, zu einem horizontalen Ausgleich zwischen denjenigen, die für Kinder sorgen, und denjenigen, die kinderlos sind, beizutragen.

Unter einer familienpolitischen Perspektive ist aber die Wirksamkeit von Steuerfreibeträgen bei kinderreichen Familien, die selten über ein hohes Einkommen verfügen, ebenso wie bei Familien mit einem Kind mit geringem Einkommen kontraintuitiv. Denn genau dort, wo familienpolitisch die Unterstützung bes. groß sein müsste, fällt sie bes. klein aus.

Das aufgrund eines Urteils des ↑BVerfG eingeführte Ehegattensplitting folgt auch dem Modell des Nachteilsausgleichs und der horizontalen Gerechtigkeit. Eheleute sind wechselseitig unterhaltsverpflichtet. Das Splitting soll sicherstellen, dass diese Verpflichtung durch Nichtberücksichtigung bei der Steuer nicht erschwert wird. Denn die Familie ist eine „rechtsverbindliche Verantwortungsgemeinschaft, die zwischen Eltern und Kindern geschlossen wird" (Kirchhof 2014: 70). Nur tritt auch hier der gleiche paradoxe Effekt wie beim Freibetrag auf: Steuerrechtlich ist die höhere Entlastung bei höheren Einkommen richtig, familienpolitisch aber nicht plausibel.

Der Gesetzgeber hat großen Spielraum, um die Verantwortungsgemeinschaft der Familie nicht gegenüber anderen Lebensformen zu benachteiligen. Das Grundprinzip der steuerlichen Gerechtigkeit gegenüber dieser Verantwortungsgemeinschaft kann er aber verfassungsrechtlich nicht beiseiteschieben. Diese enge steuerrechtliche Verknüpfung erklärt die vielfältigen Diskussionen über die Höhe der Familienförderung.

Die große Leistung der Hinterbliebenenversorgung für Witwen wurde in den 1950er und 60er Jahren in der heute noch geltenden Form als ein Generationen-Vertragsmodell konzipiert, in dem die Leistungen der aktiven Generation für die eigene Elterngeneration und für die nachwachsende Generation verknüpft werden sollten. Das Modell ging davon aus, durch eine von Arbeitnehmern und Arbeitgebern getragenen Umlage Rentnern und Hinterbliebenen angemessenes Einkommen zu sichern und gleichzeitig auch Eltern die Kosten für ihre Kinder zu erstatten (Vorrente). Explizit wurden auch die Kriegerwitwen berücksichtigt, weil sie durch ihre Erziehungsleistung ganz wesentlich zur ökonomischen Entwicklung der Gesellschaft beigetragen hätten. Bei der Einführung der dynamischen Alterssicherung 1957 wurde dann jedoch angesichts der damals steigenden Kinderzahlen auf die Vorrente für die Kinder verzichtet.

Ein Vergleich der Pro-Kopf-Einkommen von Familien mit Kindern Anfang der 1970er Jahre mit heute zeigt, dass es nicht gelungen ist, den immer wieder betonten Nachteilsausgleich und damit horizontale Gerechtigkeit herzustellen. Die Einkommensdifferenzen haben sich, inflationsbereinigt, in den letzten 40 Jahren zwischen Familien mit und Paaren ohne Kindern nicht verändert, obwohl inzwischen der Prozentsatz der berufstätigen Mütter in ganz Deutschland im europäischen Vergleich kaum noch übertroffen wird. Allerdings haben, auch im europäischen Vergleich, Paare mit Kindern, wenn beide Eltern berufstätig sind, kaum relative ↗Armut zu fürchten, nämlich nur etwa 3%.

Allen Diskussionen über eine gerechte Relation zwischen direkten Transfers und steuerlichen Freibeträgen liegt die Vorstellung eines Familienleistungsausgleichs zugrunde, bei dem die Familien ökonomisch selbständige Einheiten sind (Subsidiaritätsprinzip) und der Staat sie durch die Sicherung des Existenzminimums für Kinder darin unterstützt, die notwendigen Leistungen der Erziehung und Fürsorge zu erbringen.

3. Kindergarten und Krippe:
Von der Betreuung zur Bildung

Der Zweite Familienbericht der Bundesregierung dokumentiert einen dramatischen Themenwechsel im familien- und gesellschaftspolitischen Diskurs (1974). Er machte deutlich, dass Familien mit unterschiedlichem sozialen Hintergrund die Entwicklung ihrer Kinder sehr unterschiedlich fördern und daher die Notwendigkeit

bestehe, einen Teil dieser *Sozialisationsdefizite* zu kompensieren.

Die Mehrheit der Kommission war der Auffassung, diese Kompensationsleistungen seien sinnvollerweise erst ab dem dritten Lebensjahr von Bedeutung, weil die kindliche Entwicklung vorher durch Bindungsverluste beeinträchtigt werden könne. Der Ausbau der Kinderbetreuung wurde damals aber auch zum Thema, weil die durch die Bildungsreform zunehmend qualifizierten jungen Frauen Familie und Beruf vereinbaren wollten. Schon in der ersten Brigitte-Untersuchung wie auch in einer Untersuchung für das Bundesministerium für Familie und Jugend 1974 war deutlich geworden, dass diese junge Müttergeneration Kinder erziehen und auch die eigenen beruflichen Qualifikationen einsetzen wie ökonomisch selbstständig sein wollte. 1972 waren in Großstädten wie München oder Berlin bereits über 70% der jungen Frauen zwischen 30 und 49 Jahren erwerbstätig; in anderen Teilen der Bundesrepublik, wie etwa Nordrhein-Westfalen oder Niedersachsen, war das noch ganz anders.

Als großes Thema wurde zunehmend auch die Frage der Geschlechterrollen zwischen Mann und Frau in ihrer Aufgabenteilung thematisiert. In diesem Kontext sah die Eherechtsreform 1978 durch die Einführung des Zerrüttungsprinzips im Scheidungsfall den Grundsatz der Unauflöslichkeit der Ehe, solange keiner der beiden Partner „schuldhaft" die eheliche Beziehung infrage stellte. Damit folgte die Politik einem schon länger anhaltenden Trend steigender Scheidungsquoten trotz des Verschuldensprinzips. Diese Themen beherrschen die gesellschaftspolitische Diskussion bis heute.

Trotz des erkennbaren Wandels und der veränderten öffentlichen Wahrnehmung reagierte die Politik eher zurückhaltend. So stieg zwar zwischen 1973 und 1979 der Anteil der 3- bis 6-jährigen, die den in der Regel nur am Vormittag angebotenen Kindergarten besuchten, von etwa 25 auf 69 bis 79%, je nach Bundesland. Das war aber im Wesentlichen darauf zurückzuführen, dass sich in dieser Zeit jener dramatische Geburtenrückgang von 1,9 auf 1,4 Kinder pro Frau vollzog. Allerdings entwickelte sich ganz in der Argumentation des Zweiten Familienberichts in der frühkindlichen Pädagogik eine Reihe von Konzepten, die Bildungschancen und Elternarbeit in die Praxis umsetzten und die Voraussetzung für die hohe Akzeptanz von Kindergärten und -krippen als Bildungsstätten bei allen Eltern schufen (↗Früherziehung). Doch erst die Reform des Kinder- und Jugendhilfegesetzes 1991 (KJHG bzw. SGB VIII) erkannte diese Infrastrukturangebote als familienergänzende Leistungen an. 1995 wurde der Rechtsanspruch auf einen Kindergartenplatz zum Gesetz, nicht aber wie in anderen europäischen Ländern (Frankreich, Italien) eine Vorschulpflicht, weil es „zuvörderst Aufgabe der Eltern ist, die Kinder zu erziehen" (§1 SGB VIII). Eltern haben das letzte Wort, der Staat aber die Pflicht zu unterstützenden Leistungen. Die hohe Akzeptanz dieser

Einrichtungen bei jungen Eltern hängt entscheidend von erkennbarer Bildungsperspektive ab. 2007 trat der Rechtsanspruch hinzu, nachdem zunächst das Tagesbetreuungsausbaugesetz (2002) den Ausbau dieser Einrichtungen mit den Bundesländern abgestimmt hatte.

4. Das Dreiphasenmodell, die Rushhour und Fürsorge im Lebensverlauf

Alva Myrdal und Viola Klein (1956) haben zu einer Zeit, als die durchschnittliche Arbeitszeit 48 Stunden betrug und die Hausarbeit ohne Kinderbetreuung rund 36 Stunden beanspruchte, ein Dreiphasenmodell vorgeschlagen: In der ersten Lebensphase der Frau sollten Bildung und Berufstätigkeit dominieren, in der zweiten die Fürsorge für Kinder und in der dritten wieder die Berufstätigkeit. Dieses Modell organisiert die Vereinbarkeit von Familie und Beruf als sequenzielles Lebenslaufmodell. Obwohl es viel diskutiert wurde, war schon früh klar, dass es qualifiziert ausgebildeten Frauen kaum Chancen brachte, ihre Kompetenzen auch in der Berufswelt zu entwickeln. Gleichzeitig wurde empirisch nachgewiesen, dass eine lange Unterbrechung der Berufstätigkeit in der Regel jede Karrierevorstellung ad absurdum führte.

Seit Ende der 1960er Jahre wuchs in der Politik die Erkenntnis, dass die Vereinbarkeit von Familie und Beruf nur dann zu erreichen ist, wenn Zeitpolitik als Teil einer ↑Gleichstellungspolitik gilt, weil sonst Fürsorge für Kinder und Haushaltsführung allein von den Müttern zu tragen sind. Gleichwohl blieb die Zeitpolitik wesentlich dem sequenziellen Modell verhaftet: Sowohl die Verbesserung der beruflichen Wiedereingliederung nach einer Familienphase (Arbeitsförderungsgesetz 1969) als auch die Einführung von Pflegetagen für die Eltern erkrankter Kinder (1974) und das 1979 eingeführte Gesetz zum Mutterschaftsurlaub folgten diesem Modell. Das Bundeserziehungsgeld- und Mutterschaftsurlaubsgesetz (1986) hatte große Ähnlichkeit mit den Regelungen des Babyjahrs in der DDR: 600 DM Unterstützung in den ersten zehn Lebensmonaten (zusätzlich Mutterschutz), Arbeitsplatzgarantie nach der Geburt des Kindes und die Einbeziehung der Väter gab es auch dort. 1992 wurden die Pflegetage für Eltern kranker Kinder von fünf auf bis zu zehn Arbeitstage verlängert, der Erziehungsurlaub mit Arbeitsplatzgarantie auf bis zu drei Jahre ausgeweitet und 1993 das Erziehungsgeld auf 24 Monate ausgedehnt. Insgesamt änderten sich damit die Zeitregelungen, die Mitte der 1980er Jahre in Westdeutschland entwickelt worden waren, nur unwesentlich.

Der Rechtsanspruch auf Teilzeitarbeit während der Elternzeit (2001) machte zum ersten Mal deutlich, dass die Bedürfnisse und die Fürsorge für kleine Kinder im täglichen Arbeitsablauf grundsätzlich im Arbeitsablauf der Mütter ebenso zu berücksichtigen sind wie betriebliche Belange: der eigentliche Beginn einer „parallelen" Zeitpolitik, die klar formulierte, dass selbst bei einer kontinuierlichen Berufstätigkeit die Organisation der Arbeitszeit auf die Bedürfnisse von Kindern Rücksicht zu nehmen hat. Dass eine solche Zeitpolitik auch eine bessere Infrastruktur erfordert, verdeutlichte das Tagesbetreuungsausbaugesetz (2005). Die Einführung des einkommensabhängigen Elterngeldes (2007) und des Kinderförderungsgesetzes (2008) schließen diese Entwicklung in gewisser Weise ab. Politik und Staat interpretieren die Fürsorge für Kinder als gleichwertig mit dem Beruf (einkommensabhängiges Elterngeld) und gehen davon aus, dass Unternehmen und Wirtschaft dies berücksichtigen, und zwar nicht nur solange die Kinder klein sind. Auch wird deutlich, dass Väter ebenso wie Mütter in der Pflicht sind, ihre Kinder zu erziehen, denn Art. 6 GG formuliert Elternpflichten und kennt keine Differenzierung nach Vater und Mutter. Der Rechtsanspruch auf ↑Betreuung überlässt schließlich den Eltern die Entscheidung, wie sie ihr Leben mit den Kindern gestalten, während der Staat garantiert, dass sie beide in gleicher Weise Beruf und Familie realisieren können.

5. Geldpolitik, Infrastrukturpolitik, Zeitpolitik: Zukunftsperspektiven

Von der gesellschaftlich akzeptierten Einsicht, dass Kinderbetreuung ein wichtiger Baustein für die kindliche Entwicklung sein kann, wie es der Zweite Familienbericht 1975 auf der Basis der damaligen wissenschaftlichen Forschungsergebnisse formuliert hat, dauerte es 20 Jahre bis zum Rechtsanspruch auf einen Kindergartenplatz. Die horizontale Gerechtigkeit zwischen Familien mit Kindern und kinderlosen Paaren ist bis heute ebenso wenig erreicht wie etwa die Senkung der überproportionalen relativen Armut von Kindern alleinerziehender Eltern. Die nachteiligen Effekte der Fürsorge für Kinder als einem zentralen Element der Zukunftssicherung des Humanvermögens in modernen Gesellschaften in Bezug auf die ökonomische Situation von Familien und die berufliche Teilhabe von Frauen sind international und national wissenschaftlich und politisch bestens dokumentiert, aber die politischen Lösungen vollziehen sich i. d. R. sehr langsam.

In der öffentlichen Diskussion werden solche gesellschaftspolitischen Probleme auf verschiedene politische Ideologien zurückgeführt. Doch hängt die langsame Entwicklung in Deutschland auch mit der sehr spezifisch „deutschen" institutionellen Struktur zusammen.

Die Instrumente finanzieller Unterstützung sind ohne die Steuerpolitik und die dort geltenden Kriterien und Regeln gar nicht denkbar. Steuerliche Freistellung des Existenzminimums, horizontale Gerechtigkeit, Besteuerung nach Leistungsfähigkeit und Kinderfreibeträge sind wie viele andere Elemente finanzieller Förderung so eng in die Steuerpolitik verwoben, dass die ↑Finanzpolitik häufig ausschlaggebender ist als familienpolitische Vorstellungen. Zudem sind alle finanziellen Leistungen, die über die ↑Einkommensteuer geregelt werden, zwischen Bund und Ländern auszuhandeln, sodass auch die föderale Struktur interveniert.

Das gilt in gleicher Weise auch für die Entwicklung institutioneller Unterstützungsleistungen. Hier hat der Bund über das KJHG zwar die Gesetzgebungskompetenz, aber die Leistungen müssen letztlich konkret vor Ort in den Kommunen erbracht werden, sodass hier alle drei staatlichen Ebenen zusammenwirken müssen.

Zeitpolitik für Kinder und Familien hängt immer auch von den Regelungen im ↑Arbeitsrecht ab, so dass Arbeits- und Sozialrecht und damit Politiker und Beamte in den jeweiligen Bereichen eine originäre Mitwirkung bei der Gestaltung dieser Konzepte haben.

Jenseits dieser Verwobenheit mit anderen Politikfeldern und allen föderalen Handlungsebenen bleibt die sehr genaue Beschreibung der Aufgabenstellung von Ehe und Familie für Kinder in unserer Verfassung und ihrer Relation zum staatlichen Handeln bestimmt. Diesem Modell liegt die Vorstellung eines subsidiären ↑Sozialstaats zugrunde. Notwendigerweise ist in diesem Kontext das BVerfG mit seiner Rechtsnormsetzung ein wichtiger Partner. Denn beim Wandel der familiären Lebensformen ist immer wieder zu prüfen, ob und wie die neue Ausgestaltung und Anpassung an solche Wandlungsprozesse in den Verfassungsrahmen einzufügen ist.

Diese Komplexität der Entscheidungsstrukturen bedingt unverhältnismäßig aufwändigere Konsensbildungsprozesse als auf anderen Politikfeldern. Dieser hohe Aufwand gewährleistet andererseits hohe Durchsetzungskraft in der Praxis. Beim Vergleich des Ausbaus der Kindertagesbetreuung in Frankreich in der Amtszeit von Präsident François Mitterrand mit dem Ausbau der Kindertagesbetreuung für die unter Dreijährigen in den letzten Jahren in Deutschland zeigt sich, dass der Zentralstaat in Frankreich zwar schnell gesetzliche Regelungen traf, aber der Ausbau in diesen zehn Jahren gerade 300 000 Plätze schuf, eine Zahl, die der Freistaat Bayern in vier Jahren erreicht hat.

Für die Zukunft stellen sich drei große Herausforderungen, die sich aus der bisherigen Entwicklung ableiten lassen. Die verschiedenen finanziellen Zuwendungen des Familienleistungsausgleichs, sind einerseits Ergebnis steuerrechtlicher Überlegungen, wie die Freistellung des Existenzminimums von Kindern oder die Vermeidung von Nachteilen im Steuerrecht, andererseits aber auch das Ergebnis von Vorstellungen der Familienförderung, etwa beim Kindergeld. Hinzu kommen sozialrechtliche Überlegungen als Basis für die Mitversicherung und die Witwenrente. Bis heute haben weder der Gesetzgeber noch die Parteien ein Konzept vorgelegt, das sicherstellt, dass alle Kinder in gleicher Weise von den finanziellen Leistungen profitieren, unabhängig von der Lebensform der Eltern, eine dringende Forderung. Dass diese grundsätzlichen Fragen in den 1970er Jahren in der Politik viel offener diskutiert wurden als heute, ist erstaunlich.

Bei der Entwicklung der Infrastruktur für Kinder genoss die Gruppe der null- bis sechsjährigen Kinder Priorität, obwohl die Kinder noch mit sieben oder acht Jah-

ren Hilfe und Unterstützung brauchen, etwa wenn die Eltern berufstätig sind. Daneben fehlt bisher eine klare Perspektive und Debatte darüber, wie eigentlich die Lebensumwelt von Kindern in den großen Metropolen zu gestalten ist, weil die Bevölkerung in Deutschland zunehmend in Verdichtungsräumen lebt. Die Zeitpolitik hat inzwischen den Zusammenhang zwischen Lebenslauf als sequenzieller Zeitpolitik und dem Alltag zwischen Fürsorge für Kinder und beruflicher Aktivität als paralleler Zeitpolitik in einen gesetzlichen Rahmen gebracht. Jedoch bleibt die konkrete Ausgestaltung zu klären, etwa wie die Arbeitszeiten zwischen Mann und Frau in welcher Lebensphase sinnvoll gestaltet werden können, wie die Fürsorgezeit für Kinder nicht nur vor dem dritten Lebensjahr entspr. der kindlichen Entwicklung verteilt werden kann, wie auch bei zunehmender Lebenserwartung die Fürsorge für die ältere Generation in ein zeitpolitisches Modell zu integrieren ist.

Im gesellschaftlichen Wandel erschöpft sich, wie allg. akzeptiert, die Unterstützung von Familien nicht mehr allein in finanziellen Zuwendungen. Inzwischen sind auch viele der klassischen Grabenkämpfe zwischen unterschiedlichen familiären Lebensmodellen in Politik und Gesellschaft weitgehend überwunden, so dass die Integration von Zeit, Geld und Infrastruktur durchaus mit unterschiedlichen Lösungen weiter entwickelt werden kann. Gleichwohl scheint ein gesellschaftlicher Konsens auf, der sich auf diese drei Elemente stützt.

Literatur

H. Bertram: Fragt die Kinder, 2017 • H. Birg: Die alternde Republik und das Versagen der Politik, 2015 • Bundesregierung (Hg.): Demographiestrategie der Bundesregierung, URL: http://www.bundesregierung.de/Content/DE/Statische Seiten/Breg/Demografiestrategie/Artikel/2015–08–21-zusam menfassung.html (abger.: 18.12.2017) • W. Adema/O. Thevenon: Changes in Family Policies and Outcomes: Is there Convergence, OECD Social, Employment and Migration Working Paper 157, 2014 • H. Bertram/C. Deuflhard: Die überforderte Generation. Arbeit und Familie in der Wissensgesellschaft, 2014 • G. Kirchhof: Zukunftsvergessen? Der besondere Schutz von Ehe und Familie im Steuer- und Abgabenrecht, in: A. Uhle (Hg.): Zur Disposition gestellt? Der besondere Schutz von Ehe und Familie zwischen Verfassungsanspruch und Verfassungswirklichkeit, 2014, 59–83 • H. W. Sinn: Das demographische Defizit – die Fakten, die Folgen, die Ursachen und die Politikimplikationen, in: ifo Schnelldienst 66/21 (2013), 3–23 • BMFSFJ (Hg.): Familienreport 2012. Leistungen, Wirkungen, Trends, 2012 • StBA (Hg.): Kindertagesbetreuung in Deutschland, 2012 • I. Gerlach: Familienpolitik, 2010 • R. Hauser/I. Becker: Vom Kinderzuschlag zum Kindergeldzuschlag, 2008 • S. M. Bianchi/J. P. Robinson/M. A. Milkie: Changing Rhythms of American Family Life, 2006 • BMFSFJ (Hg.): Familie zwischen Flexibilität und Verlässlichkeit. Perspektiven für eine lebensbezogene Familienpolitik. Siebter Familienbericht, 2006 • C. Kuller: Familienpolitik im föderativen Sozialstaat, 2004 • K. Morgan: Does Anyone Have a „Libre Choix"? Subversive Liberalism and the Politics of French Care Policy, in: S. Michel/R. Mahon (Hg.): Child Care Policy at the Crossroads. Gender and Welfare State Restruc-

turing, 2002, 143–167 • M. Niehuss: Familie, Frau und Gesellschaft, 2001 • F. Vollmer: Das Ehegattensplitting, 1998 •
H. Bertram: Familien leben. Neue Wege zur Gestaltung von
Lebenszeit, Arbeitszeit und Familienzeit, 1997 • C. Born/
H. Krüger/D. Lorenz-Mayer: Der unentdeckte Wandel. Annäherung an das Verhältnis von Norm und Struktur im weiblichen Lebensverlauf, 1996 • H. Bertram (Hg.): Das Individuum und seine Familie, 1995 • BMFSFJ (Hg.): Familien und
Familienpolitik im geeinten Deutschland – Zukunft des Humanvermögens. Fünfter Familienbericht, 1994 • Deutsches
Jugendinstitut (Hg.): Orte für Kinder. Auf der Suche nach
neuen Wegen in der Kinderbetreuung, 1994 • M. Wingen: 40
Jahre Familienpolitik in Deutschland, 1993 • M. Textor: Familienpolitik, 1991 • U. Münch: Familienpolitik in der BRD,
1990 • F. U. Willeke/R. Onken: Allgemeiner Familienlastenausgleich in der Bundesrepublik Deutschland, 1990 •
K. Schwarz: Familienpolitik und demographische Entwicklung in den Bundesländern nach dem Zweiten Weltkrieg, in:
Zeitschrift für Bevölkerungsfragen 13 (1987), 409–450 •
H. Bertram/H. Bayer: Berufsorientierung erwerbstätiger
Mütter, 1984 • A. Burger/G. Seidenspinner: Mädchen '82. Bericht einer repräsentativen Untersuchung über die Lebenssituation und das Lebensgefühl 15- bis 19jähriger Mädchen
in der Bundesrepublik, 1982 • Bundesministerium für Jugend,
Familie und Gesundheit (Hg.): Familie und Sozialisation.
Leistungen und Leistungsgrenzen der Familie hinsichtlich
der Erziehungs- und Bildungsprozesse der jungen Generation. Zweiter Familienbericht, 1975 • W. Schreiber: Familienpolitische Einkommensumverteilung, in: Politische Akademie Eichholz (Hg.): Familienpolitik in der Industriegesellschaft, 1966, 124–141 •
W. Schreiber: Die sozioökonomische Funktion des Familien-
lasten-Ausgleichs in der freiheitlichen Gesellschaftsordnung,
1964 • H. Schmucker: Einfluss der Kinderzahl auf das Lebens-
niveau der Familie, in: Allgemeines Statistisches Archiv 43
(1959), 35–55 • A. Myrdal/V. Klein: Women's two Roles:
Home and Work, 1956 • T. Parsons/R. F. Bales: Family, Socia-
lization, and Interaction Process, 1955 • W. Schreiber: Existenzsicherung in der industriellen Gesellschaft. Vorschläge
zur „Sozialreform", 1955.   HANS BERTRAM

Familienrecht

1. Geschichte
1.1 Geschichte bis zum BGB
Die ↑Familie ist eine der ältesten Institutionen der
menschlichen Gesellschaft und hat eine entspr. lange
Rechtsgeschichte, auch wenn das Recht in frühesten
Zeiten nicht aufgezeichnet war, in denen sich die Fami-
lienstruktur nach der Form des Wirtschaftens richtete
(Jäger/Sammler, Nomaden, Bauern). Die in Sippenver-
bänden siedelnden germanischen Stämme kannten Po-
lygamie, Verheiratung durch die Sippe, Heirat innerhalb
des engeren Sippenverbandes. Im Mittelalter haben sich
dann durch den Einfluss des Christentums und des römischen Rechts die für Jh. prägenden Strukturen des F.s
herausgebildet: Die ↑Ehe war seitdem ein von Mann
und Frau geschlossener ↑Vertrag (Konsensprinzip), wodurch Formen der Raub- oder Kaufehe ausgeschlossen

wurden. Die Ehe wurde auf Lebenszeit geschlossen,
eine Scheidung war grundsätzlich unzulässig. Verboten
war die Doppelehe, genauso wie Ehen im engeren Ver-
wandtschaftskreis, wobei die Kirche dieses Inzestverbot
im Laufe der Jh. immer mehr ausweitete. Die starke religiöse Prägung der Materie beschränkte sich nicht auf
das materielle Recht, sondern führte auch zur alleinigen
Zuständigkeit der ↑kirchlichen Gerichtsbarkeit zumindest hinsichtlich Eheschließung und Ehebeendigung.
Dagegen blieb der innerfamiliäre Bereich, insb. das
Verhältnis der Eltern zu den Kindern weitgehend unre-
glementiert, und daher bestand – der damaligen patri-
archalischen Gesellschaft entsprechend – ein Macht-
monopol des Vaters, der im römischen Recht *pater
familias* hieß, in der germanisch/deutschen Terminologie *Muntwalt*. Indem das spätmittelalterliche ↑Kirchen-
recht die Ehe zum ↑Sakrament erhoben hatte, wurde
diese überhöht und andere nichteheliche Verbindungen
geächtet, genauso wie die daraus hervorkommende
Nachkommenschaft, die als Kinder aus einem Konkubi-
nat oder als „Unflatskinder" bezeichnet wurden und mit
ihrem Vater als nicht verwandt galten, eine Regelung,
die sogar bis ins ↑BGB von 1900 überdauerte. Allerdings geht es auf den Einfluss der Kirche zurück, dass
sich gewisse Alimentationspflichten langsam etablierten. Die ↑Reformation bedeutete für die ↑katholische
Kirche den Verlust des Monopols im Eherecht. Trotz
Martin Luthers Diktum von der Ehe als einem „weltlich
Ding" blieb es bei der kirchlichen Zuständigkeit, da die
evangelischen Fürsten in ihren Kirchenordnungen die
Ehe ähnlich genau normierten. Mit dem Erstarken
staatlicher Macht in der frühen ↑Neuzeit kam es aber
auch in den katholischen Territorien zu einer Auseinandersetzung zwischen Kirche und Staat (↑Kirche und
Staat) in dieser Frage. Eine Wende brachte insoweit die
↑Aufklärung mit ihrer Abkehr von der Legitimation
des Rechts durch göttliche Fügung, was bedeutete, dass
auch das F. immer mehr säkularisiert wurde. Die Ehe
und die Familie wurden nicht mehr als von Gott geschaffen, sondern als eine rechtliche Gesellschaft (*societas*) verstanden. Allerdings kämpften noch im 19. Jh.
Staat und Kirche um die Vorherrschaft auf diesem Gebiet; für Deutschland bedeutete der ↑Kulturkampf Otto
von Bismarcks mit der katholischen Kirche und konkret
die Einführung der obligatorischen Zivilehe im Jahre
1875 den entscheidenden Wendepunkt. Das BGB aus
dem Jahre 1900 sah schließlich das gesamte F. als eine
rein staatliche Angelegenheit an, ohne aber die religiös-
sittliche Prägung dieses Rechtsgebietes zu leugnen.

1.2 Entwicklung im 20. Jh.
Das vierte Buch des BGB behandelt die Bereiche „Ehe,
Verwandtschaft und Vormundschaft" und hat sich im
Laufe der gut 100 Jahre Geltung so stark verändert wie
kein anderer Teil dieses Gesetzes. Verantwortlich dafür
ist in erster Linie der gesellschaftliche Wandel, der ab
dem 19. Jh. und konkret durch die Industrialisierung

(↑Industrialisierung, Industrielle Revolution) zu einem Funktionswandel der Familie und zur Herausbildung neuer Familienformen geführt hat. Weitere Faktoren sind neben der Trennung von Wohn- und Arbeitsplatz v. a. die ↑Emanzipation der Frauen, aber auch die zunehmende Anerkennung der ↑Kinderrechte. Entscheidend zur Veränderung dieses Rechtsgebiets hat schließlich auch die Verfassung beigetragen, von bes.r Bedeutung war hier der Familienartikel Art. 6 GG sowie das Gleichheitspostulat des Art. 3 Abs. 2 GG. Während das BGB von 1900 noch stark die patriarchalische Familie rechtlich widerspiegelte, hat die formale Gleichstellung von Mann und Frau (↑Gender) zu einem radikalen Umbau v. a. des Eherechts geführt, was im Wesentlichen im GleichberG von 1957 geschehen ist. Die von Art. 6 Abs. 5 GG geforderte Gleichstellung ehelicher und nichtehelicher Kinder wurde im NEhelG von 1969 z. T. verwirklicht, noch stärker mit der Kindschaftsrechtsreform von 1998. Weitere, z. T. von der Verfassung geforderte Reformschritte in der BRD waren die Veränderung des Scheidungsrechts (der Übergang vom Verschuldens- zum Zerrüttungsprinzip 1977), das Sorgerechtsgesetz von 1974, mit dem eine Emanzipation der Kinder einherging, das BtG von 1992 und schließlich die Reform von 1998, die sowohl die Eheschließung, die Stellung der nichtehelichen Kinder, das Sorgerecht (↑Elterliches Sorgerecht) und das Abstammungsrecht betraf. Aber auch in den letzten knapp 20 Jahren hat eine Reihe von kleineren Änderungen dieses Rechtsgebiet weiter den gesellschaftlichen Veränderungen angepasst. Diese Entwicklung ist durch das europäische Recht (↑Europarecht) verstärkt worden, insb. durch den ↑EuGH, der gestützt auf Art. 8 EMRK (Recht auf Achtung des Privat- und Familienlebens) v. a. die Rechte der Nicht-Verheirateten, konkret der nichtehelichen Kinder bzw. der nicht mit der Mutter verheirateten Väter gestärkt hat. Mittlerweile ist anerkannt, dass der Grundrechtsschutz auch Stief-, Adoptiv- und Pflegeeltern zusteht, dass darüber hinaus ein Schutz auch für nicht verheiratete Eltern, insb. den nichtehelichen Vater besteht, der daher auch unabhängig von dem Willen der Mutter das Sorgerecht zugesprochen erhalten kann. Bes. Probleme sind in den letzten Jahrzehnten durch die neuen medizinischen Techniken aufgeworfen worden, speziell durch die Möglichkeiten der künstlichen Zeugung von Nachwuchs, sei es durch heterologe ↑Insemination oder durch eine Ersatz- oder Leihmutterschaft. Letztere sind zwar in Deutschland verboten, kommen allerdings in der Praxis vor und werfen dann große Probleme für die Gerichte und die betroffenen Menschen auf.

2. Geltendes Recht
2.1 Verlöbnis/Eheschließung
Das Verlöbnis ist das Versprechen der Eheschließung, das mangels Einklagbarkeit kaum praktische Bedeutung hat, allenfalls für Schadensersatzansprüche bei einseitig

schuldhafter Auflösung oder für die Rückforderung von Geschenken. Die Eheschließung ist ein formgebundener Vertrag, der höchstpersönlich vor dem Standesbeamten bei gleichzeitiger Anwesenheit der Eheschließenden geschlossen wird. Fehlerhaft zustande gekommene Ehen, z. B. bei fehlender Ehemündigkeit, bei Willensmängeln oder bei Abschluss unter Drohung oder Täuschung, berühren die Wirksamkeit der Ehe nicht, führen aber zur Aufhebbarkeit auf Antrag eines Ehegatten oder – in einzelnen Fällen – auf Antrag der Behörde. Letzteres gilt auch für eine sog.e Scheinehe, bei der die Heiratenden keine wirkliche Ehe anstreben, sondern lediglich formell verheiratet sein wollen, um bspw. ein Aufenthaltsrecht für einen der beiden zu erreichen. In allen diesen Fällen muss allerdings der Standesbeamte, wenn er vor der Hochzeit von dem Ehemangel Kenntnis erhält, seine Mitwirkung an der Eheschließung verweigern. Die kirchliche Eheschließung ist bürgerlich-rechtlich ohne Bedeutung (↑Kirchliches Eherecht).

Den immer wieder erhobenen Forderungen nach einer Gleichstellung gleichgeschlechtlicher Paare kam der Gesetzgeber mit der Schaffung einer eingetragenen Lebenspartnerschaft entgegen. Seit Oktober 2017 steht solchen Paaren nunmehr auch die Eheschließung offen, neue eingetragene Lebenspartnerschaften sind dagegen nicht mehr zulässig.

2.2 Ehewirkungen
Als Grundsatz bestimmt § 1353 BGB, dass die eheliche Lebensgemeinschaft auf Lebenszeit geschlossen wird. Was eine solche eheliche Lebensgemeinschaft ausmacht, wird heute weniger objektiv-institutionell geregelt, sondern eher durch die einzelnen Paare aufgrund der jeweils gelebten Ehe bestimmt. Von den vielen ehelichen Pflichten, die früher dem Gesetz entnommen wurden, werden heute nur noch wenige anerkannt, z. B. das gemeinsame Wohnen, die Geschlechtsgemeinschaft und die eheliche Treue, wobei auch in diesen Punkten den Eheleuten eine einvernehmliche andere Ehegestaltung möglich sein muss. Letztlich bleibt als unverzichtbarer Kern übrig lediglich die etwas vage Verpflichtung zur Übernahme gegenseitiger Verantwortung. Die eheliche Solidarität kommt ferner zum Ausdruck in der wechselseitigen Unterhaltspflicht sowie in der Möglichkeit, dass jeder der beiden Ehegatten Geschäfte zur angemessenen Deckung des Lebensbedarfs der Familie mit Wirkung für und gegen den anderen Ehegatten vornehmen kann. Das gesetzliche Güterrecht des BGB geht von einer grundsätzlichen Trennung der Vermögen von Mann und Frau aus, das jeder eigenständig ohne Mitwirkung des anderen verwaltet. Eine Ausnahme stellen zwei Verfügungsbeschränkungen dar, einmal bei der Verfügung über das (nahezu) gesamte Vermögen, zum anderen für die Verfügung über Haushaltsgegenstände, bei denen jeweils die Zustimmung des anderen Ehegatten erforderlich ist. Die Beendigung des gesetzlichen

Güterstandes (durch Scheidung, Tod oder Ehevertrag) führt zu einem Zugewinnausgleich desjenigen Ehegatten, der während der Dauer des gesetzlichen Güterstandes den geringeren Zugewinn erzielt hat; er kann die Hälfte der Differenz zwischen den beiden Zugewinnen als Ausgleichsanspruch verlangen. Der Versorgungsausgleich soll eine entsprechende Kompensation für die während der Ehe erworbenen Versorgungsanrechte erreichen. Durch notariellen Vertrag können die Ehegatten abweichende Vereinbarungen treffen, wobei ein denkbarer Verstoß gegen die guten Sitten die Grenze bildet. Dies ist etwa gegeben, wenn der eine Teil wirtschaftlich und intellektuell überlegen ist und eine Notlage oder die Unerfahrenheit des anderen ausnutzt.

2.3 Scheidung

Eine Scheidung der Ehe ist durch gerichtliches Urteil möglich, wenn die Ehe gescheitert ist, was das Gesetz vermutet bei einjährigem Getrenntleben, wenn beide Ehegatten die Scheidung wünschen, sonst bei dreijährigem Getrenntleben. Beantragt nur einer der Ehegatten die Scheidung und leben die Ehegatten mindestens ein Jahr, aber noch keine drei Jahre getrennt, so muss das Scheitern der Ehe vor Gericht nachgewiesen werden. Nach einer Scheidung soll grundsätzlich jeder der beiden Ehegatten für sich selbst sorgen. Ein Anspruch auf Unterhalt setzt einen konkreten Grund voraus, der häufigste stellt die ↑Betreuung eines gemeinsamen minderjährigen Kindes dar. In diesem Fall erhält der betreuende Elternteil Unterhalt bis zum dritten Lebensjahr des Kindes, mit der Möglichkeit der Verlängerung, wenn dies aus kindesbezogenen Gründen (z.B. Behinderung des Kindes) oder aus elternbezogenen Gründen (entsprechende Vereinbarung während der Ehe) geboten erscheint. Weitere Gründe für einen Unterhaltsanspruch können sein: Krankheit, Alter oder ein anderer Grund, dessentwegen eine Erwerbstätigkeit nicht ausgeübt werden kann. Die Höhe des Unterhaltsanspruchs richtet sich nach den ehelichen Lebensverhältnissen, also dem Lebensstandard, den die Ehegatten zur Zeit der Ehe geführt hatten. Um eine lebenslange Versorgung zu verhindern, hat der Gesetzgeber erweiterte Möglichkeiten geschaffen, den Unterhaltsanspruch zeitlich oder der Höhe nach zu begrenzen.

2.4 Elternschaft

Die rechtliche Elternschaft ist nicht immer mit der biologischen kongruent: Mutter ist immer die Frau, die das Kind geboren hat, also nicht eine Leih- oder Ersatzmutter, nicht die Spenderin der Eizelle oder die Bestellmutter. Eine Anfechtung der Mutterschaft kennt das BGB nicht. Vater ist der Mann, der zum Zeitpunkt der Geburt mit der Mutter verheiratet ist, sonst der Mann, der die Vaterschaft anerkennt oder auf gerichtliches Urteil hin als Vater festgestellt wird. Die Vaterschaft kann durch eine Anfechtungsklage (rückwirkend) vernichtet werden, anfechtungsberechtigt sind der rechtliche Vater, die Mutter, das Kind und unter engen Grenzen auch der biologische Vater. Zur Absicherung des Rechts auf Kenntnis der eigenen Abstammung gewährt der Gesetzgeber einen Anspruch auf Einholung eines Abstammungsgutachtens gegenüber seinen rechtlichen Eltern und umgekehrt.

2.5 Sorge- und Umgangsrecht

Das Sorgerecht steht bei einem verheirateten Paar beiden Elternteilen gemeinsam zu. Es umfasst die Sorge für das persönliche Wohl des Kindes als auch für dessen Vermögen. Die Eltern sind insoweit gesetzliche Vertreter ihres Kindes. Eine nicht verheiratete Mutter hat grundsätzlich zunächst das alleinige Sorgerecht für ihr Kind, ein gemeinsames Sorgerecht zusammen mit dem Vater tritt ein, wenn beide Eltern eine entsprechende Sorgerechtserklärung abgeben, wenn beide heiraten oder wenn der Vater das Sorgerecht auf einen entsprechenden Antrag hin vom Gericht zugesprochen erhält. Trennen sich die Eltern oder lassen sie sich scheiden, so bleibt das gemeinsame Sorgerecht grundsätzlich bestehen, der Elternteil bei dem das Kind lebt, entscheidet allerdings über die Fragen des Alltagslebens allein. Jeder Elternteil kann einen Antrag auf Zuweisung des Alleinsorgerechts stellen, dem stattgegeben wird, wenn dies dem ↑Kindeswohl entspricht. Der nicht-sorgeberechtigte Elternteil hat ein Recht auf Umgang mit dem Kind, wie auch das Kind ein entsprechendes Recht auf Umgang hat, die Häufigkeit des Umgangs wird durch elterliche Vereinbarung festgelegt, im Streitfall durch einen gerichtlichen Beschluss. Unabhängig vom Sorgerecht sind Eltern ihren Kindern gegenüber unterhaltspflichtig, soweit die Eltern leistungsfähig und die Kinder bedürftig sind. Diese Bedürftigkeit ist bei Minderjährigen i. d. R. gegeben, da diese keine eigenen Einkünfte besitzen und ihren Vermögensstamm nicht zum eigenen Unterhalt verwenden müssen. Da die Unterhaltspflicht grundsätzlich zwischen Verwandten in gerader Linie besteht, können auch Kinder gegenüber ihren Eltern unterhaltspflichtig sein, etwa wenn deren Rente nicht ausreicht, um im Alter die Heimkosten abzudecken.

2.6 Annahme an Kindes statt

Die Annahme an Kindes statt (Adoption), die früher als Vertrag ausgestaltet war, erfolgt heute durch einen gerichtlichen Beschluss. Das Kind verliert mit diesem Beschluss jegliche Rechtsstellung zu den bisherigen Eltern und deren Verwandten und wird rechtlich vollständig den Adoptiveltern zugeordnet und mit deren Familie verwandt. Grundsätzlich bedarf die Adoption der Einwilligung der bisherigen rechtlichen Eltern, nur unter schwierigen Bedingungen ist die Ersetzung der Zustimmung eines Elternteils möglich.

2.7 Betreuung

Das 1992 an die Stelle der Vormundschaft für Erwachsene getretene Betreuungsrecht regelt die Rechtsstellung von Personen, die infolge einer Krankheit oder ↗Behinderung nicht in der Lage sind ihre Angelegenheiten ganz oder teilweise selbst zu besorgen. In diesem Fall erhält die betroffene Person einen Betreuer, es sei denn, der Betreuungsbedarf kann durch andere Hilfen befriedigt werden (Verwandte, Nachbarn, soziale Dienste) oder dadurch, dass der Betroffene eine ↗(Vorsorge-)Vollmacht aus(ge)stellt (hat). Der Betreuer ist gesetzlicher Vertreter des Betroffenen in dem vom Gericht festgelegten Aufgabenkreis und steht bei seinem Handeln unter der Aufsicht des Betreuungsgerichts.

Literatur

D. Schwab: Familienrecht, ²²2015 • T. Fröschle: Sorge und Umgang, 2013 • S. Meder: Familienrecht – Von der Antike bis zur Gegenwart, 2013 • D. Schwab: Handbuch des Scheidungsrechts, ⁷2013 • M. Braeuer: Der Zugewinnausgleich, 2011 • E. Koch: Familie, Familienrecht, in: HdRG, Bd. 1, ²2008, 1497–1502 • G. Köbler: Familienrecht im geschichtlichen Wandel, in: S. C. Saar/A. Roth/C. Hattenhauer (Hg.): Recht als Erbe und Aufgabe, 2005, 355–366 • S. Buske: Fräulein Mutter und ihr Bastard, 2004 • S. Patti: 100 Jahre BGB: das Familienrecht, in: FamRZ 1 (2000), 1–6 • H. M. Pawlowski: Die „bürgerliche Ehe" als Organisation, 1983 • D. Schwab: Grundlagen und Gestalt des staatlichen Eherechts in der Neuzeit bis zum Beginn des 19. Jh., 1967 • W. Müller-Freienfels: Ehe und Recht, 1962.   ANDREAS ROTH

Familienverbände, christliche

1. Historische Entwicklung

↗Familienpolitik im Sinne einer systematischen und gezielten Einflussnahme auf die Lebensverhältnisse von Familien entstand erst im 20. Jh. Sie war eine Reaktion auf den gesellschaftlichen Wandel des vorangehenden Jahrhunderts. Mit der Industrialisierung zogen viele Menschen in die neu entstandenen industriellen Zentren und lebten dort ohne die zuvor bestehenden sozialen Netzwerke von Großfamilie und Dorfgemeinschaft oft unter sehr ärmlichen Bedingungen. Der Staat reagierte auf die mit den neuen Formen des Arbeitens und Lebens einhergehende „soziale Frage", indem er mit ersten Maßnahmen der sozialstaatlichen Absicherung gegen die Risiken Krankheit, Unfall, Invalidität und Alter Fürsorgeaufgaben übernahm, für die bis dahin allein die Familien verantwortlich waren. ↗Soziale Ungleichheiten hatten ihre Ursache zunehmend auch im Familienstand bzw. in der Zahl der Kinder. Kinder wurden mehr und mehr zu einem Armutsrisiko.

Die Verbesserung der Lebenslagen von kinderreichen Familien war auch das Motiv zur Gründung des ersten F.s in Deutschland, der 1924 als parteipolitisch und konfessionell unabhängiger *Reichsverband der Bünde der Kinderreichen zum Schutz der Familie* seine Arbeit aufnahm. Wichtigste Aufgabe dieser ersten deutschlandweiten Selbsthilfe-Organisation für und mit Familien war es, den von Wohnungs- und Arbeitslosigkeit bedrängten kinderreichen Familien zu helfen und die kulturellen, sozialen und wirtschaftlichen Interessen dieser Familien politisch zu vertreten.

Während der Hitlerdiktatur erfolgte die Gleichschaltung des Verbandes. Der urspr.e Reichsverband, dessen Engagement auf den Grundlagen des christlichen Glaubens und der sozialen Gerechtigkeit gründete, bestand in seiner bisherigen Form nicht mehr weiter.

Nach dem Ende des Zweiten Weltkrieges und dem bis dahin erfolgten Missbrauch der Familienpolitik durch die Nationalsozialisten, die Familie als Mittel ihrer bevölkerungspolitischen Ideologie verzweckt hatten, galt es, Familienpolitik wieder zum Wohl der Familien selbst in Gang zu setzen und neu zu gestalten. Das GG von 1949 forderte eine grundlegend neue Familiengesetzgebung mit einem bes.n Schutz von Ehe und Familie (Art. 6 Abs. 1 GG), der Erziehung der Kinder als natürliches Recht der Eltern (Art. 6 Abs. 2 GG, ↗Elternrecht) und der Gleichberechtigung von Männern und Frauen (Art. 3 Abs. 2 GG).

1950 wurde der Reichsverband der Kinderreichen als *Deutscher Familienverband* (DFV) wiedergegründet, der neben der Beratungstätigkeit seiner Mitglieder erneut v. a. die Artikulation von Familieninteressen in der Öffentlichkeit und gegenüber der Politik wahrnahm.

Aus der Überzeugung heraus, dass Christen in bes.r Weise beauftragt und berufen seien, Gesellschaft und Welt mitzugestalten, bildeten sich Anfang der 50er Jahre zudem zwei konfessionelle, von den Kirchen initiierte bzw. getragene F.: Im April 1953 formierte sich der *Familienbund der Deutschen Katholiken*, der sich im Jahr 2000 in *Familienbund der Katholiken* (FDK) umbenannte; im September 1953 wurde die *Evangelische Aktionsgemeinschaft für Familienfragen* ins Leben gerufen, die seit 2014 *evangelische arbeitsgemeinschaft familie* (eaf) heißt.

1.1. Familienbund der Deutschen Katholiken

Bereits auf dem Bochumer Katholikentag 1949 bekräftigten die katholischen Laien, dass es „Aufgabe der katholischen Familien ist, von ihrem verfassungsgemäßen Recht auf Zusammenschluss Gebrauch zu machen, um ihren Einfluss auf eine soziale Gesetzgebung und Gestaltung des Lebens zum Wohle des Volkes geltend zu machen" (FDK 2013: 19). Doch innerhalb der ↗katholischen Kirche gab es zunächst „heftige Debatten darüber, ob der formal überkonfessionelle, faktisch aber stark katholisch geprägte DFV die alleinige Interessenvertretung bilden oder ob man einen eigenen katholischen Familienverband ins Leben rufen sollte" (Kuller 2004: 128).

Es waren v. a. die Bischöfe, die Schutz und Förderung von ↗Ehe und ↗Familie als zentrale Anliegen der katholischen Kirche verstanden und deshalb einen Zusammenschluss auf katholischer Grundlage befürworteten. Im März 1952 regten sie die Bildung einer Interessengemeinschaft der katholischen Familien an, für die möglichst viele katholische Familien in den Pfarreien per Unterschriftenliste gewonnen werden sollten. Bis April

1953 wurden im Rahmen einer Werbeaktion der Bischöfe rund eine halbe Mio. Unterschriften gesammelt. Erste
Diözesanfamilienräte wurden gebildet. Am 8.4.1953
gründete schließlich ein Zusammenschluss dieser Diözesanfamilienräte in Würzburg den *Familienbund der
Deutschen Katholiken*.

Bis 1954 steigt die Zahl der Unterschriften auf fast
900 000. Dass der katholische F. in seiner Gründungsphase weit mehr Mitglieder aufweisen konnte als andere
Verbände, lag an dieser bes.n Form der Mitgliedschaft,
die eigentlich keine war. Die gesammelten Unterschriften
entsprachen nämlich weder einer formalen Beitrittserklä-
rung, noch waren sie mit konkreten Verpflichtungen verbunden. Die Vielzahl der Unterschriften war deshalb
„nicht unbedingt Ausdruck einer starken Familienbewe-
gung im katholischen Milieu der fünfziger Jahre, sondern
eher ein Indiz für die hohe Folgebereitschaft der Laien
gegenüber ihren Bischöfen" (Kuller 2004: 128).

Der Einfluss des *Familienbundes der Deutschen Katholiken* auf die Politik war gleichwohl von Anfang an
außerordentlich groß, nicht zuletzt da die personellen
Verbindungen ins 1953 neu gegründete Bundesministerium für Familienfragen bis hin zum ersten Bundes-
familienminister Dr. Franz-Josef Wuermeling, der ein
überzeugter Katholik war, sehr eng waren.

1.2. Evangelische Aktionsgemeinschaft
für Familienfragen

Im Raum der evangelischen Kirche waren erste Selbst-
hilfeorganisationen auf lokaler und regionaler Ebene
bereits Anfang der 50er Jahre entstanden. Eine Reihe
von Akademien widmeten sich familienpolitischen Themen. Auch der ↑Deutsche Evangelische Kirchentag
bildete eine eigene Arbeitsgruppe zum Themenkreis Familie. Nach der Gründung des *Familienbundes der Deutschen Katholiken* im April 1953 sah sich auch die evangelische Seite in einem gewissen Zugzwang, ihre
familienpolitischen Aktivitäten zu bündeln. Man verzichtete aber bewusst auf die Gründung eines eigenen
Verbands mit Einzelmitgliedschaft. Die Angebote des
überkonfessionellen DFV, in dem auch evangelische Familien eine Betreuung finden konnten, wurden für ausreichend erachtet.

Auf Initiative der *Inneren Mission* gründete man stattdessen im September 1953 in Bethel einen losen Zusammenschluss von evangelischen Verbänden und Werken.
Mit der *Evangelischen Aktionsgemeinschaft für Familienfragen* wurden die bereits unabhängig von einander bestehenden Bewegungen, die sich im Bereich der evangelischen Kirche den Themen der Familie widmeten,
korporativ zu einer Arbeitsgemeinschaft zusammengeführt. Nicht die praktische Durchführung von familienbezogenen Aufgaben, sondern die Koordinierung von
familienpolitischen Aktivitäten und die Vertretung der
politischen Positionen einschließlich einer umfassenden
Öffentlichkeitsarbeit wurden zum Schwerpunkt der Ver-
bandsarbeit.

2. Organisation der christlichen Familienverbände
2.1. FDK

Im Bundesverband des FDK sind 25 Diözesan- und
10 Landesverbände sowie 15 katholische Mitgliedsverbände wie z. B. der DCV, die *Arbeitsgemeinschaft für katholische Familienbildung* (AKF), die KAB, das *Kolping-
werk Deutschland* sowie der Bundesverband der KFD
und der KDFB (↑Christliche Frauenverbände) zusammengeschlossen.

Die Möglichkeit der Mitgliedschaft von Einzelpersonen oder Familien besteht nur auf Ebene der Diözesanverbände. Einige Diözesanverbände sind jedoch dazu übergegangen, sich ausschließlich als Dachverband
von Mitgliedsverbänden zu organisieren. Insgesamt
sind Familien und Familiengruppen weniger im FDK
selbst, als viel mehr in den angeschlossenen Verbänden
organisiert, insb. bei Kolping und in der KAB, die sich
von reinen Männerverbänden zu F. gewandelt haben
(↑Christliche Männerverbände).

Nicht nur aufgrund der unterschiedlichen Mitglieds-
strukturen, sondern auch aufgrund der regional unterschiedlichen Einbindung in die diözesanen Strukturen
und stark abweichenden Finanzierungsmöglichkeiten
haben sich unterschiedliche Schwerpunkte bei den Aktivitäten entwickelt. So gibt es Diözesan- und Landesverbände, die neben ihrem familienpolitischen Engagement in der Familienbildung, Familienberatung und
Familienerholung aktiv sind, Selbsthilfemaßnahmen organisieren und als Träger von Modellprojekten famili-
enbezogener Arbeit auftreten.

Die Organe des FDK-Bundesverbands sind die Bundesdelegiertenversammlung als oberstes Beschlussorgan, der Hauptausschuss als Beschlussorgan zwischen
den Tagungen der Bundesdelegiertenversammlung sowie das Präsidium als ständiges Führungsorgan, dem
auch ein von der DBK benannter Geistlicher Begleiter
angehört. Unterstützt wird die Arbeit des FDK durch
Sachausschüsse, in denen Experten ehrenamtlich Empfehlungen für die Positionierungen des Verbandes erarbeiten.

Der FDK ist auf nationaler Ebene u. a. Mitglied der
Bundesarbeitsgemeinschaft Kinder- und Jugendschutz, der
Bundesarbeitsgemeinschaft der Senioren-Organisationen,
des *Deutschen Vereins für öffentliche und private Fürsorge*,
des *Bundesverbands der Verbraucherzentralen* und der *Arbeitsgemeinschaft der katholischen Organisationen Deutschlands* sowie auf internationaler Ebene Mitglied der *Föderation der katholischen Familienverbände in Europa*. Der
FDK arbeitet eng mit der DBK und dem ↑ZdK zusammen.

2.2. eaf

Die eaf ist als familienpolitischer Dachverband der
Evangelischen Kirche organisiert. Mitglied der eaf sind
20 bundesweit arbeitende Fachverbände, die sich mit
Familienfragen befassen und deren Arbeitsbereich sich
nicht auf das Gebiet einer Landeskirche oder eines Bun-

deslandes beschränkt, so z.B. der BVEA, die *Deutsche Evangelische Arbeitsgemeinschaft für Erwachsenenbildung,* der DEF, der *Bundesverband der Diakonie Deutschland* sowie das *Evangelische Werk für Diakonie und Entwicklung,* die *Evangelische Konferenz für Familien- und Lebensberatung* und die ↑EKD. Darüber hinaus zählt die eaf 14 Landesarbeitskreise und -verbände zu ihren Mitgliedern.

Die Landesarbeitskreise und Mitgliedsverbände der eaf stehen mit ihrer Arbeit in den Gemeinden in direktem Kontakt mit den Familien. Je nach Region zählen zum Angebot die Familienbildung und -beratung, die Förderung des Informationsaustauschs und der Meinungsbildung sowie die Unterstützung von Initiativen und Projekten der Evangelischen Kirche.

Neben den kooperativen Verbandsmitgliedschaften gibt es Sachverständige und wissenschaftliche Beraterinnen und Berater aus Familienpolitik, Psychologie, Pädagogik, Recht und Gesundheitswesen, die in einem Beirat ehrenamtlich fachliche Positionen erarbeiten.

Die Organe der eaf sind die Mitgliederversammlung, die die Richtlinien für die Arbeit des Verbandes festlegt, und das Präsidium, das die laufende Arbeit berät und beschließt.

Die eaf ist u.a. Mitglied in der *Bundesarbeitsgemeinschaft Gesundheit & Frühe Hilfen,* beim *Deutschen Familiengerichtstag,* im *Deutschen Verein für öffentliche und private Fürsorge e. V.* und in der *Konferenz Kirchlicher Werke und Verbände in der EKD* sowie auf internationaler Ebene in der *Commission on Couple and Family Relations.*

2014 entstand innerhalb der eaf das *Forum Familienbildung* mit einer eigenen Servicestelle. Dieses führt das Arbeitsfeld des aufgelösten Mitgliedsverbandes *Bundesarbeitsgemeinschaft Evangelischer Familien-Bildungsstätten und Familien-Bildungswerke* in neuer Form fort. Unter dem Dach der eaf bietet es seinen Mitgliedern Vernetzung sowie fachlichen Austausch und gibt Impulse für die Weiterentwicklung der Einrichtungen vor Ort.

2.3. Zusammenarbeit mit weiteren familienpolitischen Akteuren

Um die gemeinsamen familienpolitischen Anliegen wirksamer vertreten zu können, suchten die drei F. DFV, FDK und eaf von Anfang an nach Möglichkeiten der Kooperation. Bereits am 25.3.1954 gründeten sie in Königswinter die *Arbeitsgemeinschaft der deutschen Familienorganisationen* (AGF) (damals noch als „Arbeitsgemeinschaft Deutscher Familienorganisationen"). Die AGF, der sich 1973 der *Verband alleinerziehender Mütter und Väter* und 2008 der *Verband binationaler Familien und Partnerschaften* anschlossen, ist jedoch kein Dachverband. Beschlüsse, die die politische Zielsetzung der AGF zum Gegenstand haben, müssen nach dem Konsensprinzip gefasst werden. Jeder der fünf Mitgliedsverbände vertritt weiterhin in Einzelfragen eigenständige Meinungen.

Zwischen dem FDK und der eaf gibt es keine eigene institutionalisierte Kooperation. Eine ökumenische Zusammenarbeit ist themen- und aktionsabhängig.

3. Handlungsfelder

Seit ihrer Gründung 1953 beeinflussen die c.en F. alle für die Familie relevanten Politikbereiche. Dabei machen sie sich immer wieder stark für eine Familienpolitik im Sinne einer ressortübergreifenden Querschnittaufgabe, die die bisher weitgehend nebeneinander bestehenden Politikbereiche verbindet und sich nicht als der Arbeitsmarkt- und ↑Sozialpolitik nachgeordnet begreift.

Die c.en F. setzen sich auf allen Ebenen in Politik, Staat, Kirche und Gesellschaft für mehr Familienverträglichkeit, eine familiengerechtere Sozialordnung und eine bessere Vereinbarkeit von Familie und Beruf ein. Sie leisten einen Beitrag insb. zur Förderung des Schutzes von Ehe und Familie, von Erziehung und Bildung, der Gleichberechtigung von Frauen und Männern sowie des Zusammenhalts der Generationen. Dabei orientieren sie sich am biblischen Gerechtigkeitsverständnis (↑Gerechtigkeit) und den Grundsätzen evangelischer Sozialethik bzw. ↑katholischer Soziallehre. Als familienpolitische Fachverbände und Lobby für Familien stehen die c.en F. im ständigen Austausch mit Fachleuten aus kirchlichen und außerkirchlichen Organisationen, wissenschaftlichen Institutionen, mit Vertretern der Bundes- und Länderministerien, mit Parteien und Fraktionen sowie den Ausschüssen des Deutschen Bundestages. Die c.en F. begleiten Gesetzgebungsverfahren, veröffentlichen Stellungnahmen und Fachinformationen, reagieren mit Pressemitteilungen auf das tagesaktuelle Geschehen und führen zu ausgewählten Themen eigene Kampagnen durch.

4. Aktuelle Herausforderungen

Die Zukunft der c.en F. ist eng verknüpft mit der Entwicklung neuer Familienformen und dem Bedeutungswandel der Verbände. Auch wenn die auf Ehe gegründete Familie weiterhin die verbreitetste Familienform ist, so haben sich in den letzten Jahren die Lebensformen, in deren Zusammenhang Kinder geboren und erzogen werden, faktisch und rechtlich deutlich erweitert. Das gesellschaftliche Verständnis von Familie hat sich damit merklich gewandelt.

F., die weiterhin glaubhaft ein Vertretungsmandat aller Familien für sich beanspruchen wollen, müssen diese Entwicklung in ihre Arbeit einbeziehen und mehr als bisher Familien als Wert an sich begreifen, schützen und fördern. Die c.en F., sind dabei bes. gefordert: Sie müssen sich für eine Familienpolitik einsetzen, die die Vielfalt der neuen Familienform berücksichtigt, gleichzeitig aber auch die explizit christliche Sicht auf die Familie vermittelt.

In der heutigen „lobbyistisch organisierten Gesellschaft mit einem weit gestreuten Interessenpluralismus" (Mayer 2000: 501) ist die Zahl der familienpolitisch aktiven Interessengruppen, die i. d. R. Spezialinteressen und Sonderaspekte vertreten, stark gestiegen. Dies zeigt sich auch an der Bandbreite der Mitgliedsorganisationen des im Jahr 2000 gegründeten *Bundesforum Familie*. Alle F. weisen eine grundlegende verhandlungstheoretische Schwäche auf: „Das für den Erfolg in Verhandlungssystemen so bedeutsame Element des Drohpotentials und des Beziehens von Vetopositionen ist für F. durch die Spezifität der Interessen erschwert." (Gerlach 2010: 435) Lediglich durch Initiierung bzw. Unterstützung von richtungsweisenden Klagen vor dem BVerfG haben die F. ein bundesweit durchgreifendes Korrektiv.

Wollen die F. langfristig als wirksame Interessenvertretung für Familien bestehen bleiben, müssen sie nicht nur ihr Mandat durch eine hinreichend große Mitgliederzahl untermauern, sondern auch weiterhin ihre Zugangswege in die Politik mit einer ausgeprägten Fachlichkeit sichern.

Für die c. en F. liegt eine bes. Chance darin, dass sie nicht nur „Kirchlicher Arm in die Gesellschaft", sondern auch „Politischer Arm in die Kirche" sind. Die c. en F. können dazu beitragen, dass sich die Kirchen stärker als bisher als maßgebliche Akteure der Familienpolitik begreifen. Die deutschen Kirchen unterhalten mit ihren Kindertageseinrichtungen und Schulen, den unterschiedlichen karitativen Diensten, konfessionellen Krankenhäusern sowie Sozial- und Beratungseinrichtungen für alle Lebens- und Krisensituationen ein breites Netz familienunterstützender Infrastruktur. Mit Unterstützung der c. en F. können die Kirchen sowohl als Arbeitgeber als auch als Anbieter dieser Dienstleistungen innovative Impulse für eine zukunftsgerichte Familienpolitik geben.

Literatur

S. Becker: Familien in den Mittelpunkt! – Wider die Ökonomisierung der Familienpolitik, in: Familien-Prisma 9/Juli (2017), 9–17 • H. Wissing: Aus der Zeit gefallen? Katholische Verbände unter Veränderungs- und Beschleunigungsdruck, in: T. Kläden/M. Schüßler (Hg.): Zu schnell für Gott? Theologische Kontroversen zu Beschleunigung und Resonanz, 2017, 261–279 • S. Keil: 60 Jahre AGF – ein Blick zurück und nach vorn (2014), URL: http://www.ag-familie.de/media/docs/rede_keil_60_jahre_a.pdf (abger.: 20.3.2018) • V. Urban: Die AGF wird 60! (2014), URL: http://www.ag-familie.de/news/1395748685_jubilaeum_teil1.html (abger.: 20.3.2018) • Familienbund der Katholiken Bundesverband e. V. (Hg.): Stimme der Familien. Familienbund der Katholiken 1953–2013, 2013 • I. Gerlach: Familienpolitik, ²2010 • Evangelische Aktionsgemeinschaft für Familienfragen e. V. (Hg.): Familienpolitische Leitlinien, 2008 • C. Kuller: Familienpolitik im föderativen Sozialstaat. Die Formierung eines Politikfeldes in der Bundesrepublik 1949–1975, 2004 • Evangelische Aktionsgemeinschaft für Familienfragen e. V. (Hg.): Festschrift 50 Jahre Evangelische Aktionsgemeinschaft für Familienfragen e. V. 1953–2003, 2003 • Familienbund der Katholiken Bundesverband e. V. (Hg.): Stimme der Familien – Familienbund der Katholiken 1953–2003, 2003 • T. Mayer: Organisationsschwache Interessen, in: B. Jans u. a. (Hg.): Familienwissenschaftliche und familienpolitische Signale, 2000, 509–516 • P. Herder-Dorneich: Familie, Verbände und demokratischer Staat, in: Bundesministerium für Familien und Senioren (Hg.): 40 Jahre Familienpolitik in der Bundesrepublik Deutschland, 1993, 135–140.   STEFAN BECKER

Faschismus

1. Der italienische Ursprungsfaschismus

Der F. in Italien entwickelte sich aus einer während des Ersten Weltkriegs entstandenen und in der Demobilmachungskrise angewachsenen radikal nationalistischen politischen Bewegung (↑Nationalismus), die Krieg verherrlichte und v. a. in der Phase ihres Aufstiegs brutale Gewalt praktizierte, um politische Gegner, insb. Kommunisten und Anarchisten, Sozialisten und linke Gewerkschaftler, aber auch politisch aktive Katholiken zu terrorisieren oder auszuschalten. Der städtische Ursprungs-F., der am 23.3.1919 in Mailand als *fascio di combattimento*, als postinterventionistischer Kampfbund von Weltkriegsveteranen, futuristischen ↑Intellektuellen und radikalen Gewerkschaftlern ins Leben gerufen wurde und in den Wahlen vom 16.11.1919 ein marginales Ergebnis erzielte, weil er antisozialistische und antikapitalistische Töne anschlug, stieg erst zur politisch relevanten Massenbewegung auf, als er sich mit dem gegenrevolutionären oberitalienischen Agrar-F. verband. Dem früheren Sozialisten Benito Mussolini, der die Parteizeitung *Avanti* geleitet hatte, 1914 wegen seines Kriegskurses jedoch aus der Partei ausgeschlossen worden war, gelang es, über viele Krisensituationen und interne Konflikte mit den Faschistenführern in der Provinz hinweg, zum unbestrittenen Anführer *(Duce)* dieser heterogenen Bewegung zu werden, die sich erst auf dem Parteikongress Anfang Oktober 1921 den Namen *Partito Nazionale Fascista* (PNF) gab. Der Begriff *fascio* erinnerte an die altrömischen Liktorenbündel, die mit der Französischen Revolution wieder Eingang in die Herrschaftssymbolik gefunden hatten. In Italien waren sie als *fascio dei lavoratori* seit 1870 zur Selbstbezeichnung für lokal verankerte Organisationskomitees der sozialistischen ↑Arbeiterbewegung, für soziale Protestbewegungen wie agrarreformerische Bünde geworden. Für B. Mussolinis *fasci di combattimento* war das Liktorenbündel ein Herrschaftszeichen, das Macht- und Gewaltausübung wie die Sehnsucht nach Durchsetzung von Autorität symbolisierte, die sie in der liberalautoritären konstitutionellen ↑Monarchie Italiens mit ihrer schmalen politischen Spitze und schwachen Mobilisierung der ↑Massen vermissten.

In der Frühphase der Bewegung galt Gabriele D'Annunzio als Vorbild, der am 12.9.1919 mit einer „Legion" von demobilisierten Soldaten einen „Marsch auf Fiume" erfolgreich vollendete und damit für B. Mussolini eine Möglichkeit aufzeigte, durch eine entschlossene Kommandoaktion die Weltkriegsveteranen gegen die liberale Politik zu mobilisieren und mit den Frontsoldaten eine wichtige gesellschaftliche Gruppe sowohl der Sozialistischen Partei, wie dem Frontkämpferverband mit dem Zukunftsversprechen zu entziehen, die Nation wieder groß zu machen und auf solche Weise das nicht ausreichend kompensierte *(Vittoria mutilata)* hunderttausendfache Opfer im Ersten Weltkrieg nachträglich zu rechtfertigen. Doch im November 1919 strafte das Wahlvolk die Interventionisten erst einmal ab. Die Sozialisten und die katholische Volkspartei *(Partito popolare)* waren die stärksten Parteien und schienen nun die Macht der liberal-konservativen Oberschicht, die 50 Jahre lang das Königreich Italien dominiert hatte, in Frage zu stellen. Die sozialistische Partei dominierte v. a. in den agrarischen Regionen der Po-Ebene. Gegen sie entstand die rasch anwachsende Agrar-F., gefördert von Grundbesitzern und Industriellen, die sich angesichts von Streiks, Fabrik- und Landbesetzungen sowie durch die Forderungen der sozialistischen und katholischen Gewerkschaften in den „beiden roten Jahren" 1919/20 gefährdet fühlten. 1920/21 stieg die Mitgliederzahl der faschistischen Bewegung von 20 000 auf 250 000 an. Mit dem Agrar-F. kam eine höchst gewalttätige, paramilitärische Komponente in die Bewegung, die *squadre d'azione,* freikorpsähnliche Stoßtrupps, bald im Schwarzhemd, in denen sich ehemalige Frontkämpfer, vom Krieg entwurzelte Existenzen, aber auch Söhne von Eigentümern zusammenfanden, die geprägt waren von der Obsession des kommunistischen Feinds und Verräters im eigenen Land und die gegen die politisch organisierte und militante Linke terroristische ↑Gewalt entfalteten. Der Polizei- und Justizapparat war gegenüber diesen Schlägerbanden viel nachsichtiger als bei Gesetzesübertretungen durch die Sozialisten, die ihrerseits nicht in der Lage waren, mit der Volkspartei ein antifaschistisches Bündnis zu schließen.

Um seinen Führungsanspruch nach innen durchzusetzen und sich den Zentren der Macht zu nähern, steuerte B. Mussolini einen politischen Kurs mit vielen taktischen Wandlungen. Für die Wahlen vom Mai 1921 ließ er faschistische Kandidaten in den bürgerlichen Wahlblock aufnehmen. Während sich Ministerpräsident Giovanni Giolitti von dieser Absprache eine Schwächung der Sozialisten und eine parlamentarische Einbindung der Faschisten erhoffte – allerdings vergeblich, da der knapp siegreiche Nationalblock zum Regieren zu heterogen war – provozierte B. Mussolini die Radikalen in der eigenen Bewegung mit einem „Befriedungspakt", den er mit der bisher bekämpften Sozialistischen Partei schloss. Derweil erkämpften sich die faschistischen Gewerkschaften eine Massenbasis (bis zum Juni 1922 war eine Zahl von 458 000 Mitgliedern erreicht, 60 % davon Landarbeiter und Kleinbauern), indem sie in den agrarischen Gebieten – analog zur Strategie der Sozialisten – die Arbeitgeber unter Druck setzten. Der landesweite Generalstreik der sozialistischen Gewerkschaften vom 1.8.1922, der sich gegen ein

Abgleiten des Staates in den F. richtete, erhöhte die Wahrnehmung der Gefahr, die von der Linken auszugehen schien. Dies brachte den durch die revolutionären Entwicklungen in Europa ohnehin schon um seinen Thron besorgten König Viktor Emanuel III. dazu, B. Mussolini als Krisenlöser zu akzeptieren. Der Führer der „rechtsrevolutionären Bewegung des Faschismus" (Schieder 2014: 7) kam mit einer Doppelstrategie an die Macht: Bekenntnisse zur positiven Rolle der Monarchie (Rede in Udine vom 20.9.1922), aber auch zur Gewaltausübung und zur Zerstörung der „sozialistisch-demokratischen Großstruktur" des Staates, gingen der Drohung mit dem Staatsstreich („Marsch auf Rom" von einigen Tausend Schwarzhemden am 28.10.1922) voraus. Da die Monarchie von einem Militäreinsatz gegen die Faschisten absah, ging B. Mussolinis erpresserisches Kalkül auf und er wurde vom König mit der Bildung der Regierung beauftragt. Der Faschistenführer stellte damit erneut unter Beweis, dass er – abgesehen von seiner scharfen Frontstellung gegen die sozialistische und kommunistische Linke – ideologisch flexibel war und – Wladimir Iljitsch Lenins Beispiel vor Augen – v. a. auf die Aktion setzte.

2. Regime-Faschismus

Nachdem B. Mussolini am 30.10.1922 Ministerpräsident sowie Innen- und Außenminister einer Koalitionsregierung geworden war, in der die Faschisten in der Minderheit waren, erfolgte in weniger als drei Jahren durch sukzessive Aushöhlung der konstitutionell-monarchischen Verfassung die Errichtung der ↑Diktatur, die über zwei Jahrzehnte hinweg den Staat im faschistischen Sinne transformierte, jegliche Opposition erstickte, an die Anhänger Begünstigungen verteilte und die emotional angesprochenen Volksmassen mit einem widersprüchlichen Programm der ↑Modernisierung totalitär zu mobilisieren versuchte, wobei die Ideologie eher eine „nachgelagerte" Bedeutung hatte (Schieder 2010: 58), zu deren Programm vor allem die Überhöhung des antiken Rom und die Schaffung eines „neuen faschistischen Menschen" gehörte.

Als der sozialistische Parlamentsabgeordnete Giacomo Matteotti, der die Aushöhlung der liberalen ↑Demokratie scharf angeprangert hatte, im Juni 1924 ermordet wurde, erreichte der squadristische ↑Terror erstmals die Ebene der politischen ↑Elite. Da der König und die das Militär vertretenden Minister den Ministerpräsidenten ausdrücklich stützten, konnte sich B. Mussolini stark genug fühlen, im Parlament die politische Verantwortung für den Mord zu übernehmen, offen seine antiliberalen und antiparlamentarischen Zielsetzungen zu proklamieren und den Weg in die Diktatur zu beschleunigen. In rascher Folge wurden jetzt zentrale Bestandteile der liberalen Monarchie beseitigt. Dissidente Staatsbedienstete konnten seit 1925 entlassen und durch Parteimitglieder ersetzt werden. Der Regierungschef brauchte keine parlamentarische Bestätigung mehr (24.12.1925); das Streikrecht wurde abgeschafft (3.4.1926), Anti-F. zum Straftatbestand erklärt. Alle gegen das Regime eingestellten Parteien und Verbände wurden mit dem 11.11.1926 aufgelöst: übrig blieb im Parlament nur noch die Einheitspartei des PNF. 1928 wurde der faschistische Großrat zum Verfassungsorgan erhoben, dem eine Mitsprache bei konstitutionell relevanten Themen zukommen sollte, einschließlich der künftigen Thronfolge, was den König unter Anpassungsdruck setzte. 1939, drei Jahre nach der Proklamation des „Kaiserreichs", erfolgte auch die symbolische Abkehr vom Parlamentarismus mit der Umwandlung des Parlaments in eine „Kammer der Liktorenbündel und der Korporationen", deren Mitglieder von B. Mussolini und dem faschistischen Großrat bestimmt werden konnten.

Das Verhältnis zwischen Partei und Staatsapparat war von B. Mussolini bereits 1923 zugunsten des letzteren entschieden worden. Im April 1926 wurde die Rolle der Präfekten als Statthalter der Regierung in den Provinzen weiter verstärkt: Sie waren verantwortlich für Ruhe und Ordnung, sie unterstanden dem Innenminister, ein Amt, das B. Mussolini wieder übernahm. Ab September 1926 wurden auch die Bürgermeister von der Regierung nominiert. Die „hyperfaschistischen Gesetze" vom November 1926 erleichterten es der neugeschaffenen Politischen Polizei, ihren totalitären Anspruch (↑Totalitarismus) umzusetzen. Sie konnte über die Instrumentarien der Bespitzelung durch die Geheimpolizei OVRA *(Opera Vigilanza Repressione Antifascista)*, der scharfen Verwarnung oder der plötzlichen außergerichtlichen Deportation zu Zwangsaufenthalten an Verbannungsorten eine ebenso einschneidende wie kapillare Kontrolle der Gesellschaft ausüben. Bei Fällen, in denen eine öffentlichkeitswirksame und spektakuläre Bestrafung angebracht erschien, kamen der Polizei der Sondergerichtshof, die Militärgerichtsbarkeit wie die ordentlichen Strafgerichte zu Hilfe. Die ↑Todesstrafe wurde wieder eingeführt. Der staatliche Repressionsapparat war hocheffizient, auch wenn im Vergleich zu NS-Deutschland eine geringere Zahl von Personen in seine Mühlen geriet. Dem politischen Anti-F. blieb nur der Weg ins Exil, wo er immer noch Gefahr lief, Opfer eines geheimpolizeilichen Zugriffs zu werden.

Essentiell für die Sicherung der innenpolitischen Stabilität des Regimes erwies sich die Einbindung der traditionellen Eliten, v.a. der sich am Königshaus orientierenden Aristokratie, des Militärs, der Großindustrie und der katholischen Kirche. Mit der Unterzeichnung der Lateranverträge am 11.2.1929, die mit der Schöpfung des Vatikanstaates (↑Vatikanstadt) die Lösung der seit 1870 offenen „Römischen Frage" und die „Aussöhnung" zwischen Staat und Kirche brachte, wurde der ↑Katholizismus zur Staatsreligion erhoben. Dies erhöhte die Akzeptanz des Regimes, das sich selbst als totalitär bezeichnete, bei einem Teil der Bevölkerung, die bei der

plebiszitären „Parlamentswahl" am 24.3.1929, wie auch 1936 nach der Eroberung Äthiopiens, zu fast 90% der faschistischen Einheitsliste ihre Ja-Stimme gab. Allerdings waren zuvor 25% der Bevölkerung vom Wahlrecht ausgeschlossen worden.

Im Laufe der dreißiger Jahre wurde der F. immer mehr zu einer Diktatur, die von der Person B. Mussolinis abhing. Die Einheitspartei wuchs zu einem Apparat, der Wohlfahrtsleistungen erbringen und Propagandaaufgaben (↑Propaganda) erfüllen sollte, um den „Konsens" bei der Bevölkerung zu erhöhen. Unter der Führung des Squadristen Achille Starace wurde die Partei ein Instrument zur Inszenierung von Massenveranstaltungen. Politische Entscheidungen verlagerten sich zunehmend in das System der Audienzen B. Mussolinis, während der Propagandaapparat flankierend dazu den *Duce* zum Übermenschen stilisierte und mittels Radio, Bildmedien und Presse in der Öffentlichkeit virtuell allgegenwärtig machte. B. Mussolini kann als ein charismatisch (↑Charisma) wirkender Vermittlungsdiktator angesehen werden, dem es über zwei Jahrzehnte gelang, ein komplexes Interessenbündnis zwischen Partei, Monarchie, Kirche und Wirtschaft zusammenzuhalten. Während B. Mussolini sowohl von faschistischer wie von katholischer Seite als der Sendbote der Vorsehung hingestellt wurde, entfalteten die Partei und ihre Untergliederungen paraliturgische Riten für ihre nationale Erlösungsmetaphorik, die auf der Idee einer identitären Volksgemeinschaft und auf einer extremen Überhöhung der ↑Nation beruhten. Für den kolonialen Eroberungskrieg in Äthiopien und v.a. bei der Intervention im Spanischen Bürgerkrieg erhielt B. Mussolini auch die Zustimmung der katholischen italienischen Kirchenobrigkeit.

Unter den Ministern Alberto De Stefani und Giuseppe Volpi wurde eine Wirtschaftspolitik betrieben, die der Großindustrie zugutekam. Während B. Mussolinis mit lauter Rhetorik seinen „Getreidekampf" um die Nahrungsautarkie und einen allzu ambitionierten Wechselkurs zum Pfund *(Quota Novanta)* proklamierte, geriet die kleine und mittlere Industrie, v.a. die exportabhängige, in die Krise, was zu Lohnkürzungen, zu erhöhter Arbeitslosigkeit und zur Binnenmigration in die industriellen Ballungszentren führte. Der ↑Weltwirtschaftskrise wurde mit einer massiven Ausweitung öffentlicher Aufträge begegnet, während die Löhne, v.a. in der Landwirtschaft und in Süditalien, massiv sanken. Das zwischen 1929 und 1934 gesetzlich geschaffene Sozialversicherungssystem (mit Leistungen bei Berufsunfähigkeit, Arbeitsunfall, Invalidität und Familienzuschlägen) kompensierte die Lohnabhängigen nur teilweise. Die vom Regime genährte Illusion einer Beseitigung der Gegensätze zwischen Arbeitgebern und Arbeiterschaft über das Korporativsystem (Gesetz vom 5.2.1934), das im Ausland mit großem Interesse verfolgt wurde, begünstigte die Industriellen, da die Staats- und Parteibürokratie die ihr zugedachte Steuerfunktion nicht erfüllte. So war die neugeschaffene Arbeitsgerichtsbarkeit nicht für Konflikte zuständig wenn ein Tarifvertrag bestand.

Trotz der Aushöhlung der Verfassung blieb Italien eine Monarchie, der König – der mit B. Mussolinis imperialistischem Ausgreifen nach Afrika (↑Imperialismus) 1936 auch Kaiser von Äthiopien wurde – unterzeichnete alle Gesetze, und der *Duce* erstattete ihm während seiner gesamten Amtszeit regelmäßig Rapport. Die Realisierung der faschistischen Diktatur basierte auf einem stufenweisen Prozess, der keineswegs irreversibel war, denn B. Mussolini wurde am 25.7.1943, als die italienische Niederlage im Zweiten Weltkrieg unabweisbar wurde, durch den König gestürzt – nachdem der faschistische Großrat, der seit 1939 nicht mehr zusammengetreten war, den Diktator kurz zuvor zur Abgabe des militärischen Oberbefehls aufgefordert und damit das Misstrauen ausgesprochen hatte.

3. Krieg, Sturz und „Nazi-Faschismus"

Der Machtverlust des F. stellte sich nach dem Erreichen des Zenits seit 1938 schleichend ein. Dies waren genau die Jahre, in der das faschistische Regime der wichtigste Bündnispartner des nationalsozialistischen Deutschland war. Seit der Unterzeichnung des Abkommens über die gegenseitige Zusammenarbeit („Achsenpakt") im Oktober 1936, dem italienischen Austritt aus dem ↑Völkerbund wie dem Abschluss des Antikominternpakts 1937 wurde die Annäherung immer intensiver. Den italienischen Rassegesetzen und dem Kulturabkommen vom November 1938 folgte im Mai 1939, nach der italienischen Eingliederung Albaniens, der „Stahlpakt", ein aggressives Militärbündnis, dann 1940 der Dreimächtepakt unter Einschluss Japans. B. Mussolini war von der raschen territorialen Erweiterung NS-Deutschlands so gebannt, und aufgrund der langjährigen Mobilisierung der Gesellschaft für den Krieg auch unter Zugzwang, dass er nach dem Kriegseintritt vom 10.6.1940 die königlich-italienischen Truppen in den Süden Frankreichs einfallen ließ. Der Zweite Weltkrieg war in weiten Teilen Europas zwischen 1940 und 1943 ein Krieg der „Achse": in Frankreich, in Griechenland, auf dem Balkan, in Nordafrika und in der Sowjetunion. Als der Krieg am 10.7.1943 das italienische Staatsgebiet erreichte, distanzierte sich die alte Oberschicht und der konservative Flügel des F. vom Regime und seinem *Duce*. Nicht der Unmut der Heimatfront, die ab 1940 zwar Risse gezeigt und sich seit den Bombardierungen italienischer Städte durch die Alliierten in den Jahren 1942/ 43 immer mehr vom F. abgewandt hatte, führte zum Sturz B. Mussolinis, sondern erst die Palastrevolte von Großrat und Monarchie am 24./25.7.1943. Der gigantische Apparat von Miliz und faschistischer Partei wurde ohne Gewaltanwendung ausgeschaltet. Als Italien am 8.9.1943 durch die Wehrmacht besetzt und B. Mussolini aus seiner Haft befreit wurde, wurde Italien zum „besetzten Verbündeten": Es kam zur Errichtung eines faschistischen Rumpfstaates, einer Republik von deutschen Gnaden in Ober- und Mittelitalien, mit Regierungssitz am Gardasee *(Repubblica Sociale Italiana)*, die in den 20 Monaten ihrer Existenz eine noch brutalere Gewalt gegen ihre Feinde im Inneren entfesselte als der Squadrismus der Frühzeit. Parallel zu den Kämpfen an der Front, die sich aufgrund der prioritären alliierten Landung in der Normandie nur langsam nach Mittel- und Norditalien verschob, kam es zu einem Bürgerkrieg zwischen radikalen „Nazi-Faschisten" und der Widerstandsbewegung, die 1944 zur Massenbewegung heranwuchs und deren politische Führung mit der königlichen Regierung in Süditalien Kontakt hielt. Sie beruhte auf einem Bündnis aller antifaschistischen Parteien, die die italienische Politik nach Kriegsende bestimmen sollten. Zusammen mit einigen seiner Getreuen wurde B. Mussolini von Partisanen am Comer See am 28.4. 1945 auf Geheiß des Nationalen Befreiungsausschusses erschossen. Die Ausstellung seines Leichnams auf der Mailänder Piazzale Loreto sollte die über zwanzigjährige Präsenz des Duce-Mythos, mit der Allgegenwart seines hochgradig stilisierten Konterfeis und seiner via Radio und Wochenschau verbreiteten Stimme, auf einen Schlag ungeschehen machen – doch vergeblich. Die Auseinandersetzung um die Bewertung des faschistischen Regimes und der Person des Diktators reichen bis heute und spalten die italienische Gesellschaft immer noch.

4. Faschismus in Europa

Der italienischen Diktatur kam bis Mitte der 1930er Jahre eine bes. Bedeutung als politisches Modell für andere Staaten zu, umso mehr, als es auf der internationalen Bühne versuchte, die Staaten Europas im faschistischen Sinne zu beeinflussen. Der italienische F. war der Ursprungs-F., der in einer Reihe von anderen Staaten rasch rezipiert wurde und dort zur Bildung von faschistischen oder faschismusähnlichen Bewegungen führte, die sich nach 1929 weiter ausbreiteten und auch in Konkurrenz zueinander standen. Als Adolf Hitler 1923 das italienische Modell nachahmen wollte, scheiterte der Putsch kläglich. Doch zehn Jahre später erschien die „europäische Demokratie im vollen Rückzug gegenüber dem Vormarsch des Faschismus" (Woller 1999: 148).

In der internationalen F.-Forschung zeichnet sich ein Konsens über das – im Sinne von Wolfgang Schieder – regimefaschistische Minimum ab; d. h. zum Forschungsgegenstand sind zumindest jene faschistischen Bewegungen zu rechnen, denen ohne auswärtige Intervention eine Machtergreifung gelang und die sich über eine entfesselte Massengewalt erst nach innen und dann nach außen als faschistische Diktaturregime etablierten, nämlich das faschistische Italien seit 1922 und – in deutlichem Abstand, aber dafür mit umso größerer Geschwindigkeit und Hemmungslosigkeit in der Radikalisierung – das nationalsozialistische Deutschland ab 1933. Demgegenüber blieben die faschistischen Bewe-

gungen in Nord- und Westeuropa Splitterparteien, mit
geringer Bedeutung bei Wahlen. Die Umsturzversuche,
die in Österreich, Ungarn oder Rumänien gegen die bestehenden autoritären Regime erfolgten, waren in den
1930er Jahren ohne Hilfe von außen wenig erfolgreich.
Erst während des Zweiten Weltkriegs und unter dem
Druck der „Achse Berlin-Rom" kamen faschistische Akteure an die Macht, wie Vidkun Quisling 1940 in Norwegen (dessen *Nasjonal Samling* in den Wahlen 1933
und 1936 nur ca. 2% erhalten hatte), wie die von Ante
Pavelić geführte Ustascha-Bewegung 1941 in Kroatien.
In Rumänien griff A. Hitler 1941 nicht zugunsten Horia
Simas ein, sondern stützte die Militärdiktatur des Generals Ion Antonescu. Schon 1938 war die „Legion Erz-
engel Michael" des rumänischen Faschistenführers
Corneliu Zelea Codreanu, die 1937 mit 16% der Wäh-
lerstimmen zur drittstärksten Partei aufgestiegen war,
von der Königsdiktatur gewaltsam unterdrückt worden,
so wie auch die Falange in Spanien 1937 unter Francisco
Francos Militärregime gezwungen wurde. In Südosteuropa gelang es den faschistischen Parteien nicht, die
alten Eliten zu entmachten oder zu einem Bündnis zu
zwingen. Auch in Ungarn kamen die Pfeilkreuzler erst
1944 unter deutscher Besetzung an die Macht. Nur in
Italien und Deutschland entwickelten sich faschistische
Bewegungen mit einer hinreichend großen Massenbasis, um die alten Führungsschichten, die sich politisch
durch starke Linksparteien bedroht sahen, so erfolgreich
unter Druck zu setzen, dass sie die Machtergreifung des
F. billigten.

V.a. die Ausstrahlung des italienischen F. auf Europa
hat dazu geführt, dass der Terminus F. frühzeitig im Sinne eines verallgemeinerbaren Begriffs diskutiert wurde.
Auch sein Führer polarisierte schon die Zeitgenossen:
die einen sahen B. Mussolini als Totengräber der Demokratie, die anderen als Heilsbringer oder neuen Cäsar
des 20. Jh. So kam es frühzeitig zu stark divergierenden,
oft von Lebensentscheidungen geprägten Interpretationen des F. Gerade die antifaschistische Opposition,
die den Weg ins Exil gehen mußte, um überleben zu
können, hob die Neuartigkeit des Phänomens hervor,
um die Weltöffentlichkeit gegen die Diktatur und ihren
Staatsterror zu mobilisieren. Die Form der faschistischen Sozialität, so Carlo Rosselli 1934/35, sei tyran-
nisch und unterwerfend, frenetisch und unpersönlich,
ihre Massenmobilisierung unmenschlich. Mit der
Machtergreifung des ↑Nationalsozialismus erhielt die
Auseinandersetzung um das Wesen des F. einen noch
konfliktreicheren und existentielleren Charakter. Die
Katastrophe des von den faschistischen Regimen entfesselten Zweiten Weltkriegs und die Verbrechensdimensi-
on des deutschen Radikal-F. haben seit 1945 eine intensive historische F.-Forschung ausgelöst. Seitdem
reißt die Suche nach einer Definition des F. nicht ab,
seitdem bewegen sich die Deutungen des F. zwischen
historisch-erklärenden und politikwissenschaftlich-de-
finitorischen Ansätzen, doch kaum ein anderer Begriff

blieb über Jahrzehnte hinweg politisch so aufgeladen,
auch weil nach 1945 die Gegnerschaft zum F. als Instrument im Kampf um politische ↑Legitimation eingesetzt
wurde.

Die Erforschung des F. hat verschiedene Phasen
durchlaufen. Zunächst stand die Suche nach einem faschistischen Wesenskern im Vordergrund. Da im Zwi-
schenkriegseuropa in jedem Land Gruppierungen entstanden waren, die nach ihrem Gedankengut, nach
Selbstverständnis, Stil und politischer Praxis einem gemeinsamen Ursprung zugerechnet werden konnten,
wurde der Annäherungs- bzw. Verwandtschaftsgrad
zum Idealtyp mit Termini wie Halb-F., Proto-F., Philo-
F., aber auch Pseudo-F., umschrieben, im Unterschied zu
dem „in verschiedenen Stufen voll ausgebildeten Faschismus" (Nolte 1982: 190). Dabei erwies sich nicht
nur die Abgrenzung zur autoritären Rechten als schwierig, sondern mehr noch die Notwendigkeit, den F. in
seiner Formenvielfalt, in seiner zeitversetzten historischen Entwicklung und in seinem jeweiligen nationalen
Kontext adäquat wahrzunehmen. Seit den 1970er Jahren hat die vergleichende F.-Forschung versucht, eine
additive Reihung von Nationalfällen zu überwinden,
und über die Herausarbeitung von strukturellen Übereinstimmungen, von Konvergenzen und Parallelen,
aber auch von signifikanten Unterschieden, den F.-Be-
griff zu präzisieren, ohne die Vergleichbarkeit als solche
in Frage zu stellen. In Italien war die Neigung zum F.-
Vergleich nach 1945 wenig ausgeprägt. Die These des
liberalen Philosophen Benedetto Croce, beim F. habe es
sich um einen Betriebsunfall in der Erfolgsgeschichte
des italienischen Nationalstaats gehandelt, hat viele Anhänger gefunden. Renzo De Felice hat den italienischen
F. im Laufe seiner Forscherkarriere immer stärker als
nationalen Sonderfall verstanden, der insb. mit dem
Nationalsozialismus keine Übereinstimmungen gehabt
habe.

Die moderne F.-Forschung hat die theoretischen Zugriffe ausdifferenziert: neben dem idealtypisch-systema-
tischen Ansatz einer Suche nach dem faschistischen All-
gemeinbegriff, nach einer „Anatomie" des F., nach einem
faschistischen „Minimum", einer faschistischen „Matrix"
oder einer „Familie" von faschistischen Staaten, steht
nach wie vor der genetische Ansatz, der Entstehungsbedingungen faschistischer Bewegungen und mögliche
parallele Entwicklungen auch vergleichend aufzuzeigen
versucht. Hinzugekommen sind der aktionen- und ak-
teurszentrierte praxeologische Ansatz, der es erlaubt,
eine Analyse der Trägerschichten faschistischer Bewegungen mit deren Gewaltpraxis und Erwartungshaltun-
gen zu kombinieren, sowie der beziehungsgeschicht-
liche, transferkulturelle und transnationale Ansatz, der
nach gegenseitigen Lern- und Austauschprozessen zwischen faschistischen Funktionsträgern, Bewegungen
oder gar Regimen fragt. Die Art der strukturellen Übereinstimmungen der jeweiligen Faschismen wird je nach
Forschungsansatz unterschiedlich bewertet: Die „palin-

genetische" Interpretation von Roger Griffin verortet sie in einem mythischen Kern ihrer Ideologie. Bei Michael Mann liegt der Akzent auf der paramilitärischen Organisation, der Gewalt und dem Streben nach einem den inneren Feind ausschaltenden, die Massen über Klassengrenzen amalgamierenden und sich radikalisierenden Ordnungsstaat. Neue Anregungen entwickelten sich aus der Rezeption von George Mosse. Eine verstärkte Aufmerksamkeit gilt seitdem dem Selbstverständnis, der Selbstdarstellung, der Inszenierung, den Ausdrucksformen und den Glaubensüberzeugungen der faschistischen Akteure. Eine solche kulturgeschichtliche Erweiterung hat ältere Sichtweisen auf den F., v. a. solche, die auf das reaktionäre und irrationale Moment abzielten, in Frage gestellt: Faschistische Bewegungen „repräsentieren alternative […] Visionen der Moderne im Zeitalter der Weltkriege" (Baumeister 2008: 31). Die neuere Forschung konvergiert dahingehend, die Genese des F. als Reaktion auf eine spezifische Krisensituation im Europa der Zwischenkriegszeit zu deuten: als ein genuin neues politisches Modell, dessen ambivalent schillernde Modernität immer deutlicher wird, wobei dessen Gewaltverherrlichung und eliminatorischer Wille in der radikalsten Form seiner Realisierung, im nationalsozialistischen Deutschland, zu Vernichtungskrieg und ↑Völkermord führte.

5. Nach 1945

Ist es schon umstritten, den F. vor 1945 über Italien hinaus als Gattungsbegriff zu interpretieren, weil damit weder der spezifische Charakter des italienischen F. noch die totalitäre Dynamik des deutschen Nationalsozialismus ausreichend zur Geltung kommen (Ernst Noltes Unterscheidung zwischen „Normal-F." und „Radikal-F." versucht diesem Einwand Rechnung zu tragen), so ist der geradezu inflationäre Gebrauch des F. für Diktaturen im Allgemeinen oder für Rechtsdiktaturen im Besonderen nach 1945 erst recht wenig aussagekräftig. Es gibt rechte und linke Diktaturen, auch solche fundamentalistischer Observanz, entweder totalitärer oder autoritärer Natur. Die Aussage, der italienische F. sei totalitär gewesen, beantwortet die Forschung höchst unterschiedlich.

Marxistische Theorien (↑Marxismus), die den F. als eine Herrschaftsform der Bourgeoisie zur Aufrechterhaltung des kapitalistischen Systems ansahen oder als eine Kraft, bei welcher der ↑Kapitalismus zwar durch eine Diktatur politischen Einfluss verlor, aber nicht den ökonomischen (Bonapartismusversion), hatten zumal in den 1970er Jahren gewissen Einfluss. Für manche stellte der F. ebenso eine Variante „bürgerlicher Herrschaft" dar wie der ↑Liberalismus. Doch mittlerweile spielt diese Position, die dem „Großkapital" eine alles beherrschende Macht unterstellt, in Wissenschaft, Politik und Publizistik keine Rolle mehr. Der zentrale Gegensatz von Demokratie und Diktatur überlagert die Frage, ob ein System als faschistisch gilt oder nicht.

Nach 1945 knüpfte die italienische Partei *Movimento Sociale Italiano* an den F. B. Mussolinis an (meist mit einem Stimmenanteil von mehr als 5 %), allerdings in einer weichen Variante. Diese Partei, lange geführt von Giorgio Almirante, stand außerhalb des Verfassungsbogens, bis sie sich 1995 auflöste. Die Nachfolgepartei *Alleanza Nazionale* wandte sich strikt von neofaschistischen Ideen ab. Allerdings existieren in Italien kleine Gruppierungen, die ihnen huldigen. Zuweilen wurden die Franco-Diktatur in Spanien und die Salazar-Diktatur in Portugal als Varianten angesehen, ebenso südamerikanische Staaten (etwa Argentinien unter Juan Peron). Jedoch verliert der Begriff des F. dadurch an Klarheit. Die Berufung auf ihn, wie bei Alessandra Mussolini, der Enkelin des *Duce*, ist in der ↑politischen Kultur Italiens trotz Personenkults einiger Kräfte von marginaler Relevanz.

Es gibt aber unterschiedliche Strömungen des Rechtsextremismus (↑Extremismus), die teils nationalistisch, teils rassistisch auftreten. Sie verfechten allesamt Ungleichheitsideologien. Heute ist F., wird er überhaupt benutzt, weithin zum Kampfbegriff mutiert. Obwohl seine Gegner ihn weniger verwenden, wirkt sich der Befund nicht auf den Gegenbegriff des Anti-F. aus. Dieser hat im öffentlichen Gebrauch paradoxerweise zugenommen. Dabei geht es weniger um die Ablehnung des F. als um die Bekämpfung aller Formen des Rechtsextremismus. Neben einem demokratischen Anti-F. dominiert ein antidemokratischer, der auch liberale und konservative Strömungen attackiert, z. T., als „Antifa", in aggressiver Form. War der Anti-F. Staatsdoktrin der ↑DDR (die Mauer galt als „antifaschistischer Schutzwall"), so wird heute mit der Verwendung dieses Begriffs suggeriert, die Gefahr für den demokratischen Verfassungsstaat gehe nur vom F. aus, also vom Rechtsextremismus. Verbreitet ist der Satz: F. ist keine Meinung, sondern ein Verbrechen. In diesem Sinne ist Anti-F. ebenso ein Kampfbegriff wie mittlerweile F.

Literatur
W. Schieder: Adolf Hitler. Politischer Zauberlehrling Mussolinis, 2017 • G. Albanese: Mussolinis Marsch auf Rom. Die Kapitulation des liberalen Staates vor dem Faschismus, 2015 • B. Blank: „Deutschland, einig Antifa"? „Antifaschismus" als Agitationsfeld von Linksextremisten, 2014 • W. Schieder: Benito Mussolini, 2014 • P. Corner: The Fascist Party And Popular Opinion in Mussolini's Italy, 2012 • M. Ebner: Ordinary violence in Mussolini's Italy, 2011 • L. Klinkhammer/A. Osti Guerrazzi/T. Schlemmer (Hg.): Die Achse im Krieg, 2010 • W. Schieder: Der italienische Faschismus 1919–1945, 2010 • R. J. B. Bosworth (Hg.): The Oxford handbook of Fascism, 2009 • M. Baumeister: Auf dem Weg in die Diktatur, in: D. Süß/W. Süß (Hg.): Das „Dritte Reich", 2008, 13–34 • P. Dogliani: Il fascismo degli italiani, 2008 • W. Schieder: Faschistische Diktaturen, 2008 • R. Griffin: Modernism and fascism, 2007 • G. C. Berger Waldenegg/F. Loetz (Hg.): Führer der extremen Rechten, 2006 • M. Mann: Fascists, 2004 • R. Paxton: The anatomy of fascism, 2004 • V. De Grazia/S. Luzzatto (Hg.): Dizionario del fascismo, 2002 • S. Reichardt: Faschisti-

sche Kampfbünde, 2002 • S. Payne: Geschichte des Faschismus. Aufstieg und Fall einer europäischen Bewegung, 2001 • Z. Sternhell: Die Entstehung der faschistischen Ideologie, 1999 • H. Woller: Rom, 28. Oktober 1922, 1999 • R. J. B. Bosworth: The Italian Dictatorship, 1998 • B. Mantelli: Kurze Geschichte des Faschismus, 1998 • E. Gentile: La via italiana al totalitarismo. Partito e Stato nel regime fascista, 1995 • N. Tranfaglia: La prima guerra mondiale e il fascismo, 1995 • E. Collotti: Fascismo, fascismi, 1989 • R. De Felice: Le interpretazioni del fascismo, ⁹1983 • E. Nolte: Die faschistischen Bewegungen, ⁸1982 • K.-D. Bracher: Zeitgeschichtliche Kontroversen um Faschismus, Totalitarismus, Demokratie, 1976 • W. Schieder: Faschismus als soziale Bewegung, 1976 • R. Kühnl: Formen bürgerlicher Herrschaft. Liberalismus – Faschismus, 1971 • R. De Felice: Mussolini, 7 Bde., 1965–1997 • E. Nolte: Der Faschismus in seiner Epoche, 1963.

LUTZ KLINKHAMMER (1–4)
UND ECKHARD JESSE (5)

Feminismus

1. Zur Entwicklung und Internationalisierung des Begriffs des Feminismus

Der Begriff des F. ist heute weltweit verbreitet; zugl. ist er historisch und kulturell variabel. Um diese soziokulturelle Kontextualisierung und Vielfalt des F. auszudrücken, wird im Folgenden auch von *Feminismen* (F.en) gesprochen. F. wird definiert als eine Gesellschaftstheorie und zugl. als Bewegung für gesellschaftlichen Wandel, die die Geschlechterverhältnisse sowie Ungleichheit und ↑Herrschaft grundlegend hinterfragt, dabei das Geschlecht als zentrale Kategorie für Analyse und ↑Kritik verwendet und davon ausgehend soziale ↑Freiheit und ↑Gleichheit sowie persönliche Selbstbestimmung (auch über den eigenen Körper und Sexualität) fordert.

F.en weisen abhängig von ihrem soziokulturellen Kontext unterschiedliche Bedeutungen und Verortungen auf. International vergleichbare Inhalte werden mit verschiedenen eigenen Begrifflichkeiten ausgedrückt. So wird F. oft zur internationalen Kennzeichnung für einheimische Richtungen der ↑Frauenbewegungen angewandt, die persönliche ↑Autonomie und strukturelle Veränderungen anstreben. Diese haben meist unterschiedliche Selbstbezeichnungen in der eigenen Sprache entwickelt, um ihre nationale und lokale Verortung und Verwurzelung auszudrücken. Diese diskursiven Verbindungen und Aushandlungen sind wichtig, um die vielfältigen nationalen und lokalen F.en zu verstehen.

Der Begriff F. wurde in der französischen Frauenbewegung um 1880 geprägt und nach dem ersten, sich selbst so bezeichnenden feministischen Kongress in Paris (1892) in Frankreich üblich. Daraufhin wurde er auch in England, Belgien, Deutschland, Griechenland, Italien, Spanien, Russland und außerhalb Europas in Argentinien und den USA benutzt. Historisch trat er neben den vorwiegend gebrauchten Begriff der Frauenbewegung: Darunter werden kollektive mobilisierende

Akteure verstanden, die sich für soziale Veränderungen für Frauen entspr. ihrer Werte und Ziele einsetzen. Dieser empirische, nicht normative Begriff fokussiert mobilisierende Diskurse und Praktiken v. a. von Frauen (mit möglicher, kulturell variierender Beteiligung von Männern), die für ein breites Spektrum säkularer und religiöser Ziele stehen können. Er ist weiter gefasst als der des F., der Kritik der Geschlechter- und Gesellschaftsverhältnisse und persönliche Selbstbestimmung verbindet. Zu unterscheiden ist F. auch von dem Begriff der ↑Emanzipation, der das Erreichen formaler persönlicher Autonomie kennzeichnet, ohne damit von vornherein strukturelle Veränderungen zu verbinden.

Als Leitbegriff und Selbstbezeichnung setzte sich der F. mit dem Neuaufbruch der Frauenbewegungen im Zusammenhang der internationalen Jugend- und ↑Studentenbewegungen ab Mitte der 1960er Jahre und infolge der UNO Prozesse zur Gleichstellung der Frau ab 1975 weithin durch. Das Verständnis des F. wandelt sich gegenwärtig, da sich das gesellschaftliche und wissenschaftliche Wissen über seine zentrale Kategorie, die des Geschlechts, verändert.

Seit ihrer Herausbildung werden F.en von geschlechtskonservativen wie auch von antifeministischen Kreisen kritisiert. Der Anti-F. um 1900 ging von der Überlegenheit des Mannes in der Gesellschaftsordnung aus und konnte sich auf Massenverbände stützen. Der heutige Anti-F. besteht aus kleinen Kreisen mit mächtigen Verbündeten in nationalistischen Parteien und Medien. Er mobilisiert v. a. im Internet mit der kontrafaktischen Beschwörung einer Frauenherrschaft und einer durchgehenden männlichen ↑Diskriminierung. So bezieht er sich letztlich auf männlich vereinseitigte Gleichheitsdiskurse, tritt aber teils aggressiv mit Hassparolen und Bedrohungen auf. Im Osten und im Süden greifen nationalistische und fundamentalistische autoritäre Gruppen einheimische F.en als „westlich" oder „dekadent" an und nutzen so antiwestliche Ressentiments, um deren Einsatz für Gleichheit und ↑Demokratisierung vor Ort abzuwehren und zu delegitimieren.

2. Zur historischen Entwicklung des Feminismus in der Moderne

Die grundlegenden Ideen des F. wurden in der ↑Aufklärung und der ↑Französischen Revolution formuliert: Gleiche demokratische und soziale Teilhabe (Bildung, Beruf, Politik) und persönliche Autonomie, verbunden mit ↑Liebe und ↑Solidarität. Gleiche politische Rechte für alle Menschen hatten der liberale Philosoph Marie Jean Antoine Nicolas Caritat, Marquis de Condorcet und die Schriftstellerin Olympe de Gouges gefordert, letztere in ihrer berühmten „Erklärung der Rechte der Frau und Bürgerin" (1791). Mary Wollstonecraft hatte in ihrer Schrift „Die Verteidigung der Frauenrechte" (1792) Bildung und geistige Selbständigkeit für Frauen verlangt. Diese feministische Bewusstwerdung führte die frühmodernen Debatten über ↑Frauenrechte und

Gleichheit wie der *Querelles des Femmes* ab dem 16. Jh. weiter und sie wurde in ganz Europa rezipiert und vorangetrieben. Die frühen Feministinnen kritisierten die modernen Normen der Geschlechterungleichheit wie auch den Neopatriarchalismus der bürgerlichen politischen Philosophie, nach dem Männer zu Bürgern (↑Bürger, Bürgertum) und wirtschaftlichen Akteuren bestimmt wurden, während Frauen im privaten Haushalt verortet und der ↑Autorität ihrer Männer unterstellt waren. Ehefrauen wurden in Deutschland, England, Frankreich, Japan und den USA rechtlich auf die Hausarbeit festgelegt und dem Ehemann/Haushaltsvorstand untergeordnet, der über ihr Vermögen und ihre Erwerbstätigkeit bestimmen konnte. Vom Wahlrecht und politischer Beteiligung (↑Partizipation) waren Frauen qua Geschlecht fast weltweit bis in das frühe oder mittlere 20. Jh. ausgeschlossen.

Die Frauenbewegung war von Anfang an keine einheitliche Bewegung, sondern differenzierte sich in unterschiedliche weltanschauliche Strömungen aus. An den bürgerlichen demokratischen Revolutionswellen um 1830 in Frankreich und 1848 in Mitteleuropa beteiligten sich liberale und sozialistische Frauen. Mitte des 19. Jh. bildeten sich dann liberale gleichheitsorientierte Frauenverbände wie der ADF heraus, die höhere Bildung und Arbeitsrechte für Frauen forderten. Ferner formierte sich die sozialistische Frauenbewegung um ↑Gewerkschaften und sozialistische Parteien (die ↑SPD in Deutschland). In den USA hatten Frauen u. a. aus der Antisklavereibewegung 1848 in Seneca Falls das Frauenwahlrecht gefordert und dann Wahlrechtsvereine gegründet. Diese Gruppen verlangten aus liberaler oder sozialistischer Sicht gleiche Bildung, öffentliche Teilhabe und v. a. in England, Frankreich und den USA politische Rechte. Sie verbreiteten feministische Ansätze in der sich herausbildenden nationalen wie auch der internationalen Öffentlichkeit, so dass die ↑„Frauenfrage" als grundlegend relevant für den Stand der gesellschaftlichen Entwicklung angesehen wurde.

Alle Richtungen der Frauenbewegungen gingen von einem sozialen Unterschied von Frauen und Männern („Differenz") aus, verbanden dies aber mit unterschiedlichen Gesellschaftskonzepten. Die liberalen Strömungen forderten nach dem Motto „Die Menschenrechte haben kein Geschlecht" gleiche Rechte in Politik, Wirtschaft und ↑Familie und vertraten so „Gleichheit in der Differenz". Sie setzten sich auch für andere untergeordnete Gruppen wie Arbeiter (↑Arbeitnehmer) und Sklaven (↑Sklaverei) ein. Die gemäßigte deutsche bürgerliche Frauenbewegung betonte demgegenüber die Geschlechterdifferenz, die sie i. S. v. geistiger oder organisierter Mütterlichkeit als kulturelle Mission der Frauen in modernen Männerstaat auslegte, so dass man von „Differenz als Grundlage der Teilhabe" oder von Maternalismus sprechen kann. Die radikalen bürgerlichen Flügel gingen von einem grundlegenden Geschlechtergegensatz und männlicher Gewaltherrschaft

im Patriarchat aus. Sie verlangten deswegen radikale gesellschaftliche Veränderungen wie das Frauenwahlrecht, Gleichheit in der Ehe, die Abschaffung der bürgerlichen Doppelmoral und der staatlich reglementierten ↑Prostitution („Geschlechterdifferenz und Strukturreform"). Ferner standen sie für ↑Pazifismus und internationale Verständigung und beteiligten sich an der Gründung des Völkerbundes nach dem Ersten Weltkrieg. Der sozialistische F. schließlich verband Gleichheits- mit Differenzperspektiven, indem er Frauen als Lohnarbeiterinnen und zugl. als Mütter sah. Er wollte Gleichheit durch den Einbezug von Frauen in die Lohnarbeit als Grundlage ihrer Autonomie und Vergemeinschaftung der Hausarbeit und Kinderversorgung erreichen. Er führte die Frauenunterdrückung auf die Gleichursprünglichkeit von Klassenherrschaft und Patriarchat zurück und nahm an, dass sie durch die sozialistische ↑Revolution und Abschaffung des ↑Kapitalismus aufgehoben werde („Geschlechterdifferenz und Systemrevolution"). Allerdings waren die späteren sozialistischen Staaten in Osteuropa eher als Staatspatriarchat zu kennzeichnen, da auch sie eine ungleiche Arbeitsteilung zwischen Familie und Lohnarbeit und eine Marginalisierung der Frau in der Politik aufwiesen. Der anarchistische F. vertrat die freie Selbstorganisation der Gesellschaft wie auch freie Liebe und Elternschaft und betonte die subjektive Autonomie und Bildung in freien Gemeinschaften.

Durch die internationale Organisierung der Frauenbewegungen wurde ihre Internationalisierung und nationale Verankerung zugl. vorangetrieben. 1888 gründete sich der ICW auf einer internationalen Konferenz, dem Mitgliedsverbände aus Europa, Nordamerika, Australien (1899), Neuseeland (1900), Südafrika (1913), Indien (1925) und aus Lateinamerika (1900–1927) angehörten. Da die Mitgliedschaft im ICW nur nationalen Dachverbänden möglich war, löste dieser internationale Dachverband zugl. Impulse zur Organisation auf nationaler Ebene aus. Aus diesem Anlass schlossen sich etwa in Deutschland unterschiedliche Frauenverbände 1894 zum BDF zusammen mit dem Ziel der „Förderung des weiblichen Geschlechtes in wirtschaftlicher, rechtlicher und geistiger Hinsicht" und der „Hebung des Allgemeinwohls".

Weitere wichtige internationale Dachverbände bildeten die IWSA (1904) mit Mitgliedern auch in Lateinamerika, dem Nahen Osten, Ostasien und Südafrika und die WILPF (1915) als internationale Frauenfriedensorganisation während des Ersten Weltkriegs, die sich für den Völkerbund, ↑Frieden und Entkolonialisierung einsetzte. Die sozialistischen Frauen- und Arbeiterinnenbewegungen bildeten ebenfalls eigene Weltbünde im Kontext der jeweiligen gewerkschaftlichen oder linken internationalen Dachverbände heraus.

In den antikolonialen Bewegungen formierten sich seit 1900, verstärkt aber seit den 1950er Jahren wichtige Frauenorganisationen, die Frauenrechte wie das Wahlrecht, Gleichheit in Bildung, Beruf und Familie und nationale Unabhängigkeit forderten. Nach der Unabhängigkeit konnten sie trotz verbreiteter Rückschläge meist grundlegende soziale und politische Teilhabe für Frauen erreichen und sie setzten sich in der UNO für Frauen- und ↑Menschenrechte ein.

Diese Entwicklungen wurden unterstützt durch unabhängige Autorinnen, die das feministische Denken wissenschaftlich weiterführten. In ihrem Klassiker „Das andere Geschlecht" (1949) begründete die existentialistische Philosophin Simone de Beauvoir die Abhängigkeit und Unterordnung der Frau damit, dass diese kulturell als die Andere zum freien männlichen ↑Subjekt bestimmt und verankert wurde und sie diese Definition selbst übernimmt. Ihr berühmter Satz „Man kommt nicht als Frau zur Welt, man wird es." wies auf die sozial gewordene (nicht biologisch festgelegte) Existenz der Frau hin. Die US-Ethnologin Margaret Mead konnte die kulturelle Gestaltung von Geschlecht belegen, indem sie die Vielfalt von Geschlechterrollen in verschiedenen Kulturen, auch der eigenen, beschrieb. Verschiedene Autorinnen wie die Ärztin Nawal al Sadaawi in Ägypten, die Soziologin Heleieth Saffioti in Brasilien und die freie Historikerin Takamure Itsue in Japan haben Grundlagenwerke zu der Unterdrückung der Frau und zum Patriarchat im globalen und regionalen Kontext verfasst.

3. Die feministischen Neuaufbrüche ab 1965

In den weltweiten Jugend-, Studenten- und Antikriegsbewegungen ab etwa 1965 formierten sich feministische Gruppen, die viele Frauen in Beruf, Studium und Familie ansprachen und in der Folge Einfluss in Politik, Parteien und Verbänden erreichten. Unter dem Leitwort „Das Private ist politisch!" lehnten sie die Beschränkung der „Frauenpolitik" auf den öffentlichen Bereich ab und forderten gleiche Arbeitsteilung in Familie und Betrieb (also gleiche berufliche Chancen für Frauen und gleiche Teilhabe von Männern in der häuslichen Versorgungsarbeit), sexuelle Selbstbestimmung und die Abschaffung der ↑Gewalt gegen Frauen. In Abkehr von den hierarchischen Strukturen der etablierten Frauenverbände betonten sie weltweit subjektorientierte und radikaldemokratische Weisen der Bewusstwerdung und Organisierung.

In Deutschland durchliefen die Neuen Frauenbewegungen drei Entwicklungsphasen. In der Bewusstwerdungs- und Artikulationsphase (1968–1976) arbeiteten engagierte Frauen ihre persönlichen Erfahrungen als Grundlage für politische Analysen auf (Selbsterfahrung) und organisierten sich in basisdemokratischen Gruppen sowohl in der ↑BRD wie auch in kleinen Zirkeln in der ↑DDR, v. a. Ostberlin. Inmitten der damaligen Rhetorik gesellschaftlicher Liberalisierung und sexueller Befreiung entwickelten sie eine radikale Kritik der herrschenden Weiblichkeits- und Sexualnormen und der Geschlechterungleichheit im Rahmen anderer Ungleichheiten wie Klasse oder „Rasse".

In der folgenden Phase der Pluralisierung und institutionellen Integration von etwa 1976 bis 1989 verbreiteten sich die Frauenbewegungen in Arbeiter- und Mittelschichtmilieus. Die Lesbenbewegung formierte sich wie auch die Mütterbewegung und die feministischen Ökologie- und Friedensbewegungen. Letztere vernetzten sich mit Frauengruppen in der DDR, in Osteuropa und dem Süden. Die Rezeption des Schwarzen F. aus den USA und die Organisierung afrodeutscher Feministinnen verstärkten diese Ansätze der Differenzen und Pluralisierung in der Frauenbewegung. Die Frauenbewegung hatte sich seit 1970 in verschiedenen Klassen und ethnischen Gruppen formiert und beschränkte sich nicht länger auf „weiße Mittelschichtfrauen".

Zugl. engagierten sich Frauen aus Parteien, Verbänden und Gewerkschaften und die ersten Gleichstellungsbeauftragten in der Neuen Frauenbewegung. So bildete sich ein „samtenes Viereck" zwischen autonomen Gruppen, Frauen in Verbänden, Politikerinnen und Frauenforschung heraus. Sie kooperierten von ihren unterschiedlichen Positionen her und konnten so den Bewusstseinswandel verstärken und einen generellen institutionellen Wandel einleiten.

Die damalig dominierenden feministischen Ansätze lassen sich nach ihrer Vorstellung von Geschlechterdifferenz und -gleichheit in Verbindung mit ihren Gesellschaftskonzepten unterscheiden, die jeweils an dem Vorrang von „Kapitalismus" oder „Patriarchat" ansetzten. Dabei wurden Geschlechtergleichheit und -differenz unterschiedlich interpretiert. Der sozialistische F. kritisierte den „patriarchalen Kapitalismus" und seine doppelte Unterdrückung der Frau in Beruf und Hausarbeit und forderte *Gleichheit* im Beruf, Anerkennung der Versorgungsarbeit *(Care)* und ein auch erotisch gleiches Verhältnis zwischen Frauen und Männern statt der ungleichen Versorger-/Hausfrauenehe. Der radikale Gleichheits-F. kritisierte die ↑Ideologie der Geschlechterdifferenz, den „kleinen Unterschied", als Legitimation ↑sozialer Ungleichheit. Die Mütter-, Friedens- und Ökologiebewegungen gingen eher von der *sozialen Differenz* von Frauen und Müttern aus, die eine friedliche und nachhaltige Gesellschaft begründen könne. Der radikale und der lesbische F. sah das Patriarchat als Ursache der Frauenunterdrückung und forderte die Anerkennung der weiblichen Differenz und separate Organisierung.

In der folgenden Phase der Internationalisierung, Vereinigung und Neuorientierung (1989–2000) musste sich die westdeutsche Frauenbewegung, die sich bisher an einem nationalstaatlichen Rahmen orientiert hatte, rasch zum Osten und zur ↑Globalisierung hin öffnen. Zugl. konnte sich nun die Frauenbewegung in Ostdeutschland frei formieren u. a. in dem „Unabhängigen Frauenband". Sie wehrte sich gegen Vereinnahmungen durch westliche Gruppen und entwarf eine umfassende Theorie und Programmatik. Die Bewegungen in Ost- und Westdeutschland kooperierten im Protest gegen die Massenarbeitslosigkeit von Frauen, den Abbau von Kindergärten und das neue Verbot der Abtreibung (↑Schwangerschaftsabbruch) in Ostdeutschland, sowie in der Forderung für die Aufnahme der Gleichheit als Staatsziel (↑Staatszielbestimmungen) in die Verfassung 1994.

4. Feminismen und neue Geschlechteransätze in der Globalisierung

Ab 1990 hat sich die Vorstellung der sozialen Konstruktion des Geschlechts weltweit verbreitet. Dabei waren der Einfluss der Geschlechterforschung, wie auch die globalen Frauenbewegungen und die internationalen und nationalen Gleichheitspolitiken verantwortlich. Geschlecht wird seither sowohl als Differenz- und Klassifizierungskategorie für alle Menschen wie auch als Ungleichheitskategorie aufgefasst, die gesellschaftliche Strukturen und Prozesse grundlegend prägt. Einbezogen werden verschiedene Formen von Männlichkeiten, von der hegemonialen Männlichkeit bis zu den untergeordneten Formen etwa von Arbeitern, Migranten oder Homosexuellen (↑Homosexualität). Der Ansatz der *Intersektionalität* führt die Ungleichheiten nach Geschlecht, Klasse, ↑Ethnizität und Begehren in der Analyse wechselwirkender Ungleichheiten und ihrer Ursachen zusammen. Dieser verbindet sich oftmals mit Konzepten von sexueller Vielfalt, die Anerkennung und Gleichheit für Homosexuelle, Transgender Personen und Inter*Personen fordern. Neue F.en schließen international an diese sozialkonstruktivistischen Geschlechterkonzepte (↑Konstruktivismus) an und fordern gleiche Teilhabe und individuelle Selbstbestimmung unabhängig vom Geschlecht.

Auch von der UNO wurde der Ansatz des sozialen Geschlechts (↑Gender) anerkannt und übernommen. Auf den vier UN-Weltfrauenkonferenzen von 1975 (Mexiko) bis 1995 (Beijing) beteiligten sich Frauenbewegungen aus allen Regionen. Drei wichtige Ergebnisse sind festzuhalten: Das erste Ergebnis besteht in der Entwicklung von globalen Frauennetzwerken und einer gemeinsamen ↑Sprache und Semantik, in der die internationalen und interkulturellen Differenzen und Machtverhältnisse ausgetragen und bearbeitet werden konnten. Der Genderbegriff und der Frauen- und Menschenrechtsdiskurs ermöglichten es, den Eurozentrismus zu überwinden und globale Ziele und Normen zu Gleichheit in Arbeit, Bildung und Politik sowie zur Gewaltfreiheit im persönlichen und öffentlichen Bereich aufzustellen. Das zweite Ergebnis waren internationale Abkommen zur Geschlechtergleichheit, v.a. die CEDAW von 1979, die Weltaktionsplattform der Vierten Weltfrauenkonferenz von Peking 1995 und die Resolution des Sicherheitsrates 1325 für eine geschlechtergerechte Sicherheitspolitik. CEDAW verankert Gleichheit in der politischen Beteiligung, in Bildung, Beruf und in der Familie und hat internationale und nationale Rechtskraft bei allen ratifizierenden Staaten. Die Weltaktionsplattform enthält Ziele und detaillierte Schritte in zwölf wesentlichen Feldern u.a. zu Gleichheit in Bildung, Wirtschaft, bezahlter und unbezahlter Arbeit und in der Politik. Gewalt gegen Frauen wurde in ihren verschiedenen Formen wie Vergewaltigung, sexueller Gewalt in bewaffneten Konflikten und Frauen- und Menschenhandel thematisiert und abgelehnt. Schließlich hielt die Weltaktionsplattform auch den Grundsatz des ↑*Gender Mainstreaming* fest, also die Orientierung an Gleichheit im Handeln von Organisationen sowie die gleiche Beteiligung von Frauen und Männern in ihnen. Das dritte Ergebnis ist die Einrichtung von Abteilungen für Gleichstellung in politischen, sozialen und wirtschaftlichen Organisationen, auf die sich die Regierungen nach 1975 weltweit verpflichteten. In Aushandlungen entlang des globalen Mehrebenensystems wurden diese Gleichheitsnormen national und lokal umgesetzt und auf globaler Ebene in der UNO und der EU, u.a. im Vertrag von Amsterdam 1999, bekräftigt.

Seit dem Jahr 2000 differenziert sich der F. weiter aus – auch als Ergebnis der weltweiten Vernetzung. Die unterschiedlichen Spielarten betonen zwar alle die Vielfalt von Gender und Sexualitäten wie auch die Notwendigkeit der Zusammenarbeit mit Männern – und werden deshalb in Europa und Nordamerika als *third wave feminism* bezeichnet –, sie unterscheiden sich aber v.a. in der Beschreibung der eigentlichen Problemursachen. Folgende Typen des „Neuen" F. lassen sich identifizieren:

a) Der integrative oder liberale F. richtet sich auf Gleichstellung der Frau in den vorhandenen Institutionen. Problemursachen sind die Diskriminierung und Minderbewertung von Frauen trotz ihres gleichen Potentials.

b) Der soziale transformative F. fordert Gleichheit in Beruf und Sorgearbeit, soziale Gewaltfreiheit und Abschaffung vergeschlechtlichter Gewalt und soziale ↑Gerechtigkeit. Die Problemursache sieht er in modernisierten ungleichen Genderbildern und -normen, männlich zentrierten Gewaltverhältnissen und dem flexibilisierten globalen Kapitalismus. Er vertritt globale ↑Geschlechtergerechtigkeit und -demokratisierung u.a. durch Regulierung oder Umgestaltung des Kapitalismus und Gleichheitspolitiken.

c) Der ökologische F. fordert soziale und wirtschaftliche ↑Nachhaltigkeit durch eine Neuorientierung an natürlichen Kreisläufen und bisher ausgeschlossenen weiblichen Werten. Die Problemursache sieht er in der männerzentrierten modernen ↑Wissenschaft und Naturbeherrschung und der Abwertung von Frauen, Kolonialisierten und ↑Natur.

d) Der postkoloniale F. kritisiert die internationale Geschlechterungleichheit, die weiße Männer und weiße Frauen – in verschiedener Form – privilegiert, und die Abwertung und Exklusion der Kolonisierten und Subalternen verursacht. Die Problemursache liegt in den rassistischen (↑Rassismus) und sexistischen Diskursen und Praktiken von ↑Kolonialismus und Neokolonialismus des „Westens", die dieser ideologisch, aber auch militärisch aufrechterhalten will.

e) Der antirassistische und der Schwarze F. kritisieren die sexistische und rassistische Ausgrenzung von und Gewalt gegen schwarze Frauen und Männer in der Gesellschaft wie auch im „weißen Mittelschicht-F." und fordern gleiche soziale Rechte.

f) Der queere F. verlangt sexuelle Vielfalt und Anerkennung differenter Subjekte entlang des LGBTI-Spektrums. Die Problemursache sieht er in der Konstruktion von Geschlecht als Grunddifferenz, die unbewusst in der Sprache verankert sei, und der Heteronormativität, also der vorbewussten Privilegierung von Heterosexualität als natürlicher und allein legitimer Praxis. Er fokussiert symbolische Praktiken und Kämpfe der ↑Anerkennung und Exklusion, wobei er sich an Judith Butler und Michel Foucault orientiert, während das Gesellschaftsbild diffus bleibt.

g) Religiöse (v. a. christliche und islamische) F.en kritisieren die Unterordnung der Frau in ihrer Religion und verlangen Anerkennung und Gleichheit für Frauen im Glauben, in der Kirche oder der Moschee, den Gemeinden und in der Gesellschaft.

F.en sind heute vielfältiger denn je und können weder auf die eigene Nation noch auf das „weibliche Geschlecht" begrenzt werden. Insgesamt betrachtet verstehen sie sich inzwischen als globale und geschlechterübergreifende Bewegungen für Geschlechtergerechtigkeit – in ihrem jeweiligen soziokulturellen Kontext.

Literatur

L. Disch/M. Hawkesworth (Hg.): The Oxford Handbook of Feminist Theory, 2016 • I. Lenz: Equality, difference and participation. Women's movements in global perspective, in: S. Berger/H. Nehring (Hg.): The History of Social Movements in Global Perspective, 2016, 449–483 • R. Baksh/W. Harcourt: The Oxford Handbook of Transnational Feminist Movements, 2015 • A. Wizorek: Weil ein #Aufschrei nicht reicht. Für einen Feminismus von heute, 2014 • F. Waylen: The Oxford Handbook of Gender and Politics, 2013 • M. Ferree: Varieties of feminism. German gender politics in global perspective, 2012 • I. Lenz: Die Neue Frauenbewegung in Deutschland, ²2010 • U. Gerhard: Frauenbewegung und Feminismus. Eine Geschichte seit 1789, 2009 • A. Schaser: Frauenbewegung in Deutschland, 2006 • L. Heywood: The women's movement today. An encyclopedia of third-wave feminism, 2006 • K. Offen: European Feminisms 1700–1950, 2000.   ILSE LENZ

Feministische Ethik

F. E. geht von der Voraussetzung aus, dass Moraltheorien immer schon mit Geschlechterfragen durchsetzt sind. Der Zusammenhang zwischen „Feminismus" und „Ethik" ist eng: Jede der unterschiedlichen Strömungen des ↑Feminismus steht unter ethischem Anspruch genau wie Ethik unter dem Anspruch der theoretischen und praktischen ↑Geschlechtergerechtigkeit steht.

F. E. erweitert *nicht* die traditionelle Ethik um den ‚Gegenstandsbereich Frau', sondern unterzieht das wis-

senschaftliche Instrumentarium wie das explizite und implizite Interesse von ↑Wissenschaft einer grundlegenden ↑Kritik und einer Reformulierung. F. E. ist keine Bereichsethik wie etwa die Wirtschafts- oder Medizinethik, sondern ein grundlegender Ansatz, der die ethische Grundlagenforschung und Theoriebildung sowie die anwendungsbezogenen Diskurse prägt. Sie ist für wissenschaftliche ethische Reflexion unhintergehbar und hat inzwischen ihre eigene Geschichte, in der zunehmend postkoloniale, Intersektionalitäts-, ↑Gender- und Queer-Diskurse einfließen.

1. Zur Geschichte: Marginalität und Minderwertigkeit moralischer Frauenbilder

Die Marginalität der ↑Lebenswelt von Frauen und die Minderwertigkeit ihrer ethischen Kompetenz sind wesentliche Motive des traditionellen abendländischen Moraldiskurses.

Zur Zeit der ↑Aufklärung werden diese Positionen neu reflektiert und etabliert. Pflichtgefühl als Bedingung der Möglichkeit des moralischen Urteils fehlt, so Immanuel Kant, bei Frauen. Sie brauchen kluge Anleitung von außen und sind damit Objekte – nicht ↑Subjekte – der Ethik: „Nichts von Sollen, nichts von Müssen, nichts von Schuldigkeit. Das Frauenzimmer ist aller Befehle und alles mürrischen Zwangs unleidlich. Sie tun etwas nur darum, weil es ihnen so beliebt, und die Kunst besteht darin, zu machen, dass ihnen nur dasjenige beliebt, was gut ist." (Kant 1998: 854)

Dieser Cantus firmus traditioneller ethischer Diskurse setzt sich bis ins 20. Jh. fort. Exemplarisch dafür ist Lawrence Kohlbergs Stufenmodell der moralischen Entwicklung: Als moralisch reif erscheint das autonom entscheidende, prinzipiengeleitete ↑Individuum, das sich im Konfliktfall rational, analytisch und objektbezogen verhält und seine moralische Entscheidung am Gerechtigkeitsbegriff (↑Gerechtigkeit) orientiert. Sofern sie überhaupt berücksichtigt werden, fällt das durchweg schlechte Abschneiden von Frauen auf, die innerhalb dieses Modells auf ihre moralische Reife hin getestet werden. Konstatiert wird ihre Unfähigkeit, die höchste – autonome – Stufe zu erreichen. Sie verbleiben in der Regel auf einer der Adoleszenz zugeschriebenen konventionellen Durchgangsstufe; typisch für diese Stufe ist, so L. Kohlberg, bei Entscheidungen der permanente Wunsch nach der Zustimmung anderer. So liegt die Vermutung nahe, Arthur Schopenhauer habe Recht zu behaupten, dass die „Weiber [...] zeitlebens große Kinder sind, eine Art Mittelstufe, zwischen dem Kinde und dem Manne, als welcher der eigentliche Mensch ist" (Schopenhauer 1960: 720).

2. Moralhistorische Voraussetzungen

Während antike und mittelalterliche Moralsysteme i. d. R. von der fest verankerten Stellung des Menschen im Kosmos ausgingen, emanzipiert sich – idealtypisch betrachtet – mit dem Einbruch der europäischen ↑Moderne die ↑Moral von einer umfassenden Weltdeutung. Diese im europäischen 17. Jh. wurzelnden Änderungen sind von verschiedenen Faktoren getragen: vom mittelalterlichen Nominalismus ebenso wie von der Entwicklung der modernen ↑Naturwissenschaften und der kapitalistischen Warenbeziehungen (↑Kapitalismus). In den sich ausdifferenzierenden ↑Gesellschaften werden die Menschen zunehmend als rationale, frei und gleich geborene Individuen verstanden, die ihre sozialen Beziehungen selbst zu ordnen und ihre Institutionen selbst zu entwerfen haben. Das ↑Subjekt der sich herausbildenden Ethik der europäischen Moderne ist der autonome, bürgerliche, besitzende – männliche – Mensch. Die Idee des ↑Gesellschaftsvertrags rückt ins Zentrum des politischen Lebens und Handelns, und die Frage nach Gerechtigkeit rückt ins Zentrum der Moraltheorie. Die neue Unterscheidung von Gerechtigkeit und gutem Leben entspr. damit der Unterscheidung von öffentlicher und privater Sphäre.

Freundschaft, ↑Liebe, ↑Familie mit den Werten der Fürsorge und Anteilnahme werden zunehmend aus dem öffentlichen Bereich der Gerechtigkeit ausgegliedert und dem privaten „Gefühlshaushalt" (Heller 1980: 257) zugeordnet. Die Familie als exemplarische Ausprägung der privaten Sphäre wird zur Schnittstelle von ↑Natur und ↑Kultur, innerhalb derer Frauen den privat-natürlichen Anteil repräsentieren.

Diese Verweigerung des Subjektstatus für Frauen, der Ausschluss aus der Ethik und in der Folge der Ausschluss aus „Kultur" und Öffentlichkeit machten es nötig, im Konzept einer F.n E. „[u]nsichtbar Gemachte(s) sichtbar zu machen" (Heimbach-Steins 2008).

3. Moraltheoretische Grundlagen

Die F. E. entwickelte sich aus der Frauenforschung, die die erste (Mitte des 19. bis Anfang des 20. Jh. im Kontext sozialer Reformbewegungen) und zweite Frauenbewegung (in den 1960er Jahren im Kontext des allg.en gesellschaftlichen Umbruchs und ↑Wertewandels als Kritik anhaltender ↑Diskriminierung von Frauen) begleitete. Zwischen beiden ↑Frauenbewegungen steht als ein Grundtext feministischer Philosophie und Ethik Simone de Beauvoirs „Das andere Geschlecht/Le Deuxième Sexe". S. de Beauvoir analysiert die Konstruktion der Frau als der „Anderen": „Die Menschheit ist männlich, und der Mann definiert die Frau nicht an sich, sondern in Bezug auf sich; sie wird nicht als autonomes Wesen angesehen" (Beauvoir 1989: 10). Ihre berühmte Formulierung „Man kommt nicht als Frau zur Welt. Man wird es" steht in einem Kontext, in dem bitterer Widerhall A. Schopenhauers zu sein scheint: „Kein biologisches, psychisches, wirtschaftliches Schicksal bestimmt die Gestalt, die das weibliche Menschenwesen im Schoß der Gesellschaft annimmt. Die Gesamtheit der Zivilisation gestaltet dieses Zwischenprodukt zwischen dem Mann und dem Kastraten, das man als Weib bezeichnet" (Beauvoir 1989: 265).

Ein zweiter Grundtext ist Carol Gilligans „Die andere Stimme" (1984). Als Mitarbeiterin L. Kohlbergs zeigt sich C. Gilligan irritiert von dem schlechten Abschneiden der Frauen in L. Kohlbergs Tests. Sie erweitert und verändert deshalb das wissenschaftliche Paradigma und kommt zu dem Ergebnis, dass die moralische Entwicklung und die ethischen Zeichensysteme bei Frauen nicht minderwertig, sondern anders und mit den bislang gängigen Kategorien nicht zu fassen sind. Die Frauen attestierte moralische Schwäche ist für C. Gilligan Ausdruck einer Stärke: der größeren Sensibilität gegenüber ↑Bedürfnissen und Gefühlen anderer und der größeren Bereitschaft, Fürsorge und konkrete menschliche ↑Verantwortung zu übernehmen. Nur dort, so C. Gilligan, wo ausschließlich die individuelle ↑Leistung im Mittelpunkt steht und Reife mit ↑Autonomie gleichgesetzt wird, erscheint die Rücksichtnahme auf Emotionen und Beziehungen als Schwäche. Damit stehen sich zwei unterschiedliche Zugangsweisen zu Moral gegenüber – die abstrakte Gerechtigkeits-orientierte und die konkrete Fürsorge-orientierte –, die signifikant, aber nicht exklusiv mit einer weiblichen und einer männlichen Argumentationsstruktur in Bezug auf moralische Dilemmata verbunden sind.

4. Feministische Ausgangspunkte

C. Gilligan steht exemplarisch für einen Drahtseilakt zwischen der Aufwertung bislang primär weiblich konnotierter ↑Tugenden und der erstrebten politischen Veränderung von ausgrenzenden und unterdrückenden sozialen Situationen. Hier zeig(t)en sich unterschiedliche Betonungen von „↑Gleichheit" (v. a. in Wahlrecht und ↑Bildung) und „Differenz" (v. a. im Sichtbarmachen einer eigenen Geschichte, in frauenidentifizierten Räumen und spezifisch weiblichen Tugenden).

Diese Gleichheits- und Differenzdiskurse führen potenziell in Sackgassen. Denn sie beruhen auf einer Denk- und Lebenswelt, die, ausgehend von der Grunddifferenz von „Mann" und „Frau", als gespalten vorgestellt wird: Geist und Körper, Kultur und Natur, Verstand (↑Vernunft – Verstand) und Gefühl werden einander entgegengestellt wie Ordnung und Chaos, Rationales und Irrationales usw. Die Spaltungen sind zugl. *hierarchisiert* (Geist, Kultur, Verstand, Ordnung … sind tendenziell „besser") und *sexualisiert* (Geist, Kultur, Verstand, Ordnung … sind tendenziell „männlich"). Eine erste Möglichkeit des Umgangs mit der gespaltenen Lebenswelt war, die Hierarchisierung beizubehalten und die Sexualisierung abzulehnen („Verstand" ist „besser" als „Gefühl", aber auch Frauen sind gleichermaßen zu „Verstand" befähigt). Hier kann am Vernunftideal der Aufklärung und an die Forderung nach Gleich-Berechtigung angeknüpft werden; zugl. ist damit die Gefahr einer Angleichung an herrschende politische, soziale, aber auch philosophische Konstellationen verbunden. Eine zweite Möglichkeit war, die Hierarchisierung abzulehnen und die Sexualisierung beizubehalten (Frauen sind gefühlsnäher als Männer und gerade darum „bes-ser"). In der Umwertung der Hierarchisierung entsteht eine Welt weiblicher Differenz und weiblichen Selbst-bewusstseins; Frauengeschichte(n) können erzählt wer-den und frauenidentifizierte Räume entstehen. Diese neu geschaffene Welt aber ist in Gefahr, weibliche Tugenden als Kompensation für fehlende Rechte (↑Frauenrechte) zu akzeptieren. Nur ein Aufbrechen der Dualismen und damit auch des binären Denkens führt aus diesen Sackgassen heraus.

5. Feministische Ethik und Genderforschung

Mit der Frage nach der Macht, die den Unterschieden zwischen „Mann" und „Frau" zugeschrieben wird, ent-wickelt sich die F. E. im Kontext der Genderforschung weiter.

„Gender", urspr. ein grammatikalischer Begriff, ist eine Analysekategorie für die „Grammatik" (Renate Hof) der in soziale Zusammenhänge eingeschriebenen Ge-schlechterverhältnisse. *Gender* – häufig als soziales Ge-schlecht verstanden – ist damit ein sozialkonstruktivisti-scher Begriff (↑Konstruktivismus), der nicht nach dem Vorbild einer cartesianischen Körper-Geist-Spaltung von *sex*, dem biologischen Geschlecht, getrennt werden kann. Denn auch das biologische Geschlecht ist im Kontext der Genderforschung nicht einfach vorreflexiv „da", sondern erscheint von Beginn an als kulturell interpretiert.

Genderforschung ist eine praxisnahe Form der Theo-riebildung. Hier geht es um mehr als die Bewältigung einer gespaltenen Lebenswelt. Zum einen werden der Wert, der diesen Spaltungen beigemessen, reflektiert und die ↑Macht, die dadurch ausgeübt wird, analysiert; zum anderen weist die Genderforschung die mit den Konzepten einer binären Geschlechterordnung verbun-denen „Natürlichkeiten" zurück. Gender-Diskurse stel-len keine „Frauenfragen", sondern betreffen alle Ge-schlechter; die angesprochenen Probleme lassen sich nicht mit Rückgriff auf „Natur" lösen; und sie lassen sich nicht eurozentrisch lösen.

Genderforschung ist in den letzten Jahren durch *queer theories* herausgefordert und ergänzt worden. Wenn *queer* für die Theoriebildung F.r E. relevant wird, ist dies in sich selbst eine performative Praxis, in der urspr. dif-famierende Verständnisse des Begriffs („seltsam", „frag-würdig" oder, als Verb, „irreführen" und „verderben") neu angeeignet werden. Queer heißt „etwas oder jeman-den aus dem Gleichgewicht, aus einer selbstverständ-lichen Ordnung [...] bringen" (Degele 2008: 11). *Queer theories* stellen eine binäre Geschlechterordnung in Fra-ge: Es ist nicht länger selbstverständlich, was eine „Frau" und ein „Mann" sind. Traditionelle Definitionen, die „Frauen" und „Männer" nach Art und Funktion ihrer Geschlechtsorgane bestimmen, sind für die ↑Kulturwis-senschaften, aber auch für Lebenswelt problematisch ge-worden. Die eindeutige Verbindung der Funktion von Geschlechtsorganen mit einer bestimmten Geschlecht-sidentität, einer daraus erwachsenen Geschlechterrolle

und einer bestimmten Form des Begehrens kann in die-ser Ausschließlichkeit nicht aufrecht erhalten werden. Auch das biologische Geschlecht wird damit als Kon-tinuum und nicht als binäre Kategorie verstanden. Tra-ditionelle Definitionen, die „Frauen" und „Männer" durch ihnen zugeschriebene Rollenerwartungen (↑So-ziale Rolle) und geschlechtsspezifische Tugenden de-finieren, passen weder in spätmoderne Lebenswelten, noch kann mit ihnen ein gutes Leben hergestellt wer-den. Dies bedeutet „Gender Trouble" (Butler 1990). Denn wenn die Konstruktion und Konstitution von Grundkategorien wie „Frau" und „Mann" neu reflektiert werden, ist dies mit einer tiefen Verunsicherung des Denkens, des Wissens und der Praxis verbunden.

Diese Verunsicherung ist zugl. ein Gewinn. Die F. E. gewinnt damit einen neuen Fokus: die Analyse und Kri-tik binärer Geschlechternormen, die als Einschluss- und Ausschlusskategorien fungieren. Wo ein binäres Ge-schlechtersystem vorherrscht, werden „unpassende" Menschen ausgeschlossen.

F. E. arbeitet dabei nicht nach einer (natur)wissen-schaftlichen Logik, in der eine Theorie eine andere Theorie vollständig ablöst. Die unerledigten Fragen der Frauenforschung bilden gleichzeitig mit dekonstrukti-vistischen Ansätzen (↑Dekonstruktion) der Gender/ Queer-Forschung ein Forschungs- und Praxisfeld, in dem immer wieder unterschiedliche Fragestellungen ins Zentrum rücken und die unterschiedlichen Logiken von Wissenschaft und politischem Aktivismus aus-gehandelt werden.

Ergänzt wird dieses Forschungsfeld durch Fragen der *Intersektionalität*, d. h. durch ein Paradigma, das soziale Kategorien wie Gender, ↑Ethnizität, ↑Nation, Klasse oder ↑Behinderung nicht voneinander loslöst, sondern in ihren „Überkreuzungen" (*intersections*) analysiert.

Ergänzt wird es zudem durch Fragen und Theorie-konzepte aus der *postkolonialen Theoriebildung* (↑Post-kolonialismus): Seit langem ist deutlich, dass feministi-sche Anliegen nicht vom Standpunkt der „White Lady" aus gedacht werden können und dürfen. Stattdessen rückt die „Subalterne", die „Unterlegene" ins Zentrum der Reflexion – die vorausgesetzte Ordnung von „Zen-trum" und „Peripherie" wird in Frage gestellt.

6. Zukunft und Zukunftsfähigkeit der feministischen Ethik

Eine F. E., die zukunftsfähig ist, muss dieses breite For-schungsfeld erhalten. Nach wie vor werden weltweit Fragen der Gleichheit und Gleichberechtigung von Frauen als wissenschaftliche und als politische Proble-me auf die Tagesordnung gesetzt. Gleichheit ist dabei politische Gleichheit, die insb. auf konkrete ↑Gerechtig-keit der Lebensbedingungen, Teilhabe am öffentlichen Leben einer ↑Gesellschaft und damit auf ↑Menschen-rechte für Frauen abzielt. Das grundlegende Theorie-konzept, das sowohl Intersektionalitätsfragen als auch postkoloniale Ansätze einbeziehen kann, ist das Konzept eines *kontextuellen* ↑*Universalismus*. Dieser nimmt die Kritik an einem abendländischen abstrakten Universalismus ernst, ohne zugl. Gerechtigkeitsansprüche *für alle Menschen* aufzugeben. F. E. kann damit für die ganze Breite anwendungsbezogener ethischer Fragen – von ↑Armut und Bildung bis hin zu Technologieentwicklung – sowohl Geschlechterperspektiven in ethische Diskurse einbringen als auch ethische Diskurse initiieren, die aus Geschlechterperspektiven notwendig sind.

Für den Bereich der ethischen Grundlagendiskurse setzt die F. E. „Geschlecht" nicht als einfach gegeben voraussetzt. Damit informiert und verändert sie ethische Theoriebildung insgesamt: Sie verhindert, dass mit der Nichtbeachtung von Geschlechterfragen und „neutralen" ethischen Konzepten Menschen entweder ausgeschlossen oder als minderwertig erklärt werden – Frauen, Menschen, deren biologisches Geschlecht nicht in ein binäres Raster passt, Menschen, deren Geschlechterrolle oder sexuelle Orientierung als „unpassend" erscheint, Menschen, die als „Subalterne" unter einen weichen „weiblichen" Kategorienrahmen fallen. Als praxisnahe Theoriebildung arbeitet eine F. E. für die Gestaltung sozialer Ordnungen, damit die neue „Unordnung" der Geschlechter nicht als Bedrohung, sondern als Bereicherung erfahrbar und denkbar werden kann.

Literatur

R. Ammicht Quinn: Zur „Grammatik" der Geschlechterverhältnisse, in: M. Eckholt (Hg.): Gender studieren. Lernprozesse für Theologie und Kirche, 2017, 23–38 • R. Ammicht Quinn: „Sie und andere Ihres Geschlechts wollen in Kutschen fahren" – Ethik und Gender/Queer, in: R. Ammicht Quinn/ T. Potthast: Ethik in den Wissenschaften: 1 Konzept, 25 Jahre, 50 Perspektiven, 2015, 129–137 • R. Ammicht Quinn: Dangerous Thinking: Gefährliches denken/gefährliches Denken. Gender and Theology, in: Concilium 48/4 (2012), 13–25 • K. Walgenbach: Intersektionalität – eine Einführung (2012), ULR: http://portal-intersektionalitaet.de/theoriebildung/ schluesseltexte/walgenbach-einfuehrung/ (abger.: 20.3.2018) • M. Heimbach-Steins: „… nicht mehr Mann und Frau". Sozialethische Studien zu Geschlechterverhältnis und Geschlechtergerechtigkeit, 2009 • N. Degele: Gender/Queer Studies, 2008 • M. Heimbach-Steins: Unsichtbar Gemachte(s) sichtbar machen. Christliche Sozialethik als gendersensitive kontextuelle Ethik, in: C. Spieß/K. Winkler (Hg.): Feministische Christliche Sozialethik, 2008, 185–218 • C. Spieß/ K. Winkler (Hg.): Feministische Ethik und christliche Sozialethik, 2008 • M. Heimbach-Steins: Menschenrechte der Frauen. Universaler Anspruch und kontextbezogene Konkretisierung, in: StZ 224/8 (2006), 546–561 • C. Schnabl: Gerecht sorgen. Grundlagen einer sozialethischen Theorie der Fürsorge, 2005 • R. Ammicht Quinn: Körper, Religion und Sexualität. Theologische Reflexionen zur Ethik der Geschlechter, ³2004 • S. Wendel: Feministische Ethik. Zur Einführung, 2003 • M. Heimbach-Steins: Sozialethik als kontextuelle theologische Ethik – Eine programmatische Skizze, in: JCSW 43 (2000), 46–64 • E. Kosowsky Sedgwick: Epistemology of the Closet, 1999 • I. Kant: Beobachtungen über das Gefühl des Schönen und Erhabenen, in: ders.: Werke in sechs Bänden, Bd. 1, 1998, 823–884 • U. Beck: Was ist Globalisierung? 1997

• L. Heywood/J. Drake (Hg.): Third Wave Agenda: Being Feminist, Doing Feminism, 1997 • R. Hof: Die Grammatik der Geschlechter: Gender als Analysekategorie der Literaturwissenschaft, 1995 • H. Kuhlmann (Hg.): Und drinnen waltet die züchtige Hausfrau. Zur Ethik der Geschlechterdifferenz, 1995 • I. Prätorius: Skizzen zur Feministischen Ethik, 1995 • E. List: Die Präsenz des Anderen. Theorie und Geschlechterpolitik, 1993 • P.-L. Kwok: The Image of the ‚White Lady‘. Gender and Race in Christian Mission, in: Concilium 27/6 (1991), 19–27 • J. Butler: Gender Trouble. Feminism and the Subversion of Identity, 1990 • A. K. Sen: More than 100 Million Women are Missing, in: The New York Review of Books (20.12.1990), URL: http://www.nybooks.com/articles/ archives/1990/dec/20/more-than-100-million-women-are-missing/, (abger.: 20.3.2018) • S. Benhabib: Der verallgemeinerte und der konkrete Andere, in: E. List/H. Pauer-Studer (Hg.): Denkverhältnisse. Feminismus und Kritik, 1989, 454–487 • S. de Beauvoir: Das andere Geschlecht, 1989 • G. Chakravorty Spivak: Can the Subaltern Speak? in: C. Nelson/ L. Grossberg: Marxism and the Interpretation of Culture, 1988, 271–313 • C. Gilligan: Die andere Stimme. Lebenskonflikte und Moral der Frau, 1984 • A. Heller: Theorie der Gefühle, 1980 • L. Kohlberg: Das moralische Urteil beim Kinde, 1973 • A. Schopenhauer: Über die Weiber. Paralipomena §364, in: ders.: Sämtliche Werke, Bd. 5, 1960.

REGINA AMMICHT QUINN

Feministische Theologie

1. Entstehung und Verbreitung

F. T. entstand in den 70er Jahren im Kontext der gesellschaftlichen Auseinandersetzung um die Gleichstellung von Männern und Frauen und der zunehmenden öffentlichen Aufmerksamkeit für alltägliche ↑Diskriminierung von Frauen und sexuelle ↑Gewalt. Daraus resultierten für F. T. eine starke Erfahrungsorientierung sowie eine enge Verbindung von Theorie und Praxis. Dies war, insb. in der katholischen Theologie, anschlussfähig an reformtheologische Strömungen und, konfessionsübergreifend, an befreiungstheologische Konzepte (↑Theologie der Befreiung). F. T. betrachtete die Erfahrungen von Frauen als Ausgangspunkt für ihre theologische Reflexion und für Veränderungen in Gesellschaft und Kirche. Doch schnell erwies sich *„die Erfahrung von Frauen"* als unhaltbare Verallgemeinerung, denn Hautfarbe, Ethnizität, Nationalität, Religion, sexuelle Orientierung, Gesundheit, Alter oder wirtschaftliche Situation stellten sich als trennende Faktoren heraus, die zu unterschiedlichen Erfahrungen von Frauen führen. Im Zuge der Verbreitung F. T. – ausgehend von den USA nach Westeuropa, schließlich nach Osteuropa und in viele Länder Afrikas, Asiens und Lateinamerikas – trat das Verhältnis verschiedener Diskriminierungen zueinander in den Fokus des Interesses (Intersektionalität) und führte zur Herausbildung theologischer Strömungen, die sich durch eigene Bezeichnungen, wie z. B. *womanist theology* oder *teologia mujerista*, von F. T. absetzten.

Innerhalb F.r T. wurde auf die Kritik öffentlich und konstruktiv reagiert. F. T. befasste sich nun intensiv mit den Verflechtungen verschiedener Formen von Diskriminierung. Das hohe Erklärungspotential und die praktische Relevanz intersektionaler Analysen lassen sich z. B. daran zeigen, dass muslimische Frauen in westlichen Ländern, die unter häuslicher Gewalt leiden, häufig Hilfsangebote nicht wahrnehmen, weil sie fürchten, dass ihre Religion dafür verantwortlich gemacht wird und sie wegen ihrer Religionszugehörigkeit diskriminiert werden. Als schwarze Arbeiterinnen in den 80er Jahren von *General Motors* entlassen wurden, konnten sie weder wegen rassistischer noch wegen sexistischer Diskriminierung klagen, weil schwarze Männer und weiße Frauen ihre Stellen behalten hatten und das Gesetz eine Verbindung von Diskriminierungsformen nicht kannte. Auch die Behauptung, dass Jungen heute die Bildungsverlierer seien, ist nur im Zusammenhang mit bestimmten sozialen und ökonomischen Faktoren zutreffend.

Das Aufkommen der *Gender Studies* in vielen Wissenschaftsdisziplinen verschob auch in F.r T. den Schwerpunkt von der *Frauen*forschung zur Frage nach der Geschlechterdifferenz und ihren Auswirkungen und stellte zugl. die angestammte Loyalität zu einer sozialen Bewegung und die enge Verbindung der Forschung mit praktisch-politischem Veränderungsstreben in Frage. Über die F. T. hinaus gibt es kontroverse Diskussionen, ob zugunsten einer analytischen Beobachtung und Erforschung der Geschlechterdifferenz und der Überführung der Forschungsergebnisse in den Kanon der jeweiligen Fächer eine Distanz zu sozialen Bewegungen notwendig sei. Einerseits werde, z. B. in den biomedizinischen Fächern, die Kategorie „Geschlecht" trotz ihrer Bedeutsamkeit, etwa für die Diagnostik oder die Entwicklung von Medikamenten, kaum in die Forschung einbezogen, weil Gender Studies als „reine Frauenforschung" oder als „↑Gleichstellungspolitik" wahrgenommen wurden. Andererseits bleibt die Erforschung der Geschlechterdifferenz immer auf die Verbesserung von Lebensbedingungen bezogen, sodass der gesellschaftliche und politische „impact" nicht außer Acht gelassen werden kann.

Über den Begriff „↑Gender" wurde auch in F.r T. intensiv debattiert. Grundsätzlich wurde zwischen dem biologischen Geschlecht *(sex)* und dem sozialen *(gender)* als Gesamtheit kultureller Rollenbilder und -erwartungen (↑Soziale Rolle) unterschieden. Diese Unterscheidung erwies sich als unzureichend in Bezug auf Menschen, deren biologisches und soziales Geschlecht nicht übereinstimmen oder deren Geschlechtszugehörigkeit nicht festgelegt werden kann. Kontrovers wurde die Zuordnung von *sex* und *gender* diskutiert, insb. hinsichtlich einer normativen Verbindung mit Heterosexualität. In feministischer Philosophie und Sozialtheorie gewann das Konzept einer Konstruktion der Geschlechtsidentität aus gesellschaftlichen Diskursen, nicht aus etwas naturhaft oder ontologisch Gegebenem große Bedeutung.

Im politischen Feld entstanden Begriff und Strategie des ↑*Gender mainstreaming*. Gemeint ist die Prüfung aller Maßnahmen dahingehend, welchen Einfluss sie auf die Gleichstellung von Männern und Frauen und die Verwirklichung von Chancengerechtigkeit (↑Chancengerechtigkeit, Chancengleichheit) ausüben.

Seit dem Beginn des 21. Jh. wird F. T. innerhalb und außerhalb der Kirchen mit dem Vorwurf der „Gender-Ideologie" konfrontiert. In Verkennung des wissenschaftlich-analytischen Charakters des Gender-Begriffs wird hinter diesem eine politische Verschwörung (↑Verschwörungstheorien) vermutet. Es handelt sich um eine intendierte Fehlinterpretation der Begriffe *gender equality* und *gender mainstreaming*, die politische und religiöse fundamentalistische Motive vereint. Diese transnational wirksame „Anti-Gender-Debatte" wird im Rahmen politischer antidemokratischer und antieuropäischer Bewegungen oftmals dann entfacht, wenn Gesetzesreformen zugunsten der Gleichstellung der Geschlechter oder bezüglich der Rechte sexueller Minderheiten umgesetzt werden sollen.

Zur Versachlichung der Debatte wurde unter Verantwortung der DBK 2015 ein „Genderflyer" veröffentlicht, der wichtige Grundbegriffe erläutert und den Willen bekundet, auf allen Ebenen geschlechtersensibel zu handeln.

2. Themen (Auswahl)

F. T. befasste sich mit biblischen und historischen Frauengestalten, entwickelte eine neue biblische Hermeneutik und erneuerte das einseitig männliche Gottesbild. Im Umgang mit den biblischen Texten suchte sie nach Autorinnenschaft und Zeugnissen weiblicher Perspektiven. V. a. entwickelte sie Methoden, Frauen in biblischen Texten sichtbar zu machen, z. B. durch die Analyse einer Sprache, die Frauen im generischen Maskulinum („die Jünger") verschwinden ließ und in der die namentliche Nennung einer Frau auf ihre bes. Bedeutung verwies. Entgegen dem äußeren Anschein konnten Frauen in ihrer Bedeutung als Jüngerinnen Jesu und als führende Personen in den frühen Gemeinden erkannt werden. Zur Korrektur des einseitig männlichen Gottesbildes richteten Theologinnen das Augenmerk auf weibliche Bilder und weiblich konnotierte Rede von Gott. Diese Arbeiten entfalteten im Bereich kirchlicher Frauenarbeit, in der pastoralen und liturgischen Praxis eine enorme Wirksamkeit. Im Jahr 2006 wurde die „Bibel in gerechter Sprache" veröffentlicht – eine Bibelübersetzung, die feministisch-theologische Sprachkritik und Bibelhermeneutik kreativ aufnahm und sehr kontrovers rezipiert wurde.

Im Bereich der Systematischen Theologie legten feministisch-theologische Ansätze den Fokus bes. auf die Gotteslehre, die Christologie und die ↑Anthropologie. Das Nachdenken über Gott und Bilder von Gott erfolgte auf verschiedenen Ebenen – von der Suche nach einer weiblichen Symbolik für Gott in der Bibel und in religiösen Traditionen über das tiefenpsychologisch als Archetyp verstandene Bild der Göttin bis zu verschiedenen Versuchen, Gott als weiblich und als Mutter zu benennen, ohne in kulturelle Geschlechterstereotypen zu verfallen. Selbstkritisch erkannten Feministische Theologinnen die Funktionalisierung von Gottesbildern für die emanzipatorischen Zwecke, die Essentialisierung des Weiblichen trotz gegenteiliger Absicht und die Überfrachtung der Kategorie der „Beziehung" mit Heilserwartungen als Gefahren. Diese Probleme finden sich allerdings in vielen reformtheologischen Strömungen des 20. und 21. Jh. Feministisch-christologische Ansätze erwiesen sich durch die Relativierung der Göttlichkeit Jesu ungewollt als anfällig für Antijudaismus. Denn es wurde auf andere, scheinbar historisch begründete Weise an der Einzigartigkeit Jesu festgehalten: als Freund der Frauen, als Symbol für ↑Gerechtigkeit, als Beispiel für gelungene Beziehung oder als ethisches Vorbild für die egalitäre Nachfolgegemeinschaft – und dies zumeist unter Abhebung Jesu von einem als patriarchal etikettierten jüdischen Hintergrund.

Bes. Bedeutung erhielt die theologische Anthropologie, weil in der traditionellen theologischen Lehre vom Menschen die Geschlechterdifferenz mit einem Verhältnis von Über- und Unterordnung einherging. Die derart hierarchisierten Geschlechterrollen galten darüber hinaus als Symbol und Spiegel der Beziehung zwischen Gott und Mensch bzw. zwischen Christus und der Kirche. Aus dieser Symbolisierung resultierten traditionell Anweisungen zum konkreten Verhalten der Geschlechter zueinander. Die Tatsache, dass die Über- und Unterordnung nicht für die Seelen von Männern und Frauen galt – hier herrschte eine strenge Gleichstellung –, verschärfte die Problematik eher noch, weil die (hierarchisierte) Differenz an der Körperlichkeit festgemacht, d. h. als etwas Natürliches dargestellt wurde.

Diese Naturalisierung der theologischen Anthropologie ist auch in solchen anthropologischen Entwürfen nicht verschwunden, die nicht mehr von einer Überordnung des männlichen Geschlechts über das weibliche ausgehen, sondern die „Andersartigkeit" von Männern und Frauen als gleichwertig und komplementär verstehen. Auch in einem solchen Konzept wird eine primär theologische Aussage im Sinne einer dualen Geschlechterordnung naturalisiert und verdeckt so deren Charakter als soziale Struktur.

Im Blick auf Sünde und Gnade formulierten Theologinnen die Erkenntnis, dass nicht nur Selbstüberhebung als Sein-Wollen-wie-Gott, sondern auch Selbst-Verleugnung als Mangel an Subjekt-Sein Sünde sein kann. Die befreiungstheologische Rede von der sozialen oder strukturellen Sünde wurde rezipiert und auf den Sexismus angewandt.

Römisch-katholische Theologinnen kritisierten aus ekklesiologischer und pastoraler Perspektive den Ausschluss der Frauen vom kirchlichen Amt, die damit verbundene Ignoranz gegenüber den Berufungen von Frauen, die Verbindung von Priesterweihe und Führungspositionen in der römisch-katholischen Kirche (↑Katholische Kirche) sowie die entspr. geschlechtlich konnotierten symbolischen Strukturen der Kirche.

3. Künftige Aufgaben

F. T. muss den Einfluss von „Geschlecht" auf die Lebenswirklichkeit in Religionen erforschen und die Theologisierung einer dualistischen Geschlechterstruktur kritisch analysieren. Angesichts des ausgeprägten Kulturalismus feministischer Theorien und der eher an den biologischen Grundlagen des Geschlechts orientierten kirchenamtlichen Aussagen steht eine Debatte um „↑Natur" und „↑Kultur" an, in der sowohl die Naturalisierung theologischer Aussagen als auch der Fehler vermieden werden, sozial Geprägtes für reversibel und biologisch Bedingtes für unveränderlich zu halten.

F. T. kann darüber hinaus zur Auseinandersetzung um das Verhältnis von Religion, Säkularität und Liberalität beitragen, indem sie die Vorstellung korrigiert, Gleichstellung sei nur durch die Bekämpfung der Religion zu erreichen.

Literatur

Deutscher Hochschulverband (Hg.): Gender, in: Forschung & Lehre 21/11 (2014), 880–897 • M. Jakobs: Gender in der Theologie, in: A. Fellner u. a. (Hg.): Gender überall!?, 2014, 119–143 • R. Ammicht Quinn u. a.: Gender in Theologie, Spiritualität und Praxis, in: Conc(D) 48/4 (2012), 362–460 • L. Scherzberg: Feministische Theologie, in: Theologien der Gegenwart, 2006, 67–101;   LUCIA SCHERZBERG

Fernsehen

1. Komponenten und Aspekte

Wie sich aus dem heterogenen Gebrauch des Kompaktbegriffs Medium ergibt, lassen sich bei Medien eine semiotische, eine technische und eine organisatorisch-institutionelle Komponente unterscheiden, aus deren systemischem Zusammenspiel die jeweiligen Medienangebote hervorgehen. Das Medium F. verbindet die audiovisuelle semiotische Substanz des Mediums Kino mit der elektronischen Rundfunktechnik. Dadurch erzielen seine Produkte bes. Suggestivkraft, Aktualität und Breitenwirkung. Der F.-Zuschauer „empfindet sich als Augenzeuge […], ohne sich der Selektion bewußt zu sein, mit der die Fernsehkamera seine Augen führt" (Noelle-Neumann 1994: 546). Bei Live-Übertragungen kann er Ereignisse miterleben, ohne am Ereignisort zu sein. In Deutschland steht fast in jedem Haushalt mindestens ein TV-Gerät. 2016 hat jeder Bundesbürger im Durchschnitt täglich 223 Minuten mit F. zugebracht. Die meistgesehenen Einzelsendungen erreichen Zuschauerzahlen in zweistelliger Millionenhöhe.

Das Medium F. besitzt daher eine eminente Bedeutung für die Bildung der individuellen und der ↑öffentlichen Meinung. Da beide Meinungsbildungsprozesse wesentliche Voraussetzungen funktionsfähiger ↑Demokratie sind, hat der Staat aufgrund der verfassungsrechtlichen Anforderungen von Art. 5 GG die Aufgabe, den Rechtsrahmen für dieses Medium so zu gestalten, dass sowohl die ↑Meinungs- und ↑Informationsfreiheit wie auch die Freiheit der Berichterstattung sichergestellt sind.

Zugl. ist das F. wegen seiner unternehmerischen Aktivitäten und seiner bes.n Bedeutung für den Werbemarkt ein wichtiger Wirtschaftsfaktor. Die *ProSieben-Sat.1 Media SE* zählt seit März 2016 zu den 30 Dax-Unternehmen. So ist die Sicherung des wirtschaftlichen ↑Wettbewerbs eine weitere staatliche Aufgabe.

Ansatzpunkt staatlichen Handelns ist dabei die organisatorisch-institutionelle Komponente des Mediums. Dessen zeitaufwändiger Komplexität steht die rasante Beschleunigung technischer Innovationen und die Dynamik medienökonomischer Prozesse gegenüber. Dieses strukturelle Problem kennzeichnet die Rundfunkpolitik von Anfang an und erklärt die zentrale Bedeutung der Rundfunkurteile des ↑BVerfG für die Entwicklung des F.s. Durch die Digitalisierung der ↑Medien, den globalen Informationsaustausch und die weltweiten Verflechtungen der großen IT- und Medienkonzerne hat sich dieses Problem noch verschärft. So trennt das deutsche ↑Medienrecht nach wie vor ↑Presse und ↑Rundfunk, obwohl inzwischen Bewegtbild und Schrift zu einheitlichen Onlineangeboten zusammenwachsen und die großen Medienkonzerne zugl. Presseerzeugnisse, TV-Programme und Online-Produkte anbieten.

2. Entwicklung des Fernsehens in Deutschland
2.1 Entstehung

Die grundlegenden Erfindungen zur elektronischen Übertragung bewegter Bilder sind die Nipkow-Scheibe (1883) und die Braunsche Röhre (1897). Nach dem Ersten Weltkrieg gab es in allen Industrieländern Weiterentwicklungen des F.-Funks. Die ersten Programme wurden 1935 in Deutschland und 1936 in Großbritannien ausgestrahlt. Erstes Fernsehereignis war die Übertragung der Olympischen Sommerspiele 1936 im Großraum Berlin. Das F. unterstand damals dem Reichspropagandaministerium, hatte aber für die NS-Propaganda keine größere Bedeutung. 1944 wurde es wegen Kriegsschäden eingestellt. Danach verschlug es viele Mitarbeiter nach Hamburg, wo sie einen wesentlichen Anteil am Aufbau des bundesdeutschen F.s hatten.

2.2 Entwicklung des öffentlich-rechtlichen Fernsehens

Die Entwicklung des heutigen F.s beginnt in den 50er Jahren, ausgehend von den Landesrundfunkanstalten, die nach 1945 unter alliierter Kontrolle in den Westzonen eingerichtet wurden. Sie schlossen sich 1950 zur Wahrnehmung gemeinsamer Aufgaben zur ARD zusammen. Dazu gehörte auch die Einrichtung eines gemeinsamen F.-Programms. Zuerst strahlte der NWDR in Hamburg seit 1950 Sendungen aus, am 26.12.1952 die erste *Tagesschau*. Nach Fertigstellung des bundesdeutschen F.-Übertragungsnetzes nahm das *Deutsche F.* (heute: *Das Erste*) am 1.11.1954 seinen Betrieb auf. Zur Finanzierung wurde zusätzlich zur Rundfunkgebühr eine eigene Gebühr für den Betrieb von F.-Geräten erhoben.

Diese Entstehungsgeschichte prägt die regionale und rechtliche Organisation. Die Aufteilung der Sendegebiete mit den verschiedenen Länder- und Mehr-Länder-Sendeanstalten geht auf die Militärzonen der Alliierten zurück. Ebenso wurde damals das britische Modell des öffentlich-rechtlichen Rundfunks als Organisationsform eingeführt, da im kriegszerstörten Deutschland aufgrund fehlender technischer und wirtschaftlicher Voraussetzungen das durch ↑Werbung finanzierte kommerzielle amerikanische Modell nicht realisierbar war. In der DDR waren Radio und F. staatlich organisiert, oberste Leitungsinstanz war das Staatliche Rundfunkkomitee. Seit 1952 wurde der *Deutsche F.-Funk* mit seinen Studios in Berlin-Adlershof aufgebaut, der 1972 in *F. der DDR* umbenannt wurde. Nach der Wiedervereinigung wurde es abgewickelt und durch Landesrundfunkanstalten der neuen Länder ersetzt.

Die *öffentlich-rechtlichen Rundfunkanstalten* sind Anstalten des öffentlichen Rechts, denen im Rundfunkstaatsvertrag der Länder gesetzlich die Aufgabe zugewiesen ist, „durch die Herstellung und Verbreitung ihrer Angebote als Medium und Faktor des Prozesses freier individueller und öffentlicher Meinungsbildung zu wirken." (§ 11 RStV). Ihre Organisationsstruktur setzt sich aus drei Organen zusammen:

a) Der *Intendant* ist für Sendeanstalt und Programm verantwortlich. Ihm sind Hörfunk- und F.-Direktion mit ihren Red.en untergeordnet, die das Programm gestalten und produzieren.

b) Der *Rundfunkrat* wählt den Intendanten, legt die Programmgrundsätze fest und überwacht ihre Einhaltung. Ihm gehören je nach Sender zwischen 29 und 74 Mitglieder an, die von den gesellschaftlich relevanten Gruppen entsandt werden (Kirchen, Verbände, Gewerkschaften, Parteien, Hochschulen usw.).

c) Der *Verwaltungsrat* besteht je nach Anstalt aus 7 bis 15 Mitgliedern und überwacht die Geschäfts- und Haushaltsführung.

Dieses System wurde 1961 durch das *erste Rundfunkurteil* des BVerfG nachhaltig bestätigt (BVerfGE 12, 205 ff.). Anlass war ein Konflikt zwischen Bund und Ländern über die Verwendung freier Funkfrequenzen für ein neues bundesweites F.-Programm. Der Bund berief sich auf seine Zuständigkeit für den Funkverkehr und hatte alle Vorbereitungen für ein von ihm kontrolliertes, privat finanziertes F. getroffen („Adenauer-F."). Das BVerfG entschied jedoch aufgrund der „Kulturhoheit der Länder" zugunsten ihrer Gesetzgebungskompetenz und auch gegen staatsbetriebenen Rundfunk jeder Form („Staatsfreiheit"). Als Reaktion darauf schlossen die Länder den Staatsvertrag zur Einrichtung eines bundesweiten *Zweiten Deutschen F.s* mit Sitz in Mainz, das am 1.4.1963 den Betrieb aufnahm. Von 1964 bis 1969 richteten die Landessender ihre *Dritten Programme* ein. Als Studien- und Bildungsprogramme konzipiert, haben sie sich inzwischen zu regionalen Vollprogrammen entwickelt.

2.3 Die Entwicklung der dualen Rundfunkordnung
Ende der 70er Jahre gewann die Satelliten- und Kabelübertragung zunehmend an Bedeutung. Damit ließ sich das Monopol der öffentlich-rechtlichen Sender nicht länger mit der Knappheit terrestrischer Frequenzen rechtfertigen. 1981 erklärte das *dritte Rundfunkurteil* den kommerziellen Betrieb privater Rundfunksender für zulässig, vorausgesetzt, dass durch gesetzliche Regelungen die für die private und öffentliche Meinungsbildung unverzichtbare Meinungsvielfalt sichergestellt wird (BVerfGE 57, 295 ff.). Seitdem können natürliche und juristische Personen mit der erforderlichen Lizenz privaten Rundfunk veranstalten. Lizenzvergabe und Aufsicht liegen bei *Landesmedienanstalten*, die in ähnlicher Weise staatsfern organisiert sind wie die Landesrundfunkanstalten. Dieses Urteil ist die Grundlage der dualen Rundfunkordnung von öffentlich-rechtlichen Sendern, deren Meinungsvielfalt durch die Zusammensetzung der Gremien garantiert wird (Binnenpluralität), und privaten, deren Meinungsvielfalt auf wirtschaftlicher Konkurrenz beruht (Außenpluralität). Beide stehen wiederum im gegenseitigen Wettbewerb um die Zuschauer.

Eine Vorreiterrolle bei der Etablierung des dualen Systems spielte Rheinland-Pfalz: Am 1.1.1984 startete das Kabelpilotprojekt Ludwigshafen. Erstmals wurde auch ein kommerzielles F.-Programm ausgestrahlt, das „Verleger-F." *PKS*, heute SAT.1. Die weitere Entwicklung des Privat-F.s war durch Unübersichtlichkeit und Diskontinuitäten geprägt. Zunächst dominierten lokale und regionale Anbieter. In manchen Regionen gibt es noch heute ein vielfältiges lokales Angebot. Bundesweit kam es jedoch bald zu einer Marktbereinigung, die zum Duopol von *RTL-Gruppe*, die zum Bertelsmann-Konzern gehört, und *ProSiebenSat.1 Media SE*, vormals Kirch-Gruppe, führte. Die bundesweiten Programme konnten rasch große Teile des Publikums für sich gewinnen. 1992 war mit RTL zum ersten Mal ein privates F.-Programm Marktführer. Inzwischen hat sich bei der Zuschauerquote ein Gleichstand von privaten und öffentlich-rechtlichen Sendern eingependelt.

Für die weitere Entwicklung des dualen Systems besitzt das *vierte Rundfunkurteil* von 1986 zentrale Bedeutung (BVerfGE 73, 118 ff.). Um den publizistischen Wettbewerb zu sichern, gibt es ihm einen Rahmen. Das Urteil geht davon aus, dass werbefinanzierte F.-Sender aus wirtschaftlicher Notwendigkeit möglichst massenattraktive Programme anbieten und deshalb die Vielfalt der Meinungen und kulturellen Strömungen nicht in voller Breite wiedergeben. Dieser geringere Standard ist nur dann zulässig, wenn der öffentlich-rechtliche Rundfunk entspr. seinem gesetzlichen Funktionsauftrag jene „Grundversorgung" leistet, die für die gesellschaftliche Meinungsbildung unerlässlich ist. Zugl. muss der Gesetzgeber verhindern, dass im privaten Rundfunk eine vorherrschende Meinungsmacht entsteht.

Die gesetzliche Ausgestaltung des dualen Systems erfolgte 1987 im Rundfunkstaatsvertrag der Länder zur Neuordnung des Rundfunkwesens. Er wurde 1991 in den Staatsvertrag zur Regelung des Rundfunks im wiedervereinten Deutschland integriert und seitdem mit mehrfachen Änderungen fortgeschrieben.

1992 schrieb das *siebte Rundfunkurteil* die Rahmenbedingungen für den wirtschaftlichen Wettbewerb fest. Es bestätigte die Werbebeschränkungen des öffentlich-rechtlichen Rundfunks und sah die ihm „gemäße Art der Finanzierung" in der Rundfunkgebühr. Eine Mischfinanzierung mit Werbung ist aber zulässig, sofern die Gebührenfinanzierung nicht in den Hintergrund tritt (BVerfGE 87, 181).

2.4 Internationalisierung
Die Satellitentechnik machte das F. auch zu einem internationalen Medium. Zwar hatte sein Programm mit den internationalen Serien und Live-Übertragungen immer schon eine internationale Komponente. Doch der Empfang ausländischer Sender war auf grenznahe Gebiete beschränkt. Satellitenprogramme lassen sich dagegen europaweit empfangen. Dies erforderte eine europäische Harmonisierung des Medienrechts. 1989 wurde die EG-F.-RL 89/552/EWG beschlossen. Ihre zentrale Regelung ist das Sendestaatsprinzip. Programme, die der nationalen Umsetzung dieser RL in ihrem Heimatland entsprechen, sind in allen Mitgliedsstaaten frei empfangbar, selbst wenn dort strengere Regeln gelten. Große praktische Bedeutung haben auch die Werberegelungen.

Als erstes internationales F.-Programm des deutschsprachigen Raums wird seit 1984 das Satellitenprogramm *3sat* ausgestrahlt. 1992 folgte das deutsch-französische Gemeinschaftsprogramm ARTE. Seit 1993 gibt es das europäische Informationsprogramm Euronews. Mittlerweile wird es in 13 Sprachen simultan gesendet, was zeigt, wie schwierig die notwendige Bildung einer europäischen ↑Öffentlichkeit ist.

Heute bieten die beiden großen europäischen Satelliten-Betreiber *Eutelsat* und *SES S.A. (Astra)* hunderte von F.-Programmen an. Hinzu kommen die F.-Sendungen, die über das ↑Internet empfangbar sind. Wichtig sind diese Angebote für die Migranten der verschiedenen Senderländer. Daneben haben internationale englischsprachige Programme wie CNN oder *Al Jazeera* bes.n Einfluss gewonnen. Unübersehbar ist aber auch, wie die Internationalisierung des F.s für nationale ↑Propaganda benutzt wird.

2.5 Digitalisierung und Medienkonvergenz

Mitte der 90er Jahre setzte mit der ↑Digitalisierung der F.-Technik eine neue Entwicklungsphase ein. Die Produktion von Sendungen wurde einfacher und billiger, die Übertragungskapazität nahm zu, das Programm wurde ausgeweitet. Zugl. begann die Konvergenz von F. und Internet. Aus dem programmbegleitenden Videotext entwickelten sich umfassende Onlineportale, und von allen Sendern wurden Mediatheken als Video-on-Demand-Angebote eingerichtet. Damit gibt es neben dem linear ausgestrahlten Programm noch zeit- und ortsunabhängige individuelle Zugriffsmöglichkeiten auf das F.-Angebot. Damit gibt es neben dem linear ausgestrahlten Programm noch zeit- und ortsunabhängige individuelle Zugriffsmöglichkeiten auf das F.-angebot, was dessen Nutzungsbedingungen verändert hat. Das hat beim Rezeptionsverhalten der jüngeren Generation bereits zu Auswirkungen geführt.

Diese Innovationen waren bei den privaten Anbietern durch kommerzielle Überlegungen begründet. Die Öffentlich-Rechtlichen reagierten wiederum auf die absehbaren Veränderungen des Zuschauerverhaltens und konnten sich dabei auf die Bestands- und Entwicklungsgarantie des *sechsten Rundfunkurteils* berufen. Zugl. hatte die Medienkonvergenz für ihre Finanzierung erhebliche Konsequenzen, da für den Empfang von F.-Sendungen inzwischen keine F.-Geräte mehr erforderlich sind. Damit war die gerätebezogene Rundfunkgebühr nicht mehr praktikabel. Sie wurde 2016 durch den haushaltsbezogenen Rundfunkbeitrag ersetzt.

Viel weitreichendere Konsequenzen haben allerdings die Videoportale, auf denen die Nutzer eigene Videos posten können. Schlüsseldatum ist die Gründung von *YouTube* 2005. Seitdem wurden in der global organisierten Online-Welt Bewegtbildbeiträge auf Grund ihrer Attraktivität immer wichtiger. Das audiovisuelle Rundfunkmedium F. muss nun mit Beiträgen konkurrieren, die Privatpersonen, Unternehmen und politische Institutionen auf allg. zugänglichen Online-Plattformen publizieren. Zugl. verschwimmen in der öffentlichen Wahrnehmung die Unterschiede zwischen öffentlicher und privater ↑Kommunikation, zwischen ↑Journalismus und PR, zwischen Beiträgen, für die eine Red. verantwortlich zeichnet, und solchen, bei denen Streamingdienste lediglich für die Verbreitung sorgen. Zentrale Kategorien der etablierten Medienordnung drohen damit ihre Bedeutung zu verlieren.

Das Medienrecht reagierte darauf, indem es nun zwischen Rundfunk und Telemedien unterscheidet. Als zentrales Differenzkriterium gilt die Linearität, ein zweites ist die Zahl der Nutzer. Lineare audiovisuelle Medienangebote gelten als F.-Programme. Sie unterliegen dem Rundfunkrecht und benötigen eine Lizenz. Alle anderen zählen als Telemedien, für die einfachere Vorschriften gelten (§ 2 Abs. 1 RStV). Für die öffentlich-rechtlichen Sender ist damit aber ein spezielles Folgeproblem entstanden. Da ihre Mediatheken und Online-

dienste aufgrund dieser Festlegung nicht als Rundfunk gelten, aber aus Pflichtbeiträgen finanziert werden, drohen sie gegen die Subventionsregeln der EU zu verstoßen. Daher können sie ihre Onlineangebot nur zeitlich begrenzt anbieten oder müssen nachweisen, dass diese einen bes.n publizistischen Mehrwert besitzen und damit dem Funktionsauftrag des öffentlich-rechtlichen Rundfunks entsprechen („Drei-Stufen-Test", § 11 f RStV).

Auf diesen Funktionsauftrag stützt sich insb. das Online-Projekt *funk*, das 2016 als gemeinsames Jugendangebot von ARD und ZDF eingerichtet wurde. Es wird nicht über die herkömmlichen Rundfunkfrequenzen verbreitet, sondern online, insb. über ↑Social Media und mobiles Internet (§ 11 g RStV). Der öffentlich-rechtliche Rundfunk möchte damit das Interesse der jüngeren Generation an seinen Medienangeboten erhalten. Das Projekt besitzt aber auch Modellcharakter dafür, wie das Prinzip des dualen Systems im Zeitalter der Cloud mit all seinen Vermachtungstendenzen publizistischen Wettbewerb und Meinungsvielfalt erhalten kann.

3. Finanzierung

F. ist ein nicht-exkludierbares Wirtschaftsgut. Alle, die ein Empfangsgerät besitzen, können es sehen. Das hat für seine Finanzierung weitreichende Folgen. Entweder muss es in irgendeiner Form von der Allgemeinheit bezahlt werden, oder man benutzt die Aufmerksamkeit, die seine Sendungen erzeugen, für die Verbreitung bezahlter Werbebotschaften. Seit durch die Digitalisierung F.-Sendungen verschlüsselt und damit kontrolliert übertragen werden können, können Sendungen auch durch ihren Empfang finanziert werden. So hat sich neben dem Free-TV inzwischen auch ein Pay-TV-Angebot entwickelt.

Die jeweilige Finanzierungsart hängt von der Rechtsform der Sender ab. Da eine staatliche Rundfunkfinanzierung aus Verfassungsgründen unzulässig ist, werden die öffentlich-rechtlichen Sender durch den Rundfunkbeitrag (früher Rundfunkgebühr) und in einem geringen Umfang durch Werbeeinnahmen finanziert. Die kommerziellen Sender finanzieren sich durch Werbung, Programmverkäufe und zunehmend auch durch Pay-TV. Eine weitere Finanzierungsform sind Teleshopping-Sendungen.

Wichtige Institutionen sind in diesem Zusammenhang die *KEF* und die *KEK*. Die KEF hat auf Grundlage des ermittelten Finanzbedarfs den Ländern einen Vorschlag über die Höhe des Rundfunkbeitrags zu unterbreiten. Die KEK beobachtet die wirtschaftliche Entwicklung der kommerziellen F.-Unternehmen und soll zusammen mit der *Arbeitsgemeinschaft der Landesmedienanstalten (ALM)* das Entstehen einer vorherrschenden Meinungsmacht verhindern. Die KEK legt dazu regelmäßig einen Bericht vor, der Firmenverflechtungen und Beteiligungsverhältnisse darstellt und die Zuschaueranteile der jeweiligen Senderfamilien erfasst.

Die Höhe des Rundfunkbeitrags wird auf Basis des KEF-Vorschlags von den Ländern im Rundfunkstaatsvertrag festgelegt. Zugl. enthält der Rundfunkstaatsvertrag die sehr detaillierten Vorschriften zur Regelung der Werbung. Dazu gehören Kennzeichnungspflicht, zulässige Werbezeiten und die Bestimmungen zum Sponsoring und Product Placement. Die Höhe der Werbeeinnahmen richtet sich nach der Zahl der Zuschauer der jeweiligen Sendung (Tausender-Kontakt-Preis). Um die Zuschauerquoten auf einheitliche Weise zu erfassen, haben sich hier die privaten und öffentlich-rechtlichen Sender mit den Mediaagenturen und Werbetreibenden zur *Arbeitsgemeinschaft Videoforschung* zusammengeschlossen.

2014 standen den öffentlich-rechtlichen Radio- und F.-Sendern 7846 Mio. Euro Einnahmen durch Rundfunkbeiträge zur Verfügung, hinzu kamen noch 324 Mio. Euro durch Werbung und Sponsoring. Die Erträge des privaten F.s lagen im gleichen Jahr bei 8801 Mio. Euro, davon entfielen 4377 Mio. Euro auf Werbeeinnahmen, 1870 Mio. Euro auf Pay-TV, 1688 Mio. Euro auf Teleshopping-Kanäle. Der Rest waren Einnahmen aus Regionalprogrammen und Lizenzen.

4. Das Programm
4.1 Sendeformen und Inhalte

Das F. hat aufgrund seiner semiotischen und technischen Eigenschaften eine Vielfalt von Sendeformen und Programminhalten hervorgebracht. Mit seinen Filmen und Serien kann es gut Geschichten zu erzählen. Im Sprechfernsehen zeigt es Menschen, die über ihre Erfahrungen, über politische und ökonomische Themen sprechen. So kann es Sachverhalte behandeln, die mit Bildern nicht darstellbar sind. Als Live-Medium lässt es seine Zuschauer geradezu unmittelbar an bes.n Ereignissen teilhaben. Zugl. sind seine Programminhalte in unterschiedliche Kommunikationsgattungen eingebunden. Nachrichten und Magazine, Dokus und Diskussionen erfüllen journalistische Funktionen. Spielfilme und Serien bieten fiktionale, Shows und Spiele performative Unterhaltung. Daneben haben sich mit dem ↗Infotainment und dem Reality-TV fernsehtypische Hybridgattungen entwickelt.

4.2 Programmgestaltung und Produktion

Bei der Programmgestaltung unterscheidet man zwischen Vollprogrammen, die alle Genres umfassen, und Spartenprogrammen, die ausschließlich Nachrichten, Sport, Serien usw. senden. Sie sind oft in Programmbouquets eingebunden und meist auf bestimmte Zielgruppen zugeschnitten. Die Organisation des zeitlich-linearen Programmablaufs orientiert sich am Zuschauerverhalten. Daher gibt es zwischen dem Tages- und Abend-, dem Alltags- und Wochenendprogramm deut-

liche Unterschiede. Zugl. haben sich durch den Einfluss der kommerziellen Sender Programmierungsstrategien wie Stripping oder Audience flow durchgesetzt, die darauf zielen, den Wiedererkennungswert der Sendungen zu steigern und die Zuschauer durch Habitualisierung an ein Programm zu binden. Aus diesem Grund gibt es im F. auch so viele formatierte Sendungen und Serien. Andererseits erzielen daher Unterbrechungen der Programmroutinen eine bes. Aufmerksamkeit. Exemplarisch sind Liveübertragungen wichtiger Ereignisse und Programmevents wie der *Eurovision Song Contest*.

Die Programminhalte werden von den Sendern z. T. als Eigen- oder Auftragsproduktionen hergestellt. Daneben werden Fremdproduktionen und Senderechte eingekauft. Hier hat sich ein harter Wettbewerb um Formate und Serien, insb. um die Rechte von Sportübertragungen, entwickelt. Bei den kommerziellen Sendern erfolgt dann die Ausstrahlung in einer wirtschaftlichen Verwertungskette. Nachgefragte Sendungen laufen zuerst im Pay-TV und danach im Free-TV. Aber auch bei den öffentlich-rechtlichen laufen wichtige Sendungen zunächst im Haupt-, dann im Spät- und schließlich in einem Spartenprogramm. Journalistische Sendungen sind meist Eigenproduktionen. Die Sender unterhalten dazu nationale und internationale Korrespondentennetze, beziehen aber auch Filmmaterial von Nachrichtenagenturen wie der Europäischen Rundfunkunion oder Reuters.

4.3 Strukturen und rechtliche Vorgaben

Die Anzahl der öffentlich-rechtlichen F.-Programme ist im Rundfunkstaatsvertrag festgelegt (2016: 20 Programme). Im gleichen Jahr waren bei den Landesmedienanstalten 403 private F.-Programme zugelassen. Im Einzelnen waren das 73 Free- und 86 Pay-TV-Programme, 22 Teleshopping-Sender und 222 regionale und lokale Anbieter.

Diesem großen Angebot steht eine äußerst selektive Nutzung durch die Zuschauer gegenüber. 2016 erreichten gerade sechs Programme einen Marktanteil über 5 % (ZDF 13 %, Das Erste 12,1 %, RTL 9,7 %, Sat1 7,3 %, ProSieben 5,5 %, VOX 5,2 %). Fasst man die Zuschaueranteile der Senderfamilien zusammen, so erreichten in diesem Jahr die ARD-Programme 24,8 %, die ZDF-Programme 16,3 % und ihre gemeinsamen Programme 5,1 %. Bei den privaten Anbietern entfielen auf die *RTL-Gruppe* 22,6 %, auf *ProSiebenSat1 Media* 20,1 %. Der Rest waren andere Anbieter.

Auch besteht ein klarer Zusammenhang zwischen den Profilen der einzelnen Programme und ihrer Finanzierung. Das Informationsangebot der öffentlich-rechtlichen Sender ist doppelt so umfangreich wie das der privaten, bei denen Unterhaltungsangebote dominieren. Bemerkenswert ist, dass sich hier eine Ausdifferenzierung von Free-TV und Pay-TV abzeichnet, wie das die Entwicklung der Quality-TV Serien durch Pay-TV Unternehmen zeigt. Den unterschiedlichen Programmprofilen entsprechen die Nutzungsmotive der Zuschauer. Sie bevorzugen zur Information die öffentlich-rechtlichen und zur Unterhaltung die privaten Programme.

Als rechtlichen Rahmen für die Programmgestaltung legt der Rundfunkstaatsvertrag fest, dass die Angebote der öffentlich-rechtlichen Sender der „Bildung, Information, Beratung und Unterhaltung zu dienen" haben (§ 11 RStV). Die Anforderungen an die privaten Programme sind dagegen, so wie es das vierte Rundfunkurteil ermöglicht, geringer. Sie müssen lediglich die verfassungsmäßige Ordnung und die allg.en Gesetze beachten (§ 41 RStV). Bes. wichtig ist der ↑ Jugendschutz, der seit 2016 in einem eigenen Rundfunk- und Telemedien-Staatsvertrag geregelt ist.

5. Wirkung

„Das Fernsehen ist Produkt der gesellschaftlichen Modernisierungen und zugleich Transmissionsriemen sozialer Veränderungen." (Hickethier 1998: 1). Seine bes. Wirkungsmacht ist offensichtlich. Exemplarisch ist die gesellschaftliche Neupositionierung nach Ausstrahlung der Serie „Holocaust" 1979, aber auch die nationale Euphorie während der Fußballweltmeisterschaft 2006, woran das Public Viewing der live übertragenen WM-Spiele wesentlichen Anteil hatte. Da die Wirkungszusammenhänge im Einzelnen sehr komplex sind, sind sie jedoch nur in ersten Annäherungen erforscht. Selbst der Zusammenhang von F. und ↑ Gewalt blieb trotz intensiver Forschung kontrovers.

Nicht weniger wichtig wie die unmittelbaren Wirkungen sind die reziproken Effekte. Sie entstehen dadurch, dass die gesellschaftlichen Akteure die Wirkungen des F.s in ihr Vorgehen einkalkulieren. Pressekonferenzen orientieren sich an Sendeterminen, Politiker tragen ihre Diskussionsbeiträge nicht mehr im Parlament, sondern in Talkshows vor, Sportveranstaltungen werden so organisiert, dass ihre Übertragungen möglichst hohe Einschaltquoten und Einnahmen für die Senderechte haben. Spätestens seit dem 11. September 2001 hat auch der ↑ Terrorismus das F. für seine Zwecke entdeckt.

F. hat einen wesentlichen Anteil an der Mediatisierung unserer Gesellschaft mit all ihren Vorzügen und Problemen. Es wird auch weiterhin eine wichtige Rolle spielen. Denn es hat immer wieder gezeigt, wie „lernfähig" es aufgrund seiner komplexen Systemeigenschaften ist.

Literatur

C. Zubayr/H. Gerhard: Tendenzen im Zuschauerverhalten, in: MP 3 (2017), 130–144 • ALM GbR (Hg.): Die Medienanstalten. Jahrbuch 2015/2016, 2016 • KEF: 20. Bericht, April 2016 • U. M. Krüger (2016): Profile deutscher Fernsehprogramme – Tendenzen der Angebotsentwicklung. in: MP 3 (2016), 166–185 • D. Schlütz: Quality-TV als Unterhaltungsphänomen, 2016 • C. Breunig/B. Engel: Massenkommunikation 2015: Funktionen und Images der Medien im Vergleich. Ergebnisse der ARD/ZDF-Langzeitstudie, in: MP 7–8 (2015), 323–341 • D. Dörr/R. Schwartmann: Medienrecht, ⁵2014 • E. Karstens/J. Schütte: Praxishdb. Fernsehen. ³2013 • K. N. Renner: Fernsehen, 2012 • E. Noelle-Neumann/W. Schulz/J. Wilke (Hg.): Fischer Lexikon Publizistik. Massenkommunikation, ⁵2009 • W. Donsbach/J. Wilke: Rundfunk, in: ebd., 593–650 • H. M. Kepplinger: Wirkung der Massenmedien, in: ebd., 651–702 • H. M. Kepplinger: Wirkung von Gewalt in den Massenmedien, in: ebd., 703–713 • J. Wilke: Medien DDR, in: ebd., 235–263 • S. J. Schmidt/G. Zurstiege: Orientierung Kommunikationswissenschaft, 2000 • K. Hickethier: Geschichte des deutschen Fernsehens, 1998 • W. Klingler/G. Roters/O. Zöllner (Hg.): Fernsehforschung in Deutschland, 1998 • E. Noelle-Neumann: Wirkung der Massenmedien auf die Meinungsbildung, in: E. Noelle-Neumann/W. Schulz/J. Wilke (Hg.): Fischer Lexikon Publizistik. Massenkommunikation, ³1994, 518–571.

KARL NIKOLAUS RENNER

Feudalismus

F. ist ein ambivalenter und schillernder Begriff, ein, nach Marc Bloch, „mot fort mal choisi" (Bloch 1939: 3). Zurückgehend auf das seit dem ausgehenden 9. Jh. belegte Substantiv *feudum* (Lehen), entstand er in Deutschland gegen Ende des *ancien régime* unter Rezeption des im 17. Jh. in Frankreich aufgekommenen Wortes *féodalité*, das zunächst lediglich Lehnrecht und -system meinte, aber schließlich zu einem die herrschaftlichen und sozialen Verhältnisse in einem abwertenden Sinne charakterisierenden Kampfbegriff wurde. Im Deutschen kann F. wie in anderen Sprachen auch in einem engeren Sinne allein das Lehnswesen meinen, doch wird der Begriff meist in einem allg.eren Verständnis verwendet und zur Kennzeichnung gesellschaftlicher und politischer Verhältnisse herangezogen.

1. Feudalismus als pejoratives Schlagwort

Für die Repräsentanten der französischen ↑ Aufklärung charakterisierten die Begriffe *féodalité* bzw. *féodal* oder *système féodal* die abgelehnten gesellschaftlichen und politischen Verhältnisse des *ancien régime*, die Fragmentierung der öffentlichen Gewalt in lokale Herrschaftsbezirke, wodurch zahllose Tyrannen kleineren Zuschnitts entstanden seien (Voltaire). Das Feudalregime, basierend auf Landbesitz und Ungleichheit durch Privilegierung des ↑ Adels und des ↑ Klerus, wurde zum Inbegriff einer ungerechten ↑ Verfassung (Denis Diderot), und am 11.8.1789 durch die *Assemblée nationale* per Dekret beendet. Das wirkmächtig gewordene pejorative Verständnis von F. aber wirkte weiter.

In Deutschland hatte schon der Reformer des preußischen Rechtswesens Carl Gottlieb Svarez das „Lehnssystem" in seinen Vorträgen für den preußischen Kronprinzen als fürchterlich beschrieben, weil es zwei Klassen von Menschen hervorgebracht habe, nämlich Adlige und Leibeigene. Georg Wilhelm Friedrich Hegel sah im „Feudalrecht" schließlich ein „Recht des Un-rechts", da die Feudalherrschaft ein die „allgemeine Rechtslosigkeit" institutionalisierendes „System von Privatabhängigkeit und Privatverpflichtung" dargestellt haben soll (Hegel 1923: 813). Daran anknüpfend verstand Karl Marx, der die mittelalterliche Gesellschaft außerhalb der Städte allein in Feudalherren und Leibeigene gegliedert glaubte, den F., in dem die oberste militärische und gerichtliche ↑Gewalt aus dem Grundeigentum erwachsen sei, als eine gegenüber der antiken Sklavenhaltergesellschaft fortschrittliche, jedoch vom später auftretenden Kapitalismus notwendigerweise zu überwindende „Produktionsweise" (MEW 23: 352) und legte damit den Grundstein für die nicht zuletzt von Josef W. Stalin geförderte (vulgär)marxistische Deutung (↑Marxismus) des Geschichtsverlaufs (↑Geschichte, Geschichtsphilosophie) als der gesetzmäßigen Abfolge verschiedener Gesellschaftsformationen (Urgesellschaft, Sklavenhaltergesellschaft, F., Kapitalismus, Sozialismus, Kommunismus).

Die Begriffsbildung hatte mithin oft weniger mit Wissenschaft zu tun als mit ↑Ideologie und Politik. Der Terminus selbst wurde daher häufig zum Klischee im politischen Diskurs und ließ jede wissenschaftliche Schärfe vermissen. Diese wissenschaftliche Unschärfe des pejorativen Schlagworts nahm dabei gegen Ende des 19. Jh. weiter zu, als das Adjektiv „feudal" im Studentenjargon und schließlich in der Alltagssprache den Sinn von „vornehm", „anspruchsvoll" oder „aufwendig" erhielt. Die weitgehende grundsätzliche Zurückhaltung der ↑Geschichts- und ↑Sozialwissenschaft bei dem Gebrauch des F.-Begriffs ist daher nur zu verstehen.

2. Feudalismus als Wissenschaftsbegriff

Trotzdem ist der nachwirkende Versuch unternommen worden, den Terminus F. wissenschaftlich nutzbar zu machen. Ansatzpunkt dafür bot die zutreffende und gerade auch in nicht wissenschaftlichen Zusammenhängen betonte Beobachtung von der gespaltenen ↑Souveränität in der Vormoderne, also des Umstands, dass die ↑Gerichtsbarkeit nicht geschlossen bei einem ↑Staatsoberhaupt lag oder sich von diesem ableitete (sondern zu Teilen unabhängig von diesem in Grundherrschaften, Hofmarken, Gutsherrschaften oder Seigneurien ausgeübt wurde), sowie die damit verbundene, durch abgestufte Freiheitsrechte gekennzeichnete, sehr stark durch Grundbesitz fundierte Hierarchisierung der Gesellschaft und das häufig oder über lange Zeiträume hinweg fehlende ↑Gewaltmonopol des Staates.

Für Max Weber bedeutete daher der F., verstanden als Form traditionaler ↑Herrschaft, eine dezentrale Machtausübung, bei der die Herrschaftsrechte ebenso wie die Mittel zur Ausübung der Herrschaft bei lokalen Gewalthabern lagen. Zugl. begriff ihn M. Weber als einen Grundtypus der Herrschaftsordnung, den es nicht nur in ↑Europa, sondern ebenfalls in außereuropäischen

Gesellschaften – etwa als orientalischen Pfründen-F. – geben konnte. Ein globales Phänomen erblickte auch Otto Hintze im F., dessen militärische und ökonomische Facetten er zusätzlich neben der herrschaftlichen, hauptsächlich auf personalen Bindungen beruhenden Dimension betonte. Der F. wurde damit gleichsam zu einem (als Epochen- und Periodisierungsbegriff nutzbaren) Idealtypus, dessen je spezifischer Konkretisierung man in vielen Herrschaftsverbänden und Sozialordnungen nachgehen kann, bes. etwa in der russischen, der orientalischen und v. a. der japanischen Geschichte.

M. Bloch, der wohl die wirkmächtigste Analyse der Feudalgesellschaft vorgelegt und den – obwohl mit Skepsis betrachteten – F.-Begriff entsprechend geprägt und befördert hat, blieb in dieser Hinsicht jedoch eher zurückhaltend und konzentrierte seine auf den F. gerichtete Beschäftigung ebenso wie spätere französischsprachige Mediävisten (Georges Duby, Jacques Le Goff) hauptsächlich auf das mittelalterliche Europa, ohne allerdings komparative Studien abzulehnen.

Obwohl weiterhin umstritten und sprachlich unverändert ambivalent, ist der Begriff F., an dem sich in der zweiten Hälfte des 20. Jh. v. a. die DDR-Mediävistik abgearbeitet hat, nicht mehr wegzudenken aus der modernen Wissenschaftssprache. Obsolet geworden ist dabei freilich seine marxistische Bedeutung als Teil einer Stufenfolge gesetzmäßig zu durchlaufender Gesellschaftsformationen. Zumeist wird der Terminus inzwischen in einem weiten Sinne verwendet; als reines Synonym für Lehnswesen hingegen sollte er nicht mehr dienen.

Literatur

E. Münch: Feudalismus, in: HdRG, Bd. 1, ³2008, 1557–1563 • W. Schmale: Feudalgesellschaft, in: ENz, Bd. 3, 2006, 971–978 • N. Fryde u. a. (Hg.): Die Gegenwart des Feudalismus, 2002 • F.-R. Erkens: Moderne und Mittelalter oder Von der Relevanz des praktisch Untauglichen, in: ders. (Hg.): Karl der Große in Renaissance und Moderne, 1999, 95–122 • K.-F. Krieger: Feudale Gesellschaft, feudaler Staat, in: StL, Bd. 2, ⁷1986, 560–564 • O. Brunner: Feudalismus, feudal, in: GGB, Bd. 2, 1975, 337–350 • H. Kammler: Die Feudalmonarchien: politische und wirtschaftlich-soziale Faktoren ihrer Entwicklung und Funktionsweise, 1974 • H. Wunder (Hg.): Feudalismus. Zehn Aufsätze 1974 • M. Weber: Wirtschaft und Gesellschaft. Grundriß der verstehenden Soziologie, ⁵1972 • O. Hintze: Wesen und Verbreitung des Feudalismus, in: ders. (Hg.): Staat und Verfassung. Gesammelte Abhandlungen zur allgemeinen Verfassungsgeschichte I, ³1970, 84–119 • O. Brunner: „Feudalismus". Ein Beitrag zur Begriffsgeschichte, in: ders.: Neue Wege der Verfassungs- und Sozialgeschichte, ²1968, 128–159 • C. G. Svarez: Vorträge über Staat und Recht (Kronprinzenvorträge), 1960 • M. Bloch: La société féodale. La formation du liens de dépendance, 2 Bde., 1939f. • G. W. F. Hegel: Die germanische Welt. Vorlesungen über die Philosophie der Weltgeschichte, Bd. 4, hg. v. G. Lasson, ²1923 • Voltaire: Essai sur les mœurs et l'esprit des nations 1756, 1878 • D. Diderot: Représentants, in: D. Diderot/ J.-B. le Rond d'Alembert, Encyclopédie, Bd. 28, ²1780, 362–369.

FRANZ-REINER ERKENS

Film

I. Soziologische Perspektiven –
II. Filmgeschichte und wirtschaftliche Bedeutung

I. Soziologische Perspektiven

1. Der Film als gesellschaftliches Phänomen

Schon früh hatte der F., eine Erfindung des 19. Jh., eine Affinität zur Soziologie. Beide beschäftigen sich mit gesellschaftlichen Phänomenen, stellen sie dar und analysieren sie. Von Anfang an fasziniert der F. durch seine große Ähnlichkeit mit den sozialen Wirklichkeiten, die wahrgenommen und erfahren werden. In seiner Fähigkeit zur Visualisierung sozialer Wirklichkeiten übertrifft er jedes andere Medium. Der anorganische Blick der Kamera tritt an die Stelle der Augen eines Subjekts. Er verführt uns dazu, die Welt ohne soziale Hemmungen zu erkunden und zu durchforsten.

Allerdings stellt ein F. die Wirklichkeit nicht dar, wie sie ist, sondern wie sie erscheint. Es kann ihm aber gelingen, die wachsende Abstraktheit und Intransparenz gesellschaftlicher Verhältnisse, an deren Aufklärung die Soziologie theoretisch und empirisch arbeitet, ästhetisch zu versinnlichen und darstellbar zu machen. F. und Soziologie reagieren also beide auf die immer größer werdende Spaltung von Erfahrung und Struktur, die mit der Entwicklung und Differenzierung der modernen ↑Gesellschaft einhergeht. Die soziologische Theorie bemüht sich, die Komplexität gesellschaftlicher Verhältnisse zu durchdringen und zu analysieren, der F. versucht mit ästhetischen Mitteln die Abstraktheit sozialer Prozesse und ihrer Auswirkungen durch punktuelle Konkretisierungen aufzuhellen. Während das abstrakte Wissen der Soziologie aber erst mit der Erfahrung der Subjekte vermittelt werden muss, um in der alltäglichen Praxis wirksam sein zu können, schließt der F. unmittelbar sinnlich an diese Erfahrung an und wirkt auf sie ein. Beiden Errungenschaften der ↑Moderne geht es also mit unterschiedlichen Mitteln darum, das Unsichtbare im Sichtbaren aufzuzeigen.

2. Die Erforschung der gesellschaftlichen Bedeutung und „Wirkung" von Filmen in der ersten Hälfte des 20. Jh.

Bereits 1914 veröffentlichte Emilie Altenloh ihre Dissertation „Zur Soziologie des Kino. Die Kino-Unternehmung und die sozialen Schichten ihrer Besucher". Basierend auf Statistiken der F.-Theater und der Auswertung von 2400 Fragebogen zeichnet sie ein differenziertes Bild der sozialen Zusammensetzung des Publikums. Sie zeigt z. B. auf, welche Genres die unterschiedlichen Fraktionen des Publikums, das sie nach Alter, sozialer Klasse und ↑Gender differenziert, präferieren und wie der Kinobesuch im Kontext anderer kultureller Aktivitäten situiert ist. In der zunehmend rationalisierten und bürokratisierten modernen Gesellschaft erlaubt der Kinobesuch „ein Ausruhen in etwas Zwecklosem, in einer auf kein Ziel gerichteten Beschäftigung" (Altenloh 2012: 95). „Das Kino ist eben in erster Linie für die modernen Menschen da, die sich treiben lassen und unbewusst nach den Gesetzen leben, die die Gegenwart vorschreibt" (Altenloh 2012: 94). Ihre Studie veranschaulicht eindringlich, dass die Erfahrung des Kinos in die Erfahrung der Modernität eingebunden ist.

Im US-amerikanischen Kontext beschäftigte man sich seit den 1920er Jahren mit den (negativen) Wirkungen von F.en, die als eine bedeutende kulturelle Kraft betrachtet wurden. In den einflussreichen empirisch ausgerichteten *Payne Fund-Studies*, die 1928 gestartet wurden und deren Ergebnisse in einem Dutzend Bücher bis 1937 publiziert wurden, verwendeten Soziologen und Sozialpsychologen v. a. quantitative Methoden, um die Wirkungen von F.en bei einem sozial kategorisierten Publikum „messen" zu können. Eine Ausnahme waren in diesem Zusammenhang die in der Tradition der *Chicago School* stehenden Studien von Herbert Blumer, die ethnographische und autobiographische Zugänge berücksichtigten, aber auch der Wirkung von kriminellem und antisozialem Verhalten in F.en nachspürten. Insgesamt gesehen, bewirkten die *Payne Fund-Studies* eine Engführung der soziologischen Untersuchungen zum F. In der anschließenden soziologischen Massenkommunikationsforschung interessierten die messbaren Effekte von F.en. Der ästhetische Gehalt von F.en, ihre imaginative Kraft, soziale Verhältnisse zu versinnbildlichen, wurde nicht zum Thema.

Auch wenn in den 1940er und 1950er Jahren die Wirkungsforschung und die Soziometrie in der Disziplin im Zentrum standen, gab es vereinzelt soziologische Studien, die andere Wege einschlugen. Z. B. untersuchte Jacob Peter Mayer 1945 mittels einer Befragung der Leser eines F.-Magazins, welchen Einfluss F.e auf Träume und persönliche Entscheidungen haben können. In „Hollywood. The Dream Factory" (1950) versuchte die Anthropologin Hortense Powdermaker, die Produzenten von Träumen und ↑Mythen in Hollywood wie einen „Stamm" zu betrachten, was mit vielen Schwierigkeiten verbunden war, da eine Kooperation mit ihr von den Studios i. d. R. abgelehnt wurde. Dennoch konnte sie aufschlussreich die Macht- und Abhängigkeitsverhältnisse in der F.-Industrie analysieren.

3. Filmtexte und gesellschaftliche Kontexte. Von den 1960er Jahren zur Gegenwart

Theoretische Innovationen, die sich v. a. auch der Analyse des F.s und seiner Beziehung zur Gesellschaft widmeten, kamen vom Rande bzw. von außerhalb der Disziplin. Der Einfluss der Ideen von Louis Althusser und Jacques Lacan nach 1968 führte in Großbritannien zur Herausbildung der *Screen*-Theorie. Ihre Vertreter versuchten den Nachweis zu führen, dass Mainstream-F.e das Publikum im Kontext der herrschenden sozialen ↑Ordnung positionieren würden. Ergänzend zeigte

Laura Mulvey 1975 in einer einflussreichen Studie innerhalb der feministischen Diskussion (↑Feminismus), dass das klassische Hollywoodkino durch einen männlichen Blick geprägt sei.

Eine davon abgesetzte Position entwickelten die *Cultural Studies*, die in den 1960er Jahren in Birmingham entstanden. Als ein transdisziplinäres Projekt nahmen auch sie eine Fülle von Einflüssen auf. Dabei spielte die verstehende bzw. interpretative Soziologie eine wichtige Rolle, in deren Zentrum die deutende und verstehende Erschließung der Welt durch den Handelnden steht. Vor diesem Hintergrund kritisierten sie die deterministische Auffassung der *Screen*-Theorie, dass filmische Texte die Macht hätten, Zuschauer derart zu positionieren und affektiv zu manipulieren, dass sie ihnen vorgäben, wie ein F. zu interpretieren wäre und wie sie sich in die dominante ideologische Ordnung einzuschreiben hätten. Stattdessen wurde die *agency* (Handlungsmächtigkeit) der Zuschauer hervorgehoben, die sich v. a. in abweichenden, oppositionellen und widerständigen Lesarten kundtut. Die Vorstellung, dass es nur eine vom Text determinierte Interpretation geben könnte, wurde vehement in Frage gestellt.

Unter dem Einfluss des Poststrukturalismus betonte John Fiske 1987 die polysemen Merkmale medialer Texte, die sie für vielfältige Lesarten und Gebrauchsweisen öffnen. Die Rezeption und Aneignung von F.en wurde zu einer kontextuell verankerten gesellschaftlichen Praxis, in der die Texte keine vorgegebene feststehende Bedeutung hatten, sondern erst auf der Basis sozialer Erfahrung produziert wurden. In der Lesart von J. Fiske waren populäre F.e nicht ein aufgezwungenes Produkt der Kulturindustrie, die ihr Publikum im Rahmen der dominanten ↑Ideologie positionierten, sondern ihre Bedeutung und ihr Vergnügen wurden von den Konsumenten in einem aktiven und schöpferischen Prozess geschaffen, der in Opposition zur dominanten ↑Kultur stand.

In seiner soziologischen Analyse des Horrorgenres, die auch an die interpretative Soziologie anschloss, ging Andrew Tudor 1989 davon aus, dass ein F.-Genre eine soziale Konstruktion (↑Konstruktivismus) ist, die in den F.en und Vorstellungen des Publikums verankert ist. Auch er war der Auffassung, dass erst im Akt der Rezeption ein F. als ein kulturelles Objekt mit einer je bes.n Bedeutung konstituiert wird. Deshalb wollte er das Genre aus Sicht der Rezipienten betrachten. Er kam zu dem Ergebnis, dass zwischen *secure horror* und *paranoid horror* unterschieden werden kann. Die *secure-horror*-F.e waren Teil einer festgefügten, scheinbar stabilen sozialen und kulturellen Ordnung. In der Welt des *paranoid-horror*-F.s dagegen werden die Werte und Institutionen dieser Ordnung in Frage gestellt und subvertiert. Diese F.e machen Sinn in einer Welt, die einem permanenten kulturellen und ↑sozialen Wandel unterworfen ist, wie es auch für die Gegenwart der Fall ist.

In „Images of Postmodern Society" (1991) problematisierte Norman Denzin traditionelle Formen der Gesellschaftsanalyse, indem er sie zum einen zur postmodernen Sozialtheorie, zum anderen zu kinematischen Repräsentationen des Selbst in Hollywood-F.en der 1980er Jahre in Beziehung setzte. So interpretierte er z. B. „Blue Velvet" (1986) als einen typisch postmodernen F., der nicht nur an verschiedene Genres anknüpft, sondern auch die postmoderne Sensibilität idealtypisch zum Ausdruck bringt. Ausgehend von einer Analyse äußerst unterschiedlicher Lesarten, die er in Rezensionen zum F. identifizierte, zeigte er, dass der F. ein widersprüchlicher postmoderner Text ist. Er ist sowohl Pastiche als auch Parodie, durch Nostalgie geprägt, verwischt die Grenzen zwischen Gegenwart und Vergangenheit und bricht durch seine Darstellung von ↑Gewalt und sadomasochistischer Sexualität ↑Tabus, die auf die Faszination für das Undarstellbare in der ↑Postmoderne verweisen. In „The Cinematic Society" (1995) analysierte er im Anschluss an Michel Foucault die Entstehung und die Konturen der Kinogesellschaft der Gegenwart, in der durch die Ubiquität medialer Repräsentationen der Blick des Voyeurs überall zu finden und somit seine Mentalität bestimmend ist.

Zusammen mit Michael Ryan untersuchte Douglas Kellner 1988 die Politik und Ideologie des Hollywood-F.s der 1970er und 1980er Jahre. Sie arbeiteten heraus, dass dieser ein sehr wichtiges Feld kultureller Repräsentation war, auf dem die politischen Kämpfe der damaligen Zeit ausgetragen wurden. Filmische Repräsentationen bestimmten die individuelle Weltsicht und die soziale Konstruktion der Wirklichkeit. In „Cinema Wars" (2010) setzt D. Kellner methodisch und inhaltlich dieses Vorhaben fort und erforscht die Politik des Hollywood-F.s in der Bush/Cheney-Ära. Sein Bestreben ist es, die F.e einer diagnostischen Untersuchung und ↑Kritik zu unterziehen. Die F.-Analyse soll dazu dienen, die Konflikte, Ereignisse, Ängste, Hoffnungen und Wünsche einer Epoche zu identifizieren. D. Kellner knüpft hier an Siegfried Kracauers Studie „Von Caligari zu Hitler" (1979; englische Originalausgabe „From Caligari to Hitler", 1947) an, der schon früh die allegorische Dimension von F.en und ihre historisch-politische Bedeutung bestimmte. F.e kommentieren und erhellen die Probleme und Auseinandersetzungen ihrer Zeit. Mehr als jedes andere Medium könne der F., so S. Kracauer, Auskunft über „psychologische Dispositionen, [...] vorherrschende Haltungen und weit verbreitete innere Tendenzen" (Kracauer 1979: 12) geben.

Seit ca. zehn Jahren wird auch in Deutschland und Österreich dem Verhältnis von F. und Gesellschaft verstärkt Interesse entgegengebracht. Das erwachte Interesse an der F.-Soziologie hängt sicherlich auch mit der durch die ↑Digitalisierung leichteren Verfügbarkeit und Zugänglichkeit von F.en zusammen. F.-Kompetenz und F.-Bildung sind nun leichter erwerbbar. Sie sind eine notwendige Voraussetzung für Untersuchungen, die F.e als Allegorien ihrer Gesellschaft analysieren möchten.

Literatur

E. Altenloh: Zur Soziologie des Kino, 2012 • C. Heinze/
S. Moebius/D. Reicher (Hg.): Perspektiven der Filmsoziologie,
2012 • D. Kellner: Cinema Wars. Hollywood Film and Politics
in the Bush-Cheney Era, 2010 • M. Schroer (Hg.): Gesellschaft
im Film, 2009 • M. Mai/R. Winter (Hg.): Das Kino der Gesellschaft – die Gesellschaft des Kinos, 2006 • R. Winter: Die
Kunst des Eigensinns. Cultural Studies als Kritik der Macht,
2001 • N. K. Denzin: The Cinematic Society, 1995 • R. Winter:
Filmsoziologie. Eine Einführung in das Verhältnis von Film,
Kultur und Gesellschaft, 1992 • N. K. Denzin: Images of Postmodern Society, 1991 • M. Ryan/D. Kellner: Camera Politica.
The Politics and Ideology of Contemporary Hollywood Film,
1988 • J. Fiske: Television Culture, 1987 • F. Jameson: Postmoderne. Zur Logik der Kultur im Spätkapitalismus. in:
A. Huyssen/K. R. Scherpe (Hg.): Postmoderne. Zeichen eines
kulturellen Wandels, 1986, 45–102 • C. MacCabe: Theorie
und Film. Prinzipien von Realismus und Vergnügen, in: J. Pa-
ech u. a. (Hg.): Screen-Theory. Zehn Jahre Filmtheorie in England von 1971 bis 1981, 1985, 211–230 • S. Kracauer: Von Caligari zu Hitler. Eine psychologische Geschichte des deutschen
Films, 1979 • H. Powdermaker: Hollywood. The Dream Factory, 1950 • J. P. Mayer: Sociology of Film, 1946 • H. Blumer/
H. P. M. Hauser: Movies, Delinquency and Crime, 1935 •
H. Blumer: Movies and Conduct, 1933. RAINER WINTER

II. Filmgeschichte und wirtschaftliche Bedeutung

Bis vor kurzem waren Kino und F. noch Synonyme. Das
Kino ist in erster Linie der Raum der filmischen Präsentation. F. hingegen umfasst sowohl den Kino-F., aber
auch F.-Produktionen, die für Plattformanbieter hergestellt werden. Dazwischen gibt es unzählige filmische
Erzählformen, die den klassischen Fernseh-F., die fil-
misch erzählte Serie oder ganz neue filmische Narratio-
nen – z. B. für das Web – einschließen. Wenn im Folgenden F. als Kino-F. und die deutsche F.-Wirtschaft als
Kino-F.-Wirtschaft dargestellt wird, ist zu berücksichtigen, dass zudem hohe Millionenbeträge zur Herstellung von F.-Produktionen für TV bzw. den digitalen
Markt aufgewendet werden.

1. Filmgeschichte

Die meisten filmhistorischen Veröffentlichungen datieren den Beginn der F.- bzw. Kinogeschichte auf das Jahr
1895, als die Gebrüder Auguste und Louis Lumière in
Paris und die Gebrüder Max und Emil Skladanowsky
in Berlin mit unterschiedlichen Projektionsverfahren
erstmals F.e vor einem zahlenden Publikum zeigten: damals eine Jahrmarktattraktion. Frühe F.e waren i. d. R.
wenige Sekunden lang, stumm und zeigten oft auf dokumentarische Weise Alltagssituationen.

Für die Entwicklung des neuen Mediums bedeutsam
war v. a. der Franzose Georges Méliès, der den F. erstmals experimentell nutzte, um „Illusionen" und „Zau-
bertricks" durch die Montage von F.-Bildern zu kreieren.
Erst um das Jahr 1910 wurde F. in Frankreich und
Deutschland als Kunstform verstanden und wandte sich

an ein intellektuelles Publikum. In den USA wurden in
den 1910er und 1920er Jahren vermehrt große Kinos für
ein Massenpublikum sowie prunkvolle „F.-Paläste" gebaut, in denen Stumm-F.e musikalisch von Live-Orches-
tern begleitet wurden. Etwa zu dieser Zeit entstand auch
der weltberühmte Produktionsstandort Hollywood in
Los Angeles. An dessen Gründung maßgeblich beteiligt
war u. a. auch ein Deutscher, Carl Laemmle.

In Europa markierte der Erste Weltkrieg einen Einschnitt in der F.-Geschichte. Während die F.-Industrie
in Frankreich und Italien durch das Kriegsgeschehen extrem geschwächt worden war, kam es in Deutschland
zur expansiven Neugründung von F.-Firmen und einer
Blütezeit des Kinos. Viele durch die Kunstrichtung des
Expressionismus inspirierten deutschen Stumm-F.e dieser Zeit zeigten eine Vorliebe für surreale Sujets. Das
berühmteste Beispiel hierfür ist Robert Wienes „Das
Cabinet des Dr. Caligari" (1920). Etwas später schrieb
Fritz Lang mit seinem Monumental-F. „Metropolis"
(1927) Geschichte. Internationale Aufmerksamkeit erregte auch der sowjetische Revolutions-F., in dessen
Kontext zahlreiche propagandistische, an die Avant-
garde angelehnte F.e als Gegenbewegung zum Hollywoodkino gedreht wurden, so z. B. Sergei Eisensteins
„Panzerkreuzer Potemkin" (1925). Im dokumentari-
schen Bereich setzte v. a. die von John Grierson gegründete britische Dokumentar-F.-Bewegung Maßstäbe. Zur
gleichen Zeit erfreute sich das Genre der Slapstick-Ko-
mödien in den USA und international großer Beliebt-
heit beim Publikum. 1927 endete mit dem ersten Ton-
F. „The Jazz Singer" (Alan Crosland) die Epoche des
Stumm-F.s.

Innerhalb von nur fünf Jahren setzte sich der Ton-F.
komplett durch. Mit dessen Einzug in die Kinos bildeten sich auch einige neue, publikumsaffine Genres heraus, wie z. B. der Western, der Gangster-F., der Horror-
F. oder das Musical. Des Weiteren begann die Firma
Walt Disney mit der Produktion handgezeichneter Ani-
mations-F.e.

Die Machtübernahme Adolf Hitlers 1933 bedeutete
in Deutschland eine Verstaatlichung der F.-Industrie.
Über 500 F.-Schaffende flohen, davon viele nach Hollywood. Die deutsche Kinolandschaft wurde zu Kriegszeiten neben sog.en Ablenkungs-F.en v. a. durch propagandistische Pseudo-Dokumentationen und antisemitische
F.-Erzählungen (↑Antisemitismus) geprägt. Gleichzeitig
konnte sich Frankreich einmal mehr als Wiege des
künstlerisch wertvollen F.s in Europa hervortun. Regisseure wie Jean Renoir, René Clair und Marcel Carné
festigten mit F.en wie „Kinder des Olymp" (1945) die
Stellung Frankreichs als eines der wichtigsten F.-Länder
der Welt. Als geschichtlich bes. bedeutend gilt Orson
Welles' „Citizen Kane" (1941). Bei seinem Debüt nutzte
O. Welles erstmals Schärfentiefenverlagerung als insze-
natorisches Mittel und brach mit den erzählerischen
Konventionen des Hollywoodkinos.

Nach dem Zweiten Weltkrieg lag die deutsche F.-Industrie darnieder. Sie konnte nie wieder an die Blüte der Vorkriegszeit anschließen und entwickelte in der BRD mit wenigen Ausnahmen Unterhaltungsangebote, v. a. Heimat- und Sex-F.e. In Italien begann die Epoche des „Neorealismus" noch unter Benito Mussolinis Herrschaft und entfaltete sich nach Kriegsende. Regisseure wie Roberto Rossellini, Luchino Visconti und Vittorio de Sica versuchten einen Neuanfang. In den USA entwickelte sich die Stilrichtung des „Film Noir". In den folgenden Jahren machte das Fernsehen dem Kino in den USA dermaßen Konkurrenz, dass es zu einer Krise und grundlegenden Veränderungen in der F.-Landschaft kam. Internationale Beachtung erfuhr in den 1950er Jahren der japanische F. v. a. durch den Regisseur Akira Kurosawa. Etwa zur gleichen Zeit berühmt wurde auch der schwedische Regisseur Ingmar Bergman, der 1997 in Cannes posthum als „Bester Regisseur aller Zeiten" ausgezeichnet wurde. Als eine der schillerndsten Figuren der F.-Geschichte darf außerdem der Engländer Alfred Hitchcock gelten. Anfang der 1960er Jahre entwickelte sich in Frankreich die berühmte Stilrichtung der „Nouvelle Vague". Junge F.e-Macher wie François Truffaut und Jean-Luc Godard brachen mit den Konventionen des zeitgenössischen Unterhaltungskinos. Unter dem Motto „Papas Kino ist tot" wandten sich auch in Deutschland junge Regisseure von der älteren Generation ab. Unter Einbeziehung von Gegenwartsproblemen prägte die sog.e Oberhausener Gruppe den „Jungen Deutschen Film" und bewirkte eine Trendwende, die den deutschen Arthouse-F. bis heute beeinflusst. Prägende Regisseure waren u. a. Volker Schlöndorff, Rainer Werner Fassbinder, Werner Herzog und Wim Wenders. In den USA wagten die Regisseure der New-Hollywood-Bewegung nach französischem Vorbild eine Abkehr von etablierten Normen. Bes. Erwähnung verdient der Science-Fiction-F. „2001: Odyssee im Weltraum" (1968) von Stanley Kubrick, der mit seinen Spezialeffekten Maßstäbe setzte und eine neue Generation von Regisseuren inspirierte. In den 1970er Jahren feierten v. a. sog.e Blockbuster wie „Der weiße Hai" (Steven Spielberg, 1975) und „Star Wars. Krieg der Sterne" (George Lucas, 1977) enorme Erfolge und waren in Bezug auf Herstellung und Vermarktung zukunftsweisend für Hollywood. Eine Revolution bedeutete 1995 der von Disney veröffentlichte und komplett durch Computer-Animation hergestellte F. „Toy Story" (John Lasseter). Internationale Beachtung fanden in den 1990er Jahren die Regisseure des dänischen F.e-Macher-Kollektivs „Dogma 95", die durch den Verzicht auf filmtechnische Effekte eine neuartige Ästhetik des realistischen Erzählens erreichen wollten.

Für die westliche F.-Geschichtsschreibung spielen das indische und asiatische Kino nur eine untergeordnete Rolle. Beide Märkte gewinnen aber immer mehr an internationaler Relevanz.

Heutzutage wird die wirtschaftlich erfolgreiche Kinolandschaft in Deutschland, Frankreich und Italien neben amerikanischen „Blockbustern" v. a. von heimisch-regionalen Komödien beherrscht. Obwohl sich deutscher F. aufgrund der Sprachbarriere im Ausland oft schwer tut, konnten vermehrt Arthouse-F.e wie „Victoria" (Sebastian Schipper, 2015) oder „Toni Erdmann" (Maren Ade, 2016) ein internationales Publikum begeistern. Mit einem Oscar als „bester fremdsprachiger Film" ausgezeichnet wurden F.e der deutschen Regisseure V. Schlöndorff, Caroline Link und Florian Henckel von Donnersmarck. Ende der 2000er Jahre begann Hollywood verstärkt mit der Produktion von 3D-F.en. Der 3D-F. „Avatar – Aufbruch nach Pandora" (James Cameron, 2009) brach alle Rekorde. 3D-F.e bleiben trotzdem die Ausnahme.

2. Filmfinanzierung

In Deutschland werden F.e maßgeblich durch Verträge mit Fernsehsendern und Verleihern sowie durch Förderprogramme finanziert, da F. als meritorisches Gut gilt und entspr. vom Staat subventioniert wird.

Die institutionelle F.-Förderung besitzt bes.n Stellenwert, da die deutsche F.-Landschaft stark von ihr abhängig ist. Bundes- und Länderförderungen machen oft bis zu 50 % der Gesamtfinanzierung eines deutschen Kino-F.s aus. Aufgrund des Doppelcharakters des F.s als Kulturgut und Ware, wird die Förderung durch Bund und Länder sowohl als Kultur-, als auch als Wirtschaftsförderung angeboten. Die Länder wollen v. a. die filmwirtschaftlichen Strukturen in ihrer Region stärken. Der Förderetat besteht nicht nur aus öffentlichen Geldern. Z. B. finanziert sich die FFA ausschließlich durch Abgaben aus der F.- und Fernsehwirtschaft. Fördermittel werden sowohl als Zuschüsse als auch als bedingt rückzahlbare Darlehen bewilligt. Neben den Förderprogrammen stellen auch viele TV-Sender in Deutschland nicht nur finanzielle Mittel für die Herstellung eigener TV-Produktionen, sondern auch für Koproduktionen von Kino-F.en bereit.

3. Die Filmwirtschaft
3.1 Filmherstellung
Die F.-Herstellung erfordert das Zusammenspiel zahlreicher künstlerischer, handwerklicher und ausführender Tätigkeiten. Jede Produktion setzt daher einen organisatorischen Apparat voraus. Der Herstellungsprozess lässt sich neben der Drehbucharbeit in Vorproduktion, Dreh und Postproduktion unterteilen. Jede Produktion unterscheidet sich in künstlerischen und produktionstechnischen Kriterien und stellt immer einen jeweils neuen Herstellungsprozess dar. F. ist daher ein individuelles Gut.

Für die Herstellung im Allgemeinen bezeichnend ist das Spannungsverhältnis zwischen dem künstlerischen und dem kommerziellen Anspruch. Da an einer großen Produktion in Deutschland oft um die 100 Menschen beteiligt und spezialisierte Technologien teuer sind, liegen die Herstellungskosten i. d. R. im unteren bis mittleren einstelligen Mio-Bereich. Nur die erfolgreichsten F.e können überhaupt Gewinn erwirtschaften. Daher sind große Projekte mit sehr hohem Kostenfaktor in Europa nur durch internationale Koproduktionen möglich.

3.2 Der Film als Produkt
Der Wert des Produktes F. liegt im urheberrechtlich geschützten immateriellen Recht (↑Immaterialgüterrecht) des Produzenten am Werk. Dieses stellt eine Bündelung der Urheber- und Leistungsschutzrechte aller Beteiligten dar und ermöglicht dem Produzenten im weiteren Verlauf den Handel mit den Rechten am Werk. Der Produzent schließt i. d. R. mit einem F.-Verleih einen Vertrag über die Distribution ab. Der Verleih kümmert sich anschließend um Vermarktung und Verbreitung. Weltvertriebe bringen F.e gegen eine Provision auch in anderen Verwertungsländern auf den Markt. Von den durch den Verkauf der Kinotickets erwirtschafteten Einnahmen behält der Kinobetreiber etwa 50–60 % ein. Vom Restbetrag erhält der Verleih eine Provision von etwa 35–55 %. Des Weiteren übernimmt der Verleih oder Weltvertrieb auch den Vertrieb auf dem Home-Entertainment-Markt.

3.3 Der deutsche Filmmarkt
2016 wurden in Deutschland 121 Mio. Kinobesucher gezählt. Der Umsatz der Kinobranche betrug 1,23 Mrd. Euro. Es bestanden 1169 Kinounternehmen mit 1654 Spielstätten und 4 739 Leinwänden. Bei steigender Tendenz betrug der durchschnittliche Preis für eine Kinokarte 8,45 Euro. Da rund die Hälfte der Kinos nur über eine Leinwand verfügt, ist die Kinowirtschaft hierzulande überwiegend mittelständisch geprägt. In den Kinos starteten 610 F.e, davon 244 deutsche Produktionen, 140 aus EU-Ländern, 152 US-amerikanische und 74 F.e aus anderen Teilen der Welt. Von den deutschen F.en waren 161 Spiel- und 83 Dokumentar-F.e. Der Marktanteil der deutschen F.e betrug 22,7 %, der der US-amerikanischen 64,5 %. Die Anzahl der Kinobesuche in Deutschland ist seit 2001 leicht rückgängig. Dafür steigt der Marktanteil heimischer F.-Produktionen insgesamt.

4. Filmpolitik
Für die deutsche F.-Landschaft wichtig ist die 1950 gegründete „Spitzenorganisation der Filmwirtschaft e. V." (SPIO). Als Dachverband mehrerer Berufsverbände der deutschen Medienwirtschaft repräsentiert die SPIO die Interessen von über 1100 Mitgliedsfirmen im öffentlichen und politischen Raum. Eine Tochtergesellschaft der SPIO ist die „Freiwillige Selbstkontrolle der Filmwirtschaft GmbH" (FSK). Auf Grundlage des JuSchG prüft sie die Altersfreigabe von F.en sowie anderen Medien und erteilt entspr.e „FSK-Kennzeichnungen".

5. Filmakademie – Festivals – Preise
Die „Deutsche Filmakademie e. V." wurde 2003 in Berlin gegründet. Sie soll den F.-Schaffenden ein Diskussionsforum bieten und das Ansehen des deutschen F.s fördern. Die Mitglieder wählen seit 2005 die Preisträger des deutschen F.-Preises LOLA. Daneben gibt es zahlreiche F.-Festivals und diverse dotierte und undotierte Preise.

6. Entwicklungstendenzen
In seiner 100jährigen Geschichte hat sich der F. von einer Jahrmarktattraktion zum Kulturgut entwickelt, das zum elementaren Ausdrucksmedium von Künstlern auf der ganzen Welt geworden ist. In Zukunft wird sich die F.-Branche national und international weiter verändern. Moderne Finanzierungsmöglichkeiten wie *Crowd-Funding* und alternative Verwertungswege z. B. über Streaming-Plattformen und die digitale Entwicklung eröffnen F.-Machern weltweit neue Möglichkeiten zu Weiterentwicklung und Innovation.

Literatur
M. Krützen: Klassik, Moderne, Nachmoderne. Eine Filmgeschichte, 2015 • N. Borstnar/E. Pabst/H. J. Wulff: Einführung in die Film- und Fernsehgeschichte, 2008 • K. Thompson/D. Bordwell: Film History. An Introduction, ²2003 • G. Eckert: Geschichte des Films, in: G. Barthel (Hg.): Moderne Bibliothek des Wissens, 1968, 664–667.

BETTINA REITZ

Finanzaufsicht

Die im Jahr 2007 ausgebrochene Finanzkrise (↑Finanzmarktkrise) ist neben anderen Ursachen auf eine unzureichende Finanzmarktregulierung und -aufsicht zurückzuführen. Weltweit haben Regierungen, Aufsichtsbehörden und Zentralbanken daraus die Schlussfolgerung gezogen, dass sich eine effektive Finanzmarktaufsicht über alle Teile des Finanzsystems erstrecken muss: Finanzinstitute (z. B. ↑Banken), ↑Finanzmärkte (z. B. Derivatemärkte), Finanzinstrumente (z. B. Verbriefungen) sowie finanzielle Infrastrukturen (z. B. zentrale Gegenparteien, die sich an Märkten als zentrale Kontrahenten zwischen zwei Vertragspartner stellen und die Erfüllung der Verträge garantieren). Eine sektorspezifische Ausrichtung ohne Beachtung von Wechselwirkungen ist dabei ebenso wenig zielführend wie eine rein nationale. Speziell die makroprudenzielle Überwachung, die – in Abgrenzung zur mikroprudenziellen Aufsicht – den Blickwinkel der Überwachung von der Stabilität einzelner Finanzinstitute auf das Finanzsystem als Ganzes erweitert, sollte gestärkt werden. Ihre Aufgabe ist die Wahrung von Finanzstabilität durch die möglichst frühzeitige Identifikation und zielgenaue Bekämpfung systemischer Risiken. In diesem Zusammenhang wurden in Europa ein Ausschuss für Systemrisiken (ESRB) und in Deutschland auf Basis des Anfang 2013 in Kraft getretenen FinStabG der „Ausschuss für Finanzstabilität" errichtet.

1. Das Europäische System für die Finanzaufsicht

In der ↑EU hat als Konsequenz dieser Überlegungen das „Europäische System für die Finanzaufsicht" (ESFS) seine Tätigkeit Anfang 2011 aufgenommen. Es soll sowohl die mikro- als auch die makroprudenzielle Überwachung des Finanzsystems gewährleisten. Zu dem System zählen die „Europäische Bankenaufsichtsbehörde" (EBA), die „Europäische Aufsichtsbehörde für das Versicherungswesen und die betriebliche Altersversorgung" (EIOPA), die „Europäische Aufsichtsbehörde für Wertpapiere und Märkte" (ESMA) sowie der ESRB. Weiter gehören dazu der „Gemeinsame Ausschuss der Europäischen Aufsichtsbehörden" (CESR) sowie die zuständigen Aufsichtsbehörden der EU-Mitgliedsstaaten.

Zu den Aufgaben der „Europäischen Bankenaufsichtsbehörde" (EBA) zählen insb. die Normsetzung für die EU-Bankenaufsicht, die Entwicklung eines einheitlichen Aufsichtshandbuchs sowie die Durchführung von Stresstests. Gemeinsam mit den nationalen Aufsichtsbehörden soll die EBA dazu beitragen, die Qualität und Kohärenz der Bankenaufsicht in Europa zu verbessern, die Beaufsichtigung grenzüberschreitend tätiger Bankengruppen zu stärken und ein einheitliches europäisches Regelwerk für die Finanzinstitute einzuführen. Eine weitere wichtige Funktion der EBA besteht in der Schlichtung von Meinungsverschiedenheiten der nationalen Aufsichtsbehörden im Rahmen der Beaufsichtigung von EU-weit tätigen Bankengruppen. Darüber hinaus soll die EBA im Krisenfall die nationalen Aufsichtsbehörden unterstützen. Unter bestimmten Umständen ist es ihr sogar erlaubt, direkte Durchgriffsrechte auf einzelne Institute wahrzunehmen.

Die EIOPA ging aus einem Ausschuss hervor, der nur unverbindliche Leitlinien und Empfehlungen verabschieden durfte. Ihr Tätigkeitsbereich erstreckt sich auf Versicherungs- und Rückversicherungsunternehmen sowie Einrichtungen der betrieblichen Altersversorgung und Versicherungsvermittler. Darunter fallen auch Fragen der Unternehmensführung, der Rechnungsprüfung und der ↑Finanzkontrolle. Die EIOPA kann bindende Einzelentscheidungen beschließen und ebenfalls bei Meinungsunterschieden zwischen nationalen Aufsichtsbehörden schlichtend eingreifen.

Aufgaben der ESMA sind es, zum Schutz der Stabilität und Funktionsfähigkeit der Finanzmärkte die ↑Europäische Kommission bei der Erarbeitung von Rechtsvorschriften zu beraten und rechtlich unverbindliche Empfehlungen abzugeben sowie technische Standards zu erarbeiten. In diesem Zusammenhang kann sie auch gegenüber nationalen Behörden und einzelnen Marktteilnehmern direkt aktiv werden. So ist die ESMA bspw. für die Zulassung von Ratingagenturen in der EU zuständig.

Der ESRB übt in der EU die Aufsicht über das Finanzsystem insgesamt aus und versucht, systemische Risiken möglichst frühzeitig zu erkennen (makroprudenzielle Überwachung). Unter systemischem Risiko versteht man das ↑Risiko, dass durch die Zahlungsunfähigkeit eines Marktteilnehmers andere Marktteilnehmer so stark in Mitleidenschaft gezogen werden, dass sie ihrerseits nicht mehr in der Lage sind, ihre Verpflichtungen zu erfüllen. Im Zuge einer Kettenreaktion kann es dann zu Liquiditäts- oder Solvenzproblemen kommen, die die Stabilität des Finanzsystems insgesamt bedrohen. Der Ausschuss ist bei der EZB angesiedelt. Er setzt sich u. a. aus Vertretern der ↑EZB, nationaler Zentralbanken, Aufsichtsbehörden und der EU-Kommission zusammen. Dementsprechend ist insb. seine Aufgabe, die Expertise der europäischen Zentralbanken und der mikroprudenziellen Aufsichtsbehörden zu bündeln. Identifiziert der ESRB Risiken im europäischen Finanzsystem, kann er Warnungen aussprechen und Empfehlungen für das Ergreifen geeigneter Maßnahmen zur Sicherung der Finanzstabilität abgeben. Entscheidet sich der ESRB für eine Empfehlung, müssen die adressierten europäischen oder nationalen Behörden dieser nachkommen oder detailliert erklären, warum sie ihr nicht folgen (sog. es *comply or explain*). So initiierte die Ende 2011 verabschiedete Empfehlung zu dem makroprudenziellen Mandat der nationalen Behörden in Deutschland die Einrichtung des „Ausschusses für Finanzstabilität" (AFS).

2. Spezielle Regelungen in Deutschland

Der AFS verzahnt die mikroprudenzielle Aufsicht mit der makroprudenziellen Überwachung in Deutschland. Ihm gehören jeweils drei Vertreter des Bundesministeriums der Finanzen, der BaFin und der ↑Deutschen Bundesbank sowie ein nicht-stimmberechtigtes Mitglied der Finanzmarktstabilisierungsanstalt an.

Das FinStabG hat den AFS mit „Warnungen" und „Empfehlungen" ausgestattet, sodass das deutsche Gremium im Kern über die gleichen Möglichkeiten verfügt wie der ESRB auf europäischer Ebene. Dabei lassen sich die verfügbaren Werkzeuge grundsätzlich in weiche, mittlere und harte Instrumente unterteilen. Demnach ist die Kommunikation mit der Öffentlichkeit ein weiches makroprudenzielles Instrument, das keine Rechtsverbindlichkeit genießt, jedoch Erwartungen und damit Verhalten beeinflussen kann. Warnungen und Empfehlungen, denen die jeweiligen Adressaten im Rahmen des „comply or explain"-Verfahrens unterliegen, zählen zu den mittleren Instrumenten des AFS. Dabei können insb. Empfehlungen den Einsatz starker makroprudenzieller Instrumente einleiten, bei denen es sich um direkte Eingriffe in die Geschäftstätigkeit der Finanzmarktakteure handelt. Diese umfassen die Aktivierung von Kapitalpuffern, die Vorgabe von Liquiditätsanforderungen oder von Kapitalzuschlägen für systemrelevante Finanzinstitute. Solche starken Instrumente bedürfen einer rechtlichen Grundlage und ihre Anwendung demokratischer Kontrolle. In der für Deutschland beschlossenen Aufgabenteilung sind Eingriffsinstrumente im Bankensektor daher bei der BaFin angesiedelt.

In Deutschland ist auf mikroprudenzieller Ebene durch das Gesetz über die integrierte Finanzdienstleistungsaufsicht vom April 2002 die BaFin als Allfinanzaufsichtsbehörde für die F. zuständig (in Zusammenarbeit mit der Deutschen Bundesbank). Ihre Aufsichtsbefugnisse erstrecken sich auf Banken, Finanzdienstleistungsinstitute, ↑Versicherungen, Fonds und Kapitalanlagegesellschaften. Das Gesetz stärkte die Rolle der Bundesbank in der Aufsicht über Kredit- und Finanzdienstleistungsinstitute, um ihre Expertise und Kontakte zu den Banken und Finanzmärkten zu nutzen. Die BaFin trägt mit ihrer Solvenzaufsicht dazu bei, die Zahlungsfähigkeit von Kreditinstituten, Versicherern und Finanzdienstleistern sicherzustellen. Durch diese Marktaufsicht setzt sie zudem Verhaltensstandards durch, die das Vertrauen der Anleger in die Finanzmärkte wahren sollen. Zum Anlegerschutz gehört es auch, dass die BaFin gegen unerlaubt betriebene Finanzgeschäfte vorgeht. Durch die europäische Bankenunion hat die BaFin allerdings die Kompetenz für die Überwachung der großen systemrelevanten Institute in Deutschland verloren, da diese auf die EZB überging. Eine Bank oder Bankengruppe gilt als systemrelevant, wenn ihre Zahlungsunfähigkeit das Funktionieren des inländischen Finanzsystems oder wesentlicher Teile davon gravierend beeinträchtigt und zudem negative Auswirkungen auf die Realwirtschaft hat. Unter die weniger bedeutenden Institute, die unter der nationalen Aufsicht der BaFin bleiben, fallen v. a. die Sparkassen sowie die Volks- und Raiffeisenbanken. Die EZB kann allerdings auch bei den nicht systemrelevanten Banken die direkte Aufsicht übernehmen, wenn sie dies zur Sicherstellung einheitlicher Aufsichtsstandards als nötig erachtet. Die Hauptaufgabe der EZB und der nationalen Aufseher, welche in einem integrierten System zusammenarbeiten, ist es sicherzustellen, dass die Bankenvorschriften eingehalten und mögliche Schwierigkeiten frühestmöglich erkannt und behandelt werden.

3. Globale Regelungen

Auf globaler Ebene koordinieren auf Beschluss der Staats- und Regierungschefs der wichtigsten Industrie- und Schwellenländer (G20) vom April 2009 der Finanzstabilitätsrat (FSB) und der ↑IWF die internationale Zusammenarbeit auf dem Gebiet der Überwachung des globalen Finanzsystems. Dem FSB gehören Vertreter von Zentralbanken, Finanzministerien, Aufsichtsbehörden und internationalen Organisationen an. Das Sekretariat des FSB ist bei der BIZ angesiedelt. Seine Koordinierungsfunktion bedeutet auch, dass er keinerlei rechtlich bindende Vorschriften erlassen kann. Ziel ist es, sich auf Mindeststandards für die Finanzstabilität zu einigen, die dann auf nationaler Ebene umgesetzt werden sollen. Dabei wendet der FSB einen dreistufigen Ansatz an. Die erste Stufe beinhaltet eine Schwächen- und Anfälligkeitsanalyse des globalen Finanzsystems. Eine Konzentration erfolgt auf Entwicklungen, die das Potenzial für internationale Übertragungseffekte besitzen und somit für nationale Aufsichtsbehörden schwer zu identifizieren sind. Auf der zweiten Stufe geht es um die Erarbeitung von Politikvorschlägen und die Koordination mit den nationalen Aufsichtsbehörden. In diesem Zusammenhang wurden z. B. Vorschläge zur Regulierung des Schattenbankensektors, der Reform der nicht-standardisierten außerbörslichen Derivatemärkte (OTC) und der Systemrelevanz einzelner Institute (too-big-to-fail) gemacht. Die Überwachung der Umsetzung der vereinbarten Reformmaßnahmen erfolgt auf der dritten Stufe. Dafür wurde ein Berichtswesen auf G20-Ebene eingeführt. Auf der obersten Prioritätenebene stehen dabei die Vorschriften des „Basler Ausschusses für Bankenaufsicht", Regelungen zu Schattenbanken, global systemrelevante Finanzinstitute, die Abwicklung insolventer Banken und die Reform der OTC-Derivatemärkte.

Bes. Bedeutung auf Ebene der G20 erlangten die vom „Baseler Ausschuss für Bankenaufsicht" verabschiedeten Regelungen. Aktuell geht es um die 2010 beschlossenen Vorschriften „Basel III". Deren Ziel ist die Reduzierung der Anreize zur übermäßigen Risikoübernahme von Banken und die Schaffung eines widerstandsfähigeren Finanzsystems durch verschiedene Maßnahmen. Die Regelungen sollen zum Jahresbeginn 2019 vollständig in Kraft treten.

3.1 Stärkung der Qualität, Quantität und Transparenz des Eigenkapitals

Die Finanzkrise 2007/08 hatte gezeigt, dass die Marktteilnehmer dem bankaufsichtsrechtlichen Eigenkapitalbegriff nicht ausreichend vertrauten. Der Baseler Ausschuss hat deshalb das aufsichtsrechtlich relevante Eigenkapital neu definiert mit einer harten Kernkapitalquote von 4,5 %, einer Kernkapitalquote von 6,0 % und einer Mindesteigenkapitalquote von 8,0 % der risikogewichteten Aktiva (RWA). Dadurch wird die Fähigkeit eines Instituts, Risiken einzugehen, begrenzt. Das Risikogewicht spielt allerdings eine entscheidende Rolle. ↑Staatsanleihen werden dabei weiterhin mit einem Risikogewicht von Null berücksichtigt. Kernkapital kann Verluste unter der Annahme der Unternehmensfortführung auffangen, da es quasi „bedingungslos" dem Institut zur Verfügung steht. Ergänzungskapital ist von geringerer Qualität, da es nur im Falle der Unternehmensauflösung Verluste absorbieren soll. Ergänzt werden die Quoten um einen Kapitalerhaltungspuffer von 2,5 %, der ebenfalls mit hartem Kernkapital zu erfüllen ist. Die Eigenkapitalqualität wird zudem deutlich verbessert durch strengere Anerkennungskriterien für Kapitalinstrumente und schärfere Regeln für Abzugspositionen.

3.2 Strengere Kapitalanforderungen für risikoreiche Produkte und außerbilanzielle Geschäfte

Die Mindestkapitalanforderungen für Kontrahentenausfallrisikopositionen bei Forderungen aus Derivatetransaktionen sowie aus Wertpapierpensions- und -leihegeschäften werden erhöht. Außerdem wird die sog.e *Asset value correlation* (AVC), die bei der Berechnung der Kapitalanforderungen berücksichtigt wird, für Forderungen gegenüber großen Instituten mit einer Bilanzsumme von mehr als 100 Mrd. US-Dollar und gegenüber unregulierten Finanzintermediären (im Wesentlichen Hedgefonds) erhöht. Die AVC ist ein Maß dafür, wie stark die Verlustwahrscheinlichkeiten der einzelnen Positionen in einem Portfolio zusammenhängen.

3.3 Minderung der prozyklischen Wirkung von Basel II
Die Institute müssen einen zusätzlichen Kapitalerhaltungspuffer über das geforderte Mindesteigenkapital hinaus halten. Zusätzlich kann unter Berücksichtigung der makroökonomischen Entwicklung ein antizyklischer Puffer in einer Bandbreite von 0–2,5 % der RWA, der ebenfalls mit hartem Kernkapital zu erfüllen ist, festgesetzt werden.

3.4 Ergänzung um eine
Verschuldungskennziffer/Leverage Ratio
Die *Leverage Ratio* setzt das aufsichtliche Kernkapital einer Bank in Beziehung zu ihrem Gesamtengagement. Sie dient als Untergrenze für die risikogewichtete Kapitalunterlegung mit dem Ziel, eine exzessive Verschuldung zu verhindern. Seit 2015 ist sie von den Instituten offenzulegen. Als verbindliche Mindestanforderung ist eine Höhe von 3% vorgesehen.

3.5 Bestimmung eines globalen Liquiditätsstandards
Die kurzfristige Liquiditätsdeckungskennziffer *(Liquidity Coverage Ratio)* basiert auf einem akuten Stressfall, bei dem der über einen Monat kumulierte Nettozahlungsmittelabfluss mit qualitativ hochwertigen und liquiden Aktiva abgedeckt werden soll. Die zweite Mindestliquiditätskennziffer *(Net Stable Funding Ratio)* soll für den Einjahreshorizont eine stabile Refinanzierungsstruktur gewährleisten (Inkrafttreten 2018).

3.6 Aufsichtliche Behandlung systemrelevanter Banken
Aufbauend auf den Empfehlungen des Finanzstabilitätsrats zu systemrelevanten Finanzinstituten hat der Baseler Ausschuss ein Rahmenwerk zur Sicherstellung einer höheren Verlustabsorptionsfähigkeit von global systemrelevanten Banken (G-SIBs) verabschiedet. Anhand von fünf Kriterien (Größe, globale Aktivität, Vernetzung, fehlende Substituierbarkeit, Komplexität) wird aus einer Stichprobe der weltweit größten Banken jährlich ein Ranking erstellt. Abhängig vom Grad ihrer Systemrelevanz werden identifizierte G-SIBs jeweils einer von vier Klassen zugeordnet, welche mit Kapitalaufschlägen zwischen einem und 2,5 Prozentpunkten an zusätzlichem hartem Kernkapital belegt sind. Eine fünfte, derzeit leere Klasse mit einem Aufschlag von 3,5 % dient als Negativanreiz gegen eine weitere Ausweitung der systemischen Relevanz.

Der Baseler Ausschuss besitzt keine Rechtsetzungsbefugnis. Er überprüft allerdings mittels des „Basel III Implementation Monitoring" regelmäßig, inwieweit die Mitgliedsländer den Baseler Standard zeitgerecht und konsistent umsetzen und veröffentlicht die Ergebnisse.

Literatur
E. Görgens/K. Ruckriegel/F. Seitz: Europäische Geldpolitik, ⁶2014.   FRANZ SEITZ

Finanzausgleich

I. Verfassungsrechtlich – II. Ökonomisch

I. Verfassungsrechtlich

1. Begriff und Bedeutung
Der F. bezeichnet ein (verfassungs-)rechtlich geordnetes System der Finanzbeziehungen und der Verteilung von Finanzkompetenzen zwischen öffentlichen Einheiten mit eigenen Haushalten, insb. Gebietskörperschaften (Bund, Länder, Kommunen), u. U. aber auch Anstalten des öffentlichen Rechts (Sozialversicherungen, Rundfunkanstalten). Außerstaatlich kann es auch bei öffentlich-rechtlichen Religionsgemeinschaften und ihren Untergliederungen einen F. geben. Der F. im weiteren Sinne umfasst alle Finanzkompetenzen, im engeren (zumeist und auch im Folgenden gemeinten) Sinne die Verteilung der Einnahmen. Der F. setzt verselbständigte Einheiten mit Gemeinsamkeiten und Unterschieden (territorial, nach der Einwohnerzahl und der Leistungskraft) voraus. Der bundesstaatliche F. verteilt Finanzzuständigkeiten zwischen Bund und Ländern (zu diesen rechnen die Kommunen), der kommunale F. zwischen Land und Kommunen (↑Gemeinden und ↑Kreise). Die Notwendigkeit des F.s folgt daraus, dass nach dem GG wie nach jeder föderalen Verfassung oder der eines dezentralen Einheitsstaates die Aufgaben und die daraus folgenden Ausgaben auf die Gebietskörperschaften verteilt sind, die im Rahmen der insgesamt zur Verfügung stehenden öffentlichen Einnahmen (im ↑Steuerstaat des GG insb. ↑Steuern) Anspruch auf eine aufgabengerechte Finanzausstattung haben. Alle Gebietskörperschaften sollen befähigt werden, selbständig, im vorgesehenen Umfang und möglichst wirtschaftlich ihre Aufgaben zu erfüllen. Finanzmittel sind so zu verteilen, dass die Prinzipien der bundesstaatlichen ↑Autonomie, der Gleichheit der Länder und der wechselseitigen Solidarität zum Tragen kommen. Leitend ist dabei, dass im modernen Finanzstaat, in dem die Verfügung über Geldmittel Voraussetzung, Mittel und Ziel staatlichen Handelns ist, alle Gestaltungsmöglichkeiten von der verfügbaren Finanzkraft abhängen. Um möglichst große Beständigkeit, geringe Strategieanfälligkeit und rechtsstaatliche Berechenbarkeit der Finanzen zu erreichen, sind in Deutschland die wesentlichen Fest-

legungen des bundesstaatlichen F.s im GG (insb. Art. 106 und 107 GG), des kommunalen F.s in den Landesverfassungen enthalten. Gleichwohl muss, um wechselnden Finanzierungsbedürfnissen Rechnung tragen zu können, der F. Beständigkeit und Beweglichkeit verbinden. Die Details zum F. regelt daher auf der Grundlage der Verfassung der Gesetzgeber. Insb. zwischen den Prinzipien der Eigenständigkeit und des solidarischen Eintretens füreinander hat der F.s-Gesetzgeber dabei die richtige Mitte zu finden. Typischerweise ist die hierbei gefundene Lösung in ihrer Angemessenheit streitanfällig. Der F. ist ein zentraler Bestandteil der ↑Finanzverfassung. Das BVerfG nennt beide „tragende Eckpfeiler der bundesstaatlichen Ordnung des Grundgesetzes" (BVerfGE 55, 274, 300).

2. Modelle und Instrumente des Finanzausgleichs

Idealtypisch gibt es bei der Steuerverteilung drei Modelle. Nach dem Trennsystem werden die Erträge einer Steuer vertikal jeweils dem Bund oder den Ländern zugewiesen und horizontal nach bestimmten Prinzipien auf die einzelnen Länder weiterverteilt. Mit der Ertragszuständigkeit kann die Regelungsbefugnis über eine Steuer verknüpft sein, sie muss es aber nicht. Nach dem Verbundsystem werden die Steuererträge rechnerisch zusammengefasst und nach im Einzelnen festzusetzenden Verteilungsgrundsätzen und -quoten verteilt. Die Regelungskompetenz liegt bei der zentralen Gebietskörperschaft, dem Bund. Nach dem Zuweisungssystem kommen alle Steuererträge einer Ebene zu (typischerweise der Bund), die dann mit Finanzzuweisungen für die aufgabengerechte Ausstattung der anderen Ebene zu sorgen hat. Das Trennsystem hat den Vorteil hoher Transparenz und Autonomiewahrung, ist aber nicht in der Lage, auf Aufkommensverschiebungen zwischen den Steuern und wechselnde Finanzierungsbedürfnisse der Ebenen flexibel zu reagieren. Das Verbundsystem verschafft allen Gebietskörperschaften eine gesicherte und anpassungsfähige Grundfinanzierung, zwingt die Beteiligten aber zur Einigung auf die anzuwendenden Verteilungsgrundsätze. Das Zuweisungssystem hat die höchste Flexibilität, ist aber für die Zuweisungen empfangende Ebene autonomiefeindlich. Das GG kombiniert im F. der Art. 106 und 107 GG Elemente aus allen drei Systemen mit einem quantitativen Vorrang des Verbundsystems. Das entspr. der Charakteristik des grundgesetzlichen ↑Bundesstaates, der starke kooperative Verbindungen der Gebietskörperschaften mit dem Leitbild bundesweiter Einheitlichkeit der Lasten, Leistungen und Lebensverhältnisse aufweist.

3. Der bundesstaatliche Finanzausgleich

Vor dem Hintergrund eines weitgehend bundesrechtlich geregelten ↑Steuerrechts (Art. 105 GG) bilden Art. 106 und 107 GG ein vierstufiges System der Einnahmenverteilung. Jeder Stufe sind, im Rahmen des Ziels aufgabenadäquater Finanzausstattung für jede Gebietskör-

perschaft, bestimmte Verteilungs- und Ausgleichsziele zugeordnet.

Auf der ersten Stufe der vertikalen Steuerertragsverteilung werden aus den gesamten Steuereinnahmen (2014: 643 Mrd. Euro) vier Finanzmassen gebildet: die Bundessteuern (Art. 106 Abs. 1 GG; 2014: 102 Mrd. Euro), die Landessteuern (Art. 106 Abs. 2 GG; 2014: 19 Mrd. Euro), die Gemeinschaftsteuern (Art. 106 Abs. 3 GG; 2014: 462 Mrd. Euro) und die Gemeindesteuern (Art. 106 Abs. 5 bis 7 GG; 2014: 59 Mrd. Euro). Fiskalisch am bedeutsamsten ist der große Steuerverbund aus ↑Einkommen-, ↑Körperschaft- und ↑Umsatzsteuer (Art. 106 Abs. 3 GG), der ca. 70 % der Steuereinnahmen umfasst. Während die Verteilungsquoten der Einkommen- und Körperschaftsteuer unmittelbar in der Verfassung festgelegt sind (Körperschaftsteuer: jeweils 50 % für Bund und Länder; ESt jeweils 42,5 % für Bund und Länder nach Abzug des Gemeindeanteils von 15 %; Art. 106 Abs. 3 S. 2, Abs. 5 GG, § 1 Gemeindefinanzreformgesetz), werden die Anteile an der USt (Art. 106 Abs. 3 S. 3 und 4, Abs. 5a GG) durch zustimmungsbedürftiges Bundesgesetz festgelegt. D. i. das erste Regelungsthema des FAG. Derzeit erhalten – nach diversen Vorabanteilen des Bundes – die Kommunen 2,2 %, danach der Bund 50,5 % und die Länder 49,5 % des verbleibenden Aufkommens. Seit 1969 ist der Bundesanteil stetig gefallen. Die Umsatzsteuerverteilung ist das flexible Element der vertikalen Steuerverteilung; bei der Bestimmung der Quoten ist der Bundesgesetzgeber an die in Art. 106 Abs. 3 S. 4 GG enthaltenen Grundsätze gebunden. Diese zeigen – v. a. durch einen gleichmäßigen Anspruch auf Deckung der „notwendigen Ausgaben" (Art. 106 Abs. 3 S. 4 Nr. 1 GG) im Rahmen der laufenden Einnahmen, ferner durch das Kriterium der Wahrung der „Einheitlichkeit der Lebensverhältnisse im Bundesgebiet" (Art. 106 Abs. 3 S. 4 Nr. 2 GG) –, dass dem großen Steuerverbund insgesamt und bes. der Umsatzsteuerverteilung eine Ausgaben- und Bedarfsorientierung zugrunde liegt. Bereits hier tritt die Eigenständigkeit von Bund und Ländern zu Gunsten der Schaffung einer finanziellen Ertrags- und Gefahrengemeinschaft zurück. Die zweite Stufe des bundesstaatlichen F.s besteht in der horizontalen Steuerertragsverteilung (Art. 107 Abs. 1 GG). Sämtliche Steuererträge, die nach Art. 106 GG der Ländergesamtheit zustehen, werden jetzt den einzelnen Ländern zugeteilt. Das vorrangige Verteilungsprinzip ist das örtliche Aufkommen. Das betont die Eigenständigkeit und Selbstverantwortung der Länder; es hat keinen unmittelbaren Bezug zu ihrer Aufgaben- und Ausgabenbelastung. Die einzige Ausnahme vom Örtlichkeitsprinzip gilt für die USt. Ihr Aufkommen wird den Ländern grundsätzlich nach der Einwohnerzahl zugeteilt (Art. 107 Abs. 1 S. 4 GG). Wegen der bes.n Erhebungstechnik dieser Steuer, die auf den Endverbraucher überwälzt wird, ist ihr Aufkommen nach örtlicher Vereinnahmung nicht geeignet, die Leistungsfähigkeit eines Landes widerzuspiegeln. Dem kommt das Kriterium der Einwohnerzahl näher, dem die Annahme eines gleichmäßigen Durchschnittskonsums zugrunde liegt. Zugl. bewirkt dieses Kriterium eine gewisse Nivellierung der Finanzkraftunterschiede zwischen den Ländern, die sich verstärkt, wenn der Gesetzgeber, wie dies derzeit der Fall ist, von der Ermächtigung des Art. 107 Abs. 1 S. 4 2. Halbs. GG Gebrauch macht, bis zu 25% des Länderanteils an der USt als Ergänzungsanteile für diejenigen Länder vorzusehen, deren Einnahmen aus den wichtigsten Steuern unter dem Länderdurchschnitt liegen (§ 2 Abs. 1 FAG).

Mit der Verteilung nach Art. 107 Abs. 1 GG liegt die eigene Finanzausstattung fest. Auch die Umsatzsteuerergänzungsanteile gehören zur primären Zuweisung von Steuereinnahmen. Die Verteilungsergebnisse sind jedoch nur ein Zwischenergebnis, auf dem die anschließenden Stufen drei und vier des F.s gründen. Auf diesen Stufen wechseln die Zielsetzungen und Mittel. An die Stelle der Zuordnung von Steuererträgen im Dienste bundesstaatlicher Autonomie und Gleichheit tritt die korrigierende Umverteilung von Finanzmasse im Dienste finanzieller Solidarität durch Finanzzuweisungen zwischen den Gebietskörperschaften. Solche Zuweisungen gibt es zunächst, im Verhältnis der Länder untereinander, im Länder-F. (Art. 107 Abs. 2 S. 1 und 2 GG) als der dritten Stufe des F.s. Der Gesetzgeber hat die Finanzkraft der Länder angemessen auszugleichen, also Unterschiede zu verringern, die nach der Steuerverteilung verblieben sind. „Finanzkraft" meint das Finanzaufkommen jedes Landes, vergleichbar durch Umrechnung auf die Einnahmen pro Einwohner, nicht eine Relation zwischen Einnahmen und Ausgaben. Bes. finanzielle Lasten einzelner Länder (Sonderbedarfe), die sich kaum objektivieren ermitteln lassen, bleiben grundsätzlich unberücksichtigt. Eine bes. Ausgabenfreudigkeit eines Landes darf nicht auf die Solidargemeinschaft der Länder abgewälzt werden. „Angemessen" ist der Ausgleich, der finanzielle Unterschiede vermindert, ohne sie aufzuheben. Es gilt das Verbot der Nivellierung der Länderfinanzen, die Zahlerländer dürfen außerdem in ihrer Leistungsfähigkeit nicht entscheidend geschwächt werden (BVerfGE 1, 117 [132]; 72, 330 [386]; 86, 148 [215]; 101, 158 [222]). Der Länder-F. hat die richtige Mitte zu finden zwischen der Selbständigkeit, Eigenverantwortlichkeit und Bewahrung der Individualität der Länder auf der einen und der solidargemeinschaftlichen Mitverantwortung für die Existenz und Eigenständigkeit der Bundesgenossen auf der anderen Seite (BVerfGE 101, 158 [222]). Den dadurch eröffneten Spielraum füllt der Gesetzgeber durch eine insgesamt weitgehende Annäherung der Länderfinanzkraft aus. Das seit 2005 geltende FAG verwendet erstmals eine mathematische Ausgleichsformel, die den finanzschwachen Ländern einen Anstieg auf 93% des Länderdurchschnitts garantiert (§ 10 FAG). 2014 hatte der Länder-F. ein Volumen von 9 Mrd. Euro; Zahlerländer waren Bayern (4,85 Mrd. Euro), Hessen (1,75 Mrd.

Euro), Baden-Württemberg (2,35 Mrd. Euro) und Hamburg (55 Mio. Euro). Alle anderen Länder waren Nehmerländer. Die vierte und abschließende Stufe des F.s bilden fakultative Bundesergänzungszuweisungen (Art. 107 Abs. 2 S. 3 GG). Sie sollen verbleibende Defizite der Finanzausstattung einzelner Länder verringern. Nur an dieser Stelle dürfen im F. bes. Ausgabenbelastungen berücksichtigt werden. Die Bundesergänzungszuweisungen erlauben einen abschließenden Ausgleich; die Zahlungen des Bundes dürfen nur leistungsschwachen Ländern gewährt werden; das wichtigste Kriterium der Leistungsschwäche ergibt sich aus einer Bewertung des Verhältnisses von Finanzaufkommen und Ausgabenlasten. Nach § 11 Abs. 2 FAG gewährt der Bund leistungsschwachen Ländern zur ergänzenden Deckung ihres allg.en Finanzbedarfs Zuweisungen, die ein Land auf maximal 99,5% der länderdurchschnittlichen Finanzkraft heben. § 11 Abs. 3 und 4 gewähren den ostdeutschen Ländern bis 2019 degressiv ausgestaltete Zuweisungen zum Ausgleich teilungsbedingter Sonderlasten und – verfassungsrechtlich problematisch – Zahlungen an kleinere Länder zum Ausgleich (vermuteter bes.r Kosten politischer Führung). Die frühere Berücksichtigung sog.er extremer Haushaltsnotlagen bei der Gewährung von Bundesergänzungszuweisungen hat das ↑BVerfG grundsätzlich für verfassungswidrig erklärt (BVerfGE 116, 343).

4. Die Kommunen im Finanzausgleich

Der zweistufige Aufbau des Bundesstaates ordnet im Zusammenhang des bundesstaatlichen F.s die Kommunen den Ländern zu (vgl. Art. 106 Abs. 9 GG), die primärer Adressat des Anspruchs ihrer Gemeinden auf eine aufgabenangemessene Finanzausstattung sind. Das GG enthält jedoch Absicherungen des finanziellen Status der kommunalen Ebene. Die Garantie der kommunalen ↑Selbstverwaltung nach Art. 28 Abs. 2 GG schließt die finanzielle Eigenverantwortung der Kommunen ein. Die Regelung des F.s nimmt sich eingehend der finanziellen Rechte der Gemeinden an. Neben den Ertragsanteilen an der ESt und USt (Art. 106 Abs. 5, 5a GG) gewährt Art. 106 GG den Gemeinden die alleinige Ertragshoheit über die ↑Grundsteuer, die ↑Gewerbesteuer (möglich sind Umlagen zugunsten des Bundes und der Länder) und die – fiskalisch nicht bedeutenden – kommunalen Verbrauch- und Aufwandsteuern (z. B. Hunde-, Jagd-, Getränke-, Zweitwohnungsteuer). Art. 106 Abs. 7 GG verpflichtet die Länder darüber hinaus, einen kommunalen F. durchzuführen, der die Steuereinnahmen der Gemeinden so ergänzen muss, dass die kommunale Ebene eine finanzielle Mindestausstattung zur Erfüllung ihrer Pflichtaufgaben und ihrer freiwilligen Selbstverwaltungsaufgaben aufweist.

5. Reformüberlegungen

Nach § 20 FAG gilt das FAG bis Ende 2019. Zu diesem Zeitpunkt treten auch die den bundesstaatlichen F. ergänzenden Regelungen des Solidarpakt II (finanzielle Privilegierungen der ostdeutschen Länder) außer Kraft; gleichzeitig gilt ab 2020 die neu gefasste Schuldenbremse des GG (Art. 109 Abs. 3 GG) in vollem Umfang für die Länder (Art. 143d Abs. 1 GG). Die daraus folgende Reformaufgabe eröffnete mehrere Optionen. Es hätte zunächst die Möglichkeit bestanden, durch eine weitere Stufe der Föderalismusreform alle Bestandteile der Finanzverfassung grundsätzlich zu überprüfen und gegebenenfalls zu reformieren. Dies stellte der Koalitionsvertrag der Großen Koalition zur Legislaturperiode 2013–2017 in Aussicht, verwirklicht wurde es aber nicht. Die zweite Möglichkeit lag darin, die Verfassung unangetastet zu lassen und die geltenden finanzausgleichsrechtlichen Gesetze mit einigen Veränderungen, v. a. wegen des Wegfalls des Solidarpaktes II, zu entfristen. Diesen naheliegenden Weg wollte die Politik nicht beschreiten, obwohl ein Angebot des Bundesfinanzministers vom Herbst 2015, der Ländergesamtheit ab 2020 jährlich etwa 5 Mrd. Euro (unter Berücksichtigung Ende 2019 wegfallender Bundesmittel) mehr zur Verfügung zu stellen, genau darauf abzielte. Die Ministerpräsidentenkonferenz legte sich Ende 2015 auf ein anderes Modell fest, wonach aus dem vierstufigen Bund-Länder-F. unter Wegfall des Länder-F.s ein dreistufiges System werden sollte. Die Aufgabe der Finanzkraftangleichung zwischen den Ländern solle ab 2020 die horizontale Umsatzsteuerverteilung übernehmen. Dazu sei die Verteilung nach der Einwohnerzahl durch Zu- und Abschläge zu modifizieren. Der Bund versuchte, dies durch 15 Gegenforderungen zu verhindern, die fast alle die Aufsichtsmöglichkeiten des Bundes über die Länder außerhalb des F.s verstärken sollten. Die daraus entstandene schwierige Verhandlungssituation wurde gelöst, indem die Vorschläge des Bundes und der Länder kombiniert wurden. Die Grundgesetzänderung vom 13.7.2017 hat nach einem schnellen und wenig diskursiven Verfahren insgesamt 13 Art. geändert und eingefügt. Begleitend sind insgesamt 23 finanzbezogene Gesetze, v. a. das FAG und das Maßstäbegesetz, geändert worden. Art. 107 Abs. 1 und 2 GG wird ab 2020 in völlig veränderter Gestalt gelten. Neben dem Wegfall des Länder-F.s sorgt der systemwidrige Ausbau der Bundesergänzungszuweisungen durch neue „Gemeindesteuerkraftzuweisungen" an Länder mit finanzschwachen Gemeinden und forschungsbezogenen Zahlungen für gravierende Unwuchten. Das Gesamtergebnis des neuen F.s lässt sich auf die Formel bringen, dass die Länder eigenständige Gestaltungsrechte gegen mehr Geld freiwillig aufgeben. Der Wegfall des Länder-F.s modifiziert und vertikalisiert die bisherige Verpflichtung der Länder zur horizontalen Solidarität. Die neue Gestalt des F.s dürfte ein labiles Zwischenstadium zu einem vollständig vertikalisierten Ausgleich darstellen. Die Hoffnung der Länder, Konflikte zwischen ihnen durch Wegfall des Länder-F.s zu minimieren, wird sich kaum erfüllen lassen. Schauplatz des Verteilungsstreits wird zukünftig die horizontale Umsatzsteuerverteilung sein. Der verstärkte zentralistische Zug des grundgesetzlichen ↑Föderalismus scheint unaufhaltsam.

Literatur

H.-G. Henneke: „Die wilden 13", in: DVBl 4 (2017), 214–222 • M. Junkernheinrich/S. Korioth u. a. (Hg.): Verhandlungen zum Finanzausgleich, 2016 • S. Korioth: Reform der Finanzbeziehungen von Bund und Ländern. Fairer Kompromiss oder Setzen von Fehlanreizen?, in: ifo Schnelldienst 69/24 (2016), 3–23 • T. Lenk/P. Glinka: Reform der Bund-Länder-Finanzbeziehungen. Der hohe Preis der politischen Einigkeit, in: ifo Schnelldienst 69/24 (2016), 9–12 • S. Kempny/E. Reimer: Neuordnung der Finanzbeziehungen – Aufgabengerechte Finanzverteilung zwischen Bund, Ländern und Kommunen, 2014 • W. Kahl (Hg.): Nachhaltige Finanzstrukturen im Bundesstaat, 2011 • H. Kube: Der bundesstaatliche Finanzausgleich, 2011 • M. Junkernheinrich/S. Korioth u. a. (Hg.): Jahrbuch für Öffentliche Finanzen, ab 2009 • S. Korioth: Zur Neuordnung des Finanzausgleich zwischen Bund und Ländern, in: R. Baus u. a. (Hg.): Der deutsche Föderalismus 2020, 2009, 195–203 • H. Meyer: Der Finanzausgleich, in: KritV 91/2 (2008), 132–156 • P. Selmer: Der „bundesstaatliche Notstand" eines Landes – eine ungelöste Verfassungsaufgabe, in: KritV 91/2 (2008), 171–173 • J. Wieland: Finanzverfassung, Steuerstaat und föderaler Ausgleich, in: P. Badura/H. Dreier (Hg.): 50 Jahre Bundesverfassungsgericht, Bd. 2, 2001, 771–801 • J. Hidien: Der bundesstaatliche Finanzausgleich in Deutschland, 1999 • I. Kesper: Bundesstaatliche Finanzordnung, 1998 • J. Hidien: Hdb. Länderfinanzausgleich, 1997 • S. Korioth: Der Finanzausgleich zwischen Bund und Ländern, 1997 • U. Häde: Finanzausgleich, 1996 • P. Selmer/F. Kirchhof: Grundsätze der Finanzverfassung des vereinten Deutschlands, in: VVDStRL, Bd. 52, 1993, 10–70, 71–110 • H. Pagenkopf: Der Finanzausgleich im Bundesstaat, 1981 • K. M. Hettlage/T. Maunz: Die Finanzverfassung im Rahmen der Staatsverfassung, in: VVDStRL 14 (1956), 2–36, 37–63 • G. Wacke: Das Finanzwesen der Bundesrepublik Deutschland, 1950 • H. Höpker-Aschoff: Das Finanz- und Steuersystem des Bonner Grundgesetzes, in: AöR 75 (1949), 306–331 • J. Popitz: Der künftige Finanzausgleich zwischen Reich, Ländern und Gemeinden, 1932 • A. Hensel: Der Finanzausgleich im Bundesstaat in seiner staatsrechtlichen Bedeutung, 1922;

STEFAN KORIOTH

II. Ökonomisch

Die Ausgestaltung des F.s folgt aus ökonomischer Sicht vorrangig Allokations- und Verteilungsüberlegungen. Unter dem Allokationsziel (↑Allokation) soll der F. zu mehr Effizienz im staatlichen Handeln beitragen. Unter dem Verteilungsziel dient der F. demgegenüber einer gleichmäßigeren Wohlstandsverteilung zwischen den Regionen einer Volkswirtschaft. Während der *vertikale F.* die Aufgaben-, Ausgaben- und Einnahmenzuordnung zwischen den Ebenen eines föderalen Staates (Bund, Länder und Kommunen; ↑Föderalismus) zum Gegenstand hat, steht beim *horizontalen F.* die Realisierung räumlicher Ausgleichsziele auf der Ebene von Ländern und Kommunen im Mittelpunkt. Zusätzlich zum Allokations- und Verteilungsziel ergeben sich zudem aus dem Wachstumsziel weitere Anforderungen an die Gestaltung des F.s. Dem liegt die Annahme zugrunde, dass die Sicherung einer dynamischen Wirtschaftsentwicklung v. a. im Wecken und Unterstützen regionaler wie lokaler Wachstumspotenziale besteht, dem auch die Gestaltung des F.s Rechnung zu tragen hat.

1. Finanzausgleich aus Sicht der Theorie des Fiskalföderalismus

Folgt man der ökonomischen Theorie des Fiskalföderalismus, sollte ein F. vorrangig zur Steigerung der staatsinternen Effizienz beitragen. Damit ist nicht die Verteilung finanzieller Mittel zwischen Bund, Ländern und Kommunen, sondern zu allererst die zweckmäßige Aufgabenverteilung bedeutsam. Dabei liegt die Aufgabenzuständigkeit so lange bei den unteren Ebenen (Länder und Kommunen), wie eine Kompetenzverlagerung auf eine übergeordnete Ebene (Bund) keine Effizienzgewinne verspricht (*Subsidiaritätsprinzip*, ↑Subsidiarität). Streut der Nutzen staatlicher Leistungen räumlich unterschiedlich stark, ist eine effiziente Versorgung im Sinne eines auf die Wünsche der Bürger abgestimmten staatlichen Güterangebots nur dann zu erwarten, wenn sich die Zuständigkeit für die Aufgabenerfüllung am Kreis der Nutznießer orientiert und diese gleichzeitig zu deren Finanzierung beitragen *(Prinzip der fiskalischen Äquivalenz)*.

Neben der angemessenen Aufgabenverteilung stellt sich bei jedem F. auch die Frage nach der zweckmäßigen Verteilung von Ausgaben- und Einnahmenzuständigkeiten. Dabei wird gefordert, dass die Zuordnung der Ausgabenkompetenzen an der Verteilung der Aufgabenkompetenzen orientiert ist *(Prinzip der Konnexität)*. Jede Art von Mischfinanzierung öffentlicher Aufgaben enthält demgegenüber eine Tendenz zu unwirtschaftlichem Verhalten. Sie birgt die Gefahr, dass es zu verzerrten Ausgabenentscheidungen kommt, da die politischen Akteure einer jeden Gebietskörperschaft dem gesamten Nutzen einer öffentlichen Aufgabenerfüllung nicht auch die gesamten Kosten, sondern lediglich den eigenen Finanzierungsbeitrag gegenüberstellen. Auch lassen Mischfinanzierungen aufgrund des Koordinierungsbedarfs die Verwaltungskosten ansteigen.

Die der Effizienz dienende Selbstverantwortung von Ländern und Kommunen setzt schließlich ebenso voraus, dass zusätzlich zur Aufgaben- und Ausgabenautonomie auch eine größtmögliche Steuerautonomie besteht. Diese kann als gewährleistet gelten, wenn die Gebietskörperschaften einer jeweiligen Staatsebene die Art der erhobenen Abgaben und deren Ausgestaltung (Trennsystem) flexibel den jeweiligen Aufgabenerfordernissen anpassen können *(Prinzip der ↑Autonomie)*. Demgegenüber mindert die alleinige Aufteilung eines gegebenen Steueraufkommens zwischen mehreren Staatsebenen (Verbundsystem) ebenso wie die bloße Zuweisung finanzieller Mittel (Zuweisungssystem) die Anreize von Ländern und Kommunen, in die positive Entwicklung eigener Einnahmequellen zu investieren.

2. Finanzausgleich aus regional- und wachstumsökonomischer Sicht

Im Zentrum von regional- und wachstumsökonomischen Ansätzen steht die Frage, ob sich wirtschaftliche Aktivitäten im Raum eher gleichmäßig oder doch eher ungleich verteilen und welches die hierfür relevanten Faktoren sind. Aus diesen Überlegungen zu den Triebkräften des wirtschaftlichen Wachstums von Regionen lassen sich Rückschlüsse auf eine angemessene Gestaltung des F.s ziehen. Folgt man neueren Erkenntnissen der Regionalökonomik, verläuft die wirtschaftliche Entwicklung von Regionen grundsätzlich divergent. Dafür verantwortlich ist das Zusammenspiel aus steigenden Skalenerträgen aufgrund von Marktgrößeneffekten und bestehenden Kosten der Raumüberwindung (Transportkosten), d. h. Firmen siedeln sich vorrangig dort an, wo die Nachfrage groß und benötigte Inputfaktoren gut zugänglich sind (Agglomerationsvorteile).

Diese Einsicht wird durch neuere Ansätze der ökonomischen Wachstumstheorie gestützt, die auf technischen Fortschritt und Wissenszuwachs (bzw. ↑Humankapital) als wesentlichen Bestimmungsgrößen wirtschaftlicher Entwicklung verweisen. Dabei wird der räumlichen Nähe bei der Nutzung neuen Wissens (↑Innovation) eine entscheidende Rolle beigemessen, d. h. es sind v. a. regionale und lokale Spezifika von Wirtschaftsstandorten, die für mehr ↑Wirtschaftswachstum sorgen.

Mit Blick auf den *vertikalen F.* lässt sich daraus ableiten, dass zusätzlich zu den föderalismustheoretischen Dezentralisierungsargumenten (bessere Abstimmung des staatlichen Güterangebots auf die Präferenzen vor Ort, klare Identifizierung politischer Verantwortlichkeiten, Senkung von Verwaltungskosten, Wettbewerb zwischen alternativen Politikkonzepten) jene räumlich begrenzt wirkenden Wachstumsfaktoren die dezentralen Träger von politischen Entscheidungen vor eine zusätzliche Aufgabe stellen. Das setzt jedoch voraus, dass Länder und Kommunen über eine hinreichend autonome Aufgaben-, Ausgaben- und Einnahmenverantwortung zur Förderung regionalen und lokalen Wachstums verfügen.

Auch legen regionalökonomische Überlegungen nahe, dass es wachstumsförderlicher ist, vorhandene Agglomerationsvorteile und sich damit verbindende Wissens- und Innovationspotenziale zu stärken. Bezogen auf den *horizontalen F.* sollte folglich eine Finanzmittelverteilung, die allein am Ziel der Wahrung einheitlicher Lebensverhältnisse im Sinne eines fiskalischen Ausgleichs zwischen finanzstarken und finanzschwachen Gebietskörperschaften ausgerichtet ist, sehr zurückhaltend bewertet werden. Dies wird durch ökonomische Untersuchungen gestützt, die zeigen, dass ein zu großzügig bemessenes Ausgleichsniveau des F.s ebenso wie ein zu ausgeprägter Zentralisierungsgrad staatlicher Aufgaben, Ausgaben und Einnahmen zu Wachstumseinbußen führen.

Literatur

H. Blöchliger: Dezentralisierung und Wirtschaftswachstum, in: WPB 61/1 (2014), 81–95 • L. P. Feld u. a.: Fiscal Federalism, Decentralization and Economic Growth, in: P. Baake/ R. Borck (Hg.): Public Economics and Public Choice, 2007, 103–133 • T. Döring: Finanzausgleich, in: ARL (Hg.): Handwörterbuch der Raumordnung, ⁴2005, 297–302 • T. Döring: Räumliche Aspekte von Föderalismus und Finanzausgleich, in: RuR 63/2 (2005), 109–122 • T. Döring: Konnexitätsprinzip, in: WiSt 33/10 (2004), 609–613 • W. E. Oates: An Essay on Fiscal Federalism, in: JEL 37/3 (1999), 1120–1149 • R.-D. Postlep: Gesamtwirtschaftliche Analysen kommunaler Finanzpolitik, 1992 • H. Zimmermann: Allgemeine Probleme und Methoden des Finanzausgleichs, in: N. Andel u. a. (Hg.): Hdb. der Finanzwissenschaft, Bd. 4, ³1983, 3–52 • M. Olson: The Principle of Fiscal Equivalence, in: AER 59/2 (1969), 479–487.   THOMAS DÖRING

Finanzgerichtsbarkeit ↑ Gerichtsbarkeit

Finanzierung ↑ Betriebswirtschaftslehre

Finanzkontrolle

1. Der Begriff der Finanzkontrolle

F. ist das Prüfen der finanzwirksamen Aktivitäten der öffentlichen Hand. Ziel ist es festzustellen, ob der ↑ Haushalt ordnungsgemäß und wirtschaftlich vollzogen wird. Im Haushaltskreislauf spielt die F. eine bes. Rolle. Nach Aufstellung, Verabschiedung und Vollzug des Haushalts ist sie Voraussetzung für die vierte und letzte Stufe, die Entlastung. Historisch häufig durch den Fürsten als Teil der Exekutive zur Rechnungskontrolle seiner ↑ Verwaltung gegründet, ergänzt sie im demokratischen Rechtsstaat die parlamentarische Budgetbewilligung.

Urspr. war die F. in Deutschland im Wesentlichen auf die Prüfung der Rechnung beschränkt (rechnungsabhängige F.). Art. 114 Abs. 2 GG erweiterte dies um die Prüfung der Wirtschaftlichkeit sowie der Ordnungsmäßigkeit der Haushalts- und Wirtschaftsführung (rechnungsunabhängige F.). Die Vorschrift erwähnt die F. nicht, sondern weist dem BRH die Aufgabe des Prüfens zu. Das auf Grundlage des Art. 114 Abs. 2 GG verabschiedete BRHG macht jedoch den BRH zum Organ der F. (§ 1 S. 1 BRHG) und etabliert damit den Begriff.

Neben dem Prüfen ist für den BRH auch das Beraten zu einer gesetzlich vorgesehenen Form der F. geworden. § 88 Abs. 2 BHO eröffnet diese Möglichkeit für die Adressaten Bundestag, Bundesrat, Bundesregierung bzw. einzelne Bundesministerien. Ihre Grenzen findet die F. durch den BRH dort, wo prüfen und beraten den politischen Entscheidungsspielraum berühren.

2. Ebenen und Arten der Finanzkontrolle

F. findet in Deutschland auf verschiedenen Ebenen statt. Der EuRH prüft die Rechnung der EU, die Rechtmäßigkeit und Ordnungsmäßigkeit der Einnahmen und Ausgaben sowie die Wirtschaftlichkeit der Haushaltsführung (Art. 287 AEUV). Dies betrifft in Deutschland die im Zuge der geteilten Mittelverwaltung von Bundes- oder Landesbehörden bewirtschafteten EU-Mittel.

Wie der BRH für den Bundeshaushalt sind die Landesrechnungshöfe in gleicher Weise für die F. der Länderhaushalte zuständig. Auf kommunaler Ebene nehmen z. B. Rechnungsprüfungsanstalten oder kommunale Rechnungsprüfungsämter diese Aufgabe wahr.

F. findet auch auf unterschiedliche Arten statt und lässt sich auf verschiedene Weisen kategorisieren. Die interne bzw. exekutive F. liegt in der Verantwortung der Verwaltung selbst. Sie findet statt, etwa durch den Beauftragten für den Haushalt, die Fachaufsicht oder die Innenrevision. Für die gesamte Bundesregierung ist das Bundesministerium der Finanzen mit seinen bes.n, in der BHO verankerten Kompetenzen eine maßgebliche Kontrollinstanz. Die externe F. führen i. d. R. unabhängige Rechnungsprüfungsbehörden (Rechnungshöfe) durch. Für den BRH garantiert Art. 114 Abs. 2 GG die richterliche Unabhängigkeit seiner Mitglieder und der Institution. Entscheidend für die externe F. ist in Deutschland auch deren Lückenlosigkeit. Bereiche der Haushalts- und Wirtschaftsführung des Bundes, die Prüfungen durch den BRH nicht zugänglich sind (prüfungsfreie Räume), darf es nicht geben. Dass er dazu auch bei Stellen außerhalb der Bundesverwaltung Erhebungen vornehmen kann, hat der verfassungsändernde Gesetzgeber in Art. 114 Abs. 2 GG klargestellt.

Daneben besteht die parlamentarische oder politische F. So nimmt das Parlament, etwa in Gestalt des Haushaltsausschusses, Kontrollfunktionen wahr. Dies geschieht während der Haushaltsaufstellung (erstellen und verabschieden des Haushalts), während des Haushaltsvollzugs (sperren oder freigeben einzelner Haushaltsposten) und bei der Entlastung.

Öffentliche F. wiederum findet statt, wenn haushaltsrelevante Themen in der Öffentlichkeit wahrgenommen und diskutiert werden. Eine Grundlage hierfür ist in Deutschland u. a. der Jahresbericht des BRH, die sog.en Bemerkungen. Öffentliche F. hat in Staaten große Bedeutung, wo die interne bzw. exekutive sowie die parlamentarische bzw. politische F. keine volle Wirkung entfalten. Den Rechnungshöfen bleibt dann der Weg an die Öffentlichkeit, um ihren Prüfungserkenntnissen und damit verbundenen Hinweisen und Empfehlungen Gehör zu verschaffen.

F. lässt sich schließlich auch im Hinblick auf den Zeitpunkt unterscheiden. Bei der sog.en Visakontrolle betrachtet die prüfende Stelle eine geplante Ausgabe und gibt sie gegebenenfalls frei. Revision ist hingegen die nachträgliche Überprüfung exekutiven Handelns. Der BRH führt, soweit bereits prüfbare Verwaltungsentscheidungen vorliegen, auch begleitende Prüfungen durch. Dies bietet sich insb. bei umfangreichen und langwierigen Projekten an und ist Voraussetzung für eine zeitgerechte Beratung von Parlament und Regierung.

3. Wirkungen der Finanzkontrolle

Die F. in ihren verschiedenen Ausprägungen ergänzt zunächst die Haushaltsgesetzgebung und sichert deren Umsetzung.

Als externe F. in Deutschland erzielt der BRH seine Wirkung auf verschiedene Weise. Mit seinem Jahresbericht stellt er dem Parlament die Grundlage für das Entlastungsverfahren zur Verfügung. Gleichzeitig verfolgt er damit aktiv die Umsetzung der in seinem Bericht enthaltenen Empfehlungen. Der Rechnungsprüfungsausschuss des Haushaltsausschusses des Deutschen ↑Bundestages befasst sich mit den entspr.en Vorlagen des BRH. Im Zuge des Entlastungsverfahrens macht er sich regelmäßig weit über 90 % der Empfehlungen des BRH aus dem Jahresbericht zu eigen. Die jeweils betroffenen Ressorts müssen auch nach der Entlastung dem Rechnungsprüfungsausschuss weiter Rede und Antwort über die Umsetzung der Empfehlungen stehen.

Nur ein geringer Teil der Prüfungsfeststellungen des BRH findet seinen Niederschlag im Jahresbericht. Den überwiegenden Teil seiner Prüfungserkenntnisse und der daraus resultierenden Empfehlungen richtet der BRH ausschließlich an die geprüften Stellen, die diese Hinweise meist aufnehmen und umsetzen.

Einen erheblichen Teil seiner Wirkung erzielt der BRH im Zuge der beratenden F. gegenüber Regierung und Parlament. Dies betrifft die Phase der Haushaltsaufstellung, die der BRH mit Hinweisen an die Exekutive begleitet. Daneben berät er regelmäßig den Haushaltsausschuss während des Haushaltsaufstellungsverfahrens. Während des Haushaltsvollzugs gewährleistet der BRH über eine kontinuierliche Präsenz im Haushaltsausschuss und ggf. auch in anderen Ausschüssen, dass seine Sachkenntnis den Abgeordneten zur Verfügung steht. Der BRH berät aus eigener Initiative, greift aber auch vom gesamten Ausschuss getragene Prüfungsbitten auf und berichtet jeweils gemäß § 88 Abs. 2 BHO. Er kann dabei häufig auf bereits vorliegende Prüfungserkenntnisse zurückgreifen. Begleitende Prüfungen, z. B. von großen Rüstungs- oder Infrastrukturmaßnahmen, eröffnen ihm die Möglichkeit, das Parlament kurzfristig, aktuell und fortlaufend auch über komplexe Vorhaben zu informieren.

Nicht nur über seinen Jahresbericht, sondern auch über Sonderberichte nach § 99 BHO und über die Weitergabe von Prüfungsergebnissen an Dritte nach § 96 Abs. 4 BHO schafft der BRH Transparenz und erzielt damit Wirkungen nach außen. Diese Wirkung beruht neben der Qualität seiner Berichterstattung auch auf seiner Reputation als neutrale und unabhängige Behörde.

Literatur

H. Kube: Art. 114, in: T. Maunz/G. Dürig (Hg.): Grundgesetz-Kommentar, 75. Erg.-Lfg., Stand September 2015, Rdnr. 1–139 • H. Erb: Der Bundesrechnungshof als Berater von Parlament und Regierung, in: D. Engels (Hg.): 300 Jahre externe Finanzkontrolle in Deutschland, 2014, 165–193 • U. Hufeld: Der Bundesrechnungshof und andere Hilfsorgane des Bundestages, in: HStR, Bd. 3, ³2005, 909–941 • G. Korthal: Perspektiven für eine wirksamere öffentliche Finanzkontrolle, in: DÖV 55 (2002), 600–607 • H. Schulze-Fielitz: Kontrolle der Verwaltung durch Rechnungshöfe, in: VVDStRL, Bd. 55 (1996), 254–276 • J. Wieland: Rechnungshofkontrolle im demokratischen Rechtsstaat, in: DVBl 110/17 (1995), 894–904 • A. von Mutius: Finanzkontrolle und Öffentlichkeit, in: H. G. Zavelberg (Hg.): Die Kontrolle der Staatsfinanzen, 1989, 305–323 • K. Wittrock: Der Rechnungshof als Berater, in: DÖV (1989), 346–349 • P. Kirchhof: Die Steuerung des Verwaltungshandelns durch Haushaltsrecht und Haushaltskontrolle, in: NVwZ 2/9 (1983), 505–515. KAY SCHELLER

Finanzmärkte

I. Wirtschaftswissenschaftlich – II. Sozialethisch

I. Wirtschaftswissenschaftlich

1. Definition

Der F. umfasst die Gesamtheit der Institutionen, Märkte und Finanzprodukte, die dazu beitragen, dass Angebot und Nachfrage nach Finanzmitteln zusammengeführt werden. Er lässt sich in vier Teilmärkte untergliedern: den Geldmarkt (kurzfristige Mittelbeschaffung), den Kapitalmarkt im engeren Sinn (verbriefte langfristige Mittelbeschaffung in Form von Anleihen und Aktien) (↑Geld- und Kapitalmarkt), den Kreditmarkt (unverbriefte Kredite) und den Devisenmarkt (Austausch von Währungen). Einzelne F. – wie Aktienbörsen – funktionieren nach festgelegten Regeln, während andere Märkte – bspw. der OTC-Handel zwischen ↑Banken – auf spezifischen Handelsgewohnheiten basieren. Kapitalgeber und -nehmer kommen entweder direkt auf den F.n zusammen (direkter Kapitalfluss) oder aber Finanzintermediäre wie Banken, ↑Versicherungen oder Investmentgesellschaften vermitteln zwischen dem originären Kapitalangebot und der Kapitalnachfrage (indirekter Kapitalfluss).

2. Aufgaben der Finanzmärkte

F. stellen – basierend und rasch reagierend auf Informationen – das zentrale Nervensystem einer Volkswirtschaft dar, in dem knappe Ressourcen alloziert und Preise bestimmt werden. Die F. befähigen Unternehmen, staatliche Institutionen und private Haushalte ihre Finanzbedürfnisse zu befriedigen. Sofern die F. funktionieren, können neue Unternehmen entstehen, bestehende Unternehmen wachsen, private Haushalte mit unzureichenden Ersparnissen ihre Konsumbedürfnisse realisieren und staatliche Institutionen ihre Konsum- und Investitionsausgaben finanzieren, die nicht allein über Steuereinnahmen gedeckt werden können. Kapitalgeber (private, institutionelle und staatliche Anleger) stellen ihre nicht benötigten Finanzmittel in Abhängigkeit von ihrer Risikobereitschaft und vom gewünschten Anlagezeitraum bereit. Sofern die knappen Finanzressourcen für jene bereitgestellt werden, die sie am besten nutzen können und die Transaktionskosten gering gehalten werden, können F. die ökonomische Effizienz erhöhen.

F. übernehmen drei zentrale Funktionen in einer Volkswirtschaft. Sie stellen sowohl Kapitalnehmern als auch Kapitalgebern Liquidität zur Verfügung. Sie sammeln und kommunizieren Informationen und sie ermöglichen eine veränderte Risikoverteilung.

Unter der Marktliquidität versteht man die Leichtigkeit mit der ein Vermögenswert (Asset) in Geld getauscht werden kann, ohne dass es zu Wertverlusten kommt. Ohne F. und institutionelle Strukturen, die diese Märkte unterstützen, wird der Verkauf von Vermögensgegenständen erschwert. Die Liquidität ist für die Funktionsfähigkeit einer Volkswirtschaft von zentraler Bedeutung. F. sollten deshalb so organisiert werden, dass die Transaktionskosten – d. h. die Informationsbeschaffungs-, Anbahnungs-, Abwicklungs- und Kontrollkosten von Verträgen über den Kauf oder Verkauf von Assets – gering ausfallen. Wenn man bspw. ein Wertpapier kauft, wird man einen professionellen Marktakteur beauftragen, der die Transaktion durchführt. Ein Makler *(Broker)* kann einen Händler *(Dealer)* suchen, der als Marktgegenseite fungiert. Ein Broker-Dealer kann beide Marktseiten abdecken. Diese Dienstleistungen sind nicht kostenlos, bilden also einen Teil der Transaktionskosten ab. Die hohen Handelsvolumina, die man heute auf vielen F.n findet, weisen darauf hin, dass die Transaktionskosten überschaubar sind und eine hohe Marktliquidität sichergestellt ist. Niedrige Transaktionskosten können allerdings auch zu einem deutlichen Anstieg spekulativer Geschäfte führen und damit die Stabilität der F. beeinträchtigen. Vor diesem Hintergrund wurde im Nachgang der ↑Finanzmarktkrise von 2007/08 verstärkt die Einführung einer Finanztransaktionssteuer *(Tobin Tax)* gefordert, um durch erhöhte Transaktionskosten die spekulativen Geschäfte zu reduzieren. Vergleichsweise illiquide sind hingegen Immobilienmärkte, auf denen hohe Transaktionskosten (Notar- und Maklerkosten, Grunderwerbsteuer etc.) anfallen.

In ihrer zweiten Funktion sammeln und verteilen F. Informationen über die Emittenten von Finanzinstrumenten, die sich letztlich in den Preisen bzw. Kursen der Instrumente widerspiegeln. Unternehmen die ein tragfähiges Geschäftsmodell aufweisen, werden einen hohen Aktienkurs aufweisen und vice versa. Je höher die Wahrscheinlichkeit ist, dass ein Emittent seine Anleihe bedienen kann – also die Zins- und Rückzahlungen vollständig und fristgerecht erfolgen – desto höher fällt der Anleihenkurs bzw. desto geringer fallen die Renditen aufgrund fehlender Risikoprämien aus.

Drittens sollen auf F.n gehandelte Finanzinstrumente Risiken transferieren und zwischen den Marktteilnehmern neu aufteilen. Die F. sind dabei die Plattform, auf der der Risikotransfer stattfindet, d. h. wo Risiken gekauft und verkauft werden. Umsichtige Investoren halten eine Vielzahl von Vermögenstiteln in ihrem Portfolio. Mithilfe eines gut zusammengestellten (diversifizierten) Portfolios fällt das Gesamtrisiko des Portfolios geringer aus als die Summe aus den Einzelrisiken der Vermögenstitel. Die Allokationseffizienz der F. hängt allerdings davon ab, inwieweit alle Marktakteure hinreichend über die inhärenten Risiken von Finanzinstrumenten informiert sind. Die Erfahrungen aus der Finanzmarktkrise von 2007/08 verdeutlichen, dass auch professionelle Marktakteure nur unzureichend über die Risiken von strukturierten Wertpapierprodukten informiert waren, mit denen insb. US-Banken ihre Forderungen bzw. Risiken ausplatzierten. Die Bestrebungen zur verstärkten Regulierung der F. konzentrieren sich deshalb nicht zuletzt auf verbesserte Informationsflüsse und auf eine höhere Risikotransparenz, wie sie sich in den Regelwerken (z. B. Basel III) des Basler Ausschusses für Bankenaufsicht widerspiegeln, der bei der BIZ angesiedelt ist.

3. Struktur der Finanzmärkte

Es gibt eine Vielzahl von F.n, die in unterschiedlicher Art und Weise klassifiziert werden. Man kann erstens zwischen Märkten differenzieren, auf denen neue Finanzinstrumente platziert werden und jenen, auf denen vorhandene Vermögenstitel getauscht werden. Märkte können sich zweitens durch einen zentralisierten Handel von (standardisierten) Finanztiteln auszeichnen (z. B. auf ↑Börsen) oder durch (individualisierte) Einzelgeschäfte (OTC-Märkte) geprägt sein. Drittens lassen sich Märkte danach unterscheiden, ob Finanztitel unmittelbar getauscht und bezahlt werden oder ob der Geschäftsabschluss und die damit verbundenen Transaktionen zeitlich auseinanderfallen.

a) Primär- versus Sekundärmärkte	
Primärmärkte	Märkte, auf denen neu emittierte Wertpapiere platziert werden.
Sekundärmärkte	Märkte, auf denen bestehende Finanztitel gehandelt werden.
b) Zentralisierte Börsen versus individualisierte Over-the-Counter-Märkte (OTC-Märkte)	
Zentralisierte Börsen	Zentralisierte (Sekundär)-Märkte, auf denen sich Händler physisch treffen.
Over-the-Counter-Märkte	Dezentralisierte (Sekundär-)Märkte, auf denen Händler bereitstehen, um Wertpapiere elektronisch zu kaufen bzw. zu verkaufen.

Elektronische Kommunikationsnetzwerke (ECNs)	Systeme, die Käufer und Verkäufer für die Handelsausführung – ohne die Einschaltung von Maklern und Händlern als Intermediär – elektronisch zusammenführen.
c) Fremd- und Eigenkapitalmärkte versus derivative Märkte	
Kassamärkte für Fremd- und Eigenkapital sowie Währungen	Märkte, auf denen Finanztitel (wie Anleihen und Aktien) und Währungen gehandelt werden und die Bezahlung unmittelbar erfolgt.
Derivative Märkte	Märkte, auf denen Ansprüche (basierend auf zugrunde liegenden Vermögenswerten [Underlyings]) gehandelt werden und die Bezahlung zu einem späteren Zeitpunkt stattfindet.

Tab. 1: Struktur der Finanzmärkte

Auf Primärmärkten können Unternehmen neue Aktien oder Anleihen platzieren, um ihren Finanzbedarf zu decken. Üblicherweise werden die Unternehmen von Investmentbanken unterstützt, die den Emissionsprozess vollständig begleiten und die erfolgreiche Platzierung auf den Märkten sicherstellen, d.h. das geplante Emissionsvolumen zu weitgehend stabilen Kursen im Markt unterbringen. In den letzten Jahren kam es immer wieder zu Verzerrungen bei Börsengängen (z.B. 2012 bei Facebook), die darauf hindeuten, dass bei Investmentbanken häufig ein Konflikt zwischen Kunden- und Eigeninteressen auftritt.

Die Organisation von Sekundärmärkten unterliegt zurzeit gravierenden Veränderungen. Historisch betrachtet gab es zwei Typen von F.n: zentralisierte Börsenplätze und OTC-Märkte. Die traditionellen Börsen waren und sind z.T. noch heute als *Parketthandel* organisiert, wo sich die Händler – wie an der NYSE – physisch auf dem Parkett treffen. Die NYSE hat Anfang 2017 angekündigt, dass sie die Zahl der handelbaren Wertpapiere auf dem Parkett deutlich erhöhen möchte, auch wenn der größte Teil ihres Handels inzwischen über computergestützte Handelssysteme läuft. Andere Börsen wie die US-Technologiebörse Nasdaq entwickelten sich aus den OTC-Märkten und sind ausschließlich als Computerhandel (früher Telefonhandel) organisiert. Börsen wie die Frankfurter Wertpapierbörse haben den Präsenzhandel in den letzten Jahren eingestellt und den gesamten Wertpapierhandel auf computergestützte Systeme umgestellt. In jüngster Zeit erleichtern ECNs Händlern und Brokern das Auffinden einer geeigneten Marktgegenseite, um in spezifischen Wertpapieren zu handeln, die z.T. auch an den Börsen gelistet sind.

Die Geschwindigkeit der strukturellen Anpassungen hat sich in den letzten Jahren deutlich erhöht, was auf die fortlaufenden technologischen Innovationen in der Computer- und Kommunikationstechnik und auf die verstärkte internationale Integration der F. zurückzuführen ist. Der technische Fortschritt hat die Bedeutung der physischen Existenz einer Börse reduziert. Die neuen Techniken erlauben die schnelle und kostengünstige Übertragung von Orders über weite Strecken. Es kommt zu grenzüberschreitenden Fusionen von Börsen

und zum Aufbau größerer Pools von Anbietern und Nutzern von Finanzmitteln. Ein Teil des Prozesses besteht darin, dass elektronische Handelssysteme bzw. Kommunikationsnetzwerke den offiziellen Status einer regulierten Börse erhalten haben, ohne dass der Handel auf einen spezifischen Standort festgelegt ist.

Der Handel an elektronischen Börsen hat Vor- und Nachteile gegenüber physischen Börsen. Vorteilhaft ist, dass die Kunden die Orders sehen, dass sie schnell ausgeführt werden und dass die Systeme permanent verfügbar sind und geringe Kosten verursachen. Die dezentralisierte Organisation reduziert zugl. die operationellen Risiken. Die Nachteile bestehen in potenziellen Fehlern innerhalb der Handelssysteme, die die Existenz von F.-Teilnehmern gefährden (z.B. starke kurzfristige Kurseinbrüche [*Flash Crash*] aufgrund fehlerhafter Dateneingaben). Die Komplexität von vielen und nicht vollständig verlinkten Börsen erzeugt neue Handelsmuster, erhöht die Fragilität des gesamten Systems und bedroht die Liquidität sowie die Bewertung von Assets. Bemühungen, die Geschwindigkeit des elektronischen Handels zu erhöhen, führen zu einem steigenden Ressourcenbedarf. Hochfrequenzhändler verlagern ihre Computersysteme in die Nähe der Börsen, sodass sich die Übertragungszeiten von Orders auf wenige Mikrosekunden reduzieren. Die Zielsetzung besteht darin, schneller als die Wettbewerber an Informationen zu kommen und entspr.e Orders auszuführen. Die geschwindigkeitsbedingten Gewinne führen dazu, dass die *Market Maker,* die jederzeit verbindliche An- und Verkaufskurse stellen, nicht mehr bereit sind, Liquidität bereitzustellen. Sie werden zudem gezwungen, technisch aufzurüsten, um die steigenden Volumina bewältigen zu können. Für die Realwirtschaft ergibt sich durch die erhöhten Geschwindigkeiten kein erkennbarer Zusatznutzen und es besteht die Gefahr einer Fehlallokation von Ressourcen. Die Existenz einer Vielzahl von elektronischen Börsen und ECNs führt auch nicht zwangsläufig zu einem einzigen, integrierten und transparenten F., auf dem alle Akteure alle Offerten auf der Angebots- und Nachfrageseite vollständig einsehen können und die Marktseiten optimal in Übereinstimmung gebracht werden. Die Bücher für limitierte Orders von ECNs sind nicht vollständig in den Orderbüchern der Börsen erfasst, sodass aufgrund fehlender Informationen der bestmögliche Kurs nicht garantiert ist.

Auf den Kassamärkten werden Finanztitel für Fremd- und Eigenkapital wie Anleihen und Aktien gehandelt. In Abhängigkeit von der Laufzeit der Finanztitel differenziert man dabei zwischen dem Geld- und dem Kapitalmarkt. Auf dem Devisen- bzw. Währungsmarkt werden Währungen und auf Währungen lautende Forderungen gehandelt. Dabei bildet sich das Preisverhältnis (der Wechselkurs) aus Angebot und Nachfrage der unterschiedlichen ↑Währungen.

Auf dem Derivatemarkt werden Finanzinstrumente angeboten und nachgefragt, deren Wert vom Kurs anderer Finanztitel abgeleitet wird. Derivate berechtigen zum Kauf oder Verkauf der zugrunde gelegten Werte. Zu den wichtigsten derivativen Finanzprodukten zählen Optionen, Futures, Terminkontrakte und Swaps. Der Handel mit Derivaten findet entweder an Terminbörsen oder direkt zwischen Banken, anderen Finanzinstituten und sonstigen Unternehmen im OTC-Handel statt. Die zugrunde liegenden Titel (Underlyings) – Aktien, Devisen, Anleihen oder Rohstoffe – werden an Kassamärkten gehandelt. Derivative Finanzprodukte berechtigen den Erwerber zum Kauf oder Verkauf der zugrunde gelegten Werte zu einem festen, im Voraus vereinbarten Preis zu einem späteren Zeitpunkt. Der Abschluss des Geschäfts und die Zahlung des vereinbarten Preises fallen demzufolge zeitlich auseinander. Die wichtigsten Formen derivativer Instrumente sind Optionen, Forwards, Futures, Swaps sowie Forward Rate Agreements.

Bei einem Future besteht für beide Vertragspartner die verbindliche Vereinbarung, einen bestimmten Basiswert zum jetzt vereinbarten Preis in Zukunft zu liefern oder abzunehmen. Somit gehen der Käufer und der Verkäufer eine bindende künftige Liefer- oder Abnahmeverpflichtung ein. Meistens werden Futures nicht durch Lieferung und Abnahme des Basiswertes erfüllt, sondern vor Fälligkeit durch Gegengeschäfte glattgestellt. Im *Cash Settlement* werden die Differenzen durch Barzahlung ausgeglichen. Das Pendant zu den standardisierten *Future*-Geschäften an Börsen sind individuell gestaltbare Forwards im OTC-Handel. Eine Option ist eine Vereinbarung, die für den Käufer das Recht begründet, eine bestimmte Menge eines bestimmten Basiswertes zu einem bei Vertragsabschluss festgelegten Preis innerhalb eines festgelegten Zeitraums oder zu einem in der Zukunft liegenden Termin zu kaufen *(Call)* oder zu verkaufen *(Put)*. Der Käufer zahlt für dieses Recht bei Vertragsabschluss eine Optionsprämie. Ein Swapgeschäft ist ein terminiertes Tauschgeschäft über Zahlungsverpflichtungen. Die Vertragspartner tauschen Zahlungsverpflichtungen in verschiedenen Währungen (Währungsswaps) oder Zinsverpflichtungen (Zinsswaps), wie bspw. eine feste gegen eine variable Zinsverpflichtung auf einen bestimmten Kapitalbetrag. Ein *Forward Rate Agreement* ist eine Zinsausgleichsvereinbarung, bei der für eine künftige Mittelaufnahme oder -anlage ein bestimmter Zins, die *Forward Rate*, vereinbart wird. Liegt zum Zeitpunkt der Mittelaufnahme oder -anlage der aktuelle Geldmarktzinssatz über der Forward Rate, zahlt der Verkäufer einen Ausgleich an den Käufer und vice versa.

Mithilfe von Derivaten lassen sich Vermögenspositionen kostengünstig absichern *(Hedging)*, Bewertungsdifferenzen zwischen einzelnen F.n ausnutzen *(Arbitrage)* bzw. Gewinne aufgrund erwarteter Kursveränderungen realisieren *(Spekulation)*. Die häufig geäußerte Forderung nach einer verstärkten Regulierung der derivativen F. zur Begrenzung von spekulativen Geschäften aufgrund ihrer negativen Auswirkungen auf die F.-Stabilität darf allerdings die auftretenden Nebeneffekte nicht vernachlässigen. Eine Einschränkung des Derivatehandels erhöht die Absicherungskosten von Vermögenspositionen und gefährdet ihrerseits die Finanzstabilität. Spekulative Geschäfte erhöhen zudem die Liquidität auf den Märkten und vermeiden damit Preisverzerrungen. Instabilitäten auf den F.n – wie der Zusammenbruch von Systemen fester Wechselkurse – werden zudem häufig nicht durch spekulative Geschäfte verursacht. Spekulative Marktteilnehmer nutzen vielmehr (z. B. politisch verursachte) Fehlbewertungen auf den Märkten und beschleunigen lediglich die zwangsläufig erforderlichen Marktkorrekturen.

4. Finanzinstitutionen

Finanzinstitutionen sind Unternehmen, die den Kapitalgebern und -nehmern den Zugang zu den F.n bereitstellen. Da sie zwischen den Akteuren stehen, bezeichnet man sie als *Finanzintermediäre*, die Intermediationsleistungen bereitstellen. Typische Finanzintermediäre sind Banken, Versicherungen, Wertpapierfirmen und Pensionsfonds.

Finanzinstitutionen reduzieren die Transaktionskosten, indem sie sich auf die Emission standardisierter Wertpapiere spezialisieren. Sie reduzieren zudem die Informationskosten durch das Sichten und die laufende Überwachung der Kreditwürdigkeit von Kapitalnehmern und beseitigen damit bestehende Informationsasymmetrien zwischen den originären Kapitalanbietern und den Kapitalnachfragern. Sie bieten den Kapitalgebern kurzfristige Anlagemöglichkeiten an und transformieren die Finanzmittel in langfristige ↑Kredite *(Fristentransformation)*. Sie bündeln kleine Anlagebeträge der Kapitalanbieter und stellen den Kapitalnachfragern die erforderlichen Finanzmittel zur Verfügung *(Losgrößentransformation)*. Durch die Vergabe von Krediten an eine Vielzahl von Kreditnehmern reduzieren sie die Risiken für die Kapitalgeber *(Risikotransformation)* im Vergleich zu einem direkten Erwerb von Aktien- oder Anleihepositionen.

Die Finanzindustrie lässt sich in zwei Kategorien von Intermediären unterteilen, die sich dadurch unterscheiden, ob sie selbst als Verwahrstelle von Finanzmitteln fungieren oder nicht. Banken und Sparkassen sind dadurch gekennzeichnet, dass sie Einlagen entgegennehmen und diese Mittel für die Vergabe von Krediten in unverbriefter oder verbriefter Form bereitstellen. Versicherungen, Fondsgesellschaften, Hedge Fonds, Private Equity- oder Venture Capital-Firmen, Pensionsfonds und Finanzinvestoren nehmen in aller Regel keine Einlagen entgegen. Jede dieser Institutionen der zweiten Kategorie nimmt eine jeweils spezifische Aufgabe wahr, die sich von den Funktionen einer Bank unterscheidet. Versicherungen nehmen Prämien ein, die sie in Wertpapieren und Immobilien anlegen, um aus den Erträgen und dem Bestandsvermögen ihre Verpflichtungen im Versicherungsfall zu erfüllen. Pensionsfonds legen die Beiträge von Privatpersonen und Unternehmen ebenfalls in Wertpapieren und Immobilien an, um Pensionsansprüche zu erfüllen. Wertpapierfirmen umfassen Broker, Investmentbanken, Fondsgesellschaften, Private Equity- oder Venture Capital-Firmen. Sie emittieren oder handeln mit Wertpapieren (Broker und Investmentbanken) bzw. poolen (Investmentfonds) die finanziellen Mittel von einzelnen Akteuren in einem gemeinsamen Wertpapierportfolio. Hedge Fonds bieten die gleichen Dienstleistungen wie Fondsgesellschaften für eine kleinere Gruppe von vermögenden Investoren an. Aufgrund der geringeren Regulierung steht Hedge Fonds ein größeres Anlageuniversum zur Verfügung. Private Equity- und Venture Capital-Unternehmen sammeln ebenfalls Finanzmittel bei vermögenden Investoren ein und beteiligen sich mit diesen Mitteln direkt an Unternehmen, wobei sie – im Gegensatz zu Fondsgesellschaften – aktiv auf die Unternehmensgeschäfte Einfluss nehmen. Spezialisierte Finanzgesellschaften (Zweckgesellschaften, *Special Purpose Vehicles*) refinanzieren sich direkt auf den F.n und stellen spezifische Kredite (z. B. Immobilien-, Auto- oder Studentenkredite) zur Verfügung.

Literatur

S. G. Cecchetti/K. L. Schoenholtz: Money, Banking and Financial Markets, [5]2017 • F. S. Mishkin: The Economics of Money, Banking, and Financial Markets, [11]2016 • J. Hagen/G. Obst/O. Hintner: Geld-, Bank- und Börsenwesen. Hdb. des Finanzsystems, [40]2000.　　ALBRECHT MICHLER

II. Sozialethisch

Eine Ethik der F. (Wertpapier-, Devisen- und Derivatemärkte) bzw. der Finanzwirtschaft (diese besteht neben F.n v. a. aus Finanzinstituten, der Zentralbank und den zuständigen Regulierungsbehörden) kann bei Fragen der Tauschgerechtigkeit ansetzen oder die gesamtwirtschaftlichen Wirkungen der Finanzwirtschaft in den Mittelpunkt stellen.

1. Ungleiche Bedingungen von Anbietern und Kunden oder von Marktteilnehmern

Während der Informationsvorsprung der Kapitalnehmer vor den Kapitalgebern – erstere wissen, was sie mit den ihnen überlassenen Finanzmitteln machen – Ausgangspunkt der neoinstitutionalistischen Finanzierungstheorie ist, setzen viele finanzethische Reflexionen bei dem Problem an, dass Finanzprofis bzw. Finanzinstitute (v. a. Geschäftsbanken/Kreditinstitute, Investmentbanken, ↑Versicherungen und Fondsgesellschaften) zumeist einen großen Vorteil gegenüber ihren Kunden bzw. Transaktionspartnern haben, der auf ihrer spezifischen finanzwirtschaftlichen Expertise beruht. Dabei wird es als bes. unfair bewertet, diesen Vorteil auszunutzen, wenn die Differenz der Expertise bes. groß (übervorteilte Kleinanleger), ein verschwiegener Aspekt für den Vertragsgegenstand essentiell ist oder wenn es nicht nur um eine punktuelle Transaktion (z. B. einzelner Verkauf zu einem überteuerten Preis) geht, sondern zu dem Übervorteilten eine Treuhänder- (in der Vermögensverwaltung) oder eine Dienstleistungsbeziehung (z. B. Beratung gegen Honorar) besteht. Seit der globalen ↑Finanzmarktkrise (Höhepunkt 2008) setzt man in Deutschland und vielen anderen Ländern für den Kleinanlegerschutz auf komplizierte Regelwerke für Anlageberater. Eine Alternative bestünde im Verbot provisionsfinanzierter bei gleichzeitigem Ausbau honorarbasierter und v. a. gemeinnütziger Anlageberatung.

Auch bei einigen Geschäftspraktiken des Hochfrequenzhandels wird ein Vorteil ausgenutzt, in diesem Fall der um Sekundenbruchteile schnellere Zugang zu Märkten, den sich einige Finanzinstitute mit teurer Soft- und Hardware und mit dem Kauf von Stellplätzen für ihre Computer in räumlicher Nähe zum Server der Börse verschaffen. Durch die etwas schnellere Abwicklung können sie bei jeder Transaktion eine geringe Preisspanne nutzen. Durch die Vielzahl und das große Finanzvolumen der abgewickelten Transaktionen werden hohe Gewinne erzielt, die von den Marktteilnehmern mit einem langsameren Zugang bezahlt werden. Auch wenn der Schaden für jeden einzelnen Transaktionspartner sehr begrenzt ist, sind diese Gewinne ungerecht, weil hier ein Einkommen ohne Gegenleistung (z. B. ohne die Übernahme eines Risikos) erzielt wird.

2. Krisenanfälligkeit der Finanzwirtschaft

Bei den negativen gesamtwirtschaftlichen Wirkungen der F. und der Finanzinstitute stehen u. a. Finanzkrisen im Fokus, also Momente eines Preissturzes auf mehreren Vermögensmärkten (u. a. Aktien- und Immobilienmärkte) und/oder eines (Beinahe-)Zusammenbruchs mehrerer Finanzinstitute (in peripheren Staaten nicht selten in Verbindung mit einer Währungskrise, also dem Absturz der Landeswährung auf den Devisenmärkten). Für das Verständnis von Finanzkrisen ist entscheidend, sie als Folge eines vorangehenden finanzwirtschaftlichen Booms zu begreifen. Sie sind das Ergebnis einer längeren Phase voller Optimismus, in dem die nicht-finanzwirtschaftlichen Akteure ihre Verschuldung und die Finanzinstitute ihre Bilanzen immer weiter ausdehnten (bzw. letztere das Ausmaß ihrer Fristentransformation erhöhten), die Geldmenge folglich schnell wuchs und immer mehr Geld auf die Vermögensmärkte strömte und dort gemeinsam mit der optimistischen Stimmung für Preisblasen sorgte (in peripheren Ländern häufig zusammen mit den Geldern internationaler Investoren, die zur gleichen Zeit in großem Umfang in das betreffende Land flossen). Finanzkrisen führen – trotz des Gegensteuerns der Zentralbank und ggf. des Fiskus (Bankenrettung) – zuerst einmal zu Verlusten der Vermögensbesitzer. Lösen sie eine Wirtschaftskrise und ggf. eine ↑Staatsschuldenkrise aus, schaden sie aber langfristig v. a. den Arbeitnehmern und den Empfängern von Sozialleistungen.

3. Dominanz der Finanzmärkte
Seit mehr als drei Jahrzehnten sind (in den Industrieländern und weltweit) Trends einer Finanzialisierung bzw. der Ausbildung eines sog.en F.-Kapitalismus sichtbar: Der Gesamtwert aller Finanzaktiva und die Transaktionsvolumina der F. (im Verhältnis zum BIP) stiegen sehr schnell. Bei der Geldanlage und der Finanzierung (über Wertpapiere), beim Risikomanagement (Derivate) sowie bei der *corporate control* (u. a. Aktienoptionspläne) haben die F. gegenüber den Finanzinstituten an Bedeutung gewonnen. Zugl. wuchs der Einfluss dieser (nun stärker von den F.n geprägten) Finanzwirtschaft auf die realwirtschaftlichen Unternehmen. Vermehrt werden Unternehmensentscheidungen v. a. mit Blick auf den Aktienkurs getroffen und von ihren (mutmaßlichen) Kurseinflüssen her legitimiert. Fondsgesellschaften u. a. institutionelle Anleger mit einem breiten Wertpapierportfolio treten als neue Typen von Eigentümern auf und drängen (u. a. mit ihrer glaubwürdigen Exitoption) darauf, dass hohe Gewinne schnell realisiert werden – ggf. auf Kosten der Arbeitnehmer oder der natürlichen Umwelt. Mit den Finanzialisierungsprozessen (die allerdings mit anderen Veränderungen interferieren) sind also erhebliche Verschiebungen der ökonomischen Ressourcen, aber auch der Legitimationsmuster und *cognitive frames* sowie der Macht im Handlungsbereich Wirtschaft verbunden; diese sind ethisch zu reflektieren.

Das starke Wachstum der F. in den letzten Jahrzenten hat in den Industrieländern zu einer hypertrophen Finanzwirtschaft geführt. Entgegen der bis 2008 in der Ökonomie vorherrschenden optimistischen Sicht *(finance-growth nexus)* geht man heute davon aus, dass hier das Wachstum der Finanzwirtschaft (im Verhältnis zum BIP) die gesamtwirtschaftliche Entwicklung eher bremst. In der heutigen Finanzwirtschaft offenbar weit verbreitet sind demnach Geschäfte ohne Wertschöpfung, also ohne einen positiven Beitrag zur gesamtwirtschaftlichen Entwicklung. Ein schon seit langem diskutiertes Beispiel ist die ausufernde Spekulation mit Derivaten (Spekulation: Ver-/Käufe von Vermögenswerten mit dem Ziel, erwartete kurzfristige Preisveränderungen gewinnbringend auszunutzen). Bis zu einem gewissen Niveau ist Spekulation mit Derivaten gesamt-

wirtschaftlich von Vorteil; sie erfüllt eine Versicherungsfunktion (z. B. Abgabe des Risikos eines steigenden Ölpreises an einen spekulativen Marktteilnehmer durch Kauf einer Call-Option) und eine Liquiditätsfunktion (da sehr viele Markttransaktionen: Ver-/Kauf des Derivats in großem Umfang ohne nennenswerte Auswirkungen auf seinen Marktpreis möglich). Je mehr aber bereits spekuliert wird, umso weniger steigen mit zusätzlicher Spekulation diese Vorteile noch weiter an, während zugl. einige Risiken immer stärker wachsen. Mit dem Volumen der spekulativen Transaktionen auf einem ↑Markt steigen v. a. die Preisschwankungen, an denen die spekulativen Marktteilnehmer verdienen und deshalb auch ein ausgeprägtes Interesse haben. Das auf diese Weise wachsende Preisrisiko führt für die nicht-spekulativen Marktteilnehmer zu höheren Kosten des Risikomanagements, während die Spekulation selbst immer gewinnträchtiger und damit attraktiver wird.

4. Versuche der Beeinflussung wirtschaftlicher Entwicklung mithilfe der Finanzmärkte
Der gestiegene Einfluss der F. auf die Realwirtschaft legt es nahe, Finanzaktiva als Instrumente zu nutzen, um im Unternehmenssektor bestimmte, aus ethischer Sicht positive Entwicklungen zu fördern. Als einen entspr.en Versuch kann man die mittlerweile recht verbreiteten Ansätze ethisch-nachhaltigen Investierens begreifen. Schließlich geht es bei dieser Form der Geldanlage heute nicht mehr allein oder auch nur zuerst darum, sich von Geschäften fernzuhalten, die man für fragwürdig oder ethisch verwerflich hält, sondern auch und v. a. um das Ziel, bei realwirtschaftlichen Unternehmen sozial und ökologisch positive Veränderungsprozesse in Gang zu setzen bzw. zu unterstützen. Sehr gering ist dieser Einfluss allerdings dann, wenn die ethisch-nachhaltige Geldanlage allein darin besteht, selektiv in börsengehandelte Wertpapiere zu investieren (und z. B. nicht auch der Status als Aktionär genutzt wird, um das Management für einen Austausch über einige problematische Aspekte des Unternehmensgeschäfts zu gewinnen). Schließlich sind die Volumina der ethisch-nachhaltigen Geldanlage zu unbedeutend und die dabei beachteten Kriterien zu divergent, um die Aktienkurse großer Konzerne und darüber ggf. die Anreize des Managements und die Finanzierungsbedingungen maßgeblich zu beeinflussen. Damit bleiben allein eher indirekte Effekte: dass ethisch-nachhaltige Wertpapierfonds über die Finanzierung des ethischen Ratings zu einem besseren Informationsstand über die sozialen und ökologischen Wirkungen von Unternehmen beitragen und dass sie am Kapitalmarkt (↑Geld- und Kapitalmarkt) ein alternatives Leitbild unternehmerischen Wirtschaftens präsent halten. Mit diesem eher negativen Befund ist aber nicht ausgeschlossen, dass es in Zukunft gelingen kann, über finanzwirtschaftliche Instrumente sozial oder ökologisch positive Entwicklungen gezielt zu fördern. Bei geeigneter staatlicher Regulierung und Förderung könn-

ten bestimmte Wertpapiere bspw. einen wichtigen Beitrag zur Finanzierung der dringend gebotenen ökologischen Transformation leisten.

Literatur

M. Faust/J. Kädtler/H. Wolf (Hg.): Finanzmarktkapitalismus?, 2017 • K. Bassler/H. Wulsdorf: Ethisch-nachhaltige Geldanlage, 2016 • B. Emunds: Nach dem Beben, in: ThRv 111/6 (2015), 437–454 • J. R. Boatright: Ethics in Finance, ³2014 • B. Emunds: Politische Wirtschaftsethik globaler Finanzmärkte, 2014 • S. Grzebeta: Ethik und Ästhetik der Börse, 2014 • S. Heinemann: Ethik der Finanzmarktrisiken am Beispiel des Finanzderivatehandels, 2014 • J. Hendry: Ethics and Finance, 2013 • W.-G. Reichert: Finanzregulierung zwischen Politik und Markt, 2013 • K. Steigleder: Ethics and Global Finance, in: M. Boylan (Hg.): The Morality and Global Justice Reader, 2011, 169–184 • Sachverständigengruppe Weltwirtschaft und Sozialethik: Mit Geldanlagen die Welt verändern?, 2010 • P. Koslowski: Ethik der Banken, 2009 • P. H. Dembinski: Finance servante ou finance trompeuse?, 2008 • K. Gabriel: Nachhaltigkeit am Finanzmarkt, 2007 • O. von Nell-Breuning: Grundzüge der Börsenmoral, 1928.

BERNHARD EMUNDS

Finanzmarktkrise

1. Begriff

Innerhalb der Medizin bezeichnet Krise im Allg.en eine plötzlich auftretende, unerwartete Veränderung des Krankheitsverlaufes. Zumeist wird der Begriff der ↑Krise dabei negativ, d. h. zur Beschreibung einer plötzlich auftretenden Verschlechterung des Gesundheitszustandes, verwendet. In diesem Sinne wird der Begriff Krise auch auf andere Phänomene, bspw. die plötzlich auftretende Verschlechterung der Wirtschaftsentwicklung eines Landes (Wirtschaftskrise) oder die plötzliche Abwertung von auf Finanzmärkten gehandelten Vermögenswerten (F.) übertragen.

Dabei lässt sich eine F. mitunter nur schwer von anderen Krisen, wie Bankenkrise oder Währungskrise, abgrenzen und führt aufgrund von Zahlungsausfällen und Kaufkraftverlust oftmals in eine Wirtschaftskrise. Ob eine F. als Krise erfahren wird, hängt jedoch auch von psychologischen Faktoren ab.

2. Ursachen und Verlauf von Finanzmarktkrisen

Zumeist resultieren F.n aus Fehlspekulationen. Der Verlauf einer derartigen Spekulationskrise folgt dabei einem Muster, das von Charles Poor Kindleberger und Robert Zelwin Aliber wie folgt beschrieben wird: (1) Positive Gewinnerwartungen veranlassen Investoren, sich auf bestimmten ↑Märkten zu engagieren, was zu einem Preisanstieg der dort gehandelten Vermögenswerte führt. (2) Die positive Entwicklung veranlasst auch bisher zögerliche Investoren dazu, ebenfalls auf diesen Märkten zu investieren. Es entsteht eine Aufwärtsspirale, die zum einen durch eine zunehmend schnellere

Zirkulation der Vermögenswerte bei stetig steigenden Preisen, zum anderen durch einen vermehrten Einsatz liquider Mittel auf diesen Märkten genährt wird. Problematisch ist, dass die auf diesen Märkten zirkulierenden liquiden Mittel durch Geldschöpfung, d. h. Kreditvergabe der Geschäftsbanken, stets weiter erhöht werden können. Da Finanzintermediäre vom Boom profitieren, haben sie ein gesteigertes Interesse an der Kreditvergabe und den hierdurch finanzierten Investments, was dazu führen kann, dass staatliche Kontrollmechanismen zur Regulierung der derivativen Geldschöpfung seitens der ↑Banken gezielt umgangen werden. (3) Platzt die Spekulationsblase, bspw. weil übertriebene Gewinnerwartungen enttäuscht werden, oder weil staatliche Organe in das Marktgeschehen eingreifen, beginnen sich erste Investoren aus den Spekulationsmärkten zurückzuziehen. Desinvestitionen, nachlassende Umlaufgeschwindigkeit und Nachfrageausfälle bei den entspr.en Vermögenswerten führen zu Verunsicherung auf den Märkten. Dies steigert die Liquiditätspräferenz der Akteure, die nun versuchen, Vermögenswerte erneut in liquide Mittel zu tauschen, um sich gegen Wertverluste abzusichern. Daraus resultieren weitere Verkäufe, die letztlich zu Preiseinbrüchen auf den Spekulationsmärkten führen. (4) Der sich nun beschleunigende Preisverfall der Spekulationswerte führt zu Zahlungsschwierigkeiten seitens der Investoren und im Falle kreditfinanzierter Investitionen zu Kreditausfällen und Überschuldung. Dies wiederum veranlasst die Finanzintermediäre zu vorsichtigerer Kreditvergabe, was zu einem „Austrocknen" der Kreditmärkte führt, mit erheblichen Folgen auch für die nicht an der Spekulation beteiligten Wirtschaftsakteure. Die mangels Kreditfinanzierung ausbleibende Nachfrage nach realwirtschaftlichen ↑Gütern mündet so in eine Wirtschaftskrise.

Dabei bleiben F.n kein endemisches Phänomen. Zum einen führen euphorische Gewinnerwartungen und antizipierte Spekulationsgewinne auch zu unvorsichtigen ↑Investitionen in anderen Bereichen, so dass auch dort, bspw. auf dem Immobilienmarkt, ein Boom entstehen kann. Zudem bewirken Spekulationsgewinne eine erhöhte Güternachfrage und steigern damit die Warenproduktion und die Exporttätigkeit auch auf ausländischen Märkten. V. a. aber locken hohe Gewinnerwartungen ausländische Investoren an, die damit beginnen, ↑Kapital auf Spekulationsmärkte zu exportieren, was die Wechselkursparität, d. h. das Tauschverhältnis inländischer zu ausländischer ↑Währung, zugunsten des kapitalimportierenden Landes beeinflusst. Kommt es zum Platzen der Spekulationsblase führen die exportinduzierte Überproduktion und der spekulationsbedingte Kapitalabfluss auch in diesen Ländern zu einer Wirtschaftskrise.

3. Frühe Beispiele von Finanzmarktkrisen

Klassische Beispiele von Spekulationsblasen sind die „Tulpenmanie" in Holland (1634–1638), der „Mississippi-Schwindel" in Frankreich (1719/1720) und die „South-Sea-Bubble" in England (1720). In allen Fällen wurden die Spekulationsblasen von überzogenen Gewinnerwartungen genährt und z. T. durch günstige ↑Kredite der am Spekulationsgeschäft beteiligten Banken mitfinanziert.

Auch die durch Spekulation und kreditfinanzierte Handelsexpansion ausgelösten F. des 19. Jh. folgen diesem Krisenmuster. Hier hatte v. a. die von den USA ausgehende F. von 1857 auch Auswirkungen auf England und Kontinentaleuropa und gilt als erste „↑Weltwirtschaftskrise". Ausgangspunkt bildet der US-amerikanische Eisenbahnboom. Dieser führte zu einem Anstieg englischer Exporte, insb. von Industrie- und Handelsgütern und eröffnete zahlreichen Spekulanten die Möglichkeit, durch kreditfinanzierte Warentermingeschäfte am erhofften Preisanstieg zu verdienen. Zahlreiche kleine US-amerikanische Banken hofften als Aktionäre und Kreditgeber vom Eisenbahnboom zu profitieren. Angelockt durch hohe Ertragserwartungen engagierten sich auch europäische Anleger in US-amerikanischen ↑Aktiengesellschaften. Als die Aktienkurse der Eisenbahngesellschaften einbrachen und die USA aufgrund sinkender Weizenpreise ihre Industrieimporte nicht mehr durch Agrarexporte gegenfinanzieren konnten, brach das System zusammen. Der Kapitalabzug der europäischen Investoren brachte zahlreiche der kapitalschwachen und zudem durch nun wertlose Eisenbahnpapiere in ihrem Anlagevermögen geschwächten kleinen US-amerikanischen Banken in Zahlungsschwierigkeiten. Als am 24.8.1857 die Ohio Life Insurance Company aufgrund von Fehlspekulationen ihre Zahlungsunfähigkeit erklärte, kam es zum Bank-Run und mehr als 200 Banken und über 5000 Unternehmen mussten Konkurs anmelden, da sie aufgrund mangelnder Refinanzierungsmöglichkeiten nicht mehr in der Lage waren, ihrem Schuldendienst nachzukommen. In England führte der krisenbedingte Anstieg der US-amerikanischen Kreditzinsen zu massiven Abflüssen an Goldreserven. Auch hier kam es trotz des Eingreifens der Bank of England zu einem Bank-Run und zum Zusammenbruch mehrerer Banken und Handelshäuser. Im stark am kreditfinanzierten USA-Handel beteiligten Hamburg führte der Einbruch des Exportgeschäfts zu zahlreichen Zahlungsausfällen und Liquiditätsengpässen, die letztlich nur mit Hilfe eines vom Senat der Stadt aufgenommenen österreichischen Staatskredits überbrückt werden konnten.

Nach gleichem Muster führte der Aktien- und Immobilienboom der 1870er Jahre zum so genannten „Gründerkrach", der durch massive Kurseinbrüche an der Wiener Börse im April 1873 und den Zusammenbruch des New Yorker Bankhauses Jay Cook & Co. im September 1873 sowie der Quistorpschen Vereinsbank in Berlin im Oktober 1873 ausgelöst wurde. Erneut waren es die von der Euphorie der französischen Reparationszahlungen von 1871 ausgelösten, allzu optimistischen Ertrags-erwartungen, die zu Immobilienspekulationen und Spekulationen mit Eisenbahnpapieren führten, aus denen letztlich eine F. erwuchs.

4. Finanzmarkt- und Bankenkrise 1929–1932

Eine der in ihren Folgen bedeutsamsten Krisen ist die Weltwirtschaftskrise, die mit dem sog.en Black Thursday an der New Yorker Börse ihren Anfang nahm und in die langanhaltende Wirtschaftsdepression der 1930er Jahre mündete. Im Laufe der 1920er Jahre hatte das Handelsvolumen insb. an der New Yorker Börse stark zugenommen. Verantwortlich hierfür waren die neu entstandenen, v. a. an schneller Gewinnrealisation interessierten Investment-Trusts. Letztlich kam es aufgrund des stetig wachsenden Handelsvolumens an den ↑Börsen und der zunehmenden Zahl von Kleinanlegern zu einer Überhitzung der Aktienmärkte, bis die Kurswerte ohne ersichtlichen Grund am 24.10.1929 nachgaben. Der Dow-Jones Index fiel von seinem Höchststand im Mai 1929 bis Mai 1932 von 381 auf 41 Punkte.

Der immense Kursverfall der ↑Wertpapiere löste eine folgenschwere Bankenkrise in den USA aus. Da aufgrund restriktiver Gesetzgebung kaum landesweit agierende Banken existierten und das Zentralbanksystem der USA wenig entwickelt war, gerieten zahlreiche der kleinen, lediglich lokal agierenden Kleinbanken durch Fehlspekulationen in Zahlungsschwierigkeiten. Zudem hatten sich gerade in den ländlichen Gebieten zahlreiche Farmer im Boom der Nachkriegszeit in Erwartung einer zukünftigen positiven Wirtschaftsentwicklung mit Krediten übernommen. Als die Regierung als Maßnahme gegen die zunehmende Depression mit dem Smoot-Hawley-Tariff Act (1930) eine restriktive Schutzzollpolitik einleitete, hatte dies aufgrund der Exportausfälle einen massiven Preisverfall auf dem Agrarmarkt zur Folge. Es kam zu Kreditausfällen bei den ländlichen Banken, die aufgrund der wenig diversifizierten Geschäftsfelder nicht kompensiert werden konnten. Die Pleite zahlreicher kleiner Geschäftsbanken führte zu mehreren Bank-Runs, sodass auch solide Banken infolge mangelnder Liquidität zahlungsunfähig wurden. Aktienblase, Bankenkrise, politische Fehlentscheidungen und eine restriktive ↑Geldpolitik führten so in die als „Große Depression" bekannt gewordene und bis dahin größte Wirtschaftskrise der USA. Diese erreichte 1931 auch die europäischen Staaten und führte insb. in dem nach dem Ersten Weltkrieg durch Reparationsleistungen und die Reglementierungen des Versailler Vertrages in seiner wirtschaftlichen Leistungsfähigkeit geschwächten Deutschland zu massiven Wirtschaftseinbrüchen.

Diese zweite Phase der Weltwirtschaftskrise nahm ihren Anfang im Mai 1931 mit dem Zusammenbruch der Österreichischen Credit-Anstalt, des größten österreichischen Bankhauses. Verunsichert durch die drohenden Verluste begannen v. a. ausländische Investoren ihre zumeist kurzfristigen Kredite aus Österreich und Deutschland abzuziehen. Während den Österreichischen Banken die Bank of England zu Hilfe kam, gestaltete sich die Situation im Deutschen Reich komplizierter. Im Unterschied zu den USA waren hier v. a. Großbanken von der Krise betroffen, da sie mit Hilfe kurzfristig angelegten ausländischen Kapitals langfristige inländische Industriekredite finanziert hatten. Auch hier hatten Unternehmen in Erwartung einer positiven Ertragslage im Exportgeschäft überinvestiert. Die massenhafte Kündigung ausländischer Kredite sowie die durch die restriktive Schutzzollpolitik der USA eingeleitete Stagnation des Welthandels führten zu massiven Umsatzeinbrüchen bei den deutschen Unternehmen. Durch Kreditausfälle bei ihren Unternehmenskunden und durch den Abzug ausländischen Kapitals gerieten die mit geringem Eigenkapital ausgestatteten Banken in eine massive Schieflage. So musste die Darmstädter und Nationalbank nach Kreditausfällen der Delmenhorster Firma Nordwolle und Kreditkündigungen in Höhe von 97 Mio. Reichsmark ihre Schalter im Juli 1931 schließen und wurde in der Folge im Februar 1932 mit der Deutschen Bank zwangsfusioniert. Zahlreiche Bank-Runs brachten nun auch andere deutsche Großbanken an den Rand der Zahlungsunfähigkeit, die nur mittels massiver staatlicher Unterstützung gerettet werden konnten. Der Devisenabfluss und die Stützungszahlungen an notleidende Großbanken führten zu massiven Schwierigkeiten der Deutschen Reichsbank, die von den Siegermächten im Dawes-Plan (1924) und Young-Plan (1930) zu einer Gold- und Devisendeckung der Währung von mindestens 40 % verpflichtet war. Um ihren Zahlungsverpflichtungen aus dem Versailler Vertrag nachkommen zu können, sah sich die deutsche Regierung zu Steuererhöhungen und zu einer rigiden Sparpolitik genötigt. Dies erschwerte es, die Wirtschaft durch sog.es „Deficit Spending" erneut in Gang zu bringen. Erst ein Aussetzen der Reparationszahlungen sowie ein Stillhalteabkommen mit den überwiegend US-amerikanischen Gläubigern führten ab 1932 zu einem allmählichen Abklingen der Krise.

Am Ende der F. war der Welthandel de facto zum Erliegen gekommen, das Währungssystem zahlreicher Länder war stark angeschlagen und eine langanhaltende Massenarbeitslosigkeit führte zur Verarmung insb. der einkommensschwächeren Bevölkerungsschichten. Zudem führte die F. in Deutschland mit der Entlassung Reichskanzler Heinrich Brünings am 30.5.1932 in eine politische Krise, die die Machtergreifung durch den ↗Nationalsozialismus begünstigte.

5. Finanzmarkt- und Hypothekenkrise 2007–2009

Den Auslöser der F. 2007–2009 bildete die sog.e Subprime-Hypotheken-Krise auf dem US-amerikanischen Immobilienmarkt im Sommer 2007. Der Begriff Subprime-Hypotheken bezeichnet Hypothekendarlehen, die an Schuldner mit geringer Bonität ausgegeben werden. Hintergrund der riskanten Kreditvergabe bildeten die Bemühungen der US-Regierung, auch niedrigen Ein-

kommensschichten Eigenheimbesitz durch sog.e „Minority Loans" zu ermöglichen. Befördert wurde das Hypothekengeschäft durch die Niedrigzinspolitik der US-amerikanischen Notenbank, die zu einer hohen Liquidität der Banken und einem allg. niedrigen Zinsniveau beitrug. Durch immer neue hypothekenfinanzierte Wohnungskäufe kam es zu einem stetigen Anstieg der Immobilienpreise. Dies genügte vielen Kreditinstituten als Sicherheit für ihre Hypothekendarlehen, da es dem Schuldner bei steigenden Immobilienpreisen jederzeit möglich war, seine Hypothek durch den Verkauf der Immobilie zu tilgen. Als problematisch erwies sich jedoch, dass die Beleihungshöhe der Immobilien (Loan-to-Value-Ratio) auf dem Subprime-Hypothekenmarkt im Durchschnitt über 80 % lag und bei nahezu der Hälfte aller Kreditnehmer im Subprime-Segment im Jahre 2006 über 90 % des Immobilienwertes erreichte.

Die stetig wachsende Nachfrage nach Hypothekendarlehen veranlasste zahlreiche Kreditinstitute, die von ihnen gewährten Hypothekendarlehen in handelbaren Wertpapieren (Mortgage-backed Securities) zu verbriefen, um so weitere liquide Mittel zur Kreditvergabe zu generieren. Damit wurden die Hypothekenforderungen der Banken nicht mehr als Aktiva geführt, sondern in Form von Finanzderivaten gehandelt, die oftmals über eigens gegründete Zweckgesellschaften vertrieben wurden, um die Eigenkapitalvorschriften der Banken zu umgehen. Da hinter den so geschaffenen neuen Finanzprodukten scheinbar der reale Wert einer stetig im Preis steigenden Immobilie stand, wurden die Papiere seitens der Rating-Agenturen hoch bewertet und waren daher auch international gut verkäuflich.

Mit Anstieg der Leitzinsen ab 2006 auf über 5 % begann die durch „billiges Geld" genährte Immobilienblase zu platzen. Insb. Hypothekenschuldner mit variablen Zinssätzen konnten nun ihren Schuldendienst nicht mehr leisten, und es kam zu ersten Zahlungsausfällen. Da infolge einer allmählich erreichten Marktsättigung und der nun eintretenden Zwangsverkäufe die Immobilienpreise nachgaben, konnten die Zahlungsausfälle nicht mehr durch den Verkauf der Immobilien kompensiert werden. Nun erwiesen sich die von vielen Fonds weltweit gehaltenen und als scheinbar risikolos eingestuften Mortgage-backed Securities als ein von der Realwirtschaft völlig abgekoppeltes Finanzprodukt, dessen Markt über Nacht zusammenbrach. Als erstes großes Finanzinstitut geriet das Bankhaus Bear Stearns in Zahlungsschwierigkeiten und musste im Juni 2007 die Rücknahme von Kapitalanteilen zweier hypothekenlastiger Hedgefonds aussetzen. Bis Mai 2008 mussten Banken weltweit faule und wertlose Subprime-Hypothekenpapiere im Wert von 445 Mrd. US-Dollar abschreiben. Zu den ersten Opfern der Subprime-Hypothekenkrise in Deutschland zählten die IKB Deutsche Industrie Bank sowie die Sachsen LB, die sich auf den amerikanischen Hypothekenmärkten verspekuliert hatten. Ihren Höhepunkt erreichte die F. schließlich mit dem Zusammenbruch des Bankhauses Lehman Brothers im September 2008.

Das nun eintretende Misstrauen bezüglich der wahren Finanzlage der Kreditinstitute ließ den Kreditmarkt und den Interbankenmarkt über Nacht austrocknen. Damit begann sich die F. auch auf die Realwirtschaft, insb. den Automobilsektor auszuwirken. Weltweit sahen sich Regierungen dazu veranlasst, durch entspr.e „Konjunkturpakete" die stagnierenden Märkte wiederzubeleben. Zahlreiche Finanzinstitute konnten nur mit Hilfe staatlicher Stützungszahlungen, und damit auf Kosten des Steuerzahlers, am Leben erhalten werden. Im weiteren Verlauf führte die F. zu der als ↑Eurokrise bezeichneten ↑Staatsschuldenkrise zahlreicher europäischer Länder.

6. Krisentheorien und Krisenprävention

Zahlreiche Wirtschaftstheoretiker haben versucht, ex post Lehren aus den bisherigen F.n zu ziehen und das Entstehen der Krisen zu erklären. Das Spektrum der Erklärungen reicht von monetaristischen (↑Monetarismus) Deutungsversuchen (Milton Friedman und Anna Schwartz) über keynesianische und post-keynesianische (↑Keynesianismus) Erklärungsmodelle (Hayman Minsky) bis hin zu quantitativen Analysen (Carmen Reinhart und Kenneth Rogoff). Dennoch trugen diese Theorien bisher wenig zur Früherkennung von F.n bei. Entspr. kommen C. P. Kindleberger und R. Z. Aliber zu der ernüchternden Einsicht, dass alle bisherige Erfahrung zeige, dass die meisten F.n auch trotz ausdrücklicher Warnungen von Sachverständigen nicht hätten abgewendet werden können.

Wenngleich die exogenen Ursachen der einzelnen F.n Unterschiede aufweisen, lassen sich doch einige wiederkehrende Elemente erkennen, die insb. das Entstehen der modernen F.n begünstigt zu haben scheinen: Zum einen werden Spekulationsbasen durch eine Niedrigzinspolitik und gute Liquiditätsversorgung begünstigt, da ausreichend Geld für vermeintlich aussichtsreiche Geschäfte zur Verfügung steht. Eine nur ungenügende Banken- und Börsenaufsicht (↑Finanzaufsicht) erlaubt es den Finanzintermediären zudem, Eigenkapitalvorschriften u. a. Sicherungsvorschriften zu umgehen und ihre Geschäftstätigkeit stetig auszuweiten und die Spekulationsblase mittels Geldschöpfung zu bedienen. Hinzu kommen neue Finanzprodukte, die scheinbar sichere, risikoarme Investitionen versprechen, für die jedoch zumeist keinerlei Erfahrungswerte aus früheren Krisen existieren. Nicht zu unterschätzen ist dabei das psychologische Moment, das letztlich auch risiko-averse Anleger dazu veranlasst, auf Spekulationsmärkten zu investieren, um im allg.en Spekulationsfieber nicht als Verlierer dazustehen. Anfällig hierfür ist insb. die von John Atkinson Hobson als „Finanzproletariat" (Hobson 1906: 241 f.) bezeichnete Schicht von Kleinanlegern, die bei der Anlage ihrer Ersparnisse vollständig von den Finanzintermediären abhängig ist und das Geschehen auf den ↑Finanzmärkten selbst kaum beurteilen oder beeinflussen kann. Umstritten ist jedoch, ob es sich bei F.n um ein endogenes, mithin stetig wiederkehrendes Problem von Finanzmärkten handelt oder ob F.n durch exogene Faktoren bewirkt werden, die mittels politischer Maßnahmen beeinflusst werden können.

Literatur

X. De Scheemaekere/K. Oosterlinck/A. Szafarz: Identifying Economic Crisis: Insights from History, in: Financial History Review 22/1 (2015), 1–18 • C. P. Kindleberger: Die Weltwirtschaftskrise 1929–1939, ³2014 • W. Plumpe: Wirtschaftskrisen, ⁴2013 • C. M. Reinhart/K. S. Rogoff: Dieses Mal ist alles anders. Acht Jahrhunderte Finanzkrisen, 2013 • J. K. Galbraith: Der große Crash 1929, ⁵2012 • M. S. Aßländer: Lehren aus der Krise – Verantwortung und die Ordnung der Märkte, in: G. Ulshöfer/B. Feuchte (Hg.): Finanzmarktakteure und Corporate Social Responsibility, 2011, 36–61 • B. Emunds: Die Krise der globalen Finanzwirtschaft – eine Analyse und sozialethische Einschätzung, in: ThGl 100/1 (2009), 44–61 • H. P. Minsky: Stabilizing an Unstable Economy, 2008 • C. P. Kindleberger/R. Z. Aliber: Manias, Panics, and Crashes. A History of Financial Crisis, ⁵2005 • M. Friedman/A. J. Schwarz: A Monetary History of the United States 1867–1960, ⁹1993 • E. N. White: A Reinterpretation of the Banking Crisis of 1930, in: JEconH 44/1 (1984), 119–138 • H. P. Minsky: The Financial-instability Hypothesis: Capitalist Processes and the Behavior of the Economy, in: C. P. Kindleberger/J. P. Laffargue (Hg.): Financial Crisis: Theory, History and Policy, 1982, 13–39 • E. K. Born: Die deutsche Bankenkrise 1931, 1967 • J. A. Hobson: The Evolution of Modern Capitalism. ²1906.   MICHAEL S. AßLÄNDER

Finanzmonopol ↑Steuer

Finanzplanung

1. Öffentliche Haushalte

Als Rechtsbegriff des öffentlichen Finanzrechts bezeichnet F. die der Haushaltsgesetzgebung und dem Haushaltsvollzug vorlaufende Projektion von Einnahmen und Ausgaben, Vermögen und Schulden in einem – i. d. R. über den einzelnen Haushalt hinausreichenden – Zeitraum. Im Unternehmensrecht und der Betriebswirtschaft zielt die unternehmerische F. auf Liquiditätssteuerung und auf die Erkennung drohender Insolvenz. Kein direkter Bezug besteht zwischen der klassischen F. und dem haushaltsrechtlichen Begriff „Finanzplan", soweit dieser als Teil der Regelungen über das sog.e doppische Rechnungswesen (↑Doppik) das Gegenstück zu „Erfolgsplan" ist und in den Einzelplänen und dem Gesamtplan den prospektiven Zahlungsmittelbestand abbildet (§ 10 Abs. 4 S. 2 HGrG; Abgrenzung zur Finanzrechnung: § 37 Abs. 3 HGrG).

1.1 Europäische Union

Auf EU-Ebene betrifft die F. einerseits die künftigen Unionshaushalte, andererseits die Finanzwirtschaft der

Mitgliedstaaten. Für die *Unionshaushalte* bot bis 2009 die sog.e finanzielle Vorausschau die Projektion der Ausgaben der ↑EU. Heute hat der sog.e *mehrjährige Finanzrahmen* diese Funktion übernommen (Art. 312 AEUV). Bei der Ausgabenfixierung ist es geblieben; die Einnahmen (auch die Eigenmittel) stehen ohnehin unter weitgehender Kontrolle der Mitgliedstaaten. In dem mehrjährigen Finanzrahmen werden der Höchstbetrag und die Zusammensetzung der Ausgaben der einzelnen Politikbereiche für eine Planungsperiode von mindestens fünf, i.d.R. aber sieben Jahren festgelegt, zuletzt 2013 für die Jahre 2014 bis 2020. Der mehrjährige Finanzrahmen ergeht in der Rechtsform einer VO des Rates und bedarf der Zustimmung des ↑Europäischen Parlaments. Er entfaltet Bindungswirkung für die Aufstellung des Unionshaushalts.

Die *Koordination der mitgliedstaatlichen Haushaltswirtschaft* und die Steuerung der makroökonomischen Entwicklung sind Aufgabe des sog.en *Europäischen Semesters*, das auf dem ↑Stabilitäts- und Wachstumspakt einerseits und der MIP-VO andererseits beruht. Es beginnt im Herbst mit der Vorlage der mitgliedstaatlichen Haushaltsentwürfe für das übernächste Jahr. Daran schließt sich deren eine makroökonomische Analyse durch ↑Europäische Kommission und die anderen Mitgliedstaaten an. Sie mündet im Frühjahr in maßgeschneiderte präventive Empfehlungen an jeden Mitgliedstaat für seine Haushalts-, Steuer- und Wirtschaftspolitik. Das Europäische Semester verfolgt im Wesentlichen fünf Ziele: die Konvergenz und Stabilität in der EU, die Solidität der öffentlichen Finanzen, das Wirtschaftswachstum, die Verhinderung eines übermäßigen makroökonomischen Ungleichgewichts in der EU und die Umsetzung der Strategie Europa 2020.

1.2 Bund und Länder

Die F. im Bund und in den Ländern bezeichnet einerseits die mehrjährige vorbereitende und kontrollierende Haushaltsplanung. Sie war von 1969 bis 2009 Aufgabe des alten F.s-Rats, der aus den Finanzministern des Bundes und der Länder, dem Bundeswirtschaftsminister, Vertretern der Gemeinden und Gemeindeverbände und – nicht stimmberechtigt – einem Vertreter der Bundesbank bestand. Die F. zielt seit 1968 auf das „magische Viereck" aus Stabilität des Preisniveaus, einem hohen Beschäftigungsstand und außenwirtschaftlichem Gleichgewicht bei stetigem und angemessenem ↑Wirtschaftswachstum (§ 1 StabG) und stand urspr. ganz im Dienst der keynesianischen sog.en *Globalsteuerung* der Volkswirtschaft durch den Gesamtstaat. Mit der Föderalismusreform 2009 hat die F. einen Paradigmenwechsel erfahren. Materiell ist die Stabilität der öffentlichen Haushalte in den Vordergrund getreten (Art. 109 Abs. 3, 115 Abs. 2 GG), das gesamtwirtschaftliche Gleichgewicht zum Sekundärziel geworden.

Zugl. ist institutionell an die Stelle des F.s-Rats ein *Stabilitätsrat* getreten (Art. 109a GG, §§ 1 ff. StabiRatG).

Er ist ein gemeinsames Organ von Bund und Ländern und wird von beiden Ebenen mit einheitlich strukturierten F.s-Daten versorgt (§ 3 Abs. 2 StabiRatG); die Länder tragen dabei informationell und materiell zugl. die Verantwortung für die – insoweit mediatisierten, nicht mehr mit einem Mitgliedschaftsrecht ausgestatteten – Kommunen (§ 52 Abs. 2 HGrG). Im Rahmen der Haushaltsüberwachung und der stabilitätsbezogenen F. hat der Stabilitätsrat Befugnisse, die über diejenigen des F.s-Rats hinausgehen. Im Fall einer drohenden Haushaltsnotlage des Bundes oder eines Landes (§ 4 StabiRatG) vereinbart er mit der betroffenen Gebietskörperschaft ein bindendes grundsätzliches fünfjähriges Sanierungsprogramm, dessen Umsetzung er adhortativ prüft (§ 5 StabiRatG).

Dagegen ist die umfassende, über die Haushaltsstabilität hinausgehende F. auf Bundesebene seit Abschaffung des F.s-Rats primär Aufgabe des Bundesfinanzministers und der Bundesregierung (§ 9 Abs. 2 StabG), auf Landesebene Aufgabe der Landesfinanzminister und der Landesregierungen. Diese volkswirtschaftliche F. zielt auf die Information der Parlamente, denen der *Finanzplan* spätestens in den jährlichen Haushaltsberatungen vorzulegen ist (§ 50 Abs. 3 HGrG). Der Finanzplan bezieht sich ebenfalls auf einen Fünf-Jahres-Zeitraum *(mittelfristige F.)* und stellt Umfang und Zusammensetzung der voraussichtlichen Ausgaben und die Deckungsmöglichkeiten in ihren Wechselbeziehungen zu der mutmaßlichen Entwicklung des gesamtwirtschaftlichen Leistungsvermögens dar (§ 9 StabG, § 50 HGrG). Gegenstand der F. sind auf Bundesebene auch die vorgesehenen *Investitionsschwerpunkte*. Wegen der zentralen Bedeutung von ↑Investitionen für die Haushaltswirtschaft einerseits und die Globalsteuerung andererseits kommt der Abbildung von Investitionen in der F. eine Doppelfunktion zu: Einerseits sind aus dem Finanzplan die nach § 10 StabG von den Ressorts aufzustellenden mehrjährigen Investitionsprogramme abzuleiten (§ 50 Abs. 5 HGrG), andererseits sind die Investitionsprogramme der Ressorts ihrerseits Zubringer für den (nächsten) Finanzplan (§ 10 StabG). Diese Wechselwirkung macht die Investitionsprogramme im materiellen Sinne zu einem Ausschnitt der F. Sie erfassen – nach Dringlichkeit und Jahresabschnitten gegliedert – die in den nächsten Jahren durchzuführenden Investitionsvorhaben (§ 10 Abs. 2 StabG). Jeder Jahresabschnitt soll die fortzuführenden und neuen Investitionsvorhaben mit den auf das betreffende Jahr entfallenden Teilbeträgen wiedergeben. Der Finanzplan (§ 9 Abs. 3 StabG) und ebenso die Investitionsprogramme sind jährlich der Entwicklung anzupassen und fortzuführen (§ 10 Abs. 3 StabG).

1.3 Kommunen

Zentrale Funktion der gesetzlich vorgeschriebenen F. auf kommunaler Ebene ist neben der Information der eigenen Amtsträger der betroffenen Kommune (Haushalts- und Investitionsplanung) die qualitative (regelbasierte) und quantitative (betragsmäßige) überörtliche Steuerung des kommunalen Finanzausgleichs. Sie beruht auf Verbundgrundlagen und Verbundquoten, den Regelungen über Schlüsselzuweisungen (Regelbedarfe) und Sonderbedarfen. In der F. bildet sich die Leistungsfähigkeit jeder einzelnen ↑Gemeinde ab, so dass einerseits sog.e abundante Gemeinden, andererseits dauerhaft strukturell unterfinanzierte Gemeinden und Gemeindeverbände (Landkreise) früh identifiziert werden können. Damit können haushaltsrechtliche und -wirtschaftliche Besonderheiten (einerseits Wegfall oder Kürzung der Schlüsselzuweisungen, andererseits volle oder partielle Verschonung von Umlagen, Gewährung von Bedarfszuweisungen, Aufstellung eines Haushaltssicherungskonzepts und/ oder eines Nothaushalts) rechtzeitig erkannt und vorbereitet werden.

2. Unternehmensrecht und Betriebswirtschaft

Im privatrechtlichen und betriebswirtschaftlichen Kontext ist F. die Ermittlung und Steuerung liquider Mittel im Unternehmen für laufende und künftige Rechnungsjahre. Sie basiert regelmäßig auf einer Fortschreibung der letzten Jahresabschlüsse, auf den bisherigen Buchungen des laufenden Rechnungsjahres und auf Umsatzprognosen. Bes. Bedeutung erlangen Finanzplan und F. als Instrumente zur Früherkennung einer drohenden ↑Insolvenz wegen Zahlungsunfähigkeit nach § 18 InsO. Besteht ein Finanzplan, kann ein Gesellschafter der Gesellschaft mit dem sog.en Finanzplankredit liquide Mittel zur Verfügung stellen, die gesellschaftsrechtlich und insolvenzrechtlich nicht dem Fremd-, sondern dem Eigenkapital zugerechnet werden.

Literatur

A. Nagel: Die Figur des Finanzplankredits, 2014 • M. Thye: Der Stabilitätsrat, 2014 • M. Heintzen (Hg.): Auf dem Weg zu nachhaltig ausgeglichenen öffentlichen Haushalten, 2013 • R. Heller: Haushaltsgrundsätze für Bund, Länder und Gemeinden, ²2010 • A. Wältner: Der Einfluss des Keynesianismus auf die deutsche Rechtsordnung, 2003 • J. Drukarczyk: § 18 InsO, in: H.-P. Kirchhof/H. Eidenmüller/R. Stürner: Münchner Kommentar InsO, Bd. 1, ³2013, Rdnr. 23–74 • H. Körner (Hg.): Die Zukunft der Globalsteuerung, 1986 • H. Hollmann: Rechtsstaatliche Kontrolle der Globalsteuerung, 1980 • C. Brünner: Politische Planung im parlamentarischen Regierungssystem, dargestellt am Beispiel der mittelfristigen Finanzplanung, 1978.   EKKEHART REIMER

Finanzpolitik

1. Begriff und Ziele

F. ist ein Teilbereich der allg.en ↑Wirtschaftspolitik, in dem vorrangig durch staatliche Einnahmen- und Ausgabenpolitik, ergänzend aber auch durch reine Normsetzung gesellschaftliche und wirtschaftliche Ziele verfolgt werden. Geldpolitik und F. sind die beiden wichtigsten Instrumente staatlicher Konjunkturpolitik.

Von anderen *Wirtschaftssubjekten* unterscheidet sich der ↑Staat vornehmlich dadurch, dass er hoheitliche Aufgaben wahrnimmt und sich deshalb auf hoheitliche Gewalt stützen kann. Die wichtigste Zwangsmaßnahme ist die Erhebung von ↑Steuern. Der Staat umfasst die Gebietskörperschaften (Bund, Länder, Kommunen), supranationale Organisationen (z. B. ↑EU), die Parafisci (z. B. Sozialversicherungsträger und Unternehmen in öffentlich-rechtlicher Form wie die ↑Deutsche Bundesbank) und öffentliche Unternehmen in privatrechtlicher Form (z. B. Flughäfen, Stadtwerke). Am Wirtschaftskreislauf nimmt der Staat in vielfältiger Weise teil: er erhebt ↑Abgaben, leistet Subventions- und Transferzahlungen, erwirbt Wirtschaftsgüter und beschäftigt Bedienstete. Zudem leistet er Zahlungen ins Ausland, z. B. Mitgliedsbeiträge an internationale Organisationen. Die Bedeutung und Gewichtigkeit des Staatssektors in der Volkswirtschaft lässt sich an der Staatsquote (Staatsausgaben dividiert durch Bruttoinlandsprodukt) ablesen, die beschreibt in welchem Umfang der Staat seine Präferenzen für die Ressourcenverwendung durchsetzt. Sie liegt in der BRD in der Regel zwischen 45 % und 50 %.

Nach Richard Musgrave lassen sich drei Ziele der F. unterscheiden: das Allokationsziel, das Distributionsziel und das Stabilisierungsziel. Ergänzend muss das Ziel der Tragfähigkeit und ↑Nachhaltigkeit öffentlicher Finanzen genannt werden.

Unter dem Allokationsziel wird der Aufgabenbereich verstanden, in dem der Staat die Wünsche und Bedürfnisse der Bürger hinsichtlich der Güterverwendung und -zusammensetzung umsetzt. Seit jeher hat der Staat durch seine Einnahmen- und Ausgabenpolitik sowie ergänzend durch Normsetzung auf die Zusammensetzung der privaten und öffentlichen ↑Güter in einer Volkswirtschaft eingewirkt. In der traditionellen Finanzwissenschaft wird dem Staat die Aufgabe zugeordnet, die Effizienz der Güterproduktion zu verbessern. Der Politik fehlen hierzu aber nicht nur Informationen über die Präferenzen der Haushalte, sie strebt häufig auch gar nicht ein Effizienzziel an. Vielmehr wirken in der Demokratie Politiker und Wähler im Rahmen der jeweiligen Verfassungsregeln kollektiver Entscheidungen auf die ↑Allokation ein.

Die sich im Marktprozess ergebende Einkommens- und Vermögensverteilung wird vielfach als unzureichend und ungerecht empfunden. Ziel der Distributionspolitik ist es, die Einkommens- und Vermögensverteilung stärker mit Gerechtigkeitsvorstellungen (↑Gerechtigkeit) der politischen Entscheidungsträger in Einklang zu bringen. Dem können Steuern, Transferzahlungen und Ausgaben für Sachzwecke (z. B. Bildungseinrichtungen) dienen.

Im Zuge des sich seit den 30er Jahren des letzten Jh. entwickelnden ↑Keynesianismus ist dem Staat auch die Aufgaben zugefallen, stabilisierend auf die Konjunktur einzuwirken und das Wachstum zu fördern. Nach dem von Abba Ptachya Lerner vertretenen Konzept der *functional finance* sollen Steuereinnahmen und Staatsausgaben in den Dienst einer staatlichen Beschäftigungspolitik gestellt werden. Das Ziel eines ausgeglichenen ↑Staatshaushaltes erscheint in diesem Zusammenhang als sekundär, vielmehr sollen Staatsschulden (↑Staatsverschuldung) und die Notenpresse die zur Konjunkturankurbelung notwendigen Budgetdefizite decken. Problematisch ist, dass sich die Bürger auf Haushaltsdefizite einstellen und höhere Ansprüche an den Staat stellen, wodurch eine Rückführung der Defizite in Zeiten guter Konjunktur erschwert oder unmöglich gemacht wird.

Der Katalog von R. Musgrave muss um das Ziel „Tragfähigkeit der öffentlichen Finanzen" ergänzt werden. Die demographische Entwicklung und die ↑Generationengerechtigkeit fordern eine Begrenzung staatlicher Defizite. Dem dienen zunehmend Schuldenbremsen wie der ↑Stabilitäts- und Wachstumspakt der EU oder Art. 109 Abs. 3 GG.

2. Normative versus positive Finanzwissenschaft

In der Finanzwissenschaft stehen sich zwei unterschiedlich Sichtweisen gegenüber, die auf verschiedene Staatskonzeptionen und Verhaltensannahmen zurückgehen.

2.1 Normative Finanzwissenschaft

Aus Sicht der traditionellen Finanzwissenschaft ist es Aufgabe des Staates, in Fällen des angenommenen ↑Marktversagens einzugreifen und das normative Kriterium der Effizienz durchzusetzen. Als Pareto-effizient (↑Pareto-Kriterium) wird ein Zustand bezeichnet, in dem keine Person bessergestellt werden kann, ohne dass eine andere Person schlechter gestellt wird. Vollständige Konkurrenz führt im Gleichgewicht, in dem die marginale Zahlungsbereitschaft der Haushalte für ein Gut übereinstimmen und den Grenzkosten der Produktion des Gutes entsprechen, zu einem Pareto-optimalen Zustand. Unter gewissen Bedingungen kann jede Pareto-effiziente Allokation auf dem Wege vollständiger Konkurrenz erreicht werden, wenn die Anfangsausstattung umverteilt wird. In gewissen Fällen des Marktversagens (z. B. Produktion öffentlicher Güter) führt der Marktprozess nicht zu einer Pareto-Effizienz. In diesen Fällen will die normative Finanzwissenschaft einem idealen Staat die Aufgabe zuweisen, Pareto-Ineffizienzen zu beseitigen.

Der politische Prozess, in dem sich staatliches Handeln abspielt, und die Möglichkeit eines ↑Staatsversagens wird dabei von der normativen Finanzwissenschaft ausgeblendet. Für den Staat und seine Akteure gilt das ökonomische Verhaltensmodell nicht; vielmehr ist er ausschließlich auf das normative Ziel der Maximierung der gesamtwirtschaftlichen ↑Wohlfahrt verpflichtet. Der Bruch in der Verhaltensannahme zwischen öffentlichem und privatem ↑Handel ist zu recht kritisiert worden und hat zur Entwicklung der positiven Finanz-

wissenschaft geführt. Diese geht vom ökonomischen Verhaltensmodell (Annahme, dass Individuen eigennützig, nach ihren Präferenzen unter Berücksichtigung von Budgetbeschränkungen zwischen Alternativen wählen) aus und untersucht, warum staatliches Handeln so ist, wie es ist und wie Entscheidungen in Kollektiven gefällt werden *(Public Choice)*.

2.2 Ökonomische Theorie der Politik

Das Ergebnis von Entscheidungen in Kollektiven hängt von der gewählten Abstimmungsregel ab. Wird in der direkten Demokratie über ein Budget abgestimmt, so führen die getroffenen Einnahmen- und Ausgabenentscheidungen zu Gewinnern und Verlierern. Die Kosten der Verlierer, die als externe Kosten bezeichnet werden, lassen sich auf Null reduzieren, wenn man Einstimmigkeit der Entscheidung verlangt. Mit der Einstimmigkeitsregel ist aber das Problem verbunden, dass hohe Entscheidungskosten entstehen, weil im Vorfeld intensive Verhandlungen notwendig sind und potentielle Verlierer Kompensationszahlungen verlangen werden. Optimal ist ein Quorum, welches die Gesamtkosten, d. h. die Summe der externen Kosten und der Entscheidungskosten minimiert. In der Praxis wird das Quorum regelmäßig als absolute Mehrheit definiert, damit kein Patt-Problem auftritt.

Mehrheitsentscheidungen können zu zyklischen Mehrheiten führen *(Arrow Paradoxon)*, d. h. eine Abstimmung über die drei Alternativen A, B oder C führt zu unterschiedlichen Siegern, je nachdem in welcher Reihenfolge über Alternativen paarweise abgestimmt wird (A oder B, B oder C, A oder C). Das Problem der zyklischen Mehrheiten tritt nicht auf, wenn die Präferenzen aller an einer Mehrheitswahl beteiligten Personen nur einen Gipfel hat. Eingipfeligkeit bedeutet, dass für jedes Individuum die Alternativen auf einer eindimensionalen Skala so abgebildet werden können, dass die Präferenzen ausgehend von der besten Alternative (dem Gipfel) nach beiden Seiten monoton abfallen. Sind die Präferenzen eingipfelig, so setzt sich der Medianwähler durch, d. h. jene Person, die genau die Alternative präferiert, welche die Wählerschaft entlang der eindimensionalen Skala in zwei Hälften teilt. Bei einer Entscheidung über ein öffentliches, steuerfinanziertes Gut und einer rechtsschiefen Einkommensverteilung (mehr niedrige als hohe Einkommen) führt die Mehrheitsentscheidung zu einem Überangebot an öffentlichen Gütern, d. h. das Pareto-Optimum wird nicht verwirklicht.

In der repräsentativen Demokratie sind die Abgeordneten politische Unternehmer, die Stimmen für ihr Wahlprogramm maximieren. Unter restriktiven Annahmen setzt sich auch hier der Medianwähler durch Finden Wahlen nur periodisch statt, so kann es zu einer wahlzyklischen F. kommen. Koalitionsbildungen können in der repräsentativen Demokratie dazu führen, dass ↑öffentliche Ausgaben in ineffiziente Höhe getrieben werden. ↑Bürokratien, die ihren Nutzen durch eine

Ausweitung des Budgets maximieren, vergrößern das Problem.

3. Allokationspolitik

Im Rahmen der Allokationspolitik nimmt der Staat Einfluss auf die Güterzusammensetzung einer Volkswirtschaft. Eine wesentliche Ausprägung der Allokationspolitik ist die Bereitstellung von öffentlichen Gütern.

3.1 Öffentliche Güter

Marktgängige oder private Güter zeichnen sich durch zwei Eigenschaften aus: die Anwendbarkeit des Ausschlussprinzips, d. h. nicht zahlungswillige Individuen können vom Konsum des Gutes ausgeschlossen werden, und die Rivalität im Konsum. Rein öffentlichen Gütern fehlen diese Eigenschaften. Ein Beispiel für ein solches öffentliches Gut ist die ↗öffentliche Sicherheit.

Von den rein öffentlichen Gütern können Mautgüter und Allmendegüter unterschieden werden. Bei Mautgütern ist ein Ausschluss möglich, eine Rivalität im Konsum ist aber in gewissen Grenzen nicht gegeben. So kann die Autobahn von vielen Fahrern genutzt oder ein Fußballspiel von vielen Zuschauern im Stadion gesehen werden, ohne dass der Nutzen des Einzelnen dadurch abnimmt. Allerdings gibt es in beiden Fällen Kapazitätsgrenzen. Bei Allmendegütern besteht eine Rivalität im Konsum, aber ein Ausschluss ist nicht möglich. Früher war dies häufig die gemeinsam für das Vieh genutzte Dorfwiese, heute kann die Hochseefischerei ein Beispiel sein. Das Problem der Allmende ist, dass es zu einer Übernutzung kommen kann.

Öffentliche Güter können vom Markt nicht oder in nicht ausreichendem Umfang bereitgestellt werden. Jeder Haushalt hat Anreize seine Präferenzen nicht zu offenbaren und sich als Trittbrettfahrer, der sich nicht an der Finanzierung des öffentlichen Gutes beteiligt, zu verhalten. Es kommt dann nicht zur Produktion des öffentlichen Gutes, selbst wenn sich die Haushalte hierdurch besserstellen würden. Das kann ein Argument für eine steuerfinanzierte, staatliche Produktion des öffentlichen Gutes sein. Will der Staat das Pareto-Optimum herstellen, benötigt er allerdings Informationen über die Präferenzen der Haushalte, d. h. über ihre marginale Zahlungsbereitschaft für das öffentliche Gut. Die Haushalte haben aber nicht unbedingt ein Interesse daran, dies wahrheitsgemäß zu offenbaren. Eine Lösung kann die Schaffung von Eigentumsrechten sein, die dann marktliche Lösungen erlauben. Des Weiteren kann das Problem der Allmende auch durch ein Zusammenwirken von Reputation, Vertrauen und Reziprozität gelöst werden wie z. B. an der Nutzung von Almen in den Alpen gezeigt werden kann.

In der politischen Wirklichkeit stellt der Staat auch Güter bereit, welche die Eigenschaft eines öffentlichen Gutes nicht erfüllen, z. B. höhere Bildung. R. Musgrave hat hier den Begriff der meritorischen Güter eingeführt. Bei diesen wird unterstellt, dass sie aus übergeordneten Gründen, die nichts mit Konsumentensouveränität zu tun haben, verdienen in größerem Umfang angeboten zu werden, als dies der Markt gewährleistet. Es fehlt jedoch an einem eindeutigen Kriterium der verdienstwürdigen Güter. Der Begriff trägt damit zur Erklärung des Staatshandelns nichts bei.

Weitere Fälle des Marktversagens, die nach der normativen Finanzwissenschaft Eingriffe des Staates erfordern, sind ↗externe Effekte, Informationsasymmetrien und natürliche Monopole.

3.2 Externe Effekte und Umweltschutzpolitik

Ein externer Effekt liegt vor, wenn Auswirkungen ökonomischer Aktivitäten sich außerhalb marktvermittelter Interdependenzbeziehungen vollziehen und deshalb nicht kompensiert werden. Gehen die gesellschaftlichen Kosten einer Umweltverschmutzung nicht in die Kostenkalkulation des Verursachers ein, weil dieser hierfür keinen Preis zahlen muss, so liegt ein negativer externer Effekt vor. Das Problem externer Effekte lässt sich marktwirtschaftlich lösen, wenn handelbare Eigentumsrechte verliehen werden. Nach Ronald Coase gelangen handelbare Eigentumsrechte – unabhängig von der anfänglichen Zuteilung – über Tausch immer in den Besitz dessen, der aus ihm den höchsten Nettoertrag erzielen kann, wenn keine Transaktionskosten bestehen. Umweltverschmutzer und Geschädigter können im Verhandlungswege eine Lösung finden, wenn Eigentumsrechte an dem Umweltgut begründet werden. Verhandlungslösungen scheitern, wenn viele Personen beteiligt sind oder Schäden unerwartet auftreten. Haftungsregeln können unerwartete Schäden internalisieren. Bei vielen Beteiligten kann der Staat Umweltsteuern erheben, Umweltzertifikate ausgeben, ↗Subventionen für Umweltschutzmaßnahmen zahlen. Arthur Cecil Pigou schlägt vor, eine Steuer in Höhe der Differenz zwischen privaten und sozialen Kosten zu erheben. Problematisch ist allerdings die monetäre Bewertung von Umweltschäden. Deshalb werden vielfach Steuern erhoben, bei denen die Lenkungsaufgabe im Vordergrund steht. Beispiele sind die Kraftfahrzeugsteuer, die Mineralölsteuer oder die Stromsteuer.

Eine Alternative zu preislichen Maßnahmen sind Auflagen in Form von Emmissionsgrenzwerte oder Inputauflagen. Diese werden nach dem Stand der Technik festgelegt und geben deshalb keine Anreize, neue umweltverträglichere Verfahren und Produkte zu entwickeln. Zudem haben ↗Unternehmen Anreize, die technischen Möglichkeiten der Umweltschonung restriktiv offenzulegen.

3.3 Asymmetrische Informationen am Beispiel der Gesundheitspolitik

Zwischen ökonomischen Akteuren liegen häufig asymmetrische Informationen vor. In einer Prinzipal-Agenten Situation handelt der Agent für den Prinzipal, der aber entweder Eigenschaften des Agenten nicht kennt oder seine Handlungen nicht beobachten kann, also einen Informationsnachteil hat. Informationsasymmetrien sind ein Argument für eine staatliche Intervention in den Krankenversicherungsmarkt. Adverse Selektion kann auftreten, wenn der Versicherungsnehmer sein ↑Risiko kennt, die ↑Versicherung aber nicht. Es droht dann, dass am Markt nur die schlechten Risiken übrigbleiben *(Akerlof's Market for Lemons)*. Moral hazard (↑Moralisches Risiko (moral hazard)) beschreibt ein Verhalten, dass der Versicherte sich aufgrund der Versicherung weniger Mühe gibt, den Eintritt des Schadensfalls zu vermeiden. So kann er bspw. gefährliche Sportarten ausüben oder die Gesundheitsvorsorge vernachlässigen und dadurch seine Krankenversicherung schädigen. Den an die Informationsasymmetrie gekoppelten Ineffizienzen kann die F. dadurch begegnen, dass alle Personen gezwungen werden, einen Versicherungsschutz zu erwerben. Damit Versicherungsunternehmen nicht versuchen, nur die guten Risiken zu versichern, könnte der Staat ihnen einen Kontrahierungszwang auferlegen. Um auch Personen mit niedrigem ↑Einkommen den Erwerb einer Versicherung zu ermöglichen, werden vielfach Krankenversicherungen zu Festpreisen oder mit lohneinkommensabhängigen Prämien eingeführt. In der gesetzlichen ↑Krankenversicherung sind moral hazard-Probleme aber bes. groß, weil Selbstbeteiligungselemente weniger eingesetzt werden als in der privaten Krankenversicherung.

3.4 Natürliche Monopole
Natürliche Monopole treten v. a. in netzabhängigen Industrien, etwa im Schienenverkehr, in der Strom-, Gas- und Wasserversorgung oder der festnetzgebundenen Telekommunikation auf. Kennzeichen natürlicher Monopole sind fallende Durchschnittskosten, die dazu führen, dass sich die Grenzkosten unterhalb der Durchschnittskosten bewegen und nur ein Unternehmen am ↑Markt überlebt. Der Monopolist wird aber nicht im Pareto-Optimum, in dem sich Grenzkosten und marginale Zahlungsbereitschaft entsprechen, produzieren, weil er dann einen Verlust erleidet. Er wird nicht einmal die Menge produzieren, an der sich Durchschnittskosten und marginale Zahlungsbereitschaft entsprechen, weil dann keine Gewinne entstehen. Der Staat kann in dieser Situation die Produktion selber übernehmen. Es hat sich aber gezeigt, dass Unternehmen in öffentlicher Hand ein massives Kostenproblem haben, weshalb Verkehrs-, Versorgungs- und Telekommunikationsunternehmen in vielen Ländern privatisiert wurden. Die privatisierten Unternehmen unterliegen regelmäßig Preisregulierungen, wobei die Regulierungsbehörde allerdings vor dem Problem steht, dass sie die Kostenstruktur des Unternehmens nicht genau kennt.

4. Distributionspolitik
Im Pareto-Optimum kann der Zustand eines Individuums nicht verbessert werden, ohne dass sich der Zustand eines anderen verschlechtert. Häufig wird die sich aus dem Marktprozess ergebende Einkommens- und Vermögensverteilung aber als ungerecht empfunden.

4.1 Effizienz und Gerechtigkeit
Ist der ungerechte Zustand Pareto-effizient, wird durch den Übergang zum gerechten Zustand mindestens ein Haushalt schlechter gestellt. Argumentiert man aus der Gerechtigkeitsperspektive, dass die Umverteilung den Gesamtnutzen erhöht, so werden implizit Nutzenvergleiche vorgenommen, die sich in sozialen Wohlfahrtsfunktionen darstellen lassen. Nach der Utilaristen (↑Utilitarismus) des 18. und 19. Jh. (Jeremy Bentham, John Stuart Mill) ergibt sich der gesamtwirtschaftliche Nutzen aus der Summe der Nutzen aller Mitglieder. Andere Autoren führen ein Gedankenexperiment durch: Welche Wohlfahrtsfunktion werden Individuen wählen, wenn sie sich vor einem Schleier der Ungewissheit entscheiden müssten, d. h. wenn sie nicht wissen, welche Position sie selber in der Gesellschaft einnehmen werden? John Rawls argumentiert, dass sich die Person vor dem Schleier der Ungewissheit an der Position des am schlecht gestelltesten Individuums orientieren würde. Sie würde also ein Umverteilungsniveau wählen, in dem das am schlechtesten gestellte Individuum im Vergleich zu allen anderen Zuständen am besten gestellt ist.

Für welches Umverteilungsniveau auch immer sich der Staat entscheidet, müssen Verhaltensänderungen berücksichtigt werden, die zu Effizienzverlusten führen. Diejenigen, zu deren Lasten Einkommen und ↑Vermögen umverteilt wird, verlieren Arbeits- und Investitionsanreize. Es besteht somit ein Spannungsverhältnis zwischen Effizienz- und Umverteilungszielen.

4.2 Inzidenz und Verhaltensänderungen
Ziel der Distributionspolitik ist eine gleichmäßigere Einkommens- und Vermögensverteilung als sie sich durch den Marktprozess ergibt. Jede Form staatlicher Eingriffe führt zu Anpassungen und Verhaltensänderungen, welche die Wirkungen der Maßnahmen der F. modifizieren können. So muss die gewünschte oder formale Inzidenz einer Steuererhebung nicht mit der materiellen oder effektiven Inzidenz übereinstimmen. Gleiches gilt für Ausgaben, die oft speziellen Gruppen zu Gute kommen sollen (z. B. Wohngeld). Nicht alle Ausgaben kommen aber nur den Bedürftigen zu Gute, z. B. Kulturausgaben oder Ausgaben für höhere Bildung. Die Ermittlung aller Verteilungswirkungen des Budgets (sog.e Budgetinzidenz) ist nahezu unmöglich, weil sich die Wirkung vieler finanzpolitischer Maßnahmen nicht definitiv einer Bevölkerungsgruppe zuordnen lässt und sich aus dem Kreislauf der Volkswirtschaft weitere Verteilungswirkungen ergeben.

Private Wirtschaftssubjekte können auf Steuern durch räumliche (Gewinnverlagerung in Niedrigsteuerländer, Wohnsitzverlagerung) oder zeitliche (Verschiebung von Gewinnen in die Zukunft durch Steuerbilanzpolitik)

Ausweichhandlungen reagieren oder den Steuertatbestand nicht mehr verwirklichen (z. B. Einstellung des Sektkonsums aufgrund einer Sektsteuer). Denkbar ist es auch, die Steuer auf einen anderen Marktteilnehmer zu überwälzen; bei ↗Verbrauchsteuern ist die Überwälzung auf den Endverbraucher gesetzliches Ziel. Die Möglichkeit der Überwälzung hängt von der Elastizität von Angebot und Nachfrage ab. Gelegentlich reagieren Steuerzahler auch mit Steuerhinterziehung z. B. in Form von Schwarzarbeit. Staatliche Ausgaben können Anreize setzen, Teil des Empfängerkreises zu werden, z. B. dadurch, dass die Mühen, ein Markteinkommen zu erzielen reduziert werden, wenn staatliche Transferleistungen erlangt werden können. Trotz dieser Anpassungsmaßnahmen führt die Umverteilungspolitik in der BRD im Ergebnis zu einer deutlich gleicheren Einkommensverteilung als vor Umverteilungsmaßnahmen. Wesentliche Instrumente der Umverteilungspolitik sind progressive Einkommensteuer, ↗Erbschaftsteuer, Leistungen der Grundsicherung, ↗Sozialhilfe, Zahlungen der ↗Sozialversicherungen, Kindergeld und Wohngeld.

5. Stabilisierungspolitik

5.1 Konjunktursteuerung

Ausgehend von der Grundannahme, dass die privaten Haushalte und Unternehmen von sich aus zu größeren wirtschaftlichen Schwankungen neigen, sehen John Maynard Keynes und seine Anhänger die Stabilisierung der ↗Wirtschaft als Aufgabe der F. Die vom Privatsektor ausgehenden Störungen des gesamtwirtschaftlichen Gleichgewichts und die daraus resultierenden Konjunkturzyklen sollen vom Staat als dem langerfristig denkenden Sektor durch Gegensteuern verhindert werden. Dem Staat kommt so die Aufgabe zu, Nachfrageschwankungen zu kompensieren. Er soll deshalb keinen jährlichen Budgetausgleich, sondern vielmehr einen Ausgleich des Staatshaushaltes über die Konjunkturzyklen anstreben.

Die zusätzliche staatliche Nachfrage im Konjunkturabschwung soll mit relativ geringen Mitteln möglich sein, weil ein Multiplikator-Effekt angenommen wird, der dazu führt, dass sich die Staatsausgabenerhöhung multiplikativ verstärkt. F. und ↗Geldpolitik sind in einem Policy-Mix aufeinander abzustimmen, denn auch geldpolitische Maßnahmen können zur Stabilisierung der ↗Konjunktur eingesetzt werden. Formal hat dies John Richard Hicks im IS-LM-Modell dargestellt, welches die Wirkungen finanz- und geldpolitischer Maßnahmen auf das gesamtwirtschaftliche Realeinkommen bzw. das reale Zinsniveau beschreibt.

Die keynesianische Konjunkturpolitik ist in der BRD in Art. 109 Abs. 2 GG aufgenommen worden, der Bund und Länder verpflichtet, bei ihrer Haushaltswirtschaft den Erfordernissen des gesamtwirtschaftlichen Gleichgewichts Rechnung zu tragen. Die nachfolgenden Absätze fordern eine konjunkturgerechte Haushaltswirtschaft, mehrjährige Finanzplanung und eine antizyklische F. Diese Vorgaben werden im Gesetz zur Förderung der Stabilität und des Wachstums der Wirtschaft vom 8.6.1967, kurz Stabilitätsgesetz, konkretisiert. Das Stabilitätsgesetz nennt vier Ziele staatlicher Konjunkturpolitik: ein stabiles Preisniveau, einen hohen Beschäftigungsstand und außenwirtschaftliches Gleichgewicht bei stetigem und angemessenem ↗Wirtschaftswachstum.

5.2 Probleme der staatlichen Konjunktursteuerung

Konjunkturpolitik ist zunächst mit Umsetzungsproblemen behaftet. Eine keynesianische Konjunkturpolitik fordert die Erhöhung staatlicher Ausgaben im Konjunkturabschwung, aber gleichzeitig eine Reduktion der staatlichen Nachfrage und eine Bildung von Rücklagen in Zeiten der Hochkonjunktur. Die Erfahrung zeigt, dass es für politische Entscheidungsträger sehr schwierig ist, sich für die Bildung von Rücklagen auszusprechen, wenn andere sich für weitere Ausgaben einsetzen. Im politischen Wettbewerb ist es unwahrscheinlich, dass sich die durchsetzen, die in guten Zeiten die Bildung von Rücklagen propagieren. Nutzenmaximierende politische Entscheidungsträger werden sich eher an kurzfristigen Wahlterminen orientieren als an einer längerfristigen Stabilisierung des Staatshaushaltes.

Eine diskretionäre F. muss zudem mit dem Problem zeitlicher Verzögerung kämpfen. Die erste Verzögerung ergibt sich daraus, dass die Statistik die Konjunkturentwicklung nur nachlaufend beschreibt. Besteht Einigkeit über den wirtschaftlichen Trend, so braucht es Zeit bis eine Entscheidung über den Einsatz konkreter finanzpolitischer Maßnahmen herbei geführt ist. Die Durchführung der Maßnahmen durch die Verwaltung verlangt weitere Zeit. Schließlich entsteht eine Wirkungsverzögerung bis sich die Maßnahme auf den Gütermärkten auswirkt. Im ungünstigen Fall kann dies zu einer Verstärkung von Konjunkturschwankungen führen. Z. T. wird aber argumentiert, dass das Steuersystem und Sozialtransfers zu einem automatischen Ausgleich beitragen.

Der wichtigste prinzipielle Einwand gegen eine konjunktursteuernde F. ist jedoch, dass es zu einem Verdrängen privater Nachfrage durch kreditfinanzierte Staatsnachfrage kommen kann (crowding-out). Geht man von einer Budgetrestriktion aus, so führen Mehrausgaben der öffentlichen Hand, die zur Stabilisierung der Güternachfrage getätigt werden und mit Hilfe von ↗Krediten finanziert werden, über die erhöhte Kreditnachfrage auf dem Kapitalmarkt (↗Geld- und Kapitalmarkt) zu Zinssteigerungen. Hierdurch werden private Nachfrager, die zinselastisch reagieren, verdrängt und ihre Nachfrage nach Investitionsgütern wird entspr. reduziert. Führt der Zinsanstieg zudem dazu, dass die privaten Haushalte ihre Ersparnis für zusätzliches Kapitalangebot verwenden, reduziert sich auch die Konsumnachfrage. Die Stabilisierungswirkung der gesamtwirtschaftlichen Nachfrage wird nicht erreicht, es kommt nur zu einem allokativen Effekt, weil private durch öffentliche Nachfrage ersetzt wird.

In einer globalisierten Wirtschaft, die durch multinationale Unternehmen, abnehmende Transportkosten und einer immer stärkeren Vernetzung von Informationen gekennzeichnet ist, sind die Wirkungen einer nationalen F. schwierig zu bestimmen. Finanzpolitische Maßnahmen können die Nettoexporte verdrängen und damit die inländischen Vermögensanteile am ausländischen Kapitalmarkt reduzieren.

Nach dem Ricardo-Barro-Äquivalenztheorem lassen sich die realen Effekte eines kreditfinanzierten staatlichen Programms nicht von denen eines steuerfinanzierten Programms unterscheiden. Zentrale Annahme der Argumentation ist, dass aufeinanderfolgende Generationen durch freiwillige, altruistisch motivierte Transfers miteinander verbunden sind. Wenn es solche intergenerationell verknüpften Nutzenfunktionen gibt, dann wird der Planungshorizont unendlich und Steuerzahler diskontieren auch Steuern, die erst nach ihrem Lebensende anfallen. Geht man von endlichen Planungshorizonten aus, so werden kreditfinanzierte Staatsausgaben reale Wirkungen haben.

6. Finanzierung der Staatstätigkeit
6.1 Wachstum der Staatstätigkeit
Empirisch lässt sich seit dem 19. Jh. ein starkes Wachstum der Staatsausgaben in den westlichen Industriestaaten feststellen. Unter Bezug auf Adolph Wagner wird vielfach vom Wagnerschen Gesetz gesprochen. Ein Teil des Wachstums der Staatsausgaben lässt sich im Rahmen des Medianwählermodells erklären. Danach sich die Nachfrage nach staatlichen Leistungen, Kostensteigerungen und das Bevölkerungswachstum wesentliche Determinanten des Wachstums der Staatsausgaben.

In der repräsentativen Demokratie spielen zudem politische Unternehmer eine wesentliche Rolle. Sie organisieren Stimmentausch, helfen die Interessen von Lobbygruppen (↑Lobby) durchzusetzen und verführen die Bürger zu Fiskalillusionen. Es kommt so zu immer mehr Nachfrage nach staatlichen Leistungen. Im Gegenzug für ihre Tätigkeit für Interessengruppen erhalten die Abgeordneten ein politisches Einkommen in Form von Wahlkampfunterstützung oder Zusage von Positionen nach dem Ausscheiden aus der Politik. Grenzen des Wachstums der Staatsausgaben ergeben sich aus den Steuereinnahmen und der Kreditwürdigkeit des Staates.

Mit dem Wachstum der Staatsausgaben ist in vielen Ländern auch eine Zunahme der Staatsverschuldung zu beobachten. In nicht wenigen Ländern ergibt sich eine Nachhaltigkeitslücke, wenn neben den expliziten Staatsschulden auch die impliziten in Form von Renten- und Pensionszusagen oder anderen Transferzusagen berücksichtigt werden. Nachhaltig ist die Staatsfinanzierung, wenn das Finanzkapital plus alle zukünftigen Steuereinnahmen abzüglich Rentenzahlungen u.a.n Transfers ausreichen, um die Staatsausgaben zu finan-

zieren. Im Vertrag von Maastricht hat die ↑EU als Nachhaltigkeitskriterium eine Kreditaufnahmequote von 3% und eine Schuldenstandsquote von 60% des BIP festgelegt. Einen Einblick in die Nachhaltigkeit der öffentlichen Kreditaufnahme ergibt auch die Entwicklung des Haushaltsspielraums. Ist die Wachstumsrate des BIP kleiner als der vom Staat zu zahlende Zinssatz, so verringert die permanente Nettokreditaufnahme zukünftige Haushaltsspielräume.

6.2 Besteuerungsprinzipien und -kosten
Schon von Adam Smith werden Prinzipien der Besteuerung erörtert. Er formuliert die Grundsätze der Gleichmäßigkeit, Bestimmtheit, Bequemlichkeit und ↑Billigkeit für ↑Fiskus und Steuerzahler. J. S. Mill war der erste, der das Prinzip der Leistungsfähigkeit *(ability to pay)* formuliert hat. Das Leistungsfähigkeitsprinzip wird durch eine horizontale und vertikale Gerechtigkeit der Besteuerung realisiert. Die horizontale Besteuerung entspr. dem rechtsstaatlichen Gebot der Gleichbehandlung (Art. 3 GG). Die vertikale Gerechtigkeit soll verwirklicht sein, wenn von allen das gleiche Opfer abverlangt wird, die Steuer also bei allen Steuerzahlern den gleichen Wohlfahrtsverlust abverlangt. Die Forderung nach einem gleichen Wohlfahrtsverlust kann unterschiedlich interpretiert werden:

Das Prinzip des gleichen absoluten Opfers will jedem Individuum unabhängig von der Einkommenshöhe den gleichen absoluten Nutzenentgang auferlegen. Unterstellt man dabei einen abnehmenden Nutzenzuwachs bei steigendem Einkommen, führt dies zu einer progressiven Steuer. Geht man hingegen von einem linearen Zusammenhang zwischen Einkommen und Nutzen aus, so folgt daraus eine Kopfsteuer.

Nach dem Prinzip des gleichen relativen Opfers soll bei allen Steuerzahlern in Abhängigkeit vom Nutzenniveau der gleiche relative Nutzenentgang erreicht werden. Dies führt zu einer ausgesprochen progressiven Besteuerung, wenn man abnehmende Nutzenzuwächse bei steigendem Einkommen unterstellt. Bei einem angenommenen linearen Zusammenhang folgt hingegen eine proportionale Steuer *(flat tax)*.

Die Opfertheorie kommt also zu keinen eindeutigen Ergebnissen. Sie unterstellt eine theoretisch zweifelhafte kardinale Nutzenfunktion des Einkommens. Zudem ist die Verwirklichung der Gerechtigkeit nur auf der Einnahmenseite problematisch, wenn Individuen auf der Ausgabenseite bevorzugt werden. Das Leistungsfähigkeitsprinzip führt also nur im Idealstaat zu Gerechtigkeit.

Das von Knut Wicksell vorgeschlagene Äquivalenzprinzip unterstellt demgegenüber einen unvollkommenen Staat und will eine institutionelle Kongruenz herstellen, damit sich Nutznießer-, Entscheidungsträger und Steuerzahler decken. Nach dem Äquivalenzprinzip werden Steuern und Ausgaben simultan bestimmt. Eine Umverteilung durch das Steuersystem ist erschwert, denn Leistung und Gegenleistung sollen sich entsprechen.

Die Steuerpolitik muss auch beachten, dass eine Besteuerung Zusatzlasten beim Steuerpflichtigen auslöst, die über die eigentlichen Steuerzahllasten hinausgehen. Durch eine Güter- oder ↑Einkommensteuer geht ein Teil der Konsumenten- bzw. Arbeitsangebotsrente verloren, ohne dass sie beim Staat oder sonst wo ankommt. Die Zusatzlast hängt von den Nachfrage- bzw. Angebotselastizitäten, der Bemessungsgrundlage und dem Steuersatz ab. Nach der Theorie optimaler Besteuerung sollte die Bemessungsgrundlage breit definiert sein und Steuersätze sollten in ihrer Höhe invers zu den Preiselastizitäten der Nachfrage bzw. des Angebotes des betreffenden Gutes oder Produktionsfaktors gewählt werden.

Um das Umverteilungsziel des Staates zu verwirklichen, wird vorgeschlagen, ↑Güter des täglichen Bedarfs geringer zu besteuern. Diese Regel steht aber in einem Konflikt mit der Forderung nach einer inversen Beziehung zwischen Elastizitäten und Steuersätzen.

Literatur

C. B. Blankart: Öffentliche Finanzen in der Demokratie, [8]2011 • S. Homburg: Allgemeine Steuerlehre, [6]2010 • B. U. Wigger: Grundzüge der Finanzwissenschaft, [2]2006 • G. Graf: Grundlagen der Finanzwissenschaft, [2]2004 • E. Ostrom: Governing the commons. The evolution of institutions for collective action, 1990 • R. H. Coase: The Firm, The Market and The Law, 1988 • K. Wicksell: Finanztheoretische Untersuchugnen nebst Darstellung und Kritik des Steuerwesens Schwedens, 1986 • T. D. Sargent: Stopping Moderate Inflations: The Methods of Poincaré and Thatcher, in: R. Dornbusch/M. H. Simonsen (Hg.): Inflation, Debt, and Indexation, 1983, 54–96 • J. R. Hicks: IS-LM: an explanation, in: Journal of Post Keynesian Economics 3/2 (1980), 139–154 • R. J. Barro: On the Determination of Public Debt, in: JPE 87/5 (1979), 940–971 • J. M. Buchanan/R. E. Wagner: Democracy in Deficit, The Political Legacy of Lord Keynes, 1977 • J. M. Buchanan: Barro on the Ricardian Equivalence Theorem, in: JPE 84/2 (1976), 337–342 • R. E. Lucas: Econometric Policy Evaluation: A Critique, in: Carniegie-Rochester Conference Series of Public Policy 1 (1976), 19–46 • W. D. Nordhaus: The Political Business Cycle, in: RES 42/2 (1975), 169–190 • R. J. Barro: Are Government Bonds Net Wealth?, in: JPE 82/6 (1974), 1095–1117 • J. Rawls: A Theory of Justice, 1971 • G. A. Akerlof: The Market for „Lemmons": Qualitative Uncertainty and the Market Mechanism, in: QJE 84/3 (1970), 488–500 • A. Downs: Eine ökonomomische Theorie der Demokratie, 1968 • K. J. Arrow: Social Choice and Individual Values, [2]1963 • J. M. Buchanan und G. Tullock: The Calculus of Consent, 1962 • R. A. Musgrave: The Theory of Public Finance, 1959 • D. Black: On the Rationale of Group Decision Making, in: JPE 56/1 (1948), 23–34 • A. P. Lerner: The Economics of Control, 1944 • J. R. Hicks: Mr. Keynes and the classics. A Suggested Interpretation, in: Econometrica 5/2, 1937, 147–159 • J. M. Keynes: The General Theory of Employment, Interest and Money, 1936 • A. C. Pigou: The Economics of Welfare, [4]1932 • A. Wagner: Grundlegung der politischen Oekonomie, 1892 • J. S. Mill: Principles of Political Economy with some of their Applications to Social Philosophy, 1848 • J. Bentham: An Introduction to the Principles of Morals and Legislation, 1789 • A. Smith: Wealth of Nations, 1776.

CHRISTOPH WATRIN

Finanzverfassung

Im materiellen Sinne ist F. der Inbegriff der die Steuer-, Haushalts- und Ausgabengesetze und deren Vollzug anleitende Teil des höher- oder vorrangigen Rechts; zu ihr zählen in der gestuften Staatlichkeit namentlich die Regelungen über die bundesstaatliche Kompetenzverteilung und die Rahmenregelungen der kommunalen Finanzhoheit. Die F. im formellen Sinne sind die Regelungen der Verfassungsurkunde (Deutschland: Art. 104a-115 GG) und ggf. dieser gleich stehender Normen (Österreich: der Bundesverfassungsgesetze), die auch äußerlich der Finanzgewalt gewidmet sind.

1. Funktion und Prinzipien
1.1 Bedarfsdeckung, Demokratie, Freiheitsschutz, Nachhaltigkeit

Zentrale Funktionen der F. sind die Bereitstellung und Kanalisierung staatlicher Mittel in die öffentlichen Haushalte des Bundes, der Länder und (direkt oder indirekt) der Kommunen. Die F. ist insoweit eng mit dem Demokratieprinzip verbunden. Als historische Keimzelle des Parlamentarismus ist einerseits das Steuerbewilligungsrecht Ausdruck freiheitsbewusster und freiheitsschonender Staatsgewalt in Rückbindung an den Willen der Zensiten. Andererseits stehen die F. und hier namentlich das Budgetrecht im Dienst demokratischer ↑Steuerung durch gezielten Einsatz staatlicher Mittel. In beiden Dimensionen ist die F. auf einfachgesetzliche Konkretisierungen angewiesen; insoweit öffnet sie sich situativen und zeitnahen demokratischen Justierungen. Mit der Festlegung auf Steuertypen zeichnet die F. die Belastung Privater vor; im Verbund mit den ↑Grundrechten schützt sie die Steuerpflichtigen zugl. durch begrenzenden Vorgaben, namentlich die Absage an ein freies Steuererfindungsrecht und das Verbot der Überbelastung (Art. 106 Abs. 3 S. 3 Nr. 2 GG). Damit sind Steuergesetzgebung und nach Art. 109 Abs. 3 und 115 Abs. 2 GG auch die Kreditaufnahme auf den Grundsatz synchroner Deckung des Finanzbedarfs durch ↑Steuern im Sinne einer ↑Generationengerechtigkeit ausgerichtet.

1.2 Vertikale Kompetenzordnung

Prägend für die F. des GG ist die grundsätzliche Selbständigkeit der Haushaltswirtschaft von Bund und Ländern (Art. 109 Abs.1 GG), die aber faktisch durch eine Entmachtung der Länder auf der Einnahmenseite und bei den Haushaltsgrundsätzen, ferner durch zahlreiche Verflechtungen von Bund und Ländern in den der ↑Finanzplanung (gesamtstaatliche Stabilitätsgemeinschaft) und der Ausgabenverantwortung stark relativiert wird. Demgegenüber ist die kommunale Ebene partiell mediatisiert. Namentlich in der Haushalts- und Schuldenverfassung (Art. 104a, 104b, 109–115 GG) und im sekundären horizontalen (Länder-)Finanzausgleich (Art. 107 Abs. 2 GG) werden die ↑Gemeinden und Gemeindeverbände als integraler Bestandteil der Länder angesehen. Verfassungsunmittelbare Rechtspositionen erlangen sie dagegen in der Steuerverfassung (Art. 28 Abs. 2 S. 3 GG, Art. 106 Abs. 5–8 GG).

1.3 Einnahmen-Ausgaben-Verknüpfung

Die F. verlangt einen Ausgleich von Einnahmen und Ausgaben (Art. 115 Abs. 1 GG). Da die zentrale Rechtfertigung von Besteuerung und Kreditaufnahme in der Deckung des aktuellen Finanzbedarfs der öffentlichen Hand liegt, folgt die Besteuerung im Staat-Bürger-Verhältnis normativ einer Bedarfsorientierung, während faktisch die Steuerschätzungen das Ausgabeverhalten der öffentlichen Hand prägen. Demgegenüber ist der Finanzausgleich nicht einheitlich programmiert: Das Prinzip des örtlichen Aufkommens (Art. 107 Abs. 1 S. 1–3 GG) und die Verteilung nach Einwohnerzahlen, Steuer- oder Finanzkraft folgen einer kausalen Logik; der alte sekundäre Finanzausgleich einschließlich des alten Umsatzsteuervorausgleichs (Art. 107 Abs. 2 S. 4 GG idF bis 2019; Art. 143g GG), ebenso die neue primäre Umsatzsteuerverteilung und die Bundesergänzungszuweisungen zielen dagegen – final – auf Deckung des Finanzbedarfs der einzelnen Länder.

2. Einnahmenverfassung:
Besteuerung und Verschuldung

Der freiheitliche Verfassungsstaat deckt seinen Finanzbedarf damit primär durch die in der F. vorgezeichneten, gesetzlich konkretisierten und grundsätzlich dem Ermessen der Finanzbehörden entzogenen gegenleistungsfreien Abgaben, die in die allg.en Haushalte (↑Staatshaushalt) der Gebietskörperschaften fließen und dort dem Gesamtdeckungsprinzip (Prinzip der Non-Affektation) unterliegen (Steuern, Steuerstaatsprinzip; ↑Steuerstaat). Sekundär regelt die F. die Möglichkeiten und Grenzen einer Staatsfinanzierung durch ↑Kredite. Dagegen ist das Recht der Vorzugslasten (Gebühren, Beiträge, Sonderabgaben) nach deutscher Verfassungsdogmatik nicht Gegenstand der F., sondern der Zuweisung der Sachkompetenzen (Art. 70–91 GG).

Prägend für die Steuer-F. des GG sind kompetenziell die der F. zuzurechnende Trias von Regelungen zur Gesetzgebungs-, Ertrags- und Verwaltungskompetenz, materiell die in der F. und den Grundrechten enthaltenen gestaltenden und begrenzenden Vorgaben. Die drei Systeme von Kompetenzzuweisungen sind vielfältig miteinander verflochten. Sie begründen zugl. zahlreiche vertikale Kompetenzverschränkungen zwischen Bund, Ländern und Kommunen. Von zentraler Bedeutung ist die Kopplung der Gesetzgebungs- an die Ertragskompetenzen. Steuertypen, für die Art. 106 GG keine Ertragszuweisung enthält, können weder Gegenstand der Bundes- noch der Landesgesetzgebung werden (Kopfsteuer, Kernbrennstoffsteuer). Ein Steuer(er)findungsrecht besteht vielmehr nur im Rahmen der in Art. 106 GG bereits vertypten Steuern.

Die Gesetzgebungskompetenz für Steuern, deren Aufkommen ganz oder teilweise dem Bund zusteht (dazu Art. 106 Abs. 1, 3 und 6 GG), liegt bei diesem (Art. 105 Abs. 2 GG); Regelungen über Gemeinschaftssteuern bedürfen der Zustimmung des ↑Bundesrates (Art. 105 Abs. 3 GG). Ungeklärt ist die Reichweite der (konkurrierenden) Bundeskompetenz bei reinen Ländersteuern wie der ↑Erbschaftsteuer, der ↑Vermögensteuer oder der ↑Grundsteuer: Art. 105 Abs. 2 GG knüpft die Bundeskompetenz an die Voraussetzungen des Art. 72 Abs. 2 GG (Erforderlichkeit einer bundesgesetzlichen Regelung für die Wahrung der Rechts- und Wirtschaftseinheit im gesamtstaatlichen Interesse), die das BVerfG – mit teils brüchigen Begründungen – in der Vergangenheit stets bejaht hat (z.B. BVerfGE 138, 136, 107 ff.: Einschätzungsprärogative des Bundesgesetzgebers). Vollregelungen dürfen die Länder danach praktisch nur auf dem Gebiet der – ihnen ertragskompetenziell nicht zustehenden – ↑Kirchensteuern treffen; die ihnen ebenfalls übertragene Rechtsetzung auf dem Gebiet der örtlichen Verbrauch- und Aufwandsteuern (Art. 105 Abs. 2a S. 1 GG) haben sie dagegen in ihren Kapitalanlagegesellschaften regelmäßig auf die Gemeinden delegiert. Daneben erfordert oder gestattet das GG landesrechtliche Teilregelungen auf dem Gebiet der ↑Grunderwerbsteuer (Höhe des Steuersatzes: Art. 105 Abs. 2a S. 2 GG) und – bislang einfachgesetzlich ungenutzt – auf dem Gebiet der ↑Einkommensteuer (Art. 106 Abs. 5 S. 3 GG).

Den Gemeinden garantiert die F. für eine wirtschaftskraftbezogene Steuerquelle die Ertragskompetenz und ein Hebesatzrecht (Art. 28 Abs. 2 S. 3 GG). Die Staatspraxis erfüllt diese Garantie traditionell im Recht der ↑Gewerbesteuer (Art. 106 Abs. 6 S. 2 GG); denkbar wären alternativ oder kumulativ gemeindliche Hebesatzrechte auf den Gemeindeanteil an der Einkommensteuer (Art. 106 Abs. 5 S. 3 GG) und – nach Verfassungsänderung – auf einen evtl. kommunalen Anteil an der ↑Körperschaftsteuer. Daneben verfügen die Gemeinden über die Befugnis zur Festsetzung der beiden Grundsteuer-Hebesätze (Grundsteuer A: Betriebe der Land- und Forstwirtschaft; Grundsteuer B: bebaute oder bebaubare Grundstücke; Art. 106 Abs. 6 S. 2 GG) und nach der oben genannten Delegation durch das Land über eine Kompetenz zur Rechtsetzung auf dem Gebiet der örtlichen Verbrauch- und Aufwandsteuern. Bei schwachen bundesrechtlichen Bindungen (immerhin aber ein vom BVerfG angenommenes Gebot der Widerspruchsfreiheit der Rechtsordnung) hat diese Kompetenz auch in jüngerer Zeit zahlreiche Steuerarten hervorgebracht (Bettensteuer, Fischereisteuer, Getränkesteuer, Jagdsteuer, Hotel- und Übernachtungsteuer, Hunde- einschließlich Kampfhundesteuer, Pferde-

steuer, Speiseeissteuer, Spielautomaten- und Vergnü-
gungsteuer, Verpackungsteuer, Wettbürosteuer, Zweitwohnungsteuer u. a.).

Die Ertragszuweisungen sind im bundesstaatlichen
Verhältnis Gegenstand der Regelungen in Art. 106 GG
und ergänzender Aufteilungsentscheidungen des einfachen Bundesrechts, namentlich des FAG und des Ge-
meindefinanzreformgesetzes (primärer vertikaler ↑Fi-
nanzausgleich, sog.e erste Stufe). Art. 106 Abs. 3 GG
macht mit der Einkommensteuer (einschließlich ihrer
bes.n Erhebungsformen, v. a. Lohnsteuer und Kapitalertragsteuer), der Körperschaftsteuer und der ↑Umsatz-
steuer die ertragsstärksten Steuerarten zu Gemeinschaftsteuern. In die ausschließliche Ertragskompetenz
des Bundes fallen demgegenüber nach Art. 106 Abs. 1
GG wichtige Verbrauchsteuern wie namentlich die
Energiesteuer, die Kfz-Steuer, die Versicherungsteuer
(reine Bundessteuern) sowie die Ergänzungsabgabe zur
Einkommen- und Körperschaftsteuer (1991/92 und seit
1995: Solidaritätszuschlag in Höhe von derzeit 5,5 %
der Einkommen- bzw. Körperschaftsteuer). Demgegenüber stehen die (seit 1996 nicht mehr erhobene) ↑Ver-
mögensteuer, die ↑Erbschaftsteuer, die Grunderwerbsteuer und weitere Verkehrsteuern nach Art. 106 Abs. 2
GG ausschließlich den Ländern zu (reine Ländersteuern). Die Gemeinden sind zu einem geringen Anteil unmittelbar am Aufkommen der Einkommensteuer (nicht
aber der Körperschaftsteuer) und der Umsatzsteuer beteiligt; daneben steht ihnen das Aufkommen aus den
sog.en Realsteuern (Grundsteuer, Gewerbesteuer) und
den örtlichen Verbrauch- und Aufwandsteuern zu
(Art. 106 Abs. 6 GG), während die Gemeindeverbände
(namentlich die Landkreise) traditionell nicht über eigene Steuerquellen verfügen, sondern von den Gemeinden Umlagen (Kreisumlage, Verbandsgemeindeumlage,
Amtsumlage, Verbandsumlage etc.) erheben, die diese
über die Realsteuern nach eigenem politischen Ermessen auf die Steuerpflichtigen überwälzen. Alle kommunalen Ebenen sind darüber hinaus landesgesetzlich
an dem Länderanteil der Gemeinschaftsteuern zu beteiligen; sie können fakultativ auch an weiteren Ländersteuern beteiligt werden (Art. 106 Abs.7 GG).

Die Aufkommensverteilung zwischen den Ländern
(primärer horizontaler Finanzausgleich, sog.e zweite
Stufe) folgt grundsätzlich dem – kausal – Prinzip des
örtlichen Aufkommens, für die Umsatzsteuer der Einwohnerzahl (Art. 107 Abs. 1 GG). Zunehmend sind in
den letzten Jahren aber finale Kriterien einer Bedarfsgerechtigkeit hinzu getreten. Sie übernehmen nach Aus-
laufen des Solidarpakts II ab 2020 sogar vollständig die
Funktion der zuvor als Länderfinanzausgleich im eigentlichen Sinne bezeichneten nachträglichen Umverteilung des Steueraufkommens. Ausgleichsmasse für
diesen großvolumigen sog.en Vorausgleich (ab 2020:
Finanzkraftausgleich) ist das Umsatzsteueraufkommen
(Art. 107 Abs. 2 GG), die Einzelregelungen enthält das
FAG.

Es enthält zugl. – in Konkretisierung abstrakter, von
konkreten quantitativen Zuweisungen bewusst abge-
koppelter Aufteilungsprinzipien, die in einem vor-
geschalteten Maßstäbegesetz niedergelegt sind – Regelungen über die nachträgliche Umverteilung des
Aufkommens. Während der klassische Länderfinanzausgleich (sekundärer horizontaler Finanzausgleich,
sog.e dritte Stufe) mit seiner Unterscheidung zwischen
(wenigen) Geber- und (vielen) Nehmerländern Ende
2019 durch den in die zweite Stufe verlagerten Finanz-
kraftausgleichs ersetzt wird, bleibt es auf Dauer bei
einer Finanzierung von Länderaufgaben durch Bundesergänzungszuweisungen (sekundärer vertikaler Finanzausgleich, sog.e vierte Stufe), aber auch die verfassungsunmittelbare Zulassung von Mischfinanzierungen.

Die größten Umwälzungen der Einnahmenverfassung
liegen auf dem Feld der Kreditaufnahme. Diese klassische Quelle staatlicher Einnahmen sollte nach Art. 115
GG a. F. in den Dienst der Globalsteuerung genommen werden; faktisch diente sie aber zwischen 1970 und 2010
der allg.en, i.d.R. nicht spezifisch durch konjunktur-
stimulierende Maßnahmen unterlegten Deckung des
allg.en Finanzbedarfs der öffentlichen Hand. Gedämpft,
aber nicht untersagt wird die Neuverschuldung durch
Art. 126 AEUV, der durch das Protokoll über das Verfahren bei einem übermäßigen Defizit vom 7.2.1992
und den Europäischen ↑Stabilitäts- und Wachstumspakt
vom 17.6.1997 konkretisiert wird. Diese Gesamtver-
schuldungsgrenzen sind allerdings sehr abstrakt gehalten, bleiben auf Tatbestands- und Rechtsfolgenseite
von politischen Entscheidungen abhängig und haben
sich insgesamt als wenig wirkungsvoll erwiesen. Bedeutsam war daher die Unterlegung dieser unionsrechtlichen
Vorgaben durch Einführung der sog.en Schuldenbremse
in die Art. 109 Abs. 3, 115 Abs. 2 GG durch die Föderalismusreform 2009. Mit ihr setzt Deutschland – begünstigt durch ein historisch niedriges Zinsniveau, das einen
massiven Rückgang des Schuldendienstes ermöglicht hat
– der Neuverschuldung von Bund, Ländern und Kommunen harte normative Grenzen in der bundesstaatlichen F.; Parallelregelungen finden sich inzwischen in
mehreren Landesverfassungen (u. a. Hessen, Rheinland-Pfalz, Schleswig-Holstein). Nach Art. 109 Abs. 3
GG sind die Haushalte von Bund und Ländern (denen
nach umstrittener Ansicht auch die Gemeinden und Gemeindeverbände und wegen Art. 143d Abs. 1 S. 2
Halbs. 2 GG auch die Sondervermögen zuzurechnen
sind) grundsätzlich ohne Einnahmen aus Krediten auszugleichen. Allerdings dürfen beide Ebenen auch weiterhin eine keynesianische Politik (↑Keynesianismus) verfolgen. Die im Abschwung neu aufgenommenen Kredite
müssen dann aber in der nächsten Hausse symmetrisch
zurückgeführt werden. Zulässig sind daneben Ausnahmeregelungen für Naturkatastrophen oder außergewöhnliche Notsituationen, die sich der Kontrolle des
Staates entziehen und die staatliche Finanzlage erheblich beeinträchtigen. Während die Länder damit – jeden-

falls zyklusübergreifend – auf eine „Neuverschuldung null" festgelegt werden, gestatten Art. 109 Abs. 3, 115 Abs. 2 GG dem Bund immerhin eine reguläre, auch interperiodisch nicht auszugleichende Neuverschuldung bis maximal 0,35 % des nominalen BIP p. a. Zugl. wurde 2009 mit dem Stabilitätsrat ein gemischtes Bund-Länder-Organ eingerichtet, das in der Nachfolge des alten Finanzplanungsrates die nachhaltige Beachtung dieser Neuverschuldungsgrenzen überwacht (Art.109a GG) und sich dabei an den Methodologien und materiellen Vorgaben zur Beachtung der Maastrichter Stabilitätskriterien der ↑EWWU orientiert.

Auf Landesebene bestehen daneben Verschuldungsverbote für die Gemeinden und Gemeindeverbände. Sie sind i. d. R. in den Gemeinde- und Landkreisordnungen (Kommunalverfassungen), teils aber auch in den Landeshaushaltsordnungen oder sogar in den Landesverfassungen (so z. B. Bremen) niedergelegt und unterscheiden regelmäßig zwischen Krediten, kreditähnlichen Zahlungsverpflichtungen und Kassenkrediten. Kredite sind allenfalls subsidiär zur Einnahmenbeschaffung, d. h. nur dann zulässig, wenn eine andere Finanzierung nicht möglich oder wirtschaftlich unzweckmäßig ist, wenn die Kreditaufnahme nicht zu einem dauerhaften Wegfall der finanziellen Leistungsfähigkeit der Kommune führt und wenn die zuständige Kommunalaufsichtsbehörde die Kreditaufnahme allg. oder im Einzelfall genehmigt. Kreditsicherheiten dürfen regelmäßig nicht bestellt werden. Für kreditähnliche Rechtsgeschäfte ist zusätzlich zu prüfen, ob die kommunale Aufgabenerfüllung weiterhin gesichert ist: Die Gemeinde muss – insb. bei Leasinggeschäften (↑Leasing) – durch entspr.e vertragliche Regelungen jederzeit in allen für die gemeindliche Aufgabenerfüllung und Benutzung wichtigen Fragen maßgeblichen Einfluss besitzen. In Reaktion auf die Finanzkrise von 2008/09 werden kreditähnliche Geschäfte der kommunalaufsichtlichen Genehmigung z. T. generell entzogen, wenn sie nicht auf eine Investition, sondern allein darauf abzielen, dass sie der Kommune oder einem Dritten inländische steuerliche Vorteile verschaffen (so z. B. Bayern). Allein Kassenkredite sind wegen ihrer kurzen Laufzeit i. d. R. nicht genehmigungsbedürftig; sie dürfen aber in der Praxis nicht zu (versteckter) dauerhafter Haushaltsdeckung missbraucht werden.

3. Haushaltsverfassung

Das Budgetrecht des Parlaments macht das Haushaltsgesetz zur zentralen demokratischen und rechtsstaatlichen Handlungsform des Haushaltsrechts. Es enthält den Haushaltsplan, ermächtigt den Haushaltsträger materiell zu Kreditaufnahmen, bewilligt Ausgaben, ersetzt aber nicht die Steuergesetzgebung im Staat-Bürger-Verhältnis. Verfahrensrechtlich gelten Besonderheiten, namentlich die Monopolisierung des Initiativrechts bei der ↑Bundesregierung und die simultane Zuleitung an Bundesrat und ↑Bundestag (Art. 110 Abs. 3 GG).

Inhaltlich enthält Art. 110 Abs. 4 GG ein Bepackungsverbot und ein Gebot strenger Periodizität. Der zeitliche Anwendungsbereich des einzelnen Haushalts(-gesetzes) ist demokratisch begrenzt. Üblich sind Jahreshaushalte oder sog.e Doppelhaushalte; in jedem Fall ist aber jahresscharf abzugrenzen (Art. 110 Abs. 2 S. 1 GG). Jeder Haushalt unterliegt dem Vollständigkeitsgebot; sog.e haushaltsflüchtige Einnahmen, Aufgaben und Ausgaben bedürfen verfassungsrechtlich bes.r Rechtfertigung (Art. 110 Abs. 1 S. 1 GG). Der Haushaltsplan ist nach Einnahmen und Ausgaben auszugleichen (Art. 110 Abs. 1 S. 2 GG). Dieser formale Haushaltsausgleich schließt Einnahmen aus Krediten nicht aus, sondern erfordert sie u. U., solange er nicht – wie in Art. 109 Abs. 3 S. 1 GG seit 2009 – mit einem grundsätzlichen Verbot des sog.en *deficit spending* verbunden wird.

Kommt bis zum Beginn des Haushaltsjahres kein wirksames Haushaltsgesetz zustande, darf die Bundesregierung im Rahmen eines sog.en Nothaushalts alle Ausgaben leisten, die erforderlich sind, um gesetzlich bestehende Einrichtungen zu erhalten, gesetzlich beschlossene Maßnahmen durchzuführen, die rechtlich begründeten Verpflichtungen des Bundes zu erfüllen, Bauten, Beschaffungen und sonstige Leistungen fortzusetzen oder um Beihilfen für diese Zwecke weiter zu gewähren (Art. 111 Abs. 1 GG). Einnahmenseitig sind ihr in begrenztem Umfang Einnahmen aus neuen Krediten gestattet (Art. 111 Abs. 2 GG).

Über- und außerplanmäßige Ausgaben macht die Haushaltsverfassung von der Zustimmung des zuständigen Finanzministers abhängig, der sie nur bewilligen darf, wenn dafür ein unvorhergesehenes und unabweisbares Bedürfnis besteht (Art. 112 GG). Ein strukturell ähnliches Regelwerk enthält das GG für den Fall neuer, noch im laufenden Haushaltsjahr ausgabeerhöhender oder einnahmensenkender Sachgesetze. Nach Art. 113 GG bedürfen diese Gesetze der Zustimmung der Bundesregierung, die verlangen kann, dass der Bundestag die Beschlussfassung über diese Gesetze aussetzt und erneut Beschluss fasst.

Weitere Regelungsgehalte der Haushaltsverfassung sind in der F. nur grundgelegt und werden einfachgesetzlich (nach richtiger Auffassung mit Bindungswirkung für den Haushaltsgesetzgeber) durch HGrG und BHO konkretisiert. Hierzu gehören Zuständigkeits-, Verfahrens- und Formvorschriften, aber auch materiellrechtliche Vorgaben wie Rechnungslegungsstandards (↑Kameralistik, ↑Doppik; Gliederungskategorien), Regelungen über die sog.e Deckungsfähigkeit, über die interperiodische Übertragbarkeit von Mitteln, Kredit- und Ausgabeermächtigungen sowie das Gebot der Sparsamkeit von Haushaltswirtschaft und -vollzug (§ 6 HGrG).

In einem weiteren Sinne sind auch die Normen über die ↑Finanzkontrolle Gegenstand der F.en von Bund und Ländern. Sie verpflichten einerseits die Finanzminister zur Rechnungslegung (Art. 114 Abs. 1 GG) und enthalten andererseits institutionelle Regelungen über die ↑Rechnungshöfe, fundieren deren Aufgaben und Befugnisse, garantieren den Mitgliedern der Rechnungshöfe richterliche Unabhängigkeit und erlegen ihnen Berichtspflichten auf (Art. 114 Abs. 2 GG).

4. Ausgabenverfassung

Die bundesstaatliche F. des GG ist von einer Aufgaben-Ausgaben-Konnexität geprägt. Nach Art. 104a Abs. 1 GG tragen der Bund und die Länder die Ausgaben, die sich aus der Wahrnehmung ihrer Aufgaben ergeben, grundsätzlich jeweils selbst und gesondert. Das gilt insb. für die bei ihren jeweiligen Behörden entstehenden Verwaltungskosten. Davon abweichend trägt der Bund nach Art. 104a Abs. 2 GG die Kosten der sog.en Bundesauftragsverwaltung (Art. 85 GG). Von den Verwaltungskosten zu trennen sind bundesgesetzlich geregelte Geldleistungen, die Private erhalten sollen, für die Verwaltung (Länder) also nur durchlaufende Posten bilden. Für sie kann der Bundesgesetzgeber eine Kostenübernahme durch den Bund anordnen, muss es aber nicht (Art. 104a Abs. 3 S. 1 GG). Für den Fall einer mindestens hälftigen Übernahme der Kosten der Geldleistungen wechselt die Materie aus der sog.en landeseigenen in die sog.e Auftragsverwaltung, so dass der Bund zusätzlich die bei den Ländern anfallenden Verwaltungskosten zu tragen hat. Im Übrigen haben die Länder die Geldleistungen (aber u. U. auch geldwerte Sachleistungen oder vergleichbare Dienstleistungen gegenüber Dritten) zu erbringen. Insoweit werden ihre Belange nur durch das Erfordernis einer Zustimmung des Bundesrates (Art. 104a Abs. 4 GG) gewahrt.

Nach Art 104b Abs. 1 S. 1 GG kann der Bund auf Gebieten, für die er die Gesetzkompetenz hat, den Ländern befristete und über die Zeit abzuschmelzende Finanzhilfen für bes. bedeutsame Investitionen gewähren, die zur Abwehr einer Störung des gesamtwirtschaftlichen Gleichgewichts, zum Ausgleich unterschiedlicher Wirtschaftskraft im Bundesgebiet oder zur Förderung des wirtschaftlichen Wachstums erforderlich sind. Bei Naturkatastrophen oder außergewöhnlichen Notsituationen, die sich der Kontrolle des Staates entziehen und die staatliche Finanzlage erheblich beeinträchtigen, kann er sogar ohne entspr.e Gesetzgebungsbefugnisse Finanzhilfen gewähren (Art. 104b Abs. 1 S. 2 GG). Diese Regelungen werden durch Informationspflichten der Länder, Gemeinden und Gemeindeverbänden (Landkreisen) gegenüber Bundestag, Bundesregierung und Bundesrat flankiert (Art. 104b Abs. 3 GG).

5. Länder und Kommunen

Jede bundesstaatliche F. spiegelt sich in den F.en der Gliedstaaten. Neben Redundanzen zur Bundesverfassung (z. B. bei den Haushaltsgrundsätzen, aber auch bei – deklaratorischen – Neuverschuldungsgrenzen auf Ebene der Länderhaushalte) und homogenen Parallel-

regelungen (z. B. zum Verfahren der Haushaltsgesetzgebung, zum Nothaushaltsrecht oder zur Haushaltskontrolle durch Landesrechnungshöfe) enthalten einzelne gliedstaatliche F.en Finanzvorbehalte bei Volksentscheiden, aber auch eine Reihe inhaltlich-gestaltender Vorgaben für die Gesetzgebung über Steuern, die gegenwärtig bundesrechtlich geregelt sind. Zu diesen historisch überkommenen Regelungen, die unter der bundesstaatlichen Kompetenzordnung des GG weitgehend leer laufen, zählen allg.e Verpflichtungen auf das Prinzip der Besteuerung nach der wirtschaftlichen Leistungsfähigkeit (z. B. Art. 123 Abs. 1 BayVerf, Art. 47 HessVerf), Aussagen zum Verhältnis der Verbrauch- und Besitzsteuern zueinander (Art. 123 Abs. 2 BayVerf), zum Erfordernis progressiver Einkommen- und Vermögensteuern (Art. 47 HessVerf), in Bayern zudem die Verpflichtung zur Erhebung einer Erbschaftsteuer zur Verhinderung der „Ansammlung von Riesenvermögen in den Händen einzelner" (Art. 123 Abs. 3 BayVerf).

V. a. aber stellen die Landesverfassungen Regelungen über den kommunalen Finanzausgleich bereit, die ihrerseits durch die Kommunalverfassungen (Gemeindeordnungen, Landkreisordnungen) und Finanzausgleichsgesetze der Länder konkretisiert werden. Dieser gestufte Regelungsverbund zielt auf eine bedarfsgerechte, aber zugl. an den Zielen von Verwaltungseffizienz (Sparsamkeit) und Investitionsfreundlichkeit ausgerichtete Ausgestaltung der Haushalte des Landes, der Gemeinden und der Gemeindeverbände (v. a. der Landkreise). Für die Finanzströme kommt neben den bundesrechtlich vorgezeichneten Ertragskompetenzen den sog.en Schlüsselzuweisungen einerseits und kommunalen Umlagen (v. a. den Kreisumlagen) andererseits zentrale Bedeutung zu. Hinzu treten einfachgesetzliche Verschuldungsverbote für die kommunale Ebene und Konnexitätsregeln, die den Kommunen für den Fall der Übertragung zusätzlicher Aufgaben durch das Land begleitende Finanzierungsansprüche einräumen.

6. Europäische Union

Die vorgenannten Regelwerke wandeln sich unter dem Einfluss des Unionsrechts. Über die materiell-begrenzenden Vorgaben der Maastrichter Stabilitätskriterien hinaus zeigt sich dieser Einfluss v. a. an der Aufnahme eines Sanktionsfolgenregimes in die bundesstaatliche F. des GG. Nach Art. 104a Abs. 6 GG tragen Bund und Länder die Lasten einer Verletzung unionsrechtlicher Verpflichtungen Deutschlands einschließlich der intergouvernemental begründeten Pflichten (auch: im Rahmen des Stabilitäts- und Wachstumspakts) so, wie es der innerstaatlichen Zuständigkeits- und Aufgabenverteilung entspricht. In Fällen länderübergreifender Finanzkorrekturen der ↑EU tragen Bund und Länder diese Lasten im Verhältnis 15:85. Die Ländergesamtheit trägt in diesen Fällen solidarisch 35 % der Gesamtlasten entspr. einem allg.en Schlüssel; 50 % der Gesamtlasten tragen die Länder, die die Lasten verursacht haben, anteilig entspr. der Höhe der erhaltenen Mittel.

Von diesen mitgliedstaatlichen Normen streng zu trennen sind die unionsrechtlichen Regelungen, die funktional den mitgliedstaatlichen F.en entsprechen und den Rechtsrahmen für das Finanzgebaren der EU selbst setzen. Für die EU legen Art. 311–325 AEUV die primärrechtlichen Grundlagen. Einnahmenseitig ist das sog.e Eigenmittelsystem prägend. Der maßgebliche Art. 311 AEUV wird durch Sekundärrecht – namentlich den einstimmig zu verabschiedenden und von den Mitgliedstaaten zu approbierenden Eigenmittelbeschluss –, in ihm vorgesehenes Tertiärrecht (Durchführungsverordnungen des Rates nach Art. 311 Abs. 4 AEUV) und eine Reihe interinstitutioneller Vereinbarungen konkretisiert. Einnahmen und Ausgaben werden gemeinsam durch den mehrjährigen Finanzrahmen koordiniert (Art. 312, 320–324 AEUV; ↑Finanzplanung), der i. d. R. einen Siebenjahreszeitraum umfasst und u. a. die jährlichen Obergrenzen der Mittel für Verpflichtungen je Ausgabenkategorie und die jährliche Obergrenze der Mittel für Zahlungen enthält. Aus dem mehrjährigen Finanzrahmen wird der Jahreshaushaltsplan der Union (Art. 313–316, 320–324 AEUV) abgeleitet, der seinerseits durch Kommission und Mitgliedstaaten nach methodischer Maßgabe einer Haushaltsordnung (Art. 317, 322 AEUV) vollzogen wird. Diese Haushaltsordnung begründet Kontroll- und Wirtschaftsprüfungspflichten der Mitgliedstaaten. Das Finanzgebaren der EU unterliegt der Kontrolle durch Union (↑Europäische Kommission, namentlich das in der TAXUD ressortierende, aber mit institutioneller Unabhängigkeit ausgestattete OLAF) und Mitgliedstaaten (Art. 325 AEUV).

7. Internationale Organisationen

Demgegenüber stehen den auf völkervertraglicher Grundlage errichteten ↑Internationalen Organisationen i. d. R. keine Eigenmittel, sondern nur Beiträge ihrer Mitglieder (Mitgliedstaaten) zur Verfügung. Ausnahmen bilden die Einkommensbesteuerung der eigenen Bediensteten sowie die Zahlungen für den Abbau von Bodenschätzen auf dem Meeresgrund und -untergrund der Hohen See, die nach Art. 82 ICLOS der Internationalen Meeresbodenbehörde zustehen, von dieser aber an Entwicklungsländer auszukehren sind.

Literatur

H.-G. Henneke: Öffentliches Finanzwesen, ³2018 • S. Huhnholz: Was soll das heißen: „Steuerstaat", in: W. Nienhüser/U. Schmiel (Hg.): Steuern und Gesellschaft. Jahrbuch Ökonomie und Gesellschaft, Bd. 29, 2017, 15–48 • H. Tappe/R. Wernsmann: Öffentliches Finanzrecht, 2015 • U. Haltern: Die künftige Ausgestaltung der bundesstaatlichen Finanzordnung, in: VVDStRL, Bd. 73, 2014, 103–152 • M. Kloepfer: Finanzverfassungsrecht mit Haushaltsverfassungsrecht, 2014 • E. Reimer: Die künftige Ausgestaltung der bundesstaatlichen Finanzordnung, in: VVDStRL, Bd. 73, 2014, 153–186

• G. Bizioli/C. Sacchetto (Hg.): Tax Aspects of Fiscal Federalism, 2011 • W. Kahl (Hg.): Nachhaltige Finanzstrukturen im Bundesstaat. Recht der nachhaltigen Entwicklung, Bd. 5, 2011 • S. Kempny: Die Staatsfinanzierung nach der Paulskirchenverfassung, 2011 • H. Kube: Der bundesstaatliche Finanzausgleich. Verfassungsrechtlicher Rahmen, aktuelle Ausgestaltung, Entwicklungsperspektiven, 2011 • Europäische Kommission: Die Finanzverfassung der Europäischen Union, ⁴2009 • L. Hummel: Verfassungsrechtsfragen der Verwendung staatlicher Einnahmen, 2008 • J. Hey: Finanzautonomie und Finanzverflechtung in gestuften Rechtsordnungen, in: VVDStRL, Bd. 66, 2007, 277–334 • C. Waldhoff: Finanzautonomie und Finanzverflechtung in gestuften Rechtsordnungen, in: VVDStRL, Bd. 66, 2007, 216–276 • H. Kube: Finanzgewalt in der Kompetenzordnung, 2004 • J. Hidien: Der bundesstaatliche Finanzausgleich in Deutschland, 1999 • K. Vogel/C. Waldhoff: Grundlagen des Finanzverfassungsrechts, 1999 • S. Korioth: Der Finanzausgleich zwischen Bund und Ländern, 1997 • F. Kirchhof: Grundsätze der Finanzverfassung im vereinten Deutschland, in: VVDStRL, Bd. 52, 1993, 71–110 • P. Selmer: Grundsätze der Finanzverfassung des vereinten Deutschlands, in: VVDStRL, Bd. 52, 1993, 10–70.   EKKEHART REIMER

Finanzverwaltung

F. ist der Teil der ↑Verwaltung, der sich insb. mit der Festsetzung und Erhebung von ↑Steuern, ↑Zöllen, Beiträgen, Gebühren und sonstigen ↑Abgaben sowie der Vermögensverwaltung befasst.

1. Verteilung der Aufgaben zwischen Bund und Ländern

Nach dem allg.en bundesstaatlichen Verteilungsprinzip besteht eine Bundes-F. nur, soweit das GG dies bestimmt oder zulässt. Gemäß Art. 108 Abs. 1 GG verwalten Bundesfinanzbehörden die Zölle und Finanzmonopole, die bundesgesetzlich geregelten Verbrauchsteuern, die Abgaben im Rahmen der EU, die KFZ-Steuer und sonstige auf motorisierte Verkehrsmittel bezogene Steuern. Die übrigen Steuern werden von Landesfinanzbehörden verwaltet (Art. 108 Abs. 2 GG). Mit ESt, KSt und USt sind die Länder für den wesentlichen Teil der staatlichen Einnahmen zuständig. Landesfinanzbehörden verwalten i. d. R. auch die ↑Kirchensteuer. Die Verwaltung sonstiger Abgaben ist Aufgabe der für die jeweilige Sachaufgabe zuständigen Körperschaft. Entspr. es gilt für die Vermögensverwaltung.

Wiederkehrender Gegenstand bundesstaatlicher Reformüberlegungen ist die Aufteilung der Steuerverwaltungshoheit. Zuständigkeitsfragen sind im ↑Bundesstaat immer auch Machtfragen zwischen dem Zentralstaat und seinen Gliedern. Für eine Zentralisierung sprechen Gesichtspunkte wie Verwaltungseffizienz oder Einheitlichkeit des Gesetzesvollzugs. Bei der Beratung des GG hatte sich die deutsche Seite nachdrücklich für eine Bundes-F. ausgesprochen. Sie konnte sich damit aber gegen den Willen der Alliierten nicht durchsetzen, die eine klare Trennung der F. von Bund und Ländern gefordert hatten. Sie hielten es allenfalls für vertretbar, dem Bund die Verwaltungshoheit über Zölle und bes. Verbrauchssteuern einzuräumen. Weitergehende Kompetenzen des Bundes in der F. erschienen ihnen mit den Grundsätzen eines föderalen Staatsaufbaus (↗ Föderalismus) unvereinbar. Die strikte Trennung der Zuständigkeiten wurde insb. durch die Finanzreform 1969 und die Föderalismusreform 2009 aufgelockert und um kooperative Elemente ergänzt. Dem Bund ist es aber nicht gelungen, eine weitgehend zentralisierte Bundessteuerverwaltung einzurichten. Dem steht der bundesstaatliche Grundsatz der Eigenstaatlichkeit der Länder entgegen, der sich bes. im Ausmaß ihrer finanziellen Selbstständigkeit niederschlägt. Mit der Zustimmung der Länder zu einer Bundessteuerverwaltung ist daher auch künftig nicht zu rechnen.

Die Länder verwalten die bundesgesetzlich geregelten Steuern grundsätzlich als eigene Angelegenheiten. Soweit der Ertrag einer Steuer ganz oder z. T. dem Bund zusteht, wie bei Einkommen-, Körperschaft- und Umsatzsteuer, verwalten sie die Steuern im Auftrag des Bundes (Art. 108 Abs. 3 GG). Ein bundesweit einheitlicher Vollzug der Steuergesetze dient der Steuergerechtigkeit, der Wahrung der Einheitlichkeit der Lebensverhältnisse im Bundesgebiet sowie der Wettbewerbsneutralität und Ausgewogenheit der Besteuerung der Unternehmen. Auch die auf den Steuereinnahmen der Länder basierenden bundesstaatlichen Steuerverteilungs- und Finanzausgleichsysteme (↗ Finanzausgleich) der Gebietskörperschaften können nur auf Basis einer einheitlichen Anwendung der Steuergesetze zu annehmbaren Ergebnissen führen. Zur Sicherung eines einheitlichen Steuervollzugs sowie der Einnahmen des Bundes hat der Bundesminister der Finanzen ein Weisungsrecht bei den Gemeinschaftssteuern. Bund und Länder sind seit jeher unterschiedlicher Auffassung, ob dieses Weisungsrecht auf Einzelfälle beschränkt ist oder auch allg.e Vorgaben für die Anwendung der Steuergesetze zulässt. Die Praxis behilft sich pragmatisch, indem Bund und Länder auf der Grundlage einer Bund-Länder-Vereinbarung vom 15.1.1970 die Verwaltungsauffassung in Steuerfragen in sog.en BMF-Schreiben gemeinsam festlegen (§ 21a FVG).

Soweit es den Vollzug der Steuergesetze erheblich verbessert oder erleichtert, dürfen Bundesbehörden und Landesbehörden bei der Verwaltung von Steuern zusammenwirken. Bund und Länder wirken auf dieser Grundlage v. a. im Bereich der steuerlichen Außenprüfung (Betriebsprüfung) sowie der automatischen Datenverarbeitung zusammen. Unter den gleichen Voraussetzungen kann die Verwaltung von Steuern vom Bund auf die Länder und umgekehrt übertragen werden (Art. 108 Abs. 4 GG). Derartige Abweichungen von der grundsätzlichen Zuständigkeitstrennung müssen jedoch Ausnahmen bleiben.

2. Behördenaufbau

Bundes-F. und Landes-F. sind mehrstufig aufgebaut. Einzelheiten regelt das FVG. Die Bundes-F. wird in bundeseigener Verwaltung mit eigenem Verwaltungsunterbau geführt. An der Spitze steht das Bundesministerium der Finanzen. Bundesoberbehörden sind das Bundeszentralamt für Steuern, das Bundesamt für zentrale Dienste und offene Vermögensfragen, das Bundesausgleichsamt sowie die Bundesmonopolverwaltung für Branntwein. Mittelbehörden sind die Bundesfinanzdirektionen und das Zollkriminalamt, untere (örtliche) Finanzbehörden die Hauptzollämter und Zollfahndungsämter. Die Leiter von Bundesmittelbehörden werden im Benehmen mit den Landesregierungen bestellt, die kein echtes Mitentscheidungsrecht haben. Daneben stehen Bundesanstalten wie die BaFin und die FMSA. Die Kreditaufnahme und das Schuldenmanagement des Bundes sind weitgehend privatisiert und der Bundesrepublik Deutschland – Finanzagentur GmbH als Nachfolgerin der zum 1.8.2006 aufgelösten Bundesschuldenverwaltung übertragen. Die Steuerverwaltung darf nicht privatisiert werden, sondern ist Aufgabe von Bundes- und Landesfinanzbehörden. Auch die F. der Länder sind regelmäßig dreistufig aufgebaut. An ihrer Spitze stehen die Landesminister der Finanzen. Die Leiter der Mittelbehörden können nur mit Zustimmung des Bundes ernannt werden. Auf örtlicher Ebene sind Finanzämter zuständig. Steht der Ertrag einer Steuer ausschließlich den ↗ Gemeinden oder Gemeindeverbänden zu, können die Länder den Kommunen die entspr.en Verwaltungskompetenzen übertragen. Das ist in den Flächenstaaten hinsichtlich der Festsetzung von ↗ Grundsteuer und ↗ Gewerbesteuer sowie der Verwaltung der örtlichen Aufwand- und ↗ Verbrauchsteuern wie Vergnügungs-, Hunde- und Getränkesteuer geschehen.

3. Verfahrensregeln

Das Verwaltungsverfahren für Bundes-, Landes- und Gemeindesteuern ist seit 1977 in der Abgabenordnung geregelt, die für alle Steuern gilt, die durch Bundesrecht oder das Recht der EU geregelt sind und von Bundes- oder Landesfinanzbehörden verwaltet werden.

Die Finanzgerichtsbarkeit steht als Teil der rechtsprechenden Gewalt außerhalb des Behördenaufbaus und genießt richterliche Unabhängigkeit. Sie ist zweistufig aufgebaut und wird durch die Finanzgerichte der Länder und den Bundesfinanzhof ausgeübt. Das Verfahren ist in der FGO geregelt.

Literatur

P. Badura: Staatsrecht, ⁶2015 • I. Kemmler: Kommentar zu Art. 108 GG, in: B. Schmidt-Bleibtreu/H. Hofmann/G. Henneke (Hg.): Kommentar zum Grundgesetz, ¹³2014, 2255–2263 • H. Siekmann: Kommentar zu Art. 108 GG, in: Sachs (Hg.): Grundgesetz Kommentar, ⁷2014, 2280–2296 • H. Kube: Kommentar zu Art. 108 GG, in: V. Epping/C. Hillgruber, Grundgesetz, ²2013, 1711–1719 • A. Leisner-Egensperger: Gesetzgebungs- und Verwaltungskompetenzen von Bund und Ländern im Bereich der Steuern, in: I. Härtel (Hg.): Hdb. Föderalismus, 2012, 365–387 • W. Heun: Kommentar zu Art. 108 GG, in: H. Dreier (Hg.): Grundgesetz Kommentar, Bd. 3, ²2008, 996–1011 • R. Wendt: Finanzhoheit und Finanzausgleich, in: HStR, Bd. 6, ³2008, 875–963 • R. Seer: Kooperativ-föderale Steuerverwaltung in Deutschland, in: M. Achats u. a. (Hg.): FS für H.-G. Ruppe, 2007, 533–550 • P. Kirchhof: Finanzverwaltung und Grundgesetz, in: H. Vogelsang (Hg.): Perspektiven der Finanzverwaltung, 1992, 1–25 • E. Schweigert: Die Finanzverwaltung Westdeutschlands in der Zeit vom 2. Weltkrieg bis zur Neuordnung durch das Grundgesetz, 1970 • H. Höpker-Aschoff: Das Finanz- und Steuersystem des Bonner GG, in: AöR 75 (1949), 306–331.

SEBASTIAN MÜLLER

Finanzwissenschaft

1. Gegenstand

Die F. beschäftigt sich mit der Rolle des ↑Staates in der ↑Wirtschaft. Der Staat greift in fast alle Bereiche des wirtschaftlichen Lebens ein, z.B. durch Regulierung (Bankenregulierung, Umweltstandards), Besteuerung (z.B. ESt, MwSt) und Staatsausgaben (z.B. Finanzierung öffentlicher Güter, ↑Sozialpolitik). Die F. analysiert die tatsächliche Ausgestaltung der ↑Politik in diesen Bereichen, erforscht ihre Auswirkungen auf das Verhalten von Individuen und ↑Unternehmen und leitet Politikempfehlungen ab. Traditionell ist der Kernbereich der finanzwissenschaftlichen Forschung die Analyse der Einnahmen und Ausgaben der öffentlichen Haushalte; seit den letzten Jahrzehnten werden zunehmend weitere Bereiche (z.B. Verteilungspolitik, ↑Umweltökonomik, neue politische Ökonomie) als Teile der F. gesehen. Diese Entwicklung spiegelt sich auch darin wieder, dass im angelsächsischen Sprachraum der Ausdruck *Public Economics* die ältere Bezeichnung *Public Finance* weitgehend verdrängt hat.

2. Geschichte

Die F. hat ihre Ursprünge im ↑Kameralismus des 17. und 18. Jh. und geht somit noch auf die Zeit vor den klassischen Nationalökonomen (↑Klassische Nationalökonomie) wie Adam Smith und David Ricardo zurück. Ziel der Kameralisten war die Sicherstellung der Solidität der Staatsfinanzen, um den Wohlstand absolutistischer Landesfürsten (↑Absolutismus) zu sichern. Bei den klassischen Nationalökonomen des 18. und frühen 19. Jh. war die Rolle des ↑Staates hingegen auf Landesverteidigung, ↑Infrastruktur und ↑Bildung begrenzt; die Einflussmöglichkeiten des Staates sollten eher beschränkt als erweitert werden. Die Hauptfragestellung war, wie der Staat die auch für diese minimale Rolle notwendigen Finanzmittel erhält, also bspw. wie das Steuersystem möglichst verzerrungsfrei gestaltet werden kann. Der Hauptbeitrag der Neoklassiker in der zweiten Hälfte des 19. Jh. zur F. war methodisch: Sie führten die Marginalbetrachtung ein, welche die methodische Grundlage der modernen F. bildet.

Im 20. Jh. haben sich zwei parallele Strömungen entwickelt, die die Staatätigkeit aus unterschiedlichen Blickwinkeln betrachten. Die *normative* Theorie der Staatätigkeit untersucht, wie ein wohlwollender sozialer Planer die Einnahmen und Ausgaben des Staates gestalten würde. Die Ziele des sozialen Planers werden dabei bspw. durch soziale Wohlfahrtfunktionen abgebildet. Darüber hinaus wird analysiert, wie der Staat ↑Marktversagen (verursacht z.B. durch ↑externe Effekte oder öffentliche Güter) beheben kann. Erik Lindahl, Arthur Pigou, Ronald Coase und Richard Musgrave haben aus dieser Perspektive wichtige Erkenntnisse beigetragen. Die *positive* Theorie hingegen hat das Ziel, beobachtete Handlungen zu erklären. Sie beschreibt, wie rationale Individuen auf Staatseingriffe reagieren. Des Weiteren analysiert sie, wie Entscheidungen über Staatätigkeit getroffen werden. Dem Grundsatz des methodologischen Individualismus folgend baut die positive Theorie darauf auf, dass Politikentscheidungen immer von Individuen mit eigenen Zielen (z.B. Wiederwahl) getroffen werden. Vertreter sind bspw. Knut Wicksell, James Buchanan und Gordon Tullock. In den letzten Jahrzehnten hat zusätzlich die ökonometrische Analyse (↑Ökonometrie) stark an Bedeutung in der F. gewonnen. Dabei werden mit empirischen Daten u.a. die tatsächlichen Folgen staatlicher Eingriffe untersucht. Die ökonometrische Analyse unterstützt und untermauert so positive und normative Analysen.

3. Kernthemen

Die Aufgaben des Staates zur Gestaltung der Wirtschaftätigkeit werden seit R. Musgrave üblicherweise in drei Teilbereiche untergliedert. Demnach hat der Staat eine Allokationsfunktion, eine Verteilungsfunktion und eine Stabilisierungsfunktion.

Die *allokative* Aufgabe des Staates ist es, eine effiziente Aufteilung und Verwendung von knappen Ressourcen zu ermöglichen bzw. die Akteure in einer arbeitsteiligen ↑Wirtschaft zu koordinieren. Ein perfekter ↑Markt führt zu einer effizienten ↑Allokation. Versagt der Markt, bspw. aufgrund von ↑externen Effekten, öffentlichen Gütern oder natürlichen Monopolen, kann ein Staatseingriff eine effiziente Allokation herstellen. Auch unvollständige ↑Informationen oder verhaltensökonomische Beschränkungen der Marktteilnehmer können verhindern, dass der Markt ein effizientes Ergebnis herbeiführt, und so Staatseingriffe rechtfertigen.

Eine effiziente Allokation führt allerdings nicht notwendigerweise zu einer Situation, die dem Gerechtigkeitsempfinden der ↑Gesellschaft entspricht. Daher hat der Staat auch eine *Verteilungsfunktion*, d.h. er greift in die Wirtschaft ein, um die Einkommens- oder Vermögensverteilung zu verändern. Dies geschieht vorrangig durch die Ausgestaltung der ↑Sozialversicherung und der ESt. Das Ziel ist hierbei, die soziale Sicherung und das Steuersystem so auszugestalten, dass die Arbeitsanreize und weiteres Verhalten nicht in unerwünschter Weise verzerrt werden.

Eine dritte Aufgabe des Staates ist nach R. Musgrave der Ausgleich von *Konjunkturschwankungen*. Diese *Stabilisierungsfunktion* des Staates wird heute teilweise in der Makroökonomik analysiert. Fragestellungen im Grenzbereich sind bspw. die Analyse der Auswirkungen von Staatsverschuldung auf den finanziellen Spielraum des Staates und das ↑Wirtschaftswachstum.

Neben diesen Aufgaben des Staates zur Gestaltung der Wirtschaft analysiert die F. die Bedingungen, unter denen der Staat handelt. Ein Aspekt ist dabei, dass die Staatstätigkeit durch äußere Faktoren beschränkt wird. Jeder Staat steht mit anderen Staaten im ↑Wettbewerb um mobile Faktoren. Mobiles ↑Kapital und Unternehmensgewinne können daher nur eingeschränkt besteuert werden. Auch unterschiedliche Ebenen des Staates (wie Bund, Länder, ↑Gemeinden) konkurrieren untereinander (Fiskalföderalismus). Hier untersucht die F. z.B., welche ↑Staatsaufgaben auf welcher Ebene ausgeführt werden sollten.

Auch die Eigeninteressen von Politikern und ↑Parteien beeinflussen die Handlungsmöglichkeiten des Staates. Dies wird in der ↑Neuen Politischen Ökonomik (oder *Public Choice*-Theorie) untersucht. Der Fokus liegt dabei auf der Erklärung des tatsächlichen Verhaltens politischer Organe. Basierend auf der Grundannahme des methodologischen Individualismus wird untersucht, welche Politikentscheidungen Politiker treffen, wenn sie ihren eigenen ↑Nutzen maximieren.

4. Methodik

Die moderne F. bedient sich aller Methoden der VWL. Ein Schwerpunkt ist die theoretische Analyse, bei der finanzwissenschaftliche Zusammenhänge durch mathematische Modelle abgebildet werden. So können bspw. Fragen nach der optimalen Ausgestaltung von staatlichen Eingriffen (u. a. Optimalsteuertheorie) beantwortet werden. Dabei wird oft das Modell des *Homo Oeconomicus* genutzt; es kann aber auch begrenzte ↑Rationalität abgebildet werden. Modelle werden teilweise durch Simulationen ergänzt, bspw. um die Auswirkungen einer möglichen ↑Reform quantifizieren zu können.

Der zweite Schwerpunkt der finanzwissenschaftlichen ↑Forschung ist die empirische Arbeit, bei der die verschiedenen Methoden der Ökonometrie eingesetzt werden. In den letzten Jahren zeigt sich eine zunehmende Tendenz zur Empirie. Das Ziel ist dabei, soweit möglich kausale Zusammenhänge aufzuzeigen. Dazu werden auch verstärkt Feld- und Laborexperimente genutzt.

Literatur

J. Gruber: Public Finance and Public Policy, 2016 • D. Brümmerhoff/T. Büttner: Finanzwissenschaft, 2014 • C. Blankart: Öffentliche Finanzen in der Demokratie, 2011 • B. Wigger: Grundzüge der Finanzwissenschaft, 2005 • D. Mueller: Public Choice III, 2003 • D. Wellisch: Finanzwissenschaft, Bd. I–III, 2000 • J. Buchanan/R. Musgrave: Public Finance and Public Choice: Two Contrasting Visions of the State, 1999 • G. Myles: Public Economics, 1995 • A. Atkinson/J. Stiglitz: Lectures in Public Economics, 1980 • R. Musgrave/P. Musgrave: Public Finance in Theory and Practice, 1973 • J. Buchanan: Public Finance in Democratic Process: Fiscal Institutions and Individual Choice, 1967 • R. Musgrave: The Theory of Public Finance: A Study in Public Economy, 1959.

DOMINIKA LANGENMAYR

Fiskalpolitik ↑Geldpolitik

Fiskalunion

1. Der Weg zur europäischen Fiskalunion

In den römischen Verträgen von 1956 war von finanzpolitischer Zusammenarbeit noch wenig zu finden. Erst in den neunziger Jahren des letzten Jh., als es um die Schaffung einer Europäischen Währungsunion ging, kam es zu einer breiteren öffentlichen Diskussion über dieses Thema. Die Debatte fand unter dem Stichwort „Krönungstheorie" statt: Danach könne und solle eine Währungsunion sinnvollerweise erst dann geschlossen werden, wenn die europäischen Staaten sich vorab zu einer „Politischen Union" mit allen wirtschafts-, finanz- und sozialpolitischen Kompetenzen eines föderalen Staates zusammengefunden hätten. Wirtschaftstheoretisch wurde das damit begründet, dass unterschiedliche Wachstums-, Inflations- und Beschäftigungsentwicklungen bei nationalen ↑Währungen über Wechselkursanpassungen ausgeglichen werden. Das sei in einer Währungsunion nicht mehr möglich.

Auf der anderen Seite stand das Interesse, mit einer gemeinsamen Währung der europäischen Idee neue Impulse zu geben. Da in den 90er Jahren – und auch fernerhin nicht – keine Bereitschaft zur Vergemeinschaftung der ↑Wirtschafts- und ↑Finanzpolitik bestand, suchte man den kleinsten gemeinsamen Nenner in einem Vertragsbündnis mit Regeln, das gravierende Divergenzen in der fiskalischen Entwicklung der Teilnehmer der Währungsunion verhindern und die Kongruenz der Wirtschafts- und Finanzpolitik fördern sollte.

2. Der Vertrag von Maastricht und der Stabilitäts- und Wachstumspakt

Mit dem Maastricht-Vertrag von 1992 zur Schaffung einer Währungsunion wurden als Aufnahmebedingungen die sog.en Konvergenzkriterien eingeführt, die neben der finanzpolitischen Stabilität auch die Inflationsrate, das Zinsniveau und die erfolgreiche Teilnahme am vorlaufenden Wechselkursverbund (EWS) umfassen. Die „auf Dauer tragbare Finanzlage der öffentlichen Haushalte" (Art. 109 j, EUV) wurde durch eine Höchstgrenze für das Verhältnis zwischen öffentlichem Schuldenstand und Bruttoinlandsprodukt von 60 % und eine Defizitquote von 3 % (Finanzierungsdefizit des Staates in Prozent des BIP) definiert. Die maximal erlaubte Schuldenstandsquote entsprach dem europäischen Durchschnitt bei Vertragsabschluss. Die Defizitquote stellte sicher, dass bei einem durchschnittlichen nominalen ↑Wirtschaftswachstum von 5 % der relative Schuldenstand konstant blieb. Letztlich waren aber beide Werte gegriffen, was von Ökonomen wie von Politikern später immer wieder als Argumentation gegen diese Vorgaben genutzt wurde.

Um die Nachhaltigkeit der Finanzkennziffern zu gewährleisten, entwickelten das Bundesministerium der Finanzen und die ↑Deutsche Bundesbank die Idee eines Stabilitätspaktes, der die dauerhafte Einhaltung der Stabilitätskriterien zum Ziel hatte. In Deutschland galt es, im zeitlichen Vorfeld zum Wirksamwerden der dritten, entscheidenden Stufe der Währungsunion zum 1.1.1999, Kritiker zu beruhigen, die sich um den Bestand der deutschen Stabilitätskultur sorgten. Im Bundesfinanzministerium wurden deshalb in Abstimmung mit den Fachleuten der Bundesbank erste Konzepte für einen „Stabilitätspakt" entworfen, der auf den haushaltpolitischen Konvergenzkriterien beruhte, und darüber hinaus mittelfristig ausgeglichene ↑Staatshaushalte forderte. Abweichungen sollten nach kurzen Warnphasen mit automatischen finanziellen Sanktionen belegt werden. Nur im Falle von Naturkatastrophen und bei gravierenden Konjunkturabschwächungen sollten kurzfristige Überschreitungen der Verschuldungsgrenzen erlaubt sein. Über all das sollte in jährlichen, zu überprüfenden, Konvergenzberichten rapportiert werden. Ein automatischer Sanktionsmechanismus war nicht durchsetzbar. Die Mitgliedsstaaten verpflichteten sich, die Ausnahmeregeln nur in einem engen, zahlenmäßig fixierten Ausmaß in Anspruch zu nehmen.

Auf französisches Drängen wurde aus dem Stabilitätspakt ein „↑Stabilitäts- und Wachstumspakt". In der Überschrift wurde das Wort „Wachstum" eingefügt, im Text ein Passus ergänzt, wonach durch Strukturmaßnahmen Wachstum generiert werden soll. In dieser Form wurde er als Verordnung des ↑Europäischen Rates im Juli 1997 in Kraft gesetzt.

Seit diesem Zeitpunkt wird der Pakt kritisiert und nur zögernd angewandt. Bei der Prüfung der Konvergenzkriterien für den Beginn und den Beitritt zur Währungsunion mussten sich Italien und Belgien verpflichten, zusätzliche Maßnahmen zur Reduzierung ihrer Staatsschulden zu ergreifen. Im Fall Griechenlands, das im Jahr 2001 aufgenommen wurde, kam es später zum Nachweis zu niedrig ausgewiesener Defizitquoten.

Der eigentliche Sündenfall, von dem sich der Pakt bis in die Gegenwart nicht erholt hat, war die nichtsanktionierte Überschreitung der 3 %-Defizitgrenze durch Deutschland und Frankreich in den frühen Bewährungsjahren 2002 und 2003. Die ↑Europäische Kommission leitete zwar entspr.e Defizitverfahren nach den rechtlichen Vorgaben ein, wurde aber von den betroffenen Ländern und südeuropäischen Verbündeten daran

gehindert, es zum strafbewehrten Ende zu führen. Auseinandersetzungen vor dem ↑EuGH wurden später eingestellt, weil Deutschland ab 2005 wieder zur Haushaltsdisziplin zurück fand.

Der Pakt erlebte später immer wieder Veränderungen, die von den Reformvertretern als Verschärfung betrachtet wurden. Zu nennen ist bspw. der sog.e „Sixpack" vom Dezember 2011. Damit wurde versucht, die fiskalischen Vorgaben des Paktes besser in ein makroökonomisches Umfeld durch ein Indikatorensystem einzupassen und so die Nachhaltigkeit der jeweiligen Budgetpolitik frühzeitiger und angemessener zu beurteilen. Zudem wurden die Sanktionen bei Nichtbeachtung des Paktes verschärft. Anderseits gab es auch immer wieder Versuche, die Härte der Defizitgrenze z. B. durch das Herausrechnen von Investitions- oder Verteidigungsausgaben zu verringern.

Zur europäischen F. gehören auch die Notinstrumente, die in der ↑Finanzmarkt- und ↑Eurokrise ab 2008 geschaffen wurden. So trat im September 2012 der Vertrag über den ESM in Kraft, der mit Bürgschaften und ↑Krediten in finanzielle Schieflage geratene Mitgliedsländern die Rückkehr zur budgetären Stabilität ermöglichen soll.

Im Dezember 2011 vereinbarte der Rat einen über die Währungsunion hinausreichenden „Europäischen Fiskalpakt", der insb. eine „Schuldenbremse", ähnlich der Regelung für Bund und Länder in Deutschland, vorsieht. Danach sollen sich die teilnehmenden Staaten auf zeitlich definierte Pläne zur Rückführung ihrer Defizite verpflichten.

3. Bewertung der Zukunftsperspektiven
Bisher bleibt die europäische F. aus zwei Gründen in ihrer Wirkung begrenzt:

Zum einen wird sie durch den Jh. alten Ökonomenstreit über die effiziente Ausrichtung der ↑Finanzpolitik gelähmt. Während die eine Lehrmeinung der Budget- und Steuerpolitik die Rolle zuweist, vorübergehende Wachstumsschwächen mit dynamischem staatlichen Ausgabenwachstum unter Inkaufnahme von Finanzierungsdefiziten zu begegnen, ist die andere der Meinung, Wachstum und Preisstabilität setzen mehr oder weniger ausgeglichene Staatshaushalte voraus. Die erstgenannten halten dementsprechend die europäischen Stabilitätsvorgaben für „ökonomisch unintelligent".

Die zweite Schwäche der F. liegt in der geringen Bereitschaft der Mitgliedsländer der ↑EU, noch weitergehende Kompetenzen im Budgetbereich auf die Gemeinschaft zu übertragen, denn das Budgetrecht ist die Kernkompetenz der nationalen Parlamente.

Ein Vertragsbündnis wie die ↑EWWU lebt vom Vertrauen in die Einhaltung der vereinbarten Regeln. D. i. die Aufgabe von Kommission und Ecofin, der sie bisher unzureichend nachgekommen sind. Festzustellen ist aber auch, dass sowohl der EuGH als auch das BVerfG bisher alle Rettungsmaßnahmen im Rahmen des Fiskalpaktes für rechtlich zulässig erachtet und so die Mechanismen bestätigt hat.

Literatur

R. Streinz: Rechtliche Rahmenbedingungen der Krise, in: K.-S. Stieber (Hg.): Brexit und Grexit, Argumente und Materalien zum Zeitgeschehen, 2015, 7–14 • Sachverständigenrat zur Begutachtung der gesamtwirtschaftlichen Entwicklung: Jahresgutachten 2010 • K. Hentschelmann: Der Stabilitäts- und Wachstumspakt, 2009 • H. Tietmeyer: Herausforderung Euro, 2005 • T. Waigel: Vom finanzpolitischen Alltag zur europäischen Vision, in: T. Waigel (Hg.): Unsere Zukunft heißt Europa, 1996, 9–29.
WALTHER OTREMBA
UND THEO WAIGEL

Fiskus

1. Begriff

Historisch wie gegenwärtig wird unter dem Begriff F. Unterschiedliches verstanden: Eine neben dem hoheitlich handelnden ↑Staat stehende selbständige Rechtsperson; der Staat als Teilnehmer am Privatrechtsverkehr (Staat als Privatrechtssubjekt); der Staat in seiner Eigenschaft als Vermögenssubjekt oder der Staat als Teilnehmer am Wirtschaftsleben. Umgangssprachlich wird der F. zur Personifikation des ↑Steuern erhebenden und Steuern verwaltenden Staates.

2. Geschichte, insb. Fiskustheorien

F. (von lat. [Geld-]Korb) als Rechtsbegriff ist römischrechtlichen Ursprungs. *Fiscus* bezeichnet urspr. das private Vermögen eines Bürgers, später auch die Finanzausstattung der Provinzstatthalter. Daraus entwickelt sich *fiscus* als Begriff für das als selbständige Rechtspersönlichkeit gedachte Vermögen des Kaisers, das zu Beginn des Prinzipats in scharfe terminologische Entgegensetzung zum dem Senat unterstehenden Staatsschatz *(aerarium populi Romani)* gebracht wird. Entspr. der Herrschaftsideologie des frühen Prinzipats, die den Kaiser neben seinen republikanischen Ämtern als bloßen Privatmann betrachtete, unterlag dieses Krongut des Kaisers dem Privatrecht, während der Staatsschatz öffentlich-rechtlich gebunden war. Diese strikte Unterscheidung verlor sich spätestens ab dem 3. Jh. Der Begriff gelangte mit der Rezeption des römischen Rechts jedoch auch in den deutschen Rechtskreis, konnte in der Sache angesichts des Fehlens einer Unterscheidung zwischen ↑öffentlichem Recht und ↑Privatrecht in der (spät-)mittelalterlichen Rechtsordnung jedoch noch nicht rezipiert werden. Im Zuge der frühneuzeitlichen Staatsbildungsprozesse und der Entwicklung eines Konzepts der ↑Souveränität des Staates wurden die zuvor als Bündel gesehenen Herrschaftsbefugnisse zunehmend zu einer als einheitlich aufgefassten Staatsgewalt verdichtet. Im ↑Absolutismus wurden vor diesem Hintergrund zunehmend die Möglichkeiten des Rechts-

schutzes der Untertanen gegenüber staatlichem Handeln eingeschränkt. So entzogen sich viele Landesherrn etwa durch ein *privilegium de non appellando* der Kontrolle durch Reichsgerichte. Diese Tendenz zur Beschränkung des direkten Rechtsschutzes wohlerworbener Rechte gegen die zunehmend als souverän gedachte Staatsgewalt setzte sich in den polizeistaatlich geprägten Territorialstaaten des 18. und des frühen 19. Jh. fort. Zur Kompensation konstruierte die Fiskustheorie ein selbständiges, neben dem Staat stehendes (Privat-)Rechtssubjekt, den F. als Träger des ↑Staatsvermögens. Der F. agierte privatrechtlich, konnte mithin auch verklagt werden. Die Klage ging freilich nicht auf Aufhebung des belastenden Hoheitsaktes, sondern auf Geldersatz. Die zweckbedingte Umwandlung einer im Kern hoheitlichen Rechtsbeziehung in eine privatrechtliche Entschädigungssituation sollte so auch unter den Bedingungen des Polizeistaates ein Minimum an Rechtsschutz ermöglichen. Mit dem Aufkommen einer ↑Verwaltungsgerichtsbarkeit in der zweiten Hälfte des 19. Jh. verlor diese Konstruktion an Notwendigkeit wie an Überzeugungskraft. Der Staat konnte als einheitliche Rechtsperson begriffen und auf die Fiktion anderer Rechtssubjekte als seines alter ego verzichtet werden. Im konstitutionellen staatsrechtlichen System des 19. Jh. blieb in prinzipiell rechtsfreien Räumen die Figur noch erhalten; bekanntestes Beispiel ist der sog.e Militärfiskus. Die überkommene der F.-Theorie entspr.e Sentenz „dulde und liquidiere" wurde im deutschen Enteignungsrecht (↑Enteignung) erst durch die sog.e Nassauskiesungsentscheidung des BVerfG aus dem Jahr 1981 endgültig aufgegeben (BVerfGE 58, 300). Bis dahin besaß der Bürger grundsätzlich ein Wahlrecht, ob er gegen eine als rechtswidrig empfundene Eigentumsbeeinträchtigung seitens des Staates im Verwaltungsrechtsweg vorging, um diese zu beseitigen, oder ob er darauf verzichtete und gleich Entschädigung in Geld verlangte. Mit dieser Entscheidung stellte das BVerfG klar, dass die Abwehr der Eigentumsbeeinträchtigung im Verwaltungsrechtsweg (sog.er Primärrechtsschutz) dem Anspruch auf Enteignungsentschädigung (sog.er Sekundärrechtsschutz) vorgeht, ein Wahlrecht mithin nicht mehr besteht.

3. Fiskusprivilegien

Nimmt der Staat am Privatrechtsverkehr teil, stehen ihm auch heute noch einige Sonderrechte zu, die sog.en F.-Privilegien: Er darf sich herrenlose Grundstücke aneignen (§ 928 Abs. 2 BGB), für Grundstücke des F. werden nur auf seinen Antrag hin Grundbuchblätter angelegt (§ 3 Abs. 2 GBO), der F. ist subsidiärer Erbe (§ 1936 BGB), für die zivilprozessuale Zwangsvollstreckung gegen den F. gelten Besonderheiten (§ 882a ZPO; Art. 22 BayAGGVG) u. a. mehr. Zu den F.-Privilegien zählt auch die zunehmend eingeschränkte und in ihrem Sinn inzwischen zweifelhafte Subsidiaritätsklausel des Amtshaftungsanspruchs: Nach § 839 Abs. 1 S. 2 BGB (i. V. m.

Art. 34 GG) tritt der Amtshaftungsanspruch des Bürgers gegenüber dem Staat bei bloß fahrlässiger Schädigung eines Bürgers durch einen Beamten im haftungsrechtlichen Sinn gegenüber einem anderweitigen zivilrechtlichen Haftungsanspruch (↑Haftung) zurück. Differenziert ist die Steuerfreiheit des F. zu betrachten. V. a. unter dem Einfluss des ↑Europarechts sowie des Gedankens der Wettbewerbsneutralität kann auch der Staat bei bestimmten Tätigkeiten besteuert werden. Das BVerfG hat am Beispiel einer wegen Verletzung ihres Eigentumsrechts klagenden Gemeinde festgestellt, dass auch die F.-Privilegien die Gemeinde nicht in eine grundrechtstypische Gefährdungslage bringen, sie mithin nicht grundrechtsfähig werde (BVerfGE 61, 82 [105 f.]).

4. Fiskalisches Staatshandeln

Heute ist der F. die funktionale Bezeichnung für die Verwaltung in bestimmten Angelegenheiten, für den Staat „in Zivil", nicht „in Uniform" (Jellinek 1931: 25). Der Staat als ↑juristische Person des öffentlichen Rechts handelt grundsätzlich in hoheitlichen, d. h. öffentlich-rechtlichen Formen. Das gilt v. a. im Bereich der sog.en Eingriffsverwaltung, d. h. sofern Eingriffe in (Grund-) Rechtspositionen der Bürger erfolgen. Handelt der ↑Staat/die ↑Verwaltung in den Formen des Privatrechts, spricht man von fiskalischem Staatshandeln oder F.-Verwaltung. Hier werden traditionell drei Typen unterschieden: Fiskalische Hilfsgeschäfte, erwerbswirtschaftliche Tätigkeit sowie das Verwaltungsprivatrecht. Mittels fiskalischer Hilfsgeschäfte deckt die Verwaltung ihren Bedarf an Sachmitteln: „Finanzamt kauft Kohlen oder Bleistifte", die Polizei wird mit Uniformen, Fahrzeugen und Waffen versorgt. Der Staat als Nachfrager unterliegt grundsätzlich den rechtlichen Bindungen des Vergaberechts. Bei der erwerbswirtschaftlichen Tätigkeit nimmt der Staat am wirtschaftlichen Wettbewerb teil. Dies ist nur unter bestimmten rechtlichen Voraussetzungen zulässig. Das kommunale Wirtschaftsrecht ist ein praktisch relevanter Bereich; es bindet die kommunale Wirtschaftstätigkeit an die Erfüllung eines öffentlichen Zwecks, setzt es in Relation zur Leistungsfähigkeit der Kommune und begrenzt es grundsätzlich auf den örtlichen Bereich. Von Verwaltungsprivatrecht schließlich spricht man, wenn öffentliche Aufgaben in den Rechtsformen des Privatrechts wahrgenommen werden. Hier handelt es sich um Verwaltung im materiellen Sinne.

Die Verwaltungsrechtsdogmatik geht vom Grundsatz der Formenwahlfreiheit der Verwaltung aus. Sofern es sich nicht um hoheitliche Eingriffsverwaltung handelt, kann die Aufgabenerfüllung öffentlich-rechtlich oder in den Rechtsformen des Privatrechts erfolgen. Oftmals kann ein bestimmtes Ziel alternativ öffentlich- oder privatrechtlich erreicht werden: Ein gefährliches Produkt kann verboten werden oder vor den Gefahren wird gewarnt. Um eine „Flucht ins Privatrecht" (Fleiner 1928: 326) zu verhindern, unterliegt die Verwaltung dann jedoch prinzipiell entspr.en Rechtsbindungen wie im öffentlichen Recht. Eine im Vordringen befindliche Lehre sieht hinsichtlich der Rechtsbindung die Unterscheidung zwischen fiskalischem Handeln der Verwaltung und dem Verwaltungsprivatrecht daher als überholt an.

Literatur

O. Depenheuer/B. Kahl (Hg.): Staatseigentum, 2017 • H. Maurer/C. Waldhoff: Handeln der Verwaltung nach Privatrecht; Verwaltungsprivatrecht, in: dies.: Allgemeines Verwaltungsrecht, [19]2017, § 3, Rn. 18–30 • P. M. Huber: Öffentliches Wirtschaftsrecht, in: F. Schoch (Hg.): Besonderes Verwaltungsrecht, [15]2013, 309–432, Rn. 194–199 • F. Ossenbühl/M. Cornils: Staatshaftungsrecht, [6]2013 • D. Scholz: Verwaltungszivilprozessrecht, 2013 • W. Hoffmann-Riem/ E. Schmidt-Aßmann/A. Voßkuhle (Hg.): Grundlagen des Verwaltungsrechts, 3 Bde., [2]2012–2013 • C. Waldhoff: Vollstreckung und Sanktionen, in: ebd., Bd. 3, [2]2013, § 46, Rn. 95–101 • M. Burgi: Rechtsregime, in: ebd., Bd. 1, [2]2012, § 18 • H. Schulze-Fielitz: Grundmodi der Aufgabenwahrnehmung, in: ebd., Bd. 1, [2]2012, § 12 • D. Ehlers: Verwaltung und Verwaltungsrecht, in: H.-U. Erichsen/E. Ehlers (Hg.): Allgemeines Verwaltungsrecht, [14]2010, § 3, Rn. 78–96 • R. Hüttemann: Die Besteuerung der öffentlichen Hand, 2002 • H. M. Lenz: Privilegia fisci, 1998 • M. Alpers: Das nachrepublikanische Finanzsystem. Fiscus und Fisci in der frühen Kaiserzeit, 1995 • H. C. Röhl: Verwaltung und Privatrecht – Verwaltungsprivatrecht?, in: VerwArch Bd. 86 (1995), 531–578 • D. Ehlers: Verwaltung in Privatrechtsform, 1984 • W. J. Bank: Zwangsvollstreckung gegen Behörden, 1982 • J. Kohl: Die Lehre von der Unrechtsunfähigkeit des Staates, 1977 • J. Burmeister: Der Begriff des „Fiskus" in der heutigen Verwaltungsrechtsdogmatik, in: DÖV 28/20 (1975), 695–703 • P. A. Brunt: The Fiscus and its development, in: Journal for Roman Studies 56/1–2 (1966), 79–91 • U. Häfelin: Die Rechtspersönlichkeit des Staates, 1959 • S. Bolla: Die Entwicklung des Fiscus zum Privatrechtssubjekt mit Beiträgen zur Lehre vom Aerarium, 1938 • W. Jellinek: Verwaltungsrecht, 1931 • F. Fleiner: Institutionen des Deutschen Verwaltungsrechts, [8]1928.

CHRISTIAN WALDHOFF

Flucht und Vertreibung

1. Begriffsgeschichte

Das Begriffspaar „F. und V." setzte sich in der ↑politischen Sprache der BRD in den 1950er Jahren durch, um die am Ende des Zweiten Weltkrieges erfolgte gewaltsame Entfernung deutscher Staatsbürger aus den Reichsgebieten östlich von Oder und Neiße sowie Angehöriger deutschsprachiger Bevölkerungsgruppen aus mehreren Staaten des mittleren und östlichen Europa zu bezeichnen. In den betreffenden Gebieten hatten 1939 etwa 18 Mio. Deutsche gelebt. Die eine Hälfte wurde infolge einer neuen Grenzziehung aus den ethnisch überwiegend homogenen preußischen Ostprovinzen (Hinterpommern, Ostbrandenburg, Ostpreußen und Schlesien) sowie der Freien Stadt Danzig vertrieben, die andere Hälfte aus einer Reihe seit Langem gemischt besiedelter Regionen.

Der Doppelbegriff F. und V. meint zum einen die Eva-kuierung bzw. F. aufgrund der Kriegsereignisse seit 1943/44, die folgende sog.e „wilde Vertreibung" im Frühjahr und Sommer 1945 und schließlich die syste-matische Zwangsaussiedlung auf der machtpolitischen Basis von Beschlüssen der Potsdamer Konferenz (↑ Pots-damer Protokoll) der Siegermächte (2.8.1945). Da die zunächst Evakuierten oder Geflohenen anschließend oftmals daran gehindert wurden, in ihre Heimat zu-rückzukehren, oder nach erfolgter Rückkehr der Zwangsaussiedlung zum Opfer fielen, spiegelt der Dop-pelbegriff einen wichtigen Teil der historischen Realität.

Umgangssprachlich wurden sämtliche Betroffene zu-nächst überwiegend als „Flüchtling" tituliert. Während in SBZ bzw. DDR qua diktatorialer Sprachlenkung die euphemistische, die UdSSR und ihre Verbündeten scho-nende Bezeichnung „Umsiedler" durchgesetzt wurde, etablierten sich im Westen Deutschlands die Begriffe „Vertreibung" bzw. „Vertriebene". Dies korrespondierte sowohl mit dem Drängen der amerikanischen Besat-zungsmacht, die damit die Endgültigkeit des Vorgangs betonen wollte, als auch mit der Selbstbezeichnung der Betroffenen (z.B. Zentralverband der vertriebenen Deutschen). Das 1953 ausgefertigte „Gesetz über die Angelegenheiten der Vertriebenen und Flüchtlinge" wurde dementsprechend als „Bundesvertriebenenge-setz" abgekürzt. Es verengte den Flüchtlingsbegriff nun ganz auf die aus der SBZ/DDR Geflohenen.

Der Terminus V. hatte eine potentiell geschichtspoli-tische Komponente, die sich gegen die „Vertreiberstaa-ten" und nunmehrigen Kontrahenten im ↑ Kalten Krieg zwischen westlicher Welt und kommunistischem „Ost-block" richtete. Doch er entsprach auch einer bereits äl-teren sprachlichen Übung zur Benennung von erzwun-gener ↑ Migration, etwa in Bezug auf die 1918/19 aus dem Elsass vertriebenen „Altreichsdeutschen" und deutsch gesinnten Elsässer oder die aus den Provinzen Posen und Westpreußen Verdrängten. Heute werden F. und V. der Deutschen um 1945 mehr und mehr als Teil einer Universalgeschichte von „Zwangsmigration" ver-handelt. Doch ist der in der Forschung verbreitete Be-griff, der ökonomische oder ökologische Zwänge mit umfasst, inhaltlich sehr weit. Für die mit unmittelbarer Gewalt verbundenen Ereignisse von F. und V. hat daher auch der Begriff „Gewaltmigration" Anwendung gefun-den. Seit den Balkankriegen der 1990er Jahre ist im Blick auf ähnliche Vorgänge international mehr und mehr von „ethnischen Säuberungen" die Rede.

2. Gewaltmigration als universalhistorisches Phänomen

V.en sind fast so alt wie die Menschheit selbst. Sie waren früh ultima ratio, wenn Herrschende eine Bevöl-kerungsgruppe als Bedrohung für ihre Macht empfan-den – wie etwa Nebukadnezar II. die Oberschicht des jüdischen Volkes nach der Eroberung Jerusalems im Jahr 586 v.Chr. („babylonische Gefangenschaft"). Kenn-zeichnend für die „Säuberungen" im Altertum war ihre oft ökonomische Motivation (Rekrutierungspotential für neue Sklaven).

In Mittelalter und früher Neuzeit dominieren religi-onspolitische Beweggründe, wie etwa bei der Verfol-gung von Juden (↑ Judentum) in zahlreichen Ländern Europas. Eine der größten Opfergruppen der ebenfalls in diesem Kontext stehenden frühneuzeitlichen Konfes-sionsmigration waren die bis zu 300 000 protestanti-schen Hugenotten, die v.a. nach dem Edikt von Fon-tainebleau 1685 aus dem überwiegend katholischen Frankreich flohen, oder die Glaubensflüchtlinge aus Österreich. Umgekehrt gab es aber auch Fluchtbewe-gungen von Katholiken aus dem protestantischen Skan-dinavien oder aus England. Eine entscheidende Weg-marke bedeutete der Augsburger Religionsfrieden von 1555. Er erkannte die auf religiöse Intoleranz zurück-gehenden V.en erstmals als politisches Prinzip an. „Cui-us regio eius religio" – der Landesherr bestimmte nach zeitgenössischem Rechtsverständnis fortan über die ↑ Konfession seiner Landeskinder. Gleichzeitig wurde ihnen aber zumindest prinzipiell das *beneficium emi-grandi,* das Recht auf Auswanderung mit Hab und Gut, zugestanden, sofern sie ihre Konfession nicht wechseln wollten.

Die religionspolitische Prägung der Säuberungspro-zesse ging in der frühen Neuzeit allmählich verloren und wich einer überwiegend ethnischen Grundierung (↑ Ethnische Konflikte). So wurden in Spanien bereits im 16. und frühen 17. Jh. (zwangs-)getaufte jüdische Conversos und maurisch-muslimische Moriscos auf der geistigen Basis von Statuten vertrieben, die von der pro-torassistischen Idee der Blutsreinheit *(limpieza de sangre)* ausgingen. Dennoch markiert der Siegeszug des moder-nen Nationalismus nach der ↑ Französischen Revolu-tion von 1789 eine tiefe Zäsur in der Geschichte der Ge-waltmigration, spätestens als die wirkungsmächtige Ideologie des ethnisch homogenen Nationalstaats Ende des 19. Jh. mehr und mehr eine darwinistisch-biopoliti-sche Aufladung (↑ Sozialdarwinismus) erfuhr. Der mo-derne Staat erwies sich in seinem Drang nach Verein-heitlichung, Ordnung und Durchgriff vielfach als unfähig, größere ↑ Minderheiten innerhalb seiner Gren-zen zu tolerieren. Anders als früher die Konfession ließ sich die Ethnie aber nicht wechseln. Immer häufiger wurde nun auf die vollständige Vernichtung un-erwünschter Bevölkerungsgruppen – und nicht „bloß" auf ihre V. – abgezielt. Kaum ein anderes Ereignis zeigte dies deutlicher als die in ↑ Völkermord übergehende V. der Armenier durch das Osmanische Reich 1915/16, nachdem dieses eine schwere militärische Niederlage gegen die russische Armee erlitten hatte. Die Friedens-ordnung nach dem Ersten Weltkrieg war janusköpfig. Einerseits verschrieb sich der „Kleine Versailler Vertrag" 1919 dem Schutz nationaler und religiöser Minderhei-ten, andererseits standen auch die demokratischen Sie-germächte England und Frankreich beim Vertragswerk von Lausanne Pate, das 1923 einen griechisch-türkischen Nachfolgekrieg mit dem ersten international sanktionierten Abkommen über einen großen wechselseitigen Bevölkerungsaustausch muslimischer bzw. orthodoxer Minderheiten beendete.

3. Ursachen von Flucht und Vertreibung

F. und V. der Deutschen hatten kurz-, mittel- und langfristige Ursachen. In den historischen Tiefenschichten war v. a. das im Zeitalter des ↑Nationalismus komplizierter werdende Verhältnis zwischen Deutschen und ihren östlichen Nachbarn wirkungsmächtig. Der epochenspezifische Drang staatenloser, meist slawischer Völker nach größerer nationaler ↑Autonomie bis hin zur Selbstständigkeit stieß sich im Verlauf des 19. Jh. immer härter mit den Interessen der Regierungen Preußens (bzw. ab 1871 des Deutschen Reichs) und der Donaumonarchie.

Die Pariser Friedensverträge nach dem Ersten Weltkrieg belasteten die Beziehungen zwischen den Völkern weiter. Den Verlierern wurde das vom US-Präsidenten Woodrow Wilson 1918 proklamierte ↑Selbstbestimmungsrecht der Völker gerade an einigen neuralgischen Punkten wie in den böhmischen Ländern („Sudetenland") oder weiten Teilen Westpreußens versagt. Während der Großteil Westpreußens u. a. gemischt besiedelte Gebiete an den wieder erstehenden polnischen Staat fielen und dadurch künftig ein konfliktträchtiger „Korridor" die Provinz Ostpreußen und das zur Freien Stadt erklärte Danzig vom restlichen Reich trennte, kamen die deutschsprachigen Teile der böhmischen Länder zur neu gegründeten Tschechoslowakei.

Diese, aber auch andere neue Staaten im östlichen Europa begriffen sich trotz ihrer teils großen Minderheiten als Nationalstaaten. Ihre Minderheitenpolitik war zwar unterschiedlich, doch generell vertiefte v. a. eine die Titularnationen begünstigende Sprach- und Schulpolitik die Nationalitätenkonflikte weiter. Das nationalsozialistische Deutschland instrumentalisierte die bestehenden Gegensätze in den Jahren 1938/39 – unter Mitwirkung deutscher Volksgruppen – zur Zerstörung der Tschechoslowakei und zur Vorbereitung des Angriffs auf Polen als Basis für den geplanten Lebensraumkrieg im Osten. In vielen der während des Zweiten Weltkrieges vom „Großdeutschen Reich" besetzten Länder – v. a. in Polen, Jugoslawien und der UdSSR – begingen sog.e Einsatzgruppen und z. T. auch Truppen der Wehrmacht millionenfach schwerste Verbrechen. Auch Angehörige deutscher Minderheiten waren daran beteiligt oder wurden zumindest darin verstrickt. Angesichts dieser jüngsten Erfahrungen mit den Deutschen kumulierten seit langem bestehende Vorbehalte bei den Politikern der ostmitteleuropäischen Exilregierungen in London und den Kräften im Untergrund derart, dass die V. der Deutschen eines der zentralen Ziele der von ihnen angestrebten Nachkriegsordnung wurde.

Die V. der Deutschen aus den alten preußischen Staatsgebieten östlich von Oder und Neiße hatte aber darüber hinaus einen speziellen Hintergrund: Josef Wissarionowitsch Stalin wollte im Zuge seiner imperialistischen Politik die gemischt besiedelten Ostgebiete der Zweiten Polnischen Republik, die ihm zeitweilig schon ein Pakt mit Adolf Hitler 1939 eingebracht hatte, endgültig der ukrainischen bzw. weißrussischen Sowjetrepublik einverleiben. Der seitens der UdSSR betriebenen Verschiebung Polens nach Westen zu Lasten der deutschen Ostgebiete stimmten die demokratischen Siegermächte prinzipiell zu; hinsichtlich des geforderten Umfangs (im Osten Polens verloren etwa zwei Mio. Menschen ihre Heimat, im Osten Deutschlands um die neun Mio.) allerdings nicht ohne Vorbehalte. Der Ende des 19. Jh. ausgeprägte polnische „Westgedanke" lieferte der Grenzverschiebung historisch fragwürdige Argumente, die auch auf der Potsdamer Konferenz vorgebracht wurden: Bei den seit sieben Jh. von Deutschen besiedelten Landschaften handele sich um nur oberflächlich germanisierte, tatsächlich aber urpolnische Gebiete. Zu keinem Zeitpunkt erwog man ernsthaft, nur die Grenze, nicht aber die ganz überwiegend deutsche Bevölkerung dieser Gebiete zu verschieben. Auch die Westmächte waren von der Erfahrung der Instrumentalisierung der Minderheiten durch A. Hitler und von einer – den Tatsachen nicht entspr.en – positiven Erinnerung an den Vertrag von Lausanne 1923 geprägt und von der befriedenden Wirkung ethnischer Entflechtung überzeugt. Die auf mehreren Kriegskonferenzen u. a. in Teheran und Jalta vorbereitete Lösung wurde schließlich im Potsdamer Protokoll festgeschrieben: „Überführung" der deutschen Bevölkerung aus „Polen" (womit faktisch auch die nur unter polnische Verwaltung gestellten deutschen Ostgebiete gemeint waren), aus der Tschechoslowakei und aus Ungarn in die deutschen Besatzungszonen. Darüber hinaus versuchten die vertreibenden Staaten mittels einer Reihe eigener Dekrete und Gesetze dem Geschehen ein formal-rechtliches Aussehen zu geben. Sie regelten zwar meist nicht die Zwangsaussiedlung selbst, aber doch die kollektive Enteignung und den Entzug der ↑Staatsangehörigkeit von Bürgern deutscher Sprache, wobei sie faktisch von einer Kollektivschuld ausgingen. Dazu zählten in Polen u. a. die von der „Provisorischen Regierung" am 2.3.1945 erlassenen Dekrete zur Konfiskation deutschen Eigentums; in Jugoslawien die am 21.11.1944 ergangenen Beschlüsse des AVNOJ und 1945/46 in der Tschechoslowakei ein halbes Dutzend vom Staatspräsidenten Edvard Benesch unterzeichnete Dekrete.

4. Phasen und Formen, Abläufe und regionale Spezifika

In den Kontext von F. und V. gehören bereits die vom Dritten Reich 1939/40 mit der UdSSR und mehreren Staaten im östlichen Europa geschlossenen Verträge zur sog.en „Umsiedlung" etwa einer Mio. „Volksdeutscher" aus mehreren weit verstreuten Gebieten (Estland,

Lettland, Ostgalizien, Narew-Region und Wolhynien, Litauen, Bessarabien, Bukowina, Dobrudscha). Ein Großteil wurde zur Germanisierung im sog.en Warthegau u. a. „eingegliederten Ostgebieten" angesiedelt, aus denen gleichzeitig über eine Mio. Polen und Juden vertrieben wurden, und 1944/45 zusammen mit den alt-eingesessenen Deutschen und 1943 hinzugekommenen Schwarzmeerdeutschen in den Sog von F. und V. hineingezogen. Das Gros der weiter östlich siedelnden Russlanddeutschen war davon bereits im August 1941 erfasst worden, als J. W. Stalin nach Beginn des deutsch-sowjetischen Krieges die v. a. an der Wolga siedelnde Volksgruppe kollektiv in Haft nahm und nach Sibirien und Kasachstan deportieren ließ.

Aus einigen Siedlungsgebieten in Südosteuropa erfolgte im Herbst 1944 eine Evakuierung vor der Roten Armee (Nordsiebenbürgen, Slowakei sowie westlicher gelegene Teile Jugoslawiens). Im Nordosten gelang dies im größten Teil Ostpreußens infolge fanatischer Durchhaltevisionen nationalsozialistischer Amtsträger nicht mehr. Während die F. hier oft erst spät oder zu spät begann und für eine Mio. Zivilisten nach der Einkesselung Ostpreußens Ende Januar 1945 bestenfalls die „Rettung über See" blieb, konnten aus Pommern oder Schlesien mehr Menschen – wenn auch bei weitem nicht alle – einzeln, im Treck oder mit den letzten Zügen nach Westen fliehen. Bei Kriegsende im Mai 1945 befanden sich noch bis zu viereinhalb Mio. Deutsche in den Gebieten östlich von Oder und Neiße. Dort und in den böhmischen Ländern, wo über drei Mio. Deutsche beheimatet waren, setzten nun die „wilden Vertreibungen" ein. Den dafür verantwortlichen polnischen und tschechischen Politikern ging es darum, angesichts der nicht ganz klaren Haltung der Westmächte noch vor der Potsdamer Konferenz möglichst vollendete Tatsachen zu schaffen. Diese V.en waren also nicht Ausdruck spontanen Volkszorns nach den erlittenen Kriegsleiden, sondern Teil eines nüchternen Kalküls. Insgesamt wurden auf diese Weise etwa eine halbe Mio. Menschen aus den Oder-Neiße-Gebieten, eine dreiviertel Mio. aus den böhmischen Ländern vertrieben. Die Siegermächte hatten im Potsdamer Protokoll eine Unterbrechung der V.en gefordert, solange bis sie sich auf eine „gerechte Verteilung" der Vertriebenen innerhalb ihrer Besatzungszonen geeinigt hätten. Nach dem Ende dieses mehrmonatigen Moratoriums begann die systematische Zwangsaussiedlung oft in großen Eisenbahntransporten auf Vieh- oder Güterwaggons. Im Sudetenland war ab Januar 1946 fast die ganze Bevölkerung – außer den abwesenden Soldaten – von dieser Form des sog.en Abschubs (tschechisch *Odsun*) betroffen. Für die Oder/Neiße-Gebiete erlangte ein polnisch-britisches Abkommen vom 14.2.1946 zur Aussiedlung von Deutschen aus Danzig, Pommern und Niederschlesien („Aktion Swallow") bes. Bedeutung. Insgesamt wurden bis 1949 etwa dreieinhalb Mio. Deutsche aus dem polnischen Machtbereich ausgesiedelt. Für den nördlichen Teil Ostpreu-

ßens, der in Potsdam unter sowjetische Verwaltung gestellt worden war, erließ der Ministerrat der UdSSR am 11.10.1947 einen Beschluss, auf dessen Basis bis 1948 knapp 100 000 Deutsche in die SBZ verbracht wurden.

Aus Ungarn wurden zwischen 1946 und 1948 nur etwas mehr als 200 000 der eine halbe Mio. Menschen umfassenden deutschen Volksgruppe ausgesiedelt. Einer Total-V. stand nicht zuletzt die Tatsache im Weg, dass die oft sehr gut integrierten Ungarndeutschen trotz der – späten – Besetzung Ungarns durch die Wehrmacht im März 1944 keineswegs von allen in der Gesellschaft als Fremdkörper betrachtet wurden. In Rumänien kamen Überlegungen zur V. der Deutschen auch deshalb nicht zum Zuge, weil die gemeinsame Erfahrung der Magyarisierung unter ungarischer Herrschaft bis 1918 nachwirkte. Der größte Teil der Siebenbürger Sachsen und Banater Schwaben, wenngleich vom kommunistischen Staat massiv unterdrückt, konnte im Land bleiben. Dagegen praktizierte das kommunistische Jugoslawien, gestützt auf den Vorwurf mangelnder Staatstreue, eine Politik der „ethnischen Säuberung" gegen die Deutschen. Als Instrumente dienten dabei brutale Internierung, zeitweilige Fluchtbeihilfe und schließlich Atomisierung. Grund für den jugoslawischen Sonderweg war das Scheitern diplomatischer Bemühungen, die Siegermächte auch offiziell zur Aufnahme von Donauschwaben in den deutschen Besatzungszonen zu bewegen. Internierungslager mit unmenschlichen Zuständen und hohen Todesraten gab es aber auch im polnischen Machtbereich und in der Tschechoslowakei. Ebenfalls so gut wie alle V.s-Gebiete, aber v. a. auch Siebenbürgen und das Banat, waren von der Deportation zur Zwangsarbeit in die UdSSR betroffen. Viele der bis zu einer halben Mio. Opfer dieser Politik überlebten die Arbeitslager nicht.

Das Schlusskapitel von F. und V. erstreckte sich über einen Zeitraum von mehreren Jahrzehnten. Insgesamt betraf die Spätaussiedlung nochmals einige Mio. Deutsche, die sich vom Banat über Oberschlesien bis in die russischen Deportationsgebiete einer Politik der Entnationalisierung unterworfen sahen und in Etappen, teils erst nach 1989, in die BRD kamen.

5. Opferzahlen und das
Problem der strafrechtlichen Ahndung

Das Potsdamer Protokoll hatte proklamiert, den Bevölkerungstransfer „geordnet und human" durchzuführen. Die folgende Zwangsaussiedlung war zwar tatsächlich von einem weniger hohen Maß an Brutalität gekennzeichnet als die vorherigen Phasen, während derer Massenvergewaltigungen, Totschlag und Mord an der Tagesordnung waren. Doch blieb auch sie aufgrund vielfach unmenschlicher Transportbedingungen und gewalttätiger Übergriffe von einem humanen Ablauf weit entfernt. Wie viele Menschen, meist Frauen, Kinder und Ältere, im Zusammenhang mit F. und V. starben, ist aus sachlichen und methodischen Gründen bis heute umstritten; ebenso die Frage, ob auch die oft erst nach Jahren an den Spätfolgen erlittener Gesundheitsschäden verstorbenen Menschen mitzuzählen sind. Die letzte offizielle Untersuchung durch das Bundesarchiv ermittelte 1974 (ohne die Opfer in der UdSSR) 600 000 Tote in unmittelbarer Folge von Verbrechen. Daneben gibt es aber eine noch größere Dunkelziffer von Fällen, die bis heute ungeklärt sind. Die Opferzahlen sind auch deswegen ein so schwieriges Kapitel, weil eine strafrechtliche Verfolgung von Verbrechen im Kontext von F. und V. und damit auch eine genaue Aufklärung konkreter Einzelfälle so gut wie ganz ausgeblieben ist. Die Täter, überwiegend Soldaten oder Milizionäre der die V. durchführenden Staaten, waren in der Konstellation des Kalten Krieges jahrzehntelang vor dem Zugriff westlicher Staatsanwaltschaften geschützt. Doch war auch in der BRD – zunächst eher aus Rücksicht auf die Mitverantwortung der Westmächte für die V.en, dann im Kontext der sog.en ↑Entspannungspolitik Richtung Ostblock – das Interesse an einer Strafverfolgung gering.

6. Wirtschaftlich-soziale, politische und kulturelle Integration

Der Zustrom von acht Mio. Flüchtlingen und Vertriebenen in den Westen Deutschlands, von ca. vier Mio. in die SBZ (darüber hinaus von einigen Hunderttausend nach Österreich) stellte die Aufnahmegebiete vor gewaltige Herausforderungen zunächst v.a. hinsichtlich Ernährung und Unterbringung (vorwiegend in Lagern und Baracken). Die SBZ mit einem (Ende 1947) Anteil der „Umsiedler" an der Gesamtbevölkerung von 24,3 % hatte die höchste Last zu tragen. In der amerikanischen Zone lag die Quote bei 17,7 %, in der britischen bei 14,5 % und in der französischen bei nur 1 %. Konflikte zwischen Einheimischen und Neuankömmlingen blieben nicht aus, auch weil oft Katholiken in fast rein protestantisch geprägte Regionen oder Protestanten in katholische Gegenden gekommen waren. Die Religionsgeographie Deutschlands veränderte sich jetzt so stark wie seit der Zeit von Reformation und Gegenreformation nicht mehr.

Staatliche und kirchliche Hilfsmaßnahmen, aber auch Initiativen der Selbsthilfe linderten die größte materielle und seelische Not. Der folgende soziale und wirtschaftliche Integrationsprozess wurde stark dadurch begünstigt, dass der Tod von Mio. Soldaten eine Lücke in die Bevölkerungspyramide gerissen hatte. Sobald der Wiederaufbau in Gang kam, im Westen in Form eines „Wirtschaftswunders", gelang vielen Vertriebenen die berufliche Eingliederung. In der BRD half zudem das 1952 beschlossene Lastenausgleichsgesetz, das die Vertriebenen zumindest für einen kleinen Teil ihres Verlusts entschädigte und v.a. auch den Wohnungsbau ankurbelte. Angesichts der Größe der Herausforderung kann die ↑Integration als gelungen gelten. Doch blieben die Vertriebenen hinsichtlich ihres (Immobilien-)Vermögens und ihrer sozialen Stellung noch lange

messbar hinter den Alteingesessenen zurück. Zu den Gründen dafür zählte auch der weitgehend reibungslose Ablauf der politischen Integration. Diese war dadurch gekennzeichnet, dass sich die Vertriebenen mit einer nicht ihrem Bevölkerungsanteil entspr.en Repräsentanz in den Parlamenten und kommunalen Vertretungskörperschaften zufrieden gaben. Dass sie es nicht vermochten, ihre Interessen nachdrücklicher zu vertreten, war in der BRD allerdings nur die Kehrseite einer generellen Erfolgsgeschichte der zweiten deutschen Demokratie und ihres funktionierenden ↑Parteiensystems. Angesichts der guten ökonomischen Entwicklung gelang es v.a. den Unionsparteien (↑CDU, ↑CSU) und der SPD (↑SPD) schon seit Ende der 1950er Jahre zunehmend, den 1950 gegründeten BHE als wichtigstes politisches Sammellager der neuen Bürger überflüssig zu machen und dessen Wähler zu absorbieren. Das in den ersten Nachkriegsjahren über die Vertriebenen verhängte Koalitionsverbot hatte ihnen einen nicht wieder einholbaren Startnachteil auf der politischen Bühne eingetragen. Hinzu kam, dass bis zur Gründung des BdV 1957 auf nationaler Ebene zwei Organisationen um die Vertretung dieser ausgesprochen heterogenen Bevölkerungsgruppe konkurrierten.

Politisch richtungweisend war der Gewaltverzicht, den die Landsmannschaften am 5.8.1950 in einer bis heute unterschiedlich diskutierten Charta der Heimatvertriebenen in Stuttgart feierlich erklärten. An eine friedliche Wiedergewinnung der verlorenen Heimat glaubten aber, auch an der Spitze der führenden Parteien, bald immer weniger. Die vom BdV dennoch aufrecht erhaltenen Forderungen nach Änderung der faktisch bestehenden Ostgrenzen und die damit verbundenen Hoffnungen auf eine Rückkehr stießen sich im Ablauf der Jahre immer heftiger an den sich wandelnden gesellschaftlichen, aber auch – nach dem Mauerbau 1961 und dem Beginn der internationalen Détente – außenpolitischen Realitäten. In den Medien und in den Kirchen, v.a. im protestantischen Milieu, wuchs die Bereitschaft zur Anerkennung der Oder-Neiße-Grenze und zum Verzicht auf das von der betreffenden Landsmannschaft nach wie vor geltend gemachte „Recht auf die Heimat" im Sudetenland. Anfang der 1970er Jahre kulminierten diese Entwicklungen in den Ostverträgen einer neuen sozialliberalen Bundesregierung mit den Regierungen in Moskau, Warschau und Prag. Nach dem Ende der deutschen Teilung wurden die neuen Grenzen vom Parlament des vereinigten Deutschlands in einem Vertrag mit Polen definitiv besiegelt.

Der Rahmen für die Bewahrung der kulturellen Traditionen war von vornherein eng gesteckt, nachdem die Besatzungsmächte dafür gesorgt hatten, dass die alten Dorf- und Stadtgemeinschaften in der neuen Heimat möglichst zerstreut angesiedelt wurden. Die Bewahrung der Dialekte als wesentlicher Teil der Identität der ostdeutschen Landschaften war auch deshalb faktisch unmöglich. Gestützt auf den Kulturparagraphen des Bundesvertriebenengesetzes bildete sich in den folgenden Jahrzehnten ein kleines Netz an Einrichtungen, die sich – oft mit regionaler Ausrichtung – der Pflege des ostdeutschen Kulturerbes in seinen unterschiedlichsten Facetten widmeten. Hinsichtlich der gesamtgesellschaftlichen Resonanz dieser Arbeit fiel aber seit den 1960er Jahren mehr und mehr „das Kurzzeitgedächtnis unserer Nation hinsichtlich dessen" auf, „was sie im alten Osten besessen hatte" (Conrads 1994: 703). Auch wenn sich durch die Demokratisierungsprozesse (↑Demokratisierung) in Mittel- und Osteuropa auf internationaler Ebene seit 1989 manches entspannte, blieb das Thema F. und V. v. a. wegen seiner Bezüge zur Bewältigung des ↑Nationalsozialismus für die deutsche Gesellschaft eine Herausforderung, wie die Konflikte um die 2009 spät gegründete *Bundesstiftung Flucht, Vertreibung, Versöhnung* dokumentieren.

7. Internationale Entwicklungen nach 1945

Nicht nur Deutsche waren am Ende des Zweiten Weltkriegs von F. und V. betroffen. „Ethnische Säuberungen" waren damals auch andernorts – und bleiben es bis heute – ein Thema der internationalen Politik. Aus den von Polen an die UdSSR übergehenden Gebieten wurden auf der Basis eines bilateralen „Evakuierungs"-Abkommens zwei Mio. Polen (zwangs-)ausgesiedelt, umgekehrt über eine halbe Mio. Ukrainer, die bis dahin westlich der neuen polnisch-sowjetischen Grenze gelebt hatten. Hinzu kamen über 400 000 Finnen aus dem von der UdSSR eroberten Ostkarelien, 250 000 Italiener aus Istrien und angrenzenden Gebieten Jugoslawiens sowie weitere Hunderttausende, die von einem Bevölkerungsaustausch zwischen Ungarn und seinen Nachbarn im Norden und Süden (Slowakei und Serbien) betroffen waren.

Gleichzeitig wurde im Zuge der Entkolonialisierung die Politik ethnischer Entflechtung bei der Errichtung demokratischer Nationalstaaten auf den indischen Subkontinent und in den Nahen Osten exportiert. Das Ergebnis waren ca. 12 Mio. geflohene oder vertriebene indische Hindus, Muslime und Sikhs (1947–50) sowie 800 000 palästinensische Araber (1948/49). Die „ethnischen Säuberungen" im Zeitalter des Zweiten Weltkriegs hatten mit etwa 30 Mio. Opfern in der Dimension bis dahin nicht ihresgleichen. Beendet waren sie damit keineswegs. Zu einem ihrer zentralen Schauplätze wurde in den folgenden Jahrzehnten das von zahlreichen ethnischen Konflikten durchzogene postkoloniale Afrika mit dem Biafra-Krieg in Nigeria Ende der 1960er Jahre und dem als Völkermord zu bewertenden Ausrottungsfeldzug der Hutus gegen die Tutsi in Ruanda mit ca. einer Mio. Toten innerhalb weniger Monate (1994). Zusammen mit den ethnischen V.en während der Kriege im zerfallenen Jugoslawien und v. a. dem Massaker serbischer Milizen an bosnischen Muslimen in Srebrenica im Juli 1995 haben diese Ereignisse auch der völkerrechtlichen Diskussion einen neuen Schub gegeben.

Bereits unter dem Eindruck der ↑Shoa und der ethnischen Gewaltpolitik in der Zeit des Zweiten Weltkriegs hatte die ↑UNO am 9.12.1948 eine „Konvention zur Verhütung und Bestrafung des Genozids" beschlossen. Danach setzt Genozid nicht die Intention der Vernichtung aller einzelnen Angehörigen einer bestimmten Bevölkerungsgruppe voraus; es genügt bereits die Absicht, „eine nationale, ethnische, rassische oder religiöse Gruppe als solche ganz oder teilweise zu zerstören". Entgegen dieser weiten Definition wird heute in der Forschung aber überwiegend der Unterschied zwischen dem – in Deutschland durch den Holocaust geprägten – Begriff des Genozids und den der *ethnischen Säuberungen"* betont, bei dem es um die Entfernung einer Bevölkerungsgruppe aus einem bestimmten Gebiet geht, nicht aber um die Absicht der möglichst totalen physischen Vernichtung jedes einzelnen Mitglieds dieser Gruppe.

Durchgesetzt hat sich demgegenüber – zumindest deklamatorisch – die Vorstellung von einem „Recht auf Heimat". Dieses wurde, nachdem die ↑Genfer Flüchtlingskonvention dazu keine weiterführende Aussage gemacht hatte, von Juristen vor dem Erfahrungshintergrund v. a. der V. der Deutschen aus einer Reihe völkerrechtlicher Prinzipien und Normen entwickelt. Für die deutschen Vertriebenen aufgrund der internationalen Konstellation und des Alterns der „Erlebnisgeneration" nicht durchsetzbar, ist das Rückkehrrecht am Ende des Bosnien-Krieges im Vertrag von Dayton 1995 erstmals verankert worden. Im folgenden Jahrzehnt kehrte auf dieser Basis zumindest die Hälfte der ca. zwei Mio. Vertriebenen in die Heimat zurück. Gleichwohl erreichte die Zahl der von F. und V. Betroffenen weltweit Mitte der 2010er Jahre v. a. infolge von ↑(Bürger-)Kriegen in Syrien und im Irak neue Höchststände.

Literatur

M. Schwartz: Ethnische „Säuberungen" in der Moderne, 2013 • R. Douglas: „Ordnungsgemäße Überführung", 2012 • M. Beer: Flucht und Vertreibung der Deutschen, 2011 • D. Brandes/H. Sundhaussen/S. Troebst (Hg.): Lexikon der Vertreibungen, 2010 • M. Kittel: Vertreibung der Vertriebenen?, 2007 • N. Conrads (Hg.): Deutsche Geschichte im Osten Europas: Schlesien, 1994 • T. Schieder (Hg.): Dokumentation der Vertreibung der Deutschen aus Ostmitteleuropa, 8 Bde., 1954–61.   MANFRED KITTEL

Föderalismus

1. Begriff

F. (lateinisch *foedus* = Bündnis), im engeren Sinne als politisches Ordnungsprinzip verstanden, zielt darauf ab „eine gewisse Einheit mit einer gewissen Vielfältigkeit zu verbinden" (Friedrich 1953: 217) und bewirkt ↑Integration gleichsam in einem Kontinuum zentripetaler und zentrifugaler Tendenzen. Denn die Entfaltung von ↑Autonomie und Eigenständigkeit soll F. ebenso ermöglichen wie die Gewährleistung von Kooperation und Integration.

1.1 Gesellschaftliches Ordnungsprinzip

Urspr. galt F. zugl. auch als gesellschaftliches Gestaltungsprinzip, das sich, ohne theoretisch stringent durchgearbeitet zu sein, gegen Egalisierung, Anonymität und Vermassung, oft zugl. aber auch auf einen überschaubar abgestuften Gesellschafts- und Staatsaufbau richtete. Insoweit handelt es sich um eine ins Politische vordringende Soziallehre, die engen Zusammenhang mit dem viel später formulierten Subsidiaritätsprinzip (↑Subsidiarität) nicht verleugnen kann, aus welchem sich für Vertreter naturrechtlicher Positionen (↑Naturrecht) F. konsequent ergibt. Charakteristisch ist die Ansicht, dass dem ↑Staat nur subsidiäre Regelungszuständigkeit und Ordnungsmacht zusteht. Folglich gilt ein Regelungsvorbehalt zugunsten der ihm eingegliederten gesellschaftlichen Teilgebilde und kleineren Einheiten. Ein gleicher Vorbehalt gilt aber auch zu seinen Gunsten, wenn umfassender und übergeordneter Normierungsbedarf notwendig erscheint. Diese Konkurrenz der Vorbehalte soll ↑Partikularismus verhindern, ohne Selbstverantwortung zu beschneiden. Von daher werden Verteilung der ↑Macht und ein Staatsaufbau von den kleineren Lebenskreisen aufsteigend zum Gesamtstaat und neuestens über diesen hinaus zu suprastaatlichen Kooperationsformen erstrebt. Da F. einerseits immer schon subsidiär und andererseits gesellschaftsbezogen war, liegt in der vielfach vorgenommenen Zuweisung des Subsidiaritätsprinzips zur Gesellschaft und des föderativen Prinzips zum Staat eine begriffsgeschichtliche Verkürzung.

Johannes Althusius, der die föderalistische Idee ins politische Denken Deutschlands einführte (1614), hat bei der Beschreibung des zusammengesetzten Staates beide Dimensionen erfasst. *Consociatio* (Vereinigung) war für ihn ein politischer Grundbegriff. Die Staatsbürger galten als *symbiotici*. Mit späteren Föderalisten teilt er die Vorstellung einer durchgängig indirekten Herrschaftspyramide. Vereinigung wird auf allen Stufen aus Einheiten der jeweils niedrigeren gebildet – von der Familie bis zum Reich. Ähnlich Constantin Frantz im 19. Jh., der als Verfechter einer konservativ-ständischen F.-Ideologie gilt. Er sah in F. das Prinzip der Vergesellschaftung schlechthin. Von der Ehe bis zum Völkerbund – alles soziale Leben besitzt föderalistischen Charakter, und jedes soziale Element soll eine nützliche Stellung im Ganzen finden. Die sozialistisch-syndikalistische Variante geht auf Pierre-Joseph Proudhon („Du princip federatif", 1863) zurück, für den F. die Versöhnung von Freiheit und Autorität in Staat und Gesellschaft darstellte: eine neue Gesellschaftsordnung, gegründet auf Gerechtigkeit, Gleichheit und Solidarität, sollte Herrschaft absterben lassen. Die Begrenzung der Aufgaben des Staates als Gegenbild zur hierarchischen Zentralisierung war für ihn die entscheidende Voraussetzung individueller und kollektiver Freiheit.

Die Wiederentdeckung des Subsidiaritätsprinzips im Kontext des Zuständigkeitsdiskurses in der EU erinnert an diese Prinzipien.

1.2 Politisches Organisationsprinzip

Gleichwohl wird F. vordringlich als Struktur- und Organisationsprinzip ↑politischer Systeme verstanden, in denen sich mehr oder weniger selbständige Glieder zu einem übergeordneten Ganzen zusammenschließen. Im ↑Staatenbund behalten die Mitgliedstaaten ihre ↑Souveränität und erledigen gemeinsame Aufgaben mit gemeinsamen Organen. Im ↑Bundesstaat behalten die Glieder (Länder, Staaten, Kantone) nur partielle Selbständigkeit. Die Aufgaben sind zwischen Zentralgewalt und Gliedern geteilt. Beide müssen zusammenwirken. Im durch vertiefte Integration in der EU geschaffenen ↑Staatenverbund bleibt im Prinzip die Souveränität der Mitglieder erhalten. Gegenbegriff zum F. ist der Unitarismus, in welchem staatliche Gewalt einheitlich, vertikal nicht aufgeteilt und zentral organisiert ist: der Einheitsstaat. Nicht schon identisch mit F. sind Autonomie, Dezentralisierung, ↑Regionalisierung und Devolution, die nachgeordneten Organen und Selbstverwaltungskörperschaften eigene Gestaltungsmöglichkeiten belassen oder Politik an den Eigenarten von Territorium und Bevölkerung und den daraus folgenden sozialen und kulturellen Phänomenen zu orientieren suchen.

Auch wenn *foedus* und *confoederatio* bereits Begriffe antiken Staatsdenkens waren, ist der Bundesstaat ein Staatstypus der Moderne. Seine erste exemplarische Verwirklichung gelang mit der Umbildung des zunächst staatenbündischen Systems der Vereinigten Staaten von Amerika 1787. Die politischen Funktionen des amerikanischen F. hat Alexis de Tocqueville in Europa bekannt gemacht. Sie bestimmen auch die gegenwärtigen Entwicklungen.

Im 20. Jh. folgten Österreich, nach dem Zweiten Weltkrieg gemäß der Tradition die westliche BRD, 1978 Spanien als Antwort auf den Frankismus und regionale Differenzierung, 1980 Belgien aufgrund der kulturellen Fragmentierung zwischen Flamen und Wallonen, sowie einzelne asiatische und afrikanische Staaten. Die weltpolitische Zäsur seit 1990 rief gegenstrebige Entwicklungen hervor: einerseits die Schaffung der Russischen Föderation 1993 oder nach der Jahrtausendwende föderale Konstituierung(sversuche) wie in Irak, Myanmar und Jemen, andererseits den Zerfall (pseudo-)föderaler Gebilde in ihre urspr.en Bestandteile wie Jugoslawien oder Tschechoslowakei. F. kann sich unter den Bedingungen ethnischer und linguistischer Diversitäten als integrierendes und stabilisierendes Instrument erweisen, ebenso aber an ihnen scheitern. Zudem können exogen initiierte Föderalisierungsbestrebungen Destabilisierungsabsichten verfolgen, wie z. B. die russischen in der Ostukraine nach 2015. Ebenso gewährleistet eine föderale Konstruktion nicht immer ein reales föderales System.

2. Begründungen

2.1 Traditionelle, territoriale und kulturelle Aspekte

Die historisch-traditionale Begründung hat an Bedeutung verloren. Mit der Dynamisierung der Verkehrs- und Kommunikationstechnologien wird auch die geographische dieses Schicksal teilen, soweit sie sich nur auf Ausdehnung und Unüberschaubarkeit von Territorien (z. B. USA, Australien, Indien) stützt. Bedeutsam bleiben wird jedoch gesellschaftliche und politische Heterogenität, die nur durch föderalistische Strukturen sublimiert werden kann, soweit der Wille zu staatlicher Einheit überhaupt besteht. Die neuere sozialwissenschaftliche Forschung hat verstärkt soziale und wirtschaftliche Faktoren zur Erklärung von Föderalisierungsprozessen herangezogen, so etwa die Hoffnung auf wachsende Prosperität sowie auf Erweiterung der Kommunikations- und Administrationsbereiche. Andererseits können diese Faktoren auch zentrifugal wirken, wenn wirtschaftliches Entwicklungsgefälle und sozialstrukturelle Disparitäten zu groß werden und bestimmte Bevölkerungsgruppen oder ökonomische Interessen sich von der Bundespolitik übergangen fühlen. In Kanada verursachten derartige Disparitäten in jüngerer Zeit Prozesse der Provinzbildung: ein Rückzug auf einzelstaatliche Konzepte und eine ökonomische Zersplitterung.

Zentrale Bedeutung besitzen nach wie vor die ethnisch-kulturellen, sprachlichen und konfessionellen Strukturen: das Verhältnis von nationaler ↑Identität und Territorialität. Die unterschiedlichen Gruppierungen in segmentierten Gesellschaften sind zur staatlichen Gemeinsamkeit nur bereit, wenn ihren Eigenheiten durch einen föderalistischen Staatsaufbau entsprochen wird: Eigenständigkeit und F. bewirken dann gemeinsam Integration (Schweiz, Belgien). Soweit sich in großräumigen Flächenstaaten die ethnisch-kulturellen Differenzierungen nicht territorial verfestigen (z. B. USA, Australien), vermindert sich ihre potentielle Sprengkraft, und auf ↑Minderheiten wird sogar unitarisierender Druck ausgeübt. Wo sich aber (wie in Kanada) solche Spannungsverhältnisse territorial und regional zu Subgesellschaften formieren, entwickelt F. eher konföderale Züge.

2.2 Politische Argumente

Wo – wie z. B. in der BRD – all diese Begründungen von geringer Relevanz sind, werden normativ verfassungspolitische Vorteile ins Feld geführt, die im Wesentlichen stets auf die den föderalistischen Staat charakterisierende Pluralität und regionale Differenzierung der politischen Leitungsgewalt(en) zurückgeführt werden können: verbesserte Chancen demokratischer ↑Partizipation durch überschaubarere Lebens- und Funktionsbereiche. Politik werde bürgernäher, transparenter, besser kontrollier- und mitvollziehbar. F. gilt so als wichtiger Beitrag zu funktionaler Responsivität und ständiger ↑Legitimation des politischen Systems, wiewohl diese normativen Optionen durch gesteigerte und verdichtete Komplexitäten in der Praxis erheblich relativiert werden: Umso wichtiger erscheint es, ihre grundsätzliche Geltung zu verteidigen.

F. ist stets, bes. aber im parlamentarischen ↑Regierungssystem, ein verstärkendes Element der Gewaltenbalancierung und Machthemmung (Gewaltenteilung): vertikal durch die Existenz unterschiedlicher Entscheidungszentren in Bund und Ländern, horizontal durch die Mitwirkung der Länder an der Willensbildung des Gesamtstaates. Da ihre Gleichschaltung ein wichtiger Schritt zur Konsolidierung der nationalsozialistischen Herrschaft war, verlieh gerade dieses Motiv dem F. neue Attraktivität, zumal die Länder vor dem Bund bestanden und die Verfassungsgebung von ihnen ausging.

Schließlich werden die Möglichkeiten politischen Experimentierens und innovatorischer Vielfalt bei der Erfüllung staatlicher Aufgaben ins Feld geführt – soweit diese politischen Wertungen zugänglich und zugl. dem Kompetenzbereich der Gliedstaaten zugehörig sind. Solche Gestaltungsräume schaffen potentiell konkurrierende politische, ökonomische und kulturelle Zentren. Sie fördern den Wettbewerb der politischen ↑Parteien. Die Konfliktverarbeitungskapazität des Gesamtsystems steigt durch den spezifischen Zuschnitt föderativer Politik. Voraussetzung ist die freiheitliche Pluralität von Machtfaktoren, die sich in fruchtbarer Konkurrenz entfalten können und wollen, ohne frühzeitig harmonisierenden Konsenszwängen zu unterliegen. Konflikt und Konkurrenz sind im F. ebenso wichtig und legitim wie ↑Konsens und Kooperation. F. eröffnet gerade den politischen Parteien durch die Länderebene zusätzliche Bewährungs-, Gestaltungs- und Rekrutierungschancen für politische Konzepte und Führungspersonal. Faktisch vermag aber Parteiinteresse föderalistische Differenzierung auch zu überwinden, ohne dass daraus ein prinzipieller „Strukturbruch" (Lehmbruch 2000: 9) zu folgern ist.

Für die kompliziertere föderalistische Struktur sind Preise zu entrichten, die i. d. R. auch als Argumente gegen sie vorgebracht werden: Begrenzung staatlicher Handlungsfähigkeit, Begünstigung zentrifugaler Kräfte, Schwerfälligkeit und Reibungsverluste politischer Willensbildung, schließlich die Kosten dieser Staatsorganisation. Effektiver F. scheint auf vielfältige Weise mit der Leitvorstellung pluralistisch-parlamentarischer ↑Demokratie verwoben zu sein, die selbst keine „einfache", sondern eine komplexe Staatsform ist. Antiföderalistische Einwände sind daher oft mit Argumenten gegen die parlamentarische Demokratie selbst verwandt.

3. Gestaltungsprinzipien

3.1 „Gemeinschaftsfreundliches" Verhalten

Erste Voraussetzung föderalistischer Einheitsbildung ist das Homogenitätsprinzip, das ein Mindestmaß an Übereinstimmung über Kernbereiche des Verfassungssystems gewährleistet, z. B. über F. selbst. Das ↑GG bestimmt z. B. die BRD zum Bundesstaat, in welchem in Bund und Ländern in gleicher Weise die Grundsätze des republikanischen, demokratischen und sozialen

Rechtsstaats gelten, der Bund in Länder gegliedert ist und diese an der ↑Gesetzgebung beteiligt sein müssen. Diese Wesensbestimmung gilt unverbrüchlich (Art. 79 Abs. 3 GG). Ihre Grundlage ist der reale Wille zur Einheit, der sich in Deutschland traditionell (seit Johann Caspar Bluntschli) im Grundsatz des „gemeinschaftsfreundlichen Verhaltens" (Stern 1984: 700) der Gliedstaaten gegenüber dem Bund, aber auch des Bundes gegenüber den Gliedstaaten ausdrückt. Er soll wechselseitigen Egoismus in Schranken weisen. Rechtlich begründet er Unterlassungs- und Tätigkeitspflichten. Im Kern wird er jedoch als Schranke gegen exzessive Ausübung von Kompetenzen ohne Rücksicht auf Gesamt- oder Länderinteressen interpretiert. Nicht unter Verdikt gestellt sein können jedoch grundsätzlich Konkurrenz und Konflikte als Folgen der föderalistischen Vielfalt. Insofern lässt sich dieser Grundsatz nur in Grenzsituationen anrufen. Er ist kein Instrument zur harmonisierenden Auflösung des typischen Spannungsfeldes zwischen Bund und Ländern. Über Grenzüberschreitungen hat die ↑Verfassungsgerichtsbarkeit zu urteilen.

Föderalistische Staaten sind gekennzeichnet durch das Zusammenwirken selbständiger Partner: Zentralstaat und Gliedstaaten, die gemeinsam das politische System bilden (Bund/Länder – BRD; Union/Einzelstaaten – USA; Bund/Kantone – Schweiz). Selbständigkeit bedeutet, dass auch den Gliedstaaten Staatsqualität zukommt. Bei ihren Kompetenzen muss es sich um „Essentialia' der Staatlichkeit" (Stern 1984: 667) handeln, die politische Gestaltungskraft einräumen, wie sie etwa in der BRD in der Organisation des staatlichen Bereichs, der Gestaltung des Kommunal- sowie des Polizei- und Ordnungswesens, der Landesplanung und bes. in der Kulturhoheit grundsätzlich zum Ausdruck kommt. Als Staaten verfügen sie über die politischen Institutionen der repräsentativen Demokratie wie ↑Parlament, Regierung, ↑Verwaltung und ↑Gerichtsbarkeit.

3.2 Kompctcnzauftcilung

Kompetenzaufteilung und Aufgabenzuweisung bestimmen ein föderalistisches System konkret. Die klassischen bundesstaatlichen Verfassungen folgen dabei unterschiedlichen Grundsätzen. I.d.R. besitzen Zentralstaat und Gliedstaat eigene Aufgaben in alleiniger Zuständigkeit. Bei ihrer Erledigung wirken die Institutionen beider Bereiche zusammen. In der BRD geht die Verfassung zwar von der grundsätzlichen Zuständigkeitsvermutung der Länder in der Gesetzgebung aus. Sie eröffnet aber dem Bund die von ihm auch weidlich wahrgenommene Chance, sie zu dominieren. Ihm obliegt im Wesentlichen die Gesetzgebungs-, den Ländern die Verwaltungskompetenz. Die Mitwirkung der Gliedstaaten an der gesamtstaatlichen Willensbildung kann entweder nach dem Bundesratsprinzip (Entsendung von weisungsgebundenen Mitgliedern der Regierungen der Gliedstaaten nach der Zahl der Einwohner) oder nach dem Senatsprinzip (direkte Wahl einer gleichen Anzahl von Senatoren in allen Gliedstaaten) geregelt werden. Hohe Bedeutung hat die Finanzordnung. Grundsätzlich steht Zentral- und Gliedstaaten Finanzhoheit zu. Das Selbständigkeitsprinzip kann aber – wie in der BRD – vielfach durchbrochen sein: der Bund besitzt z.B. fast ausschließlich die Kompetenz zum Erlass von Steuergesetzen (auf welche die Länder im ↑Bundesrat wiederum Einfluss nehmen), bestimmte Steuererträge stehen ihm oder den Ländern allein zu, für die wichtigsten besteht jedoch ein Steuerverbund. Zugunsten finanzschwacher („Nehmer"-)Länder besteht in der BRD eine Pflicht zum Länderfinanzausgleich durch die stärkeren („Geber"-)Länder bis 2020, danach durch den Bund, der aber immer schon Länder durch Finanzzuweisungen unterstützen konnte.

3.3 Staatsorganisatorische Grundtypen

Die Verfassungssysteme geben zwei Grundtypen föderalistischer Staatsorganisation vor: der Verbundtyp (z.B. BRD) wird bestimmt durch: funktionale Differenzierung der Kompetenzarten, wobei die Gesetzgebung (mit spezifischen Ausnahmen) weithin beim Bund, die Verwaltung bei den Ländern angesiedelt ist und über das Steueraufkommen ebenfalls im Wesentlichen auf Bundesebene (unter Mitwirkung der Länder) entschieden wird; Beteiligung der Länder an der Bundespolitik über den Bundesrat und dessen starke Position im Gesetzgebungsverfahren; zwischenstaatliche Kooperation der Länder (Koordinationsprozesse, ↑Finanzausgleich) und zwischen Ländern und Bund. Den Autonomietyp (Trenntyp, z.B. USA) kennzeichnen dagegen: Dualismus staatlicher Strukturelemente und Unabhängigkeit wie Lebensfähigkeit beider Systemebenen; Kompetenzverteilung nach Politikfeldern statt nach Aufgaben; Beteiligung der Gliedstaaten an der Bundespolitik durch die direkte Wahl der zweiten Kammer oder – wie in Kanada – so gut wie gar nicht.

4. Unitarisierungstendenzen

Die Entwicklung zum Sozial- und Leistungsstaat und die damit verbundenen Wachstumstendenzen der ↑Staatsaufgaben haben überall eine Stärkung der Zentralgewalten bewirkt. Auf zahlreichen Politikfeldern (u.a. Wirtschafts-, Bildungs- und Sozialpolitik) geriet die gesamtstaatliche Aufgabenerledigung unter unitarisierenden Druck, da Unterschiede nicht mehr hingenommen werden und gestiegene Mobilität ein Mindestmaß rechtlicher Homogenität verlangt.

In der BRD entpuppte sich das Postulat der „Einheitlichkeit", nach der Wiedervereinigung reduziert zur „Gleichwertigkeit der Lebensverhältnisse" (Art. 72 Abs. 3 GG), obgleich als Schranke gedacht, als Antriebskraft. Während das vorherrschende Verfassungsverständnis F. noch als Trennsystem interpretierte, als welches er im GG gar nicht angelegt ist, vollzog sich die Entwicklung zum „unitarischen Bundesstaat" (Hesse

1962), in welchem der Bund nicht nur gesetzgeberische Kompetenzen ausschöpfte, sondern auch neu an sich zog, sowie durch ein schwer durchschaubares Gewebe von Fonds, Dotationen und Auflagen Einfluss auf die Länder nahm. Andererseits haben die Länder aus gleichen Gründen in Bereichen ihrer Eigenverantwortung durch Selbstkoordination auf der „dritten Ebene" (Staatsverträge, Verwaltungsabkommen, Ministerpräsidenten- und Fachministerkonferenzen) unitarisierend gewirkt, nicht zuletzt, um die Akzeptanz des föderativen Prinzips in der Öffentlichkeit zu gewährleisten. Frühzeitig stellte F. sich weniger in der Entfaltung von Eigenstaatlichkeit dar als in immer stärker werdender Teilhabe an den gesamtstaatlichen Entscheidungsprozessen; denn wenn die Länder Kompetenzen hingegeben haben, sicherten sie sich zugl. über den Bundesrat vermehrte „zentralstaatliche Mitdirektionskompetenz" (Friedrich 1975: 59).

Darüber noch hinaus geht die Entwicklung zum „kooperativen Föderalismus", gekennzeichnet durch die Gemeinschaftsaufgaben (Art. 91 a und b GG) und die Investitionshilfekompetenz des Bundes, die auf soliderer Rechtsgrundlage steht als die frühere Fondswirtschaft. Zugl. wurden die wichtigsten Steuerquellen zu einem Verbund zusammengefasst, der partiell nach Verhandlungen aufzuteilen ist. Gemeinschaftsaufgaben führen zur Vermischung von Verantwortlichkeiten, die immer schon als Herausforderung des F. galt. Durch die Verpflichtung zur Rahmenplanung, die Bildung gemeinsamer Planungsausschüsse von Bund und Ländern, die nach dem Mehrheitsprinzip entscheiden, erlangte vertikale „Politikverflechtung" (Scharpf/ Reissert/ Schnabel 1976) große Bedeutung. Durch den wachsenden Einfluss gemeinsamer Beratungs- und Entscheidungsgremien entsteht eine neue Systemebene, die allein von der Exekutive beschickt wird, kaum zu kontrollieren ist und sich parlamentarischer Mitbestimmung entzieht.

Exekutiv-F. ist die Folge. Zwar bleibt die Mehrebenenpolitik erhalten, verliert aber Responsivität. Auch intensive Reformdiskussionen vermochten nicht, das Verhalten der Regierungen auf Bundes- und „dritter Ebene" effizienter parlamentarischer Mitwirkung und Kontrolle zu unterwerfen. Entmächtigend wirkt bes. die Bindekraft intergouvernementaler Absprachen. Diese Gouvernementalisierung überführt zudem ehedem eigene legislative Kompetenzen in die Mehrebenen-Verhandlungs- und Entscheidungssysteme (↑Mehr-Ebenen-Regieren). Landtage ratifizieren andernorts, i. d. R. nicht öffentlich und informell bewirkte Konsensbildungen. Sie beschließen v. a. Ausführungsgesetze. Seit den 1970er Jahren schrumpft ihr legislativer Gestaltungsraum auf etwa 10 % der Materien, eine Quantität, die in Qualität umschlägt, käme es doch auf einen Kompetenzsubstanzerhalt an, der die Staatsqualität der Länder ernsthaft schützt. In Einschränkung und Preisgabe der Autonomierechte sieht Roman Herzog „ein Paradebeispiel für einen falsch verstandenen ‚kooperativen Föderalismus'" (Herzog 2006: 4). Die Bewahrung seiner „gewaltenteilende[n] Effekt[e]" (Hesse 1962: 21) wird demnach relativiert durch Einbußen legitimatorischkommunikativer Qualität.

Zusätzliche Transformation bewirkt die *Europäisierung* mit ihrem von starkem Problemdruck (Ökonomie, Ökologie, organisierte Kriminalität) ausgehenden „Zwang zur Konvergenz" (Scharpf 1985: 323), der nicht nur nationale Politik tendenziell delegitimiert, sondern die nationalen Regierungssysteme transzendiert, speziell wenn der Bund Länderkompetenzen überträgt.

Nach dem innerstaatlich üblichen Muster erhielten die Länder im neuen Artikel 23 GG Mitwirkungsrechte an der Europapolitik und gewannen Berücksichtigungspflichten von Stellungnahmen des Bundesrates seitens der ↑Bundesregierung. Aber das einzelne Land ist in seinen Interessen nur mittelbar über den Bundesrat geschützt. Seine innerstaatliche Beteiligung an der Gesetzgebung findet in der ↑EU keine Entsprechung: eine zusätzliche Beschränkung ohne Kompensation, wie sie bei innerstaatlichen Umverteilungen üblich gewesen sind. Die Länder sitzen in einer doppelten „Verflechtungsfalle" (Scharpf 1985).

Grundsätzlich schafft das ins Vertragswerk eingebrachte Subsidiaritätsprinzip eine Berufungschance auf Länderkompetenzen. Der Vertrag von Lissabon etabliert ein „Frühwarnsystem", in dem die nationalen Parlamente binnen acht Wochen nach Übermittlung eines Gesetzentwurfs der EU begründete Einwände gegen Subsidiaritätsverstöße erheben und Überprüfung verlangen können, falls ein Drittel, im sensiblen Bereich der Justiz- und Innenpolitik ein Viertel der den nationalen Parlamenten zugeteilten Stimmen negativ votiert hat. In Zweikammersystemen wie der BRD führt jede Kammer eine der beiden nationalen Stimmen. Im Rahmen der Frist muss sich jeder Landtag eine Meinung bilden, 16 Landtage müssen sich koordinieren und in der EU supranationale Bündnisse schmieden, die das Quorum erreichen. Sodann ist offen, ob die Organe der EU Einwänden folgen oder an ihrer Position festhalten. Angesichts des hohen nationalen wie supranationalen Koordinations- und Kooperationsaufwandes wird dieses Verfahren keine Praxisrelevanz gewinnen. Effizienter erscheint die Möglichkeit nationaler Regierungen, im Auftrag ihrer Parlamente Subsidiaritätsverstöße vor den ↑EuGH zu bringen.

Offensichtlich erschwert Politikverflechtung im Mehrebenensystem bei allem Effizienzgewinn Zurechenbarkeit, Transparenz und parlamentarische Verantwortung. Sie tangiert rechtfertigende Gründe des F.

5. Revitalisierung?

Die infolgedessen initiierte Revitalisierungsdiskussion erbrachte letztlich das Gegenteil einer Trendwende, trotz ihrer urspr.en legislatorischen und fiskalischen Stoßrichtung zugunsten der Länder, die in der auf einem F.-Konvent verabschiedeten „Lübecker Erklärung" 2003 ihren

Ausdruck fand. Gleichwohl zeitigten die drei Reformkommissionen 2006, 2009 und 2017 nur bescheidene, in den Finanzbeziehungen sogar konträre Ergebnisse. Legislatorische Rückübertragungen und Neuklassifizierungen, selbst die Möglichkeit, in bestimmten Bereichen von der Rechtsetzung des Bundes abweichende Regelungen zu treffen, erscheinen nicht essentiell. Gemeinschaftsaufgaben bestehen fort, ergänzt durch vertiefte Einbrüche in die Bildungskompetenz der Länder. Der Finanzeinfluss des Bundes wurde gestärkt, nicht zuletzt durch die Auflösung des horizontalen Finanzausgleichs zwischen den Ländern ab 2020 und die Verlagerung dieser Ausgleichsverpflichtung auf den Bund, den die Länder, sich selbst entmachtend, gerufen haben: Die Geber wollten nichts mehr abtreten, die Nehmer verlässliche ↗Subventionen. Eine aufgabenangemessene Finanzausstattung jedes einzelnen Landes geriet aus dem Blick. Gestaltungskraft wurde den Landtagen zudem durch die ab 2020 greifende „Schuldenbremse" entzogen, die z. B. auch bei ausgeglichenem Haushalt Kreditaufnahmen für Zukunftsinvestitionen untersagt.

Die urspr.e Revitalisierungsidee bleibt auf der Strecke, Verflechtung besteht fort, Subventionsmentalität herrscht vor. Die größte und tiefste Reform des F. seit der Gründung der BRD führte nicht zur Revitalisierung, sondern in Kompetenzen und Finanzen politisch zur Umformung der horizontalen Struktur in eine mehr vertikale mit Dominanz des Bundes.

Tiefgreifende Interessensgegensätze beherrschen das Reformfeld: der natürliche Gegensatz zwischen Zentralgewalt und Gleichstaaten; bes. die Differenzen zwischen ärmeren und reicheren, wettbewerbsfähigen und weniger wettbewerbsfähigen, zwischen gestaltungsfreudigen und aus Mangel an politischer Vorstellungskraft oder materiellen Ressourcen innovationsscheuen Ländern; die Polarisierung zwischen Parlamenten und Regierungen, erstere interessiert an Mitbestimmung, letztere an möglichst ungebundenen Aktionschancen auf der nächst höheren Ebene, bzw. – der Bund – nach unten; die Konkurrenzverhältnisse im Mehrebenensystem Länder – Bund – EU, die z. T. zusätzlich von den eben benannten Interessen geprägt sind. Diese komplexe Interessen- und Faktenlage überfordert offensichtlich die politischen Akteure. Deren Reformen verstärken die Probleme, derentwegen sie initiiert worden waren. Partiell schaffen sie „im Kern verfassungsfremdes Verfassungsrecht" (Renzsch 2017: 771).

Literatur

W. Renzsch: Vom „brüderlichen" zum „väterlichen" Föderalismus: Zur Neuordnung der Bund-Länder-Finanzbeziehungen ab 2020, in: ZParl 48/4 (2017), 764–772 • E. M. Hausteiner (Hg.): Föderalismen. Modelle jenseits des Staates, 2016 • R. Hrbek/M. Große Hüttmann (Hg.): Föderalismus – das Problem oder die Lösung?, 2016 • R.-O. Schultze: Föderalismus, in: D. Nohlen/F. Grotz (Hg.): Kleines Lexikon der Politik, ⁶2015, 188–196 • A. Benz/J. Broschek: Federal Dynamics. Continuity, Change and the Varieties of Federalism, 2013 • R. Sturm: Föderalismus in Deutschland, 2013 • A. Funk: Kleine Geschichte des Föderalismus, 2010 • S. Kropp: Kooperativer Föderalismus und Politikverflechtung, 2010 • H. Laufer/U. Münch: Das föderale System der Bundesrepublik Deutschland, ⁸2010 • R. Sturm: Föderalismus. Eine Einführung, ²2010 • F. W. Scharpf: Föderalismusreform, 2009 • U. Andersen: Föderalismusreform, 2008 • J. Isensee: Idee und Gestalt des Föderalismus im Grundgesetz, in: HStR, Bd. 6, ³2008, 3–200 • L. N. Gerston: American Federalism, 2007 • R. Holtschneider/W. Schön (Hg.): Die Reform des Bundesstaates. Beiträge zur Arbeit der Kommission zur Modernisierung der bundesstaatlichen Ordnung 2002/2004 und bis zum Abschluss des Gesetzgebungsverfahrens 2006, 2007 • R. Herzog: Kooperation und Wettbewerb, in: APuZ 50 (2006), 3–5 • Präsident des Schleswig-Holsteinischen Landtags (Hg.): Föderalismuskonvent der deutschen Landesparlamente. Dokumentation, 2003 • G. Tsebelis: Veto Players. How Political Institutions Work, 2002 • Europäisches Zentrum für Föderalismus-Forschung Tübingen (Hg.): Jahrbuch des Föderalismus, ab 2000 • G. Lehmbruch: Parteienwettbewerb im Bundesstaat, ³2000 • A. Benz: Föderalismus als dynamisches System, 1985 • F. W. Scharpf: Die Politikverflechtungs-Falle: Europäische Integration und deutscher Föderalismus im Vergleich, in: PVS 26/4 (1985), 323–356 • S. Ehrlich: Theoretical reflections on federations and federalism, in: IPSR 5/4 (1984), 359–367 • K. Stern: Das Staatsrecht der Bundesrepublik Deutschland, Bd. 1, ²1984 • W. H. Stewart: Concepts of federalism, 1984 • M. Usteri: Theorie des Bundesstaates, 1984 • M. Friedrich: Landesparlamente in der Bundesrepublik, 1975 • F. W. Scharpf/B. Reissert/F. Schnabel (Hg.): Politikverflechtung. Theorie und Empirie des kooperativen Föderalismus in der Bundesrepublik, 2 Bde., 1975–77 • J. A. Frowein/I. v. Münch: Gemeinschaftsaufgaben im Bundesstaat, in: VVDStRL 31 (1973), 13–146 • E. Deuerlein: Föderalismus, 1972 • K. W. Deutsch: Der Nationalismus und seine Alternativen, 1972 • G. Kisker: Kooperation im Bundesstaat, 1971 • R. Kunze: Kooperativer Föderalismus in der Bundesrepublik, 1968 • H. Bülck/P. Lerche: Föderalismus als nationales und internationales Ordnungsprinzip, in: VVDStRL 21 (1964), 1–144 • W. H. Riker: Federalism, 1964 • K. Hesse: Der unitarische Bundesstaat, 1962 • W. S. Livingston: Federalism and Constitutional Change, 1956 • C. J. Friedrich: Der Verfassungsstaat der Neuzeit, 1953 • C. Frantz: Der Föderalismus als leitendes Princip für die sociale, staatliche und internationale Organisation, 1879.

HEINRICH OBERREUTER

Folter

I. Rechtliche Aspekte

F. ist ein Gegenwartsproblem. Nicht nur im Mittelalter, auch im 21. Jh. wird in mehr als der Hälfte aller Staaten gefoltert; in ca. 70 Staaten systematisch und regelmäßig. Dabei ist F. seit Jahrzehnten völkerrechtlich und innerstaatlich in den Rechtsordnungen fast aller Staaten verboten. Die Diskrepanz zwischen dem Verbot der F. und der Praxis ist immens.

1. Zum Begriff

Es gibt keine allgemeinverbindliche juristische Definition des Begriffs. Im allg.en Sprachgebrauch werden oft Vorgänge als F. bezeichnet, die eher in die Kategorien „bloßer" Schmerzzufügungen fallen dürften. In rechtlicher Hinsicht werden F. meistens drei Begriffsmerkmale zugeordnet: die Intensität der Schmerzzufügung, die Intention und die Zuordnung zu staatlicher Verantwortung. F. ist danach jede schwerwiegende körperliche oder seelische Schmerzzufügung, mit der ein bestimmter Zweck verfolgt und die von einem staatlichen Amtsträger (Polizist, Gefängnisaufseher, Soldat) oder von Privaten im Auftrag oder mit Billigung staatlicher Organe vorgenommen wird. Dieses Verständnis liegt der CAT (UN-Anti-F.-Konvention) von 1984 zugrunde (Art. 1): „Im Sinne dieses Übereinkommens bezeichnet der Ausdruck ‚Folter' jede Handlung, durch die einer Person vorsätzlich große körperliche oder seelische Schmerzen oder Leiden zugefügt werden, zum Beispiel um von ihr oder einem Dritten eine Aussage oder ein Geständnis zu erlangen, um sie für eine tatsächlich oder mutmaßlich von ihr oder einem Dritten begangene Tat zu bestrafen oder um sie oder einen Dritten einzuschüchtern oder zu nötigen, oder aus einem anderen, auf irgendeiner Art von Diskriminierung beruhenden Grund, wenn diese Schmerzen oder Leiden von einem Angehörigen des öffentlichen Dienstes oder einer anderen in amtlicher Eigenschaft handelnden Person, auf deren Veranlassung oder mit deren ausdrücklichem oder stillschweigendem Einverständnis verursacht werden". F. dient demnach nicht nur der Aussageerzwingung, sondern sie wird auch zur systematischen Einschüchterung, zur Diskriminierung oder zu anderen Zwecken verwendet. Dass das Opfer sich in staatlichem Gewahrsam befindet, ist für den juristischen Begriff nicht essentiell.

Der völkervertragliche F.-Begriff in Art. 1 CAT weist allerdings eine nicht unproblematische Einschränkung auf. So heißt es in Art. 1 CAT, der Begriff umfasse „nicht Schmerzen oder Leiden, die sich lediglich aus gesetzlich zulässigen Sanktionen ergeben, dazu gehören oder damit verbunden sind". Es wäre eine grobe Fehlinterpretation dieses einschränkenden Satzes, anzunehmen, das F.-Verbot stünde unter einem generellen Vorbehalt gesetzlicher Anordnung. Vielmehr verhält es sich so, dass gesetzlich angeordnete Sanktionen – z.B. ↑Freiheitsentziehungen – nur zulässig sind, solange sie keine F. darstellen. Zwischen beiden Sätzen besteht mithin eine Wechselwirkung: Es existiert ein ausnahmsloses F.-Verbot, aber nicht verboten sind gesetzlich angeordnete Sanktionen, solange sie nicht einen folternden Charakter aufweisen. Körperliche Züchtigungsstrafen wie das (öffentliche) Auspeitschen oder das Amputieren von Gliedmaßen sind auch dann F., wenn sie auf einer gesetzlichen Grundlage beruhen.

Die Instrumente sind vielfältig. Schlafentzug, Dunkel- und Isolationshaft, Schläge und Elektroschocks, medizinische Zwangsbehandlungen und Experimente, Fesselungen und Vergewaltigungen, oder auch das sog.e Waterboarding, bei dem das Opfer der Gefahr des Ertrinkens ausgesetzt wird, sind weithin anzutreffende F.-Praktiken. Aber auch simulierte Erschießungen, die Bedrohung von Angehörigen oder ähnliche Praktiken, bei denen dem Opfer selbst keine körperliche, aber schwere psychische Gewalt angetan wird, können bei Vorliegen der weiteren Voraussetzungen unter den F.-Begriff fallen.

2. Völkerrechtlich

Die – nicht rechtsverbindliche – AEMR der Generalversammlung der UNO von 1948 legt in Art. 5 fest, dass niemand „der Folter oder grausamer, unmenschlicher oder erniedrigender Behandlung oder Strafe unterworfen werden" darf. Dieser Wortlaut fand in der Folgezeit in zahlreichen ↑völkerrechtlichen Verträgen Verwendung, u. a. im IPbpR (Art. 7), in der ↑EMRK (Art. 3), oder in der Amerikanischen Menschenrechtskonvention (Art. 5). Ähnlich wird F. bspw. in der Afrikanischen Charta der Menschenrechte und Rechte der Völker (Art. 5), der Arabischen Charta der Menschenrechte (Art. 8), der ASEAN-Erklärung der Menschenrechte (Art. 14) und in der CAT (Art. 2) verboten. Das Statut des IStGH erfasst F. als Verbrechen gegen die Menschlichkeit und als Kriegsverbrechen (Art. 7 und 8). Die einhellige Rechtsüberzeugung der Staaten, dass F. und schon deren bloße Androhung verboten sind, hat das F.-Verbot neben allen völkervertraglichen Verboten auch zu einem völkergewohnheitsrechtlichen (↑Gewohnheitsrecht) Verbot verdichtet, dem diejenigen Staaten unterliegen, die völkervertraglich nicht gebunden sind. Die Rechtsüberzeugung der internationalen Staatengemeinschaft reicht sogar so weit, dass jede völkervertragliche Disposition über das F.-Verbot ausgeschlossen ist. Das Verbot gehört zum völkerrechtlichen *ius cogens*.

Nicht einmal im bewaffneten Konflikt, im ↑Bürgerkrieg oder bei schlimmsten allg.en Unruhen darf gefoltert werden. In diesem Sinne trifft es zu, von einem „absoluten" völkerrechtlichen F.-Verbot zu sprechen.

3. Innerstaatlich

Das völkerrechtliche F.-Verbot verlangt von den Staaten nicht nur, dass ihre Organe und Amtsträger jede Form der F. unterlassen. Das Verbot geht einher mit weiteren Verpflichtungen, bspw. jener, Menschen nicht gegen ihren Willen in solche Staaten auszuliefern oder abzuschieben, in denen ihnen F. droht. Völkerrechtlich begründet ist ferner die Verpflichtung der Staaten, aktiv gegen alle Bestrebungen, F. anzuwenden, vorzugehen. In Deutschland ist das F.-Verbot an prominenter Stelle in der Verfassung, in der Würdegarantie (↑Menschenwürde) des Art. 1 GG, verankert: „Die Würde des Menschen ist unantastbar." Daneben garantiert Art. 104 GG: „Festgehaltene Personen dürfen weder seelisch noch körperlich misshandelt werden". Das StGB kennt keinen eigenen F.-Straftatbestand, aber eine Reihe von Strafvorschriften, die alle denkbaren F.-Praktiken und schon die Drohung mit F. unter Strafe stellen. Zu nennen sind insb. die Körperverletzungsdelikte der §§ 223–231, die Köperverletzung im Amt (§ 340 StGB), die Aussageerpressung (§ 343 StGB), oder die Nötigung (§ 240 StGB). Ggf. kommen Tötungsdelikte in Betracht. Strafprozessual ist F. als Vernehmungsmethode verboten, § 136a StPO: „Die Freiheit der Willensentschließung und der Willensbetätigung des Beschuldigten darf nicht beeinträchtigt werden durch Misshandlung, durch Ermüdung, durch körperlichen Eingriff, durch Verabreichung von Mitteln, durch Quälerei, durch Täuschung oder durch Hypnose. […]". Unter Verstoß gegen dieses Verbot erlangte Aussagen unterliegen im Strafprozess einem Verwertungsverbot.

Eine Gesamtschau der verfassungsrechtlichen, strafrechtlichen und strafprozessualen Vorschriften zeigt, dass in der deutschen Rechtsordnung keine Verbotsoder Strafbarkeitslücke besteht. Die BRD hat normativ alle notwendige Vorsorge getroffen, um dem völkerrechtlich begründeten F.-Verbot zu genügen. Ist die BRD wegen Verstoßes gegen ein F.-Verbot auch noch von keinem internationalen Gericht verurteilt worden, so blieben in wenigen Fällen Verurteilungen wegen „unmenschlicher und erniedrigender Behandlung" (Art. 3 EMRK) durch den ↑EGMR nicht aus. Zu nennen wären die Fälle *Jalloh v Germany* (54810/00), *Hellig v Germany* (20999/05), und *Gäfgen v Germany* (22978/05), die Übergriffe von Polizeibeamten bzw. Strafvollzugsbeamten gegenüber Inhaftierten bzw. Festgenommenen betrafen. Der Fall *Gäfgen* löste eine bis heute nicht abgeschlossene juristische und sozialethische Diskussion über Reichweite und Sinn des F.-Verbots aus.

Literatur

K. Altenhain/R. Görling,/J. Kruse (Hg): Die Wiederkehr der Folter?, 2013 • D. Steiger: Das völkerrechtliche Folterverbot und der „Krieg gegen den Terror", 2013 • D. Kretzmer: Torture, in: R. Wolfrum (Hg.): The Max Planck Encyclopedia of Public International Law, Bd. 9, 2012, 950–964 • M. Nowak: Folter, 2012 • K. Altenhain/N. Willenberg (Hg): Die Geschichte der Folter seit ihrer Abschaffung, 2011 • D. Prosenjak: Der Folterbegriff des Art. 3 EMRK, 2011 • C. Grabenwarter: Androhung von Folter und faires Strafverfahren, in: NJW 63/43 (2010), 3128–3137 • M. Nowak: Interim report of the Special Rapporteur on torture and other cruel, inhuman or degrading treatment or punishment, UN-Dok. A/65/273, 10.8.2010 • A. K. Weilert: Grundlagen und Grenzen des Folterverbotes in verschiedenen Rechtskreisen, 2009 • R. Esser: EGMR in Sachen Gäfgen v. Deutschland (22978/05), Urt. v. 30.6.2008, in: NStZ 28/11 (2008), 637–657 • T. Bruha/D. Steiger: Das Folterverbot im Völkerrecht, 2006 • P. Gebauer: Zur Grundlage des absoluten Folterverbots, in: NVwZ 23/8 (2004), 1405–1414 • E. Hilgendorf: Folter im Rechtsstaat?, in: JZ 59/7 (2004), 331–339 • F. Wittreck: Menschenwürde und Folterverbot, in: DÖV 21 (2003), 873–882 • W. Brugger: Vom unbedingten Verbot der Folter zum bedingten Recht auf Folter?, in: JZ 55/3 (2000), 165–173.   BERNHARD KEMPEN

II. Sozialethische Reflexion

1. Widerstand gegen die Folter

Bereits vor der Aufklärung stieß die F. auf Ablehnung. Der Humanist Juan Vives notierte 1522: „Ich bin überrascht, dass Christen mit äußerster, ja geradezu religiöser Anhänglichkeit an so vielen heidnischen Dingen festhalten, die nicht nur der christlichen Liebe und Milde, sondern auch der Menschlichkeit widersprechen. […] Wir Menschen, die doch mit humanitärem Sinn begabt sind, foltern Menschen, damit sie nicht unschuldig sterben, und doch haben wir mit ihnen Mitleid, als wenn sie stürben, denn oft sind ihre Qualen viel schlimmer als der Tod" (zit. n. Compagnoni 1978: 659 f.). Johannes Grevius argumentierte 1624 in seinem Werk „Tribunal reformatum", die F. lasse sich nicht durch die Heilige Schrift rechtfertigen. Sie verstoße gegen die christliche ↑Liebe und das ↑Naturrecht (Zwang zur Selbstbezichtigung), sie erzeuge zahlreiche Übelstände und öffne Missbräuchen Tür und Tor. Der Jesuit Friedrich von Spee übte 1631 in der „Cautio criminalis" radikal Kritik an den Hexenverfolgungen und den dort angewandten F.-Methoden. Im 18. Jh. wurde die Forderung nach Abschaffung der F. z. B. bei Charles de Montesquieu, Voltaire und Cesare Beccaria ein zentrales Thema der ↑Aufklärung.

2. Begründungen des absoluten Folterverbots

Eine ethische Beurteilung der F. nimmt deren Folgen auf verschiedenen Ebenen in den Blick: F.-Opfer, Folterer, die dahinterstehende Institution bzw. den Staat, den Akt der F. an sich sowie die mittel- und langfristigen Auswirkungen auf alle Beteiligten, insb. das rechtsstaatliche Ethos.

Das F.-Verbot findet seine Begründung sowohl in pragmatischen als auch in philosophischen Argumenten. Die pragmatische Begründung des F.-Verbotes bezieht ihr Hauptargument aus der seit der Antike diskutierten und durch Erfahrung gestützten Einsicht, dass F. kein zuverlässiges Mittel darstellt, „um geheimdienstliche Informationen zu gewinnen oder die Inhaftierten zur Kooperation zu bewegen" (Neskovic 2015: 36). Philosophische Argumentationen folgen unterschiedlichen Theorien. Werner Wolbert begründet das absolute F.-Verbot teleologisch auf der Grundlage des slippery-slope-Arguments: Stände die F. als (zulässiges) Mittel zur Verfügung, würde sie auch eingesetzt. Wer wollte die Verantwortung für einen Verzicht auf dieses Mittel tragen, wenn es um die Rettung von Menschenleben geht? „[D]er Gewöhnungseffekt, die Erosion des Rechtsbewusstseins, der seelische Schaden für Folterer" (Wolbert 2005: 90) müssten in die ↑Güterabwägung einfließen.

Eine deontologische Position vertritt Jörg Splett. Für ihn gibt es Handlungen, über die sittlich nicht nach Maßgabe einer Folgenabwägung geurteilt werden kann. F. definiert er „als Aufhebung der Willensfreiheit (auf physischem oder psychischem Weg) bei Erhaltung des Bewusstseins". Die „Leib-Geist-Einheit des Menschen" werde attackiert und die „Person nur noch als Mittel behandelt, in keiner Weise als Zweck an ihr selbst" (Splett 2006: 108 f.). F. stelle daher immer eine Verletzung der Selbstzwecklichkeit der Person dar und sei als eine in sich schlechte Handlung a priori ausnahmslos verboten.

David Sussman argumentiert ausgehend vom Personbegriff (↑Person) mit der Unzulässigkeit der Art und Weise, wie Menschen behandelt werden sollten. F. sei im Kern eine bes. Art von Unrecht, die in anderen Formen äußerster ↑Gewalt oder Zwangsausübung nicht gegeben sei. D. Sussman beschränkt seine These von der moralischen Verwerflichkeit der F. nicht auf das Argument, dass sie die Möglichkeiten des Opfers zur rationalen Selbstbestimmung unterlaufe. Vielmehr betrachtet er F. als eine Handlung, die ihr Opfer dazu bringe, durch eigene Affekte und Emotionen gegen sich selbst handeln zu müssen, sodass das Opfer quasi zum aktiven Komplizen seiner eigenen Vergewaltigung werde. F. geschehe unter Umständen, in denen Opfer und Täter sich in einer extrem disproportionalen Beziehung von Abhängigkeit und Verletzbarkeit befänden. Das F.-Opfer verliere nicht bloß aufgrund der Übermacht des Folterers die Kontrolle, sondern es erlebe sich selbst als denjenigen, der die Kontrolle aufgebe. Für Heiner Bielefeldt ist der Begriff der ↑Menschenwürde konstitutiv für das F.-Verbot auf der Grundlage von zwei Prämissen: „Die erste Prämisse besagt, dass dem Menschenwürde ein unbedingter normativer Vorrang gebührt, da sie, wie es in Artikel 1 Absatz 1 des GG heißt, als ‚unantastbar' zu achten ist. Die zweite Prämisse lautet, dass Folter in jedem Fall eine Missachtung der Menschenwürde bedeutet" (Bielefeldt 2007: 7). Die Menschenwürde als überpositive und vorstaatliche Grundlage moralischer und rechtlicher Normen ist Basis des ↑Rechtsstaates. Ihre Missachtung, die bei jeder schweren Menschenrechtsverletzung stattfindet, ist bei der F. bes. gravierend, zielt sie doch darauf ab, den Willen eines Menschen zu brechen und damit seine Subjektqualität unmittelbar, systematisch und vollständig zu negieren. Der Mensch werde in der F. restlos „verdinglicht" (↑Verdinglichung), d. h. zu einer willkürlich benutzbaren Sache herabgewürdigt.

3. Psychosoziale Folgen von Folter

In der gewöhnlichen Sprache fehlen Ausdrücke sowie „Kommunikationsstrukturen" (Amati 1977: 232) für die F.-Erfahrung und den Schmerz unter der F.

Die F. reduziert den Betroffenen auf Schmerz, Angst und Scham, um ihn als Mittel zur Informationsgewinnung, Einschüchterung oder Demoralisierung zu benutzen. Unter psychologischer Perspektive kann mit Søren Bøjholm von der F. als der Zerstörung der Identität gesprochen werden. In der „Versagung der Mitmenschlichkeit" (failed empathy; Laub/Auerhahn 1991: 254) liegt für den Psychoanalytiker Dori Laub der Kern des F.-

Traumas. Jean Améry beschreibt dies als Erfahrung der Gegenmenschlichkeit. Die unmittelbaren und fortwirkenden Folgen von F. sind gravierend; wer gefoltert wurde, kann in der Welt nicht mehr heimisch werden. Die tödliche Gefahr, der Opfer von F. ausgesetzt waren, erschüttert ihre Weltsicht: „It is difficult to create confidence in a human relationship when similar human beings have attacked and destroyed one of the essential attributes of humanity, ,basic confidence'" (Bustos 1990: 16). Das extreme Gefälle von ↑Macht und Ohnmacht in der Beziehung zum Täter zerreißt die Wahrnehmung der Welt aus der Perspektive des Opfers in extreme Polaritäten: allmächtig oder ohnmächtig, gut oder böse, schwarz oder weiß. Schattierungen werden kaum wahrgenommen. Nicht selten bleiben Überlebende der F. auf ihre Opferrolle fixiert und leben in extremer Anspannung mit ihren stark ambivalenten Gefühlen.

Wer wiederholt massiven psychischen und physischen Traumatisierungen ausgesetzt war, die ihm vorsätzlich durch andere Menschen zugefügt wurden, fühlt sich oft seiner selbst entfremdet und unwiderruflich verändert (alienation, ↑Entfremdung).

Bei F.-Opfern, die eine solche Extremtraumatisierung überlebt haben, sind Symptome der posttraumatischen Belastungsstörung bes. stark und spezifisch ausgeprägt. Die traumatisierenden Ereignisse werden ständig „reproduziert". Sie tauchen nachts in Albträumen, tagsüber in Gedanken und Bildern auf (Intrusionen). Häufig werden sie ohne äußeren Anlass oder im Gefolge irgendeines Alltagsereignisses ausgelöst. Symptome wie physiologische Übererregung, Vermeidungs- und Rückzugsverhalten können sowohl als unmittelbare Reaktion auf die F. als auch noch Jahre später auftreten, wenn das labile seelische Gleichgewicht durch Veränderung oder Retraumatisierung gefährdet wird.

4. Neuere Ansätze zur Relativierung des absoluten Folterverbots

Vom 11.9.2001 an zeichnen sich gegen die klare Mehrheit derer, die an der Absolutheit des F.-Verbots festhalten, auch in der deutschen Rechts- und Politikwissenschaft und Philosophie einzelne Ansätze zu dessen Aufweichung ab, zumeist unter Verweis auf eine mögliche unmittelbare und massive sicherheitspolitische Bedrohung.

Der Rechtsphilosoph Winfried Brugger fordert ausgehend vom ticking-bomb-Szenario, das absolute F.-Verbot durch eine rechtlich geregelte F.-Erlaubnis in Grenzfällen zu relativieren. Um für den Kampf gegen terroristische Verbrechen (↑Terrorismus) gerüstet zu sein, brauche der Staat neue, erweiterte Eingriffsbefugnisse. Der Jurist Matthias Herdegen vertritt in einer Neukommentierung zum GG Art. 1 Abs. 1 die Meinung, dass sich in „Randzonen" der „absolute Vorrang des Würdeanspruchs […] nicht mehr durchhalten lasse" (Herdegen 2003: Rdnr. 20). Er hält es „im Einzelfall" für möglich, „dass die Androhung oder Zufügung körperlichen Übels, die sonstige Überwindung willentlicher Steuerung oder die Ausforschung unwillkürlicher Vorgänge wegen der auf Lebensrettung gerichteten Finalität eben nicht den Würdeanspruch verletzen" (Herdegen 2003 Rdnr. 45).

Literatur

Geschichte des Folterverbots
D. Baldauf: Die Folter. Eine deutsche Rechtsgeschichte, 2004 • E. Peters: Folter, 1991 • F. Compagnoni: Folter und Todesstrafe in der Überlieferung der römisch-katholischen Kirche, in: Concilium 14 (1978), 657–666.

Psychosoziale Folgen der Folter
H. Bielefeldt: Das Folterverbot im Rechtsstaat, 2004 • J. Améry: Jenseits von Schuld und Sühne, ³1997 • H. Stoffels (Hg.): Schicksale der Verfolgten, 1991 • S. Bøjholm: Das Problem der Angst bei der Rehabilitation von Überlebenden der Folter, in: ebd., 295–303 • D. Laub/N. Auerhahn: Zentrale Erfahrung des Überlebenden, in: ebd., 254–276 • E. Bustos: Psychotherapy with tortured refugees, in: Refugee Participation Network 9 (1990), 15–17 • R. Dominguez/E. Weinstein: Aiding victims of political repression in Chile, in: Tidsskrift for Norsk Psykolog-forening 24 (1987), 75–81 • S. Amati: Reflexionen über die Folter, in: Psyche 31/3 (1977), 228–245.

Rechtsethische und ethische Diskussion des Folterverbots
W. Neskovic (Hg.): Der CIA Folterreport. Der offizielle Bericht des US-Senats zum Internierungs- und Verhörprogramm der CIA, 2015 • G. Beestermöller: Gibt es Folter? Ein Plädoyer für ein absolutes Folterverbot jenseits der Frontstellung von Deontologie und Teleologie, in: P. C. Chittilappilly (Hg.): Ethik der Lebensfelder, 2010, 120–154 • H. Bielefeldt: Folter, in: H. J. Sandkühler (Hg.): Enzyklopädie Philosophie, 2010, 715–720 • K. R. Himes: Folter als Angriff auf das Menschliche, in: Concilium 46/3 (2010), 347–352 • H. Bielefeldt: Menschenwürde und Folterverbot, 2007 • W. Lenzen (Hg.): Ist Folter erlaubt?, 2006 • J. Splett: Theo-Anthropologie, in: H.-L. Ollig (Hg.): Theo-Anthropologie, 2006, 105–113 • R. Trapp: Folter oder selbstverschuldete Rettungsbefragung?, 2006 • D. Sussman: What's Wrong with Torture?, in: Philosophy and Public Affairs 33/1 (2005), 1–33 • W. Wolbert: Ausnahmsloses Verbot der Folter?, in: G. Gehl (Hg.): Folter – Zulässiges Instrument im Strafrecht?, 2005, 83–94 • M. Herdegen: Kommentar zu GG Art. 1 Abs. 1, in: T. Maunz/G. Dürig: Grundgesetz-Kommentar, 42. Erg.-Lfg., Stand Februar 2003, 1–58 • A. M. Dershowitz: Why terrorism works, 2002 • W. Brugger: Darf der Staat ausnahmsweise foltern?, in: Der Staat 35/1 (1996), 67–97.   VERONIKA BOCK

Food and Agriculture Organization of the United Nations (FAO)

1. Ziele und Aufgaben

Die Welternährungsorganisation ist eine von insg. 17 Sonderorganisationen der ↑UN. Zum Zeitpunkt ihrer Gründung am 16.10.1945 in Québec wurden ihre zentralen Zielsetzungen in der Präambel ihrer Verfassung festgehalten. Die Mitglieder verpflichten sich,

a) auf bessere ↑Ernährung und höheren Lebensstandard der Bevölkerung hinzuarbeiten,

b) Effizienzsteigerungen der Produktion und Distribution von Nahrungsmitteln und landwirtschaflichen Erzeugnissen zu sichern,

c) günstige Lebensbedingungen für die ländliche Bevölkerung zu schaffen,

d) die weltwirtschaftliche Entwicklung zu fördern und Hunger und Mangelernährung zu beenden.

In diesem Rahmen nimmt FAO fünf Kernaufgaben wahr:

a) Sammlung, Auswertung und Verbreitung von Informationen zu Land-, Forst- und Ernährungswirtschaft sowie Fischerei,

b) Förderung und Beratung nationaler und internationaler Aktivitäten im Bereich der oben genannten Ziele, v. a. in Form globaler, regionaler und nationaler Ernährungs- und Agrarstrategien,

c) Konzeption, Vorbereitung und Durchführung eigener Programme im Bereich von Entwicklungszusammenarbeit und technischer Hilfe, v. a. von Nahrungshilfemaßnahmen im Rahmen des gemeinsam von FAO und UN betriebenen WFP,

d) Vorbereitung, Formulierung und Entscheidungsfindung im Rahmen globaler Normsetzung im Bereich ↑Land- und Forstwirtschaft, Fischerei und Ernährung,

e) Formulierung und Diskussion von Entscheidungsgrundlagen für die Agrarentwicklung auf globaler, regionaler und nationaler Ebene.

2. Mitgliedschaft und Organisation

Im Jahr 2018 sind 194 Staaten, die ↑EU als Mitgliedsorganisation, sowie zwei assoziierte Staaten Mitglieder der FAO. Die Zahl der Mitarbeiter ist seit Mitte der 90er Jahre um ca. 40 % reduziert worden; Ende 2015 arbeiteten rund 3 200 Personen für FAO, 57 % davon im Hauptquartier in Rom. Daneben verfügt die Organisation über ein „dezentralisiertes Netzwerk" (FAO 2017: 98), das über 5 Regional-, 9 subregionale und 80 Länderbüros, sowie 38 akkreditierte Vertreter eine Präsenz in mehr als 130 Ländern sicherstellen soll.

Oberstes Entscheidungsgremium ist die alle zwei Jahre tagende *Konferenz*, in der Vertreter aller Mitgliedstaaten über das für jeweils zwei Jahre erstellte Arbeits- und Finanzprogramm entscheiden. Zudem bestimmen die Delegierten die Zusammensetzung des *Rats*, dessen 49 nach Regionalproporz gewählten Mitglieder Aufsichts- und Leitungsaufgaben zwischen den Sitzungen der Konferenz wahrnehmen. Ihnen stehen verschiedene Kommitees, Expertengruppen und Ausschüsse zur Seite.

Die Konferenz wählt den Generaldirektor für eine – einmal verlängerbare – Amtszeit von vier Jahren. Er ist Leiter des ausführenden Organs *(Sekretariat)* und hat durch seine Amtsführung bedeutenden Einfluss auf die gesamte Arbeit der Organisation. Neben dem *Cabinet of the Director General* umfasst FAO 6 *Departments* (Landwirtschaft und Verbraucherschutz; Wirtschaftliche und Soziale Entwicklung; Fischerei and Gewässerbewirtschaftung; Forstwirtschaft; Verwaltung und Finanzen, sowie Technische Zusammenarbeit), die ihrerseits wiederum in *Divisions* unterteilt sind.

3. Finanzierung

FAO finanziert sich aus regulären Pflichtbeiträgen der Mitgliedsländer einerseits und freiwilligen Beiträgen andererseits. Die Pflichtbeiträge werden analog dem Verfahren der UN festgelegt. Freiwillige Beiträge sind urspr. „funds from governments and private sources earmarked for specific programs and activities identified by them" (Shaw 2009: 69 f.). Mittlerweile tragen sie auch zur Finanzierung der allg.en Arbeit bei. Der 2002 von der BRD eingerichtete Bilaterale Treuhandfonds bei der FAO ist ein Beispiel für freiwillige Kontributionen von Geberländern, deren Einsatz zweckgebunden erfolgen muss.

Die USA und Japan sind die größten Geldgeber der FAO, die ↑BRD und die EU gehören zu den zehn wichtigsten Beiträgern. Das Zweijahresbudget für den Zeitraum 2018–19 beträgt 2,6 Mrd. Dollar: 39 % sollen aus Pflichtbeiträgen, 61 % aus freiwilligen Zuwendungen bestritten werden. Dieses Verhältnis zeigt einen allg.en Trend der letzten Jahre auf: Nominal hat sich der ordentliche Haushalt zwischen 1991 und 2017 fast verdoppelt, real aber keineswegs; 1994–2011 schrumpfte er um 21 %, auch in den weiteren Jahren gab es Einbrüche. Real wuchsen dagegen die freiwilligen Beiträge deutlich an, weil Geber der Kritik an fehlendem Fokus und geringer Effizienz durch zweckgebundene Mittel zu begegnen suchen, deren Einsatz sie kontrollieren können.

Aufgrund geringer Zahlungsmoral der Mitgliedstaaten sind die Finanzprobleme extrem. Die Staaten halten FAO am „finanzielle[n] Gängelband" (Liese 2009: 54), um so eigene Forderungen durchzusetzen.

4. Stärken und Erfolge

Eine 2006/07 durchgeführte externe Evaluierung der FAO hat ergeben, dass diese unverzichtbar ist und bleibt: „If FAO were to disappear tomorrow, it would need to be re-invented [...]" (IEE 2007: 1). Die bes.en Stärken liegen demnach in ihrer Expertise bzgl. der Situation der Land-, Forst- und Ernährungswirtschaft und Fischerei weltweit, in der Fähigkeit, Staaten und Regionen erfolgreich in diesen Bereichen zu beraten und in der Bereitstellung eines „neutralen Forums" für die offene und gleichberechtigte Diskussion relevanter Fragen. Damit eng verbunden sind die Erfolge im Bereich globaler Normsetzung, die umfassend positiv bewertet werden.

Diese Aspekte spiegeln sich auch im Selbstbild. FAO zählt u. a. den Abschluss des Vertrags über pflanzengenetische Ressourcen für Ernährung und Landwirtschaft, die Einigung auf den *Codex Alimentarius* und den Verhaltenskodex für verantwortungsvolle Fischerei, die Beseitigung der Rinderpest, den Kampf gegen Hunger in Lateinamerika und der Karibik sowie die Grüne Revolution in Asien zu den größten Erfolgen ihrer siebzigjährigen Geschichte.

5. Kritik und Reformbemühungen

Trotz dieser Leistungen ist FAO umfassender Kritik ausgesetzt. Sie steht unter Reformdruck. Der Evaluationsbericht hielt fest: „FAO is experiencing a crisis which has been steadily building for two decades and now seriously imperils the effectiveness of the Organization" (IEE 2007: 1). Bes. kritisiert wurden fehlende Transparenz und geringe Effizienz in der Durchführung von Projekten und im Einsatz von Mitteln, sowie fehlende Konzentration im Aufgabenportfolio. Evaluationskommitee und Mitglieder betonen die Notwendigkeit einer Fokussierung auf die Rolle der FAO als Wissensorganisation und die Reduktion eigener Projekte der ↑Entwicklungspolitik. Zudem wurde ein unverhältnismäßig großer administrativer Apparat bei gleichzeitig fehlender Führung durch Generaldirektor und Sekretariat moniert.

Kritik und Empfehlungen wurden aufgegriffen und in einem umfassenden Reformprogramm umgesetzt. „Since 2012, FAO has been revived by cutting bureaucracy and enhancing transparency, and reorganized to pursue more effectively its main goal of ending world hunger" (FAO 2017: Director-General's Foreword). Dies schlägt sich in der Formulierung fünf strategischer Ziele nieder: Hunger, Nahrungsunsicherheit und Unterernährung bekämpfen; Landwirtschaft produktiv und nachhaltig gestalten; ländliche Armut reduzieren; effiziente und inklusive landwirtschaftliche und Ernährungssysteme unterstützen; die Widerstandsfähigkeit von Lebensgrundlagen gegenüber Katastrophen stärken. Auf der organisatorischen Ebene wurde auf *results-based management* umgestellt, ein eigenes *Office of Evaluation* eingerichtet und die strategische Planung in Form rollender Pläne eingeführt.

Inwiefern diese Maßnahmen dazu beitragen können, die Stellung der FAO in einem zunehmend durch Konkurrenz von anderen Organisationen mit ähnlichen Profilen geprägten ernährungs- und entwicklungspolitischen Umfeld zu stärken, hängt zu einem großen Teil davon ab, ob es der Führungsebene gelingt, Vertrauen und Unterstützung der Staaten zurückzugewinnen.

Literatur

FAO: The Director-General's Medium Term Plan 2018–21 and Programme of Work and Budget 2018–19, 2017 • FAO (Hg.): 70 Years of FAO (1945–2015), 2015 • A. Liese: Die Nahrungsmittelkrise: Chance oder Krise der Welternährungorganisation? in: Vereinte Nationen 57/2 (2009), 51–58 • D. J. Shaw: Global food and agricultural institutions, 2009 • Independent External Evaluation of FAO (IEE): FAO: The Challenge of Renewal. An Independent External Evaluation of the Food and Agriculture Organization (FAO), 2007 • R. W. Philips: FAO. Its Origins, Formation and Evolution 1945–1981, 1981 • Deutsche Gesellschaft für die Vereinten Nationen:

Deutschlands Beiträge zur Finanzierung des UN-Systems. III.02 FAO, URL: http://www.dgvn.de/un-im-ueberblick/deutschlands-beitraege-zur-finanzierung-des-un-systems/iii-sonderorganisationen/iii02-fao/ (abger.: 16.02.2018).
SOPHIE HARING

Forschung

1. Forschung ist Wissenschaft

Inhaltlich weist F. vier Begriffselemente auf: Sie ist auf ein Ziel ausgerichtet, ist ein prozesshaftes Geschehen, wird durch Wissenschaftler gesteuert und ist wissenschaftlich-methodisch.

Finalität ist ein Wesensmerkmal von F. Sie ist ausgerichtet auf ein bestimmtes Ziel, das als F.s-Interesse, Erkenntnisinteresse, F.s-Ziel, Entwicklungsziel oder ähnliches angestrebt wird. Der Detaillierungsgrad des Ziels kann dabei stark variieren, je nachdem, ob es sich um Grundlagen-F., spezielle Projekt-F., angewandte F. oder Entwicklungsvorhaben handelt. Oft wird F. als zielgerichtete Suche nach ↑Wahrheit beschrieben. Dies ist anspruchs- und voraussetzungsvoll zugl. und sollte nicht den Blick darauf verstellen, dass auch das Entwickeln einer neuen F.s-Methode, einer Technik oder eines Verfahrens genauso wie das Verstehen innerer und äußerer Kausalverläufe oder das Verstehen von Texten wertvolle Ziele sein können. Innovation kann ein Ziel sein, muss es aber nicht. Wertvolle Ziele können auch darin bestehen, rückwärtsgewandt den fehlenden Beweis für eine andernorts aufgestellte Hypothese zu liefern oder eine im Ausland erbrachte geistige Leistung im Inland zu rezipieren. Nur eine ziellose Vorgehensweise fällt aus dem Begriff der F. heraus.

(Zufalls-)Entdeckung, (Zufalls-)Fund oder zufällige Beobachtung eines Vorgangs sind für sich genommen noch keine F., so nützlich und wertvoll sie auch sein mögen. Zum Bestandteil (und zum Erfolg) von F. werden sie erst durch ihre Einbettung in einen F.s-Prozess. Dabei kommt es weniger auf die Dauerhaftigkeit von F. als auf das Herausbilden eines F.s-Interesses und eine methodische Vorgehensweise an. So ist der zufällige Fund von Fossilien durch einen Laien möglicherweise eine sensationelle Entdeckung, aber noch keine F. und auch kein F.s-Erfolg. Dazu wird der Fund erst, wenn er sich in der Folge eines entsprechenden F.s-Prozesses einstellt. Professionalität ist dabei kein Wesensmerkmal. F. durch nicht-professionelle Forscher (Hobby-Forscher, Jugendliche als Forscher) ist auch F., wenn sie sich denn als zielgerichteter Prozess unter Anwendung wissenschaftlicher Methoden darstellt.

F. setzt allerdings immer menschliche Steuerung voraus. Computer und Maschinen forschen nicht, auch wenn sie unverzichtbare Instrumente sind. Die Vorstellung, F. könne durch vollständig autonom handelnde Maschinen geleistet werden, ist eine fruchtlose Utopie.

Das vierte Merkmal, die wissenschaftlich-metho-dische Vorgehensweise, impliziert nicht, dass es nur eine einzige wissenschaftliche Methode gibt. Vielmehr besteht Methodenpluralismus. Auch die bisher angewandten wissenschaftlichen Methoden können überdacht, verifiziert, falsifiziert, verworfen oder modifiziert werden. Oft genug entstehen große Erfolge gerade dadurch, dass eine neue, vom wissenschaftlichen Mainstream abweichende Methode angewandt wird. Einige wenige Voraussetzungen werden allerdings immer erfüllt sein müssen, um überhaupt von wissenschaftlicher Methode sprechen zu können: Ideologieresistenz, Rationalität, innere Konsistenz und Nachvollziehbarkeit. Ohne diese Merkmale gibt es keine ↑Wissenschaft und keine wissenschaftliche F. Der innere Zusammenhang mit der Wissenschaft ist so eng, dass sich verkürzend sagen lässt: F. ist Wissenschaft.

Umgekehrt aber erschöpft sich Wissenschaft nicht in F., sondern es treten weitere Wissenschaftsbereiche hinzu, bspw. die wissenschaftliche Lehre, der Wissenstransfer etc. Dass heute zusätzlich und in zunehmendem Maße Interdisziplinarität und F.s-Kooperation verlangt und praktiziert werden, mag forschungspolitisch für begrüßenswert gehalten werden, zwingende Voraussetzung für erfolgreiches wissenschaftlich-methodisches Forschen ist Interdisziplinarität indes nicht. Disziplinäre F. hat nach wie vor ihre Berechtigung. Genau so wenig trifft es zu, F. immer nur und ausschließlich als einen institutionalisierten Vorgang zu begreifen, so als könne außerhalb der staatlichen und privaten ↑Hochschulen, der außeruniversitären F.s-Einrichtungen und der Unternehmen keine F. geleistet werden. Das Bild des einsamen Gelehrten, der professionell oder als Amateur forscht, mag aus der Mode gekommen sein und als humboldtscher Mythos belächelt werden. Doch auch diese individuelle F. außerhalb aller Institutionen gehört, z.B. in den ↑Geisteswissenschaften, aber nicht nur dort, zur Realität. Insgesamt ist das Bild der F. viel facettenreicher, als viele glauben. Wird mit dem Begriff F., wie weit verbreitet, ein soziales Subsystem gemeint, indem etwa von der „F. in Deutschland" gesprochen wird, bleibt dieser Facettenreichtum meist ausgeblendet.

2. Forschung als Rechtsbegriff

Das GG garantiert: „Kunst und Wissenschaft, Forschung und Lehre sind frei" (Art. 5 Abs. 3 S. 1). Der Begriff F. ist interpretationsbedürftig. Die Interpretation steht vor der Aufgabe, den sachlichen Anwendungsbereich (Schutzbereich) des – vorbehaltlos gewährleisteten – ↑Grundrechts nicht so eng zu ziehen, dass der Garantiegehalt verkürzt wird, und ihn andererseits nicht so weit auszudehnen, dass die Garantie ins Beliebige entgleitet. Doch dies ist nicht die einzige Schwierigkeit. Eine Überbetonung subjektiver Elemente, die F. immer dort sehen will, wo ein Grundrechtsträger eine Tätigkeit als F. bezeichnet, ist genauso wenig angemessen wie eine Überbetonung objektiver Elemente, die auf den „aktuellen Stand der Wissenschaft" abstellt.

Problematisch ist zudem der exakte Gewährleistungsinhalt. Als Grundrecht ist die F.s-Freiheit ein individuelles Recht jedes Forschers, das ihn vor staatlichen Eingriffen schützt. Zugl. gewährleistet die F.s-Freiheit aber auch den Universitäten und – nach einer Entscheidung des ↑BVerfG – den Fachhochschulen einen geschützten Freiheitsraum, auf den sie sich notfalls auch verfassungsprozessual berufen können. Daneben treten objektiv-rechtliche Gewährleistungsinhalte, die dem Staat die Erfüllung von Schutzpflichten und darüber hinaus auch eine Funktionsgewährleistungsgarantie für die staatlich eingerichteten Hochschulen abverlangen.

2.1 Teleologie der Wissenschaftsfreiheit

Die deutsche Verfassung steht mit der Garantie von ↑Wissenschaftsfreiheit in einer Tradition, die sich bis in die Paulskirchenverfassung (1849) zurückverfolgen lässt (§ 152: „Die Wissenschaft und ihre Lehre ist frei."). Die ↑WRV stellt die Verbindung von Kunst und Wissenschaft her, die sich in der Formulierung des GG wiederfindet: „Die Kunst, die Wissenschaft und ihre Lehre sind frei", wobei der Text sogleich den Staat verpflichtet: „Der Staat gewährt ihnen Schutz und nimmt an ihrer Pflege teil" (Art. 142 WRV). Die Paulskirchenverfassung trat indes nie in Kraft, und die Grundrechte der WRV wurden nicht als verbindliche Rechte, sondern als politische Programmsätze begriffen. Erst das ↑GG schuf für ganz Deutschland ein echtes, einklagbares Grundrecht.

Die weit verbreitete Annahme, Wissenschaftsfreiheit habe sich im 17. und 18. Jh. von kirchlichen Zwängen befreien müssen, erweist sich bei näherem Hinsehen als Vereinfachung, die nach stärkerer historischer Differenzierung verlangt. So trat mit dem Einzug der Logik aristotelischer Prägung in die ↑Scholastik (Petrus Abaelardus) schon im 11. Jh., also noch vor der Gründung der ersten Universitäten in Europa, ein eigenes, kirchlicherseits geschütztes Freiheitsverständnis auf, das sich gegen den Zugriff von Städten und Fürsten durchzusetzen wusste. Das Format der mittelalterlichen *disputatio*, das von der Vorstellung lebte, dass alles angezweifelt werden durfte und musste, stand in den kirchlichen Lehranstalten und an den später entstehenden Universitäten in höchster Blüte. Es kann durchaus als eine frühe Form freier wissenschaftlicher Diskurse verstanden werden. Ein halbes Jahrtausend später, im 18. Jh., war es keineswegs durchgängig die ↑Kirche, die sich wissenschaftlichem Aufbruch entgegen stellte. Die Vertreibung Christian Wolffs von der Universität Halle im Jahr 1723 erfolgte nicht durch klerikale Gremien oder päpstliche Weisung, sondern durch ein fürstliches Dekret, das an C. Wolffs Lehre von den Wahlmöglichkeiten des Menschen Anstoß nahm. Andererseits belegt der Inquisitionsprozess gegen Galileo Galilei im Jahr 1633, dass sich die neu entstehende mathematisch-naturwissenschaftliche Methode anfänglich kaum gegen klerikale Deutungshoheit durchzusetzen vermochte.

Der jüngeren Rechtsgeschichte verdankt sich die Erkenntnis, dass Wissenschaft und F. nur dann erfolgreich sind, wenn sie von politischem Zwang und überhaupt von bestimmenden äußeren Einflüssen frei sind. In staatlichen Zwangssystemen überlebt Wissenschaft nur, wenn es ihr gelingt, sich in Nischen zurückzuziehen, während dort die offizielle staatlich beherrschte Wissenschaft nur als groteske Deformation sichtbar wird. Hinter diesem empirischen Befund, der weltweit in allen totalitären Systemen (↑Totalitarismus) zu beobachten war und ist, steht der tiefere psychologische Zusammenhang, dass wissenschaftliches Forschen als kreativer Vorgang, insoweit jedem künstlerischem Schaffen vergleichbar, auf einen Raum freier Entfaltung angewiesen ist.

Die verfassungsrechtliche Garantie der F.s-Freiheit verfolgt daher einen doppelten Zweck. Sie will dem forschenden Individuum um seiner selbst willen einen Freiheitsraum zur Verfügung stellen und auf diese Weise das individuelle Streben nach Erkenntnis sichern. Sie will aber zugl. Chancen für optimalen wissenschaftlichen Erfolg im Interesse der Allgemeinheit herstellen. In diesem Sinne scheint der Aspekt der Drittnützigkeit des Grundrechts stärker auf als bei anderen Grundrechten. In gewisser Weise ist die Wissenschafts- und F.s-Freiheit innerlich verwandt mit der richterlichen Unabhängigkeit, die den Richtern kein Standesprivileg, sondern der Allgemeinheit die Erwartung sichert, durch eine unabhängig entscheidende Justiz Gerechtigkeit zu erhalten.

Schon früh trat neben die individuelle Freiheitskomponente eine institutionelle Garantie. Rudolf Smend meinte, die Freiheit von Wissenschaft, F. und Lehre sei das „Grundrecht der deutschen Universität" (Smend 1928: 57). Neben den individuellen Grundrechtsträgern treten die wissenschaftlichen Hochschulen als eigene Grundrechtsträger. Das versteht sich keineswegs von selbst, denn staatliche Einrichtungen sind normalerweise nicht grundrechtsberechtigt, sondern grundrechtsverpflichtet. Im Fall der Hochschulen wird insoweit (wie für den öffentlich-rechtlichen ↑Rundfunk und die Kirchen) eine Ausnahme gemacht. Die staatliche Organisation der Hochschulen verfolgt, so seltsam dies auf den ersten Blick klingen mag, den Zweck, Wissenschaft, F. und Lehre möglichst staatsfrei zu halten. Dieses öffentlich-rechtliche Organisationsgerüst besitzt freiheitssichernde Funktion.

2.2 Der Rechtsbegriff der Forschung

Das BVerfG definiert F. als „geistige Tätigkeit mit dem Ziel, in methodischer, systematischer und nachprüfbarer Weise neue Erkenntnisse zu gewinnen" (BVerfGE 35, 79 [112]). Den F.s-Begriff sieht das Gericht dabei in engem Kontext zum Wissenschaftsbegriff, der wie folgt gedeutet wird: „Wissenschaft ist jede Tätigkeit, die nach Inhalt und Form als ernsthafter planmäßiger Versuch zur Ermittlung der Wahrheit anzusehen ist" (BVerfGE 35, 79 [112 f.]). Dieses weite Begriffsverständnis umfasst die

Wahl des konkreten F.s-Gegenstandes, die Wahl der F.s-Methode, die F.s-Vorarbeiten, das Recherchieren und Sammeln von F.s-Material, das Nutzen von Daten und Dokumenten aus allg. zugänglichen Quellen, ↑Archiven und Datensammlungen, die Durchführung von Experimenten, Feld- und Reihenuntersuchungen oder empirischen Befragungen, die Bewertung eigener und fremder F.s-Ergebnisse, die Protokollierung von F.s-Schritten, die Niederschrift von F.s-Ergebnissen sowie die Publikation von F.s-Ergebnissen. Dieser F.s-Begriff liegt der Grundlagen-F., der angewandten F., der Industrie-F., der Ressort-F. und der Groß-F. gleichermaßen zugrunde, auch wenn es zwischen diesen F.s-Typen hinsichtlich der Zielsetzung und des Ressourceneinsatzes kategoriale Unterschiede gibt.

2.2.1 Dimensionen der verfassungsrechtlich geschützten Forschungsfreiheit

Die im GG (Art. 5 Abs. 3 S. 1 GG) und in den ↑Landesverfassungen als Grundrecht gewährleistete F.s-Freiheit weist mehrere Dimensionen auf. Sie ist subjektives Recht des einzelnen Forschers, der sich gegen staatliche Eingriffe in seine F.s-Tätigkeit gerichtlich zur Wehr setzen kann. Neben diese abwehrrechtliche Dimension tritt objektiv-rechtlich die Verpflichtung des Staates, den organisatorischen Rahmen gesetzgeberisch so zu gestalten, dass für die Entfaltung der F.s-Freiheit hinreichend Raum bleibt. Dies betrifft insb. die gesetzgeberische Ausgestaltung des Hochschulorganisationsrechts. Dabei bedeutet F.s-Freiheit allerdings nicht, dass ein bestimmter Typus von Hochschulorganisation verfassungsrechtlich festgeschrieben wäre. Auch ist aus der F.s-Freiheit keine Bestandsgarantie für einzelne Hochschulen abzuleiten, wohl aber eine staatliche Funktionsgewährleistungsgarantie mit der Verpflichtung, die bestehenden Hochschulen so auszustatten, dass sie ihre Aufgaben in der F. erfüllen können.

2.2.2 Rechtliche und ethische Schranken der Forschung

Auch wenn die F.s-Freiheit im Verfassungstext des GG und in den Landesverfassungen nicht mit einem expliziten Schrankenvorbehalt versehen ist, bedeutet dies nicht, dass sie schrankenlos gewährleistet ist. Rechtsschranken ergeben sich aus anderen verfassungsrechtlich geschützten Rechtsgütern, wie insb. der Menschenwürde, dem Recht auf Leben und körperliche Unversehrtheit, dem allg.en Persönlichkeitsrecht, dem Recht auf informationelle Selbstbestimmung oder dem Tierschutz. Während die Menschenwürde schlechthin jeder Abwägung entzogen ist, obliegt es dem Gesetzgeber, die F.s-Freiheit im Konflikt mit anderen Verfassungsgütern zu einem am Grundsatz der ↑Verhältnismäßigkeit orientierten Ausgleich zu bringen. Relevante Themenfelder bilden die medizinische F. an menschlichen Probanden, die ↑Stammzellenforschung, die ↑Gentechnik, die qualitative empirische F. und die F. mittels Tierversuchen. Der im GG verankerte (Präam-

bel, Art. 1 Abs. 2 GG, Art. 24 Abs. 2 GG) Friedensbegriff (↑Frieden) steht der F. auf dem Gebiet militärischer Rüstung nicht grundsätzlich entgegen. Der Verteidigungsauftrag des GG verlangt geradezu nach einer auf militärische Verteidigung bezogenen F. Einschränkungen oder Verbote dürften aber dann rechtmäßig sein, wenn es um F. geht, die dezidiert auf völkerrechts- und verfassungswidrige Vorbereitungshandlungen zur Herbeiführung eines Angriffskrieges abzielt.

Jenseits der Rechtsregeln sind ethische Regeln im Umgang mit F. in F.s-Förderungseinrichtungen (DFG), in außeruniversitären F.s-Einrichtungen (MPGes, Helmholtz-Gemeinschaft), Hochschulen und wissenschaftlichen Fachgesellschaften etabliert. Zu den rechtlichen Normen bestehen signifikante Unterschiede. Ihre Entstehung verdankt sich nicht staatlicher Rechtsetzung, sondern einem Prozess (fach-)wissenschaftlicher Selbstreflexion, ihre Wirkung resultiert nicht aus normativer Geltung, sondern aus sozialer Akzeptanz. Die These, dass heute ethische Orientierung begriffsnotwendig zum Wesensmerkmal von F. zu zählen ist, dürfte nicht falsch sein.

3. Gesellschaftliche und wirtschaftliche Bedeutung von Forschung

3.1 Erwartungen an die Forschung

Die gesellschaftliche Erwartung an F. wächst umso stärker, je erfolgreicher sie ist. In Deutschland wird der Schlüssel zu drängenden Gegenwartsfragen nicht nur, aber v.a. in der F. gesucht. Therapien zur Behandlung schwerer Krankheiten (Krebs, Multiple Sklerose, Demenz, Parkinson etc.), die technologische Durchführung der Energiewende (Elektro-Mobilität, Kernfusion etc.; ↑Energiepolitik), die geistige Vorbereitung der Lösung interkultureller Konflikte (↑Migration, ↑Integration) oder die Entwicklung einer Digitalisierungsstrategie (Automatisierung der Arbeitswelt, Revolutionierung des Zahlungsverkehrs; ↑Digitalisierung) werden eingefordert. Die Vorstellung, F. sei ein Dividendensystem, in welchem jeder investierte Euro einen volkswirtschaftlich messbaren F.s-Ertrag abwerfen müsse, ist verfehlt. Zwar ist in unzähligen Studien bestätigt worden, dass F. eine Determinante volkswirtschaftlicher Prosperität darstellt. In Euro und Cent messbar und in Quartalsmustern prognostizierbar ist der volkswirtschaftliche F.s-Erfolg aber nicht.

Staatliche F.s-Politik versucht, durch den gezielten Einsatz finanzieller Ressourcen, F. an bes. wichtigen oder für wichtig gehaltenen Gegenwartsfragen zu intensivieren. Dies geschieht zum einen durch gezieltes Agenda Setting in außeruniversitären F.s-Einrichtungen (Helmholtz-Gemeinschaft), aber auch mit einer auf alle staatlichen Universitäten bezogenen wettbewerblich organisierten Exzellenz-Initiative bzw. Exzellenzstrategie. Die Erfolge dieser Maßnahmen sind unabweisbar. Die Steuerung mit dem goldenen Zügel wird so lange unproblematisch sein, wie bewusst bleibt, dass thematisch fokussierte Spitzen-F. ohne solide Breiten-F. auf Dauer nicht realisierbar ist.

3.2 Forschungsausgaben

Die Gesamtausgaben für F. und Entwicklung in Deutschland beliefen sich im Jahr 2014 auf 84,2 Mrd. Euro. Nur etwa ein gutes Drittel (24,1 Mrd. Euro) wurde dabei vom Staat (Bund und Länder) finanziert, der größte Teil der Aufwendungen wird von der Wirtschaft getragen (55,5 Mrd. Euro). In den F.s-Einrichtungen von Wirtschaft und Industrie liegt der mit Abstand größte Teil der F.-Ausgaben (56,9 Mrd. Euro), an den Hochschulen wurden im Jahr 2013 14,9 Mrd. ausgegeben. Im OECD-Vergleich liegt Deutschland mit einem Anteil seiner F.s-Ausgaben in Höhe von 2,9 % des BIP (2016) auf dem 8. Platz hinter u. a. Japan, Korea, Österreich und Dänemark.

An den Hochschulen ist F. mit den regulären staatlichen Mittelzuflüssen meistens nicht (mehr) möglich. In wettbewerblichen Verfahren vergebene Drittmittel aus staatlicher und privater Hand werden zunehmend zur F.s-Voraussetzung. Die auf diese Weise zwangsläufig entstehenden bewussten und unbewussten Abhängigkeiten sind nicht unproblematisch. Solche Abhängigkeiten zu vermeiden und entsprechende Gegenstrategien zu entwerfen, ist eine wichtige Aufgabe der *scientific community*.

Literatur

K. Gärditz: Forschungsfreiheit, in: C. Lenk/G. Duttke/H. Fangerau (Hg.), Hdb. Ethik und Recht der Forschung am Menschen, 2014, 149–156 • M. E. Geis: Universitäten im Wettbewerb, in: VVDStRL, Bd. 69, 2010, 364–406 • M. Ruffert: Grund und Grenzen der Wissenschaftsfreiheit, in: VVDStRL, Bd. 65, 2006, 146–216 • M. Nettesheim: Grund und Grenzen der Wissenschaftsfreiheit, in: DVBl 120/17 (2005), 1072–1082 • P. Weingart: Wissenschaftssoziologie, 2003 • H. Krüger: Forschung, in: C. Flämig u. a. (Hg.): Hdb. des Wissenschaftsrechts, Bd. 1, ²1996, 261–308 • H. H. Trute: Die Forschung zwischen grundrechtlicher Freiheit und staatlicher Institutionalisierung, 1994 • H. Zwirner: Zum Grundrecht der Wissenschaftsfreiheit, in: AöR 98/3 (1973), 313–339 • R. Smend: Das Recht der freien Meinungsäußerung, in: VVDStRL, Bd. 4, 1928, 44–73.   BERNHARD KEMPEN

Fortbildung ↑Erwachsenenbildung, ↑Weiterbildung

Fortschritt

F. *(progressus; progrès; progress; progresso)* bezeichnet die in einer Folge von natürlichen, kulturellen oder politischen Ereignissen nachträglich erkannte, für die Gegenwart angenommene oder für die Zukunft erhoffte Entwicklung von Zuständen zum Besseren hin.

In dieser Bedeutung kommt der Begriff bereits bei den antiken Stoikern (Chrysipp, Frag. 530, SVF 3, 143.)

sowie bei Cicero, Lukrez und Seneca (Nat. Quaest. Lib. VII, 25 und 30 ff.) vor, wobei er freilich auch den Sittenverfall, den Fortgang im Laster, bezeichnen kann. Renaissance und ↑Humanismus, die sich selbst schon als Manifestationen eines F.s in der Geschichte (↑Geschichte, Geschichtsphilosophie) verstehen, bereiten den Topos auf seine neuzeitliche Verwendung vor. Hier ist es die sich ins Unabsehbare steigernde Dynamik des menschlichen Wissens und Könnens, die den F. zum zentralen Moment der Selbstauszeichnung des modernen Menschen werden lassen.

Das hat Kritiker zu der Annahme geführt, der „F.s-Glaube" sei eine Erfindung der ↑Moderne. Erst hier werde sie als selbstverständlich vorausgesetzt, sei tatsächlich aber verhängnisvoll und müsse durch entschiedene Abkehr überwunden werden. Das Problem dieser Abwehr liegt aber nicht nur darin, dass die F.s-Erwartung schon lange vor der Moderne verbreitet war; vielmehr bleibt die Vorstellung einer möglichen Überwindung des F.s-Denkens selbst noch mit der Erwartung eines F.s durch Erkenntnis und bessere Einsicht verbunden. Das gilt auch für den Fall der Annahme, man könne den angeblich dem F. verpflichteten „linearen" Geschichtsbegriff durch die ältere Vorstellung von einem „zyklischen" Zeitablauf ersetzen. Tatsächlich aber lassen sich die linearen Konzeptionen sowohl mit den mythischen wie auch mit den physikalischen Weltvorstellungen vereinen.

1. Die Unvermeidlichkeit der Progression

Unabhängig von zyklischen Modellen des Zeitverlaufs in Äonen oder ↑Epochen, hat es der Mensch in seinem durch eigenes Tun zu bewältigenden Leben mit folgerichtigen Handlungsschritten zu tun. Sie müssen von ihrem Anfang über verschiedene Zwischenstationen bis zu einem vorgestellten Ende durchlaufen werden, wenn sie zum Ziel kommen sollen. Das lineare Modell des menschlichen Tuns tritt umso stärker hervor, je mehr Mittel zum Einsatz kommen; es erfordert umso größere Beachtung, je mehr Menschen kooperativ beteiligt sind; und es bekommt vermutlich einen eigenen Rang, sobald der in Absprachen in Anspruch genommene Handlungsraum über die Lebenszeit des Einzelnen hinausreicht. So können in das Vorankommen beim Aufbau staatlicher Ordnungen oder in der Realisierung großer Bauvorhaben der Bewässerung oder die Feinde abwehrenden Mauern die Lebenszeit vieler Generationen eingebunden sein, ohne dass bereits alles Leben und jegliches Dasein nach dem Modell eines linearen F.s verstanden werden muss. Hier bieten sich der Kreislauf der Gestirne, die Wiederkehr der Jahreszeiten oder der Weltalter als eine die F.e im Handeln umgreifende Ordnung an. So muss der Zyklus von Werden und Vergehen der Welt nicht im Widerspruch zu einer aufsteigenden Entwicklung eines Geschlechts oder eines Volkes stehen.

In der alttestamentlichen Schöpfungsgeschichte wird

der Zyklus im Ablauf der Wochen- und Ruhetage in Anspruch genommen und scheint sich im Garten Eden im Kreislauf des Lebens zu wiederholen. Mit der Vertreibung des Menschen aus dem Paradies, mit dem Gebot, sich die Erde untertan zu machen sowie mit den unterschiedlich bewerteten Arbeitsleistungen von Kain und Abel ist hingegen ein linear gedachter Prozess in Gang gesetzt. Im Text der „Genesis" wird das durch die langen Geschlechterfolgen angezeigt; er findet in der Schilderung der Geschichte Noahs mit dem planvollen Bau der Arche seine Fortsetzung und geht spätestens mit der abrahamitischen Verheißung in die linearen Geschichtsschreibung des jüdischen Volkes (↑ Judentum) über. Zyklische Naturauffassung und lineares F.s-Modell des menschlichen Handelns sind hier im Wirken Gottes verbunden wie auch in seinem Anspruch an den Menschen verbunden. Der Prediger im Buch „Kohelet" sieht die Weisheit des Menschen darin, dass er sich in der wiederkehrenden Vergänglichkeit von allem seine eigenen, dem anspruchsvollen Willen Gottes entspr.en Lebensziele setzt.

So ist es auch im Denken der griechischen und römischen Antike. Doch hier tritt mit der zunehmenden Dominanz des Wissens ein Wandel ein. Wissen ist mit Aktivitäten des Menschen verbunden, die sowohl individuell wie auch kollektiv mit bewussten Anfängen, mit weiter reichenden Einsichten und bestätigten Resultaten verknüpft sein können. Weitet es sich aus und bezieht es das Wissen vom Ablauf der Natur mit ein, fällt es zunehmend schwer, den Lauf der Dinge von der Progression der erkannten und benannten Ereignisse auszunehmen.

2. Wissen als Medium des Fortschritts

Das sich gesellschaftlich ausweitende Wissen lässt sich als die sachlich nächstliegende und geschichtlich vorrangige Grundvoraussetzung der F.s-Erwartung ansehen: Wissen ist ein Zustand, der ein Nicht-Wissen ablöst, aber aus eigenem Anspruch auf Erweiterung und Verbesserung des Wissens angelegt ist. Es bewährt und verändert sich in seinem Gebrauch, wächst in seinen Beständen und gewinnt weitere Träger hinzu. Auch seine Widerlegung erfolgt in der Form von Wissen. Mit dem ausdrücklichen Interesse an einer lehrhaften Verbreitung von Einsichten, Erkenntnissen und Theorien dringt die Denkfigur des F.s vor. Dafür gibt es Anhaltspunkte bereits bei Platon (Platon, Theaitetos 146 b) und Aristoteles (Soph. Elench. I, 34).

Mit der zunehmenden Institutionalisierung des Wissens in Disziplinen und Schulen wächst das Bewusstsein vom Zusammenhang von Wissen und methodischem Vorgehen. Das erklärt das bewusste Vordringen der Idee des F.s auch über den Abbruch antiker Wissenstraditionen hinaus, insb. dort, wo überlieferte Theoriebestände neu aufgenommen werden. Das ist mit der Wiederentdeckung der Schriften des Aristoteles bei Albertus Magnus und Thomas von Aquin (STh I-II, 97,1)

der Fall. Erleichtert wird das durch die von Augustinus vorgetragene Konzeption eines säkular-linearen Zeitverlaufs nicht nur von der Schöpfung bis zum Opfertod Jesu, sondern auch für die weltliche Zeit danach. Eine Dynamisierung dieser Weltzeit erfolgt im 13. Jh. n. Chr. mit der Erwartung, die aus neuer Naturerfahrung gewonnenen Erkenntnisse könnten die säkulare Reichweite des Wissens auch in die Zukunft ausdehnen. So ist es bei Roger Bacon, der die aktive Rolle des Experimentierens mit Blick auf zukunftträchtige Schlussfolgerung betont.

In Renaissance und Humanismus wird das auf die Wissenschaft konzentrierte Bewusstsein zur kulturell bestimmenden Kraft. Die breite Erschließung des künstlerischen, literarischen und philosophischen Erbes der Antike stimuliert die Idee einer durch eigene Aktivitäten geförderten Entwicklung des menschlichen Lebens. Sie manifestiert sich zunächst in den säkularen Leistungen der ↑Ökonomie und der ↑Kunst. Denkt man die Erfindung des Buchdrucks und die kurz darauf aktiv betriebene Entdeckung und Vermessung des Erdballs hinzu, versteht man auch das sich rasch ausbreitende Verlangen nach grundlegenden technischen, kulturellen und politischen Neuerungen. Die bereits Ende des 15. Jh. präsentierte Idee Giovanni Pico della Mirandolas einer alle Religions- und Schulstreitigkeiten überwindenden Konferenz in Rom, die von Erasmus genährte Hoffnung, der Torheit der Menschen, der Kriegslust der Fürsten und dem Unwissen der Menge könne Einhalt geboten werden, schließlich das mit der ↑Reformation einhergehende Verlangen nach einem existenziellen Neubeginn des Lebens im Zeichen allg.er Bildung und neugeschaffener Institutionen, sind vom Bewusstsein eines Fortschreitens zum Besseren imprägniert.

3. Wissenschaft im Zeichen des Fortschritts

Mit den gegen Ende des 16. Jh. vollzogenen gesellschaftlichen Veränderungen hat sich insb. das Bewusstsein von der Rolle der ↑Wissenschaft verändert. So innovativ die Debatten durch Jean Bodin, Justus Lipsius und Michel de Montaigne im ↑Staatsrecht, in der ↑Ethik und in der Fortführung der humanistischen Ziele auch sind: Unter dem Eindruck der künstlerischen und technischen Erfolge in den von Italien nach Mitteleuropa vordringenden Werkstätten, verlagert sich die Aufmerksamkeit auf die erfahrungsorientierte Erkenntnis der ↑Natur. Noch bevor von ihr ein säkularer Optimismus ausgeht, der als historisch einzigartig bezeichnet werden kann, löst sie bei einem noch ganz an Aristoteles orientierten Denker wie Giordano Bruno, ein tief empfundenes Verlangen nach geistiger Erneuerung aus, die es den Menschen ermöglicht, die „Erdichtungen" der Vergangenheit endlich hinter sich zu lassen, um in die „Hallen der Wahrheit" (Bruno 1969: 72) einzutreten.

Nur ein Menschenalter später ist es Francis Bacon vorbehalten, als wirkungsmächtigem Anwalt der modernen F.s-Idee Aufmerksamkeit und Anhänger zu finden. Noch Immanuel Kant macht aus F. Bacons Vorwort zu seiner *Instauratio magna* das Motto seiner „Kritik der reinen Vernunft": Der Wissenschaft gehe es nicht um „Schulrichtung und Lehrmeinung", sie schaffe vielmehr die „Grundlagen" der „menschlichen Wohlfahrt und Würde" (Kant 1983, Bd. 2: 7). F. Bacon betont, dass erst die „mechanischen Erfindungen" von Schießpulver, Kompass und Buchdruck die Veränderungen ermöglicht haben, die „großen F." *(magnum progressus)* erlauben. Der liegt für ihn auch darin, dass sie der angemaßten Autorität von Staat und Kirche die Grundlagen entziehen. Dadurch machen sie Platz für die „Wohltaten", die der „ganzen Menschheit" *(universum genus humanum)* zugutekommen (Bacon 1897: 128).

Den Zusammenhang zwischen Mensch und Natur sieht F. Bacon solange als gesichert an, als der Mensch seine Wissenschaft auf eine der Natur folgende Praxis gründet und davon ablässt, nur seinen Geist zu bewundern. Damit ist eine Alternative angedeutet, die in den nachfolgenden Jahrzehnten im Hintergrund der *Querelle des Anciens et des Modernes* wirksam ist: Mit Blick auf den Geist haben die Denker der Antike, so sagen die einen, die Voraussetzungen für den F. der Menschheit geschaffen; doch in der Erkenntnis und zunehmenden Beherrschung der Natur, so meinen die anderen, muss man den Modernen die Meisterschaft zuerkennen. Diese im 17. Jh. zahllose Autoren beschäftigende Kontroverse wirkt bis heute nach, obgleich man sie durch die Auszeichnung der aktiven Rolle der Kritik, vornehmlich durch Pierre Bayles erstmals 1696 erschienenes „Dictionnaire historique et critique", als sachlich beigelegt ansehen kann: Die geistige Kraft der ↑ Kritik bezieht alles ein: den Umgang mit der Natur, die damit ermöglichten F.e und schließlich die Bewertung des Erreichten. Darin kann sie nur überzeugen, solange sie selbstkritisch verfährt. Indem die Kritik als „Probirstein" (Kant 1983, Bd. 2: 104) der Wahrheit fungiert, ist sie eine selbst auf F. gegründete Instanz der Prüfung der F.e im Einzelnen.

Die Zahl der Gelehrten, die F. Bacon mit dem Programm seiner „Instauratio" in seinen Bann zieht, reicht von René Descartes über Blaise Pascal bis hin zu den großen Aufklärern des 18. Jh. Selbst Baruch de Spinoza und Gottfried Wilhelm Leibniz können sich seinem Einfluss nicht entziehen. G. W. Leibniz warnt zwar vor dem Missverständnis einer Mechanik des F.s und hält die Erwartung eines „Sieges über die Natur" für eine maßlose Überschätzung des Menschen, dem ein Begriff von der unendlichen Überlegenheit Gottes fehlt; doch er räumt der um Erkenntnis bemühten menschlichen Gattung die Möglichkeit zu einem „kontinuierlichen Prozess des Fortschritts" ein (Leibniz 2013: 21). Auf diesen Prozess hatte B. de Spinoza 1670 seinen „Tractatus theologico-politicus" gegründet, mit der doppelten Erwartung einer von Vorurteilen befreiten Interpretation der Bibel und einer politische F.e ermöglichenden freiheitlichen Praxis.

4. Die politische Dimension des Fortschritts

Dass sich auf die F.e des Wissens und des technischen Könnens auch konkrete institutionelle Erwartungen gründen lassen, belegen die politischen Schriften John Lockes, wenn er aus den Erfahrungen der englischen Geschichte die strikte Teilung der Gewalten, die ↑ Rechtssicherheit und eine Garantie der persönlichen ↑ Freiheit ableitet. In seinen „Two Treatises of Government" von 1690 grenzt er sich im ersten Teil von einem noch der biblischen Überlieferung verpflichteten Anwalt der gottgegebenen Rechte des Königs ab, um sich im zweiten Teil der Darstellung der politischen Prinzipien zuzuwenden, die für seine Zeit sowie für die durch sie eröffnete Zukunft gelten. Den „falschen Grundsätzen" der älteren Lehren stellt J. Locke die „wahren", weil wirklich begründeten Ziele der ↑ Politik entgegen. So wird schon in der Darstellungsform der F. illustriert, den Politik zu nehmen hat, wenn sie in der Zukunft bestehen will.

In Charles de Montesquieus „L'Esprit des Lois" scheint zunächst alles auf die Tradition ältester ↑ Staatslehren gegründet. Aber die Emphase, mit der die Bindung der Politik an die Bedingungen der Natur beschworen wird, dient auch dem Interesse an den neuzeitlichen ↑ Naturwissenschaften. Mit seinem Plädoyer für die ↑ Gewaltenteilung verschärft der Autor die Argumente J. Lockes und verstärkt die Forderung nach Veränderungen, die den fortgeschritten Einsichten nachkommen.

Während J. Locke und C. de Montesquieu primär an innerstaatlichen Reformen interessiert sind, zielt das in der ganzen Anlage auf F. setzende „Projet pour rendre la paix perpétuelle en Europe" des Abbé de Saint Pierre auf einen grundsätzlichen Wandel im Verhältnis der Staaten untereinander. In der Hoffnung auf eine dauerhafte Beilegung der ↑ Kriege zwischen den christlichen Fürsten Europas schlägt der Verfasser eine auf das ↑ Natur- und ↑ Völkerrecht gegründete, weit über die alte Reichsverfassung hinausgehende Friedensordnung vor. Sie herzustellen, hätte einen unerhörten politischen F. bedeutet. Doch dem stand die alte monarchische Ordnung entgegen. Und so geriet das 1712 vorgeschlagene „Projekt" schnell in Vergessenheit.

Als Jean-Jacques Rousseau den Plan des Abbé de Saint Pierre fast 50 Jahre später einem breiteren Publikum bekannt macht, hat sich die öffentliche Bewertung des ↑ Absolutismus bereits gewandelt. Und als I. Kant 1795 seinen „Entwurf zum ewigen Frieden" publiziert, hatten die englischen Kronkolonien mit der Gründung der Vereinigten Staaten von Amerika ihre Unabhängigkeit erlangt und in Frankreich war die ↑ Monarchie einer ↑ Republik gewichen. Das wird mit guten Gründen als F. erfahren, dem sich sowohl die Anhänger J.-J. Rousseaus wie auch I. Kants politischer Philosophie verpflichtet sehen. Die geschichtlich erlebte und positiv beurteilte gesellschaftliche Bewegung verstärkt den Nachdruck, mit dem der F. in der Politik, nunmehr auf alle Lebensbereiche übertragen wird. Der für das 18. Jh. allg. verbreitete Terminus für diese Form des F.s-Denkens ist ↑„Aufklärung" J.-J. Rousseaus erste Preisschrift von 1750 erregt Aufsehen, weil sich der Autor dem F.s-Optimismus des *siècle des lumières* entgegenstellt. Nach Art antiker Autoren deutet er seine Gegenwart als Zeitalter des kulturellen Zerfalls und propagiert die „Rückkehr zur Natur". Doch die Forderung, die im Fall einer gelingenden Rückkehr ebenfalls in einen durch die Kritik erzielten F. einmünden müsste, gibt J.-J. Rousseau in seinen ökonomischen, politischen und pädagogischen Schriften auf. Mit seiner dennoch verschärften Kritik an der vom Klerus gestützten höfischen Gesellschaft wird er zum Anwalt einer entschiedenen Abkehr vom *Ancien Régime* und damit posthum zum Wortführer der ↑Französischen Revolution.

Für I. Kant, der bereits die Gründung der Vereinigten Staaten von Amerika begrüßt und die Revolution in Paris gegen die Kritik seiner Zeitgenossen verteidigt, seien beide Großereignisse eminente F.e des Rechts. Überdies wertet er die Vorgänge in Paris als „Geschichtszeichen" (Kant 1983, Bd. 6: 357) für einen moralischen F., weil sie im „Gemüte" (Kant 1983, Bd. 6: 358) der Betrachter eine unverlierbare moralische Anteilnahme und folglich einen F. in der Humanisierung auslösen. So gibt es bei I. Kant nicht nur den zivilisatorischen F. in den Rechtsverhältnissen, dem ein kultivierender F. im aufgeklärten Umgang der Menschen mit sich und ihresgleichen folgen sollte: I. Kant ist bereit, sogar im nicht-empirischen moralischen Selbstverhältnis eine Steigerung für möglich zu halten, deren Folgen sich auch in einer Gefühl und Vernunft (↑Vernunft – Verstand) verbindenden Ausübung der ↑Religion zeigen können. Im strikten Sinn aber kann es nur einen *technischen*, *pragmatischen*, *zivilisatorischen* und *kulturellen* F. geben. Im Zeichen des Menschen- und Weltbürgerrechts sollte er in die Schaffung eines *Weltfriedens* münden, der durch einen *Bund föderaler Staaten* vorbereitet wird, in dem sich republikanisch verfasste Gemeinwesen ohne jeden Vorbehalt und ohne Rückgriff auf einen für alle verbindlichen religiösen Glauben, auf einen friedlichen Umgang verständigen. Ein solcher Endzustand lässt sich nur durch friedliche, die Sphäre des ↑Rechts ausschöpfende und erweiternde Evolution erreichen.

Dabei bleibt I. Kant ältesten Traditionen des F.s-Denkens verpflichtet, indem er natürliche und kulturelle Entwicklungsprozesse keiner kategorialen Trennung unterwirft. Zwar muss sich der Mensch aus eigener Kraft aus den Naturbedingungen, aus denen er stammt und denen er dauerhaft verbunden bleibt, herausarbeiten; aber schon der Weg dahin ist durch einen Entwicklungsprozess in der Natur gekennzeichnet. Schon in seiner frühen Kosmologie von 1755 hatte I. Kant die „Revolution" (Kant 1983, Bd. 1: 303) der Sternenbewegungen mit der linearen Entfaltung des Lebens auf der Erde und der Entstehung der menschlichen Vernunft zu verbinden gewusst.

5. Fortschritt als säkularisierter Glauben

Der als Anwalt des F.es auftretende Imperator Napoleon hat eine bis weit in das 20. Jh. reichende nationalistische Regression ausgelöst. Das hat dazu geführt, I. Kants nüchtern kalkulierte Friedensschrift als bloßen „Traum" abzutun. Umso stärker wurde die ohnehin mit dem Wissenserwerb verbundene F.s-Erwartung zum Generalmotiv alles wissenschaftlichen, technischen und politischen Denkens. Bei dem Aufklärer Étienne de Condillac und den wenig später direkt mit den revolutionären Impulsen verbundenen Theoretikern wie Thomas Paine, dem Marquis de Condorcet, und Auguste Comte ist ihr auf die positiven Erträge bezogenes Wissenschaftsverständnis nicht nur mit der Gewissheit einer progressiven Verbesserung der Lebensverhältnisse verknüpft. Es werden auch Geschichtsmodelle entworfen, die einen sich über Jahrtausende erstreckenden F. unterstellen. Er soll sich in der Abfolge von drei Stadien vollziehen, die von einem „religiösen" Zeitalter ausgehen und von einer „metaphysischen" Epoche abgelöst werden, um schließlich die ganz auf „positives Wissen" gegründete Gegenwart zu führen. Zwar kann das „Drei Stadien-Gesetz" T. Paines und A. Comtes als in allen Annahmen widerlegt angesehen werden, denn Religion, spekulative Philosophie und positive Wissenschaft treten bis in die Gegenwart gleichzeitig auf. Doch die basale Überzeugung von einem sich spätestens mit dem 19. Jh. vollziehenden Übergang in eine bloß auf empirische Erkenntnis gestützte, säkulare Weltanschauung hat sich bis ins 21. Jh. gehalten. Sie wird, als ein allein auf die Wissenschaft, die ↑Technik und den wachsenden Komfort gestützter Glauben an die Optimierung der Lebensverhältnisse auch deshalb bereitwillig angenommen, weil die Erwartung besteht, man könne damit den für sinnlos gehaltenen Streitfragen des religiösen Glaubens entkommen. Diese Annahme mag aus der regionalen Sicht einiger westeuropäischer Staaten berechtigt erscheinen; im globalen Rahmen aber lässt sie sich nicht bestätigen. Die Hoffnung auf einen schwindenden Glauben im Zeitalter der Positivität ist somit selbst nicht mehr als ein Glauben an einen durch Glaubensverluste charakterisierten F.

Noch der Ablauf der jüngeren Geschichte belegt das Gegenteil. Denn zu den überlieferten und sich ständig vervielfältigenden Formen des religiösen Glaubens sind die angeblich auf wissenschaftlichen Erkenntnissen beruhenden nationalistischen, rassistischen und kommunistischen ↑Ideologien hinzugekommen. Sie versuchen ihre Überzeugungskraft nicht zuletzt dadurch zu verstärken, dass sie sich auf fortgeschrittene wissenschaftliche Einsichten berufen und modernste Technologien in Anspruch nehmen.

Eine ganz andere Art der modernen Ausweitung des F.s-Gedankens findet sich in Georg Wilhelm Friedrich Hegels Implantation des F.s in die Logik des Geistes, die sich in der Form einer aus sich selbst erzeugten ↑Dialektik, bereits die Entfaltung der Natur und schließlich auch die Entwicklung des Menschen im Gang der Weltgeschichte vorantreibt. Dem bleibt Charles Darwin nahe, wenn er die von G. W. Leibniz noch ganz auf den Entwicklungsgang einzelner Lebewesen vom Keim bis zum reifen Individuum bezogene und erst von I. Kant als eine den gewaltsamen politischen ↑Revolutionen entgegengestellte politisch-kulturelle Alternative verstandene ↑Evolution als eine durch empirische Beobachtung freigelegte Entwicklungsdynamik allen Lebens beschreibt. Die Evolution der Arten ist zwar nicht durch vorgegebene Handlungsziele bestimmt, bleibt aber dem Modell des F.s im Wissen dadurch verbunden, dass der Diversifikation der Lebewesen ein, wenn auch unbewusster, Prozess des Erfahrungsgewinns unterstellt wird, der zur besseren Anpassung an die jeweilige Umgebung sowie zur Überlegenheit gegenüber anderen Individuen und Arten führt. Der F. in der Evolution des Lebens kann nur in einer mechanischen Auslese der jeweils besser angepassten Lebewesen bestehen. Im Ganzen wird er heute als *Komplexitätsgewinn* beschrieben.

Diese Deutung wird im 20. Jh. auch zum Verständnis sozialer Prozesse herangezogen. F. erscheint dann als Zunahme der Selbstreferenz sozialer Systeme (↑Systemtheorie), was Soziologen veranlasst, nicht nur auf die Parallelen zur biologischen Evolutionstheorie, sondern auch zur Systemlogik G. W. F. Hegels zu verweisen.

Friedrich Nietzsche, der als Kulturkritiker (↑Kulturkritik) eher auf das organologische Model kultureller Renaissancen setzt, und, anders als etwa Karl Marx und Friedrich Engels, nicht zu den emphatischen Vertretern eines allg.en Menschheits-F.s gehört, bleibt ihm in seiner, trotz aller Vorbehalte festgehaltenen, Anhänglichkeit an das wissenschaftliche Wissen skeptisch verbunden. Umso stärker tritt das F.s-Motiv in seiner These vom „Tod Gottes", im Prospekt des „Übermenschen" und dann, in exemplarischer Konzentration auf die Lebensführung des Einzelnen, im Motiv der Selbst-Überwindung hervor. Zugl. hängt er dem Gedanken einer „ewigen Wiederkehr des Gleichen" nach und ist insofern ein weiteres Beispiel für die bereits in der Antike artikulierte Überzeugung von der Kompatibilität zyklischer Weltkonzeptionen mit linearen Zukunftserwartungen. Das hat es F.s-Kritikern ermöglicht, sich auf F. Nietzsche zu berufen, während er v. a. den „Schaffenden", wie er es nennt, also den auf ihre eigene Produktivität setzenden Künstlernaturen neue Zuversicht gegeben hat.

6. Historische Verunsicherung und begriffliche Klärung

Die Erschütterung durch die Ereignisse des Ersten Weltkriegs hat dem allg. verbreiteten F.s-Optimismus ein Ende gesetzt. Die nachfolgenden Erfahrungen mit dem Zusammenbruch der gewohnten politischen Ordnung, mit den Verbrechen totalitärer Herrschaft (↑Totalitarismus), dem Zweiten Weltkrieg, der atomaren Bedrohung und schließlich im Dauerzustand der weltweiten ökologischen Krise, haben die das 18. und 19. Jh. dominierende Zuversicht nicht mehr aufkommen lassen. Max Horkheimer und Theodor W. Adorno kamen zu der naheliegenden Diagnose, im F. liege die „Tendenz zur Selbstvernichtung" (Horkheimer/Adorno 1970: 7). Das Urteil machte Schule und wird nicht selten als Gleichung verstanden, so als führe der F. notwendig auf das Ende der Menschheit zu. Gleichwohl gab und gibt es nach wie vor Anwälte der F.s-Idee; einige von ihnen sehen sich, wie Karl Jaspers und Karl Raimund Popper, gerade angesichts der politischen Verwerfungen zu einem entschlossenen Vertrauen in die Kräfte der Vernunft veranlasst. Gleichwohl ist die F.s-Kritik zu einem dominieren Thema in der Literatur des 20. Jh. geworden.

Darin liegt selbst schon ein Gewinn an historischer Einsicht. Denn in der Geschichte der Menschheit hat es nie Anlass gegeben, auf eine Automatik fortschreitender Verbesserung zu setzen. Auf sieben gute Jahre sind schon im AT sieben magere Jahre gefolgt; die Blüte Athens hat den Niedergang der Stadt erst zu einem tragischen Geschehen werden lassen; Renaissance und Humanismus sind ursächlich für den Dreißigjährigen Krieg. Selbst einhellig begrüßte Errungenschaften der Technik, wie etwa die des Buchdrucks, hatten auch eine Verrohung der öffentlichen Sitten zur Folge. Das wiederholt sich derzeit im globalen Maßstab mit der ↑Digitalisierung der Kommunikation, die insb. auch das bedroht, was sie an Vorzügen bietet.

Neu sind die Zweifel, ob der Mensch überhaupt dem F. gewachsen ist, den er selbst in Gang gesetzt hat. Neu sind auch die Empfehlungen, auf eigene Ansprüche verzichten und den Menschen dem Selbstlauf der von ihm in Gang gesetzten technischen ↑Innovationen zu überlassen. Doch es ist weder zu erwarten noch wäre es zu begrüßen, dass sich der Mensch dem Lauf der Dinge einfach überlässt. Aber Zurückhaltung und Bescheidenheit im Anspruch auf seinen eigenen Beitrag zur Gestaltung seiner Welt sind angebracht, erst recht, wenn der Mensch erkennt, dass er in seiner eigenen Logik des Lernens und des Wissens auf einen F. angelegt ist, der sich keineswegs auch erfüllen muss.

Zu den wichtigsten Beiträgen zur F.s-Diskussion im 20. Jh. gehört die Erinnerung an die Kreisprozesse der Natur, aus denen, zwischen Geburt und Tod, auch das menschliche Leben besteht. Hier kommt Karl Löwiths „Kritik der Geschichtsphilosophie" (1983) bes. Bedeutung zu. Doch man wird darin schon deshalb keine verbindliche Alternative zum F.s-Bewusstsein des Menschen ausmachen können, weil die immanente Progressivität des Wissens selbst erst im individuellen Auf und Ab des zyklisch organisierten Lebens entsteht. Aber ein guter Grund, das menschliche Dasein vornehmlich unter der Voraussetzung erhoffter F.e zu bewerten, liegt darin doch.

Literatur

J. Strasser: Das Drama des Fortschritts, 2015 • G. W. Leibniz: Neue Abhandlungen über den menschlichen Verstand, 2013 •

A. Buck/N. Hammerstein (Hg.): Hdb. der deutschen Bildungsgeschichte, Bd. 1, 1996 • P. Kleingeld: Fortschritt und Vernunft. Zur Geschichtsphilosophie Kants, 1995 • R. Spaemann: Unter welchen Umständen kann man noch von Fortschritt sprechen?, in: ders.: Philosophische Essays. Erweiterte Ausgabe, 1994, 130–150 • F. Rapp: Fortschritt. Entwicklung und Sinngehalt einer philosophischen Idee, 1992 • C. I. Castel de Saint-Pierre: Projet pour rendre la paix perpétuelle en Europe, 1986 • I. Kant: Allgemeine Naturgeschichte und Theorie des Himmels, in: W. Weischedel (Hg.): Werke, Bd. 1, 1983, 219–400 • I. Kant: Kritik der reinen Vernunft, in: W. Weischedel (Hg.): Werke, Bd. 2, 1983 • I. Kant: Streit der Fakultäten, in: W. Weischedel (Hg.): Werke, Bd. 6, 1983, 265–393 • K. Löwith: Weltgeschichte und Heilsgeschehen. Zur Kritik der Geschichtsphilosophie, Sämtliche Schriften, Bd. 2, 1983 • G. Anders: Die Antiquiertheit des Menschen, 2 Bde., 1956 und 1980 • C. de Montesquieu: Vom Geist der Gesetze, 1980 • E. R. Dodds: The ancient concept of progress and other essays on Greek literature and belief, 1973 • M. Horkheimer/T. W. Adorno: Dialektik der Aufklärung, 1970 • G. Bruno: Das Aschermittwochsmahl, 1969 • C. Perrault: Parallèle des anciens et des modernes en ce qui regarde les arts et les sciences, 1964 • B. Delfgaauw: Geschichte als Fortschritt, 3 Bde., 1962–66 • K. R. Popper: Die offene Gesellschaft und ihre Feinde, 2 Bde., 1957 f. • K. Jaspers: Vom Ursprung und Ziel der Geschichte, 1949 • R. Bacon: The „Opus majus" of Roger Bacon, I–III (Suppl.), 1897–1900 • J.-J. Rousseau: Principes du droit de la guerre. Ècrits sur la paix perpétuelle, 1758 • J.-J. Rousseau: Discours sur les sciences et les arts, 1750 • P. Bayle: Dictionnaire historique et critique, 1697 • J. Locke: Two Treatises of Government, 1690 • F. Bacon: Novum Organon, 1650.   VOLKER GERHARDT

Fraktion

I. Rechtlich – II. Politkwissenschaftlich

I. Rechtlich

1. Allgemeine Grundlagen

Die F. ist eine institutionalisierte Gruppierung innerhalb eines ↑Parlaments bzw. einer Gemeindevertretung (↑Gemeinde), zu der sich ↑Abgeordnete regelmäßig einer bestimmten (partei-)politischen Grundausrichtung zur gemeinsamen Wahrnehmung ihrer Belange zusammengeschlossen haben. Gewöhnlich ist eine Mindeststärke vorausgesetzt. Die Figur der F. spiegelt eine Reihe verfassungsrechtlicher Grundsatzentscheidungen wider. Die F. ist die Konsequenz des Formierungsrechts des Abgeordneten, das in dessen freiem Mandat wurzelt. Sie ist die parlamentarische Entsprechung des modernen Parteienstaates, auch wenn es sinnverkürzend ist, die F. als Partei im Parlament zu bezeichnen. Die F. ist i. d. R. eine parlamentarische Untergliederung, in der sich ein Stück vorverlagerter ↑Repräsentation vollzieht. Die vorbereitende Tätigkeit der F.en ist ein tragendes Element parlamentarischer Willensbildung. Die Konfrontation von Regierungs- und Oppositions-F. markiert die neue Formation des parlamentarischen ↑Regie-

rungssystems, in dem sich die Regierung mitsamt den sie tragenden F.en und die Oppositions-F.(en) gegenüberstehen. Die F. ist von daher eine notwendige Einrichtung des Verfassungslebens, die von der Verfassung vorausgesetzt wird. Einen apriorischen, rechtlich vorgegebenen Begriff der F. gibt es nicht. Ebensowenig genügen politikwissenschaftliche Umschreibungen. Die näheren Einzelheiten sind von den normativen Regelungen der jeweiligen konkreten (Verfassungs-)Rechtsordnung bestimmt. Dies gilt auch für den Status der F. des Deutschen ↑Bundestages, von der hier schwerpunktmäßig ausgegangen wird.

2. Rechtsstellung

Rechtsstellung wie Kompetenzen der F. des Bundestages gründen sich primär auf das ↑GG sowie auf die in der Autonomie des Bundestages wurzelnde GOBT. Ergänzend gilt seit 1977 für den Bundestag das zwischenzeitlich mehrfach geänderte AbgG, in das 1994 die §§45–54 als „Fraktionsgesetz" eingefügt wurden. Nicht alles ist in staatlichen Normen geregelt. Organe und Verfahren der F. selbst werden im Einzelnen durch das jeweilige interne F.s-Recht festgelegt. Der Status der F.en der Landesparlamente wird vom Landesverfassungsrecht (↑Landesverfassungen) und der ↑Geschäftsordnung der einschlägigen Volksvertretung bestimmt. Für die F.en der Gemeindevertretungen sind die Vorschriften der vom Landesgesetzgeber als formelles Gesetz erlassenen Gemeindeordnung maßgeblich. Die Gemeindevertretungen (Stadträte oder ähnliche) der kommunalen Gebietskörperschaften (Gemeinden und Gemeindeverbände) sind zwar genau genommen keine echten Parlamente, sondern trotz ihres Satzungsrechts schwerpunktmäßig Verwaltungsbehörden. Doch hat sich auch für die parteipolitisch geprägten Untergliederungen der Gemeindevertretungen der Begriff der F. durchgesetzt.

Die inhaltlichen Bestimmungen des GG selbst sind dürftig. Nur Art. 53a Abs. 1 erwähnt die F. eher beiläufig. Dennoch sind die F.en des Bundestages von der Verfassung mittelbar anerkannte Teile dieses Verfassungsorgans, deren Grundlagen in einer Verbindung von Elementen des freien Mandats des Abgeordneten (Art. 38 GG), der repräsentativen Demokratie (Art. 20 Abs. 2 GG) und der Parteienstaatlichkeit (Art. 21 GG) zu sehen sind. Die Einzelheiten der Stellung der F.en des Bundestages werden hauptsächlich von der GOBT geregelt, die als materielle Verfassungssatzung das formelle Verfassungsrecht ergänzt. Das AbgG des Bundes trägt dem Rechnung (§§45–54 AbgG). Das einfache Recht berücksichtigt die Funktion der F. auch sonst als selbstverständlich (z. B. § 4 PUAG).

Als Untergliederung des Parlaments ist die F. in die organisierte Staatlichkeit eingefügt, auch wenn sie selbst keine öffentliche Gewalt ausübt. Sie ist dem staatsorganschaftlichen Rechtskreis, nicht der staatsfreien Grundrechtssphäre verhaftet. Ihre Qualifizierung als (nichtrechtsfähiger) Verein des Privatrechts ist nicht mehr angemessen. Sie ist nach der nicht sehr klaren, die öffentlich-rechtlichen Besonderheiten verdeckenden Formulierung des § 46 Abs. 1 AbgG eine rechtsfähige Vereinigung, die klagen und verklagt werden kann. Die F. ist nicht selbst juristische Person, sondern genießt die Funktion eines (Kollegial-)Organs. Ob sie Organ des Parlaments selbst bzw. dessen Unterorgan ist, hängt vom Organbegriff ab. Die F.en des Deutschen Bundestages sind als Teile des Parlaments Organteile (Organe zweiten Grades) des inneren Verfassungsrechtskreises, die im Verfassungsorganstreit nach Art. 93 Abs. 1 Nr. 1 GG klagebefugt sind und im eigenen Namen Rechte des Parlaments sogar dann gegenüber der ↑Bundesregierung geltend machen können, wenn das Parlament selbst die streitbefangene Maßnahme oder Unterlassung gebilligt hat. Sie klagen dann in sog.er Prozessstandschaft (BVerfGE 134, 397).

Von den F.en, die der staatlichen Willensbildung dienen, zu unterscheiden sind die sie tragenden politischen ↑Parteien. Obwohl diese ebenfalls Einfluss auf die staatliche Willensbildung nehmen und durch Art. 21 GG in den Rang einer verfassungsrechtlichen Institution erhoben worden sind, gehören die Parteien, anders als Parlament und F., nicht zur institutionalisierten Staatlichkeit (BVerfGE 20, 100). Sie sind dem staatsfreien gesellschaftlich-politischen Bereich verhaftet, in dem sich die Willensbildung des ↑Volkes vollzieht. Die Unterscheidung ist nicht nur von staatstheoretischem Interesse. Sie hat praktische Konsequenzen. Während die Arbeit der F.en staatlicherseits durchweg zur Gänze alimentiert werden muss, ist für die politischen Parteien nur eine Teilfinanzierung durch den Staat zulässig, weil anderenfalls ihre Unabhängigkeit in Gefahr geriete.

3. Aufgaben und Befugnisse

a) Über die Parlaments-F.en wirken die politischen Parteien auf die Besetzung der obersten Staatsämter und die Beschlüsse von Parlament und Regierung ein. Die F.en haben ein Recht auf gleiche Teilhabe an der parlamentarischen Willensbildung. Es gilt der Grundsatz der Gleichbehandlung der F.en. Die F.en haben ferner den technischen Ablauf der Meinungsbildung und die Beschlussfassung in der Vertretungskörperschaft zu steuern. Namentlich die Regierungs- und Mehrheitsbildung, aber auch die Artikulierung der Auffassung der ↑Opposition ist Sache der jeweiligen F.en. Dazu rechnet für den Bereich des Bundestages üblicherweise ein Vorschlagsrecht (Initiativrecht) für die Wahl des Bundeskanzlers; dies unter Beachtung der formellen Zuständigkeit und Prozeduren des Art. 63 GG. Die F.en bereiten die ↑Gesetzgebung vor (Gesetzentwürfe) und koordinieren die Beschlussfassung des Parlaments. Die F.en besetzen die Ausschüsse (anteilmäßig) nach ihrem Stärkeverhältnis. Nach dem Grundsatz der Spiegelbildlichkeit muss jede Untergliederung des Bundestages ein verkleinertes Abbild des Plenums sein und in ihrer Zusammensetzung die Zusammensetzung des Plenums in

seiner politischen Gewichtung widerspiegeln (BVerfGE 135, 317).

b) Die Mitarbeit in den Parlamentsausschüssen steht prinzipiell nur den F.en offen. Mit dem F.s-Status ist eine Reihe weiterer parlamentarischer (Vor-)Rechte verbunden (Grundredezeit, Finanzausstattung). Aus Art. 38 Abs. 1 S. 2 und Art. 20 Abs. 2 S. 2 GG folgt ein Frage- und Informationsrecht des Deutschen Bundestages gegenüber der Bundesregierung, an dem neben den einzelnen Abgeordneten auch die F.en als Zusammenschlüsse von Abgeordneten nach Maßgabe der Ausgestaltung in der GOBT teilhaben und dem grundsätzlich eine Antwortpflicht der Bundesregierung korrespondiert (so BVerfGE 137, 231). Das Fragerecht der F. gegenüber der Bundesregierung hat allerdings den Gewaltenteilungssatz zu beachten. Es hat namentlich den der Regierung zustehenden Kernbereich exekutivischer Eigenverantwortung zu respektieren, der informatorische Eingriffe in noch nicht abgeschlossene Vorgänge der Gubernative ausschließt. Das Fragerecht der F. und die Antwortpflicht der Bundesregierung sind weiter gemäß Art. 1 Abs. 3 GG durch Grundrechte Privater begrenzt.

c) Die F. besteht aus den Abgeordneten regelmäßig einer politischen Partei. Fraktionslose Abgeordnete sind die Ausnahme; Hospitantenstatus ist zulässig. F.s-Gemeinschaften mehrerer Parteien sind statthaft (klassisches Beispiel: CDU/CSU). Die Arbeit der F.en erreicht grundsätzlich alle Abgeordneten des Parlaments und gibt ihnen Gelegenheit, ihre repräsentative Funktion außerhalb des Plenums zu erfüllen. Da in den F.en ein wesentlicher Teil der parlamentarischen Arbeit geleistet wird, muss sich der Indemnitätsschutz des Art. 46 Abs. 1 GG auch auf die Tätigkeit des Abgeordneten in der F. erstrecken. Indemnität bedeutet, dass ein Abgeordneter zu keiner Zeit wegen seiner Abstimmung oder wegen einer Äußerung, die er im Bundestag oder in einem seiner Ausschüsse getan hat, gerichtlich oder dienstlich verfolgt oder sonst wie außerhalb des Bundestages zur Verantwortung gezogen werden darf. Die Indemnität ist zu unterscheiden von der hier nicht relevanten ↑Immunität, mit der der Schutz vor staatlicher Strafverfolgung gemeint ist (Art. 46 Abs. 2 GG).

d) Die parlamentarische Tätigkeit der F. kann zu Reibungen mit der Stellung des ihr angehörenden Abgeordneten führen, der an Aufträge und Weisungen nicht gebunden und nur seinem Gewissen unterworfen ist. Es kann zu einer Kollision zwischen dem durch Art. 38 GG mittelbar verfassungsrechtlich vorausgesetzten Funktionsauftrag der F. und der in Art. 38 GG ausdrücklich gewährleisteten Freiheit des Mandats kommen. Der Konflikt ist nach dem Grundsatz praktischer Konkordanz beizulegen. Im Einzelnen gilt: Prinzipiell kommen die Garantien der Weisungs- und Gewissensfreiheit des Mandatsträgers auch gegenüber der F. zum Tragen (Art. 20 Abs. 3, Art. 1 Abs. 3 GG). Andererseits ist die F. eine Art Solidaritätsgemeinschaft, die politische Anliegen verfolgt und damit Repräsentations-, Kreations- und Legislativfunktionen zu realisieren trachtet. Der Abgeordnete unterliegt darum einer gewissen F.s-Disziplin. Er kann äußerstenfalls aus der F. ausgeschlossen werden; sei es, weil er fortwährend die parlamentarischen Aktivitäten der F. konterkariert, sei es, dass er gegen Strafgesetze verstößt. Der Status des Abgeordneten vermittelt kein unbeschränktes F.s-Zugehörigkeitsrecht. Andererseits stellt ein Dissens mit der F. in Einzelfragen, auch bei wichtigen Abstimmungen, noch keinen Verstoß gegen die F.s-Loyalität des Abgeordneten dar, die zu Sanktionen führen muss. Problematisch ist der F.s-Zwang. Er ist nicht per se unzulässig. Es kommt auf den Fall an. In fundamentalen Fragen darf die F.s-Spitze den Abgeordneten aufgeben, einheitlich abzustimmen, und Zuwiderhandelnde aus der F. ausschließen. Ein Ausschluss aus dem Bundestag darf nicht angeordnet werden, auch nicht vom Präsidenten des Bundestages. Ähnlich wäre ein Gesetz, das für den Fall eines F.s-Wechsels den Mandatsverlust des Abgeordneten anordnet, wegen Verstoßes gegen die Freiheit des Mandats (Art. 38 GG) verfassungswidrig. Verfassungswidrig ist auch das Rotationsprinzip, das Abgeordnete zum vorzeitigen Verzicht auf das Mandat zwingt. Das gilt auch für Blankoverzichtserklärungen, die die politische Partei einem Abgeordneten bei Annahme seines Mandats zur Disziplinierung abfordert.

Literatur

P. Badura: Staatsrecht, 62015, E 3b • H. Maurer: Staatsrecht I, 62010, § 13 • H. H. Klein: Stellung und Aufgaben des Bundestages, in: HStR, Bd. 3, 2005, § 50 • K. Stern: Das Staatsrecht der Bundesrepublik Deutschland, Bd. 1, 21984.

HERBERT BETHGE

II. Politikwissenschaftlich

Im politischen Sprachgebrauch ist die F. die ↑Partei im ↑Parlament. F.en organisieren die parlamentarische ↑Repräsentation unterschiedlicher ↑Ideologien und ↑Interessen. Sie stellen die arbeitsteiligen Strukturen bereit, die für die Wirksamkeit der Abgeordnetentätigkeit (↑Abgeordneter) unverzichtbar sind, und erfüllen Selektions-, Aggregations- sowie Koordinationsfunktionen im Parlament. Im Deutschen ↑Bundestag sind sie – so das BVerfG – die maßgeblichen Akteure des Willensbildungs- und Entscheidungsprozesses geworden. Somit sind sie die Hauptträger der Parlamentsfunktionen.

1. Rechtliche Grundlagen

F.en werden im GG nur beiläufig erwähnt (Art. 53 a GG, Gemeinsamer Ausschuss). Für den Deutschen Bundestag finden sich ihre wichtigsten Rechtsgrundlagen in der GOBT. Die F.s-Mindestgröße beträgt 5 % der Abgeordneten (in Anlehnung an die Sperrklausel im Wahlrecht). Grundsätzlich können sich nur Parlamentarier einer Partei zu einer F. zusammenschließen. Als Sonderregel für CDU und CSU ist seit 1969 die Bildung einer F. auch für Abgeordnete solcher Parteien zulässig, die in keinem Bundesland im Wettbewerb zueinander stehen. Außerdem kann der Bundestag durch einen Einzelfallbeschluss die Genehmigung erteilen. Diese muss auch erfolgen, wenn Abgeordnete, die zusammen nicht die F.s-Mindeststärke erreichen, eine Gruppe bilden, fraktionsähnliche Rechte und eine angemessene Finanzierung erhalten wollen. Weitere Regelungen, insb. zur Stellung der F. als rechtsfähige Vereinigungen und zur Finanzierung durch den Bundeshaushalt, finden sich seit 1995 im 11. Abschnitt des AbgG. Auch in den Bundesländern sind die rechtlichen Grundlagen den jeweiligen Verfassungen (↑Landesverfassungen) und ↑Geschäftsordnungen der Landesparlamente zu entnehmen (mit kleineren landesspezifischen Besonderheiten).

2. Funktionen

F.en wurden schon, wenngleich nicht selten mit Bedauern, in der Paulskirchenversammlung sowie in den Reichstagen des Kaiserreiches und der Weimarer Republik als die wichtigsten Akteure im Parlament angesehen. Von diesem Grundbefund ausgehend, haben politik- und rechtswissenschaftliche Autoren die Funktionen der F. im Bundestag grundsätzlich übereinstimmend, nur in der Differenzierung und Akzentuierung unterschiedlich, herausgearbeitet. Danach vermögen erst F.en die Handlungs- und Steuerungsfähigkeit des als Ganzes schwerfälligen Parlaments herzustellen, das zudem wegen seiner heterogenen Zusammensetzung und der prinzipiellen Gleichheit seiner Mitglieder immer in der Gefahr steht, durch Komplexität überlastet zu werden und durch zu große Vielfalt sich selbst zu blockieren. Auch für den einzelnen Abgeordneten ist die F. unentbehrlich, denn erst durch die arbeitsteiligen Strukturen, die sie bereitstellt, werden die Parlamentarier in die Lage versetzt, verantwortlich zu entscheiden. Die in modernen demokratischen Staaten anfallende thematische Breite und Komplexität der Regelungsgegenstände bedingen Arbeitsteilung, um im Willensbildungs- und Entscheidungsprozess eine effektive Problemlösung wie angemessene Repräsentation zu sichern.

Folglich können die Bündelung von Politik und die Organisation der Arbeitsteilung als Grundfunktionen der F.en bestimmt werden, die sie für den einzelnen Abgeordneten und das Parlament als Ganzes erfüllen. Die Konkretisierung dieser Grundfunktionen anhand der parlamentarischen Praxis ergibt, dass das Tätigkeitsprofil der F. alle Bereiche abdeckt, die ein Parlament leisten muss, um demokratische ↑Legitimation durch Repräsentation herzustellen. Wahl und Rekrutierung (nicht nur) der Regierung, ↑Gesetzgebung und Kontrolle (↑Politische Kontrolle), auch die Artikulation von Interessen und die Herstellung von ↑Öffentlichkeit werden durch die Organisations- und Bündelungsleistungen der F.en erfüllt, wobei sie sich die beiden letzteren Funktionen mit den einzelnen Abgeordneten teilen, die als Vermittler von Politik und als Bindeglied zu den Wählern ihrerseits die Voraussetzungen dafür schaffen, dass die F.en die Repräsentationsfunktion wahrnehmen können.

Der empirisch-induktive Befund, dass Parlamentsfunktionen also prinzipiell und in erster Linie in den Händen der F.en liegen, bedeutet nicht, dass F.s- und Parlamentsfunktionen identisch sind. Insb. aus der Verklammerung von F.en und ihren Parteien erwachsen ihnen Aufgaben außerhalb des Parlaments und über dessen Funktionen hinaus. Die aus dem Verfassungsrecht deduktiv abzuleitende Zuweisung von Funktionen an das Verfassungsorgan Parlament ist damit auch nicht obsolet. Dies steht aber einer realitätsgerechten Verortung von F.en als zentrale Aktionseinheiten des Parlaments nicht im Wege.

3. Organisation

Hierarchisierung und Arbeitsteilung sind die Prinzipien, die die Entwicklung der F.en im Bundestag von Anfang an leiteten. Die Einsicht, dass neben der praktisch-organisatorischen Geschäftsführung die Lenkung, Integration, Koordination und Präsentation der in der F. vertretenen Interessen und Positionen nötig ist, führte rasch zur Herausbildung von Vorständen (bzw. Geschäftsführenden Vorständen in den großen F.en). Im Kern gehören ihnen heute neben einem Vorsitzenden einige Stellvertreter sowie Parlamentarische Geschäftsführer an (in zwischen den F.en und über die Zeit variierender Zahl). Ihnen obliegt es, die generelle politische Richtung vorzugeben, bzw. – im Falle der Mehrheits-F.en – Regierungs- und F.s-Wille in Einklang zu bringen; sie koordinieren die sachpolitischen Aktivitäten der F., sind die Filter zwischen F.s-Experten und Gesamt-F. Außerdem haben die F.s-Führungen auch sicherzustellen, dass die Leitlinien der Partei hinreichend Berücksichtigung in der parlamentarischen Alltagsarbeit finden.

Die über die Jahrzehnte gewachsene politische Professionalisierung fand ihren Niederschlag auch in einer stetigen Verbesserung der personellen und finanziellen Ausstattung der F.en, die weit überwiegend den (engeren) Vorständen zugutekam. Versuche, die entstandene Hierarchie durch Organisationsreformen abzubauen, ließen regelmäßig Effizienzverluste entstehen, so dass die einfachen Abgeordneten ihnen selbst ein Ende bereiteten.

Als Gegengewicht zur Hierarchisierung in den F.en des Bundestags darf die Herausbildung einer sachpolitischen Arbeits- und Vorbereitungsebene gelten. Die spezifischen Erfahrungen der Gründungsphase des bundesdeutschen Parlamentarismus zeigten dreierlei: Der einzelne Abgeordnete ist ohne die fraktionsinternen arbeitsteiligen Strukturen gar nicht verantwortungsvoll entscheidungsfähig; zweitens verläuft die Arbeit, insb.

in den Ausschüssen, umso effektiver, je besser der Sachverstand in den F.en organisiert und gebündelt, je präziser die politischen Positionen schon vorgeklärt sind; damit werden, drittens, die Entscheidungen verlässlich kalkulierbar hinsichtlich der parlamentarischen Zustimmung.

So finden sich heute in den großen F.en des Bundestages gut 20 Arbeitsgruppen, die in ihrer sachpolitischen „Zuständigkeit" überwiegend spiegelbildlich zu den Ausschüssen (und damit zu den Ministerien) angelegt sind; die kleinen F.en fassen mehrere Politikfelder in Arbeitskreisen zusammen. In diesen Gremien leisten die einzelnen Abgeordneten, die i. d. R. Mitglieder im entspr.en Bundestagsausschuss sind, die gesetzgeberische Detailarbeit, konkretisieren und korrigieren die Führungsvorgaben. Oft sind sie für das jeweilige Gebiet schon durch vorangegangene Berufstätigkeit ausgewiesen oder haben sich – nicht selten über mehrere Wahlperioden hinweg – auf bestimmte Materien spezialisiert. Die Arbeitsgruppen und -kreise sind insofern sowohl die Instanz, in der kontinuierlich und professionell Parlament und F.s-Wille verzahnt, als auch der Ort, an dem Abgeordnete sozialisiert und eingearbeitet werden. Hier können sie ihre Kenntnisse und Fähigkeiten, ihre Nützlichkeit für die F. unter Beweis stellen, sich für Führungsaufgaben empfehlen, gewisse Eigenständigkeit und sachpolitischen Einfluss gewinnen und Wählerinteressen zur Durchsetzung verhelfen.

Solchermaßen organisierte Arbeitsteilung und Hierarchie kann nur funktionieren und von den Abgeordneten akzeptiert werden, wenn es zwischen ihnen Vertrauen in die Übereinstimmung ihrer grundlegenden (partei-)politischen Überzeugungen gibt. Erst auf dieser Basis kann die Bereitschaft entstehen, dem Kollegen aus der eigenen F. die Entscheidung auf seinem Fachgebiet mindestens im Detail weitgehend zu überlassen und im Gegenzug für sich dasselbe zu erwarten. Diese Folgewürdigkeit muss sich ebenfalls in den F.s-Strukturen immer wieder beweisen, indem die Abgeordneten auf ihren Gebieten überzeugende Lösungen für die F. präsentieren. Denn die F.s-Vollversammlungen können Entscheidungen der Arbeitsebene kritisieren, korrigieren oder wieder an sich ziehen – mit der Folge von Ansehens-, Einfluss- oder Positionsverlusten.

Dieses „Geschäft auf Gegenseitigkeit" wird durch die F. institutionalisiert und ständig aktualisiert. Auf diese Weise stellen F.en dreierlei sicher:

a) erhebliche sachpolitische Autonomie der Abgeordneten im politischen Alltagsgeschäft;

b) politische Führungsfähigkeit im Grundsätzlichen wie nach je aktuellen Erfordernissen und damit

c) Handlungsfähigkeit im Falle der Mehrheit und Alternativfähigkeit im Falle der ↑Opposition.

Für letzteres ist Geschlossenheit die Grundregel, denn nur so wird eine Regierung im Amt gehalten, kann die Mehrheit ihre Chancen auf Wiederwahl wahren; und nur so kann sich die Opposition – zumal unter den Bedingungen der deutschen ↑politischen Kultur – erfolgreich als Regierungsmehrheit im Wartestand (bzw. als ein Teil von ihr) präsentieren.

Im Lichte der skizzierten Aufgaben und Strukturen ist diese Geschlossenheit nicht – wie durch den Begriff F.s-Zwang oft insinuiert – das Ergebnis von Druck seitens der Führungen. Vielmehr handelt es sich um das Interesse an der Erreichung konkreter politischer Ziele, um die Einsicht, dass diese nur zusammen möglich ist, um gegenseitige Loyalität und den Respekt gemeinsam ausgeprägter Gruppennormen. Kollektive Handlungsfähigkeit ist nicht ohne Kosten, Konflikte und Kompromisse zu erlangen. Innerfraktionelle Einigkeit steht also jeweils am Ende eines Prozesses, der vielfältige – keinesfalls immer einfache – Abwägungen von einzelnen Abgeordneten verlangt. Ihr Ergebnis ist nicht Zwang, sondern selbst auferlegte Disziplin, die eben auch nur unter den Voraussetzungen gewährt wird, die das „Geschäft auf Gegenseitigkeit" bereitstellt.

In summa kann die F. damit als Kernstück demokratischer Repräsentation im Parlamentarismus gelten.

Literatur

J. von Oertzen: Das Expertenparlament, 2006 • S. Hölscheidt: Das Recht der Parlamentsfraktionen, 2001 • U. Kranenpohl: Mächtig oder machtlos? Kleine Fraktionen im Deutschen Bundestag 1949 bis 1994, 1999 • S. Schüttemeyer: Fraktionen im Deutschen Bundestag. Empirische Befunde und theoretische Folgerungen, 1998 • W. Demmler: Der Abgeordnete im Parlament der Fraktionen, 1994.

SUZANNE S. SCHÜTTEMEYER

Frankophonie

Politisch-institutionell wie geopolitisch bezeichnet F. die organisierte internationale Gemeinschaft frankophoner oder partiell frankophoner Staaten und Regierungen, deren operativer Kern seit 1997 die *Organisation Internationale de la Francophonie* (OIF) mit Sitz in Paris ist. Diese internationale F. entstand aus dem teilweise seit Jahrzehnten bestehenden heterogenen Geflecht von frankophonen Institutionen auf internationaler Ebene. Als multilaterale, zwischenstaatliche Organisation mit einem weltweiten Netzwerk gilt sie heute als wichtigster politischer Akteur und Repräsentant der französischsprachigen Kulturen. Mit 54 Vollmitgliedern, vier assoziierten Mitgliedern und 26 Mitgliedern mit Beobachterstatus (Stand 2016) auf allen fünf Kontinenten bildet die F. eine „kulturelle Makro-Region", mit dem Anspruch, als Global Player im System der ↑internationalen Beziehungen aufzutreten und 274 Mio. Sprecher zu repräsentieren.

Als neuer Typus von internationaler Gemeinschaft ist die OIF von den mit internationaler Politik und internationalen Beziehungen befassten Wissenschaften jedoch wenig beachtet worden, obgleich die Forschungs-literatur über ↑Globalisierung und Staatlichkeit seit dem Ende des Kalten Krieges stets auf die neue Bedeutung derartiger Makro-Regionen verwiesen hat. Wenn sich auch um die *francophone studies* eine Keimzelle sozial- und kulturwissenschaftlicher Forschung zum Thema der F. zumindest in englischsprachigen Universitäten gebildet hat, beschränkt sich die Forschung zumeist auf die diskursiv-kulturellen Aspekte der F. aus der Perspektive der Sprach-, Literatur- und ↑Kulturwissenschaften.

1. Historische Entwicklung der Internationalen Frankophonie

Der Begriff *francophonie*, abgeleitet aus dem Adjektiv *francophone*, ist eine Wortschöpfung des französischen Geographen Onésime Reclus, der beide Termini erstmals 1880, also auf dem Höhepunkt der zweiten französischen Kolonialexpansion (↑Kolonialismus) in Afrika und ↑Südostasien, in seinem Werk „France, Algérie et colonies" erwähnt. Diese Neologismen wurden Anfang der 1960er Jahre von Politikern wiederentdeckt, die für eine stärkere politische Zusammenarbeit der französischsprachigen Länder und Regierungen untereinander plädierten.

Jene forderten einen Ausbau schon existierender intergouvernementaler Strukturen, wie sie seit 1960 in der *Conférence des ministres de l'Éducation des États et gouvernements de la Francophonie* und seit 1966 in der *Organisation Commune Africaine et Malgache* bestanden. 1969 unterzeichneten in Niamey (Niger) 28 Regierungen frankophoner Staaten die Charta zur Gründung einer *Agence de coopération culturelle et technique* (ACCT). Eine neue politische Qualität erhielt die internationale F. dann, als der damalige französische Staatspräsident François Mitterrand 1986 die multilaterale ACCT durch eine Konferenz der Staats- und Regierungschefs ergänzte und im Rückgriff auf afrikanische Vorschläge aus den 1970er Jahren eine alle zwei Jahre tagende „Gipfelkonferenz" einführte.

Unter der Ägide dieser sich mehr und mehr behauptenden Institution, dem *sommet francophone*, wurde eine pyramidale Reorganisation des unübersichtlichen Kooperationsnetzwerkes der internationalen F. und eine vollständige politische Dimension der F. angegangen. Aber erst ab 1995 offenbarte diese neue F. unter maßgeblicher Mitwirkung Frankreichs neue Ansprüche auf eine Rolle als Akteur in der internationalen Politik, indem eine schleichende Entmachtung der alten ACCT zugunsten der ständigen Gipfelkonferenz einsetzte und eine neue internationale Struktur aufgebaut wurde.

2. Aktuelle Institutionen und Organisation der Frankophonie

Oberstes Organ der internationalen F. ist die zweijährig tagende Gipfelkonferenz ihrer Mitglieder, die *Conférence des chefs d'État et de gouvernements ayant le français en partage*, bekannter unter dem Namen *sommet franco-*

phone. Sie wird begleitet von der *Conférence ministérielle de la Francophonie*, bestehend aus allen Mitgliedern der Gipfelkonferenz (vertreten auf Ministerebene), und dem *Conseil permanent de la Francophonie*, bestehend aus akkreditierten persönlichen Vertretern der der Gipfelkonferenz angehörenden Staats- und Regierungschefs, mit der Mission, die Gipfelkonferenzen vor- und nachzubereiten.

Die Gipfelkonferenz wählt den Generalsekretär, dem seit 2005 insb. die OIF als operativer Hauptakteur sowie der aus unabhängigen Persönlichkeiten bestehende *Haut Conseil de la Francophonie* unterstellt sind und der die OIF auf der internationalen Bühne repräsentiert. Mit der Wahl der Kanadierin Michaëlle Jean wurde im November 2014 erstmals eine Frau zur Generalsekretärin der OIF – eine Wahl, die auch mit der ungeschriebenen Tradition brach, diesen Posten mit Vertretern aus dem Globalen Süden zu besetzen. Dem Sekretariat sind ferner die verschiedenen operativen Institutionen *(opérateurs spécialisés)* unterstellt, die dem Netzwerk der F. angehören: die *Agence universitaire de la Francophonie*, der internationale frankophone Fernsehsender TV5 Monde, die Université Senghor d'Alexandrie und die *Association internationale des maires francophones*. Im Gesamtorganigramm der Internationalen F. figurieren „an der Basis" noch die mit bes.n Aufgaben betrauten *Conférences ministérielles permanentes* (zuständig für Bildung/ Erziehung sowie für Jugend und Sport) und die *Assemblée parlementaire de la Francophonie*.

Die internationale F. ist heute bei der ↑UNO sowie bei der ↑EU und bei der ↑AU akkreditiert. Kanada ist in ihr gleich dreimal vertreten: als ↑Bundesstaat und über die eigenständig agierenden Regierungen von Québec und von Neubraunschweig. Der Internationalen F. gehören auch zahlreiche Staaten an, die nicht offiziell französischsprachig sind, einige davon nicht einmal partiell. Keine Mitglieder sind allerdings das partiell frankophone Algerien, der US-Bundesstaat Louisiana mit seinen frankophonen Cajuns und die autonome frankophone Region Val d'Aoste in Italien.

Literatur

F. Hurard: Manifest pour un mode francophone. Comment construire un avenir non standardisé?, 2017 • J. Erfurt/ M. Amelina: La francophonie. Bibliographie analytique de la recherche internationale 1980–2005, 2011 • I. Kolboom: Francophonie: Weltweite „Fern-Nachbarschaft" und Global Player, in: I. Kolboom/T. Kotschi/E. Reichel: Handbuch Französisch, 2008, 506–519 • U. Fendler/H. J. Lüsebrink/C. Vatter (Hg.): Francophonie et Globalisation Culturelle: Politique, Médias, Littératures, 2007 • J. Erfurt: Frankophonie. Sprache – Diskurs – Politik, 2005 • I. Kolboom/B. Rill (Hg.): Frankophonie – nationale und internationale Dimensionen, 2002 • J. H. Dunning (Hg.): Regions, Globalization, and the Knowledge-Based Economy, 2000 • I. Kolboom: Von der Frankophonie zur „Frankolologie". Ein Gegenstand der internationalen Politik und Kultur sucht seine Bestimmung, in: R. Weilemann u. a. (Hg.): Macht und Zeitkritik. 1999, 559–572 • K. Ohmae: The End of the Nation State. The Rise of Regional Economies, 1996 • O. Reclus: France, Algérie et colonies, 1880.

INGO KOLBOOM
UND BORIS VORMANN

Franziskaner ↑Orden

Französische Revolution

Die F. R. steht an der Schwelle von Vormoderne und Moderne. ↑Freiheit, ↑Gleichheit und Brüderlichkeit, die Geburtsstunde der Demokratie – all dies wird mit der Dekade zwischen 1789 und 1799 verbunden. Aus dem Untertanen *(sujet)* sollte der mündige (Staats-)Bürger *(citoyen)* werden, Ständegesellschaft, Zünfte und Gilden abgeschafft, Rechtsgleichheit zum Prinzip erhoben werden, ebenso Unternehmensfreiheit und Meritokratie. Kirche und Staat (↑Kirche und Staat) waren voneinander zu trennen. ↑Nationalismus, ↑Republikanismus und ↑Laizismus wurden zu den Idealen des revolutionären Frankreichs.

Am Beginn steht die Krise des *Ancien régime:* Bevölkerungswachstum, Missernten und Hungersnöte, Arbeitslosigkeit, mangelnde Aufstiegsmöglichkeiten für das Bürgertum (↑Bürger, Bürgertum), Reformstau und Finanzkrise. Der Siebenjährige Krieg und die Unterstützung der Amerikaner in ihrem Unabhängigkeitskampf hatten Frankreich an den Rand des Staatsbankrotts geführt. Viele Elemente des ↑Feudalismus waren längst beseitigt, doch gerade die Überreste wurden als besonders drückend empfunden. Die Privilegien des ersten (↑Klerus) und des zweiten (↑Adel) Standes galten als ungerecht. Der dritte Stand, wie dies Abbé Sieyès in *Qu'est-ce que les Tiers état?* 1789 formulierte, meinte, die Last im Königreich allein zu tragen. Außerdem hatte sich die Krone, v. a. die Österreicherin Marie Antoinette, durch ihre verschwenderische Hofhaltung diskreditiert.

Dabei hatte es durchaus Reformen gegeben: eine Humanisierung von Straf- und Prozessrecht, die Abschaffung der Leibeigenschaft und Etablierung von ↑Gewissens- und ↑Religionsfreiheit. In den Notabelnversammlungen 1787 und 1788 blockierten Adel und Klerus jedoch notwendige Anpassungen des Steuerrechts. Im Lauf des 18. Jh. waren neue Öffentlichkeiten entstanden. Eine politische und gesellschaftliche Kultur, die sich in Freimaurerbünden (↑Freimaurer), Lesegesellschaften, ↑Akademien, Debattierklubs, Kaffeehäusern und Illuminatenbünden, Zeitungen, Zeitschriften und Pamphleten artikulierte, forderte radikalere Reformen: die Abschaffung von Standesprivilegien, Rechtsgleichheit, persönliche Freiheit, ↑Gewaltenteilung, Sicherheit des Eigentums, Meinungs- und Pressefreiheit; dies alles im Glauben, damit die Ideen der ↑Aufklärung, d. h. Montesquieus, Voltaires und Jean-Jacques Rousseaus, umzusetzen. Seit 1787 war die königliche ↑Zensur kaum mehr existent, was zu einer Expansion des Zeitungs- und Pamphletmarkts führte. Ebenso hatte der Amerikanische Unabhängigkeitskrieg Auswirkungen auf Frankreich. Neben Benjamin Franklin, dem Marquis de Lafayette und Thomas Jefferson verbreiteten auch die nach Frankreich zurückkehrenden Soldaten die Ideen der Amerikanischen Revolution. Politische, Finanz-, Wirtschafts- und Legitimationskrise mündeten schließlich in das Zusammentreten der Generalstände, die seit 1614 nicht mehr einberufen worden waren. Vorausgegangen war die Abfassung von Beschwerdeschriften *(Cahiers de doléances)*, in der die Untertanen der Krone ihre Gravamina formulierten.

Zur ↑Revolution wurde der Reformprozess, als sich am 17.6.1789 in Versailles die Abgeordneten des Dritten Standes zur Nationalversammlung *(Assemblée nationale)* erklärten und am 20.6. im Ballhaus schworen, nicht eher auseinanderzutreten, bis eine ↑Verfassung für Frankreich ausgearbeitet worden sei. Der Souverän war damit nicht mehr der König, sondern das Volk, vertreten durch die verfassungsgebende Nationalversammlung. Im Juli ließ Ludwig XVI. seine Truppen um Versailles zusammenziehen. Der populäre Reformminister Jacques Necker wurde entlassen. Am 14.7.1789 kam es daraufhin zum Sturm auf die Bastille, Staatsgefängnis und Symbol der Unterdrückung. Die *Grande Peur*, eine Massenpanik, Gerüchte von Übergriffen von Truppen des Königs und ausländischen Söldnern verbreiteten sich in Frankreich. Munizipalrevolutionen, die Erhebung der Untertanen auf dem Land gegen die seigneuriale Macht folgten. In der Nacht auf den 4.8.1789 schaffte die Nationalversammlung einen Großteil der Privilegien des ersten und zweiten Standes ab. Das *Ancien régime* wurde offiziell zu Grabe getragen.

Zwischen 1789 und 1791 wurde die erste Verfassung Frankreichs, die einer konstitutionellen Monarchie, erarbeitet. Wichtigstes Element waren die am 26.8.1789 erlassenen ↑Menschen- und Bürgerrechte *(Déclaration des Droits de l'Homme et du Citoyen)*, die Freiheit, Gleichheit (Rechtsgleichheit), Sicherheit des Eigentums, ein ↑Widerstandsrecht gegen tyrannische Herrschaft, Rede-, Presse- und Religionsfreiheit beinhalteten. Ebenso wurde bereits das Prinzip der ↑Volkssouveränität formuliert.

Ludwig XVI. verweigerte jedoch seine Zustimmung zur Inkraftsetzung der Menschen- und Bürgerrechte, ebenso zu den Augustdekreten. Preissteigerungen für Brot, die erneute Zusammenziehung von königlichen Truppen führten am 5.10.1789 zum Marsch der Pariser Frauen nach Versailles, um Ludwig XVI., Marie Antoinette und den Dauphin nach Paris zu holen. Am 14.7.1790 kam es jedoch noch einmal zur Beschwörung der Einheit der Revolution. Auf dem Marsfeld *(Champs de Mars)* in Paris wurde das Föderationsfest gefeiert, des Bastillesturms von 1789 gedacht, der 14.7. zum Nationalfeiertag erklärt. Zwischen 1789 und 1791 erfolgte eine Finanzreform, die ↑Säkularisation der Kirchengüter, die Einführung des revolutionären Papiergeldes (Assignaten), eine neue Kirchenverfassung. Es kam zur Neueinteilung des Landes in 86 Départements, zur Abschaffung der Adelstitel, der Binnenzölle, der Zünfte und zur Begründung eines neuen Steuersystems. Lokale Verwaltungen wurden zunehmend demokratisiert und ein neues Zivil- und Strafrecht geschaffen.

Trotz oder gerade wegen der ↑Reformen kam die Revolution nicht zum Stillstand. Weder war der König wirklich gewillt, die erzwungenen Neuerungen zu akzeptieren, noch konnten die unterschiedlichen revolutionären Lager Konsens untereinander erzielen. Auslöser der Radikalisierung war die Flucht der königlichen Familie nach Varennes im Juni 1791. Außerhalb Frankreichs versuchten die Bourbonen, eine Koalition gegen die Revolution zu schmieden. Die *Émigrés*, ins Ausland geflohene Aristokraten und Angehörige des Klerus, schürten zusätzlich die Angst vor dem Übergreifen der Revolution auf andere Teile Europas. In Frankreich selbst kam es zu ersten Auseinandersetzungen zwischen Revolutionären und Konterrevolutionären.

Die im September 1791 erlassene Verfassung, die eine konstitutionelle Monarchie mit Zensuswahlrecht etablierte, war Ende 1791 letztendlich überholt. In der Legislative standen sich *Feuillants* (moderate Royalisten und Anhänger einer konstitutionellen Monarchie) um den Marquis de Lafayette und *Brissotins* gegenüber. Letztere wollten die konstitutionelle Monarchie überwinden, einige dem König den Prozess machen. Jenseits des Parlamentes formierten sich die radikalen Republikaner, die *Montagnards*, und die Vertreter der Pariser Sektionen, die *Sansculottes*.

Die Situation in Frankreich radikalisierte sich auch durch die Bedrohung von außen. Am 27.8.1791 kam es zur Erklärung von Pillnitz. Trotz der Warnungen einiger *Montagnards* erklärte Frankreich am 20.4.1792 Österreich den Krieg. Im Manifest des Herzogs von Braunschweig vom 25.7.1792 drohte die Koalition mit der Vernichtung von Paris, sollte das französische Volk sich nicht Ludwig XVI. unterwerfen. Während Frankreich militärische Niederlagen hinnehmen musste, entstand die von Claude Joseph Rouget de Lisle verfasste *Marseillaise* (heute die Nationalhymne Frankreichs).

In Paris formierte sich ab Juni 1792 der Widerstand gegen den König, dem Konterrevolution und Hochverrat vorgeworfen wurden. Am 10.8.1792 stürmten Pariser Sansculotten und Nationalgardisten die Tuilerien, die Residenz des Königs, und nahmen Ludwig XVI. und seine Familie in Haft. Die Aufständischen erzwangen die Einberufung eines Nationalkonvents (auf der Basis von allg.en, demokratischen Wahlen für Männer ab 21 Jahren), die Abschaffung der konstitutionellen Monarchie und am 21.9.1792 die Ausrufung der ersten französischen ↑Republik. Außenpolitisch setzte der Sieg der französischen Revolutionäre am 20.9.1792 bei Valmy ein Zeichen. Zum grausamen Höhepunkt des Herbstes 1792 gerieten die Septembermorde: Sansculotten drangen in Pariser Gefängnisse ein und ermordeten dort 1000 bis 1400 sog.e Konterrevolutionäre: den Eid auf die Zivilkonstitution verweigernde Priester, Aristokraten, Frauen, Kinder und Strafgefangene.

Ab dem Herbst 1792 spaltete sich das jakobinische Lager in *Girondisten* (gemäßigte Republikaner) und *Montagnards* (radikale Republikaner). Auf der Seite der *Gironde* standen u. a. Jacques Brissot, Pierre Vergniaud und Jeanne-Marie Roland de La Platière, bei den *Montagnards* Maximilien de Robespierre, Louis Antoine de Saint-Just, Georges Couthon, Georges Danton und Jean Paul Marat. Viele *Girondisten* vertraten den Schutz des Eigentums, die Verhinderung von Preisfestsetzungen und Zwangsanleihen; für die *Montagne* standen die revolutionären Errungenschaften und der Sieg über die Konterrevolution an erster Stelle. Im Winter 1792/93 wurde Ludwig XVI. der Prozess gemacht. Er wurde am 21.1.1793 öffentlich hingerichtet, seine Frau Marie Antoinette, Tochter der Habsburger Kaiserin Maria Theresia, folgte ihm am 16.10.1793 auf die Guillotine.

Außenpolitisch expandierte Frankreich nun. Im Oktober 1792 wurde Mainz eingenommen und im März 1793 die erste Republik nach französischem Vorbild auf deutschem Boden errichtet. Die Hinrichtung des Königs führte der europäischen Koalition jedoch weitere Verbündete zu: Großbritannien, Spanien und das Königreich Neapel. Zwischen dem Frühjahr 1793 und 1794 verlor Frankreich fast alle seine eroberten Gebiete.

Innenpolitisch intensivierte sich die Konterrevolution: Aufstände in der Vendée (ab März 1793), in Marseille und Lyon (April 1793) wurden niedergeschlagen, Wachsamkeitskomitees *(Comités de surveillance)* und Revolutionstribunale eingerichtet, spezielle Gesandte des Nationalkonvents in die Départements geschickt. Die Schreckensherrschaft, *Terreur*, begann sich zu etablieren. Am 6.4.1793 wurde unter Leitung G. Dantons der Wohlfahrtsausschuss *(Comité de Salut Public)* gegründet, der die Überwachung politischer Gegner und Zwangsmaßnahmen zur Rettung der Revolution anordnen durfte. Der Widerstand der *Gironde* wurde im Juni 1793 durch die *Montagne* unterdrückt, zahlreiche Abgeordnete verurteilt und guillotiniert. Neben der Vendée waren nun auch Lyon, Bordeaux, Marseille, Toulon und Toulouse im offenen Widerstand. Charlotte Corday, eine junge Adlige aus der Normandie, machte sich nach Paris auf, um den Volkstribun J. P. Marat zu ermorden.

Die am 24.6.1793 verabschiedete republikanische Verfassung, die ein allg.es und gleiches Wahlrecht für Männer über 21 Jahre vorsah, wurde nicht in Kraft gesetzt, da die Konterrevolution Frankreich bedrohe und das Land bis zum Frieden revolutionär bleiben müsse. Am 4.2.1794 wurde die ↑Sklaverei in Frankreichs Kolonien abgeschafft. Die Etablierung weiterer Maßnahmen der *Terreur* im Herbst 1793 durch das Gesetz gegen die Verdächtigen *(Loi sur les suspects)*, Lohn- und Preisfestsetzungen, Schläge gegen die Hébertisten und Dantonisten *(Indulgents)* führten bis zum Sommer 1794 zu einer Dis-

kreditierung der *Montagne*, die im Thermidor gipfelte. Nachdem es zu Siegen der Revolutionsarmee zwischen dem Herbst 1793 und dem Sommer 1794 gekommen war, Teile der Konterrevolution in Frankreich niedergeschlagen worden waren, wurden im Juli 1794 Akteure der *Grande Terreur* beseitigt: Robespierre, Saint-Just, Couthon starben auf der Guillotine. Der Thermidormoment führte zu einem Ende der Radikalisierung und der Verbreiterung der Machtbasis der Revolution. Nun regierte die *Plaine*, moderatere *Montagnards*.

Die F. R. war auch eine Kulturrevolution: Am 22.9. 1792 wurde der gregorianische Kalender durch eine revolutionäre Zeitrechnung ersetzt. Aus Wochen wurden Dekaden, republikanische Monatsbezeichnungen eingeführt (Brumaire, Frimaire usw.). Das Dezimalsystem wurde für sämtliche Maße durchgesetzt. Zwischen 1793 und 1794 kam es zur Dechristianisierung: Heiligenstatuen wurden zerstört, Kirchen geplündert und geschlossen, Priester drangsaliert, gefangen genommen und ermordet. Am 10.11.1793 wurde in der Pariser Kathedrale Notre Dame das Fest der Vernunft gefeiert, ein neuer Kultus, der im Juni 1794 durch den des Höchsten Wesens *(Être suprême)* ersetzt wurde.

Außenpolitisch setzte Frankreich 1794 erneut auf Expansion. Die „natürlichen Grenzen Frankreichs", Rhein, Schelde, Pyrenäen und Alpen, sollten durch Satellitenstaaten, „Schwesterrepubliken", geschützt werden: 1795 wurde in den Niederlanden die Batavische Republik gegründet, ab 1796 eroberte Napoleon Bonaparte größere Teile Italiens und errichtete dort die Cispadanische, die Ligurische, die Römische und die Neapolitanische Republik. Der Frieden von Campo Formio (17.10.1797) beendete zunächst die Kriege in Europa. In der Schweiz entstand im Februar 1798 die Helvetische, im Heiligen Römischen Reich bereits 1797 die Cisrhenanische Republik. Im Frühsommer 1798 landete Bonaparte in Ägypten, wo er gegen das Osmanische Reich bei den Pyramiden vor den Toren Kairos siegte. Ab November 1798 formierte sich die zweite europäische Koalition gegen Frankreich. Bonaparte musste nach Europa zurückkehren; Frankreich erlitt Verluste in Italien und im Heiligen Römischen Reich.

In Frankreich war im September 1795 eine neue Verfassung angenommen worden, weniger demokratisch als die von 1793. Es entstanden eine Zweikammernlegislative, der Rat der Fünfhundert und der Rat der Alten (Senat). Ein Direktorium aus fünf Männern übernahm die Exekutive: Jean François Reubell, Paul Barras, Louis de La Révellière-Lépeaux , Lazare Carnot und Étienne-François Letourneur. Eine Konsolidierung der Republik fand trotzdem nicht statt. Auf den royalistischen Aufstand vom Vendémiaire IV (Oktober 1795) folgte die Niederschlagung durch reguläre Truppen, geführt von Napoleon. Im März 1796 kam es zur Verschwörung der Gleichen um Gracchus Babeuf, einem frühkommunistischen Agrarrevolutionär, und Filippe Michele Buonarotti. 1797 gewannen die Royalisten die Wahlen, wurden durch einen neojakobinischen Staatsstreich jedoch von der Macht ausgeschlossen. Am 18.6.1799 folgte ein weiterer Staatsstreich – dieses Mal gegen die Neojakobiner, wiederum durch das Militär unterstützt. Napoleon führte am 18. Brumaire VIII (9.11.1799) den letzten Staatsstreich, dieses Mal gegen das Direktorium und beide Kammern der Legislative. Es kam zur Errichtung des Konsulats, 1804 zum französischen Kaiserreich unter Napoleon. Die Revolution war beendet.

Literatur
S. Lachenicht: Die Französische Revolution, 2012 • F. Furet: La Révolution française, 2007 • M. Vovelle: Die Französische Revolution. Soziale Bewegung und Umbruch der Mentalitäten, 1989.   SUSANNE LACHENICHT

Frauenbewegungen

I. Historisch – II. Politisch

I. Historisch

1. Die Anfänge der Frauenbewegungen
Der Beginn der F. in Deutschland ist eng mit dem Lebensweg Louise Ottos verbunden. Die überzeugte Demokratin und 1848erin hatte seit den 1840er Jahren in Artikeln und Romanen auf die schwierigen sozialen Lebensumstände der Arbeiterinnen aufmerksam gemacht. Vehement forderte sie bessere Bildungschancen für Frauen und ihre politische Gleichberechtigung (↑Gender). Der Restauration 1849 begegnete sie mit der Gründung der „Frauen-Zeitung" unter dem Motto: „Dem Reich der Freiheit werb' ich Bürgerinnen". Einige Jahre später musste sie diese, staatlich verordnet, wieder einstellen. In der politischen Tauwetterphase der 1860er Jahre wurde L. Otto indes abermals politisch aktiv. Zusammen mit der Lehrerin Auguste Schmidt gründete sie 1865 den Leipziger *Frauenbildungsverein* und den ADF. Die organisatorischen Ursprünge der bürgerlichen Frauenbewegung werden gerne mit der Gründung dieses ADF gleichgesetzt. Die konstituierende Versammlung, von der in der Presse als „Leipziger Frauenschlacht" berichtet wurde, bestand auf Selbstvertretung als Leitidee. Das Vereinsstatut gestand lediglich Frauen die Vollmitgliedschaft im Verein zu, damals ein unerhörtes Vorgehen. Der ADF setzte sich die „erhöhte Bildung des weiblichen Geschlechts und die Befreiung der weiblichen Arbeit von allen ihrer Entfaltung entgegenstehenden Hindernissen" zum Ziel (Otto 1866: 8). Jährliche Tagungen an unterschiedlichen Orten Deutschlands sollten die Bewegung bekannt machen und zur Gründung von Zweigorganisationen anregen. Kurzzeitig stieß der ADF auf breite Aufmerksamkeit. Doch der deutsch-deutsche Krieg 1866, der Krieg gegen Frankreich und die Reichsgründung 1870/71 ließen Fraueninteressen in den gesellschaftlichen Hintergrund treten.

Erst in den 1880er Jahren meldeten sich die Frauenrechtlerinnen, dann umso lauter, zurück. Zahlreiche weitere Frauenvereine begannen sich nun in den Großstädten des Reiches zu organisieren. Die Gründung eines Dachverbandes, des BDF, im Jahr 1894 markiert den Zeitpunkt, ab dem sich die bürgerliche Frauenbewegung zu einer ernstgenommenen Kraft entwickelt hatte, die in allen wichtigen gesellschaftlichen Bereichen im Deutschen Reich mitzureden beanspruchte. Petitionen, zuerst veranlasst vom ADF, später häufig vom BDF, so bspw. für die Zulassung von Frauen zum Bahn-, Post und Telegraphendienst (1869), für die Änderung des Zivilrechts mit Rücksicht auf die minderberechtigte Stellung der Frau im ↑Familienrecht (1876) oder für die Zulassung von Frauen zum Studium (1876), blieben allerdings in der Regel erfolglos. Mehr und mehr setzte die Frauenbewegung daher auf Selbsthilfe. Eine Reihe von privaten, von frauenbewegten Vereinen oder Mäzeninnen getragenen Einrichtungen widmeten sich der Verbesserung der Mädchenbildung oder der qualifizierten Ausbildung in Berufen, die dem weiblichen Wesen zu entsprechen schienen. Es entstanden Schulen für Krankenschwestern und Fürsorgerinnen, Büroberufe und ↑Lehrerinnen, ohne dass ihnen freilich vorderhand eine staatliche Anerkennung zu Teil wurde.

2. Die Frauenbewegung als Bildungsbewegung
Anknüpfend an die zeitgenössisch durchaus gängige Vorstellung, dass es in erster Linie Aufgabe der Frau sei, Mutter zu werden, forderten die Protagonistinnen der Frauenbewegung, die mütterlichen Eigenschaften der Frau nicht nur in der ↑Familie, sondern in allen gesellschaftlichen Bereichen nutzbar zu machen. Um ihr volles mütterliches Potenzial entfalten zu können, bedürften die Frauen allerdings einer besseren ↑Bildung und Ausbildung. Diese Argumentationslinie bildete die Grundlage des Kampfes der Frauenbewegung um eine bessere Lehrerinnenausbildung. Eine Reihe sich gründender Frauen- und Lehrerinnenvereine, so etwa der Verein *Frauenbildung – Frauenstudium*, forderten stets von neuem, Lehrerinnen auch für die höheren Klassen der weiterführenden Mädchenschulen zuzulassen. Furore machte 1887 eine Petition und ihre Begleitschrift, die sog. Gelbe Broschüre, mit der sich Helene Lange, Minna Cauer, Henriette Schrader u. a. an den preußischen Unterrichtsminister wandten und eine bessere Lehrerinnenausbildung sowie die Verbesserung der Mädchenschulen verlangten. Angesichts des mangelnden Gehörs, das diese und ähnliche Petitionen bei den Gesetzgebern erlangten, wechselten die beiden großen frauenrechtlerischen Bildungsbewegungen (ADF und *Frauenbildung – Frauenstudium*) zu Beginn der 1890er Jahre ihre Strategie und verwandten ihre Energie vorerst darauf, Mädchen auf dem Privatschulwege auf das Abitur vorzubereiten. H. Lange institutionalisierte 1893 in Berlin Gymnasialkurse für Mädchen, die auf die Studienbefähigung in der Schweiz hinarbeiteten. Ebenfalls

1893 eröffnete der Verein *Frauenbildungsreform* ein privates Mädchengymnasium in Karlsruhe. Im Jahr 1899 petitionierte der Verein *Frauenbildung – Frauenstudium* in Baden erfolgreich für die Zulassung von Mädchen zu höheren Knabenschulen. Auch den Kampf „um das Durchgangstor zur Zitadelle der männlichen Vorrechte: um die Universität" (Gnauck-Kühne 1891: 17) nahm die Frauenbewegung zu Beginn der 1890er Jahre vehement auf. Bittschriften des ADF und des Vereins *Reform* zur Zulassung von Frauen zum Studium wurden im März 1891 im Reichstag erörtert und zurückgewiesen. Doch auf Dauer konnten sich die Universitäten nicht verweigern. Die Vorreiterrolle übernahm Baden und öffnete seine Universitäten 1900 weiblichen Studierenden. In den folgenden Jahren zogen die anderen Länder des Deutschen Reiches nach. Das Ziel war 1908 mit der Erlaubnis des Frauenstudiums auch in Preußen erreicht.

3. Sexualethik und Frauenbewegung

Zu den Themen, mit denen sich die Angehörigen der bürgerlichen Frauenbewegung intensiv befassten, gehörten auch ↑Ehe, Ehekritik, ↑Prostitution und Sexualreform. Die Frage der zeitgenössischen Prostitutionsregelungen, die die Prostituierten kriminalisierten, ihre Freier aber straffrei ausgehen ließen, zählte zu einer der zeitgenössisch meistdiskutierten gesellschaftlichen Probleme. Ende des 19. Jh. befassten sich Sozialpolitiker und Mediziner v. a. mit der Frage, wie die medizinisch nur schwer im Zaum zu haltenden Geschlechtskrankheiten einzudämmen seien, ging es den bürgerlichen Frauenrechtlerinnen in erster Linie um die Durchsetzung einer neuen ↑Moral und Sittlichkeit. Die *radikaleren* Frauenrechtlerinnen kämpften gegen die herrschende Doppelmoral und forderten gleiche sexualethische Standards für Mann und Frau und die Abschaffung der staatlichen Prostitutionsüberwachung. Zu den Führungsfiguren der *Radikalen* gehörte Anna Pappritz. Es gelang ihr 1902, den zögerlichen BDF auf das abolitionistische Programm zu verpflichten. A. Pappritz zufolge musste der herrschenden Doppelmoral auf zwei Wegen begegnet werden. Zum einen sei die soziale Lage des weiblichen Geschlechts zu verbessern, denn allzu häufig sei wirtschaftliche Not die Ursache der Prostitution. Zum anderen aber müsse die sexualethische Erziehung (↑Sexualerziehung, ↑Sexualethik) des männlichen Geschlechts überdacht werden. Das weit gesteckte Programm führte im Wilhelminischen Kaiserreich zu keinen rechtlich verankerten Ergebnissen, doch die abolitionistische Bewegung lieferte die Argumente, die in der Weimarer Republik zur Änderung des ↑Strafrechts führen sollten.

4. Arbeiterbewegung und Frauenbewegung

Seit den 1890er Jahren machte auch die proletarische Frauenbewegung von sich Reden. Wesentlich auf das Engagement von Clara Zetkin, der zeitgenössisch bekanntesten Sozialdemokratin, ist es zurückzuführen, dass die Partei die Forderung nach Lohngleichheit und das politische Wahlrecht für Frauen in ihr Programm aufnahm. Bis zum Fall des Sozialistengesetzes im Exil in Paris lebend, engagierte sich C. Zetkin zunehmend für den Aufbau einer sozialdemokratischen Frauenbewegung, v. a. aber dafür, dass sich die Sozialdemokratie (↑SPD) auf internationaler Ebene der sozialen und politischen ↑Frauenfrage annahm. C. Zetkins Programm sah die konsequente Anbindung der Sozialistinnen an die Partei vor. Im Gegenzug erzwang sie die klare Verpflichtung der Partei, auf die Gleichberechtigung des weiblichen Geschlechts in Politik und Arbeitswelt hinzuwirken, freilich um den Preis der reinlichen Scheidung der proletarischen Frauenbewegung von der bürgerlichen. Für die sozialdemokratische Frauenorganisation unter Führung C. Zetkins stand fest, das Hauptziel der Bewegung hatte der gemeinsame Kampf für den ↑Sozialismus zu sein. Diesem Kampf nachgeordnet waren alle Forderungen für die Verbesserung der Lage der Frauen.

5. Der Kampf um das Frauenstimmrecht

Dass sich die Frauenrechtlerinnen keinesfalls immer einig waren in ihren Zielen und den zu wählenden Strategien, lässt sich an den Kämpfen um das weibliche Wahlrecht beobachten. Für viele der frühen Protagonistinnen der Frauenbewegung wie L. Otto oder Hedwig Dohm hatte das Wahlrecht für Frauen eine unhinterfragbare Notwendigkeit dargestellt. Aber die in den 1890er Jahren an Zulauf gewinnende bürgerliche Frauenbewegung tat sich schwer mit der Forderung nach dem allg.en Wahlrecht für Frauen. Die Frauenrechtlerinnen waren sich uneins darin, ob ein allg.es Wahlrecht für Frauen überhaupt wünschenswert und nicht etwa ein rein kommunales oder ein Zensuswahlrecht vorzuziehen seien. Ein klares Statement für das weibliche Wahlrecht kam von anderer Seite: von der Sozialdemokratie. Seit dem Erfurter Programm (1891) forderte die Partei das allg.e gleiche Wahlrecht für Männer und Frauen. So gilt auch die Sozialdemokratin Lily Braun als erste Frau, die in einer öffentliche Rede (1894) für das Frauenwahlrecht agitierte, ein Ruhm, um den sie allerdings mit H. Lange konkurrierte. Doch im Allgemeinen brauchten die bürgerlichen Frauenrechtlerinnen länger, bis sie sich mit der Stimmrechtsforderung an die Öffentlichkeit trauten. Erst 1902 gründeten Anita Augsburg, M. Cauer und Lida Gustava Heymann, die dem *radikalen* Flügel der Frauenbewegung zugerechnet werden, den *Deutschen Verein für Frauenstimmrecht*. Doch die Frauenstimmrechtsbewegung blieb schwach und in sich uneins. Es war dann auch nicht die Frauenbewegung, sondern die Sozialdemokratie, die den Frauen erstmals zur Nationalversammlung 1919 das allg.e aktive und passive Wahlrecht verschaffte.

6. Die Entwicklung der Frauenbewegungen nach 1919

In der Weimarer Republik wurde es stiller um die F. Dies ist zum einen darauf zurückzuführen, dass wesentliche Ziele mit der Öffnung von Gymnasium und Universität und dem Frauenstimmrecht erreicht schienen. Die Protagonistinnen der F. ordneten sich nun in die deutsche politische Parteienlandschaft ein; eine Entwicklung, die zur Schwächung übergeordneter Frauennetzwerke beitrug. Zum anderen führten die großen politischen und sozialen Krisen der Zwischenkriegszeit zur Marginalisierung öffentlicher Aufmerksamkeit für Frauenbelange. Der drohenden Gleichschaltung im ↑Nationalsozialismus entging der BDF durch Selbstauflösung. Manche vormalige Gallionsfigur der bürgerlichen Frauenbewegung suchte auch die scheinbar unpolitische Anbindung an das NS-Regime. So durfte die ehemalige Vorstandsvorsitzende des BDF, Gertrud Bäumer, noch bis 1944 die vormalige Zeitschrift des BDF „Die Frau" selbstständig herausgeben.

Nach 1945 sammelten sich die noch lebenden Frauenrechtlerinnen der Weimarer Jahre im *Deutschen Frauenring*. Es ist auf den Widerstand der Sozialdemokratin und Juristin Elisabeth Selbert im Parlamentarischen Rat und ihre Mobilisierung öffentlichen Protestes zurückzuführen, dass im GG die uneingeschränkte Gleichberechtigung von Männern und Frauen verankert wurde. Doch der Anschluss der in Weimar sozialisierten Frauenrechtlerinnen an jüngere politisch engagierte Frauen misslang in der Nachkriegszeit weitgehend. Es blieb dem ↑BVerfG in den 1950er Jahren vorbehalten, die Durchsetzung der Gleichberechtigung auch im Familienrecht vom Bundestag zu erzwingen.

7. Die neuen Frauenbewegung

Erst in der gesellschaftlichen Umbruchphase Ende der 1960er und zu Beginn der 1970er Jahre entwickelte sich als Abspaltung der ↑Studentenbewegung eine neue Frauenbewegung. Die Feministinnen (↑Feminismus) sahen sich als Teil einer traditionslosen, grundlegend neuen Bewegung und entwarfen ihr Programm für weibliche Autonomie, Selbstbestimmung und Gleichberechtigung in Abgrenzung und Weiterentwicklung der zeitgenössischen studentischen Reformforderungen. Der Kampf gegen die Kriminalisierung der Abtreibung (↑Schwangerschaftsabbruch) führte 1976 zur Reform des § 218 StGB. Die Einführung von autonomen, später häufig kommunal finanzierten Frauenhäusern als Antwort auf häusliche Gewalt und die Institutionalisierung von kommunalen Frauenbeauftragten in den 1980er Jahren sind durch die neue Frauenbewegung initiiert und durchgesetzt worden. Aber auch die öffentliche Debatte um Sexismus, sexuelle Belästigung am Arbeitsplatz, das Bemühen um gendersensiblen Sprachgebrauch wie die Suche nach den historischen Wurzeln der Frauenbewegung gehen auf Initiativen der Feministinnen zurück. Als ihre letzten Erfolge sind die internationale Vernetzung der F., die Verankerung ihrer Forderungen in UNO-Programmen und in Deutschland das Eindringen von Frauen in die politische Parteienlandschaft zu nennen. Mit der Erweiterung (1994) des Art. 3 Abs. 2 GG nach der Wiedervereinigung um den Satz „Der Staat fördert die tatsächliche Durchsetzung der Gleichberechtigung von Frauen und Männern und wirkt auf die Beseitigung bestehender Nachteile hin.", gelang es der Frauenbewegung schließlich, die öffentliche Hand für die Durchsetzung der Gleichberechtigung in die Pflicht zu nehmen. Seit den 1990er Jahren ist es um die neue Frauenbewegung als außerparlamentarische Bewegung still geworden. Eine Weiterentwicklung der Gleichberechtigung wird derzeit Parlamenten und Gerichten überlassen.

II. Politisch

Eine Bilanz der Ergebnisse der F. in Deutschland zeigt Erreichtes und Defizite, die zumindest zum Teil die aktuellen politischen Debatten bestimmen. Erkennbar ist der Einfluss der F. auf die gesellschaftlichen Vorstellungen von Männlichkeit und Weiblichkeit. Dass dem weiblichen Geschlecht grundsätzlich die gleichen Rechte, Möglichkeiten und Handlungsspielräume zustehen sollen wie dem männlichen, ist heute gesellschaftlicher Konsens und im Zweifelsfall vor Gericht einklagbar. Auf der politischen Bühne sind Frauen heute sehr viel präsenter als in den Jahrzehnten nach dem Zweiten Weltkrieg. 2005 wurde mit Angela Merkel die erste Bundeskanzlerin gewählt. 36 % der Bundestagsabgeordneten waren 2015 weiblich. Manche Parteien haben sich dazu verpflichtet, dem weiblichen Geschlecht zumindest ihrem Mitgliedsanteil entspr.e Listensitze, wenn nicht gar 50 % einzuräumen. Damit ist der Einfluss von Frauen in der ↑Politik sichtlich gestiegen. Auf soziostruktureller Ebene hat sich der prinzipiell gleiche Zugang zu ↑Bildung und ↑Arbeit durchgesetzt. Der Prozentsatz von berufstätigen Frauen hat sich in den letzten Jahrzehnten kontinuierlich erhöht. Viele junge Familien befürworten ein Lebenskonzept, das die Berufstätigkeit beider Partner erlaubt. Aber noch immer verdienen Frauen in Deutschland im Durchschnitt 22 % (2013) weniger als ihre männlichen Arbeitskollegen. Zwar legen heute mehr junge Frauen als Männer das Abitur ab, und sie schließen ihr Studium häufiger und nicht selten mit besseren Noten ab als die männlichen Kommilitonen, doch ihre beruflichen Aufstiegschancen sind im Vergleich sehr viel geringer. Die Politik versucht auf die geschlechtsspezifische Ungleichbehandlung einzuwirken. Aktuell verstärkt sich der staatliche Druck auf große Unternehmen, den Anteil an Frauen in den Führungsetagen zu erhöhen.

Als eine der Ursachen für die geschlechtsspezifische Ungleichheit auf dem ↑Arbeitsmarkt wird das deutsche Familienkonzept angesehen, das nach wie vor zumindest die Betreuung der Kinder im Vorschul- bzw. Vorkindergartenalter den Müttern im privaten Kontext zuweist. Über die Frage, ob staatlicherseits eher die öffentliche Betreuung der Kleinkinder weiter ausgebaut oder Anreize für Frauen öffentlich subventioniert werden sollen, um zumindest interimsweise aus dem ↑Beruf auszuscheiden, herrscht kein gesellschaftlicher Konsens. Es lässt sich aber feststellen, dass die Differenzierung zwischen männlichen und weiblichen Einkommens- und Berufskarrieren mit der Geburt des ersten Kindes beginnt und ein zeitweises Ausscheiden aus der Berufswelt langfristige Einkommens- und Karrierefolgen zeitigt.

Auf den Rückgang der von der Frauenbewegung initiierten öffentlichen Debatten um geschlechtsspezifische Ungleichheit ist wohl zurückzuführen, dass die gesellschaftliche Sensibilität gegenüber geschlechtsspezifischen Diskriminierungen derzeit eher abnimmt. So sind vielerorts den Frauenbeauftragten Gleichstellungsbeauftrage (↑Gleichstellungspolitik) gefolgt, womit zumindest implizit der Annahme Vorschub geleistet wird, dass Männer und Frauen gleichermaßen von geschlechtsspezifischer ↑Diskriminierung betroffen sind.

Im europäischen Vergleich nimmt Deutschland in der Frage der Gleichberechtigung eine Mittelstellung ein. Untersuchungen auf EU-Ebene aus dem Jahr 2009 belegen, dass 71 % der Frauen und 59 % der Männer in Deutschland davon ausgehen, dass die beiden Geschlechter ungleich behandelt werden (EU: 68 % und 57 %). Die Bekämpfung von Gewalt gegen Frauen und die Schließung der Lohnlücke gelten als besonders wichtige Handlungsfelder. In der EU nimmt Deutschland mit seinem Anteil von 36 % weiblichen Bundestagsabgeordneten den siebten Rang (2011) ein. Aber der Frauenanteil in nominierten politischen Gremien ist deutlich geringer. So beläuft sich der Frauenanteil im Bundesrat auf 26 %. In Beiräten, Kommissionen und Ausschüssen zur ↑Politikberatung auf Bundesebene sind 20 % der Mitglieder weiblich. Nach wie vor gibt es durchaus Enquête-Kommissionen des Bundestages, in denen keine oder nur eine Frau vertreten ist. Hier wird deutlich, dass ohne entsprechende Soll-Bestimmungen die Teilhabe von Politikerinnen und weiblichen Sachverständigen an zentralen politischen Entscheidungsfindungsprozessen kaum gesichert erscheint. Die weibliche Erwerbstätigenquote ist mit 73 % (2014) in Deutschland im Vergleich zur EU überdurchschnittlich hoch, nur übertroffen von Nordeuropa. In Deutschland ist jedoch mit 46,3 % (2014) auch der Anteil der weiblichen Teilzeitbeschäftigten besonders auffällig. Hier rangiert Deutschland auf Platz 2 im EU-Vergleich. Die hohe Teilzeitbeschäftigungsquote lässt sich v. a. auf weibliche Familienpflichten zurückführen. Doch Teilzeitarbeitsverhältnisse behindern i. d. R. auch berufliche Aufstiegsmöglichkeiten. Sie sind für geringere ↑Löhne und unterdurchschnittliche Bezüge im Rentenalter (↑Rente) verantwortlich. In der Frage der geschlechtsspezifischen Lohnungleichheit rangiert Deutschland nach Estland, der Tschechischen Republik und Österreich auf Platz 4 der EU-Vergleichsskala. Das BMFSFJ bearbeitet aktuell eine Reihe von Gesetzesvorhaben, die

dazu beitragen sollen, die herrschende Lohnungleichheit zu verringern. Eine konsequente Gleichstellungspolitik sollte jedoch v. a. darauf ausgerichtet sein, bestehende inkonsistente Anreizwirkungen zu beseitigen. So ermutigen derzeit die gesetzlichen Regelungen zu Elterngeld und Elternzeit zu rascher Rückkehr in die Arbeitswelt. Fehlende ganztägige, an der Arbeitswelt orientierte Betreuungsangebote für Kinder im Vorschul- und Schulalter sorgen aber für längere Unterbrechungen der Erwerbstätigkeit. Einschnitte bei der gesetzlichen Alterssicherung (↑Rentenversicherung) legen eine kontinuierliche Berufstätigkeit nahe, aber Ehegattensplitting und die kostenlose Möglichkeit zur Mitversicherung beim Ehepartner fördern den Ausstieg aus der Arbeitswelt. „Geschlechterrelevante Politik ist mitnichten an einem klaren gleichstellungspolitischen Leitbild ausgerichtet. Dabei handelt es sich nicht einfach um schlechtes Politik-Management; vielmehr verbergen sich hinter der Inkonsistenz erhebliche Wert- und Interessenkonflikte darüber, wie die Geschlechterverhältnisse ausgestaltet werden sollen" (Fuchs/Bothfeld 2011: 17).

Literatur
U. Gerhard: Frauenbewegung und Feminismus, ²2012 • G. Fuchs/S. Bothfeld: Gleichstellung in Deutschland im europäischen Vergleich, in: APuZ 61/37–38 (2011), 7–18 • I. Lenz: Die neue Frauenbewegung in Deutschland, ²2010 • A. Schaser: Frauenbewegung in Deutschland, 2006 • B. Böttger: Das Recht auf Gleichheit und Differenz, 1990 • H. Lange/G. Bäumer (Hg.): Handbuch der Frauenbewegung, 4 Bde., 1901–06 • E. Gnauck-Kühne: Das Universitätsstudium der Frauen, 1891 • L. Otto: Das Recht der Frauen auf Erwerb, 1866.

SYLVIA SCHRAUT

Frauenfrage

1. „Ganz dicht" neben der sozialen Frage
„In der politischen Windstille, in der wir gegenwärtig leben, ist die Frauenfrage in den Vordergrund getreten und dominiert in einer Weise, wie man das früher kaum für glaublich hielt […]. Keine Zeitung nimmt man in die Hand, kein Verein, keine Volksversammlung findet statt, in der nicht diese Frage diskutiert würde […]" (Otto, zit. n. Bussemer 1985: 16). Solchermaßen kommentierte Louise Otto, eine der Begründerinnen der ↑Frauenbewegung, 1866 das zeitgenössische Modethema. Neu war das Thema eigentlich nicht. Die Stellung der Frau in ↑Ehe, ↑Familie und ↑Gesellschaft beschäftigte schon die ↑Aufklärung. In den revolutionären Zeiten um 1848 partizipierten unterbürgliche Frauen an den Volksunruhen. Eine kleine Gruppe bürgerlicher Damen forderte darüber hinaus, wenn auch wenig gehört, die ↑Partizipation des weiblichen Geschlechts an den ↑Menschen– und Bürgerrechten. Um die politisch aktiven Frauen war es in der Restaurationsphase still geworden. Im Zuge des industrialisierungsbedingten gesellschaftlichen Wandels (↑Industrialisie-

rung, Industrielle Revolution) und begünstigt durch das politische Tauwetter der 1860er Jahre meldeten sich die Akteurinnen einer frühen Frauenbewegung allerdings auf der politischen Bühne zurück. Es war v. a. die Erwerbsfrage des weiblichen Geschlechts, die nun öffentliche Aufmerksamkeit erregte. Debattiert wurde über eine ganze Reihe von Versorgungsproblemen: Wie sollten Frauen der Unterschichten ein ↑Einkommen erwerben, das ihren Lebensunterhalt absicherte, wenn sie über keine entspr.en Ausbildungen verfügten? Waren Arbeiterinnen staatlicherseits bes. zu schützen oder besser noch aus den Fabriken fernzuhalten? „Und wohin nun mit diesen Allen, die sonst das Haus beschäftigte: den erwachsenen Töchtern, den Unverheirateten – deren Zahl um so mehr wächst, als die Männer sehen, wie kostspielig es ist, verheiratet zu sein – den Witwen? Diese Frage ist als sogenannte ‚Frauenfrage' mit in das Programm der Gegenwart gesetzt worden, ganz dicht neben die soziale Frage." (Otto 1876: 154) (↑Soziale Frage). Doch die F. erschöpfte sich nicht in den ökonomischen Problemen des weiblichen Geschlechts. Implizit, mitunter auch explizit standen erstmals in breiter öffentlicher Debatte das männliche und weibliche Rollenverständnis, die Organisation der Familie und die Geschlechterhierarchie zur Disposition. Aus den verschiedenen politischen Lagern meldeten sich prominente Autoren mit kritischen Anmerkungen und Lösungsvorschlägen zu Wort. Die junge Frauenbewegung übte v. a. Kritik an der Bildungssituation des weiblichen Geschlechts.

2. Die Frauenfrage als Bildungsfrage

Das „Jahrhundert der Bildung und der Gebildeten" (Jeismann 1987: 1) stellte sich aus der Perspektive der Bürgerinnen als Jh. der weiblichen Bildungsmisere dar. Für breite ländliche Bevölkerungskreise hatte sich der mit der Schulpflicht erzwungene Volksschulbesuch ohnehin den Arbeitserfordernissen der Familienökonomie unterzuordnen. Galt für Bauern- und Handwerkersöhne auf dem Lande eine Grundbildung als ausreichend, die für das Erlernen des familiären Gewerbes befähigte, so schien das notwendige Schulwissen der Mädchen für das Berufsziel Hausfrau nahezu unbedeutend und entspr. vernachlässigbar. Deutlicher noch als in den bildungsfernen Schichten fielen die geschlechtsspezifischen Unterschiede im Bürgertum (↑Bürger, Bürgertum) aus. Gehörte zu einem gelingenden männlichen Bildungsgang die Vorbereitung auf das Gymnasium, wenn möglich durch einen Hauslehrer oder zumindest Privatschulunterricht und nicht selten der anschließende Besuch der Universität, so durfte ↑Bildung „bei Mädchen niemals in Wissenschaft ausarten, sonst hört sie auf, zarte weibliche Bildung zu sein" (von Raumer 1853: 82). Entspr. gingen seit Beginn des 19. Jh. der Ausbau und die Professionalisierung des öffentlichen Volksschulsystems, die Entwicklung eines mittleren weiterführenden, an Naturwissenschaften und modernen

Sprachen orientierten Realschulsystems und die staatlicherseits vorangetriebene Vereinheitlichung der gymnasialen Lehrpläne bzw. des Zugangs zum Studium an den Bürgerinnen vorbei. Mädchen war der Zugang zu Realschule, Gymnasium und Studium grundsätzlich verwehrt. Für bürgerliche Mädchen war als Berufsziel die Führung eines geselligen standesgemäßen Haushalts, idealerweise als Hausherrin an der Seite des Ehepartners, geplant. Die zukünftige Dame des Hauses sollte sich in Französisch unterhalten können, musisches Talent und Konversation pflegen. Für eine solche Bildung reichte ein wenig Privatschulunterricht aus. Die Grundlagen für eine passende Berufstätigkeit wurden damit jedoch nicht gelegt. Folgerichtig sollte die in den 1860er Jahren entstehende Frauenbewegung ein Hauptaugenmerk auf den Zugang der Mädchen zum Abitur und Studium richten. Der Gegenwind war allerdings stark.

3. Weibliche Erwerbsarbeit und Frauenfrage

In den Debatten der jungen ↑Arbeiterbewegung, der bürgerlichen Sozialreformer, aber auch der sich entfaltenden Frauenbewegung nahmen die sozialen Bedingungen weiblicher *Berufsarbeit* einen bes. Stellenwert ein. Traditionell hatten Frauen immer schon ihren Teil zum Erwerb des Familieneinkommens beigetragen. In der Landwirtschaft (↑Land- und Forstwirtschaft) waren sie tätig als Angehörige des hart arbeitenden und schlecht verdienenden Gesindes. Als mithelfende Familienmitglieder auf dem Bauernhof oder im Handwerksbetrieb (↑Handwerk) verbanden auch die meisten verheirateten Frauen Familien- und Erwerbsarbeit. Für eine Angehörige gehobener gesellschaftlicher Schichten war bezahlte Berufsarbeit dagegen kaum vorstellbar. Aber auch unterbürgerliche Schichten begriffen außerhäusliche Erwerbsarbeit lediglich als Lebensabschnittsphase junger Frauen vor der Heirat, die – der „schwachen Natur" der Frau geschuldet – entspr. gering entlohnt werden musste.

Doch das weibliche Rollenmodell (↑Soziale Rolle) mit bestenfalls vorübergehender bezahlter außerhäuslicher Berufsarbeit entsprach im 19. Jh. nicht mehr der Realität. Bei wachsender Bevölkerung stieg die Zahl der berufstätigen Frauen zwischen 1882 und 1939 von 5 auf 12,7 Mio. an. Ihr Anteil an den Erwerbspersonen stieg bis 1939 auf 37 %. Im Schnitt weniger ausgebildet als männliche Erwerbstätige, selbst für gleiche Arbeit schlechter als diese entlohnt, gelang es Frauen i. d. R. nicht, ein ↑Einkommen zu erwirtschaften, das eine selbständige Lebensführung ermöglicht hätte.

3.1. Frauenfrage und Arbeiter(innen)bewegung

Die junge Arbeiterbewegung tat sich schwer mit der beruflichen Variante der F. Zwar hatte der Pforzheimer Fabrikant und linksliberale Politiker Moritz Müller auf dem Vereinstag der Arbeiterbildungsvereine 1865 in Stuttgart eigens ein Referat über die F. gehalten. Mit

Verweis auf L. Otto forderte er die Einbeziehung von Arbeiterinnen und Arbeiterinnenvereinen in zukünftig zu gründende Arbeiterorganisationen. Doch der Vereinstag verständigte sich darauf, das Thema zu vertagen. Die Mehrheit der gewerkschaftlichen Neugründungen und die politisch organisierte Arbeiterschaft lehnten weibliche Fabrikarbeit entschieden ab. Bis in die 1870er Jahre hinein votierten die Delegierten auf Gewerkschaftskongressen (↑Gewerkschaften) oder den Versammlungen der Arbeiterparteien regelmäßig gegen Frauenarbeit in den Fabriken. August Bebel war es mit seiner 1879 unter den Bedingungen des Sozialistengesetzes illegal veröffentlichten Kampfschrift „Die Frau und der Sozialismus" vorbehalten, einen ersten Stein aus der Abwehrmauer zu brechen. Das Buch lieferte vor dem Hintergrund einer historischen Herleitung patriarchaler Strukturen und der Minderberechtigung von Frauen in ↑Familie, ↑Wirtschaft und Gesellschaft eine Begründung, warum Frauen eine gleichberechtigte Stellung zustünde. Nur die Frau, die selbst bezahlter Lohnarbeit nachging, konnte A. Bebel zufolge zur gleichberechtigten Partnerin ihres Ehemannes werden, nur diese mit ihm zusammen den Kampf für den ↑Sozialismus und die ↑Emanzipation beider Geschlechter aufnehmen und schließlich Gleichberechtigung im Sozialismus erreichen. A. Bebels Werk provozierte weit über das sozialistische Lager hinaus eine Diskussion der F., der gesellschaftlichen Rolle der Frau im Allgemeinen und der arbeiterbewegten Frau im Besonderen. 1901 legte die aus dem Adel stammende, ins reformorientierte Bildungsbürgertum „abgestiegene" Sozialdemokratin Lily Braun mit einer umfassenden Schrift „Die F. Ihre geschichtliche Entwicklung und wirtschaftliche Seite" nach und lieferte einen Überblick über die Entwicklung der sozialen Stellung von Frauen bis ins 19. Jh., bevor sie sich intensiv mit der wirtschaftlichen Seite der F., getrennt für Arbeiterinnen und Bürgerinnen, auseinandersetzte. Braun ging in ihren Lösungskonzepten weit über das Übliche hinaus. Sie forderte neben der Besserstellung weiblicher Berufsarbeit auch die Übernahme von Reproduktions- und Kindererziehungsaufgaben durch die öffentliche Hand, um Frauen den zeitlichen Freiraum zu schaffen, sich öffentlich engagieren zu können. Doch solche Forderungen gingen der Arbeiterbewegung wie der inzwischen entstandenen Arbeiterinnenbewegung viel zu weit.

3.2. Sozialreformerische Initiativen zur Lösung der Frauenfrage

In den 1860er Jahren entdeckten auch die bürgerlichen Sozialreformer die F. Adolf Lette, Vorsitzender des 1844 gegründeten *Centralvereins für das Wohl der arbeitenden Klassen* in Preußen, erarbeitete 1865 eine Denkschrift „über die Eröffnung neuer und die Verbesserung der bisherigen Erwerbsquellen für das weibliche Geschlecht". Die Denkschrift befasste sich v.a. mit dem Los der unverheirateten Frauen mittlerer und höherer Stände, de-

nen dringend Ausbildung und Gelegenheit zur Erwirtschaftung eines eigenen Einkommens geboten werden müsse. Zwar sei eine Lehrerin „in Bezug auf alle höheren wissenschaftlichen Doktrinen […] nicht geeignet, den Mann zu ersetzen". Doch für Arbeiten, die „praktische Fertigkeiten und Geschick" sowie „kunstsinnige, sorgfältige, und zuverlässige Ausführung" erforderten, seien Frauen bes. geeignet (Lette 1865: 10f.). A. Lette empfahl die Gründung eines Frauenvereins unter beratendem männlichen Beistand, der sich der Förderung weiblicher Berufstätigkeit widmen sollte und der *Centralverein* schloss sich A. Lettes Idee an. Der 1866 begründete *Verein zur Förderung der Erwerbsfähigkeit des weiblichen Geschlechts*, nach dem Tod seines Gründers 1869 umbenannt in *Lette-Verein zur Förderung höherer Bildung und Erwerbsfähigkeit des weiblichen Geschlechts*, versammelte eine Reihe bekannter Sozialreformer in seinem Vorstand und erfreute sich der Protektion durch die kaiserliche Familie. Ergänzt durch die Schriftführerin setzten sich die männlichen Vorstandsmitglieder das Ziel, mit Hilfe der Vereinstätigkeit die Berufschancen von Mädchen und Frauen aus den „mittleren und höheren Ständen" zu befördern. Der Verein begründete und unterstützte eine Reihe von Handels- und Gewerbeschulen für Mädchen, veranstaltete Wohltätigkeitsbasare und Vortragsreihen und betrieb Wohnheime für ledige ortsfremde berufstätige Frauen. V.a. aber schaffte er es, eine Bresche in die Abwehrhaltung konservativer Kreise zu schlagen. Der *Lette-Verein* stand für eine Interpretation der F. als wirtschaftliche und soziale Aufgabe. Aspekte politischer und gesellschaftlicher Gleichberechtigung waren nicht Gegenstand des Vereinsprogramms. „Was wir nicht wollen und niemals, auch nicht in noch so fernen Jahrhunderten wünschen und bezwecken", hatte A. Lette in seiner Denkschrift 1865 erläutert, „das ist die politische Emanzipation und Gleichberechtigung der Frauen" (Lette 1865: 10).

4. Debatten um den Frauenüberschuss

Auf der Suche nach den Gründen für die schlechte wirtschaftliche Lage vieler Frauen nahmen Thesen zum Frauenüberschuss eine bes. Rolle ein. Die Protagonistinnen der jungen Frauenbewegung veröffentlichten in beachtlicher Vielfalt Darstellungen, in denen sie statistisch zu belegen suchten, dass die Heiratschancen des weiblichen Geschlechts sanken. „Das erste Argument, um den Kampf der Frauen um den Erwerb zu erklären, pflegt darin zu bestehen, dass in der Mehrzahl der Kulturländer das weibliche Geschlecht das männliche an Zahl überträgt", schrieb bspw. Lily Braun (Braun 1901: 157). Auf der Grundlage von reichlich vagem statistischem Material mutmaßte sie, dass mit steigender sozialer Schicht mehr Töchter als Söhne geboren werden. Große Bekanntheit erreichte auch Elisabeth Gnauck-Kühnes umfassende Schrift über „Die deutsche Frau um die Jahrhundertwende", publiziert 1904. Basierend auf der Bevölkerungsstatistik des Deutschen Reiches von 1895 zeigte sie auf, dass 100 männlichen Einwohnern des Kaiserreiches 103,7 Frauen gegenüberstanden. Nach Altersgruppen aufgeschlüsselt, belegte sie überdies, dass der Frauenüberschuss im Wesentlichen auf die höhere weibliche Lebenserwartung zurückzuführen war. In der Altersgruppe von 16 bis 30 – dem typischen Heiratsalter junger Frauen – belief sich die Relation auf 101,8 zu 100. Es handelte sich mithin insgesamt um keine aufsehenerregende Schieflage. Doch der statistisch mehr oder weniger nachweisbare Überschuss an weiblichen im Vergleich zu männlichen Erwachsenen schien auf eine sinkende Heiratsbereitschaft und auf das steigende Heiratsalter des männlichen Bevölkerungsteils zu treffen und damit die Heiratschancen der Frauen zu bedrohen. Jenseits aller Überlegungen zum Frauenüberschuss war statistisch nachweisbar, dass in der Altersgruppe der 30- bis 50-jährigen Frauen tatsächlich nur 77 % verheiratet waren. Da sich bei den über 50-Jährigen die Witwen zu häufen begannen, stand auch für diese die Frage einer adäquaten Berufstätigkeit zur Debatte. „Zwischen Eheberuf und Erwerbstätigkeit, zwischen Abhängigkeit und Selbstständigkeit wird das weibliche Geschlecht hin und her geworfen. Sein Leben ist dualistisch gespalten. Weil dieser Dualismus im Dienste der menschlichen Gesellschaft das Leben des Weibes erschwert und seine Kraft zersplittert, hat die Gesellschaft die Pflicht, ihm Hausmutterberuf und Erwerbstätigkeit zum Wohle der Gesamtheit zu erleichtern", so das Fazit E. Gnauck-Kühnes (Gnauck-Kühne 1904: 162). Die These vom Frauenüberschuss hielt sich zäh und lieferte Sozialreformern wie Frauenorganisationen eine Argumentationshilfe in ihrem Kampf für bessere weibliche Berufsbedingungen. Sie begleitete die Debatten um den Gestaltwandel des familiären Haushalts, denn die Industrialisierung zog zunehmend auch in die privaten Haushalte ein. Technische Innovationen führten zur Freisetzung der Arbeitskraft weiblicher Familienangehöriger und stellten mehr und mehr die Mitfinanzierung unverheirateter weiblicher Verwandter durch die Familienökonomie in Frage. Der postulierte Frauenüberschuss und die Veränderungen der familiären Arbeitsorganisation lieferten den argumentativen Hintergrund für fast alle politischen Lager, um erweiterte Arbeitsmöglichkeiten für das weibliche Geschlecht zu fordern.

5. Die Frauenfrage in kirchlicher Perspektive

Mit dem Anwachsen der Frauenbewegung in den 1880er und 1890er Jahren zu einer nicht mehr zu ignorierenden gesellschaftlichen Kraft, begannen sich auch kirchliche Kreise verstärkt mit der sozialen Lage von Frauen auseinanderzusetzen. Aber in der Perspektive breiter kirchlicher Kreise hingen die drei Begriffe *Frauenarbeit*, *F.* und *Frauenbewegung* allzu „eng zusammen" (Müller 1908: 3). Dezidiert gegen die berühmte Schrift von A. Bebel zog 1893 der Redemptorist und bekannte katholische Publizist Augustin Rösler mit seinem Werk

„Die F. vom Standpunkte der Natur, der Geschichte und der Offenbarung" (1893) ins Feld. Er stellte die traditionelle Geschlechterhierarchie und die Rolle der Ehefrau und Mutter als gottgewolltes Ordnungsprinzip dar und verdammte das Vordringen von Frauen auf dem ↑Arbeitsmarkt und die Gleichstellungsforderungen der Sozialdemokratie. „Die angestrebte Emancipation der Frau bringt mit sich die Zerstörung der Familie im Princip", letztlich „die Zertrümmerung und Vernichtung der historischen Gesellschaft und ihrer Gliederungen" (Rösler 1893: 290). Auf Dauer jedoch war die abweisende Haltung der ↑katholischen Kirche nicht haltbar. Rösler selbst schloss seinen Frieden mit den katholischen Frauenvereinen, etwa mit dem 1885 gegründeten *Verein katholischer deutscher Lehrerinnen* und förderte die Gründung des KDFB 1903, der sich durchaus auch für die Verbesserung weiblicher Berufsmöglichkeiten einsetze (↑Christliche Frauenverbände). Im gleichen Jahr legte der katholische Moraltheologe und Zentrumspolitiker Joseph Mausbach eine Schrift zur „Stellung der Frau im Menschheitsleben" vor, in der er sich dezidiert für bessere Bildungsmöglichkeiten für Mädchen, das Frauenstudium und die qualifizierte Berufstätigkeit der (unverheirateten) Frau aussprach.

Auch die protestantischen Kirchen begannen in den 1890er Jahren die F. zu debattieren. Der engagierten frauenbewegten, erst protestantischen, seit 1900 katholischen Lehrerin E. Gnauck-Kühne gelang es, auf dem VI. Evangelisch-Socialen Kongress in Erfurt 1895 die protestantische Abwehrhaltung aufzubrechen. In ihrem Vortrag zur sozialen Lage der Frau beleuchtete sie die abnehmenden Haushaltpflichten der bürgerlichen Frau angesichts des industriellen Wandels und die Mehrbelastung der Arbeiterfrau durch eigene Fabrikarbeit. Für die Bürgerinnen forderte sie bessere Bildungs- und Berufsmöglichkeiten, nicht zuletzt, um ihre erweiterten Fähigkeiten im Dienste der Nächstenliebe für die Arbeiterinnen einsetzen zu können. 1899 gründete sich der *Deutsch-Evangelische Frauenbund*, der „im Sinne des in Gottes Wort offenbarten Evangeliums an der Lösung der F., der religiös-sittlichen Erneuerung, der sozialen und wirtschaftlichen Hebung des Volkslebens arbeiten" wollte (Müller 1908: 198). Der Bund verstand sich als Teil der Frauenbewegung und trat 1908 dem BDF bei. Dagegen bewahrten die katholischen Frauenvereine zumindest organisatorische Distanz zur bürgerlichen Frauenbewegung.

Literatur

K.-H. Jeismann: Zur Bedeutung der Bildung im 19. Jahrhundert, in: K.-H. Jeismann/Peter Lundgreen (Hg.): Handbuch der deutschen Bildungsgeschichte 1800–1870, Bd. 3, 1987, 1–22 • H.-U. Bussemer: Frauenemanzipation und Bildungsbürgertum, 1985 • P. Müller (Hg.): Handbuch zur Frauenfrage. Der Deutsch-Evangelische Frauenbund in seiner geschichtlichen Entwicklung, seinen Zielen und seiner Arbeit, 1908 • J. Mausbach: Die Stellung der Frau im Menschheitsleben. Eine Anwendung katholischer Grundsätze auf die Frauenfrage, 1906 • E. Gnauck-Kühne: Die deutsche Frau um die Jahrhundertwende, 1904 • L. Braun: Die Frauenfrage. Ihre geschichtliche Entwicklung und ihre wirtschaftliche Seite, 1901 • E. Gnauck-Kühne: Die soziale Lage der Frau. Vortrag gehalten auf dem 6. Evangelisch-sozialen Kongress zu Erfurt am 6. Juni 1895, 1895 • A. Rösler: Die Frauenfrage vom Standpunkte der Natur, der Geschichte und der Offenbarung, 1893 • A. Bebel: Die Frau und der Sozialismus, 1879 • L. Otto: Frauenleben im Deutschen Reich, 1876 • A. Lette: Denkschrift über die Eröffnung neuer und die Verbesserung bisheriger Erwerbsquellen für das weibliche Geschlecht, 1865 • K. von Raumer: Die Erziehung der Mädchen, 1853.

SYLVIA SCHRAUT

Frauenrechte

Die im deutschen GG gewährleisteten ↑Grundrechte stehen Männern und Frauen gleichermaßen zu. Diese Aussage gilt ebenso für die Grundrechtsverbürgungen der Staaten Europas, weiterer westlicher Staaten und vieler weiterer Grundrechtsgarantien in Staaten weltweit. Sie alle gewährleisten ↑Menschenrechte, die ohne Ansehen des Geschlechts gelten. In diesem Sinne sind Menschenrechte auch F. Entspr.es ist für die ↑EMRK (Inkrafttreten 1953) sowie für die EuGRC (Inkrafttreten 2009), die beiden zentralen gemeineuropäischen Grundrechtskataloge, festzustellen. Die im Jahr 1948 verkündete AEMR enthält wie der im Jahr 1966 entstandene IPbpR ebenfalls menschenrechtliche Gewährleistungen, die sowohl Männern als auch Frauen zustehen. Viele Grundrechtskataloge enthalten zudem einen allg.en Gleichheitssatz und/oder Diskriminierungsverbote, die eine Gleichbehandlung von Männern und Frauen gebieten sowie ↑Diskriminierungen aufgrund des Geschlechts verbieten. Grund- und Menschenrechte stehen somit regelmäßig Personen ganz unabhängig von ihrem Geschlecht zu. Das entspr. dem Anspruch der Menschenrechte auf universelle Geltung. In historischer Perspektive musste die ↑Frauenbewegung zunächst erstreiten, dass die mühsam errungenen Menschenrechte nicht nur Männern, sondern auch Frauen zustehen. Insb. die Einforderung politischer Rechte, konkret des Wahlrechts, und gleicher Rechte im ↑Familienrecht waren Forderungen, die erst im Laufe des 20. Jh. sukzessive durchgesetzt werden konnten.

Ob allerdings Frauen tatsächlich die gleichen Rechte wie Männer genießen, ob also die im nationalen (Verfassungs-)Recht oder den internationalen Verbürgungen enthaltenen Rechte, in gleicher Weise für Männer und Frauen umgesetzt sind, ist vielfach noch heute zweifelhaft. Insofern sind mehrere Ebenen zu unterscheiden: Grund- und Menschenrechte verlangen zunächst, dass der Gesetzgeber Männer und Frauen gleich behandelt und ihnen gleiche Rechte und Pflichten auferlegt. Nach dem Geschlecht differenzierende gesetzliche Bestimmungen können nur dann verfassungskonform sein, wenn sie bereits in der Verfassung vorgesehen sind. So besteht etwa in Österreich aufgrund einer Verfassungsbestimmung eine Wehrpflicht für männliche Staatsbürger, während Staatsbürgerinnen nur freiwillig im Bundesheer Dienst als Soldatinnen leisten (vgl. Art. 9a Abs. 3 Bundes-Verfassungsgesetz öBGBl 1920/1 idF öBGBl. I 2016/41). Darüber hinaus kommen nach dem Geschlecht differenzierende gesetzliche Regelungen in Betracht, wenn sie aus biologischen Gründen nur Männer oder Frauen treffen können. Beispielhaft kann hier die Gewährleistung von ↑Mutterschutz genannt werden. Gesetze müssen außerdem durch Gerichte und Verwaltungsbehörden ohne Ansehen des Geschlechts einer Person angewendet werden. Die dritte Ebene ist jene der Schaffung von Voraussetzungen für die freie Entfaltung der Persönlichkeit und die individuelle Gestaltung von Lebensentwürfen von Männern und Frauen, die auch als die Inanspruchnahme von Freiheitsrechten verstanden werden kann. Insofern bestehen insb. in gesellschaftlicher und ökonomischer Hinsicht für Männer und Frauen vielfach unterschiedliche Bedingungen, die z.T. traditionellen Wertvorstellungen geschuldet sind, z.T. durch gesellschaftliche Strukturen gefördert werden. Rechts- und verfassungspolitisch, aber auch allgemeinpolitisch werden Grund- und Menschenrechte dafür herangezogen, um auch eine Gleichheit in den Lebensbedingungen und Voraussetzungen der Entfaltung einzufordern. In der klassischen Dogmatik der Grund- und Menschenrechte werden solche Forderungen, die regelmäßig mit Leistungsansprüchen an den Staat verbunden sind, als Rechtsansprüche abgelehnt, ohne dass damit ein Urteil über ihre politische Berechtigung getroffen wäre.

Die Diskussion von F.n nimmt aber auch die Situation in den Blick, dass Frauen in bestimmten Situationen und Strukturen leichter Opfer von Menschenrechtsverletzungen werden, wobei sowohl an Rechtsverletzungen durch den Staat als auch an Rechtsverletzungen durch Private zu denken ist, denen der Staat durch angemessene präventive und repressive Maßnahmen zu begegnen hat. In dieser Perspektive zeigt die Hervorhebung von F.n die Notwendigkeit auf, dass der Staat diesen bes.n Gefährdungen von Frauen(-rechten) wirksam begegnet. Frauen sind statistisch häufiger Opfer von sexueller und anderer körperlicher ↑Gewalt, aber auch von Unterdrückung (psychischer Gewalt) als Männer. Zwangsheirat, Menschenhandel, Zwangsarbeit, insb. Zwangsprostitution, und andere Formen der Unterdrückung treffen nicht nur, aber häufiger Frauen als Männer. Gesellschaftliche ↑Traditionen und Strukturen sowie die bes. Situation von Müttern mit Kindern können dazu beitragen, dass Frauen stärker als Männer gefährdet sind, Opfer von erheblichen Rechtsverletzungen zu werden. Ohne dass Frauen regelmäßig und ohne weitere Differenzierung als „vulnerable" Gruppe verstanden werden sollten, ist es vor dem Hintergrund der Gewährleistung der Menschenrechte überhaupt Aufgabe und Pflicht des Staates, effektive Maßnahmen zu ergreifen, um der Gefährdung von Frauen wirksam zu begegnen. So befinden sich etwa Frauen auf der Flucht in einer bes. verletzlichen Situation. Sie drohen, insb. wenn sie mit Kindern flüchten, Opfer von sexuellen Übergriffen, sonstiger körperlicher und seelischer Gewalt zu werden, und sind damit einer bes. hohen Gefahr für Leib und Leben ausgesetzt. Angemessene Versorgung mit Nahrung und medizinischen Leistungen, bes. Wohnmöglichkeiten für Frauen mit und ohne Kinder sind insofern Maßnahmen zum Schutz gerade von Frauen. Ein strafrechtlich sanktioniertes Verbot der Zwangsheirat verbunden mit Aufklärung, Beratung und Bildung schützt vor allem Frauen vor einer Verheiratung (häufig als Minderjährige) gegen ihren Willen. Zum Schutz insb. von Frauen in der oder vor der ↑ Prostitution haben verschiedene Staaten ganz unterschiedlich Modelle von gesetzlichen Regelungen und sozialer Unterstützung entwickelt.

Auch wenn bereits die AEMR von 1948 das Verbot der Diskriminierung aufgrund des Geschlechts vorsah, sah man auf internationaler Ebene die Notwendigkeit, die tatsächliche Gewährleistung von Rechten für Frauen zu einer zentralen politischen Forderung und zum Thema zu machen. In den Jahren 1975 (Mexico-Stadt), 1980 (Kopenhagen), 1985 (Nairobi) und 1995 (Peking) fanden UN-Weltfrauenkonferenzen statt, die die Thematik der F. auf die internationale Agenda setzten und damit Aufmerksamkeit schafften. 1979 verabschiedete die Generalversammlung der UN das „UN-Übereinkommen zur Beseitigung jeder Form von Diskriminierung der Frau" (CEDAW). Es hob zum einen bereits bestehende Bestimmungen, wie insb. das in der AEMR enthaltene Verbot der Diskriminierung nach dem Geschlecht, hervor und ergänzte sie zum anderen, indem es die Verantwortlichkeit der Vertragsstaaten für Rechtsverletzungen auf nicht-staatliche Akteure erweiterte. In einem Aktionsprogramm verpflichteten sich die Vertragsstaaten, die Gleichberechtigung von Frauen und Männern nicht nur rechtlich, sondern auch tatsächlich umzusetzen. Auch im Rahmen der UN-Weltmenschenrechtskonferenz 1993 in Wien wurde das Thema F. diskutiert. Die Abschlusserklärung verurteilte Gewalt gegen Frauen und Mädchen als Menschenrechtsverletzung. In weiterer Folge wurde noch im Jahr 1993 die „Erklärung über die Beseitigung der Gewalt gegen Frauen" verabschiedet, die eine Reihe von spezifischen Gewalttaten gegen Frauen (körperliche und sexuelle Gewalt im Haushalt und in der Ehe, sexuelle und anderweitige ↑ Ausbeutung von Frauen, Frauenhandel, Zwangsprostitution, weibliche Genitalverstümmelung u. a.) als Menschenrechtsverletzungen brandmarkt. Zur Umsetzung der in der Erklärung verankerten F. wird seit 1994 ein UN-Sonderberichterstatter über Gewalt gegen Frauen, deren Gründe und Auswirkungen eingesetzt (Res. 1994/45). Im Jahr 1999 wurde zur Umsetzung des CEDAW ein Fakultativprotokoll aufgelegt, das Individualbeschwerden an den UN-Ausschuss für die Besei-

tigung der Diskriminierung der Frau ermöglicht, wenn die in dem Abkommen gewährleisteten Rechte verletzt werden (in Deutschland 2001 ratifiziert, BGBl 2001 II: 1237 f.; in Österreich 2000, öBGBl III 2000/206). Die praktische Wirksamkeit dieses Beschwerderechts gerade für Frauen, deren finanzielle Möglichkeiten, (rechtliche) Bildung oder Status nach innerstaatlichem Recht beschränkt sind, wird trotz Vertretungsmöglichkeiten teilweise kritisch gesehen.

Literatur
UN Human Rights Council (Hg.): Report of the Special Rapporteur on violence against women, its causes and consequences (A/HRC/35/30), 2017 • U. Floßmann: Frauenrechtsgeschichte, ²2006 • B. Neuhold/R. Pirstner/S. Ulrich: Menschenrechte – Frauenrechte, 2003 • E. Gabriel (Hg.): Frauenrechte. Einführung in den internationalen frauenspezifischen Menschenrechtsschutz, 2001.   KATHARINA PABEL

Freie Berufe

Aus berufssoziologischer Perspektive werden ↑ Dienstleistungen den f.n B.n zugerechnet, wenn die Erbringung der Dienstleistung überwiegend persönlich und eigenverantwortlich im Interesse des Auftraggebers und unter Berücksichtigung des Allgemeinwohls durch den Berufsangehörigen erfolgt, die Ausübung der Tätigkeit eine hohe Qualifikation voraussetzt und einen intellektuellen Charakter beinhaltet. Da diese Kriterien jedoch wenig trennscharf sind, muss die Abgrenzung von freiberuflichen und gewerblichen Tätigkeiten letztlich im Hinblick auf das verfolgte Erklärungsziel vorgenommen werden. Eine allgemeingültige Definition existiert nicht.

Auch in der Rechtsprechung wird der Begriff des f.n B.s in Abhängigkeit von den Rechtsfolgen unterschiedlich verwendet. Im Steuerrecht listet § 18 Abs. 1 EStG Kriterien auf, die für das Vorliegen einer freiberuflichen Tätigkeit maßgeblich sind. Dort erfolgt auch eine – nicht abschließende – Auflistung von selbständigen Tätigkeiten, die den f.n B.n zuzurechnen sind. Zu diesen sog.en Katalogberufen gehören u. a. Anwälte, Steuerberater, Wirtschaftsprüfer, Architekten, Ingenieure, Ärzte und Zahnärzte. Letztlich entscheiden die Steuerbehörden aber im Einzelfall, ob eine gewerbliche oder freiberufliche Tätigkeit vorliegt. Davon abweichend werden in § 1 Abs. 2 PartGG f. B. genannt, denen die Rechtsform der ↑ Partnerschaftsgesellschaft offensteht.

1. Quantitative Bedeutung der Freien Berufe für die Wirtschaft
Das IFB in Nürnberg führt offizielle Statistiken und Angaben der Berufsverbände zusammen, um ein möglichst vollständiges Bild der f.n B. in Deutschland zu zeichnen: Demnach waren 2015 rund 1,3 Mio. Personen in den f.n B.n selbständig tätig. Davon übten 31 % einen

f.n Heil-B. aus, 27% waren in f.n rechts-, wirtschafts- und steuerberatenden B.n tätig, weitere 24% gingen einem f.n Kultur-B. nach und 18% gehörten einem f.n technischen und naturwissenschaftlichem B. an. Darüber hinaus bestanden mehr als 4,7 Mio. sozialversicherungspflichtige Beschäftigungsverhältnisse im Bereich der f.n B., was einem Anteil von 10% an der gesamten sozialversicherungspflichtigen Beschäftigung entsprach. Das Bundesministerium für Wirtschaft und Energie beziffert den Beitrag der f.n B. zum BIP in 2015 auf rund 10%.

2. Gesellschaftliche Bedeutung und Regulierung der Freien Berufe

Den von den f.n B.n wahrgenommenen Aufgaben wird im Allgemeinen eine bes. gesellschaftliche Relevanz zugesprochen. So tragen bspw. die Heilberufe zum Funktionieren des Gesundheitssystems bei. Die rechtsberatenden Berufe leisten einen Beitrag zur Funktionsfähigkeit der Rechtspflege und sichern zusammen mit den steuer- und wirtschaftsberatenden Berufen durch ihre Tätigkeiten den reibungslosen Ablauf des Wirtschaftsprozesses. Und die Architektur- und Ingenieurberufe schützen die Gesellschaft vor möglichen Gefährdungen durch fehlerhafte Bauwerke und technische Einrichtungen.

Der Allgemeinwohlbezug sowie die Informationsasymmetrie zwischen dem Anbieter freier Berufsdienstleistungen und dem Nachfrager werden zur Begründung zahlreicher Sonderregeln für die f.n B. herangezogen. Die Regulierung der einzelnen Berufsgruppen weist dabei allerdings große Unterschiede auf. Während einige ↑Berufe, etwa im künstlerischen oder wissenschaftlichen Bereich, nicht bzw. kaum reguliert sind, gelten für andere, wie z.B. die wirtschaftsberatenden und Heilberufe, häufig spezifische Berufsgesetze und die Verpflichtung einer ↑Berufskammer beizutreten, der die Berufsaufsicht übertragen ist. Obwohl viele f. B. Gebührenordnungen kennen, variiert deren Verbindlichkeitsgrad z.T. erheblich. Einige Professionen unterliegen unterschiedlich starken Werbebeschränkungen. Auch die Zusammenarbeit der f.n B. und die Möglichkeiten einer Kapitalbeteiligung sind je nach Profession sehr unterschiedlich geregelt.

3. Die Regulierung der Freien Berufe auf dem Prüfstand

Die Sonderregeln für die f.n B. werden seit einiger Zeit dahingehend kritisch hinterfragt, ob die jeweilige Regulierung den Gemeinwohlbezug der f.n B. stärkt oder ein Wettbewerbshindernis zulasten der Allgemeinheit darstellt.

3.1. Deregulierungsbestrebungen der Europäischen Kommission

Mit der 2006 in Kraft getretenen Dienstleistungsrichtlinie wurde eine Liberalisierung der Dienstleistungsmärkte in den EU-Mitgliedstaaten und eine Vertiefung des Binnenmarktes (↑Europäischer Binnenmarkt) angestrebt. Dazu mussten Mindeststandards für Erbringung von Dienstleistungen definiert werden. Ein wesentlicher Schritt hierbei war die Verabschiedung der Berufsqualifikationsrichtlinie 2005 und berufsspezifischer Richtlinien, in der u. a. Mindestanforderungen für die Ausübung von freiberuflichen Tätigkeiten im Binnenmarkt festgelegt wurden. Allerdings sieht die ↑Europäische Kommission auch 10 Jahre nach Umsetzung der Dienstleistungs- und Berufsqualifizierungsrichtlinie weiterhin erhebliche Wettbewerbshemmnisse.

3.2. Ökonomische Einordnung der Deregulierungsdebatte

Während die Kommission die Vorteile der ↑Deregulierung hauptsächlich mit makroökonomischen Studien untermauert, erscheint eine differenzierte Überprüfung der Regulierungen im Einzelfall mit Hilfe des mikroökonomischen Instrumentariums erstrebenswert. Dabei ist insb. zu überprüfen, ob die vorliegenden Informationsasymmetrien zulasten der Nachfrager und der daraus resultierende Vertrauensgutcharakter von freiberuflichen Dienstleistungen eine spezifische Regulierung rechtfertigen. Die damit verbundenen ökonomischen Probleme wurden erstmals 1970 von George Akerlof beschrieben und werden in der Literatur zu Vertrauensgütern diskutiert. Einen Überblick über den aktuellen Stand der Theorie und deren Synthese gibt die Arbeit von Uwe Dulleck und Rudolf Kerschbamer (2006). In den letzten Jahren werden zunehmend Experimente im Labor und Feld durchgeführt, um ein besseres Verständnis der Ökonomie von Vertrauensgütern und den institutionellen Voraussetzungen für eine effiziente Bereitstellung dieser ↑Güter zu gewinnen.

Allerdings liegen noch keine gesicherten Erkenntnisse speziell für die f.n B. vor. Hier besteht weiterhin erheblicher Forschungsbedarf.

3.3. Weitere Aspekte der Deregulierungsdebatte

Die Debatte um die Deregulierung bestimmter f.r B. kann nicht ausschließlich auf ökonomische Argumente verkürzt werden. So ist z.B. die Verschwiegenheitspflicht der Ärzte, Anwälte (↑Rechtsanwalt), Steuerberater und Wirtschaftsprüfer von hoher gesellschaftspolitischer Relevanz. Hierauf muss Rücksicht genommen werden, wenn etwa die Zusammenarbeit von Angehörigen dieser Berufe mit anderen Berufsgruppen geregelt wird, um die als notwendig erachteten Schutzräume nicht zu zerstören. Darüber hinaus kann es gesellschaftlich erwünscht sein, dass bestimmte f. B. dem unmittelbaren Einfluss des ↑Staates bei der Berufsausübung entzogen sind. Dies gilt etwa für Anwälte, die ihre Mandanten u.a. auch gegen den Staat vertreten. Daher erscheint auch eine grundsätzliche Ablehnung der subsidiären Ausübung der Berufsaussicht durch Berufskammern mit dem Hinweis auf Wettbewerbshindernisse zu kurz gegriffen.

Literatur
U. Dulleck/R. Kerschbamer/M. Sutter: The economics of credence goods: On the role of liability, verifiability, reputation and competition, in: AER 101/2 (2011), 526–555 • U. Dulleck/R. Kerschbamer: On doctors, mechanics, and computer specialists: The economics of credence goods, in: JEL 44/1 (2006), 5–42 • G. Akerlof: The Market for „Lemons": Quality Uncertainty and the Market Mechanism, in: QJE 84/3 (1970), 488–500.   OLIVER ARENTZ
UND ACHIM WAMBACH

Freie Demokratische Partei (FDP)

1. Gründung, Etablierung, Positionierung

Die FDP wurde im Dezember 1948 in Heppenheim/Bergstraße als Zusammenschluss der liberalen Organisationen in den westlichen Besatzungszonen einschließlich Westberlins gegründet. Der Versuch, die ostzonale LDPD einzubeziehen, scheiterte. Am 11. und 12.8.1990 erfolgte auf einem Sonderparteitag in Hannover die Vereinigung mit jenen politischen Kräften aus der ↑Bürgerrechtsbewegung neu gegründeten sowie gewandelten der ↑DDR, die sich zuvor schon zum *Bund ehemaliger Blockparteien Freier Demokraten* zusammengeschlossen und bei der Volkskammerwahl kandidiert hatten. Anfänglich konnte die FDP ihre Stellung im erweiterten Parteiensystem stabilisieren, gerade in den neuen Bundesländern. Mitte der 90er Jahre brach sie aber dort erheblich ein.

In allen Wahlperioden von 1949 bis 2013 gehörte sie dem Bundestag an, aus dem sie 2013 mit einem Wahlergebnis von 4,8 % (nach 14,8 % 2009) – im Westen allein hätte sie die 5 %-Hürde übersprungen – herausfiel. 2017 gelang ihr der Wiedereinzug mit 10,7 %. Zwischen 1949 und 2013 gehörte sie mit Ausnahme der Wahlperioden 1957–1961 und 1966–1969 (in der sie allein beeindruckende Opposition gegen die erste große Koalition in der Geschichte der BRD ausübte) stets der Regierungskoalition an, wobei sie 1961 die Begrenzung der Amtszeit Konrad Adenauers erzwang, 1969 trotz eines äußerst knappen Mehrheitsverhältnisses die sozialliberale Koalition mit Willy Brandt und Walter Scheel ermöglichte und diese 1982 durch ihren Ausstieg und ein gemeinsam mit ↑CDU/↑CSU mehrheitlich getragenes konstruktives Misstrauensvotum gegen Helmut Schmidt (SPD) beendete. An all diesen Wendepunkten lassen sich inhaltliche Differenzen zum großen Koalitionspartner erkennen, während eine Themenverengung für das Desaster 2013 verantwortlich ist. War der FDP traditionell wegen ihrer koalitionspolitischen Rolle als Mehrheitsbeschafferin eine Schlüsselposition jenseits ihrer zahlenmäßigen Stärke zugewachsen, so änderte sich dies mit der wachsenden Differenzierung des Parteiensystems und der Konkurrenz dreier weiterer Kleinparteien im Bundestag grundlegend.

Programmatische Wurzel der FPD ist der ↑Liberalismus, und zwar in einer bürgerlich-liberalen wie in einer nationalliberalen Ausprägung. Erhebliche Spannungen zwischen beiden waren in der Gründerzeit der ↑BRD evident. Der freiheitsfocussierte Liberalismus ist ein Kind der ↑Aufklärung. Das revolutionäre Bürgertum (↑Bürger, Bürgertum) wollte ↑Freiheit von klerikalen Bevormundungen und feudalen Begrenzungen. Die Freiheit des Geistes ermöglichte die Emanzipation der positiven Wissenschaften. Diese waren die Auslöser der industriellen Revolution, die der Freiheit des Marktes und des Vertrages bedurfte, um die an der Maschine orientierten Arbeitsverhältnisse und großflächigen Handelssysteme zu ermöglichen. Solche Freiheiten konnte der Nationalstaat organisieren, wenn er von einem den Einfluss des Bürgertums sichernden repräsentativen System getragen wurde. Die ↑deutsche Einheit und das parlamentarische System waren frühe Forderungen des Liberalismus. Nach dem Ende des Ersten Weltkrieges waren die Reste der Feudalherrschaft aufgelöst und ein liberales Verfassungssystem entstanden, allerdings kein gesellschaftliches Verfassungs- und Politikverständnis.

In der Gründungsphase der BRD konkretisierte sich die Idee der Freiheit bei der FPD in den Zielen Marktwirtschaft, nationale Einheit und Trennung von Religion und Politik. Dafür fanden sich große Teile des Bürgertums, um die Existenz einer eigenständigen bürgerlichen Partei neben der Union zu ermöglichen: Der Klerikalismus der Union wirkte als Katalysator des Liberalismus. Die mit Ludwig Erhard verbundene ↑soziale Marktwirtschaft erschien zwar einigen in der FDP zu dirigistisch, entsprach aber dennoch ihrem Selbstverständnis. Die gelegentlich noch mehr braun als schwarz-rot-gold gefärbte nationale Ausrichtung begründete die Wiedervereinigung als weitere Wurzel der FDP: Marktwirtschaft, Antiklerikalismus und immer wieder durchbrechender ↑Nationalismus charakterisierten in der Folgezeit den Liberalismus der FDP.

2. Auseinandersetzung mit dem Nationalsozialismus

Die „Erbsünde" des organisierten Liberalismus in Deutschland begingen die fünf Abgeordneten der aus der ehedem stolzen DDP hervorgegangenen „Deutschen Staatspartei", die – „trotz interner Meinungsverschiedenheiten" (Padberg 1988: 135) – für das Ermächtigungsgesetz stimmten. Mit drei gegen zwei Stimmen hatte sich die Fraktion dazu entschlossen, weil dadurch „die Möglichkeit einer gesetzlichen Entwicklung in dieser Zeit des Umsturzes verstärkt werden könne" (Stephan 1973: 490). Dazu gehörten die späteren FDP-Politiker Theodor Heuss (Bundespräsident) und Reinhold Maier (Ministerpräsident von Baden-Württemberg). Zwar hatte T. Heuss intern auf „Nein" plädiert, fügte sich aber der Mehrheit – zu der R. Maier gehörte – um nicht wiederholt „den ewigen Zwiespalt der Liberalen" zu dokumentieren (Stephan 1973: 490). Am 28.6.1933 löste sich die Partei unter dem Druck der Nazis auf.

T. Heuss und R. Maier brachten nach 1945 ein schweres Erbe ein.

1953 stoppte der Britische Hochkommissar das Eindringen von Altnazis in die FDP NRWs, zu deren Wortführern Werner Naumann, letzter Staatssekretär Joseph Goebbels, gehörte. Gleichwohl traten immer wieder Protagonisten dafür auf, die Idee der Sammlungsbewegung im nationalen Geist umzusetzen. Vom frühen, um ein Auffangbecken für heimatlos gewordene ehemalige NSDAP-Mitglieder bemühten, „rechten"August-Martin Euler führt eine Linie zu Jürgen Wilhelm Möllemann, der 2003 im Zorn der Scheidung von seiner „liberalen Familie" formulierte: „Der Begriff ‚Rechtspopulismus' – wie der Begriff ‚rechts' überhaupt – ist ein Kampfbegriff aus dem Arsenal linker Fundamentalisten. Für diese Leute beginnt der Unmensch knapp rechts von der Mitte" (Möllemann 2003: 220 f.). So glaubte Möllemann, sich gegen den Vorwurf, „rechtsradikal" zu sein, immunisieren zu können. Die Idee, auf der dezidiert rechten Seite des politischen Spektrums warte ein großes Wählerpotential auf Ansprache durch die FDP, fand stets Widerspruch und konnte sich niemals durchsetzen. Anders bei der patriotischen Einheitspolitik. Die in der Opposition formulierte „neue Ostpolitik" zwischen 1966 und 1972 beschleunigte die inhaltliche Entfremdung von der Union und eine rechtspolitisch gestützte Annäherung an die ↑SPD. ↑Entspannungspolitik war aus der Sicht der FDP Vereinigungspolitik, wie W. Scheel bei seiner Antrittsrede als Bundesvorsitzender 1968 in Freiburg ausführte; denn „von vornherein kamen wir in die paradoxe Lage, nach Westen die Integration zu suchen und gleichzeitig nach Osten die nationalstaatliche Restauration. Das ließ sich nicht vereinen. Beides zusammengenommen bedeutete den Misserfolg beider Politiken. Das neue Wort für unsere neue Lage heißt: Entspannung" (Scheel 1989: 195). Diese Politik wurde von rechten Sammlungspolitikern der FDP bekämpft, am Ende aber vergebens. Als Hans-Dietrich Genscher am 31.9.1989 den in die Prager Botschaft eingedrungenen Flüchtlingen die Zustimmung der DDR zu ihrer Ausreise mitteilen konnte, hatten sich Entspannungs- und patriotische Einheitspolitik erfüllt. Ein Ziel des organisierten Liberalismus war erreicht, das zudem auch als Vollendung der Freiheit in ganz Deutschland zu interpretieren war: Denn ↑Nation und Freiheit sind zusammen zu denken.

3. Freiheit als Programm

Der Freiheitsbegriff zieht sich konstant durch alle Programme. Während zu Beginn unter Berufung auf das ↑GG der Staat als Garant der Freiheit beschworen wird, gelten mehr und mehr die Bürger selbst als ihre Quelle und werden Herausforderungen nicht primär durch den Staat, sondern durch mächtige ↑Interessengruppen und verselbständigende ↑Bürokratien gesehen. Gleichwohl besaß die Verteidigung der Bürgerrechte gegen staatliche Einschränkungen, z.B. in Fragen ↑innerer Sicherheit, für die FDP stets Vorrang, begleitet von einem auf

individuelle Selbstentfaltung und ↑Partizipation ausgerichteten Rechtsstaatsverständnis.

Programmatische Kontinuität besitzt gleichermaßen eine auf der Freiheit der Person, dem Privateigentum (↑Eigentum) und dem ↑Wettbewerb beruhende Wirtschaftsordnung, wobei sich die Partei sukzessive deren sozialen Bedingtheiten bewusst geworden ist und sich sozialpolitischen Dimensionen öffnete. In der Opposition suchte die FDP Ende der sechziger Jahre Anschluss an den Reformgeist jener Zeit. In den „Freiburger Thesen" von 1971 widmete sie sich gar der „Reform des Kapitalismus" und schlug mit diesem sozialliberalen Ansatz neben der Entspannungspolitik eine weitere vorbereitende Brücke zur alsbald gebildeten Koalition mit der SPD.

Für die programmatische Ausrichtung finden sich in der Praxis beispielhafte Realisierungen: Wie das beeindruckende Plädoyer für den ↑Rechtsstaat in der Spiegel-Affäre 1962, der intellektuelle Beitrag zur inneren ↑Demokratisierung der bundesrepublikanischen Gesellschaft in den siebziger Jahren oder Mitte der neunziger Jahre die Verteidigung der Individualsphäre gegen den „Großen Lauschangriff".

4. Wandel und offene Zukunft

Die zu Beginn des 21. Jh. wahrgenommene politische Verengung auf ein Thema – Steuersenkung – und die Konzentration der Partei auf eine Person – Guido Westerwelle – hängen mit dem Wandel des Parteiensystems, seiner – und der Wählerschaft – Differenzierung und dem daraus entstehenden Konkurrenzdruck zwischen mehreren kleineren Parlamentsparteien zusammen: ↑Bündnis 90/Die Grünen, ↑Die Linke und AfD. Wählerwanderungen zwischen ihnen – und den Größeren – finden angesichts der Auflösung von Bindungen und Milieus und gesteigerter Fluidität des Wahlverhaltens verstärkt statt, abhängig von Stimmungen, Emotionen und Interessen. Für Parteien mit ohnehin geringer Stammwählerschaft bergen sich darin hohe Risiken für parlamentarische Existenz und Einfluss, insb., sobald für die Öffentlichkeit Profil und Nutzen verschwimmen: Beispiele Bundestagswahl 2013, Europawahl 2014, zahlreiche Landtagswahlen. Die Existenz gewährende Stabilität des zweieinhalb-Parteiensystems der Bonner Republik ist dahin.

Die FDP sieht sich seitdem vor die Aufgabe gestellt, bewährte Inhalte liberaler Politik modern zu definieren und sich zugl. neuen Themen und Herausforderungen in ihrem Selbstverständnis zuzuwenden. Demoskopische Befunde zeigen, dass in der Wählerschaft das Bedürfnis nach einer liberalen Partei fortbesteht: Chance und Herausforderung für die FDP. Doch die neueren sozialen Differenzierungen und wandlungsoffenen, mit den überkommener keineswegs identischen, Milieus sind liberalem Denken durchaus zugeneigt: z.B. Liberal-Intellektuelle, Performer, Expeditive und Hedonisten nach den Sinns-Milieus 2016. Probleme sind die

Konkretisierung des liberalen Angebots sowie der Nachweis von Eigenständigkeit und Gestaltungskraft – nicht mehr die Funktion der Mehrheitsbeschaffung, auch nicht die Beschwörung der Tradition. Bürgerrechte, Parlamentarismus (↑Parlament), soziale Marktwirtschaft sind allg. anerkannt. Hat also der Liberalismus seine Aufgaben erfüllt? Vertreten seine Werte mittlerweile nicht alle Parteien? Aber gilt Gleiches nicht für alle Parteien im Blick auf allg. akzeptierte Wertvorstellungen? Gilt solches Fragen nicht auch für soziale und ökologische Themen? Wäre eine FDP heute ohne solche programmatischen Akzente nicht von vornherein zum Scheitern verurteilt (und andere auch)? Proprium bleibt die Priorität der Freiheitsorientierung als Strukturierungsprinzip aller anderen Themenfelder. Ob es der FDP gelingt, diese Orientierung politisch der Öffentlichkeit zu vermitteln und sie praktisch umzusetzen, danach wird sich im ersten Drittel des 21. Jh. ihre Zukunft entscheiden. Die beeindruckenden Persönlichkeiten, die sie auf die politische Bühne der Republik gebracht hat, sind dafür nicht mehr und nicht weniger als ein beachtliches Fundament: der erste Bundespräsident „Papa Heuss", der streitbare Thomas Dehler, der wirkmächtige Kommunikator W. Scheel, der gesellschaftspolitisch phantasievolle Karl-Hermann Flach, der international wirksame H.-D. Genscher, sämtlich auch offen für Wandlungsprozesse und ↑Reformen. Für die Aufgabe der FDP, aus ihrer Tradition neue Inhalte liberaler Politik modern zu definieren, könnten sie Orientierungshilfe leisten, gerade in einer Zeit der demoskopisch wahrgenommenen Linksverschiebung der Politik insgesamt. Grundsätzlich wird in der Gesellschaft die positive Funktion einer liberalen Stimme im Parteiengespräch akzeptiert: Die Zukunft des organisierten Liberalismus in der BRD bleibt offen.

Literatur

H. Vorländer: FDP – Freie Demokratische Partei, in: U. Andersen/W. Woyke (Hg.): Handwörterbuch des politischen Systems der Bundesrepublik Deutschland, ⁷2013, 219–226 • J. Scholtyseck: Die FDP in der Wende, in: HPM 19 (2012), 197–220 • J. Dittberner: Die FDP. Geschichte, Personen, Organisationen, Perspektiven, ²2010 • A. Morgenstern: Die FDP in der parlamentarischen Opposition 1966–69, 2004 • J. W. Möllemann: Klartext. Für Deutschland, 2003 • P. Lösche/F. Walter: Die FDP. Richtungsstreit und Zukunftszweifel, 1996 • W. Scheel: Antrittsrede als Parteivorsitzender der FDP am 31. Januar 1968 in Freiburg; in: C. Heitmann (Hg.): FDP und neue Ostpolitik. Zur Bedeutung der deutschlandpolitischen Vorstellungen der FDP von 1966 bis 1972, 1989, 195–198 • B. C. Padberg: Geschichte des deutschen Liberalismus, 1988 • D. Hein: Zwischen liberaler Milieupartei und nationaler Sammelbewegung. Gründung, Entwicklung und Struktur der Freien Demokratischen Partei 1945–1949, 1985 • L. Albertin: Politischer Liberalismus in der Bundesrepublik, 1980 • W. Stephan: Aufstieg und Verfall des Linksliberalismus 1918–1933. Geschichte der Deutschen Demokratischen Partei, 1973.

JÜRGEN DITTBERNER
UND HEINRICH OBERREUTER

Freie Schulen ↑Schule

Freihandel

1. Die Theorie:
Überzeugende Argumente für Freihandel

Im Jahre 1850 schrieb der französische Ökonom und Politiker Frédéric Bastiat seine berühmte Kerzenmacherfabel, in der er „nachwies", dass die Aussperrung der unverschämt günstigen (wahrscheinlich von England gesandten) Sonne den Wohlstand in Frankreich dramatisch erhöhen würde. Und in der Tat ist Außenhandel seit jeher politisch umstritten; es vermischen sich in der Debatte politische sowie ökonomische Argumente mit Partikularinteressen. Die wissenschaftlich-analytische Beschäftigung mit dem Außenhandel ist etwa so alt wie das Fach Volkswirtschaftslehre selbst, also etwa 240 Jahre. Unter den ersten Arbeiten hervorzuheben sind die Werke von Adam Smith, David Hume und David Ricardo. Auch F. Bastiat war theoretisch umfassend gebildet und stand in engem Kontakt zu Richard Cobden, der in der britischen Liberalisierungsbewegung eine führende Rolle spielte.

Seitdem hat sich eine breite ökonomische Literatur zum F.s-Konzept entwickelt. Diese sowie politökonomische Überlegungen legen dabei den Schluss nahe, dass freier ↑Handel und offene ↑Märkte die bestmögliche Handelspolitik eines Landes darstellen. Die durch zahlreiche theoretische und empirische Studien unterstützten ökonomischen, sozialen und politischen Argumente sind die folgenden:

a) Außenhandel stärkt die ↑Freiheit des Individuums, aber auch der gesamten Gesellschaft. Denn mit Öffnung der nationalen Märkte erweitert sich die Anzahl potentieller Handelspartner wie auch möglicher wirtschaftlicher Aktivitäten erheblich. Diese Vielfalt an potentiellen Handelspartnern vermindert sozusagen nebenbei die Abhängigkeit von einzelnen Handelspartnern und steigert so – entgegen vieler Vorurteile – die nationale Unabhängigkeit.

b) Statische Effizienz: Die im Vergleich zur ↑Autarkie erweiterte Arbeitsteilung erlaubt die Spezialisierung nach komparativen Kostenvorteilen und verbessert so die ↑Allokation der Ressourcen. Konkret bedeutet dies, dass sich Handelspartner auf das Gut spezialisieren, bei dessen Produktion sie relativ (gemessen an den Kostenstrukturen) am besten sind. Selbst wenn ein Partner absolut alles am besten könnte, lohnt sich deshalb Arbeitsteilung für sämtliche Beteiligte, da sie die relative Preise jeweils zugunsten der Partner so verändert, dass sie sich besser stellen als im Status Quo ante.

c) Dynamische Effizienz: Intensiver globaler ↑Wettbewerb erhöht den Druck auf die importkonkurrierende Industrie, die Produktivität zu steigern;

d) Außerdem bewirken Importe einen Technologietransfer.

e) Außenhandel sorgt für ein besseres Verständnis anderer Kulturen und trägt zum ↑Frieden bei (so schon Cordell Hull 1945 und zahleiche empirische Studien zum Thema); das bekannteste Beispiel ist die ↑EU, zumindest mit Blick auf den ↑Europäischen Binnenmarkt.

f) Die positiven wirtschaftlichen Effekte des Außenhandels vergrößern die Mittelschicht; dies zeigt sich gerade in Asien (bspw. in Korea und Singapur) und in Afrika, wo selbst in Äthiopien eine kleine Mittelschicht entsteht. Dadurch steigt der Druck auf politische ↑Eliten, die sog.en Institutionen zu verbessern, d. h. konkret v. a. die Rechtsordnung und private Eigentumsrechte zu stärken, wirtschaftliche Freiheit zu erhöhen und ↑Korruption abzubauen.

g) Durch ↑internationalen Handel steigt der Bedarf an ↑Infrastruktur gerade in Schwellen- und Entwicklungsländern. Werden diese ↑Investitionen vorgenommen, kann sich ein positiver Kreislauf einstellen, weil die ↑Kosten der Arbeitsteilung durch bessere Straßen, billiger Kommunikationswege oder umfassende Finanzdienstleistungen sinken.

Wenn auch diese positiven Wirkungen nicht unmittelbar und für alle Bürger eines Landes eintreten, so zeigt sich doch über die mittlere Frist, dass die Chancen aller Bürger auf ↑Wohlstand in einem F.s-Regime bzw. in einem Regime offener Märkte (selbst mit zahlreichen Ausnahmen, wie sie in der Realität bestehen) höher sind als in einer geschlossenen ↑Wirtschaft.

2. Die Realität: Der attraktive Protektionismus

Der Widerstand gegen F. ist jedoch groß und politisch weit verbreitet. Er basiert offensichtlich erstens auf der Vorstellung, dass internationaler Handel ein Nullsummenspiel ist: Was die einen gewinnen, verlieren die anderen. Durch Abgrenzung gegen ausländische Konkurrenz könne man sich vor Verlusten schützen. Insofern könne man eine Marktöffnung nur gegen Zugeständnisse anderer Länder vertreten. Die Vorstellung, dass mit Protektionismus das Inland vor ↑Ausbeutung durch andere geschützt werden kann, ist jedoch irrig. Denn zum Ersten ist Außenhandel im Grundsatz nicht mehr als die Erweiterung der interpersonellen Arbeitsteilung auf Handelspartner anderer Nationen; erschwerend wirken dabei v. a. Unterschiede in der Rechtsordnung der beteiligten Länder. Niemand aber käme auf die Idee, innerstaatliche Arbeitsteilung als Ausbeutung der einen durch die anderen zu sehen und die Selbstversorgung für jeden Bürger vorzuschlagen. Zum Zweiten zeigt sich regelmäßig, dass Handelsbarrieren nicht der gesamten Bevölkerung, sondern einzelnen Sektoren dienen. Es geht also um das gezielte Bedienen einiger partikularer ↑Interessen.

Ein zweites Argument sieht Protektionismus als Möglichkeit, sozial Schwache vor dem Wettbewerb zu schützen. Der ausländische Wettbewerb zerstöre Arbeitsplätze und müsse deshalb eingeschränkt werden. Dieses Argument birgt zwei logische Schwachstellen: Erstens

kann man Strukturwandel nur kurzfristig mit Hilfe von Handelsbarrieren unterdrücken, d. h. gefährdete Arbeitsplätze sind in der kurzen Frist eventuell gesichert, aber erweisen sich langfristig als nicht rentabel und werden daher wegfallen. Zweitens unterhöhlt der Protektionismus soziale Ziele, wenn Konsumgüter wie bspw. Lebensmittel, Schuhe und Kleidung, für die gerade die einkommensschwachen Haushalte einen Großteil ihres ↑Einkommen ausgeben müssen, mit bes. hohen ↑Zöllen belegt sind, wie es in den meisten OECD-Ländern der Fall ist.

Es gibt darüber hinaus drei theoretische Argumente, vom Abweichungen vom F. nahelegen. Zunächst ist das Erziehungszoll-Argument zu nennen, das nahelegt, man könne ↑Unternehmen dadurch unterstützen, dass man sie vor Wettbewerb schützt, bis sie in der Lage sind, zu konkurrieren. In seiner verfeinerten Form (d. h. unter Berücksichtigung von technisch bedingten Lerneffekten) hat das Argument einiges Gewicht; ansonsten muss darauf hingewiesen werden, dass gerade der Wettbewerb das Lernen oft erst erzwingt. Aus etwas anderer Perspektive nähern sich das Optimalzoll-Argument und das Argument der strategischen Handelspolitik dem Thema. Hier geht es im ersten Fall explizit um die Ausnutzung von ↑Macht zu Lasten eines anderen Landes bzw. im zweiten Fall um die Rentenumlenkung auf Oligopolmärkten vom Ausland ins Inland. Beide Argumente sind dem Denken in Nullsummen verhaftet und spiegeln eine geringe Kooperationsbereitschaft wider. Zudem verlieren sie dadurch an Überzeugungskraft, dass Unternehmen nicht mehr nur in einem Land agieren, sondern in globale Wertschöpfungsketten (GVCs) eingebunden sind. Die Ausbeutung des Auslandes durch das Inland bzw. die Rentenumlenkung wird dann sehr unsicher.

Dennoch gibt es kein Land, das sich dem vollständigen F. verschrieben hat. Eine Ausnahme war Estland vor dem Beitritt zur EU ab dem Jahr 2000, historisches Vorbild war wohl Großbritannien mit dem Anti-Corn Law von 1846, mit dem Großbritannien einseitigen F. betrieb. Mit dem Beitritt zur EU im Jahre 2004 musste Estland sich dem gemeinsamen Besitzstand unterwerfen, der explizite Handelsbarrieren vorsieht. In allen großen Ländern werden sog.e Schlüsselsektoren (zumeist die Landwirtschaft [↑Land- und Forstwirtschaft], Energie, Textilien u. a.) geschützt.

3. Der Ausweg:
Die multilaterale Ordnung als Weg zum Freihandel?

Die Hauptursachen für die Abweichung von der F.s-Doktrin liegen in der Kraft der Partikularinteressen, wie z. B. die Automobilindustrie, die Chemie oder die Landwirtschaft. Die meisten Handelspolitiker erkennen den Wert des Außenhandels an. Deswegen wurde nach dem Zweiten Weltkrieg eine multilaterale Handelsordnung geschaffen, um die aus ökonomischer Perspektive rationale ↑Liberalisierung auch politisch attraktiv zu machen. Dazu dient das Prinzip der Reziprozität, das ökonomisch keinen Sinn macht, aber den politischen Entscheidungsträgern eines Landes ein gewichtiges Argument gegen heimische ↑Interessengruppen an die Hand gibt. In Anlehnung an dieses Prinzip lässt sich im politischen Raum argumentieren, dass ohne Zugeständnisse ausländische Märkte nicht geöffnet werden können. Jan Tumlir hat es so formuliert, dass das GATT nur den Sinn hätte, die Politiker von der Sklaverei der „Rent-Seeking Society" zu befreien.

Auf jeden Fall kann die Reziprozität eine starke Waffe gegen den Protektionismus sein. Die ↑WTO mit ihren Prinzipien Nicht-Diskriminierung, Reziprozität und Liberalisierung hat wesentlich zur Öffnung von Märkten und Integration großer Teile der Menschheit in die internationale Arbeitsteilung beigetragen. Sie sollte weiterhin der Treiber weiterer Integrationsbemühungen sein.

Literatur

R. C. Feenstra/A. M. Taylor: International Economics, ³2015 • R. Sally: Trade Policy, New Century, 2008 • D. Irwin: Against the Tide: An Intellectual History of Free Trade, 1996 • J. Tumlir: National Sovereignty, Power, and Interest, in: ORDO 31 (1980), 1–26 • C. Hull: Memoirs, 2 Bde., 1945 • A. Lösch: Wo gilt das Theorem der komparativen Kosten?, in: Weltwirtschaftliches Archiv 48 (1938), 45–65 • F. Bastiat: Petition der Fabrikanten von Kerzen, Lampen, Kerzenständern, Straßenlaternen, Lichtputzscheren, Kerzenlöschern von Talg-, Öl-, Harz-, Alkoholprodukten sowie allgemein von allem, was der Beleuchtung dient, 1850 • D. Ricardo: On the Principles of Political Economy and Taxation, 1817 • A. Smith: Wealth of Nations, 1776 • D. Hume: On the Jealousy of Trade, 1758.   ANDREAS FREYTAG

Freihandelszone ↑Zoll, ↑Wirtschaftsgemeinschaften

Freiheit

I. Philosophisch – II. Theologisch –
III. Freiheit im Recht und als Prinzip des Rechts

I. Philosophisch

Dieser Eintrag behandelt unterschiedliche Auffassungen menschlicher F. im praktisch-philosophischen Sinne. Er klammert hierbei die Thematik der *Willens-F.* aus und konzentriert sich auf die *Handlungs-F.* Insb. behandelt er *soziale* oder *politische* F. und somit die menschlich bedingten Umstände des Handelns (↑Handlungstheorie). Im Anschluss an eine Darstellung der Kontroverse um den Begriff F. liegt der Fokus auf liberalen, republikanischen und diskurstheoretischen F.s-Theorien. Diese Theorien rücken unterschiedliche Aspekte menschlicher F. in ihren Mittelpunkt – nicht nur soziale und politische, sondern auch ethische, rechtliche oder wirtschaftliche – und eröffnen dadurch einen Überblick über ein weites Spektrum an Auffassungen menschlicher F.

1. Zum Begriff der Freiheit

Spätestens seit Isaiah Berlins einflussreichem Aufsatz „Two Concepts of Liberty" ist es gebräuchlich, zwischen *negativer* und *positiver* F. zu unterscheiden. Erstere bezeichnet die Abwesenheit einer Beeinflussung des individuellen Handlungsbereichs, etwa in Form einer intentionalen Einflussnahme, eines intentionalen Zwangs oder schlicht „äußerer Hindernisse" (Hobbes 1984: 99); positive F. besteht hingegen darin, effektiv in der Lage zu sein, etwas Bestimmtes tun oder werden zu können. Gerald MacCallum hält diese Unterscheidung für vordergründig, da sich F. allg. als triadische Struktur „x ist (oder ist nicht) frei von y, um z zu tun (oder werden)" darstellen lässt. Obwohl sich in der Tat die meisten negativen und positiven F.s-Begriffe in eine solche Struktur einordnen lassen, ist fraglich, ob diese Formulierung die allg.e Struktur des F.s-Begriffes bildet. So legt Charles Taylor nahe, dass G. MacCallums triadische Struktur all jene Auffassungen von F. außer Acht lässt, für die F. kein „Möglichkeitskonzept", sondern ein „Verwirklichungskonzept" ist (1992: 171). Letzterem zufolge „sind wir nur in dem Maße frei, in dem wir tatsächlich über uns selbst und die Form unseres Lebens bestimmen" (Taylor 1992: 171). Ein derartiges – jedoch kollektivistisch verstandenes – Verwirklichungskonzept liegt auch der von Benjamin Constant so bezeichneten „Freiheit der Alten" (Constant 1972) zugrunde, wonach F. in gemeinsamem politischen Handeln bzw. in kollektiver Selbstbestimmung besteht; B. Constants „Freiheit der Modernen" (1972: 377) wiederum ist der negativen F. und dem Möglichkeitskonzept zuzuordnen, da diese bürgerliche F.en wie die Gewissens- (↑Gewissen, Gewissensfreiheit), Meinungs- und Versammlungs-F. umfasst. Philip Pettit beansprucht, dass seine Auffassung von F. als Nicht-Beherrschung eine dritte Auffassung neben denen von positiver und negativer F. darstellt. Dieser zufolge sind Menschen genau dann frei, wenn andere Personen sie nicht willkürlich zwingen oder beeinflussen können. Der Umstand allein, willkürlichem Zwang oder Einfluss unkontrolliert ausgesetzt zu sein, mache Menschen unfrei, so dass derart Beherrschte selbst dann unfrei sind, wenn sie weder intentionalem Zwang noch intentionalem Einfluss unterliegen sowie fähig sind, Bestimmtes zu tun oder werden.

2. Freiheitstheorien
2.1 Republikanismus
Moderne republikanische F.s-Theorien berufen sich auf antike Vorstellungen von F. Der „kommunitaristische Republikanismus" orientiert sich an „athenischen" Auffassungen, wonach sich Bürger aktiv an einer sich selbst regierenden und nicht unter Fremdherrschaft stehenden politischen Gemeinschaft beteiligen müssen, um frei zu

sein. Freisein heißt „regieren und regiert werden" (Aristoteles, Politik: 1259b). F. ist allerdings lediglich eine Eigenschaft des Bürgers (↑Bürger, Bürgertum) und nicht des Menschen. Sklaven sind unfrei, weil sie körperliche Arbeit verrichten und sich nicht am Geschehen der Polis beteiligen. Ebenso wenig verfügen sie über die Tugend und den Besitz, welche bürgerliche F. voraussetzt. Zukünftige Bürger müssen sich u. a. in der Rhetorik, der Geometrie und der Musik bilden, um am politischen Leben teilnehmen zu können. Diese ↑Bildung setzt einen gewissen ↑Wohlstand voraus, da es Muße und freier Zeit bedarf, um sich diese „freien Künste" anzueignen (Aristoteles, Politik: Kap. 8). Die Beziehung zwischen Bürgern ist einer Freundschaft ähnlich. Bürger stehen füreinander ein und verwirklichen ihre gemeinsam entwickelte Vorstellung des guten Lebens durch ihr politisches Handeln. Politische Teilnahme ist deswegen ein geteiltes und intrinsisch wertvolles Gut unter Bürgern. Dies markiert einen entscheidenden Unterschied zum „neo-römischen" Republikanismus von Quentin Skinner und P. Pettit. Diesem ↑Republikanismus zufolge, der insb. auf Niccolò Machiavelli und dessen Rezeption von Cicero und den römischen Geschichtsschreibern Livius und Sallust basiert, ist politische Teilhabe lediglich von instrumenteller Bedeutung. Sie dient der Sicherung negativer F., indem sie den Missbrauch politischer ↑Macht verhindert.

2.1.1 Kommunitaristischer Republikanismus

Hannah Arendt vertritt emphatisch ein Verwirklichungskonzept menschlicher F.: „Solange man handelt, ist man frei, nicht vorher und nicht nachher, weil Handeln und Frei*sein* ein und dasselbe sind" (1994: 206). Menschliche F. realisiert sich nur *im* Handeln, da nur diesem das der menschlichen F. eigentümliche Moment der Spontaneität innewohnt, das den natürlichen Verlauf der Dinge unterbricht. Gleichwohl dieses „Wunder der Freiheit" (Arendt 1994: 223), des In-Bewegung-Setzens, „als Gabe der Freiheit" (Arendt 1994: 225) ein Potential eines jeden einzelnen Menschen ist, realisiert sich ein Frei*sein* nur mit anderen Menschen im „Zusammenhandeln, dem ‚acting in concert'" (Arendt 1994: 224). F. entsteht nur dort, wo Menschen der Initiative einer Person folgen und dieser gleichsam einen weiteren Neubeginn hinzufügen. Dadurch setzen Menschen Geschichten in Gang, die zu Automatismen verkommene Routinen und Prozesse aufzubrechen vermögen. F. wohnt dem virtuosen Handeln inne, da sie eines Publikums bzw. eines Raums politischer Öffentlichkeit bedarf. Auf diese Weise verschränkt H. Arendt F. begrifflich mit kollektivem, politischem Handeln: „Frei *sein* können Menschen nur in Bezug aufeinander, also nur im Bereich des Politischen und des Handelns" (Arendt 1994: 201). C. Taylor versteht F. ebenfalls als ein Verwirklichungskonzept. Menschen sind nur dann frei, wenn es ihnen gelingt, ein authentisches Verständnis ihrer

selbst zu erlangen, das es ihnen erlaubt, entsprechend ihrer ↑Identität zu handeln. F. setzt den gelungenen Gebrauch eines unterscheidenden Urteils voraus, nämlich dem zwischen mich fesselnden Motivationen und solchen, welche meiner Identität entsprechen. F. bedarf einer solchen Tätigkeit und ist nicht bereits nur aufgrund der Abwesenheit bestimmter äußerer Hindernisse präsent. Da aber, holistisch betrachtet, eine konkrete ↑Gemeinschaft konstitutiv für die individuelle Identität ist, bedarf es zur Verwirklichung von F. einer kollektiven Selbstverständigung darüber, welche Gemeinschaft bzw. Mitglied welcher Gemeinschaft man ist und sein möchte.

Für H. Arendt und C. Taylor sind Bürger wechselseitig aufeinander angewiesen, da ihr Leben nur dann glückt, wenn die für ihre Identität und ihr Handeln konstitutive politische Gemeinschaft ihnen allen hinreichend politischen Raum ermöglicht. Aus dieser Interdependenz zwischen Bürgern erwächst republikanische Solidarität, weshalb der kommunitaristische Republikanismus beansprucht, ein bes. geeignetes Modell zu liefern, um die Stabilität der politischen Gemeinschaft bei inneren und äußeren Gefährdungen zu gewährleisten. Ein an liberalen F.s-Auffassungen ausgerichteter Staat könne dies hingegen nicht. Dies entspricht in praktischer Hinsicht der von Ernst-Wolfgang Böckenförde aufgestellten These, dass der liberale Staat von „Voraussetzungen lebe, die er selbst nicht gewährleisten könne" (Bockenförde 1976: 60).

2.1.2 Neo-Römischer Republikanismus

Die zentrale Idee von Q. Skinners und P. Pettits neo-römischem Republikanismus besagt, dass F. in der Abwesenheit willkürlicher Macht besteht. F. erfordert daher die Beendigung von Beherrschungsverhältnissen (↑Herrschaft), in welchen die Möglichkeit der Realisierung negativer F. der Willkür anderer unterliegt. F. als Nicht-Beherrschung deckt sich nicht mit einem positiven Verwirklichungskonzept der F., da der politischen Teilhabe zur Gewährleistung der Resilienz negativer Rechte nur ein instrumenteller Wert zukommt. Ebenfalls anders als in Auffassungen negativer F. sind Bürger nicht allein deswegen frei, weil sie über einen subjektiven Handlungsbereich verfügen, in dem sie keinem intentionalen Zwang und keiner intentionalen Einflussnahme ausgesetzt sind. Bürger sind unfrei solange sie keine Kontrolle über diejenigen verfügen, die diesen Bereich nach Belieben einschränken können. Ein weiterer Unterschied zum negativen F.s-Begriff besteht darin, dass intentionaler Zwang und intentionale Einflussnahme nicht unbedingt einer F.s-Beschränkung entsprechen. Sofern ein solcher Zwang und eine solche Einflussnahme unter der Bedingung stattfinden, dass diese das Interesse der Betroffenen befördern, und bei Nichterfüllung dieser Bedingung unterbunden werden, so liegt keine F.s-Einschränkung vor. Diejenigen, die nur auf solch kontrollierte Weise intentionalen Zwang und

Einfluss ausüben können, verfügen über keine willkürliche Macht. Zwangsbewehrtes ↑Recht ist daher
prinzipiell mit F. kompatibel, sofern es Beherrschung
unter Bürgern eindämmt und auch selbst nichtbeherr-
schend ist.

2.2 Liberalismus

Eine liberale F.s-Auffassung (↑Liberalismus) im Sinne
negativer Wahl- oder Willkür-F. ist wesentliches Element des Selbstverständnisses der westlichen ↑Moder-
ne. Menschen genießen negative F., sofern sie keinen
äußeren Hindernissen unterliegen und dadurch ihre
Ziele sowie die Mittel zur Erreichung dieser selbst bestimmen können. Negative F. ist unmittelbar verknüpft
mit der „Entzauberung" jener Welt, in der in jedem Lebewesen ein bestimmter Platz innerhalb der kosmischen
Ordnung zugewiesen war. Befreit von den Pflichten
einer nicht länger allgemeinverbindlichen höheren Ordnung, sollen Menschen ihre individuell entworfenen Lebenspläne verfolgen. Das moderne Recht gewährt ihnen
hierfür einen geschützten Raum, der formal allen
Rechtssubjekten negative F. garantiert und sich neutral
bzw. unparteilich gegenüber den Inhalten der individuellen Lebenspläne verhält. Während für viele eine
solche freiheitliche rechtliche Ordnung die Fortschritt-
lichkeit der westlichen Moderne ausdrückt, verbinden
andere mit ihr Selbstbezogenheit und Narzissmus, wirtschaftliche und ↑soziale Ungleichheit sowie den Verlust
politischer F.

2.2.1 Libertärer Liberalismus

Liberale F.s-Theorien verstehen negative F. als einen
fundamentalen normativen Anspruch, so dass Einschränkungen dieser F., insb. zwangsbewehrte, rechtfertigungsbedürftig sind. Eine Hauptfragestellung aller
liberaler F.s-Theorien ist daher, wie ein ↑Staat gerechtfertigt werden kann, obwohl dieser seine ordnungsstif-
tende Funktion mittels zwangsbewehrtem Recht erfüllt.
Libertäre F.s-Theorien behaupten, dass lediglich ein Mi-
nimal- oder Nachtwächterstaat zu rechtfertigen ist, der
in möglichst geringem Umfang in den individuellen
Handlungsbereich der Bürger eingreift. So definiert
Friedrich August von Hayek F. als den Zustand, „in
dem Zwang auf einige von Seiten anderer Menschen so
weit herabgemindert ist, als dies im Gesellschaftsleben
möglich ist" (Hayek 1971: 13). Der Staat soll sich lediglich auf die Aufrechterhaltung einer privaten Eigentumsordnung beschränken und auf die Bereitstellung
weiterer öffentlicher Güter verzichten, da die Finanzierung dieser auf einem illegitimen Eingriff in Privateigentum beruhen würde. Diese Skepsis gegenüber
staatlichen Interventionen basiert u. a. auf den ernüchternden Erfahrungen mit totalitären Regimen im
20. Jh., die sich auf vermeintlich gemeinschaftliche
Ideale beriefen, um ihre Eingriffe in subjektive Hand-
lungsbereiche zu rechtfertigen.
John Lockes Eigentumstheorie ist klassischer Bezugs-

punkt libertärer F.s-Theorien, die insb. wirtschaftliche F.
verteidigen. J. Locke zufolge können sich Menschen
↑Eigentum aneignen, indem sie ungenutzte natürliche
Ressourcen, die der gesamten Menschheit gehören, zur
Selbsterhaltung verwenden oder hierfür bearbeiten. Sie
haben einen Anspruch auf die Früchte ihrer ↑Arbeit, da
ihr Körper ihr Eigentum ist, so dass durch eine „Vermischung" ihrer Arbeit mit den von ihnen auf legitime
Weise in Besitz genommenen Ressourcen Eigentum
entsteht. J. Locke formuliert allerdings die Bedingung –
die Locke'sche „proviso" –, dass dies nur dann eine zulässige Form der Aneignung von Eigentum ist, solange
noch genug natürliche Ressourcen für andere Menschen
zu deren Selbsterhaltung verfügbar sind. Menschen
dürfen zudem überschüssiges Eigentum untereinander
tauschen oder mittels der Institution des ↑Geldes für
späteren Konsum oder zukünftige Investitionen sparen.
Moderne libertäre F.s-Theorien wie die von Robert
Nozick entwickeln auf der Basis von J. Lockes Theorie
eine historische Anspruchstheorie, die aus a) dem
Grundsatz gerechter Aneignung, b) dem Grundsatz gerechter Übertragung, und c) dem Grundsatz der Wiedergutmachung bei Verletzung von a) oder b) besteht.
R. Nozick versteht staatliche Interventionen zur Ein-
kommens- und Vermögensumverteilung als Zwangsarbeit bzw. Ausbeutung der Reichen, sofern die Interventionen diese Grundsätze verletzen. Sog.e links-
libertäre F.s-Theorien teilen diese Auffassung jedoch
nicht, da sie J. Lockes „proviso" umformulieren. Demnach hat jede Person Anspruch auf einen gleichen Anteil
aller natürlichen Ressourcen. Verwenden Menschen
einen größeren als den ihnen zustehenden Teil an Ressourcen, so müssen sie hierfür Kompensationen leisten.
Einige Locke'sche Theorien teilen die Auffassung, dass
Eigentum eine Form von F. ist, namentlich wirtschaftlicher F., da Eigentumsordnungen regeln, zu welchen
Handlungen Menschen befugt sind. Andere libertäre
F.s-Theorien betonen hingegen den lediglich instrumentellen Wert privaten Eigentums.

2.2.2 Egalitärer Liberalismus

Der egalitäre Liberalismus vertritt die Auffassung, dass
alle Bürger neben wirtschaftlicher F. zusätzlichen Anspruch auf soziale, politische und bürgerliche F. haben.
So ist gemäß John Rawls folgender Grundsatz gleicher
Grund-F.en die vorrangigste Bedingung für die Akzeptabilität staatlichen Zwangs: „Jede Person hat den gleichen unabdingbaren Anspruch auf ein völlig adäquates
System gleicher Grundfreiheiten, das mit demselben
System von Freiheiten für alle vereinbar ist" (Rawls
2006: 78). Diese Grund-F.en beinhalten Gedanken- und
Gewissens-F.en, Stimm- und Versammlungsrechte
sowie die zur persönlichen Integrität und Rechtsherr-
schaft gehörigen F.en. Sie sollen einerseits gewährleisten,
dass Bürger gemäß ihrer individuellen Vorstellung des
↑Guten einen rationalen Lebensplan aufstellen und verfolgen können; andererseits sollen sie Bürger in die

Lage versetzen, sich politisch an der Ausgestaltung des öffentlichen Gemeinwesens unter Gebrauch ihres Gerechtigkeitssinns (↑Gerechtigkeit) zu beteiligen. Dass diese F.en vorrangig zu schützen sind, bedeutet auch, dass der Staat der von den libertären F.s-Theorien bevorzugten wirtschaftlichen F. Grenzen setzen muss, sofern die Inanspruchnahme dieser die Verwirklichung der anderen Grund-F.en behindert. Staatliche Interventionen, die diesem Zwecke dienen, gelten als freiheitsdienlich. Zudem genügt es nicht, dass die Grund-F.en lediglich formal anerkannt und in der ↑Verfassung bzw. im GG enthalten sind. Bürger müssen unabhängig von ihrer individuellen körperlichen Verfasstheit und sozioökonomischen Kontexten die Befähigung erlangen, diese Grund-F.en effektiv verwirklichen zu können. J. Rawls fordert zudem, dass unter Bürgern eine reale Chancengleichheit (↑Chancengerechtigkeit, Chancengleichheit) bestehen sollte, politisch Einfluss zu nehmen, etwa indem Wahlen öffentlich finanziert und Parteispenden eingegrenzt werden. Dies würde dem „fairen Wert" (Rawls 2006: 230) gleicher politischer F.en entsprechen. Zusätzlich erkennt der egalitäre Liberalismus ↑Gleichheit als Verteilungsgrundsatz für die in einem Staat entstehenden Lasten und Güter an. Er qualifiziert dadurch den Wert der F. als Legitimationsgrundlage staatlicher Ordnung.

2.2.3 Perfektionistischer Liberalismus

Für den perfektionistischen Liberalismus sind staatlich garantierte F.en in erster Linie von instrumenteller Bedeutung, da diese es Bürgern erlauben, ihre Individualität bestmöglich zu entwickeln. In Anlehnung an Wilhelm von Humboldts Schriften zur Singularität jeder Person und deren Aufgabe ihren je spezifischen Neigungen und Talenten nachzugehen sowie diese zu entfalten, verteidigt John Stuart Mill eine freiheitliche staatliche Ordnung, die ihren Mitgliedern diese Art von individueller Entwicklung erlaubt. Es sei „vorteilhaft, dass man den verschiedenen Charaktereigenschaften Spielraum lässt [...] und dass man den Wert verschiedener Lebensarten praktisch ausprobiert, wenn jemand es für richtig hält, sie zu versuchen" (Mill 1974: 82). Ähnlich argumentiert Joseph Raz, dass nur ein liberaler Staat ein hinreichendes Maß an sozialer ↑Diversität aufweist, das nötig ist, um sich mit unterschiedlichen Lebensweisen auseinandersetzen zu können, und sich dadurch bewusst für seinen eigenen Lebensweg entscheiden zu können. Der liberale Staat soll sich aber zurückhalten, genau diese individualitätszentrierte Auffassung des Guten explizit zu favorisieren, da er dadurch *indirekt* jene Auffassung des Guten bestmöglich begünstigt, welche besagt, dass Menschen möglichst individuell ihre persönlichen Neigungen identifizieren und verfolgen sollen. Dieser Liberalismus ist „perfektionistisch", da er auf eine vollkommene Entwicklung individueller Persönlichkeit abzielt. Er ist auch utilitaristisch (↑Utilitarismus) bzw. konsequenzialistisch, da die Entfaltung menschlicher Individualität als effektivstes Mittel zur Erreichung größtmöglichen Nutzens oder Wohlergehens gilt. Staatlich gesicherte F.en, die Individualität ermöglichen, sind hierfür von instrumenteller Bedeutung.

2.2.4 Politischer Liberalismus

Anders als der perfektionistische Liberalismus verhält sich der politische Liberalismus nicht nur auf staatlich-institutioneller, sondern auch auf philosophischer Ebene gegenüber unterschiedlichen Auffassungen des guten Lebens neutral. Hierfür klammert er „ethische" Fragen des guten Lebens, sowie andere, nicht im engeren Sinne politische Fragen – wie z. B. die metaphysische Frage nach einem Leben nach dem Tod oder der Unsterblichkeit der Seele – explizit aus. Die politische Philosophie, so der politische Liberalismus, darf nicht als Anwendung allg.er ethischer Grundsätze auf den Bereich der ↑Politik angesehen werden. Die Notwendigkeit einer eigenständigen Begründung politischer Grundsätze ergibt sich aus dem „Faktum eines vernünftigen Pluralismus" (Rawls 1998: 91). Diesem zufolge sind vernünftige Meinungsverschiedenheiten hinsichtlich der besten Konzeption des guten Lebens in einem liberalen Staat von dauerhafter Natur – zumindest sofern dieser Gedanken-, Meinungs- und Versammlungs-F. effektiv schützt. Die Begründung von F.en darf deswegen nicht auf einer bestimmten Konzeption des Guten beruhen, etwa J. S. Mills Ideal der Individualität, da eine solche nicht für alle vernünftigerweise teilbar ist. Diejenigen, welche romantische und traditionalistische Konzeptionen des Guten befürworten, begreifen die Bedeutung und den Zweck eines gelingenden Lebens lediglich innerhalb einer existierenden gemeinschaftlichen Praxis, und schreiben dieser nicht von einem distanzierten individuellen Standpunkt einen bes.n Wert zu. Folglich können sie nicht ein perfektionistisches Ideal der Individualität als normative Grundlage für die Gültigkeit der freiheitlichen staatlichen Ordnung anerkennen. Der politische Liberalismus begründet diese Ordnung deswegen ohne Rückgriff auf eine bestimmte Auffassung des Guten. Wechselseitiger Respekt, Achtung menschlicher ↑Würde oder eine bestimmte Konzeption von ↑Autonomie sind die alternativen moralischen Grundlagen, auf denen Grund-F.en gerechtfertigt werden.

2.3 Diskurstheorie

Jürgen Habermas' Diskurstheorie des demokratischen ↑Rechtsstaats enthält ein F.s-Verständnis, das „zwischen" den republikanischen und liberalen Theorien situiert ist. Kern dieses Verständnisses ist die „Gleichursprünglichkeit von politischer und privater Autonomie" (1992: 161), das liberale und republikanische F.en in ein wechselseitiges Abhängigkeitsverhältnis setzt. Einerseits sind die liberalen, negativen F.en ohne die Verwirklichung politischer Autonomie unzureichend legitimiert und inhaltlich unterdeterminiert. Andererseits sind die republikanischen, politischen F.en unbedeutsam, solange Bürger keine private Autonomie genießen und keine eigenen Auffassungen des Guten entwickeln und praktizieren können. Diesen „internen Zusammenhang zwischen Menschenrechten und Volkssouveränität" (1992: 157) rekonstruiert J. Habermas als eine Anwendung des sog.en „diskursethische[n] Grundsatz[es]" (1983: 76) auf die Rechtsform. Dieser Grundsatz, demgemäß alle potentiell von ↑Normen Betroffenen diesen zustimmen können müssten, erscheint im rechtlichen Kontext als ein Demokratieprinzip, das den „Kern eines *Systems* von Rechten" (Habermas 1992: 157) bildet. Dieses Rechtssystem muss sowohl negative als auch positive F.en gewährleisten, um somit der Idee der Autonomie von Rechtsträgern, die sich als Adressanten *sowie* Autoren des Rechts verstehen können müssen, Rechnung zu tragen.

Dieser diskurstheoretische Ansatz unterscheidet sich vom kommunitaristischen Republikanismus, da die Ausübung politischer F. nicht als ethische Selbstverständigung darüber charakterisiert wird, worin für alle Bürger das gute Leben besteht. Gleichwohl können ethisch orientierte politische Diskurse dazu dienen, zu bestimmen, worin das spezifisch politische ↑Gemeinwohl besteht, obwohl diese nicht darauf abzielen, ethische Differenzen bzw. „das Faktum eines vernünftigen Pluralismus" (Rawls 1998: 91) zu überwinden. Diese Identifizierung und Begründung des Gemeinwohls realisiert politische Autonomie, betrifft aber auch die inhaltliche Ausgestaltung negativer F.en. Somit dient politische F., anders als im neo-römischen Republikanismus, nicht nur dem effektiven Schutz bereits auf nicht-politische Weise begründeter negativer F.en. Die Trennung von Fragen politischer Normativität von denen des guten Lebens eines Individuums oder einer nicht-politischen Gemeinschaft entspricht vielmehr dem politischen Liberalismus, der ebenfalls auf eine solche Unterscheidung besteht.

Literatur

P. Pettit: On the People's Terms, 2012 • J. Rawls: Gerechtigkeit als Fairness, 2006 • C. Taylor: Wieviel Gemeinschaft braucht die Demokratie?, 2002 • J. Rawls: Politischer Liberalismus, 1998 • Q. Skinner: Liberty before Liberalism, 1998 • P. Pettit: Republicanism, 1997 • C. Taylor: Das Unbehagen an der Moderne, 1995 • H. Arendt: Zwischen Vergangenheit und Zukunft, 1994 • J. Habermas: Faktizität und Geltung, 1992 • C. Taylor: Negative Freiheit, 1992 • Q. Skinner: The Paradoxes of Political Liberty, in: D. Miller (Hg.): Liberty, 1991, 183–205 • J. Raz: The Morality of Freedom, 1986 • T. Baldwin: MacCallum and the Two Concepts of Freedom, in: Ratio 26/2 (1984), 125–142 • T. Hobbes: Leviathan, 1984 • J. Habermas: Moralisches Bewusstsein und kommunikatives Handeln, 1983 • J. Locke: Zwei Abhandlungen über die Regierung, 1977 • E.-W. Böckenförde: Staat, Gesellschaft, Freiheit, 1976 • R. Nozick: Anarchie, Staat, Utopia, 1976 • J. S. Mill: Über die Freiheit, 1974 • B. Constant: Über die Freiheit der Alten im Vergleich zu der der Heutigen, in: A. Blaeschke/L. Gall (Hg.): Werke, Bd. 4, 1972, 363–396 • F. von Hayek: Die Verfassung der Freiheit, 1971 • I. Berlin: Two Concepts of Liberty, in: ders. (Hg.): Four Essays on Liberty, 1969, 118–172 • G. MacCallum: Negative and Positive Freedom, in: PhRev 76/3 (1967), 312–334 • H. Arendt: Über die Revolution, 1963.

JULIAN CULP

II. Theologisch

1. Das Christentum als Religion der Wahrheit und Freiheit

Seitdem die Kirchenväter die menschliche F. als eine zentrale Implikation und Konsequenz des christlichen Glaubens gegenüber dem antiken Fatalismus verteidigten, versteht sich das ↑Christentum als die Religion der ↑Wahrheit und F. Denn der Wahrheitsanspruch der biblischen Offenbarung lässt sich ohne den korrespondierenden Begriff der F. nicht angemessen denken. Der zentrale Inhalt des christlichen Glaubens, die Offenbarung Gottes als ↑Liebe, verlangt, dass Gott sich in ein freies Verhältnis zu seiner Schöpfung setzt. Damit ist nicht nur die F. Gottes im Schöpfungsakt gegenüber philosophischen Konzepten der Weltentstehung festgehalten, die von einer notwendigen Emanation der Welt aus dem göttlichen Urgrund ausgehen. Vielmehr erschafft Gott ein mit ↑Autonomie und F. ausgestattetes Gegenüber, das ihm in freier Gegenliebe antworten kann.

Dasselbe die menschliche F. konstituierende Grundverhältnis setzt sich im Offenbarungsgeschehen fort: Die als freie Selbstmitteilung Gottes an den Menschen gedachte Gnade zerstört menschliche F. nicht, sondern setzt sie voraus. Das klassische gnadentheologische Axiom *gratia non destruit, sed supponit naturam* wird von der gegenwärtigen Theologie im Anschluss an Karl Rahner auf die Konstitution der geschaffenen, endlichen F. des Menschen bezogen. Selbständigkeit und Eigentätigkeit des Menschen widersprechen nicht seiner Abhängigkeit von Gott, sondern werden durch diese begründet. Die menschliche F. und die Abhängigkeit von Gott wachsen daher nicht im umgekehrt proportionalen, sondern im gleichen Verhältnis. Dies bedeutet: Theonomie und Autonomie, Glaubensgehorsam und sittliche F. sind keine prinzipiellen Gegensätze. Sie können in der gegenwärtigen Theologie vielmehr in versöhnter Weise aufeinander bezogen werden, indem diese unter Aufnahme kritischer Denkmotive der neuzeitlichen F.s-Philosophie die von Gott in der Schöpfung grundgelegte und in Jesus Christus geschenkte F. als eine notwendige Konsequenz des christlichen Heilsverständnisses denkt.

Ansätze dazu finden sich bereits in der mittelalterlichen Theologie bei Thomas von Aquin und Johannes Duns Scotus. Für Thomas sind Geist, freier Wille und Selbstmächtigkeit des Menschen Folge seiner Gottebenbildlichkeit. Die gesamte Ethik des Thomas betrachtet den Menschen als Bild Gottes unter der Rücksicht, dass „er der Ursprung seiner Handlungen ist, d. h. freien Willen und Macht über sein Handeln besitzt" (STh I-II, Prolog). J. Duns Scotus betrachtet Schöpfung und Erlösung des Menschen nicht als zwei sukzessive Etappen der Heilsgeschichte, sondern nach dem Modell zweier konzentrischer Kreise: Danach bewegt der Wunsch, Mitliebende zu finden, Gott bereits dazu, die Schöpfung als das Andere seiner selbst ins Dasein zur rufen. Der Mensch verwirklicht seine Bestimmung zum Bild-Gottes-Sein, indem er sich Gott in freier Gegenliebe für sein Handeln in der Welt zur Verfügung stellt.

Die Konstitution des Menschen als freies Gegenüber zu Gott und die Grundlegung seiner sittlichen Autonomie müssen in der Verlängerung solcher Ansätze als denknotwendige Konsequenz einer Theologie angesehen werden, die Gott und Mensch nicht als Konkurrenten bestimmt, sondern Gottes schöpferisches Sein als vollendete F. und Liebe denkt. Es liegt freilich in der inneren Logik eines derartigen theologischen F.s-Denkens, dass Gottes frei gewähltes Verhältnis zur endlichen F. des Menschen eine Einschränkung seiner Allmacht impliziert, in der diese zugl. ihre höchste Steigerung erfährt. Denn als wahrhaft schöpferische Kraft kann sie sich erst in der Hervorbringung eines Anderen vollenden, das ihr gegenüber selbst frei ist. In der Perspektive des christlichen Glaubens ist die menschliche F. daher Voraussetzung und Folge der Liebe Gottes, über die hinaus eine größere Liebe nicht gedacht werden kann.

2. Das biblische Freiheitsverständnis

Dieses theologische F.s-Verständnis ist in der Heiligen Schrift vielfach vorgebildet. Die Geschichte des Volkes Israel beginnt mit einem F.s-Geschehen, dem Exodus aus der Knechtschaft Ägyptens, der im jährlichen Paschafest erinnernd vergegenwärtigt wird. In der Theologie der Synoptiker verweisen die Krankenheilungen Jesu darauf, dass die Versklavung unter dämonische Mächte im ↑Reich Gottes ein Ende hat. Das Evangelium ist ein „Ruf der Freiheit" (Käsemann 1972), der den Menschen aus allen Bindungen entlässt und in die F. der Gottesherrschaft hineinruft. Die Jünger folgen diesem Ruf „sofort" und lassen sich auch durch die Verpflichtungen zur Verwandtschaftssolidarität und zur Pietät gegenüber den Toten nicht von der Nachfolge Jesu abhalten (Mk 1,16–20; Mt 22; Lk 14,26). Die F. im Reich Gottes zeigt sich als F. von ängstlicher Sorge, Menschenfurcht und Todesangst (Mt 6,25–34). V. a. aber zeigt sich die neue F. des Evangeliums in der Souveränität Jesu gegenüber dem jüdischen Gesetz, die dessen urspr.en Sinn, dem Menschen zu dienen, wieder freilegt.

Das paulinische F.s-Verständnis ist christologisch und pneumatologisch bestimmt. Der Mensch ist nicht deshalb frei, weil Freisein zur Naturausstattung seines Wesens gehört, sondern weil ihm aus der Bindung an Christus die eschatologische F. erwächst. Jesus Christus ist für Paulus der schlechthin Freie, der „Sohn" inmitten von Sklaven, die durch ihn „Söhne" und darin frei werden können (Gal 4,4–7; Röm 8,21). Diese aus der Annahme des Evangeliums und dem Empfang der Taufe folgende F. ist negativ als F. vom Gesetz, von der Sünde und von Todesangst und positiv als F. zur Liebe bestimmt. Im Galaterbrief deutet Paulus die gesamte Existenz des Christen als Berufung zur F. (Gal 5,1.13). Den Akt der Befreiung aus Sünde und Tod deutet Paulus als Übergang von einem Herrschaftsbereich in den anderen, als Wechsel vom „Gesetz der Sünde und des Todes" zum „Gesetz des Geistes und des Lebens" (Röm 8,2). Dieses kann als ein Gesetz ohne Gesetzlichkeit beschrieben werden. Wahre F. bedeutet daher nicht Ungebundenheit, sondern findet ihren Maßstab in der Liebe. Den Übergang zu diesem neuen Gesetz der F. beschreibt Paulus häufig im Bild des Sklavenloskaufs (1 Kor 6,20; Gal 3,13; 4,5; 2 Petr 2,1). In äußerster Prägnanz beschreibt Paulus den neuen Lebensraum mit dem Satz: „Wo der Geist der Freiheit ist, da ist Freiheit" (2 Kor 3,17).

Während das paulinische F.s-Verständnis negativ vom Gesetz und positiv durch den Geist bestimmt ist, folgt nach der johanneischen Konzeption aus der Bindung an die Wahrheit. Wie kein anderes Wort aus der Bibel hat der Satz „Die Wahrheit wird euch frei machen" (Joh 8,32) das philosophische Nachdenken über die F. beeinflusst. Umgekehrt eignet sich die vom paulinischen und johanneischen F.s-Verständnis inspirierte philosophische Terminologie, um die Struktur des biblischen F.s-Denkens zu erfassen: Christliche F. ist nicht nur ein leerer Möglichkeitsbegriff, der sich im Freihalten von Optionen erschöpft, sondern als F. zum Einsatz im Reich Gottes und als F. zur Liebe ein Verwirklichungsbegriff, der eine umfassende Sinndeutung des Lebens nach dem Muster der *strong evaluations* von Charles Taylor voraussetzt.

3. Die Kirche als Anwältin der Freiheit

Die europäische F.s-Geschichte ist entscheidend durch das Gegenüber von geistlicher und weltlicher Gewalt geprägt. Der Dualismus von Kirche und Staat (↑Kirche und Staat) führte einerseits zu einer ↑Säkularisierung der politischen Autorität des Staates, so dass es, anders als unter dem Einfluss des orthodoxen Christentums, im Westen nicht zur Ausbildung einer theokratischen Herrschaftsordnung (↑Theokratie) kommen konnte. Andererseits ist aber auch die Kirche in ihrer geschichtlichen Ausprägung nicht mit dem Reich Gottes identisch, obwohl sie diesen Anspruch aufgrund einer Fehldeutung der augustinischen Geschichtstheologie lange Zeit erhob. Deshalb forderte die Kirche in der Geschichte für sich F. und Unabhängigkeit gegenüber dem Staat. Die Forderung nach der *libertas ecclesiae* führte zur Entsakralisierung und Säkularisierung des Staates, einem Vorgang, der sich infolge der Religionsspaltung und ↑Konfessionalisierung des Christentums zu Beginn der Neuzeit nochmals verstärkte. Auf indirekte Weise trugen Religion und Christentum in Europa so zur Entstehung eines freiheitlichen Staats- und Gesellschaftsverständnisses bei, dessen harten Kern, die Gewissens- (↑Gewissen, Gewissensfreiheit) und ↑Religionsfreiheit, die religiöse ↑Neutralität des Staates und die politische Herrschaftsform der liberalen ↑Demokratie die Kirche allerdings bis ins 20. Jh. hinein bekämpfte. Im 19. Jh. verurteilten die Päpste Gregor XVI., Pius IX. und Leo XIII. ein liberalistisches Verständnis der Gewissens- und Religions-F., in dem sie einen Angriff auf den Wahrheitsanspruch des christlichen Glaubens erkannten. In dem Konflikt zwischen Wahrheit und F. anerkannte die Kirche nur das Recht der Wahrheit, der gegenüber der Irrtum keinen gleichrangigen Anspruch auf Unterstützung und Propaganda erheben könne. Gemäß der sog.en Toleranzhypothese konzedierte die Kirche dem Staat allenfalls das Recht, den Irrtum zu tolerieren, wenn unter den gegebenen Umständen der gesellschaftliche ↑Friede und das bürgerliche Zusammenleben im Staat eine Duldung des Irrtums erfordern. In abgemilderter Form wurde die Verpflichtung des Staates, Sorge für die rechte Gottesverehrung seiner Bürger zu tragen, noch in der Toleranzansprache von Papst Pius XII. vom 6.12.1953 vertreten. Wenige Jahre später kam es in der Enzyklika „Pacem in terris" von Papst Johannes XXIII. zu einem Umschwung, als das Lehramt erstmals einen Katalog allg.er und unveräußerlicher, in der Würde des Menschen als ↑Person gründender F.s-Rechte vorlegte. Die Erklärung des ↑Zweiten Vatikanischen Konzils über die Religions-F. „Dignitatis humanae" (DH) von 1965 vollzog explizit den Wechsel von einem Recht der Wahrheit zum Recht der Person. Dadurch anerkennt die Kirche das in der unverlierbaren ↑Menschenwürde gründende Recht, frei und ungezwungen nach der Wahrheit zu suchen und der erkannten Wahrheit ebenso frei und ungehindert zu folgen. Die Eingrenzung auf die „gesellschaftliche und bürgerliche Freiheit in religiösen Belangen" (DH) führt zu einer klaren Unterscheidung der politisch-bürgerlichen F. von der christlichen F. und der F. in der Kirche. Generell ist die Erklärung, die allg. als ein Meilenstein im Prozess der Annäherung an die ↑Moderne Anerkennung fand, durch den die ↑katholische Kirche ihre geistige und kulturelle Isolation im 19. Jh. überwand, durch eine Hochschätzung der F. geprägt.

Die Anerkennung der Religions-F. als grundlegendes ↑Menschenrecht wurde durch die Einsicht ermöglicht, dass nicht die Wahrheit als abstrakte Größe, sondern nur die menschliche Person Trägerin bürgerlicher Rechte sein kann. Ebenso hält das Konzil fest, dass das Recht auf religiöse F. nicht im Widerspruch zum Anspruch der Wahrheit steht und keineswegs zu Indifferenz ihm gegenüber führt. Mit Rücksicht auf die innere, den Menschen im Gewissen bindende Verpflichtung durch die erkannte Wahrheit muss sich die staatliche Gewalt jeder Einmischung in das religiöse Leben der Bürger enthalten. Zugl. wird festgehalten, dass dieser Anspruch der Wahrheit nur in einer ihr gemäßen Weise, nämlich in der Kraft der Wahrheit selbst und in der F. des Gewissens, anerkannt werden kann.

Auf der praktischen Ebene folgt aus dem Prinzip der Religions-F. das Recht, frei von jedem Zwang den eigenen ↑Glauben privat und öffentlich, als einzelner und in Gemeinschaft mit anderen innerhalb der Grenzen des *ordre public* zu vertreten. In bewusster Abkehr von der Tradition des Anti-Liberalismus der klassischen kirchlichen Staatslehre anerkennt das Konzil damit zwei zentrale Grundsätze des modernen Verfassungsdenkens, das Prinzip der Nichtzuständigkeit des säkularen Staates in Bezug auf religiöse oder weltanschauliche Fragen und die F.s-Vermutung als Beweislastregel im Verhältnis der Bürger zum Staat. Das Recht auf religiöse F. umfasst daher auch das Recht, Gott *nicht* anzuerkennen und keiner Religionsgemeinschaft anzugehören. Die Bedeutung der Erklärung DH kann kaum überschätzt werden. Durch die Anerkennung der in der Menschenwürde begründeten bürgerlichen F.s-Rechte und die politisch-ethische Legitimation des liberalen Verfassungsstaates befreit sich die katholische Kirche aus der Gefangenschaft einer *splendid isolation* gegenüber der F.s-Kultur der modernen Welt, in die sie im 19. Jh. geraten war. Das Konzil schuf die Grundlage dafür, dass die katholische Kirche heute in der internationalen Politik und Diplomatie als weltweit agierende Anwältin der Menschenrechte anerkannt ist, die für die F. des Glaubens und des Gewissens, für die Unverletzlichkeit von Leib und Leben jedes Menschen und für die Respektierung der bürgerlichen F.s-Rechte eintritt.

4. Die Kirche als Ort der Freiheit

Wenn das Recht auf religiöse F. in der Würde der Person gründet, muss dieses Recht auch innerhalb der Kirche, im Verhältnis der Getauften untereinander und in ihrem Verhältnis zu den kirchlichen Amtsträgern Anerkennung finden. Nicht nur die evangelische Kirche, sondern auch die katholische Kirche ist von ihrem eigenen Selbstverständnis her ein Ort der F., auch wenn die praktische Verwirklichung dieses Postulats bis in die Gegenwart noch nicht überzeugend gelungen ist. Damit die F. der Gläubigen nicht nur auf einer allg.en anthropologisch-ethischen Ebene als Grundbestimmung einer christlichen Existenz geglaubt, sondern als konkrete F. des Einzelnen in der Kirche anerkannt ist, muss die theologische Lehre von der F. des Glaubensaktes umfassender verstanden werden, als dies in ihrer scholastischen Form der Fall war. Im Anschluss an das augustinische Axiom *Non potest credere nisi volens* („Man kann nur aus freien Stücken glauben") hatte die Theologie zwar stets die F. des Glaubensaktes postuliert, ihr aber die unbedingte Pflicht zur Seite gestellt, an der einmal erkannten Glaubenswahrheit festzuhalten (STh II-II, q. 10 a. 8). Da nach mittelalterlichem Verständnis die frei erfolgte Glaubenszustimmung ein rechtsartiges Treueverhältnis *(fides)* begründet, legitimierte die scholastische Theologie (↑Scholastik) auch den Einsatz staatlicher Zwangsmittel gegen Häretiker und Schismatiker. Dabei deutete sie das johanneische Wort von der freimachenden Wahrheit in dem Sinn, dass die F. durch die Annahme der Glaubenswahrheit ihre innere Erfüllung gefunden hat und insofern in die F. der Entschiedenheit, den Glauben zu bekennen und im eigenen Leben zu verwirklichen, übergegangen ist. Zudem bestehe innerhalb der Glaubensgemeinschaft der Kirche kein Spielraum für die Anerkennung einer privaten Urteils-F. einzelner Gläubiger, da dies die Einheit der Kirche bedrohe und die Verpflichtung aufhebe, den katholischen Glauben zu bekennen.

Gegenüber derartigen Tendenzen zur Einschränkung der F. in der Kirche ist zu betonen, dass der Glaube nicht nur in seinem Ursprung, sondern in seinem gesamten lebendigen Vollzug als Realisierung christlicher F. gelten muss. Auf dem Konzil entstand deshalb der Gedanke, dem kirchlichen Gesetzbuch korrespondierend zu den Pflichten der Gläubigen einen Katalog von Grundrechten in der Kirche einzufügen, der im ↑CIC 1983 dann aber nicht weiter verfolgt wurde. Da die Menschenrechte urspr. als Abwehrrechte der Bürger gegen einen weltanschaulich neutralen Staat konzipiert sind, lässt sich die Idee der Menschenrechte nur in analoger Weise auf die Verfassungsstrukturen der katholischen Kirche übertragen.

Literatur

E. Schockenhoff: Erlöste Freiheit. Worauf es im Christentum ankommt, 2012 • T. Pröpper: Theologische Anthropologie, 2 Bde., 2011 • E. Schockenhoff: Theologie der Freiheit, 2007 • G. Seebaß: Handlung und Freiheit. Philosophische Aufsätze, 2006 • S. Ritzenhoff: Die Freiheit des Willens. Argumente wider die Einspruchsmöglichkeit des Determinismus, 2000 • A. Keller: Philosophie der Freiheit, 1994 • T. Pröpper: Erlösungsglaube und Freiheitsgeschichte. Eine Skizze zur Soteriologie, ³1991 • E. Käsemann: Der Ruf der Freiheit, ⁵1972.

EBERHARD SCHOCKENHOFF

III. Freiheit im Recht und als Prinzip des Rechts

1. Freiheit als Leitprinzip der Moderne

1.1 Freiheit als Tatsache und als Prinzip rechtlicher Ordnung

Das ↑Recht als äußere Ordnung des Verhaltens von Menschen nimmt die F. des Einzelnen zunächst ungeachtet ihrer Begründung als Tatsache zur Kenntnis. Sie ist heute maßgeblicher Faktor jeder politischen Ordnung und ihrer rechtlichen und gesellschaftlichen Grundlagen. Offenkundig gehen selbst diejenigen Regime von ihr aus, die jedwede Beunruhigung durch den Geltungsdrang individueller F. fürchten und ihn wo immer möglich unterdrücken. Der moderne Verfassungsstaat, wie ihn die nordamerikanische und ↑Französische Revolution des ausgehenden 18. Jh. hervorgebracht haben, pflegt zur individuellen F. allerdings

ein bes.s Verhältnis, indem er sie als Leitprinzip proklamiert und seiner Ordnung zugrunde legt. Von hier aus hat F. als Prinzip rechtlicher Ordnung weltweite Verbreitung gefunden. Das belegen neben den Verfassungsurkunden der Einzelstaaten die Menschenrechtserklärungen, -konventionen und -pakte, die sie in Gestalt urspr.er, mit dem Menschen geborener Rechte anerkennen und die ihrem Schutz zu dienen bestimmt sind.

1.2 Freiheit als positives Vermögen

Fragt man nach der Herkunft der vom Recht affirmativ in Bezug genommenen menschlichen F., befindet Georg Wilhelm Friedrich Hegel kurzerhand „daß die Freiheit als eine *Tatsache* des Bewußtseins *gegeben* sei und an sie *geglaubt* werden müsse" (Hegel 1970: 48). Immanuel Kant erläutert, dass das (innere) Vermögen der Selbstbestimmung (sich unabhängig von den unausweichlichen Sachzwängen der Naturkausalität und von sozialer Prägung Zwecke, dadurch sich stets auch selbst als ↑Zweck setzen zu können) die individuelle F. des Menschen ausmacht. Es zeichnet den Menschen kraft seiner Moralität aus, d. i. als ↑Person, „als Subjekt einer moralisch-praktischen Vernunft" (Kant 1956: 569). Auch hiernach ist die F. unabweisbare, allseits vorauszusetzende und vorausgesetzte Tatsache: Faktum der praktischen Vernunft. Die praktische Vernunft macht einem jeden die Wirklichkeit der F. in praktischer Hinsicht unmittelbar bewusst durch die allg.e, jederzeit gegenwärtige Verbindlichkeit des Moralgesetzes, wie sie der kategorische Imperativ auf den Begriff bringt (Kant 1956: 140): „Handle so, daß die Maxime deines Willens jederzeit zugleich als Prinzip einer allgemeinen Gesetzgebung gelten könne". Das *positive Vermögen*, sein Verhalten selbst – autonom, unabhängig von Naturkausalität – durch Prüfung der jeweiligen Handlungsmaxime auf ihre Tauglichkeit zum allg.en ↑Gesetz zu bestimmen, ist dem Menschen in der Situation der Entscheidung als selbstverpflichtender, unausweichlicher moralischer Zwang zum Rechthandeln offenbar. Es gibt, wie jeder aus eigener Erfahrung weiß, keine dem so als verpflichtend erkannten Gebot zuwiderlaufende Handlung (oder Unterlassung), die rückblickend nicht hätte zugunsten gesetzmäßigen Verhaltens vermieden werden können. In dieser Moralität des Menschen erweist sich seine F. – als positives Vermögen, sein Handeln stets am selbstgegebenen Gesetz orientieren zu können (*Autonomie*). Die daraus sich ableitende Einsicht, nach der „eine Person keinen anderen Gesetzen, als denen, die sie (entweder allein oder wenigstens zugleich mit anderen) sich selbst gibt, unterworfen ist" (Kant 1956: 329 f.), ist zentral für die Rechtslehre im ↑Rechts- und Verfassungsstaat – nicht zuletzt, weil nur der Person ihre Handlungen als Taten zugerechnet werden können.

1.3 Notwendigkeit und Bedingtheit des Rechts

Das innere Vermögen des Menschen zu moralischer Orientierung, das seine F. als Person ausmacht, garantiert nicht die Vermeidung oder Bewältigung von Konflikten im Verhältnis der moralischen ↑Subjekte. V. a. geht zwar die Prüfung der eigenen Maximen auf ihre Tauglichkeit zum alle verpflichtenden allg.en Gesetz aufs Ganze und mag darum im Umgang mit anderen gewisse Anhaltspunkte für die Berechtigung eigener Verhaltenserwartungen liefern. Denn sie bezieht hypothetisch diese anderen als moralische Subjekte und Mitgesetzgeber ein. Dadurch werden aber vornehmlich deren mögliche Zwecksetzungen und sie selbst als Personen ernst genommen. Die Maximenprüfung bleibt gleichwohl subjektiv auf das eigene Rechthandeln gerichtet, bietet keinerlei Grundlage für unvermittelt einforderbare (Leistungs-, Duldungs-, Unterlassungs-)Ansprüche im Außenverhältnis zu anderen. Es bedarf einer verbindlichen Ordnung äußeren Verhaltens, die nicht (wie die Ethik) auf die inneren Beweggründe abzielt, sondern erzwingbare Gesetze für Handlungen gibt. Das ist die Aufgabe des Rechts. Auch soweit es von der ↑Autonomie des Menschen als Person ausgeht, „gründet [es] sich […] zwar auf dem Bewußtsein der Verbindlichkeit eines jeden nach dem Gesetz, aber die Willkür danach zu bestimmen darf und kann es […] sich auf dieses Bewußtsein als Triebfeder nicht berufen […]" (Kant 1956: 339; vgl. I, 3, § 3 PrALR: „Wo das Vermögen frei zu handeln, ganz mangelt, da findet keine Verbindlichkeit aus den Gesetzen statt"). Das Recht soll F. gerade als Ausdruck individueller Autonomie ordnen, ohne unmittelbar auf die innere Zwecksetzung der Rechtsunterworfenen durchgreifen zu dürfen. Diese Aufgabenstellung eröffnet unterschiedliche Perspektiven auf das F.s-Prinzip im Recht, die sich in der Person als dem maßgeblichen Zurechnungspunkt einer freiheitlichen Rechtsordnung treffen.

2. Freiheit und Recht

Wird F. als individuelle F. des Menschen und diese als subjektives inneres Vermögen zur Selbstgesetzgebung verstanden, das dem Menschen dank seiner Vernunftnatur zukommt, folgt daraus, über die Einsicht in die Notwendigkeit adäquater rechtlicher Ordnung hinaus, ein urspr.er, vorpositiver Rechtsanspruch des Menschen auf ein Recht, das dieses F.s-Vermögen im Außenverhältnis allgemeinverbindlich anerkennt und schützt. In Anbetracht des subjektiven Charakters des F.s-Vermögens handelt es sich notwendig um ein „Recht auf Rechte" (Enders 1997: 502 f.), das die ↑Würde des Menschen kennzeichnet. Dieser urspr.e Rechtsanspruch verlangt, dass die Rechtsordnung den Menschen zu ihrem letztverbindlichen Zurechnungspunkt erklärt, indem sie ihn als Person in seiner Rechtsfähigkeit anerkennt, das bedeutet: als Träger von Rechten und Pflichten (§ 16 des österreichischen ABGB von 1811: „Jeder Mensch hat angeborene, schon durch die Vernunft einleuchtende Rechte und ist daher als Person zu betrachten"). Diese Anerkennung formuliert auch eine Zumutung: „Sei eine Person und respektiere die anderen als Personen", lautet

nach G. W. F. Hegel das grundlegende Rechtsgebot (Hegel 1970: 95). Nur wer sich selbst als Person (damit Selbstzweck) schätzt, sieht sich überhaupt – ungeachtet möglichen äußeren Zwangs – durch vernunftgebotene Verhaltensregeln gebunden und wird Pflichten auch gegenüber anderen akzeptieren können. Dem Selbstmordattentäter bedeutet das Leben der anderen so wenig wie das eigene – er macht gleichermaßen sich selbst wie alle anderen zum bloßen Mittel vermeintlich höherer Zwecke.

Steht im Zentrum einer Rechtsordnung, die der F. als Rechtsprinzip verpflichtet ist, der *Mensch als Person*, erscheinen in der Folge die Beziehungen zwischen Menschen (auch) als Rechtsverhältnisse wechselseitig gleicher Rechte und Pflichten, in denen die Beteiligten jeweils sich als Selbstzweck zu behaupten bestrebt, dabei zugl. gehalten sind, ihr Gegenüber als Person zu respektieren. Hier gilt: Wer Pflichten haben soll, muss Rechte haben. Der Mensch als Person kann nie auf eine reine Pflichtenstellung reduziert werden. ↑Sklaverei und Leibeigenschaft sind unter einer solchen Rechtsordnung ausgeschlossen (Art. 4 AEMR, Art. 4 EMRK, Art. 8 ICCPR). Indem aber individuelle F. sich derart in Rechtsverhältnissen zwischen Personen realisiert, äußert sie sich in der Gleichheit der wechselseitigen Zwangsrechte. Die wechselseitig gleichen Zwangsrechte konstituieren die Eigenrechtssphäre, die den Einzelnen von Zumutungen der Außenwelt abschirmt und in der jeder selbstverantwortlich seine Vorstellungen eines guten Lebens, orientiert an den eigenen moralischen Grundsätzen, realisieren kann. Sie bewehren die dem Rechtsbegriff der F. immanente Schranke, die das maßgebliche Konstruktionsprinzip rechtlicher F. auf der Ebene der Gleichordnung der Rechtssubjekte bezeichnet: die *gleiche* gesetzmäßige *F. aller anderen.* Deshalb stellt das Bürgerliche Recht (§ 903 BGB) das Eigentümerbelieben unter den Vorbehalt der Rechte Dritter, darf im öffentlichen ↑Baurecht der Grundstückseigentümer die Einhaltung derjenigen öffentlich-rechtlichen Beschränkungen, denen er in der Ausnutzung seines Grundstücks unterliegt, auch vom Nachbarn verlangen (BVerwGE 94, 151, 155) oder ist ein Gebrauch der ↑Versammlungsfreiheit unzulässig, der missliebige andere Demonstrationen gezielt verhindern soll (vgl. § 2 Abs. 2 VersG). Ein „Grundrecht auf Sicherheit" (vor Übergriffen Dritter; Art. 2 der französischen Erklärung der Menschen- und Bürgerrechte) hat demgemäß zwangsläufig rein deklaratorische Bedeutung.

3. Freiheit und Staat; Grundrechte

Die Bestimmung des Rechts aus dem Prinzip der F. lässt offen, wie die Eigenrechtssphäre gesetzmäßig – für alle gleich und in jedem Fall verbindlich – zu bestimmen wäre. Das kann in Konsequenz des F.s-Prinzips nur im Wege einer allg. durch Beteiligung verpflichtenden ↑Gesetzgebung und d. h. durch den vereinigten Willen aller geschehen. Damit gerät aus der Perspektive der spezifischen Ordnungsfunktion des Rechts der Staat als Organisationsform und Garant allg. gesetzmäßiger F. in den Blick. Der ↑Staat fungiert zunächst als „Vereinigung zur Einführung des Rechtsverhältnisses, das ist der Freiheit aller von der Freiheit aller" (Fichte 1971: 411; vgl. die F.-Schranke der gesetzmäßigen Rechte anderer in Art. 4 der französischen Erklärung der Menschen- und Bürgerrechte; Art. 2 Abs. 1 GG), wie dies im Herrschaftsbegründungsmodell des ↑Gesellschafts- und Staatsvertrags (↑Vertragstheorien) versinnbildlicht wird. Der aus seinem F.s-Vermögen sich ableitende Rechtsanspruch des Einzelnen mündet daher, das verbürgt die Verfassung des modernen Staates, in ein Staatsbürgerrecht auf Mitbestimmung, auf Repräsentanz in der Gesetzgebung des politischen Gemeinwesens.

Kennzeichnend für den Verfassungs- als *Rechtsstaat* ist darüber hinaus, dass er den aus seinem F.s-Vermögen sich ableitenden Rechtsanspruch des Einzelnen, seine allg.e Rechtsfähigkeit kraft seiner Verfassung zum Strukturprinzip erhebt. Missachtung der Rechtsfähigkeit kennzeichnet den Unrechtsstaat (Art. 16 ICCPR). Bejahung der Rechtsfähigkeit bedeutet, dass die Beziehungen des Einzelnen auch zum Staat in einem Rechtsverhältnis korrespondierender Rechte und Pflichten zusammengefasst und ausgestaltet werden. Die allg.e Pflicht zum Gesetzesgehorsam findet ihre Entsprechung in einer rechtsstaatlichen Rücksicht auf den Rechtsanspruch der Verpflichteten, in ihrer inneren (Selbst-)Zwecksetzung als moralische Subjekte wie in ihrem äußeren F.s-Gebrauch respektiert zu werden. Dem Staat ist kategorisch untersagt, die innere (Selbst-)Zwecksetzung der Gewaltunterworfenen unterlaufen und seiner Fremdregie unterstellen zu wollen – daher das Folterverbot (Art. 5 AEMR, Art. 3 EMRK, Art. 7 ICCPR). Darüber hinaus bedarf, da der Staat im Rechtsprinzip der F. deren Vorrang anerkennt, jede F.s-Beschränkung des rechtfertigenden Titels – eine grundsätzliche Argumentationslastverteilung, die als „rechtsstaatliches Verteilungsprinzip" bezeichnet worden ist.

Die verfassungsmäßigen ↑*Grundrechte* gewährleisten diesen individuellen Rechtfertigungsanspruch urspr. nur mittelbar. Sie statuieren keineswegs allg.e Gesetze, die die Einzel-F. mit dem Herrschaftsanspruch des Staates rechtsförmig zum Ausgleich bringen. Sie sind nicht subjektive Rechte des Individuums, sondern „Volksrechte" (Gerber 1852: 76; vgl. die „Grundrechte als geringstes Maaß deutscher Volksfreiheit", gefordert im Beschluss des Vorparlaments zu Frankfurt vom 4.4.1848), die diejenigen Bereiche bürgerlicher Interessen markieren, an deren gesetzlicher Regelung das Wahlvolk über seine Abgeordneten in der Ständeversammlung repräsentativ zu beteiligen ist. Den F.s-Schutz des Einzelnen gewährleistet die Gesetzmäßigkeit der Verwaltung, ein Prinzip, das individuelle Selbst- und demokratische Mitbestimmung verknüpft. Erst indem die Grundrechte unmittelbar bindend werden für die gesamte Staats-

gewalt, werden sie zu echten subjektiven öffentlichen Rechten, die auch vor Übergriffen des gesetzesförmigen Mehrheitswillens schützen (vgl. Art 1 Abs. 3 GG).

4. Demokratische Organisation, soziale Voraussetzungen von Freiheit

Da sich die individuelle Selbstbestimmung in der Teilhabe an der allg.en Gesetzgebung durch den vereinigten Willen aller Staatsbürger fortsetzt, spielt die verfassungsmäßige Organisation der politischen Willensbildung im Staat eine wichtige Rolle für die Durchsetzung der F. Sie muss die Allgemeinheit der Teilhabe (Mitbestimmung) sicherstellen, die das F.s-Prinzip erfordert und die eine adäquate Ordnung der F. garantiert. Dabei erweist sich, dass das Verständnis von „Allgemeinheit" nicht feststeht, sondern sich mit den sozialen, historisch-politischen Umständen verändert und erweitert hat: Von den frühen Verfassungen auf selbständige männliche Aktivbürger beschränkt, häufig von einem Zensus abhängig, ist heute das demokratische Wahlrecht vom sozialen Status abgekoppelt und steht selbstverständlich auch Frauen zu. Ungeachtet der Frage, ob es ein „Menschenrecht auf Demokratie" geben kann, ist die Beteiligung an öffentlichen ↑Wahlen ihrerseits möglicher Gegenstand subjektivrechtlicher Gewährleistung (Art. 38 GG). Ob dagegen auch die materiellen Voraussetzungen der formalrechtlich allen gleichermaßen eröffneten Entfaltungschancen durch soziale Rechte individuell gewährleistet werden können, ist zweifelhaft. Allerdings bliebe F. ohne materielle Absicherung der Realisierungsvoraussetzungen ein Privileg des sozial Stärkeren. Das anerkennt der Staat als ↑Sozialstaat. Die Umsetzung sozialer ↑Gerechtigkeit ist demgegenüber schwerlich durch Rechtsansprüche auf Verfassungsebene zu leisten, da sie immer unter dem Vorbehalt des aktuell (zufällig) wirtschaftlich Möglichen steht und deshalb besser der Entscheidung des Gesetzgebers überantwortet wird. Davon unbeeindruckt hat das ↑BVerfG inzwischen ein „Grundrecht auf Gewährleistung eines menschenwürdigen Existenzminimums" (BVerfGE 125, 175–260) anerkannt.

5. Internationale Zukunftsperspektiven des Freiheitsprinzips

Heute konzentriert sich das Interesse, F. im Wege des Rechts zu ordnen und durchzusetzen, nicht mehr auf die Organisationshoheit des nationalen Staates. Das menschenrechtlich anerkannte individuelle wie kollektive Recht auf Selbstbestimmung ist seit der zweiten Hälfte des 20. Jh. zu einer normativen Größe internationalen Rangs geworden. Die ↑Souveränität der Staaten scheint darüber ihre Funktion als Fixpunkt internationaler Rechtsverhältnisse zu verlieren – bis hin zur grenzüberschreitenden gewaltsamen Durchsetzung von Menschenrechtsforderungen in ↑humanitären Interventionen. Indessen zeichnet sich bislang nicht ab, wer anstelle des Staates die zur Durchsetzung des F.s-

Prinzips im Wege des Rechts erforderte zwangsbewehrte Organisations-, Treuhänder- und Schutzfunktion wirksam wahrnehmen sollte, mag es auch vielerorts an demokratischer ↑Legitimation mangeln und der Staatsapparat reformbedürftig sein. Ein „Menschenrecht auf Demokratie" gibt jedenfalls keine Berechtigung, staatliche Souveränität im Interesse des F.s-Prinzips zu überspielen: Zielen ↑Menschenrechte in der Konstituierung einer Eigenrechtssphäre auf Aus- und Abgrenzung, können sie kein positives Recht auf demokratische Teilhabe begründen. Sieht man demgegenüber in ihnen Ursprung und Inbegriff von „Volksrechten", die eine repräsentative Beteiligung des Einzelnen am politischen Willensbildungsprozess verlangen, so ist eine solche Beteiligung nur in organisierter Form möglich. Sie verlangt Vorkehrungen, die Voraussetzungen und Rahmenbedingungen der Beteiligung festlegen (Wahlgrundsätze, Wahlalter, Wahlsystem). Ob und wie sie getroffen werden, hängt unmittelbar ab von historisch-politischen Umständen und sozio-kultureller Prägung und kann nicht kraft universal gültigen Rechtsanspruchs eingefordert werden.

Es muss darum im Verhältnis zwischen den Staaten jenseits konsentierter Zwangsmechanismen bei Prinzipien der Moral sein Bewenden haben. Allein beispielgebendes Verhalten liefert hier, wo die Zwangsordnung lückenhaft bleibt, einen Beleg für die Überzeugung von der Allgemeinverbindlichkeit der eigenen handlungsleitenden Maximen und empfiehlt sie so anderen zur Befolgung. Wer Menschenrechte propagiert, sollte sein Handeln an ihren Geboten orientieren. F. ist darum nicht nur im Verfassungsstaat, sondern mehr noch, wenn sie als Rechtsprinzip im globalen Kontext Anerkennung finden soll, „risikoreich und anstrengend" (Hollerbach 1973: 40).

Literatur

C. Enders: Spuren der Menschenwürde in Kants Rechtslehre, in: V. Fiorillo/M. Kahlo (Hg.): Wege zur Menschenwürde, 2015, 167–187 • S. Kirste: Das Fundament der Menschenrechte, in: Der Staat 52/1 (2013), 119–139 • A. Honneth: Das Recht der Freiheit, 2011 • H. Dreier: Der freiheitliche Verfassungsstaat als riskante Ordnung, in: Rechtswissenschaft 1/1 (2010), 11–38 • A. Anter: Die Macht der Ordnung, ²2007 • D. Gosewinkel/J. Masing: Grundlinien der europäischen Verfassungsentwicklung, in: dies. (Hg.): Die Verfassungen in Europa, 2006, 9–70 • J. Isensee: Positivität und Überpositivität der Grundrechte, in: HGR, Bd. 2, 2006, § 26 • C. Enders: Die Menschenwürde in der Verfassungsordnung, 1997 • A. Hollerbach: Aspekte der Freiheitsproblematik im Recht, in: PhilPerspekt 5 (1973), 29–41 • J. G. Fichte: Die Staatslehre, oder über das Verhältnis des Urstaates zum Vernunftreiche, in: ders.: Fichtes Werke, Bd. 4, 1971, 367–600 • G. W. F. Hegel: Grundlinien der Philosophie des Rechts, in: ders.: Werke in 20 Bänden, Bd. 7, 1970 • I. Kant: Kritik der praktischen Vernunft, in: ders. Werke, Bd. 4, 1956, 103–302 • I. Kant: Die Metaphysik der Sitten, in: ebd., 303–634 • H. Arendt: Es gibt nur ein einziges Menschenrecht, in: Die Wandlung 4/3 (1949), 754–770 • C. F. Gerber: Ueber öffentliche Rechte, 1852 • C. von Rotteck: Freiheit, in: C. von Rotteck/C. Welcker (Hg.): Das Staatslexikon, Bd. 5, ²1847, 179–188.

CHRISTOPH ENDERS

Freiheitliche demokratische Grundordnung

1. Verfassungspolitischer Kontext

Auf dem Verfassungskonvent von Herrenchiemsee in Auseinandersetzung mit dem verhängnisvollen Wertrelativismus der ↑WRV als feststehende Wendung entstanden, ist fdGO die Kurzbezeichnung der Leitideen unseres Verfassungsdenkens und der Ordnungsprinzipien unserer Verfassungswirklichkeit. Sie konkretisiert die „Würde des Menschen" in der Polarität von auf Rechtsstaatlichkeit (↑Rechtsstaat) beruhender ↑Freiheit und einer durch ↑Pluralismus gesicherten ↑Demokratie. Außerdem ist fdGO sowohl ein verfassungstypologischer Begriff als auch eine Sammelformel für jene Kriterien, denen Deutschlands „verfassungsmäßige Ordnung" zu entsprechen hat. In beiderlei Funktion erfasst er, welchen Staatstyp unsere „wehrhafte Demokratie" verteidigen will.

Im ↑GG findet sich der Begriff fdGO mehrfach dort, wo es um die Sicherung dieses Staatstyps geht. Brief-, ↑Post- und Telekommunikationsgeheimnis sowie die ↑Freizügigkeit dürfen zum Schutz der fdGO beschränkt werden; ↑Grundrechte kann verwirken, wer sie gegen die fdGO gebraucht; ↑Parteien können vom ↑BVerfG verboten werden, wenn sie darauf ausgehen, die fdGO zu beeinträchtigen; und zum Schutz der fdGO bestehen bes. Befugnisse der ↑Bundesregierung bei der polizeilichen Zusammenarbeit mit den Bundesländern sowie zur Bekämpfung organisierter, militärisch bewaffneter Aufständischer durch die ↑Bundeswehr.

Die Notwendigkeit, den bis dahin nicht genau geklärten Begriff der fdGO zu präzisieren, ergab sich, als das BVerfG 1952 über eine mögliche Verfassungswidrigkeit der SRP entscheiden musste. Später übernahmen ↑Bundestag und Landesparlamente die damals formulierten Kriterien als Legaldefinition der fdGO.

2. Normativer Gehalt

Damals führte das Gericht aus (BVerfGE 2,1, Rdnr. 37 f.): „Die besondere Bedeutung der Parteien im demokratischen Staat rechtfertigt ihre Ausschaltung aus dem politischen Leben nicht schon dann, wenn sie einzelne Vorschriften, ja selbst ganze Institutionen der Verfassung mit legalen Mitteln bekämpfen, sondern erst dann, wenn sie oberste Grundwerte des freiheitlichen demokratischen Verfassungsstaates erschüttern wollen. Diese Grundwerte bilden die freiheitliche demokratische Grundordnung, die das Grundgesetz innerhalb der staatlichen Gesamtordnung der ,verfassungsmäßigen Ordnung' als fundamental ansieht. Dieser Grundordnung liegt letztlich nach der im Grundgesetz getroffenen verfassungspolitischen Entscheidung die

Vorstellung zugrunde, daß der Mensch in der Schöpfungsordnung einen eigenen selbständigen Wert besitzt und Freiheit und Gleichheit dauernde Grundwerte der staatlichen Einheit sind. Daher ist die Grundordnung eine wertgebundene Ordnung. Sie ist das Gegenteil des totalen Staates, der als ausschließliche Herrschaftsmacht Menschenwürde, Freiheit und Gleichheit ablehnt. Die Vorstellung […], es könne verschiedene freiheitliche demokratische Grundordnungen geben, ist falsch. Sie beruht auf einer Verwechslung des Begriffs der freiheitlichen demokratischen Grundordnung mit den Formen, in denen sie im demokratischen Staat Gestalt annehmen kann. So lässt sich die freiheitliche demokratische Grundordnung als eine Ordnung bestimmen, die unter Ausschluss jeglicher Gewalt- und Willkürherrschaft eine rechtsstaatliche Herrschaftsordnung auf der Grundlage der Selbstbestimmung des Volkes nach dem Willen der jeweiligen Mehrheit und der Freiheit und Gleichheit darstellt. Zu den grundlegenden Prinzipien dieser Ordnung sind mindestens zu rechnen: die Achtung vor den im Grundgesetz konkretisierten Menschenrechten, v.a. vor dem Recht der Persönlichkeit auf Leben und freie Entfaltung, die Volkssouveränität, die Gewaltenteilung, die Verantwortlichkeit der Regierung, die Gesetzmäßigkeit der Verwaltung, die Unabhängigkeit der Gerichte, das Mehrparteienprinzip und die Chancengleichheit für alle politischen Parteien mit dem Recht auf verfassungsmäßige Bildung und Ausübung einer Opposition".

Diesem Teil des SRP-Urteils lassen sich fünf wesentliche Merkmale der fdGO entnehmen.

Erstens ist sie auf die Sicherung jener ↑Menschenwürde angelegt, die teils in den grundgesetzlich ausformulierten ↑Menschenrechten, teils durch die Institutionalisierung von Freiheit, Rechtsstaatlichkeit und pluralistischer Demokratie konkretisiert wird.

Zweitens umreißt die fdGO einen Staatstyp, der nicht orts- oder zeitgebunden ist, allerdings je bes. institutionelle Formen annehmen kann.

Dieser wird – drittens – zunächst einmal von dem her bestimmt, was gerade nicht existieren soll: ein „totaler Staat", der Gewalt- und Willkürherrschaft praktizieren kann.

Viertens wird ein Minimum von acht Regeln bzw. Institutionalisierungen für diesen Staatstyp aufgelistet, das sich um zwei Pole lagert: Der erste ist die materielle Rechtsstaatlichkeit, konkretisiert durch die Achtung der Menschenrechte, die (mehrdimensionale) ↑Gewaltenteilung, die Gesetzmäßigkeit der ↑Verwaltung und die Unabhängigkeit der Gerichte. Der zweite Pol ist die pluralistische Demokratie, konkretisiert durch das – „↑Volkssouveränität" genannte – Demokratieprinzip, das Mehrparteienprinzip samt Chancengleichheit der ↑Parteien, das Recht auf Bildung und Ausübung von ↑Opposition sowie die Verantwortlichkeit der Regierung.

Fünftens wird klargestellt, dass alle diese Prinzipien politische Vielfalt nicht ersticken, sondern im Gegenteil

ihren Entfaltungsraum sichern sollen. Nicht einmal der – natürlich mit legalen Mitteln zu führende – Kampf gegen „einzelne Vorschriften, ja selbst ganze Institutionen der Verfassung" ist nämlich verfassungswidrig, sondern erst die sich konkretisierende Absicht auf eine Beeinträchtigung oder Beseitigung dieser freiheitlichen ↑Ordnung bzw. die Gefährdung jenes Staates, der sie sichert. In einem solchen Ernstfall gilt sogar gemäß Art. 20, 4 GG: „Gegen jeden, der es unternimmt, diese Ordnung zu beseitigen, haben alle Deutschen das Recht zum Widerstand, wenn andere Abhilfe nicht möglich ist".

3. Politische Rolle

In der fdGO verwirklicht sich der dem politischen Streit entzogene Minimalkonsens des deutschen ↑Staatsvolks. Er befreit vom „Demokratieparadox": Um der Demokratie willen muss keineswegs eine Mehrheitsentscheidung akzeptiert werden, welche die Demokratie beseitigen würde. Dergestalt sind Theorie und Praxis der fdGO der Kern bundesdeutschen ↑Verfassungsschutzes und politisch-kultureller Eckstein wehrhafter Demokratie. Beides konkretisiert sich im Begriff des ↑Extremismus. Unter diesen fällt alles Denken und Handeln, das auf die Beseitigung der fdGO hinarbeitet. Um der Menschenwürde willen ist Extremismus deshalb zu bekämpfen, und zwar sogar über das Verbot politischer Organisationen und die Verwirkung von Grundrechten hinaus. Wer hingegen bloß einzelne Vorschriften oder Institutionen eines die fdGO verwirklichenden Staates verändern will, ist lediglich ein Andersdenker und allenfalls ein Radikaler. Beide sind um der Freiheit und Demokratie willen zu ertragen.

Wie schwer diese Unterscheidung fallen kann, zeigt die Diskussion um die fdGO. Solange – nach dem KPD-Verbotsurteil von 1956 – sich die politische Linke als das hauptsächlich von den Ausgrenzungsmöglichkeiten betroffene Lager sah, gab es dort die Meinung, es handele sich bei der fdGO um eine „verfassungsrechtliche Begriffsperversion, die … den Keim für den verfassungspolitischen Bürgerkrieg liefert" (Kessler 1978: 224). Inzwischen zögert die Linke selten, unliebsame politische Positionen nicht nur als radikal, sondern auch als extremistisch zu bezeichnen, gibt sich aber selten Mühe, sie konkret an den Kriterien der fdGO zu messen. Auf diese Weise wird die fdGO dann sehr wohl zum pluralismuseinschränkenden Kampfinstrument.

Ein solches darf sie aber nicht sein, wie das ↑BVerfG die Grundgedanken des SRP-Urteils aufgreifend im Urteil zum Verbot der KPD erneut ausführte (BVerfGE 5, 85, Rdnr. 250 f.): Eine Partei – und erst recht eine politische Position – ist „nicht schon dann verfassungswidrig, wenn sie diese obersten Prinzipien einer freiheitlichen demokratischen Grundordnung nicht anerkennt, sie ablehnt, ihnen andere entgegensetzt. Es muss vielmehr eine aktiv kämpferische, aggressive Haltung gegenüber der bestehenden Ordnung hinzukommen; sie muss planvoll das Funktionieren dieser Ordnung beeinträchtigen, im weiteren Verlauf diese Ordnung selbst beseitigen wollen. Das bedeutet, daß der freiheitlich-demokratische Staat gegen Parteien mit einer ihm feindlichen Zielrichtung nicht von sich aus vorgeht; er verhält sich vielmehr defensiv, er wehrt lediglich Angriffe auf seine Grundordnung ab. Schon diese gesetzliche Konstruktion des Tatbestandes schließt einen Missbrauch der Bestimmung im Dienste eifernder Verfolgung unbequemer Oppositionsparteien aus".

Literatur

S. Schulz: Die freiheitliche demokratische Grundordnung: strafrechtliche Anwendbarkeit statt demokratischer Minimalkonsens, in: KJ 48/3 (2015), 288–303 • G. Lautner: Die freiheitliche demokratische Grundordnung, ²1982 • C. Gusy: Die „freiheitliche demokratische Grundordnung" in der Rechtsprechung des BVerfGs, in: AöR 105/2 (1980), 279–310 • U. Kessler: Freiheitliche Demokratische Grundordnung, in: K. Sontheimer/H. H. Röhring (Hg.): Hdb. des politischen Systems der Bundesrepublik Deutschland, ²1978, 219–227 • E. Denninger (Hg.): Freiheitliche demokratische Grundordnung. Materialien zum Staatsverständnis und zur Verfassungswirklichkeit in der Bundesrepublik, 2 Bde., 1977.

                          WERNER J. PATZELT

Freiheitliche Partei Österreichs (FPÖ)

Die FPÖ ist eine rechtspopulistische Partei, die sich als Vertreterin des „Dritten Lagers" – einem politischen Milieu, das sich aus den historischen Strömungen antiklerikal und antisozialistisch sowie liberal und deutschnational ableitet – nationalliberalen Ideen und Werthaltungen verpflichtet fühlt. Vorläufer der FPÖ war der 1949 als Sammelbecken ehemaliger NS-Mitläufer bzw. mit den beiden Großparteien Unzufriedenen gegründete VdU, der 1955 nach internen Konflikten zwischen Vertretern tendenziell liberaler bzw. nationaler Strömungen aufgelöst und von der nun gegründeten FPÖ absorbiert wurde.

1. Entwicklungs- und Profilierungsphasen

Das programmatische Profil der 1955 gegründeten FPÖ war im ersten Jahrzehnt ihrer Existenz schwach und vorrangig auf deutschnationale Positionen fokussiert. Sie bewegte sich isoliert am Rand des Parteienspektrums. Ab Mitte der 1960er Jahre wurde unter Bundesparteiobmann Friedrich Peter versucht, die „Ghettopartei" FPÖ aus ihrer politischen Isolation herauszuführen. In dieser Phase der inhaltlich-strategischen Neuprofilierung entwickelten sich Gesprächskontakte zu Vertretern der beiden Koalitionsparteien ↑SPÖ und ↑ÖVP, in denen Möglichkeiten der politischen Zusammenarbeit informell sondiert wurden.

    Nach dem Verlust der absoluten Mandatsmehrheit auf Bundesebene benötigte die SPÖ einen Koalitionspartner und ging 1983 eine kleine Koalition mit der FPÖ ein. Als Juniorpartner der dominanten SPÖ waren die inhaltlichen Profilierungsmöglichkeiten der FPÖ begrenzt. Dazu kamen personelle Schwächen, eine Verschlechterung der wahlpolitischen Position und immer schärfere innerparteiliche Konflikte zwischen Vertretern liberaler und nationalkonservativer Strömungen.

    Diese eskalierten im Herbst 1986 beim Innsbrucker Parteitag der FPÖ, der mit der Abwahl Norbert Stegers als Parteiobmann und der Wahl des charismatisch auftretenden Jörg Haider zum neuen FPÖ-Parteiobmann endete.

2. Die FPÖ unter Jörg Haider

Mit J. Haider an der Spitze präsentierte sich die FPÖ als rechtspopulistische Protestpartei, die Fehlentwicklungen des Parteienstaates, Privilegien politischer Eliten (↑Elite), parteipolitische Postenbesetzung und politische Korruptionsskandale ins Visier nahm und sich gezielt an parteienverdrossene Wählerschichten wandte. Standen zunächst klassische Protestthemen im Vordergrund der FPÖ-Agitation, wurde das Repertoire Anfang der 1990er um das Thema Immigration und Ausländer (↑Migration) erweitert, was 1993 in einem von der FPÖ initiierten Ausländervolksbegehren kulminierte. In den Folgejahren instrumentalisierte J. Haider auch die verbreitete Skepsis gegenüber der ↑EU und positionierte die FPÖ als Österreich-Partei, die primär die Sorgen und Ängste der von ↑Globalisierung und Konkurrenzdruck verunsicherten Bevölkerung vertrete. Skandalträchtige Aussagen über die NS-Zeit, latent antisemitische Zwischenrufe einzelner FPÖ-Mandatsträger (↑Antisemitismus) und punktuelle Nähe zu rechtsextremen Netzwerken (↑Extremismus) umschatteten und polarisierten das Erscheinungsbild der FPÖ im In- und Ausland ohne ihre elektorale Mobilisierungsfähigkeit nachhaltig zu schwächen.

    Bei der Nationalratswahl 1999 verwies die FPÖ mit einem Stimmenanteil von 26,9 % die ↑ÖVP knapp auf den dritten Platz. J. Haider bot daraufhin dem Parteiobmann der ÖVP die Position des Bundeskanzlers in einer von ÖVP und FPÖ gebildeten Koalitionsregierung an, die im Februar 2000 vereidigt wurde.

    Die Übernahme von Regierungsverantwortung konfrontierte die FPÖ mit einer Reihe personeller, inhaltlicher und strategischer Probleme, die wiederum zu innerparteilichen Konflikten führten. Im Jahr 2002 eskalierten diese bei einer Parteiversammlung. Die Konsequenz waren vorgezogene Neuwahlen, die der FPÖ mit einem Verlust von zwei Dritteln ihrer Wählerschaft die schwerste Wahlniederlage ihrer Geschichte einbrachten.

    Obwohl substanziell geschwächt, setzte die FPÖ die Regierungszusammenarbeit mit der ÖVP fort. Als Juniorpartner einer gestärkten ÖVP mangelte es der FPÖ an inhaltlichen Profilierungsmöglichkeiten, während sich im Hintergrund zunehmender innerparteilicher Widerstand gegen die Regierungsbeteiligung formierte, der von den nationalliberalen Flügeln der Partei artikuliert wurde. 2005 kam es zum Bruch. J. Haider gründete das BZÖ, das mit den verbliebenen regierungsloyalen Mandataren die Koalitionsregierung bis zur Nationalratswahl 2006 fortsetzte, während sich der nationalliberale Kern der FPÖ um den neuen FPÖ-Obmann Heinz Christian Strache sammelte.

Unter der Führung H. C. Straches bestimmen wieder stärker Vertreter nationalliberaler Strömungen das Erscheinungsbild der FPÖ. Neben populistischen Appellen an parteienverdrossene, mit der regierenden Großen Koalition unzufriedene Wählerschichten setzt die FPÖ vorrangig auf emotional mobilisierende Themen wie Immigration, Asylmissbrauch und Umgang mit Flüchtlingen, ergänzt durch Ansprache islamkritischer Ressentiments und der verbreiteten Unzufriedenheit mit der Politik der EU. Die Nationalratswahl 2008 brachte der FPÖ mit einem Stimmenanteil von 17,5 % erhebliche Stimmenzuwächse auf Kosten von ↑SPÖ und ÖVP. Trotz Konkurrenz des BZÖ und einer neugegründeten populistisch agierenden Formation (Team Stronach) erzielte die FPÖ bei der Nationalratswahl 2013 20,5 %.

3. Die Wählerschaft der FPÖ

Die FPÖ erhielt bei der Nationalratswahl 2013 rund eine Mio. Stimmen. Nur 40 000 Wähler und Wählerinnen sind auch eingetragene Mitglieder der FPÖ. Zur Wählermobilisierung stützt sich die FPÖ neben ihren Parteistrukturen auf ein Netzwerk nahestehender ↑Verbände, Vorfeldorganisationen, Traditionsvereine, Sängerschaften und schlagende, national-freiheitliche Burschenschaften (↑Studentenverbindungen), die das traditionelle Kernmilieu des „Dritten Lagers" in ↑Österreich repräsentieren. Nur ein Drittel der FPÖ-Wählerschaft sind parteiloyale Kern- und Stammwähler. Zwei Drittel der FPÖ-Wähler sind hingegen tendenziell wechselbereite Wähler, die von der FPÖ jeweils gezielt angesprochen und mobilisiert werden müssen. Die FPÖ erreicht bei Wahlen überdurchschnittliche Stimmenanteile bei Abwanderern von der ↑SPÖ, Arbeitern, insb. bei jüngeren Facharbeitern, bei Männern, bei Angehörigen der unteren Bildungsniveaus, bei der jüngeren Wählergeneration sowie unter der Leserschaft der in Österreich bes. einflussreichen Boulevard- und Gratispresse (↑Presse). Neben der wachsenden Unzufriedenheit mit der Politik und dem Erscheinungsbild der Großen Koalition spielen soziale Abstiegs- und Verdrängungsängste, alltagskulturelle Irritationen durch migrationsbedingte Veränderungen traditioneller Umwelten, Xenophobie, subjektive Ohnmachtsgefühle, EU-Skepsis, Ängste vor einem Identitätsverlust wie generalisierte Protesthaltungen eine bedeutsame Rolle, die von der FPÖ gezielt angesprochen und verstärkt werden.

Im ↑Europäischen Parlament hat sich die FPÖ 2015 einer neu gegründeten Fraktion angeschlossen, die sich aus EU-Gegnern unter der Führung des französischen FN von Parteichefin Marine Le Pen gebildet hat. Ihr gehören neben der FPÖ die italienische Lega Nord, die belgische Nationalpartei Vlaams Belang und die Anti-Islam-Bewegung PVV des Niederländers Geert Wilders an. Der Beitritt zu dieser Fraktion ist auch ein Indikator für die programmatische Selbstpositionierung der FPÖ in der europäischen Parteienlandschaft.

Literatur

K. R. Luther: Wahlstrategien und Wahlergebnisse des österreichischen Rechtspopulismus, in: F. Plasser/P. A. Ulram (Hg.): Wechselwahlen, 2007, 231–254 • K. R. Luther: Die Freiheitliche Partei Österreichs und das Bündnis Zukunft Österreich, in: H. Dachs u.a. (Hg.): Politik in Österreich, 2006, 364–388 • A. Pelinka: The Haider Phenomenon, 2001 • F. Plasser/P. A. Ulram: Rechtspopulistische Resonanzen: Die Wählerschaft der FPÖ, in: F. Plasser/P. A. Ulram: Das österreichische Wahlverhalten, 2000, 225–241 • B. Baier-Galanda/ W. Neugebauer: Haider und die Freiheitlichen in Österreich, 1997 • K. Piringer: Die Geschichte der Freiheitlichen, 1982.

FRITZ PLASSER

Freiheitsentziehung

1. Historischer Hintergrund

Die Entziehung der persönlichen ↑Freiheit ist ein bes. schwerwiegender Eingriff in die Rechte des Einzelnen. Der verfahrensrechtliche Schutz vor F. ist deshalb eine der ältesten Ausprägungen des westlichen Grundrechtsverständnisses. Der als *Habeas Corpus* bekannte Anspruch auf richterliche Prüfung einer F. wurde in England mit dem Habeas Corpus Act von 1679 gesetzlich geregelt, ging aber auf eine sich über mehrere Jh. entfaltende richterrechtliche Tradition zurück. In seinen Anfängen war das Habeas-Corpus-Verfahren eher Ausdruck der ↑Souveränität des englischen Königs, die dieser durch seinen Kontrollanspruch hinsichtlich F. ausübte. Heute wird es jedoch einhellig als zentrales Instrument individueller Freiheitssicherung und einer der Ausgangspunkte für die moderne Grundrechtsentwicklung überhaupt bewertet (s. U.S. Supreme Court, Boumediene v Bush, 553 U.S. 723, 739 ff. [2008]). Der Schutz vor F. wurde in weitere bedeutende Verfassungs- und Menschenrechtsdokumente aufgenommen (z. B. Art. I, § 9, cl. 2 Verfassung der USA von 1787: Habeas-Corpus-Verfahren; Art. 7 Französische Erklärung der Menschen- und Bürgerrechte von 1789: F. nur durch Gesetz und unter Einhaltung der gesetzlich vorgeschriebenen Formen; ähnlich Art. 7 Belgische Verfassung von 1831 und im deutschen Raum z. B. Titel IV § 8 Bayerische Verfassung von 1818). § 138 Paulskirchenverfassung von 1849 sah vor, dass die Freiheit der Person unverletzlich ist, und regelte zudem, in welchen Fällen eine richterliche Entscheidung über die F. erforderlich war. § 114 WRV enthielt dagegen weniger detaillierte verfahrensrechtliche Anforderungen für F.

2. Freiheitsentziehung und Grundgesetz

Im ↑GG ist der Schutz vor F. an zwei Stellen verankert: Art. 2 Abs. 2 S. 2 GG lautet: „Die Freiheit der Person ist unverletzlich", schützt also die körperliche Bewegungsfreiheit vor staatlichen Eingriffen. Art. 104 GG enthält zusätzliche formelle Schranken für F. Historisch neu ist das Grundkonzept einer vorhergehenden richterlichen Entscheidung über F. aus Art. 104 Abs. 2 S. 1 GG. Der präventive Richtervorbehalt für alle F. findet kein Vorbild in den Vorgängerverfassungen und geht über die Tradition des Habeas-Corpus-Verfahrens (nachträgliche richterliche Prüfung) hinaus. Ein wesentlicher Grund für diesen bes.n verfahrensrechtlichen Schutz vor F. im GG sind die Erfahrungen mit willkürlicher F. in der Zeit des ↑Nationalsozialismus („Schutzhaft").

2.1 Was ist Freiheitsentziehung?

Die wichtigsten Fälle von F. sind: strafrechtliche Untersuchungshaft und Freiheitsstrafe; Unterbringung psychisch Kranker; ausländerrechtliche Abschiebungshaft; polizeilicher Präventivgewahrsam; Zwangshaft im Vollstreckungsverfahren. Es gibt allerdings jenseits der eindeutigen Fälle des Einsperrens bis heute keinen Konsens über die Definition von F. nach dem GG (Streitfälle: Einkesseln von Demonstranten; Festhalten im Fahrzeug; zwangsweises Vorführen bei Behörden; Fesselung Altersdemenzkranker). F. ist von der (bloßen) Freiheitsbeschränkung abzugrenzen. Freiheitsbeschränkung liegt vor, wenn die körperliche Bewegungsfreiheit des Betroffenen in alle Richtungen aufgehoben wird. F. ist eine gesteigerte Form der Freiheitsbeschränkung. Entspr. muss für eine F. ein zusätzliches Element zur Freiheitsbeschränkung hinzutreten. Diskutiert werden: zeitliche Mindestdauer des Festhaltens; bes. Intensität; Festhalten hat in erster Linie den Zweck, die Freiheit zu beschränken und nicht eine sonstige Pflicht durchzusetzen. Am überzeugendsten ist, darauf abzustellen, ob der Betroffene außerhalb der öffentlichen Sphäre festgehalten wird. Das entspr. der historischen Schutzrichtung des Richtervorbehalts, willkürliches „Verschwindenlassen" und „Wegsperren" durch die Exekutive zu verhindern.

Wegen des staatlichen ↑Gewaltmonopols ist F. durch Private grundsätzlich verboten und als Freiheitsberaubung nach § 239 StGB strafbar. Durch Gesetz ist allerdings privatrechtliche F. in bestimmten Fällen vorgesehen. Z. B. hat der Betreuer das Aufenthaltsbestimmungsrecht über einen Betreuten und kann ihn gegen seinen Willen unterbringen lassen, wenn die Voraussetzungen des § 1906 BGB vorliegen. Das ↑BVerfG hat bereits früh entschieden, dass auch bei F. durch Private der Richtervorbehalt aus Art. 104 Abs. 2 S. 1 GG gilt und dies u. a. mit einer aus Art. 2 Abs. 2 S. 2 GG hergeleiteten staatlichen Schutzpflicht begründet (BVerfGE 10, 302, 324; so auch die Habeas-Corpus-Tradition).

2.2 Verfassungsrechtliche Schranken für Freiheitsentziehungen

F.en sind Eingriffe in Art. 2 Abs. 2 S. 2 GG. Wichtigste materielle Schranke ist der Grundsatz der ↑Verhältnismäßigkeit. Demnach muss v. a. der mit der F. verfolgte Zweck so gewichtig sein, dass er diesen gravierenden Freiheitseingriff rechtfertigen kann. Durch den bes.n Gesetzesvorbehalt in Art. 104 Abs. 1 S. 1 GG ist sichergestellt, dass der Gesetzgeber selbst die Abwägungsentscheidung (↑Abwägung) trifft. Daneben enthält Art. 104 GG weitere formelle Schranken, die zu Art. 2 Abs. 2 S. 2 GG dazuzulesen sind; die Detailregelungen in Art. 104 GG wurden nur aus redaktionellen Gründen in den Abschnitt über die Rechtsprechung verschoben. Zentrale verfahrensrechtliche Schranke für F. ist der Richtervorbehalt. F. ohne vorhergehende richterliche Entscheidung ist nach Art. 104 Abs. 2 S. 2 GG nur bei Gefahr im Verzug zulässig (BVerfGE 22, 311, 317); der ↑Richter ist unverzüglich nachträglich einzuschalten. Wird der Betroffene vor der richterlichen Entscheidung freigelassen, so hat er einen Anspruch auf Überprüfung der Rechtmäßigkeit der F. (BVerfGE 104, 220, 235). Die wichtigsten Verfahrensvorschriften für F. (außerhalb der StPO) sind §§ 415–432 FamFG (allg.e bundesrechtliche F.-Sachen) und §§ 312–339 FamFG (Unterbringung). In seiner rechtlichen Wirkung bislang unterschätzt ist Art. 104 Abs. 1 S. 1 GG, nach dem die Freiheit nur unter Beachtung der gesetzlich vorgeschriebenen Formen beschränkt werden darf. Die Pflicht, bei F. die gesetzlichen formellen Vorschriften einzuhalten, wird dadurch zum Verfassungsgebot erhoben (BVerfGE 58, 208, 220). Das hat folgende Konsequenzen:

a) Praktisch alle formellen Fehler bei F. können mit der Verfassungsbeschwerde zum BVerfG gerügt werden.

b) Unbeachtlichkeit und rückwirkende Heilung formeller Fehler sind grundsätzlich unzulässig.

c) Art. 104 Abs. 1 S. 1 i. V. m. Abs. 2 S. 1 GG ist Grundlage für verfassungsrechtliche Mindeststandards des F.-Verfahrens.

3. Europa- und völkerrechtliche Vorgaben

Bei F. ist neben dem GG Art. 5 EMRK zu beachten. Während nach dem GG jedes verfassungslegitime Ziel – bei Verhältnismäßigkeit – eine F. rechtfertigen kann, enthält Art. 5 Abs. 1 S. 2 EMRK einen feststehenden Katalog von Rechtfertigungsgründen. Bestimmte Formen von F., die nach deutscher Sicht mit dem GG vereinbar sind, wurden deshalb konventionsrechtlich in Frage gestellt (nachträgliche Sicherungsverwahrung: EGMR NJW 2010, 2495 – M. v Deutschland; polizeilicher Präventivgewahrsam: EGMR NVwZ 2014, 43 – Ostendorf v Deutschland). Zunehmend an Bedeutung gewinnt Art. 6 EuGRC, weil F. im unionalen Sekundärrecht geregelt wird (z. B. Art. 28 Abs. 3 Dublin-III-VO). Nach Art. 52 Abs. 3 EuGRC ist Art. 6 EuGRC so zu verstehen wie Art. 5 EMRK, einschließlich der dort enthaltenen verfahrensrechtlichen Anforderungen. Vor F. schützen auch Art. 9–12 IPbpR. Wichtige Themen des internationalen Menschenrechtsschutzes sind willkürliche F. *(UN Working Group on Arbitrary Detention)* und gewaltsames Verschwindenlassen von Personen *(International Convention for the Protection of all Persons from Enforced Disappearance)*. Bei F. gilt unmittelbar die völkerrechtliche Pflicht, einen betroffenen Ausländer über sein Recht auf Mitteilung der F. an die zuständige konsularische Vertretung zu informieren (Art. 36 WÜK).

Literatur

M. Heidebach: Grundrechtsschutz durch Verfahren bei gerichtlicher Freiheitsentziehung, 2014 • R. Marschner u.a.: Freiheitsentziehung und Unterbringung, ⁵2010 • C. Gusy: Freiheitsentziehung und Grundgesetz, in: NJW 45/8 (1992), 457 • H. Lisken: Richtervorbehalt bei Freiheitsenziehung, NJW 35/23 (1982), 1268 • G. Dürig: Art. 104, in: T. Maunz/ G. Dürig (Hg.): Grundgesetz-Kommentar, 1958.

MARTIN HEIDEBACH

Freiheitsrechte ↗Grundrechte, ↗Menschenrechte

Freiheitsstrafe ↗Strafe, ↗Strafrecht

Freikirchen

1. Gemeinsame Merkmale

Unter F. wird eine variable Zahl von Gemeindebünden, Gemeinschaften, Bewegungen und einzelnen Ortsgemeinden erfasst, die – in unterschiedlichen Kombinationen – mehrheitlich staatskirchlich unabhängig, weithin kongregationalistisch verfasst, im weitesten Sinne aus der ↗Reformation hervorgegangen, überwiegend missionarisch orientiert sind und sich dem Prinzip der persönlichen Glaubensentscheidung verdanken. Die meisten F. praktizieren daher die Gläubigentaufe, nicht aber ausschließlich. Oft werden F. durch charismatische Gründerpersönlichkeiten geprägt. Der Begriff kam zum ersten Mal in der Mitte des 19. Jh. in Schottland und in der französischen Schweiz auf, wo er zur Bezeichnung der sich von den Staatskirchen lösenden Gemeinschaften und Gemeinden diente. F. verweisen daher vorrangig auf das ihre Identität prägende Prinzip der Freiwilligkeit ihrer Mitglieder. F. lassen sich durch verschiedene Frömmigkeits-Typen bestimmen, die entweder täuferisch-bekenntnishaft, pietistisch-erwecklich, sozialdiakonisch, pentekostal oder charismatisch ausfallen können. Als religiöse Gemeinschaften (↗Religionsgemeinschaften) fordern F. ↗Religionsfreiheit als politisches Grundrecht ein. Sie verstehen sich nicht als institutionalisierte Konfessionen, sondern als Denominationen, die ihre ekklesiale Identität vorrangig an eigenen Glaubensüberzeugungen und frei formulierten Lehrbekenntnissen festmachen. In den letzten Jahrzehnten haben F. einen bemerkenswerten Zugang zur ökumenischen Bewegung gefunden, manche von ihnen gehören auch zu den Pionieren der ↗Ökumene.

2. Einzelne Freikirchen

2.1 Mennoniten

Mennoniten sind ihrer Herkunft nach Teil des nach Roland Bainton benannten radikalen oder „Linken Flügels der Reformation". Das Täufertum verbreitete sich in den 1520er- und 1530er-Jahren in vielen Städten Süd- und Mitteldeutschlands, in Österreich (Tirol), in den Niederlanden und in Niederdeutschland. Nach dem Zusammenbruch gewalttätiger Formen des Täufertums führte der ehemalige katholische Priester Menno Simons eine neue Täufergruppe zusammen, aus deren Sammlung Gemeinden hervorgingen, die starken Verfolgungen in der Mitte des 16. Jh. ausgesetzt waren und sich an zahlreichen niederländischen und norddeutschen Orten niederließen. Von dort breiteten sich Gemeinden im 18. Jh. in Russland, später dann von dort kommend in Amerika aus. Im 20. Jh. kam es zur Auswanderung deutschstämmiger Mennoniten aus der Sowjetunion und ihrer Wiederansiedlung in Deutschland.

Im Anschluss an die Schleitheimer Artikel der Schweizer Täufer (1527) finden sich bei Mennoniten die bes.n Merkmale des Täufertums wie etwa die Glaubenstaufe, die Eidesverweigerung und die Gewaltlosigkeit. Ihre Missionstätigkeit wird ohne Zwang ausgeübt und schließt den sozialen Dienst und das Eintreten für Frieden und Gerechtigkeit unter allen Völkern ein. Weltweit gibt es rund 1,3 Mio. Mennoniten, mehrheitlich in Amerika, in der BRD etwa 40 000, in Europa insgesamt etwa 62 000 Mitglieder. Von 1998 bis 2003 hat zwischen der römisch-katholischen Kirche (↗Katholische Kirche) und der Mennonitischen Weltkonferenz ein internationaler Dialog unter dem Thema „Gemeinsam berufen, Friedensstifter zu sein" stattgefunden. Zwischen 2005 und 2008 war eine lutherisch-mennonitische Studienkommission eingerichtet worden, die sich mit der Verwerfung der Täufer durch das lutherische Bekenntnis bzw. durch die Reformatoren auseinandersetzte. Auf der Grundlage des Studiendokuments „Heilung der Erinnerungen – Versöhnung in Christus" hat der Lutherische Weltbund 2010 bei seiner Vollversammlung in Stuttgart die Verwerfungen in einem öffentlichen Schuldbekenntnis, verknüpft mit einer „Bitte um Vergebung", bedauert.

2.2 Bund Evangelisch-Freikirchlicher Gemeinden (BEFG) – Baptisten

Die Ursprünge des calvinistisch geprägten Baptismus liegen im englischen Puritanismus des 17. Jh. Auf der Suche nach einer der Lehre und Praxis der urchristlichen Kirche entsprechenden Gestalt schufen Baptisten einen freiwilligen und gegenseitigen Bund (covenant) von Gläubigen, die aufgrund einer Bekehrung eine Glaubensentscheidung getroffen hatten und sich anschließend taufen ließen. Baptisten suchten aufgrund von Unterdrückung und Verfolgung in England Zuflucht in Amerika und gründeten dort Kolonien. Der Baptismus entwickelte sich in Amerika zur größten protestantischen Denomination. Von dort aus verbreitete er sich nach Asien.

Der Baptismus in Deutschland wurde von Johann Gerhard Oncken und sechs Gleichgesinnten am 22.4.1834 in Hamburg ins Leben gerufen. Der Bund der Baptisten erhielt 1888 durch ein Dekret des Hamburger Senates seine Anerkennung wie 1897 auch in Preußen. Während der Zeit des Nationalsozialismus kam es 1941 zum Zusammenschluss der Baptisten mit dem durch die Gestapo verbotenen Bund freikirchlicher Christen (BfC), der auf das Wirken von John Nelson Darby und Carl Brockhaus zurückging. Der BEFG ist heute ein Bund von selbstständigen Ortsgemeinden, die sich regional und bundesweit zusammengeschlossen haben, um übergreifende Aufgaben wahrzunehmen. In Elstal (Wustermark) unterhält der BEFG ein „Bildungszentrum" mit Theologischem Seminar (heute Fachhochschule).

Ähnlich wie die Mennoniten haben die Baptisten keine sie bindenden Bekenntnisschriften, geben aber „Rechenschaft vom Glauben" ab. Der 1905 gegründete Baptistische Weltbund (Baptist World Alliance – BWA) ist eine Gemeinschaft von 214 Baptistenbünden und vereint weltweit derzeit über 41 Mio. getaufte Mitglieder. Die Europäisch-Baptistische Föderation (EBF) ist ein seit 1949 bestehender Zusammenschluss von derzeit 52 Mitgliedsbünden und Partnerorganisationen in 46 Ländern Europas, West- und Mittelasiens mit rund 770 000 getauften Mitglieder in etwa 10 600 Gemeinden. Der BEFG in Deutschland hat gegenwärtig rund 83 000 Mitglieder.

2.3 Freie evangelische Gemeinden (FeG)

Unter FeG versteht man einen Zusammenschluss von selbstständigen, durch die Erweckungsbewegung geprägte evangelische Gemeinden reformierter Richtung. Die Gründung der ersten FeG geht auf Leben und Wirken des Textilkaufmanns Hermann Heinrich Grafe zurück. Wesentlich beeinflusst von den reformiert geprägten freien evangelischen Gemeinden in Frankreich und der Schweiz und unter dem Eindruck der mit der Frühindustrialisierung einhergehenden sozialen Umbrüche gründete Grafe am 19.6.1850 in Wuppertal mit gleichgesinnten Brüdern den Evangelischen Brüderverein. Am 22.11.1854 konstituierte sich die Freie evangelische Gemeinde zu Elberfeld und Barmen. Die Verfassung der ersten FeG legte den Schwerpunkt auf die durch das allgemeine Priestertum geprägte, alle wichtigen Entscheidungen treffende Gemeinde. Mit dem 1874 in Wuppertal vollzogenen Zusammenschluss von insgesamt 22 Gemeinden und Abendmahlsgemeinschaften zur Vereinigung der Freien Evangelischen Gemeinden und Abendmahlsgemeinschaften entstand der Bund Freier evangelischer Gemeinden. Der Bund unterhält in Dietzhölztal-Ewersbach eine zentrale Bildungseinrichtung (heute staatlich anerkannte Theologische Hochschule). Gegenwärtig gehören zur Bundesgemeinschaft rund 470 Gemeinden mit etwa 40 000 Mitgliedern.

2.4 Evangelische Brüder-Unität – Herrnhuter Brüdergemeine

Die vorreformatorische, 1457 unter Nachfahren der Böhmischen Brüder entstandene Brüder-Unität wird nachhaltig von der Gründergestalt Nikolaus Ludwig Graf von Zinzendorf geprägt, der Flüchtlingen aus Mähren die Ansiedlung auf seinem Landgut Berthelsdorf in der Oberlausitz gewährte. Die dort angesiedelte Gemeinschaft entwickelte sich unter seiner Leitung zu einer selbstständigen Gemeinde mit mehreren hundert Einwohnern (Herrnhut). Prägende Kraft war der Glaube an Jesus Christus als Retter und Erlöser. Zum Kern der brüderlichen Frömmigkeit gehört das gemeinschaftliche Leben, das auch in einer reichen Liturgie zum Ausdruck kommt. Erst nach Zinzendorfs Tod gab sich die Brüder-Unität eine Verfassung, die die Generalsynode als oberstes Leitungsorgan vorsah. Schon kurz nach der Vereinigung zur ersten Brüder-Unität begannen weltweite Missionstätigkeiten, so in der Karibik und in Afrika.

Ein fester Bestandteil der Herrnhuter Frömmigkeit sind die erstmals 1728 von Zinzendorf seiner Gemeine zugerufenen Losungen (tägliche Bibelverse). Heute werden die seit 1731 gedruckten Herrnhuter Losungen in über 50 Sprachen übersetzt. Die weltweit 19 Provinzen der Brüder-Unität verteilen sich auf 30 Länder und vereinen etwa 1 040 500 Mitglieder. In Deutschland gehören in 16 Ortsgemeinden 5 800 Mitglieder zur Brüder-Unität.

2.5 Methodisten

Der Methodismus entstammt der in den Umbrüchen der englischen Gesellschaft entstandenen Erweckungsbewegung des 18. Jh. und geht auf das Wirken des anglikanischen Pfarrers und Universitätsdozenten John Wesley zurück, der mit seinem Bruder Charles Wesley ab 1725 eine Gruppe von Studenten in Oxford durch ein gemeinsames Studium der Bibel, durch regelmäßiges Gebet, den Austausch geistlicher Erfahrungen und die Armenfürsorge zu einer verbindlichen christlichen Lebensgemeinschaft führte. Beide begannen innerhalb der ↑anglikanischen Kirche mit Predigttätigkeit und Gemeinschaftsbildung. Nachdem J. Wesley für Amerika Männer zu Presbytern ordiniert und einen anglikanischen Geistlichen zum Superintendenten eingesetzt hatte, kam es zur Loslösung von der Kirche von England. 1784 wurde in Baltimore die Bischöfliche Methodistenkirche (Methodist Episcopal Church) gegründet. In England blieb die methodistische Gemeinschaft weiter eine innerkirchliche Evangelisations- und Erneuerungsbewegung, ehe sie auch hier 1795 den Schritt zur Existenz als selbstständige Kirche machte.

Der Methodismus kam durch Rückwanderer aus Amerika auch nach Deutschland. Hier entstanden unterschiedliche Zweige, darunter die als missionarische Laienbewegung unter Deutschen in Pennsylvania entstandene Evangelische Gemeinschaft und die Bischöfliche Methodistische Kirche (BMK). 1968 vereinigt, ist die Evangelisch-methodistische Kirche (EmK) ein deutscher Zweig der United Methodist Church. Die EmK gehört zusammen mit 77 Kirchen und etwa 75 Mio. Mitgliedern zum Weltrat methodistischer Kirchen (World Methodist Council). Sie besteht aus derzeit etwa 479 Gemeinden und hat rund 54 000 Kirchenglieder und Kirchenangehörige, die noch nicht den Schritt zur verbindlichen Gliedschaft vollzogen haben. Die EmK praktiziert sowohl die Säuglings- als auch die Erwachsenentaufe.

Methodistische Kirchen sind nicht kongregationalistisch, sondern konnexional (von englisch *connection*) verfasst. So gibt es ein Miteinander der verschiedenen Einheiten von der Ortsgemeinde bis zur Generalkonferenz (Legislative) und zum Bischofsrat (geistliche Leitung). Die Struktur des internationalen Methodismus folgt dabei zwei grundlegend verschiedenen Typen, dem bischöflichen und dem präsidialen System. Über den Weltrat methodistischer Kirchen nimmt die EmK an allen ökumenischen Dialogen auf Weltebene teil, darunter an dem 1967 begonnenen und bis heute fortgeführten Dialog mit der römisch-katholischen Kirche. 2006 unterzeichnete der Methodistische Weltrat die Gemeinsame Erklärung zur Rechtfertigungslehre mit der römisch-katholischen Kirche und dem Lutherischen Weltbund. Seit 1987 ist die EmK mit den evangelischen Landeskirchen in Deutschland durch eine Kanzel- und Abendmahlsgemeinschaft verbunden.

2.6 Heilsarmee

Die Heilsarmee *(Salvation Army)* ist eine auf evangelistische Verkündigung und diakonisches Handeln ausgerichtete evangelische F., die 1878 im Zuge von Missionstätigkeiten in den Armenvierteln in London entstanden war. Charismatische Gründerpersönlichkeit war der Methodistenprediger William Booth. Die Heilsarmee organisiert sich weltweit nach militärischer Struktur. Der Internationale Leiter (General) hat seinen Sitz im internationalen Hauptquartier in London und wird von den Leitern der nationalen Hauptquartiere gewählt *(High Council)*. Die örtlichen Gemeinden werden „Korps" oder „Vorposten" (Nebengemeinden) genannt. Die Arbeit wird von ordinierten Geistlichen (Korps-Offiziere) geleitet, jedoch von den Laien (Lokaloffiziere) unterstützt. Die uniformierten Mitglieder werden Salutisten genannt. Die Heilsarmee lehnt die Sakramente Taufe und Abendmahl als notwendige Heilsmittel ab. Salutisten sind entschiedene Gegner des Alkohol- und Drogenkonsums. Anfang 2012 vereinte die Heilsarmee weltweit um die 1,7 Mio. Mitglieder in 126 Ländern. In Deutschland existieren 47 Gemeinden mit etwa 1 300 Mitgliedern und insgesamt 40 Sozialeinrichtungen. Etwa 127 000 Angestellte – darunter rund 17 000 Offiziere – arbeiten weltweit in Gemeinden, Schulen, Sozialeinrichtungen und Krankenhäusern.

2.7 Religiöse Gesellschaft der Freunde (Quäker)

Die Religiöse Gesellschaft der Freunde hat ihren Ursprung in der Mitte des 17. Jh. in England und entstand unter der Leitung von George Fox. Der Ausdruck Quakers/Quäker (Zitterer) verweist auf religiöse geistliche Erfahrungen, die sich im Zittern der Gläubigen bemerkbar machen. Die Mitgliederzahl beträgt weltweit etwa 300 000. Man findet Quäker auf allen Kontinenten, die Mehrheit von ihnen allerdings in Nord- und Südamerika, in Ost-Afrika und Europa. Die auch die österreichischen Quäker einschließende deutsche Jahresversammlung mit etwa 265 Mitgliedern hat ihr Zentrum in Bad Pyrmont. Die Quäker gehören zu den historischen Friedenskirchen. Das Quäkertum versteht sich als „Religion ohne Dogma" und organisiert sich als Gemeinschaft von Freunden.

2.8 Mülheimer Verband
Freikirchlich-Evangelischer Gemeinden

Der Mülheimer Verband Freikirchlich-Evangelischer Gemeinden (MV) ist eine kongregationalistisch verfasste zahlenmäßig kleine evangelische F., die der Heiligungsbewegung des Methodismus in den USA entstammt und den Erwartungen einer neuen Erweckungsbewegung ab 1905 Raum geben konnte. Der Gemeinschaftsverband entwickelte sich seit den 1970er Jahren immer mehr zu Gemeinden eines freikirchlichen Typus. Im Februar 1998 mündete dieser Prozess in der Verabschiedung eines neuen Selbstverständnisses und einer neuen Namensgebung. Der MV versteht sich als Teil der weltweiten pentekostal geprägten Gemeinde Jesu. Er bietet selbstständigen Ortsgemeinden eine geistliche Lebens- und Dienstgemeinschaft und umfasst gegenwärtig etwa 4 400 Mitglieder in 46 Gemeinden und Gemeindegründungsprojekten.

2.9 Bund Freikirchlicher Pfingstgemeinden

Der Bund Freikirchlicher Pfingstgemeinden (BFP), der in Deutschland gegenwärtig 44 000 Mitglieder umfasst, ist Teil der weltweiten Pfingstbewegung, die ihre Wurzeln in der amerikanischen Heiligungsbewegung des ausgehenden 19. Jh. hat. Das herausragende theologische Merkmal ist die Betonung der Geisttaufe, die als wesentliche soteriologische Erfahrung gilt, auf die Bekehrung folgt und von der Zungenrede (Glossolalie) begleitet wird. Der BFP unterhält mit dem Theologischen Seminar Beröa in Erzhausen eine Theologische Ausbildungsstätte. Zurzeit sind im BFP rund 800 ordinierte Pastorinnen und Pastoren tätig. Rund 265 der heute insgesamt 757 Gemeinden sind international zusammengesetzt, vorwiegend mit afrikanischem Hintergrund. Hierzu gibt es im BFP einen eigenen Bereich, die Arbeitsgemeinschaft internationaler Gemeinden (AIG).

2.10 Die Siebenten-Tags-Adventisten (STA)

Adventisten entstammen dem endzeitlich-apokalyptisch geprägten Zweig der amerikanischen Erweckungsbewegung in der ersten Hälfte des 19. Jh. Nach Ausbleiben des von dem Farmer William Miller auf den

22.10.1844 vorausberechneten Termins der Wiederkunft Christi zerfiel die Bewegung in verschiedene Gruppierungen. Eine der kleinen adventistischen Gruppen führte den siebten Tag (Samstag) als Sabbat ein, deutete den berechneten Zeitpunkt neu und wurde später zur Kirche der Siebenten-Tags-Adventisten (STA). Die auf die Visionärin Ellen Gould Harmon White zurückgehende Lehre von der Heiligung des Sabbats fungierte als Unterscheidungsmerkmal. In Deutschland gab es im letzten Drittel des 19. Jh. erste vereinzelte Gruppen, die den Sabbat hielten. 1899 entstanden in Friedensau bei Magdeburg eine Missionsschule, ein Sanatorium, in dem auch die Friedensauer Schwesternschaft ausgebildet wurde. Zudem wurden ein Seniorenheim und die Nährmittelfabrik DVG (Deutscher Verein für Gesundheitspflege) errichtet. Derzeit gehören rund 17 Mio. im Erwachsenenalter getaufte Mitglieder in über 200 Ländern zu den STA; in Deutschland gibt es etwa 35 000 Mitglieder. Erst allmählich gelang es der STA, eine Gastmitgliedschaft in der ↑Arbeitsgemeinschaft Christlicher Kirchen (ACK) in Deutschland zu erhalten.

2.11 Apostolische Bewegung, Apostolische Gemeinschaft und Apostelamt Jesu Christi

Die Apostolische Bewegung bildet eine in anglikanischen, reformierten und lutherischen, vom Pietismus geprägten Erweckungsbewegungen beheimatete, aber auch aus den katholisch-apostolischen Gemeinden des 19. Jh. hervorgegangene Familie von apostolischen Gruppen, die das erneuerte Apostelamt als konstitutiv für die Kirche Jesu Christi betrachten. Die Überzeugung vom Anbruch der Endzeit und dem baldigen Wiederkommen Jesu Christi ist von kleineren apostolischen Gruppen aufgegeben worden, für die Mehrzahl der apostolischen Christen hat sie nach wie vor einen hohen Stellenwert. Die größte, heute etwa elf Mio. Mitglieder umfassende apostolische Gemeinde ist die Neuapostolische Kirche (NAK). Sie ist in Deutschland mit 360 000 Mitgliedern größer als alle anderen F. zusammen. Gegenwärtig wird in Gesprächen mit der ACK der Zugang zu ökumenischen Institutionen erörtert. Neben diesen beiden größeren apostolischen Gemeindeverbünden existieren das Apostelamt Jesu Christi und die Vereinigung der Apostolischen Gemeinschaft (VAG).

2.12 Weitere Freikirchen

Zu den F. zählen außerdem die aus der Heiligungsbewegung des Methodismus hervorgegangene Kirche des Nazareners, der in der amerikanischen Heiligungsbewegung beheimatete Freikirchliche Bund der Gemeinde Gottes, die der charismatisch-evangelikalen Bewegung zuzurechnende Anskar-Kirche in Hamburg sowie der deutsche Ableger der aus Amerika stammenden International Church of the Foursquare Gospel, die zu den Pfingstkirchen gezählt werden.

3. Freikirchen und Ökumene

Die intensive Zusammenarbeit zwischen den F. war 1926 Ziel der Gründung der Vereinigung Evangelischer Freikirchen in Deutschland (VEF). Sie umfasst heute zwölf Mitgliedskirchen und zwei Gastmitglieder. Sie ist als Zusammenschluss von selbstständigen Kirchen die älteste interdenominationelle und ökumenische Vereinigung in Deutschland. Da sich F. nicht als konfessionelle Gemeinschaften verstehen, sind sie durch eine starke Bereitschaft zur ↑Ökumene geprägt. Freilich gab es über lange Zeiten hinweg sowohl zu den evangelischen Landeskirchen wie auch zur römisch-katholischen Kirche keine vertrauensvollen Beziehungen. Oft wurden F. als ↑Sekten oder Sondergemeinschaften charakterisiert. Durch persönlich geprägte Beziehungen zwischen evangelischen, katholischen und freikirchlichen Gläubigen ist es in den letzten Jahrzehnten gelungen, v. a. in den Arbeitsgemeinschaften christlicher Kirchen auf Orts- und Landesebene die ökumenischen Kontakte zu stärken und zu pflegen. Heute führen F. und römisch-katholische Kirche auf weltweiter Ebene einen intensiven Dialog. Seit über zehn Jahren gibt es auch auf deutscher Ebene einen Dialog zwischen Vertretern der VEF und der römisch-katholischen Kirche. Die allermeisten F. sind Mitglieder oder Gastmitglieder der ACK in Deutschland.

Literatur

H. Gasper: Die Charismatische Bewegung: Konfessionelle, nichtkonfessionelle und neocharismatische Gemeinschaften, in: J. Oeldemann (Hg.): Konfessionskunde, 2015, 391–426 • M. Iff: Die evangelischen Freikirchen, in: J. Oeldemann (Hg.): Konfessionskunde, 2015, 296–390 • J. Demandt (Hg.): Freie Evangelische Gemeinden, 2012 • W. Klaiber (Hg.): Methodistische Kirchen, 2011 • R. J. Pöhler: Hoffnung, die trägt. Wie Adventisten ihren Glauben bekennen, 2008 • L. D. Eisenlöffel: Freikirchliche Pfingstbewegung in Deutschland, 2006 • U. Heimowski: Die Heilsarmee, 2006 • W. Klaiber/M. Marquardt: Gelebte Gnade. Grundriss einer Theologie der Evangelisch-methodistischen Kirche, ²2006 • E. Geldbach: Freikirchen – Erbe, Gestalt und Wirkung, ²2005 • D. G. Lichdi: Die Mennoniten in Geschichte und Gegenwart, ²2004 • VEF (Hg.): Freikirchenhandbuch, 2004 • K. H. Voigt: Freikirchen in Deutschland, 2004 • H. Obst: Apostel und Propheten der Neuzeit, ⁴2000 • H. Kirchner (Hg.): Freikirchen und konfessionelle Minderheitskirchen, 1987.   WOLFGANG THÖNISSEN

Freimaurer

Eingebettet in die Traditionen des Bauhandwerks stifteten fünf Londoner Logen, in denen interessierte Laien aufgenommen wurden, am 24.6.1717 jene Großloge, die als der Beginn der rezenten weltweiten Freimaurerei anzusehen ist. Mit der Wahl John Duke of Montagues zum Großmeister 1721 wurde aus den kleinbürgerlich dominierten Zusammenschlüssen ein gesellschaftliches Ereignis, in dem das aufstrebende Bürgertum (↑Bürger,

Bürgertum) mit der englischen Oberschicht in Kontakt trat und das sich in den 1723 publizierten „Constitutions of the Free-Masons" („Alte Pflichten") jenes Regelwerk gab, das bis heute die Freimaurerei in den unterschiedlichsten Facetten prägt. Angesiedelt am Übergang vom privaten zum öffentlichen Raum wurde dieser Ort der „männlichen Rede" zum Modell einer modernen Gesellschaft, in der die herrschenden Standesgrenzen (↑Stand) unter Berufung auf die umfassende Brüderlichkeit relativiert wurden, wobei das strenge Ritual allzu große Distanzlosigkeit unterband. Mit dem Sprung auf den europäischen Kontinent verknüpfte sich der gesellige Charakter, der den Logen mit den kurz davor entstandenen ersten Herren-Clubs eigen war, partiell mit der ↑Aufklärung.

Die Freimaurerei befand sich als egalitäre Gesellschaft im Widerspruch zum hierarchisch geprägten absolutistischen Staat (↑Absolutismus). Die ↑Religionsgemeinschaften interpretierten wiederum das nicht konfessionelle Religionsverständnis, wie es in den „Constitutions" angesichts der realen Situation Englands festgeschrieben worden war, als Frontstellung gegenüber kirchlichen Autoritäten (↑Autorität). Diese doppelte Frontstellung führte zu theologisch argumentierten ersten Verboten der Freimaurerei in Holland und Friesland (1735), in Genf, in Hamburg und in Schweden, im Osmanischen Reich und schließlich 1738 zur Bannbulle Papst Clemens XII. („In eminenti"), deren Umsetzung am Desinteresse der katholischen Regenten (Frankreich, Heiliges Römisches Reich, habsburgische Erblande) vorerst scheiterte.

Die Attraktivität dieser Zusammenschlüsse, in die 1731 Franz III. Stephan von Lothringen, 1737 der Prince of Wales Friedrich Ludwig und 1738 Friedrich von Preußen aufgenommen worden waren, beruhte gleichermaßen auf Spieltrieb und auf gesellschaftlicher Ambition. Das „gesellige 18. Jh." erblühte in den Logen, die sich zu einem guten Teil zu „↑Akademien", zu ausufernden „Ritterspielen" (Hochgrade), zu höfischen Tändeleien („Mopsorden"), zu studentischen „Orden", zu alchemistischen Versuchsstätten, zu „Tempeln" der Freundschaft und Netzwerkpflege wandelten, an denen sich v. a. Männer, aber zunehmend auch Frauen beteiligten und die auch Wichtigtuern, Hochstaplern und Betrügern (Karl Gottfried Freiherr von Hund, Samuel Rosa, Alexander Cagliostro, Johann Samuel Leucht) als Spielwiese dienten. Das Auswahlkriterium – aufgenommen wurde und wird man nur über den Vorschlag von Mitgliedern nach einem strengen Prüfungsverfahren – und die zunehmende Binnendifferenzierung beschleunigten eine Entwicklung, die als „masonry in a masonry" zu charakterisieren wäre, die harte aufklärerische Positionen (Illuminaten) ebenso bediente wie deren Gegenteil (Rosenkreuzer), um schließlich als Organisationsmodell in rein politische Zusammenschlüsse einzufließen (preußischer Tugendbund, Frankreichs Les Amis de la Verité und Charbonnerie, die italienische Carboneria etc.).

Komplexe politische und sozioökonomische Veränderungen wurden in ↑Verschwörungstheorien simplifiziert. Das Ende der alten Ordnung in der ↑Französischen Revolution wurde ausgehend vom populären Werk Augustin Barruels auf eine einfache Formel simplifiziert: Enzyklopädisten, F. und Illuminaten sind die Jakobiner. Auf der Basis dieser Formel entstand jene Trias der Drahtzieher der Revolution („Juden, F. und Jesuiten"), die bis in die Mitte des 20. Jh. politisch erheblich instrumentalisiert wurde. Der ↑Antimodernismus, der seit der Revolution konstitutiv für die ↑katholische Kirche war, prallte im 19. Jh. auf den zunehmend kämpferischen Antiklerikalismus liberaler Kräfte (↑Liberalismus), v. a. des romanischen Raumes, in dem sich unter Bruch mit dem englischen Verständnis eine durchaus politisch zu verstehende Freimaurerei entwickelte, die in Frankreich bis ins 20. Jh. als laizistische Plattform (↑Laizismus) sichtbar blieb und die im italienischen Risorgimento den weltlichen Herrschaftsanspruch des Papsttums (↑Papst) in Frage stellte. Die katholische Kirche reagierte mit einer Fülle von Verurteilungen und einem breit aufgestellten Antimasonismus, der in der „Anti-F.-Liga" kulminierte, ehe mit dem ↑Codex Iuris Canonici 1916 eine relative Versachlichung eintrat.

Die säkularisierten Erben (↑Säkularisierung) dieses Antimasonismus waren die totalitären Regime des 20. Jh. (↑Totalitarismus). Die kommunistischen Staatsführungen (↑Kommunismus) – mit Ausnahme von Kuba – interpretierten die Logen als bourgeoise Notablenversammlungen, während die semifaschistischen bis faschistischen Systeme (↑Faschismus) diese im Widerspruch zur propagierten Volksgemeinschaft sahen. Der ↑Nationalsozialismus setzte „F." mit „Juden" (↑Judentum) gleich, wiewohl gerade die altpreußischen Logen bis 1935 um Kollaboration bemüht waren und mit Hjalmar Schacht auch ein Regierungsmitglied stellten.

Die Rückkehr der ↑Demokratie in Westeuropa 1945 und der demokratische Neubeginn in Osteuropa 1989/90 ließ die Freimaurerei in ihren nationalen Eigenarten wiedererstehen. Konstitutiv blieb der Antimasonismus in rechtspopulistischen Kreisen, während in sozialdemokratischen Milieus Skandinaviens der bourgeoise ↑Habitus der schwedischen und norwegischen Logen als unvereinbar mit einer egalitären Gesellschaft gilt. In jenen islamisch dominierten Staaten, in denen es keine Trennung von Religion und Politik gibt oder in denen das laizistische Prinzip wie in der Türkei zunehmend in Frage gestellt wird, sind freimaurerische Zusammenschlüsse verboten oder werden äußerst negativ gesehen.

Der bereits in den 1920er-Jahren zu beobachtende zaghaft einsetzende Dialog zwischen einzelnen freimaurerischen Gruppierungen und Repräsentanten der katholischen Kirche führte während des ↑Zweiten Vatikanischen Konzils zu einer Neubeurteilung des Verhältnisses. Ausgehend von der Feststellung, dass es keine einheitliche Freimaurerei gibt, hielten die Diözesanbischöfe weltweit mit Ausnahme der Bischofskonferenz

Franco-Spaniens eine generelle Verurteilung der Freimaurerei für obsolet. Diese Position floss schließlich in die Codex-Reform 1983 ein.

Freimaurerei ist ein Sammelbegriff für eine durchaus differenzierte Landschaft von Vereinigungen, die sich als humanitärere, christliche oder aufklärerische Bünde auf die Tradition der englischen Logen von 1717 und deren „Constitutions" berufen. Die Logen sind stets Spiegel jener Gesellschaft, in der sie beheimatet sind, und sie sind dadurch auch ein Spiegel der Zeit, in der sie Bestand haben. Generell erheben sie den Anspruch einer moralischen Anstalt, die dem einzelnen Mitglied die Chance eröffnet, eingebettet in einen Initiationsritus und eine nicht dogmatisch fixierte Symbolwelt (↑Symbol), den Weg einer ethisch verantworteten Selbsterziehung zu gehen.

Literatur

E. Lennhoff/O. Posner/D. A. Binder: Internationales Freimaurerlexikon, 2006 • D. A. Binder: Die diskrete Gesellschaft, 2004 • Franc-Maçonnerie: Avenir d'une tradition, 1997 • H. Reinalter: Aufklärung und Geheimgesellschaften, 1996 • J. Rogalla von Bieberstein: Die These von der Verschwörung 1776–1945, 1992 • J. Hamill: The Craft, 1986 • R. Kosseleck: Kritik und Krise, 1976.   DIETER A. BINDER

Freisinnig-Demokratische Partei

Die Freisinnig-demokratische Partei, heute unter dem offiziellen Namen FDP. Die Liberalen, gehört der liberalen Parteifamilie Europas an. Im Unterschied zu den westeuropäischen Schwesterparteien vermochten die Schweizer Liberalen ihre einflussreiche Stellung im Parteien- und Regierungssystem seit dem 19. Jh. bis heute zu behaupten, allerdings verloren sie nach der Einführung des Proporzwahlrechts 1919 ihre prädominante Position. Trotzdem können die FDP-Liberalen weiterhin Stimmanteile erreichen, die eine Regierungsbeteiligung erlauben: wie zu Beginn des 21. Jh. (Nationalratswahlen 2015: 16,4%) mit zwei Sitzen in der siebenköpfigen Bundesregierung, die in der Schweiz den Namen Bundesrat trägt.

Die Vorläufer der FDP reichen wie die der Christdemokraten (↑CVP) in die 1830er und 1840er Jahre zurück. 1878 bildete sich in der Bundesversammlung die „radikal-demokratische" Fraktion, 1894 wurde auf Bundesebene die „FdP der Schweiz" konstituiert. Als einflussreiche Gründerpartei des Bundesstaates von 1848 stellte die FDP während des 19. Jh. ein Sammelbecken für verschiedene Richtungen des nationalen und demokratischen ↑Liberalismus dar (radikaldemokratische Linke, wirtschaftsfreundliche Liberale, liberal-konservative Mitte).

Von 1848 bis zum Ersten Weltkrieg hatte die FDP auf Bundesebene in Parlament und Regierung die absolute Mehrheit inne, die sie schrittweise von 1919 bis 1960

abgeben musste. Im Zuge der Industrialisierung der ↑Schweiz verloren die Freisinnigen zunächst einen Teil ihrer Anhänger an die ↑Sozialdemokratische Partei der Schweiz (SP), am Ende des Ersten Weltkrieges auch an die neu gegründete Bauern-, Gewerbe- und Bürgerpartei (BGB). Aus den Reihen der um 1900 ausgedünnten liberalen Mitte-Partei formierte sich eine liberale Kleinpartei unter dem Namen Liberal-demokratische Partei der Schweiz (LPS), die nach 1945 rund 2–3% des Wähleranteils besonders in der französischen Schweiz auf sich vereinen konnte. Erst 2009 fusionierte diese Kleinpartei mit der FDP unter dem neuen Namen FDP. Die Liberalen und brachte ihr leichte Verstärkung.

In der Zeit von 1919 bis in die 80er Jahre des 20. Jh. wechselten sich die Sozialdemokraten und die Freisinnigen als wählerstärkste Partei mit rund 23–25% ab. In den 1990er Jahren begann unter dem Banner der Migrations- und Europathemen der Aufstieg der nationalkonservativen ↑Schweizerischen Volkspartei (SVP), womit die alte Traditionspartei FDP (wie die CVP) unter die 20%-Marke sank.

In der siebenköpfigen Landesregierung sind die Radikal-Liberalen seit 1848 ohne Unterbrechung vertreten. 1891 räumte die radikal-liberale Parlamentsmehrheit den bisher oppositionellen Christdemokraten (damals: Katholisch-Konservative, später Konservative Volkspartei, heute Christlichdemokratische Volkspartei CVP) erstmals einen Regierungssitz ein. Nach dem Verlust der absoluten Mehrheit im Parlament 1919 bildete sich 1929 unter der Führung der FDP eine „Bürgerblock"-Regierung mit vier Regierungsmitgliedern der FDP, zwei der CVP und einem Regierungsmitglied der Bauernpartei. 1943 traten die Sozialdemokraten in die Landesregierung ein, womit die FDP erstmals die absolute Regierungsmehrheit im Bundesrat verlor, der sie im Parlament schon 1919 verlustig gegangen war. Seit 1959 besteht eine Allparteien-Koalitions-Regierung, die auf Grund einer freiwilligen Proporzformel die vier größten Parteien zur sogenannten „Konkordanz" vereinigt. 2015 setzte sich diese Bundesregierung aus zwei Vertretern der FDP, zwei der SPS, zwei der SVP und einem Vertreter der CVP zusammen.

In der Parteienlandschaft nimmt die FDP seit der Mitte des 20. Jh. eine bürgerliche wirtschaftsliberale Mitte-Rechts-Stellung ein. In wirtschafts- und sozialpolitischen Fragen vertritt sie konsequent die ↑Interessen der Wirtschaft und der Arbeitgeber, sie kämpft im Namen der liberalen ↑Freiheit gegen zu viel Regulierung und vertritt bei gesellschaftspolitischen Themen progressive Positionen. Wie die anderen großen Parteien ist die FDP in allen vier Sprachgebieten verankert. Als der Wirtschaft nahe stehenden Volkspartei hat die FDP einen überproportionalen Anteil bei den mittleren und höheren Kadern der privaten Unternehmen und des öffentlichen Sektors. Konfessionell ist die FDP gemischt (protestantisch und katholisch) mit einem hohen Anteil von Konfessionslosen.

Als *Grand Old Party* der Schweiz zehrt die FDP im 21. Jh. weiterhin von den gesellschaftlich-politischen Macht- und Einflusspositionen, die sie bis in die 70er Jahre des 20. Jh. innegehabt hat. Stärker als die Christdemokraten ist sie mit den tonangebenden Kreisen der Wirtschaft, der Banken, der Bundesverwaltung und der Armee verbunden. Mit der NZZ steht ihr ein Blatt mit internationalem Ansehen nahe. Als Gründerpartei von 1848 identifiziert sie sich stark mit den bestehenden Institutionen in Staat und Gesellschaft, was ihr trotz der liberalen Grundhaltung eine staatskonservative Note verleiht. Ihre kontinuierliche Regierungsteilnahme seit 1848 stellt ein europäisches Unikum dar.

Literatur

A. Cassidy/P. Loser: Der Fall FDP. Eine Partei verliert ihr Land, 2015 • O. Meuwly/O. Mazzoleni: Die Parteien in Bewegung. Nachbarschaft und Konflikte, 2013 • H. Strebel: „Darum Freisinnige, vereinigt euch!" Vom Volksverein zur FDP: Die Liberalen 1910–2010, 2010 • O. Meuwly: L'unité impossible. Le parti radical-démocratique suisse à la Belle Epoque 1891–1914, 2007 • P. Manent: Les libéraux, ²2001 • E. Dietschi: 60 Jahre eidgenössische Politik, 1979 • E. Gruner: Die Parteien der Schweiz, ²1977.   URS ALTERMATT

Freiwilligenarbeit

F. wurde als beschreibender Oberbegriff für Tätigkeiten gewählt, die i. d. R. zugunsten der Gesellschaft und nicht im Rahmen klassischer Erwerbsarbeit erbracht werden. Aufgrund von Begriffstraditionen sowie gesellschaftlichen und politischen Deutungen werden im Text für das Phänomen der F. die Begriffe „Ehrenamt", „Engagement", „bürgerschaftliches Engagement", „Freiwilligentätigkeit" etc. genannt, die in ihrem je eigenen Kontext stehen und daher nicht umbenannt werden sollen.

1. Historische Verankerung

Durch die Preußische Städteordnung von 1808 wurde die kommunale ↑Selbstverwaltung in Deutschland begründet, die die Beteiligung des Bürgertums (↑Bürger, Bürgertum) an der Verwaltung der lokalen Angelegenheiten vorsah – als Recht, aber auch als Pflicht: Um Effizienz und Effektivität zu steigern, sollten „Ehrenmänner"Aufgaben in der Verwaltung übernehmen. Ausgewählten Honoratioren kam die Ehre eines Amtes zu, zu der sie – wie heute noch im Falle von Schöffen – unentgeltlich verpflichtet wurden. Nicht nur mit Blick auf Verwaltungstätigkeiten, sondern auch im Bereich der Armenhilfe gab es ab 1850 ein gewissermaßen staatlich strukturiertes und verordnetes System, in dem Ehrenamtliche dezentral Aufgaben der Armenhilfe übernahmen (Elberfelder Modell). Das Ehrenamt in Deutschland ist damit aus einer staatlichen Logik heraus entstanden und weniger als bürgerschaftliche Eigeninitiative zur Selbstorganisation, war somit Teil staatlichen Handelns und nicht ein dem Staat gegenüberstehendes Mitgestalten.

Da es bei den genannten Tätigkeiten immer um die Selbstverwaltung und Aufgaben im sozialen Nahraum ging, ist die Entstehung des Ehrenamtes zudem eng mit der Lokalgemeinschaft verbunden. Eine wichtige Rolle spielt dabei der ↑Verein als Organisationsform, in der heute etwa die Hälfte aller freiwillig Tätigen organisiert ist. Er ist Ausdruck eines Vereins- und Versammlungsrechts, das sich die Bürger Ende des 18./Anfang des 19. Jh. erstritten haben und 1848 in der Reichsverfassung festgeschrieben wurde, allerdings mit Auflagen, um das politische Engagement, v. a. bestimmter Bevölkerungsgruppen, auch wieder begrenzen zu können. Diese Entpolitisierung fördert die Entstehung des bürgerlichen Idealvereins in der heutigen Form, in dem vielfältige Interessen in Gemeinschaft organisiert und gelebt werden.

Durch die neuen ↑sozialen Bewegungen entstand zusätzlich ein bürgerschaftliches Engagement, das potenziell regierungskritisch und durch Anliegen der ↑Zivilgesellschaft bestimmt war. In der Zeit des sozialen Abbaus und durch das Aussetzen des Wehrdienstes (und damit des Zivildienstes) hat sich der Fokus auf das Ehrenamt verstärkt. Durch Naturkatastrophen wie z.B. das Hochwasser in Passau 2013 oder aber auch durch die hohe Zahl von seit 2015 nach Deutschland geflüchteten Menschen wurde eine überwältigende Anzahl von Ehrenamtlichen tätig. Die Kraft der Zivilgesellschaft wurde in diesem Zusammenhang in Gesellschaft und Politik deutlich, die dadurch und durch seine Förderung bedingten Veränderungen in den Strukturen der F. sind noch nicht absehbar.

2. Definition

Eine 1999 durch den Deutschen Bundestag eingesetzte Kommission sollte das ehrenamtliche Engagement der Bürger in Deutschland beschreiben. „Ehrenamt" wurde sowohl im Auftrag als auch im Bericht als „Bürgerschaftliches Engagement" (B. E.) bezeichnet, da die Bürgergesellschaft und ihre Werte als Bezugsrahmen dienen sollten. Als Schüsselwerte der Bürgergesellschaft werden Freiwilligkeit, Teilhabe/Mitgestaltung und ↑Verantwortung erachtet. Als gemeinsame Definition konnte sich die Enquete-Kommission darauf einigen, dass unter B.m. E „ein freiwilliges, gemeinwohlorientiertes und nicht auf materiellen Gewinn ausgerichtetes Engagement zu verstehen" sei (Drs. 14/8900: 333), die Tätigkeit ist öffentlich und wird i. d. R. gemeinschaftlich/kooperativ ausgeübt. Der erste Engagementbericht der Bundesregierung hat diese Definition konkretisiert und B. E. einerseits als freiwillige Mitverantwortung und andererseits als Bürgerpflicht gegenüber dem Gemeinwesen bezeichnet. Zudem wurde die Unentgeltlichkeit relativiert, der Nutzen des Engagements unterstrichen und die Partizipation als „neue Formen der Regelfindung" (BMFSFJ 2012: 10) eingeschlossen. Im Kontrast dazu unterstreicht der zweite Engagementbericht die Vielfalt des Engagements, seine Bedeutung für die Kommunen und seine Freiwilligkeit im Sinne einer ↑Tugend. Der Freiwilligensurvey unterscheidet zwischen gemeinschaftlich ausgeübten Aktivitäten und freiwilligem Engagement. Während gemeinschaftlich Aktive an zivilgesellschaftlichen Aktivitäten teilnehmen, kennt das Engagement konkrete, z.B. organisatorische Aufgaben und Tätigkeiten.

Als Engagementformen bezeichnet Annette Zimmer unter Bezugnahme auf die Enquetekommission B.E. „im weitesten Sinn als ‚Spenden von Ressourcen: Zeit, Geld, Know-how' […], und zwar im Dienst des Gemeinwohls sowie der Vertiefung und Weiterentwicklung von Demokratie und aktiver staatsbürgerlicher Beteiligung. Im Einzelnen handelt es sich um:

a) die einfache Mitgliedschaft sowie die aktive Mitarbeit in Leitungs- und Führungsaufgaben in Vereinen, Verbänden, Gewerkschaften sowie politischen Gremien,

b) die freiwillige unbezahlte Mitarbeit in karitativen oder gemeinwohlorientierten Einrichtungen, wie etwa in Krankenhäusern, Schulen, Museen oder Bibliotheken,

c) die verschiedenen Formen direkt-demokratischer Bürgerbeteiligung, wie etwa im Rahmen von Volksbegehren oder Volksentscheiden, sowie schließlich auch

d) die Beteiligung an Protestaktionen im Rahmen der Bürgerinitiativbewegung oder auch der neuen sozialen Bewegungen, wie etwa der Ökologie-, Anti-Atomkraft- oder Frauenbewegung […]" (Zimmer 2007: 96 f.).

Der zweite Engagementbericht hat den Engagementbegriff im Vergleich zur Beschreibung durch die Enquetekommission stark geweitet und zwischen Dimensionen von z.B. Bewahrung und Wandel, Geselligkeit und der Verfolgung sozialer Anliegen, formell organisiertem und informellem Engagement aufgespannt. Der Begriff bleibt somit schillernd.

Auch die normative Deutung des Begriffs fällt schwer. Der Freiwilligensurvey stellt fest: „In der öffentlichen Debatte wird freiwilliges Engagement als eine der zentralen Formen gesellschaftlicher Partizipation überwiegend positiv bewertet, da es zum Zusammenhalt der Gesellschaft beitragen, die Demokratie weiterentwickeln und innovative Problemlösungen hervorbringen kann […]" (zit. n. BMFSFJ 2016: 26). Die bedeutsame Abgrenzung des Begriffs B.E. von „unzivilem" Engagement ist der Enquete-Kommission nur insoweit gelungen, als man das Engagement im Rechtsextremismus als negativ wertet. Weitere Abgrenzungen folgen im Ersten und Zweiten Engagementbericht, in letzterem werden der Zivilgesellschaft die Grundprinzipien eines demokratischen Gemeinwesens zugeordnet, zu denen Respekt, Offenheit, ↑Menschenrechte und ein ziviler Umgang mit Konflikten gehören. Auf dieser Grundlage seien auch klare Regeln und Abgrenzungen zu unzivilem und nicht förderungswürdigem Engagement erforderlich.

Fazit ist jedoch: „Es existiert kein gemeinsam geteiltes Verständnis von Zivilgesellschaft, Drittem Sektor und bürgerschaftlichem Engagement in der *scientific community*" (ZiviZ 2013: 8).

3. Verwurzelung in der Zivilgesellschaft

Ottfried Höffe rechnet das Engagement für und in der Gesellschaft zu den Bürgertugenden, die die demokratischen Institutionen ergänzen und Bürger zu mündigen Bürgern machen. Bürgertugenden verwirklichen das Recht auf politische Mitgestaltung und nehmen damit den öffentlichen Gewalten die Obrigkeitsstaatlichkeit. Die Konzepte der Bürgergesellschaft kommen ohne Engagement und ↑Partizipation der Bürger nicht aus: Für Erhalt und Weiterentwicklung der ↑Demokratie ist eine lebendige Zivilgesellschaft erforderlich, die zur Selbstverwaltung beiträgt und ihre Anliegen verfolgt. Dieser Ansatz ist vielfältigen Herausforderungen ausgesetzt und muss immer wieder auf staatliche Institutionen bezogen werden. Vor diesem Hintergrund kennt der Diskurs um das Ehrenamt auch kritische Stimmen. So darf das Ehrenamt nicht zum „Reparaturbetrieb" und der Bürger nicht zum Ausfallbürgen staatlichen Handels werden. Ebenso wenig darf es durch Eliten beherrscht werden, die sich besser artikulieren können oder mehr Zeit haben oder durch Stiftungen mit hohem Stiftungsvermögen durchgesetzt werden. Auch vor einer Überforderung der Zivilgesellschaft und unrealistischen Erwartungen wird gewarnt.

4. Das bürgerschaftliche Engagement in Deutschland

Seit 1999 gibt die Bundesregierung den alle fünf Jahre erhobenen Freiwilligensurvey in Auftrag. Der vierte Bericht von 2016 weist aus, dass im Jahr 2014 43,6 % der deutschen Bevölkerung ab 14 Jahren bürgerschaftlich engagiert war. Damit ist die Engagementquote seit der ersten Welle 1999 um insgesamt knapp 10 % angestiegen. Gleich geblieben ist über die 15 Jahre, dass Männer stärker engagiert sind als Frauen (45,7 zu 41,5 %), wobei der Unterschied im Laufe der Jahre geringer geworden ist. Mit Blick auf die Altersgruppen engagieren sich Menschen zwischen 14 und 49 Jahren am stärksten und Personen über 65 Jahren am wenigsten. Zu beachten ist, dass der Bildungsunterschied sich ausgeweitet hat und das Engagement von Freiwilligen mit hoher Bildung stärker gestiegen ist als das Engagement von Personen mit geringerer formaler Qualifikation. Aber auch die ↑berufliche Bildung und eine positive finanzielle Situation sind ausschlaggebend für das Engagement. Der Engagementbereich „Sport und Bewegung" weist den höchsten Anteil an ehrenamtlich Tätigen auf (16,3 %), wobei in den meisten Engagementbereichen das Engagement in den 15 Jahren seit 1999 gestiegen ist. Darüber hinaus gibt es eine große Bereitschaft, sich in Zukunft zu engagieren: Mehr als 50 % der Menschen ohne Engagement sind dazu bereit. Neben dem formalen Engagement gibt es in Deutschland auch informelle Unterstützung im sozialen Nahraum: etwa zwei Fünftel der Wohnbevölkerung im Alter ab 14 Jahren erbringt Hilfeleistungen für Nachbarn, Freunde und Bekannte. Auch wenn die Menschen vielfältig tätig sind, nimmt die für die freiwilligen Tätigkeiten aufgewendete Zeit im Untersuchungszeitraum 1999–2014 ab. Allerdings übt ein Drittel aller Engagierten ihre freiwillige Tätigkeit seit mehr als zehn Jahren aus. Die ehrenamtlich Tätigen engagieren sich in erster Linie aus Freude am Engagement, andere Motive sind die Begegnung mit anderen Menschen und die Möglichkeit, die Gesellschaft mitzugestalten. Auf dem Land engagiert man sich stärker als in Städten und in Regionen mit niedriger Arbeitslosigkeit ist das Engagement höher als in Regionen mit hoher Arbeitslosigkeit.

Von Stiftungen finanziert wird die ZiviZ-Studie (Zivilgesellschaft in Zahlen), die seit 2012 Zahlen von gemeinnützigen Organisationen erhebt. Nach dieser Studie sind etwa zwei Drittel der Ehrenamtlichen in einer Drittsektor-Organisation tätig, d. h. z. B. in einem Verein, einem ↑Verband, einer Stiftung. Thomas Olk sieht einen Wandel vom alten zum neuen Ehrenamt: Die freiwillig Tätigen wollen sich lieber weniger in Strukturen, eher projekthafter und ihrem persönlichen Interesse folgend engagieren.

5. Förderung des bürgerschaftlichen Engagements

Seit der Enquetekommission gibt es keine politische Partei, die die Förderung des Engagements nicht für bedeutsam halten würde. Dementsprechend wird Engagement zwar auf allen politischen Ebenen, aber mit unterschiedlicher Intensität und Schwerpunktsetzung gefördert. Auf der Bundesebene sorgen die Veröffentlichungen der in Auftrag gegebenen Studien (Enquetekommission, Freiwilligensurvey, Engagementberichte) für große Verbreitung und Resonanz des Themas. Zugl. wird das Engagement als Querschnittsthema in vielen Bereichen der Politik berücksichtigt. Explizit werden Freiwilligendienste gefördert, aber auch eine Vielzahl von (zunehmend kommunalen) Projekten, die Ehrenamtliche einbeziehen. Auch die Bundesländer fördern Engagement, wobei jedes Land seinen eigenen Ansatz verfolgt. Es gibt auf Länderebene Landesnetzwerke für B. E., Ehrenamts-Karten und Ehrenamts-Nachweise, einen subsidiären Versicherungsschutz, Datenbanken und Internetportale zur Information über B. E., wissenschaftliche Studien, Projekte etc. Auf der kommunalen Ebene werden Strukturen zur Engagementvermittlung (Freiwilligenagenturen, Koordinierungszentren etc.) unterstützt, Räume für ehrenamtliche Aktivitäten bereitgestellt, Netzwerke gegründet und Projekte gefördert.

↑Wohlfahrtsverbände bemühen sich ebenfalls um die Ehrenamtlichen, die eine wichtige Unterstützung ihrer Arbeit darstellen. Unternehmen fördern das Engagement durch die Freistellung von Mitarbeiterinnen und Mitarbeitern, aber auch durch ↑Spenden und Sachmittel, die Projekte in der Kommune ermöglichen. Einige Stiftungen haben sich die Förderung von B.m. E. zum Ziel gesetzt oder auch von sozialen Projekten, die ehrenamtliche Tätigkeiten beinhalten. Auf kommunaler Ebene gibt es Freiwilligenagenturen, die entweder im Landkreis oder in der Stadt bzw. Gemeinde angesiedelt

sind. Träger können Kommunen, aber auch Wohlfahrtsverbände oder Vereine sein. Die Freiwilligenagenturen vermitteln Interessierte in ein B. E., machen auf das Thema B. E. in der Stadtgesellschaft aufmerksam, vernetzen Engagementwillige und Organisationen und verfolgen auch eigene Projekte. Die „Bundesarbeitsgemeinschaft der Freiwilligenagenturen" ist der Dachverband der Freiwilligenagenturen und -zentren und unterstützt diese durch gemeinsame Projekte, Information und Fortbildung. In einigen Ländern gibt es solche Zusammenschlüsse auch auf Landesebene.

Darüber hinaus gibt es Kommunen mit einer starken Vereinsförderung und Initiativen zur Förderung von Engagement und Partizipation. Die Bedeutung und Ausprägung des Ehrenamts ist in den Kommunen jedoch sehr unterschiedlich. Die Tatsache, dass Engagement ein Querschnittsthema ist, welches in verschiedenen Ressorts der Verwaltung aufgenommen wird, macht die Koordination oft schwierig oder relativiert die Bedeutung des Themas.

6. Aktuelle Entwicklungen in der Freiwilligenarbeit

Die Engagementszene in Deutschland verändert sich u. a. dadurch, dass sich zwar mehr Menschen engagieren, aber für kürzere Zeit und dass sie sich zunehmend für Bereiche interessieren, die für sie persönlich, ihre Lebensumstände oder ihr Fortkommen von Bedeutung sind. Neben den Entwicklungen in der strukturellen Förderung des Engagements gehören zu den aktuellen Trends die Bezahlung des Ehrenamts, der Einsatz von Engagement als systematisch eingesetztes Instrument des informellen Lernens und das Engagement von Unternehmen und ihren Mitarbeitern. Durch diese Trends entsteht ein institutionalisiertes Engagement, das sich in manchen Bereichen auch auf die Zusammenarbeit von in sozialen Organisationen hauptamtlich Tätigen und den Freiwilligen auswirken kann. Zum einen erfordert der Einbezug von Freiwilligen hauptamtliche Unterstützung sowie die wechselseitige Anerkennung der unterschiedlichen Logiken des Tätigseins, zum anderen übernehmen Freiwillige auch Tätigkeiten, die den Hauptamtlichen vorbehalten waren, wodurch es zu Veränderungen in der Selbstwahrnehmung der Hauptamtlichen und ihren Berufsbildern kommen kann.

6.1 Monetarisierung

Unter Monetarisierung versteht man die Bezahlung freiwilligen Engagements. Die Bezahlung ist zu unterscheiden von einem Auslagenersatz, der die Kosten, die Freiwilligen während ihres Engagements entstanden sind (Porto, Fahrtkosten etc.), pauschal oder durch Abrechnung ersetzt. Die Monetarisierung des Ehrenamts hat im Bereich Tradition, wo das Ehrenamt Teil staatlichen, demokratisch verfassten Handelns ist, z. B. bei Schöffen oder im Katastrophenschutz. Grundsätzlich war die Unentgeltlichkeit des Engagements jedoch Forderung von Wohlfahrtsverbänden und Politik und Teil der Definition von B. m. E. Seit etwa zehn Jahren setzt die Förderung von Engagement entgegen dieser Sprachregelungen in einigen Programmen auf die Finanzierung von Engagement. Gerade mit Blick auf die Pflege älterer Menschen sehen z. B. die Pflegekassen die Bezahlung niedrigschwelliger Dienstleistungen vor (§ 45d SGB XI), die von Ehrenamtlichen erbracht werden. Aber auch die Aufstockung der Übungsleiter- oder der Ehrenamts-Pauschale verweist auf Monetarisierung. Gerade dort, wo Ressourcen knapper werden, werden Ehrenamtliche mit lohnähnlichen Geldzahlungen für klar beschriebene „Arbeitsplätze" von Wohlfahrtsverbänden und Kommunen geworben.

Monetarisierung ist ein schwer greifbares Phänomen, da – vielleicht aufgrund voneinander abweichender oder nicht klar definierter Begriffe bei der Befragung – wissenschaftliche Befunde stark voneinander abweichen. Der Freiwilligensurvey 2014 geht davon aus, dass 10 % aller dort erfassten Freiwilligen einem bezahlten Engagement nachgehen, während eine Untersuchung des DW (2012) die Monetarisierung der Freiwilligen in seinen Einrichtungen auf 37 % beziffert. Staatlicherseits gibt es keine Anzeichen, dass man Monetarisierung eingrenzen möchte, während die Wohlfahrtsverbände ob dieser Entwicklungen alarmiert sind. Problematiken, die in diesem Zusammenhang diskutiert werden, sind die Gefahr einer Deprofessionalisierung der ↑Sozialen Arbeit sowie dem Ersatz von Hauptamtlichen durch Freiwillige, das Unterlaufen des Mindestlohns, die Vermischung von Erwerbsarbeit und Engagement, ↑Ökonomisierung des Engagements und damit der Verlust des Eigensinns im freiwilligen Engagement. Lösungsversuche zur Klärung des Phänomens liegen im Moment in der trennscharfen Abgrenzung von Tätigkeiten mit und ohne Bezahlung. Umfassende wissenschaftliche Untersuchungen stehen noch aus.

6.2 Service Learning

Da B. E., einerseits mit dem Erwerb von Sozialkompetenzen in Verbindung gebracht wird, Studien zeigen, dass Engagement aus Kinder- und Jugendzeiten sich im Alter fortsetzen und B. E. demokratische Werte fördert, entstand die Idee, Kinder und Jugendliche in der Schule und Studierende an Hochschulen und Universitäten für ein Engagement zu gewinnen. Einige Schulen integrieren F. fest in ihr Curriculum, und auch an Hochschulen und Universitäten gibt es Anreize für ein Engagement. Junge Menschen werden oft mit dem Hinweis für ein Engagement geworben, dass dieses ihre Sozialkompetenz schule und entspr.e Nachweise im Lebenslauf wertvoll wären. Im Gegensatz zu den USA ist der Forschungsstand zu den Wirkungen von *Service Learning* noch gering, man geht jedoch von positiven Effekten auf die Jugendlichen aus. Es zeigt sich jedoch, dass die Projekte und ihre Art der Begleitung sowie die Altersstufen weit gefächert sind, so dass allg.e Aussagen schwierig zu treffen sind.

Festzustellen ist, dass junge Menschen sich ihr Engagement gern bescheinigen lassen, um bei Bewerbungen an weiterführenden Schulen oder Hochschulen und bei potenziellen Arbeitgebern einen Vorteil zu erlangen. In diesem Zusammenhang weist die Sachverständigenkommission zum Zweiten Engagementbericht in ihrem Executive Summary auf die Gefahr der Instrumentalisierung des Engagements hin.

6.3 Corporate Citizenship

Das Engagement von Unternehmen hat Tradition im Mäzenatentum; es wurde durch die Forderung von mehr Unternehmensverantwortung seit den 1970er Jahren verstärkt. Unternehmen betätigen sich als Spender und als Sponsoren, aber auch als Partner in sektorübergreifenden Kooperationen, der die Zeit seiner Mitarbeiter, bes. Kompetenzen und Sachmittel, zur Verfügung stellt. Im Rahmen der Berichterstattung zur Unternehmensverantwortung wird der Bezug des Unternehmens zur Gesellschaft beleuchtet, wodurch sich die Unternehmen auch zum Engagement verpflichtet fühlen.

Literatur

BMFSFJ: Zweiter Engagementbericht. Demografischer Wandel und bürgerschaftliches Engagement: Der Beitrag des Engagements zur lokalen Entwicklung, 2017 • BMFSFJ: Freiwilliges Engagement in Deutschland. Zentrale Ergebnisse des Deutschen Freiwilligensurveys 2014, 2016 • H. Reinders: Theoretische Überlegungen und empirische Studien zu Lernen durch Engagement, 2016 • M. Wegner: Monetarisierung, in: Deutscher Verein für öffentliche und private Fürsorge e. V. (Hg.): Fachlexikon der sozialen Arbeit, ⁸2016, 592 f. • ZiviZ (Hg.): Ziviz-Survey 2012: Zivilgesellschaft verstehen, 2013 • BMFSFJ: Erster Engagementbericht 2012. Für eine Kultur der Mitverantwortung. Engagementmonitor 2012, 2012 • R. Roth: Bürgermacht. Eine Streitschrift für mehr Partizipation, 2011 • I. Bode/A. Evers/A. Klein (Hg.): Bürgergesellschaft als Projekt, 2009 • T. Klie/P. Stemmer/M. Wegner: Untersuchung zur Monetarisierung von Ehrenamt und Bürgerschaftlichem Engagement in Baden-Württemberg im Auftrag des Ministeriums für Arbeit und Soziales Baden-Württemberg, 2009 • H. Klages: „Lebendige Demokratie" als Ziel der Bürgergesellschaft – Was trennt uns hiervon? Wie kommen wir hin?, in: D. Dettling (Hg.): Die Zukunft der Bürgergesellschaft, 2008, 180–190 • A. Zimmer: Vom Ehrenamt zum Bürgerschaftlichen Engagement. Einführung in den Stand der Debatte, in: L. Schwalb/H. Walk: Local Governance – mehr Transparenz und Bürgernähe?, 2007, 95–108 • H. Münkler: Was bewegt die Zivilgesellschaft, und wohin führt das?, 2006 • C. Sachße: Traditionslinien bürgerschaftlichen Engagements in Deutschland, in: APuZ 52/9 (2002), 3–5 • O. Höffe: Demokratie im Zeitalter der Globalisierung, 1999 • T. Olk: Soziale Dienste im Wandel, Bd. 1, 1987.   MARTINA WEGNER

Freizeit

Der Begriff F. tauchte urspr. im Mittelalter auf, allerdings mit völlig anderer Bedeutung. *Freyzeit* meinte damals „Marktfriedenszeit" und stellte Händler und Käufer, die zu Märkten und Messen reisten, unter bes.n Schutz. Wurden sie überfallen, mussten die Täter mit dem doppelten Strafmaß rechnen. Im 18. Jh. wurde der Begriff „F." für kirchliche Bildungszeiten (v. a. zur inneren Einkehr der Jugend) verwendet. Im heutigen Verständnis kam der F.-Begriff Mitte des 19. Jh. auf und wurde um 1880 erstmals in einem Lexikon definiert. Seither wird F. als Gegensatz zur (Erwerbs-)Arbeit verstanden, bevor sich in den letzten Jahrzehnten F. als eigenständige Sphäre etabliert hat, die nicht nur als Gegensatz zu ↑Arbeit verstanden wird, sondern eine eigene Logik entfaltet.

1. Begriffliches

Grundsätzlich lassen sich negative von positiven F.-Definitionen unterscheiden. Die negativen Definitionen nehmen ein Zeitbudget von z. B. 24 Stunden oder 365 Tagen und ziehen davon alle mehr oder minder festgelegten Zeitmengen ab und nennen die Restzeit F., also eine Residualkategorie, die durch Rechenoperationen objektiv erscheint. Positive F.-Definitionen fragen nach dem Sinn der jeweiligen Zeitmenge und kommen dann zu eher subjektiven Entwürfen wie „F. als Zeit selbstbestimmten Handelns" oder als „Zeit, um die eigenen Fähigkeiten und Bedürfnisse zur Entfaltung zu bringen", in bes. anspruchsvollen Versionen wird auch das antike Muße-Ideal bemüht, welches in Europa vom aufkommenden Bürgertum (↑Bürger, Bürgertum) des 18. Jh. wiederentdeckt wurde und seither zu einer ideologischen Befrachtung der F.-Problematik führt (Muße strebt nach höherer Entwicklung, F. ist oft nur Erholung oder Zeitverbringung ohne höheren Sinn). Andere F.-Definitionen orientieren sich an der Erwerbsarbeit. Bis vor wenigen Jahrzehnten überwogen Vorstellungen, nach denen F. entweder als Gegensatz zur Arbeit oder vielfach als Fortsetzung der Erwerbsarbeit mit anderen Mitteln anzusehen sei. So wurde F. als notwendig für die physische und gesellschaftliche Reproduktion der Arbeitskraft begriffen und zugl. wurde festgestellt, dass sich Erfahrungen aus der Arbeit in die F. hinein verlagerten. Solche Definitionen verlieren aber ihre Kraft, weil Erwerbsarbeit rückläufig ist. So sind in vielen europäischen Ländern weniger als zwei Fünftel der Bevölkerung überhaupt noch erwerbstätig und für jene, die einer Erwerbsarbeit nachgehen können, schrumpft wegen verlängerter Bildungs- und Rentenzeiten die Erwerbsphase auf etwa 30 Jahre (im 19. Jh. 50 Jahre). Arbeitslosigkeit, Krankheiten, Behinderungen, aber auch ↑Armut und Reichtum halten immer mehr Menschen von Erwerbsarbeit fern und das Beschäftigungssystem benötigt in Zukunft immer weniger Menschen. Daher lösen sich jüngere F.-Definitionen vom Arbeitsbezug. So wurde F. als Freisein von zentralen Rollenzwängen definiert, wobei solche Zwänge neben dem Beruf v. a. aus Eltern- oder Staatsbürger-Rollen resultieren, für Kinder und Jugendliche kommen Bildungsaufgaben und für alle die notwendigen Aufgaben wie Schlafen, Essen, Hygiene, Information, Fortpflanzung etc. hinzu.

So setzt sich heute ein F.-Begriff durch, der sich nicht mehr zentral an Arbeit oder Rollenzwängen ausrichtet, sondern ↑Zeit als wichtige Dimension in den Mittelpunkt rückt. Zeit ist nicht länger starr, sondern flüssig geworden, wenn z. B. klare Abgrenzungen zwischen Tag und Nacht durchlässig werden, wenn auch zwischen Werktagen und Wochenenden strikte Trennungen wegfallen oder wenn nach der verdichteten und beschleunigten Arbeit Phasen der Zeitlosigkeit gesucht werden (Rund-um-die-Uhr-Gesellschaft.).

2. Historische Entwicklungen

In der griechischen und römischen Antike entfaltete sich das Ideal der Muße, die nicht als Gegensatz zur Arbeit begriffen wurde, sondern als Zeit der persönlichen und gesellschaftlichen Entwicklung im Sinne einer politischen Befähigung galt. Muße war positiv konnotiert, während Arbeit negativ belegt war. Im Griechischen bedeutete *scholé* Muße, während die Negation *ascholía* für Arbeit der freien Menschen stand und der Begriff *pónos* die Last der Unfreien meinte. Bei den Römern stand der Begriff *otium* für Muße, die Verneinung *negotium* stand für Arbeit. In beiden Fällen gilt die Muße als anzustrebendes Ideal. Die Verwendung der Zeit fand oft in der Öffentlichkeit statt: Theater, Wettkämpfe, Musik, öffentliche Darbietung von Politik und Gerichtsbarkeit, Bäder und Kneipen.

Mit dem Niedergang der Antike geriet ein solches Verständnis in Vergessenheit, weil sich in Europa unter dem Einfluss des ↑Christentums Arbeit als zentraler Lebenssinn durchsetzte (Protestantische Ethik, Calvinismus). Mit dem ↑Kolonialismus wurde solches Verständnis auch in viele andere Teile der Welt gebracht, die zuvor andere kulturelle Vorstellungen pflegten, in denen Arbeit nicht zwangsläufig im Mittelpunkt stand, sondern Zeit oft mit religiösen oder kulturellen Mustern belegt war. Teilweise haben sich solche Muster nach der Entkolonialisierung bis heute erhalten oder neu entwickeln können.

Im Mittelalter verbrachten gesellschaftliche Unterschichten ihre knappe freie Zeit mit Ballspielen, Singen, Tanzen, Feiern meistens im Freien, da die künstliche Beleuchtung der Wohnungen schwierig war. Das aufkommende Bürgertum genoss vermehrt Literatur, Theater, Musik und Spiele und traf sich oft in den Einrichtungen einer räsonierenden ↑Öffentlichkeit (z. B. Clubs, Kaffeehäuser). Der ↑Adel stellte sich hingegen in der repräsentativen Öffentlichkeit durch Turniere, Feste, Kriege oder Darbietungen gegenüber einer weitgehend illiteraten Öffentlichkeit dar. Nachdem in manchen Regionen Europas mehr als 100 Feiertage (zusammen mit den Sonntagen und gelegentlich auch Samstagen waren in manchen Landstrichen fast 200 Tage arbeitsfrei) abgeschafft wurden, konnte die Industriearbeit bis etwa 1880 kontinuierlich ausgeweitet werden und betrug in vielen Branchen bis zu 16 Stunden am Tag und das sieben Tage die Woche und 365 Tage im Jahr, bis der

Mensch irgendwann starb. Seit Mitte des 19. Jh. wurde in Europa die Kinderarbeit reduziert, wenige Jahrzehnte später auch die Frauenarbeit und nach 1880 auch die Arbeitszeit der Männer.

Durch Klassenkämpfe und staatliche ↑Sozialpolitik wurde die wöchentliche Arbeitszeit von mehr als 100 Stunden (um 1870) auf durchschnittlich 48 Stunden (1919) reduziert. Erste Urlaubsansprüche wurden fixiert: Beamte (1873), Angestellte (1895), Arbeiter (1919). Durch staatliche Sozialpolitik wurde auch die Altersversorgung etabliert, die es ermöglichte, das Erwerbsleben mit dem 70. (später dem 65.) Lebensjahr zu beenden. Zugl. wurde mit dem Ausbau des Bildungswesens auch die Arbeit von Kindern und Jugendlichen reduziert. So ist die Phase zwischen 1880 und 1919 der Abschnitt, in dem die größte Reduzierung der Erwerbsarbeit durchgesetzt und die zügigste Ausweitung der arbeitsfreien Zeiten erreicht wurde. Mit dem Erstarken der ↑Arbeiterbewegung setzte sich der Gedanke durch, dass die ↑Arbeiter in ihrer F. mehr (politische) ↑Bildung und damit Grundlagen zu ihrer weiteren ↑Emanzipation erlangen könnten. Arbeitervereine organisierten Bildungs- und Reiseveranstaltungen, die mit dem Ersten Weltkrieg weitgehend zum Erliegen kamen. Die Politisierung der F. wurde in der Weimarer Republik angesichts der wirtschaftlichen und politischen Krisen verschüttet, während eine kleine städtische Intelligenz die „Goldenen Zwanziger" genoss, die unteren Gesellschaftsschichten aber oft um die bloße Existenz kämpften. Die nationalsozialistischen Machthaber (↑Nationalsozialismus) lösten die ↑Gewerkschaften auf, überführten deren Vermögen in die DAF, die mit ihrer Organisation KdF weite Bereiche der F.-Verbringung veranstaltete und kontrollierte. F. wurde i. S. d. NS-Ideologie politisiert und diente v. a. der sozialen und politischen Kontrolle. Dennoch blieben vereinzelt Nischen, in denen v. a. Jüngere sich vom Regime distanzierten. Die totale Erfassung der F. im NS-Regime und später mit anders gearteten Prämissen in der DDR hat das Verhältnis zwischen Staat/ Politik und F. bis heute belastet.

Im 20. Jh. wuchs die arbeitsfreie Zeit v. a. durch Zunahme der Urlaubsansprüche, den partiellen Wegfall der Samstagsarbeit, die wesentlich längere Verweildauer im Bildungswesen, eine explosionsartige Ausweitung der nachberuflichen Lebensphase und vielfach auch lange Phasen von Erwerbslosigkeit. Heute arbeiten Beschäftigte im Leben nur 45 % der Arbeit eines Arbeiters um 1900. Allerdings wird damit erst wieder die Stundenzahl erreicht, die ein Handwerker im späten Mittelalter arbeitete, der wegen Feiertagen, Zunftordnungen und fehlender Beleuchtung nicht länger arbeiten durfte. So besehen ist stets die Frage zu stellen, welcher historische Bezugsrahmen gewählt wird, wenn eine Reduzierung der Arbeit konstatiert wird (1470 und heute: gleichbleibend; 1870 und heute: starke Abnahme). Mit der Abnahme von Erwerbsarbeit ist nicht zwingend eine Zunahme der F. verbunden, weil

a) vielfach längere Wege zur Arbeit, Staus, umfangreichere Vorbereitungen, Ausbildungen etc. erforderlich sind,

b) jenseits der Erwerbsarbeit durch Haus-, Pflege-, Beziehungs- oder Organisationsarbeit größere Zeitmengen verschlungen werden,

c) das Verständnis von F. differiert und

d) durch die starke Differenzierung innerhalb der Gesellschaft neue Formen der Ungleichheit auch in der Zeitmenge und -nutzung bestehen.

3. Zeitregime

Zeitregime moderner Gesellschaften unterliegen deutlichem Wandel: Externe Taktgeber wie Helligkeit/Dunkelheit, Jahreszeiten, Arbeitsbeginn/-ende, Schulzeit, Mahlzeiten etc. verlieren ihre jahrhundertelange Prägekraft; Zeitgestaltung wird mehr den Individuen übertragen, die eigene Arrangements treffen können. Der Staat verzichtet oft auf gestaltende Maßnahmen (z. B. Öffnungszeiten, Arbeitszeiten, ↑Jugendschutz), versucht aber durch Infrastrukturen, Ferienzeiten, Umweltbestimmungen etc. die Qualität der F. zu verbessern und die Umwelt vor den Schäden durch F. und ↑Tourismus zu schützen, was nur partiell gelingen kann. Die ökologischen Kosten von F. und Tourismus sind schwer zu beziffern, greifen aber z. B. durch Landschaftsverbrauch, Straßen- und Luftverkehr, Bautätigkeit, Wasserverschmutzung, Lärm, Abfall etc. erheblich in die Umweltbilanz ein. Zunehmende F. bedeutet auch mehr Umweltbelastung im globalen Rahmen.

Zeitkulturen variieren zwischen vielen Teilen der Welt, werden aber mit der ↑Globalisierung immer ähnlicher. Religionen, Traditionen, gesellschaftliche Werte und Normen, aber auch ökonomische und politische Systeme prägen Zeitkulturen, in denen z. B. festgelegt ist, welche Zeiten aus religiösen Gründen heilig sind, welchen Stellenwert Arbeit für welche Gesellschaftsgruppen hat, ob Muße-Ideale bestehen oder Müßiggang verpönt ist, ob Zeit in- oder außerhalb von Familien verbracht wird etc. Bes. deutlich: In Japan hat Arbeit einen hohen Stellenwert, die Zugehörigkeit zum Betrieb wird oft über familiäre Kontakte erreicht und aus Angst vor Arbeitsplatzverlust wird oft auf die ohnehin niedrigen Urlaubsansprüche verzichtet und werktäglich länger gearbeitet als in Mitteleuropa. Gleiches gilt für die USA, wo nach dem liberalen Wirtschaftsverständnis der Staat nur wenige Vorgaben macht und eher schwache Gewerkschaften nur niedrige Urlaubsansprüche durchsetzen konnten und viele Beschäftigte wegen prekärer Arbeitsverhältnisse mehrere Jobs ausüben. In Mittel- und Nordeuropa haben sich im korporatistischen Wirtschaftssystem höhere Urlaubsansprüche und geregelte Arbeitszeiten durchgesetzt. In allen drei genannten Regionen zeigen sich allerdings in neuerer Zeit gegenteilige Tendenzen, weil Erwerbsarbeit knapp und unsicher wird, weil sich aber auch viele neue Arbeitsformen mit flexiblen Beschäftigungszeiten ergeben. Der Wunsch nach erlebnisreicher F. dürfte sich unter dem Einfluß medialer Globalisierung überall durchsetzen.

4. Zukunft der Freizeit

Ob sich eine globale F.-Gesellschaft entwickeln wird, bleibt fraglich. Im 21. Jh. wird der Anteil von F. und Tourismus am Wirtschaftssystem steigen, weil nicht nur die direkten Ausgaben für Unterhaltung, Reisen, Sport etc. zunehmen, sondern weil auch die indirekten Ausgaben z. B. für Autos, Medien, Wohnen etc. anwachsen werden. Wellness, Gesundheit, Mobilität, Entdeckungslust oder Freiheit sind Ideen, die weltweit breite Schichten der Bevölkerung erreichen und zu verändertem F.-Verhalten führen werden. In Asien, Osteuropa, Russland, aber auch in weiten Teilen Europas, Amerikas, Australiens und Neuseelands werden expansive F.-Märkte entstehen. Ärmere Regionen werden nur wenig profitieren. Auch die ärmeren Menschen in den vermeintlich reichen Gesellschaften Europas werden selbst in der F. weiter benachteiligt bleiben. Neue Ungleichheiten entstehen, viele werden vom Zeitwohlstand nicht profitieren können und unter Zeitnot leiden. Und wo F. Profit abwirft, werden oft die ökologischen Folgen übersehen.

In Zukunft wird F. noch mehr individualisiert werden, weil Zeithaben und -geben in einer Welt rascher und globalisierter Veränderungen für den Einzelnen immer mehr Gewicht erlangt. Immer mehr Menschen haben weltweite Kontakte und nutzen in der F. nicht nur durch Reisen, sondern auch durch allerlei Netzwerke Kontakte über den engen regionalen Rahmen hinaus. Zukünftig wird F. noch mehr als bisher technologisiert. Die fortlaufende Kommerzialisierung von F. kommt am deutlichsten in Events jeglicher Provenienz zum Ausdruck, seien es sportliche oder musikalische Großveranstaltungen oder andere Formen von Inszenierungen. Moderne Gesellschaften sind eben auch ↑Erlebnisgesellschaften, weil immer mehr Handlungen als Erlebnis etikettiert werden – ob Einkauf, Kirchgang oder Spaziergang, alles lässt sich mit Erlebnisqualitäten verbinden. Hier ist v. a. das Nachtleben stark ausgeweitet worden, das vermutlich den Alkoholumsatz und den Substanzmittelkonsum begünstigt. Bes. stark dürfte F. in der Zukunft mit Virtualisierung und Inszenierung verbunden sein, weil sich v. a. durch Computer neue künstliche Welten jenseits der Realität schaffen lassen, indem selbst Reisen in Cyberwelten stattfinden können.

Literatur

R. Freericks/D. Brinkmann (Hg): Hdb. Freizeitsoziologie, 2015 • H.-W. Prahl: Soziologie der Freizeit, 2002.
HANS-WERNER PRAHL

Freizügigkeit

1. Idee; geschichtliche und rechtliche Entwicklung in Deutschland

Es liegt in der Natur des Menschen, von Zeit zu Zeit aufzubrechen und weiterzuziehen (Ausbreitung der ersten Menschen über die ganze Erde vermutlich von Ostafrika aus; heute: Mission der NASA zur Besiedelung des Mars bis 2030). Rechtlich zu beurteilen sind dabei stets die beiden Seiten dieses Verhaltens: Das Verlassen des aktuellen Orts und das Niederlassen an einem neuen Ort. Im Lauf der deutschen Geschichte spielten beide Phänomene eine bedeutende Rolle (allein im 19. und 20. Jh. verschiedene Ein- und Auswanderungswellen in Mio.-Höhe bedingt durch die Industrielle Revolution, als Folge der Weltkriege sowie des NS; Anwerbung von „Gastarbeitern"; mit Waffengewalt durchgesetztes Ausreiseverbot in der DDR); in jüngster Zeit ist Deutschland Ziel weltweiter, millionenfacher ↑Migration. F. ist eng mit der körperlichen Bewegungsfreiheit verbunden (↑Freiheitsentziehung). Das Recht auf F. hat damit ebenfalls bis an die Ursprünge der modernen westlichen Grundrechtsentwicklung zurückreichende Wurzeln. Die Paulskirchenverfassung von 1849 enthielt die Grundrechte der F. im Bundesgebiet (§ 133 Abs. 1) und der Auswanderungsfreiheit (§ 136 Abs. 1). Im Norddeutschen Bund und anschließend im Deutschen Reich war die F. nur einfachgesetzlich durch das Gesetz über die F. vom 1.11.1867 geregelt. In Art. 111 f. WRV waren F. und Ausreisefreiheit wieder als Grundrechte gewährleistet.

2. Freizügigkeit im Grundgesetz

Eine explizite Regelung zur F. findet sich in Art. 11 GG; die Vorschrift schützt nur Deutsche (i. S. v. Art. 116 Abs. 1 GG). Ausländer, die sich im Bundesgebiet aufhalten, genießen F. aufgrund von Art. 2 Abs. 1 GG; Einschränkungen unterliegen allerdings nicht den strengen Anforderungen aus Art. 11 Abs. 2 GG (für EU-Bürger wird das deutsche Recht durch die EU-F. überlagert). Einigkeit besteht darüber, dass Art. 11 Abs. 1 GG zumindest das Recht enthält, an jedem Ort innerhalb des Bundesgebiets Aufenthalt und Wohnsitz zu nehmen (BVerfGE 2, 266, 273). Umstritten ist die genaue Abgrenzung zu Art. 2 GG, der in Abs. 2 S. 2 die körperliche Fortbewegungsfreiheit gegen Festhalten und in Abs. 1 jede sonstige Form der Fortbewegung gewährleistet („alltägliche Mobilität"). In seiner negativen Dimension schützt Art. 11 Abs. 1 GG davor, den Wohnort verlassen zu müssen oder sogar zur Ausreise gezwungen zu sein. Das Recht auf Einreise in das Bundesgebiet ist als Voraussetzung der Grundrechtsausübung miterfasst; für im Ausland geborene deutsche Staatsbürger enthält Art. 11 Abs. 1 GG damit ein ↑Grundrecht auf Einwanderung nach Deutschland. Einschränkungen der F. sind nur durch die in Art. 11 Abs. 2 GG genannten Gründe zu rechtfertigen (*qualifizierter* Schrankenvorbehalt) und u. a. am Verhältnismäßigkeitsgrundsatz (↑Verhältnismäßigkeit) zu messen. Auf allg.en Gesetzen beruhende Regelungen der Bodennutzung sind schon nicht als Eingriff in die F. zu werten (BVerfGE 134, 242 Rdnr. 256 ff.). Das Recht auf Ausreise und Auswanderung aus Deutschland ist in Art. 11 GG nicht erwähnt; es ergibt sich aus Art. 2 Abs. 1 GG (BVerfGE 2, 32, 36 – Elfes). Ist heute im verfassungsrechtlichen Kontext von F. die Rede, so ist i. d. R. das enge Verständnis des Art. 11 Abs. 1 GG gemeint. Art. 11 GG gehört zu den mit Abstand am seltensten in der Rspr. des ↑BVerfG behandelten Grundrechten. Das hat zwei Gründe:

a) Die dargestellte Begrenzung des Schutzbereichs auf das bloße Recht auf (längeren) Aufenthalt überall in Deutschland. Diese Form der F. ist im prosperierenden Rechtsstaat verwirklicht. Umstrittenere Fragen der wirtschaftlichen F. werden anhand von Art. 12 oder Art. 14 GG geprüft.

b) Staatliche Maßnahmen, die die F. nicht direkt beschränken, sich aber mittelbar auf ihre Ausübung auswirken können, werden durch die Rspr. bislang nur ausnahmsweise als Eingriff anerkannt.

3. EU

Ungleich größere rechtliche Wirkungen entfaltet das F.s-Regime der EU. Durch Art. 21 AEUV und Art. 45 Abs. 1 EuGRC wurde die F. schlicht an die Unionsbürgerschaft geknüpft und von der durch die Personenverkehrsfreiheiten (Art. 45, 49, 56 AEUV; Art. 15 Abs. 2 EuGRC) gewährleisteten wirtschaftlichen zu einer allg.en F. weiterentwickelt (Beschränkungen nur im Rahmen von RL 2004/38/EG). Zudem interpretiert der ↑EuGH diese F.s-Regeln nicht lediglich als Diskriminierungs-, sondern als Beschränkungsverbote; damit kann potentiell jede sich auch nur mittelbar auf die EU-F. auswirkende Vorschrift unter europarechtlichen Rechtfertigungsdruck geraten. Aus deutscher Perspektive bedeutet die EU-F. das Recht auf Einreise und Einwanderung Deutscher in andere EU-Staaten, sowie spiegelbildlich das entspr.e Recht für EU-Bürger bzgl. Deutschland. Flankiert wird die F. durch die Abschaffung der Grenzkontrollen innerhalb der EU (Art. 67 Abs. 2 AEUV). In seiner weiten Auslegung durch den EuGH (Beschränkungsverbot) dürfte das F.s-Regime der EU sogar über das hinausgehen, was man von einem traditionellen Bundesstaat erwarten würde. Das F.s-Regime der EU erfasst eine Vielzahl von Personen: EU-Bürger und deren enge Familienangehörige aus Drittstaaten; in Drittstaaten geborene Nachkommen von Auswanderern aus EU-Staaten, die die ↑Staatsangehörigkeit nach dem *ius sanguinis* durch Geburt verleihen (z. B. Deutschland, Italien; die Staatsangehörigkeit kann dabei über mehrere Generationen hinweg weitergegeben werden). Über spezielle Abkommen erstrecken sich die Personenverkehrsfreiheiten (ganz oder teilweise) auf Drittstaaten (z. B. EWR, Schweiz, Türkei).

Abgesehen davon ist die F. der Angehörigen von Drittstaaten heute ebenfalls durch EU-Recht erfasst im Rahmen der Vorgaben über Visa, Einreise und die daraus resultierende Binnen-F. innerhalb der EU (Art. 77 AEUV; Art. 45 Abs. 2 EuGRC) sowie Regelungen über gemeinsame Einwanderungs- und Asylpolitik (Art. 78 f. AEUV).

4. Völkerrecht

Auch völkerrechtlich sind die zwei Seiten von Wanderungsbewegungen zu beurteilen: Aus dem ↑Völkerrecht lässt sich kein von Bedingungen (wie z. B. des Flüchtlingsrechts) unabhängiger Anspruch auf Einreise in einen Staat, dessen Staatsangehörigkeit man nicht besitzt, herleiten. Wohl aber sind die Rechte auf Ausreise und auf F. innerhalb eines Staates anerkannt (Art. 12 IPbpR; Art. 2 ZP Nr. 4 zur EMRK).

Literatur

W. Durner: Art. 11, in: T. Maunz/G. Dürig (Hg.): Kommentar zum Grundgesetz, 66. Erg.-Lfg., Stand August 2012 • F. Wollenschläger: Grundfreiheit ohne Markt, 2007 • J. Ziekow: Über Freizügigkeit und Aufenthalt, 1997 • D. Merten: Der Inhalt des Freizügigkeitsrechts, 1969.

MARTIN HEIDEBACH

Frieden

I. Ideengeschichtlich – II. Rechtlich – III. Theologisch-ethisch

I. Ideengeschichtlich

1. Historische Entwicklungen, Begriffsbildung

Unter F. verstehen wir einen Zustand, in dem Leben, Freiheit und Sicherheit der Mitglieder einer Gesellschaft geschützt sind (im Minimalfall: in dem ihr Leben geschützt ist). Das Gegenteil dieses Zustands, also ständige Lebensbedrohung, nennen wir ↑Krieg. Einfache Gesellschaften schützen das Leben der Einzelnen durch gemeinsame Verteidigungsbemühungen aller – oder sie überlassen ihren Schutz der Selbsthilfe der Einzelnen, die jedoch erfahrungsgemäß nicht ausreicht, um eine dauerhafte F.s-Ordnung zu begründen. In einfachen Verhältnissen erzwingt schon dieses Entweder-Oder Grundzüge einer „staatlichen" Struktur: Um dem Tod zu entgehen, unterwerfe ich mich denen, die mich schützen können; um das Abgleiten in die Anarchie zu vermeiden, das bei individueller Selbsthilfe droht, übertrage ich einen Teil meiner Selbstmacht auf die Allgemeinheit.

F. war in historisch überblickbarer Zeit in keiner Gesellschaft „naturhaft" gegeben. Er wurde und wird vielmehr geschaffen und gesichert kraft politischen Zusammenschlusses und herrschaftlicher Organisation der Gesellschaft. Dabei spielt die Zweiheit von „Innen" und „Außen" eine wichtige Rolle; F. *im Inneren* der Staaten und *zwischen* den Staaten. Im Inneren organisierter Gesellschaften können *homogene F.s-Räume* entstehen, in denen ↑Gewalt tabuisiert ist, während „nach außen", gegenüber anderen politischen Gebilden, Gewaltübung als mögliche Option weiterbesteht, jedoch durch Vertragsschlüsse und andere Abmachungen eingeschränkt und in überregionale F.s-Ordnungen überführt werden kann.

Neben F.s-*Räumen,* die sich vorwiegend im Inneren politischer Gebilde entwickeln, fallen historisch auch F.s-*Zeiten* von kürzerer oder längerer Dauer ins Auge. Sie sind nach innen weitgehend kultur- und religionsbezogen, im Äußeren setzen sie Vereinbarungen und Vertragsschlüsse voraus. F.s-*Zeiten* werden, da hier der F. unmittelbar benannt wird, oft symbolisch-religiös umkleidet: in der *Antike* durch die Öffnung bzw. Schließung der Bellona- und Arestempel, durch die Weihung der *Ara Pacis* auf dem Marsfeld durch Augustus, später durch Münzprägungen mit der *Pax Augusta;* im christlichen Mittelalter durch die in den Kirchen verkündete „Waffenruhe Gottes" *(Treuga Dei).* Auch die modernen F.s-Schlüsse haben diesen aufrufenden, beschwörenden Charakter: Zumindest bis Wien (1815) werden sie „im Namen der heiligen und ungeteilten Dreifaltigkeit" abgeschlossen, also ausdrücklich unter Berufung auf etwas, das jenseits des Streits der Kriegsparteien liegt.

An diese historischen Entwicklungen schließt sich die Begriffsbildung an. In ältesten griechischen Nennungen erscheint F. *(eiréne)* in enger Verbindung mit *díke* (Recht), *eunomía* (Wohlverhalten) und *plútos* (Reichtum). In der griechisch-römischen Antike kommt F. doppelt vor: als ein durch Abgrenzung nach außen gesicherter *innerer F.s-Raum* im Rahmen der *politeía* wie auch als zwischenstaatliches Abkommen von übergreifender Bedeutung (der Name *pax,* lateinisch das Gefügte, erinnert an diesen Zusammenhang). Der F. *(pax)* wird in der römischen Kaiserzeit programmatisch vergöttlicht, er erscheint auf Münzen (seit Augustus) und im Kult der F.s-Tempel (seit Vespasian). Inhaltlich füllen v.a. die Kirchenväter den Begriff: so erscheint F. bei Augustinus als *tranquillitas ordinis* (Ruhe, die aus der ↑Ordnung kommt). Die germanischen Sprachen heben v.a. die ↑Sicherheit hervor, die durch Abgrenzungen und Bildung von Freundeskreisen entsteht: althochdeutsch *Fridu* bedeutet Schonung, Freundschaft; der Zusammenhang von F. und gesicherter Umgebung wird sichtbar („einfrieden", „umfrieden", „Friedstatt", „Friedhof").

Religiös-politische Homogenisierung im Inneren der Polis kann schon in der Antike zur völligen Befriedung, ja zum totalen Verzicht auf Gewaltmittel gegenüber den Gesetzesunterworfenen führen (Sokrates trinkt den Schierlingsbecher freiwillig!). Ähnliches geschieht in mittelalterlichen Klöstern, Grundherrschaften, Stadtregimenten und später in den Staaten der ↑Neuzeit, wo mit fortschreitender Befriedung im Inneren (äußere) ↑Politik zu innerer Ordnung (↑Polizei) wird. Der Preis ist freilich oft ein Verzicht auf überregionale Sicherungen: Dem Haus- oder Burg-F. entspr. (noch) kein Land-

F., die zahlreichen F.s-Inseln bleiben in einer Diasporasituation, sofern nicht eine hegemoniale Übermacht sie in einen gemeinsamen F.s-Raum hineinzwingt (in der Spätantike: die *Pax Romana*). Daher tritt im Lauf der Geschichte neben der Sorge um innerstaatliche Befriedung immer wieder ein „ökumenisches", die Einzelstaaten übergreifendes F.s-Bedürfnis hervor: so schon in den stoisch-kosmologischen Bewegungen der Spätantike, in der *Pax-Dei*-Bewegung des hohen Mittelalters, in den F.s-Plänen der Frühen Neuzeit, endlich in den modernen Bewegungen, die auf kollektive Sicherheit, Kriegsverhütung und Kriegsverbot abzielen.

2. Innerstaatliche Friedensräume

In der christlichen (oder doch von christlichen Anstößen geformten) Welt des Mittelalters stellt sich das F.s-Problem neu und anders als in der von *Pax Romana* durchwalteten (und zuletzt gefesselten) antiken Welt. Nicht die alles überherrschende Macht des Stärksten ist jetzt das Vorbild der neuen Ordnung, sondern das von unten in die Breite wirkende F.s-Streben kleiner Gemeinschaften, die in dem Maße, in dem sie die christliche Botschaft innerlich ergreifen und sich zu eigen machen, sich auch politisch homogenisieren und von der nichtchristlichen Außenwelt zu unterscheiden beginnen.

Drei geschichtliche Vorgänge treten beispielhaft in diesem Prozess hervor: *a)* die Bewegung des *Gottes-F.s* seit dem 10. Jh., *b)* der Gedanke einer auf *Schiedsgerichte* gegründeten F.s-Ordnung der christlichen Staaten, *c)* die Entstehung eines diese Staaten umschließenden *Völkerrechts:*

a) Die Bewegung des Gottes-F.s ergreift, von Südfrankreich kommend, im späten 10. und im 11. Jh. das ganze christliche Europa. Sie richtet sich gegen ein wesentliches Strukturelement der mittelalterlich-germanischen Welt, die Fehde, und wirkt insofern revolutionierend. Der Ausübung „rechter Gewalt" durch autogene Gewaltträger wird durch Vermittlung der ↑Kirche eine zeitliche und räumliche Grenze gesetzt: gewisse Personen (Geistliche, Kaufleute, Bauern), Orte und Sachen (Kirchen, Kirchhöfe, Ackergeräte) werden unter den Schutz des Gottes-F.s *(Pax Dei)* gestellt. Daneben werden in der *Treuga Dei,* der Waffenruhe Gottes, Gewalttaten und Fehdehandlungen zu bestimmten Tagen und Zeiten verboten. Der Gottes-F. wird beschworen, seine Verletzung mit kirchlichen und weltlichen Strafen bedroht.

b) An diese Bewegung des Gottes-F.s knüpft die von der weltlichen Autorität ausgehende *Land-F.s-Bewegung* nach Form und Inhalt an – jene Bewegung, die mit der Zeit in ganz Europa die autogenen Herrschaftsgewalten entmachtet, die Fehde durch Gericht und Polizei ersetzt, die Ausübung „rechter Gewalt" beim Staat monopolisiert und damit den uns heute selbstverständlichen innerstaatlichen F.s-Raum schafft. In Deutschland wird 1495 unter Kaiser Maximilian I. auf dem Wormser Reichstag der „Ewige Landfriede" verkündet, das Verbot jeglicher Fehde und Selbsthilfe; über seine Einhaltung soll ein ständig tagendes Reichskammergericht wachen. *Land-F.s-Bruch* als gemeinschaftliche Verübung von Gewalttaten durch eine Menschenmenge rückt von dieser Zeit an in die Reihe der Straftaten.

Im späteren Mittelalter werden dann erstmals Pläne einer durch *Schiedsgerichtsbarkeit* gesicherten dauernden F.s-Ordnung der europäischen Völker entwickelt. Der neugewonnene innerstaatliche F.s-Raum soll ausgeweitet werden in den zwischenstaatlichen Bereich. Gewiss bleibt das meiste noch im Stadium des Entwurfs: die Pläne von Pierre Dubois, Georg von Podiebrad, Erasmus von Rotterdam und später ihrer moderneren Nachfolger Émeric Crucé und Maximilien Sully haben erst im 19. und im 20. Jh., mit der Heiligen Allianz, den ↑ Haager F.s-Konferenzen, dem ↑ Völkerbund und den ↑ Vereinten Nationen realpolitische Farbe gewonnen. Dennoch waren sie für die moderne Staatengesellschaft und die in ihr entwickelten Methoden der F.s-Sicherung von nicht zu unterschätzender Bedeutung.

c) Auch das klassische ↑ Völkerrecht verdankt der christlichen Tradition die Hauptanstöße: den Gedanken der *res publica christiana;* den Gedanken der Ebenbürtigkeit der Monarchen als Voraussetzung für Staatengleichheit und ↑ Souveränität, endlich den Gedanken einer internationalen Schiedsgerichtsbarkeit und eines Bundes der christlichen Völker. Es entwickelt diese Tradition in der Zeit vom 16. bis zum 18. Jh. in einer Bewegung allmählicher Verallgemeinerung und Anpassung an unterschiedliche Kulturen zu einem internationalen „Recht der zivilisierten Staaten" weiter. Es schafft reale Fortschritte: die strikte Begrenzung des Krieges auf den Staatenkrieg, die Beschränkung der Kriegführung auf die Kombattanten, die Schonung der Kriegsgefangenen, endlich die rechtliche Formalisierung des Krieges durch Kriegserklärung und F.s-Schluss. Je mehr sich der Krieg zum Staatenkrieg entwickelt, desto mehr kann sich im Inneren der Privat-F. des Bürgers ausdehnen, mit allen Vorteilen der Sicherheit für Leib und Leben und persönliches Eigentum („Der Bürger soll nicht einmal merken, wenn der König eine Bataille schlägt" – Friedrich der Große).

F. wird vom modernen ↑ Staat zugeteilt in räumlichen und zeitlichen Quanten, die sich schließlich auf das ganze ↑ Staatsgebiet ausbreiten, den ganzen Untertanenverband einschließen. So entsteht ein geschlossener F.s-Raum nach innen, eine F.s-Zeit, die in die Zukunft reicht: Krieg als Mittel der Politik, Fehde als „rechte Gewalt" werden aus dem privaten und innerstaatlichen Bereich verbannt. Diese konsequente innerstaatliche Befriedung ist eine bedeutende und singuläre Leistung des christlich-europäischen Staatenkreises – mit weltweiter Wirkung.

3. Zwischenstaatliche Friedensbemühungen
Der positiven Bilanz im innerstaatlichen Bereich steht ein Defizit im zwischenstaatlichen Bereich gegenüber.

Bis heute erreichen die friedenssichernden und -regelnden Abmachungen *zwischen* den Staaten nicht entfernt die Dichte und Stabilität der F.s-Ordnung des Einzelstaats nach innen (trotz mancher Auflösungserscheinungen in jüngster Zeit). Die Gründe sind leicht einsichtig:

a) Der F.s-Gedanke kommt in der europäischen (und später internationalen) Gesellschaft zwar zur Geltung und Realisierung, jedoch im Wesentlichen im Rahmen der Einzelstaaten der europäischen Völkergemeinschaft und innerhalb der Grenzen einer christlichen (humanistischen, westlichen) Binnenethik. „Beyond the line" gelten die Gesetze der Gewalt, trotz aller Bemühungen um eine Kolonialethik, bis in die Zeit des ↑ Imperialismus fort. Jenseits des Äquators ist der Europäer, nach dem Wort Guillaume Raynals, ein „gezähmter Tiger, der in den Wald zurückkehrt".

b) Um den Krieg *zwischen* den Staaten endgültig abzuschaffen, fehlte und fehlt es bis heute an der entscheidenden Voraussetzung: am Vorhandensein wirksamer *Sanktionen* gegenüber dem F.s-Brecher. Zwar hat das Kriegsverhütungsrecht im 20. Jh. erheblich an Gewicht gewonnen. Mit dem Briand-Kellogg-Pakt (1928) wurde der Krieg als Mittel der Politik verboten und geächtet. Doch dieser Ächtung ist ein System wirksamer Rechtsvorkehrungen, welche die bisherige Funktion des Krieges ersetzt und entbehrlich gemacht hätten, bisher nicht gefolgt. Auch der IStGH in Den Haag, der seit 2002 arbeitet und der bei ↑ Völkermord, schweren Kriegsverbrechen und Verbrechen gegen die Menschlichkeit tätig werden kann (jedoch nur dann, wenn Staaten solche Delikte auf nationaler Ebene nicht verfolgen können oder wollen), ist kein solches „Weltgericht": die größten Staaten der Erde (China, Indien, USA, Russland) gehören ihm nicht an.

c) Aber selbst wenn eine solche wirksame Sanktion gegen den F.s-Brecher im Weltmaßstab vorhanden wäre: gegen den Übergriff des Menschen gegen den Menschen wäre die Menschheit erst dann gefeit, wenn hinter solchen Institutionen gemeinsame Ordnungsvorstellungen der internationalen Politik, gemeinsame Prinzipien eines Weltrechts sichtbar würden. Dass sie fehlen, ist wohl der eigentliche Grund für das Versagen der Gegenwart im Bereich einer dauerhaften F.s-Ordnung.

Möglich scheint ein Ausweg, der sich in zwei- und mehrseitigen Abkommen der Staaten um konkrete Schritte der Abrüstung bemüht (Genfer Abrüstungsverhandlungen, SALT und START). Das Ziel wäre ein durch die Staatenpraxis legitimierter internationaler Gewaltverzicht. Daneben sind Bemühungen um gemeinsame Elemente eines Kriegsverhütungs- und F.s-Rechts im Weltmaßstab denkbar. Man wird jedoch im Bereich des zwischenstaatlichen F.s noch lange mit dem Schwergewicht von Abgrenzungs- und Gleichgewichtsvorstellungen der Politik (↑ Gleichgewichtspolitik) rechnen müssen. Erst allmählich könnten sich zivilisatorische Bewusstseinsänderungen durchsetzen, die den Krieg

eines Tages ebenso obsolet erscheinen lassen wie früher
die Sklaverei oder die Tötung von Gefangenen.

Literatur

Erasmus von Rotterdam: Über Krieg und Frieden (Die Frie-
densschriften), hg. von W. F. Stammler/H.-J. Pagel/T. Stammen, 2018 • P. Häberle: Die Kultur des Friedens – Thema der
universalen Verfassungslehre, 2017 • N. Young (Hg.): The
Oxford International Encyclopedia of Peace, 2010 • W. Diet-
rich/J. E. Alvarez/N. Koppensteiner (Hg.): Schlüsseltexte der
Friedensforschung, 2006 • J. Galtung u.a.: Neue Wege zum
Frieden, 2003 • A. Buschmann/E. Wadle (Hg): Landfrieden.
Anspruch und Wirklichkeit, 2002 • K. Koppe: Der vergessene
Frieden, 2001 • T. Nardin: The Ethics of War and Peace: Religious and Secular Perspectives, 1996 • H. Duchhardt: Friedenswahrung im 18. Jahrhundert, in: HZ 240/2 (1985), 265-
282 • H.-W. Gensichen: Weltreligionen und Weltfrieden,
1985 • C. Starck: Frieden als Staatsziel, in: B. Börner/H. Jahr-
reis/K. Stern (Hg.): Einigkeit und Recht und Freiheit, Bd. 2,
1984, 867-887 • F. W. Rothenpieler/K. Wagener/T. Waigel
(Hg.): Aktive Friedenspolitik, 1982 • N. Glatzel/E. J. Nagel
(Hg.): Frieden in Sicherheit. Zur Weiterentwicklung der katholischen Friedensethik, 1981 • H. Maier: Worauf Frieden
beruht, 1981 • J. Fisch: Krieg und Frieden im Friedensvertrag,
1979 • H. Afheld: Verteidigung und Frieden, 1976 • A. Hol-
lerbach/H. Maier (Hg.): Christlicher Friede und Weltfriede,
1971 • H. Schmidt: Strategie des Gleichgewichts. Deutsche
Friedenspolitik und die Weltmächte, 1969 • M. Hagemann:
Der provisorische Frieden. Die Bauprinzipien der internationalen Ordnung seit 1945, 1964 • K. von Raumer: Ewiger Friede. Friedensrufe und Friedenspläne seit der Renaissance, 1953
• H. J. Schlochauer: Die Idee des ewigen Friedens, 1953 •
J. Gernhuber: Die Landfriedensbewegung in Deutschland bis
zum Mainzer Reichslandfrieden von 1235, 1952 • H. von
Hentig: Der Friedensschluss, 1952 • R. B. MacCallum: Public
Opinion and the Last Peace, 1944 • H. Conrad: Gottes-Friede
und Heeresverfassung in der Zeit der Kreuzzüge, in: ZRG GA
61/1 (1941), 71-126 • E. Wohlhaupter: Studien zur Rechts-
geschichte der Gottes- und Landfrieden in Spanien, 1933 •
A. C. F. Beales: The History of Peace, 1931 • H. Fuchs: Augustin und der antike Friedensgedanke, 1926 • H. von Grauert:
Zur Geschichte des Weltfriedens, der Idee des Völkerrechts
und der Idee einer Liga der Nationen, 1920 • J. Meulen: Der
Gedanke der Internationalen Organisation in seiner Entwicklung, 2 Bde., 1917-40 • H. Prutz: Die Friedensidee, 1917 •
H. Prutz: Die Friedensidee im Mittelalter, 1915 • L. Huberti:
Studien zur Rechtsgeschichte der Gottesfrieden und Landfrieden, 1892 • A. Kluckhohn: Geschichte des Gottesfriedens,
1857.   HANS MAIER

II. Rechtlich

1. Innerer und äußerer Frieden

Der moderne ↑Staat ist F.s-Einheit: „Der erste, konstitutive Zweck des modernen Staates, von dessen Verwirklichung das Potential seiner sonstigen Zwecke abhängt,
ist die Befriedung der Gesellschaft und die Herstellung
des Gesamtzustandes der Sicherheit" (Isensee 2004:
52). Der moderne Staat will seine Bürger vor Gewaltanwendung in seinem Inneren (zum Äußersten gestei-

gert im ↑Bürgerkrieg) und vor Gewaltanwendung von
außen, d. h. einem Angriffskrieg fremder Staaten, schützen. Entspr. lässt sich der Staatszweck der Wahrung des
inneren F.s von dem der Wahrung des äußeren (oder
internationalen) F.s unterscheiden. Während der innere
F. durch die jeweilige staatliche Rechtsordnung bewahrt
und die Beachtung der F.s-Pflicht der Bürger notfalls erzwungen werden muss (↑Polizei, ↑Strafvollzug, Ver-
waltungsvollstreckung), beruht der äußere F., zu dem
sich heute auch viele Staatsverfassungen bekennen, in
rechtlicher Sicht auf den Normen und Instrumenten
des Völkerrechts, da er in der Staatengesellschaft von
keinem einzelnen Staat allein gesichert werden kann.

2. Vom klassischen Völkerrecht zum Völkerbund

Seit den Anfängen des modernen ↑Völkerrechts ist der
↑Krieg sein Thema und Problem. Bündnisse, Waffen-
stillstands- und ↑F.s-Verträge sind die Haupttypen
↑völkerrechtlicher Verträge vom Beginn der Neuzeit
bis in das 19. Jh. hinein. Doch erst im 19. Jh. kam es zu
allg. akzeptierten völkerrechtlichen Normen über die
Zulässigkeit zwischenstaatlicher Kriege, und zwar durch
einen Verzicht auf die in der Staatenpraxis fruchtlos gebliebenen naturrechtlichen Bemühungen (↑Natur-
recht), nur den „gerechten", also nach Thomas von
Aquin durch eine *iusta causa* und eine *recta intentio* ge-
kennzeichneten Krieg einer zur Kriegführung auto-
risierten Macht *(auctoritas principis)* als völkerrechtlich
erlaubt zuzulassen. Stattdessen billigte man den souveränen Staaten – allerdings auch nur ihnen – eine „Freiheit zum Kriege" *(liberum ius ad bellum)* zu, gebunden
nur durch die Pflicht zur Beachtung bestimmter Formen
der Kriegserklärung. Zwar hielt bes. die angelsächsische
Lehre an naturrechtlichen Vorstellungen und dem Begriff des gerechten Krieges fest, doch bestand substantiell kaum ein Unterschied zum „freien Kriegsführungsrecht" kontinentaleuropäischer Prägung, weil man
anerkannte, dass jeder tatsächliche Krieg zwischen den
kriegführenden Parteien ein Rechtsverhältnis mit bestimmten Rechtsfolgen etablierte – unabhängig von
den geltend gemachten Kriegsgründen. Die „Gerechtigkeit" eines Krieges war damit grundsätzlich zu einem
juristisch irrelevanten Problem der politischen ↑Ethik
geworden. Dies machte es möglich, beide Parteien eines
Krieges als gleichberechtigt anzusehen, dritte Staaten
einen Status der Neutralität einnehmen zu lassen sowie
Verträge zur Humanisierung der Kriegführung zu
schließen.

Erst die Erfahrung des Ersten Weltkrieges mit seinen
ungeheuer großen Verlusten an Menschenleben und
materiellen Gütern führte zur Abkehr vom freien
Kriegsführungsrecht. Doch versprach eine Wiederbelebung der alten Unterscheidung zwischen erlaubten und
unerlaubten Kriegen keinen Erfolg. Vielmehr ging man
1919 einen neuen, von den ↑Haager F.s-Konferenzen
der Jahre 1899 und 1907 bereits vorgezeichneten und
der gewachsenen Interdependenz der Staaten entspr.en

Weg: Man erklärte den Krieg zur gemeinsamen Angelegenheit der Staatengemeinschaft, seine Verhütung zu einer internationalen Gemeinwohlaufgabe (↑Gemeinwohl). Gleichzeitig wurde diese Staatengemeinschaft handlungsfähig gemacht, indem sie in Gestalt des ↑Völkerbundes dauerhaft organisiert wurde. Die *Satzung des Völkerbundes* postulierte – anders als die spätere UN-Charta von 1945 – noch kein generelles Kriegsverbot, sondern setzte im Wesentlichen auf eine Verhinderung oder wenigstens Verzögerung des Ausbruchs von Kriegen durch obligatorische multilaterale streitschlichtende Verfahren. Der Versuch, das komplizierte und nicht widerspruchsfreie Regelwerk der Völkerbundsatzung mit dem *Genfer Protokoll* vom 2.10.1924 weiterzuentwickeln, scheiterte. Das Protokoll bezeichnete den Angriffskrieg als ein „internationales Verbrechen" und enthielt ein Verbot jedes Angriffskrieges. Am 16.10. 1925 schlossen Belgien, Deutschland, Frankreich, Großbritannien und Italien den *Vertrag von Locarno*, der ein Angriffskriegsverbot nach dem Vorbild des Genfer Protokolls enthielt. Am 27.8.1928 kam es in Paris auf Initiative der Außenminister Frankreichs und der Vereinigten Staaten, Aristide Briand und Frank B. Kellogg, außerhalb des Völkerbundes zum Abschluss des „Paktes über die Ächtung des Krieges". Der Pakt verbot jeden Krieg, ausgenommen nur den Verteidigungskrieg sowie den international verhängten Sanktionskrieg, doch fehlten Bestimmungen über Verfahren der friedlichen Streitbeilegung ebenso wie solche über Sanktionen im Falle einer Verletzung des Paktes.

3. Das System kollektiver Sicherheit der UN-Charta

Erst die *Charta der Vereinten Nationen* vom 26.6.1945 (↑UN-Charta) begründete am Ende des Zweiten Weltkriegs ein allg.es zwischenstaatliches Verbot der Anwendung und Androhung militärischer ↑Gewalt (Art. 2 Nr. 4). Als einzige Ausnahme erkennt die Charta in Art. 51 im Falle eines „bewaffneten Angriffs" das individuelle und kollektive Selbstverteidigungsrecht der Staaten an. Doch darf ein Angriff nur abgewehrt werden, bis der Sicherheitsrat der ↑Vereinten Nationen die notwendigen Maßnahmen getroffen hat. Das friedenswahrende System der Charta versteht unter F. *(peace, international peace)* zunächst die Abwesenheit militärischer Gewalt zwischen den Staaten (sog.er negativer F.s-Begriff). Doch zeigt der Kontext, in den die Präambel und die Art. 1 und 2 das Gewaltverbot gestellt haben, dass zum F.s-Programm der Charta auch die Sicherung der Würde und der Grundrechte des Menschen, sozialer Fortschritt und die Selbstbestimmung aller Völker gehören (sog.er positiver F.s-Begriff). Die verschiedenen Ziele werden als sich wechselseitig bedingend aufgefasst. Auf dieser Grundlage hat der Sicherheitsrat in jüngerer Zeit auch schwere und systematische Menschenrechtsverletzungen innerhalb eines Staates als eine Bedrohung des Welt-F.s charakterisiert.

Das umfassende Gewaltverbot der UN-Charta beruhte auf der Erwartung, der Sicherheitsrat, dem die Mitglieder der Vereinten Nationen „die Hauptverantwortung für die Wahrung des Weltfriedens und der internationalen Sicherheit" (Art. 24) übertragen haben, werde wirksame Kollektivmaßnahmen treffen, „um Bedrohungen des Friedens zu verhüten und zu beseitigen, Angriffshandlungen und andere Friedensbrüche zu unterdrücken und internationale Streitigkeiten oder Situationen, die zu einem Friedensbruch führen könnten, durch friedliche Mittel nach den Grundsätzen der Gerechtigkeit und des Völkerrechts zu bereinigen oder beizulegen" (Art. 1 Nr. 1). Diese Erwartung ist während des sog.en ↑Kalten Krieges wegen der Uneinigkeit von Ost und West fast vollständig und in der Zeit nach 1990 häufig enttäuscht worden (siehe z. B. die Jugoslawien-Kriege 1991–95, den Kosovo-Krieg von 1999, die bewaffneten Konflikte im Kongo seit 1996, in der Ukraine seit 2014 oder den Syrien-Krieg seit 2011).

Militärische Maßnahmen der vereinten Nationen stellte sich die Charta so vor, dass die Mitgliedstaaten dem Sicherheitsrat Streitkräfte zur Verfügung stellen würden, über deren Einsatz der Sicherheitsrat eigenständig entscheiden könnte. Dazu sind die Mitgliedstaaten aber (entgegen ihrer Verpflichtung durch die Charta) bis heute nicht bereit gewesen. Der Sicherheitsrat kann daher faktisch nur einzelne Staaten „autorisieren" (ermächtigen), zur Durchsetzung seiner Beschlüsse militärische Gewalt anzuwenden. Dies geschah erstmals im Jahr 1990 nach der Besetzung Kuwaits durch Irak, als der Sicherheitsrat die mit Kuwait verbündeten Staaten (in erster Linie die USA) ermächtigte, „alle notwendigen Mittel" zur Befreiung von Kuwait einzusetzen (Res. 678 vom 29.11.1990).

Während der Völkerbund von dem souveränitätsschonenden Einstimmigkeitsprinzip beherrscht war, stärkte die UN-Charta die Handlungsfähigkeit des Sicherheitsrates durch eine Ermöglichung von Mehrheitsbeschlüssen (Art. 27). Zu den zustimmenden (oder, nach der späteren Praxis, sich wenigstens der Stimme enthaltenden) Staaten müssen allerdings alle in den Rang von ständigen Ratsmitgliedern erhobenen fünf Großmächte – China, Frankreich, die UdSSR (heute Russland), Großbritannien und die USA – gehören (Art. 27 Abs. 3); ein Erfordernis, das jedem dieser Staaten ein Vetorecht gegen Beschlüsse des Rates gewährt und diese Staaten und ihre Verbündeten damit praktisch von der Anwendung des Sanktionsregimes der Charta ausnimmt.

Die Hoffnung der auf das Ende des Kalten Krieges folgenden Jahre, man werde nunmehr dem von der Charta vorgesehenen System der F.s-Sicherung effektive Wirkung verschaffen können, erfüllte sich nicht. Hauptprobleme der Zulässigkeit der Anwendung bewaffneter Gewalt – wie die Voraussetzungen der Inanspruchnahme des Selbstverteidigungsrechts („präventive" und „präemptive" Selbstverteidigung), die Zulässigkeit einer Verteidigung gegen nichtstaatliche Akteure („Krieg gegen den Terror") oder sog.er ↑humanitärer Interventionen zum Schutz eigener oder fremder Staatsangehöriger – sind bis heute ungelöst geblieben. Auch zu einer Reform des Sicherheitsrates, die seine Zusammensetzung und sein Verfahren (Vetorecht der ständigen Mitglieder) an die Bedingungen der Gegenwart anpassen würde, ist es trotz vieler Vorschläge und Diskussionen in der UN-Generalversammlung nicht gekommen. Dementsprechend suchen die Staaten ihre Sicherheit noch immer durch eigene Streitkräfte, Rüstungsanstrengungen und eine Mitgliedschaft in Verteidigungsbündnissen wie der ↑NATO zu gewährleisten.

4. Friedenssicherung als politische Aufgabe

Die Bilanz internationaler F.s-Sicherung durch völkerrechtliche Verbotsnormen seit 1919 ist negativ. Weder die beschränkten Kriegsverbote der Völkerbundsatzung noch das umfassende Gewaltverbot der UN-Charta haben die in sie gesetzten Erwartungen erfüllt. Die teils fehlende, teils mangelhafte Ergänzung der Kriegsverbote durch obligatorische Streitbeilegungsverfahren, verbindliche Regeln über „friedlichen Wandel" (peaceful change) sowie über Abrüstung und Rüstungskontrolle hat ihre Wirkung beeinträchtigt. Häufig haben sich Staaten missbräuchlich auf das Selbstverteidigungsrecht berufen; nur ausnahmsweise ist die internationale Gemeinschaft, handelnd durch den UN-Sicherheitsrat, ihrer Verantwortung nachgekommen. Den F. zwischen den beiden von der UdSSR einer- und den USA andererseits angeführten politischen und militärischen Blöcken sicherte vom Ende der 1940er Jahre bis zum Untergang des Ostblocks 1989/90 nicht das Gewaltverbot, sondern das militärische, insb. das atomare Gleichgewicht beider Seiten mit ihrer Fähigkeit der „gegenseitigen Zerstörung".

Die Sicherung des Welt-F.s durch die Vermeidung und gegebenenfalls friedliche Beilegung von Streit bleibt im Wesentlichen eine politische Aufgabe der Mitglieder der internationalen Gemeinschaft, für deren Erfüllung das Völkerrecht materielle Kriterien und verfahrensmäßige Mittel bereitstellt. „Der Krieg ist nicht eine andere, wenn auch nur weniger gute Form von Politik; Krieg ist vielmehr Misslingen von Politik" (Wilkens 1987: 1006). Notwendige Grundlage aller Bemühungen ist die Förderung einer Kultur des F.s und ein Zurückdrängen des nationalen und kontinentalen Egoismus zugunsten eines Denkens und Handelns im menschheitlichen Zusammenhang. In diesem Sinne spricht die Schweizer Bundesverfassung vom 18.4.1999 in ihrer Präambel eindrucksvoll von dem Bestreben des Schweizervolkes und der Kantone, „Freiheit und Demokratie, Unabhängigkeit und Frieden in Solidarität und Offenheit gegenüber der Welt zu stärken". Ähnliche Ziele – darunter die „Achtung der Grundsätze der Charta der Vereinten Nationen und des Völkerrechts" – formuliert für die europäische Außenpolitik Art. 21 des EU-Vertrags idF von Lissabon vom 13.12.2007.

Unter den gegenwärtigen Bedingungen der internationalen Ordnung kann der Friede nur in „vielen kleinen Schritten, mit denen man sich jeweils in konkreten Fragen um ausgewogene Kompromisse bemüht" (Grewe 1985: 28), gesichert werden, und zwar möglichst entlang von Wegsteinen, auf die sich die Staaten völkerrechtlich verständigt haben. Was an einzelnen Schritten erfolgen kann und muss, ist bekannt: Potentielle zwischen- und innerstaatliche Konflikte müssen rechtzeitig erkannt und gelöst, friedensbedrohende Situationen (etwa Grenzstreitigkeiten oder religiöse Spannungen) friedlich bereinigt, typische Konfliktursachen (wie Armut und Hunger, Knappheit natürlicher Ressourcen, Diskriminierung und Unterdrückung von Minderheiten) präventiv angegangen werden. Abrüstung und Rüstungskontrolle bleiben eine dauernde Aufgabe, insb. hinsichtlich der atomaren, biologischen und chemischen Massenvernichtungswaffen (↑ABC-Waffen). F.s-Verträge und ihnen funktionell entspr.e Resolutionen des UN-Sicherheitsrates müssen um einen nachhaltigen, zukunftsorientierten und auch für die unterlegene Seite akzeptablen Ausgleich bemüht sein. Für den Fall akuter Krisen muss rasches und wirkungsvolles crisis management vorbereitet sein. Die westeuropäische Verschränkung der politischen und wirtschaftlichen Interessen der Staaten sowie ihrer Streitkräfte, die Kriege zwischen ihnen unmöglich werden ließen, bleibt ebenso ein zukunftsweisendes Modell wie die schrittweise Annäherung von Ost und West im Rahmen der „Konferenz über Sicherheit und Zusammenarbeit in Europa" (↑OSZE, KSZE).

Bei aller Einsicht in die Grenzen internationaler F.s-Sicherung durch völkerrechtliche Normen gilt aber: Das Gewaltverbot der UN-Charta ist das Ergebnis eines langen, schweren und leidvollen Lernprozesses der Völker bzw. jener politischen ↑Eliten, die das Schicksal ihrer Völker bestimmen. Es ist Ausdruck und Folge europäischen Rechtsdenkens, welches seinerseits von christlich-naturrechtlichen Vorstellungen geprägt ist. Der Blick zurück auf die Geschichte von Krieg und F. seit dem 16. Jh. mahnt zur Vorsicht gegenüber einer Neigung, ein so mühevoll errungenes Rechtsinstitut preiszugeben oder zu schwächen. Blickt man auf die Welt von heute, auf den Stand ihrer Integration in politischer, wirtschaftlicher und auch gesellschaftlicher Hinsicht, so gibt es zu dem Weg der Verrechtlichung der ↑internationalen Beziehungen keine Alternative. Ein anderer globaler Ordnungsrahmen als der des Rechts ist nicht in Sicht. Eine rechtlich geordnete Weltgesellschaft aber ist unvereinbar mit einer einseitigen, unkontrollierten Anwendung militärischer Gewalt durch einzelne ihrer Teile, auch der wirtschaftlich oder militärisch stärksten. „Friedensordnung bedeutet Rechtsordnung" (Trillhaas 1975: 764).

Literatur

H. Steiger: Universalität und Partikularität des Völkerrechts in geschichtlicher Perspektive, 2015 • M. Bothe: Friedenssicherung und Kriegsrecht, in: W. Graf Vitzthum/A. Proelß (Hg.):

Völkerrecht, ⁶2013, 573–662 • B. Fassbender: Militärische Einsätze der Bundeswehr, in: HStR, Bd. 11, ³2013, 643–726 • S. Oeter: Systeme kollektiver Sicherheit, in: HStR, Bd. 11, ³2013, 619–641 • A. Proelß: Das Friedensgebot des Grundgesetzes, in: HStR, Bd. 11, ³2013, 63–89 • M. E. O'Connell: Peace and War, in: B. Fassbender/A. Peters (Hg.): The Oxford Handbook of the History of International Law, 2012, 272–293 • H. Steiger: Von der Staatengesellschaft zur Weltrepublik?, 2009 • C. Gray: International Law and the Use of Force, ³2008 • S. C. Neff: War and the Law of Nations, 2005 • B. Fassbender: Die Gegenwartskrise des völkerrechtlichen Gewaltverbotes vor dem Hintergrund der geschichtlichen Entwicklung, in: EuGRZ 31 (2004), 241–256 • J. Isensee: Staat und Verfassung, in: HStR, Bd. 2, ³2004, 3–106 • B. Fassbender: UN Security Council Reform and the Right of Veto. A Constitutional Perspective, 1998 • E. Wilkens: Frieden, in: R. Herzog u. a. (Hg.): Evangelisches Staatslexikon, Bd. 1, ³1987, 999–1007 • A. Cassese (Hg.): The Current Legal Regulation of the Use of Force, 1986 • W. G. Grewe: Friede durch Recht?, 1985 • W. G. Grewe: Epochen der Völkerrechtsgeschichte, 1984 • W. Trillhaas: Frieden, in: H. Kunst u. a. (Hg.): Evangelisches Staatslexikon, ²1975, 761–765.
                                    BARDO FASSBENDER

III. Theologisch-ethisch

F. ist ein normativer Begriff: Unfriede und ↑Gewalt, die Menschen erdulden, sollen nicht sein, sondern sind zu überwinden. ↑Krieg dauerhaft und gesichert durch die Schaffung einer politischen F.s-Ordnung zu überwinden, ist die zentrale politisch-ethische Herausforderung sowohl innerhalb politischer Gemeinwesen als auch in der internationalen Gemeinschaft. Die dauerhafte Überwindung von Krieg und Gewalt setzt voraus, dass über die Abwesenheit von Krieg hinaus ein positiver F. angestrebt wird. Ein solcher normativer Begriff hat eine erhebliche inhaltliche Füllung durch die biblische (F.s-) Botschaft erhalten.

1. Frieden als theologisch-ethischer Begriff

Die messianische Erwartung Israels zielt angesichts der Erfahrung von Krieg und Gewalt auf einen „Fürst des Friedens" (Jes 9,5). Die frühe Kirche erkennt Jesus Christus als diesen Messias (Eph 2,14). Mit Christus hat der F. als im Glauben erfahrenes Geschenk Gottes unter den Menschen und Völkern angefangen; F.s-Stifter werden „Kinder Gottes" (Mt 5,9) genannt. Dieser theologische F.s-Begriff wirkt im Verlauf der abendländischen Geschichte erheblich auf den politischen F.s-Begriff ein: F. wird als anzustrebender Zustand einer Gesellschaft verstanden, in deren Zentrum die Realisierung der ↑Menschenwürde steht und die Grundwerte Wahrheit, Gerechtigkeit, Freiheit und Liebe bzw. Solidarität verwirklicht werden sollen (Johannes XXIII.: Enzyklika „Pacem in terris"). Als ethisch relevante Schritte eines politischen Prozesses auf eine F.s-Ordnung hin sollen fundamentale ↑Menschenrechte anerkannt, eine Rechtsordnung errichtet, ein gewisses Mindestmaß an sozialer ↑Gerechtigkeit verwirklicht werden und die Bürger an politischen Entscheidungen partizipieren können. F. in einem politischen Gemeinwesen ist theologisch-ethisch als unabgeschlossener, andauernder Prozess zu verstehen.

2. Frieden durch politische Ordnung und Recht

Zumindest in funktionierenden demokratischen ↑Rechtsstaaten ist ein hohes Maß an F. in der Gesellschaft erreichbar. Jedoch müssen Staaten im Zuge der Globalisierung gegenüber globaler Klimaveränderung, internationalem Terrorismus, der Finanzindustrie etc. einen Verlust an politischer Gestaltungsmacht hinnehmen. Gegen diesen Trend versuchen die in der ↑EU zusammengeschlossenen Staaten durch die Bündelung von Hoheitsrechten politische Gestaltungsmacht zurückzugewinnen. Zugl. wird dieser politische Integrationsprozess international als positives Vorbild der strukturellen Überwindung von Krieg und Gewalt zwischen Staaten betrachtet. Die internationale Gemeinschaft steht jedoch vor gewaltigen ethischen Herausforderungen: Mit der Gründung der ↑UNO und der internationalen ↑Gerichtsbarkeit hat sie sich in einer großen zivilisatorischen Leistung über erste Grundlagen einer internationalen F.s-Ordnung verständigt, die jedoch noch erhebliche Defizite aufweisen.

Seit dem Beginn des 20. Jh. (↑Völkerbund) kommt die schon mittelalterliche Erkenntnis wieder zum Tragen, dass „Friedenswahrung (zwischen politischen Gemeinwesen) und eine funktionsfähige Gerichtsbarkeit nicht von einander zu trennen sind" (Janssen 1995: 236). Dahinter steht die Erfahrung, dass Konflikte zwischen Gemeinwesen unausweichlich sind und zu ihrer friedlichen Lösung eine Rechtsordnung, die alle in gleicher Weise verpflichtet und unparteiisch durchgesetzt wird, das verlässlichste Instrument ist. Daraus ergeben sich ethische Herausforderungen der internationalen Ordnung: Die UNO ist lediglich auf die Kriegsverhinderung durch Staatensolidarität hin konzipiert; aufgrund des Veto-Rechts der fünf Ständigen Mitglieder des Sicherheitsrates ist sie in wesentlichen Entscheidungen, die den Welt-F. betreffen, nicht unparteilich.

Mit dem ↑IGH steht den UN-Mitgliedstaaten der Rechtsweg zur Lösung von Konflikten prinzipiell offen; allerdings ist der IGH de facto ein Schiedsgerichtshof. Dem internationalen Recht fehlt noch die ethisch gebotene Rechtsdurchsetzung. Als ethisch bedeutsamer Zwischenschritt zur Überwindung der Anarchie des internationalen Systems kann die von der *Global Governance* (↑Governance) Theorie beschriebene Netzwerkstruktur der internationalen Beziehungen verstanden werden. Spätestens mit der Unterzeichnung der AEMR (1948) hat sich einerseits die Erkenntnis durchgesetzt, dass internationales Recht eine ethische Grundlage braucht und sie in den Menschenrechtserklärungen finden kann. Andererseits wird über die Frage von Kulturdifferenz und Gradualität des Geltungsanspruchs gestritten.

3. Herausforderung durch Terrorismus

Das Recht als prinzipiell akzeptierte Grundlage friedlichen internationalen Zusammenlebens wird durch inter- bzw. transnationalen ↑Terrorismus herausgefordert, indem terroristische Akteure geltende rechtliche und moralische Regeln unterlaufen. Eine ethisch verantwortliche Auseinandersetzung mit dem Terrorismus muss sich auch der Frage nach den politischen Ursachen stellen. Die Debatten über die politischen Reaktionen auf den inter- bzw. transnationalen Terrorismus gipfeln in der Frage, wie sich rechtsstaatliche Gesellschaften gegen einen Gegner zur Wehr setzen sollen, dessen Strategie faktisch dazu führt, Rechtsstaaten zu nicht rechtskonformen Abwehrhandlungen zu bewegen: In welchem Maß sollte die ↑Freiheit eingeschränkt werden, um die ↑Sicherheit der Bevölkerung zu erhöhen? Gegenüber dieser Infragestellung sollte sich die Einsicht durchsetzen, dass rechtsstaatliche Gesellschaften ihre Freiheit durch das weitreichende Nachgeben gegenüber einem letztlich unstillbaren Bedürfnis nach Sicherheit abschaffen würden. Die Abwehr des Terrorismus findet daher ihre ethische Grenze zumindest dort, wo sie die freiheitlichen Grundlagen der rechtsstaatlichen Gesellschaft und des internationalen Zusammenlebens unterminiert. In diesem Rahmen ist das absolute Verbot der ↑Folter auch angesichts terroristischer Bedrohungen unterstrichen worden.

4. Religion: Gewaltlatenz oder Friedensfaktor?

Mit der These, religiös-kulturell motivierte Kriege stellten die größte Gefahr dar, hat Samuel Huntington 1993 eine breite Debatte über die Ambivalenz und die Gefahr der ideologischen Verzweckung von ↑Religionen für Krieg und Gewalt angefacht. Wenn Interessenkonflikte religiös aufgeladen werden, können sie in einen Kampf transformiert werden, in dem alle Mittel um eines höheren Zieles willen erlaubt scheinen und der Gegner jedes Recht verliert.

Bereits 1986 haben sich auf Initiative von Papst Johannes Paul II. Vertreter aller großen Weltreligionen in Assisi getroffen, um mit ihrem Gebet für den F. ein Zeichen gegen ideologische Instrumentalisierung von Religion zu setzen. Religiöse Wahrheitssuche soll in Achtung und Respekt vor dem Andersdenkenden und -glaubenden geschehen. Nach den Anschlägen auf das World Trade Center in New York am 11.9.2001 trafen sich Vertreter der Weltreligionen erneut in Assisi und erklärten: „Wir verpflichten uns, unsere feste Überzeugung zu proklamieren, dass Gewalt und Terrorismus im Kontrast zu jedem echten religiösen Geist stehen. Wir verurteilen jeden Rückgriff auf Gewalt und Krieg im Namen Gottes oder der Religion […]" (Nr. 1 Friedenserklärung von Assisi). Im islamischen Raum steht u. a. die Initiative „A Common Word" aus Jordanien für das Bemühen um das interreligiöse Gespräch. Mit F.s-Worten und Denkschriften positionieren sich christliche Kirchen regelmäßig, um ethische Prinzipien internationa-

len friedlichen Zusammenlebens in die gesellschaftliche Debatte einzubringen. Zudem engagieren sich religiöse Akteure wie die „Gemeinschaft Sant'Egidio" auch durch F.s-Verhandlungen zur Beendigung von Gewalthandlungen. Die kirchliche Entwicklungsarbeit zählt durch ihren Einsatz für Gerechtigkeit zu den christlich motivierten F.s-Initiativen; gleiches kann für andere Religionsgruppen festgestellt werden. Als Herausforderung an die eigene Haltung muss das Zeugnis der F.s-Kirchen für die Gewaltlosigkeit verstanden werden.

5. Schutzverpflichtung gegenüber Menschenrechten

Als Reaktion auf die Genozide in Ruanda (1994), Srebrenica (1995) und Kosovo (1999) hat sich eine Debatte über die Schutzverpflichtung *(responsibility to protect)* entwickelt: Staatliche ↑Souveränität wird neuinterpretiert als Schutzverpflichtung des Staates gegenüber seinen Bürgern. Auf diese Weise sollen fundamentale Menschenrechte als Grundlage des internationalen Zusammenlebens wenigstens ansatzweise verankert und geschützt werden. Das Konzept der Schutzverantwortung wurde 2005 von der UN-Generalversammlung angenommen; es basiert auf drei Säulen:

a) Jeder Staat hat die Verpflichtung, alle auf seinem Territorium befindlichen Menschen vor schwersten Menschenrechtsverletzungen (Genozid, Kriegsverbrechen, Verbrechen gegen die Menschlichkeit, ethnische Säuberungen) zu schützen.

b) Der internationalen Gemeinschaft kommt die subsidiäre Verantwortung zu, die Einzelstaaten bei der Wahrnehmung ihrer primären Schutzverpflichtung präventiv, bspw. durch Kapazitätsaufbau und die Errichtung von Frühwarnmechanismen, zu unterstützen.

c) Im Falle eines offensichtlichen staatlichen Versagens bei der Erfüllung seiner Schutzverpflichtung ist die internationale Gemeinschaft befugt, Zwangsmaßnahmen bis hin zu militärischen Mitteln anzuwenden, um das Überleben einer gefährdeten Bevölkerungsgruppe zu gewährleisten.

Da die Entscheidung über eine militärische Schutzverpflichtung beim UN-Sicherheitsrat liegt, hängt die Handlungsfähigkeit der internationalen Gemeinschaft vom politischen Handlungswillen der Veto-Mächte ab. Allerdings könnte die UN-Generalversammlung aufgrund der „Uniting for Peace"-Prozedur aktiv werden und eine entspr.e Empfehlung abgeben.

6. Wiederaufbau nach Gewaltkonflikten

Erst in jüngerer Zeit hat die ethische Auseinandersetzung mit dem Wiederaufbau von Staaten nach einem Gewaltkonflikt *(state-building)* als Forderung der Gerechtigkeit gegenüber der betroffenen Gesellschaft begonnen. Der Wiederaufbau lässt sich auch als Gebot der Klugheit begründen, künftige potenzielle Konflikte an der Wurzel zu überwinden, da etwa die Hälfte aller beendeten Kriege nach einigen Jahren wieder ausbrechen, wenn ihre Ursachen nicht überwunden werden.

Die Debatte über das internationale Engagement in Afghanistan hat gezeigt, dass auch eine wohlmeinende Intervention in einem Staat oder einer Gesellschaft von außen häufig unhinterfragte Vorstellungen politischer und kultureller Ordnung aufoktroyiert. Hilfe von außen kann aber nur nachhaltig wirken, wenn die empfangende Bevölkerung Zeit und Raum bekommt, sich die angebotene Hilfe zu Eigen zu machen oder abzulehnen (Prinzip *ownership*). Eine kluge Intervention soll die Gesellschaft i. S. d. Subsidiaritätsprinzips (↑Subsidiarität) darin unterstützen, das für sie selbst Richtige zu entwickeln. Die internationalen Geldgeber sollten die Vergabe von Aufbauhilfen an nachprüfbare Bedingungen knüpfen; so sollten die Zweckbindung wie die Gemeinwohlorientierung (↑Gemeinwohl) der Hilfen durch unabhängige Kontrollmechanismen überwacht werden. Ungelöst erscheint derzeit die Frage, auf welche Weise nach einem Konflikt staatliche Sicherheit hergestellt werden kann, ohne der Bevölkerung das Gefühl der Besatzung von außen zu geben; diese Situation verschärft sich, wenn sie durch Kulturdifferenz überlagert wird. Wenn die durch die internationale Intervention unterstützte Regierung eine stark defizitäre Gemeinwohlorientierung bis zu Klientelismus und ↑Korruption sowie Defizite bei der politischen ↑Partizipation von Teilen der Bevölkerung aufweist, droht die gesamte Aufbauhilfe der internationalen Gemeinschaft damit identifiziert und von der benachteiligten Bevölkerung abgelehnt zu werden. ↑Nachhaltigkeit auch im temporären Sinn gehört zu den wichtigsten Forderungen: Das Engagement für die Überwindung von Gewaltursachen durch den Aufbau einer friedlichen Gesellschaft muss Jahrzehnte – nicht nur wenige Jahre – durchgehalten werden können, analog zu Entwicklungsprojekten.

7. Gesellschaftliche Versöhnung

Über den äußeren Wiederaufbau hinaus steht nach dem Ende gewaltsamer Konflikte die gesellschaftliche Bearbeitung der Gewalterfahrungen vor einer wirklichen Befriedung. Hier wird zuerst der innereuropäische Versöhnungsprozess insb. Deutschlands mit seinen Nachbarn nach dem Zweiten Weltkrieg genannt. Seit den 1990er Jahren sind mit dem Ende des Apartheidregimes (↑Apartheid) in Südafrika, der Überwindung von Militärdiktaturen in Lateinamerika, aber auch angesichts innerstaatlicher Kriege wie in Bosnien-Herzegowina kollektive Versöhnungsprozesse als Schlüssel für die politische Zukunft dieser Gesellschaften in den Blick gerückt. Wahrheitsorientierten Versöhnungsprozessen geht es um die Aufdeckung der Wahrheit über das Unrechtssystem mit dem Ziel der Heilung der Gesellschaft. Die Arbeit einer Wahrheits- und Versöhnungskommission (*truth and reconciliation commission*) setzt am zerrütteten Verhältnis zwischen Opfern und Tätern an. Die Anerkennung des Rechts auf Wahrheit über das geschehene Unrecht stellt eine rudimentäre Anerkennung der Würde der Opfer dar. Dabei soll auch ein umfassendes Bild des politischen Unrechtssystems gezeichnet werden. Problematisch an Wahrheits- und Versöhnungskommissionen ist, dass sie i. d. R. als Instrument „ausgehandelter Revolution" bspw. in Südafrika oder Argentinien zwischen alten und neuen ↑Eliten erscheinen; weil sich Akteure des alten Regimes einer weitergehenden rechtlichen Aufarbeitung widersetzten, blieb als Kompromiss der Deal „Wahrheit für Amnestie". In Südafrika weigerten sich viele Täter, persönliche Schuld einzugestehen. Unter „Versöhnung durch Gerechtigkeit" wird die rechtliche Aufarbeitung mit dem Ziel der Stärkung des Rechtsvertrauens verstanden. Ob es der Versöhnung dient, wenn öffentlich festgestellt wird, wer Recht gebrochen und wer Unrecht erlitten hat, ist umstritten.

Versöhnung zwischen Völkern und Staaten, dies zeigt der polnisch-deutsche Versöhnungsprozess exemplarisch, bedarf der Initiativen von Individuen oder Partikulargruppen aus der Gesellschaft, die Verantwortung für das Ganze übernehmen und Initiativen starten in der Hoffnung, die übrige Bevölkerung in einen Versöhnungsprozess hineinzuziehen. Dabei bitten Repräsentanten, die ihrerseits kein unmittelbares Unrecht begangen haben, stellvertretend um Vergebung für die Schuld eines Volkes, um mit dem von einer vorherigen Generation verübten Unrecht, das Teil der kollektiven ↑Identität des jeweiligen Volkes ist, angemessen umzugehen. Repräsentanten des Gemeinwesens wie auch die Bürger als Individuen tragen eine moralische Verpflichtung für die Aufdeckung des Unrechts, für die Erinnerung an das Unrecht wie an die Opfer, für Wiedergutmachung, soweit dies möglich ist, und die Verpflichtung, solches Unrecht in der Zukunft zu verhindern. Papst Johannes Paul II. hat sich durch das mehrfache Schuldbekenntnis um die Versöhnung zwischen den Kirchen und Religionen bemüht.

8. Krisenprävention

In Politik und Gesellschaft wird zunehmend die Forderung nach ziviler Krisenprävention laut. Direkte Prävention zielt darauf, gewaltsame Eskalation zu unterbinden; strukturelle Prävention soll den auch institutionellen Rahmen setzen, in dem Konflikte ohne Gewalt gelöst werden können, und gewaltsamen Konfliktaustrag verhindern. Der ethisch gut begründbaren Forderung nach ziviler Verhütung, Eindämmung und Bewältigung von Konflikten (Krisenprävention) stehen jedoch wenig gesicherte Einsichten über ihre Wirksamkeit gegenüber. Zugl. ist hier u. a. die Schnittstelle zu der gerechtigkeitsorientierten internationalen Zusammenarbeit markiert, insofern die Erfahrung von Ungerechtigkeiten häufig den Grund für Gewalteskalation darstellt. Zu wesentlichen F.s-Gefährdungen v. a. für die jeweils eigene Bevölkerung haben sich schwache und zerfallende Staaten (↑Failed state) herausgestellt, in denen unterschiedliche substaatliche Akteure wie (terroristische) Milizen partikulare Interessen gegeneinander oder im Kampf gegen die schwache Staatsgewalt durchzusetzen versuchen. Die Zivilbevölkerung wird dabei häufig so stark in Mitleidenschaft gezogen, dass ihr nur noch die Flucht (↑ Flucht und Vertreibung) in andere Landesteile oder das Ausland bleibt. Weltweit sind nach UN-Angaben fast 60 Mio. Menschen auf der Flucht (Stand: Ende 2014), ohne dass die internationale Gemeinschaft eine Antwort auf dieses Drama findet.

Literatur

V. Bock u. a. (Hg.): Christliche Friedensethik vor den Herausforderungen des 21. Jahrhunderts, 2015 • P. Rudolf/S. Lohmann: Außenpolitikevaluation im Aktionsfeld Krisenprävention und Friedensaufbau, 2013 • W. Barbieri/H. G. Justenhoven (Hg.): From Just War to Modern Peace Ethics, 2012 • H. G. Justenhoven: Frieden durch Recht. Zur Relevanz des internationalen Rechts in der Friedenslehre der Katholischen Kirche, in: M. Delgado/A. Holderegger/G. Vergauwen (Hg.): Friedensfähigkeit und Friedensvisionen in Religionen und Kulturen, 2012, 259–276 • Die deutschen Bischöfe: Terrorismus als ethische Herausforderung. Menschenwürde und Menschenrechte, 2011 • H. G. Justenhoven/E. Afsah (Hg.): Das internationale Engagement in Afghanistan in der Sackgasse? Eine politisch-ethische Auseinandersetzung, 2011 • H. G. Stobbe: Religion, Gewalt und Krieg, 2010 • E. Fürlinger (Hg.): Der Dialog muss weitergehen. Ausgewählte vatikanische Dokumente zum interreligiösen Dialog (1964–2008), 2009 • Rat der EKD: Aus Gottes Frieden leben – für gerechten Frieden sorgen. Eine Denkschrift, 2007 • M. Weingardt: Religion macht Frieden, 2007 • G. Beestermöller/H. Brunkhorst (Hg.): Rückkehr der Folter. Der Rechtsstaat im Zwielicht?, 2006 • H. G. Justenhoven: Internationale Schiedsgerichtsbarkeit. Ethische Norm und Rechtswirklichkeit, 2006 • M. Reder: Global Governance. Philosophische Modelle der Weltpolitik, 2006 • F. Enns: Friedenskirche in der Ökumene. Mennonitische Wurzeln einer Ethik der Gewaltfreiheit, 2003 • H. R. Reuter: Ethik und Politik der Versöhnung, in: G. Beestermöller/H. R. Reuter (Hg.): Politik der Versöhnung, 2002, 15–36 • S. Appleby: The Ambivalence of the Sacred, 2000 • Die deutschen Bischöfe: Gerechter Friede, 2000 • V. Rittberger/A. Hasenclever: Religionen in Konflikten. Religiöser Glaube als Quelle von Gewalt und Frieden, in: Politisches Denken 9 (2000), 35–60 • H. Müller: Das Zusammenleben der Kulturen. Ein Gegenentwurf zu Huntington, 1998 • G. Beestermöller: Die Völkerbundsidee. Leistungsfähigkeit und Grenzen der Kriegsächtung durch Staatensolidarität, 1995.

HEINZ-GERHARD JUSTENHOVEN

Friedens- und Konfliktforschung

F. u. K. ist ein interdisziplinäres Forschungsfeld, das sich mit den Bedingungen des Friedens, der Überwindung des Krieges und der Möglichkeit gewaltfreier Konfliktbearbeitung befasst. Der Schwerpunkt der F. u. K. liegt in der Politikwissenschaft. Aber auch in Geistes- und Erziehungswissenschaften, Geschichte, Rechtswissenschaft, Psychologie und den Naturwissenschaften sind wichtige Beiträge entstanden. Die F. u. K. hat ein theoretisches und ein praktisches Erkenntnisinteresse: Zum einen sollen die Ursachen, Folgen und Dynamiken gewaltsamer Konfliktverläufe erforscht, zum anderen Ideen und Empfehlungen für eine am Frieden orientierte Politik entwickelt werden.

1. Geschichte und Institutionen

Nach dem Zweiten Weltkrieg bildete sich unter dem Eindruck des ↑ Kalten Krieges und der Atombewaffnung eine Bewegung von Wissenschaftlerinnen und Wissenschaftlern, die ihre Forschung am normativen Ziel des Friedens orientieren und zur Überwindung des Krieges beitragen wollten. So entstanden 1957 das *International Institute for Strategic Studies* in London, 1959 das *Peace Research Institute Oslo* und 1966 das *Stockholm International Peace Research Institute*.

In Deutschland spielte die „Göttinger Erklärung" von 1957 eine wichtige Rolle, in der 18 namhafte Atomwissenschaftler sich gegen die Bewaffnung der ↑ Bundeswehr mit Nuklearwaffen aussprachen und eine am Frieden orientierte Wissenschaft forderten. In diesem Kontext wurden 1958 die FEST und 1959 die *Vereinigung deutscher Wissenschaftler* als deutscher Ableger der internationalen Pugwash-Bewegung gegründet, die sich zwei Jahre zuvor der Forschung für nukleare Abrüstung und Nichtverbreitung verschrieben hatte. 1969 forderte Bundespräsident Gustav Heinemann in seiner Antrittsrede eine institutionelle Förderung der F. 1970 wurde auf Vorschlag des Wissenschaftsrates die *Deutsche Gesellschaft für Friedens- und Konfliktforschung* (DGFK) gegründet mit dem Ziel, einerseits die Friedenswahrung in Europa und andererseits Konflikte zwischen Industrie- und Entwicklungsländern zu erforschen. Diese Themen standen gleichzeitig im Zentrum tagespolitischer Kontroversen, wodurch die F. u. K. in hitzige parteipolitische Debatten hineingezogen wurde.

Auch innerhalb der F. u. K. bildeten sich politische Lager. Dabei versuchte sich die „kritische" von der als „traditionell" bezeichneten F. abzusetzen. Sie warf der traditionellen F. u. K. vor, nur an der Verwirklichung eines „negativen Friedens" interessiert zu sein, nicht aber an der Herstellung eines „positiven Friedens". Sie sei an der Kriegsverhinderung, nicht an der Überwindung des Kriegs als Institution interessiert, setze im ↑ Ost-West-Konflikt auf Stabilisierung und nicht auf seine Überwindung, favorisiere Rüstungskontrolle statt Abrüstung. In der Folge kam es zu einer polemischen Entgegensetzung von (kritischer) F. und (traditioneller) Sicherheitsforschung.

Die progressive, mitunter revolutionäre Rhetorik der kritischen F. nahmen konservative Kritiker zum Anlass, die Einstellung der institutionellen Förderung der F. u. K. zu fordern. 1980 trat Bayern aus der DGFK aus, andere CDU-regierte Länder folgten. Der Regierungswechsel 1982/83 bedeutete das Ende der DGFK, und die Förderung friedenswissenschaftlicher Forschung ging in Teilen auf die DFG über.

Trotz des Scheiterns der DGFK waren die 70er Jahre

insofern erfolgreich, als eine Reihe neuer Institute gegründet werden konnte: 1970 die *Hessische Stiftung Friedens- und Konfliktforschung*, 1971 das *Institut für Frieden und Sicherheit* an der Universität Hamburg sowie das privat finanzierte *Berghof-Zentrum für konstruktive Konfliktbearbeitung* in Berlin. Als allerdings Anfang der 1980er Jahre die Fördermittel der DGFK versiegten, waren diese Institutionen gezwungen, sich über andere Projektmittel zu finanzieren. Dies hatte eine dreifache Wirkung: Erstens führte es zu einer Professionalisierung der F. u. K., weil sie nun mit anderen Fächern um Mittel der Wissenschaftsförderung (z. B. im Rahmen der DFG) konkurrieren musste. Zweitens erfolgte die Wiedereinbindung der F. u. K. in die Ursprungsdisziplinen, weil sich eine eigenständige wissenschaftliche Disziplin als nicht überlebensfähig erwiesen hatte. Drittens führte die Konkurrenz um Fördermittel zu einer Spezialisierung der Institute, die bestrebt waren, eigene Forschungsprofile auszubilden.

Neue Initiativen zur Stärkung der F. u. K. gab es nach dem Ende des Ost-West-Konflikts auf Länderebene, etwa 1991 mit der Gründung des *Instituts für Entwicklung und Frieden* oder 1994 des *Bonn International Center for Conversion*. Im Bund etablierte das BMBF im Auftrag der rot-grünen Bundesregierung 2000 die *Deutsche Stiftung Friedensforschung* mit dem Ziel, F. „dauerhaft zu stärken und zu ihrer politischen und finanziellen Unabhängigkeit beizutragen" (Deutsche Stiftung Friedensforschung 2016: § 2 Nr. 1). Die vergleichsweise geringen Mittel ließen aber dafür wenig Spielraum, so dass die Koalitionsfraktionen CDU/CSU und SPD im November 2016 vereinbarten, die F. „weiterhin gezielt zu fördern und ihre Ergebnisse noch stärker in die Arbeit der Bundesregierung auf allen Ebenen einfließen zu lassen" (BT-Drs. 18/10239: 3). Die institutionelle Form dieser Förderung und wer von ihr profitieren soll, bleibt einstweilen umstritten.

2. Grundbegriffe und Analyseebenen

Ein Großteil der wissenschaftlichen Debatte der F. u. K. dreht sich um die Definition zentraler Begriffe wie ↑Frieden, ↑Gewalt oder ↑Sicherheit. Zu den Grundüberzeugungen insb. der kritischen F. u. K. gehört, dass Frieden mehr ist als Abwesenheit von Krieg, ein Zustand, den man allenfalls als „negativen Frieden" bezeichnen könne.: „Definiert man Frieden als einen Weltzustand, in dem die Menschheit biologisch existieren kann, so ist der Gegensatz zu Frieden nicht mehr Krieg, sondern Not" (Picht 1971: 22). „Positiver Frieden", so Johan Galtung, müsse umfassender verstanden werden, nicht nur als Abwesenheit von personaler, sondern auch von „struktureller Gewalt", unter der alle die Kräfte und Strukturen verstanden werden, die den Menschen daran hindern, ihre potentiellen Fähigkeiten zu realisieren. Die Begriffserweiterung folgt der Überzeugung, dass man politische Probleme radikal, an der Wurzel, lösen müsse und sich nicht auf die Linderung

von Symptomen beschränken dürfe. Zwar diente diese Erweiterung dazu, auf politische Missstände aufmerksam zu machen und die kritische gegen die traditionelle F. u. K. abzugrenzen, sie fand aber in der tatsächlichen Forschung kaum Anwendung, weil mit der Ausdehnung der Begriffe ihre empirische Diskriminierungsfähigkeit verloren ging.

Ein ähnlicher Prozess hat seit der Jahrhundertwende beim Sicherheitsbegriff stattgefunden. Heute spricht man nicht mehr nur von nationaler militärischer Sicherheit, sondern auch von globaler ökologischer Sicherheit oder gar von „menschlicher Sicherheit" (*human security*). In diesem Zusammenhang hat der Friedensbegriff seine utopische Qualität weitgehend eingebüßt und ist von einem erweiterten Sicherheitsbegriff abgelöst worden, der wie früher der Friedensbegriff den Anspruch auf Emanzipation mit dem Versprechen eines besseren Lebens verbindet. Frieden und Sicherheit stehen folglich nicht mehr in einem Konkurrenzverhältnis. Damit hat sich auch die bevorzugte Analyseebene der F. u. K. geändert. Standen früher die Strukturen des internationalen Systems und die Interessen einzelner Staaten im Zentrum, geht es heute stärker um Friedensleistungen lokaler Akteure und die Gewährleistung individueller ↑Menschen- und Freiheitsrechte, kurz: menschlicher Sicherheit. Damit beginnen die politikwissenschaftlichen Nachbardisziplinen Ethnologie, Psychologie und Pädagogik wieder an Bedeutung in der F. u. K. zu gewinnen.

3. Forschungsfelder und Forschungsergebnisse

Die F. u. K. hat sich in zahlreichen Bereichen spezialisiert, etwa in der Kriegsursachenforschung, der Rüstungskontrolle, dem Konfliktmanagement, der Versöhnungspolitik usw. Am Beginn standen große Projekte zur Datensammlung, etwa das *Correlates of War*-Projekt an der University of Michigan, das seit 1963 statistische Daten zu zwischenstaatlichen ↑Kriegen und ↑Bürgerkriegen sammelt um Konfliktursachen und -dynamiken zu identifizieren. Weil militärische Konflikte aber vielfältige Ursachen und Anlässe haben, stehen zunehmend kausale Mechanismen für spezifische Konflikte im Zentrum. Territorialkonflikte sind z. B. schwieriger zu lösen als andere und eskalieren insb. dann zu Kriegen, wenn sie mit Rüstungswettläufen und Allianzbildungen verbunden sind. Bürgerkriege beginnen nicht nur dann, wenn eine entspr.e Motivation auf Seiten der Aufständischen vorhanden ist, sei diese politisch, religiös oder ökonomisch, sondern erst wenn strukturelle Bedingungen herrschen, die einen Erfolg der Rebellen wahrscheinlich erscheinen lassen. Schwache Staatlichkeit, unübersichtliches Terrain und Bodenschätze, die zur Finanzierung des Aufstandes ausgebeutet werden können, begünstigen ihren Ausbruch und sind für ihre Dauer verantwortlich.

Während die Zahl zwischenstaatlicher Kriege kontinuierlich abgenommen hat, ist die Zahl von Bürgerkriegen und transnationalen Gewaltkonflikten (z. B. ↑Terrorismus) gestiegen. Letzteres wird mit den gewandelten Gelegenheitsstrukturen und einer Zunahme von Finanzierungsmöglichkeiten einerseits und ethnisch-ideologischen Konflikten andererseits erklärt.

Die Abnahme klassischer Kriege wird auf die gewachsenen Kosten der Kriegführung, die friedenspolitische Wirkung internationaler Organisationen und die Verbreitung von ↑Demokratie zurückgeführt. Die Theorie des „demokratischen Friedens" ist allerdings umstritten. Einerseits gilt als gesichert, dass Demokratien untereinander friedfertig sind und keine Kriege führen. Andererseits sind sie gegenüber Nichtdemokratien konfliktbereit und insb. dann militant, wenn humanitäre Gründe und das Ziel weltweiter ↑Demokratisierung sie anleitet. Auch innenpolitisch wirkt sich Demokratisierung nicht immer friedensfördernd aus, denn junge Demokratien erscheinen als schwach und müssen sich gegen innere und äußere Feinde wehren.

↑Militär und Rüstung sind in der F. u. K. traditionell kritisch gesehen worden. Rüstungswettläufe haben nachweislich häufig zu Kriegen geführt. Allerdings resultiert die Rüstungsdynamik nicht allein aus wechselseitigen Bedrohungslagen und dem sog.en Sicherheitsdilemma, sondern auch aus technologischen Innovationen, innenpolitischen Interessenslagen (z. B. dem Einfluss des sog.en militärisch-industriellen Komplexes) und Statusüberlegungen von Regierungen und Eliten. F. u. K. hat zahlreiche Ansätze entwickelt, wie Rüstungswettläufe vermieden und Abrüstungsprozesse initiiert werden können. Darüber hinaus hält sie Fachwissen über die unterschiedlichsten Waffenarten vor, auf das nationale Regierungen und internationale Organisationen bei ihren Abrüstungsbemühungen regelmäßig zurückgreifen.

4. Fazit

Die F. u. K. hat sich national und international als interdisziplinäre Wissenschaft etabliert, die forschungsbasierte und anwendungsorientierte Beiträge liefert, die Welt sicherer und friedlicher zu machen. Tatsächlich war sie maßgeblich an der Überwindung des Kalten Krieges beteiligt, indem sie Konzepte wie „Wandel durch Annäherung" und „gemeinsame Sicherheit" propagierte. Weil sie damals wie heute in tagesaktuelle Diskussionen eingreift, wird sie selbst immer wieder zum Gegenstand politischer Kontroversen. Um ihre Funktion zwischen Wissenschaft und Politik zu erfüllen, muss F. u. K. beides sein: streitbar und verbindlich, engagiert und distanziert.

Literatur

D. Mitchell/J. Pickering: Arms Buildups and the Use of Military Force, in: C. Thies (Hg.): Oxford Encyclopedia of Foreign Policy Analysis (2017), URL: http://politics.oxfordre.com/view/10.1093/acrefore/9780190228637.001.0001/acrefore-9780190228637-e-390?rskey=i4yoJq&result=1 (abger.: 20.3. 2018) • Deutsche Stiftung Friedensforschung: Satzung, 2016 • A. Geis u. a. (Hg.): The Janus Face of Liberal Democracies, 2013 • P. Senese/J. Vasques: The Steps to War, 2008 • C. Ulbert/S. Werthes: Menschliche Sicherheit, 2008 • H. Müller/N. Schörnig: Rüstungsdynamik und Rüstungskontrolle, 2006 • J. D. Fearon/D. Laitin: Ethnicity, Insurgency and Civil War, in: APSR 97/1 (2003), 91–106 • C. Daase: Vom Ruinieren der Begriffe. Zur Kritik der Kritischen Friedensforschung, in: B. Meyer (Hg.): Eine Welt oder Chaos?, 1996, 455–490 • M. Evangelista: Unarmed Forces. The Transnational Movement to End the Cold War, 1996 • E. Mansfield/J. Snyder: Democratization and the Danger of War, in: International Security 20/1 (1995), 5–38 • B. Russett: Grasping the Democratic Peace, 1993 • K. von Schubert: Von der Abschreckung zur gemeinsamen Sicherheit, 1992 • E.-O. Czempiel: Friedensstrategien, 1986 • J. D. Singer/M. Small: The Wages of War, 1972 • G. Picht/W. Huber (Hg.): Was heißt Friedensforschung, 1971 • D. Senghaas (Hg.): Kritische Friedensforschung, 1971 • J. Galtung: Violence, Peace and Peace Research, in: Journal of Peace Research 6/3 (1969), 167–191.

CHRISTOPHER DAASE
UND NICOLE DEITELHOFF

Friedensverträge

1. Definition und Form

Wesentlicher Inhalt der F. ist die Beendigung des Kriegszustands und die Herbeiführung friedlicher Beziehungen zwischen völkerrechtlichen Subjekten: ↑Staaten, ↑Nationen oder Staatengruppen. Andere Bestimmungen treten hinter diesem eigentlichen Ziel und Zweck der F. zurück, obwohl sie den Keim zu langwierigen Konflikten um die Auslegung und Gültigkeit der F. legen können. Sie enthalten Gebietsabtretungen, Reparationen, Entschädigungen, Strafen, Restitutionen, die Befreiung der Kriegsgefangenen, Amnestien (↑Begnadigung) und Garantien seitens unbeteiligter Staaten oder Staatenorganisationen. Der Abschluss von F.n und die Verpflichtung zu ihrer Einhaltung setzen eine gegenseitige ↑Anerkennung der Partner, somit ein Gleichheitsmoment voraus. Der F. zielt auf die Regelung eigener ↑Interessen und zugl. auf ein allg.es Gut, den Frieden. Öfters werden Vermittler oder Institute der Friedensvermittlung zu den Verhandlungen oder zur Garantie der F. herangezogen. Im ↑Krieg Verbündete können sich verpflichten, nur gemeinsam ↑Frieden zu schließen, oder das Bündnis verlassen und Separat-F. mit einem oder mehreren der Gegner abschließen. Bes. bei komplexen Materien und Konstellationen bietet sich der Abschluss eines Präliminar- oder Vorfriedens an. Im Idealfall folgen die Friedensverhandlungen und der Aufbau der F. dem Prinzip der Gegenseitigkeit. Im Anschluss an einen Waffenstillstand oder an Friedenspräliminarien, z. B. die Verständigung über Ort und Zeit der Friedensverhandlungen, versammeln sich die Gesandten der Staatsoberhäupter zu einem Kongress. Die gegenseitig übermittelten Anträge und Antworten verdichten sich zu den Verhandlungsakten, Traktanden,

Entwürfen und schließlich zu den Verträgen selbst, den *Instrumenten* der F. (auch *urfehde, Abkommen, Übereinkommen, Akte, Convention, Capitulation, Punktation, Agreement, Statut* oder *Protokoll* genannt). Unwichtigere Punkte oder solche, über die keine Übereinkunft erzielt werden konnte, werden in Additionalen, einseitigen Erklärungen, Deklarationen, Briefen, Protokollen, Reversen, Protesten, Reservationen und Remonstrationen mit jeweils unterschiedlicher Absicht und Rechtswirkung niedergelegt. Die Präambel der F. geht oft auf die Gründe des Kriegs ein und nennt die vertragschließenden Parteien. Es folgen die stipulierten Artikel, Angaben über Dauer und Kündigung der F., Bestimmungen über die Ratifikation und schließlich die Beglaubigung mit den Unterschriften und Siegeln. Je nach der Zahl der Teilnehmer sind *multilaterale* oder *General-F. (Westfälischer F.)* von *bilateralen F.n* zu unterscheiden. Das traditionelle ↑Völkerrecht behält dem F. die Funktion vor, die Beendigung eines Krieges deklaratorisch festzustellen, im Rechtssinne einen Kriegszustand endgültig zu beenden. Der Waffenstillstand, die Kapitulation, der Präliminarfriede, einseitige Erklärungen über die Kriegsbeendigung oder andere Normalisierungen wie die Aufnahme diplomatischer Beziehungen haben diese Bedeutung noch nicht. Von Erfolg gekrönt war das Offenhalten der deutschen Frage durch den F.s-Vorbehalt der ↑BRD. Noch lange nach dem Kriegsende 1945 konnte 1990 der Vertrag über die abschließende Regelung in Bezug auf Deutschland (Zwei-Plus-Vier-Vertrag, ↑Deutsche Einheit) abgeschlossen werden. Haben die Vertragspartner ihre Delegierten in den Ausschüssen und Versammlungen der Kongresse verhandeln lassen, so behalten sie sich die Zustimmung zu den F.n durch nachträgliche *Ratifikation* vor, die je nach den Staatsverfassungen den Parlamenten obliegt. Eine tiefere Sicht auf die den F.n zugrunde liegende innere Disposition gab der spanische Jesuit Francisco Suárez: Die personalen Willensakte des Friedens entspringen um der guten Ordnung willen der ↑Liebe, der ↑Gerechtigkeit und anderen ↑Tugenden. Moderne F. setzen die Existenz eines Systems oder Konzerts der Mächte und damit einen umfassenderen Ordnungszusammenhang voraus, ebenso die Akzeptanz eines entwickelten Völkerrechts, das auf dem ↑Gewohnheitsrecht, allg.en Rechtsgrundsätzen der Völkergemeinschaft sowie auf Treu und Glauben (↑Treu und Glauben) beruht. Sie können als Vorstufe einer verbindlichen internationalen Gesetzgebung angesehen werden.

2. Geschichte der Friedensverträge

Die Hegemonialmacht Rom gebot den dem Imperium Romanum unterworfenen Staaten einen allg.en Frieden *(pax Romana)*. F. nahmen i.d.R. die Form von Unterwerfungs-, Freundschafts- und Bündnisverträgen an. Die Universalherrscher der *res publica christiana*, Kaiser und ↑Papst, nahmen zwar als Häupter der Christenheit, Schiedsrichter, Registratoren (Kurie) und Mediatoren er-

heblichen Einfluss auf den Abschluss und die Geltung von Verträgen. Doch gebar die mittelalterliche *communitas communitatum* eine Fülle unterschiedlicher Gemeinwesen und Herrschaftsformen, von den Feudalherren über die Ritter-, die Priesterschaften und die Nationenbildung bis zu den Städtebünden. Schon wenn sie ein Mindestmaß von Freiheit und Unabhängigkeit besaßen, schlossen sie Verträge mannigfacher Art, geboten auch befristete F. für bestimmte Gebiete oder Personengruppen (*treuga Dei*, Landfriede). Im 13. Jh. führte Thomas von Aquin das *ius gentium* und das *ius civile* auf das ↑Naturrecht und Weltgesetz Gottes zurück. Die spanische Spätscholastik (↑Scholastik) ging von einem zwischenstaatlichen Recht der Völker aus, das die sittliche Einheit des Menschengeschlechts voraussetzte, aber von der natürlichen Vernunft und vom Gewohnheitsrecht ihre Regeln empfing (F. Suárez, Francisco de Vitoria): „Quod naturalis ratio inter omnes gentes constituit, ius gentium vocatur". Die ↑katholische Kirche blieb letzte Instanz hinter der naturrechtlich begründeten Völkergemeinschaft. Vom Ende des 15. bis zur Mitte des 16. Jh. setzte eine Dekomposition der universellen Christenheit ein, verursacht durch die Einfälle der französischen Krone in Mailand und Neapel, den Aufschwung des Gesandtschaftswesens in Italien, die Vollendung der *Reconquista*, die deutsche ↑Reformation und die Entdeckung der Neuen Welt. Der Westfälische Friede von Münster und Osnabrück (1648) bewirkte zwar keine dauerhafte europäische Friedensordnung, bildete aber Strukturen einer Kunst der F. aus. Die Beteiligung an F.n wurde auf souveräne Mächte, außer den teilnehmenden Reichsständen, beschränkt. Sie trafen sich für Monate oder Jahre an festen Orten, tauschten schriftliche Traktanden aus, verhandelten von gleich zu gleich, zogen diplomatisch oder juristisch versierte (Sekundar-)Gesandte heran und suchten dem Frieden durch Garantien „immerwährende" Dauer zu verleihen. Das bisher einigende Band der *christianitas* trat zurück und war durch neue Legitimationsgründe zu ersetzen. Dem dienten u.a. die großen Vertragssammlungen von Michael Caspar Londorp, Johann Christian Lünig, Jean Dumont, Henri Vast, Gottfried Wilhelm Leibniz, Johann Jakob Schmauß und Georg Friedrich Martens. Sie spiegelten Fürstenehrgeiz und Staatsraison, aber auch das Motiv gelehrter und moralischer Eindämmung ungezügelten Machtstrebens mittels des Völkerrechts und des Reichsstaatsrechts *(ius publicum)*. Weitere Forschung muss klären, inwieweit rhetorische und semantische Formeln und Begriffe realen Einfluss auf die Friedensfindung und die F. im 18. Jh. hatten: z.B. die Berufung auf die *balance of power*, auf die „Ruhe und Sicherheit Europas", auf naturrechtliche Gesetze und moralische Prinzipien oder auf die Forderung nach eindeutiger Fassung der F., um neuen Konflikten, dem Hegemoniestreben und geheimen Absprachen vorzubeugen (Gabriel Bonnot de Mably, Emer de Vattel). Nach den napoleonischen Kriegen entband der Wiener Kongress (1814/

15) eine längere Friedensperiode (Kongressdiplomatie 1814–22, Pentarchie). Die Anrufung Gottes *(invocatio Dei)* hielt sich in europäischen F.n bis 1866 (Friede zwischen Österreich und Italien), doch wich spätestens seit Beginn des 19. Jh. die Referenz auf die gemeinsame Christenheit der Idee einer umfassenden Gemeinschaft der zivilisierten Nationen. Beginnend mit dem Wiener Kongress und endend mit den Haager Konventionen (1899, 1907; ↑Haager Friedenskonferenz) gingen die kollektiven Verträge des europäischen Konzerts dazu über, auch fundamentale Fragen des internationalen Lebens zu regeln. Neue Themen waren die Verurteilung der ↑Sklaverei, die Einführung der freien Flussschifffahrt, der Minderheitenschutz (↑Minderheiten) und die Humanisierung der Kriegsführung. Der Zerfall des europäischen Mächtekonzerts im Ersten Weltkrieg beeinträchtigte die Wirkung von F.n (Versailler Vertrag 1919). Ein Jh. lang aus der Praxis der F. herausgehaltene Ideen der Amerikanischen und ↑Französischen Revolution gelangten mit der Gründung des ↑Völkerbunds (1920) und der UNO (1946; ↑Vereinte Nationen) zur Geltung. Der Gedanke einer durch internationales Recht und kollektive Sicherheit zu verbindenden universellen Völkergemeinschaft war vorbereitet durch den Kreuzzug für die ↑Freiheit, den das revolutionäre Frankreich 1792 gegen die Aggression der Monarchien ausgerufen hatte. Der außenpolitische Befreiungsimpuls verband sich mit einem innerpolitischen. Die ideologische Aufladung der Kriegsterminologie, die die Unterdrücker des souveränen ↑Volks zu schlimmen Feinden erklärte, wirkte sich auch auf die zur Bannung des Krieges geschaffenen ↑internationalen Organisationen aus. Kollektive Maßnahmen gegen den Friedensstörer schienen angebracht, weil sein Verhalten als ein Angriff auf die Staaten der zivilisierten Menschheit galt. Die ↑Diktaturen der Zwischenkriegszeit stellten die Ansätze einer wirksamen internationalen Solidarität in Frage, ebenso die Teilung der Welt zwischen West und Ost im ↑Kalten Krieg. Auch nach der großen Wende der Weltpolitik 1990 fehlt wegen eines möglichen „Kampfs der Kulturen" (Huntington 1996), realer terroristischer Aktionen (↑Terrorismus) und unerklärter Kriege ein verbindlicher Wertekonsens, der eine weltumfassende Rechts- und Friedensordnung fundieren könnte. F. bleiben angesichts der Zunahme, Ideologisierung und willkürlichen Führung von Kriegen beschränkte, doch bewährte Ordnungsinstrumente der Völkergemeinschaft und wahren auch die Priorität der Staaten vor nicht regierenden Akteuren.

Literatur

R. Lesaffer (Hg.): Peace Treaties and International Law in European History, 2004 • W. G. Grewe: The Epochs of International Law, 2000 • A. Oschmann u. a. (Bearb.): Die Friedensverträge mit Frankreich und Schweden, Bde. 1–3, 1998–2007 • H. Duchhardt: Balance of Power und Pentarchie. Internationale Beziehungen 1700–1785, 1997 • S. Huntington: Kampf der Kulturen, 1996 • C. Parry (Hg.): The Consolidated Treaty Series, 1981 • J. Fisch: Krieg und Frieden im Friedensvertrag, 1979 • M. O. Hudson/L. B. Sohn (Hg.): International Legislation. A Collection of the Texts of Multipartite International Instruments of General Interest. Beginning with the Covenant of the League of Nations, 9 Bde., 1970–1972 • U. Scheuner: Friedensvertrag, in: H.-J. Schlochauer (Hg.): Wörterbuch des Völkerrechts, Bd. 1, 1960, 590–595 • H. K. G. Rönnefahrt u. a. (Hg.): Vertrags-Ploetz. Ein Hdb. geschichtlich bedeutsamer Zusammenkünfte und Vereinbarungen, Bde. 3–5, 1958–1975 • J. ter Meulen: Der Gedanke der internationalen Organisation in seiner Entwicklung (1300–1889), 2 Bde., 1940 • C. L. Lange/A. Schou: Histoire de l'internationalisme, 3 Bde., 1919–1963 • G. de Garden: Histoire générale des traités de paix et autres transactions principales entre toutes les puissances de l'Europe depuis la paix de Westphalie, 15 Bde., 1848–1887.
                                                      WINFRIED BECKER

Friedhof

1. Begriff und Rechtsform

Der F. ist der Ort der würdigen ↑Bestattung und des Andenkens der Verstorbenen sowie der Pflege der Gräber. Er besteht aus einer räumlich abgegrenzten und eingefriedeten Fläche, die durch Widmung eines öffentlichen, also kommunalen oder kirchlichen Rechtsträgers zu einer unselbständigen Anstalt des öffentlichen Rechts wird. Der Widmungszweck findet sich zumeist in den Bestattungsgesetzen der Länder, denen entspr. der Kompetenzverteilung in Art. 70 Abs. 1 GG die Gesetzgebungskompetenz zukommt. Für Kriegsgräber und Gräber anderer Opfer des Krieges und Opfer von Gewaltherrschaft besteht gemäß Art. 74 Abs. 1 Nr. 10 GG eine konkurrierende Zuständigkeit des Bundes, von der er durch Erlass des Gräbergesetzes Gebrauch gemacht hat. F.e entstehen durch Widmung (nach katholischem Kirchenrecht: Benediktion, can. 1240 § 1 CIC) und Indienststellung. Die Schließung eines F.es geschieht in zwei Schritten: mit der Außerdienststellung werden weitere Bestattungen eingestellt. Nach Ablauf der Ruhefristen erfolgt die Entwidmung. Der F. verliert den Anstaltscharakter, der Widmungszweck endet und das Grundstück kann zu anderen Zwecken verwendet werden. Bei der Planung und Genehmigung von F.en sind Erfordernisse der Raumordnung (↑Raumordnung und Landesplanung) und Bauplanung ebenso zu beachten wie der Gesundheits-, Gewässer- und Landschaftsschutz. Im Zuge zurückgehender Bestattungszahlen gewinnt der Aspekt der F.s-Entwicklungsplanung sowie der Umgang mit Überhangflächen an Bedeutung.

2. Wandel der Friedhofskultur

Gesellschaftliche Veränderungen haben seit Ende des 20. Jh. zu einem „Wandel der Bestattungskultur" geführt, der zwangsläufig auch einen Wandel der F.s-Kultur bewirkt. War seit dem 19. Jh. der F. „der" öffentliche oder kirchliche Ort für eine würdige Bestattung der Toten, wird dies zunehmend in Frage gestellt. Alternative Bestattungsformen und -orte treten neben die traditionellen F.e. Zugl. wird der F. nicht mehr ausschließlich als Bestattungs- und Gedenkort angesehen, sondern als öffentliche Grünanlage oder Erholungsort genutzt (s. ausdrücklich § 2 Abs. 4 Friedhofsgesetz Berlin). Ältere F.e geraten in das Blickfeld des Denkmalschutzes.

3. Trägerschaft

Neben den Kommunen kommen auch andere K.d.ö.R. als F.s-Träger in Frage, mithin die verfassten Religionsgemeinschaften mit Körperschaftsstatus wie bspw. die evangelischen und katholischen Kirchengemeinden bzw. -stiftungen sowie die jüdischen Gemeinden. Private können in einigen Bundesländern insoweit F.e errichten und betreiben, als sie durch die Kommunen beliehen werden können. In anderen Bundesländern ist lediglich vorgesehen, dass die Gemeinden und die ↑Religionsgemeinschaften, die K.d.ö.R. sind, sich zur Erfüllung ihrer Aufgaben bedienen können, die Trägerschaft aber bei der ↑Gemeinde verbleibt. Auf dieser Rechtsgrundlage werden z. B. Friedwälder und Ruheforste gewerblicher GmbHs sowie muslimische F.e errichtet und betrieben. Seit 2014 kann in NRW auch die Trägerschaft für F.e ohne friedhofstypische Merkmale, auf denen ausschließlich Totenasche im Wurzelbereich des Bewuchses ohne Behältnis vergraben wird, übertragen werden (§ 1 Abs. 6 Bestattungsgesetz NRW).

4. Friedhofszwang

In Deutschland besteht grundsätzlich die Pflicht zur Bestattung auf einem öffentlichen F. (F.s-Zwang). Dies ist nach der Rechtsprechung des BVerwG mit dem GG vereinbar, wenn auch verfassungsrechtlich nicht geboten. Der F.s-Zwang berührt nach dem BVerfG insb. nicht die ↑Menschenwürde (BVerfGE 50, 256, 262).

Der Bestattungszwang für Leichen bzw. der Beisetzungszwang für Aschereste verbunden mit dem F.s-Zwang führen dazu, dass von den Kommunen als Pflichtaufgabe F.e vorzuhalten sind. Sind ausreichend kirchliche F.e vorhanden, besteht keine Pflicht zur Anlage weiterer öffentlicher F.e. Als Ausnahme vom F.s-Zwang sind in bes.n Ausnahmefällen behördlich genehmigte private Begräbnisstätten zulässig.

Mit Rücksicht auf einen entspr.en, schriftlich geäußerten Willen des Verstorbenen sehen die F.s-Gesetze der Länder (ohne Berlin, Rheinland-Pfalz und Sachsen-Anhalt) die Möglichkeit einer Seebestattung vor. In Bremen und NRW ist bei entspr.er schriftlicher Verfügung des Verstorbenen unter gesetzlich geregelten Bedingungen das Verstreuen von Ascheresten außerhalb von F.en zulässig.

5. Kirchliche Friedhöfe

Die Kirchen haben das Recht, eigene F.e zu errichten und zu betreiben. Es handelt sich seit jeher um eine eigene Angelegenheit der Kirchen, die sie im Rahmen der allg.en Gesetze ausüben, nicht um eine vom Staat übertragene Aufgabe, wie teilweise in der Literatur und Rechtsprechung angenommen wird.

Nach dem Recht der römisch-katholischen Kirche (↑Kirchenrecht) sollen dort, wo es möglich ist, kircheneigene F.e betrieben werden, oder aber auf weltlichen F.en zumindest Bereiche, die für das Begräbnis der verstorbenen Gläubigen bestimmt sind, can. 1240 § 1 CIC. In den einzelnen Diözesen sind Gesetze zur Wahrung der F.s-Ordnung zu erlassen, can. 1243 CIC. Für die evangelische Kirche bestehen auf der Ebene der Landeskirchen zahlreiche Rechtsverordnungen und Richtlinien über die Anlage kirchlicher F.e. Kirchenrechtlich möglich wären auch katholische Bereiche auf evangelischen F.en oder gemeinsame christliche F.e, die nicht zwingend in gemeinsamer Trägerschaft stehen müssten. Denkbar sind Modelle, in denen entweder die evangelische oder die ↑katholische Kirche die Trägerschaft übernimmt und die Regelungen für den gemeinsamen F. im Einvernehmen mit der anderen Religionsgemeinschaft erlässt.

6. Kolumbarien

Kolumbarien (*columbarium*, lateinisch Taubenschlag) sind zum einen meist steinerne Urnenwände auf F.en, zum anderen werden nicht mehr benötigte Kirchengebäude, die als Kirche profaniert und nachfolgend als F. gewidmet werden, als Kolumbarien bezeichnet. Die Nutzung eines Teiles einer Kirche als Kolumbarium ist nach katholischem Kirchenrecht zulässig, wenn dieser Teil baulich getrennt, durch Dekret profaniert (can. 1242 CIC: Bestattungsverbot in Kirchen) und nachfolgend als F. gesegnet wird (can. 1240 § 1 CIC).

7. Friedhofssatzung; Verkehrssicherungspflicht

Die F.s-Satzung (F.s-Ordnung) regelt die Beziehungen zwischen dem F.s-Träger und den F.s-Benutzern, insb. die Ordnung auf dem F., Bestattung, Grabstätten, Grabmale und Benutzung der F.s-Einrichtungen. Der Anspruch auf Zulassung zum F. ist stets öffentlich-rechtlicher Natur. Das Abwicklungsverhältnis kann öffentlich-rechtlich (Regelfall) oder privatrechtlich ausgestaltet sein. Die Rechtsetzungsbefugnis ist angesichts des F.s-Zwangs beschränkt durch den F.s-Zweck, höherrangiges Recht (insb. Willkürverbot, Gleichbehandlungsgrundsatz) und eine etwaige Monopolstellung. Die Rechtsetzungsbefugnis der Kirchen mit Wirkung für den staatlichen Bereich folgt aus dem Körperschaftsstatus. F.s-Satzungen sind öffentlich bekannt zu machen. Bei Gestaltungsvorschriften für Gräber ist die grundrechtlich geschützte Freiheit der Grabgestaltung, die aus dem allg.en ↑Persönlichkeitsrecht (Art. 2 Abs. 1 GG) folgt, zu beachten. Es müssen ausreichend Flächen ohne bes. Gestaltungsvorschriften zur Verfügung stehen. Ausgeschlossen werden darf stets alles, was „der Würde des Ortes abträglich oder sonst wie geeignet ist,

Ärgernis zu erregen und die Benutzer in ihren Empfindungen ernsthaft zu stören oder zu verletzen" (Gaedke 2015: 106). Ein Verbot von Grabsteinen aus Kinderarbeit ist wegen des Eingriffs in die Berufsfreiheit der Steinmetze nur aufgrund einer gesetzlichen Ermächtigung zulässig.

Kirchlichen F.s-Trägern kommen größere Gestaltungsspielräume zu, so lange sie nicht aufgrund ihres Monopolcharakters allen Einwohnern am Ort offenstehen müssen. Urnen eingeäscherter Heimtiere können, wenn der F.s-Träger dies zulässt, im Zuge der Bestattung als Grabbeigabe hinzugefügt werden. Die Verkehrssicherungspflicht auf F.en trifft den F.s-Träger. Er hat insb. regelmäßig die Standsicherheit der Grabmale zu überprüfen (Druckprobe).

8. Finanzierung

Gebühren sind in einer separaten ↑Satzung zu regeln und nach Maßgabe der Kommunalabgabengesetze zu erheben. Es gelten der Gleichbehandlungsgrundsatz, das Äquivalenz- und das Kostendeckungsprinzip, allerdings nicht für F.s-Bereiche wie Grün- und Erholungsflächen oder Kriegsgräber. Naherholungsflächen sollten aus dem allg.en Haushalt finanziert werden; richtigerweise müssten die Kommunen zur Finanzierung solcher Flächen auf kirchlichen F.en beitragen. Andersgläubigenzuschläge sind bei kirchlichen F.en ohne Monopolcharakter zulässig.

9. Strafrechtlicher Schutz

F.e genießen bes.n strafrechtlichen Schutz. Als Störung der Totenruhe gelten insb. das Zerstören und Beschädigen einer Beisetzungsstätte sowie das Verüben von beschimpfendem Unfug, § 168 StGB. Die Beschädigung oder Zerstörung von Grabmalen ist gemäß § 304 StGB strafbar. Das Begehen eines Hausfriedensbruchs gemäß § 123 StGB ist möglich.

Literatur

J. Gaedke: Hdb. des Friedhofs- und Bestattungsrechts, ¹¹2016 • P. Axer: Friedhöfe als öffentliche Sachen, in: DÖV 5 (2013), 165–172 • U. Zepf: Der Friedhofsentwicklungsplan im Orchester der Planungsinstrumente Berlins, in: LKV 9 (2013), 389–397 • R. Sörries: Ruhe sanft. Kulturgeschichte des Friedhofs, 2009 • A. von Campenhausen/H. de Wall: Staatskirchenrecht, ⁴2006, § 22 • W. Jung: Staat und Kirche im kirchlichen Friedhofswesen, 1966.   DANIELA SCHRADER

Friedliche Revolution ↑Deutsche Einheit

Früherziehung

Lange vor erziehungswissenschaftlichen, soziologischen, psychologischen oder anthropologischen Reflexionen über Kinder, ↑Kindheit und Kindsein hat absichtsvolles Einwirken auf Heranwachsende in Form von ↑Erziehung stattgefunden. Der Mensch als physiologische Frühgeburt, als sekundärer Nesthocker, als ein sozial verwiesenes und daher erziehungsbedürftiges Wesen ist von Anfang an existenziell von Pflege, Versorgung, ↑Betreuung und sozialer ↑Inklusion abhängig. Insb. in Form von erzieherischen Einwirkungen war es in vormodernen und modernen Sozietäten überlebensnotwendig, die nachfolgende Generation auf den aktuellen Stand soziokulturell integrativer Fähigkeiten, Fertigkeiten sowie geltender Werte und Normen zu bringen. Diese anthropologische Annahme einer quasi naturgesetzlichen intergenerationalen Wert- und Traditionsweitergabe in Form eines Generationenvertrages steht vor dem Hintergrund einer pluralistischen, individualisierten und spätmodernen Konstruktion von Gesellschaft und Individualität zunehmend zur Disposition. Metaerzählungen aus Philosophie, Religion, Mythos und Tradition, die tragende, gemeinsame und verbindliche Sinnstrukturen in relativ geschlossenen Kulturkreisen schaffen können und wodurch Werte, Verhaltensweisen, Inhalte und Formen von Erziehung sowie Vorstellungen von Kindheit und Kindsein eindeutig bestimmbar sind, verlieren deutlich an Orientierungsfunktion. Das ausgerufene „Ende der Erziehung" (Giesecke 1985) und der seit der 1968er Kulturrevolution initiierte Wandel vom Befehls- zum Verhandlungshaushalt sowie die zunehmende Intimisierung des Erziehungsstils im Sinn des Übergangs von einer autoritär-hierarchischen *Erziehung* zu einer gleichberechtigten *Beziehung* ließ auch die institutionalisierte F. nicht unverändert. Doch erst die wenig schmeichelhaften Ergebnisse der ersten PISA-Studie im Jahr 2001 führten zu einem gewaltigen Reformprozess und infolge dessen zu einer grundlegenden Neuvermessung der bisherigen frühpädagogischen Antworten, *warum* Kinder *wie* und *wofür* zu erziehen seien und *welchen Beitrag* die institutionalisierte F. dazu leisten soll.

1. Begriffliche Verortung

Der Begriff F. stellt neben den Fundamentalkategorien der Betreuung, Förderung und ↑Bildung eine tragende Dimension innerhalb der erziehungswissenschaftlichen Teildisziplin der ↑Pädagogik der frühen Kindheit bzw. der Frühpädagogik dar; gleichzeitig kennzeichnet er auch ein wesentliches Aufgabenfeld in der frühpädagogischen Praxis, wobei hier zwischen

a) öffentlichen Hilfen zur innerfamilialen Erziehung und Betreuung (etwa materielle oder strukturelle Unterstützung) und

b) familienexternen Formaten der Betreuung, Bildung und Erziehung (etwa Krippen und ↑Kindertagesstätten) differenziert werden kann.

Frühpädagogische Fragestellungen thematisieren ab dem Zeitpunkt werdender Elternschaft Belange der familialen Erziehung ebenso wie alle Formen institutioneller und *semiformeller Erziehung*, Betreuung, Prävention, Förderung und Bildung von Kindern bis maximal zum

Ende des 13. Lebensjahres und beziehen „sich auf die Arbeit von pädagogischen Fachkräften in den Arbeitsfeldern Kindertageseinrichtungen und Grundschule und in Einrichtungen, die die Arbeit dieser Institutionen organisieren, begleiten, fördern, erforschen" (Balluseck 2008: 15). Die Frühpädagogik befasst sich demnach

a) mit der kindheitspädagogischen Theoriebildung, der Programmatik sowie der Forschung,

b) mit der Qualifizierung und Professionalisierung von frühpädagogischem Fachpersonal sowie mit der Bildung von Eltern und Betreuungspersonen,

c) mit der Strukturierung und entwicklungsförderlichen Gestaltung der sozialen, kulturellen und ökologischen Umwelt des Kindes,

d) mit den gesellschaftlichen und soziokulturellen Rahmenbedingungen von Kindheit und schließlich

e) mit den ökonomischen, bildungs- und sozialpolitischen Voraussetzungen frühpädagogischer Betreuung, Erziehung und Bildung.

Im Unterschied zu Begriffen, Konzepten und Zugängen wie bspw. Vorschulerziehung, Frühförderung, Familienerziehung oder Elementarpädagogik, die jeweils nur Ausschnitte frühpädagogischer Einflussnahmen fokussieren, ist der Begriff Frühpädagogik wesentlich umfassender und akzentuiert das gesamte Spektrum institutionalisierter frühpädagogischer Aufgaben.

2. Historische Genese, Struktur und Organisation der Früherziehung

Obschon bereits Johann Amos Comenius mit dem „Informatorium der Mutterschul" 1636 als erster eine differenzierte Abhandlung zur Anthropologie und Didaktik der F. vorlegte oder Johann Heinrich Pestalozzi mit seinem Entwurf der „sittlichen Elementarbildung" 1799 die F. sozialpädagogisch verortete und als eine öffentlich zu verantwortende Angelegenheit einforderte, nahmen frühpädagogische Reflexion, Theoriebildung und gesellschaftliche Institutionalisierung erst im Zuge der Etablierung des bürgerlichen Familienmodells in der zweiten Hälfte des 18. Jh. ihren Anfang. Bes. um den sozialen Verwerfungen der Industrialisierung entgegenzuwirken, entstanden vor ungefähr 200 Jahren erste Formen der institutionalisierten F. etwa als Kinderkrippen, christliche Asyle, Warte-, Industrie- oder Strickschulen. Diese wurden vorwiegend sozial-caritativ, christlich-weltanschaulich und medizinisch-hygienisch begründet und dienten der Versorgung von deprivierten Kindern zumeist aus dem bildungsfernen und verarmten Arbeitermilieu. Parallel dazu entstanden Kleinkinderschulen für Kinder aus bürgerlichem Milieu, die ähnlich wie der 1840 von Friedrich Wilhelm August Fröbel konzipierte Kindergarten, als familienergänzende und -unterstützende, bildungsorientierte Einrichtungen geplant waren. Die im anbrechenden 20. Jh., dem „Jahrhundert des Kindes" (Key 1905), prominent von F. W. A. Fröbel, Maria Montessori oder Rudolf Steiner vorgelegten reformpädagogischen Konzepte stellen die

F. als „Teil umfassender, weltanschaulich-philosophisch begründeter Erziehungstheorien" (Tietze 2011: 436) erstmals auf ein fachlich solides Fundament. Im Zuge der ersten Bildungsreform (↑Bildungspolitik) zu Beginn der 1960er Jahre hat dann auch das System der F. eine breite gesellschaftspolitische, bildungssoziologische und pädagogische Aufmerksamkeit erhalten und geriet in die Kritik der Reformer: Der in der Frühpädagogik bis dahin dominante, vererbungs- und reifungstheoretisch stark belastete Begabungsbegriff wurde aufgrund neuerer entwicklungspsychologischer Erkenntnisse durch den wesentlich plastischeren Lernbegriff abgelöst. Aus sozialisationstheoretischer Sicht wurde kritisiert, dass aufgrund ungleicher familialer Ressourcenausstattungen ohne eine Reform der F. bereits in frühester Kindheit die Voraussetzung für die Reproduktion von Chancenungleichheit institutionalisiert würde. Trotz hoher bildungstheoretischer Veränderungsbereitschaft und konzeptioneller Innovationsdynamik vollzog sich der Reformprozess auf bildungspolitischer Ebene wesentlich zurückhaltender und ebbte ohne große Veränderungen Mitte der 1970er Jahre ab. Zwar werden seit dem konstitutiven Strukturplan für das Bildungswesen des *Deutschen Bildungsrates* 1970 Tagestätten für Kinder – zumindest formell – als Teil des Bildungswesens verstanden, doch sind sie der Kinder- und ↑Jugendhilfe zugeordnet. Dieser Bereich ist vorwiegend durch entwicklungsförderliche, kompensatorische und soziale Zielsetzungen charakterisiert, die sich durch Betreuung, Förderung und Erziehung realisieren, sich jedoch nicht im Bereich Bildung bewegen. Und Kinderkrippen, verstanden als Notfall-Tageseinrichtungen für Kinder bis zu drei Jahren, waren weder Thema der Reformdiskussion der 1960er Jahre noch bildungspolitischer Gegenstand des *Deutschen Bildungsrates*. Krippen als zentrale Einrichtungen im System öffentlich organisierter F. wurden auch nicht dem Bildungssektor zugerechnet, sondern galten seit jeher offiziell als Notangebot der Jugendhilfe für Kinder. Insb. durch den stark ausgeprägten *Maternalismus*, wonach die Mütter aufgrund ihrer biologischen Verfasstheit für die Erziehung der Kinder zuständig seien, sowie dem durch Psychoanalyse und damals eng verstandener Bindungstheorie untermauerten *Monotropieprinzip*, wonach nur durch die Betreuung der leiblichen Mutter eine förderliche Entwicklung der Kinder in den ersten Jahren gewährleistet sei, wurde in Politik, Gesellschaft und Öffentlichkeit die Vorstellung von der Schädlichkeit außerfamiliärer frühpädagogischer Betreuung vertreten. Während in der DDR bereits in den 1950er Jahren ein beinahe flächendeckendes Netz zur Betreuung von Kindern auch unter drei Jahren etabliert war, entwickelte sich das öffentlich finanzierte System der F. in der BRD und später im wiedervereinten Deutschland nur allmählich. Erst seit 1996 hat jedes Kind ab dem dritten Lebensjahr ein Recht auf einen Kindergartenplatz. Das TAG (1.1.2005), das KICK (1.10.2005) sowie das KiFöG (16.12.2008) schufen den rechtlichen Rahmen für einen umfassenden qualitativen sowie quantitativen Aus- und Umbau der institutionellen Kinderbetreuung, der sich hauptsächlich auf die Trias Krippe, Kindergarten und Hort bezieht. Während das TAG die Kommunen zur Bereitstellung bedarfsgerechter Plätze für Kinder von 0–14 Jahren in Tageseinrichtungen oder der gleichgestellten Tagespflege verpflichtet, eröffnet das KiFöG ab dem 1.8.2013 allen Kindern unter drei Jahren das Recht auf einen Krippenplatz. Zudem transformiert der Ausbau der Ganztagsbetreuung an Grundschulen die Horte zu einem ausdifferenzierten Spektrum flankierender, außerunterrichtlicher Arrangements. Neben dem Erziehungs-, Betreuungs- und seit 2003 auch dem Bildungsauftrag erweitert das KICK (Kinder- u. Jugendhilfeweiterentwicklungsgesetz) das Aufgabenspektrum um den Präventionsauftrag zum Schutz bei Kindeswohlgefährdung (↑Kindeswohl). Die Gründe für diese familien-, bildungs- und sozialpolitischen Reformen sind vielfältig: Sie sollen

a) den Abbau von sozialer Ungleichheit sowohl zwischen Milieus als auch zwischen den Geschlechtern realisieren, sie sollen

b) die Vereinbarkeit von Familie und Beruf ermöglichen, sie sollen

c) ↑Integration und Inklusion sichern, sie sollen

d) das „↑Humankapital" vorwiegend durch die Förderung von anschlussfähigen sprachlichen und mathematisch-naturwissenschaftlichen Kompetenzen erhöhen sowie

e) zum Aufbau eines neuen Geschlechtsbewusstseins verhelfen.

Kritisch muss hier jedoch angemerkt werden, dass weder in der Reform der 1950er Jahre noch in der aktuellen Reform die bereits 1919 von dem polnischen Kinderarzt und Pädagogen Janusz Korczak eingeforderten und 1989 von der UNO ratifizierten Kinderrechtskonventionen als maßgebliche Argumentationsgrundlage für den sozial-, bildungs- und familienpolitisch motivierten Ausbau des Systems der F. dienten.

3. Anthropologischer Bezugsrahmen

Trotz dieser langen Tradition in der Frühpädagogik hat es eine unreflektierte, biografisch eingefärbte bzw. normativ verengte Interpretation von *guter* Kindheit verhindert, dass eine wissenschaftlich-objektive Auseinandersetzung mit dem Verständnis von Kindheit und den daraus folgenden rechtlichen, institutionellen und pädagogischen Implikationen geführt wurde. In der Kritik steht eine mängelorientierte, erwachsenenzentrierte Konstruktion von Kindheit, die Kindheit als nicht wesentlich mehr als ein entwicklungspsychologisches Durchgangsstadium versteht und Kinder als ontologisch zeitlose, apolitische, passive und in einer von der Erwachsenenwelt getrennten Schonraumidylle lebende Wesen versteht. Insofern steht auch das bisherige, von der pädagogischen Anthropologie erzeugte Kinderbild radikal zur Disposition. Dass das Kind erziehungs-

bedürftig ist und ohne erzieherische Zuwendung, die über die Grundversorgung hinausgeht, v. a. in den ersten Lebensjahren enormen Schaden nimmt, dies zeigen schon früh die Studien zur Hospitalismusforschung aus den 1950er Jahren des Psychoanalytikers René Spitz, Pionier der entwicklungspsychologischen Säuglingsforschung. Weitaus weniger Konsens indes ist bei der kulturanthropologischen Bestimmung des *Warum*, *Wie* und *Wofür* der kindlichen Erziehung festzustellen, denn hier ist die Frage nach dem jeweils aktuellen Menschen- und Kinderbild aufgeworfen. Menschenbilder sind soziohistorische Konstruktionen und enthalten Aussagen darüber, was der Mensch, seine Bestimmung und sein Wert ist. In Menschenbildern gerinnen Vorstellungen von gut, wahr, schön, richtig, normal etc.; sie dienen als Orientierungsmarken und strukturieren das alltägliche Handeln und Verhalten im Sinne einer *sozialisierend-impliziten Pädagogik* und legitimieren die Art, Weise und Richtung der erzieherischen Einwirkung im Sinne einer *intentional-expliziten Pädagogik*. Insofern ist die Diskussion um das Menschen- und Kinderbild in einem aufgeklärten pädagogischen Diskurs zwingend. Lange Zeit dominierte das Bild vom Kind als Mängelwesen den herrschenden Diskurs, und die (wissenschaftliche) Auseinandersetzung mit dem Phänomen Kindheit basierte auf einer unhinterfragten ontologischen Vorstellung vom Wesen des Kindes. Dieser Erklärung zufolge, die von einer ubiquitär-zeitlosen Natur des Kindes ausging, wurde Kindheit als biologisches Durchgangsstadium, als Stadium des Werdens aber Noch-Nicht-Seins gedeutet. Das Kind als physiologische Frühgeburt ist unselbständig, unvollkommen, unentwickelt, unwissend, unverantwortlich, erziehungsbedürftig – eben typisch kindlich. Diese anthropologisch begründete Vorstellung von der „natürlichen" Minderwertigkeit von Kindern, die eine Parallelität von evolutionsbiologischen und soziokulturellen Entwicklungen unterstellt, steht dabei im hochgradigen Gegensatz zu den positiven Eigenschaften, die Erwachsenen zugeschrieben werden. Die hieraus entstehende Überzeugung, Kinder und Erwachsene verfügten über verschiedene Wesensarten, dient dann auch zur Rechtfertigung unterschiedlicher Ansprüche von Kindern und Erwachsenen bzw. leistet einer Ideologie Vorschub, die in immer wieder neuen Kontexten „natürliche" Herrschaftsansprüche über andere sowie autoritäre Erziehungspraktiken legitimiert. Im Zuge spätmoderner Erosionstendenzen weicht dieses naturalistisch begründete Defizitmodell von Kindheit zunehmend einem anthropologisch begründeten Aktivitätsmodell, in dem die Handlungen, Fähigkeiten und Entwicklungsmöglichkeiten der Kinder betont werden und der Aspekt der Selbstbildung von Anfang an zentrale Beachtung erfährt. Im Unterschied zu Immanuel Kants Diktum, wonach der Mensch nur durch Erziehung zum Menschen werden kann, impliziert dieses möglichkeitsorientierte Menschenbild, dass das Kind nicht erst zum Menschen erzogen, sondern von Anfang an als Mensch in seinem je eigenen Bildungsprozess unterstützt werden muss. Vor dem Hintergrund, dass das Kind nicht mehr nur als *homo educandus* als erziehungsbedürftig und als *homo educabilis* als erziehungsfähig bestimmt wird, sondern von Anfang an auch als *homo discens*, als *homo ludens*, als *homo docens* usw. verstanden wird, das aktiv-konstruierend, reziprok interagierend, politisch eingebunden und sich multidimensional bildend entwickelt, zeitigt dieser grundlegende Paradigmenwechsel vom Defizit- hin zum Aktivitätsmodell seit den 1990er Jahren eine ernste Krise v. a. der F.

Durch die zunehmende Verschiebung von der Fremd- zur Selbstgestaltung, von der Erziehung hin zur eigensinnigen (Selbst-)Bildung ist, wie dies Ursula Stenger einschätzt, „Erziehung als Thema, insbesondere in der Frühpädagogik, aus den Diskursen nahezu verschwunden. Die Frage nach Bildung und Lernen dominiert die letzten Jahre, um nicht zu sagen die letzten Jahrzehnte" (Stenger 2015: 39). Denn, übersteigt eine an ↑Globalisierung, Heterogenität, ↑Multikulturalismus und Diversität orientierte Pädagogik die westlich geprägte Konstruktion von gelingenden Lebensverläufen, dann steht sie einer erstaunlichen Varianz und Pluralität von Optionen gegenüber. Unhintergehbar wird deutlich, dass unter diesen Annahmen keine F. mehr zu denken ist, die sich auf ein einziges, in sich geschlossenes, positives Kinder- und Menschenbild zurückführen oder sich daraus ableiten lässt. Im Übrigen haben die historischen Grenzerfahrungen des 20. Jh. solche normativen Ableitungen endgültig diskreditiert und kompromittiert: „geschlossene Menschenbilder sind a priori antipädagogisch" (Liebau 2012: 30). Zu fragen ist demnach nicht mehr so sehr, was die kindliche Natur ausmacht und das präskriptive Ziel von Erziehung darstellt, sondern vielmehr ist zu klären, welche Bildungs- und Entwicklungsbereiche unbedingt beachtet und für Eltern wie Kinder pädagogisch arrangiert werden müssen. Ausgehend von den grundlegenden kindlichen Entwicklungsdimensionen *Erziehung*, *Bildung*, ↑*Spiel*, ↑*Lernen*, *Lehren* und ↑*Sozialisation* stellt dieses, von der pädagogischen Anthropologie ausdifferenzierte Spektrum an Desiderata das System der F. in Theorie, Forschung und Praxis sowie die darin involvierten Kinder vor gewaltige Herausforderungen.

4. Zusammenfassung und Ausblick

In ihrer gut 200jährigen Geschichte hat das System der öffentlich organisierten F. im letzten Jahrzehnt einen fulminanten Um- und Ausbau in einem bisher unerreichten Ausmaß erfahren. Auf der inhaltlichen Seite lässt sich bei den einstigen Nothilfe-, Bewahr- und Erziehungsanstalten mit ihrem Pflege-, Betreuungs- und Erziehungsauftrag eine Umformung hin zu Institutionen feststellen, in denen nun von Anfang an die ganzheitliche Bildung im Zentrum steht. Diese Fokussierung wirft u. a. die Frage auf, ob der Begriff der F. in Zukunft hierfür noch zutreffend und tragend ist. Die zunehmen-

de Akzentuierung des Bildungsauftrages ist dabei, wie dargestellt, vorwiegend durch einen Wandel des anthropologischen Kinderbildes weg vom passiven Defizit- hin zu einem Aktivitätsmodell entstanden. Aufs Ganze gesehen hat der Bereich der F. – nach Jahrzehnten der bildungspolitischen wie wissenschaftlichen Dethematisierung – erst seit dem Einsetzen der PISA-induzierten Reformwelle ab 2003 eine rasante Entwicklung in Theorie, Forschung und Praxis genommen: Die Zahl der frühpädagogischen Studiengänge an Hochschulen ist in wenigen Jahren von vier auf über 70 im Jahr 2015 hoch geschnellt, die erziehungswissenschaftliche Teildisziplin Frühpädagogik kann mittlerweile eigene theoretische, empirische und didaktische Zugänge zum Phänomen Kindheit vorweisen. Sie leistet durch die bis dato geringe Akademisierungsquote in der Ausbildung kindheitspädagogischer Fachkräfte in der Höhe von ca. 6 % in 2015 einen wichtigen Beitrag zum Wissenstransfer sowie zum Ausbau multiprofessioneller Teams in den frühpädagogischen Institutionen neuen Formats. Auch lassen sich erste Erfolge der familien- und arbeitsmarktpolitischen Maßnahmen zur Steigerung der Frauenerwerbsquote, zum Abbau des Maternalismus sowie zur Verbesserung der Vereinbarkeit von Arbeit und Familie durch den quantitativen Ausbau der Betreuungsplätze feststellen: Während 2006 lediglich ca. 5 % der ein- und 17 % der zweijährigen Kinder in einer außerfamiliären Betreuung waren, sind es 2013 bereits 23 % bzw. 46 % in Westdeutschland, in Ostdeutschland sogar 62 % bzw. 83 %. Die Bildungsbeteiligung der Drei- bis unter Sechsjährigen in Tageseinrichtungen und Tagespflege liegt nun bei über 95 %. Zudem wurde die Zahl der Fachkräfte, ohne dabei durch die Beschäftigung Nicht- oder unzureichend Qualifizierter eine Deprofessionalisierung im Feld der F. zu erzeugen, von 2006 bis 2013 um 40 % auf 440 232 Beschäftigte erhöht. Auf der anderen Seite jedoch lassen sich derzeit auch noch schlaglichtartig Optimierungsbereiche aufzeigen, denen in Zukunft vermehrt Aufmerksamkeit geschenkt werden sollte: Bei der Bildungsaspiration und -beteiligung lässt sich feststellen, dass sich die Erwartungen an eine gleiche Inanspruchnahme der Angebote ebenso wenig erfüllt hat wie die Erwartungen daran, dass der Ausbau des Systems fehlende Lern- und Bildungsgelegenheiten in der ↑Familie und somit die herkunftsbedingte Reproduktion ↑sozialer Ungleichheit ausgleichen könnte. Die „Illusion der Chancengleichheit" (Bourdieu/Passeron 1971) vermochte auch die derzeitige Reform bisher nicht aufzulösen. Zudem, soll der enorme quantitative Ausbau des Systems der F. auch den qualitativen Ansprüchen, zuvorderst also den erhofften Bildungserfolgen der Kinder entsprechen, so verweist die Datenlage der frühpädagogischen Qualitätsforschung auf einen nicht zu überschätzenden Handlungsbedarf. Die repräsentative „Nationale Untersuchung zur Betreuung, Bildung und Erziehung im Kindesalter" (Tietze u. a. 2013) attestiert dem bundesdeutschen System der Frühpädagogik eine allenfalls mittelmäßige Qualität, nur etwa 10 % der Institutionen liegen auf einem guten Niveau; in dem 15jährigen Vergleichszeitraum blieb die pädagogische Prozessqualität dabei unverändert. Diese ernüchternden Ergebnisse verweisen darauf, dass der Prozess des Ausbaus der F. noch lange nicht als abgeschlossen betrachtet werden darf und dass noch erhebliche sozialpolitische, wissenschaftliche und v. a. ökonomische Anstrengungen unternommen werden müssen, um die ethische Grundlage der frühpädagogischen Reform zu garantieren, nämlich für alle Kinder optimale Bildungsmöglichkeiten zu schaffen. Dabei wird die Einschätzung um *gute* Bildungsqualität und *gelungene* Bildungsreform in der F., dies ist unbenommen, zwangsläufig eine empirisch gestützte sein. Fraglich ist aber schon jetzt, wer über Erfolg und Qualität der bisherigen Reformanstrengungen entscheiden wird: die betroffenen Kinder oder die Bildungsökonomie?

Literatur

Autorengruppe Bildungsberichterstattung: Bildung in Deutschland 2014, 2015 • U. Stenger: Erziehung (in früher Kindheit). Ein phänomenologischer Zugang, in: U. Stenger/ D. Edelmann/A. König (Hg.): Erziehungswissenschaftliche Perspektiven in frühpädagogischer Theoriebildung und Forschung, 2015, 39–67 • C. Wulf/J. Zirfas: Homo educandus, in: dies. (Hg.): Hdb. Pädagogische Anthropologie, 2014, 9–26 • W. Tietze u. a. (Hg.): Nationale Untersuchung zur Bildung, Betreuung und Erziehung in der frühen Kindheit (NUBBEK), 2013 • M.-S. Honig: Frühpädagogische Einrichtungen, in: L. Fried u. a. (Hg.): Pädagogik der frühen Kindheit, 2012, 91–126 • E. Liebau: Anthropologische Grundlagen, in: H. Bockhorst/V.-I. Reinwand-Weiss/W. Zacharias (Hg.): Hdb. Kulturelle Bildung, 2012, 9–35 • M. Obermaier: Frühe Kindheit. Implikationen eines humanökologisch orientierten Pädagogik, in: ders. (Hg.): Humane Ökologie. Gesellschaftliche Fragmentierungen – Pädagogische Suchbewegungen, 2012, 145–158 • W. Tietze: Frühpädagogik, in: K.-P. Horn u. a. (Hg.): Klinkhardt Lexikon Erziehungswissenschaft, 2011, 435–437 • J. F. Lyotard: Das postmoderne Wissen. Ein Bericht, ⁶2009 • H. von Balluseck: Frühpädagogik als Profession, in: dies. (Hg.): Professionalisierung der Frühpädagogik. Perspektiven, Auswirkungen, Herausforderungen, 2008, 9–36 • R. A. Spitz: Vom Säugling zum Kleinkind. Naturgeschichte der Mutter-Kind-Beziehungen im ersten Lebensjahr, 2005 • H. Giesecke: Das Ende der Erziehung. Neue Chancen für Familie und Schule, 1985 • P. Bourdieu/J.-C. Passeron: Die Illusion der Chancengleichheit, 1971 • E. Key: Das Jahrhundert des Kindes, ⁸1905.   MICHAEL OBERMAIER

Fundamentalismus

I. Theologisch – II. Geschichtlich – III. Politikwissenschaftlich

I. Theologisch

Der Begriff des F. bezieht sich auf politische und religiöse Bewegungen, die auf Krisenerfahrungen im Kontext von Modernisierungsprozessen mit der Rückkehr zu Ordnungs- und Moralvorstellungen reagieren, die vermeintlich im „Goldenen Zeitalter" einer sozialen bzw. religiösen Gemeinschaft in Geltung standen und die Idealform einer moralisch integren und/oder gottgefälligen Lebenspraxis darstellen. Ihre Reinstallierung soll Reichweite und Intensität sozio-kultureller Komplexitäts- und Pluralitätssteigerung reduzieren sowie daraus entstehende Probleme der Erosion sozialer ↑ Identität und des Verlustes von gemeinsamen Lebensführungsgewissheiten neutralisieren. Seine Attraktivität bezieht der F. aus der Aufzehrung des Fortschrittsoptimismus der westlichen Moderne (u. a. angesichts ihrer ökologischen Selbstgefährdung) und der Nichteinlösung ihres Versprechens, dem ökonomisch unterentwickelten und politisch abhängigen Teil der Welt an Wachstum und Wohlstand teilhaben zu lassen. Mangels anderer ideologischer Alternativen zur Verarbeitung kultureller Verunsicherung, wirtschaftlicher Unterlegenheit und politischer Marginalisierung avanciert der F. in den 1990er Jahren zum Lieferanten einer weltanschaulichen Identität im Modus der Hinkehr zu Beständen vormoderner Traditionen. Im Unterschied zu anderen Protestbewegungen rekrutiert der F. seine Anhänger nicht primär auf der Basis gemeinsamer schichten- oder klassenspezifischer Interessen. Vielmehr integriert er Menschen unterschiedlicher sozialer Herkunft auf der Basis vormoderner Leitbilder (religiös-)kultureller Identität in neue Gemeinschaften, deren Bestand durch scharfe Innen/Außen-Differenzen und radikales Freund-Feind-Denken stabilisiert wird. Charakteristisch für alle Spielarten des politischen und religiösen F. ist das Insistieren auf einen Bestand von unveränderlichen „Wahrheiten" und Autoritäten, denen unbedingte Anerkennung geschuldet bzw. deren Kritik oder Relativierung nicht toleriert wird. Als fundamentalistisch können auch Grundhaltungen, moralische Überzeugungen und politische Optionen aufgefasst werden, die sich angesichts der Bestreitung ihrer Legitimation und rationalen Vertretbarkeit dem argumentativen Diskurs entziehen und dennoch allg.e Geltung beanspruchen bzw. davon abweichenden Positionen mit massiver Intoleranz begegnen.

1. Herkunft und Karriere des Begriffs

Der Begriff F. bezeichnet urspr. eine Allianz protestantisch-konservativer Gruppen in den USA, die ab 1919 als *World's Christian Fundamentals Association* auftreten. Aus diesem Umfeld stammt auch die Schriftenreihe „The Fundamentals – A Testimony of the Truth" (1910–1915), in der zur Verteidigung der protestantischen Orthodoxie unter Berufung auf die Verbalinspiration und absolute Irrtumslosigkeit der Heiligen Schrift im Kampf gegen modernistische Tendenzen (z. B. historisch-kritische Exegese) agitiert wird. Die Niederlage des fundamentalistischen Lagers im Kampf gegen die Evolutionstheorie führt (seit 1925) zwar zum Rückzug aus der

Öffentlichkeit, bewirkt aber auch eine Radikalisierung seiner biblizistischen Optionen (u. a. bzgl. Jungfrauengeburt, Wunder Jesu). Seit den späten 1970er Jahren erleben Phänomen und Begriff des F. eine enorme Ausweitung. In den USA schließt sich der protestantische F. mit rechtskonservativen Kreisen zur *moral majority* zusammen und versucht Einfluss auf Wahlen, Gesetzgebung und staatliche Autoritäten zu gewinnen. Innerhalb des ↗Katholizismus nehmen traditionalistische Kreise, die in Opposition stehen zu Beschlüssen des ↗Zweiten Vatikanischen Konzils (v. a. zur Religionsfreiheit, Ökumene, Dialog der Religionen), fundamentalistische Züge an (z. B. Piusbruderschaft). Ein jüdischer F. tritt nach den israelisch-arabischen Kriegen (1967–1973) hervor in der Verbindung von ↗Zionismus und einer aggressiven, sich auf biblische Verheißungen berufenden Siedlungspolitik in palästinensischen Wohngebieten. Das Erstarken des islamischen F. ist u. a. Folge einer nach dem Ende der europäischen Kolonialherrschaft (↗Kolonialismus) einsetzenden Besinnung auf eine eigene kulturelle Identität, die im Kontrast zu liberalen und säkularen Mustern (↗Säkularisierung) des modernen kulturellen und sozialen Lebens steht. Die Ausrufung der Islamischen Republik Iran unter Ruhollah Musawi Khomeini (1979) forciert im arabischen Raum das Aufkommen traditionalistischer bzw. patriarchaler Protest- und religiöser Reformbewegungen, die theokratische Vorstellungen einer religiös grundierten „societas perfecta" vertreten. Mit dem Angriff auf das World Trade Center in New York (2001) erreicht der islamische F. eine terroristische Eskalationsstufe (↗Terrorismus).

2. Programmatik und Strukturmerkmale

Ebenso heterogen wie das Phänomen sind die Deutungsmodelle des F. Gemeinsam ist jedoch nahezu allen sozialpsychologischen, politologischen und kultursoziologischen Erklärungsversuchen die Herausstellung einer Ablehnung der ↗Moderne bei gleichzeitiger partieller Übernahme ihrer Errungenschaften: Als moderne Antimoderne tritt der F. als offensive Gegenströmung auf, die einerseits die politischen Projekte der Moderne (Autonomie, Pluralität und Partizipation, Toleranz, Trennung von ↗Religion und Staat) bekämpft, andererseits sich all ihrer technischen Möglichkeiten der internen Kommunikation, Anwerbung von Mitgliedern und öffentlichen Selbstdarstellung bedient. Charakteristisch für den F. ist dabei die Überzeugung, eine Anleitung zur Deutung und Gestaltung der Wirklichkeit zu besitzen, die sowohl die individuelle Lebensführung als auch das Zusammenleben in der Gesellschaft erschöpfend regelt (↗Integralismus). Beim religiösen F. handelt es sich überwiegend um eine Reaktion auf Bedrohungs- und Enteignungserfahrungen im Kontext von Modernisierungs- und Säkularisierungsprozessen. Reagiert wird darauf mit den Mitteln des moralischen Rigorismus, des doktrinären Dogmatismus und der sozialen „Exklu-

sion". Gegenüber der modernitätstypischen Problematisierung, Historisierung und Relativierung von Geltungsansprüchen bestreitet der religiöse F. seine eigene Kontingenz und reklamiert für sich Besitz und Gültigkeit vormoderner Garantien: die Irrtumslosigkeit heiliger Schriften, die Unfehlbarkeit von Amtsträgern, die Unantastbarkeit von Doktrinen und Ritualen. Zentrale Glaubensinhalte werden gegenüber kritisch-rationaler Prüfung immunisiert und die historisch-kritische Auslegung kanonischer Texte unterbleibt. Zudem wird beansprucht, Vernunfterkenntnis (z. B. in Fragen der Kosmogenese und Evolution) durch Glaubenserkenntnis ersetzen zu können. Hinzu kommt meist eine dualistisch-manichäische Weltinterpretation, in der die Mächte des Lichtes und Gottes gegen die der Finsternis bzw. des Satans stehen. Dieser Dualismus kann auch auf politische Konstellationen angewandt werden. So strömen im islamischen F. die zerstörenden Mächte aus den USA, Israel, dem „Westen" in die arabische Welt ein, wohingegen im protestantischen F. z. B. den ↗Freimaurern die Rolle des Bösen zugewiesen wurde. Das Weltgeschehen wird in einen heilsgeschichtlichen Horizont gestellt, wobei die Gegenwart als religiöse Verfallszeit erscheint, die Vergangenheit als Zeit des wahren Heils idealisiert wird, in welcher der Wille Gottes rein und unverfälscht gelebt wurde, und die Zukunft mit eschatologischen, häufig apokalyptischen Erwartungen besetzt wird. Selbst behutsame Anpassungen von Doktrin und Ethos an neue kulturelle Situationen werden als Verrat an der religiösen Überlieferung diskreditiert. Moderne Grundunterscheidungen wie „säkular/religiös" oder „Staat/Religion" werden wieder eingezogen. Anhänger des islamischen F. kritisieren große Teil der gewachsenen islamischen Tradition als Verfallsformen des ↗Islam, lehnen den von der europäischen Aufklärung geprägten Gedanken der Autonomie menschlicher Vernunft und Moral ab und streben die Wiedererrichtung eines von der Anwendung der ↗Scharia geprägten islamischen Staates an. Viele dieser sog.en Islamisten praktizieren eine militante Auslegung des ↗Dschihad-Gedankens und propagieren die Anwendung von Terror und Gewalt auf dem Weg zur Wiederherstellung eines „urislamischen" Idealzustands oder erneuerten Kalifates. Mit der Übernahme politischer Herrschaft wollen sie die wahre Identität der islamischen Kultur aus ihrer opportunistischen Nähe zur westlichen Moderne ein für alle Mal befreien. Allerdings wird an diesem Phänomen auch die Unschärfe der Kategorie F. deutlich, deren Verwendungsspektrum vom blindwütigen religiösen Fanatismus bis hin zum ideologisch geschlossenen System eines politischen Antisäkularismus reicht.

3. Fundamentalismuskritik und Gegenkritik

Mit nahezu allen Spielarten des weltanschaulichen F. verbindet sich eine Kampfansage an die westliche Kultur, der man moralischen Niedergang und die Diktatur des Relativismus attestiert. Von der Gegenkritik wird

„F." als Kampfbegriff gebraucht, mit dem es die Werte der europäischen ↑Aufklärung zu verteidigen gilt. Dabei wird zum einen darauf insistiert, dass ein friedlicher und fairer Umgang mit kulturellen und religiösen Differenzen kaum anders als mit den Mitteln des säkularen und liberalen ↑Rechtsstaates zu gewährleisten ist. An die Adresse von Religionen, die für sich einen (exklusiven) „Heilsweg" reklamieren, wird die Frage adressiert, was sie von sich aus aufbieten, um gegen fundamentalistische Versuchungen gefeit zu sein und sich einer politischen Instrumentalisierung zu erwehren. Bleiben überzeugende Antworten aus, nährt dies den Verdacht, dass ein fundamentalistischer Grundzug in Struktur und Logik religiöser Überzeugungen eingeschrieben ist.

Literatur

St. Goertz u. a. (Hg.): Fluchtpunkt Fundamentalismus?, 2013 • T. Meyer: Was ist Fundamentalismus?, 2011 • A. Grünschloss: Was ist „Fundamentalismus"?, in: T. Unger (Hg.): Fundamentalismus und Toleranz, 2009, 163–199 • H. W. Schäfer: Kampf der Fundamentalismen, 2008 • K. Armstrong: Im Kampf um Gott, 2007 • K. Kienzler: Der religiöse Fundamentalismus, 2007 • C. Six u. a. (Hg.): Religiöser Fundamentalismus, 2004 • G. Küenzlen: Die Wiederkehr der Religion, 2003 • M. Riesebrodt: Die Rückkehr der Religionen. Fundamentalismus und der „Kampf der Kulturen", ²2001 • H. Bielefeldt/W. Heitmeyer (Hg.): Politisierte Religion. Ursachen und Erscheinungsformen des modernen Fundamentalismus, 1998.   HANS-JOACHIM HÖHN

II. Geschichtlich

Von F. ist zumeist dann die Rede, wenn in der soziokulturellen und intellektuellen Auseinandersetzung mit Modernisierungsprozessen (Urbanisierung, Industrialisierung, Individualisierung, Pluralisierung, ↑Modernisierung) sowie ggf. der ↑Säkularisierung oder zumindest Umdeutung der Funktion traditionaler ↑Religionen eines der sinnstiftenden und begründenden Elemente dieser Religion zum zentralen, nicht mehr hinterfragbaren Identitätsmarker gemacht wird. Im F., der um 1910 im Kontext des biblizistisch-evangelikalen, mehrheitlich calvinistischen nordamerikanischen Protestantismus entstand, ist die Tendenz vorherrschend, heilige Texte in Gestalt einer vorgeblich von jeder Exegese unabhängigen Literalauslegung zu verabsolutieren. Dies gilt insb. für den F. im Kontext der drei großen Buchreligionen (↑Judentum, ↑Christentum, ↑Islam), nicht aber für den eher traditionalistischen, schriftarmen Hindu-F. (↑Hinduismus) Demnach werden in den Buchreligionen religiöse Überlieferungen strikt wörtlich und ohne Rücksicht auf historische Zusammenhänge oder hermeneutische Regeln ausgelegt. Umgekehrt büßen überkommene Autoritäten und Traditionen an Wert ein. In diesem Sinne unterscheidet sich der F. vom ↑Traditionalismus, der eine, freilich verwandte, Form des Umgangs mit Modernisie-

rungsphänomenen darstellt. F. bedeutet dabei keinesfalls eine totale Gegnerschaft zur ↑Moderne oder gar eine angestrebte Rückkehr in eine oft imaginierte idealisierte Vergangenheit, sondern vielmehr einen selektiven Umgang mit der technologisch und kommunikativ bestimmten Industriemoderne. Der F. ist grundsätzlich ein Anverwandlungsphänomen und kein vormoderner Anachronismus. Mitunter handelt es sich beim F. sogar um eine ausgesprochen antihistorische Weltanschauung. Man denke etwa an den Umgang sunnitisch-wahabitischer Fundamentalisten mit den Denkmälern der Prophetenzeit in Mekka und Medina, die bedenkenlos gesprengt wurden, um modernen Gebäuden Platz zu machen, oder an die Zerstörung vorislamischer Kulturgüter, die über Jh. auch von islamischen Herrschern und Geistlichen akzeptiert worden waren, durch die Taliban in Afghanistan oder den „Islamischen Staat" im Irak und in Syrien. Da es sich beim F. um ein heterogenes und kulturabhängiges Phänomen handelt, empfiehlt es sich, von divergierenden Fundamentalismen zu sprechen, die je nach der religiösen Tradition, an die sie anknüpfen, komplett unterschiedlich ausfallen können und deren soziokulturelle Praktiken sich vielfach radikal voneinander unterscheiden. So war etwa der amerikanische protestantische F. zu Beginn zwar gleichzeitig staatskritisch und patriotisch sowie ablehnend gegenüber der (kulturprotestantisch inspirierten) historisch-kritischen Exegese, aber weder antideutsch noch bes. militant. Viele amerikanische Fundamentalisten waren in den 1910er und 1920er Jahren noch pazifistisch eingestellt (↑Pazifismus). Obwohl der amerikanische protestantische F. seit den 1920er Jahren politisch konsequent in das rechte politische Spektrum gerückt ist, blieb er weiterhin verfassungspatriotisch und lehnte, von einer kleinen postmillenaristischen Minderheit der *Dominion Theology* abgesehen, die Aufhebung der Trennung von Staat und Kirche (↑Kirche und Staat) ab, um so am Primat lokalistischer Einzelgemeinden vor einer institutionalisierten Kirchenorganisation festhalten zu können. Ferner bekennen sich diese Fundamentalisten durchwegs zum liberalen Marktkapitalismus. Überdies hat der amerikanische protestantische F. bei aller Militanz in der Sprache und aller Radikalität etwa im Kampf gegen die Abtreibungsgesetzgebung oder die Homosexuellenehe in den USA weitgehend auf Gewalt verzichtet. Demgegenüber haben Fundamentalismen anderer Religionen, oft auch vor dem Hintergrund negativer Gewalt- und Repressionserfahrungen innerhalb der eigenen Kultur oder durch das imperialistische Expansionsstreben des liberalen Westens, eine markantere Gewaltkultur, eine heftige Ablehnung kultureller oder verfassungsrechtlicher Elemente des „↑Westens" sowie des ↑Kapitalismus entwickelt, die nicht selten in spezifische Formen postkolonialer Gewaltanwendung (↑Postkolonialismus) umschlagen. Dies gilt primär für den sunnitischen islamistischen F., aber auch für hinduistische, buddhistische und jüdische Fundamentalismen.

Der nordamerikanische F. nahm seinen Ausgang als professoral-akademische Intellektuellenbewegung zu Beginn des 20. Jh. im Rahmen der innerprotestantischen Auseinandersetzungen um die Irrtumslosigkeit und Unfehlbarkeit der Heiligen Schrift als Materialprinzip des protestantischen Glaubens. An Popularität gewann der F., indem er in der Folgezeit (bis Mitte der 1920er Jahre) die bereits seit den 1880er Jahren laufende, deutlich volkstümlichere, oftmals antiintellektuelle evangelikale Erweckungsbewegung überformte und ihr einen gesellschaftskritischen Anstrich verlieh. Allerdings fielen Evangelikalismus und F. nie in eins, ebenso wenig Pfingstchristentum und F. Der Wort- und der Geist.-F. stellten eine bes. radikale Variante von Evangelikalismus und Pfingstchristentum dar. Politisch und sozial reagierte der F. in den USA auf den Zerfall der bürgerlich-liberal-evangelikalen Reformkoalition, die in der Partei der Whigs seit 1834 und dann im Rahmen der Republikanischen Partei seit 1854 das gesellschaftliche Leben in den USA maßgeblich im Sinne beschleunigter soziokultureller Reformprozesse gekennzeichnet hatte. Mit dem Aufkommen der historisch-kritischen Exegese aus der Aufklärungstradition einerseits, dem historistischen darwinistischen Evolutionismus (↑Evolution) andererseits und drittens dem Scheitern des letzten gemeinsamen sozialen Reformprojekts, der Prohibition (nationales Alkoholverbot), zerbrach diese Koalition. Im evangelikalen Lager, v. a. bei den Fundamentalisten, wuchs in den 1920er Jahren – auch vor dem Hintergrund wachsender Spannungen zwischen der viktorianischen, nunmehr eher ländlich konnotierten, repressiv-sozialdisziplinierenden Sexualmoral und als urban und modern empfundenen, konsumistischen und individualistischen Sexualpraktiken – die Furcht, allmählich aus den Aushandlungen nationaler Identität und kultureller Hegemonie herausgedrängt zu werden. Mit den soziokulturellen „Revolutionen" der 1960er Jahre intensivierte sich diese Bedrohungsperzeption kulturell, aber nicht sozial marginalisierter gesellschaftlicher Gruppen, was den Widerstand gegen bestimmte Elemente des Modernisierungsprozesses anheizte und zu den sog.en Kulturkriegen der Gegenwart führte.

Vieles an diesen nordamerikanischen Vorgaben findet sich auch in den Fundamentalismen des Nahen Ostens, Nordafrikas, Ost- und Südasiens, hier nur verstärkt durch postkoloniale Erfahrungen und mit einem erheblich gewaltaffineren Auftreten. Dabei darf nicht außer Acht gelassen werden, dass auch diese Fundamentalismen sich zeitlich parallel zum protestantischen F. der USA im Kontext globaler religiöser Erweckungsbewegungen im 19. Jh. vor dem Hintergrund des Hochimperialismus (↑Imperialismus) entwickelten. Das zeigen etwa die wahabitische Reaktion in Saudi-Arabien auf die Osmanische Herrschaft oder die Bewegung des Mahdi im Sudan der 1880er Jahre, die sich gleichermaßen gegen osmanische und britische Herrschaftsansprüche richtete. Die weitere Radikalisierung

etwa bei den Muslimbrüdern in den 1920er Jahren verknüpfte erneut antiimperialistische, postkoloniale und binnenislamische Kontroversen. Vergleichbare Radikalisierungsvorgänge lassen sich bei indischen Hindus ausmachen. Nach dem Ende der binären Ordnung des Kalten Krieges konnten sich diese zuvor durch prowestliche oder prokommunistische Modernisierungsdiktaturen in Schach gehaltenen Bewegungen dann, nicht zuletzt aufgrund ihrer sozialen Aktivitäten unter einer stark verarmten Bevölkerung, besser entfalten. Die Interventionen der USA im nahöstlichen Raum, insb. die Golfkriege, bereiteten schließlich den weiteren Boden für einen neuerlichen Radikalisierungsschub, der weiterhin anhält.

Literatur

R. Hermann: Endstation Islamischer Staat, 2015 • J. Manemann: Der Dschihad und der Nihilismus des Westens, 2015. H. Schmidt-Glintzer (Hg.): Weist der Fundamentalismus die Wissenschaft in die Schranken?, 2012 • S. Bruce: Fundamentalism, 2007 • M. Hochgeschwender: Amerikanische Religion, 2007 • C. Six: Religiöser Fundamentalismus, 2005.
            MICHAEL HOCHGESCHWENDER

III. Politikwissenschaftlich

Der weltweite Aufstieg militanter religiös-politischer Bewegungen zum Ausgang des 20. Jh. induzierte im politischen und wissenschaftlichen Diskurs des Westens eine grundsätzliche Debatte über den essentiellen Charakter dieses Phänomens, das im generischen Begriff des *globalen F.* auf einen idealtypischen Nenner gebracht wurde und die einschlägigen Forschungsprogramme in Form und Inhalt bestimmte.

1. Ursprünge und Elemente des Fundamentalismusbegriffs

Begriffsgeschichtlich entstammt die semantische Prägung F. der religiös-kulturellen Formensprache des amerikanischen ↑Protestantismus. In diesem Kontext entfaltete sich im späten 19. Jh. ein spezifischer theologisch-konfessioneller und letztlich politischer Komplex von Ideen, Haltungen und Sentimenten, der in binnenamerikanischen Selbstverständigungsdiskursen als eigenständiger politisch-religiöser Ausdruck moderner christlicher Frömmigkeitskultur beschrieben und auf deren gemeinsame Züge hin als *christlicher F.* interpretiert und kritisiert wurde.

Die inhaltliche Bestimmung der Definitionsmerkmale dieses F. waren geprägt vom biblizistisch-millenarisch gestimmten evangelikalen Protestantismus, der auf Basis gemeinsamer Glaubensüberzeugungen (*Fundamentals*) zum kollektiven nativistisch gefärbten Widerstand gegen Modernismen in Kirche, Gesellschaft und Wissenschaft aufrief. In der Verbindung mit dem populistisch-demokratischen Parteiführer William Jennings

Bryan formierten sich die Fundamentalisten politisch und führten 1920 bis 1925 einen *Anti-Evolution Crusade* mit dem Ziel, in den Südstaaten die Lehren der Evolutionstheorie in Universitäten und Schulen zu verbieten. Als man zudem eine informelle Allianz mit dem Ku Klux Klan einging, war politisches Scheitern programmiert. Die Evangelikalen zogen sich in ihre kirchliche Glaubenskultur zurück und schienen zunehmend gesellschaftlich isoliert. Für diesen F. schien zu gelten, was die herrschende Lehre von der modernisierungstheoretisch konturierten globalen ↑Säkularisierung generell postulierte: fortschreitende Marginalisierung der ↑*Religion* bis hin zu deren gänzlichen Verschwinden. Doch dem widersprach die unerwartete Persistenz fundamentalistischer Glaubensgemeinschaften. Diese wurden in der Folge im öffentlichen Diskurs der 50er Jahre auf ihre antiliberale und antisäkulare Position hin interpretiert und kategorial als historischer Prototyp des antimodernen Geistes in den USA begriffen. Damit wandelte sich der Bedeutungsgehalt von F., der nun im Sinn eines Kampfbegriffs jede Form von Irrationalität und *Anti-Intellektualismus* in den USA umfasste. So lautete Richard Hofstadters berühmte These: F. „represented a thorough-going and militant reaction to the prevailing forces of modernity" (Wuthnow/Lawsen 1994: 20). In dieser Sicht war F. ein resistenter traditionalistischer Fremdkörper in der modernen Gesellschaft.

2. Idee und Realität des globalen Fundamentalismus

Aber: „(R)eligion was not disappearing, it was relocating" (Marty 1987: 18). Die herrschende Deutung der ↑Moderne wurde in den 70er Jahren ernsthaft in Frage gestellt, nicht zuletzt durch die Rückkehr der amerikanischen Fundamentalisten in die Politik

Eingeleitet durch den sog.en *evangelical upsurge*, formierte sich eine politisch-religiöse Allianz, die *New Christian Right*. Diese koalierte mit dem Neokonservatismus in einer „ballot box marriage" (Diamond 1998: IX), welche Präsident Ronald Reagan und der Republikanischen Partei 1980 zur Mehrheit im Land verhalf. Diese ordnungspolitisch motivierte machtvolle Rückkehr des religiös-politischen F. erschütterte das liberalsäkulare Establishment um so mehr, als diese innenpolitischen Konfliktlinien auf analoge Erscheinungsformen in Gestalt neuer weltpolitischer konfliktärer Konstellationen verwiesen: die religiös-politische Herausforderung der westlichen Moderne insgesamt. Das entspr.e Schlüsselerlebnis war die für die westliche Weltsicht konsternierende islamisch-politische Revolutionierung der nahöstlichen Welt, die 1979 im Iran begann, 1981 zur Ermordung des ägyptischen Präsidenten Muhammad Anwar as-Sadat führte und unmittelbar auf die westliche, insb. aber amerikanische globale Ordnungspolitik zurückwirkte. Diese tiefgreifenden Wandlungen in der politisch-kulturellen Tektonik der Welt bedingten eine selbstkritische Reflexion der säkularistisch aufgeklärten Wissenschaft. Der religiös motivierte ↑Radi-

kalismus jenseits des religiösen ↑Traditionalismus schien westlichen Beobachtern unvermittelt einen weltweiten bewegungspolitischen Auf- und Umbruch zu signalisieren. Die islamische Gesellschaft, so lautete das Urteil, hat nur eine bes. virulente und potentiell globale Form der Politik hervorgebracht, „other major religious traditions have also given birth to movements that can be fruitfully compared with the Islamic movement" (Almond/Appleby/Sivan 2003: 6 f.). Die Emergenz dieses allem Anschein nach international akzentuierten pluriformen religiös-politischen Komplexes bestimmte zunehmend die intellektuellen und politischen Debatten in den USA und Europa in den 80er Jahren. Diskursübergreifend stellte sich die Frage nach einem Terminus „if it is to make sense of a set of global phenomena which urgently bid to be understood" (Marty/Appleby 1991: VIII). Für eine wissenschaftliche Konzeptualisierung dieses Phänomens rekurrierte die akademische Forschung auf die spezifisch amerikanisch konnotierte semantische Prägung F. und entwickelte auf dieser Grundlage einen generischen F.-Begriff. Federführend war das *Fundamentalism Project* der *American Academy of Arts and Sciences*, dessen Ergebnisse 1991 bis 1995 in fünf Bänden vorgelegt wurden. Das Resultat war ein zehnjähriges interdisziplinäres Forschungsprogramm, das antimoderne, antisäkularistische militante religiöse Bewegungen auf fünf Kontinenten und innerhalb der fünf Weltreligionen (↑Christentum, ↑Judentum und ↑Islam sowie ↑Hinduismus und ↑Buddhismus) einschließlich ostasiatischer Formationen wie den Sikhismus und ↑Konfuzianismus auf den Kollektivbegriff des F. hin interpretierte, sodass nun der Aufstieg eines globalen F. diagnostiziert werden konnte.

Diese programmatisch formulierte, wissenschaftlich grundierte Konzeptionalisierung des *modern religious fundamentalism* war nicht nur terminologisch, sondern auch in der inhaltlichen Bestimmung der Definitionsmerkmale beeinflusst von der amerikanischen Vorgabe: „The Fundamentalism Project issues from the world called Western, the sphere in which the ,modern', ,liberal' and ,secular' achievements were most readily experienced, and where fundamentalism had appeared to be recessive [...]". So wurde das fundamentalistische Syndrom als Herausforderung verstanden „to those who have held non- and counterfundamentalist understandings of reason, practice, and politics" (Marty/Appleby 1991: XIII).

3. Der Fundamentalismusdiskurs: Widersprüche und Aporien

Der wissenschaftliche und der ihm folgende öffentliche F.-Diskurs werden durch vier letztlich in sich widersprüchliche Elemente bestimmt.

a) Die Formenvielfalt antimoderner und antisäkularer, religiös motivierter militanter Bewegungen muss als Antimodernität in der Modernität beschrieben werden.

b) Die Restriktion auf die Revolte der *traditionellen,* insb. *theistischen* Religion gegen eine säkulare Moderne setzt den generischen christentumsinduzierten Religionsbegriff voraus, der spezifische religiöse Vergemeinschaftsformen impliziert. Indogene religiös unterfütterte nationalrevolutionäre und ähnliche Formen des kulturellen Revivals (z. B. im Konfuzianismus) oder des religiösen Nativismus in Südost- und Ostasien können daher nur durch Analogieschluss als *fundamentalistisch* analysiert werden.

c) Unter der religionstheoretischen Voraussetzung werden westliche *ideologisch* motivierte militante Bewegungen, also der totalitäre ↗Nationalsozialismus, ↗Faschismus und ↗Kommunismus, als „secular movements" nicht dem F. zugeordnet. „(T)hey are pseudoreligious rather than authentically religious. They may call upon their followers to make ultimate sacrifice, but, unlike the monotheistic religions, […] they do not assure their followers that God or an eternal reward awaits them" (Almond/Appleby/Sivan 2003: 15). Einzig ein Autor im Projekt, der Zivilisationstheoretiker Shmuel Noah Eisenstadt, thematisiert die innerweltliche politische Religiosität als bestimmenden Idealfaktor moderner Bewegungspolitik. Er verweist auf den ↗Totalitarismus des Jakobinismus der Französischen Revolution als Prototyp des modernen F., der den heterodoxen christlich-jüdischen Messianismus in ein aktivistisches Programm der Umgestaltung der Welt mit dem Ziel der Errichtung einer ultimativen Heilsordnung transformiert und in der religiösen Welt des Islams und des Fernen Ostens analoge politische Messianismen entstehen ließ. Damit wird die Unterscheidung zwischen *säkularem* und *religiösem* F. hinfällig und eine Differenzierung von innerweltlichem politisch-aktivistischem Messianismus einerseits und traditionsgeleitetem politisch-religiösem Aktivismus andererseits in der Analyse des modernen F. möglich.

d) Jenseits dieser Engführung des F.-Konzepts reüssierte langfristig ein diffuses Verständnis des F., das im Sinn eines Kampfbegriffs jede gesellschaftliche Gruppierung oder Bewegung, die einen vorgeblich modernitätskritischen Absolutheits- und Wahrheitsanspruch geltend macht, unter F.-Verdacht stellt. Solchermaßen inflationär erweitert auf religiösen, politischen, moralischen und sogar staatlichen F., endet der F.-Diskurs in einer intellektuellen Sackgasse.

Literatur
J. Gebhardt: Das religiös-kulturelle Dispositiv in der modernen Politik, in: H. Vorländer (Hg.): Demokratie und Transzendenz, 2013, 41–79 • G. A. Almond/R. S. Appleby/E. Sivan: Strong Religion, 2003 • S. N. Eisenstadt: Comparative Civilizations and Multiple Modernities, Bd. 2, 2003 • S. Diamond: Not by politics alone. The Enduring Influence of the Christian Right, 1998 • M. E. Marty/R. S. Appleby (Hg.): Fundamentalisms Comprehended, 1995 • S. N. Eisenstadt: Fundamentalism, Phenomenology, and Comparative Dimensions, in: ebd., 259–276 • M. E. Marty/R. S. Appleby (Hg.): Accounting for Fundamentalisms, 1994 • R. Wuthnow/M. P.</br>

Lawsen: Sources of Christian Fundamentalism in the United States, in: ebd., 18–56 • M. E. Marty/R. S. Appleby (Hg.): Fundamentalisms and the State, 1993 • M.-E. Marty/R. S. Appleby (Hg.): Fundamentalisms and Society, 1993 • M. E. Marty/R. S. Appleby (Hg.): Fundamentalisms Observed, 1991 • H. Papenthin: Entstehung und Entwicklung des (klassischen) amerikanischen Fundamentalismus, in: C. Colpe/ders. (Hg.): Religiöser Fundamentalismus, 1989, 13–52 • M. E. Marty: Religion and the Republic, 1987 • S. E. Ahlstrom: A Religious History of the American People, 1972 • H. S. Commager: The American Mind, 1950.

JÜRGEN GEBHARDT

Fundraising

F. ist die systematische Analyse, Planung, Durchführung und Kontrolle sämtlicher Aktivitäten einer steuerbegünstigten Organisation, welche darauf abzielen, alle benötigten Ressourcen (Geld-, Sach- und Dienstleistungen) durch eine konsequente Ausrichtung an den Bedürfnissen der Ressourcenbereitsteller (Privatpersonen, Unternehmen, ↗Stiftungen, öffentliche Institutionen) zu möglichst geringen Kosten einzuwerben.

1. Steuerbegünstigte Organisation
Nach obiger Definition kann F. nur von einer steuerbegünstigten Organisation betrieben werden. Eine Organisation wird dann steuerbegünstigt (d. h. von einigen ↗Steuern wie z. B. der KSt, GewSt oder ErbSt befreit), wenn ihr Satzungszweck von den zuständigen Finanzbehörden als „gemeinnützig" (§ 52 AO), „mildtätig" (§ 53 AO) oder „kirchlich" (§ 54 AO) anerkannt wird.

In Bezug auf das Drei-Sektoren-Modell, wonach die Versorgung einer Gesellschaft mit Waren und ↗Dienstleistungen durch den ↗Markt (Erster Sektor), den ↗Staat (Zweiter Sektor) oder den Non-Profit-Sektor (Dritter Sektor) erfolgen kann, wurde das F. zunächst dem Non-Profit-Sektor zugerechnet. F. wurde demnach nur von sog.en NPOs betrieben, manchmal auch Nichtregierungsorganisationen bzw. ↗NGOs genannt. Dabei wird jedoch nicht berücksichtigt, dass auch Organisationen, die dem Sektor Staat zugerechnet werden, steuerbegünstigt sein und F. betreiben können. So haben in den letzten Jahren immer mehr öffentliche ↗Hochschulen, Schulen, Kitas und Krankenhäuser begonnen, F. zu betreiben.

Auch die Amtskirchen, die als K.en d. ö. R. mit kirchlicher Zielsetzung per se steuerbefreit sind, betreiben neben der Erhebung von Kirchensteuern immer schon F.-Aktivitäten, indem sie um ↗Spenden, (Zu-)Stiftungen und öffentliche Mittel bspw. für kirchliche Schulen und Hochschulen werben.

Noch zwei Überlegungen zur Begriffsabgrenzung:
a) Eine einzelne Privatperson kann nicht steuerbefreit werden und demnach für sich auch kein F. betreiben. Bittet sie um Spenden für sich selbst, also keinen gemeinnützigen sondern eigennützigen Zweck, so handelt es sich um Betteln, und nicht F.

b) Auch im Ersten Sektor, genauer gesagt auf ↑ Finanz-märkten, taucht der Begriff F. auf. Gemeint ist dann das Einsammeln außerbörslicher Gelder durch Beteiligungsgesellschaften bzw. *Private-Equity*-Gesellschaften.

2. Ressourcenbereitsteller

Jede steuerbegünstigte Organisation benötigt also zur Erreichung ihrer satzungsmäßigen Ziele verschiedene Ressourcen. Wer könnte die benötigten Ressourcen in Form von Geld-, Sach- und Dienstleistungen zur Verfügung stellen? Im F. werden vier Gruppen von Ressourcenbereitstellern unterschieden: *Privatpersonen* („Individual F."), *Unternehmen* („Corporate F."), *Stiftungen* („Foundation F.") und *öffentliche Institutionen* („Public F.", z. B. bei EU, Bund, Länder und Kommunen).

Eine zentrale Frage des F. ist, warum (potenzielle) Ressourcenbereitsteller einer steuerbegünstigten Organisation ihre Geld-, Sach- und Dienstleistungen zur Verfügung stellen sollten. Aus welcher Motivation bzw. dahinter stehenden Bedürfnissen heraus tun sie dies? Welchen Nutzen zieht ein Ressourcenbereitsteller aus seinem Tun?

Bei den *Privatpersonen* ist man zunächst geneigt, selbstlose Gründe zu unterstellen. Da die steuerbegünstigte Organisation selbstlos gemeinnützige, mildtätige und kirchliche Zwecke verfolgt, wird vermutet, dass auch die Ressourcenbereitstellung der Privatpersonen altruistisch erfolgt. Bei genauerer Betrachtung unterstützen Privatpersonen steuerbegünstigte Organisationen jedoch nicht nur aus reinem Altruismus. So erwarten Geldspender – ausgesprochen oder unausgesprochen – zumindest immaterielle Formen der Gegenleistung, z. B. in Form von Dank, Anerkennung, Information und Beteiligung. Zeitspender engagieren sich in Form eines Ehrenamtes oder in Form von ↑ Freiwilligenarbeit weil sie bspw. eine erfüllende Tätigkeit, Geselligkeit oder Anerkennungen suchen. Trotz Immaterialität der Gegenleistung, kann ein Ressourcenbereitsteller also nicht nur altruistische, sondern durchaus auch egoistische Ziele verfolgen. Wissenschaftliche Untersuchungen zeigen, dass egoistischen Nutzenkomponenten hohe Bedeutung zukommt, während altruistische Motive einen tendenziell geringeren Einfluss ausüben.

Bei ↑ *Unternehmen* als Ressourcenbereitsteller dürften wohl die Wenigsten eine selbstlose Motivation unterstellen – obwohl diese, wie beim klassischen Mäzen angenommen, durchaus denkbar wäre. Ist Altruismus bei einer Privatperson denkbar, so muss sie bspw. auch bei einem mittelständischen Unternehmer denkbar sein, der ja gleichzeitig Privatperson ist. In aller Regel dürften aber auch bei Unternehmen Eigeninteressen überwiegen, wenn sie steuerbegünstigte Organisationen unterstützen. Zu nennen sind bspw. folgende Interessen:

a) positive Beeinflussung des Unternehmensimage bei allen relevanten internen und externen Anspruchsgruppen (Stakeholdern): Kunden, Mitarbeiter, Lieferanten, Geldgeber, Öffentlichkeit;

b) Steigerung der Identifikation und Motivation der Mitarbeiter mit dem Unternehmen;

c) Differenzierung vom Wettbewerb;

d) Dokumentation der Übernahme gesellschaftlicher Verantwortung (CSR).

Dass Unternehmen auch Eigeninteressen verfolgen, ist wohl genauso wenig verwerflich wie bei Privatpersonen. Allerdings bekommt die Frage der Gegenleistung für ein unterstützendes Unternehmen an anderer Stelle eine wichtige Bedeutung: Aus steuerrechtlicher Sicht wird großer Wert auf die Unterscheidung gelegt, ob die Ressourcenbereitstellung durch ein Unternehmen aus selbstlosen Gründen in Form einer (Unternehmens-)Spende erfolgt, oder ob eine Gegenleistung vorliegt, die ein Sponsoring begründet. Im Falle eines Sponsoring gelten nach dem sog.en Sponsoring-Erlass aus dem Jahre 1998 in bestimmten Fällen sowohl für das unterstützende Unternehmen als auch für die unterstützte Organisation andere ertrags- und umsatzsteuerliche Regelungen als bei einer Spende.

3. Möglichst geringen Kosten

Das F. soll die von einer steuerbegünstigten Organisation benötigten Ressourcen zu möglichst geringen Kosten beschaffen. Im Idealfall verzichtet ein Ressourcenbereitsteller ganz auf eine (materielle) Gegenleistung. Die Ressourcen werden dann als (Geld-, Sach- oder Zeit-) *Spende* freiwillig und unentgeltlich zur Verfügung gestellt. Dies heißt übrigens nicht, dass damit gar keine ↑ Kosten entstehen. Wie bereits erwähnt, erwarten bspw. die meisten Spender immaterielle Formen der Gegenleistung wie Dank, Anerkennung und Informationen (z. B. in Form von Rechenschaft über die Verwendung der Spenden). Diese immateriellen Formen der Gegenleistung sind in aller Regel mit Kosten verbunden. Es entstehen bspw. Kosten für die Erstellung und den Versand von Jahresberichten und regelmäßig erscheinenden Spender- und Mitgliederzeitschriften, oder für den Aufbau und die Pflege einer Website. Dass Kosten entstehen ist also unvermeidbar – entscheidend ist, dass diese Kosten in einem vernünftigen Verhältnis zu den eingeworbenen Ressourcen (Verwaltungskostenanteil) bleiben.

Literatur

M. Urselmann: Fundraising – Professionelle Mittelbeschaffung für gemeinwohlorientierte Organisationen, ⁷2017.

MICHAEL URSELMANN

G

G20 ↑Gruppe der führenden Industrienationen (G7/G8)

G7/G8 ↑Gruppe der führenden Industrienationen (G7/G8)

Gabe

Das scheinbar vertraute und nicht weiter erklärungsbedürftige Phänomen der G. zerfällt bei wissenschaftlicher Betrachtung in eine Vielzahl von Praktiken und Vorstellungen. Auch der Diskurs über die G. ist längst interdisziplinär, dabei von einer erheblichen Disparatheit der theoretischen Zugänge geprägt.

Aktuelle Entwürfe einer Theorie der G. beziehen sich fast durchgehend auf Marcel Mauss' „Essai sur le don" (1924/25). Dessen Interpretation ist freilich höchst umstritten. M. Mauss beobachtet in den G.-Praktiken vorstaatlicher Gesellschaften eine scheinbare Paradoxie von Freiwilligkeit und Verpflichtung der G.: G.-Praktiken werden deutlich von solchen des ökonomischen Tauschens unterschieden, dennoch fordert eine gegebene G. eine Gegen-G. Wechselseitige, öffentliche und ritualisierte Gestalten des Gebens schaffen ein soziales Band und sichern den Zusammenhalt einer ↑Gruppe und ihre Allianzen mit anderen, aber auch die Beziehung zur Natur, den Toten und den Göttern. Solche G.n umfassen und integrieren alle Dimensionen des sozialen Lebens und alle Institutionen und spielen eine entscheidende Rolle für die ↑Identität und das Funktionieren des Gemeinschaftswesens.

M. Mauss fügt seiner Studie Überlegungen zur G. in der modernen Gesellschaft an, die wesentlich zur Dynamik der aktuellen G.-Debatte beigetragen haben. Denn er sieht in der G. ein kulturell universales Phänomen: Trotz der Ausdifferenzierung in öffentliche und private Räume in modernen Gesellschaften und der Privatisierung des Gebens habe die G. nach wie vor eine zwar weniger offenkundige, aber dennoch grundlegende Bedeutung für den Zusammenhalt der Gesellschaft.

Die sich zunächst aus der Mauss-Rezeption entwickelnden strukturalistischen und anti-utilitaristischen G.-Theorien blieben weitgehend auf engere Fachkreise beschränkt. Breitere Aufmerksamkeit erreichte das Thema durch die Entwürfe von Jacques Derrida und Jean-Luc Marion. Beide brechen mit der scheinbar selbstverständlichen Struktur von G., Empfang und Gegen-G. J. Derrida zufolge ist die G. nur im Widerspruch zum Tausch zu denken: als strikt einseitige, die nicht erst durch eine Gegen-G., sondern schon durch deren bloße Erwartung zerstört würde. Die „reine G." ist eine Figur des Unmöglichen, die sich jeder Präsenz entzieht.

Marion hingegen wählt als Ausgangspunkt die „Gegebenheit" (donation) als Art und Weise, in der alle Phänomene erscheinen. Diese reine Gegebenheit ist nur zu erreichen über eine radikale phänomenologische Reduktion, in der Geber, Empfänger und Gabe eingeklammert werden.

Demgegenüber geht Marcel Hénaff im Rückgriff auf M. Mauss von der G. als einem sozialen Phänomen aus. Die scheinbare Paradoxalität von Freiheit und Verpflichtung der G. löst sich, wenn man die G. als Medium wechselseitiger ↑Anerkennung versteht. Insofern nicht das gegebene Gut im Mittelpunkt der G. stehe, sondern die Begegnung zwischen Geber und Empfänger, kann M. Hénaff die G. sowohl vom ökonomischen Warentausch als auch von einseitigen altruistischen Hilfeleistungen abgrenzen. Paul Ricœur nimmt M. Hénaffs Überlegungen auf und stellt sie in ein korrektivisches Verhältnis zu Axel Honneths Konzept des „Kampfes um Anerkennung" (2010). Ihm zufolge repräsentiert die G. Erfahrungen gelingender, nicht-berechnender Gegenseitigkeit, die zum geduldigen Bewältigen der unabschließbaren gesellschaftlichen Anerkennungskonflikte motivieren.

Leitende Fragen bei der theoretischen Erfassung des Phänomens der G. sind insb.:

a) Ist „Geben" grundlegend als ein *einseitiger*, uneigennütziger oder als ein *wechselseitiger* Vorgang zu beschreiben? Ist die G. nur „rein", wenn sie ganz ohne Eigeninteresse gegeben wird, oder bildet die Reaktion des Empfängers einen integralen Bestandteil des G.-Prozesses?

b) Welche *Funktion* erfüllt die G.? Während sie in soziologisch orientierten Entwürfen häufig als Währung in einer symbolischen Ökonomie z. B. des gesellschaftlichen Status dient, wird sie im Bereich der Ethik als ein Phänomen begriffen, das über die Forderungen der ↑Gerechtigkeit hinaus die Bedürfnisse des anderen im Blick hat.

c) Ist die G. vorrangig von den gegebenen *Dingen* her, bspw. in Spendenpraktiken (↑Spende), oder vom *Vorgang* des Gebens her zu lesen?

d) In welcher Weise „besitzt" der Empfänger die G.? Wird sie sein Eigentum oder strahlt die G.-Beziehung zwischen Geber und Empfänger auch auf den Umgang mit der G. aus? Und welche Rolle spielt hierbei die Dankbarkeit?

Historische Forschungen zur G. zeigen zum einen, wie in manchen gesellschaftlichen Bereichen Funktionen der G. in der Moderne durch andere Strukturen ersetzt worden sind, bspw. in der Sozialfürsorge oder der Anerkennung als Bürger, während umgekehrt die bürgerliche Schenkpraxis erst im 18. Jh. entsteht. Ob daraus ein fundamentaler Relevanzverlust der G. zu folgern ist, weil sie nur noch auf der Schwundstufe persönlicher Schenkpraxis existiere, ist umstritten. Zum anderen unterstreichen die Forschung die Vielfalt und erhebliche Bedeutung von G.-Praktiken in historischer Perspektive. Gegenüber manchen Tendenzen der theoretischen Debatte kommt dabei zum einen die Ambivalenz von G.-Praktiken deutlicher in den Blick, insofern G.n z. B. auch der Machtausübung und der Manipulation des Empfängers dienen. Zum anderen wird die Begrenztheit gabetheoretischer Leitunterscheidungen deutlich, insofern sich nicht selten soziale, wirtschaftliche, politische, rechtliche und religiöse Faktoren und Bedeutungen überkreuzen und eine scharfe Unterscheidung bspw. von Geschenken, sozialen Verpflichtungen und ökonomischen Vorgängen unterlaufen.

So ist sinnvollerweise nicht von „der G." als einer homogenen kulturellen Invarianten auszugehen, sondern von sehr verschiedenen Gestalten Gebens, Empfangens und möglicherweise Erwiderns, die es sich durchaus lohnt, idealtypisch zu unterscheiden, die sich aber in den konkreten Praktiken überlappen können.

Ethische Fragen werden erst in jüngster Zeit ausdrücklich unter gabetheoretischer Perspektive untersucht, und dies i. d. R. anhand von konkreten gesellschaftlichen Problemfeldern, z. B. modernen Praktiken des Schenkens und Spendens, der Organspende oder der Entwicklungshilfe. Einmal mehr stehen Fragen nach dem intrikaten Verhältnis von materieller Hilfeleistung, interpersonaler Beziehung, der Schaffung von (gewollten oder ungewollten) Abhängigkeitsverhältnissen und dem Gewinn, den der Geber aus seiner G. zieht (z. B. in Form von sozialem Prestige), im Zentrum.

Der theologische G.-Diskurs spiegelt in seiner Diversität die Vielfalt der rezipierten philosophischen und sozialwissenschaftlichen Zugänge. Neben ethischen Fragestellungen und Überlegungen zu Gegebenheit als Grundstruktur der Wirklichkeit haben sich Forschungsansätze auf einer Reihe von klassischen theologischen Arbeitsfeldern etabliert und entfalten nicht selten auch eine hohe ökumenische Relevanz: Das gilt für Fragen der Gnaden- und Rechtfertigungstheologie oder der Rede vom Opfer wie insb. das Herrenmahl. Breit diskutiert wird schließlich sowohl in theologischen wie in philosophischen Zusammenhängen die bereits von der Wortgestalt in verschiedenen europäischen Sprachen her nahe liegende Beziehung von G. und Vergebung (vergeben, for-give, par-donner).

Literatur

V. Hoffmann/U. Link-Wieczorek/C. Mandry (Hg.): Die Gabe. Zum Stand der interdisziplinären Diskussion, 2016 • A. Grund (Hg.): Opfer, Geschenke, Almosen. Die Gabe in Religion und Gesellschaft, 2015 • V. Hoffmann: Skizzen zu einer Theologie der Gabe. Rechtfertigung – Opfer – Eucharistie – Gottes- und Nächstenliebe, 2013 • A. Honneth: Kampf um Anerkennung, 2010 • P. Ricœur: Parcours de la reconnaissance. Trois études, 2004 • M. Hénaff: Le prix de la vérité. Le don, l'argent, la philosophie, 2002 • A. Caillé: Anthropologie du don. Le tiers paradigme, 2000 • N. Z. Davis: The gift in sixteenth-century France, 2000 • J. T. Godbout/A. Caillé: L'esprit du don, 2000 • J.-L. Marion: Étant donné. Essai d'une phénoménologie de la donation, ²1998 • A. D. Schrift (Hg.): The Logic of the Gift. Towards an Ethic of Generosity, 1997 • H. Berking: Schenken. Zur Anthropologie des Gebens, 1996 • M. Godelier: L'énigme du don, 1996 • A. E. Komter (Hg.): The gift. An interdisciplinary perspective, 1996 • J. Derrida: Donner le temps. 1. La fausse monnaie, 1991 • La Revue du M.A.U.S.S., ab 1988 • J. Hannig: Ars donandi. Zur Ökonomie des Schenkens im früheren Mittelalter, in: GWU 37 (1986), 149–162 • M. Mauss: Essai sur le don. Forme et raison de l'échange dans les sociétés archaïques, 1950.

VERONIKA HOFFMANN

Gaudium et Spes ↑Zweites Vatikanisches Konzil

Gebietsreform

1. Begriff, Einordnung in verschiedene Formen von Verwaltungsreformen

Die G. als eine Form der Territorialreform betrifft den geplanten, systematischen Neuzuschnitt von Verwaltungsbezirken und Verwaltungseinheiten, vorrangig der ↑Selbstverwaltung und grenzt sich damit von bloß punktuellen Veränderungen von Verwaltungsgrenzen ab. Theoretisch gehört auch ein Neuzuschnitt der Gliedstaaten im ↑Bundesstaat, eine in Art. 29 GG geregelte Materie, dazu; üblicherweise wird diese Frage jedoch getrennt behandelt. Die G. ist ein Teil einer umfassend gedachten Verwaltungsreform; neben anderen Reformansätzen ist die sog.e Funktionalreform mit ihr untrennbar verbunden. Während es bei der G. um den territorialen Zuschnitt von Verwaltungseinheiten geht, behandelt die Funktionalreform den Wandel in der Aufgabenzuweisung der verschiedenen Ebenen einer gestuft gedachten Verwaltung.

G.en folgen in Deutschland üblicherweise dem Grundsatz der „Einräumigkeit der Verwaltung", d. h. der gestufte modulare Verwaltungsaufbau passt sich jeweils in die nächsthöhere Verwaltungsstufe ein: Gemeindegebiete sprengen keine Kreisgrenzen, Kreisgebiete nicht den räumlichen Bereich eines Regierungsbezirk; letztere stellen sich als Untergliederungen von Ländern als Gliedstaaten in der Bundesstaatlichkeit dar usw.

Bei G.en stehen sich regelmäßig die Ziele der Steigerung von Verwaltungseffizienz und überkommene Traditionen und damit auch Identifikationen gegenüber: Ein oftmals technokratischer Anspruch kollidiert mit den Vorteilen von Kleinräumigkeit, von Identifikationsmöglichkeiten und räumlich gedachter Bürgernähe. Während es G.en schon immer, v. a. auch im 19. Jh. im Gefolge der Hochindustrialisierung gegeben hatte, lag der Schwerpunkt der modernen G.en als kommunale G. in dem Zeitraum etwa zwischen Mitte der 1960er und Mitte der 1970er Jahre und kann damit nur vor dem Hintergrund der seinerzeitigen Planungseuphorie verstanden werden. Einen Anstoß gab der 45. Deutsche Juristentag, der sich mit dem Gutachten Werner Webers des Themas annahm. Ein durchaus technokratischer Zugriff, der von der Plan- und Machbarkeit auch von Verwaltungsstrukturen ausging, rieb sich mit dem oftmals ausgeprägten Traditionsbewusstsein weiter Teile der Landbevölkerung. Gleichzeitig kann nicht bestritten werden, dass eine unüberschaubare Anzahl von Klein- und Kleinstgemeinden modernen Anforderungen an die staatliche wie kommunale ↗Verwaltung kaum mehr gerecht werden konnte. Eine ausgeprägte bürgerschaftliche Protestbewegung und eine Fülle von Gerichtsverfahren begleitete die kommunale G. In der Gegenwart spielen Fragen einer G. v. a. in zwei Zusammenhängen eine Rolle: In den neuen Bundesländern als gleichsam „nachholende" Reform auf Gemeinde- bzw. Kreisebene; in allen (Flächen-)Ländern hinsichtlich der Mittelstufe der Verwaltung, d. h. den Regierungsbezirken.

2. Kommunale Gebietsreform

Den Schwerpunkt der G.en bildete und bildet die kommunale Ebene: Die Zusammenlegung von ↗Gemeinden und von ↗Kreisen war bestimmend. Konzeptionell führend war in den 1960er Jahren NRW unter Innenminister Willy Weyer (FDP), wo sich in theoretischer Konzeption Aspekte der Verwaltungseffizienz mit übersteigerten Erwartungen an die Landesplanung (↗Raumordnung und Landesplanung) verbanden. Am radikalsten ging Hessen vor, dessen Hybris in der – später wieder aufgelösten – Gemeinde „Lahn" Berühmtheit erhielt. Sehr unterschiedlich war die Einbeziehung von Formen kommunaler Zusammenarbeit. Eine bemerkenswerte, inzwischen auch historisch und sozialwissenschaftlich erforschte Protestwelle im ländlichen Raum war die Folge der G. im kommunalen Bereich. Sie zeigte deutlich, dass Technokraten das Identifikationspotenzial der räumlichen Ordnung in sozial-technokratischer Gestaltungs-Obsession massiv unterschätzt hatten. Erfolgreich waren die Proteste mittels Gerichtsverfahren in Einzelfällen. Die Emotionen sind inzwischen abgekühlt, das Thema historisiert.

Die Statistik gibt einen Überblick über die Dimension der Reform der 1960er/70er-Jahre.

Land	1968	1978	Prozentsatz der Verringerung
Baden-Württemberg	3379	1111	67,1
Bayern	7077	2052	71,0
Hessen	2684	423	84,2
Niedersachsen	4231	1030	75,7
Nordrhein-Westfalen	2277	396	82,6
Rheinland-Pfalz	2905	2320	20,1
Saarland	347	50	85,6
Schleswig-Holstein	1378	1132	17,9

Tab. 1: Verringerung der Gesamtzahl der Gemeinden zwischen 1968 und 1978

Land	1968	1978	Verringerung in Prozent
Baden-Württemberg	9	9	0
Bayern	48	25	47,9
Hessen	9	6	33,3
Niedersachsen	15	9	40,0
Nordrhein-Westfalen	37	23	37,8
Rheinland-Pfalz	12	12	0
Saarland	1	0	100,0
Schleswig-Holstein	4	4	0

Tab. 2: Verringerung der Zahl der kreisfreien Städte zwischen 1968 und 1978:

Land	1968	1978	Verringerung in Prozent
Baden-Württemberg	63	35	44,4
Bayern	143	71	50,4
Hessen	39	20	48,7
Niedersachsen	60	37	38,3
Nordrhein-Westfalen	57	31	45,6
Rheinland-Pfalz	39	24	38,5
Saarland	7	6	14,3
Schleswig-Holstein	17	11	35,3

Tab. 3: Verringerung der Zahl der Landkreise zwischen 1968 und 1978:

(Quelle: W. Thieme/G. Prillwitz: Durchführung und Ergebnisse der kommunalen Gebietsreform, 1981, 78 ff.)

3. Rechtsprobleme

Seit Ende der 1960er Jahre waren zunächst die Landesverfassungsgerichte, dann – in geringerem Umfang – auch das BVerfG mit der gerichtlichen Kontrolle von G.en befasst. Der VerfGH Rheinland-Pfalz setzte mit Urteil vom 17.4.1969 den Auftakt (VGH 2/69): Die (hier: landesverfassungsrechtliche) Garantie kommunaler Selbstverwaltung schütze nicht die Existenz der konkreten einzelnen Gemeinde, sondern nur Gemeinden als solche. Für Gesetze, die kommunale G. anordneten, gelte ihre strikte Gemeinwohlorientierung (↗Gemeinwohl) sowie die Pflicht, die betroffenen Gebietskörperschaften anzuhören. Es handele sich um eine legitime Aufgabe des Parlaments, dem ein Prognose- und Einschätzungsspielraum zustehe. Die gerichtliche Überprüfung beschränke sich auf die Kontrolle, ob die räumliche Neuordnung von systemgerechten Erwägungen getragen sei. Der Grundsatz der Systemgerechtigkeit wurde dabei innerhalb der Garantie kommunaler Selbstverwaltung zur Konkretisierung der Rechtfertigungsanforderungen der Gemeinwohlorientierung bemüht; der Sache nach es sich um die Ausbildung operabler Prüfungskriterien für einen praktisch konturenlosen Prüfungsmaßstab. Der nordrhein-westfälische VerfGH schloss sich dieser Linie an (OVGE 26, 270 und 286). Das am Rande mit diesen Fragen befasste BVerfG schwankte in der Beurteilung (einerseits übereinstimmend BVerfGE 50, 50; 86, 90; deutlich zurückhaltender BVerfGE 107, 1). Im Zuge der G.en in den neuen Länder nach 1990 ragt das Urteil des LVerfG Mecklenburg-Vorpommern vom 26.7.2007 heraus (LVerfG 9/06). Hinsichtlich der Kreisreform in diesem Bundesland wird die Bürgernähe als gleichwertiges Gegenlager zu den Gesichtspunkten der Verwaltungseffizienz anerkannt. Landkreise, in denen die zentralen Einrichtungen nur erschwert und mit beträchtlichem Aufwand räumlich erreichbar seien, entbehren danach ihrer ↑Legitimation. Verwaltungseffizienz ist damit nicht mehr Leitgesichtspunkt, sondern nur noch Abwägungsbestandteil bei der gerichtlichen Kontrolle.

4. Aktuelle Fragen

In der Gegenwart stellt die demographische Entwicklung in ländlich geprägten Gebieten und die asymmetrische Entwicklung von städtischen und ländlichen Räumen die Frage nach der G. neu und verschärft die Problematik: Welche Grenzen eines ökonomisch sinnvollen Rückbaus von Infrastruktur und damit auch Verwaltungsräumen stößt an welche Grenzen, die jetzt vorwiegend als tatsächliche Chancen demokratischer Teilhabe verstanden werden?

Literatur

H. Meyer, Aktuelle Entwicklungen zu Gebiets- und Funktionalreform, in: ZG 32/3 (2017), 247–268 • P. Dieterich: Systemgerechtigkeit und Kohärenz, 2014, 546–551 • S. Mecking: Bürgerwille und Gebietsreform, 2012 • J. Wieland: Verfassungsrechtliche Kontrolle von Gebietsreformen, in: V. Mehde/U. Ramsauer/M. Seckelmann: Staat, Verwaltung, Information, 2011, 923–941 • S. Mecking/J. Oebbecke (Hg.): Zwischen Effizienz und Legitimität. Kommunale Gebiets- und Funktionalreform in der Bundesrepublik Deutschland in historischer und aktueller Perspektive, 2009 • Landtag NRW: Der Kraftakt. Die Kommunale Gebietsreform in Nordrhein-Westfalen, 2005 • G. Henkel/R. Tiggemann (Hg.): Kommunale Gebietsreform – Bilanzen und Bewertungen, 1990 • W. Thieme/G. Prillwitz: Durchführung und Ergebnisse der kommunalen Gebietsreform, 1981 • W. Loschelder: Kommunale Selbstverwaltung und gemeindliche Gebietsgestaltung, 1976 • H. F. Mattenklodt: Gebietsreform und Verwaltungsreform in der Bundesrepublik Deutschland, 1972 • F. Wagener: Neubau der Verwaltung, 1969 • W. Weber: Entspricht die gegenwärtige kommunale Struktur den Anforderungen der Raumordnung? Gutachten für den 45. Deutschen Juristentag, 1964.   CHRISTIAN WALDHOFF

Gebühren ↑Abgaben

Geburtenregelung

1. Begriffsbestimmung

Unter G. versteht man alle die Fortpflanzung beeinflussenden individuellen oder institutionellen Maßnahmen. Diese können auf eine Steigerung oder Minderung der Geburtenraten abzielen. Die G. nimmt zudem die Säuglings- und Kindersterblichkeit sowie die Bevölkerungsentwicklung in den Blick. Insofern gemäß sozialwissenschaftlichen Erkenntnissen die Faktoren Bildung und Einkommen das Fortpflanzungsverhalten beeinflussen, werden Maßnahmen zur Stärkung von ↑Bildung und ↑Einkommen bisweilen ebenfalls unter G. abgehandelt.

2. Individuelle Zugänge

Die individuellen Zugänge der G. umfassen Empfängnisverhütungsmethoden wie bspw. die ↑Sterilisation, natürliche (z. B. periodische/generelle Enthaltsamkeit, Coitus interruptus), mechanische (z. B. Kondom), hormonelle (z. B. Pille) oder chemische Verhütungsmittel (z. B. Zäpfchen, Gel) oder eine Kombination derselben. Zudem können Methoden der Notfallkontrazeption nach ungeschütztem Geschlechtsverkehr (z. B. „Pille/Spirale danach") das Eintreten einer Schwangerschaft verhindern. Den Methoden der G. wird manchmal auch der ↑Schwangerschaftsabbruch zugeordnet.

Für den Mann sind das Kondom und die Vasektomie nach wie vor die gängigen Methoden der Verhütung. Seit den 1970er Jahren beschäftigt sich die Forschung mit weiteren Möglichkeiten und konnte Fortschritte im Hinblick auf die Beeinflussung der Spermatogenese erzielen. Hormonelle Verhütung bei Männern ist möglich, Nebenwirkungen können auf ein erträgliches Maß reduziert werden. Studien bestätigen u. a. einen reversiblen hormonellen Verhütungsschutz in Form von Testosteron und Gestagen-Kombinationen. Ihre Weiterentwicklung bis zur Marktreife hängt von Nachfrage und anderen wirtschaftlichen Faktoren ab. Außerdem ist die gesellschaftliche Diskussion im Umgang mit Nebenwirkungen hormoneller Behandlung im Kontext der Genderdebatte (↑Gender) maßgeblich. Eine noch in Entwicklung befindliche Alternative stellt das Vasalgel als Möglichkeit der reversiblen Vasektomie ohne chirurgischen Eingriff dar.

Zum anderen umfassen die individuellen Zugänge der G. Praktiken zur Förderung der Fortpflanzung. Die Reproduktionsmedizin hat unterschiedliche Methoden entwickelt, um Individuen oder Paare durch assistierte Reproduktion zu unterstützen – wobei die Beweggründe sehr unterschiedlich sein können: Heterosexuelle Paare nehmen eine assistierte Reproduktion z. T. deswegen in Anspruch, weil Sterilität oder Infertilität diagnostiziert wurde. Fertile Paare lassen eine assistierte Reproduktion und nur so mögliche PID durchführen, weil die Gefahr der Vererbung einer schweren genetischen Erkrankung besteht. Homosexuelle Paare und Alleinstehende können durch assistierte Reproduktion zu eigenem Nachwuchs gelangen, z. B. lesbische Paare oder alleinstehende Frauen durch ↑Insemination mit Spendersamen oder Männer durch Leihmutterschaft. Aufgrund ökonomischer Asymmetrien und gesundheitlicher und psychischer Risiken für die Ersatzmutter ist die Leihmutterschaft aus ethischer und rechtlicher Sicht allerdings keine mit der herkömmlichen Insemination gleichzusetzende Praxis. Bei unerfülltem Kinderwunsch auf Grund psychischer Probleme finden Paare Unterstützung durch Beratungs- und Therapieansätze der Sexualmedizin und Psychologie.

Von der Insemination zu unterscheiden sind extrakorporale Befruchtungsmethoden. Die IVF stellt die häufigste Form dar. Hier werden nach einer Stimulation der Eierstöcke zur Heranreifung mehrerer Eizellen in einem Zyklus Eizellen per Follikelpunktion entnommen und in einer Kulturschale (*in vitro*) mit dem aufbereiteten Sperma des Mannes befruchtet. Während bei der IVF die Spermien eigenständig in die Eizelle eindringen, wird dies bei der ICSI mittels einer Injektionspipette bewerkstelligt. Die ICSI kommt bei Fruchtbarkeitsstörungen des Mannes zum Einsatz, wenn z. B. nur wenige funktionelle Spermien vorhanden oder die Spermien weniger beweglich sind. Nach Befruchtung und Heranreifen der Eizellen im Labor zu Embryonen werden diese der Frau übertragen.

In Deutschland dürfen nach dem ESchG von 1990 einer Frau maximal drei Embryonen gleichzeitig transferiert werden (§ 1 Abs.1 Nr. 3 ESchG). Im Ausland werden teilweise mehr Embryonen übertragen. Dies erhöht teils die Wahrscheinlichkeit einer Schwangerschaft, zugl. aber die Gefahr einer Mehrlingsschwangerschaft, die mit erheblichen gesundheitlichen Risiken für die Schwangere und die Embryonen verbunden ist. Der Schwangeren wird in diesen Fällen oft zur Reduktion der Mehrlinge durch Fetozid, d. h. einer Tötung im Mutterleib, geraten, was aus ethischer und rechtlicher Sicht problematisch ist. In der Kritik stehen IVF und ICSI auch deshalb, weil häufig mehr Embryonen erzeugt als der Frau übertragen werden. Zwar sieht das EschG in Deutschland eine Begrenzung der extrakorporal zu befruchtenden Eizellen vor (§ 1 Abs. 1 Nr. 5 ESchG). Doch um die Frau lediglich einmal der Belastung einer ovariellen Stimulation und Follikelpunktion auszusetzen, kryokonservieren Reproduktionsmediziner überzählige, mit Spermien imprägnierte Eizellen im Stadium vor der eigentlichen Kernverschmelzung. Frauen wird heute oft nur ein Embryo (*elective single embryo transfer*) nach morphologischer Auswahl oder in rechtfertigungsbedürftigen Einzelfällen nach PID übertragen.

Während in Deutschland Eizellspende und Leihmutterschaft verboten sind, bieten einige Fortpflanzungszentren in einem juristischen Graubereich eine Embryonenspende/-adoption an. Die Empfängereltern nehmen die Rolle der sozialen Eltern ein. Die austragende Frau ist im Unterschied zur herkömmlichen Adoption biologische, wenn auch nicht genetische Mutter des Kindes.

Die jüngere technische Möglichkeit der Kryokonservierung von Eizellen – zunächst für krebskranke Frauen in gebärfähigem Alter entwickelt – hat zudem die Praxis des *social freezing* hervorgebracht. Fertile Frauen ohne Partner lassen ihre Eizellen einfrieren, um sich über die natürliche Fruchtbarkeitsgrenze hinaus die Möglichkeit eines eigenen Kindes offen zu halten. Die Befürworter dieser Praxis heben hervor, dass Frauen sich so in jungen Jahren auf die Karriere konzentrieren bzw. den geeigneten Zeitpunkt und Partner für eigenen Nachwuchs bestimmen können. Sozialethisch wird stattdessen eine Änderung der gesellschaftlichen Bedingungen gefordert.

Auch Nukleustransfer und Uterustransplantation sind neuere Methoden der assistierten Reproduktion. Der Nukleustransfer ermöglicht Frauen mit einer schweren mitochondrialen DNA-Erkrankung, ein genetisch verwandtes Kind ohne das Risiko der Vererbung ihrer Mitochondrien-Störung zu gebären. Eine aus dem Zellkern der Frau und dem Zellplasma einer Eizellspenderin „zusammengesetzte" Eizelle kann mit dem Samen des Partners in vitro befruchtet werden. Das hieraus entstehende sog.e Drei-Eltern-Kind (erstmals in Mexiko 2016) enthält somit die genetischen Erbinformationen des Paares sowie die mitochondriale DNA der Eizellspenderin.

Die Uterustransplantation ermöglicht Frauen mit einer operativ entfernten, einer von Geburt an fehlenden oder nicht-funktionellen Gebärmutter, ein eigenes Kind auszutragen. Während hierfür prinzipiell auch eine postmortal gespendete Gebärmutter genutzt werden kann, basieren fast alle dokumentierten Uterustransplantationen auf einer Lebendspende, die häufig aus dem persönlichen Umfeld der Transplantierten stammt. Im Jahre 2014 konnte ein schwedisches Team weltweit zum ersten Mal einer uterustransplantierten Frau zu einem gesunden Kind verhelfen.

Zwei weitere Ansätze, die sich noch in der Entwicklung befinden und zukünftig von Relevanz für die assistierte Reproduktion sein dürften, sind die „Genomchirurgie" (z. B. CRISPR) und die künstliche Züchtung von Keimzellen. Die Genomchirurgie soll in Zukunft ermöglichen, mittels „Genscheren" gezielte Eingriffe im Erbgut von Embryonen vorzunehmen, um auf diese Weise genetische Defekte zu beheben (negative ↑Eugenik) oder eine gewünschte genetische Eigenschaft in das Erbgut einzubringen (positive Eugenik).

Die Kritiker dieser Technik weisen darauf hin, dass aufgrund der hohen Komplexität genetischer und epigenetischer Interaktionen im menschlichen Organismus das Risiko für die nachfolgenden Generationen unverantwortbar ist. Weiterhin stünden mit der Genomchirurgie Entwicklungen in Richtung von „Designer-Babys" offen. Außerdem wird angesichts des sehr begrenzten Wissens über die komplexen (epi-)genetischen Zusammenhänge vor weitreichenden negativen Folgen für künftige Generationen gewarnt. Die künstliche Züchtung von Keimzellen aus Körperzellen, die bisher nur erfolgreich bei Mäusen angewandt wurde, würde zudem ganz neue Möglichkeiten der assistierten Reproduktion, etwa die Erzeugung eines Embryos aus den Zellen einer einzelnen Person, eröffnen.

Die Methoden der assistierten Reproduktion in vitro ermöglichen bereits seit einiger Zeit die PID: Extrakorporal erzeugte Embryonen lassen sich mittels der PID vor der Implantation auf genetische Störungen untersuchen. In Deutschland darf die PID nur bei Vorliegen einer genetischen Disposition eines oder beider Partner für eine „schwere genetische Erbkrankheit", wobei dieser Begriff strittig ist, vorgenommen werden. Jede PID bedarf der Prüfung und Zustimmung einer eigens hierfür eingerichteten interdisziplinären ↑Ethikkommission (§3a Abs. 2 EschG). Zudem ist zur G. die ↑PND zur Kontrolle der Entwicklung und Gesundheit des Kindes und der Schwangeren während der Schwangerschaft zu rechnen.

3. Geburtenregelung in der Bevölkerungs- und Entwicklungspolitik

Bei der G. als Gegenstand der nationalen und internationalen Bevölkerungs- und ↑Entwicklungspolitik sind zwei gegenläufige Tendenzen zu beobachten: Aufgrund der alternden und z.T. abnehmenden Bevölkerung sollen Maßnahmen der G. in den Industrienationen den sinkenden Geburtenzahlen entgegenwirken (Pronatalismus). Entwicklungsländer verzeichnen hingegen ein starkes Bevölkerungswachstum, das zu einer Verschlechterung der ohnehin prekären Versorgung der lokalen Bevölkerung mit lebensnotwendigen Ressourcen führt. Hier zielen die nationalen und internationalen Maßnahmen der G. auf eine Senkung der Geburtenraten ab (Antinatalismus). Die G. steht in engem Zusammenhang mit zunehmender Ressourcenknappheit und ökologischen Problemen. In alternden Solidargemeinschaften steigt die Belastung der Erwerbstätigen, und es bedarf Personals und finanzieller Ressourcen für die pflegerische und medizinische Versorgung.

Seit Mitte der 1960er Jahre gehen die Geburtenraten in Deutschland wie in den meisten Industrienationen kontinuierlich zurück, seit den 1970er Jahren gibt es einen „Sterbefallüberschuss", d. h. es sterben jährlich mehr Menschen als Lebendgeburten verzeichnet werden. Die zusammengefasste Geburtenziffer beträgt seit Jahren ca. 1,4 Kinder pro Frau, im Vergleich zu 2,5 Kindern Mitte der 1960er Jahre. Damit liegt Deutschland im europäischen Vergleich im unteren Bereich. Frauen sind bei der Geburt ihres ersten Kindes deutlich älter, was v. a. auf längere Ausbildungszeiten und qualifiziertere Ausbildungen zurückzuführen ist.

Pronatalistische Maßnahmen der G. umfassen zum einen finanzielle Anreize wie z. B. steuerliche Vorteile für Familien oder Alleinstehende mit Kindern, die Zahlung von Kindergeld, den finanziellen Ausgleich des Erwerbsausfalls vor/nach der Geburt oder Unterstützung für die Kinderbetreuung (vgl. das Mutterschafts-, Eltern- und Betreuungsgeld in Deutschland), sowie die Bereitstellung weiterer Sozialleistungen (z. B. Krankenversicherung, Erstausstattung für Neugeborene). In der Literatur ist umstritten, inwiefern diese finanziellen Anreize tatsächlich das Fortpflanzungsverhalten von Frauen bzw. Paaren beeinflussen. Weitere pronatalistische Maßnahmen zielen daher auf eine bessere Vereinbarkeit von Familie und Beruf, z. B. ganztägige Betreuungsangebote für Kinder und Gleichstellungsmaßnahmen in allen gesellschaftlichen Bereichen.

Antinatalistische Maßnahmen in Entwicklungsländern fokussieren heutzutage vornehmlich auf die reproduktive Gesundheit und Selbstbestimmung von Frauen und Mädchen. Der Begriff der reproduktiven Gesundheit wurde 1994 auf der Weltbevölkerungskonferenz der UNO in Kairo als ein grundlegendes Menschenrecht und wesentlicher Bestandteil einer nachhaltigen Entwicklungspolitik definiert. Reproduktive Gesundheit meint gemäß dem von 179 Nationen unterzeichneten Aktionsprogramm den Zustand vollständigen körperlichen, mentalen und sozialen Wohlbefindens im Hinblick auf die individuellen und gesellschaftlichen Funktionen der Reproduktion. Konkrete Forderungen, die bis heute in zahlreichen Nationen der Welt noch nicht eingelöst sind, sind u. a. der Zugang zu Sexualaufklärung, sicherer und bezahlbarer ↑Empfängnisverhütung, Schutz vor Zwangssterilisation, Zwangsabtreibung, Geschlechtskrankheiten und sexueller Gewalt, Sicherstellung medizinischer Versorgung Schwangerer und Neugeborener, Bekämpfung von Genitalverstümmelung, Kinderehe und Frauenhandel. Die reproduktive Selbstbestimmung von Frauen und Mädchen soll zudem durch Bildung, Sozialleistungen und gute Erwerbsperspektiven gestärkt werden. In einer Subsistenzwirtschaft gilt allerdings eine größere Anzahl an Nachkommen immer noch als Existenzsicherung und Form der Altersvorsorge. Der Zugang zu Informationen über Schutz vor ungewollten Schwangerschaften und einer Ansteckung mit HIV (↑AIDS) ist bes. erfolgreich, wenn junge Menschen gleichzeitig neue Perspektiven für ein besseres, wirtschaftlich unabhängiges Leben erhalten.

Eine repressive Form der G. stellte die in China von 1979 bis 2015 durchgeführte Ein-Kind-Politik dar. Die zunehmende Verfügbarkeit von Ultraschallgeräten in der PND und die teils sehr strenge Durchsetzung der Ein-Kind-Politik bewog chinesische Familien teils dazu, weibliche Feten abzutreiben oder nach der Geburt zu töten, da männliche Nachkommen eher dazu geeignet schienen, Eltern und Nachkommen finanziell abzusichern. Die Folge ist heute ein Überschuss an männlichen Nachkommen. Die Ein-Kind-Politik hat über die Jahrzehnte zu einer deutlichen Reduktion des Bevölkerungswachstums, zugl. aber zu einer Überalterung der chinesischen Bevölkerung geführt. Die sich hieraus ergebenden Belastungen für das Sozialsystem und die erwerbstätige Bevölkerung haben die chinesische Regierung 2016 zu einer offiziellen Beendigung der Ein-Kind-Politik bewegt – heute sind zwei Kinder zulässig.

4. Ethische Konfliktfelder

Hinsichtlich der ethischen Bewertung der G. lässt sich zwischen den auf Individuen bezogenen Maßnahmen und der G. in der Bevölkerungs- und Entwicklungspolitik unterscheiden. Gleichwohl gibt es inhaltliche Überschneidungen, da die Regulierung der individuellen Maßnahmen bisweilen integraler Bestandteil der Bevölkerungs- und Entwicklungspolitik ist.

Die Komplexität der ethischen Bewertung der individuellen Instrumente der G. nimmt mit der Anzahl einzubeziehender Personen und Gesichtspunkte zu. So können die Maßnahmen der assistierten Reproduktion z. B. nur die beiden Partner, den Embryo bzw. das prospektive Kind und die Ärzte, bei einer Samen- und Eizellspende oder gar Leihmutterschaft jedoch noch weitere Personen involvieren.

Auf Seiten der Wunscheltern wird zumeist ein Recht auf reproduktive Selbstbestimmung postuliert. Urspr. meinte dies, frei über die eigene Sexualität und Fortpflanzung bestimmen zu dürfen. Zur Ausübung eines derartigen Selbstbestimmungsrechts müssen Personen Zugang zu angemessener Sexualaufklärung und gesundheitlicher Versorgung zur Sicherung ihrer reproduktiven Gesundheit haben. Auch der Zugang zu erschwinglichen Verhütungsmitteln gilt den meisten ethischen Positionen als grundlegender Bestandteil der reproduktiven Selbstbestimmung. Stärker umstritten ist der Schwangerschaftsabbruch als Teil der medizinischen Versorgung und einer antinatalistischen Bevölkerungs- und Entwicklungspolitik, da der reproduktiven Selbstbestimmung der Schwangeren das Recht auf Leben des „nasciturus" gegenübersteht. Debattiert wird hierbei v. a. der moralische Status des Embryos, d. h. die Frage, wann dem ungeborenen Leben das Recht auf Leben zugesprochen werden muss. Zu unterscheiden sind hierbei

a) Schutzpositionen, die der Zygote oder dem Embryo bereits vom Moment der Befruchtung an ein Recht auf Leben zusprechen,

b) Positionen, die ein Recht auf Leben an bestimmte Fähigkeiten bzw. Zwecke zurückbinden (z. B. Einnistung, Schmerzempfinden, extrauterine Überlebensfähigkeit oder Schutz erst ab der Geburt), sowie

c) Positionen des abgestuften Lebensschutzes, die dem ungeborenen Leben ein mit dem Gestationsalter sukzessiv zunehmendes Recht auf Leben zusprechen.

Ein allg.es Verbot des Schwangerschaftsabbruchs birgt die Gefahr, dass Schwangere auf illegale Abtreibungen mit z. T. schweren Folgen für ihre Gesundheit zurückgreifen. Die Zulässigkeit des Schwangerschaftsabbruchs wird auch im Rahmen der Bevölkerungs- und Entwicklungspolitik kontrovers diskutiert.

Ebenfalls umstritten ist, ob das Recht auf reproduktive Selbstbestimmung auch ein positives Recht auf Inanspruchnahme der Methoden der assistierten Reproduktion umfasst und welchen Personenkreisen sie zugänglich gemacht werden sollen. Bes. problematisch ist der Rückgriff auf Samen- oder Eizellspenden, Leihmutterschaft und genetische Diagnostik (PID, PND) – letztere insb. mit Blick auf das Diskriminierungsverbot. Bei anonymen Keimzellspenden wird das Recht des Kindes auf Kenntnis der eigenen genetischen Abstam-

mung nicht hinreichend geachtet. Zugl. stellt die genetische Abstammung von einem unbekannten Spender oder Spenderin die Kinder vor bes. Herausforderungen bei der Konzeptualisierung der eigenen ↑Identität, die bisweilen erst dann, wenn die Spenderkinder eine eigene Familie gründen möchten, stärker in den Vordergrund treten. Ob eine Pflicht der Eltern zur Aufklärung der Kinder über den Umstand ihrer Zeugung besteht, ist kontrovers. Außerdem birgt die Eizellspende bes. Risiken und Belastungen für die Spenderinnen (hormonelle Stimulation, invasiver Eingriff, Hyperstimulationssyndrom, Eierstockvernarbungen bei mehrmaliger Eizellgewinnung); deshalb kann sie ethisch nicht ohne weiteres der Samenspende gleichgestellt werden. Diese Bedenken betreffen auch die neu etablierte Technik des Nukleustransfers, die ebenfalls einer Eizellspende bedarf. Da sowohl im Falle der Samen- als auch der Eizellspende die Spendebereitschaft ohne finanzielle Anreize voraussichtlich gegen Null tendieren würde, sieht sich die assistierte Reproduktion dem Vorwurf der Kommerzialisierung der menschlichen Reproduktion ausgesetzt. Dies gilt umso mehr für die sog.e Leihmutterschaft, bei welcher zumeist eine sozial schwächer gestellte Frau gegen Bezahlung ihren Körper für das Austragen einer Schwangerschaft zur Verfügung stellt.

Auch ohne die Einbeziehung von Samen- oder Eizellspende werfen die extrakorporalen Befruchtungsmethoden (IVF und ICSI) ethische Fragen auf: Bei der PID werden Embryonen in vitro auf genetische Defekte hin untersucht. Dass Embryonen mit einer genetischen Auffälligkeit (z. B. Chromosomenaberrationen, Erbkrankheiten) nicht implantiert werden, befürworten liberale Positionen als individuelle Prävention schwerer erblicher Erkrankungen. Kritiker befürchten sozialen Druck hinsichtlich der Inanspruchnahme gendiagnostischer Verfahren, eine Ungleichbehandlung mittels externer – gesellschaftlich oder individuell erwünschter – Merkmale und einen wachsenden Anspruch auf ein gesundes Kind. Ähnliche Effekte ergeben sich durch routinemäßige genetische Frühdiagnostikmaßnahmen (Amniozentese, frühe vorgeburtliche Bluttests) während der Schwangerschaft. Embryonenselektion und Schwangerschaftsabbruch bei genetischer Störung stehen in Spannung zu Diskriminierungsverboten und zu einer Ethik der Elternschaft, der gemäß ein Kind nicht unter dem Vorbehalt bestimmter Eigenschaften, sondern um seiner selbst willen Akzeptanz erfährt. Ein weiterer Kritikpunkt betrifft den Umgang mit überzähligen Eizellen im Vorkernstadium und Embryonen aus der assistierten Reproduktion.

Auch die sich mit der Kryonkonservierung ergebende Möglichkeit des *social freezing* wird unterschiedlich bewertet. Während eine Position hierin eine Stärkung der reproduktiven Selbstbestimmung der Frauen sieht, kritisieren andere Positionen einen falschen Ansatz, da mit technologischen Möglichkeiten soziale, bildungspolitische sowie wirtschaftliche Probleme kompensiert werden. Statt berufstätigen Frauen zu suggerieren, sich zu jedem beliebigen späteren Zeitpunkt der Familienplanung widmen zu können, fordern feministische Positionen sozialpolitische Maßnahmen zur besseren Vereinbarkeit von Familie und Beruf. Die pronatalistischen Maßnahmen der G. sollten bevölkerungspolitisch ausgerichtet sein, auf die Einführung finanzieller Anreize und auf die Gleichstellung der Frau in Gesellschaft und Arbeitswelt abzielen. Allerdings kritisieren feministische Positionen die pronatalistische Bevölkerungspolitik in Deutschland, weil sie noch stark am traditionellen Leitbild der Familie orientiert sei und die Kindererziehung noch immer vornehmlich als Aufgabe der Frau erachte.

Auch die Uterustransplantation ist mit einer Reihe ethischer Bedenken behaftet, da sich die Frauen den Risiken eines umfassenden chirurgischen Eingriffs samt nachfolgender Immunsuppression (inkl. erhöhtem Infektions- und Krebsrisiko) aussetzen. Inwiefern sich die Immunsuppression, die auch während der Schwangerschaft aufrechtzuerhalten ist, langfristig auf die Entwicklung und Gesundheit des Kindes auswirkt, ist noch ungeklärt. Die größten ethischen Herausforderungen werden sich allerdings durch die neuen „genomchirurgischen" Techniken (negative und positive Formung der Nachkommen) und die medizinischen Möglichkeiten der Nachkommenschaft „ohne Sex" stellen.

In der Bevölkerungs- und Entwicklungspolitik sind nach wie vor diejenigen antinatalistischen Maßnahmen (Ausnahme Schwangerschaftsabbruch), die vornehmlich auf eine Stärkung der reproduktiven Selbstbestimmung von Frauen und Mädchen ausgerichtet sind, ein sozialethisches Desiderat. Staatliche Maßnahmen wie Informationsverbote, Zwangsabtreibung oder Zwangssterilisation greifen nach wie vor in den ureigensten Bereich der persönlichen und körperlichen Integrität von Frauen ein und verletzen damit unstrittige Abwehrrechte. Betrachtet man die Weltbevölkerung, überwiegen in Bezug auf die G. Fragen sozialer Gerechtigkeit, d. h. Armut von Frauen und ihre in vielen Bereichen noch ausstehende gesellschaftspolitische Gleichstellung.

Literatur

L. Francis (Hg.): The Oxford Handbook of Reproductive Ethics, 2017 • S. E. Harrison u. a.: Assembly of Embryonic and Extraembryonic Stem Cells to Mimic Embryogenesis In Vitro, in: Science 356/6334 (2017), 153–165 • K. Piotrowska u. a.: Male Hormonal Contraception. Hope and Promise, in: The Lancet. Diabetes & Endocrinology 5/3 (2017), 214–223 • Amnesty International (Hg.): Amnesty International Report 2015/16. The State of the World's Human Rights, 2016 • BIB (Hg.): Bevölkerungsentwicklung Daten, Fakten, Trends zum demografischen Wandel, 2016 • Deutscher Ethikrat: Embryospende, Embryoadoption und elterliche Verantwortung. Stellungnahme, 2016 • T. Faltus: Stammzellenreprogrammierung. Der rechtliche Status und die rechtliche Handhabung sowie die rechtssystematische Bedeutung reprogrammierter Stammzellen, 2016 • O. Hikabe u. a.: Reconstitution In Vitro of the Entire Cycle of the Mouse Female Germ Line, in: Nature 539/7628 (2016), 299–303 • L. Johannesson/S. Järvholm: Uterus Transplantation. Current Progress and Future Prospects, in: International Journal of Women's Health 8 (2016), 43–51 • M. Müller (Hg.): Gynäkologie und Urologie für Studium und Praxis, ⁸2016 • Nuffield Council on Bioethics: Genome editing. An ethical review (2016), URL: http://nuffieldbioethics.org/wp-content/uploads/Genome-editing-an-ethical-review.pdf (abger.: 20.3.2018) • ZME: Neue Entwicklungen in der Fortpflanzungsmedizin 62/2 (2016) • P. Dabrock u. a.: Unverschämt schön. Sexualethik: evangelisch und lebensnah, 2015 • H. Haker: Reproductive Rights and Reproductive Technologies, in: D. Moellendorf/H. Widdows (Hg.): The Routledge Handbook of Global Ethics, 2015, 340–353 • G. K. Heilig: Unterschiede in den demographischen Trends. Afrika und Europa inmitten epochaler demographischer Transition, in: Pol. Stud. 463 (2015), 29–41 • G. A. Kanakis/D. G. Goulis: Male Contraception: a Clinically-Oriented Review, in: Hormones 14/4 (2015), 598–614 • J. Schmid: Hintergründe der Weltbevölkerung. Demographie und Entwicklung, in: Pol. Stud. 463 (2015), 16–28 • S. M. Suter: In Vitro Gametogenesis. Just Another Way to Have a Baby?, in: Journal of Law and the Biosciences 3/1 (2015), 87–119 • C. Thomale: Mietmutterschaft. Eine international-privatrechtliche Kritik, 2015 • UN Department of Economic and Social Affairs/Population Division: World Population Prospects, 2015 • UNFPA: Weltbevölkerungsbericht 2015. Schutz für Frauen und Mädchen in Not, 2015 • N. Bertschi: Leihmutterschaft. Theorie, Praxis und rechtliche Perspektiven in der Schweiz, den USA und Indien, 2014 • DSW: Sexuelle und reproduktive Gesundheit und Rechte (2014), URL: http://www.dsw.org/wp-content/uploads/2016/08/SRGR_Factsheet.pdf (abger.: 20.3.2018) • H.-L. Günther/J. Taupitz/P. Kaiser: Embryonenschutzgesetz. Juristischer Kommentar mit medizinisch-naturwissenschaftlichen Grundlagen, ²2014 • S. Schleissing (Hg.): Ethik und Recht in der Fortpflanzungsmedizin, 2014 • UNFPA: Programme of Action of the International Conference on Population Development, (2014), URL: http://www.unfpa.org/publications/international-conference-population-and-development-programme-action (abger.: 20.3.2018) • K. Diedrich/M. Ludwig/G. Griesinger (Hg.): Reproduktionsmedizin, 2013 • G. Maio/T. Eichinger/C. Bozzaro (Hg.): Kinderwunsch und Reproduktionsmedizin, 2013 • M. M. Lindtner: Den Eros entgiften. Elemente einer tragfähigen Sexualmoral und Beziehungsethik, 2012 • K. Hilpert (Hg.): Zukunftshorizonte katholischer Sexualethik, 2011 • J. Bitzer: Kontrazeption, 2010 • A. Ebenstein: The „Missing Girls" of China and the Unintended Consequences of the One Child Policy, in: The Journal of Human Resources 45/1 (2010), 87–115 • C. F. Gethmann/S. Huster (Hg.): Recht und Ethik in der Präimplantationsdiagnostik, 2010 • D. Auth: Pronatalistischer Aktionismus: von der bevölkerungspolitischen Instrumentalisierung und Ökonomisierung der Familienpolitik in Deutschland, in: D. Auth/B. Holland-Cunz (Hg.): Grenzen der Bevölkerungspolitik, 2007, 81–102 • J. Träger: Neue Wege familiärer Arbeitsteilung – Neuorientierung in der Familienpolitik?, in: ebd., 145–163 • BÄK: (Muster)Richtlinie zur Durchführung der assistierten Reproduktion, in: Deutsches Ärzteblatt 203/20 (2006), A1392-A1403 • U. Körtner u. a. (Hg.): Lebensanfang und Lebensende in den Weltreligionen. Beiträge zu einer interkulturellen Medizinethik, 2006 • E. Schockenhoff: Bevölkerungspolitik und Familienplanung in der Dritten Welt, 1996 • D. Mieth/I. Mieth: Schwangerschaftsabbruch, 1991.

MONIKA BOBBERT
UND NADIA PRIMC

Gefahrenabwehr ↑Polizei

Geheimdienste ↑Nachrichtendienste

Geiselnahme

I. Politische Aspekte – II. Rechtlicher Rahmen

I. Politische Aspekte

1. Begriff und historischer Kontext

Geisel ist eine Person, die einem Geiselnehmer zur Durchsetzung persönlicher oder politischer Interessen dient. Die Geisel dient dem Geiselnehmer als „Faustpfand" und muss dafür einstehen, dass der Geiselnehmer die Geisel selbst, eine dritte Person, eine Organisation bzw. Institution oder einen Staat dazu veranlassen kann, seinen Forderungen nachzugeben. Im Gegensatz zu Entführungen ist der Ort der G. häufig aber nicht bekannt. Eine grundsätzliche Gegenüberstellung von Entführung und G. ist aufgrund häufig vorkommender Ausnahmen von einer idealtypischen Unterscheidung aber nicht sinnvoll. Es stellt die G. ein Freiheitsdelikt gegen die körperliche Integrität *(habeas corpus)* und die persönliche Freiheit des Individuums dar. G.n stehen im *persönlichen* Umfeld meist in Zusammenhang mit Beziehungstaten (z. B. Kindesentführungen im Rahmen von Ehescheidungen etc.). Im *individuell ökonomischen* Sinne (z. B. bei Banküberfällen) finden G.n meist spontan statt und werden durch die Sicherheitskräfte beendet. Im *politischen* Sinne dient eine G. zur Ausübung von Druck auf regierende Eliten und damit zur Durchsetzung politisch motivierter Interessen. Das historische Vorbild des „Leibbürgen" war ein Mittel der privaten Vertragssicherung, das beim Übergang vom Mittelalter zur Neuzeit durch den Mechanismus der Bürgschaft ersetzt wurde. Rechtsgeschichtlich war die G. v. a. ein Mittel zur Durchsetzung von Forderungen oder zur Sicherung von ↑Friedensverträgen. Diese rechtlich normierten und verbreiteten Gepflogenheiten wurden jedoch häufig auch für verbrecherische Absichten genutzt. V. a. das Erpressen von Lösegeldern hat in Gestalt des Raubrittertums und der ↑Piraterie bis weit ins 19. Jh., gegen Ende des 20. Jh. durch organisierte kriminelle Vereinigungen, terroristische Organisationen (↑Terrorismus) oder Guerillabewegungen (↑Guerilla) das Phänomen der G. bis heute geprägt. Waren G.n zu Beginn des 20. Jh. noch finanziell motiviert (z. B. Entführung des Lindbergh-Babys in den USA 1932), haben sich gerade durch terroristische Organisationen Kopplungen an politische Forderungen ergeben (meist nach Freilassung inhaftierter Mitglieder der terroristischen Organisation). Höhepunkte erreichte dies in den 1970er und 1980er Jahren in Deutschland mit der Entführung von Hanns-Martin Schleyer (1977) durch die RAF oder mit der Verschleppung von Aldo Moro durch die *Brigate*

Rosse in Italien (1988). Seit etwa 2000 hat sich die Bandbreite an Motiven für G.n noch einmal erweitert. Aufstandsbewegungen wie die FARC in Kolumbien nutzten Entführungen zu Lösegeldforderungen, aber auch zur gezielten Verunsicherung ausländischer Eliten (prominentestes Beispiel: 2002 G. der kolumbianischen Präsidentschaftskandidatin Ingrid Betancourt). Organisierte kriminelle Vereinigungen wie die mexikanischen Drogenkartelle führen G.n auch durch, um rivalisierende Gruppierungen einzuschüchtern und durch brutalisierte Morde abschreckende Exempel zu statuieren. Im Rahmen hybrider Kriegführung nutzen terroristische Vereinigungen G.n sowohl zur Verbreitung von Angst und Schrecken und sozialen Destabilisierung (Entführung von mehreren hundert Mädchen durch Boko Haram in Nigeria 2015) wie auch als kommunikative Waffe und Einkommensquelle (IS in Syrien und Irak v. a. ab 2014).

2. Erscheinungsformen

In der ↑Kriminologie werden mehrere Erscheinungsformen von G.n idealtypisch unterschieden, die sich allerdings logisch und realtypisch überlappen. Phänomenologisch sind die folgenden Typen von G.n unterscheidbar:

a) Die seltenste Form der G. stellt die Flucht- oder Gefängnis-G. dar. Meist findet sie nur in Verbindung mit anderen G.n statt und bezeichnet in Deutschland solche G.n, die zum Zweck der Flucht von Gefängnisinsassen oder sonstigen Straftätern meist spontan durchgeführt werden (z. B. Gladbecker Geiseldrama 1988).

b) Demgegenüber die häufigste Form ist der erpresserische Kindes- bzw. Menschenraub, der oft auch tödlich endet. In Deutschland gab es nach dem Zweiten Weltkrieg mehrere spektakuläre Fälle dieser Art (z. B. Jakob von Metzler 2003), und auch im Zusammenhang mit der Flüchtlingskrise ab 2015 sind zahlreiche Verschleppungen bekannt geworden.

c) Im Zuge der vermehrt unternommenen Abenteuer- und Exotikreisen in Krisenländer haben sich bewaffnete organisierte kriminelle Vereinigungen darauf spezialisiert, (auch) deutsche Touristen zu kidnappen und Lösegeldforderungen zu stellen (z. B. im Jemen). In diesem Zusammenhang hat sich die Praxis eingebürgert, dass die finanziellen Forderungen zunächst durch den Staat beglichen werden, unabhängig von späteren Regressforderungen an die Freigelassenen.

d) Von globaler Bedeutung waren ab den frühen 1970er Jahren G.n durch palästinensische Kommandos. Inspiriert von einer nach Nahost ausgewanderten Faktion der „Japanischen Roten Armee" begannen palästinensische Unabhängigkeitsbewegungen – v. a. die PLO – damit, entweder Flugzeugentführungen durchzuführen (berühmtestes Beispiel: das „hijacking" der Lufthansa-Maschine „Landshut" im Gefolge der Schleyer-Entführung 1977) oder durch G.n bei Großereignissen

(Olympische Spiele 1972 in München) auf die Palästinenserproblematik aufmerksam zu machen. Allg. eigneten sich in diesem Zeitraum touristische Ziele vorzüglich für entspr.e Strategien (Entführung des Kreuzfahrtschiffs Achille Lauro 1985).

e) Ein neues Phänomen ist die G. zur Finanzierung einer terroristischen Infrastruktur. Organisationen wie der IS gingen ab 2014 dazu über, ausländische Touristen, Journalisten und Entwicklungshelfer festzuhalten sowie im Rahmen ihrer Medienstrategie wirksam zu instrumentalisieren. Die parallel dazu durchgeführten und global kommunizierten Hinrichtungen sorgten bei den Angehörigen der Festgehaltenen für erhebliche Zahlungsbereitschaft.

3. Bekämpfung und Prävention

Das Verhältnis zwischen der kriminalstatistischen Bedeutung von G.n und ihrer öffentlichen Resonanz ist höchst asymmetrisch. Wie bei verwandten oder sich überlappenden Formen politisch oder ökonomisch motivierter ↗Gewalt ergibt sich diese Problemlage aus dem symbiotischen Verhältnis zu den Massenmedien (↗Medien). Ebenso wie Terroristen oder Mafia-Mitglieder können Geiselnehmer sicher sein, für ihre privaten, finanziellen oder in Ausnahmesituationen politisch motivierten Forderungen maximale Aufmerksamkeit zu bekommen, sofern dieses Mittel nicht zu häufig angewendet wird. Bes. folgenreich ist dabei, wie weit sich Staat und strafverfolgende Behörden auf eine entstehende katalysatorische Logik einlassen. Während das gesellschaftliche Bedrohungsszenario durch G.n extrem gering ist und aus dieser Perspektive entspr.er Handlungsdruck für den Staat nicht besteht, stellt sich durch die mediale Inszenierung und Aufbereitung von G.n in der Bevölkerung ein erhebliches Unsicherheitsgefühl ein, das seinerseits die nachrangige statistische Bedeutung von G.n wirkungslos macht. Aus diesen Gründen gibt es in allen westlichen Demokratien Notfallpläne für den Fall von G.n. Im Zentrum steht dabei stets das Leben der Geisel, das es unter allen Umständen zu erhalten gilt. Danach kommt das Anliegen, den Geiselnehmer seiner rechtsstaatlichen Verurteilung zuzuführen. Dabei sind die polizeilichen Maßnahmen davon abhängig, ob es sich um eine öffentliche G. handelt oder ob zwischen Geiselnehmer und Staat unter Ausschluss der Öffentlichkeit kommuniziert und verhandelt wird. Die Abwägung, wie weit Forderungen nachgegeben wird oder ob im Fall von Lösegeldforderungen diesen dadurch entsprochen werden soll, dass privat Betroffenen (Familienangehörigen etc.) die entspr.en finanziellen Mittel bereitgestellt werden, obliegt allein den staatlichen Behörden und Entscheidungsträgern. Während konservative Politiker i.d.R. argumentieren, G.n dürften nie zu staatlichem Einlenken führen, weil andernfalls der Staat sich durch Schaffung von Präzedenzfällen auf unabsehbare Zeit angreif- und erpressbar mache, neigen liberale und sozialdemokratische Politiker zu fle-

xiblen Positionen. Entscheidungsprobleme entstehen gerade auch durch so verursachte Divergenzen beim Umgang mit G.n. Während etwa die Bundesregierung unter Kanzler Helmut Schmidt 1975 den Forderungen der terroristischen *Bewegung 2. Juni* nach Freilassung mehrere Inhaftierter aus den Reihen dieser Organisation im Austausch gegen den entführten Berliner CDU-Bürgermeisterkandidaten Peter Lorenz nachkam, verweigerte sie nur zwei Jahre später die Freilassung der Stammheimer RAF-Inhaftierten, welche im Rahmen der Schleyer-Entführung verlangt wurde. Um vor einer Verschleppung von Geiseln ins Ausland und eine dadurch entstehende Eskalation der Situation abzuschrecken, wurden – zumal unter dem Eindruck internationaler G.n und Flugzeugentführungen (Mogadischu 1977, Entebbe 1978) – auch entspr.e internationale Vereinbarungen geschlossen: Es soll Geiselnehmern unabhängig von ihren Motiven und Interessen in allen Ländern Strafverfolgung drohen bzw. deren Auslieferung gesichert sein.

Literatur

I. Betancourt: Kein Schweigen, das nicht endet. Sechs Jahre in der Gewalt der Guerilla, 2010 • R. Scholzen: Wer soll deutsche Geiseln im Ausland befreien?, in: Europäische Sicherheit 59/7 (2010), 82–85 • M. Immel: Die Gefährdung von Leben und Leib durch Geiselnahme (§§ 239a, 239b StGB), 2001 • M. Rheinländer: Erpresserischer Menschenraub und Geiselnahme (§§ 239a, 239b StGB). Eine Strukturanalyse, 2000 • A. Koch: Zur Abgrenzung von Raub, Erpressung und Geiselnahme, 1994.

ALEXANDER STRAßNER

II. Rechtlicher Rahmen

1. Responsive Entwicklung des Rechtsregimes

Der deutsche Gesetzgeber und die Staatengemeinschaft reagierten auf unionsrechtlicher und universeller Ebene in verschiedenen Phasen *responsiv* auf realpolitische Ereignisse und entwickelten das Verbot der G. schrittweise weiter, nämlich durch:

a) die Revision des zwischenstaatlich geltenden humanitären Völkerrechts durch die Verabschiedung der „vier Genfer Rotkreuz-Abkommen" vom 12.8.1949 (BGBl 1954 II, 781) als Reaktion auf die Ereignisse des Zweiten Weltkrieges. In deren Folge wurden G.n während des Krieges und während internationaler oder nicht-internationaler Konflikte verboten und als Kriegsverbrechen klassifiziert. Die G. wurde als Mittel der Kriegsführung international geächtet.

b) die Verschärfung des strafrechtlichen Sanktionsmechanismus als Reaktion auf die Zunahme insb. terroristisch motivierter G.n ab den 1970er Jahren. 1971 wurde der Sondertatbestand „erpresserischer Kindesraub" in § 239a StGB auf den Schutz erwachsener Personen erweitert und mit der „G." in § 239b StGB ein weiterer Sondertatbestand eingeführt. Dieser gilt, wenn die

Tat unter Einsatz qualifizierter Nötigungsmittel (u. a. Drohung mit dem Tod der Geisel) erfolgt und nicht auf Bereicherung durch Erpressung gerichtet ist, sondern allg.er, ggf. politisch motiviert, die Entscheidungsfreiheit des Genötigten beeinträchtigen soll. Im Jahr 1989 gab der Gesetzgeber die urspr. von §§ 239a/239b StGB geforderte Dreiecksstruktur der G. auf und dehnte den Tatbestand auf Konstellationen aus, in denen Geisel und Opfer der (geplanten) Nötigung identisch sind.

Völkerrechtlich fallen in diese Zeit spezielle Vereinbarungen zur Bekämpfung von Flugzeugentführungen oder zum Schutz bestimmter Personengruppen, ferner das – auf deutsche Initiative im Rahmen der UN verabschiedete – „Internationale Übereinkommen gegen Geiselnahme" vom 18.12.1979 (BGBl 1980 II, 1361). Dieses verpflichtet die Vertragsstaaten bei G.n mit Auslandsbezug zur strafrechtlichen Verfolgung oder Auslieferung (Grundsatz: *aut dedere aut iudicare*).

c) die Gründung internationaler ad-hoc Strafgerichte ab den 1990er Jahren, die in ihren Statuten das in den Genfer Rotkreuz-Abkommen begründete Verbot der G. aufgreifen und zur Verfolgung ermächtigt werden. Art. 8 Abs. 2 a viii) und c iii) des Römischen Statuts vom 17.7.1998 (BGBl 2000 II, 1393) erklären den ständigen IStGH für zuständig, Geiselnehmer als Kriegsverbrecher zu verfolgen, und statuieren damit auch in nicht-internationalen bewaffneten Konflikten einen Durchgriff des ↑Völkerrechts auf den individuell verantwortlichen Täter.

d) rechtliche Maßnahmen zur Bekämpfung des internationalen ↑Terrorismus, nachdem am 11.9.2001 vier entführte Passagierflugzeuge als Terrormittel eingesetzt worden waren. Der deutsche Gesetzgeber ermächtigte in § 14 Abs. 3 LuftSiG (BGBl 2005 I, 78) die Streitkräfte, durch unmittelbare Einwirkung mit Waffengewalt ein Luftfahrzeug abzuschießen, das gegen das Leben von Menschen eingesetzt werden soll. Das ↑BVerfG sah diese Abschussermächtigung jedoch als nicht vereinbar an mit dem Recht auf Leben nach Art. 2 Abs. 2 S. 1 GG in Verbindung mit der Menschenwürdegarantie des Art. 1 Abs. 1 GG, soweit mit den Geiseln auch tatunbeteiligte Menschen an Bord des Luftfahrzeugs betroffen waren (BVerfGE 115, 118, 151 ff.).

Auf EU-Ebene verpflichtet der „Rahmenbeschluss des Rates zur Terrorismusbekämpfung" (2002/475/JI) vom 13.6.2002 die Mitgliedstaaten zur Angleichung ihrer Rechtsvorschriften und zur Einführung von Mindeststrafen für terroristische Straftaten, zu denen Entführungen oder G.n (Art. 1 Abs. 1 c 2002/475/JI) sowie das Kapern von Luft- und Wasserfahrzeugen oder von anderen öffentlichen Verkehrsmitteln oder Gütertransportmitteln (Art. 1 Abs. 1 e 2002/475/JI) zählen. Der Einsatz von Flugzeugen als Terrormittel wurde auf universeller Ebene zum Anlass für eine Revision der oben genannten Konventionen zur Sicherheit der Luftfahrt aus den 1970er Jahren genommen.

2. Vielschichtigkeit des Rechtsregimes

Vielschichtig ist das Rechtsregime nicht nur mit Blick auf die Rechtsquellen, sondern auch hinsichtlich der Mechanismen zur Durchsetzung des Verbots von G.n. Für die Feststellung der individuellen Verantwortlichkeit von Geiselnehmern sind neben nationalen Strafgerichten sekundär, im Anwendungsbereich des ↑Völkerstrafrechts, auch der IStGH und sonstige internationale Strafgerichte zuständig, sowie tertiär nach dem „Weltrechtsprinzip" vorgehende Drittstaaten (BVerfG, Beschluss vom 1.3.2011 – 2 BvR 1/11). Aus zahlreichen völkervertraglichen Verbürgungen sind Staaten verpflichtet, sowohl repressiv gegen Geiselnehmer vorzugehen als auch präventive Maßnahmen zur Verhinderung von G.n zu ergreifen. Ist ein ↑Staat selbst in eine G. involviert, weil sie durch staatliche Akteure begangen wurde oder dem Staat das Handeln privater Akteure zurechenbar ist, löst diese menschenrechtswidrige Handlung seine völkerrechtliche Staatenverantwortlichkeit aus.

Mit Blick auf verfassungsrechtlich gebotene staatliche Maßnahmen zur Rettung von Geiseln hob das BVerfG in seiner Schleyer-Entscheidung 1977 zwar die aus dem Menschenwürdeprinzip (↑Menschenwürde) resultierende staatliche Pflicht zum Schutz jedes menschlichen Lebens hervor, auch vor rechtswidrigen Eingriffen von Seiten anderer. Es stellte die Frage, wie staatliche Organe ihre Verpflichtung zu einem effektiven Schutz des Lebens erfüllen, jedoch in deren eigene Verantwortung (BVerfGE 46, 160 [164]) und schrieb den staatlichen Organen keine bestimmte Rettungsmaßnahme vor. Ähnlich verhält es sich bei G.n deutscher Staatsangehöriger im Ausland: Zwar berechtigt das Völkerrecht den Entsendestaat in Ausübung seines konsularischen Schutzes zu Maßnahmen der Geiselbefreiung im Gaststaat; damit korrespondiert jedoch kein völkerrechtliches subjektives Recht der Geisel auf eine bestimmte Rettungsmaßnahme (z. B. Einsatz von Personal- und Sachmitteln). Vielmehr stellt das einschlägige deutsche KonsG (§ 5 Abs. 1) die Auswahl der Hilfsmaßnahme in das pflichtgemäße Ermessen des Staates.

Literatur

A. Zimmermann/R. Geiß: § 8 VStGB, in: W. Joecks/K. Miebach (Hg.): Münchener Kommentar zum StGB, Bd. 8, ²2013, Rdnr. 1–265 • J. Renzikowski: § 239 a StGB, in: W. Joecks/K. Miebach (Hg.): Münchener Kommentar zum StGB, Bd. 4, ²2012 Rdnr. 1–104 • J. Renzikowski: § 239 b StGB, in: W. Joecks/K. Miebach (Hg.): Münchener Kommentar zum StGB, Bd. 4, ²2012 Rdnr. 1–46 • M. Füracker: Hostages (2011), in: R. Wolfrum (Hg.): Encyclopedia of Public International Law, URL: http://opil.ouplaw.com/view/10.1093/law:epil/9780199231690/law-9780199231690-e808 (abger.: 27.2.2018) • D. Hanschel: Staatliche Hilfspflichten bei Geiselnahmen im Ausland, in: ZaöRV 66 (2006), 789–818 • M. Immel: Die Gefährdung von Leben und Leib durch Geiselnahme, 2001.

PATRICIA WIATER

Geisteswissenschaften

1. Begriff

Unter G. wird eine Gruppe wissenschaftlicher Disziplinen verstanden, die sich vornehmlich mit Erzeugnissen des menschlichen Geistes in ihren historischen und gesellschaftlichen Kontexten befasst. Bzgl. der Zugehörigkeit einzelner Disziplinen zu den G. besteht nicht in allen Fällen Konsens unter den betroffenen Wissenschaftlern; zudem unterliegt das Verständnis der G. selbst einem historischen Wandel. Auf den bes.n wissenschaftlichen Status der menschengemachten kulturellen Praxis hat bereits im 18. Jh. Giambattista Vico aufmerksam gemacht. Nach der Ablösung des Kanons von vier fachlich definierten Fakultäten (philosophische, theologische, juristische, medizinische) in der Universität des 19. Jh. galten die ↑Naturwissenschaften auf der einen und die G. auf der anderen Seite als die beiden maßgeblichen Gruppen der Grundlagenwissenschaften neben den berufsbezogenen Fakultäten. In dieser institutionellen und theoretischen Formierungsphase der modernen ↑Wissenschaft sind die G. wesentlich in Abgrenzung von den Naturwissenschaften verstanden worden. Reagiert wurde damit auch auf Versuche, die als nicht exakt verstandenen Wissenschaften in ein naturwissenschaftlich geprägtes Wissenschaftsverständnis zu integrieren. Maßgebliche theoretische Impulse für die Konstitution der G. stammen aus wissenschaftstheoretischen Reflexionen von Vertretern der philosophischen Schule des Neukantianismus (Wilhelm Windelband, Heinrich Rickert), Wilhelm Dilthey sowie von bedeutenden Fachwissenschaftlern aus unterschiedlichen, sich teils gerade formierenden Disziplinen (August Boeckh, Johann Gustav Droysen, Hermann Ludwig Ferdinand von Helmholtz, Wilhelm Wundt). Bis in die Gegenwart wirksame Begriffsprägungen sind die Unterscheidung von Gesetzes- und Ereigniswissenschaften mit „nomothetischer" bzw. „ideographischer" Methode, generalisierender Natur- und individualisierender, wertbezogener ↑Kulturwissenschaft und die Unterscheidung von Erklären und Verstehen als Aufgaben der unterschiedlichen Wissenschaftsbereiche. Im 20. Jh. haben sich aus den Naturwissenschaften als große Gruppe die Technik- oder Ingenieurwissenschaften und aus den G. die ↑Sozial- oder Gesellschaftswissenschaften entwickelt. Ein wichtiger Impuls für die Selbstverständigung der G. ging Mitte des 20. Jh. von Hans-Georg Gadamer aus, der traditionelle, mehr oder weniger ausdrücklich als eine Art Wissenschaftstheorie der G. angelegte Ansätze der ↑Hermeneutik aufnahm und kontextsensitive Verstehensprozesse über die Auslegung von Texten hinaus universalisierte. Nach dem heute geläufigen Verständnis gehören zu den G. die ↑Geschichtswissenschaften, die Philologien, die kulturbezogenen Regional- und Altertumswissenschaften, die ↑Theologien, die ↑Religionswissenschaft, große Teile der ↑Philosophie, die ↑Ethnologie sowie die Kunst-

und Musikwissenschaften; innerhalb der Erziehungswissenschaften und der Sprachwissenschaften zählen sich große Teile der Fächer zu den G.; der methodische Zugang spricht auch für eine Zuordnung der ↑Rechtswissenschaft. Seit Aufkommen des Begriffs G. im 19. Jh. wird er aus verschiedenen Gründen (Unschärfe, Missverständlichkeit, mangelnde internationale Anschlussfähigkeit) kritisiert, hat sich aber bis heute als dominante Bezeichnung der beschriebenen Fächergruppe gegen Alternativvorschläge (v. a. Kulturwissenschaften, gelegentlich auch Humanwissenschaften) halten können. Aus der Gesamtheit der dem Menschen zugänglichen materiellen und immateriellen Phänomene, Gegenstände, Prozesse, Verhaltensweisen und Wirkzusammenhänge befassen sich die G. insb. mit immaterieller, sprachlich verfasster, auf Verständnis und Orientierung zielender Auseinandersetzung mit der Welt, mit „Sinn-Produktion" und Fragen nicht-materieller Lebensbewältigung. In Abgrenzung von den Naturwissenschaften gehören in einem weiten Sinn Artefakte, Phänomene und Praktiken, die der ↑Kultur zugerechnet werden, zum Gegenstandsbereich. Die Frage nach spezifisch geisteswissenschaftlichen Methoden kann für die Gesamtheit der G. trotz mannigfacher Klärungsversuche nicht als beantwortet gelten. Sie ist eng mit der wissenschaftstheoretischen Frage nach einer genauen Charakterisierung der G. verknüpft und lässt sich nicht in gleicher Weise isoliert beantworten wie für große Teile der anderen Wissenschaftsbereiche. Dessen ungeachtet leisten Beschreibungen und Abgrenzungen der G. als auf Verstehen (in Abgrenzung von Erklären), Orientierung und Interpretation zielende Wissenschaften einen wichtigen Beitrag zur wissenschaftstheoretischen Einordnung der G. in die Gesamtheit der Wissenschaften. Methodische Zugänge sind entspr. das dichte Beschreiben, Interpretieren, Kontextualisieren und die Reflexion nach wissenschaftlichen, also auf intersubjektive Nachvollziehbarkeit zielenden, Standards.

2. Charakteristika

Weil die Fächergruppe der G. sich aus inhaltlich und methodisch heterogenen Disziplinen zusammensetzt, bleibt eine genauere, systematisch angelegte Charakterisierung auf einem relativ abstrakten Niveau und ist zudem nicht trennscharf bzgl. der Anwendbarkeit auf einzelne den G. zugerechnete Fächer. Ein dem naturwissenschaftlichen Gesetzesbegriff vergleichbares Leitprinzip fehlt in den G. Innerhalb der allg.en Wissenschaftstheorie wird auf die Spezifika der G. bislang kaum Bezug genommen; die entspr.e Begriffsarbeit steht erst am Anfang. Mit zunehmender fachlicher Differenzierung innerhalb der Wissenschaft und damit einer für die Gesamtheit wissenschaftlichen Wissens steigenden Komplexität bedürfen die G. als Disziplinengruppe nach wie vor eines gemeinsamen begrifflichen Fundaments. Zugl. stellt sich die Frage, ob nicht die im Folgenden näher umrissenen Charakteristika der G. auch für eine zeitgemäße wissenschaftstheoretische Beschreibung der Wissenschaft insgesamt von Nutzen sein können und damit dem latent drohenden Auseinanderfallen der verschiedenen Segmente der Wissenschaft entgegenwirken.

a) Historizität: Geisteswissenschaftliche Forschungsgegenstände sind in spezifischen geschichtlichen Kontexten situiert und nur im Zusammenhang mit diesen angemessen zu analysieren. Ihre Bindung an den historischen Kontext erfordert Sensibilität für die komplexen Verflechtungen von Kontext und eigentlichem Untersuchungsgegenstand und schränkt die Vergleichbarkeit von Forschungsgegenständen ein. Die Bindung an geschichtlich spezifische Konstellationen gilt auch für die geisteswissenschaftliche Forschung selbst, deren Analyserahmen aus (forschungs-)geschichtlichen Konstellationen heraus entwickelt wird.

b) Dialogizität/Intersubjektivität: Gegenstände der geisteswissenschaftlichen Forschung zeichnen sich durch ihre hohe Sprachgebundenheit sowie dadurch aus, dass sie auf ↑Dialog und intersubjektiven Austausch hin angelegt sind. Geisteswissenschaftliche Forschung nimmt daher oftmals einen Kommunikationsstrang auf, der vom Forschungsgegenstand ein Stück weit vorkonfiguriert wird – sei es als Interpretation oder als ordnende Zusammenschau schriftlichen Materials. Intersubjektive Überprüfbarkeit nach disziplinären methodischen Standards ist auch für geisteswissenschaftliche Forschung als Beitrag zur Wissenschaft maßgeblich.

c) Spezifizität: Der Zugang geisteswissenschaftlicher Forschung zum Gegenstand lässt sich beschreiben als Herausarbeiten einer jeweils speziellen oder für eine Gruppe von Gegenständen charakteristischen Besonderheit. Geisteswissenschaftliche Forschung setzt sich insofern von einer für die Naturwissenschaften typischen Suche nach Gesetzmäßigkeiten ab. Bes. historische Konstellationen oder künstlerische Qualitäten werden daher bevorzugt zum Gegenstand der G.

d) Perspektivität: In den G. spielt die ausdrücklich artikulierte Perspektive, aus der heraus ein Forschungsgegenstand analysiert wird, eine entscheidende Rolle für die Ergiebigkeit und Qualität der Forschung. Teil des geisteswissenschaftlichen Forschungsprozesses ist dabei auch, die vom Gegenstand her naheliegende Perspektive mit Blick auf das jeweils gegenwärtige Erkenntnisinteresse zu distanzieren. Das Herausarbeiten der eigenen Perspektivität ist die geisteswissenschaftliche Artikulation eines für die Wissenschaft typischen methodischen Zweifels, weil sie die Prämissen der Forschungsergebnisse und damit auch diese selbst der ↑Kritik zugänglich macht.

e) Verbalität: Große Teil der geisteswissenschaftlichen Forschungsgegenstände sind sprachlich verfasst, z.B. philosophische Theorien, historische Quellen, religiöse, literarische und Gesetzestexte. Auch die geisteswissenschaftliche Forschung ihrerseits ist, selbst wenn sie sich mit materiellen Artefakten beschäftigt, weitgehend sprachlich und damit in Satz- und Urteilsform verfasst. Trotz der Ausdifferenzierung von Fachsprachen erhält sich die geisteswissenschaftliche Forschung damit auch ihre Anschlussfähigkeit an die Alltagssprache und die Eingebundenheit in eine lebensweltliche kommunikative Praxis.

f) Reflexivität: Die Reflexion der eigenen Zugänge zum Forschungsgegenstand spielt für die G. im Vergleich zu anderen Wissenschaftsgruppen eine weitaus größere Rolle: Die Spezifik der Gegenstände und die Perspektivität der Zugänge zu ihnen müssen für jeden Einzelfall herausgearbeitet werden, weil geisteswissenschaftliches Wissen weniger akkumuliert und fortgeschrieben als immer wieder in spezifischen Forschungssituationen neu erworben wird. Die Reflexivität der G. ist schon in einer Vielzahl der (sprachlich verfassten) Gegenstände angelegt, wird von der ↑Forschung aufgegriffen und unter eigenen Perspektiven weiterentwickelt.

g) Universalität: Weil sich die G. mit den Produkten des menschlichen Geistes befassen, ist ihnen grundsätzlich kein Gegenstand verschlossen. Auch die wissenschaftliche Auseinandersetzung mit der Natur und die Theoriebildung in der Naturwissenschaft sind Teil eines universalistischen, also alle materiellen und immateriellen Gegenstände und Phänomene umfassenden, Zugangs. Die prinzipielle Universalität geisteswissenschaftlichen Interpretierens der vorgefundenen Welt inkl. der wissenschaftlichen Befassung mit dieser sorgt in fachgruppenübergreifenden Kooperationen manchmal für Irritationen, weil aus geisteswissenschaftlicher Sicht einer naturalistischen Sicht ergänzende (und damit relativierende) Zugänge an die Seite gestellt werden.

3. Wissenschaftstheoretische und wissenschaftspolitische Einordnung

Auch wenn die Abgrenzung von anderen Gruppen wissenschaftlicher Disziplinen nicht immer trennscharf und teilweise sogar Gegenstand fachinterner Definitionsdebatten ist, können die unterschiedlichen G. als etablierte Disziplinen im Fächerkanon gelten. Für das Verständnis von kulturellen Phänomenen, Produkten des menschlichen Geistes sowie sozial wirksamer Denkmuster und Weltdeutungen ist die wissenschaftlich-reflexive und in den Einzelfächern methodisch abgesicherte Forschungsarbeit der G. unerlässlich. Vor diesem Hintergrund wirft die gegenwärtig fortschreitende Internationalisierung des Wissenschaftsbetriebes und das damit einhergehende Vordringen des Englischen als *lingua franca* der Wissenschaft ein interessantes Licht auf die Positionierung der G. innerhalb der Wissenschaft. Der englische Begriff *science* bezieht sich auf die Naturwissenschaften; die Gesamtheit dessen, was im Deutschen *Wissenschaft* heißt, sind *science and humanities* (wobei zu den Letzteren auch die *arts*, die sich mit Künsten befassenden Wissenschaften, zählen). Ein sich am Englischen orientierender Sprachgebrauch steht daher in Gefahr, sich begrifflich und in der Folge auch in der Sache an den Naturwissenschaften zu orientieren, wenn Wissenschaft in Rede steht. In der traditionellen Wissenschaftstheorie des 20. Jh. kann dieser Kurzschluss beobachtet werden: Mit dem Erfolg der seinerzeitigen wissenschaftlichen Leitdisziplin Physik und ihren wissenschaftlichen Entdeckungen ging eine entspr.e Orientierung der Wissenschaftstheorie einher, z.B. mit dem erkenntnistheoretischen und wissenschaftspraktischen Leitmuster „Hypothesenaufstellung – empirische Verifikation". Geisteswissenschaftliche Theoriebildung mit dem Ziel reflexiv angelegter Selbstvergewisserung stand demgegenüber weitgehend außerhalb dessen, was unter der Etikettierung *Wissenschaftstheorie* diskutiert wurde. Ein vergleichbarer Effekt droht, wenn sich auch im Deutschen ein Wissenschaftsverständnis durchsetzen sollte, das Wissenschaft von den Themenfeldern und vom methodischen Zugang her mit Naturwissenschaften gleichsetzt und insb. die singulären Reflexionspotenziale der G. unterschätzt. Wissenschaftspolitisch wird diese problematische Tendenz dadurch verstärkt, dass die experimentellen Wissenschaften für ihre Forschungsarbeit wesentlich mehr Mittel benötigen und damit in Budgetverhandlungen im politischen Raum als gewichtiger gelten. Mit dem (nicht immer eingelösten) Versprechen eines in naher oder ferner Zukunft erreichbaren unmittelbaren Nutzens oder erwartbarer bahnbrechender Entdeckungen beanspruchen die medizinisch-lebenswissenschaftlichen, die ingenieurwissenschaftlichen und die naturwissenschaftlichen Disziplinen dafür eine Grundlage, die sich die G. in beständigen Relevanzdiskussionen immer wieder neu erarbeiten müssen. Gegen solcherlei wissenschaftstheoretisch wie wissenschaftspolitisch bedeutsame Partikularisierungstendenzen gilt es ein Wissenschaftsverständnis zu setzen, das gemeinsame Elemente aller Wissenschaften in den Mittelpunkt rückt. Dabei wären dann auch jene Charakteristika zu berücksichtigen, die den Blick auf das Ganze der Wissenschaft aus der Perspektive der G. wagen.

4. Ausblick

In den ersten zwei Jahrzehnten des 21. Jh. befinden sich die G. in einer komplexen und von mancherlei Paradoxien geprägten Situation. Im deutschsprachigen Raum ist ihre Stellung als anerkannter Teil des wissenschaftlichen Fächerkanons mit breiter Präsenz an den Universitäten (sowie ausgewählter Felder auch innerhalb der außeruniversitären Forschung) und als Adressat staatlich bereitgestellter Projektförderung besser als in vielen, auch hochentwickelten Wissenschaftssystemen der westlichen Welt. Die deutschsprachigen G. haben ihre einstmals anerkannte Führungsrolle in großen Teilen gleichwohl eingebüßt. Das Vordringen des Englischen und der Verlust an führenden Wissenschaftlern während des Nationalsozialismus sind wichtige Gründe für

diese Entwicklung. Aktuelle Debatten innerhalb der G. werden oft im angloamerikanischen, manchmal auch im romanischen Sprachraum angestoßen. Dazu gehören diverse Wenden (turns; linguistisch, kulturwissenschaftlich, bildwissenschaftlich, räumlich), strukturalistische Ansätze (↗Strukturalismus) und Zugänge durch dichte Beschreibungen und „close reading" und aus den Gender Studies. Auch die erneute Diskussion um die Kulturwissenschaften lenkt den Blick auf Methodenfragen und Gegenstandsbestimmungen, die auch unter dem Begriff G. geführt werden können. Längst nicht alle Impulse verdichten sich über temporäre Schwerpunkte zu prägenden wissenschaftlichen Debatten, die im Sinne eines modifizierten Fortschrittsbegriff (↗Fortschritt) als dauerhafter intradisziplinärer, disziplinübergreifender oder gesellschaftlicher Gewinn wahrgenommen werden. Gleichwohl zeigen gerade diese Impulse die Lebendigkeit der G. In ihrer gesellschaftlichen Doppelrolle als Traditionswahrer und Wissensspeicher auf der einen und als Reflexionsinstanz aktueller gesellschaftlicher Entwicklung auf der anderen Seite haben sie Aufgaben, deren Bedeutung im Kontext der gesellschaftlichen Entwicklung deutlich zunimmt: Phänomene wie die ↗Digitalisierung des Wissens, das Wiedererstarken der Religionen, die massive Zunahme von Migration und Flucht und das Wachhalten von Errungenschaften der ↗Aufklärung von der modernen Demokratie bis zu den Menschenrechten, die Integration von Menschen aus unterschiedlichen Kulturkreisen und das Führen differenzierter Debatten um Freiheit, Sicherheit und Toleranz bedürfen der wissenschaftlichen Aufarbeitung aus den einschlägigen Disziplinen der G. Auch für Fragen nach der Identität gesellschaftlicher Gruppen, dem Selbstverständnis des Menschen und dem Selbstbild von Individuen angesichts umfassender informations- und gentechnischer Steuerungs- und Manipulationsmöglichkeiten bieten die G. aus der Tradition und Geistesgeschichte und der Reflexion aktueller Herausforderungen umfassendes Material. Ihre Deutungskompetenz wird also in unsicheren Zeiten mehr denn je gefragt sein. Dieses Aufgreifen aktueller gesellschaftlicher Problemfelder unterstützt innerwissenschaftlich interdisziplinäre Ansätze, die fachspezifische Kompetenzen aus der Vielzahl der oft kleinen geisteswissenschaftlichen Disziplinen bündeln und Impulse für die Entwicklung der Fächer setzen. Die in jüngerer Zeit unter dem Stichwort *Digital Humanities* beschriebene Entwicklung eröffnet den G. mit der Digitalisierung geisteswissenschaftlicher Wissensbestände und einer maßgeblichen Verbesserung von Forschungsinstrumenten (Datenbanken, Editionen) neue Entwicklungsmöglichkeiten. Inwieweit es, wie der Begriff nahelegt, im Zuge dieser Entwicklung darüber hinaus auch zu einer grundsätzlichen Verschiebung im Selbstverständnis der G. als Reflexionswissenschaften kommt, wird erst die weitere Entwicklung zeigen. Wenn die G. die ihnen eingeschriebenen thematischen und methodischen Aktualitätsbezüge gerade vor dem Hintergrund ihres historischen und sachlichen Differenzierungswissens als Orientierungshilfe offensiv anbieten, haben sie auch in Zukunft gute Aussichten, ihre Rolle als Navigatoren durch die kulturelle Welt wirkungsvoll wahrzunehmen.

Literatur

A. Panteos/T. Rojek (Hg.): Texte zur Theorie der Geisteswissenschaften, 2016 • D. Lamping (Hg.): Geisteswissenschaft heute, 2015 • M. Dreyer/U. Schmidt/K. Dicke (Hg.): Die Geistes- und Sozialwissenschaften an der Universität von morgen, 2014 • J. Hamann: Die Bildung der Geisteswissenschaften, 2014 • P. Hoyningen-Huene: Systematicity: The Nature of Science, 2013 • D. Hartmann u. a. (Hg.): Methoden der Geisteswissenschaften, 2012 • J. Mittelstraß/U. Rüdiger (Hg.): Die Zukunft der Geisteswissenschaften in einer multipolaren Welt, 2012 • H. Reinalter/M. Eder (Hg.): Krise der Geisteswissenschaften? 2011 • M. Beiner: Humanities, 2009 • J. Dierken/A. Stuhlmann (Hg.): Geisteswissenschaften in der Offensive, 2009 • B. Grünewald: Geist – Kultur – Gesellschaft, 2009 • K. Hempfer/Ph. Antony (Hg.): Zur Situation der Geisteswissenschaften in Forschung und Lehre, 2009 • B. Malinowski: Im Gespräch: Probleme und Perspektiven der Geisteswissenschaften, 2006 • U. Arnswald (Hg.): Die Zukunft der Geisteswissenschaften, 2005 • C. F. Gethmann u. a. (Hg.): Manifest Geisteswissenschaften, 2005 • H. Poser: Wissenschaftstheorie, 2001 • W. Frühwald u. a. (Hg.): Geisteswissenschaften heute, 1996 • M. Riedel: Geisteswissenschaften, in: J. Mittelstraß u. a.: Enzyklopädie Philosophie und Wissenschaftstheorie, Bd. 1, 1995, S. 724–728 • G. Scholz: Zwischen Wissenschaftsanspruch und Orientierungsbedürfnis, 1991 • K.-O. Apel: Die Erklären-Verstehen-Kontroverse in transzendentalpragmatischer Sicht, 1979 • H. Kimmerle: Philosophie der Geisteswissenschaften als Kritik ihrer Methoden, 1978 • A. Diemer: Geisteswissenschaften, in: HWPh, Bd. 3 (1975), 211–215 • G. H. v. Wright: Explanation and Understanding, 1971 • J. Habermas: Erkenntnis und Interesse, 1968 • E. Betti: Die Hermeneutik als allgemeine Methodik der Geisteswissenschaften., 1962 • H.-G. Gadamer: Wahrheit und Methode, 1960 • E. Rothacker: Logik und Systematik der Geisteswissenschaften, 1926 • W. Windelband: Geschichte und Naturwissenschaft, in: ders.: Präludien, Aufsätze und Reden zur Philosophie und ihrer Geschichte, Bd. 2, 1924, 136–160 • E. Cassirer: Philosophie der symbolischen Formen, 3 Bde., 1923–1929 • W. Dilthey: Der Aufbau der geschichtlichen Welt in den Geisteswissenschaften, 1910 • H. L. F. von Helmholtz: Ueber das Verhältnis der Naturwissenschaften zur Gesamtheit der Wissenschaften (1862), in: ders.: Vorträge und Reden, Bd. 1, 1903, 157–185 • W. Wundt: Einleitung in die Philosophie, 1901 • H. Rickert: Kulturwissenschaft und Naturwissenschaft, 1899 • J. S. Mill: A System of Logic, Ratiocinative and Inductiv, 1843 • G. Vico: Principj di Scienza Nuova d'intorno alla commune Natura delle Nazioni, 1744.

MARCUS BEINER

Geistiges Eigentum ↗Immaterialgüterrecht

Geld

I. Wirtschaftswissenschaftlich –
II. Sozialethisch

I. Wirtschaftswissenschaftlich

1. Geldbegriff

G. gibt es bereits seit Jahrtausenden, es existierte allerdings in unterschiedlichen Erscheinungsformen. Sein Ursprung geht zurück auf die Verwendung als Rangzeichen und Schmuck sowie für sakrale Zwecke. Gegenüber einer Naturalwirtschaft hat eine G.-Wirtschaft Effizienzvorteile, die sich v. a. in der Senkung von Informations- und Transaktionskosten manifestieren.

Historisch gesehen gehen die Anfänge auf eine Warengeldwirtschaft zurück, in der der G.-Wert auf dem Stoffwert beruhte. Als Waren-G. fungierten dabei seltene und werthaltige Güter, wie z. B. Kaurimuscheln, Salz, Federn, Tierfelle oder Vieh (aber auch Zigaretten nach dem Zweiten Weltkrieg in Deutschland). So leitet sich der lateinische Begriff für G. (pecunia) von pecus, das Vieh, ab. Später ging man im Rahmen einer Wägegeldwirtschaft auf Edelmetalle über, v. a. Gold, Kupfer und Silber. Die höchste Entwicklungsstufe erreichte das Waren-G. in Form von Kurantmünzen (vollwertige Münzen). Die ersten Münzgeldwirtschaften gab es bereits ca. 700 v. Chr. Bei Kurantmünzen entspr. der aufgeprägte Nennwert dem Gewicht und dem Feingehalt der Münze. Darauf aufbauende Systeme hatten häufig mit „Gresham's Law" zu kämpfen. Dieses besagt, dass in vielen Fällen nur noch Münzen mit geringem Metallgehalt im Umlauf waren, da „schlechtes" G. das „gute" verdrängte. Mit dem Aufkommen von Scheidemünzen (unterwertige Münzen) und Banknoten erfolgte Schritt für Schritt der Übergang zum stoffwertlosen G. Der G.-Wert ist hierbei völlig unabhängig vom Substanzwert. Er leitet sich vielmehr aus der Knappheit des G.es und – daraus resultierend – dem Vertrauen in seine Wertbeständigkeit sowie allg.e Akzeptanz ab. Heutzutage haben wir einen reinen Papiergeldstandard ohne Deckung (Fiduziärsystem bzw. Fiat-Geldsystem). Mit der Verbreitung der bargeldlosen Gehaltszahlung bildete sich auch das Giral-G. (Buch-G.) heraus, das nur eine Buchungsgröße in Bankbilanzen darstellt. Daneben gibt es als neuere Innovation elektronisches bzw. virtuelles (digitales) G. Darunter fallen G.-Arten, die auf einem Chip gespeichert sind (z. B. die G.-Karte) oder mit Hilfe der Blockchain-Technologie ohne individuellen Herausgeber als reiner Zahlencode im Internet geschaffen werden (z. B. Bitcoins).

Volkswirtschaftlich wird der G.-Begriff von den sog.en G.-Funktionen her definiert. (1) Die Tausch- und Zahlungsmittelfunktion besagt, dass G. bei Güter- und Dienstleistungskäufen allg. akzeptiert wird. Ohne diese Eigenschaft ist eine vernetzte und arbeitsteilige Wirtschaft mit Spezialisierung schwerlich vorstellbar.

(2) Die Wertaufbewahrungsfunktion bezieht explizit die intertemporale Perspektive mit ein und verweist auf den Vermögenscharakter von G. Da G. allerdings den höchsten Liquiditätsgrad besitzt, gibt es andere Vermögensgegenstände, die zur Werterhaltung besser geeignet sind. D. h., die G.-Haltung ist mit Opportunitätskosten verbunden. (3) Die Funktion der Recheneinheit bezieht sich darauf, dass durch G. ein Wertmaßstab geliefert wird, mit dem einzelne Güter miteinander verglichen werden können. Dadurch verringert sich auch die Anzahl der Preise. Zudem dienen G.-Preise als Grundlage für alle Formen der Wirtschaftsrechnung wie Unternehmensbilanzen, die Volkswirtschaftliche Gesamtrechnung, Gehaltszahlungen, etc. Alle drei Funktionen werden beeinträchtigt, wenn der G.-Wert permanent zu- oder abnimmt und somit keine geordneten Währungsverhältnisse vorliegen.

Der Gesetzgeber verleiht üblicherweise G. die Eigenschaft als gesetzliches Zahlungsmittel. In Deutschland sind Euro-Banknoten und Euro-Umlaufmünzen gesetzliches Zahlungsmittel. Dies ergibt sich aus Art. 128 Abs. 1 des AEUV, Art. 16 des ESZB-Statuts, Art. 10 und 11 der VO Nr. 974/98 über die Einführung des Euro sowie § 14 Abs. 1 des BBankG. Euro-Banknoten sind unbeschränktes gesetzliches Zahlungsmittel, Euro-Münzen dagegen nur beschränkte gesetzliche Zahlungsmittel, da niemand verpflichtet ist, mehr als 50 Münzen oder Münzen im Wert von über 200 Euro anzunehmen. In diesem gesetzlichen Rahmen kann niemand die Annahme von Euro-Banknoten und -Münzen zur Erfüllung einer Verbindlichkeit ablehnen, ohne rechtliche Nachteile zu erleiden. Der Annahmezwang unterliegt allerdings in Deutschland der Einschränkung durch das Prinzip der Vertragsfreiheit. Dieses ermöglicht es, bei Abschluss eines Vertrages dessen Inhalt frei zu bestimmen. So ist es den Vertragspartnern möglich, eine bestimmte Art der Erfüllung zu vereinbaren oder auch auszuschließen. D. h., vertragliche Regelungen können vorsehen, dass eine Verbindlichkeit unbar zu begleichen ist. Ebenso können solche Regelungen vorsehen, dass eine Forderung nur mit bestimmten Banknotenstückelungen erfüllt werden kann (z. B. an Tankstellen). Das muss allerdings für die Konsumenten vor Vertragsabschluss deutlich erkennbar sein. Auch gesetzliche Regelungen, z. B. des ↑Steuerrechts, können solche Einschränkungen enthalten. In der großen Mehrzahl der Fälle kann jeder frei das Zahlungsmittel wählen, das ihm am günstigsten erscheint. Letztendlich aber wird die Verwendung und Annahme des G.es von der Wertbeständigkeit abhängen, nicht von gesetzlichen Festlegungen.

2. Geldmengendefinitionen

Generell ist zu unterscheiden zwischen Zentralbank-G. und Geschäftsbanken-G. Zentralbank-G. besteht aus Banknoten und Sichteinlagen bei der Zentralbank. Letztere werden hauptsächlich von Banken aus Zahlungsver-

kehrsgründen und zur Erfüllung der Mindestreserve gehalten. Geschäftsbanken-G. (Buch-, Giral-G.) sind die Einlagen von Unternehmen und Privatpersonen beim Geschäftsbankensystem. Beide G.-Formen werden durch eine entspr.e Verlängerung der Zentral- bzw. Geschäftsbankenbilanz geschaffen. Vergibt die Zentralbank bspw. einen Kredit an eine Geschäftsbank, erhöht sich ihr Forderungsbestand und gleichzeitig wird auf dem Zentralbankkonto der Geschäftsbank der jeweilige Betrag gutgeschrieben. G. wird somit durch Monetisierung von Aktiva der Zentralbank bzw. des Geschäftsbankensystems geschaffen. Über die Kreditvergabe der Banken entstehen neue Einlagen im Geschäftsbankensystem. Deshalb macht die G-Menge ein Vielfaches des Zentralbank-G.es aus. Man spricht von einer multiplen Giralgeldschöpfung. Die ↑Banken müssen allerdings berücksichtigen, dass im Zuge dieses Prozesses Abzüge von Zentralbank-G. in Form von Bargeldabhebungen und zunehmender Mindestreserveverpflichtungen erwachsen. Analog entspr. G.-Vernichtung einer entspr.en Bilanzverkürzung.

Der G.-Angebotsprozess ganz allg. ergibt sich aus dem Zusammenspiel der Zentralbank, der Geschäftsbanken und der privaten Nichtbanken (v. a. private Haushalte und Unternehmen), die alle mit ihren eigenen Zielen und Vorstellungen auftreten. Die Zentralbank verfolgt die ihr per Statut vom Gesetzgeber übertragenen Ziele. Die Geschäftsbanken streben nach Rendite unter Beachtung von Risikoaspekten. Zudem haben sie Liquiditäts- und Solvenzgesichtspunkte zu berücksichtigen. Die privaten Nichtbanken versuchen, ihr Portfolio unter Ertrags- und Risikoerwägungen zu optimieren, wobei allerdings Zahlungsverkehrsgewohnheiten diese Entscheidung überlagern. Die Ziele dieser drei Gruppen sind in der Regel nicht aufeinander abgestimmt.

Die G.-Menge lässt sich weder theoretisch eindeutig (nach den G.-Funktionen) definieren noch ist sie ein endgültig feststehender Begriff. Sie lässt sich letztendlich nur empirisch bestimmen und kann sich auch im Zeitablauf je nach Finanzmarktentwicklung (Finanzmärkte) in der Zusammensetzung verändern. Im Eurosystem (die EZB und die nationalen Zentralbanken der Länder, die den Euro eingeführt haben) gibt es die drei G.-Mengenbegriffe M1, M2 und M3. Statistische Grundlage stellt die *Konsolidierte Bilanz der Monetären Finanzinstitute* im Euro-Währungsgebiet dar. Es handelt sich jeweils um kurzfristige Anlageformen, die bilanztechnisch auf der Passivseite zu finden sind. Kurzfristig bedeutet, dass sie relativ schnell für Güter- und Dienstleistungskäufe zur Verfügung stehen. Diese potenzielle Kaufkraft soll mit der G.-Menge abgedeckt werden.

Beim Bar-EZB zählt (aus statistischen Gründen) dessen gesamter Umlauf außerhalb des Euro-Bankensystems zur G.-Menge. Die restlichen Teile umfassen kurzfristige Verbindlichkeiten von im Euro-Währungsgebiet ansässigen („inländischen") Monetären Finanzinstituten, dem sog.en G.-Schöpfungssektor, gegenüber Nichtbanken im Euro-Währungsgebiet, dem sog.en geldhaltenden Sektor. Die ↑Währung, auf die sie lauten, spielt dafür keine Rolle, d. h. es sind auch Fremdwährungseinlagen in den G.-Mengenaggregaten enthalten.

Die Geldmengenbegriffe im Eurosystem (Stand Ende Dezember 2016, Mrd. €)

Bargeldumlauf (1.087,3),
+ täglich fällige Einlagen (6.150,9),

= **M1 (7.238,2)**
+ Einlagen mit einer vereinbarten Laufzeit
   bis 2 Jahren (1.326,4),
+ Einlagen mit einer vereinbarten Kündigungsfrist
   von bis zu 3 Monaten (2.167,6),

= **M2 (10.732,2)**
+ Repogeschäfte (63,0),
+ Schuldverschreibungen mit einer Laufzeit
   bis zu 2 Jahren (inkl. Geldmarktpapiere) (93,1),
+ Anteile an Geldmarktfonds (504,0)

= **M3 (11.392,3)**

Quelle: Europäische Zentralbank.

Täglich fällige Einlagen sind vergleichbar mit Sichteinlagen, Einlagen mit einer vereinbarten Laufzeit mit Termineinlagen und Einlagen mit einer vereinbarten Kündigungsfrist mit Spareinlagen. Der engste offizielle G.-Mengenbegriff ist M1. Dessen Komponenten sind am direktesten in Transaktionen einsetzbar. Im Unterschied zu M2 sind in M3 auch sog.e „marktfähige Finanzinstrumente" enthalten. Diese umfassen Repogeschäfte (eine i. d. R. durch Wertpapiere besicherte kurzfristige Termineinlage), Schuldverschreibungen mit einer Laufzeit bis zu zwei Jahren, Anteile an G.-Marktfonds und G.-Marktpapiere. Die aufgenommenen Komponenten fassen die wichtigsten kurzfristigen Finanzinstrumente in den Euro-Ländern zusammen. Die unterschiedlichen M's werden zumindest in allen IWF-Ländern erhoben, sind allerdings je nach nationaler Finanzmarktstruktur unterschiedlich abgegrenzt.

3. Geldwert

Der reale Wert einer G.-Einheit wird bestimmt durch die Gütermenge, die man dafür bekommt. Die Kaufkraft des G.es variiert somit mit den Güterpreisen. Durch ↑Inflation, also einen anhaltenden Anstieg des Preisniveaus, sinkt die Kaufkraft. Auf der anderen Seite würde eine Deflation, also ein anhaltender Rückgang des Preisniveaus, die Kaufkraft erhöhen. Folglich herrscht Preisstabilität bei Konstanz des gesamtwirtschaftlichen Preisniveaus und der Kaufkraft des G.es. Im Fokus stehen hierbei nicht die Einzelpreise, sondern der Durchschnitt aller Güterpreise, also das gesamtwirtschaftliche Preisniveau. In der Praxis zieht man zur

Messung des G.-Werts i. d. R. einen Verbraucherpreisindex heran. Er misst an einem repräsentativen Warenkorb, der die Verbrauchsgewohnheiten eines typischen Haushalts abbildet, die Kaufkraftentwicklung für die Konsumenten. Im Euro-Währungsgebiet findet hierfür der Harmonisierte Verbraucherpreisindex Verwendung.

Ganz allg. kommt es zu Veränderungen des G.-Wertes, wenn die monetäre Gesamtnachfrage von der (potenziellen) Güterproduktion abweicht. Diese Veränderungen können sowohl angebots- als auch nachfrageseitig bedingt sein. Letztlich geht es darum, eine dauerhafte und gesamtwirtschaftliche Preisniveauänderung zu begründen. Bei Inflation, also einem dauerhaft sinkenden G.-Wert, würde die monetäre Nachfrage die Güterproduktion übersteigen. Bei Deflation gilt dementsprechend die umgekehrte Relation. Dies kommt kompakt in der sog.en Quantitätsgleichung des G.es zum Ausdruck, nach der das Produkt aus G.-Menge (M) und Umlaufgeschwindigkeit (v), die monetäre Gesamtnachfrage, gleich dem Produkt aus Preisniveau (P) und Güterproduktion (Y) ist: $Mv \equiv PY$. Der G.-Bestand M muss dabei um die Umlaufgeschwindigkeit des G.es v korrigiert werden, da volkswirtschaftlich ein Euro in einer bestimmten Zeitperiode mehrfach für Güterkäufe eingesetzt werden kann. Löst man diese Identität nach P auf, resultiert: $P \equiv (M/Y)v$. Historisch konnte man für alle Währungsgebiete und zu allen Zeiten feststellen, dass Inflation mit einem Anstieg von M/Y, d. h. einem im Verhältnis zur realen Güterproduktion zu hohen G.-Bestand, einherging. Milton Friedman fasste diese Beobachtung in dem Satz zusammen: „Inflation is always and everywhere a monetary phenomenon" (Friedman 1968: 39). Die Umlaufgeschwindigkeit des G.es verändert sich im Zeitablauf sowohl kurzfristig aufgrund konjunktureller Effekte, als auch trendmäßig. Gründe für einen häufig feststellbaren rückläufigen Trend liegen in den vielfältigen Motiven der G.-Haltung neben dem Transaktionsmotiv, z. B. dem Wertaufbewahrungs-, Haftungs- oder Vorsichtsmotiv.

4. Geldpolitik

Die ↑Geldpolitik wird von Zentralbanken durchgeführt. Im Euro-Währungsgebiet erfüllt die EZB diese Aufgabe in Zusammenarbeit mit den nationalen Zentralbanken. Insgesamt spricht man vom sog.en Eurosystem. Es kam in seinen Befugnissen mehr oder weniger unabhängig von politischen Entscheidungsträgern agieren.

4.1 Geldpolitische Ebenen

Bei der Analyse geldpolitischer Fragen ist strikt zwischen den unterschiedlichen geldpolitischen Ebenen zu trennen. Auf der Instrumentenebene entscheidet eine Zentralbank über den Einsatz ihrer geldpolitischen Instrumente. Heutzutage handelt es sich dabei üblicherweise um drei Arten: Mindestreserven auf bestimmte Bankpassiva bzw. eine freiwillige Vereinbarung zur Haltung von Zentralbankguthaben; Offenmarktgeschäfte, die auf Initiative der Zentralbank durchgeführt werden; ständige Fazilitäten, die den Banken jederzeit zur Verfügung stehen, um Mittel anzulegen und aufzunehmen.

Auf der Instrumentenebene legt die Zentralbank die Notenbankzinssätze nach ihren Vorstellungen fest, um damit zunächst operative Ziele zu erreichen. Als operatives Ziel verwenden die Zentralbanken inzwischen fast überall eine Preis- und nicht eine Mengengröße, wie z. B. die G.-Basis. Dabei wird in der Regel versucht, den Zinssatz für Tages-G. am Interbanken-Geldmarkt auf einem bestimmten (expliziten oder impliziten) Zielniveau zu steuern. Im Eurosystem übernimmt diese Funktion i. d. R. der Hauptrefinanzierungssatz, in den USA das Federal Funds Rate Target. Damit eine Zentralbank den Tagesgeldsatz kontrollieren kann, muss eine ausreichende Nachfrage nach Guthaben bei der Zentralbank vorhanden sein. Dies wird durch eine mindestreservebedingte Nachfrage nach Reserven oder Anreize zur freiwilligen Reservehaltung gewährleistet. Die Zinssätze der ständigen Fazilitäten bestimmen einen Korridor bzw. Kanal, innerhalb dessen sich der Tagesgeldsatz bewegen kann.

Auf der Indikatorebene geht es um Variablen, die frühzeitig Informationen darüber liefern, wie die operativen Ziele anzupassen sind, um die Endziele zu erreichen. Sie sollten einen möglichst stabilen oder zumindest prognostizierbaren Zusammenhang zum Endziel aufweisen. Auf der Endzielebene geht es um die letztlich von der Zentralbank anzustrebenden Ziele. Hier hat sich in den letzten Jahrzehnten sowohl in der Theorie als auch in der Praxis als Konsens herausgebildet, dass sich Zentralbanken primär auf die Bekämpfung von Inflation bzw. die Gewährleistung von Preisstabilität konzentrieren sollten. Als Zeithorizont sollte dabei eine mittelfristige Perspektive zugrunde gelegt werden. Alle anderen Ebenen sind letztlich dieser Ebene unterzuordnen.

Der Transmissionsprozess der G.-Politik befasst sich damit, über welche Kanäle geldpolitische Maßnahmen auf die Endziele einwirken. Wie diese Übertragungswege zwischen monetären Impulsen und bestimmten realen oder nominalen Größen letztlich genau aussehen und welche zeitlichen Verzögerungen bestehen, ist weder theoretisch noch empirisch eindeutig. Die Identifikation und Einschätzung des Transmissionsprozesses wird auch dadurch erschwert, dass es sich nicht nur um eine einseitige Wirkungsrichtung von einer geldpolitischen Maßnahme auf das (wichtigste) Endziel Preisstabilität handelt, sondern auch Rückwirkungen von der (erwarteten) Entwicklung der Zielgröße auf die (Dosierung der) Instrumentvariablen bestehen.

4.2 Geldpolitische Instrumente

Das geldpolitische Instrumentarium muss die Zentralbank in die Lage versetzen, in einem ersten Schritt ihr operatives Ziel zu steuern (im Euro-Währungsgebiet den Tagesgeldsatz) und klare geldpolitische Signale zu

setzen. Geschäftsbanken fragen Zentralbank-G. in Form von Banknoten und Guthaben (Einlagen) bei der Zentralbank nach. Letztere stellen den geldpolitischen Ansatzpunkt im Rahmen der operativen Umsetzung der G.-Politik dar. Zentralbank-G. kann nur geschaffen werden, wenn die Kreditinstitute Geschäfte mit der Zentralbank tätigen. Die drei generellen Formen geldpolitischer Instrumente lassen sich am Beispiel des Eurosystems erläutern. Als Geschäftspartner für die geldpolitischen Operationen des Eurosystems kommen dabei nur Banken in Betracht, die der Mindestreservepflicht unterliegen.

Die Mindestreserve verpflichtet die Kreditinstitute, für bestimmte Verbindlichkeiten in Höhe eines bestimmten Prozentsatzes Guthaben beim Eurosystem zu halten. Im Durchschnitt einer Mindestreserveerfüllungsperiode müssen diese Einlagen auf Girokonten beim Eurosystem (mindestens) dem erforderlichen Mindestreserve-Soll entsprechen (Durchschnitts-Mindestreserve). Um das Instrument der Mindestreserve international wettbewerbsneutral zu gestalten, werden Guthaben bei den nationalen Zentralbanken bis zur Höhe des Mindestreserve-Solls mit dem Zinssatz des wichtigsten geldpolitischen Geschäfts (Hauptrefinanzierungsgeschäft) verzinst. Dadurch fallen keine mindestreservebedingten Zentralbankgewinne mehr an. Das Mindestreservesystem erfüllt im Wesentlichen zwei Funktionen: Es dient zum einen zur Herbeiführung oder Vergrößerung einer strukturellen Liquiditätsknappheit beim Geschäftsbankensystem (sog.e Anbindungsfunktion). Zum anderen führt es über die Ausgestaltung als Durchschnittsreserve zu einer Stabilisierung der G.-Marktsätze (sog.e Stabilisierungsfunktion) bzw. als Liquiditätspuffer für die Geschäftsbanken. Um diese Funktionen zu erfüllen, reicht ein konstanter (und niedriger) Mindestreservesatz weitgehend aus.

Der regelmäßige Einsatz von Offenmarktgeschäften und ständigen Fazilitäten dient dem Eurosystem dazu, über die Zentralbankzinssätze und die Bankenliquidität den Tagesgeldsatz zu steuern und Signale über den beabsichtigten geldpolitischen Kurs zu setzen.

Bei den Offenmarktgeschäften handelt es sich um geldpolitische Operationen, die auf Initiative der Zentralbank durchgeführt werden. Sie können entweder als definitive Käufe bzw. Verkäufe abgeschlossen werden oder als Wertpapiergeschäfte mit Rückkaufsvereinbarung, die nur für einen kurzfristigen Liquiditätseffekt sorgen. Bei Letzteren kauft/verkauft die Zentralbank temporär Vermögenswerte (und schließt gleichzeitig ein entgegengesetztes Termingeschäft ab) oder gewährt befristet Kredite gegen Verpfändung von Sicherheiten bzw. nimmt befristet Einlagen entgegen. Offenmarktgeschäfte des Eurosystems werden normalerweise in Form von Tendern, also im Zuge einer Ausschreibung, durchgeführt. Beim Mengentender setzt das Eurosystem vorab den Zinssatz fest, zu dem es bereit ist, Geschäfte abzuschließen. Dagegen zeichnet sich der Zinstender dadurch aus, dass die Kreditinstitute neben der Betragshöhe auch den Zinssatz angeben müssen, zu dem sie bereit sind, Geschäfte mit dem Eurosystem abzuschließen.

Ständige Fazilitäten können die Geschäftsbanken auf eigene Initiative in Anspruch nehmen. Dahinter verbirgt sich die Möglichkeit, jederzeit Kredite bei der Zentralbank aufzunehmen oder Mittel bei ihr anzulegen. Sie werden v. a. aus zwei Gründen genutzt: Der erste ist ein generelles Liquiditätsungleichgewicht, also eine generelle Liquiditätsüber- oder -unterversorgung des gesamten Bankensektors im Verhältnis zum gesamten Mindestreserve-Soll. Dies kommt normalerweise nur gegen Ende einer Mindestreserve-Erfüllungsperiode vor. Die Banken müssen dann in großer Zahl auf die ständigen Fazilitäten zurückgreifen. Ein zweiter Grund für die Inanspruchnahme der ständigen Fazilitäten liegt in unerwarteten Zahlungsströmen (Zahlungseingängen oder -abflüssen) bei einzelnen Instituten gegen Geschäftsschluss, wenn der G.-Markt nicht mehr liquide ist. Im Rahmen der ständigen Fazilitäten gibt es eine Kredit- und eine Einlagefazilität. Die dabei veranschlagten Zinssätze runden das Zinsspektrum der Zentralbank nach oben und unten ab.

Die Spitzenrefinanzierungsfazilität bietet den Geschäftspartnern des Eurosystems die Möglichkeit, sich bis zum nachfolgenden Geschäftstag Liquidität zu einem vorher festgelegten Zinssatz zu beschaffen. Sie soll zur Deckung eines vorübergehenden Liquiditätsbedarfs dienen. Für die Inanspruchnahme gibt es keine Höchstgrenze. Allerdings müssen Sicherheiten gestellt werden. Der Zinssatz liegt über den sonstigen Kreditzinssätzen der Zentralbank. Auf der anderen Seite besteht für die Geschäftsbanken auch die Möglichkeit, Guthaben bis zum nächsten Geschäftstag beim Eurosystem zu einem vorher festgesetzten Zinssatz anzulegen (Einlagefazilität). Der Einlagesatz liegt dabei unter den sonstigen Zinssätzen, die für Anlagen von Liquidität bei der Zentralbank angeboten werden. Dadurch bilden die Zinssätze der beiden ständigen Fazilitäten einen Korridor, innerhalb dessen sich der Tagesgeldsatz bewegt.

4.3 Geldpolitische Strategie

Die primäre Aufgabe einer Zentralbank ist üblicherweise die Gewährleistung von Preisstabilität. Allerdings kann eine Notenbank die Preise nicht direkt kontrollieren, sondern sie versucht, Preisstabilität über eine angemessene geldpolitische Strategie zu erreichen. Die geldpolitische Strategie bildet das Grundgerüst für die laufende G.-Politik. Sie beschreibt die konzeptionelle Vorgehensweise der Zentralbank bei Verfolgung ihrer letztendlichen Ziele. Insofern stellt sie ein mittel- bis langfristig ausgerichtetes und konsistentes Verfahren dar, nach dem im Sinne einer Grundsatzentscheidung über den Instrumenteneinsatz zur Erreichung der geldpolitischen Endziele entschieden wird. Darüber hinaus soll sie den geldpolitischen Entscheidungsprozess innerhalb der Zentralbank als auch die Darstellung und Begründung der Entscheidungen nach außen erleichtern. Die Verfolgung einer geldpolitischen Strategie empfiehlt sich aufgrund der unvollständigen Kenntnis des genauen Transmissionsprozesses der G.-Politik. Die von Veränderungen der Notenbanksätze ausgehenden Effekte auf die Zielvariablen sind sowohl in ihrer Stärke als auch in ihrer Verteilung über die Zeit variabel. Über ein in sich geschlossenes und glaubhaftes Konzept soll vor diesem Hintergrund eine Verstetigung der G.-Politik erreicht werden.

Die optimale Strategiewahl hängt von den Gegebenheiten in dem jeweiligen Währungsgebiet, speziell der Größe, der außenwirtschaftlichen Verflechtung und den Finanzmarktstrukturen ab. Einerseits werden dabei Strategien diskutiert, die sich auf offiziell hervorgehobene geldpolitische Indikatoren oder sogar Zwischenziele stützen (z. B. G.-Mengen- oder Wechselkursziele). Sie befinden sich im geldpolitischen Transmissionsprozess zwischen den direkt kontrollierbaren operativen Zielen (z. B. dem Tagesgeldzins) und den gesamtwirtschaftlichen Endzielen, z. B. der Preisstabilität. Andererseits verfolgen etliche Zentralbanken eine Politik mit direkten Inflationszielen. Mit dieser sog. en einstufigen Strategie wird versucht, das Endziel ohne Verfolgung spezieller Indikatorvariablen zu erreichen. Das Eurosystem steht in diesem Zusammenhang vor dem Problem, dass es bei der Wahl der Strategie nicht nur gewisse Leitlinien beachten, sondern auch das zunächst neue und im weiteren Verlauf unsicherere geldpolitische Umfeld in seine Überlegungen mit einbeziehen muss. Diese Leitlinien sind: (1) Ausrichtung auf das Endziel Preisstabilität; (2) Publikation der mit der Strategie verbundenen Daten, Verfahren und Ziele; (3) mittel- bis langfristige Ausrichtung: kurzfristige Zielabweichungen müssen vereinbar mit der Strategie sein; (4) falls die Zentralbank Unabhängigkeit besitzt, muss die Strategie damit vereinbar sein; (5) schnelle und präzise Datenverfügbarkeit.

Die Strategie des Eurosystems umfasst drei Hauptelemente

a) Eine quantitative Definition von Preisstabilität („der Anker")

Nach dem EU-Vertrag ist dem Eurosystem als primäres Ziel die Gewährleistung von Preisstabilität vorgegeben. Um dieses Ziel inhaltlich zu konkretisieren, definiert das Eurosystem Preisstabilität als einen Anstieg des HVPI in der EWWU gegenüber dem Vorjahr von unter 2%. Im Jahre 2003 konkretisierte die EZB diese Feststellung und verfolgt seither einen Wert von unter, aber nahe 2%. Alleine Messfehler bei der Preisentwicklung legen es nahe, nicht eine Inflationsrate von Null anzustreben. Je geringer der Preisanstieg ist, desto mehr fallen diese statistischen Messprobleme ins Gewicht. Zusätzlich trägt die Sicherheitsmarge von knapp unter 2% dem Deflationsrisiko und den Auswirkungen von Inflationsunterschieden innerhalb der Währungsunion

Rechnung. Preisstabilität soll dabei mittelfristig erreicht bzw. eingehalten werden. Temporäre Verfehlungen (z. B. aufgrund von Ölpreis- oder Wechselkursschocks) sind also durchaus vereinbar mit dem Ziel.

Die konkrete Formulierung des Ziels durch das Eurosystem hat drei weitere wichtige Implikationen: Erstens ist die Preisentwicklung im gesamten Euro-Raum relevant, nicht in einzelnen Ländern. Zweitens wird die Teuerung auf Verbraucherebene gemessen, nicht an anderen Preisgrößen. Drittens sind sowohl Preissteigerungen über und deutlich unter 2 % als auch Deflation (negative Wachstumsraten des HVPI) unvereinbar mit Preisstabilität.

b) Die Monetäre Analyse („Monetäre oder langfristige Säule")

Eine geldpolitische Strategie ist mittel- bis langfristig ausgerichtet. Da auf Dauer Inflation auf eine relativ zum Produktionspotenzial übermäßige Ausweitung der G.-Menge zurückgeführt werden kann, hat auch das Eurosystem G.-Mengenentwicklungen eine hervorgehobene Stellung unter den Inflationsindikatoren eingeräumt. Dies findet in der Monetären Säule ihren Niederschlag, im Rahmen derer versucht wird, aus den monetären Daten den langfristigen Inflationstrend herauszufiltern. Zunächst basiert die Monetäre Analyse auf einer Beurteilung der Liquiditätslage entspr. der G.-Mengenaggregate, ihrer Komponenten und Bilanzgegenposten, insb. der Kreditgewährung. Zusätzlich werden verschiedene Messgrößen für die existierende Überschussliquidität analysiert. Dabei geht es um einen Vergleich der tatsächlichen mit einer stabilitätsgerechten Entwicklung. Dies wird ergänzt um eine institutionelle Analyse der Finanzintermediäre. All diese Ansätze dienen letztlich dem Ziel, sich ein Urteil über die in der Entwicklung von G. und Kredit enthaltenen Risiken für die Preis- und Finanzstabilität zu bilden.

c) Eine umfassende Beurteilung der Preisperspektiven („Wirtschaftliche oder kurzfristige Säule")

Aufgrund der Schwierigkeiten einer verlässlichen Einschätzung und Interpretation von G.-Mengenentwicklungen baut die Strategie des Eurosystems noch auf einer weiteren Säule auf. Diese beinhaltet eine breit fundierte Beurteilung der Preisperspektiven anhand mehrerer weiterer Inflationsindikatoren. Zwar ist Inflation auf Dauer ein monetäres Phänomen, auf kurze Sicht wird dieser Zusammenhang allerdings von einer Vielzahl von Faktoren überlagert. Da sich diese Einflüsse verfestigen können, ist diese kurze Frist durchaus geldpolitisch relevant.

Um sich ein Gesamtbild von der Preisentwicklung zu verschaffen, werden innerhalb dieser Säule die Preise auf verschiedenen Stufen des Preisbildungsprozesses näher untersucht (Erzeuger-, Vorleistungsgüter-, Investitionsgüter- und verschiedene Konsumgüterpreise). Daneben werden kurzfristige Konjunkturindikatoren (z. B. der Output Gap als ein Maß für die Kapazitätsauslastung sowie generell angebots- und nachfrageseitige

Einflüsse), Finanzmarktindikatoren (z. B. Zinsstrukturkurven, Aktienkursindices) sowie Branchen- und Verbraucherumfragen (z. B. den „Survey of Professional Forecasters" der EZB) analysiert. Im Rahmen der Wirtschaftlichen Säule veröffentlicht die EZB auch eigene Prognosen für die Veränderung des HVPI und das BIP-Wachstum und weiterer Größen, sog.e makroökonomische Projektionen.

Literatur

M. Krüger/F. Seitz: Kosten und Nutzen des Bargelds und unbarer Zahlungsinstrumente: Der Nutzen von Bargeld (Modul 2), 2017 • D. Gerdesmeier: Fundamentals of Monetary Policy in the Euro Area, 2014 • E. Görgens/K. Ruckriegel/F. Seitz: Europäische Geldpolitik, ⁶2014 • P. de Grauwe: Economics of Monetary Union, ¹⁰2014 • P. Spahn: Geldpolitik – Finanzmärkte, neue Makroökonomie und zinspolitische Strategien, ³2012 • O. Issing: Einführung in die Geldtheorie, ¹⁵2010 • R. Anderegg: Grundzüge der Geldtheorie und Geldpolitik, 2007 • U. Vollmer: Geld- und Währungspolitik, 2005 • M. Friedman: Dollars and Deficits: Inflation, Monetary Policy and the Balance of Payments, 1968.   FRANZ SEITZ

II. Sozialethisch

1. Kultur- und sozialwissenschaftliche Zugänge

G. ist nicht allein in der Nationalökonomie eine zentrale Problemstellung, auch Philosophie, Rechtswissenschaften, Ethnologie sowie Kultur- und Sozialwissenschaften nehmen sich dieses umfassenden Themas an. Sie bieten ihrerseits unterschiedliche Sichtweisen und vermitteln spezifische Aspekte und Zugänge. Neben der Nationalökonomie setzen sich intensiv die Sozialwissenschaften und darin insb. die ↑Soziologie mit den Grundfragen des G.es auseinander. Im Unterschied zu den ökonomischen Theorieansätzen liegt hier das Augenmerk auf dem sozialen Charakter des G.es. Als „unmittelbare Existenzform dieser entäußerten Arbeit" (MEW 13: 42) spiegelt G. die Vergesellschaftungsformen, in denen Menschen ihre Tausch- und Sozialverhältnisse vermitteln. G. erweist sich als ein Band, das Individuen an die Gesellschaft bindet, in gleicher Weise aber auch wieder trennt. Karl Marx nennt es daher „die wahre *Scheidemünze*, wie das wahre *Bindungsmittel*, die galvano*chemische* Kraft der Gesellschaft" (Marx 2004: 132 f.; Herv. i. O.).

In Aufnahme von Überlegungen Talcott Parsons' wird in den kommunikationstheoretischen Zugängen das G. neben der politischen ↑Macht als zweites wichtiges gesellschaftliches Steuerungsmedium reflektiert, das nicht nur das ökonomische Funktionssystem reguliert, sondern dieses zugl. überschreitet und tief in die Sphären anderer Funktionssysteme, v. a. auch in die als autonom konzipierte ↑Lebenswelt, eingreift. G. ermöglicht „eine generalisierte strategische Einflussnahme auf die Entscheidungen anderer Interaktionsteilnehmer unter *Umgehung* sprachlicher Konsensbildungsprozesse"

(Habermas, Bd. 2, 1995: 273; Herv. i. O.). Dadurch erscheint der lebensweltliche Kontext, in den Verständigungsprozesse stets eingebettet waren, nicht mehr länger als unabdingbar für die reflexive Gestaltung gesellschaftlichen Lebens. Mehr noch: G. und Macht „ersetzen Sprache als Mechanismus der Handlungskoordinierung" (Habermas 1995, Bd. 1: 458).

Systemtheoretische Ansätze (↑Systemtheorie) betonen die Funktion des G.es als Steuerungselement, das die Gleichzeitigkeit der Zugriffsbedürfnisse von Marktteilnehmern regelt. Wenn jemand etwas haben möchte und damit auf eine begrenzte Ressource zugreift, halten alle anderen still, weil für den Erwerb eine Zahlung erfolgt: „Geld wendet für den Bereich, den es ordnen kann, Gewalt ab – und insofern dient eine funktionierende Wirtschaft immer auch der Entlastung von Politik. Geld ist der Triumph der Knappheit über die Gewalt" (Luhmann 1996: 253).

In den ↑Geistes- und ↑Kulturwissenschaften hat sich in jüngster Zeit ein interdisziplinär orientierter Zweig etabliert, der die Auswirkungen monetärer Transformationsprozesse untersucht, wie sie spätmittelalterlich bzw. seit der frühen Neuzeit etwa durch die Gründung großer Handelsbanken (1472: *Monte dei Paschi di Siena*) und staatlicher Banken (1694: *Bank of England*) eingeleitet wurden. Die sozial- und kulturgeschichtlichen Zugänge können zeigen, wie tiefgreifend die teils radikalen Veränderungen im G.-Wesen das Handeln, Denken und Wahrnehmen der Menschen als auch die Entwicklung der gesellschaftlichen Institutionen beeinflussen.

In den ↑Rechtswissenschaften liegt ein Fokus auf der Frage nach dem Verhältnis der weitgehend autonom agierenden Zentralbanken zu den (gewählten) politischen Entscheidungsträgern. Darüber hinaus hat sich auf dem Erfahrungshintergrund der jüngsten ↑Staatsschuldenkrisen gezeigt, dass der Macht der Finanzinvestoren vielfach keine adäquaten Handlungsmöglichkeiten der staatlichen Institutionen gegenüberstehen. Es bedarf einer politischen und rechtlichen Neubestimmung des Verhältnisses von Zentralbanken, internationalen Finanzinstituten und demokratischer Gesellschaft, um eine weitere Aushöhlung staatlicher Durchsetzungsmacht und ↑Legitimität zu verhindern und das Vertrauen der Menschen in die Lösungskompetenz des demokratischen ↑Rechtsstaats aufrechtzuerhalten bzw. wiederzugewinnen.

Eine bis heute einflussreiche und viel diskutierte Auseinandersetzung mit den vielschichtigen Problemen des G.es stammt von Georg Simmel, der sich in seiner voluminösen Studie „Philosophie des Geldes" (1996, Erstausgabe 1900) dem nahezu geschichtsphilosophischen Anspruch stellte, „dem historischen Materialismus ein Stockwerk unterzubauen, derart, daß der Einbeziehung des wirtschaftlichen Lebens in die Ursachen der geistigen Kultur ihr Erklärungswert gewahrt wird, aber eben jene wirtschaftlichen Formen selbst als das Ergebnis tieferer Wertungen und Strömungen, psychologischer, ja,

metaphysischer Voraussetzungen erkannt werden" (Simmel 1996: 13).

Erkenntnistheoretisch führt dies zu einem elaborierten Konzept der Wechselwirkung, die durch eine permanente Spiegelung und Brechung der Perspektiven idealistische mit realistischen und transzendental-philosophische mit nationalökonomischen Ansätzen vermittelt. Von der Oberfläche der materialen Austauschbeziehungen wird gleichsam „ein Senkblei in seine letzten Tiefen" (Simmel 1996: 719) geworfen und nach den genealogischen Tiefenstrukturen der menschlichen Bewusstseinsstruktur zurückgefragt. Mit der gleichen Intensität wird der Fokus auch auf die umgekehrte Perspektive gelegt, inwiefern die großen Ideen, die fundamentale Bedürfnisstruktur (↑Bedürfnis) und das kognitive Potential menschlicher Existenz die ökonomischen Strukturen und Regelsysteme beeinflussen. Ziel dieser interdisziplinär angelegten Einbettung und Kontextualisierung des G.es ist es, „eine Philosophie des ganzen geschichtlichen und sozialen Lebens" (Simmel 2008: 343) vorzulegen. G. Simmel verweist auf die unauflösbare Doppelstruktur des G.es. Einerseits ist es durch seine ideell vorgebildete Totalität „die Formel unseres Lebens überhaupt" (Simmel 1996: 624), zugl. aber auch „der fürchterlichste Formzerstörer" (Simmel 1996: 360), weil in ihm alle spezifischen Eigenschaften eines Gegenstandes jenseits seines ökonomischen (Tausch) Wertes herausdifferenziert werden und so zu einem Symbol für die Kälte und Abstraktheit moderner Lebenswelten geworden ist.

2. Entstehungstheorien

Die Entstehung des G.es, seine historischen Ursprünge und seine anfänglichen Formen liegen weitgehend im Dunkeln. Im Wesentlichen haben sich zwei Entstehungstheorien herausgebildet: *kommerzielle* und *nichtkommerzielle*. Erstere verorten den Ursprung im Kontext des erwerbsmäßigen ↑Handels, der bei wachsender Intensität eines adäquaten Mittels bedürfe, um die auftretenden Reibungs- und Wertverluste möglichst klein zu halten und die Transaktionskosten zu verringern. Einer der prononciertesten Vertreter der kommerziellen Entstehungstheorien, die auch als nichtkonventionalistische, reale oder naturwüchsige Theorien bezeichnet werden, war Carl Menger. Er kritisierte die klassischen Theorien dahingehend, dass sie Aristoteles folgend G. als Ergebnis menschlicher oder gesellschaftlicher Übereinkunft definierten (Konventionstheorie). Diese konzipieren G. in absolutem Gegensatz zur Ware, als etwas, das von den Menschen als ein künstlich geschaffenes Mittel des Tausches eingeführt wurde. Für C. Menger aber wird etwas zum G., „sobald und insoweit es in der geschichtlichen Entwickelung des Güterverkehrs eines Volkes die Funktion eines allg. gebräuchlichen Tauschvermittlers (bzw. die Konsekutivfunktionen des letzteren) tatsächlich übernimmt" (Menger 1909: 92).

Nichtkommerzielle Theorien führen den Ursprung

des G.es auf den sakralen Bereich oder auf eine staatliche Festsetzung zurück. In Anlehnung an Georg Friedrich Knapp, wonach es keinen von der (Güter-)Kaufkraft abgeleiteten oder metallisch relevanten Wert des G.es gebe, sondern dieser allein durch den ↑Staat mit seiner Rechtsordnung geschaffen und garantiert werde (geldtheoretischer Nominalismus, Chartalismus, staatliche Theorie des G.es), führt Bernhard Laum den Ursprung auf das Tempelopfer zurück. Erst die hohe sakrale Bedeutung des Rindes, v. a. in der homerischen Zeit, mache es zu einem allg.en Wertmesser über die religiöse Sphäre hinaus. Geld hat seinen Anfang „im Kultus, nicht im Handel" (Laum 1924: 27), daher ist das Heiligtum die „Keimzelle des Tauschhandels und die Priesterschaft das erste Handelskollegium" (Laum 1924: 101). Über seine Funktion als Träger des ↑Kultes ist der Staat dann Schöpfer des G.es geworden, weshalb die Geschichte des G.es „letzten Endes die Geschichte der Säkularisation der kultlichen Formen" ist (Laum 1924: 158).

Im kulturwissenschaftlichen Kontext wird als weiteres Argument für den sakralen Ursprung des G.es häufig eine gewisse sprachanaloge Begrifflichkeit angeführt, wonach zentrale ökonomische Termini religiöser Provenienz sind: ↑Kredit (lateinisch: credo), ↑Schuld und Schulden (lateinisch: pecunia, pecus; Opfertier), Gläubiger, Messe, Tempelschatz (lateinisch: thesaurus) etc. Das umgangssprachlich geläufige Wort Moneten wird von der römischen Göttin Juno hergeleitet, die als Schutzpatronin der Eheleute (insb. der Frauen) und des Staates bzw. seiner Jungkrieger auch den Beinamen Moneta (Warnerin, Mahnerin) trug: Vertrauen und Verlässlichkeit braucht es auch in G.-Fragen.

Letztlich bleiben die Ursprünge des G.es unbekannt. Alle Entstehungstheorien sind Versuche, die großen Leerstellen im Wissen zu füllen. Eine hohe Plausibilität kommt nach wie vor den kommerziellen Ansätzen zu, weil sie ohne Extrapolationen auf das (weitgehend unbekannte) Prähistorische und ohne Spekulationen über das Vor- oder Unbewusste auskommen. Aber auch die chartalistischen Ansätze erscheinen plausibel, weil sie deutlich machen können, dass es ohne staatliche Autorität oder zumindest ohne eine „seigniorale Macht" (Vogl 2015: 69) nicht möglich gewesen wäre, ein weithin akzeptiertes und universal gültiges Tauschmittel zu entwickeln. In jedem Fall ist G. in seiner heutigen, weitgehend entmaterialisierten Form das Ergebnis einer langen historischen Entwicklung, an deren Anfang wertvolle Zahlungsmittel standen. Unverändert ist lediglich, dass es Vertrauen und bestimmter Wertäquivalente bedarf. Waren es früher vorwiegend Könige und Fürsten, die diese garantierten (daher auch die Porträts auf zahlreichen Münzen), so erfüllen diese Funktion heute weitgehend die Staaten, i. d. R. mittels ihrer Zentralbanken. Wie ausufernde ↑Inflation und schwankende ↑Wechselkurse zeigen, hängt der Wert des G.es elementar an den gesellschaftlichen und ökonomischen Rahmenbedingungen. Nichts kann eine ↑Währung schneller in den Abgrund stürzen als ein nachhaltiger Vertrauensverlust und die dadurch ausgelöste Flucht aus ihr in andere Währungen, Immobilien, Anleihen etc. So bleibt neben einer Rückkoppelung an reale Wertschöpfungsketten das Vertrauen der Marktteilnehmer – und damit der Gesellschaft insgesamt – das zentrale Fundament für die Wertigkeit des G.es.

3. Funktionen

Über die drei grundlegenden ökonomischen Funktionen hinaus besitzt G. zahlreiche sekundäre oder transökonomische Funktionen, die sich i. d. R. hinter den primären verbergen, aber diese zugl. entscheidend bestimmen. Als wichtigste dieser sekundären Funktionen lassen sich nennen:

a) G. ermöglicht Antizipation von Zukunft, indem durch den Kredit der an sich erst in fernerer Zukunft mögliche Konsum schon heute realisiert werden kann.

b) G. ist eine Art, ↑Vermögen zu halten: Wer G. hat, vermag etwas, ist in der Lage, Großes zu bewegen; er besitzt Macht und Einfluss, die in einer geldbestimmten Wirklichkeit mit der Höhe des Vermögens steigen.

c) G. ist Ausdruck von individueller und gesellschaftlicher ↑Freiheit. Die potentiell unbegrenzten Möglichkeiten, mit G. Güter zu erwerben, verleihen in subjektiver Perspektive einen Freiheitsgrad, der strukturell den Erfahrungen von Transzendenz und Allmacht ähnlich ist. In jeder bestimmten G.-Summe steckt immer „der Wert jedes einzelnen Objekts, dessen Äquivalent sie bildet, plus dem Werte der Wahlfreiheit zwischen unbestimmt vielen derartigen Objekten – ein Plus, für das es innerhalb des Waren- oder Arbeitskreises kaum annähernde Analogien gibt" (Simmel 1996: 268). Wer G. hat, ist nicht nur frei, er weiß auch darum. Darum wird G. mit einem berühmten Wort auch als „geprägte Freiheit" (Dostojewski 1980: 125) bezeichnet.

d) G. besitzt ein stark egalitäres Moment. Es fragt nicht nach dem Erwerb und dem Besitzer, alles Spezifische jenseits seines quantitativen Aspektes ist herausdifferenziert. Ob G. aus einer Erbschaft, einem Raub oder aus harter Arbeit stammt, bleibt an ihm unsichtbar, weshalb es Alfred Sohn-Rethel eine „Realabstraktion" nennt (Sohn-Rethel 1990: 33). Diese von G. Simmel als Charakterlosigkeit des G.es bezeichnete Eigenschaft ist von einer eigentümlichen Unparteilichkeit begleitet, insofern der Preis einer Ware oder eines Gutes nominell für alle Marktteilnehmer gleich ist (social neutralizer). In der Welt der Waren und Güter entscheiden vordergründig nicht Herkunft, Bildung oder sozialer Status über den Zugriff, sondern allein dessen Verfügbarkeit.

e) G. ermöglicht Partizipation am gesellschaftlichen Leben, es vermittelt und symbolisiert Zugehörigkeit, indem es soziale Differenzierungsprozesse verstärkt. Der Besitz eines bestimmten Produktes (z. B. Handy, Auto), der souveräne Zugriff auf kulturelles bzw. soziales Kapital (Theater, Festspiele) oder das Verfügen über ausreichend finanzielle Ressourcen eröffnen den Zugang zu verschiedensten Bereichen gesellschaftlichen Lebens.

f) G. ist eine wesentliche Voraussetzung und Quelle von ↑*Glück.* Die jüngere Glücksforschung konnte zeigen, dass es einen engen, wenn auch keinen linearen Zusammenhang von G. und Glück gibt. Ein grundlegender materieller ↑Wohlstand ist neben den sozialen Beziehungen, der Gesundheit und den politischen Rahmenbedingungen ein wesentlicher Faktor für ein glückliches Leben. Obwohl empirische Ergebnisse der Glücksforschung nahelegen, dass der Beitrag einer zusätzlichen G.-Einheit zum subjektiven Glücksgefühl mit steigendem Einkommen abnimmt, ist eine ausreichende Versorgung mit G. die Voraussetzung für ein gesundes, langes und zufriedenes Leben.

In diesen vielfältigen, über die ökonomischen Funktionen weit hinausreichenden Bedeutungsebenen des G.es liegt eine der wesentlichen Wurzeln für die Krisenanfälligkeit dieses Mediums. G. ist ein signifikanter Indikator ökonomischer Entwicklungen, in dem sich zugl. unzählige Erwartungen und Hoffnungen, aber auch Ängste und ↑Krisen bündeln.

4. Kritik

Wo G. ist, ist auch Kritik. Zu allen Zeiten entwickelten Menschen ein Gespür für seine diabolische Macht und versuchten, die mit seiner Expansion verbundenen negativen Entwicklungen abzumildern. So ist das Zinsverbot, das sich in den meisten großen religiösen Traditionen findet und in der ↑katholischen Kirche bis 1830 in Geltung war, als ein Versuch zu verstehen, die darin angelegten Ungleichgewichte zu reduzieren. Eine naturrechtliche Begründung, die allerdings noch nicht zwischen ↑Zins und ↑Wucher unterschied, findet sich etwa bei Aristoteles: „Geld ist um des Tausches willen erfunden worden" (Politik, I, 1258 b), bei G.-Geschäften vermehrt aber der Zins das G., ist daher vom G. hervorgebrachtes G. Dies widerspricht aber seiner Bestimmung, weshalb diese Art des G.-Erwerbs „am meisten wider die Natur" ist (Politik, I, 1258 b). In ähnlicher Weise argumentiert auch Thomas von Aquin. Das in der hebräischen Bibel nur an wenigen, aber zentralen Stellen formulierte Zinsverbot (Ex 22,24; Lev 25,36 f.; Dtn 23,20 f.) blieb bis in die Neuzeit ein Stachel im Fleisch des ungebremsten ökonomischen Fortschrittsdenkens. Das Wort aus Jesus Sirach „Wer das Gold liebt, bleibt nicht ungestraft, wer dem Geld nachjagt, versündigt sich." (Sir 31,5) gehört zu den häufig zitierten Sätzen der Bibel. Der Koran kennt zahlreiche Stellen, die jegliche Geschäfte verbieten, in denen direkt oder indirekt Zins *(Riba)* enthalten ist: „Gott erlaubte das Verkaufen und verbot den Zins." (Sure 2:275); er macht „den Zins zunichte, die Almosen vermehrt er" (Sure 2:276). Die christliche Tradition hat kein konzises Verhältnis zum G. entwickeln können, weil sich im NT neben einer scharfen Ablehnung des G.es (Mt 6,24: „Ihr könnt nicht beiden dienen, Gott und dem Mammon."; ähnlich Mk

10,17–31) auch eine ungebrochene Würdigung und Hochschätzung des Reichtums findet (Lk 16,9). Diese Ambivalenz führte in der christlichen Theologie zu zwei einander ausschließenden Verhältnisbestimmungen. Der *affirmativ-identifizierenden* Tradition fehlt ein grundsätzlicher Vorbehalt gegenüber dem G., weil sie im G. eine momenthafte Vorwegnahme des ↑Reiches Gottes erkennt. Alles komme darauf an, „der im Geld real gewordenen menschlichen Freiheit" (Kasch 1979: 21) die nötige Anerkennung und Zustimmung zu verleihen. Das andere Ende bilden die Ansätze der *negativ-exklusivierenden* Tradition. Sie erkennen einen scharfen Gegensatz zwischen dem Glauben an den biblischen Gott und dem neuen Gott G. In Anlehnung an Martin Luthers Diktum „Denn die zwey gehoeren zuhauffe, glaube und Gott. Worauff du nu (sage ich) dein hertz hengest und verlessest, das ist eygentlich dein Gott." (Luther 1910: 133) ist das Verhältnis zwischen Gott und G. nur als eine radikale Alternative denkbar. Erst auf der Basis einer an die Wurzel gehenden „Entflechtung von Christentum und Religion" (Ruster 2000: 193) könne der Glaube wieder an Überzeugungskraft gewinnen. Die Defizite beider Ansätze (unkritisches Verhältnis, utopische Fluchttendenzen) stärken die Argumente für ein drittes, das *relativ-kritische* Modell: G. bleibt darin im Prinzip ein herausragendes Medium, dessen Kritikpotential jedoch konsequent auf die Kategorie des Reiches Gottes hin entfaltet wird, ob und in welcher Weise es mehr ↑Gerechtigkeit und mehr Freiheit in die Welt bringt – für alle. An diesem fundamentalen biblischen Kriterium lässt sich im Streit um das Für und Wider von G. eine verlässliche Orientierung gewinnen.

Im politischen Kontext hat spätestens mit der Entfesselung der kapitalistischen Produktivkräfte (↑Kapitalismus) im 19. Jh. die Kritik des G.es erneut an Schärfe und Intensität zugenommen. Zwar konnte die Expansion der G.-Ökonomie den individuellen Freiheitsgrad kontinuierlich erhöhen, weil sich durch die Monetarisierung eine vermittelnde Instanz zwischen Individuum und Objekt schob, zugl. aber verhinderte sie eine innerliche Bindung und Identifizierung. Sie führte zu einer allg.en *Entwurzelung,* wodurch sich, so eine berühmte Formulierung G. Simmels, erkläre, „dass unsere Zeit, die, als ganze betrachtet, sicher mehr Freiheit besitzt als irgend eine frühere, dieser Freiheit doch so wenig froh wird" (Simmel 1996: 555).

Über die philosophische Kritik hinaus war und ist es insb. eine Domäne der Literatur, sich eingehend mit den Schattenseiten der expansiven G.-Kultur zu befassen. Ob Gustav Freytags „Soll und Haben" (1855), Hugo von Hofmannsthals „Jedermann" (1911) oder Rainald Goetz' „Johann Holtrop" (2012) – jede Epoche kennt unzählige Romane, die mit untrüglichem Blick die schleichende G.-Werdung und -Wertung des Lebens nachzeichnen. In der psychoanalytischen Tradition werden, oftmals in Fortführung der Sublimationstheorie Sigmund Freuds und in Aufnahme marxistischer Versatzstücke, die desaströsen Auswirkungen der G.-Fixierung auf die menschlichen Beziehungen herausgearbeitet. Daraus leitet sich mitunter ein praktischer Anspruch ab: Unser Wissen über die pathogenen Eigenschaften des G.es und des G.-Interesses müsse „umgemünzt werden in eine Psychotechnik zur Überwindung des Geldes, zur Überwindung der Kapitaltyrannei, zur Einübung in eine Gesellschaft frei von der Diktatur des Geldes" (Borneman 1973: 458).

Die Finanz- (↑Finanzmarktkrise) und Schuldenkrisen der vergangenen Jahrzehnte in den westlichen Industriestaaten haben das Bewusstsein für die Krisenanfälligkeit des kapitalistischen Systems geschärft und die Suche nach Alternativen zum herrschenden G.-System vorangetrieben. Vorrangige Ziele liegen neben den ökonomischen wie einer verbesserten G.-Mengensteuerung, einer Vermeidung großer Konjunkturzyklen und einer Stärkung regionaler Wirtschaftskreisläufe v. a. im gesellschaftspolitischen Bereich: die soziale Kohäsion zu erhöhen und die wachsenden Ungleichheiten zu reduzieren.

Literatur

C. Türcke: Mehr! Philosophie des Geldes, 2015 • J. Vogl: Der Souveränitätseffekt, 2015 • P. Degens: Alternative Geldkonzepte – ein Literaturbericht, in: Max-Plank-Institut für Gesellschaftsforschung (Hg.): Discussion Paper 13/1, 2013 • D. Gaerber: Schulden. Die ersten 5000 Jahre, 2012 • R. Goetz: Johann Holtrop, 2012 • K.-H. Brodbeck: Die Herrschaft des Geldes. Geschichte und Systematik, 2009 • A. Halbmayr: Gott und Geld in Wechselwirkung. Zur Relativität der Gottesrede, 2009 • G. Simmel: Briefe 1880–1922, GA, Bd. 22, 2008 • J. Schumann: Zur Geschichte christlicher und islamischer Zinsverbote, in: H. G. Nutzinger u. a. (Hg.): Studien zur Entwicklung der ökonomischen Theorie, Bd. 21, 2007, 149–205 • K. Marx: Ökonomisch-philosophische Manuskripte, in: I. Fetscher (Hg.): Karl Marx-Friedrich Engels Studienausgabe, Bd. 2, 2004, 38–135 • T. Ruster: Der verwechselbare Gott, 2000 • G. Fuchs: Geistliches Leben im „stahlharten Gehäuse" in: KatBl 123/3 (1998), 153–161 • G. Heinsohn/O. Steiger: Eigentum, Zins und Geld, 1996 • N. Luhmann: Die Wirtschaft der Gesellschaft, ²1996 • G. Simmel: Philosophie des Geldes, ⁴1996 • J. Habermas: Theorie des kommunikativen Handelns, 2 Bde., 1995 • H. Riese: Geld. Das letzte Rätsel der Nationalökomonie, in: W. Schelkle/M. Nitsch (Hg.): Rätsel Geld, 1995, 45–62 • A. Sohn-Rethel: Das Geld, die bare Münze des Apriori, 1990 • V. A. Zelizer: The Social Meaning of Money: „Special Monies, in: AJS 95/2 (1989), 342–377 • F. M. Dostojewski: Aufzeichnungen aus einem Totenhaus, 1980 • A. Hilka/O. Schumann (Hg.): Carmina Burana. Die Lieder der Benediktbeurer Handschrift, 1979 • W. F. Kasch (Hg.): Geld und Glaube, 1979 • E. Borneman: Psychoanalyse des Geldes. Eine kritische Untersuchung psychoanalytischer Geldtheorien, 1973 • B. Laum: Heiliges Geld, 1924 • H. von Hoffmannsthal: Jedermann. Das Spiel vom Sterben des reichen Mannes, 1911 • M. Luther: Der große Katechismus, in: WA Bd. 30/1, 123–238 • C. Menger: Geld, in: J. Conrad u. a. (Hg.): Handwörterbuch der Staatswissenschaften, Bd. 4, ³1909, 1–116 • G. Freytag: Soll und Haben, 1855.

ALOIS HALBMAYR

Geld- und Kapitalmarkt

1. Geldmarkt

Auf dem G. im engeren Sinne findet der Handel mit *Zentralbankgeld* statt. Zentralbankgeld besteht aus dem Bargeld, das von der Notenbank in Umlauf gebracht wird, sowie aus den Sichteinlagen, die Dritte – üblicherweise Geschäftsbanken – bei der Zentralbank unterhalten. Die Sichteinlagen der Geschäftsbanken bei der Zentralbank dienen einerseits zur Abwicklung des Zahlungsverkehrs und andererseits entsprechen die Geschäftsbanken mit diesen Einlagen der Pflicht, eine sog.e Mindestreserve bei der Zentralbank zu unterhalten. Durch die Existenz des G.es erhalten die Geschäftsbanken die Möglichkeit ihre kurzfristigen Liquiditätsüberschüsse bzw. -defizite auszugleichen, entweder durch den Handel untereinander oder durch den Rückgriff auf die Refinanzierungs- bzw. Anlagemöglichkeiten bei der Zentralbank.

Die größten Umsätze entfallen dabei auf *Übernachtkredite* (Übernachtgeld; overnight; o/n), die am nächsten Tag zurückgezahlt werden müssen. Dabei handelt es sich um einen Interbankenkredit, bei dem der Kreditabschluss und die Bereitstellung des vereinbarten Betrags am gleichen Tag erfolgen. Daneben vereinbaren die Geschäftsbanken über den G. auch ↑Kredite mit längeren Laufzeiten (bis maximal zwölf Monate). G.-Geschäfte unter Banken werden in aller Regel dadurch erfüllt, dass der Geldbetrag vom Zentralbankkonto des Kreditgebers auf das korrespondierende Konto des Kreditnehmers übertragen wird. In Folge der ↑Finanzmarktkrise verlangen viele Kreditgeber von früher größtenteils unbesicherten Interbankenkrediten am G. die Bereitstellung von Sicherheiten seitens der Kreditnehmer, z. B. in Form von Wertpapieren, die als Pfand hinterlegt werden müssen.

Auf den G.en operieren neben Geschäftsbanken und nicht-finanziellen Unternehmen auch die Zentralbanken. Für die ↑EZB ist der G. Ausgangspunkt für ihre geldpolitischen Maßnahmen. Sie beeinflusst durch den Einsatz geldpolitischer Instrumente die Liquidität der Geschäftsbanken, steuert auf diese Weise deren Möglichkeiten zur Kreditvergabe und übt damit Einfluss auf das Zinsniveau in der Eurozone aus. Endziel der geldpolitischen Eingriffe ist letztlich die Sicherung der Preisniveaustabilität in der Eurozone. Die geldpolitischen Instrumente des Eurosystems (z. B. die Hauptrefinanzierungsgeschäfte) sind insb. darauf ausgelegt, die Entwicklung des Tagesgeldsatzes (operatives Ziel) zu beeinflussen. Als Referenz für den Tagesgeldsatz im unbesicherten Euro-Interbankengeschäft wird der von der EZB berechnete EONIA verwendet, der einen gewichteten Durchschnittssatz des täglich von rund 30 Banken gemeldeten Umsatzes (und gewichteten Durchschnittszinses für dieses Volumen) mit unbesichertem Übernachtgeld abbildet. Die Euribor ist ein weiterer Referenzzinssatz für unbesicherte Euro-Kredite, der in der Eurozone als Referenzzinssatz für eine

Vielzahl von Finanzgeschäften, wie Hypothekendarlehen mit variabler Verzinsung oder Zinsswap-Geschäfte, dient und für unterschiedliche Laufzeiten auf Basis von beobachteten Marktzinssätzen durch Thomson Reuters berechnet wird. Schließlich existiert mit dem Europo ein Durchschnittszinssatz von besicherten Euro-Krediten für unterschiedliche Laufzeiten, der ebenfalls auf Basis von Marktbeobachtungen bestimmt wird.

Zum G. im weiteren Sinne zählt der Handel mit G.-Papieren. G.-Papiere sind kurzfristige Schuldverschreibung mit einer originären Laufzeit von i.d.R. bis zu einem Jahr. Dazu zählen in Deutschland traditionell Staatspapiere wie Schatzwechsel und Finanzierungsschätze, ferner auch unterjährige Schuldverschreibungen von Banken (Einlagenzertifikate) und Unternehmen (Commercial Paper). Ein Einlagezertifikat (Certificate of Deposit) ist ein von einer Bank begebenes G.-Papier zur Beschaffung kurzfristiger Mittel. Ein Investor legt Geld für einen vorgegebenen Zeitraum (Termingeld) bei einer Geschäftsbank an. Im Gegenzug stellt die Bank dem Investor ein Zertifikat für die Einlage aus. Die Termineinlage wird damit verbrieft und ist als Inhaberpapier problemlos übertragbar, d.h. der Inhaber kann das Papier jederzeit vor Laufzeitende an Dritte verkaufen und sich so Liquidität beschaffen. *Commercial Papers* sind Schuldverschreibungen großer Unternehmen mit Laufzeiten von wenigen Tagen bis zu zwei Jahren, die zur flexiblen Deckung des kurzfristigen Kreditbedarfs emittiert werden. Die Renditen orientieren sich an den repräsentativen G.-Sätzen im entspr.en Laufzeitenbereich. Bei den meisten G.-Papieren handelt es sich um abgezinste Schuldverschreibungen (Diskontpapiere), d.h. der Verkaufspreis errechnet sich aus dem Nennwert abzüglich der für die Laufzeit insgesamt anfallenden Zinsen. Längerfristige Schuldverschreibungen (Anleihen), die durch die abnehmende Zeit bis zur Fälligkeit irgendwann eine Restlaufzeit von unter einem Jahr aufweisen, bezeichnet man als „unechte" G.-Papiere, die als Anlagealternative bspw. in geldmarktnahen Fonds eingesetzt werden.

2. Kapitalmarkt

Über den K. verschaffen sich ↑Unternehmen und staatliche Institutionen langfristig Finanzmittel. Der K. im weiteren Sinn umfasst dabei alle Märkte, auf denen langfristige verbriefte und unverbriefte Kredite sowie Beteiligungskapital wie z.B. Aktien gehandelt werden. Im engeren Sinne versteht man unter dem K. lediglich den organisierten Handel mit Wertpapieren. Der Wertpapiermarkt untergliedert sich in den Rentenmarkt (Markt für Schuldverschreibungen) und den Aktienmarkt (Markt für Beteiligungen an Aktiengesellschaften). Zum Wertpapiermarkt kann man aber auch Anteilsscheine an Investmentfonds zählen, da diese Fonds ihrerseits einzelne Wertpapiere und damit eine indirekte Form des Erwerbs von Schuldverschreibungen und Aktien darstellen.

Der Renten- oder Anleihenmarkt ist der Oberbegriff für alle organisierten Handelsplätze, an denen festverzinsliche Wertpapiere gehandelt werden. Anleihen sind Wertpapiere, die der Fremdfinanzierung dienen und bei denen Verzinsung, Laufzeit und Rückzahlung festgelegt sind. Der Gesamtbetrag dieser Form von Schuldverschreibung ist in „Stücke" geteilt, wodurch sich Kreditgeber mit kleinen Anlagebeträgen an der Schuldverschreibung beteiligen können. Über die Emission einer Anleihe beschafft sich der Emittent – der Kreditnehmer – Fremdkapital. Am Anleihemarkt werden neben Anleihen mit fester Verzinsung (Straight Bonds) Schuldverschreibungen mit variabler Verzinsung (Floating Rate Notes; Floater) gehandelt. Weitere Unterscheidungsmerkmale sind die Laufzeiten, die Tilgungsmodalitäten und bestimmte Eigenschaften der Emittenten. Öffentliche Anleihen werden von Zentralstaaten (Sovereign Bonds) oder nachgelagerten Gebietskörperschaften (Sub-Sovereign Bonds) aufgelegt. Von Industrieunternehmen emittierte Anleihen werden als Industrieobligationen (Corporate Bonds) bezeichnet. Eine weitere Differenzierung erfolgt anhand der Bonität der Emittenten, die üblicherweise von Rating-Agenturen festgestellt wird. Neben Anleihen mit einer (sehr) guten Bonität (Investment Grade Bonds) gibt es Rentenpapiere von Emittenten mit einer eingeschränkten Kreditwürdigkeit. Diese Anleihen weisen aufgrund der höheren Ausfallrisiken in aller Regel eine entspr.e Risikoprämie, d.h. eine höhere Verzinsung (Hochzinsanleihen; High Yield Bonds) auf. Ferner gibt es mit Pfandbriefen (Covered Bonds) Anleihen, die durch Vermögenswerte, wie Grundstücke oder Immobilien, besichert sind. Die internationalen Rentenmärkte bestehen aus den nationalen Anleihenmärkten für Ausländer und den Euro-K.en. Bei der ersten Kategorie handelt es sich um inländische ↑Finanzmärkte, auf denen ausländische Schuldner ihre Anleihen (Foreign Bonds) platzieren. Die Euromärkte (Offshore- oder Xeno-Märkte) sind internationale Finanzmärkte (Eurogeld-, Eurokredit- und Euro-K.e) auf denen unverbriefte und verbriefte Kreditgeschäfte in einer ↑Währung außerhalb ihres Geltungsbereichs als gesetzliches Zahlungsmittel abgewickelt werden. Die Geschäfte werden in unterschiedlichen Währungen durchgeführt (z.B. Euro-Dollar- oder Euro-Euro-Markt). Euromarktzentren (traditionelle Marktplätze wie London, Luxemburg, New York; Offshore-Zentren in Asien und der Karibik) waren in der Vergangenheit durch niedrige Steuersätze, eine geringere Regulierungsdichte, ein striktes Bankgeheimnis sowie durch Rechtssicherheit und politische Stabilität gekennzeichnet. Angesichts der Probleme mit diesen Zentren (Steuerhinterziehung, Geldwäsche sowie Risiken für die weltweite Finanzstabilität) rief die OECD eine Reihe von Initiativen ins Leben, die im Ergebnis zu einer verschärften Regulierung der Offshore-Märkte und zu einem Rückgang ihrer Geschäftsaktivitäten führten.

Der Aktienmarkt ist der Teil des K.s, auf dem Beteiligungspapiere gehandelt werden. Eine Aktie ist ein Wertpapier, das einen Anteil am Grundkapital einer ↑AG und die damit verbundenen Rechte und Pflichten verbrieft. Der Inhaber einer Aktie ist Miteigentümer der AG und haftet in Höhe seines Kapitalanteils. Durch den Verkauf seiner Aktien am Sekundärmarkt kann sich ein Aktionär aus seinem Engagement an einer AG lösen, ohne dass der Gesellschaft dadurch Eigenkapital entzogen wird. Die einsetzende Industrialisierung im 19. Jh. trug zur Entstehung von AGs bei. Mithilfe von Aktien konnten sich die Unternehmen das Eigenkapital für ihre Expansionspläne beschaffen. Auch heute sind Wachstumsziele ein wesentlicher Treiber für Aktienemissionen. Die Aktienkurse ergaben sich früher durch Angebot und Nachfrage im Parketthandel an den ↑Börsen. Heutzutage werden Aktiengeschäfte zu einem guten Teil über elektronische Handelsplattformen abgewickelt.

Ein Investmentfonds ist ein von einer Kapitalanlagegesellschaft (Investmentgesellschaft) verwaltetes Sondervermögen, das in Vermögenswerten wie Aktien, Anleihen oder Immobilien angelegt ist. Über das Miteigentum am Fondsvermögen werden Anteile in Form von Wertpapieren (Investmentzertifikate) ausgegeben. Anleger können durch Erwerb von Investmentzertifikaten mit vergleichsweise geringem Kapitaleinsatz Miteigentümer eines – typischerweise breit gestreuten – Portfolios werden. Man unterscheidet zwischen Publikumsfonds, die der breiten Öffentlichkeit zugänglich sind und deren Anteile häufig an der Börse gehandelt werden, und Spezialfonds, die speziell für Großanleger (wie z.B. Versicherungen, Pensionskassen etc.) aufgelegt werden.

Literatur

E. Görgens/K. Ruckriegel/F. Seitz: Europäische Geldpolitik, [6]2013 • H. Gischer/B. Herz/L. Menkhoff: Geld, Kredit und Banken, [3]2012 • J. Hagen/G. Obst/O. Hintner: Geld-, Bank- und Börsenwesen: Hdb. des Finanzsystems, [40]2000.

ALBRECHT MICHLER

Geldpolitik

1. Definition

G. bezeichnet die Gesamtheit aller Maßnahmen zur Steuerung der Geld- und Kreditversorgung (↑Kredit) mit dem Ziel, gesamtwirtschaftliche Stabilität zu verwirklichen. Sie bildet neben der Fiskalpolitik das zweite wichtige stabilitätspolitische Instrument. Träger der G. sind die Notenbanken, die darüber hinaus häufig auch mit der mikro- und makroprudenziellen Bankenaufsicht betraut sind oder als *Lender of Last Resort* temporäre Liquiditätshilfen an Geschäftsbanken (↑Banken) vergeben.

2. Eurosystem

Verantwortlich für die Durchführung der G. ist in den Mitgliedsstaaten der Eurozone das Eurosystem. Es ist zweistufig aufgebaut und besteht aus der ↑EZB (Sitz in Frankfurt/Main) und den NZBen der Teilnehmerländer an der Europäischen Währungsunion (↑EWWU). Begrifflich vom Eurosystem zu unterscheiden ist das ESZB, das aus der EZB und den NZBen aller Mitgliedsländer der EU besteht.

2.1 Beschlussorgane

Oberstes Entscheidungsorgan des Eurosystems ist der EZB-Rat *(Governing Council)*, dem der EZB-Präsident, der EZB-Vizepräsident, die vier weiteren Mitglieder des Direktoriums und die Gouverneure der NZBen im Eurosystem angehören. Der EZB-Rat tagt zweimal im Monat und trifft neben geldpolitischen Entscheidungen auch alle anderen Entscheidungen im Aufgabenbereich der EZB. Die Mitglieder des EZB-Rats verfügen jeweils über eine Stimme, wobei das Stimmrecht rotiert und bei Stimmengleichheit die Stimme des EZB-Präsidenten den Ausschlag gibt. Das Direktorium *(Executive Board)*, dessen Mitglieder zugl. auch im EZB-Rat vertreten sind, bereitet die Sitzungen des EZB-Rats vor und führt dessen Beschlüsse aus. Solange noch nicht alle EU-Mitgliedsländer den Euro als nationale Währung eingeführt haben, existiert mit dem Erweiterten Rat *(General Council)* ein drittes Beschlussorgan, das als Bindeglied zwischen dem Eurosystem und den NZBen der Nichtteilnehmerländer fungiert. Ihm gehören der EZB-Präsident, der EZB-Vizepräsident und die Gouverneure der NZBen aller EU-Mitgliedsländer an.

2.2 Geldpolitische Ziele und Notenbankunabhängigkeit

Vorrangiges Ziel des Eurosystems ist gemäß Art. 127 Abs.1 AEUV, Preisstabilität zu gewährleisten. Soweit es ohne Beeinträchtigung dieses Ziels möglich ist, soll das Eurosystem die allg.e ↑Wirtschaftspolitik in der EU unterstützen, um zur Verwirklichung der Ziele des Art. 3 AEUV beizutragen. Bei der Umsetzung dieses Ziels ist das Eurosystem politisch und funktional unabhängig und darf gemäß Artikel 7 ESZB-Satzung bei der Wahrnehmung seiner Aufgaben von EU-Organen (↑EU) und Mitgliedsstaaten weder Weisungen einholen noch entgegennehmen.

Zentralbankunabhängigkeit ist dabei kein Selbstzweck, sondern ein Instrument, das in demokratisch organisierten Gesellschaften hilft, die Inflationsrate (↑Inflation) niedrig zu halten, indem es die Geld- und Kreditversorgung dem politischen Wettbewerb entzieht. Diesem Ziel dient auch das Verbot einer direkten Staatsfinanzierung gemäß Artikel 123 AEUV, wonach das Eurosystem den Regierungen weder Überziehungsfazilitäten einräumen noch ↑Staatsanleihen am Primärmarkt ankaufen darf (wohingegen Ankäufe am Sekundärmarkt erlaubt sind).

3. Strategien der Geldpolitik

Eine geldpolitische Strategie bezeichnet das längerfristige Verfahren, nach dem die Notenbank über ihren Instrumenteneinsatz entscheidet. Geldpolitische Strategien lassen sich dahingehend differenzieren, ob die G. diskretionär oder regelgebunden erfolgt. Regelgebundene G. lässt sich weiter unterscheiden, ob eine passive oder aktive Regel verfolgt wird und ob ein Geldmengenziel oder ein Inflationsziel verfolgt wird.

3.1 Diskretion v Regelbindung

Bei diskretionärer G. entscheidet die Notenbank fallweise, d. h. in jedem Zeitpunkt neu und nach eigenem Ermessen über den Instrumenteneinsatz. Damit kann sie flexibel auf unvorhergesehene Ereignisse und makroökonomische Schocks reagieren, unterliegt aber einem Glaubwürdigkeitsproblem; sie setzt sich der Gefahr aus, eine im Zeitablauf zu hohe Inflationsrate herbeizuführen. Dieser *Inflationsbias* resultiert daraus, dass der private Sektor sich durch Abschluss längerfristiger Verträge häufig selbst bindet und deshalb Inflationserwartungen bilden muss. Damit wird für die Notenbank nach Vertragsabschluss ein Anreiz geschaffen, eine andere G. zu betreiben als urspr. angekündigt, um durch eine überraschende Zunahme der Inflationsrate bspw. positive Einkommens- und Beschäftigungseffekte zu erzielen. Kennen die Marktteilnehmer diesen Anreiz für die G., sich „dynamisch inkonsistent" zu verhalten, werden sie dies von vornherein bei Abschluss ihrer Verträge berücksichtigen und eine Inflationsrate vereinbaren, von der abzuweichen für den Träger der G. nicht optimal ist.

Eine solche Inflationsneigung vermeidet eine regelgebundene G., bei der sich die Zentralbank einmalig und endgültig für eine geldpolitische *Formel* entscheidet und diese in jeder Periode umsetzt. Bei einer passiven Regel reagiert die Notenbank nicht auf von ihr wahrgenommene Umweltzustandsänderungen und legt das zukünftige Geldmengenwachstum verbindlich fest. Demgegenüber reagiert die Notenbank bei einer aktiven Regel oder Feedback-Regel in von ihr verbindlich festgelegter Form auf Schocks.

3.2 Inflationsziele und „Zwei-Säulen-Strategie"

Eine Alternative zu Geldmengenregeln sind (strikte oder flexible) Inflationsziele. Dabei gibt die Regierung der Notenbank eine normative Inflationsrate (von bspw. 2 % p. a.) vor. Diese muss bei einem strikten Inflationsziel in jeder Periode erreicht werden; demgegenüber muss bei einem flexiblen Inflationsziel die tatsächliche Inflationsrate nur im zeitlichen Durchschnitt mit dem Zielwert übereinstimmen, kann aber in einzelnen Perioden (nach oben oder unten) davon abweichen.

Auch das Eurosystem erfüllt ein (selbst gesetztes) Inflationsziel und versucht, die Preissteigerungsrate im Eurowährungsgebiet mittelfristig auf einem Wert von unter (aber nahe bei) 2 % p. a. zu stabilisieren. Dazu verfolgt es eine *Zwei-Säulen-Strategie* und kündigt an, wie es mit Änderung seiner Leitzinssätze auf von ihm für die Zukunft erwartete Datenänderungen und auf Gefahren für die Preisstabilität reagieren wird. Dabei enthält

diese Reaktionsfunktion zwei Gruppen von Indikatoren, nämlich eine Reihe realwirtschaftlicher Indikatoren *(wirtschaftliche Analyse)* und die Entwicklung der Geldmenge M3 *(monetäre Analyse)*. Anliegen der wirtschaftlichen Analyse ist, die für die kurze bis mittlere Sicht bestehenden Risiken für die Preisstabilität zu identifizieren, während die monetäre Analyse darauf abzielt, die auf mittlere bis längere Sicht bestehenden Preisstabilitätsrisiken zu erkennen.

4. Geldpolitischer Handlungsrahmen

Um ihre Strategie umzusetzen, steuern Notenbanken den Zinssatz (↑Zins) auf dem Interbankenmarkt und versuchen, diesen möglichst nahe an einem angestrebten Zielwert zu halten. Dazu verfügen sie über eine Reihe von Instrumenten, die auf Initiative der Zentralbank oder ihrer Geschäftspartner durchgeführt werden. Sie werden für das Eurosystem näher dargestellt, wobei zunächst auf die bis zum Ausbruch der ↑Finanzmarktkrise dominanten, konventionellen Instrumente eingegangen wird.

4.1 Konventionelle geldpolitische Instrumente

Das Eurosystem führt Offenmarktgeschäfte durch, bietet zwei ständige Fazilitäten an und verlangt von den Kreditinstituten, eine Mindestreserve auf Konten im Eurosystem zu halten. Um Wettbewerbsneutralität zu gewährleisten, betreibt das Eurosystem seine geldpolitischen Geschäfte mit einem großen Kreis von Kreditinstituten. Gemäß EZB-Satzung müssen die Geschäftspartner für alle liquiditätszuführenden Geschäfte ausreichende Sicherheiten bestellen, die im Verzeichnis notenbankfähiger Sicherheiten aufgeführt sind.

4.1.1 Offenmarktgeschäfte

Offenmarktgeschäfte beinhalten die vorübergehende Kreditgewährung der Notenbank an seine Geschäftspartner. Sie lassen sich im Falle des Eurosystems nach Rhythmus, Laufzeit und Zweck weiter unterteilen:

a) Hauptrefinanzierungsgeschäfte *(Main Refinacing Operations)* werden wöchentlich mit einer Laufzeit von zwei Wochen abgewickelt, wobei die Geschäftspartner den Hauptrefinanzierungssatz zahlen. Mit ihnen will das Eurosystem die Marktliquidität und den Marktzinssatz beeinflussen und Signale über seinen geldpolitischen Kurs geben.

b) Längerfristige Refinanzierungsgeschäfte *(Longerterm Refinacing Operations)* werden grundsätzlich monatlich mit einer Laufzeit von drei Monaten zum längerfristigen Refinanzierungssatz durchgeführt. Sie sollen den längerfristigen Refinanzierungsbedarf des Finanzsektors decken.

c) Feinsteuerungsoperationen *(Fine-tuning Operations)* dienen dem Ausgleich von unerwarteten Liquiditätsschocks auf die Zinssätze; sie erfolgen unregelmäßig mit nicht-standardisierten Laufzeiten.

d) Strukturelle Operationen *(Structural Operations)* sollen die langfristige Liquiditätsposition des Finanzsektors beeinflussen und sind sowohl regelmäßig als auch unregelmäßig durchführbar, wobei die Laufzeiten nicht-standardisiert sind.

Alle Offenmarktoperationen werden entweder im Tenderverfahren oder als bilaterale Geschäfte abgewickelt. Tendergeschäfte sind Versteigerungsverfahren, bei denen die Notenbank dem Finanzsektor Liquidität auf Basis konkurrierender Gebote zuführt oder von dort absorbiert. Bilaterale Geschäfte sind geldpolitische Geschäfte, ohne dass ein Versteigerungsverfahren genutzt wird. Tenderverfahren können als Standard- oder Schnelltender durchgeführt werden. Im ersten Fall wird die Versteigerung innerhalb von 24 Stunden mit potenziell allen Geschäftspartnern abgewickelt. Beim Schnelltender erfolgt die Versteigerung innerhalb einer Stunde mit einer begrenzten Zahl ausgewählter Geschäftspartner.

Sowohl der Standard- als auch der Schnelltender können grundsätzlich als Mengentender oder als Zinstender abgewickelt werden. Beim Mengentender gibt die Notenbank den Geschäftspartnern den Zinssatz vor, zu dem sie das Geschäft abwickeln will, und teilt den von ihnen gewünschten Kreditbetrag teilweise oder voll zu. Beim Zinstender geben die Geschäftspartner verschiedene Gebote ab, wobei sie neben dem gewünschten Betrag auch den Zinssatz benennen, zu dem sie den Betrag aufnehmen wollen. Die Zentralbank stellt die Gebote zusammen und teilt sie in absteigender Reihenfolge so lange zu, bis der von der Notenbank angestrebte Zuteilungsbetrag erreicht ist.

Das Eurosystem hat seine Hauptrefinanzierungsgeschäfte anfänglich im Mengentender mit teilweiser Zuteilung der Gebote betrieben. Im Juni 2000 ist es zum Zinstenderverfahren übergegangen und betreibt seit Oktober 2009 einen Mengentender mit Vollzuteilung der Gebote, wodurch den Geschäftspartnern unbegrenzt Liquidität zur Verfügung steht.

4.1.2 Ständige Fazilitäten
Ständige Fazilitäten werden auf Initiative der Geschäftspartner und grundsätzlich unbegrenzt in Anspruch genommen. Sie bestehen aus der Spitzenrefinanzierungsfazilität und der Einlagefazilität und dienen dem kurzfristigen Liquiditätsmanagement der Kreditinstitute. Im Rahmen der Spitzenrefinanzierungsfazilität *(Marginal Lending Facility)* können Kreditinstitute (zum *Spitzenrefinanzierungssatz*) über Nacht unbegrenzt Liquidität beim Eurosystem aufnehmen. Die Einlagefazilität *(Deposit Facility)* erlaubt es umgekehrt, über Nacht (zum *Einlagesatz*) nicht benötigte Liquidität beim Eurosystem anzulegen. Die beiden Zinssätze bilden einen Korridor, in dem sich der Zinssatz auf dem Geld- bzw. Interbankenmarkt normalerweise bewegt.

4.1.3 Mindestreservepflicht
Das Eurosystem verlangt von seinen Geschäftspartnern, dass sie einen bestimmten Prozentsatz (von urspr. 2 %, derzeit 1 %) ihrer Einlagen als Mindestreserve auf Giro-

konten bei den NZBen halten. Mindestreservepflichtig sind alle im Euro-Währungsgebiet ansässigen Kreditinstitute, wobei die zu der Geldmenge M3 zählenden Verbindlichkeiten die Bemessungsgrundlage bilden. Die EZB erlaubt eine Durchschnittserfüllung der Mindestreservepflicht, d. h. die Kreditinstitute können das stichtagsbezogene Mindestreservesoll während einer (zeitlich versetzten) einmonatigen Mindestreserveerfüllungsperiode erfüllen. Mindestreserveguthaben werden in Höhe des Hauptrefinanzierungssatzes verzinst; Guthaben, auf Reservekonten, die das Mindestreservesoll übersteigen, werden (derzeit) zum Einlagesatz verzinst.

4.2 Geldpolitische Sondermaßnahmen
Seit Ausbruch der Finanzkrise hat das Eurosystem eine Reihe geldpolitischer Sondermaßnahmen ergriffen, die temporär angelegt sind. Im Rahmen der Offenmarktgeschäfte ist es dazu übergegangen, temporär längerfristige Refinanzierungsgeschäfte mit längeren Laufzeiten (von sechs Monaten, einem Jahr und drei Jahren) durchzuführen. Zudem begann die EZB im Juni 2014, *gezielte längerfristige Refinanzierungsgeschäfte (Targeted Longer-Term Refinancing Operations)* durchzuführen, bei denen den Geschäftsbanken zinsgünstige längerfristige Liquiditätshilfen gegen das Versprechen gewährt werden, ihre Kreditvergabe an die privaten Nichtbanken auszuweiten.

4.2.1 Wertpapierankaufprogramme
Im Mai 2010 beschloss das Eurosystem ein Ankaufsprogramm für private und öffentliche Wertpapiere (*Security Markets Programme;* SMP), das im Gesamtvolumen beschränkt war. Das Programm ermöglichte es der EZB, Anleihen am Sekundärmarkt anzukaufen; Ankäufe am Primärmarkt wurden wegen des Verbots der monetären Staatsfinanzierung nicht getätigt. Im September 2012 wurde das Programm für die Wertpapiermärkte durch Outright Monetary Transactions (OMT) abgelöst, die es dem Eurosystem erlauben, am Sekundärmarkt unbegrenzt Staatsanleihen anzukaufen. Voraussetzung für den Ankauf von Staatsanleihen im Rahmen des OMT-Programms ist, dass der betreffende Staat sich Auflagen im Rahmen eines fiskalischen Hilfsprogramms unterwirft.

Für OMTs ist vorgesehen, das durch die Wertpapierkäufe geschaffene Zentralbankgeld zu „sterilisieren", und dem Geldmarkt (↑Geld- und Kapitalmarkt) dieses Geld wieder zu entziehen. Im Januar 2015 beschloss der EZB-Rat ein *Programm zum Ankauf von Vermögenswerten* (Quantitative Easing II), in dessen Rahmen seit März 2015 öffentliche und private Schuldtitel in Höhe von zunächst 60 Mrd. Euro pro Monat (seit April 2016: 80 Mrd. Euro monatlich) angekauft werden. Die Ankäufe sollen bis zu einem festgelegten Termin und in jedem Fall so lange erfolgen, bis die Inflationsentwicklung den Zielwert von mittelfristig unter, aber nahe 2 % p. a. erreicht hat.

4.2.2 Forward Guidance

Wie einige andere Notenbanken auch, betreibt die EZB (seit Sommer 2013) eine *Forward Guidance* und hat damit begonnen, die künftige Entwicklung der Leitzinsen anzukündigen, um Einfluss auf die Zinserwartungen der Marktteilnehmer zu nehmen. Dies ist darin begründet, dass die Zentralbank mittels ihres Instrumentariums direkt allenfalls die kurzfristigen Zinssätze beeinflussen kann, während die mittel- und langfristigen Zinssätze neben den aktuellen, auch von den von den Marktteilnehmern für die Zukunft erwarteten kurzfristigen Zinssätzen abhängen. Mit der Ankündigung, wie sie künftig ihre Leitzinsen setzen wird, versucht die Notenbank, die Zinserwartungen der Marktteilnehmer zu steuern. Sie beabsichtigt, damit auch die langfristigen Zinssätze zu beeinflussen, die für Investitionsentscheidungen und für längerfristige Konsumentscheidungen von großer Bedeutung sind.

5. Weitere Notenbankaufgaben

Neben ihrer Funktion als Trägerin der G. fungieren Notenbanken oftmals als *Lender of Last Resort* und sind in vielen Ländern mit der mikro- und makroprudenziellen Bankenaufsicht betraut, wodurch Konflikte mit ihren geldpolitischen Zielen auftreten können.

5.1 Lender of Last Resort

Als *Lender of Last Resort* vergeben Notenbanken während einer Finanzkrise vorübergehende Liquiditätshilfen an illiquide, aber solvente Geschäftsbanken, um einen Bank-Run oder eine Bankenpanik zu vermeiden. Eine Lender of Last Resort-Funktion ist notwendig, weil es bei hohem Kontrahenten- und Liquiditätsrisiko zu Funktionsstörungen am Interbankenmarkt kommen kann, auf dem sich Geschäftsbanken normalerweise gegenseitig Liquidität zur Verfügung stellen. Die Liquiditätshilfe kann über den Interbankenmarkt erfolgen oder sich auf dem Wege der *Emergency Liquidity Assistance* direkt an einzelne Banken wenden. Die Liquiditätshilfe erfolgt häufig gegen Stellung von Sicherheiten und gegen Zahlung eines Strafzinses, um zu verhindern, dass Geschäftsbanken in risikobehaftete Projekte investieren.

5.2 Mikro- und makroprudenzielle Bankenaufsicht

In vielen Ländern sind die Notenbanken auch mit der mikro- und makroprudenziellen Bankenaufsicht betraut. Im Rahmen der mikroprudenziellen Aufsicht, die einzelne Geschäftsbanken betrifft, erteilen oder entziehen sie Banklizenzen und übernehmen die laufende Überwachung und Prüfung des Betriebs von Geschäftsbanken in Hinblick auf Solidität und Sicherheit. Diese Aufgaben übernimmt auch die EZB, die im Rahmen der Europäischen ↗Bankenunion seit November 2014 zusammen mit den nationalen kompetenten Aufsichtsbehörden die signifikanten Banken in der Eurozone überwacht. Betroffen sind v. a. Großbanken mit einer Bilanzsumme von mehr als 30 Mrd. Euro oder von mehr als 20 % des BIPs ihres Heimatlandes (und mindestens 5 Mrd. Euro). Im Rahmen der makroprudenziellen Aufsicht, die den gesamten Bankensektor betrifft, ermitteln Zentralbanken Risiken für das Finanzsystem als Gesamtheit, sprechen Warnungen vor Risiken und Fehlentwicklungen aus und leiten, falls erforderlich, Gegenmaßnahmen ein.

Kontrovers ist, ob G. und Bankenaufsicht zusammen in Händen der Notenbank liegen oder institutionell voneinander getrennt werden sollten. Für ein Zusammenlegen beider Funktionen bei der Notenbank sprechen v. a. Synergieeffekte, denn als *Lender of Last Resort* sollte die Notenbank finanzielle Hilfen nur an illiquide, aber solvente Geschäftsbanken vergeben und nicht an Banken mit negativem Ertragswert. Die hierfür erforderlichen Informationen über die Solvenz von nach Krediten suchenden Geschäftsbanken erhält die Notenbank zügig und unverfälscht nur, wenn sie selbst an der Bankenaufsicht beteiligt ist. Gegen die Übertragung von aufsichtsrechtlichen Funktionen auf die Notenbanken sprechen mögliche Interessenkonflikte mit der G. Möglicherweise verzichtet die Zentralbank auf eine restriktive G., die zur Erreichung von Preisniveaustabilität erforderlich ist, um die Stabilität des Finanzsektors nicht zu gefährden. Umgekehrt kann es sein, dass die Notenbank geldpolitisch notwendige Zinssenkungen unterlässt, um die Profitabilität der Geschäftsbanken nicht zu gefährden.

Literatur

E. Görgens/K. Ruckriegel/F. Seitz: Europäische Geldpolitik, ⁶2013 • EZB: Die Geldpolitik der Europäischen Zentralbank, ³2011 • EZB: Die Reaktion der EZB auf die Finanzkrise, in: Monatsbericht 10 (2010), 63–79 • C. E. Walsh: Monetary theory and policy, ³2010 • U. Vollmer: Geld- und Währungspolitik, 2005 • X. Freixas u. a.: Lender of last resort. What have we learned since Bagehot?, in: Journal of Financial Services Research 18/1 (2004), 63–84 • C. Goodhart/D. Schoenmaker: Should the functions of monetary policy and banking supervision be separated?, in: Oxford Economic Papers 47/4 (1995), 539–560 • R. J. Barro/D. B. Gordon: A positive theory of monetary policy in a natural-rate model, in: JPE 91/4 (1983), 589–610 • W. Bagehot: Lombard Street. A description of the money market, 1873.   UWE VOLLMER

Geltung

G. ist ein Anspruch, der in allen Bereichen des Denkens und Handelns grundlegend ist. Er ist von dem Bedürfnis nach zuverlässigen Maßstäben motiviert, die dem individuellen und sozialen Leben Halt und Orientierung geben können. Diese Maßstäbe können theoretischer und praktischer, moralischer und rechtlicher, religiöser und ästhetischer, wissenschaftlicher und technischer Art sein. Das bereits von Aristoteles formulierte Widerspruchsprinzip ist ein theoretisches, der von Immanuel Kant formulierte Kategorische Imperativ ein praktisches Beispiel. ↑Wahrheit ist ein Maßstab, ohne den Wissen und ↑Wissenschaft undenkbar wäre, aber auch sie und die mit ihr verbundenen Maßstäbe der Rechtfertigung und Bestätigung gelten unabgeleitet. Das Besondere dieser Maßstäbe ist, dass sie axiomatisch, prinzipiell, ohne Begründung, ohne Rechtfertigung, also unabgeleitet gelten. Sie liegen ihrerseits Maßstäben zugrunde, die sich aus ihnen ableiten lassen. Augenfällig ist dies in Logik und Mathematik, den beweistheoretisch erfolgreichsten Disziplinen. Auch deren axiomatische Grundlagen gelten, ohne dass sie beweisbar wären. Das Merkmal, unabgeleitet zu gelten, teilen auch die grundlegenden moralischen und rechtlichen, die religiösen und ästhetischen Maßstäbe. So wie es nicht möglich ist zu begründen, warum das Widerspruchsprinzip oder der Kategorische Imperativ als Ansprüche gelten, ist es unmöglich zu begründen, warum die ↑Menschenwürde als Verfassungsprinzip, das Tötungsverbot oder die ↑Zehn Gebote gelten. Die G. unabgeleiteter Maßstäbe ist in einigen Bereichen durch Gesetze rechtlich gesichert, in anderen nicht. Eine rechtliche Sicherung erzwingt zwar nicht unmittelbar eine Anerkennung der Maßstäbe, zeigt aber, dass sie in Kraft und verbindlich sind, und dass bei Missachtung Sanktionen drohen. Grundlegende moralische, religiöse und ästhetische Maßstäbe gelten nicht nur unabgeleitet, sondern sind, was ihre Verbindlichkeit anlangt, allein von der Anerkennung durch individuell handelnde Personen oder durch ganze Gesellschaften abhängig.

In der Philosophie des 18., 19. und frühen 20. Jh. war G. Thema unterschiedlicher Grundlegungs- und Begründungsversuche. I. Kant versuchte, die G. apriorischer Erkenntnis transzendental zu begründen. Gottlob Frege versuchte, Urteile mit Hilfe einer neuen, an der Mathematik orientierten logischen Methode zu begründen. Viele folgten ihnen nach oder entwickelten wie Edmund Husserl und der frühe Ludwig Wittgenstein eigene Methoden der Begründung. Ähnliches trifft auf den logischen ↑Positivismus des Wiener Kreises zu, der versuchte, die Grundlagen einer Einheitswissenschaft aus einer Verbindung von Logik und Empirie zu entwickeln. Allen diesen Grundlegungsversuchen gemeinsam ist die Überzeugung, dass es theoretische Begründungen für wissenschaftliches Wissen gibt, deren Zuverlässigkeit über alle Zweifel erhaben ist, und die in dieser Hinsicht einem zentralen Anspruch der menschlichen Vernunft (↑Vernunft – Verstand) auf völlige Klarheit und restlose Begründetheit entsprechen. Dass dieser Anspruch aber hypertroph werden und sich gegen sich selbst richten kann, stellten so unterschiedliche Philosophen wie Karl Popper, Theodor Wiesengrund Adorno, Max Horkheimer und Richard Rorty fest. Sie kritisierten den Szientismus und Fundamentalismus v. a. des Wiener Kreises. Stabil blieb von Angehörigen unterschiedlicher Traditionen geteilte Überzeugung, dass G. und Genese keinen gemeinsamen Nenner haben, dass die Rechtfertigung wissenschaftlichen Wissens und des-

sen Entdeckung auseinandergehalten werden sollten, und dass eine Rechtfertigung, wenn überhaupt nur indirekt durch Falsifikation gelingen kann. Die Trennung der G. von der Genese ist aber klärungsbedürftig, weil jede G. in eine Genese eingebettet ist. Dies bedeutet aber nicht, dass die Genese die G. rechtfertigen könnte.

G. ist ein Anspruch, der ↑Recht und Gesetz nicht nur implizit ist, sondern durch das Recht selbst und durch die Rechtsprechung geschützt wird. Diese Besonderheit hat Rechtsphilosophen in der Tradition des sog.en ↑Rechtspositivismus veranlasst, der rechtlichen G. eine eigene, von allen anderen G.s-Zusammenhängen unabhängige theoretische Grundlage zu geben. Hans Kelsen bestand in seiner sehr einflussreichen „Reinen Rechtslehre" darauf, dass Rechtsnormen weder moralische noch naturrechtliche ↑Normen seien und sämtlich auf eine gedachte Grundnorm zurückgeführt werden könnten, die ihre G. sichert. Diese Grundnorm habe ihrerseits keine Rechtfertigung. Ihr einziger G.s-Grund sei der Willensakt einer ↑Autorität, durch den sie eingesetzt werde. Die angelsächsische Variante des Rechtspositivismus fand in Herbert Lionel Adolphus Hart ihren einflussreichsten Sprecher. Er ersetzte H. Kelsens Grundnorm allerdings durch die sog.e Erkenntnis-Regel (rule of recognition), die z. B. in Gestalt einer staatlichen ↑Verfassung der G. des gesamten aus ihr ableitbaren Regelwerks der Gesetze eines Staates zugrunde liegt. H. L. A. Harts Auffassung der G. von Recht und Gesetz als Regelwerk ist ebenfalls von Moral und ↑Naturrecht getrennt. Die Erkenntnis-Regel hat keine Rechtfertigung. Ihre Verbindlichkeit beruht auf ihrer allg.en Anerkennung in der Rechtsprechung und in der staatlichen Verwaltung. Kritisiert wurde diese Variante des Rechtspositivismus von Ronald Dworkin. Er verwarf sowohl die mit der Erkenntnis-Regel verbundene Auffassung der G. des Rechts als auch die Auffassung, dass das Recht ein geschlossenes Werk geltender Regeln sei. Ein Rechtssystem könne, so R. Dworkin, nicht ohne die G. von Prinzipien auskommen, die im Kern moralischer Natur oder dem Common Law entnommen seien (z. B., dass niemand aus von ihm selbst begangenem Unrecht profitieren dürfe). Gegen eine Trennung der rechtlichen G. von moralischen Prinzipien argumentierte auch Jürgen Habermas, u. a. gegen Max Webers Auffassung, dass das Recht seine eigene ↑Legitimität sichere.

Wenn der G. des Rechts kein eigener, von allen anderen Bereichen getrennter Begriff der G. zugrunde gelegt werden kann, liegt es nahe, diesen allg.en Begriff genauer zu untersuchen. Es stellt sich heraus, dass G. immer auf einer unabgeleiteten Grundlage steht, die ungesichert ist. G. Frege und der frühe L. Wittgenstein haben erkannt, dass eine reflexive Sicherung solcher Grundlagen in der Logik zu Widersprüchen führt. Widersprüche durch reflexive Sicherung von G.s-Grundlagen, d. h. Widersprüche bei der Rückführung von G. auf fundamentale Akte des Erkennens und Denkens sind in anderen Bereichen weniger klar erkennbar. Infinite Regresse bei der Suche nach der G. von G.s-Grundlagen sind aber unvermeidlich, wenn diese Suche reflexiv von der Überzeugung geleitet wird, dass jede G. begründet sein muss. Der Verzicht auf diese Überzeugung führt zu der Einsicht, dass einige der Grundannahmen, welche die Suche nach Grundlagen der G. geleitet haben wie der Dualismus von ↑Werten und Tatsachen, des Normativen und Deskriptiven, des Seins und des Sollens fragwürdig und unhaltbar sind. Die Einsicht, dass die G. in allen Bereichen unabgeleitete Grundlagen voraussetzt, die nicht reflexiv erschlossen werden können, enttäuscht einerseits das Bedürfnis nach dem Besitz sicherer Maßstäbe der Orientierung. Andererseits macht diese Einsicht aber klar, wie unersetzlich das individuelle und kollektive Eintreten für die G. derjenigen Maßstäbe ist, die in jedem einzelnen Bereich des Denkens und Handelns unersetzlich sind. Dass Menschen nicht zu allen Zeiten dasselbe für unersetzlich halten, darf die G. dessen, was jetzt unersetzlich ist, nicht in Frage stellen. Der Verzicht auf die G. dieser Überzeugung stellt die G. aller Maßstäbe in Frage.

Literatur

W. Vossenkuhl: Gunst und Geltung. Über die Veränderung von Maßstäben, in: Aretè 2 (2017), 77–94 • H. L. A. Hart: The Concept of Law, ³2012 • J. Habermas: Faktizität und Geltung. Beiträge zu einer Diskurstheorie des Rechts und des demokratischen Rechtsstaats, 1996 • L. Wittgenstein: Tractatus logico-philosophicus, 1989 • R. Dworkin: Taking Rights Seriously, 1977 • H. Kelsen: Reine Rechtslehre, 1934 • Verein Ernst Mach (Hg.): Wissenschaftliche Weltauffassung. Der Wiener Kreis, 1929 • I. Kant: Grundlegung zur Metaphysik der Sitten, 1785 • I. Kant: Kritik der reinen Vernunft, 1781.
                                                    WILHELM VOSSENKUHL

Gemeinde

I. Geschichtlich – II. Rechtliche Verankerung –
III. Gemeindedemokratie – IV. Theologisch – V. Kanonistisch

I. Geschichtlich

1. Begriff und europäische Verbreitung
G.n waren im alten ↑Europa (1300–1800) fester Bestandteil der gesellschaftlichen und politischen ↑Ordnung. Zu ihren definitorischen Merkmalen gehören das periodische, i. d. R. jährliche Zusammentreten der G.-Mitglieder zur Organisation des Alltags mittels verpflichtender Normen (Stadtrecht, Dorfsatzung) und eigene, die G. repräsentierende und ihre Beschlüsse vollziehende Verwaltungs- und Gerichtsorgane. Damit unterscheiden sie sich von einer zweiten verbreiteten lokalen Gemeinschaftsform, der Kirchen-G.; Territorial können sie sich decken, müssen es aber nicht. G.n verfügen über Besitz und Vermögen im weitesten Sinn (Allmenden, Wälder, Rathäuser u. a.). Zur Erfüllung ihrer

Aufgaben können sie direkte und indirekte G.-Steuern erheben.

G. leitet sich ab von *gemein*, analog wurzelt *communitas* im lateinischen *communis*. Weiterbildungen dieser beiden Wörter sind in allen europäischen Ländern bekannt. *Gemein* und *communis* sind keine originär juristischen Begriffe, vielmehr sind sie zu vielen Formen von ↑Gemeinschaft hin offen (Staatengemeinschaft, *European Community*, „die gmain" [bayerisch], Pfarr-G.). Heute spricht man von G. vorrangig zur Bezeichnung von ↑Stadt und ↑Dorf (Land). G. hat somit einen ausgeprägt lokalen und räumlich begrenzten Bezug. G. in dieser Bedeutung bezeichnet seit dem Spätmittelalter ein Organisationsprinzip des öffentlichen Raumes, das neben bzw. an die Stelle von ↑Herrschaft (Staat) tritt.

Die Organisation des Alltags über G.n verfolgte vorrangig den doppelten Zweck, ↑Frieden zu schaffen und den Gemeinen Nutzen zu fördern. Insofern die G. sich als Friedensverband versteht *(pax iurata)*, womit in ihrem Raum alle Formen von ↑Gewalt (Fehde) delegitimiert werden, und weil sie ihre Ordnungstätigkeit über den Gemeinen Nutzen rechtfertigt, ist sie auch für die Zweckbindung des entstehenden frühmodernen ↑Staates an Friedenssicherung (Landfrieden) und gemeinwohlorientierter Gesetzgebung (gute Policey, *bonne police*) wegweisend.

Am frühesten entwickelt sich die G. im Mittelmeerraum (11. Jh.), am spätesten in Skandinavien. Schwach ausgeprägt hingegen sind kommunale Formen in England und Russland. Kartiert man die Verbreitung der G., lassen sich drei Zonen ausmachen – eine mediterrane (Italien, Iberische Halbinsel, Südfrankreich), eine skandinavische (Norwegen, Schweden, Finnland) und eine kerneuropäische (Frankreich, Deutschland, Österreich, Niederlande, Schweiz). Sie unterscheiden sich im Wesentlichen dadurch, wie kommunales Recht (↑Kommunalrecht) geschaffen und weiterentwickelt wird. Die mediterrane Zone bedient sich vornehmlich des Gesetzes *(ius statuendi)*, die skandinavische der Rechtsfortbildung aus dem Gericht (Urteil, Rechtsweisung) und die kerneuropäische entwickelt Mischformen aus beiden.

2. Historische Erscheinungsformen
G.n sind bis in die jüngste Zeit als Stadt-G. und Land-(Dorf-)G. getrennt und damit als unvergleichbar behandelt worden. Die Stadt gilt als Vorform und Laboratorium für die ↑Moderne, das Dorf als rückständig und von adeliger (kirchlicher) Herrschaft durchdrungen. Indessen haben Dörfer und Städte viele Gemeinsamkeiten aufzuweisen, zumal für den G.-Begriff das wirtschaftliche Substrat (ortsgebundene Landwirtschaft, Fernhandel) bedeutungslos ist; die Unterschiede bestehen lediglich im höheren Grad der Differenzierung der Stadt-G. gegenüber der Land-(Dorf-)G. So bildet die Stadt i. d. R. neben dem Stadtgericht (lokalisierte Landgerichtsbarkeit) ein eigenes, für Übertretungen von städtischen Satzungen zuständiges Ratsgericht aus; auf dem Land hin-

gegen sind oft mehrere Dörfer in einer Gerichts-G. integriert.

Die G. ist eine Form der Vergesellschaftung von Bauern bzw. Handwerkern, sie ist die politische Figuration des ↑Standes der *laboratores* (neben Adel [*bellatores*] und Geistlichkeit [*oratores*]). Diese Vergesellschaftung erfolgte durch den Wandel der Arbeitsorganisation von einer auf den Herrenhof (Hofverband, Villikation) orientierten zu einer an das Haus gebundenen individuell-genossenschaftlichen Wirtschaftsweise einerseits und einer Siedlungsverdichtung in Form von Stadt, Markt, Dorf oder ähnlichen lokalen Verbänden andererseits. Stadt und Dorf unterscheiden sich von den alten Hofverbänden *(manor, seigneurie)* durch feste Grenzen, es sind territoriale, nicht allein personale Verbände. Nicht selten erfolgte in Europa der Übergang von der herrschaftlich geprägten städtischen (und dörflichen) Siedlung zur G. mittels einer *coniuratio*, durch die sich die Einwohner als moralische (↑Eid) und rechtliche Körperschaft (Ausbildung des Strafrechts als Ersatz für die Fehde) konstituierten (Eidgenossenschaft).

G. kann man auch beschreiben als formierten Verband von Häusern an einem Ort. An Häusern hängen die politischen Rechte der Bürger (↑Bürger, Bürgertum) und Bauern, die wirtschaftliche Tätigkeit ist an sie gebunden und auf ihnen lasten die Pflichten (Abgaben, G.-Fronen). Gemeindliche ↑Ämter werden deswegen ausschließlich von den Vorständen solcher Häuser (Hausväter) wahrgenommen. Häuser und Arbeit, beides genossenschaftlich (↑Genossenschaften) organisiert (Landwirtschaft, Zunft), stiften Werte, die für Bauern und Bürger verbindlich sind (Frieden, Gemeiner Nutzen, Hausnotdurft/auskömmliche Nahrung, ↑Gleichheit in rechtlicher Hinsicht).

Diese Merkmalsgleichheit von Stadt und Dorf wird heute gelegentlich als Kommunalismus abgebildet. Damit werden Stadt und Dorf einerseits gegen andere Korporationen (Universitäten, Zünfte u. a.) abgegrenzt, andererseits als wesensverschieden gegenüber Herrschaft erfasst. Diese wurzelt im Gebotsrecht des adeligen (kirchlichen) Herrn (dem Vorläufer von Jean Bodins ↑Souveränität) und wird durch ihm verantwortliche Lehns- oder Amtleute verwaltet. G. und Herrschaft stehen in einem teils kooperativen, teils gespannten Verhältnis zueinander. Einerseits haben G.n mit den Königen und Fürsten und ihren Amtsträgern über viele Jahrhunderte in der Gesetzgebung, Verwaltung und Rechtsprechung zusammengearbeitet. Andererseits kam es zu Hunderten von Unruhen und Aufständen im alten Europa, die in der G. ihr organisatorisches Zentrum hatten. Langfristig führte das zu einer stärkeren Integration der G.n in die herrschaftlichen bzw. staatlichen Verbände. Sie drückt sich einerseits darin aus, dass G.n in die Reichs- und Landtage vieler Königreiche (Spanien, Portugal, Frankreich, Schweden) und Territorien (Salzburg, Tirol, Vorderösterreich, Baden, Württemberg) einziehen und neben Adel und Geistlichkeit

einen eigenen Stand (Kurie) darstellen, andererseits in der stärkeren Berücksichtigung kommunaler Beschwerden in der obrigkeitlichen Ausarbeitung *guter Policey* (Gesetzgebung und korrespondierender Verwaltung). Unter „empowering interactions" (Holenstein 2009: 28) wird diese neue Sicht auf den frühmodernen Staat heute diskutiert. Dass darüber hinaus die horizontale Organisation des Politischen durch die G.n eine Affinität zum freistaatlichen ↑Republikanismus aufweist (Eidgenossenschaft, oberitalienische Stadtstaaten) belegt anschaulich die Transformation der reichsunmittelbaren Hochstifte Chur und Sitten in die freien Republiken Graubünden und Wallis im Verlauf des 16. Jh., die jeweils Bünde von G.n darstellen. Auch die Republik der Niederlande seit dem späten 16. Jh. kann als ein Staat mit stark gemeindlicher Prägung gelten, ebenso manche Neuenglandstaaten wie Massachusetts. Kommunalismus kann so auch als Vorstufe und verwandt zum Republikanismus verstanden werden.

G.n können als primäre Form politischer Vergesellschaftung von Bürgern und Bauern gelten. Sie entstanden am Ende des Hochmittelalters, hatten ihre Blüte vom 15. bis zum 17. Jh. und wurden unter dem ↑Absolutismus stark von der fürstlichen Gesetzgebung und Verwaltung überlagert. In Deutschland ist heute das Bestehen von G.n durch ↑Landesverfassungen und das ↑GG (Art. 28) gesichert. Prinzipiell unterstehen sie staatlicher Aufsicht, die in Europa generell weit in die Frühe Neuzeit zurückreicht. Aber auch die Grade heutiger kommunaler ↑Autonomie (Rechtsetzungshoheit) belegen die großen Kontinuitätslinien. Gegen die deutschen Verfassungsjuristen, Georg Jellinek, Ernst Forsthoff und Carl Schmitt, hat sich die Auffassung durchgesetzt, dass die G. nicht nur staatlich delegierte Rechte wahrnimmt.

3. Theorien

Seit dem 13. Jh. wurde eine eigene Korporationstheorie durch die Juristen ausgebildet, in der die *communitas* als Unterfall von *universitas* ihren Platz hat. Nicolaus Losaeus hat sie handbuchartig zusammengefasst und damit weit in das 17. und 18. Jh. hinein gewirkt.

Die Theologie der Reformatoren (↑Reformation) und ihre Zentrierung auf das G.-Christentum (Pfarrerwahl durch die G., Lehrentscheidung durch die G.) kann als Theorie zum steilen Aufstieg der kommunalen Autonomie im Spätmittelalter verstanden werden (G.-Reformation), obschon dem ↑Christentum das „Element der Gemeindebildung" (Maier 1996: 23), anders als den anderen monotheistischen Religionen, eigen ist. Namentlich der ↑Calvinismus, der sich kirchenorganisatorisch weltweit am Modell von Genf ausrichtete, entwickelte eine Ekklesiologie, die in der Praxis stark an die politische G. gebunden blieb oder das Entstehen politischer G.n förderte (Hugenotten).

Johannes Althusius' „Politica" (1603) greift auf das korporationstheoretische und ekklesiologische Erbe Europas zurück; er hat Dorf und Stadt als Grundbausteine (*conciatio publica*) in sein Konzept von Staat eingebaut. Der europäischen G., im Besonderen Genf, der einzig bestehenden Stadtrepublik im Europa des 18. Jh. verpflichtet, ist auch Jean-Jacques Rousseaus „Contrat social" (1762). Der ↑Gesellschaftsvertrag wird willentlich und individuell geschlossen, in der Absicht, Sicherheit für ↑Freiheit und Besitz herzustellen und das ↑Gemeinwohl zu fördern. Der republikanische Staat J.-J. Rousseaus ist ein Gesetzgebungsstaat, der die Gesetze als Ausdruck internalisierter verbindlicher Normen und Werte (*volonté générale*) aller Bürger versteht, die auf periodischen Versammlungen durch Abstimmungen erfragt werden. Das kann man als Theorie zur spätmittelalterlichen *coniuratio* lesen. Das hier vorliegende Volkssouveränitätskonzept hat stark nach Frankreich (Verfassung 1791) ausgestrahlt, aber auch in andere Länder. Immanuel Kants Rechts- und Staatstheorie ist ohne J.-J. Rousseau nicht denkbar, nimmt jedoch dessen kommunalen Geist nicht auf. Anders der süddeutsche ↑Liberalismus, der J.-J. Rousseaus Staatstheorie als G.-Theorie rezipiert in der Absicht, dem Staat über die Implementierung kommunaler ↑politischer Kultur die obrigkeitlichen und bürokratischen Härten zu nehmen. Über Karl von Rotteck und Otto von Gierke reicht diese Tradierung bis Hugo Preuß (Art. 127 WRV), ja über ihn hinaus bis zu Theodor Heuß („Gemeinden sind wichtiger als der Staat").

Literatur

C. Müller (Hg.): Hugo Preuß, Bd. 5, 2015 • E. Isenmann: Die deutsche Stadt im Spätmittelalter, ²2014 • B. Kümin: The Communal Age in Western Europe, c. 1100–1800, 2013 • A. Holenstein: Introduction. Empowering Interactions. Looking at Statebuilding from Below, in: W. Blockmans u. a. (Hg.): Empowering Interactions. Political Cultures and Emergence of the State in Europe 1300–1800, 2009, 1–31 • W. Trossbach/C. Zimmermann: Die Geschichte des Dorfes, 2006 • A. Cordes/J. Rückert/R. Schulze (Hg.): Stadt – Gemeinde – Genossenschaft, 2003 • A. Holenstein: „Gute Policey" und lokale Gesellschaft im Staat des Ancien Régime, 2003 • T. Rudert/H. Zückert (Hg.): Gemeindeleben. Dörfer und kleine Städte im östlichen Deutschland, 2001 • P. Blickle: Kommunalismus. Skizzen einer gesellschaftlichen Organisationsform, 2 Bde., 2000 • K. S. Bader/G. Dilcher: Deutsche Rechtsgeschichte. Land und Stadt – Bürger und Bauer im Alten Europa, 1999 • P. Blickle (Hg.): Gemeinde und Staat im Alten Europa, 1998 • H. Maier: Die Gemeinde in der Theologie des Christentums, in: P. Blickle/E. Müller-Luckner (Hg.): Theorien kommunaler Ordnung, 1996, 19–34 • R. W. Scribner: Communities and the Nature of Power, in: ders. (Hg.): Germany, Bd. 1, 1996, 291–325 • P. Nolte: Gemeindebürgertum und Liberalismus in Baden 1800–1850, 1994 • H. Nader: Liberty in Absolutist Spain. The Habsburg Sale of Towns, 1516–1700, 1990 • H. Wunder: Die bäuerliche Gemeinde in Deutschland, 1986 • P. Blickle: Gemeindereformation, 1985 • R. Mousnier: Les institutions de la France sous la monarchie absolue 1598–1789, 2 Bde., 1974/80 • P. Michaud-Quantin: Universitas. Expressions du mouvement communautaire dans le Moyen Age latin, 1970 • H. Heffter: Die deutsche Selbstverwaltung im 19. Jahrhundert, 1969 • K. S. Bader: Studien zur Rechtsgeschichte des mittelalterlichen Dorfes, 3 Bde., 1957–73 • H. Ryffel: Die schweizerischen Landsgemeinden, 1904 • O. von Gierke: Das deutsche Genossenschaftsrecht, 4 Bde., 1868–1913 • J.-J. Rousseau: Contrat social, 1762 • J. Althusius: Politica, 1603.   PETER BLICKLE

II. Rechtliche Verankerung

1. Staatsrechtliche Einordnung

G.n sind *Gebietskörperschaften mit Selbstverwaltungsrecht* im Zuständigkeitsbereich der Länder. Sie gehören zur mittelbaren Staatsverwaltung, weil der Staat seine Verwaltungsaufgaben hier nicht durch eigene Behörden erfüllt. Mitglied einer G. sind alle Bürger, die im G.-Gebiet wohnen. Die mitgliedschaftliche Struktur unterscheidet G.n von anderen ↑juristischen Personen des öffentlichen Rechts (Anstalten, Stiftungen). Weil die Mitgliedschaft an den Wohnsitz geknüpft wird, spricht man von Gebietskörperschaften in Abgrenzung zu Personal-, Real- und Verbandskörperschaften. Da das Recht zur ↑Selbstverwaltung verfassungsrechtlich verankert ist und sich nicht nur auf bestimmte inhaltliche Bereiche bezieht, sondern „alle Angelegenheiten der örtlichen Gemeinschaft" (Art. 28 Abs. 2 S. 1 GG) umfasst, nehmen die G.n im Rahmen der mittelbaren Staatsverwaltung eine Sonderstellung ein, die in der Trias „Bund, Länder und Gemeinden" zum Ausdruck kommt. Für das BVerfG sind G.n eine „Keimzelle der Demokratie" (BVerfGE 79, 127, 149).

V. a. zur Aufgabenverteilung werden in den G.-Ordnungen der Länder verschiedene *G.-Kategorien* unterschieden. Am wichtigsten ist die Trennung zwischen G.n, die einem Landkreis (↑Kreis) angehören, und kreisfreien Städten. Innerhalb der kreisangehörigen G.n wird zumeist zwischen großen, ggf. auch noch mittleren Städten und sonstigen G.n differenziert (vgl. etwa § 4 GO NRW). Zusammenfassend wird von *Kommunen* gesprochen. Innerhalb der G.n gibt es vielfach örtliche Untergliederungen (Stadtbezirke, Ortschaften), die allerdings keine rechtsfähigen juristischen Personen sind. In den Stadtstaaten Hamburg und Berlin gibt es keine G.n. In Bremen sind die Städte Bremen und Bremerhaven eine „Gemeinde des bremischen Staates" (Art. 143 BremVerf).

2. Garantie der kommunalen Selbstverwaltung

Die Wurzeln der kommunalen Selbstverwaltung liegen tief. Sie reichen in die germanischen dörflichen Gemeinschaften; der Begriff G. geht auf die gemeinsam genutzte Allmende zurück. Im Heiligen Römischen Reich gab es eine städtische Selbstverwaltung bis hin zu Reichsstädten oder gar Reichsdörfern. Die moderne Entwicklung nahm mit der preußischen Städteordnung von 1808 ihren Ausgangspunkt. Deren Schöpfer, Heinrich Friedrich Karl Freiherr vom Stein, kam es darauf an, den Bürgern „eine thätige Einwirkung auf die Verwaltung des Gemeinwesens beizulegen und durch diese Theilnahme Gemeinsinn zu erregen und zu erhalten" (Preußische Städteordnung vom 19.11.1808). Dies rechtfertigt noch heute die Selbstverwaltung.

Nach Art. 28 Abs. 2 S. 1 GG muss den G.n das Recht gewährleistet sein, „alle Angelegenheiten der örtlichen Gemeinschaft im Rahmen der Gesetze in eigener Verantwortung zu regeln". Entspr.e Gewährleistungen enthalten die ↑Landesverfassungen. Garantiert wird nicht nur, dass es G.n mit Selbstverwaltungsrecht gibt („institutionelle Garantie"). Vielmehr vermittelt die Selbstverwaltungsgarantie den G.n auch ein subjektives Recht auf eigenverantwortliche Wahrnehmung ihrer eigenen Angelegenheiten („subjektive Rechtsstellungsgarantie"). Zu den „Angelegenheiten der örtlichen Gemeinschaft" gehören „diejenigen Bedürfnisse und Interessen, die in der örtlichen Gemeinschaft wurzeln oder auf sie einen spezifischen Bezug haben" (BVerfGE 79, 127, 151 f.). Die G.n haben das Recht, bislang unbesetzte Aufgaben an sich zu ziehen. Zudem werden sie grundsätzlich vor einem Entzug von Aufgaben und – was zunehmend in den Blick kommt – gegen eine Zuweisung von Aufgaben geschützt, die die Spielräume selbstbestimmter Aufgabenwahrnehmung reduziert. Der Bund darf den G.n keine Aufgaben übertragen (Art. 84 Abs. 1 S. 7 und Art. 85 Abs. 1 S. 2 GG). Die Eigenverantwortlichkeit betrifft das Ob, Wann und Wie der Aufgabenwahrnehmung. Über Selbstverwaltungsangelegenheiten können die G.n unabhängig von Zweckmäßigkeitserwägungen anderer Hoheitsträger entscheiden. Konkretisierend spricht man von „Gemeindehoheiten", wozu etwa Organisations-, Personal-, Planungs-, Finanz- und Rechtsetzungshoheit zählen. Innerhalb gewisser Grenzen (vgl. etwa § 107 GO NRW) umfasst die Selbstverwaltungsgarantie auch wirtschaftliche Betätigung auf dem Markt.

Das Recht der Selbstverwaltung wird nur „im Rahmen der Gesetze" garantiert. Einschränkungen sind durch Gesetz oder auf Grund eines Gesetzes möglich (Gesetzesvorbehalt). Nach der Rechtsprechung des ↑BVerfG darf dabei der „Kernbereich" der Selbstverwaltungsgarantie nicht angetastet werden, in deren „Randbereich" muss den G.n „hinreichender Spielraum" bleiben (BVerfGE 91, 228, 240). Diese Judikatur überzeugt nicht, da nicht klar ist, was zum Kernbereich gehören soll, und welcher Spielraum im Randbereich noch hinreicht. Besser ist es, jeden Eingriff in das Selbstverwaltungsrecht anhand des Verhältnismäßigkeitsprinzips (↑Verhältnismäßigkeit) zu überprüfen. Dagegen sollte man nicht einwenden, dass die kommunale Selbstverwaltung – anders als früher (Art. 184 Paulskirchenverfassung, Art. 127 WRV) – kein Grundrecht ist. Denn das Verhältnismäßigkeitsprinzip ist auch im Rechtsstaatsprinzip (↑Rechtsstaat) fundiert und wirkt daher auch im Binnenbereich des Staates, soweit es hier subjektive Rechte gibt. Wenn es zu einer Aufgabenübertragung kommt, muss der Gesetzgeber zugl.

Bestimmungen über die Deckung der Kosten treffen (sog.es Konnexitätsprinzip, vgl. etwa Art. 78 Abs. 3 NRWVerf).

In prozessualer Hinsicht wird die Selbstverwaltungsgarantie durch die Möglichkeit, gegen Beeinträchtigungen eine Verfassungsbeschwerde zu erheben (Art. 93 Abs. 1 Nr. 4b GG), ergänzt. Dass die Selbstverwaltung auch die „Grundlagen der finanziellen Eigenverantwortung" umfasst, stellt Art. 28 Abs. 3 S. 3 Halbs. 1 GG klar. Gewährleistet werden die eigenverantwortliche Aufstellung, Feststellung und Ausführung der Haushalte und eine den Aufgaben angemessene Finanzausstattung. Die Finanzierung der G.n erfolgt durch Anteile am Steueraufkommen, Finanzzuweisungen der Länder und des Bundes sowie durch eigene Einnahmen (Steuern, Beiträge und Gebühren, Kreditaufnahmen, privatrechtliche Entgelte). Art. 28 Abs. 3 S. 3 Halbs. 2 GG verlangt eine „den Gemeinden mit Hebesatzrecht zustehende wirtschaftskraftbezogene Steuerquelle". Nach der grundgesetzlichen Finanzordnung kann sich diese Hebesatzgarantie nur auf den gemeindlichen Anteil an der ESt und USt (Art. 106 Abs. 5, Abs. 5a GG) sowie auf die GrSt und GewSt (Art. 106 Abs. 6 GG) beziehen. Das Hebesatzrecht darf im Kern nicht angetastet und nicht unverhältnismäßig beschränkt werden (BVerfGE 125, 141, 162 ff.).

Die Selbstverwaltungsgarantie schützt die G.n. nicht vor Rechtsakten der ↑EU, da das Unionsrecht Anwendungsvorrang auch gegenüber dem nationalen Verfassungsrecht genießt. Allerdings hat die Union gemäß Art. 4 Abs. 2 S. 1 EUV die „lokale Selbstverwaltung" zu achten. Zudem erstreckt sich das Subsidiaritätsprinzip (↑Subsidiarität) des Art. 5 Abs. 3 EUV auch auf die „lokale Ebene". Nach Art. 2 des EU-Subsidiaritätsprotokolls hat die Kommission umfangreiche Anhörungen durchzuführen, um der „lokalen Bedeutung" der in Betracht gezogenen Maßnahmen Rechnung zu tragen. Die Einhaltung des Subsidiaritätsgrundsatzes kann der *Ausschuss der Regionen* (der sich gemäß Art 300 Abs. 3 AEUV aus Vertretern der regionalen und lokalen Gebietskörperschaften zusammensetzt) vor dem ↑EuGH geltend machen (Art. 8 S. 2 Subsidiaritätsprotokoll).

3. Organisation

In der Organisation der G.n gab es früher erhebliche Unterschiede. *Monistischen Systemen* mit nur einem Organ – der unmittelbar gewählten G.-Vertretung (sog.e Ratsverfassung) – standen *dualistische Systeme* mit einem zweiten Organ – entweder einem Kollegialorgan (Magistratsverfassung) oder dem Bürgermeister (Bürgermeisterverfassung) – gegenüber. Seit den 1990er Jahren stimmen die Kommunalverfassungen weitgehend überein. Überall gibt es zwei unmittelbar gewählte Hauptorgane: die G.-Vertretung und den Bürgermeister.

Die *G.-Vertretung* (G.-Rat, Rat oder Stadtverordnetenversammlung) repräsentiert die G.-Bürger. Dass das Volk in den G.n eine Vertretung haben muss, die aus allg.en, unmittelbaren, freien, gleichen und geheimen ↑Wahlen hervorgegangen ist, hebt Art. 28 Abs. 1 S. 2 GG hervor. Wahlberechtigt und wählbar sind alle G.-Bürger, einschließlich der ortsansässigen EU-Bürger (Art. 28 Abs. 1 S. 3 GG, Art. 40 EuGRC). Im Rahmen einer Verhältniswahl muss man sich mal zwischen „starren Listen" entscheiden, mal kann man Kandidaten aus anderen Listen übernehmen („panaschieren") oder einem Kandidaten mehrere Stimmen geben („kumulieren"). Die G.-Vertretung entscheidet über alle Angelegenheiten der G., soweit nicht der Bürgermeister (oder ein anderes G.-Organ) zuständig ist. Im politischen Sprachgebrauch wird häufig von „G.-Parlament" gesprochen. Diese Begrifflichkeit macht deutlich, dass die Vertretung auf unmittelbarer Volkswahl beruht und wie ein ↑Parlament organisiert ist (freies Mandat, Ausschüsse, Fraktionen usw.) und arbeitet (Öffentlichkeit der Sitzungen, Mehrheitsprinzip etc.). Da die G.n Verwaltungsträger sind, ist die G.-Vertretung ein – freilich mit Rechtsetzungsbefugnissen (↑Satzung) ausgestattetes – Verwaltungsorgan.

Die Leitung der ↑Verwaltung obliegt in fast allen Ländern einem unmittelbar gewählten *Bürgermeister* (nur in Hessen ist insofern der Magistrat als Kollegialorgan mit dem unmittelbar gewählten Bürgermeister als Vorsitzendem zuständig). Der Bürgermeister (in größeren Städten Oberbürgermeister) ist kommunaler Wahlbeamter auf Zeit. Er vertritt die G. nach außen, hat die Beschlüsse der G.-Vertretung vorzubereiten und auszuführen und erledigt die Geschäfte der laufenden Verwaltung. Rechtswidrige Beschlüsse der G.-Vertretung hat der Bürgermeister zu beanstanden; ggf. ist eine Entscheidung der Aufsichtsbehörde einzuholen (vgl. etwa § 54 Abs. 2 GO NRW). In Städten ab einer gewissen Einwohnerzahl gibt es neben dem Bürgermeister noch hauptamtliche, von der G.-Vertretung gewählte *Beigeordnete* mit einem eigenen, durch die G.-Vertretung und/oder den Bürgermeister festgelegten Geschäftsbereich. Der Bürgermeister als Chef der Verwaltung kann den Beigeordneten Weisungen erteilen. In einigen Ländern gibt es zwischen der G.-Vertretung und dem Bürgermeister auch noch *Koordinationsgremien* (Hauptausschuss, Verwaltungsausschuss, Verwaltungsvorstand, Stadtvorstand), die mit dem Bürgermeister, Beigeordneten, G.-Vertretern und evtl. noch sonstigen Bediensteten der G. besetzt sind.

Um die G.-Tätigkeit über die Wahl von Repräsentanten hinaus demokratisch zu legitimieren (und um den Einfluss der politischen Parteien zurückzudrängen), gibt es verschiedene Beteiligungsmöglichkeiten der Bürger. Am weitesten geht der *Bürgerentscheid*, mit dem die Bürgerschaft an Stelle der G.-Vertretung verbindlich über eine Sachfrage entscheidet. Gegenstand eines zulässigen Bürgerentscheids legen die G.-Ordnungen fest. Über bestimmte Angelegenheiten – v. a. Entscheidungen über den Haushalt und staatlich zugewiesene Aufgaben – darf nicht auf diesem Wege entschieden werden. Ein Bürgerentscheid ist erfolgreich, wenn die gestellte Frage mehrheitlich bejaht wird und diese Mehrheit zugl. ein gewisses Quorum (25–30 % der Stimmberechtigten) erreicht. Unter welchen Voraussetzungen sich die G.-Vertretung über den Bürgerbescheid hinwegsetzen kann, ist unterschiedlich geregelt. Die G.-Verwaltung ist verpflichtet, einen Bürgerentscheid durchzuführen, wenn eine gewisse Anzahl von Bürgern (3–15 %) dies in einem *Bürgerbegehren* verlangt. Z. T. kann dies auch die G.-Vertretung beschließen. Weniger weit geht ein *Bürgerantrag*, mit dem die G.-Vertretung verpflichtet wird, eine Angelegenheit zu behandeln. Andere Beteiligungsrechte dienen nur der Einflussnahme auf die Entscheidungsfindung: Bürgerversammlungen, Anhörungsrechte oder die Möglichkeit, gegen den Entwurf des Haushaltsplans Einwendungen zu erheben. Z. T. verlangen spezialgesetzliche Vorschriften eine Bürgerbeteiligung (vgl. für die Bauleitplanung § 3 BauGB, für die Genehmigung von Industrieanlagen § 10 BImSchG). Dies dient nicht nur der „Legitimation durch Verfahren", sondern auch einem vorgelagerten Rechtsschutz.

4. Aufgaben und staatliche Kontrolle

Mit Blick auf die staatliche Kontrolle ist zwischen *Selbstverwaltungsangelegenheiten* „im eigenen Wirkungskreis", die bloß einer Rechtsaufsicht unterliegen, und *Auftragsangelegenheiten* „im übertragenen Wirkungskreis" zu differenzieren, bei denen es darüber hinaus eine Fachaufsicht (in Brandenburg und NRW „Sonderaufsicht") über die Zweckmäßigkeit des Verwaltungshandelns gibt. Zu den Auftragsangelegenheiten gehören etwa Bauaufsicht und Pass- und Meldewesen. Hier verzichtet das Land auf eigene Behörden auf Ortsebene. Da die übergeordnete staatliche Behörde Weisungen erteilen kann, spricht man auch von Weisungsaufgaben. Bei Selbstverwaltungsangelegenheiten sind Weisungen unzulässig. Allerdings gibt es auch hier *Pflichtaufgaben* („pflichtige Selbstverwaltungsangelegenheiten") wie etwa Bauleitplanung, Feuerwehr oder Unterhalt von Schulen. Davon sind die *freien Aufgaben* („freiwillige Selbstverwaltungsangelegenheiten") zu unterscheiden, die sich etwa auf Wirtschaftsförderung, öffentlichen Personennahverkehr oder „öffentliche Einrichtungen" beziehen. Hier kann die G. nicht nur über das Wie, sondern auch über das Ob der Wahrnehmung frei entscheiden. Ein allgemeinpolitisches Mandat haben die G.n nicht. Stellungnahmen zu überörtlichen Fragen sind aber zulässig, wenn das G.-Gebiet konkret betroffen ist (vgl. zur Atomwaffenstationierung BVerfGE 8, 122; BVerwGE 87, 228 ff.).

Kreisangehörige G.n werden durch die *unteren staatlichen Verwaltungsbehörden* (Landrat/Landratsamt im Wege einer „Organleihe" bzw. – in Niedersachsen, Sachsen und Sachsen-Anhalt – Landkreis als Auftragsangelegenheit zur Erfüllung nach Weisung) kontrolliert (zur Zulässigkeit der Kommunalisierung der Aufsicht

BVerfGE 87, 331, 341 ff.). Die Aufsicht über kreisfreie (und ggf. auch größere kreisangehörige) Städte obliegt den *Behörden der Mittelstufe* (Regierungspräsident/Regierungspräsidium oder Bezirksregierung) bzw. dort, wo es keine Mittelstufe gibt (Brandenburg, Mecklenburg-Vorpommern, Niedersachsen, Saarland, Schleswig-Holstein), den *obersten Landesbehörden* (Innenministerium). Hinsichtlich der Aufsichtsmittel ist zwischen vorbeugenden und nachträglichen Maßnahmen zu unterscheiden. Die *präventive Aufsicht* reicht von der Beratung über Anzeigevorbehalte (die eine sofortige Kontrolle ermöglichen) bis hin zu Genehmigungsvorbehalten (die rechtwidrige Akte durch eine Vorwegkontrolle verhindern); die *repressive Aufsicht* von der Beanstandung rechtswidriger Handlungen über die Anordnung von Maßnahmen bis hin zur Ersatzvornahme und zur Bestellung eines „Staatskommissars". Soweit Aufsichtsmaßnamen Selbstverwaltungsangelegenheiten betreffen, kann die G. dagegen klagen. Bei Auftragsangelegenheiten kann gerichtlich nur geltend gemacht werden, dass die Maßnahme die Grenzen der Fachaufsicht überschreitet und die G. daher in ihrem Selbstverwaltungsrecht verletzt. Im Übrigen erfolgt die Kontrolle der G.n allein im öffentlichen Interesse. Bürger haben keinen Anspruch auf Aufsichtsmaßnahmen, selbst wenn sie in ihren subjektiven Rechten betroffen sind.

5. Handlungsformen

Als Verwaltungsträger können die G.n alle Handlungsformen des ↑öffentlichen Rechts (Verwaltungsakt, Verwaltungsvertrag, Rechtsverordnung) und des ↑Privatrechts nutzen. Bes.s Instrument ist der Erlass von *Satzungen*: „Gesetze im materiellen Sinne", die sich von ↑Rechtsverordnungen dadurch unterscheiden, dass sie von Selbstverwaltungskörperschaften erlassen werden. Beispiele sind die Hauptsatzung, die Haushaltssatzung, Abgabensatzungen, baurechtliche Satzungen (Bebauungspläne, Veränderungssperren, örtliche Bauvorschriften), straßenrechtliche Satzungen und Eigenbetriebssatzungen. Zuständig ist – der staatlichen ↑Gewaltenteilung zwischen Parlament und Regierung vergleichbar – die G.-Vertretung, die als unmittelbar gewähltes Kollegialorgan am stärksten demokratisch legitimiert ist. Satzungen können grundsätzlich nur in Selbstverwaltungsangelegenheiten erlassen werden. Bei Auftragsangelegenheiten bedarf es einer ausdrücklichen gesetzlichen Ermächtigung. Die „Rechtsetzungshoheit" in eigenen Angelegenheiten beruht auf der verfassungsrechtlichen Selbstverwaltungsgarantie. Soweit in ↑Grundrechte eingegriffen wird, reicht eine generelle Ermächtigung (vgl. etwa §7 Abs. 1 S. 1 GO NRW) nicht aus. Die „Wesentlichkeitstheorie" erfordert spezielle gesetzliche Ermächtigungen, die Inhalt und Reichweite des Satzungsrechts vorgeben (vgl. BVerfGE 33, 125, 158; BVerwGE 90, 359, 362 f.).

Für Leistungen im Rahmen der wirtschaftlichen, sozialen und kulturellen „Daseinsvorsorge" gibt es vielfältige *„öffentliche Einrichtungen"* (Schulen, Schwimmbäder, Museen, Theater, Alten- und Kinderheime, Obdachlosenunterkünfte, Bibliotheken, Krankenhäuser, Friedhöfe, Ver- und Entsorgungsbetriebe, Kirmesplätze, Parkanlagen, Sportplätze, kommunale Internetauftritte). Nicht dazu gehören öffentliche Sachen im Gemein- oder Verwaltungsgebrauch (Straßen, Verwaltungsgebäude) oder ausschließlich erwerbswirtschaftliche Betriebe. Aufgrund ihrer „Organisationshoheit" können G.n zwischen öffentlich-rechtlichen Organisationsformen (Regiebetrieb, Eigenbetrieb, Anstalt des öffentlichen Rechts) und privatrechtlichen Organisationsformen (insb. GmbH oder AG) wählen. Sie können zudem entscheiden, ob sie alle Anteile halten (Eigengesellschaft) oder mit Privaten oder anderen Verwaltungsträger kooperieren (gemischt-wirtschaftliche oder gemischt-öffentliche Unternehmen), ob sie Verwaltungshelfer einbeziehen oder einen Dienstleistungskonzessionär beauftragen (der seine Leistungen durch Entgelte finanziert). Auch das Benutzungsverhältnis kann öffentlich- oder privatrechtlich ausgestaltet sein. Nach den G.-Ordnungen sind alle Einwohner sowie Personen, die in der G. ein Grundstück besitzen oder ein Gewerbe betreiben, berechtigt, öffentliche Einrichtungen im Rahmen ihres Widmungszweckes zu benutzen (vgl. etwa §8 Abs. 1 und 2 GO NRW). Auswärtige haben nur einen Anspruch auf ermessensfehlerfreie Entscheidung. Bei Streitigkeiten gilt die sog.e Zwei-Stufen-Theorie. Über die Frage, ob ein Zulassungsanspruch besteht, entscheiden die Verwaltungsgerichte (§40 VwGO). Wenn die Art der Inanspruchnahme auf der zweiten Stufe zivilrechtlich ausgestaltet ist, sind die ordentlichen Gerichte zuständig. Falls eine privatrechtliche Einrichtung geschaffen wurde, hat die G. dem Einwohner eine Zugangsmöglichkeit zu verschaffen (Ingerenzpflicht). Im Übrigen können die G.n bei einem „öffentlichen Bedürfnis" durch Satzung für bestimmte öffentliche Einrichtungen (Wasserversorgung, Abwasserentsorgung, Fernwärme, Friedhöfe und Schlachthöfe) einen *Anschluss- und Benutzungszwang* anordnen (vgl. etwa §9 GO NRW).

6. Aufgabenwahrnehmung zwischen Gemeinden und Landkreisen

Ein Recht zur Selbstverwaltung haben auf kommunaler Ebene auch die *Landkreise*. Auch bei ihnen wird zwischen Selbstverwaltungsangelegenheiten und staatlichen Auftragsangelegenheiten unterschieden. Zu den Selbstverwaltungsangelegenheiten gehören „übergemeindliche Aufgaben" (Krankenhauswesen, Personennahverkehr, Straßenbau, Abfallentsorgung, Schaffung von Breitbandnetzen) sowie „Ergänzungs- und Ausgleichsaufgaben", wenn eine einzelne G. nicht ausreichend leistungsfähig ist. Bei der „Hochzonung" von G.-Aufgaben durch den Gesetzgeber ist zu beachten, dass eine „Aufgabe mit relevantem örtlichen Charakter" den G.n „nur aus Gründen des Gemeininteresses" entzogen werden darf, was v. a. dann der Fall ist, „wenn anders die ordnungsgemäße Aufgabenerfüllung nicht sicherzustellen wäre" (BVerfGE 79, 127, 152).

Literatur

M. Geis: Kommunalrecht, ⁴2017 • M. Burgi: Kommunalrecht, ⁵2015 • A. Engels: Die Verfassungsgarantie kommunaler Selbstverwaltung, 2014 • C. Brüning: Kommunalverfassung, in: D. Ehlers/M. Fehling/H. Pünder (Hg.): Besonderes Verwaltungsrecht, Bd. 3, ³2013, 1–75 • H.-C. Röhl: Kommunalrecht, in: F. Schoch (Hg.): Besonderes Verwaltungsrecht, ¹⁵2013, 9–124 • T. Mann/G. Püttner (Hg): Hdb. der kommunalen Wissenschaft und Praxis, 2 Bde, ³2007/11 • H.-G. Henneke/H. Meyer (Hg.): Kommunale Selbstverwaltung zwischen Bewahrung, Bewährung und Entwicklung, 2006 • H. Henneke/H. Pünder/C. Waldhoff: Recht der Kommunalfinanzen, 2006.   HERMANN PÜNDER

III. Gemeindedemokratie

Nicht nur nach der Verfassung Bayerns (Art. 11 Abs. 4 BayVerf) dient die „Selbstverwaltung der Gemeinden […] dem Aufbau der Demokratie […] von unten nach oben" und bilden die G.n die Grundlagen des Staates und des demokratischen Lebens. Städte und G.n sind zuvorderst soziale Gebilde. Seit altersher definieren sie sich aber im Prinzip erst durch die (auch bauliche) Organisation des Gemeinschaftslebens. Schon Pausanias zweifelte, ob man einen Ort Stadt nennen dürfe, „der weder Amtsgebäude, noch ein Gymnasion, noch ein Theater, noch einen Markt besitzt, nicht einmal Wasser, das in einen Brunnen fließt" (Pausanias 1989: 211). Noch immer spricht viel für die Definition des Perikles: „Wir vereinigen in uns die Sorge um unser Haus zugleich und unsere Stadt, und den verschiedenen Tätigkeiten zugewandt, ist doch auch in staatlichen Dingen keiner ohne Urteil. Denn einzig bei uns heißt einer, der daran gar keinen Teil nimmt, nicht ein stiller Bürger, sondern ein schlechter, und nur wir entscheiden in den Staatsgeschäften selber oder denken sie doch richtig durch" (Thukydides 1993: II 40). Zum einen weist die Historie auf die Moderne. Zum anderen verdeutlicht sie, dass die auf ↑Autonomie und ↑Autarkie beruhende soziale Organisation von Kommunen auch konstitutiv für demokratische Diskursprozesse, ökonomischen Erfolg, wissenschaftlichen Fortschritt und kulturelle Kreativität ist.

Durch Schutz der und Sicherheit in der historischen ↑Stadt konnte sich individuelle ↑Freiheit – wenngleich zunächst nicht für alle – entwickeln, die Voraussetzung ist für die oben genannten Entwicklungen. Da geht es um individuelle Autonomie, freiwillige Kooperation, intensive ↑Kommunikation, Vielfalt der Kultur. Dieses Bild von der Stadt ist ein ganz anderes, deutlich weniger funktionales als das der *Charta von Athen,* bei der es um funktionale Stadtbeschreibungen (Wohnen, Arbeiten, Verkehr, Erholung) geht, die den sozialen Zusammenhang gelegentlich fast dekonstruieren.

Es ist auch ein deutlich weniger ökonomistisches Bild als das heute im kommunalen Diskurs über den „Konzern Stadt" gepflegte, denn dort, wo aktuell im allg.en Mainstream der Totalökonomisierung unseres Alltagslebens Stadtpolitik definiert wird, klingt das gelegentlich wie eine groteske Minimalisierung städtischer Funktionen durch begriffliche Verbetriebswirtschaftlichung.

Kommunalpolitisches Leadership ist kein Schönheitswettbewerb möglichst vieler Managementfunktionen, sondern vielmehr die kontinuierliche Arbeit am Narrativ der jeweiligen Stadt. Zwar sind ↑Kommunalpolitik und -verwaltung in *Managementdisziplinen*, also Fachpolitiken, organisiert. Diese machen indes noch keine Stadt aus, die in ihrer jeweiligen Unverwechselbarkeit Andockstation für Identität und Identifikation sein muss, um Menschen mit Kopf und Herz an sich zu binden. Das gelingt nicht von selbst. Tatsächlich ist das Verhältnis von Zumutungen und Verheißungen des städtischen Lebens oft sehr ungünstig. Im Alltag überwiegen die Zumutungen. Die allfälligen Ärgernisse einer Großstadt, resultierend aus dem Zusammenleben vieler Menschen auf engem Raum, wie Lärm, fehlendes Grün, beengte Wohnverhältnisse, Störungen durch mangelnde Rücksichtnahme, sind die gängigen Tagesordnungspunkte auf Bürgerversammlungen. Die Politik verstärkt diese, indem sie Infrastruktur- und Standortentscheidungen (Fußballstadien, Flughäfen, Straßen, Schienen, Logistikeinrichtungen) trifft, die (negative) raumbezogene Folgen auf die jeweilige Nachbarschaft haben.

Eine Großstadt ist nie ein „Harmoniemodell", sondern allenfalls der Versuch, die allfälligen Konflikte unter Beachtung der „Goldenen Regel" halbwegs ordentlich zu lösen. Warum aber gehen die Menschen nicht einfach fort aus der Stadt? Im stadtnahen Umland gäbe es womöglich konfliktärmere Umgebungen und billigere Grundstücke. Zunächst entfaltet das faktische urbane Angebot Bindungswirkung. Gleichwohl bestehen daneben noch immer Heimatgefühl oder Lokalpatriotismus, welche Menschen binden und unausgesprochene Akzeptanz oder zumindest Duldung von Entscheidungen erzeugen, die das allg.e Wohl betreffen, über das individuelle hinaus.

↑Demokratie wird in Stadt und Gemeinde beim Ringen um die Gestaltung des Zusammenlebens und des öffentlichen Raumes sichtbar. Sie lebt und verändert sich. Sie bleibt schwierig, manchmal quälend langsam, stets kommunikativ kompliziert und im Ergebnis nicht immer fröhlich – aber ohne Alternative. Dort wo, wie es Jürgen Habermas formuliert hat, das Publikum nur gelegentlich und dann nur zum Zwecke der Akklamation einbezogen wird, ist die Demokratie gefährdet. Und dort, wo man vereinfachend annimmt, dass die *volonté de tous* automatisch zur *volonté générale* wird, dass also die Summe von Einzelmeinungen alleine das allg.e Wohl (↑Gemeinwohl) definieren kann, auch.

1. Legitimationsbegrenzung repräsentativer Demokratie

Verstärkt gilt die ↑Legitimation der repräsentativen Demokratie als begrenzt, wie speziell und häufig bei ↑Stadtplanung und Stadtentwicklung zu registrieren ist. Auch populäre Politiker erleiden in einschlägigen Bürgerentscheiden Niederlagen, die heute aber nicht mehr das Ende ihrer Amtszeit einläuten. Ohne das Grundvertrauen in Amtsinhaber preiszugeben, wird ihre Gestaltungs- und Handlungsfreiheit eingegrenzt. Die Bürgerschaft „stört" einerseits gerade bei Eingriffen im öffentlichen Raum die Planungszelle aus Politik und Fachleuten. Andererseits zeigt dies hohe Empathie für ihre Heimatstadt. Ohne diese gibt es keine lokale Demokratie.

Die Sphären von öffentlichem und dem privaten Raum vermischen sich mehr und mehr, z. T. verkehrt sich ihre Bedeutung. Einst galt der private Raum als Raum des Rückzugs, der Intimität, für andere unzugänglich. Heute löst er sich im Internet in millionenfacher Verbreitung des Privaten geradezu auf. Der öffentliche Raum, der Marktplatz in seinem soziologischen Sinn als Ort des Handels, der Kommunikation und des Diskurses über die aktuellen Fragen des Gemeinwesens wird besetzt, temporär privatisiert und mit Events zugestellt, deren kulturelle Qualität in aller Regel hinter dem jeweiligen Werbezweck weit zurückbleibt. Diese z. T. schamlose Aneignung verdrießt die Menschen völlig zu Recht. Schließlich geht es um *ihre Stadt*. Sie empfinden Shopping Malls und Urban-Entertainment-Centers nur als Fiktion des öffentlichen Raumes. Überall dort, wo das Bürgerrecht durch das Hausrecht ersetzt worden ist, ist der öffentliche Raum entschwunden.

2. Partizipation im Baurecht: Rechtssicherheit heißt nicht demokratische Qualität

Die verrechtlichten Partizipationsmöglichkeiten im ↑Bau- und Planungsrecht erfüllen kaum noch demokratische Teilhabequalitäten. Sie dienen vielmehr meist nur der Herstellung der Rechtssicherheit für ↑Planungen. Öffentliche Auslegung eines Bebauungsplans ist heute i. d. R. ein Fall für Spezialisten und Fachanwälte, die Nachbarn vertreten. Zwei Grundregeln für *mehr Demokratie* werden dadurch nicht einmal ansatzweise erfüllt: eine niedrige Zugangsschwelle zum Gegenstand der Entscheidung und die wenigstens halbwegs gegebene Repräsentativität der geäußerten Meinungen. Daraus folgt keinesfalls ein Plädoyer gegen solche Beteiligungsverfahren, sondern nur die Erkenntnis, dass diese baurechtlichen Normen nicht in der Lage sind, objektive oder vermeintliche Demokratiedefizite auszugleichen.

3. Direkte Demokratie in der Praxis

Die Bayerische G-Ordnung lässt Bürgerbegehren und Bürgerentscheide (↑Plebiszit) zu. Dennoch sind die meisten Kommunalpolitiker mit diesem Instrument bisher noch nicht warm geworden. Das gilt sowohl für die aus der Bevölkerung als auch die durch den Rat initiierte Variante. Erstere, das klassische Bürgerbegehren, setzt mindestens eine mengenmäßig relevante Empörung voraus, im erfolgssicheren Fall sogar eine Polarisierung der Bevölkerung. Um das Quorum eines Bürgerbegehrens zu schaffen, muss eine Entscheidung bürgerschaftliche Mobilisierung hervorrufen, die Menschen auf die Straße treibt, um Unterschriften zu sammeln, die Geld und Phantasie mobilisiert, um mit Aktionen auf das Thema hinzuweisen, und die ein Netzwerk von Aktivisten zusammenhält. Kommt es zum Bürgerbegehren, haben das politische Sensorium der Handelnden, das Frühwarnsystem von Parteien und Fraktionen und ihre Fähigkeit zur gesellschaftlichen Konfliktmoderation und -lösung versagt. Das Ratsbegehren als zweite noch unterbewertete Variante delegiert die Entscheidung bewusst an die Stadtgesellschaft zurück. Überwiegend sehen die Ratsfraktionen der Volksparteien darin ein Eingeständnis von Entscheidungsschwäche, gepaart mit der Befürchtung, einen Präzedenzfall für künftige Entscheidungsansprüche der Bürgerschaft zu schaffen.

Nach den traditionsreichen positiven Erfahrungen aus der Schweiz lassen sich Besorgnisse gegenüber kommunalen Bürgerentscheiden bei Beachtung einiger Voraussetzungen abschwächen: Zunächst muss sich ein Thema in eine geeignete Fragestellung kleiden lassen. Denn die Abstimmung ist immer eine Ja-Nein-Entscheidung. Die schwierigen Verflechtungen und Interdependenzen hochkomplexer Projekte lassen sich oft nicht ohne weiteres und in allg. verständlicher Sprache in eine Alternative auf dem Wahlzettel reduzieren. Außerdem muss eine gesamtstädtische Betroffenheit herrschen. Konstellationen, in denen ein Ratsbegehren zwei Stadtquartiere gegeneinanderhetzt, während der unbeteiligte Rest der Stadt gelangweilt zusieht, haben weder demokratische Qualität, noch sind sie geeignet, zur Befriedung der Stadtgesellschaft beizutragen. Schließlich sollte ein Ratsbegehren artikulationsfähigen bürgerlichen Milieus möglichst nicht die Chance eröffnen, ihre Interessen gegen die anderer, sich traditionell eher zurückhaltend beteiligender Schichten durchzusetzen.

Auch bei Wahlen beteiligen sich die verschiedenen soziodemografischen Schichten different. Wahlen aber erteilen einen nicht ins Detail spezifizierten allg.en Gestaltungsauftrag, der zudem „Stellvertreterpolitik" legitimiert, d. h. den Einsatz für nicht oder weniger artikulationsfähige Schichten. Direkte Demokratie hingegen trifft konkrete Entscheidungen im Einzelfall. So hat z. B. durch das Schulvolksbegehren in Hamburg (2008) eine bürgerliche Bildungsschicht mehrheitlich ein Schulsystem verhindert, das womöglich Verbesserungen für diejenigen gebracht hätte, die sich nicht beteiligt haben. Unausweichliches Schicksal aller Demokratie ist, dass Mehrheiten über Minderheiten entscheiden, Wahl-Mehrheiten nicht Bevölkerungsmehrheiten darstellen und jeder Entscheidung auch das Risiko des Irrtums innewohnt – bis hin zum kollektiven Erschrecken über ein

Ergebnis, wie es die Schweiz nach der Entscheidung über den Bau von Moscheen erlebt hat.

Das alles spricht nicht gegen direkte kommunale Demokratie, sondern dafür, geeignete Themen auszuwählen, sie richtig vorzubereiten und einen gesellschaftlichen Diskurs darüber zu führen. Es spricht aber sicher gegen einen inflationären Umgang mit direktdemokratischen Instrumenten.

4. Veränderte politische Kommunikation

Fragen nach der demokratischen Qualität stellen sich auch im Blick auf die interaktiven Anwendungen im Netz. Dort hat sich eine Kommunikationskultur und -geschwindigkeit entwickelt, die herkömmlich aufgestellte Presseämter schwindelig macht und den bisher gepflegten Verlautbarungsstil der Politik auf eine harte Probe oder ganz in Frage stellt. Diese ↑sozialen Netzwerke müssen bedient werden. Sie können einen Quantensprung in der politischen Kommunikation bedeuten, weil sie breite Bevölkerungsschichten jenseits der traditionellen Zeitungsleserschaft erreichen. Auch wenn die politisch Verantwortlichen mehrheitlich inhaltlich-stilistisch wie von den vorhandenen Ressourcen her entspr.e Kompetenzen noch entwickeln müssen, erscheint es eine der Haupterausforderungen der kommunalen politischen Kommunikation der Zukunft zu sein, amtliche Mitteilungen mit den Regeln des Netzes in Einklang zu bringen. Das Netz ist ein gewissermaßen entörtlichter öffentlicher Raum. Doch kennt es auch Beschränkungen des Zutritts und der Interaktionsbeziehungen: kein grundsätzlicher Unterschied zum historischen öffentlichen Raum, zum Marktplatz; denn auch dort waren nie alle gleichzeitig und haben nie alle mit allen diskutiert. Die empirische Relevanz des öffentlichen Netzraums ist daher wohl nicht schlechter als die der klassischen ↑Medien. Man wird der dort herrschenden *public opinion* aber nur dann gerecht, wenn man sie eben nicht für allgemeinverbindlich erklärt. Einen großen Unterschied gibt es allerdings: Der klassische öffentliche Raum unterliegt noch der Deutungshoheit der politischen Klasse; jedenfalls bestimmt sie – freiwillig oder unfreiwillig – dort noch die Agenda. Das Netz arbeitet und kommuniziert hingegen ungestört und unerhört vor sich hin. Viele aktive Kommunalpolitiker, insb. aber die von ihnen geleiteten ↑Verwaltungen, stehen dem hilflos gegenüber, da ihre klassischen Kommunikations- und Reaktionsweisen ins Leere laufen.

Ein Partizipationsstaat ist ohne Netz nicht mehr denkbar. Auch kommunale Politik und Verwaltung müssen wohl oder übel im Netz den doppelten Boden des klassischen Verlautbarungswesens mit Darstellung und Gegendarstellung verlassen. Ein Problem ist, dass soziale Netzwerke ausnahmslos auf Privatdiensten wie Google oder Facebook fußen, ohne dass praktikable Alternativen zur Verfügung stünden. Damit verleihen Politik und Verwaltungen auch in den Kommunen diesen mit dem ↑Datenschutz oft wenig verantwortungsvoll

operierenden Unternehmen die Aura des Offiziösen und konterkarieren im Extremfall die eigene politische Botschaft.

5. „Betroffene zu Beteiligten machen"

Dieser alte Spruch der Sozialarbeit setzt voraus, dass eine Frage ernsthaft beantwortet worden ist: Wer ist im eigentlichen Sinn von einem Projekt betroffen? Sind es bei einer neuen Straßenbahnlinie nur diejenigen direkten Anwohner, die sich vom Lärm gestört fühlen, oder sind es nicht vielmehr alle potenziellen Nutzer? Beachtet man diese Frage konsequent, kann es gelingen, die Beteiligung vom Geruch des St. Floriansprinzips zu befreien. Dem Publikum wird damit aber auch Verzicht oder die Hinnahme von Zumutungen abverlangt. ↑Partizipation kommt dann dem politischen Gestaltungsauftrag des Gemeinwesens sehr nahe; denn auch Stadträte müssen oft genug Zumutungen für einzelne Teile der Bürgerschaft beschließen, weil es das Große und Ganze erfordert. Beteiligung und ↑Information gehören dabei eng zusammen, denn erst das Wissen um die Umstände ermöglicht es der Bürgerschaft, sich über ein Thema zu erregen, aber auch Einsicht in Fakten und Notwendigkeiten zu gewinnen.

6. Asymmetrische Verbindlichkeit

Die Möglichkeit zu verbindlichen Absprachen und Abmachungen ist sehr asymmetrisch verteilt. Die Stadt hat – wenn sie sich auf ein Verfahren oder ein Ergebnis eingelassen hat – die politische und moralische Verpflichtung, dazu zu stehen. Unorganisierte, spontan oder fest organisierte ↑Öffentlichkeit muss das nicht, kann es oft auch nicht.

Bei den heute üblichen Verfahrensdauern und der Umschlagshäufigkeit in den Wohnquartieren bringt das erhebliche Probleme mit sich. In größeren Städten gibt es Quartiere, in denen sich die Bevölkerung zwischen zwei Wahltagen um 25–30 % verändert. Das kann bedeuten, dass der Politik ihr politischer Vertragspartner abhandenkommt und die neue Bewohnerschaft sich nicht als eine Art Gesamtrechtsnachfolger an einst gefundene Kompromisse gebunden fühlt. Mit dieser Unzulänglichkeit von offenen Partizipationsprozessen wird man leben müssen.

7. Regeln vereinbaren

Ein häufiger Grund für Frustrationen oder gar das Scheitern basisdemokratischer Beteiligungsprozesse ist das Fehlen einer klaren Geschäftsgrundlage. Politikverdrossenheit entsteht dann, wenn Partizipation vorgegaukelt wird, obwohl längst alles entschieden ist oder der in Verwaltung und Politik leider allzu häufig angelegte Sachzwangtrichter alles in eine Richtung lenken. Reichweite der (Mit-)Entscheidungsmöglichkeit, Verfahrensdauer, Verfahrensbeteiligte müssen vorher klar benannt werden. Die Menschen müssen wissen, ob sie mitentscheiden oder nur angehört werden, um die

Grundlagen für eine Entscheidung an anderer Stelle zu verbessern. Rechtliche und fiskalische Zwänge sind klar zu benennen, denn in der Partizipationsdemokratie ist wie in der repräsentativen Demokratie das Leben kein Wunschkonzert.

Gute Politik betreibt hier *Erwartungsmanagement*. Dass die Bürgerschaft dabei gelegentlich das den Verantwortlichen in den Rathäusern sattsam bekannte „Leider geht's nicht anders"-Gefühl kennenlernt, muss kein Schaden sein, wenn der Entscheidungsprozess auf der Basis klarer Regeln abläuft.

8. Repräsentativität

Alle Beteiligungsformen, die zu politischen Beschlüssen führen, sind auf ihre empirische Repräsentativität hin zu überprüfen. Die Qualität der demokratischen ↑Repräsentation ist bei einem Stadt- oder G.-Rat, der z. B. nach bayerischem Wahlrecht durch Panaschieren und Kumulieren zusammengesetzt wurde, sehr hoch. Meist ist sie höher als die in anderen Beteiligungsprozessen. Am Ende erreichen wohl nur der Bürgerentscheid (bei hoher Beteiligung) und die nach allen Regeln der Kunst durchgeführte Sozialforschung eine vergleichbare Repräsentativität.

Gewiss sind auch die Wahrnehmungen von (Kommunal-)Politikern durch Parteioptik, persönliche Betroffenheit und konkrete Erlebnisse gefiltert, verzerrt, manchmal auch zufällig. Dies trifft aber für nicht repräsentative Online-Abfragen, Blogs und Leserbriefseiten in Lokalzeitungen zumindest gleichermaßen zu und stellt solange kein Problem dar, wie diese Wahrnehmungen nicht für allgemeingültig und verbindlich erklärt werden – was aber regelmäßig geschieht.

Politik ist – kraft Wahl – empirisch relevant, natürlich unter Berücksichtigung der Wahlbeteiligung. Bei Beachtung der genannten Kriterien, vermag das Ratsbegehren, richtig eingesetzt, die repräsentative Demokratie ergänzend zu stärken und könnte auf diese Weise dem Notwehrcharakter des Bürgerbegehrens die Spitze brechen – bei allen Bedenken, denen es begegnet.

Aber Demokratie und demokratische Kultur haben sich stetig verändert. Formale ↑Autorität, wie gewählte Repräsentanten sie noch früher genossen, ist längst einem „gesunden" Misstrauen der Bevölkerung gegenüber den Regierenden gewichen. Zum neuen Bild von Politikern und Politik, zu einer Stadtpolitik im Dialog, passt es deshalb durchaus, die kommunale Ebene auch als Laboratorium zur Weiterentwicklung der Demokratie zu verstehen, potentielles Scheitern nicht ausgeschlossen, ganz im Sinne Max Webers: „Es ist ja durchaus richtig, und alle geschichtliche Erfahrung bestätigt es, dass man das Mögliche nicht erreichte, wenn nicht immer wieder in der Welt nach dem Unmöglichen gegriffen worden wäre". Und, fügt er hinzu, „wer in diesem Kontext vor dem Risiko des Scheiterns versagt, wird nicht imstande sein, auch nur durchzusetzen, was heute möglich ist" (Weber 1977: 67).

Die Kommune ist und bleibt Grundlage sich wandelnder und weiterentwickelnder Demokratie. So gesehen sind Stadt und G. – ihren alten Wurzeln folgend – auch ein Laboratorium für die (repräsentative) Demokratie.

Literatur
bpb (Hg.): Stadt, in: APuZ 67/48 (2017) • B. Egner/M.-C. Krapp/H. Heinelt: Das deutsche Gemeinderatsmitglied, 2013 • H. Naßmacher/K.-H. Naßmacher: Kommunalpolitik in Deutschland, ²2007 • J. Bogumil/H. Heinelt (Hg.): Bürgermeister in Deutschland, 2005 • J. Bogumil/L. Holtkam: Kommunalpolitik und Kommunalverwaltung, 2004 • W. Orth: Die griechische Polis. Kommunalverwaltung in der Antike, in: Stadt und Gemeinde 59/12 (2004), 471–473 • J. Bellers: Einführung in die Kommunalpolitik, 2000 • Thukydides: Geschichte des Peloponnesischen Krieges, 1993 • Pausanias: Reisen in Griechenland, Bd. 3, 1989 • M. Weber: Politik als Beruf, ⁶1977 • J. Habermas: Strukturwandel der Öffentlichkeit, 1962.   ULRICH MALY

IV. Theologisch

Begrifflich bezeichnet G. im Gefüge der ↑katholischen Kirche eine spezifische religiöse Sozialform, die im historischen Längsschnitt und im synchronischen Überblick eine Vielzahl von interkulturellen Erscheinungsformen umfasst. Davon zu unterscheiden ist die politische G. (Kommune), die ihre Angelegenheiten subsidiär selbst regelt (Art. 28 Abs. 2 GG). Doch wurzeln religiöse und zivile Formen in einem gemeinsamen sprachlichen (lateinisch: *com-munis*, griechisch: *koinonía*) und sachlichen Zusammenhang gesellschaftlicher Gemeinschaftsformen.

Soziologisch sind christliche G.n Einheiten auf der unteren von drei Ebenen, die schon in der formativen Periode des ↑Christentums entstehen. Bis heute bilden die Ebenen der lokalen Orts-G., der diözesanen Ortskirche und der universalen Gesamtkirche die organisatorische und theologische Grundstruktur. Auf der Mikroebene ist die kanonistisch geregelte Territorial-Pfarrei (auch die Personal-Pfarrei) angesiedelt, von der es weltweit etwa 220 000 gibt; in Deutschland knapp 11 000 (2015). Auch wenn G. kein kirchenrechtlicher Begriff ist, wird seit dem ↑Zweiten Vatikanischen Konzil die ↑Pfarrei meist als G. oder Pfarr-G. bezeichnet. Überdies finden sich auf der unteren Ebene eine Vielzahl untergeordneter oder nebengeordneter, wenig geregelter G.-Typen lokaler und überlokaler Art. Auf der Mesoebene befinden sich die Ortskirche (Diözese) unter bischöflicher Leitung, die ihrerseits durch Pfarreien untergliedert wird, sowie weitere Teilkirchen. Auf der Makroebene liegt die Gesamt- oder Universalkirche, welche die Gläubigen aller Vergemeinschaftungsformen umfasst; die Einheit garantiert der Bischof von Rom (↑Papst; LG 18). Die Ebenen bezeichnen keine soziale Schichtung, wohl aber aufbauende Sozialgebilde mit abgestuftem theologischem Rang.

Biblisch wurzeln die zentralen Sozialformen von ↑Kirche/G. theologisch im einheitlichen Grundbegriff der *ekklēsía* (griechisch; Volksversammlung), wobei der christliche Sprachgebrauch auch an die griechische Übersetzung (LXX) der hebräischen *qāhāl* (Versammlung) anknüpft. Als Selbstbezeichnung *ekklēsía* (Versammlung) lebt Kirche oder G. mit der gemeinschaftlichen Betonung in den romanischen Sprachen fort *(ecclesia, chiesa, iglesia, église)*, während germanische Sprachen *(kirika)* sachlich vom Haus ausgehen, das dem „Herrn" *(kyriakē)* gehört (Kirche, *church, kerk, kyrka*).

Im NT umschreibt der Begriff der *ekklēsía* anthropologisch und theologisch bedeutsame Vollzüge des Kircheseins, urspr. die gottesdienstliche Versammlung (1 Kor 11,18). Strukturell verwirklicht es sich auf den drei Ebenen: auf der lokalen Ebene der im Haus versammelten G. (Phlm 1,2; Röm 16,5); auf der mittleren Ebene der dem Bischof unterstehenden Ortskirche in der Stadt (1 Kor 1,2; Gal 1,2); auf der oberen Ebene der Gesamtkirche. Letztere wird in der Körpermetapher der G. als Leib unter Christus, dem Haupt (Kol 1,18), veranschaulicht. So bildet die kirchliche Grundgestalt von Anfang an drei iterative Sozialformen heraus, die als Universalkirche, Diözese und Orts-G. jeweils im Teil das Ganze von Kirchesein verwirklichen und bei aller Vielfalt in der Einheit bleiben.

Geschichtlich entstehen im Lauf der Kirchengeschichte weitere Gestalten und Modelle von G. Dazu gehören die G. in der Fremde *(paroikía)* (1 Petr), die koinobitische Mönchs-G. der Wüstenväter und folgende monastische Modelle. Auf die Spätantike geht die spätere *paroecia* (Pfarre) zurück, der kirchliche Seelsorgebezirk. Im Rahmen des mittelalterlichen Pfarrsystems entstehen lokale Bruderschaften und Gilden, im Anschluss an die Konvente der neuen Mendikantenorden überlokale G.-Bildungen. An den „Kommunalismus" der selbstverwalteten politischen G. im späten Mittelalter knüpft Martin Luther mit der „Gemeindereformation" (Blickle 1987) an und verschiebt damit Lehre und Leitung exklusiv auf die untere Ebene der G. ohne Konnex mit dem kirchlichen Gesamtgefüge; das scheiternde Modell wird allerdings bald vom obrigkeitlichen Kirchenregiment abgelöst. In der Frühen Neuzeit entstehen kulturell und sprachlich neue Missions-G.n in Amerika und Asien (↑Mission). Das Konzil von Trient installiert das Standardmodell der Territorialpfarrei als Verwaltungseinheit; gemeindeähnliche Sozialformen wie kirchliche Vereinigungen und Personalverbände wirken im 19. Jh. vitalisierend.

Die *Neuentdeckung der G.-Idee* im 20. Jh. geht in der ersten Hälfte von Liturgischer, Biblischer und Jugendbewegung aus, die mit Volkssprache, G.-Aufbau vom Altar, laikalem Stundengebet und familialem Charakter („Pfarrfamilie") nachhaltige Impulse geben. Die Kontroverse um das „Pfarrprinzip" führt gegenüber der Dominanz der Pfarrei auch andere G.-Formen ins Feld.

Das Zweite Vatikanische Konzil führt in der zweiten Hälfte des 20. Jh. zu einem erneuerten Kirchenverständnis (Volk Gottes, Communio-Ekklesiologie), zur theologischen Aufwertung der Ortskirche, aber auch der Orts-G., die im ↑Glauben sammelt und sendet. Deren Profil sieht das Konzil – in uneinheitlicher Terminologie – in der Repräsentanz der Kirche am Ort und in der Christuspräsenz in noch so kleinen Diaspora-G.n (LG 26). Pastoral bedeutsam sind ihr „dynamischer Ereignis-Charakter, im Vollzug sich immer wieder neu bildende Gemeinschaft, offene und darum missionarische Struktur" (Lehmann 1982: 9). Typisch sind die drei Grundvollzüge von Verkünden und Bezeugen des Wortes Gottes; Feier des Gottesdienstes und der ↑Sakramente; Ausübung caritativer Dienste (PO 6), die heute weltweit als Trias von *Martyria, Leiturgia* und *Diakonia* bekannt und ökumenisch anerkannt werden.

Nachkonziliar hatte die G.-Idee eine Blütezeit, in der man die Volkskirche auf dem Weg zur G.-Kirche sah. Die „Gemeinsame Synode der Bistümer in der Bundesrepublik Deutschland" (1976) plädiert für den Wandel von einer pastoral versorgten zu einer lebendigen, selbstsorgenden G. und befürwortet untergliedernde Sozialformen wie Hauskirchen (LG 11), Personal-G.n, Familienkreisen, geistlichen Gemeinschaften und ähnliches. Der G.-Begriff schlägt sich nieder in der Bildung von Räten (Pfarr-G.-Rat) sowie in der Praxis der G.-Pastoral, G.-Katechese und G.-Caritas, nicht zuletzt in der hohen Zahl von Pastoral- und G.-Referenten (7 770), die mit dem ↑Klerus (etwa 9 000) im G.-Dienst pastoral kooperieren. Inzwischen wird die G.-Form auch kontrovers diskutiert.

Weltkirchlich entstehen v. a. zwei neue Typen von vielgestaltigen Personal-G.n. Einerseits handelt es sich um lokale christlichen Gemeinschaften, wie die *Small Christian Communities* in Afrika und Asien und die in Lateinamerika beheimateten kirchlichen Basis-G.n *(Comunidades eclesiales de base)*. Typisch sind stabiler lokaler Bezug, überschaubare Größe, Bibel-Teilen, (genossenschaftliche) Selbstorganisation, soziale und diakonale Fragestellungen sowie volksreligiöse Ausdrucksformen; sie erfahren kirchliche Wertschätzung, bisweilen auch Kritik (EN 58). Als gemeindebildend erweist sich ein in Afrika entstandener *Asiatischer Integraler Pastoraler Ansatz*, v. a. in den Kirchen des Südens. Andererseits entstehen, mehr von (Süd-)Europa ausgehend, neue und mobile Geistliche Gemeinschaften und Bewegungen. Sie sind stärker spirituell, aber auch sozial geprägt. International organisiert, agieren sie aufgrund ihrer Ressourcen oft in weitem Radius. Kirchlich sind sie unterschiedlich anerkannt. Überdies prägen charismatische, pentekostale und evangelikale Bewegungen weltweit christliche Vergemeinschaftungen.

Strukturwandel und Dynamik bringen Großpfarreien hervor, sei es durch Fusion (in Europa) oder durch Wachstum (Kirchen des Südens). Dies führt zum Bedeutungszuwachs untergliedernder G.-Strukturen. Die Pfarr-G. als bleibende Grundgestalt der unteren Ebene ist daher kontextuell zu gestalten und mit der Vielfalt interkultureller G.-Bildung diakonisch und spirituell zu verbinden, da der christliche Glaube auch in der säkularen ↑Moderne die Gemeinschaft mit Gott und das Miteinander sucht und findet.

Literatur

J. Müller/K. Gabriel: Evangelicals, Pentecostal churches, charismatics, 2015 • M. Sellmann: Gemeinde ohne Zukunft?, 2013 • K. Krämer/K. Vellguth: Kleine Christliche Gemeinschaften, 2012 • H. Haslinger: Lebensort für alle. Gemeinde neu verstehen, 2005 • P. Müller: Gemeinde. Ernstfall von Kirche, 2004 • H. J. Klauck: Gemeinde zwischen Haus und Stadt, 1992 • S. Wiedenhofer: Das katholische Kirchenverständnis, 1992 • P. Blickle: Gemeindereformation, 1987 • K. Lehmann: Gemeinde, in: CGG, Bd. 29, 1982, 7–65 • H. Wieh: Konzil und Gemeinde, 1978 • W. Kasper: Die pastoralen Dienste in der Gemeinde, in: L. Bertsch u. a. (Hg.): Gemeinsame Synode der Bistümer in der Bundesrepublik Deutschland, Bd. 1, 1976, 581–636 • F. Klostermann: Gemeinde – Kirche der Zukunft, 2 Bde., 1974 • H. Rahner (Hg.): Die Pfarre, 1956.

MICHAEL SIEVERNICH

V. Kanonistisch

1. Begriff

Die christliche G. war Identifikationsort der Versammlung der Christen eines bestimmten Gebietes. Dieser erfuhr früh seine Weiterentwicklung zur Parochie (↑Pfarrei). Mit dem 3. Jh. bildet die Pfarrei die unterste Ebene der kirchlichen Strukturen in Abhängigkeit vom ↑Bistum heraus (can. 515 CIC; can. 625 CCEO). Im Zuge der protestantischen ↑Reformation entstand der Begriff der Kirchen-G., eine kirchenverfassungsrechtliche Umkehrung der katholischen Tradition. Dies galt insb. für die Frage der Kirchenverwaltung (↑kirchliche Verwaltung). Während die katholischen Pfarreien stets der Vigilanz des bischöflichen Stuhls in allen Angelegenheiten unterworfen waren, gestanden die Reformatoren den Kirchen-G.n, aufgrund des allg.en Priestertums aller Gläubigen, weitgehende Autonomie, inkl. der Pfarrerwahl zu (WA 11: 408–416). Katholischerseits wurde daran festgehalten, die Diözesen in Pfarreien zu gliedern (Conc. Trid. Sess. XXIV: 13). Das ↑Zweite Vatikanische Konzil wertete die G. auf, indem die „Orts-G." als „Vergegenwärtigung" der Orts- und Weltkirche herausgestellt wurde (CD 26).

Kirchen-G. bezeichnet seit dem 20. Jh. nicht nur ein bestimmtes kirchliches Territorium, sondern auch die Gesamtheit der dazu gehörenden Personen. Seither sind auch nach katholischem Verständnis im deutschen Sprachraum Kirchen-G. und Pfarrei Synonyme. Mit den diözesanen Strukturreformen treten neben die Kirchen-G./Pfarrei neue Institutionen, die in die kanonischen Strukturen zu integrieren sind. Die Kirchen-G. ist Träger des Kirchenvermögens, soweit nicht traditionell andere kirchliche Rechtsträger mit eigener Rechts-

persönlichkeit existieren. Die Vermögensverwaltung obliegt dem Pfarrer (can. 532 CIC), der durch einen pfarrlichen VVR unterstützt wird. Der ↑CIC akzeptiert abweichende Regelungen, die sich aufgrund der staatskirchenrechtlichen Normen und partikularer Gewohnheiten (can. 5) ergeben können. In Deutschland sehen die staatlichen und kirchlichen Gesetze vor, dass Laien beschließend an der Vermögensverwaltung mitwirken. Der Pfarrer ist als geborenes Mitglied des VVR nicht notwendig Vorsitzender. Aufgrund der unterschiedlichen Kompetenzen von kanonisch-rechtlichem VVR und Kirchenvorstand bzw. pfarrlichem VVR, beschreiben die Begriffe zwei unterschiedliche Institutionen.

2. Staatskirchenrecht

Im deutschen ↑Staatskirchenrecht bezeichnet Kirchen-G., mit Geltung der WRV, die kleinste kirchliche Verwaltungseinheit mit Anerkennung als K.d.ö.R., Art. 140 GG, Art. 137 Abs. 5 WRV. Staatsrechtlich geht es um die Vereinheitlichung der Verwaltungspraxis v. a. in der kirchlichen Vermögensverwaltung. Dazu wird auf Ideen des deutschen Staatskirchentums und den protestantischen Begriff der Kirchen-G. zurückgegriffen. Beide haben die Rechtsentwicklung der WRV der ↑Staatskirchenverträge beeinflusst. Art. 13 RK bestätigt den katholischen Kirchen-G.n (und weiteren kirchlichen Rechtsträgern) den Status einer K.d.ö.R., mit allen Rechten und Pflichten. Art. 13 RK enthält nicht nur eine Bestandsgarantie, sondern eröffnet auch neu zu errichtenden Kirchen-G.n oder Kirchen-G.-Verbänden diese Rechtsstellung. Diese Bestimmung des RK war erforderlich, weil die Länderkonkordate (↑Konkordat) mit Bayern (1924), Preußen (1929) und Baden (1932) keine entspr.e Regelung enthielten. Die ↑evangelischen Kirchenverträge enthalten keine vergleichbare Regelung. Hier sind die Landeskirchen auf die verfassungsrechtlichen Bestimmungen verwiesen. Gleichwohl präsumieren die evangelischen Kirchenverträge das, was Art. 13 RK festschreibt. Daher kann man hier eine vergleichbare Bestandsgarantie annehmen. Das entspr. auch den Grundsätzen der Neutralität und Parität des Staates, Art. 140 GG, Art. 137 Abs. 1 WRV.

Das österreichische Staatskirchenrecht kennt die K.d.ö.R. nicht. Jedoch erkennt es für den weltlichen Rechtsbereich die Rechtspersönlichkeit der kanonischen Rechtspersonen an. Hier bedarf es des Begriffes der Kirchen-G. nicht.

In der Schweiz besteht seit der Reformation die Besonderheit, dass den kantonalen Landeskirchen und örtlichen Kirchen-G. ein öffentlicher Rechtsstatus zukommt, der schwerlich mit dem kanonischen Recht (↑Kirchenrecht) vereinbar ist. Unter allen Rechtsträgern ist die Kirchen-G. neben der kanonischen Pfarrei der dominante staatliche Rechtsträger des Lebens in der Ortskirche. Hier kumulieren alle rechtlichen Kompetenzen, bis zur Auswahl und Präsentation der Seelsorger. Dem ↑Bischof bleibt die förmliche Ernennung des Präsentierten. Nach dem schweizerischen Recht besteht ein strenges wohnortbezogenes Territorialprinzip.

3. Kirchengemeindeverband

Unter KGV wird *im katholischen Kontext* der rechtlich verbindliche Zusammenschluss mehrerer Kirchen-G.n (Pfarreien) in einem Seelsorgebereich oder anders bezeichneten pastoralen Raum verstanden. Der Zusammenschluss von Kirchen-G.n zu einem KGV ist von den beteiligten Kirchen-G.n beim Ortsordinarius zu beantragen. Über die Errichtung wird eine Urkunde ausgestellt. Der KGV bedarf als K.d.ö.R. der Anerkennung der zuständigen Landesbehörde. Die Errichtung eines KGV kann zum Jahresbeginn oder während des Haushaltsjahres erfolgen. Der KGV hat seinen Sitz in der betreffenden bürgerlichen G. (bei mehreren in einer davon). Für den KGV erlassen die zuständigen Ortsordinarien ↑Satzungen und übertragen die Leitung einem ↑Priester als leitendem Pfarrer. Die Satzungen der KGV variieren aufgrund der bischöflichen Gesetzgebungsvollmachten je nach Bistum. Zu den Kernaufgaben der KGV gehören Verwaltungsaufgaben, wie die Finanz- und Rechtsträgerschaft der pastoralen Kooperation der rechtlich selbständig fortbestehenden Kirchen-G.n, Anstellungsträgerschaft aller nicht pastoralen Dienste der Kirchen-G., Betriebsträgerschaft von eigenen Einrichtungen, Organisation und Finanzverwaltung der örtlichen Büros etc. Organ des KGV ist die Verbandsvertretung. Sie setzt sich zumeist aus jeweils zwei Mitgliedern der betreffenden Kirchenvorstände bzw. Verwaltungsräte der Kirchen-G.n zusammen. Die Beschlüsse werden mehrheitlich gefasst. Einstimmigkeit ist nicht erforderlich.

In den evangelischen Kirchen wird unter KGV eine kirchliche Vereinigung i. S. d. landeskirchlichen Kirchenordnung verstanden, die zugl. K.d.ö.R. ist. Der KGV versteht sich als Solidargemeinschaft aller ihm angeschlossenen Kirchen-G.n. Grundstücke und Gebäude stehen hier im Eigentum des Verbandes, der auch die Finanzhoheit besitzt. Der Verband ist Arbeitgeber für die Mitarbeitenden in den angeschlossenen Kirchen-G.n. Er wird von einem Verbandsvorstand geleitet, dessen Mitglieder von der Verbandsvertretung gewählt und mit den laufenden Geschäften betraut werden. Es ist nicht vorgesehen, dass ein Pfarrer die Leitung ausüben muss.

Literatur

M. Zumbült: Insolvenzfähigkeit der Kirchengemeinde, 2013 • H. Hallermann: Pfarrei und pfarrliche Seelsorge, 2004 • S. Rosenstock: Die Selbstverwaltung evangelischer Kirchengemeinden, 2000.   MATTHIAS PULTE

Gemeinnützigkeit

G. bezeichnet im Steuerrecht die Förderung des ↑Gemeinwohls durch eine i. d. R. private Körperschaft ohne eigenes erwerbswirtschaftliches Interesse. Gemeinnützi-ges Handeln steht damit zwischen ↑Staat und ↑Markt: Mit dem Markt teilt es den dezentralen Einsatz privater Mittel, mit dem Staat die nicht individual- sondern gemeinwohlbezogenen Handlungsmotive. Als steuerrechtlicher Status einer Körperschaft ist die G. einheitlicher Anknüpfungspunkt für eine Vielzahl von Steuervergünstigungen. Ihre Rechtfertigung finden diese Vergünstigungen im Beitrag der Körperschaft zur Verwirklichung des Gemeinwohls, der ergänzend neben den staatlichen Gemeinwohlbeitrag tritt.

1. Gemeinnützigkeit aus historischer Perspektive

Mit Beginn der Besteuerung ↑juristischer Personen des Privatrechts im 19. Jh. enthielten zunächst die Steuergesetze der Bundesstaaten und später die Reichssteuergesetze Steuerbefreiungen für Vereinigungen, die ausschließlich bestimmte Gemeinwohlzwecke verfolgten. Die v. a. durch das PrOVG und den Reichsfinanzhof konkretisierten Voraussetzungen dieser Steuerbefreiungen wurden 1922 in der VO über die Anerkennung der Gemeinnützigkeit und Mildtätigkeit i. S. d. KStG und nachfolgend 1926 in der Durchführungs-VO zum KStG erstmals im Sinne eines G.s-Status zusammengeführt. Eine erste steuerartübergreifende Regelung enthielt sodann das Steueranpassungsgesetz von 1934. Ergänzt durch eine nach dem Zweiten Weltkrieg noch einmal neu gefasste G.s-VO hatte diese Regelung Bestand bis zu ihrer Ablösung durch einen eigenen Abschnitt über „Steuerbegünstigte Zwecke" in der AO. Im Sinne eines „Allgemeinen Teils" regelt dieser Abschnitt steuerartübergreifend die Voraussetzungen für die Anerkennung einer Körperschaft als „steuerbegünstigt". Obwohl die AO gemeinnützige, mildtätige und kirchliche Zwecke und damit drei Arten steuerbegünstigter Zwecke unterscheidet, wird diese Steuerbegünstigung üblicherweise vereinfachend als G. bezeichnet. Sie dient als einheitlicher Anknüpfungspunkt für eine Vielzahl von Steuervergünstigungen in Einzelsteuergesetzen, die den „Besonderen Teil" des G.s-Rechts bilden.

2. Der steuerrechtliche Gemeinnützigkeitsstatus

Gemeinnützigkeitsfähig sind nach geltendem Recht nur Körperschaften, Personenvereinigungen und Vermögensmassen i. S. d. KStG. Natürlichen Personen und Personengesellschaften steht der G.s-Status nicht offen, sie können aber ↑Spenden und Mitgliedsbeiträge an steuerbegünstigte Körperschaften steuermindernd geltend machen. Praktische Bedeutung hat die G. v. a. für ↑Vereine und ↑Stiftungen des Privatrechts. Steuerbegünstigt können aber auch Kapitalgesellschaften und juristische Personen des öffentlichen Rechts sein. Unter dem Einfluss der Grundfreiheiten des Unionsrechts hat der Gesetzgeber den G.s-Status nach und nach auch für Körperschaften mit Sitz und Geschäftsleitung in einem anderen Mitgliedstaat der EU (und des EWR) geöffnet. In Drittstaaten ansässige Körperschaften sind hingegen nach wie vor von der G. ausgeschlossen: Der mit der G.

verbundene Verzicht des deutschen ↑Steuerstaates auf Einnahmen soll möglichst weitgehend mit der Förderung des Gemeinwohls in Deutschland verknüpft bleiben. Politisch folgerichtig verlangt §51 Abs. 2 AO bei der Verwirklichung steuerbegünstigter Zwecke im Ausland ganz allg., dass natürliche Personen mit Wohnsitz oder gewöhnlichem Aufenthalt im Inland gefördert werden oder die Tätigkeit der Körperschaft immerhin „zum Ansehen der Bundesrepublik Deutschland im Ausland beitragen kann". Dieses Erfordernis eines „Inlandsbezugs" der G. ist politisch umstritten und unionsrechtlich problematisch.

G. verlangt die Verfolgung eines steuerbegünstigten Zwecks. Das ↑Steuerrecht versteht darunter neben gemeinnützigen Zwecken im engeren Sinne auch mildtätige und kirchliche Zwecke. Einen *gemeinnützigen Zweck* im engeren Sinne verfolgt nach §52 AO, wer die Allgemeinheit auf materiellem, geistigem und sittlichem Gebiet selbstlos fördert. Ein der Definition beigefügter, aber entwicklungsoffen gehaltener Katalog nennt wichtige Anwendungsfälle wie die Förderung von Wissenschaft und Forschung, Kunst und Kultur, Umwelt- und Tierschutz oder Sport, aber auch die Förderung von reinen Freizeitbeschäftigungen wie Amateurfunken und Modellflug, deren gemeinnütziger Charakter zweifelhaft ist und deren Subventionierung durch Steuervergünstigungen daher in der Kritik steht. Einen *mildtätigen Zweck* verfolgt eine Körperschaft nach §53 AO, wenn sie selbstlos persönlich oder wirtschaftlich hilfsbedürftige Personen unterstützt. Die Verfolgung eines *kirchlichen Zwecks* setzt nach §54 AO die selbstlose Förderung einer als K.d.ö.R. anerkannten ↑Religionsgemeinschaft voraus. Anwendungsfälle sind die Errichtung und Unterhaltung von Gottes- und Gemeindehäusern sowie die Erteilung von ↑Religionsunterricht.

Nach §56 AO dürfen steuerbegünstigte Körperschaften *ausschließlich* steuerbegünstigte Zwecke verfolgen. Nach §57 AO müssen sie diese Zwecke *unmittelbar,* also selbst verfolgen. Hilfspersonen dürfen in die Zweckverwirklichung einbezogen werden, wenn ihr Wirken der Körperschaft als eigenes Wirken zugerechnet werden kann. Zentrale Voraussetzung der G. ist darüber hinaus, dass die Zweckverwirklichung nach §55 AO *selbstlos* erfolgt. Steuerbegünstigte Körperschaften sind in der Folge zwingend NPOs, deren Tätigkeit nicht erwerbswirtschaftlich motiviert ist. Unzulässig sind daher Gewinnausschüttungen an die Mitglieder oder Gesellschafter, wie sie für For-Profit-Organisationen typisch sind. Die Mittel einer steuerbegünstigten Körperschaft dürfen vielmehr während des Bestehens der Körperschaft und selbst darüber hinaus nur für die Verfolgung steuerbegünstigter Zwecke verwendet werden.

Die verfolgten Zwecke und die selbstlose, ausschließliche und unmittelbare Art ihrer Verwirklichung müssen nach §60 AO in der ↑Satzung der Körperschaft festgelegt sein. Insb. muss die Satzung nach §61 AO eine Bestimmung darüber enthalten, für welche steuerbegünstigten Zwecke das Vermögen der Körperschaft nach ihrer Auflösung oder Aufhebung verwendet werden soll. Das Vermögen der Körperschaft bleibt so über ihre Existenz hinaus in der steuerbegünstigten Sphäre gebunden, wo es unter Inanspruchnahme von Steuervergünstigungen gebildet worden ist. Die *tatsächliche Geschäftsführung* der Körperschaft muss nach §63 AO den Bestimmungen der Satzung und damit mittelbar den dort verankerten gesetzlichen Anforderungen an die G. genügen. Festgestellt wird die G. einer Körperschaft spätestens bei ihrer Veranlagung zur ↑Körperschaftsteuer. Alternativ kann sie nach §60a AO auf Antrag auch schon vorher festgestellt werden.

Steuerbegünstigte Körperschaften dürfen zur Beschaffung von Mitteln für die Verfolgung steuerbegünstigter Zwecke auch *vermögensverwaltend* und sogar *wirtschaftlich* tätig werden. Voraussetzung ist, dass die Mittelbeschaffung geeignet, erforderlich und angemessen ist, um die steuerbegünstigten Zwecke zu verfolgen. Unzulässig ist daher eine dauerdefizitäre wirtschaftliche Betätigung. Überdies sind die erwirtschafteten Mittel allein für die steuerbegünstigten Zwecke zu verwenden. Tatsächlich sind Vermögensverwaltung und wirtschaftliche Geschäftsbetriebe neben Spenden und Mitgliedsbeiträgen wichtige Finanzierungsquellen steuerbegünstigter Körperschaften.

3. Gemeinnützigkeitsrechtliche Steuervergünstigungen

An den G.s-Status knüpfen zahlreiche Steuervergünstigungen an. So ist die steuerbegünstigte Körperschaft selbst gemäß §5 Abs. 1 Nr. 9 KStG und §3 Nr. 6 GewStG von der KSt und von der ↑Gewerbesteuer befreit. Dies betrifft v.a. Einkünfte aus Vermögensverwaltung. Einkünfte aus einem wirtschaftlichen Geschäftsbetrieb sind hingegen zum Schutz nicht steuerbegünstigter Wettbewerber von der Steuerbefreiung ausgenommen, sofern der wirtschaftliche Geschäftsbetrieb nicht als „Zweckbetrieb" i.S.d. §§65 bis 68 AO zwingend erforderlich ist, um einen bestimmten steuerbegünstigten Zweck zu verfolgen. So setzt bspw. die steuerbegünstigte Heranführung von Menschen mit Behinderung an den regulären Arbeitsmarkt echte Außenumsätze am Markt voraus. Das Umsatzsteuerrecht befreit die Umsätze gemeinnütziger Körperschaften zwar nicht allg. von der ↑Umsatzsteuer. Es enthält aber punktuelle Steuerbefreiungen und darüber hinaus eine allg.e Steuerermäßigung in §12 Abs. 2 Nr. 8 UStG. Praktisch noch bedeutsamer als diese unmittelbaren Steuervergünstigungen ist die auch natürlichen Personen offenstehende Möglichkeit, Spenden und Mitgliedsbeiträge an steuerbegünstigte Körperschaften gemäß §10b EStG, §9 Abs. 1 Nr. 2 KStG und §9 Nr. 5 GewStG steuermindernd geltend zu machen. Gerade diese Steuervergünstigung steht immer wieder in der Kritik, weil sie dem Verdacht ausgesetzt ist, Steuerpflichtigen mit hinreichenden finanziellen Ressourcen die mittelbar steuerfinanzierte Verwirklichung partikularer Interessen zu ermöglichen.

Literatur

S. Winheller/S. J. Geibel/M. Jachmann-Michel (Hg.): Gesamtes Gemeinnützigkeitsrecht, 2017 • R. Buchna u. a. (Hg.): Gemeinnützigkeit im Steuerrecht, [11]2015 • R. Hüttemann: Gemeinnützigkeits- und Spendenrecht, [3]2015 • S. Geserich: Gemeinnützigkeit, in: H. Kube u. a. (Hg.): Leitgedanken des Rechts, Bd. 2, 2013, 1755–1764 • M. Droege: Gemeinnützigkeit im offenen Steuerstaat, 2010 • S. Schauhoff (Hg.): Hdb. der Gemeinnützigkeit, [3]2010 • W. R. Walz/L. von Auer/T. von Hippel (Hg.): Spenden- und Gemeinnützigkeitsrecht in Europa, 2007 • M. Jachmann (Hg.): Gemeinnützigkeit, 2003 • F. Hammer: Die Gemeinnützigkeitsregelungen des Steuerrechts im Spiegel der deutschen Staats- und Verfassungsentwicklung, in: StuW 78/1 (2001), 19–25 • J. Isensee: Gemeinwohl und Bürgersinn im Steuerstaat des Grundgesetzes, in: H. Maurer (Hg.): Das akzeptierte Grundgesetz, 1990, 33–65 • J. Lang: Gemeinnützigkeitsabhängige Steuervergünstigungen, in: StuW 64/3 (1987), 221–252.

SEBASTIAN UNGER

Gemeinsame Außen- und Sicherheitspolitik (GASP)

1. Inhalt und Ziele

GASP bezeichnet die bes. Form der Zusammenarbeit der Mitgliedstaaten der ↑EU innerhalb des breit angelegten und verschiedene Politikfelder umfassenden Feldes des Auswärtigen Handelns der EU unter Wahrung der Prinzipien der Intergouvernementalität und ↑Subsidiarität. Gemäß Titel V des Vertrags von Lissabon (Art. 21–41 EUV) erstreckt sie sich auf „alle Bereiche der Außenpolitik sowie auf sämtliche Fragen im Zusammenhang mit der Sicherheit der Union, einschließlich der schrittweisen Festlegung einer gemeinsamen Verteidigungspolitik." Letztere kann zu einer „gemeinsamen Verteidigung" führen, sofern der ↑Europäische Rat dies einstimmig beschließt. Die GSVP ist integraler Bestandteil der GASP und „sichert der Union eine auf zivile und militärische Mittel gestützte Operationsfähigkeit" (Art. 42–46 EUV). Als multilateral agierender Akteur kooperiert die EU eng mit der ↑NATO, die das Fundament kollektiver Verteidigung für alle EU-Staaten ist, die zugl. Mitglieder der NATO sind. Der bes. Charakter der Sicherheits- und Verteidigungspolitiken der EU-Mitgliedstaaten bleibt durch die GASP erhalten und berührt die Bündnisverteidigung der NATO nicht. Indes verfügt die GSVP über eine eigene Beistandsklausel (Art. 42 Abs. 7 EUV), durch die sich die EU Staaten „im Falle eines bewaffneten Angriffs auf das Hoheitsgebiet eines Mitgliedstaats" alle „in ihrer Macht stehende Hilfe und Unterstützung, im Einklang mit Artikel 51 der Charta der Vereinten Nationen" schulden.

GASP und GSVP lassen sich von jenen Grundsätzen leiten, die für die Entstehung der EU maßgebend waren: „Demokratie, Rechtsstaatlichkeit, die universelle Gültigkeit und Unteilbarkeit der Menschenrechte und Grundfreiheiten, die Achtung der Menschenwürde, der Grundsatz der Gleichheit und der Grundsatz der Solidarität sowie die Achtung der Grundsätze der Charta der Vereinten Nationen und des Völkerrechts" (Art. 21 Abs. 1 EUV). Dabei sind die Mitgliedstaaten der EU formal verpflichtet, die GASP „im Geiste der Loyalität und der gegenseitigen Solidarität" zu unterstützen und sich jeder Handlung zu enthalten, die die Interessen der EU unterlaufen oder die der „Wirksamkeit der Union als kohärente Kraft in den internationalen Beziehungen schaden könnte" (Art. 24 Abs. 3 EUV). Der Erfolg des Auswärtigen Handelns hängt insgesamt vom effizienten Zusammenspiel diplomatischer, ökonomischer, entwicklungspolitischer sowie polizeilicher und militärischer Maßnahmen ab, die institutionell, sektorenübergreifend und auf allen Wirkungsebenen des Handelns abgestimmt werden müssen.

Jedoch stellt dieser außenpolitische Koordinierungsprozess eine komplexe Aufgabe dar. Mehrere Politikbereiche greifen ineinander, deren Funktionslogik aufgrund des supranationalen oder intergouvernementalen Charakters gänzlich verschieden ist. So fallen etwa ↑Entwicklungspolitik, Europäische Nachbarschaftspolitik oder ↑Außenwirtschaftspolitik in den Zuständigkeitsbereich der ↑Europäischen Kommission und sind von der GASP als eigenständigem Politikfeld zu unterscheiden.

2. Gründungsmomente

Charakteristisch für die GASP waren stets ihr intergouvernementaler Charakter und das Bestreben europäischer Mitgliedstaaten, außenpolitisch einheitlich zu agieren. Bereits in den 50er Jahren finden sich erste Harmonisierungsbestrebungen in Form eines Plans zur Gründung einer EVG, dessen Ratifizierung an Frankreich scheiterte. Dem folgte 1954 die Gründung der WEU, ein regionales System kollektiver Sicherheit. Die Bemühungen der EG zur Koordinierung nationaler ↑Außenpolitiken mündeten 1970 zunächst in die auf intergouvernementale Kooperationsverfahren beruhende EPZ. Sie bot ein Forum, sich außenpolitisch zumindest regelmäßig zu konsultieren, wenngleich sie keine Bindewirkung entfaltete. Dennoch war diese Zusammenarbeit ein wichtiger Integrationsschritt zur Überführung ihrer Kooperationsmechanismen in einen rechtlichen Rahmen, der EEA (1986), und damit Vorreiter der GASP.

Die Gründung der GASP wurde aufgrund der Überforderung der EG notwendig, die sicherheitspolitischen Folgen des Umbruchs der gesellschaftlichen und politischen Systeme in Mittel- und Osteuropa nach dem Ende des ↑Ost-West-Konfliktes abzufangen. Außenpolitische Handlungsunfähigkeit und der Wunsch, sich aus dem engen militärischen Abhängigkeitsverhältnis von USA und NATO zu lösen, lieferten den notwendigen Integrationsschub für die Institutionalisierung der GASP durch den Gründungsvertrag der EU, den Vertrag von Maastricht (1992). Die GASP wurde als intergouvernementale zweite Säule neben der polizeilichen und justiziellen Zusammenarbeit in Strafsachen und der supranationalen ersten Säule, den EG, in das Vertragswerk aufgenommen. Sie war fortan ein Instrument zur aktiven Durchsetzung einer europäischen Außen- und ↑Sicherheitspolitik.

Zugl. formulierte der Vertrag das langfristige Ziel einer gemeinsamen Verteidigung. Daher wurde mit dem Maastrichter Vertrag die WEU als integraler Bestandteil der EU insgesamt festgeschrieben, wenngleich sie vorerst institutionell eigenständig blieb. Der WEU oblag die Durchführung operativer verteidigungspolitischer Aktionen. Eine Liste möglicher Handlungsfelder wurde 1997 in den Vertrag von Amsterdam aufgenommen. Mit Blick auf eine sichtbare und stetige Außenvertretung der EU wurde zugl. das Amt eines Hohen Vertreters für die GASP geschaffen.

Weitreichende Vertiefung blieb dennoch aus. Bes. tragisch mündeten Integrationsträgheit und Handlungsunfähigkeit im Kosovo-Konflikt 1998/99 in ein außenpolitisches Fiasko. Es führte zur Erkenntnis, dass die EU für Sicherheit und Stabilität in und um Europa selbst in der Verantwortung stand und zur Wahrnehmung dieser Aufgabe eigenständige Strukturen und Fähigkeiten notwendig wurden.

Angesichts der Beendigung des Ost-West-Konfliktes stand auch die NATO unter enormem Anpassungsdruck. Der Gedanke an eine eigenständige Sicherheits- und Verteidigungspolitik der EU musste seinen Platz finden. Schließlich mündeten ein Umschwenken Großbritanniens zugunsten der Europäer und eine Annäherung Frankreichs an die „Atlantiker" im Dezember 1998 in ein informelles britisch-französisches Treffen in Saint Malo. Es stellte den politischen Durchbruch für die Gründung der ESVP auf dem Europäischen Rat von Köln 1999 dar (die im Vertrag von Lissabon 2009 in GSVP umbenannt wurde) und leitete den kontinuierlichen Aufbau autonomer ziviler und militärischer Fähigkeiten sowie institutioneller Strukturen ein.

3. Strukturen und Handlungskompetenz

Da die Entscheidungskompetenz außen- und sicherheitspolitischen Handelns bei den souveränen Mitgliedstaaten liegt, gelten für die GASP und die GSVP bes. Bestimmungen und Verfahren. Grundsätzlich legt der Europäische Rat die strategischen Interessen und Ziele der Union im Bereich der GASP und des Auswärtigen Handelns fest. Auf dieser Grundlage fasst der Rat für Auswärtige Angelegenheiten die für die Durchführung der GASP erforderlichen Beschlüsse. Erlangte die EU ihre außenpolitische Handlungsfähigkeit zunächst über die Annahme gemeinsamer Aktionen, gemeinsamer Standpunkte sowie über den Beschluss gemeinsamer Strategien, werden seit dem Vertrag von Lissabon nur

noch Leitlinien und Beschlüsse, und zwar grundsätzlich einstimmig, erlassen.

Die Wahrnehmung eines einheitlichen Auftretens der EU nach außen stand seit der Gründung der GASP immer auch im Zusammenhang mit dem Wunsch nach der einen „Telefonnummer der EU". Die Institutionalisierung eines Hohen Vertreters für die GASP kam dem entgegen. Unterstützt wird dessen Arbeit durch den Europäischen Auswärtigen Dienst, in den neben Abteilungen des Generalsekretariats des Rates, der Kommission und diplomatischer Vertretungen der Mitgliedstaaten auch die zivilen und militärischen Krisenmanagementstrukturen der GSVP überführt wurden. Ebenfalls bildet ein Netzwerk von 139 EU-Delegationen einen integralen Teil des Europäischen Auswärtigen Dienstes. Sie beteiligen sich global an der Umsetzung von EU-Politiken im Rahmen der externen Beziehungen.

Unmittelbar nach der Gründung der GASP wurde 1992 durch den Rat ein erster geographischer Handlungsrahmen abgesteckt. Gemeinsame Aktionen sollten sich auf die Länder Mittel- und Osteuropas, insb. die Nachfolgestaaten der UdSSR sowie auf die Balkanländer und den Mittelmeerraum erstrecken, wobei der Fokus auf dem Maghreb und dem ↑Nahen Osten lag. Insb. die Balkanstaaten galten aufgrund der Erfahrungen der EU im Umgang mit den Krisen der 1990er Jahre von Beginn der operativen Tätigkeit an als „kritisches Testgebiet". Ein Großteil des strategischen und institutionellen Lernprozesses fußt auf den bislang eingesetzten Missionen und Operationen in diesen Staaten. Deren wichtigste im Bereich der Rechtsstaatlichkeit setzte die EU im Kosovo ein: Hier bildet EULEX-Kosovo seit 2008 die lokale Polizei, Richter, Zollbeamte und zivile Angestellte des öffentlichen Dienstes aus und assistiert zugl. bei der Umsetzung des Dialogs zur Normalisierung der Beziehungen zu Serbien. Auch ihre erste militärische Operation setzte die EU 2003 am Balkan ein: CONCORDIA löste die NATO-Operation Allied Harmony in der ehemaligen jugoslawischen Republik Mazedonien ab. Der Operation ging das im März 2003 zwischen EU und NATO geschlossene Berlin-Plus-Abkommen voraus, welches der Union den Zugriff auf NATO-Kapazitäten bei autonom geführten EU-Einsätzen ermöglicht. CONCORDIA diente der Stabilisierung des Landes und der Überwachung des Rahmenabkommens von Ohrid. Etwa die Hälfte ihrer Missionen und Operationen hat die EU in Afrika eingesetzt. Das europäische Interesse in dieser Region gilt v. a. der humanitären Lage, der unmittelbaren geographischen Nachbarschaft Afrikas zur EU und der Abwendung potentieller Überlappungseffekte lokaler Krisenherde auf die Union. Die Folgen des Arabischen Frühlings und des Ausbruchs des Krieges in Syrien, v. a. die Flüchtlingswelle nach Europa 2015, verdeutlichten diese Effekte und führten in Konsequenz zu neuen Integrationsschüben der GASP und GSVP und deren engerer Verschränkung mit der Migrationspolitik der EU.

Insgesamt sind die Einsätze unter dem Dach der GSVP mehrheitlich ziviler Natur, wodurch die EU in den gesellschaftspolitischen und wissenschaftlichen Debatten nicht selten mit einem „zahnlosen Tiger" verglichen wird. Jedoch wurde das Krisenmanagement von Beginn an zivil und militärisch gedacht und kontinuierlich aufgebaut. So definiert der GSVP-Aufgabenkatalog (Art. 43 EUV) die Bandbreite der Krisenmanagementeinsätze: gemeinsame Abrüstungsmaßnahmen, humanitäre Aufgaben und Rettungseinsätze, Aufgaben der militärischen Beratung und Unterstützung sowie Aufgaben der Konfliktverhütung und Erhaltung des ↑Friedens und Kampfeinsätze im Rahmen der Krisenbewältigung einschließlich Frieden schaffender Maßnahmen und Operationen zur Stabilisierung nach Konflikten. Jüngst wurde dieser Katalog um die Bereiche internationaler ↑Terrorismus und Cybergefahren ergänzt.

Auf Basis dieses Aufgabenkataloges sowie auf den in den ersten GSVP-Jahren getroffenen Vereinbarungen (Headline Goal 2010, ziviles Headline Goal 2010) kann die EU verschiedene Typen von Missionen und militärischen Operationen außerhalb ihres Territoriums einsetzen: Krisenmanagementoperationen in Einsatzlagen mit hohem Sicherheitsrisiko, gemeinsame Stabilisierungsoperationen, zivile sowie militärische Schnelleingreiffähigkeiten (u. a. unter Rückgriff auf die EU Battlegroups), zivile Missionen mit Substitutions- oder Exekutivmandat, Operationen zur Luftraumüberwachung oder Luftunterstützung, Operationen im Bereich der maritimen Sicherheit und Überwachung, Missionen und Operationen zum Aufbau institutioneller Kapazitäten durch Monitoring, Mentoring und Training und schließlich Einsätze im Bereich der Sicherheitssektorreform.

4. Ganzheitlicher Ansatz

Dem breiten Spektrum Auswärtigen Handelns der EU liegt ein ganzheitlicher Ansatz zugrunde, der sich am Paradigma des Nexus von ↑Sicherheit und Entwicklung orientiert. Bereits durch die erste Europäische Sicherheitsstrategie 2003 wurde dieser Ansatz für die GASP und das Auswärtige Handeln in seiner Gesamtheit festgeschrieben. Er ermöglicht es, Ursachen von potentiellen Konflikten und Krisen außerhalb des EU-Territoriums zu erkennen und entspr.e Wirkungszusammenhänge zu verstehen. Das Ziel eines ganzheitlichen Ansatzes im internationalen Handeln ist es, innovative Lösungsstrategien anzubieten, die kurzfristige Maßnahmen der GASP mit langfristigen Maßnahmen, etwa der Entwicklungspolitik, verzahnen. Effizienz und Effektivität können aber auch hier nur auf Grundlage einer gemeinsamen politischen und strategischen Analysebasis erreicht werden, aus der sich die außenpolitischen Interessen der EU einheitlich ableiten lassen.

Im konkreten Fall eines die Sicherheit der EU betreffenden Konfliktfalles bieten die „Politischen Rahmenbedingungen für einen Krisenmanagementansatz" die Grundlage für eine außenpolitische Antwort. Das für jede Sicherheitslage neu erarbeitete Dokument stellt die für die EU essentiellen Fragen: Welche Faktoren charakterisieren einen konkreten Konflikt? Welche außenpolitischen Handlungsoptionen soll und kann die EU wählen? Verfügt die Union über die erforderlichen Fähigkeiten für eine adäquate Antwort auf den Konflikt?

Zur Unterstützung einer kontinuierlichen Umsetzung dieses ganzheitlichen Ansatzes wurde innerhalb des Europäischen Auswärtigen Dienstes ein Krisenreaktionssystem institutionalisiert, welches heute das Herzstück kohärenten auswärtigen Handelns ist. Auf Grundlage einer 24-Stundenbasis beobachtet die EU internationale sicherheitspolitische Entwicklungen kontinuierlich. Im Falle einer potentiellen Krise aktiviert die Europäische Auswärtiger Dienst-Abteilung für Krisenreaktion und operative Koordination die Krisenplattform. Unter dem Vorsitz des Hohen Vertreters werden alle relevanten Gremien in einen gemeinsamen Analyseprozess eingebunden und Synergieeffekte eruiert. Hier zeigt sich der Vorteil der institutionellen Verschränkung dieses Amtes zwischen der nationalstaatlich geprägten GASP und den supranationalen Politikbereichen. Die gleichzeitige Einbindung der Planungsgremien der GSVP, der relevanten Abteilungen der Europäischen Kommission und der Mitgliedstaaten ermöglicht das koordinierte und kohärente internationale Handeln der EU. Zu Beginn der Arabischen Revolution wurde dieser Prozess 2011 erstmalig erprobt, seither kontinuierlich weiterentwickelt. Heute ist er ein institutionalisierter Bestandteil des Entscheidungs(findungs)prozesses der EU in ihrer Außenpolitik.

5. Globale Strategie, Geteilte Vision, Gemeinsame Aktion

Die neue Ausrichtung der GASP und des Auswärtigen Handelns der EU insgesamt durch die Globale Strategie 2016 ist vor dem Hintergrund sich verändernder sicherheitspolitischer Prozesse einzuordnen, die sich nicht mehr lokal begrenzen lassen, einen hohen Grad der Interdependenz aufweisen und teils asymmetrischer oder diffuser Natur sind. Charakteristisch für das künftige Handeln wird ein eher realpolitischer Ansatz in Gestalt eines sich an den Grundsätzen der EU orientierenden Pragmatismus sein. Drei Kernbereiche werden künftig strategische Priorität erlangen: die Reaktion der EU auf externe ↑Krisen und Konflikte, die Widerstandsfähigkeit der Partnerländer sowie der Schutz der EU und ihrer Zivilbevölkerung. Erstmals definiert die Union durch ein solches Dokument ihre eigenen vitalen Interessen einheitlich, die zugl. auch die vitalen Interessen aller Mitgliedstaaten widerspiegeln. Die Sicherheit des EU-Territoriums und der Zivilbevölkerung wird deutlich hervorgehoben. Charakteristisch für den realpolitischen Ansatz ist zudem, dass etwa die Neuausrichtung der Europäischen Nachbarschaftspolitik und die Globale Strategie die unbedingte ↑Demokratisierung in Regionen außerhalb der EU nicht mehr als obligatorischen Schwerpunkt definieren. Vielmehr wird die GASP Demokratisierungsprozesse nur unterstützen, wenn sie von sich aus wachsen. In allen anderen Fällen wird sich die Ausrichtung der GASP auf die Reduktion staatlicher Fragilität und nicht mehr am bedingungslos geforderten Regimewechsel orientieren.

Die neue strategische Autonomie der EU zieht auch die Fähigkeit nach sich, mit internationalen und regionalen Partnern zu kooperieren und zusammenzuarbeiten oder aber autonom zu agieren, sollte dies notwendig sein. Insofern sieht sich die EU außen- und sicherheitspolitisch auf Augenhöhe mit ihren Partnern. Jedoch agieren die Mitgliedstaaten nach dem Grundsatz der „nur einmal bereitgestellten Streitkräfte", die sie jeweils national, im multilateralen Rahmen (NATO, EU, ↑UNO), in Ad-hoc-Koalitionen oder regionalen Verbunden (↑OSZE) einsetzen können. Dies wird der EU in der Debatte über ihre tatsächliche Handlungsfähigkeit als Nachteil ausgelegt. Der Kern des Problems lag in der Vergangenheit in der unterschiedlichen Sichtweise der Mitgliedstaaten über die Notwendigkeit, etwa die verteidigungspolitischen Ausgaben nennenswert zu erhöhen, oder in das *pooling and sharing* erforderlicher Fähigkeiten zu investieren. Durchaus ein Integrationsschub ist daher der gezielte Ausbau der operativen Fähigkeiten der GSVP und die synergetische Einbettung dieses Prozesses in das gesamte außenpolitische Institutionengefüge aus Europäischem Auswärtigem Dienst, der Europäischen Verteidigungsagentur und der Arbeit der Kommission in Unterstützung der GASP.

Insgesamt wird es für die GASP langfristig von Bedeutung sein, nicht nur praxisorientiert zu wachsen, sondern sich auch integrationstheoretisch fortzuentwickeln. Die Vergemeinschaftung der GASP in das supranationale Gefüge der EU wird dabei sicherlich ein ideelles Ziel bleiben, v. a. für die GSVP. Dennoch sind auch in einem intergouvernementalen Rahmen vertiefende Integrationsschritte denkbar, zumal, wenn die bislang nur im Vertrag von Lissabon festgeschriebenen Strukturen, etwa die Ständig Strukturierte Zusammenarbeit, zum Leben erweckt werden.

Literatur

S. Biscop: The EU Global Strategy. Realpolitik with European Characteristics, in: Egmont Security Policy Brief, Nr. 75, 2016 • Council of the European Union (Hg.): Council conclusions on implementing the EU Global Strategy in the area of Security and Defence, in: Council Conclusions 14149/16 (2016) • A. Kammel: From EUPM Bosnia to EUMAM RCA, in: J. Rehrl/G. Glume (Hg.): Handbook on CSDP Missions and Operations, 2015, 106–111 • A. Opitz: Politische Vision oder praktische Option? Herausforderungen eines zivil-militärischen Krisenmanagementansatzes der GSVP, 2012.

ANJA OPITZ

Gemeinsamer Markt ↑Europäischer Binnenmarkt

Gemeinschaft

Als G. werden in der ↑Soziologie und darüber hinaus jene Formen des menschlichen Zusammenlebens bezeichnet, die auf einem primär emotional und/oder traditional bestimmten Zusammengehörigkeitsgefühl aller Beteiligten beruhen und durch eine zumindest relative Dauer gekennzeichnet sind.

Als soziologischer Grundbegriff geht G. auf Ferdinand Tönnies und sein 1887 erstmalig erschienenes Werk „Gemeinschaft und Gesellschaft" zurück. G. bezeichnet F. Tönnies hier als eine Sozialform, in der die Menschen miteinander verbunden sind auf der Grundlage enger persönlicher und um ihrer selbst willen bejahter Beziehungen. G. beruhe auf der Betonung des Gemeinsamen, auf Verzicht bestimmter Formen der Selbstbehauptung und einzelhafter Ich-Interessen, auf Selbsthingabe, ↑Liebe, Direktheit, Unvermitteltheit, auf der Ausschaltung aller distanzierenden menschlichen und technischen Zwischeninstanzen, kurz: auf Wärme, Nähe, Intimität und Rückhaltlosigkeit. Als typische Formen von G. nennt er die ↑Familie als „Gemeinschaft des Blutes" (Tönnies 1887: 16), die Nachbarschaft als „Gemeinschaft des Ortes" (Tönnies 1887: 16) und die Freundschaft als „Gemeinschaft des Geistes" (Tönnies 1887: 16). Der „organischen" G. stellt er die „mechanische" ↑Gesellschaft gegenüber, die er – gestützt auf die Gesellschaftsanalyse von Karl Marx – wesentlich durch die Defizite bestimmt, die sie im Vergleich mit der G. aufweise. Gesellschaftlich miteinander verbundene Menschen seien gar nicht wirklich miteinander verbunden. Gesellschaft sei vielmehr ein bloßes Nebeneinander wesentlich getrennter einzelner ↑Individuen, kein echtes, sondern nur ein scheinbares, ein künstliches Zusammenleben, ein mechanischer Artefakt. Gesellschaft beruhe auf ↑Entscheidung, Egoismus, auf Begierde und Furcht, auf „vernunftgemäßer Berechnung von Nutzen und Annehmlichkeiten", kurz: auf einer grundsätzlich „negativen Haltung" (Tönnies 1979: 34). In konsequenter Fortführung dieser Argumentation nennt F. Tönnies denn auch als typische Formen der Gesellschaft die Großstadt (↑Stadt), die ↑Nation und den großindustriellen Wirtschaftsbetrieb, die alle auf „Bedacht", „Beschluß" und „Begriff" aufgebaut seien und allein auf der Grundlage interessenspezifischer Bindungen mittels „Kontrakt", „Konvention", ↑„Politik" und „öffentlicher Meinung", die jetzt an die Stelle der ↑Religion getreten seien, Gemeinsamkeit und Sinn vermittelten.

Deshalb überrascht es auch nicht, wenn F. Tönnies keinen Zweifel daran lässt, dass er G. nicht nur für die urspr.ere, sondern auch für die höherwertige Sozialform hält und dass „der Begriff der Gesellschaft [...] den gesetzmäßig normalen Prozeß des Verfalls aller Gemeinschaft" (Tönnies 1925: 71) bezeichne – eine Sichtweise, die in der Geschichte der Soziologie und ↑Sozialphilosophie deutliche und vielfältige Spuren hinterlassen hat, nicht nur in der Soziologie der Weimarer Republik, in der z. B. Hans Freyer forderte, die Soziologie müsse nun mithelfen, die gemeinschaftszersetzende industrielle Gesellschaft durch eine „geistige Welt" zu ersetzen, „die Gemeinschaft ermöglichen soll" (Freyer 1930: 245), sondern bspw. auch in den sozialphilosophischen Lehren Jürgen Habermas' mit seiner Unterscheidung von „System" und „Lebenswelt" und den Zeitdiagnosen des – v. a. – angelsächsischen ↑Kommunitarismus. Auch in der ↑Theologie, sowohl in der protestantischen wie in der katholischen und im jüdischen Denken, wurde F. Tönnies' dichotomische Unterscheidung aufgegriffen und zur Ausformulierung einer religiös motivierten Kapitalismuskritik eingesetzt, in der sich der Hoffnung hingegeben wurde, dass eine „erneuerte Religion" nur in einer „erneuerten Gemeinschaft" möglich werden kann, so bspw. bei Martin Buber, Paul Tillich und Romano Guardini. Insb. in R. Guardinis Schrift „Vom Sinn der Gemeinschaft" (Guardini 1950) wird der Gedanke eines „christlichen Solidarismus" entwickelt, von dem schon F. Tönnies meinte, er wäre zwar nicht der einzig mögliche, aber doch ein erfolgversprechender Weg, der aus der Krise der „Gesellschaft" herausführen könne (Tönnies 1929: 464).

Dieser – geschichtsphilosophisch inspirierten, „kulturkritischen" (↑Kulturkritik), ja „kulturpessimistischen" – Sichtweise von der Überlegenheit der G. über die Gesellschaft hat Helmuth Plessner in seiner frühen Studie „Grenzen der Gemeinschaft" (1924) dezidiert widersprochen. Für H. Plessner sind Distanz, Indirektheit und Vermitteltheit als Grundrelationen „gesellschaftlicher" Beziehungen keine defizienten, weil künstlichen Modi wie bei F. Tönnies, sondern in der „leib-seelischen Konstitution des Menschen" selbst begründet. Gesellschaft als Sphäre „indirekter Direktheit", „natürlicher Künstlichkeit", als paradoxer und doppelsichtiger Spielraum des menschlichen Lebens, die der objektivierten Formen des Taktes, des Prestiges und der Zeremonie bedarf, ist für ihn genauso „natürlich" wie G. Diese und Gesellschaft stehen deshalb für H. Plessner nicht in einer hierarchischen Beziehung, sondern gelten als zwei gleichberechtigte, historisch schon immer vorhanden gewesene Formen des menschlichen Zusammenlebens. Auch Max Weber war bemüht, F. Tönnies' dichotomische Begriffsbildung geschichtsphilosophisch zu entschärfen und sie zu de-ontologisieren. In seinen „Soziologischen Grundbegriffen" verwandelt er G. und Gesellschaft in idealtypische Prozessbegriffe und spricht von Formen der „Vergemeinschaftung" und der „Vergesellschaftung". Letztere wird definiert als eine soziale Beziehung, „wenn und insoweit die Einstellung des sozialen Handelns auf rational (wert- oder zweckrational) motiviertem Interessenausgleich oder auf ebenso motivierter Interessenverbindung beruht", erstere als eine solche, „wenn und insoweit die Einstellung des sozialen Handelns […] auf subjektiv gefühlter (affektueller oder traditionaler) Zusammengehörigkeit der Beteiligen be-

ruht" (Weber 1976: 21). Mit dieser Konzentration auf die Motive des sozialen Handelns (↑Handeln, Handlung) kann M. Weber nicht nur der Frage nach der „Naturgemäßheit" der Sozialformen aus dem Weg gehen, sie ermöglicht es ihm auch, den Begriff der G. – jenseits persönlicher Nahverbände wie der Liebes-G., der Familie oder der Freundschaft – auf „größere" Sozialgebilde wie der Nation auszuweiten, die er als „sekundäre Vergemeinschaftung" bezeichnet, woraus Benedict Anderson dann später seinen Begriff der *imagined communities* ableitete.

Ohne Zweifel lassen sich die Kategorien G. und Gesellschaft auch heute noch gewinnbringend für die Analyse der Formen menschlichen Zusammenlebens einsetzen. Gleichwohl ist nicht zu übersehen, dass im Zuge von Individualisierungs-, Pluralisierungs-, Mediatisierungs- und Globalisierungsprozessen die bisherigen „klassischen" G.en und Gesellschaften an Attraktivität und Bedeutung verlieren und sich neuartige, weniger verbindliche und nur kurzfristig wirksame Sozialformen ausbilden, in denen sich v. a. das Bedürfnis nach „authentischen" G.s-Erlebnissen situativ und weitgehend unverbindlich Ausdruck verschafft. Manfred Prisching bezeichnet diese Formen als „temporäre Vergemeinschaftungen", Ronald Hitzler spricht in Anschluss an Michel Maffesoli von „posttraditionalen Vergemeinschaftungen". Beiden ist gemeinsam, dass sie Elemente von G. und Gesellschaft miteinander kombinieren. Sie sind dadurch gekennzeichnet, dass sich Individuen oftmals zufällig dafür entscheiden, sich freiwillig und zeitweilig mehr oder weniger intensiv und mehr oder weniger dauerhaft als mit anderen zusammengehörig zu betrachten, mit denen sie nicht nur eine gemeinsame Interessenfokussierung haben oder vermuten, sondern mit denen sie sich – jenseits aller gemeinsamen ↑Interessen – in einer Art von „Gesinnungsbrüderschaft" auch affektuell verbunden fühlen. Konkrete Ausgestaltungen solcher posttraditionalen G. streuen und reichen von (Jugend-)Szenen und ihren Events, über virtuelle G. in den ↑sozialen Netzwerken und neuartigen, oftmals internetbasierten, global agierenden politischen Bewegungen (linker wie rechter Provenienz) bis hin zu situativen Event-Vergemeinschaftungen wie *flash-mobs* oder *public-viewing-events*, in denen das auf den Moment beschränkte, ekstatische, grenzenlose und deshalb weitgehend unverbindliche, weil folgenlose G.s-Erlebnis im Mittelpunkt steht.

Auch an den etablierten ↑Religionsgemeinschaften und Kirchen mit ihren traditionellen Gemeindemodellen (↑Gemeinde) geht diese Entwicklung nicht vorbei. Auch hier zeigen sich neue Organisationsformen des religiösen Lebens jenseits der klassischen Sozialformen von ↑Kirche und ↑Sekte in Form posttraditionaler Vergemeinschaftungen. Im religiösen Feld gruppieren sich diese oftmals um „charismatische" (↑Charisma), manchmal auch nur um hinreichend „prominente" Personen. Das kann sich sowohl innerhalb als auch außerhalb von etablierten kirchlichen Strukturen abspielen. Es kann auch sein, dass lediglich die kirchliche Infrastruktur (wie Gemeindesäle, kirchliche Grundstücke und Bauten oder historische Pilgerwege) genutzt wird. Der „etwas besondere Seelsorger und Prediger", zu dem die Leute in den Sonntagsgottesdienst, zum Freitagsgebet oder zu medial inszenierten religiösen Großveranstaltungen von weither anreisen, sprengt ebenso die herkömmlichen Sozialformen von Religion und gründet neue posttraditionale Vergemeinschaftungen wie neu entstehende religiöse Bewegungen und Kult-G.en, die i. d. R. überregional, wenn nicht sogar global orientiert sind, sich manchmal, aber nicht immer an bisherige kirchliche Strukturen anlagern. Die Spannbreite dieser „neuen religiösen G.en" ist groß. Sie reicht von den sog.en Neuen Geistlichen G.en über Hochschulgemeinden, den Weltgebetstag der Frauen und den sog.en Kirchbauvereinen, die alle noch mehr oder weniger stark in den formalen Strukturen der Kirchen eingebettet sind, bis hin zu relativ unstrukturierten Gruppen aus dem heterogenen Bereich sog.er alternativer Spiritualität. Menschen aber, die sich in solche posttraditionalen religiösen Vergemeinschaftungen begeben, sind am Leben ihrer Herkunftsgemeinde kaum mehr interessiert. Denn im Vergleich zu herkömmlichen religiösen Sozialformen sind diese weitaus offener, in ihrem Normierungsanspruch unverbindlicher und in ihrem Weltdeutungsanspruch individualistischer. In ihnen, die nur locker über netzwerkähnliche (virtuelle) Strukturen miteinander verbunden sind, kann man seine je individuellen und aktuellen religiösen Bedürfnisse befriedigen, ohne sich dauerhaft binden und einer G. gegenüber verpflichten zu müssen, kann extensiv in G.s-Erfahrungen schwelgen, auch wenn diese nicht von (extrem) langer Dauer sind.

Literatur

W. Gebhardt: Believing without belonging? Religiöse Individualisierung und neue Formen religiöser Vergemeinschaftung, in: A. Kreutzer/F. Gruber (Hg.): Im Dialog. Systematische Theologie und Religionssoziologie, 2013, 297–317 • H. Knoblauch: Populäre Religion. Auf dem Weg in eine spirituelle Gesellschaft, 2009 • M. Prisching: Das Selbst. Die Maske. Der Bluff, 2009 • R. Hitzler/A. Honer/M. Pfadenhauer (Hg.): Posttraditionale Gemeinschaften, 2008 • W. Gebhardt: „Warme Gemeinschaft" und „kalte Gesellschaft". Zur Kontinuität einer deutschen Denkfigur, in: G. Meuter/H. R. Otten (Hg.): Der Aufstand gegen den Bürger, 1999, 165–184 • M. Maffesoli: The Time of the Tribes, 1996 • R. N. Bellah u. a.: Habits of the Heart, 1985 • B. Anderson: Imagined Communities, 1983 • A. Baumgartner: Sehnsucht nach Gemeinschaft. Ideen und Strömungen im Sozialkatholizismus der Weimarer Republik, 1977 • M. Weber: Wirtschaft und Gesellschaft, ⁵1976 • R. Guardini: Vom Sinn der Gemeinschaft, 1950 • H. Freyer: Soziologie als Wirklichkeitswissenschaft, 1930 • F. Tönnies: Soziologische Studien und Kritiken, Bd. 3, 1929 • F. Tönnies: Soziologische Studien und Kritiken, Bd. 1, 1925 • H. Plessner: Grenzen der Gemeinschaft, 1924 • F. Tönnies: Gemeinschaft und Gesellschaft, 1887.   WINFRIED GEBHARDT

Gemeinschaft Unabhängiger Staaten (GUS)

Die GUS ist ein loser Verband von Staaten auf dem Territorium der früheren UdSSR. Sie ist weder ein Subjekt des Völkerrechts noch eine Konföderation. Die GUS entstand im Zusammenhang mit der Auflösung der Sowjetunion als ein Auffangbecken für ehemalige Sowjetrepubliken und diente zunächst der Regelung des gemeinsamen Erbes. Sie war aber auch als Rahmen für politische und ökonomische ↑ Integration gedacht. Die Zusammenarbeit der Mitgliedstaaten sollte dem Prinzip der Gleichberechtigung folgen.

Die Entstehung der GUS vollzog sich in mehreren Schritten. Am Anfang stand die Bildung eines ostslawischen Dreibunds aus Russland, der Ukraine und Weißrussland. Er kam unter der Regie des russischen Präsidenten Boris Nikolajewitsch Jelzin am 8.12.1991 in Minsk zustande. Die förmliche Gründung der GUS erfolgte am 21.12.1991 durch den Beitritt weiterer acht früherer Sowjetrepubliken: Armenien, Aserbaidschan, Kasachstan, Kirgisistan, Tadschikistan, Turkmenistan und Usbekistan. 1993 kamen Georgien und die Republik Moldau hinzu, sodass vorübergehend alle ehemaligen Unionsrepubliken bis auf die drei baltischen diesem losen Staatenverbund angehörten. Estland, Lettland und Litauen verfolgten seit ihrer staatlichen Unabhängigkeit eine konsequente Westintegration. Auch andere vormalige Sowjetrepubliken blieben gegenüber der GUS auf Distanz. Ihre Vertreter sahen in der Bildung der formlosen Union in erster Linie den Weg zu einer „zivilisierten Scheidung" voneinander. V. a. die Ukraine, aber auch Aserbaidschan, Turkmenistan und die Moldowa stellten sich einem engeren Zusammenschluss der GUS entgegen. Sie befürchteten den Anspruch Russlands auf regionale Vormachtstellung. Die Ukraine zeigte von Anfang an eine Orientierung auf ↑ Europa und verweigerte sich allen Vorstellungen von einer gemeinsamen Armee und von supranationalen Strukturen. Turkmenistan stützte seine unabhängige Position auf die sichere Erwartung in Erträge aus den nationalen Erdgasvorkommen ab. Aserbaidschan verweigerte sich aus dem gleichen Grund der Ressourcenautonomie jeder engeren Integration. Die vom Konflikt über Transnistrien erschütterte Moldowa nahm nur selektiv an der Agenda der GUS teil. Georgien erklärte nach dem Krieg mit Russland im August 2008 den förmlichen Austritt.

Demgegenüber schälten sich Russland, Belarus, Kasachstan, Kirgisistan, Usbekistan und Tadschikistan als Kernzone weiterer Integration heraus. Die treibenden Kräfte hinter einer möglichst engen Kooperation waren Russland und Kasachstan. Russland zögerte zunächst, seinen Führungsanspruch im postsowjetischen Raum zu behaupten, da es nicht des Neoimperialismus bezichtigt werden wollte. Diese Haltung spiegelte das anfänglich dominierende Ziel einer wünschenswerten engen Westintegration des Landes wider. Dieses Denken wurde jedoch vom bald wieder erstarkenden Glauben an

Russlands natürliche regionale Vormachtstellung und als gewichtiger Spieler in einer multipolar konzipierten Welt verdrängt. Bereits im September 1995 behauptete Moskau in der von B. N. Jelzin verabschiedeten Doktrin der GUS-Politik den Anspruch auf regionale Vormachtstellung. Als Beweggrund wurde die notwendige Verteidigung lebenswichtiger nationaler Interessen im postsowjetischen Raum genannt und erstmals der Aufbau eines wirtschaftlich wie politisch integrierten Staatenbundes zum vorrangigen Ziel russischer Politik erklärt. Als eine Art Gegengewicht zu den russischen Ansprüchen kam es auf Betreiben der Ukraine zur Bildung der Gruppe der GUUAM aus Georgien, Ukraine, Usbekistan, Aserbaidschan und Moldawien. Dieses Emanzipationsprojekt, das v. a. auf eine verstärkte ökonomische Integration der Gründerstaaten hinauslief, blieb jedoch eine virtuelle Assoziation.

Je weiter sich Moskau vom Ziel der Westintegration entfernte, umso intensiver besann sich die russische Führung auf die wünschenswerte Vereinigung des postsowjetischen Raums. Dies kam in konkreten Integrationsprojekten ebenso wie in wichtigen außenpolitischen Grundsatzdokumenten zum Ausdruck. In der im Oktober 1999 präsentierten „Mittelfristigen Strategie für die Entwicklung der Beziehungen zwischen der Russischen Föderation und der Europäischen Union im Zeitraum von 2000 bis 2010" wurde das neue Selbstverständnis Russlands als eurasische Vormacht vollends deutlich. Hier heißt es: „Als eine Weltmacht, die sich auf zwei Kontinente erstreckt, sollte sich Russland die Freiheit bewahren, seine Innen- und Außenpolitik ebenso zu bestimmen und zu implementieren wie seinen Status und seine Vorteile eines euroasiatischen Staates und des größten GUS-Landes sowie die Unabhängigkeit seiner Position und seiner Aktivitäten in internationalen Organisationen" (Diplomatitscheskij Westnik 1999: 21). Erklärungen dieser Art atmeten den Geist der von Jewgeni Maximowitsch Primakow erfolgreich propagierten Doktrin einer multipolaren Welt, in der Russland nicht in irgendwelchen Integrationsunionen wie etwa der ↑EU aufzugehen vermöge, sondern diese um sich selbst herum schaffe.

An konkreten Initiativen zur Gründung eigener Integrationsprojekte ließ es Russland nicht fehlen. Ein Vertrag über Kollektive Sicherheit wurde bereits 1992 in Taschkent von sechs vormaligen Unionsrepubliken unterzeichnet. Die Ukraine blieb dem Vertragsabschluss jedoch fern. Zwischen 1995 und 2000 wurde eine weißrussisch-russische Union auf den Weg gebracht. Allerdings blieb die staatliche Fusion der beiden Länder ein weitgehend unverbindliches Ziel. Die von Präsident Vladimir Vladimirowitsch Putin initiierten Integrationsprojekte im postsowjetischen Raum kulminierten im Januar 2015 in der Gründung einer EWU.

Unstrittig vermochte die GUS seit ihrer Entstehung im Jahr 1991 keine integrative Dynamik zu entfalten. Sie verkam vielmehr zu einem mehr oder weniger regelmäßigen Treffen der Staatsoberhäupter ihrer Mitgliedstaaten. Als potentielle Nachfolgeorganisation der UdSSR hat die neue EWU der GUS mittlerweile den Rang abgelaufen.

Literatur
P. Dutkiewicz u. a. (Hg.): Eurasian Integration – The View from Within, 2015 • H. Adomeit: Integrationskonkurrenz EU – Russland, in: Osteuropa 62/6–8 (2012), 383–406 • A. Zagorskij: Russland im postsowjetischen Raum, in: H. Pleines/H.-H. Schröder (Hg.): Länderbericht Russland, 2010, 217–230 • W. Schneider-Deters u. a. (Hg.): Die Europäische Union, Russland und Eurasien, 2008 • Diplomatitscheskij Westnik: Russia's Medium-term Strategy towards the EU (2000–2010), in: ebd., 1999, 20–28.   MARGARETA MOMMSEN

Gemeinschaftsaufgaben

1. Legaldefinition und begriffliches Umfeld

G. ist ein bundesstaatsrechtlicher Begriff. Gemäß der Legaldefinition in Art. 91a I GG sind G. Aufgaben der Bundesländer, deren Erfüllung für die Gesamtheit bedeutsam ist und bei denen die Mitwirkung des Bundes zur Verbesserung der Lebensverhältnisse erforderlich ist. Konkret werden die Verbesserung der regionalen Wirtschaftsstruktur und die Verbesserung der Agrarstruktur und des Küstenschutzes genannt. Die Mitwirkung des Bundes ist dem Grunde nach obligatorisch, mögen auch Kriterien wie „bedeutsam" und „erforderlich" dem Bund eine Einschätzungsprärogative eröffnen. Für jede der beiden G. enthält ein Bundesgesetz nähere Aussagen; zur Höhe der Bundesbeteiligung an den Zweckausgaben äußert sich Art. 91a III GG, der, was die Mittelbereitstellung für einzelne Haushaltsjahre und Projekte betrifft, auf die Haushaltspläne von Bund und Ländern verweist. Der Begriff G. kommt weiterhin in der Überschrift des Abschnitts VIIIa des GG (Art. 91a bis 91e) vor, in dem es neben den in Art. 91a geregelten G. im engeren Sinne um das wechselseitig kompetenzübergriffige Zusammenwirken von Bund und Ländern bei der Wissenschafts- und Forschungsförderung und im Bildungswesen geht; gemäß dem hierfür einschlägigen Art. 91b GG sind Grundlage der dem Grunde nach fakultativen Zusammenarbeit Verwaltungsvereinbarungen, in denen die Kostentragung geregelt wird (G. im weiteren Sinne).

G. sind Durchbrechungen des bundesstaatlichen Prinzips eigenverantwortlicher Aufgabenwahrnehmung von Bund und Ländern und des sog.en Verbots der Mischverwaltung. Die einschlägigen Regelungen sind darum restriktiv auszulegen. Bei G. im engeren Sinne erhält der Bund Mitplanungs-, Mitverwaltungs- und Mitfinanzierungskompetenzen im Aufgabenbereich der Länder. Wichtig ist die Verknüpfung von Verwaltungs- und Finanzierungskompetenzen; dies unterscheidet G. von reinen Finanzierungskompetenzen des Bundes, die im X. Abschnitt des GG geregelt sind.

G. stehen in einem Zusammenhang mit der ebenfalls in Abschnitt VIIIa des GG (Art. 91c und 91d, ergänzend Art. 108 IV) vorgesehenen Verwaltungszusammenarbeit, also der Kooperation bei der Wahrnehmung je eigener Aufgaben von Bund und Ländern in den Bereichen informationstechnische Systeme und Netze sowie Verwaltungsbenchmarking. Sie stehen weiter im Zusammenhang mit der finanziell gewichtigen Zusammenarbeit von Bund, Ländern und Kommunen bei der Grundsicherung für Arbeitsuchende (Art. 91e, Arbeitsgemeinschaften, Optionskommunen). G. unterscheiden sich von punktueller ↑Amts- und Rechtshilfe (Art. 35 GG), von faktischen Aufgabenüberschneidungen (z. B. Kreuzung von Bundes- und Landesstraße), von Zusammenarbeit in Organisationsformen des ↑Privatrechts und von bloßen Finanzhilfen des Bundes für die Länder, insb. nach Art. 104b GG und als Bundesergänzungszuweisungen gemäß Art. 107 II 5 GG. Was Agrar- und Regionalförderung betrifft, ist noch auf Förderprogramme und Beihilfenaufsicht der ↑EU hinzuweisen, weiterhin auf die Dienstleistungs-Richtlinie; die Förderprogramme gemäß Art. 91a GG und die entspr.en Förderprogramme der EU sind synchronisiert. G. ist aber kein europarechtlicher Begriff.

2. Verfassungsrechtliche Grundlagen und Verfassungspolitik seit 1969

Das Rechtsinstitut G. gibt es seit der Finanzreform vom Mai 1969 (21. Gesetz zur Änderung des GG). Damals ist versucht worden, den schon vorher vorhandenen finanziellen Einfluss des Bundes auf die Kompetenzsphäre der Länder, insb. die sog.e Fondswirtschaft, gemäß dem Leitbild eines kooperativen ↑Föderalismus zu konstitutionalisieren, d. h. rechtlich zu legitimieren, zu ordnen und zugl. zu begrenzen. Diese Verfassungslage hatte, von einer marginalen Ergänzung der G. im 27. Gesetz zur Änderung des GG im Juli 1970 abgesehen, ca. 35 Jahre Bestand.

Der verfassungsändernde Gesetzgeber hatte das Thema erst bei der Föderalismusreform I im August 2006 wieder auf der Agenda, dann und danach aber insgesamt viermal. 2006 wurde die Rahmenplanung für G. im engeren Sinne aufgegeben und wurden weiter die Bundeskompetenzen im Hochschul- und Bildungsbereich zurückgedrängt (dies im Zusammenhang mit der Streichung der Rahmengesetzgebungskompetenz des Bundes für das Hochschulwesen), mit einer bis 2019 reichenden Übergangsregelung für den Hochschulbereich in Art. 143c I GG – dies alles waren bei der Föderalismusreform I bes. umstrittene Punkte. Unverändert blieben insoweit die Bundeskompetenzen für außeruniversitäre Einrichtungen und Vorhaben (etwa MPGes oder DFG); eingeschränkt wurden sie mit Blick auf ↑Hochschulen, weiter bei Forschungsbauten und Großgeräteanschaffung (früher Ausbau und Neubau von Hochschulen einschließlich der Hochschulkliniken). Von der gemeinsamen Bildungsplanung ist nur

noch die Zusammenarbeit bei der Feststellung der Leistungsfähigkeit des Bildungswesens im internationalen Vergleich übrig geblieben. An die Stelle der Bund-Länder-Kommission für Bildungsplanung und Forschungsförderung ist die GWK getreten.

2009 sind die Art. 91c und 91d GG hinzugekommen (über deren Erforderlichkeit als Ausnahme vom Grundsatz der eigenverantwortlichen Aufgabenwahrnehmung und vom sog. Verbot der Mischverwaltung man sich in der rechtswissenschaftlichen Literatur nicht einig ist), 2010 ist Art. 91e GG hinzugekommen. 2014 wurde die 2006 verfügte Zurückdrängung des Bundes im Hochschulbereich teilweise wieder zurückgenommen. Ob eine Teilrevision auch im Bildungsbereich (Stärkung der Rolle des Bundes) erfolgen soll, ist Gegenstand verfassungspolitischer Diskussion. Insgesamt handelt es sich um ein schönes, wenn auch etwas technokratisch versalzenes Beispiel für Heinrich Triepels klassische These vom beständigen Hin und Her unitarischer und föderaler Tendenzen in einem ↑Bundesstaat.

Die Kritik an G. ist seit ihrer Entstehung lautstark und hat die Enquete-Kommission Verfassungsreform des Deutschen Bundestages 1976 dazu gebracht, grundlegende Änderungen zu fordern. Von einem konsequent föderalistischen Standpunt handelt es sich um den „Sündenfall par excellence" (Hillgruber 2004: 843): Verantwortlichkeiten im Verhältnis von Bund und Ländern würden verwischt, die Bundesländer und ihre Haushaltsautonomie würden geschwächt, die Exekutive dominiere über die Legislative, insb. auf Länderebene, die Aufgabenwahrnehmung erfolge technokratisch und für den Bürger intransparent. Auf der anderen Seite belegen Politik- und Rechtsvergleichung, dass föderale Systeme ohne G. nicht auskommen.

Bei der 2017 beschlossenen erneuten Reform der Finanzbeziehungen von Bund und Ländern wurden Art. 91c GG um einen Absatz 5 erweitert und die faktische Bedeutung von Art. 91b GG gestärkt.

3. Die Funktion der Art. 91a-e GG und finanzielle Schwerpunkte

In den Art. 91a bis 91e GG wird vier Mal auf ausführende Bundesgesetze und zwölf Mal auf Verwaltungsvereinbarungen verwiesen. Die Verfassung macht wenig inhaltliche Vorgaben, die über die Benennung von G. als umgrenzte Verwaltungsmaterie hinausgehen. Ihre Funktion besteht in Freistellungen vom föderalen Trennungsprinzip, in der Begründung von ↑Staatsaufgaben und in deren Aktualisierung und von Gesetzgebungskompetenzen und –pflichten, in Verfahrensvorgaben und der Zuweisung von Finanzierungslasten. Finanziell geht es um Folgendes, wobei sich die aktuellen Zahlen aus dem Finanzbericht der Bundesregierung (mit etwas Mühe) erschließen lassen und die Bundesbeteiligung hinter der nach Art. 104a Abs. 3, Art. 104b oder Art. 107 Abs. 2 Satz 5 GG zurückbleibt. Das Schwergewicht liegt bei Art. 91e GG, es folgt, ebenfalls im zehnstelligen Mrd.-Bereich, Art. 91b GG, auf Platz drei liegen die legaldefinierten G. des Art. 91a GG, knapp im Mrd.-Bereich und europaverstärkt, Art. 91c (was die Zusammenarbeitskosten betrifft) und, bes., Art. 91d GG rangieren auf den hinteren Plätzen. Diese Reihenfolgen mögen sich ändern; G. sind aktualisierungsbedürftiges Verfassungsrecht.

Literatur

B. Ehrenzeller: Der Bildungsföderalismus auf dem Prüfstand, in: VVDStRL, Bd. 73, 2014, 7–34 • A. Wallrabenstein: Der Bildungsföderalismus auf dem Prüfstand, in: VVDStRL, Bd. 73, 2014, 41–73 • J. Hellermann: Kooperativer Föderalismus in Gestalt der Gemeinschaftsaufgaben nach Art. 91a ff. des Grundgesetzes, in: I. Härtel (Hg.): Hdb. Föderalismus, Bd. 2, 2012, 339–363 • C. Hillgruber: Klarere Verantwortungsteilung von Bund, Ländern und Gemeinden?, in: JZ 59/17 (2004), 837–846 • J. A. Frowein: Gemeinschaftsaufgaben im Bundesstaat, in: VVDStRL, Bd. 31, 1973, 13–47 • I. von Münch: Gemeinschaftsaufgaben im Bundesstaat, in: VVDStRL, Bd. 31, 1973, 51–84 • H. Triepel: Unitarismus und Föderalismus im Deutschen Reiche, 1907.

MARKUS HEINTZEN

Gemeinschaftsschule ↑Schule

Gemeinwirtschaft

1. Begriff

Unter G. lassen sich alle Wirtschafts- und Unternehmensformen subsumieren, die sich – im Unterschied zur deutlich jüngeren Gewinnwirtschaft – vorrangig am Prinzip einer bedarfs- und kostendeckenden Bereitstellung von Waren und ↑Dienstleistungen orientieren. Produktive Spannungen zwischen gemein- und gewinnwirtschaftlichen Akteuren und ihren Rechtsformen gehören zur Wirtschaftsgeschichte der modernen europäischen Gesellschaften. Sie bewegen sich zwischen gemeinwirtschaftlichen Ergänzungen zur privatkapitalistischen Wirtschaft, wechselseitigen Konkurrenzen in bestimmten Sektoren und der Suche nach Fundamentalalternativen zu einer kapitalistisch organisierten Wirtschaftsweise. Die Rede von der G. oszilliert zwischen einer weiten, das Wirtschafts- und Gesellschaftssystem insgesamt thematisierenden Perspektive und einer engeren Verwendungsweise, die einzelne ↑Unternehmen bzw. einzelne Sparten der Wirtschaft in den Blick nimmt. Das Konzept der G. wird in den letzten Jahrzehnten zumeist in diesem engeren Sinne verwendet.

Heute wird i. d. R. zwischen freigemeinwirtschaftlichen und öffentlichen Unternehmen und Einrichtungen unterschieden. Werden diese von religiös-weltanschaulichen, genossenschaftlichen, gewerkschaftlichen, zivilgesellschaftlichen oder ähnlichen Trägern unterhalten, spricht man von freier G. Werden sie von einer Gebietskörperschaft getragen, sind sie der öffentlichen G.

zuzuordnen. Handelt es sich um Unternehmen, die in privatwirtschaftlicher Trägerschaft stehen, aber spezifischen gesetzlichen Eingriffen unterliegen, spricht man von öffentlich gebundener G. (Bsp.: Unternehmen der Elektrizitätswirtschaft mit politisch vorgegebener Preisgestaltung).

2. Geschichte

In den frühsozialistischen Bewegungen Europas wurden erste, allerdings wenig erfolgreiche gemeinwirtschaftliche Alternativen zu einer auf privatkapitalistischen Investitionsentscheidungen und individueller Tauschlogik beruhenden Organisation des wirtschaftlichen Lebens erprobt, bevor in der zweiten Jahrhunderthälfte eine breite Genossenschaftsbewegung bis heute tragfähige Modelle einer nichtindividualistischen Wirtschaftsorganisation jenseits von Markt und Staat entwickelte. Deren Reichweite und Gestaltungsanspruch changiert zwischen einer noch eher gewinn- als gemeinwirtschaftlich orientierten Erleichterung der Marktzugangschancen benachteiligter Produzenten (Hermann Schulze-Delitzsch), Produktivassoziationen in Arbeiterhand in Konkurrenz zu kapitalistischen Betrieben (Ferdinand Lassalle, Wilhelm E. von Ketteler) und dem Projekt einer allmählichen Vergenossenschaftlichung der Gesamtwirtschaft (Charles Gide).

Im deutschen Kaiserreich kam es unter dem Einfluss der Historischen Schule der Nationalökonomie – etwa mit der Verstaatlichung der Eisenbahnen – zum Ausbau kommunaler und nationaler Betriebe, mit denen wirtschafts- und sozialpolitische Gestaltungsziele verfolgt wurden. In der Weimarer Republik gab es eine erste Blütezeit der freien und öffentlichen G. Die neue Verfassung ermöglichte es, „wirtschaftliche Unternehmungen und Verbände auf der Grundlage der Selbstverwaltung zusammenzuschließen mit dem Ziele, die Mitwirkung aller schaffenden Volksteile zu sichern, Arbeitgeber und Arbeitnehmer an der Verwaltung zu beteiligen und Erzeugung, Herstellung, Verteilung, Verwendung, Preisgestaltung sowie Ein- und Ausfuhr der Wirtschaftsgüter nach gemeinwirtschaftlichen Grundsätzen zu regeln" (Art. 156 WRV; im Art. 15 GG fehlt im Kontext der Bestimmungen zur ↑Enteignung eine vergleichbare G.s-Option). So entstand ein breiter gemeinwirtschaftlicher Sektor aus öffentlichen Betrieben, ↑Genossenschaften und gewerkschaftlichen Eigenbetrieben, wobei zwischen einer sozialdemokratisch-etatistischen und einer katholisch-subsidiären Konzeption von G. zu unterscheiden ist. In der Sozialdemokratie wurden staatlicher Kontrolle unterstehende Großbetriebe und gewerkschaftliche Eigenbetriebe als Wege zum ↑Sozialismus und als „Oasen innerhalb des Kapitalismus" wahrgenommen, „von denen die Eroberung der kapitalistischen Wüste ausgehen wird" (Naphtali 1931: 577), während im ↑sozialen Katholizismus etwa die selbstverwalteten Konsum- und Baugenossenschaften als Ausgangspunkt eines Prozesses der „Entproletarisierung des Proletariats" (Quadragesimo anno 1931: Nr. 59) galten, die im Verbund mit Miteigentumsmodellen den Weg zur Überwindung der kapitalistischen Klassengesellschaft ebnen sollten. Zu nennen sind hier zudem die in die duale Fürsorgepolitik der Weimarer Republik inkorporierten ↑Wohlfahrtsverbände, die bis in die 1990er Jahre hinein gewährleisteten, dass der Bereich der sozialen Dienstleistungen gemeinwirtschaftlich organisiert war und sich am Prinzip der Bedarfs- und Kostendeckung orientierte.

Auch die BRD, die sich nach 1948 von einer gemeinwirtschaftlichen Alternative zum ↑Kapitalismus verabschiedete und auf den Vorrang der Privatwirtschaft festlegte, blieb von breiten Sektoren öffentlicher und freigemeinwirtschaftlicher Art geprägt. Dazu gehörten nicht zuletzt die großen gewerkschaftlichen Unternehmen (BfG, Neue Heimat, Coop, Volksfürsorge), die deutlich machen wollten, dass Unternehmen am Markt auch ohne Gewinnorientierung erfolgreich sein und den Bedarfen gerade des „kleinen Mannes" oft besser gerecht werden können als die privatkapitalistische Konkurrenz. Von der G. erwartete man dabei, dass sie –in raumordnungs-, besiedlungs-, sozial- und konjunkturpolitischer Hinsicht – im Sinne des ↑Gemeinwohls marktergänzende und marktregulierende Aufgaben übernimmt.

So war die Bonner Republik durch eine Art Mischwirtschaft zwischen privater Gewinn- und öffentlicher sowie freier G. gekennzeichnet, die vom ordoliberalen Leitbild einer „↑Sozialen Marktwirtschaft" weit entfernt war. Im Gefolge von Insolvenzen und Skandalen gemeinwirtschaftlicher Unternehmen in den 1980er Jahren und des Siegeszuges neoliberaler Privatisierungspolitiken (↑Privatisierung) in den 1990er Jahren geriet die G. in ihre bisher schwerste Krise. Sie gilt seitdem als historisch obsolet. In der wirtschaftshistorischen Bilanzierung von gewinn- und gemeinwirtschaftlichen Produktions- und Konsumtionsweisen spricht allerdings vieles dafür, dass eine dauerhaft erfolgreiche und an den Bedarfen breiter Bevölkerungsschichten orientierte Marktwirtschaft „die glückliche Ergänzung beider" (Nell-Breuning 1986: 855) braucht.

3. Gegenwart

Nach der Banken- und ↑Finanzmarktkrise des Jahres 2008 entwickelte sich in Wissenschaft und Öffentlichkeit ein neues Interesse an gemeinwirtschaftlichen Diskursen und Praxen mit einer dezidiert postkapitalistischen Zielsetzung, das sich nicht primär nationalstaatlich, sondern v. a. im Kontext lokaler und globaler Governance-Strukturen artikuliert. Es entzündet sich an Debatten um die Nutzung von Gemeingütern (Commons) und die Ausweitung einer ökologisch nachhaltigen Postwachstumsgesellschaft, in deren Zentrum demokratisch-partizipative Formen kollektiver Lebensführung und gemeinsamen Wirtschaftens stehen. Sie brechen mit der Logik kapitalistischer Gewinnmaximierung und suchen nach Antworten auf soziale Entfremdungserfahrungen (↑Entfremdung) und die Übernutzung begrenzter natürlicher Ressourcen. Hier entsteht ein v. a. von globalen sozialen Bewegungen und ↑NGOs getragener Diskurs um eine „andere Wirtschaft", der eine antietatistische und antiinstitutionalistische Akzentsetzung mit einer Vorrangoption für lokale Initiativen im Non-Profit-Sektor verbinden. Ob sich Brücken zwischen den alten und den neuen Diskursen um gemeinwirtschaftliche Ergänzungen und Alternativen zur privatkapitalistischen Gewinnwirtschaft entwickeln werden, ist gegenwärtig nicht absehbar.

Literatur

K. Novy/M. Prinz: Illustrierte Geschichte der Gemeinwirtschaft, 1988 • O. von Nell-Breuning: Gemeinwirtschaft, in: StL, ⁷1986, 853–857 • T. Thiemeyer: Gemeinwirtschaftlichkeit als Ordnungsprinzip, 1970 • W. Weber (Hg.): Gemeinwirtschaft in Westeuropa, 1962 • F. Naphtali: Gemeinwirtschaft (freie Gewerkschaften), in: L. Heyde (Hg.): Internationales Handwörterbuch des Gewerkschaftswesens, 1931.

HERMANN-JOSEF GROßE KRACHT
UND JONAS HAGEDORN

Gemeinwohl

I. Sozialethisch – II. Philosophisch – III. Juristische Aspekte

I. Sozialethisch

1. Gemeinwohl in der Tradition der katholischen Soziallehre

G gehört zu den klassischen ↑Sozialprinzipien der katholischen Soziallehre. Es zeigt sich jedoch, dass dieses in der wissenschaftlichen Sozialethik auf unterschiedliche Weise interpretiert und eingeordnet wird. Zunächst und für lange Zeit wurden als Sozial- oder Ordnungsprinzipien ↑„Subsidiarität", ↑„Solidarität" und „G." präsentiert. Später kommen Prinzipien wie „Personalität" bzw. „Würde der Person", ↑„Gerechtigkeit" und ↑„Nachhaltigkeit" hinzu. Fasst man die verschiedenen Ansätze aus unterschiedlichen Etappen der sozialethischen Forschung zusammen, so ist festzuhalten, dass der Kanon der ↑Sozialprinzipien weder formal (definitiv) noch material (quasi als Prinzipientafel) festgelegt ist. So ist es sinnvoll, heute anstelle von Prinzipien von „normativen Orientierungen" (Veith 2004: 263) zu sprechen respektive Sozialprinzipien implizit als normative Orientierungen der Gesellschaftsordnung zu verstehen. Dafür gibt es gute Gründe: *Zum ersten* handelt es sich um prinzipielle und inhaltlich belastbare Aussagen, die *zum zweiten* konsequenterweise hinsichtlich ihrer Positionierung und Bewertung einen hochverbindlichen Charakter tragen. Diese Bewertung ist allerdings *drittens* zu betrachten als dynamischer Erkenntnis und Verstehensvorgang, der abhängig ist von ↑Tradition und Situation, die sowohl einen Wandlungsprozess von Orientierungen als auch ein wechselndes Beziehungsgeflecht jener Orientierungen untereinander evozieren. *Viertens* wird ihnen die Potenz zugesprochen, in basaler Weise richtungsweisend für gutes soziales und politisches Zusammenleben zu sein. Diese Dynamik gilt es sowohl in formaler als auch in materialer Hinsicht für die Einordung und das Verständnis von G. zu beachten.

2. Gemeinwohl in der Sozialethik

Im Wesentlichen zeigen sich in der aktuellen sozialethischen Debatte sechs unterschiedliche Tendenzen im Umgang mit dem G., die sich teilweise wiederum überschneiden.

Erstens ist festzustellen, dass das G. zunächst unhinterfragt ein wesentlicher Bestandteil der ↑katholischen Soziallehre sowie der ↑christlichen Sozialethik ist. Dies gilt für frühe Vertreter wie Eberhard Welty oder Joseph Höffner, aber auch immer noch für Ursula Nothelle-Wildfeuer und für die Kompilatoren des „Sozialkompendiums". Nach dem Ende des Zweiten Weltkriegs finden sich zunehmend Vertreter, die zwar vom G. reden, es aber nicht mehr unter dem Dach der Sozialprinzipien subsummieren.

Zweitens wird ein engerer Zusammenhang zwischen dem G. und dem Sozialprinzip der Solidarität hergestellt. Sowohl Oswald von Nell-Breuning als auch Arno Anzenbacher zeigen dies auf. G. ist für sie kein Sozialprinzip, es ist vielmehr dem Sozialprinzip der Solidarität untergeordnet.

Drittens wird G. als „Dienstwert" verstanden, da ihm kein Selbstzweck eignet, sondern es sowohl der Verwirklichung des Letztziels der ↑Person dient als auch dem universalen G. der Schöpfung.

Viertens werden Sozialprinzipien als – ggf. damit auch das G. – als „normative Orientierung" bezeichnet. Damit wird kein neues Kriterium eingeführt, sondern die urspr. e Bezeichnung durch eine neue ersetzt, die offener ist. Es ist sinnvoll, das jeweils Spezifische der unterschiedlichen Orientierungen auszumachen, sie als solche mehr oder weniger gleichwertig nebeneinander zu stellen und nach Sinn und Bedeutung von Orientierungen zu fragen. So haben nicht nur Prinzipien wie Personalität, Solidarität und Subsidiarität einen orientierenden Charakter, sondern auch Gerechtigkeit, Nachhaltigkeit und G. Diese (und möglicherweise andere) Orientierungen stehen in ihrem jeweiligen Selbstand in wechselseitigen Beziehungen zueinander, weil „normative Orientierung" letzten Endes nichts Anderes bedeutet, als die Zuschreibung eines hohen verbindlichen Charakters hinsichtlich der Gestaltung von Gesellschaft in der Balance zwischen gemeinschaftlicher Handlungsfähigkeit und den individuellen Freiheitsrechten der Person.

So wird *fünftens* eine Beziehung zwischen G. und Wohl des Einzelnen hergestellt. Die Korrelation wird dabei recht unterschiedlich bewertet und dies führt zu Konflikten in der Einschätzung. Für den Dominikaner

E. Welty ist G. Ziel und Ordnung der ↑Gemeinschaft. Nicht zuletzt im Zuge der Debatten zwischen dem dominikanischen und jesuitischen Ansatz wird die Dominanz des G.s vor dem Einzelwohl seitens E. Weltys und weiterer Dominikaner wie Arthur Fridolin Utz durchaus vertreten, indem sie theologisch bewusst einem metaphysisch begründeten Ansatz folgen und sich dabei auf Thomas von Aquin als Autoritätsargument berufen. Auf ihn beruft sich aber auch Jacques Maritain und kommt zu einem differenzierenden Ergebnis: Der Mensch ist qua ↑Individuum der Gemeinschaft untergeordnet, qua Person aber nur Gott. Der Jesuit O. von Nell-Breuning – am Ansatz des Aquinaten prinzipiell desinteressiert – zeigt dagegen die Bedeutung des Individuums auf, das nicht durch ein kollektivistisch verstandenes G. an den Rand gespielt werden sollte. Deshalb interpretiert er das G. konditional, als Gesamtheit der Bedingungen, die für die volle Entfaltung des Menschen als Person zuträglich sind. Mit dem Abstand des 21. Jh. stellt sich heute die Frage, wie hilfreich und weiterführend diese Debatten sind, die recht ideologisiert geführt wurden. Ist es wirklich sinnvoll, das G. dem Wohl des Einzelnen gegenüberzustellen, um daraufhin zu bewerten, welches gegenüber dem jeweils anderen vorgeordnet ist? Es erscheint heute naheliegend, sowohl der Gemeinschaft als auch dem Einzelnen jeweils einen Platz einzuräumen und das Verhältnis zueinander nicht im Sinne einer Über- oder Unterordnung, sondern eher qualitativ korrelativ zu betrachten und ein Zusammenspiel der Wohle anzunehmen.

Sechstens gilt es, den Zusammenhang von G. und Gerechtigkeit zu betrachten. Bereits O. von Nell-Breuning hat diesen Konnex gesehen und betrachtete soziale Gerechtigkeit und G. als „geradezu zwei Namen für ein und dieselbe Sache" (Nell-Breuning 1985: 342). Damit ist G. respektive Gesetzesgerechtigkeit nicht mehr nur Sache der Obrigkeit im Dienste der Untertanen, sondern die Aufgabe aller. Es gilt zu entscheiden, was für das G. getan oder nicht getan werden muss – sowohl formalrechtlich als auch gegenüber dem eigenen Gewissen (↑Gewissen, Gewissensfreiheit). Günter Wilhelms führt die Gerechtigkeit zum einen explizit als Sozialprinzip auf und identifiziert, unter dezidierter Berufung auf entspr.e Stellen bei O. von Nell-Breuning, das G. quasi als anderen Begriff für Gerechtigkeit. Markus Vogt vertieft ein solches Verständnis, indem er auf die „Sonderstellung" des G.s verweist und es der allg. Gerechtigkeit zuordnet. Ebenso wie diese lasse sich das G. seiner Herkunft nach den „statischen Gesellschaftsmodellen" (Vogt 2009: 462 f.) zuordnen und in Verbindung mit den Sozialprinzipien für moderne, offene Gesellschaften neu erschließen. Die Spannung zwischen unterschiedlichen Verortungen des G.s kann man dadurch auflösen, dass man sich auf die gemeinsame Ebene von normativen Orientierungen verständigt.

Die Debatte um das G. entfachte neu im Rahmen des ↑europäischen Integrationsprozesses, für den die Balance zwischen der Stärkung kollektiver Handlungsfähigkeit einerseits und der Wahrung der ↑Autonomie der Nationalstaaten andererseits von entscheidender Bedeutung ist. G. ist hier zunehmend föderal zu konzipieren und gleichzeitig auf unterschiedliche Ebenen zu beziehen, sodass die ↑Souveränität von ↑Nationen und Regionen zwar begrenzt, zugl. aber auch subsidiär gestärkt wird und kontinentale Interessen im Horizont des Welt-G.s interpretiert werden.

Literatur

M. Vogt: Prinzip Nachhaltigkeit, 2009 • U. H. Körtner: Evangelische Sozialethik, ²2008 • U. Nothelle-Wildfeuer: Die Sozialprinzipien der Katholischen Soziallehre, in: A. Rauscher (Hg.): Hdb. der Katholischen Soziallehre, 2008, 143–163 • T. Eggensperger: De la relation entre religion et politique. Les principes de la doctrine sociale catholique dans le contexte de l'Union européenne, in: RTL 37/1 (2006), 3–25 • Päpstlicher Rat für Gerechtigkeit und Frieden: Kompendium der Soziallehre der Kirche, 2006 • R. Uertz: Vom Gottesrecht zum Menschenrecht, 2005 • T. Eggensperger: Gemeinwohl und Gemeinsinn. Perspektiven für Europa, in: ders./I. Berten/U. Engel (Hg.): Gemeinwohl im Konflikt der Interessen, 2004, 89–98 • W. Veith: Gemeinwohl, in: M. Heimbach-Steins (Hg.): Christliche Sozialethik, Bd. 1, 2004, 270–282 • M. Vogt: Das neue Sozialprinzip „Nachhaltigkeit" als Antwort auf die ökologische Herausforderung, in: W. Korff u. a. (Hg.): Hdb. der Wirtschaftsethik, Bd. 1, 1999, 237–257 • A. Anzenbacher: Christliche Sozialethik, 1997 • O. von Nell-Breuning: Gerechtigkeit und Freiheit, ²1985 • J. Höffner: Christliche Gesellschaftslehre, ⁷1978 • O. von Nell-Breuning: Baugesetze der Gesellschaft, 1968 • E. Welty: Grundfragen und Grundkräfte des sozialen Lebens, ²1952. THOMAS EGGENSPERGER

II. Philosophisch

1. Begriffserläuterungen

Mit dem Begriff G. werden Bedingungen des gesellschaftlichen Lebens bezeichnet, die das Wohl einer ↑Gemeinschaft abbilden, insofern sie den Einzelnen und den Gruppen einer Gesellschaft ein Zusammenleben erleichtern und den Beteiligten gemeinsame Möglichkeiten für das Erreichen von Lebenszielen und -gütern bereiten. G. drückt damit gemeinschaftliche ↑Interessen und ↑Bedürfnisse aus, die häufig im Terminus Gemeingut *(bonum commune)* zusammengefasst werden. G. kann als ein Gegenbegriff zu Individual- oder Partikularinteressen aufgefasst werden.

In der Auslegung des Begriffs im Detail lassen sich jedoch historisch und aktuell große Unterschiede ausmachen. G. kann als ein normatives Ideal verstanden werden, das an ein Verständnis für eine bestimmte religiöse Ordnung oder eine bes. Staatsform angelehnt ist. In dieser Form impliziert der Begriff einen dichten materialen Gehalt, der zwar sehr viel zur Identitätsstiftung und Sinnfindung einer Gemeinschaft beiträgt, gleichwohl aber auch zur ideologischen Verengung und fundamentalistischen Aufladung bis hin zu totalitären

Konsequenzen führen kann, wenn das so aufgefasste G. jede Individualität übermäßig dominiert. Neutraler gefasst kann sich der Begriff auf die instrumentelle Institutionalisierung und Organisation derjenigen Bedingungen beziehen, die zu einer Verwirklichung des Wohls Aller notwendig sind und die vielfache Deutungen und Nutzungen einzelner Güter zulassen. Gleichwohl kommt auch diese Auffassung nicht umhin, Diskussionen über ↑Grundwerte für die Organisation des G.s anzustoßen, da ohne eine Mindestform an materialen Vorstellungen über das G. keine Verständigung über seine Konkretion möglich ist.

2. Historische Entwicklungslinien

Platon verdeutlicht in seiner „Politik", dass wahre Staatskunst notwendigerweise nicht das Einzelne, sondern das Gemeinsame zu besorgen hat, da das Gemeinsame vor dem Hintergrund der Idee der ↑Gerechtigkeit bindend wirkt und das Einzelne Staaten und Gemeinschaften zu trennen droht. In der ↑Scholastik wird der Gedanke der sozialen ↑Partizipation mit der kollektiven Teilnahme an der göttlichen Vollkommenheit, die jeder Einzelne in Orientierung am universalen Gut göttlicher Gerechtigkeit empfängt, verbunden.

Mit den Begründungen staatlicher Rechtsordnungen über einen ↑Gesellschaftsvertrag bekommt der Ausdruck des G.s in der Neuzeit eine andere Wendung. In diesem Modell setzt etwa Jean-Jacques Rousseau dem bloßen Willen aller *(volonté de tous)* den Gemeinwillen *(volonté générale)* entgegen, der als ein gemeinschaftliches Ich nicht die Einzelinteressen in den Blick nimmt, sondern vielmehr das G. Dieses wird daher nicht verstanden als die Summe individueller Bestrebungen, sondern als eine kollektive Willensbemühung, das G. partizipativ zu konstituieren, indem der Einzelne der Gemeinschaft überantwortet wird. Für Immanuel Kant hat der ↑Staat die vornehmliche Aufgabe individuelle ↑Freiheit durch ↑Recht zu sichern. Die Forderung nach Fürsorge im Gemeinwesen richtet sich hingegen an die ethischen ↑Tugenden im Privaten.

Die Verarmungserscheinungen durch ungleiche Verteilung des Wohlstands in den industrialisierten Gesellschaften der späten Neuzeit und frühen Moderne veranlassen marxistische Theorien (↑Marxismus), zu einer stärker am G. orientierten Nutzung der Produktivkräfte und des ↑Kapitals aufzurufen. Die gesellschaftlichen Missstände führen zudem in der Praxis zu neuen Formen von ↑Sozialpolitik (↑Sozialversicherung, ↑soziale Marktwirtschaft). Die ↑katholische Soziallehre rückt das G. als partizipativen Gedanken in den Mittelpunkt sozialethischer Diskurse (z. B. „Rerum novarum", „Quadragesimo anno", GS). Die Gesellschaft soll solidarisch Mittelpartizipation und Chancengleichheit (↑Chancengerechtigkeit, Chancengleichheit) gewährleisten, damit jede Person die Möglichkeiten erhält, menschenwürdig einen vernünftigen Lebensplan zu realisieren. Zum Organisationsprinzip der Verwirklichung des G.s in den komplexen Gesellschaften wird das Subsidiaritätsprinzip (↑Subsidiarität). Eine verstärkte Partizipation der Armen betont die lateinamerikanische Befreiungstheologie (↑Theologie der Befreiung).

Im Rahmen von gerechtigkeitstheoretischen Modellen im späten 20. Jh. plädiert John Rawls für einen liberalen Sozialstaat in dem das G. insb. Chancengleichheit garantieren soll. Unter den fiktiven Bedingungen des *veil of ignorance* entscheiden Menschen über die zukünftige Gesellschaftsordnung, ohne selbst zu wissen, an welcher Stelle dieser Ordnung sie sich später befinden werden. Libertäre Positionen verlegen die Realisation des G.s in private solidarische Aktivitäten und Kräfte des ↑Marktes. Kommunitaristische Ansätze (↑Kommunitarismus) hingegen betonen die Stellung des Menschen als Gemeinschaftswesen und die konstitutive Verbindung zwischen Vorstellungen des guten Lebens mit Gerechtigkeitsprinzipien zur Sicherstellung von Partizipation und ↑Solidarität.

3. Herausforderungen in der modernen Gesellschaft

In politischer Theorie und Praxis kollidieren oftmals libertäre mit kommunitären Auffassungen über die Zuständigkeiten für das G. Die modernen Gesellschaften sind aktuell herausgefordert, die Organisation des G.s (insb. in den Bereichen Umwelt, Gesundheit, Arbeit und Entwicklung) nicht mehr ausschließlich als eine nationalstaatliche Angelegenheit aufzufassen. Angesichts globaler Migrationsbewegungen (↑Migration) existieren zwischenstaatliche Regelungen, die staatsübergreifende Partizipationsmöglichkeiten am G. bereithalten. Dies hat sich auch aus der Überzeugung heraus entwickelt, dass das G. einer Weltgesellschaft nicht zuletzt von einer nachhaltigen Nutzung natürlicher Ressourcen und Modellen von *access and benefit sharing* abhängt. Zudem sind partizipative Anstrengungen erkennbar, etwa Menschen mit Behinderung aktiver am G. zu beteiligen (vgl. UN-Behindertenrechtskonvention).

Literatur

M. Reeder u. a. (Hg.): Global Common Good, 2015 • M. Moore: Recognizing Public Value, 2013 • A. Anzenbacher: Gemeinwohl, in: NHphG, Bd. 1, 919–931 • C. Taylor: Wieviel Gemeinschaft braucht die Demokratie? Aufsätze zur politischen Philosophie, 2002 • W. Kersting: Theorien der sozialen Gerechtigkeit, 2000 • M. Sandel: Liberalism and the Limits of Justice, 1998 • A. Honneth (Hg.): Kommunitarismus, 1993 • R. Bellah: The Good Society, 1992 • Bundesverband der Katholischen Arbeitnehmer-Bewegung (Hg.): Texte zur Katholischen Soziallehre, 1992 • M. Walzer: Sphären der Gerechtigkeit, 1992 • J. Rawls: Eine Theorie der Gerechtigkeit, 1975.　　　　　　　　　　DIRK LANZERATH

III. Juristische Aspekte

Der Missbrauch, der in der NS-Zeit mit G.-Formeln vielfach getrieben worden ist, hat in der Jurisprudenz nach 1945 zu einer erheblichen Verunsicherung im Umgang mit dem Begriff G. geführt. Er ist zwar in der Form der ↑Generalklausel eine Kategorie des positiven Rechts geblieben, wissenschaftlich bedurfte es aber einer gewissen Rehabilitation. Dazu haben (aus der Analyse des Topos „öffentliches Interesse") Peter Häberle und (aus der Perspektive der Diskussion über ↑Interessengruppen und ↑Pluralismus) Hans Herbert von Arnim Wesentliches beigetragen. Es wurde deutlich, dass der Begriff nicht aus dem Zusammenhang der verfassungsmäßigen Ordnung und auch nicht aus dem jeweiligen konkreten Kontext herausgelöst werden darf, in dem er gebraucht wird. Er darf ferner nicht von dem Verfahren getrennt werden, in dem G. konkretisiert und aktualisiert wird. Er bezeichnet nicht eine substanzhafte Vorgegebenheit, sondern ein aufgegebenes Ziel (sog. es prozedurales G.-Verständnis). In wertender Betrachtungsweise sind die jeweiligen sachhaltigen Gesichtspunkte zu erarbeiten und in den Entscheidungsprozess einzubringen, die G. konstituieren. Dabei geht es i. d. R. um den Ausgleich zwischen individuellen ↑Interessen und Rechtspositionen einerseits, öffentlichen Belangen und Erfordernissen andererseits, denen der ↑Staat um seiner Aufgabe willen, ↑Frieden, ↑Freiheit und ↑Gerechtigkeit zu gewährleisten, gerecht werden muss. Bei der Bestimmung des Verhältnisses von Staat und Kirche (↑Kirche und Staat) wird oft die spezifische Verantwortung des Staates, für (irdisches) G. zu sorgen, hervorgehoben. Auch das Prinzip des ↑Sozialstaats verweist auf diese G.-Verantwortung des Staates.

Unter den einzelnen Rechtsbereichen und -instituten ist die verfassungsrechtliche Eigentumsgarantie ein klassisches Anwendungsfeld für den G.-Gedanken. Der Gebrauch des ↑Eigentums „soll zugleich dem Wohle der Allgemeinheit dienen"; andererseits ist aber auch nur unter diesem Kriterium eine ↑Enteignung zulässig (Art. 14 Abs. 2 S. 2, Abs. 3 S. 1 GG). Ein anderes Beispiel findet man in dem signifikanten Katalog von „öffentlichen Belangen", die nach § 1 Abs. 6 BauGB bei der Bauleitplanung als Elemente des „Wohls der Allgemeinheit" zu berücksichtigen sind (z. B. gesunde Wohn- und Arbeitsverhältnisse, soziale und kulturelle Bedürfnisse der Bevölkerung, Eigentumsbildung weiter Kreise der Bevölkerung, ↑Umweltschutz u. a.); er ist verbunden mit dem Gebot, bei der Planaufstellung „die öffentlichen und privaten Belange gegeneinander und untereinander gerecht abzuwägen" (§ 1 Abs. 7 BauGB).

G.-Erfordernisse sind auch der Generalnenner für die im einzelnen freilich sehr differenzierten Begrenzungen der ↑Grundrechte. Für den speziellen Zusammenhang des Grundrechts der ↑Berufsfreiheit hat das ↑BVerfG die Formel entwickelt, dass die Freiheit der Berufsausübung beschränkt werden kann, „soweit vernünftige Erwägungen des Gemeinwohls es zweckmäßig erscheinen lassen", während die Freiheit der Berufswahl nur eingeschränkt werden darf, „soweit der Schutz besonders wichtiger Gemeinschaftsgüter es zwingend erfordert"

(BVerfGE 7, 377, 405). Im Verfassungsprozessrecht erscheint das G. als Kriterium für den Erlass einer einstweiligen Anordnung (§ 32 BVerfGG: wenn „zur Abwehr schwerer Nachteile, zur Verhinderung drohender Gewalt oder aus einem anderen wichtigen Grund zum gemeinen Wohl dringend geboten").

Hochkonjunktur hatte der G.-Begriff im Zusammenhang mit der kommunalen ↑Gebietsreform der 1970er Jahre. Verfassungen und Gesetze lassen eine Änderung des Gebiets von Gemeinden und Gemeindeverbänden (nur) „aus Gründen des öffentlichen Wohls" zu. In den zahlreichen darüber entstandenen Rechtsstreitigkeiten hat sich die Auffassung durchgesetzt, dass der Gesetzgeber einen weiten Raum eigenverantwortlicher Gestaltungsfreiheit besitzt. Anders als die Verwaltung ist der Gesetzgeber dabei nicht an ein inhaltlich schon ausgefülltes G.-Gebot gebunden, sondern hat das von der Verfassung nicht näher umschriebene G. erst selbst zu finden und zu kontrollieren. Die (Verfassungs-)Gerichte bleiben zwar zur Prüfung befugt, ob eine Neugliederung durch Gründe des öffentlichen Wohls gedeckt ist. Aber soweit dabei Wertungen und Erwägungen des Gesetzgebers von Bedeutung sind, könnte sich das Gericht über sie nur dann hinwegsetzen, wenn sie eindeutig widerlegbar oder offensichtlich fehlsam sind oder der verfassungsrechtlichen Wertordnung widersprechen.

Literatur

H. Münkler/K. Fischer (Hg.): Gemeinwohl und Gemeinsinn im Recht, 2002 • G. F. Schuppert/F. Neidhart (Hg.): Gemeinwohl – auf der Suche nach Substanz, 2002 • H. H. von Arnim: Staatslehre der Bundesrepublik Deutschland, 1984 • P. Häberle: Die Gemeinwohlproblematik in rechtswissenschaftlicher Sicht, in: Rechtstheorie 14 (1983), 257–284 • H. H. von Arnim: Gemeinwohl und Gruppeninteresse, 1977 • M. Stolleis: Gemeinwohlformeln im nationalsozialistischen Recht, 1974 • P. Häberle: Öffentliches Interesse als juristisches Problem, 1970.   ALEXANDER HOLLERBACH

Gender

I. Soziologisch – II. Sozialethisch

I. Soziologisch

Die Thematisierung von Geschlechterverhältnissen erfolgt auch im deutschsprachigen Raum in wachsendem Maße mit dem englischen Begriff „G." Zunächst in den Sozial- und den Kulturwissenschaften verwendet, hat der Begriff, v. a. vermittelt über das Feld der Politik, Eingang auch in den alltäglichen Sprachgebrauch gefunden. Das Englische kennt eine begriffliche Unterscheidung, die es im Deutschen nicht gibt: *sex* und *g.* *Sex* steht für das anatomische bzw. biologische, *g.* für das sozio-kulturelle Geschlecht. Diese Unterscheidung geht auf die Sexualwissenschaft der 1950er Jahre zurück; sie wurde eingeführt, um das Phänomen einer z. B. bei trans- oder intersexuellen Menschen beobachteten Differenz von körperlichem Geschlecht und Geschlechtsidentität zu fassen. In der deutschsprachigen Geschlechterforschung findet sich diese Unterscheidung seit den 1980er Jahren. Mit ihr hat sich eine neue Perspektive auf Geschlecht und Geschlechterverhältnisse entwickelt, bei der Geschlecht „nicht mehr als biologisch unveränderbare Größe, sondern als soziales Phänomen untersucht [wird], das Gesellschaft strukturiert und zugleich gesellschaftlichem Wandel unterliegt" (Bereswill 2011: 162). Mit der Kategorie G. ist eine kritische Perspektive auf eine Naturalisierung von Geschlechterverhältnissen verbunden, mit der bestehende geschlechtliche Disparitäten der Kritik entzogen werden. Gegenstand der G. Studies sind Prozesse, Strukturen und Konsequenzen der sozialen und kulturellen Geschlechterdifferenzierung. Judith Lorber unterscheidet drei Dimensionen von G.: „Process, Stratification, and Structure" (Lorber 1994: 32). Dementsprechend lassen sich drei zentrale Forschungsbereiche identifizieren: die Herstellung der Sozialordnung der Zweigeschlechtlichkeit, ↑Hierarchien und Ungleichheiten zwischen den Geschlechtern sowie die Bedeutung von Geschlecht für die Ordnung sozialer Beziehungen und Verhältnisse.

1. Von Frauenforschung zu Geschlechterforschung

Mit der Kategorie G. hat sich die Thematisierung von Geschlecht und Geschlechterverhältnissen in den Sozial- und Kulturwissenschaften in zweifacher Hinsicht entscheidend verändert: durch eine konstruktivistische Wende auf theoretischer Ebene (s. u.) und durch eine Erweiterung des Gegenstandsbereichs und der Perspektiven. Letzteres lässt sich als eine Entwicklung von Frauen- zu Geschlechterforschung beschreiben. Dass Fragen des Geschlechts auf die Agenda wissenschaftlicher Forschung gelangt sind, ist ein Erfolg der Frauenforschung. In enger Verzahnung mit der ↑Frauenbewegung wurde ab den 1970er Jahren zunächst die gesellschaftliche Benachteiligung von Frauen kritisiert und zum Gegenstand der Forschung gemacht. In dem Maße, in dem die anfangs stark an den Prinzipien von Parteilichkeit und Betroffenheit orientierte, politisch positionierte Frauenforschung einen Prozess der Professionalisierung vollzogen hat, hat sie sich zur Geschlechterforschung erweitert. Gegenstand sind nicht mehr nur Lebenslagen von Frauen; diese werden zudem einer differenzierten Betrachtung unterzogen. Judith Gerson und Kathy Peiss haben die Implikationen der G.-Perspektive folgendermaßen umrissen: „This emphasis suggests that we appreciate women as the active creators of their own destinies within certain constraints, rather than as passive victims or objects. At the same time, this suggests that feminist scholars must avoid analyzing men as one-dimensional, omnipotent oppressors. […] Clearly researchers need to examine men in the context of gender relations more precisely and extensively than they have at the present time" (Gerson/Peiss 1985: 327).

Mit der Kategorie G. ist eine Abkehr von einer polarisierenden Geschlechtskategorisierung verbunden, die von der frühen Frauenforschung zur Organisation ihrer Themen sowie ihres Personals verwendet wurde: „Forschung von Frauen über Frauen" (Gildemeister 2004: 29). Eine Konsequenz ist die Absage an die Idee eines einheitlichen Subjekts Frau, die bei der politischen Mobilisierung von Frauen eine große Bedeutung hatte. Eine weitere Konsequenz ist die Erweiterung des Gegenstandsbereichs auf männliche Lebenslagen und damit ein umfassendes Verständnis von Geschlecht als relationale Kategorie. Die G.-Perspektive postuliert einen differenzierenden Blick auch auf männliche Lebenszusammenhänge, ohne allerdings die Machtrelation zwischen den Geschlechtern aus dem Auge zu verlieren. In den Blick geraten des Weiteren auch Machtrelationen innerhalb der Geschlechtergruppen. Diese Perspektive ist insb. in den *men's studies* mit dem Konzept der „hegemonialen Männlichkeit" (Connell 2015: 129), die in einer hierarchischen Relation nicht nur zu Weiblichkeit, sondern auch zu untergeordneten Männlichkeiten steht, entwickelt worden. Ob Differenzierungen von Weiblichkeit mit der gleichen Begrifflichkeit von hegemonial und untergeordnet charakterisiert werden können, ist Gegenstand kontroverser Diskussionen.

2. Soziale Konstruktion von Geschlecht

Im sozial- und kulturwissenschaftlichen Kontext ist mit dem Begriff G. keine spezifische Theorie benannt, allerdings eint die unterschiedlichen Verwendungen des Begriffs eine konstruktivistische Perspektive (↗Konstruktivismus) auf Geschlecht. Die soziologische Grundannahme einer „gesellschaftlichen Konstruktion der Wirklichkeit" (Berger/Luckmann 1969) gilt auch für die Geschlechterverhältnisse. Dass Geschlecht sozial konstruiert ist, ist bereits 1949 in dem berühmten Diktum Simone de Beauvoirs „Man kommt nicht als Frau zur Welt, man wird es" (Beauvoir 1992: 334) angedeutet; systematisch entfaltet wurde die sozialkonstruktivistische Perspektive auf Geschlecht erstmals im Rahmen der Ethnomethodologie. Dies ist ein praxeologischer Ansatz, der untersucht, mit welchen Methoden die Mitglieder einer Gesellschaft in ihren alltäglichen, wechselseitig aufeinander bezogenen Handlungen die soziale Wirklichkeit hervorbringen, in der sie handeln, bzw. wie in sozialer ↗Interaktion systematisch soziale Ordnung hergestellt wird. Anstatt wie der Common Sense selbstverständlich vorauszusetzen, dass es zwei und nur zwei Geschlechter gibt, wird die Konstitution der Zweigeschlechtlichkeit selbst zum Topos der Forschung gemacht. Das im Alltag fraglos Gegebene wird „eingeklammert", das Selbstverständliche heuristisch in etwas höchst Voraussetzungsvolles transformiert. Nicht nur die gesellschaftliche Ausprägung des Geschlechterverhältnisses, dessen Relationen von Mit- und Gegeneinander sowie Über- und Unterordnung, die Geschlechtszugehörigkeit selbst wird als soziale Konstruktion verstanden.

Die Ausgangsfrage ethnomethodologischer Geschlechterforschung lautet: „How is a social reality where there are two, and only two, genders constructed?" (Kessler/McKenna 1978: 3) Gefragt wird nach den Kriterien, an denen die Unterscheidung zwischen den Geschlechtern im Alltag festgemacht wird, nach denen Geschlechtszuschreibungen in sozialen Interaktionen vorgenommen werden. Die Bedeutung der primären Geschlechtsmerkmale wird insofern als eher gering erachtet, als es nicht Informationen über diese Merkmale sind, die den Handelnden in sozialen Interaktionen normalerweise zur Verfügung stehen. Dennoch ist in einem anderen Sinne Geschlechtszuschreibung „Genitalzuschreibung", weil im Alltagswissen eine entsprechende Verknüpfung vorgenommen wird. Wir „wissen", dass eine Person, die einen Rock trägt, eine Handtasche umhängen hat und deren Gesicht geschminkt ist, eine Vagina hat und jemand, der mit „männlichen"Attributen daherkommt, einen Penis. In diesem Sinne sprechen Suzanne J. Kessler und Wendy McKenna von „kulturellen Genitalien" (Kessler/McKenna 1978: 153 f.). Im Alltag wird Geschlecht auf der Basis wahrnehmbarer kultureller Geschlechtszeichen attribuiert.

Den Anstoß zu dieser Sichtweise gab eine Fallstudie von Harold Garfinkel über „Agnes", eine Mann-zu-Frau-Transsexuelle. Transsexuelle Menschen müssen, um als kompetente Mitglieder des Geschlechts, dem sie sich zugehörig fühlen, akzeptiert zu werden, die sozialen Praktiken beherrschen lernen, die eine Person fraglos als weiblich oder männlich erkennbar machen. Dies umfasst Gesten, Mimiken, Bewegungen, die Art, das Haar zu tragen, Accessoires, mit denen man sich umgibt, und vieles mehr. Die Rekonstruktion der Normalisierungsleistungen, die transsexuelle Menschen erbringen, zeigt, dass Geschlechtszugehörigkeit mittels bestimmter Praktiken im Alltagshandeln interaktiv hergestellt wird. Dies ist mit dem Begriff des „doing gender" (West/Zimmerman 1987) erfasst. Er lässt sich nur schwer ins Deutsche übersetzen. Gemeint ist, dass man ein Geschlecht nur hat, indem man es tut. Im *doing gender* wird die Geschlechterdifferenz dadurch hervorgebracht, dass die Handelnden sich „kontinuierlich zu Frauen und Männern machen und machen lassen" (Hirschauer 1993: 56). Geschlecht wird als eine praktisch-methodische Routine-Hervorbringung *(accomplishment)* begriffen, die auf fortdauernder Interaktionsarbeit der Handelnden beruht. Geschlecht wird damit als soziale Praxis und nicht als eine individuelle Eigenschaft analysiert. *Doing gender* meint i. d. R. keine bewusst vollzogene Handlung. Die Handelnden verfolgen nicht die Intention, *doing gender* zu praktizieren; es ist vielmehr in vielfältiger Weise in alltägliche Routinehandlungen eingelassen. Der männliche Krankenpfleger, der im Umgang mit den Patienten eine Attitude der „Coolness" entwickelt, praktiziert *doing gender* ebenso wie die von Jean-Claude Kaufmann beschriebene Ehefrau, die die Wäsche bügelt oder das Bad reinigt, weil sie darin geübter ist als der in diesen Dingen unbeholfene Mann: „doing gender while doing work" bzw. „while doing family". Erwerbsarbeit und ↑Familie sind zwei zentrale Felder der Her- und Darstellung von geschlechtlicher Differenz.

Neben der Ethnomethodologie haben sich die geschlechtersoziologischen Arbeiten von Erving Goffman als einflussreich für ein Verständnis erwiesen, das Geschlecht nicht als ein individuelles Merkmal begreift. E. Goffman analysiert das institutionelle Arrangement der Geschlechter, die Geschlechter(mikro)politik von Identitätszuschreibungen und ritualisierten Darstellungsformen, in und mit denen die Geschlechter die soziale Ordnung ihrer Beziehungen herstellen. Er behandelt Geschlecht als einen Fall sozialer Klassifikation und sieht darin den „Prototyp einer sozialen Klassifikation" (Goffman 1994: 72). Die Geschlechtsklassen unterscheiden sich durch spezifische Sets von Praktiken. Eine Geschlechtszugehörigkeit außerhalb dieser oder unabhängig von diesen Praktiken gibt es nicht. Einen Körper mit bestimmten Geschlechtsmerkmalen zu haben garantiert nicht die Mitgliedschaft in einer Geschlechtsklasse. Geschlechtszugehörigkeit muss gleichsam auf der Bühne des Alltags dargestellt und von den Anderen bekräftigt werden. Dies macht die performative Dimension von Geschlecht aus.

Die Geschlechtsklassengebundenheit individueller Verhaltensweisen bezeichnet E. Goffman als „Genderismus" (Goffman 1994: 113). Sein Erkenntnisinteresse richtet sich darauf, wie angeborene Geschlechterunterschiede sozial bedeutsam gemacht werden, wie die Referenz auf sie als Rechtfertigung sozial hergestellter Geschlechterarrangements und -unterschiede genutzt wird. Hierzu führt er den Begriff der „institutionellen Reflexität" ein (Goffman 1994: 107). Ein Beispiel sind die Konventionen der heterosexuellen Paarbildung, die zur Folge haben, dass meistens die Frau kleiner ist als der Mann. Zwar sind Männer im Durchschnitt etwas größer als Frauen, doch ist der Bereich der Überschneidung breit genug, dass bei der Mehrzahl der Paare Frauen und Männer annähernd gleich groß sein könnten. Die soziale Praxis nutzt einen biologisch gegebenen Unterschied, um ein symbolisches Mittel zur Darstellung der Geschlechterordnung zu gewinnen und macht ihn dadurch bedeutsam sowie im Alltag sichtbar. Ein weiteres von E. Goffman angeführtes Beispiel ist die Trennung öffentlicher Toiletten nach Geschlecht. Eine biologisch begründbare Notwendigkeit hierfür gibt es nicht. Die Trennung wird vielmehr „als natürliche Folge des Unterschieds zwischen den Geschlechtsklassen hingestellt, obwohl sie tatsächlich mehr ein Mittel zur Anerkennung, wenn nicht gar zur Erschaffung des Unterschieds ist" (Goffman 1994: 134).

Neben einer interaktionstheoretischen ist v. a. die von Judith Butler entworfene diskurstheoretische Perspektive für das Verständnis von G. bedeutsam geworden. J. Butler plädiert dafür, „den kulturell bedingten Status

der Geschlechtsidentität als radikal unabhängig vom anatomischen Geschlecht [zu] denken" (Butler 1991: 23). In einer an Michel Foucault orientierten Perspektive wird der „Geschlechtskörper als Resultat hegemonialer Diskurse" (Villa 2000: 12) analysiert. Die „Materie des Körpers" sei „nicht zu trennen [...] von den regulierenden Normen, die ihre Materialisierung beherrschen." (Butler 1997: 22) Eine Wahrnehmung des Körpers außerhalb seiner kulturellen Signifizierungen sei nicht möglich. Nur durch diese könnten die Genitalien zu Geschlechtszeichen werden. J. Butler zufolge wird auch das, was als die „natürlichen Sachverhalte des Geschlechts" erscheint, „diskursiv produziert" (Butler 1991: 23). Vor diesem Hintergrund bezweifelt J. Butler, dass es nur zwei Geschlechtsidentitäten geben muss. Vielmehr sorge die Ordnung der „Zwangsheterosexualität" bzw. der „Heteronormativität" dafür, den Glauben daran aufrechtzuerhalten. Wie die Ethnomethodologie begreift J. Butler Geschlecht als eine Herstellungsleistung, die sie aber nicht als in sozialen, interaktiven Praktiken fundiert analysiert, sondern in der Dimension kultureller Diskurse verortet. J. Butlers Arbeiten haben einen großen Einfluss auf die Queer Studies. Der Begriff „Queer" bezieht sich auf Lebenszusammenhänge und Prozesse, in denen „Norm(alität)en brüchig werden" (Gildemeister/Hericks 2012: 217). Die Queer Studies verfolgen die Absicht einer Dekonstruktion von Heteronormativität. Sie verstehen Heterosexualität als „Machtregime [...], dessen Aufgabe die Produktion und Regulierung einer Matrix von hegemonialen und minoritären sozio-sexuellen Subjektpositionen ist" (Hark 2010: 110). Heterosexualität und die Sozialordnung der Zweigeschlechtlichkeit werden als sich wechselseitig bedingend begriffen.

3. Natur und Kultur

Mit der Kategorie G. ist die Herausforderung verbunden, „die Frage nach der *Relationierung von Natur und Kultur* in Bezug auf die Kategorie Geschlecht neu aufzuwerfen" (Gildemeister/Hericks 2012: 196; Herv. i. O.). Die soziologische Erklärung der Geschlechterdifferenz kann die biologische bzw. anatomische Dimension von Geschlecht nicht vernachlässigen. Diese stellt die Soziologie vor andere theoretische Herausforderungen als bei sonstigen sozialen Differenzierungen, z. B. nach sozialen Milieus oder nach ethnischer Zugehörigkeit. Dies hat seinen Grund darin, dass, wie J. Butler an anderer Stelle konzidiert, die Geschlechterdifferenz weder völlig gegeben noch völlig konstruiert, sondern beides ist. Die Frage nach dem Verhältnis von Biologischem und Kulturellem müsse immer wieder gestellt werden, eine endgültige Antwort sei aber nicht zu erwarten.

Wie der Verweisungszusammenhang von Geschlechtlichkeit und Körperlichkeit zu entschlüsseln ist, ist Gegenstand grundlegender Kontroversen in der Geschlechterforschung. „Ist der Körper beliebig geschlechtlich konstruierbar [...] oder gibt es Grenzen der Konstruktion, die der Körper selbst vorgibt?" (Villa 2000: 181 f.) Der geschlechtertheoretische Diskurs bewegt sich zwischen einer Position, welche die korporale Materialität als eine vorsoziale Gegebenheit begreift, an die sich soziale Unterscheidungen anschließen, die allerdings als kontingente „Entscheidungen" beschrieben werden, einerseits und einer radikal-konstruktivistischen In-Frage-Stellung der *sex–gender*-Unterscheidung andererseits. Während der ersten Position daran gelegen ist, zu zeigen, dass sich an die biologischen Differenzen keineswegs zwangsläufig die sozialen Differenzierungen und Ungleichheiten anschließen müssen, welche die gegebene Geschlechterordnung prägen, begreift die zweite Position den Körper als einen in Diskursen und Interaktionen hergestellten Sinnkörper, der kein materiales Eigenleben außerhalb seiner kulturellen und sozialen Konstruktion hat. Als Gemeinsamkeit beider Positionen ist festzuhalten, dass eine von kulturellen Symbolisierungen unabhängige Erfahrung des geschlechtlichen Körpers nicht möglich ist. Der Körper ist eine symbolische und materielle Realität. ↑Natur und ↑Kultur sind „gleichursprünglich", sie „konstituieren einander wechselseitig" (Wetterer 2010: 126). Die gesellschaftlichen Geschlechterarrangements „bestimmen die Bedingungen, unter denen Körper sich entwickeln und leben" (Connell 2013: 82). Körpererfahrungen werden im Rahmen „somatischer Kulturen" (Boltanski 1976: 154) gemacht. Diese sind „Kodes der guten Sitten für den Umgang mit dem Körper, der tief verinnerlicht und allen Mitgliedern einer bestimmten sozialen Gruppe gemeinsam ist" (Boltanski 1976: 154 f.). In diesem Sinne unterliegen die Körper einer kulturellen Vergeschlechtlichung. Den Körpern sind die Strukturen der Geschlechterverhältnisse auf einer präreflexiven Ebene eingeschrieben.

Bei keiner anderen sozialen Unterscheidung ist es allerdings so einfach wie bei der von Mann und Frau möglich, soziale Unterschiede auf biologische zu beziehen und soziale Ungleichheiten durch naturalisierende Erklärungen zu legitimieren. Die biologischen Unterschiede, „ganz besonders der anatomische Unterschied zwischen den Sexualorganen, [erscheinen] als unanfechtbare Rechtfertigung des gesellschaftlich konstruierten Unterschieds zwischen den Geschlechtern" (Bourdieu 1997: 169). Indem sich das geschlechtliche Klassifikationssystem „in letzter Instanz am Körper und seinen Funktionen festmacht" (Krais 2003: 165), wird das Gesellschaftliche der Geschlechterordnung unsichtbar gemacht.

4. Ordnungskategorie Geschlecht

Die Geschlechterunterscheidung durchzieht sämtliche Bereiche der sozialen Welt. „Das Geschlecht dient […] als Grundlage eines zentralen Codes, demgemäß soziale Interaktionen und soziale Strukturen aufgebaut sind" (Goffman 1994: 105). Geschlecht fungiert als eine Ordnungskategorie in Face-to-Face-Interaktionen und in

Organisationen, in privaten Beziehungen und im öffentlichen Raum. Zu Beginn einer sozialen Interaktion erfolgt, gewöhnlich präreflexiv, ein „Geschlechts-Check" des bzw. der anderen Anwesenden, der für das weitere Handeln von fundamentaler Bedeutung ist. Dies erkennt man *ex negativo* an den Irritationen, die sich einstellen, wenn es nicht gelingt, eine Person geschlechtlich zu identifizieren. In privaten heterosexuellen Beziehungen erfolgt die Arbeitsteilung zwischen den Partnern trotz des Strukturwandels der Familie weiterhin in hohem Maße entlang der Geschlechterdifferenz. Stefan Hirschauer vermutet, „dass die hartnäckige ungleiche Arbeitsteilung im Haushalt einer der letzten paarinternen Darstellungschancen einer bedeutsamen Geschlechterdifferenz ist" (Hirschauer 2013: 50). In allen uns bekannten Gesellschaften knüpft sich an die Unterscheidung von Frauen und Männern eine Zuweisung zu unterschiedlichen Aufgaben, Handlungsfeldern, Positionen. Männer und Frauen verrichten unterschiedliche Tätigkeiten, studieren unterschiedliche Fächer, üben unterschiedliche ↑Berufe aus, besetzen in diesen Berufen unterschiedliche Positionen. Welche dies sind, variiert von Gesellschaft zu Gesellschaft und auch im historischen Prozess. Diese Zuweisungen sind in den meisten Fällen nicht neutral. An die Geschlechtszugehörigkeit knüpfen sich Teilhabechancen, die bislang in den meisten sozialen Feldern für die Männer günstiger ausfallen als für die Frauen. Insofern ist Geschlecht eine Dimension sozialer Ungleichheit.

Geschlechtliche Ungleichheit lässt sich in unterschiedlichen Ausprägungen auf allen Ebenen soziologischer Analyse finden. Auf makrosoziologischer Ebene manifestiert sich geschlechtliche Ungleichheit z. B. in einer Segregation großer Teile des ↑Arbeitsmarktes in Frauen- und Männerberufe. Von Männern dominierte Berufe haben i. d. R. nicht nur ein höheres Lohnniveau als typische Frauenberufe, sie genießen auch ein höheres Prestige. Für die Mesoebene ist mit dem Begriff der „gendered organization" (Acker 1990) das Phänomen bezeichnet, dass in der Mehrzahl der Organisationen entgegen deren Selbstverständnis Geschlecht ein Kriterium bei der Zuweisung zu Aufgaben, Tätigkeiten und Positionen ist. Strittig ist, ob dies ein strukturelles Merkmal von ↑Organisationen darstellt oder ob das „Gendering als situatives Geltendmachen des Geschlechts in einem strukturell geschlechtsneutralen Organisationssystem" (Pasero 2010: 254) zu verstehen ist. Für die Mikroebene von Kommunikation und Interaktion haben zahlreiche konversationsanalytische und körpersoziologische Studien auf die ungleichheitsrelevante Bedeutung von Redeverteilungen, Aufmerksamkeitszuwendungen und Körperpositionierungen hingewiesen.

5. Bedeutungsverlust der Kategorie Geschlecht?

Geschlecht ist eine zentrale Kategorie zum Verständnis moderner ↑Gesellschaften, aber keine ahistorische Kategorie. Die Bedeutung als ein fundamentales Ordnungsprinzip hat sie in der sog.en Sattelzeit, d. h. in der Zeit zwischen 1750 und 1850, erhalten, in der sich die bürgerliche Gesellschaft herausgebildet hat. Ob Geschlecht zu Beginn des 21. Jh. weiterhin dieser Stellenwert zukommt, ist Gegenstand kontroverser Diskussionen. Ursula Pasero sieht eine „wachsende Unzuverlässigkeit geschlechtstypischer Zuschreibungen" (Pasero 2010: 255). Die Kategorie Geschlecht ist „flüssiger" (Riegraf 2010: 73) geworden. Im Zuge gesellschaftlicher ↑Individualisierung verändert sich die Bedeutung nicht nur der Klassen-, sondern auch der Geschlechtszugehörigkeit für die soziale Positionierung eines Menschen. Die Codierungen von weiblich und männlich verlieren ihre polar entgegengesetzten Eindeutigkeiten. Vormals mehr oder minder starre Grenzen zwischen den Geschlechtern werden flexibel. Dies betrifft die kulturellen Symbolisierungen von Geschlecht genauso wie die geschlechtliche Prägung sozialer Felder. Weiblich konnotierte körperästhetische Praktiken werden von Männern adaptiert, Männerberufe wie die Polizei oder das Militär verlieren ihre geschlechtliche Exklusivität. Entgrenzungen dieser Art heben die Geschlechterdifferenz nicht auf, führen aber zu einer „De-Institutionalisierung" (Heintz/Nadai 1998) dergestalt, dass die Differenz immer häufiger nicht mehr über eine institutionelle Ordnung verbürgt ist, sondern von den Handelnden kontextbezogen aktiv in sozialen Praktiken der Unterscheidung hergestellt wird. Die wachsende Beteiligung von Vätern an der Kinderbetreuung z. B. hat zur Folge, dass sich neue Formen der geschlechtlichen Distinktion in Gestalt eines „männlichen" Stils der Betreuung herausbilden, der sich von einem „weiblichen" Stil abgrenzt. Die Intention einer radikalen Verflüssigung der Kategorie Geschlecht kennzeichnet queere und Transgender-Lebensweisen, die sich nicht in das binäre Schema der Zweigeschlechtlichkeit einordnen (lassen) wollen. 2017 hat das BVerfG entschieden, intersexuellen Menschen müsse ein positiver Eintrag im Personenstandsregister ermöglicht werden, indem neben männlich und weiblich eine dritte Geschlechtskategorie eingeführt wird. Alternativ könne generell auf eine Geschlechtsangabe verzichtet werden. Die Geschlechterverhältnisse sind von einer starken Veränderungsdynamik erfasst, die allerdings keiner linearen Fortschrittslogik folgt, sondern hochgradig ambivalent, von einer Gleichzeitigkeit von Kontinuitäten und Wandel geprägt sowie politisch umkämpft ist.

Mit dem Begriff der „Intersektionalität" (Lutz/Vivar/Supik 2013) wird des Weiteren darauf verwiesen, dass der Stellenwert der Ordnungskategorie Geschlecht in ihrer Verschränkung mit anderen Kategorien sozialer Differenzierung wie Klasse, soziales Milieu, Ethnizität, sexuelle Orientierung analysiert werden muss. Geschlecht ist eine von mehreren „Kategorien der Humandifferenzierung" (Hirschauer 2014: 188). Je nach sozialem Feld und Handlungskontext stellt sich die relative Bedeutsamkeit dieser Kategorien unterschiedlich dar,

wiegt z. B. die Gemeinsamkeit der Zugehörigkeit zu einem Geschlecht weniger als die zu einer ethnischen Gemeinschaft und umgekehrt. So lässt sich feststellen, dass für Migrantinnen vielfach, v. a. wenn Erfahrungen von Ausgrenzung und ↑Diskriminierung gemacht werden, die Zugehörigkeit zur eigenen ethnischen Gemeinschaft ein höheres Gewicht hat als die über Geschlecht begründete Gemeinsamkeit mit den Frauen der Aufnahmegesellschaft. Derartige Beobachtungen zeigen, dass eine der Komplexität von Geschlechterverhältnissen angemessene Analyse mehr als nur die Kategorie Geschlecht im Blick haben muss. Die Geschlechterforschung ist gleichsam gefordert, die Leitdifferenz, mit der sie Gesellschaft und soziales Handeln beobachtet, nicht *a priori* als relevant zu setzen, sondern empirisch zu rekonstruieren, wann, in welchen Kontexten und in welchem Maße die Unterscheidung nach Geschlecht von den Handelnden relevant gemacht wird.

Literatur

R. Connell: Der gemachte Mann. Männlichkeitskonstruktionen und Krise der Männlichkeit, ⁴2015 • S. Hirschauer: Un/doing Differences. Die Kontingenz sozialer Zugehörigkeiten, in: ZfS 43/3 (2014), 170–191 • M. Meuser: Care und Männlichkeit in modernen Gesellschaften – Grundlegende Überlegungen illustriert am Beispiel involvierter Vaterschaft, in: B. Aulenbacher/B. Riegraf/H. Theobald (Hg.): Sorge: Arbeit, Verhältnisse, Regime, 2014, 159–174 • R. Connell: Gender, 2013 • S. Hirschauer: Geschlechts(in)differenz in geschlechts(un)gleichen Paaren, in: A. Rusconi u. a. (Hg.): Paare und Ungleichheit(en), 2013, 37–56 • H. Lutz/M. T. H. Vivar/L. Supik (Hg.): Fokus Intersektionalität, 2013 • R. Gildemeister/K. Hericks: Geschlechtersoziologie, 2012 • M. Bereswill: Geschlecht, in: G. Ehlert/H. Funk/G. Stecklina (Hg.): Wörterbuch Soziale Arbeit und Geschlecht, 2011, 162–164 • S. Hark: Lesbenforschung und Queer Theorie: Theoretische Konzepte, Entwicklungen und Korrespondenzen, in: R. Becker/B. Kortendiek (Hg.): Hdb. Frauen- und Geschlechterforschung, 2010, 108–115 • U. Pasero: Systemtheorie: Perspektiven in der Genderforschung, in: R. Becker/B. Kortendiek (Hg.): Hdb. Frauen- und Geschlechterforschung, 2010, 252–256 • B. Riegraf: Konstruktion von Geschlecht, in: B. Aulenbacher/M. Meuser/B. Riegraf: Soziologische Geschlechterforschung, 2010, 59–77 • A. Wetterer: Konstruktion von Geschlecht: Reproduktionsweisen der Zweigeschlechtlichkeit, in: R. Becker/B. Kortendiek (Hg.): Hdb. Frauen- und Geschlechterforschung, 2010, 126–136 • J. Butler: Undoing Gender, 2004 • B. Krais: Körper und Geschlecht, in: T. Alkemeyer u. a. (Hg.): Aufs Spiel gesetzte Körper. Aufführungen des Sozialen in Sport und populärer Kultur, 2003, 157–168 • P.-I. Villa: Sexy Bodies. Eine soziologische Reise durch den Geschlechtskörper, 2000 • B. Heintz/E. Nadai: Geschlecht und Kontext. De-Institutionalisierungsprozesse und geschlechtliche Differenzierung, in: ZfS 27/2 (1998), 75–93 • P. Bourdieu: Die männliche Herrschaft, in: I. Dölling/B. Krais (Hg.): Ein alltägliches Spiel. Geschlechterkonstruktion in der sozialen Praxis, 1997, 153–217 • J. Butler: Körper von Gewicht, 1997 • E. Goffman: Interaktion und Geschlecht, 1994 • J.-C. Kaufmann: Schmutzige Wäsche. Zur ehelichen Konstruktion von Alltag, 1994 • J. Lorber: Paradoxes of Gender, 1994 • S. Hirschauer: Dekonstruktion und Rekonstruktion. Plädoyer für die Erforschung des Bekannten, in: Feministische Studien 11/2 (1993), 55–67 • S. de Beauvoir: Das andere Geschlecht. Sitte und Sexus der Frau, 1992 • J. Butler: Das Unbehagen der Geschlechter, 1991 • J. Acker: Hierarchies, Jobs, Bodies. A Theory of Gendered Organizations, in: G&S 4/2 (1990), 139–158 • C. West/D. H. Zimmerman: Doing Gender, in: G&S 1/2 (1987), 125–151 • J. M. Gerson/K. Peiss: Boundaries, Negotiation, Consciousness: Reconceptualizing Gender Relations, in: Soc. Probl. 32/4 (1985), 317–331 • S. J. Kessler/W. McKenna: Gender: An Ethnomethodological Approach, 1978 • L Boltanski: Die soziale Verwendung des Körper, in: D. Kamper/ V. Rittner (Hg.): Zur Geschichte des Körpers, 1976, 138–183 • P. L. Berger/T. Luckmann: Die gesellschaftliche Konstruktion der Wirklichkeit, 1969 • H. Garfinkel: Studies in Ethnomethodology, 1967.   MICHAEL MEUSER

II. Sozialethisch

Geschlecht *(genus, gender)* strukturiert die Grammatik sprachlicher, religiöser und politischer Systeme. Im Unterschied zu *sex* zur Bezeichnung der geschlechtlichen biopsychischen Disposition zielt *gender* auf die sozialkulturelle Interpretation geschlechtlich bestimmter Existenz. Als Ordnungskategorie des Sozialen bildet G. eine wichtige Referenzgröße für eine Sozialethik. Gesellschaftliche Ordnungen legen den Ort von Menschen im sozialen Gefüge anhand bestimmter Eigenschaften – klassisch: Geschlecht *(gender)*, sexuelle Orientierung, ethnische *(race; ethnicity)* und soziale *(class)* Zugehörigkeit – fest und beeinflussen damit Maßstäbe, Regeln und Verwirklichungschancen von Zugehörigkeit (↑Inklusion/Exklusion), ↑Anerkennung, Beteiligung (↑Partizipation) sowie autonomer Lebensführung. Der Analyse solcher Zusammenhänge kommt eine hohe sozialethische Relevanz zu.

1. Ethische Kritik von Geschlechterordnungen

Die Kategorie G. macht die Wirkung von Geschlecht als gesellschaftlicher Ordnungskategorie nicht nur sichtbar, sondern ermöglicht es, mit G. einhergehende Hierarchisierungen, diskriminierende und exkludierende Wirkungen als Gerechtigkeitsprobleme zu analysieren und zu kritisieren. Verschiedene Faktoren (klassisch: Geschlecht, Klasse, Ethnie) können sich gegenseitig verstärken (Intersektionalität) oder auch aufheben. So wirken etwa Geschlecht, soziale Herkunft und die Zuschreibung einer Religionszugehörigkeit vielfach als benachteiligende Faktoren zusammen, z. B. in der öffentlichen Debatte um religiös konnotierte Kleidersymbolik als Diskussion über soziale Zugehörigkeit/Nicht-Zugehörigkeit bestimmter (Gruppen von) Menschen: In westlichen Gesellschaften treffen diskriminierende bzw. exkludierende Wirkungen v. a. muslimische Frauen mit Migrationshintergrund; der Kleidung (Kopftuch, Burka etc.) von außen eine allg.e (politische oder religiöse) Bedeutung zu unterlegen, bedeutet, der Trägerin eine ↑Identität zuzuschreiben, die u. U. zum Ausschluss

von (schulischen und/oder) beruflichen Partizipationsmöglichkeiten und zur Einschränkung von Freiheitsrechten führt. Nicht die biologische Geschlechtszugehörigkeit entscheidet über die gesellschaftliche Positionierung, sondern ein Set gesellschaftlicher Erwartungen/Zuschreibungen. Die gerechtigkeitsbedeutsamen Wirkungen von Geschlecht (in Wechselwirkung mit anderen Ordnungkategorien des Sozialen) kommen erst durch eine geschlechterdifferenzierende Analyse in das gesellschaftliche Bewusstsein, werden sozialethisch kritisierbar und können politisch wie wissenschaftlich bearbeitet werden. Nicht allein Lebenswirklichkeiten von Frauen bedürfen solcher genderethischer Durchleuchtung. Sozialethische G.-Forschung muss, um soziale Geschlechterverhältnisse insgesamt einer ethischen Kritik unterziehen zu können, ihre Aufmerksamkeit verstärkt auch auf männliche Lebenswirklichkeiten sowie auf die Heterogenität von Geschlechtsidentitäten und Geschlechterverhältnissen richten.

Eine gesellschaftliche Geschlechterordnung ist (wie jede soziale Ordnung) ethisch danach zu beurteilen, ob sie gleiche Freiheit und Sicherheit für alle sowie Schutz für die Schwachen gewährleistet und Bedingungen schafft, unter denen alle Ordnungsunterworfenen ein möglichst selbstbestimmtes Leben führen können. Zudem setzen Ordnungen Grenzen; ethisch ist daher Skepsis gegenüber Erwartungen angebracht, Ordnung schaffe per se gerechte(re) Verhältnisse; Prämissen und Grenzen der jeweils leitenden Einsicht in das zu Ordnende sind zu analysieren und die durch bestimmte Ordnungsmuster produzierten (ungerechten) Ausschlüsse zu identifizieren.

Geschlechterordnungen zielen auf Regulierung sozialer Geschlechterverhältnisse, etwa der Prokreation sowie der Zuständigkeits- und Machtverteilung entlang der Kategorie Geschlecht im privaten und öffentlichen Raum. Sie schließen bestimmte *Verhaltensmuster* aus, etwa ↑Normen, die geschlechtlichen Verkehr zwischen nahen Verwandten oder sexuellen Verkehr mit Minderjährigen verbieten und Akte sexueller bzw. sexualisierter ↑Gewalt sanktionieren. Auch solche Normen unterliegen historisch-kulturellem Wandel; das zeigt sich z. B. an der Bewertung der Vergewaltigung von Frauen, die keineswegs immer und überall als sexuelle Gewalt geahndet wird. „Vergewaltigung in der Ehe" etwa ist im deutschen Strafrecht erst seit 1997 als Straftatbestand verankert, in Österreich seit 1989 (bis 2004 nur als Antragsdelikt), in der Schweiz seit 1992 (ebenfalls bis 2004 nur als Antragsdelikt). Geschlechterordnungen schließen aber auch *Gruppen von Menschen* aus, die den geltenden Geschlechternormen nicht entsprechen. So exkludiert eine durch das Modell normativer Zweigeschlechtlichkeit bestimmte Ordnung Personen, die sich in dem Dual männlich/weiblich nicht identifizieren können: inter- und transgeschlechtliche Menschen. Eine Ordnung, die normative Zweigeschlechtlichkeit mit normativer Heterosexualität verknüpft, drängt Menschen mit gleichgeschlechtlicher Orientierung an den Rand der Gesellschaft, ggf. bis hin zur physischen Bedrohung ihres Lebens. Bis in die Gegenwart wird (v. a. männliche) ↑Homosexualität in vielen Gesellschaften tabuisiert, pathologisiert oder kriminalisiert – z. T. unter Berufung auf religiöse Traditionen und Normen.

2. Kontroversen

„Der Geschlechterdiskurs übt Kritik an einer Lebenswelt, die, ausgehend von der Grunddifferenz von ‚Mann‘ und ‚Frau‘, als gespalten vorgestellt wird. Es ist eine Lebenswelt, in der Geist und Körper, Kultur und Natur, Verstand und Gefühl einander entgegengestellt werden – wie Ordnung und Chaos, Rationales und Irrationales usw. Die Spaltungen sind zugleich hierarchisiert (Geist, Kultur, Verstand, Ordnung etc. sind tendenziell ‚besser‘) und sexualisiert (Geist, Kultur, Verstand, Ordnung etc. sind tendenziell ‚männlich‘)“ (Ammicht Quinn 2017: 32). Die angenommene dichotome Struktur der Wirklichkeit, aus der traditionelle christlich-religiöse Ordnungsvorstellungen normative Schlüsse zogen, und die dafür beanspruchte legitimierende Grundlage (Natur, Naturordnung, göttliche Ordnung) sind philosophisch wie theologisch umstritten. Ethische Maßstäbe einer menschengerechten Ordnung unterliegen der Dynamik menschlicher Einsicht in Auseinandersetzung mit geschichtlicher Erfahrung und gesellschaftlichem Ringen um Standards der ↑Humanität (z. B. der Wandel der Bewertung der Sklaverei von der Antike bis zur Gegenwart). Es gibt keinen vernünftigen Grund anzunehmen, die Geschlechterordnung sei solchem ethischen Ringen enthoben, normativ durch „natürliche“ Gegebenheiten schlechthin festgelegt und menschlicher Gestaltungsverantwortung entzogen.

Ethische Kritik wird daher Argumentations- und Legitimationsmuster befragen, die zur Aufrechterhaltung und Begründung oder zur Delegitimation herrschender Ordnungen beansprucht werden. Strukturelle Ausschließung z. B. nicht-heterosexueller Menschen und ihrer Lebensmuster wird in einer auf normative Zweigeschlechtlichkeit und Heterosexualität gegründeten Ordnung typischerweise entweder durch die *natürliche Ordnung* der Fortpflanzung legitimiert, der gleichgeschlechtliche Lebensgemeinschaften nicht entsprechen können, oder durch die Befürchtung, *eindeutige weibliche bzw. männliche Geschlechtsidentitäten* würden unterlaufen. Auseinandersetzungen um den rechtlichen Status nicht heterosexueller Menschen und gleichgeschlechtlicher Lebensgemeinschaften in modernen Gesellschaften spiegeln, dass sich der Zuwachs wissenschaftlichen Wissens über die Komplexität genetischer und biopsychischer Dispositionen auch auf der Ebene rechtlich, sozial und religiös formatierter (Geschlechter-)Ordnungen auswirkt. Die ethische Dimension gesellschaftlicher Kontroversen um gleichgeschlechtliche Lebensmodelle an den Intersektionen von Geschlecht, Religion und Politik betrifft nicht zuletzt die Achtung

elementarer ↑Menschenrechte und die Anerkennung personaler Identität, die von der individuellen Geschlechtsidentität nicht gelöst werden kann.

Ethische Analysen, die mit Hilfe der G.-Kategorie Funktionen und Dysfunktionen von Geschlechterordnungen aufdecken, exkludierende Normen und Praktiken der Kritik unterziehen und Ansätze zu deren Überwindung identifizieren, sind umstritten. Sowohl im rechten politischen Spektrum als auch in konservativen religiösen Kreisen wird G.-Forschung vielfach pauschal unter Ideologieverdacht (↑Ideologie) gestellt. Solche Vorwürfe verfehlen Anspruch und Gehalt von G.-Theorien und Geschlechterforschung in zentralen Punkten, indizieren aber eine notwendige ethische Debatte: Kritik der gesellschaftlichen Geschlechterordnung durch G.-Forschung wird als Angriff auf die „Natur-Ordnung“ (im religiösen Kontext: Schöpfungsordnung) abgewehrt; der Anspruch, diese Ordnung zu verteidigen, fungiert zugl. als Immunisierung gegen eine politische oder wissenschaftliche Auseinandersetzung mit G.-Theorien. Die der sog. en G.-Ideologie unterstellte Wirkung, Un-Ordnung zu stiften, ist jedoch keine Tatsache, sondern eine Behauptung. Solche Abwehrsignale finden sich auch in Äußerungen des Lehramts der ↑katholischen Kirche, so bei Papst Benedikt (Weihnachtsansprache 2012), in den Dokumenten der Römischen Familiensynoden 2014/2015 und in dem Nachsynodalen Schreiben „Amoris laetitia“ 2016 von Papst Franziskus. Die grundlegende Differenzierung von *sex* und *gender* findet ein konstruktives Echo in „Amoris laetitia“ (Nr. 286). Die Beschreibung „der Formen einer Ideologie, die gemeinhin Gender genannt wird“ (Nr. 56), derzufolge der Unterschied zwischen den Geschlechtern geleugnet werde bzw. die Geschlechtsidentität frei wählbar sein solle, trifft auf wissenschaftliche (auch sozialethische und theologische) G.-Forschung so wenig zu, dass diese von den Bedenken nicht tangiert wird.

Anti-G.-Polemiken laden den Begriff G. mit Vorstellungen und Wertungen auf, die mit qualifizierter G.-Forschung nichts zu tun haben. An die Stelle inhaltlicher Auseinandersetzung treten eine Rhetorik der Diffamierung (mit Vokabeln wie „Genderismus“ als Bezeichnung für die gefährliche „Weltanschauung“ der „Genderisten“ und der „G.-Ideologie“) sowie die Behauptung eines globalen „Kulturkampfes“. Eine gründliche Auseinandersetzung mit identifizierbaren wissenschaftlichen Positionen, insb. mit der radikalkonstruktivistischen G.-Theorie der (stereotyp angegriffenen) Philosophin Judith Butler, findet in diesem Kontext kaum statt.

3. Forschungsperspektiven

Die interdisziplinär geführte wissenschaftliche G.-Diskussion bietet für die Sozialethik und die christliche Theologie insgesamt konstruktive Ansatzpunkte und Forschungsaufgaben. Die Würde jeder Person umfasst auch deren geschlechtliche Bestimmtheit. Der daraus resultierende Achtungsanspruch bildet, allen Restriktionen einer Geschlechterordnung ethisch voraus, den Maßstab für eine diskriminierungsfreie und gerechte Beteiligung aller Gesellschaftsmitglieder. Diesem sozialethischen Anspruch unter kontingenten Bedingungen zu entsprechen verlangt, über den Status quo der geltenden Geschlechterordnung, die im Recht, aber auch in sozial-kulturellen sowie religiösen Regeln, Praktiken und Erwartungen Ausdruck findet, hinauszufragen. Eine selbstreflexive, methodisch transparente Auseinandersetzung mit gendertheoretischen Ansätzen in Gesellschaftswissenschaften, Philosophie und Theologie ist eine sozialethische Forschungsaufgabe. Angesichts der oben genannten Kontroversen bildet sie ein dringendes sozialethisches Desiderat – samt der Analyse von Gründen und Strategien der Ideologisierung des Themas.

Dazu braucht es Sensibilität für die (Definitions-)Macht der Sprache und die Verfügungsmacht über Deutungsressourcen. Geschlechterasymmetrische Machtverhältnisse in ↑Institutionen sind als Faktoren von In- bzw. Exklusion, Anerkennung bzw. Missachtung zu analysieren und auf ihre genderspezifischen Gründe zu befragen. Mit der G.-Kategorie können die Möglichkeitsbedingungen theologischer und ethischer Erkenntnis sowie der unhintergehbaren Perspektivität der Wahrnehmung reflektiert werden: „Gender Studies im allgemeinen und feministische Philosophie im besonderen […] bezweifeln die Möglichkeit kategorialer Trennung zwischen Wissen und Macht bzw. die Vorstellung ‚reinen' Wissens, indem sie das implizite Interesse an der Begründung und Aufrechterhaltung einer hierarchischen Geschlechterordnung in den Strukturen vorgeblich objektiver Wissensdiskurse zum Gegenstand ihrer kritischen Untersuchung machen. Tatsächlich wird am Beispiel der Geschlechterthematik sichtbar, dass die etablierte Wissensordnung ihrem eigenen Anspruch auf ‚Reinheit', auf Objektivität und Neutralität möglicherweise nicht gerecht werden kann und jedenfalls nicht gerecht geworden ist." (Klinger 2005: 329 f.) Entspr. es gilt für die Analyse christlicher Traditionen und lehramtlicher Positionen.

Die G.-Kategorie hilft, kontingente soziale Gegebenheiten als solche bewusst sowie Legitimationsmuster geschlechtsbezogener Machtverhältnisse und problematische Argumentationsstrategien der Kritik zugänglich zu machen. U. a. prüft theologische Ethik die Argumentation mit der Kategorie ↑„Natur" und dem Theorem des ↑Naturrechts, dessen Kern in der Suche danach liegt, was jenseits des historischen und gesellschaftlichen Wandels für die Richtigkeit des Rechts und der Moral „bürgt". „Natur" tritt als immer schon gedeutete, kulturell überformte zu Tage; als Argument dient sie v. a. dazu, Unterschiede zu legitimieren und Machtpositionen zu festigen. Eine behauptete Normativität der „Natur" kann nur auf beschränktes und überholbares Wissen rekurrieren; daraus abgeleitete Geltungsansprüche provozieren fast unvermeidlich ungerechte Ausschließungen konkreter Menschen. Die unbedingt zu achtende Würde jedes Menschen (↑Menschenwürde), die gerade nicht Differenzen, sondern die grundlegende humane ↑Gleichheit betont, bietet eher einen geeigneten „Anker" des Ethischen als eine „Natur", der kein unmittelbar normativer Charakter zugesprochen werden kann. Um argumentativ tragfähige Orientierungsangebote begründen zu können, muss die Vielfalt menschlicher Erfahrungswirklichkeiten im Dialog mit den Ergebnissen human-, sozial- und kulturwissenschaftlicher Forschung für die ethische Reflexion erschlossen und hermeneutisch als Quelle und kritisches Gegenüber fruchtbar gemacht werden. Insb. in Wechselwirkung mit weiteren Strukturkategorien des Sozialen hilft die G.-Kategorie, Herausforderungen der ↑Gerechtigkeit auf der Ebene sozialer Praxen und gesellschaftlicher Institutionen zu identifizieren, zu analysieren und normative Fehlschlüsse zu vermeiden. Geschlecht und Geschlechterverhältnis sozialethisch (und theologisch) zu reflektieren, erfordert die Auseinandersetzung mit dem Wandel sozial-kultureller Verhältnisse, der Wissensentwicklung und der Erweiterung der Bezugshorizonte. Entspr. müssen je neue Denk- und Sprachmuster ge- bzw. erfunden, ↑Traditionen reinterpretiert und innovativ überholt werden:

Einer genderbewusste theologische ↑Anthropologie wird, insofern sie den Menschen als freies und je einmaliges Geschöpf begreift, Verformungen und Vermachtungen von Geschlechtsidentitäten und -verhältnissen freilegen, die Menschen in ihrer Subjektwerdung behindern. Philosophische Kritik idealistischer Subjektkonzeptionen, wie sie gendertheoretisch z. B. durch J. Butler in ihrem frühen Werk „Gender Trouble" vorgelegt wurde, bietet dazu wichtige Ansatzpunkte. Theologische Anthropologie wird u. a. „ausgehend von Theorien der Verkörperung und der Bedeutung performativer, also wirklichkeitssetzender Akte auch für Symbolisierungen des Körpers über den Zusammenhang von Performanz und Geschlechtsidentität nachdenken" (Wendel 2016: 40). Sie wird dabei nicht *sex* in G. auflösen; *sex* kann vielmehr „jenseits der Engführung seiner Bedeutung auf die Bezeichnung sexueller Differenz das Vermögen des Begehrens bezeichnen, welches jeder verkörperten Existenz eigen ist" (Wendel 2016: 40).

Ein theologisch-ethischer Gerechtigkeitsdiskurs wird auf der Basis der gleichen geschöpflichen Würde u. a. die wirkmächtigen sozialen Differenzierungen (*gender, race, class, religion*) als Phänomene sozialer (Un-)Gleichheit analysieren, faktische Machtasymmetrien freilegen und deren Legitimität befragen sowie im Ausgang von realen Unrechts- und Ungerechtigkeitserfahrungen Kriterien der Ermöglichung humaner Selbstentfaltung entspr. den Bedingungen der Subjektwerdung entwerfen. Mittels der G.-Kategorie werden symbolische Ordnungen sowie problematische Universalisierungen und Machtansprüche (u. a. die Verallgemeinerung des

Männlichen als Menschliches) der Kritik zugänglich gemacht. Entspr.e Anfragen an die Institutionalisierung religiöser Wahrheitsansprüche fordern das Denken von Offenbarung und Geschichte heraus. Hierin dürften die tiefsten Rezeptionsschwierigkeiten von G.-Theorien in religiösen Kontexten begründet sein; die Provokation reicht über kontrovers verhandelte Fragen der Beziehungsethik hinaus in den Kernbereich des Offenbarungsverständnisses und der Voraussetzungen von Wirklichkeits- und Wahrheitserkenntnis. Offenbarungstheologisch wie ethisch gehen ↑Wahrheit und ↑Freiheit Hand in Hand. Nur in geschichtlich konkreter Suche im Zeichen der Freiheit kann menschliche Einsicht sich der Wahrheit annähern. Dieser Prozess ist durch die das Handeln von ↑Subjekten bestimmenden Bedingungen einschließlich der Geschlechtlichkeit geprägt. Die Skepsis gegenüber G.-Theorien in religiösen Kontexten kann – jenseits polemischer Ausdrucksformen – als Ausdruck der Sorge um die (Zugänglichkeit von) Wahrheit und um eine der Offenbarungswahrheit gemäße, (religiös) verantwortete Lebensweise entschlüsselt werden. Für eine theologische Sozialethik resultiert aus der Auseinandersetzung mit G.-Theorien die bisher nicht zureichend geklärte Frage, ob und wie es möglich sei, das allg. menschliche und religiöse Streben nach Orientierung und existentieller Gewissheit, das sich traditionell in Modellen essentialistischen Denkens (u. a. im Naturrecht) spiegelt, mit der Einsicht in den unhintergehbar kontingenten Charakter jeder bestimmten Ordnung des Zusammenlebens zu vermitteln.

Literatur

M. Eckholt (Hg.): Gender studieren. Lernprozess für Theologie und Kirche, 2017 • R. Ammicht Quinn: Zur Grammatik der Geschlechterverhältnisse, in: ebd., 23–38 • M. Heimbach-Steins: Blockaden lösen – Verknüpfungen schaffen. Wege zu einer konstruktiven Gender-Debatte in Katholischer Kirche und Theologie, in: ET-Studies 8/1 (2017), 3–24 • S. Wendel: Von der Frauenfrage zum Geschlechterdiskurs, in: HerKorr 70/Spezial 1 (2016), 38–41 • S. Hark/P.-I.Villa (Hg.): Anti-Genderismus, 2015 • G. Marschütz: Zur Kritik an der vermeintlichen Gender-Ideologie. Wachstumspotential für die eigene Lehre, in: HerKorr 68/9 (2014), 457–462 • M. Heimbach-Steins: „… nicht mehr Mann und Frau". Sozialethische Studien zu Geschlechterverhältnis und Geschlechtergerechtigkeit, 2009 • C. Klinger: Feministische Theorie zwischen Lektüre und Kritik des philosophischen Kanons, in: H. Bussmann/R. Hof (Hg.): Genus. Geschlechterforschung/Gender Studies in den Kultur- und Sozialwissenschaften, 2005, 328–364 • J. Butler: Gender Trouble. Feminism and the Subversion of Identity, 1990.   MARIANNE HEIMBACH-STEINS

Gender Mainstreaming

G. M. ist eine politische Strategie zur Gleichstellung der Geschlechter. Mainstreaming meint, dass die Verwirklichung von Geschlechtergleichheit nicht allein Aufgabe einer bes.n Einheit in einer Organisation ist (i. d. R.

der Gleichstellungsbeauftragten), sondern „als Querschnitts- oder als Gemeinschaftsaufgabe" (Krell/Mückenberger/Tondorf 2011: 86) potentiell alle Einheiten einer Organisation betrifft. Dem Anspruch nach soll bei jedem politischen Programm, bei jeder Verwaltungsmaßnahme, bei jeder rechtlichen Regulierung geprüft werden, welche Konsequenzen für die Gleichstellung der Geschlechter damit verbunden sind. Der ↑Europarat versteht G. M. als „the (re-)organisation, improvement, development and evaluation of policy processes, so that a gender equality perspective is incorporated in all policies at all levels and at all stages, by the actors normally involved in policy-making" (Council of Europe 2004: 12). Was dies in der Praxis konkret bedeutet, ist offen für unterschiedliche Interpretationen. Krell/Mückenberger/Tondorf (2011: 88) zufolge gibt es „keine rechtlich verbindliche oder politisch autorisierte Definition" von G. M.

Die Ursprünge von G. M. liegen in der ↑Entwicklungspolitik. Aus dem Bemühen, Frauen in Entwicklungsprozesse zu integrieren und frauenspezifische Belange durchgängig zu berücksichtigen („Women in Development"), erwuchs mit dem Ansatz „Gender and Development" eine ganzheitliche Perspektive auf Geschlechterverhältnisse. Als „Schlüsselereignis für die Verbreitung von Gender Mainstreaming" (Frey 2004: 25) gilt die vierte UN-Weltfrauenkonferenz in Peking im Jahr 1995. In deren Folge erfuhr das Konzept eine breite Aufmerksamkeit. In der ↑EU ist G. M. mit dem Amsterdamer Vertrag von 1997 zur „Grundlage für die Gleichstellungspolitik" avanciert (Klein 2013: 97). Die Gleichstellung der Geschlechter wird gleichrangig in einer Reihe mit anderen Zielen wie Entwicklung des Wirtschaftslebens, Sicherung eines hohen Beschäftigungsniveaus oder Verbesserung der Umweltqualität aufgeführt. In Deutschland begründet die Bundesregierung die Verpflichtung zu G. M. mit Art. 3 Abs. 2 GG, demzufolge der Staat „die tatsächliche Durchsetzung der Gleichberechtigung von Frauen und Männern" fördert und „auf die Beseitigung bestehender Nachteile" hinwirkt. Weitere rechtliche Grundlagen sind das BGleiG und das AGG. In § 2 GGO ist G. M. explizit als „durchgängiges Leitprinzip" benannt. Umgesetzt wird G. M. in Deutschland vornehmlich in Einrichtungen des ↑öffentlichen Dienstes und in K.d.ö.R., weniger in privatwirtschaftlichen. Hier dominiert das Konzept des *Diversity Managements*.

↑Gleichstellungspolitik wurde in Deutschland (wie in vielen anderen Ländern) ab Ende der 1970er Jahre zunächst in Gestalt institutionalisierter Frauenpolitik etabliert. Diese Form von Gleichstellungspolitik existiert weiterhin, G. M. tritt nicht an deren Stelle, sondern wird als Teil einer Doppelstrategie („twin track' strategy", Council of Europe 2004: 13) verstanden. Allerdings rief die Implementation von G. M. Befürchtungen hervor, es könne missbraucht werden, „um frauenpolitische Errungenschaften abzubauen" (Döge/Stiegler 2004:

150). Männerpolitische Aktivisten hingegen kritisieren, G. M. sei oft nichts anderes als eine Fortführung bisheriger Frauengleichstellungspolitik unter einem neuen Label. G. M. hat das Feld der Geschlechterpolitik insofern geöffnet, als Kämpfe um Definitionsmacht stattfinden, an denen beide Geschlechter beteiligt sind. Benefiziare sind nicht mehr nur Frauen; vielmehr gerät „die Einengung von Gestaltungsmöglichkeiten von Frauen *und* Männern durch rigide Geschlechterstereotype" in den Blick (Klein 2013: 100). Zudem werden auch Männer zu gleichstellungspolitischen Akteuren.

Institutionalisierte Frauenpolitik und G. M. folgen unterschiedlichen Verfahrenslogiken. Institutionalisierte Frauenpolitik nutzt Instrumente einer positiven Diskriminierung, insb. Quotenregelungen, die dem Typus der „Konditionalprogrammierung" (Luhmann 1971: 70) entsprechen. G. M. stellt hingegen eine Form der „Zweckprogrammierung" (Luhmann 1971: 118) dar, welche größere Spielräume organisatorischer Selbststeuerung eröffnet. Gleichstellungsziele werden in Organisationsziele umformuliert. Den Akteuren im Implementationsfeld bleibt es überlassen, Wege zu finden, auf denen die Ziele erreicht werden können. Die Interpretationsherrschaft bleibt weitgehend in den Händen der Organisationsmitglieder, insb. der Führungsebene. Anders als bei institutionalisierter Frauenpolitik wird die Verantwortung für Gleichstellung nicht einer spezifischen und i. d. R. untergeordneten Stelle (der Frauenbeauftragten, dem Gleichstellungsbüro) überantwortet, sondern Geschlechterfragen werden, so lautet zumindest der Anspruch, in das Zentrum der Organisation transferiert und zu einer Routineaufgabe der Organisationsentwicklung gemacht. Eine Gender-Analyse müsste demnach genauso selbstverständlich erfolgen wie die Erstellung eines Haushaltsplans. Das unterscheidet G. M. deutlich von Frauengleichstellungspolitik, die auf bestimmte Maßnahmen fokussiert und begrenzt ist. Vor diesem Hintergrund kann gesagt werden, Geschlechtergleichheit werde aus der „marginalisierten ‚Frauenecke'" herausgelöst (Lewalter/Geppert/Baer 2009: 126).

Die Umsetzung von G. M. impliziert, dass Geschlecht zu einem Routinekriterium des Monitoring von Organisationen wird. Dies erzeugt eine Nachfrage nach entsprechender Expertise in Form professionalisierten Gender-Wissens. G. M. befördert die Entwicklung von spezifischen „Gender- und Gleichstellungsindikatoren" (Pimminger/Wroblewski 2017). Insgesamt erfährt das Feld der Geschlechterpolitik eine Professionalisierung. Im Zuge der Implementation von G. M. hat sich ein Markt von Weiterbildungsangeboten entwickelt, auf dem Gender-Trainings und Gender-Coachings angeboten werden, in denen die Gender-Kompetenz vermittelt werden soll, die für die Initiierung und Durchführung von G. M.-Prozessen als erforderlich erachtet wird. Über die Notwendigkeit einer solchen Kompetenz herrscht weitgehend Einigkeit. Was sie ausmacht, ist hingegen umstritten. Die Definitionen von Gender-Kompetenz variieren zwischen einem politischen und einem ökonomischen Begründungsrahmen. Ein politisches Verständnis bestimmt Gender-Kompetenz in der Tradition des politischen ↑Feminismus als Fähigkeit, Wege und Mittel zu finden, um fortbestehende Ungleichheiten zwischen den Geschlechtern abzubauen. In einem ökonomischen Begründungsrahmen werden die Geschlechterdifferenzen nicht primär in Kategorien sozialer Ungleichheit beschrieben, sondern als eine Ressource der Organisationsentwicklung. ↑Gender wird als eine Dimension von ↑Humankapital thematisiert und Gender-Kompetenz zu einer Qualifikation im Rahmen des Change-Managements von Organisationen. In dieser Weise erhält mit G. M. die Semantik des modernen ↑Managements Eingang in die Gleichstellungspolitik.

Literatur

I. Pimminger/A. Wroblewski: Von geschlechtsdifferenzierten Daten zu Gender- und Gleichstellungsindikatoren, in: A. Wroblewski/U. Kelle/F. Reith (Hg.): Gleichstellung messbar machen, 2017, 61–79 • A. Blickhäuser/H. van Bargen: Gender-Mainstreaming Praxis, ⁴2015 • U. Klein: Geschlechterverhältnisse, Geschlechterpolitik und Gleichstellungspolitik in der Europäischen Union, ²2013 • G. Krell/U. Mückenberger/K. Tondorf: Gender Mainstreaming: Chancengleichheit (nicht nur) für Politik und Verwaltung, in: G. Krell/R. Ortlieb/B. Sieben (Hg.): Chancengleichheit durch Personalpolitik, 2011, 85–104 • S. Lewalter/J. Geppert/S. Baer: Leitprinzip Gleichstellung? – 10 Jahre Gender Mainstreaming in der deutschen Bundesverwaltung, in: Gender 1/1 (2009), 125–141 • Council of Europe: Gender Mainstreaming. Conceptual Framework, Methodology and Presentation of Good Practices, 2004 • P. Döge/B. Stiegler: Gender Mainstreaming in Deutschland, in: M. Meuser/C. Neusüß (Hg.): Gender Mainstreaming, 2004, 135–157 • R. Frey: Entwicklungslinien. Zur Entstehung von Gender Mainstreaming in internationalen Zusammenhängen, in: M. Meuser/C. Neusüß (Hg.): Gender Mainstreaming, 2004, 24–39 • N. Luhmann: Politische Planung, 1971.   MICHAEL MEUSER

General Agreement on Tariffs and Trade, Allgemeines Zoll- und Handelsabkommen (GATT)

↑Welthandelsorganisation (World Trade Organization, WTO)

Generalklausel

1. Begriff

Als G. werden in der juristischen Fachsprache qualifiziert allg. oder unbestimmt gefasste Rechtsnormen oder einzelne Normelemente auf Tatbestands- oder Rechtsfolgenseite bezeichnet. Aus der begriffsgeschichtlichen Entwicklung resultieren zwei typologisch unterscheidbare Hauptbedeutungen, die zum einen an die spezifische Wertausfüllungsbedürftigkeit der G., zum anderen an ihre Auffangfunktion gegenüber Spezialtatbeständen anknüpfen. Der Übergang zwischen beiden Begriffsbedeutungen vollzieht sich fließend; eine scharfe Grenzziehung ist ebenso unmöglich wie zwischen G. und anderen Normtypen (↑Norm) mit hohem Allgemeinheits- oder Unbestimmtheitsgrad wie Prinzipien oder ↑Allgemeinen Rechtsgrundsätzen. Eine präzise Begriffsbildung wird durch den mitunter schlagwortartigen, polemischen Begriffsgebrauch zusätzlich erschwert.

Zum einen gelten v. a. im deutschsprachigen Zivilrecht solche Normen oder Normelemente als G., die aufgrund ihrer Wertausfüllungsbedürftigkeit eine einzelfallbezogene Vermittlung zwischen den im Recht angelegten entgegengesetzten Wertaspekten von Strengrecht, formaler ↑Gerechtigkeit und ↑Rechtssicherheit einerseits sowie ↑Billigkeit, materialer Gerechtigkeit und Einzelfallgerechtigkeit andererseits ermöglichen. Zu den G.n in diesem Sinn zählen die „großen G.n" des ↑BGB, namentlich die Verweisungen auf die „guten Sitten" (§ 138 Abs. 1 BGB) sowie auf „Treu und Glauben" (§ 242 BGB) sowie in geringerem Maß weitere Normen wie etwa §§ 157, 826 BGB. Diese Vorschriften sind aufgrund ihrer offenen Wertungsstruktur bes. geeignet, um unhaltbare Vertragsfolgen zu korrigieren und damit den entgegengesetzten Grundwertungen der Rechtsordnung im Einzelfall zum Durchbruch zu verhelfen; zugl. fungieren sie damit als Einbruchstellen richterlicher Rechtsfortbildung bis hin zur gesetzeskorrigierenden Rechtsneuschöpfung. Die Anwendung derartiger G.n setzt stets eine einzelfallbezogene Konkretisierung voraus, die typischerweise im Wege der ↑Güter- und Interessenabwägung (↑Güterabwägung) erfolgt und dem Rechtsanwender beträchtlichen Spielraum für Eigenwertung und einzelfallbezogene Rechtsschöpfung einräumt. Auf dieser Grundlage haben sich insb. §§ 138 Abs. 1, 242 BGB seit ihrem Inkrafttreten zu Ansatzpunkten für umfangreiche richterliche Kasuistik entwickelt.

Zum anderen werden als G. in einem weiteren Sinn auch allg.e, offen formulierte Kompetenz-, Handlungs- und Befugnisnormen im Gegensatz zu speziell-enumerativen Regelungen auf Tatbestands- oder Rechtsfolgenseite bezeichnet; Gegenbegriff zu G. ist insoweit nicht Strengrecht, sondern Spezialität oder Enumeration. Moderne Gesetzgebungstechnik verbindet oft beide Regelungsmuster miteinander, sodass eine G. als allg.er Auffangtatbestand neben eine Mehrzahl von vorrangig zu prüfenden Spezialtatbeständen tritt. Den G.n dieses zweiten Typus liegen ebenfalls oft unbestimmte oder einen Ermessensspielraum (↑Ermessen) eröffnende Begriffe wie öffentliche Sicherheit, öffentliche Ordnung, Erforderlichkeit oder Angemessenheit zugrunde, in deren Rahmen die Aspekte des Ausgleichs fundamentaler Wertungskonflikte sowie richterlicher Rechtsschöpfung jedoch i. d. R. keine übergeordnete Rolle spielen. Bei ihrer Anwendung kommt es vielmehr primär auf die sachgerechte Ausfüllung eröffneter Handlungs- und Ermessensspielräume an. G.n in die-

sem Sinne kommen etwa als Kompetenz-, Befugnis- oder Haftungsnormen in nahezu allen Rechtsgebieten vor; eine Ausnahme bildet aufgrund des Bestimmtheitsgrundsatzes lediglich das strafbegründende materielle ↑Strafrecht. Zu den Beispielen aus dem öffentlichen Recht zählen neben der „polizeilichen G." oder allg.en Befugnisnorm der jeweiligen Polizeigesetze namentlich die „verwaltungsgerichtliche G." des § 40 Abs. 1 VwGO sowie zahlreiche weitere Kompetenznormen des allg.en und bes.n ↑Verwaltungsrechts. Erhebliche Bedeutung besitzen G. auch im Unionsrecht, dessen Handlungsgrundlagen vielfach in Form von G.n mit nachfolgenden Spezialtatbeständen oder als offene Generalermächtigungen ausgestaltet sind. Auch in unionsrechtlich überformten Rechtsgebieten mit hoher Regelungsdichte wie Wettbewerbs- oder Verbraucherschutzrecht (↑Wettbewerbsrecht) spielen G.n eine große Rolle. Schließlich zählen auch Normstrukturen des allg.en bürgerlichen Rechts zum vorliegenden Typus oder werden unter diesem Aspekt als G. bezeichnet, etwa § 307 Abs. 1 BGB oder §§ 823 Abs. 1, Abs. 2, 826 BGB als die „drei kleinen G. des Deliktsrechts".

2. Problemgeschichte

In der Problemgeschichte dominierte zunächst die zuletzt genannte Bedeutung der G. als allg.er Auffangtatbestand. Der in diesem Sinn gebrauchte Begriff (latein *clausula generalis*) findet sich bereits im Corpus Iuris Civilis (etwa bei Ulpian, D 4.6.26.pr, Modestinus, D 4.6.33.pr). Als juristischer Fachbegriff wurde G. in der deutschen Rechtssprache seit Ende des 19. Jh. gebräuchlich. Zum einen wurde der Begriff 1895 von Heinrich Rosin in die Diskussion um Reichweite und Grenzen von § 10 II 17 ALR (1794) als Grundlage der späteren „polizeilichen G." eingeführt. Zum anderen gelangte er nahezu zeitgleich aus der Debatte um die Entstehung des UWG (1896) als Schlagwort für richterliche Ermessenstatbestände in die letzten Stadien der Gesetzesberatung des BGB, ohne dessen G. allerdings zunächst inhaltlich zu beeinflussen. Die charakteristische Entwicklung insb. der §§ 138 Abs. 1, 242 BGB setzte vielmehr erst nach Inkrafttreten des BGB, namentlich im Zusammenhang der Aufwertungsrechtsprechung der 1920er Jahre ein. Die Entstehung der G. im Sinn der ersten oben genannten Begriffsbedeutung ist damit ein spezifisches rechtstheoretisches Problem des 20. Jh., in dessen Hintergrund die bereits von Max Weber beschriebene zunehmende Materialisierung des modernen Rechts durch einzelfallbezogene Wertungskorrekturen steht. Bezogen auf die Anwendung der G. wurde diese Entwicklung von Justus Wilhelm Hedemann 1933 maßstabsetzend für die weitere Debatte als „Flucht in die Generalklauseln" bezeichnet und als „Gefahr für Recht und Staat" kritisiert. Diese rechtsstaatliche Gefahr realisierte sich namentlich in der NS-Zeit, in der sich die G. zu einer der zentralen Einbruchstellen der NS-Ideologie in das Recht entwickelten. Auf der Grundlage dieser Erfahrung fußt die in der Nachkriegszeit entstandene methodologische Debatte über G., die diese als Blankett-, Delegations- oder Ermächtigungsnormen, seltener auch als Lücken intra legem bezeichnet und Theorien zu ihrer Konkretisierung insb. am Maßstab rechtlicher und verfassungsrechtlicher Wertungen, rationaler Abwägung und Fallgruppenbildung entwickelt, die darauf zielen, den bei ihrer Anwendung verbleibenden Spielraum richterlicher Eigenwertung möglichst zurückzudrängen und methodisch zu rationalisieren. In jüngerer Zeit verschiebt sich der Schwerpunkt der Debatte allerdings zunehmend zurück zu den im zweiten Sinne verstandenen G. in regulatorischen und unionsrechtlich überformten Rechtsgebieten, in deren Zentrum praktische Fragen rationaler Konkretisierung und rechtspolitischer Kompetenzabgrenzung und weniger methodische Grundsatzfragen richterlicher Rechtsschöpfung stehen.

Literatur

H. Wißmann: Generalklauseln. Verwaltungsbefugnisse zwischen Gesetzmäßigkeit und offenen Normen, 2008 • C. Baldus/P.-C. Müller-Graff (Hg.): Die Generalklausel im europäischen Privatrecht, 2006 • M. Auer: Materialisierung, Flexibilisierung, Richterfreiheit. Generalklauseln im Spiegel der Antinomien des Privatrechtsdenkens, 2005 • A. Röthel: Normkonkretisierung im Privatrecht, 2004 • G. Teubner: Standards und Direktiven in Generalklauseln, 1971 • F. Wieacker: Zur rechtstheoretischen Präzisierung des § 242 BGB, 1956 • F. Neumann: Der Funktionswandel des Gesetzes im Recht der bürgerlichen Gesellschaft, in: Zeitschrift für Sozialforschung 6 (1937) 542–596 • J. W. Hedemann: Die Flucht in die Generalklauseln. Eine Gefahr für Recht und Staat, 1933 • H. Rosin: Der Begriff der Polizei und der Umfang des polizeilichen Verfügungs- und Verordnungsrechts in Preußen, in: VerwArch, Bd. 3, 1895, 249–365.   MARIETTA AUER

Generation

Der Begriff der G. (lataienisch Zeugung, abgeleitet von Genus = Geschlecht, Gattung oder auch Gesamtheit der Nachkommenschaft) bezeichnet den Zusammenhang von etwa zur gleichen Zeit geborenen Menschen, der sich aufgrund ähnlicher Erfahrungen, Einstellungen und Verhaltensformen von früheren und späteren G.en unterscheidet.

Die Prozesse der Differenzierung von und zwischen den G.en werden v. a. von der Erziehungswissenschaft und der Soziologie untersucht. Im Rahmen philosophisch-pädagogischer Betrachtungen über Aufwachsen, Lernen, ↑Erziehung und ↑Bildung ist der G.en-Begriff schon früh als Basis einer auf der Endlichkeit des Lebens, der Nachkommenschaft und des Miteinanders von Jungen und Alten basierenden „gesellschaftlichen Entwicklungstatsache" (Schleiermacher 1826: 49; Bernfeld 1928: 38) gefasst worden. In der Soziologie knüpfte Karl Mannheim 1928 an diese Überlegungen an und untersuchte als „formalsoziologische Analyse" (Mann-

heim 1928: 170) des „Problems der Generationen" (Mannheim 1928: 157) die Weitergabe kulturellen Wissens und gesellschaftlicher Errungenschaften an die nachfolgenden G.en. Seine Vorstellungen zur G.s-Bildung gehen davon aus, dass aus benachbarten Geburtsjahrgängen aufgrund der gemeinsam durchlebten historisch-gesellschaftlichen Phase und prägenden Erfahrungen – etwa durch Kriege und politische Systemwechsel – „Generationseinheiten" (Mannheim 1928: 170) entstehen können. Dabei versteht K. Mannheim G. nicht als konkrete Gruppenbildung, sondern als zunächst bloßen Zusammenhang, als Potenzialität einer „schicksalsmäßig-verwandten Lagerung" (Mannheim 1928: 171) im gesellschaftlich-historischen Raum.

Mit Bezugnahme auf K. Mannheim beschreiben eine Vielzahl von Untersuchungen G.en als historisch-gesellschaftliche Gestalten. Sie nehmen dazu Etikettierungen vor, welche die jeweilige Jugend-G. in ihren historischen Rahmen einordnen und den mit der jeweiligen G. in Zusammenhang stehenden Normen- und ↑Wertewandel verdeutlichen. So analysiert und typisiert z. B. Helmut Schelsky die Geburtsjahrgänge der 1920er und frühen 1930er Jahre, deren Kindheit und Jugend von der Hitler-Jugend und der drohenden oder faktischen Beteiligung am Zweiten Weltkrieg als Flakhelfer bestimmt gewesen war, als „Skeptische Generation" (Schelsky 1957). Sie sei davon gekennzeichnet, sich in der Nachkriegszeit von gesellschaftlichen Ideologien und Versprechen zu distanzieren und auf Erwerbsarbeit und das private Glück zu fokussieren.

Bis heute werden ständig neue G.en identifiziert und mit deren immer kürzer werdender Bestandsdauer nimmt auch die Kritik am G.en-Konzept K. Mannheims zu. So wird einerseits die Vielzahl der G.en-Gestalten als Hinweis auf vermehrte Brüche zwischen G.en gedeutet und auch darauf, dass die „Anschlussfähigkeit des sozialen Wissens der Generation" abnehme (Zinnecker 2002: 94). Andererseits wird vermutet, dass die gegenwärtig hohe Geschwindigkeit von Veränderungen eine ständige Überlagerung und Verdeckung von G.s-Zusammenhängen erzeuge, welche eine Neuausbildung ausgewiesener G.en verhindere.

Insgesamt zeigt sich eine flexible und heterogene Verwendung des G.s-Begriffs. Er bezeichnet sowohl eine Geburts-G. als auch eine zeitgeschichtliche G. oder eine Lebensalter-G. Eingebunden in die historische Transformation von Gesellschaft, im Zuge derer sich G. als soziales Gefüge selbst wandelt (z. B. von der Drei-G.en-Familie zu einem generationellen Gefüge verschiedener Patchwork-Familien), verändern sich auch die mit dem Begriff verbundenen Assoziationen von Kreislauf/Kontinuität, Umbruch und Vertrag. In der gegenwärtigen Forschungslandschaft lassen sich fünf unterschiedliche Zugänge, Begriffe und Typisierungen ausmachen:

a) Erziehungswissenschaftliche Beschreibungen von G.s-Gestalten im 20. und 21. Jh., die historische Spezifika im Prozess des Aufwachsens typisieren und entweder streng an der Mannheim'schen Begrifflichkeit ausgerichtet oder an zeithistorischen Akzenten – z. B. Krieg, Krise, Konsum – orientiert sind.

b) Soziologische G.s-Typologien, die sozialgeschichtliche und kulturwissenschaftliche Beschreibungen zusammentragen und generationelle Ausdifferenzierungen durch Einblicke in Alltag und Sichtweisen veranschaulichen (z. B. bei Thomas Grotum am Beispiel der „Halbstarken").

c) Ansätze, welche die generationenbildende Bedeutung von ↑Institutionen untersuchen und dementsprechend z. B. Technik-G.en oder Medien-G.en charakterisieren. Dazu gehören auch Klassifizierungen, die in alltagssprachlicher Verwendung des G.en-Begriffs einander ablösende ↑Moden und kulturelle Trends abbilden, z. B. als „Generation Golf" bei Florian Illies oder „Generation kick.de" bei Klaus Farin.

d) Die auf G.en-Beziehungen ausgerichtete familiensoziologische G.en-Forschung, die der Frage nachgeht, was die Jungen von den Alten (und vice versa) in konkreten familialen Settings lernen und welche Vorstellung von Erziehung, Wertevermittlung, Wissensweitergabe damit verbunden sind.

e) Die Differenzierung von G.en als kulturelle Praxis, die im gemeinschaftlichen Vollzug praktischer Aktivitäten interaktiv hergestellt wird. Die Prozesse eines „doing generation" (Kelle 2005: 98) werden insb. in Untersuchung altershomogener ↑Gruppen dokumentiert. Sie begründen eine Form der gesellschaftlichen Differenzierung, die als „generationale Ordnung" (Kelle 2005: 104) ↑Hierarchien etabliert und Ungleichheiten festschreibt.

Neben dem thematisch-erklärenden Gehalt dokumentieren alle Zugänge und Begriffe von G. die vorherrschenden Sichtweisen auf gesellschaftliche Probleme und Fragen der Zukunft: die Kontinuität kultureller Güter, gesellschaftlicher Konventionen, ↑Werte, Persönlichkeiten und ↑Identitäten, Flexibilität und die Fähigkeit, sich Neuem anzupassen sowie Frustrationstoleranz oder Pragmatik als Reaktion auf Schuld und Verbrechen.

Literatur

J. Ecarius/H.-R. Müller/H. Herzberg: Familie, Generation und Bildung, 2010 • H. Kelle: Kinder und Erwachsene. Die Differenzierung von Generationen als kulturelle Praxis, in: H. Hengst/H. Zeiher (Hg.): Kindheit soziologisch, 2005, 83–108 • J. Zinnecker: Das Deutungsmuster Jugendgeneration. Fragen an Karl Mannheim, in: H. Merkens/J. Zinnecker (Hg.): Jahrbuch Jugendforschung, 2002, 61–98 • K. Farin: generation kick.de. Jugendsubkulturen heute, 2001 • F. Illies: Generation Golf. Eine Inspektion; 2000 • J. Hörisch (Hg.): Mediengenerationen, 1997 • U. C. Steiner: „68–89". Literarische und mediale Wendungen der Wende, in: J. Hörisch (Hg.): Mediengenerationen, 1997, 16–59 • T. Grotum: Die Halbstarken. Zur Geschichte einer Jugendkultur der 50er Jahre, 1994 • A. Weymann/R. Sackmann: Die Technisierung des Alltags, 1994 • H. Fend: Sozialgeschichte des Aufwachsens, 1988 • U. Preuss-Lausitz: Kriegskinder, Konsumkinder, Krisenkinder, 1983 • H. Schelsky: Die skeptische Generation. Eine Soziologie der deutschen Jugend, 1957 • S. Bernfeld: Sisyphos oder über die Grenzen der Erziehung, 1928 • K. Mannheim: Das Problem der Generationen, in: Kölner Vierteljahrshefte für Soziologie 7 (1928), 157–185 • F. D. E. Schleiermacher: Ausgewählte pädagogische Schriften, 1826.

                                    KATHARINA LIEBSCH

Generationengerechtigkeit

Die Forderung nach G. gründet in den aktuellen ökologischen, ökonomischen und sozialpolitischen Problemlagen, die aufgrund ihrer langfristigen und möglicherweise irreversiblen Folgen für gegenwärtige, nachwachsende und zukünftige Generationen eine bes. Dringlichkeit entwickeln: Der Verbrauch nicht substituierbarer Ressourcen und die unumkehrbaren Schädigungen natürlicher Lebensgrundlagen, die ↑Staatsverschuldung, die Herausforderungen der sozialen Sicherungssysteme (↑Sozialversicherung) und nicht zuletzt der Wandel in den Beziehungen zwischen Kindern, Eltern und Großeltern sind Beispiele für Problemkonstellationen, welche die vielfältigen Bezüge der Generationen zueinander prägen. G. drängt darauf, die Relationen zwischen den Generationen einer ethischen Reflexion zu unterziehen, um deren Ausgestaltung an den Lebens- und Beteiligungsrechten der jeweils betroffenen Generationen auszurichten. Dabei werden Generationen als gesellschaftliche Strukturformen aufgefasst, welche die zeitlichen Dimensionen bzw. die unterschiedlichen zeitlich-sozialen Positionen menschlichen Daseins beachten. Eine bes. Herausforderung des Begriffs der G. ist nicht nur die Vielfalt möglicher Theorien und Kriterien der ↑Gerechtigkeit, sondern auch die unterschiedlichen Bedeutungen von ↑Generation, die z. B. in Politik, Wirtschaft, Recht oder auch Pädagogik höchst unterschiedliche soziale Begebenheiten mit ihren je eigenen Sachgesetzlichkeiten beschreiben.

1. Generationen

Die wissenschaftliche Auseinandersetzung mit dem Begriff der „Generation" setzt im 19. und zu Beginn des 20. Jh. ein, wobei v. a. drei bis heute gültige Konzeptionen systematisch differenziert werden: Das *genealogisch-familiensoziologische* Generationenkonzept beinhaltet die Abstammungsfolge in der ↑Familie bzw. die Generationenfolge in der Verwandtschaft, in die jeder Mensch für seine gesamte Lebenszeit eingebunden ist. Konstitutive Elemente für ein solches Konzept sind die Generationengefüge der Familie, der Wandel der Familienformen und die damit gegebenen Veränderungen der familialen Generationenbeziehungen. Die grundlegende Bedingung für die moderne „Mehrgenerationenfamilie" ist eine höhere Lebenserwartung, die eine längere gemeinsame Lebenszeit verschiedener Generationen ermöglicht. Das *historisch-soziologische* Generationenkonzept von Karl Mannheim umfasst gesellschaftliche Generationen, die als Gruppierungen von Geburtsjahrgängen bestimmte historische Ereignisse in gleichen oder ähnlichen Lebensaltern erleben und gemeinsame soziale Merkmale ausbilden. Mit der Unterscheidung von z.B. politischen, kulturellen oder ökonomischen Generationen lassen sich einheitsbildende Handlungs- und Verhaltensformen identifizieren, die in Bezug auf einzelne gesellschaftliche Teilbereiche entwickelt werden. Aufgrund von historischen Ereignissen, von gewandelten Wertvorstellungen und Lebensstilen oder auch aufgrund von wechselnden ökonomischen Chancen und Risiken können sich neue Generationen herausbilden, die anhand ihrer spezifischen Merkmale nicht nur Auskunft über die Ordnung der Gesellschaft geben, sondern diese auch mit-konstituieren. Anders als bei den beiden beschriebenen soziologischen Konzeptionen beschränkt man sich im *pädagogischen* Generationenkonzept auf die Unterscheidung von lediglich *zwei* Generationen: I.d.R. sind Ältere und Jüngere – insofern sie als Lehrende und Lernende auftreten – Angehörige unterschiedlicher Generationen, die durch den Prozess der Vermittlung und der Weitergabe von vielfältigen Kompetenzen aufeinander bezogen sind und oftmals durch eine Altersdifferenz konstituiert werden.

Obwohl die genannten Generationenkonzepte sich hinsichtlich des Theoriehintergrunds und der maßgeblichen Parameter, die für die Bestimmung der jeweiligen Generation relevant sind, unterscheiden, können gemeinsame, systematisch relevante Elemente des Konzepts *Generation* benannt werden: Die Zuordnung einer Person oder eines sozialen Gefüges zu einer bestimmten Generation stellt eine *zeitliche* Positionierung in der Familie oder der Gesellschaft dar. Oft im Bezug auf das gleiche oder ähnliche Lebensalter werden die individuelle und die soziale ↑Zeit miteinander verbunden, indem der persönliche Lebenslauf mit den historischen gesellschaftlichen Ereignissen verknüpft und in einen Prozess des sozio-kulturellen Wandels eingeordnet wird. Die Konstituierung einer Generation setzt also im Sinne objektiver Zeit eine relative Gleichzeitigkeit voraus und sucht in der Perspektive subjektiver Zeitdeutung nach Gemeinsamkeiten in der je individuellen Interpretation sozialer Sachverhalte. Generationen können demnach als gesellschaftliche Strukturformen partikulärer, zeitlich-sozialer „Gleichzeitigkeit" verstanden werden, welche die differierenden zeitlich-sozialen Positionen verschiedener sozialer Gefüge in ihrer je eigenen ↑Identität rekonstruieren und damit zugl. die jeweiligen Generationenbeziehungen und -verhältnisse für eine systematische Reflexion zugänglich machen.

2. Problemlagen
G. ist eine Form der Gerechtigkeit, die in der langen Tradition des Gerechtigkeitsdiskurses steht und zugl. neue ethische Aspekte in diesen zu integrieren sucht.

Auch wenn die Forderungen der Gesetzes-, Tausch- und Verteilungsgerechtigkeit bzw. der sozialen Gerechtigkeit nach wie vor Gültigkeit beanspruchen, so reichen sie heute nicht mehr aus, um die aktuellen Problemlagen adäquat zu erfassen: Die vorrangigen Gefährdungen der „Weltrisikogesellschaft" (Beck 2007) gehen heute nicht mehr von den Risiken oder Unfällen industrieller Entwicklungen aus, die ihre Zerstörungen in örtlich, zeitlich oder sozial *begrenzten* Lebensräumen des Menschen entfalten. Das Drohpotential hat vielmehr einen weitgehend *unbegrenzten* Charakter, da die sozialen Folgelasten ihre Wirkung ein zeitlich und räumlich entschränktes Gefährdungspotential entwickeln. Die aktuellen ökologischen, ökonomischen und sozialen Entwicklungen erzeugen globale Risiken, welche die Existenzbedingungen der *gegenwärtigen* und *nachwachsenden* bzw. der *künftigen* Generationen fundamental mitbestimmen. Der Verbrauch nicht substituierbarer Ressourcen und die irreversiblen Schädigungen naturaler Lebensgrundlagen, die globale ↑Armut, die Krise der Bildungssysteme sowie die Herausforderungen der sozialen Sicherungssysteme sind Beispiele für Konfliktfelder, die die Stellung der Generationen zueinander prägen.

3. Begründungsmodelle
Da die bisherigen Formen der Gerechtigkeit die zeitlichen Dimensionen der neuen gesellschaftlichen Problemlagen nicht erfassen und die gesellschaftlichen Strukturen – unthematisch – lediglich *synchron* reflektieren, bedarf es eines Gerechtigkeitskonzepts bzw. entspr.er Begründungsmodelle, welche die traditionellen Inhalte der Gerechtigkeit aufgreifen und durch die Rezeption des Generationenbegriffs temporal erweitern: Angesichts der aktuellen Machtfülle des Menschen betont Hans Jonas' ontologisches Begründungsmodell mit dem kategorischen Imperativ der Zukunftsethik, der Heuristik der Furcht und der Theorie der Verantwortung die normative Relevanz des Daseins und der Interessen nachwachsender und zukünftiger Generationen für gegenwärtige Entscheidungen. Unter der Rücksicht von relativer Unwissenheit und Unsicherheit plädiert er im Sinne einer Zukunftsethik für eine umfassende Erweiterung des Verantwortungshorizonts (↑Verantwortung), um damit die gegenwärtige und zukünftige Existenz des Menschen zu ermöglichen bzw. abzusichern. Im Kontext utilitaristischer Begründungstheorie (↑Utilitarismus) wendet sich Dieter Birnbacher insb. gegen Verzerrungstendenzen des Zukünftigen und optiert deshalb für einen ethischen Argumentationstyp, der bei der Zukunftsbewertung grundsätzlich von einer Gleichbehandlung der Generationen ausgeht. Mit einer umfassenden, raum-zeitlichen Interpretation des Prinzips der Universalität, der Berücksichtigung der Nutzensumme bzw. des Nutzenniveaus (↑Nutzen) zukünftiger Generationen sowie der Anerkennung von deren spezifischen Sicherheitspräferenzen wird die zeitliche

Unabhängigkeit des zu realisierenden Guten (↑Gute, das) akzentuiert. John Rawls entwirft ein vertragstheoretisches Begründungsmodell (↑Vertragstheorien), das die Wahl von Gerechtigkeitsgrundsätzen für die Grundstruktur der Gesellschaft unter den Anspruch der temporalen Universalisierung stellt. Dazu verschafft insb. der *Schleier des Nichtwissens* den Beteiligten im *Urzustand* eine gleiche bzw. symmetrische Stellung: Da die zeitliche Positionierung der jeweiligen Generation nicht bekannt ist, sind die ↑Interessen *jeder* Generation zu berücksichtigen und daher einseitige Optionen zugunsten gegenwärtiger bzw. zum Nachteil zukünftiger Generationen auszuschließen. Die verschiedenen Begründungsmodelle dokumentieren übereinstimmend die zeitliche Erweiterung aktueller gesellschaftlicher Problemkonstellationen und zeigen Möglichkeiten auf, wie die Dimension der Zeit und näherhin das Verhältnis von Gegenwart und Zukunft in unterschiedliche ethische Argumentationsmodelle systematisch integriert werden kann.

4. Diachrone Grundnorm

Die Implementierung der Zeit in den Gerechtigkeitsdiskurs bedarf nicht nur einer Begründung, sondern verlangt, dass die Gerechtigkeitsforderung „jedem das Seine" auch unter zeitlicher Rücksicht ausgelegt wird. Dazu ist eine *diachrone Grundnorm* einzuführen, deren Objektbereich durch die Sorge für nachwachsende und künftige Generationen bestimmt wird. Die Reichweite bzw. die Grenzen einer solchen Verantwortung schlagen sich in einer ethisch zu rechtfertigenden Bewertung von zukünftigen und gegenwärtigen Weltzuständen nieder. Da sich in der Gegenwart jedoch Zeitpräferenzen identifizieren lassen, die i. d. R. mit der Abwertung des Zukünftigen einhergehen und letztlich eine angemessene Zukunftsbewertung ausschließen, verlangt die diachrone Grundnorm, dass Personen oder soziale Gefüge in ihrer zeitlichen Positionierung nicht einseitig bevorzugt bzw. benachteiligt werden dürfen. Entspr. dieser Grundnorm besteht das Kriterium der G. im Ausschluss jedweder Zeitpräferenz bei der Bewertung von Normen, Institutionen und sozialen Systemen, so dass *schon jetzt* nicht nur gegenwärtige, sondern auch mittel- und langfristige Folgen im ethischen Reflexionsprozess berücksichtigt werden müssen.

Mit der Unterscheidung von Generationen und der Einführung einer diachronen Grundnorm sind die systematischen Voraussetzungen für eine zeitliche Erweiterung der Gerechtigkeitskonzeption gegeben. G. „entdeckt" somit die zeitliche Dimension, indem sie die synchronen Aspekte der traditionellen Gerechtigkeitskonzeptionen aufgreift und diese zusätzlich um eine diachrone Dimension erweitert. Unter G. ist daher keine partikuläre, lediglich einen Teilaspekt darstellende Form der Gerechtigkeit zu verstehen, sondern sie ist eine umfassende Form der Gerechtigkeit, insofern *alle* Forderungen der Gerechtigkeit aufgenommen und noch ein-

mal hinsichtlich ihrer zeitlichen, d. h. hinsichtlich ihrer diachronen Relationen auszulegen sind. Die Vielfalt der identifizierbaren Generationenkonzeptionen ermöglicht dabei die Entwicklung unterschiedlicher Zugänge zur zeitlichen Struktur gesellschaftlicher Ordnung.

5. Postulate

Die unterschiedlichen Generationenkonzeptionen verdeutlichen, dass G. *nicht* auf eine einheitliche Theorie der Generationen und deren Relationen zurückgreifen kann, sondern einer Kontextualisierung bedarf. Dazu sind differierende normative Konzepte zu entwerfen, die nicht nur die unterschiedlichen Generationenrelationen, sondern auch die strukturellen Konstitutionsbedingungen familialer, gesellschaftlicher oder pädagogischer Generationen berücksichtigen. Im Rekurs auf die diachrone Grundnorm sowie deren Explikation im Kontext unterschiedlicher Generationenbeziehungen und -verhältnisse können folgende Postulate der G. erhoben werden:

a) Die Einschränkungen und Schädigungen der ökonomischen, ökologischen und sozialen Lebensbedingungen nachwachsender und zukünftiger Generationen etwa durch die gegenwärtige Staatsverschuldung, durch fehlenden ↑Umweltschutz und unzureichende Reformen sozialer Sicherungssysteme bedürfen *schon heute* der normativen Reflexion und somit der Legitimation bzw. Limitation.

b) Die Interessen und Chancen nachwachsender und zukünftiger Generationen dürfen nicht aufgrund ihrer bloßen Zukünftigkeit eine Abwertung erfahren. Vielmehr sind ihnen im Rahmen einer adäquaten Zukunftsbewertung und Vorsorge dieselben Mindeststandards der ↑Menschenrechte oder vergleichbare Gesundheitssowie Wohlstandschancen einzuräumen wie gegenwärtigen Generationen. Dementsprechend sind z. B. politische oder ökonomische Entscheidungsprozesse aus ihrer Fixierung auf die Gegenwart zu lösen und um die Perspektive der Langfristigkeit zu erweitern.

c) Entgegen den Beschleunigungstendenzen moderner Gesellschaften ist das Zeitmaß menschlicher Eingriffe in die Umwelt in ein angemessenes Verhältnis zum Zeitmaß natürlicher Prozesse zu setzen. Nur wenn es gelingt, die unterschiedlichen Rhythmen und Regenerationsraten aufeinander abzustimmen, können langfristige Schädigungen ökologischer Systeme vermieden werden.

d) Innerhalb *familialer* Generationen*beziehungen* fordert G., dass die Chancen, ↑Bedürfnisse und Leistungen *jeder* Generation innerhalb der Familie anerkannt und bei der Verteilung funktionaler, affektiver und sozialer Ressourcen angemessen berücksichtigt werden. Innerhalb *familialer* Generationen*verhältnisse* konzentriert sich die G. auf die Ausgestaltung der gesellschaftlichen Rahmenbedingungen für Mehrgenerationenfamilien. Da Eltern am Arbeitsmarkt, bei der Wohnungssuche und nicht zuletzt hinsichtlich der Absicherung in den sozialen Sicherungssystemen benachteilt sind, sind seitens des Staates und der Gesellschaft Maßnahmen zu ergreifen, die die enormen Leistungen der Familie anerkennen und einen entspr.en Ausgleich zwischen Eltern und Kinderlosen herstellen.

e) G. zwischen *gesellschaftlichen* Generationen verlangt nach einer Korrektur und einem Ausgleich der generationsspezifischen Lebenslagen, die mit den jeweils typischen, prägenden historischen Ereignissen verbunden sind. Seitens des Staates und der Gesellschaft sind geeignete Maßnahmen zu ergreifen, welche die ökonomische, ökologische und soziale ↑Sicherheit *jeder* Generation gewährleisten. Neben der Ausgestaltung der sozialen Sicherungssysteme zur Absicherung des Alters, der Arbeitslosigkeit und zum Schutz bei Krankheit gehören dazu der Ausbau des Umweltschutzes und der Abbau der Staatsverschuldung.

f) In *pädagogischen* Generationenverhältnissen fordert G., dass Ungleichheiten in den Möglichkeiten der Bildungsbeteiligung abgebaut und Benachteiligte gefördert werden. Darüber hinaus ist dem raschen Veralten von Wissensbeständen mit einem Konzept des lebenslangen Lernens zu begegnen: Ein häufiger Wechsel in den Status der aneignenden Generation dient dabei nicht nur der Absicherung kultureller Kontinuität bzw. der Überwindung von Diskontinuität zwischen den Generationen, sondern fördert zugl. die dauerhafte ↑Partizipation an aktuellen gesellschaftlichen Entwicklungen und damit die soziale ↑Integration des Menschen.

Literatur
J. Tremmel: Eine Theorie der Generationengerechtigkeit, 2012 • N. Goldschmidt (Hg.): Generationengerechtigkeit. Ordnungsökonomische Konzepte, 2009 • M. Vogt: Prinzip Nachhaltigkeit. Ein Entwurf aus theologisch-ethischer Perspektive, 2009 • U. Beck: Weltrisikogesellschaft. Auf der Suche nach der verlorenen Sicherheit, 2007 • W. Veith: Intergenerationelle Gerechtigkeit. Ein Beitrag zur sozialethischen Theoriebildung, 2006 • K. Lüscher/L. Liegle: Generationenbeziehungen in Familie und Gesellschaft, 2003 • Stiftung für die Rechte Zukünftiger Generationen (Hg.): Hdb. Generationengerechtigkeit, 2003 • F. Schleiermacher: Texte zur Pädagogik. Kommentierte Studienausgabe, Bd. 2, 2000 • D. Birnbacher: Verantwortung für zukünftige Generationen, 1988 • H. Jonas: Das Prinzip Verantwortung. Versuch einer Ethik für die technologische Zivilisation, 1979 • J. Rawls: A Theory of Justice, 1971 • K. Mannheim: Das Problem der Generationen, in: ders.: Wissenssoziologie. Auswahl aus dem Werk, 1964, 509–565.   WERNER VEITH

Generationenvertrag ↑Sozialversicherung

Genfer Flüchtlingskonvention

Die GFK vom 28.7.1951 – korrekt „Abkommen über die Rechtsstellung der Flüchtlinge" – ist ein ↑völkerrechtlicher Vertrag, welcher die Vertragsstaaten hinsichtlich der Behandlung von Individuen, die zu einer bestimmten Personengruppe gehören („Flüchtlinge"), zur Einhaltung verbindlicher Mindeststandards verpflichtet. 1954 in Kraft getreten, bildet die Konvention (gemeinsam mit dem Protokoll von 1967) bis heute den „Grundstein des internationalen Flüchtlingsschutzsystems" (GV-Res. 52/103 vom 12.12.1997). Dem UN-Flüchtlingshochkommissariat (UNHCR) ist – neben der Suche nach dauerhaften Lösungen des weltweiten Flüchtlingsproblems – eine „Hüterfunktion" hinsichtlich der Verwirklichung der in der GFK garantierten Schutzstandards zugewiesen. Als zentrales Element ihres seit 2003 nunmehr zeitlich unbefristeten Mandates, nimmt diese Genfer Institution diese Aufgabe mit heute (2017) fast 11 000 Mitarbeitern in 130 Staaten in intensiver und vielfältiger Weise wahr – unterstützt von einer großen und wachsenden Anzahl von ↑NGOs.

1. Geschichte – Geltungsbereich
Waren wegen des von den Staaten beanspruchten souveränen Rechts, grundsätzlich frei über den Zutritt Fremder auf ihr Territorium zu entscheiden, waren die seit den frühen 1920er Jahren unter der Ägide des Völkerbundes einsetzenden Bemühungen um einen (auch) auf internationaler Ebene vertraglich und institutionell abgesicherten Flüchtlingsschutz zunächst situativ und räumlich eng begrenzt (insb. Flüchtlinge aus Armenien und Russland sowie später aus der Türkei und Deutschland) oder auf ganz konkrete administrative Maßnahmen beschränkt („Nansen-Pass"). Dieser „souveränitätsschonende" Ansatz lag auch noch der GFK zugrunde, deren Anwendungsbereich sich zunächst allein auf „Altfälle" (vor dem 1.1.1951) und (optional) auch nur auf solche, die in Europa eingetreten waren, beschränkte. Diese geographische und zeitliche Begrenzung ist erst durch das Protokoll von 1967 entfallen. Gegenwärtig (2017) haben 146 Staaten, darunter auch alle EU-Mitgliedstaaten, die GFK idF des Protokolls von 1967 ratifiziert – einige wenige davon allerdings mit der (weitreichenden) Einschränkung, dass sie auch weiterhin keine nichteuropäischen Flüchtlinge als Konventionsflüchtlinge anerkennen/aufnehmen (so etwa die Türkei).

2. Der Flüchtlingsbegriff
Flüchtling i. S. d. GFK („Konventionsflüchtling") ist nur, wer gezwungen worden ist („begründete Furcht vor Verfolgung") sein Land („Staatsangehörigkeit" oder, bei Staatenlosigkeit, „dauerhafter Aufenthalt") wegen seiner Rasse, Religion, Nationalität, Zugehörigkeit zu einer bestimmten sozialen Gruppe oder seiner politischen Überzeugung („Fluchtgründe") zu verlassen („Grenzübertritt"). Als Blaupause für die restriktive Flüchtlingsdefinition in Art. 1 GFK dienten die konkreten Erfahrungen, die mit den Fluchtbewegungen während bzw. unmittelbar vor und nach dem Zweiten Weltkrieg (↑Flucht und Vertreibung) gemacht worden waren: Armutsmigranten fallen damit grundsätzlich ebenso wenig in den Anwendungsbereich der GFK wie Umweltflücht-

linge (Naturkatastrophen und Klimawandel) oder auch (reine) Kriegsflüchtlinge. Andererseits steht die GFK selbstverständlich einer (temporären) Schutzgewährung für weitere Individuen oder Personengruppen nicht entgegen (so etwa „subsidiär Schutzberechtigte" nach EU-Recht und findet sich auf regionaler Ebene teilweise auch ein weniger restriktiver Flüchtlingsbegriff, s. z.B. OAU-Konvention 1969 [Afrika], Cartagena Deklaration 1984 [Zentralamerika]). Eine trennscharfe Abgrenzung der Fluchtursachen ist angesichts der Multikausalität von Migrationsbewegungen vielfach kaum möglich und ist damit auch regelmäßig eine konkrete Einzelfallprüfung geboten. Allg. anerkannt ist inzwischen, dass der „geschlechtsspezifischen Dimension", obwohl nicht explizit in der GFK benannt, bei der Auslegung aller Fluchtgründe eine bes. Bedeutung beizumessen ist (UNHCR-RL Nr. 1: Geschlechtsspezifische Verfolgung im Zusammenhang mit Art. 1 A (2) UNHCR/GIP/02/01, 7.5.2002). Wegen der Notwendigkeit des Aufenthaltes außerhalb des „Verfolgerstaates", fallen auch die gegenwärtig (2016) weltweit über 40 Mio. Binnenvertriebenen *(internally displaced people)* nicht in den Anwendungsbereich der GFK. Eine früher auch in Deutschland praktizierte Beschränkung des Schutzbereichs der GFK allein auf „staatliche" Verfolgungsmaßnahmen ist hingegen konventionswidrig, findet diese restriktive Auslegung doch im Wortlaut der GFK keine Stütze. Richtigerweise kann der Verfolgungstatbestand damit grundsätzlich auch durch nichtstaatliche Akteure erfüllt werden – dies jedenfalls immer dann, wenn sich ein Staat als unwillig oder unfähig erweist, seinen Schutzpflichten nachzukommen. Bei großen Flüchtlingswellen kann unter Umständen anstelle der individuellen Feststellung der Flüchtlingseigenschaft auch eine prima-facie- oder Gruppenstatusfeststellung möglich und geboten sein.

3. Rechtsstellung des Flüchtlings

Zwar vermittelt die GFK dem Flüchtling kein Asylrecht oder ein solches auf dauerhaften Aufenthalt, wohl aber – im Zusammenhang mit entspr.en Menschenrechtsverbürgungen (z.B. Art. 7 IPbpR, Art. 3 UN-Antifolterkonvention, Art. 3 EMRK) – ein individuelles Recht, nicht an einen Ort zurückgeschickt zu werden, wo ihm ↑Folter oder andere schwere Menschenrechtsverletzungen drohen (Art. 33 GFK: „Prinzip des non-refoulement"). Als humanitäres Grundprinzip gilt dieses Ausweisungs- und Zurückweisungsverbot heute gewohnheitsrechtlich auch über den Kreis der Konventionsflüchtlinge hinaus für alle Schutzsuchenden. Die GFK enthält zudem einen ganzen Katalog von Rechtspositionen (u.a. Religionsfreiheit, Vereinigungsfreiheit, Zugang zum Arbeitsmarkt, soziale und kulturelle Rechte, Eigentumsrechte sowie Freizügigkeit), welche die Vertragsstaaten anerkannten Flüchtlingen in diskriminierungsfreier Weise (Art. 3 GFK) gewähren müssen. Hierdurch wird diese Personengruppe von (Völker-)

Rechts wegen weitgehend allen anderen Ausländern (zumindest) gleichstellt. Andererseits enthält die GFK aber ihrerseits auch Pflichten der Flüchtlinge gegenüber ihrem jeweiligen Gastland – so insb. dasjenige zur Beachtung der Landesgesetze (Art. 2 GFK) – und schließt die Konvention bestimmte Gruppen – wie z.B. Kriegsverbrecher (Art. 1 F GFK) – vom Flüchtlingsstatus aus. Durch die Entwicklung des Internationalen Menschenrechtsschutzes ist in jüngerer Zeit indes nicht nur der einstmals bes. privilegierte Status der „Konventionsflüchtlinge" gegenüber anderen Kategorien von Schutzsuchenden deutlich relativiert worden. Vielmehr verleihen die ↑Menschenrechte heute auch Flüchtlingen oftmals einen über die in der GFK definierten Garantiern (Art. 5 GFK) hinausgehenden Rechtsstatus. Dennoch bleibt die GFK auch in Zukunft als Basis für einen einem universell anerkannten humanitären Mindeststandard verpflichteten Flüchtlingsschutz unverzichtbar.

Literatur

G. Goodwin-Gill: The dynamic of international refugee law, in: International Journal of refugee law 25/4 (2013), 651–666 • K. Haußner: Grenzen des Flüchtlingsrechts: Zu Umwelt-, Klima- und Katastrophenflüchtlingen, in: M. Kettemann (Hg.): Grenzen im Völkerrecht, 2013, 151–176 • J. Simeon (Hg.): The UNHCR and the Supervision of International Refugee Law, 2013 • N. Markard: Kriegsflüchtlinge, 2012 • A. Zimmermann (Hg.): The 1951 convention relating to the status of refugees and its 1967 protocol: A commentary, 2011 • H. Lambert (Hg.): International Refugee Law, 2010 • C. Wouters: International legal standards for the protection from refoulement, 2009 • G. Goodwin-Gill/J. McAdam: The Refugee in International Law, ³2007 • J. Hathaway: The rights of refugees under international law, 2005 • G. Jaeger: On the history of the international protection of refugees, in: International Review of the Red Cross 83/843 (2001), 727–737 • E. Klein: Möglichkeiten und Grenzen der Genfer Flüchtlingskonvention für die Arbeit im 21. Jahrhundert – Bedeutung der Genfer Konvention für die Zukunft, in: AWR-Bulletin 3 (2001), 92–101 • B. Hofmann: Grundlagen und Auswirkungen des völkerrechtlichen Refoulement-Verbots, 1999.

DANIEL-ERASMUS KHAN

Genfer Konventionen

1. Grundgedanken

Dem Leiden im zivilisatorischen Ausnahmezustand des ↑Krieges normative Grenzen zu setzen ist nicht nur eine Grundkonstante religiöser, ethischer und moralischer Reflexion, sondern es finden sich vielmehr zu allen Zeiten und in allen Kulturkreisen auch immer wieder (vereinzelte) Beispiele „humanitärer" Praxis (Schonung von Frauen und Kindern, Wohn- und Kultstätten, Austausch von Gefangenen). (Völkervertrags-)rechtlich verbindliche Mindeststandards für eine unter dem Gesichtspunkt des Schutzes von Konfliktopfern legitime Art und Weise der Kriegführung sind indes erst ab der zweiten Hälfte des 19. Jh. formuliert worden. Das Herzstück dieses Kernbereichs des humanitären ↑Völkerrechts *(ius in bello)* bilden bis heute die G. K. oder auch Genfer (Rotkreuz-)Abkommen. Dabei verbietet das „Genfer Recht" nicht den Krieg als solchen (kein *ius contra bellum*). Sein Leitgedanke ist vielmehr die Begrenzung kriegerischer ↑Gewalt auf das militärisch (absolut) Notwendige, ergänzt durch das allg.e Humanitätsgebot (sog.e *Martens'sche Klausel*). Dem im Genfer Recht näher spezifizierten Unterscheidungsgebot – zwischen kämpfenden ↑Soldaten (Kombattanten) sowie militärischen Objekten einerseits und Opfern des Krieges (Verwundete, Gefangene, Zivilbevölkerung) sowie zivilen Objekten andererseits – kommt insoweit eine Schlüsselrolle zu.

2. Geschichte

Entstehung, Entwicklung, Inhalt und Durchsetzung der G. K. sind eng verknüpft mit der Internationalen Rotkreuz- und Rothalbmond-Bewegung, und insoweit an erster Stelle mit dem IKRK in Genf (↑Rotes Kreuz). Auf Initiative des Komitees (u. a. Henry Dunant, Gustave Moynier) wurde 1864 die erste G. K. „zur Verbesserung des Loses der Verwundeten und Kranken der Streitkräfte im Felde" unterzeichnet und deren Anwendungsbereich – nach Erweiterungen und Verbesserungen (1906) – im Jahre 1907 (10. Haager Abkommen) auf den Seekrieg ausgedehnt (Neufassung 1929). Anknüpfend an Bestimmungen der Haager Landkriegsordnung (1899/1907), die sich im Ersten Weltkrieg als lückenhaft erwiesen hatten, wurde 1929 eine zweite G. K. „über die Behandlung der Kriegsgefangenen" beschlossen, die im Zweiten Weltkrieg mangels ausreichender Ratifikation (z. B. UdSSR) und teilweise gröbster Missachtung ihres humanitären Kerngehalts (z. B. Deutsches Reich) allerdings nicht die erhoffte Wirkung entfalten konnte. Unter dem Eindruck der verheerenden Folgen des Weltkrieges (insb. für die Zivilbevölkerung), wurde am 12.8.1949 – auf der Grundlage eines Entwurfs des IKRK (Jean Pictet) – ein umfassendes Vertragspaket angenommen, das nunmehr ein völkerrechtliches Schutzregime für alle Opferkategorien normiert:
a) erste G. K. zur Verbesserung des Loses der Verwundeten und Kranken der bewaffneten Kräfte im Felde;
b) zweite G. K. zur Verbesserung des Loses der Verwundeten, der Kranken und der Schiffbrüchigen der bewaffneten Kräfte zur See;
c) dritte G. K. über die Behandlung von Kriegsgefangenen;
d) vierte G. K. über den Schutz der Zivilpersonen in Kriegszeiten.
Von allen 196 Staaten der Welt ratifiziert (Stand 2017), stellen die vier G. K. von 1949 heute das wohl erfolgreichste Kodifikationsprojekt der Völkerrechtsgeschichte überhaupt dar. Die Zunahme „kleiner Kriege" (↑Bürgerkrieg) sowie neue Formen der Kriegführung, welche Zivilbevölkerung und Umwelt einer 1949 noch unbekannten Gefährdung aussetzten, bewogen das IKRK bereits 20 Jahre später dazu, konkrete Vorschläge zur Vervoll-

ständigung des humanitären Rechts auszuarbeiten; eine Initiative, die 1977 in der Annahme von zwei Zusatzprotokollen mündete (ZP I für internationale, ZP II für nicht-internationale bewaffnete Konflikte/Bürgerkriege). Um die effektive Durchsetzung des humanitären Völkerrechts nicht durch den Streit um Symbole zu gefährden, wurde 2005 schließlich ZP III zu den G. K. angenommen, das neben den etablierten Schutzzeichen „Rotes Kreuz" (seit 1864) und „Roter Halbmond" (seit 1877/78 inoffiziell, seit 1929 auch formal im Rahmen der zweiten G. K.) nunmehr die Verwendung eines weiteren, dritten Schutzzeichens ermöglicht („Roter Kristall"). Dies ist insb. im Rahmen des ↑Nahostkonflikts von praktischer Bedeutung („Roter Davidsstern" eingebettet in das neue Schutzzeichen). Gegenwärtig (2017) haben 174 Staaten das ZP I, 168 Staaten das ZP II sowie 73 Staaten das ZP III ratifiziert und damit als völkerrechtlich verbindlich anerkannt.

3. Grundsätze

Im Hinblick auf den Anwendungsbereich des Genfer Rechts gilt es wie folgt zu unterscheiden: Umfassend anwendbar sind die Bestimmungen der vier G. K. von 1949, ergänzt und erweitert durch das ZP I von 1977, nur auf internationale, d. h. zwischenstaatliche bewaffnete Konflikte, und zwar unabhängig von der Anerkennung eines Kriegszustandes bzw. einer Kriegserklärung seitens der Konfliktparteien, sowie daneben auch auf Gebietsbesetzungen, selbst wenn diese gewaltlos erfolgen (Besatzungsrecht). Hingegen gilt für nicht-internationale bewaffnete Konflikte (also solchen unter Beteiligung zumindest einer nichtstaatlichen Partei), die eine gewisse Intensitätsschwelle überschreiten (keine bloßen Tumulte oder nur vereinzelt auftretende Gewalttaten) und deren (nichtstaatliche) Konfliktpartei(en) über einen gewissen (Mindest-)Organisationsgrad verfügen, völkervertragsrechtlich nur ein im gemeinsamen Art. 3 der G. K. 1949 festgelegter humanitärer Mindeststandard, der sodann durch das ZP II (1977) weiter ausgebaut worden ist. Unter den Begriff der Streitkräfte fallen zwar heute alle organisierten bewaffneten Kräfte, Gruppen und Einheiten, die sich einer Konfliktpartei zuordnen lassen und unter deren verantwortlichem Kommando stehen (erweiterter Streitkräftebegriff unter Einschluss von Guerillakämpfern; ↑Guerilla). (Nichtstaatliche) Teilnehmer an „traditionellen" Bürgerkriegen sind aber nach wie vor nicht als Kombattanten anerkannt, ihnen kommt damit auch kein Kriegsgefangenstatus zu. Das Genfer Recht schützt den von ihm erfassten Personenkreis vor Beeinträchtigungen der ↑Menschenwürde, ↑Folter, Tötung, Verurteilung und Hinrichtung ohne ordentliches Gerichtsverfahren, ↑Geiselnahme und Vergeltungsmaßnahmen (strenges Repressalienverbot). Die Geschützten können nicht wirksam auf ihre Rechte verzichten. Das ZP I (1977) verbietet nun auch ausdrücklich Angriffe auf die Zivilbevölkerung sowie „unterschiedslose Angriffe", die militärische Ziele und Zivilpersonen bzw. zivile Objekte unterschiedslos treffen können und schließlich konnte auch der Schutz der natürlichen Umwelt sowie von Kulturgütern vor Kriegseinwirkungen gestärkt werden. Das (2017) von 123 Staaten ratifizierte Römische Statut des IStGH (1998; ↑Internationale Strafgerichtsbarkeit) stellt schwere Verstöße gegen die Schutznormen der G. K. als Kriegsverbrechen unter Strafe; entspr.e Verurteilungen sind bereits zuvor schon im Zusammenhang mit dem Jugoslawienkrieg (1991–95) und dem ↑Völkermord in Ruanda (1994) erfolgt. In einer Vielzahl von Bestimmungen weisen die G. K. dem IKRK eine bes. Rolle als Motor und Hüterin des humanitären Völkerrechts zu (u. a. Zugangsrechte zu Kriegsgefangenlagern, Hilfsaktionen zugunsten von Kriegsopfern).

4. Entwicklungen und Ausblick

Das Genfer Recht ist, insb. was Qualifizierung und Schutzstandards der Teilnehmer an den Feindseligkeiten angeht, immer noch von der Dichotomie zwischen internationalem und nicht-internationalem bewaffneten Konflikt und der Idee eines sowohl in zeitlicher und räumlicher als auch personeller Hinsicht klar definierten Kriegs- und Kampfgeschehens geprägt. Die neue Unübersichtlichkeit und Vielgestaltigkeit der Szenarien organisierter Gewaltausübung (Asymmetrie, transnationale und „gemischte" Konflikte, *Cyber War*, Drohnenkrieg, internationaler Terrorismus etc.) stellen dieses traditionelle Normprogramm nicht nur vor enorme (interpretatorische) Herausforderungen. Es besteht vielmehr auch die zunehmende Gefahr von Schutzlücken (Guantanamo). Eine grundsätzliche Revision, oder auch nur eine den neueren Entwicklungen faktischer und rechtlicher Natur (etwa auf dem Gebiet des Internationalen Menschenrechtsschutzes) punktuell Rechnung tragende substantielle Ergänzung der G. K. im Wege des Vertragsschlusses erscheint in der derzeitigen Weltlage kaum erfolgversprechend. Umso größere Bedeutung kommt dem 2005 unter der Ägide des IKRK erstellten Inventar der geltenden gewohnheitsrechtlichen Normen (↑Gewohnheitsrecht) des humanitären Völkerrechts zu: Die Tatsache, dass die zentralen Schutznormen der G. K. einen für alle Konfliktformen gleichermaßen universell anerkannten zivilisatorischen Mindeststandard verkörpern, findet hier völlig zu Recht eine ausdrückliche Bestätigung.

Literatur

M. Bothe: Friedenssicherung und Kriegsrecht, in: W. Graf Vitzthum/A. Proelß (Hg.): Völkerrecht, ⁷2016, 591–682 • K. Dörmann, u. a. (Hg.): Commentary on the Geneva Conventions, 2 Bde., ²2016 f. • A. Clapham/P. Gaeta/M. Sassòli (Hg.): The 1949 Geneva Conventions. A Commentary, 2015 • A. Clapham/P. Gaeta (Hg.): The Oxford Handbook of International Law in Armed Conflict, 2014 • K. Ipsen: Bewaffneter Konflikt und Neutralität, in: ders. (Hg.): Völkerrecht, ⁶2014, 1174–1258 • D.-E. Khan: Das Rote Kreuz. Geschichte einer humanitären Weltbewegung, 2013 • A. A./DRK/Bundes-ministerium der Verteidigung (Hg.): Dokumente zum Humanitären Völkerrecht, ²2012 • H.-P. Gasser/N. Melzer: Humanitäres Völkerrecht, ²2012 • M. Sassòli/A. Bouvier/A. Quintin: How Does Law Protect in War, ³2011 • D. Thürer: International Humanitarian Law, 2011 • D. Fleck (Hg.): Hdb. des humanitären Völkerrechts in bewaffneten Konflikten, 1994 • Y. Sandoz u. a. (Hg.): Commentary on the Additional Protocols of 8.6.1977 to the Geneva Conventions of 12.8.1949, 1987 • J. Pictet (Hg.): Commentary on the four Geneva Conventions of 12.8.1949, 4 Bde., 1952–60.

DANIEL-ERASMUS KHAN

Genossenschaften

I. Wirtschaftswissenschaftlich – II. Rechtlich

I. Wirtschaftswissenschaftlich

1. Genossenschaften als institutionelle Innovation

Die G.s-Idee wurde 2016 von der UNESCO zum immateriellen Kulturerbe der Menschheit erklärt. In organisatorischer Hinsicht sind G. Kooperationen mit einer bes.n ↑Governance (Eigentum, Entscheidungsfindung, Kontrolle), die gesetzlich normiert ist. G. haben eine lange Tradition und sind heute in über 100 Ländern mit etwa 800 Mio. Mitgliedern aktiv. In Deutschland gehören etwa achttausend G. ihren 20 Mio. Mitgliedern. Sie weisen eine außerordentlich niedrige Insolvenzrate auf und werden in der Bevölkerung sehr positiv wahrgenommen.

Hinsichtlich der genossenschaftlichen Governancemerkmale lassen sich Vorläufer von G. bis in das Mittelalter zurückverfolgen. Die gesellschaftspolitischen und ideologischen Wurzeln von G. können auf sozialistische (z. B. Robert Owen), liberale (v. a. Hermann Schulze-Delitzsch) und christlich-soziale Ansätze (Victor Aimé Huber, Friedrich Wilhelm Raiffeisen) zurückgeführt werden. Inzwischen hat die Betonung der Unterschiede der normativen Wurzeln ihre Bedeutung verloren. Heute kann das mitteleuropäische Modell der G., das eine Verbindung der Ideen von F. W. Raiffeisen und H. Schulze-Delitzsch darstellt, von einem romanischen und einem südeuropäischen Modell abgegrenzt werden, die einen höheren Staatseinfluss aufweisen.

Gegründet wurden im mitteleuropäischen Raum die ersten G. in den wirtschaftlichen und gesellschaftlichen Umwälzungen des 19. Jahrhunderts. Rückblickend können sie als eine institutionelle Innovation eingeschätzt werden. Es herrschte akute Armut für große Teile der Bevölkerung. Manchen Bevölkerungsgruppen fehlte jede Möglichkeit für eine wirtschaftliche Betätigung, womit auch der Aufbau einer selbständigen Existenz außer Reichweite lag. Dies galt bes. ausgeprägt für Landwirtschaft (↑Land- und Forstwirtschaft), ↑Handwerk, Kleingewerbe und ↑Handel. Die Gründung eines gemeinsamen Unternehmens in Form einer G. konnte Abhilfe schaffen. Bes. typisch zeigten sich Kooperationsursachen und -ziele bei Bank-G. Viele Menschen hatten in einer Epoche, in der der Übergang von der Naturalwirtschaft in eine monetisierte Ökonomie erst vor kurzem stattgefunden hatte, keinen Zugang zu ↑Krediten. Diese fehlten, um als Handwerker oder Kleingewerbetreibender unternehmerisch tätig zu werden. Auf Anregung von F. W. Raiffeisen (Landwirtschaft) und H. Schulze-Delitzsch (Handwerk, Kleingewerbe) gründeten die Betroffenen Darlehenskassenvereine und Vorschussvereine, die in ihrer Governance G. entsprachen. Erst auf dieser Basis wurden einzelwirtschaftliche Finanzierungsbeziehungen möglich. Ein weiteres Beispiel ist die Entstehung von genossenschaftlichen Kooperationen im Lebensmittelhandel. Kleine Kolonialwarenhändler schlossen sich zu Einkaufs-G. zusammen, die dann ihrerseits Gemeinschaftsunternehmen für die Organisation von Leistungen gründeten. Viele genossenschaftliche Verbundgruppen im Handel und für Dienstleistungen weisen ähnliche Wurzeln auf, ebenso landwirtschaftliche Kooperationen sowie Wohnungs-G. Später begannen mittelständische Unternehmen G. zu gründen, um Kosten- und Marktnachteile gegenüber größeren Unternehmen zu kompensieren.

2. Genossenschaftliche Governancemerkmale

G. und genossenschaftlich organisierte Unternehmensgruppen unterscheiden sich durch ihre Governancemerkmale von allen anderen Organisationen. Eine Besonderheit besteht in ihrer kooperativen Gründung, motiviert durch die Erwartung einer Kooperationsrente. Eine fehlende wirtschaftliche Teilhabe – sei sie produktiv oder konsumtiv – wird durch die gemeinsame Organisation von Leistungen für die wirtschaftliche oder sonstige Aktivität kompensiert. Dies geschieht in einem eigens dafür gegründeten Unternehmen. Es liegt also ein übereinstimmender einzelwirtschaftlicher Organisationsbedarf vor. Dieser kann den eigenen Aktivitäten vorgelagert (z. B. Beschaffung von Vorprodukten) oder nachgelagert sein (z. B. Vermarktung der eigenen Produkte). In organisatorischer Hinsicht handelt es sich um die Auslagerung von Elementen der eigenen Wertschöpfungskette in ein gemeinsames Unternehmen. Der Organisationsbedarf kann auch in der kooperativen Durchführung der Wertschöpfung bestehen (Produktiv-G.). Die kooperierenden Akteure können Privatpersonen oder Unternehmen, ihre genossenschaftlich organisierten Aktivitäten wirtschaftlicher, kultureller, gesellschaftlicher o. a. Natur sein. Entscheidend ist, dass es nicht um staatliche oder private Hilfe – also um Fremdhilfe – geht, sondern um kollektive Selbsthilfe, die privatwirtschaftlich organisiert wird. G. entsprechen dem Subsidiaritätsprinzip (↑Subsidiarität) durch die Kombination dezentraler mit gemeinsamen Aktivitäten. Das genossenschaftliche Geschäftsmodell ist ein Wertschöpfungsnetzwerk mit einer klaren ordnungspolitischen Ausrichtung.

Eine folgenreiche Besonderheit von G. besteht darin, dass die Eigentümer des gemeinsamen Unternehmens – die Mitglieder – gleichzeitig in einer Personalunion die Finanziers, die Anbieter und die Nutzer der gemeinsam organisierten Leistungen sind. Dies führt zu einer außergewöhnlichen Anreizkonsistenz, die einem Club entspr., der Clubgüter organisiert. Diese Personalunion begründet zusätzlich die strategische Orientierung von G. Im G.s-Gesetz ist festgeschrieben, dass G. ausschließlich Werte für die Mitglieder zu schaffen haben, deren Aktivitäten gemäß Förderauftrag zu fördern sind. Theoretisch fundiert geht es um die Schaffung des genossenschaftlichen Eigentümerwerts, des Member Values, aus der Sicht der Mitglieder. Anders als der Eigentümerwert einer börsennotierten AG, der ShareholderValue, der den Investoren unidimensional zufließt, setzt sich der Member Value bei G. aus drei Komponenten zusammen. Der unmittelbare Member Value entsteht aus der Leistungsbeziehung zwischen Mitgliedern und dem genossenschaftlichen Unternehmen durch den Bezug der gemeinsam organisierten Leistungen. Diese Leistungen unterstützen die Mitglieder in ihrer Wertschöpfung.

Der mittelbare Member Value korrespondiert mit der Eigentümerfunktion der Mitglieder, die das Unternehmen mit Eigenkapital ausstatten. Er setzt sich aus der Verzinsung des Eigenkapitals und einer damit verbundenen Ausschüttung sowie Entscheidungs- und Kontrollrechten zusammen.

Der nachhaltige Member Value bringt die Investitionsbeziehung zum Ausdruck und bewirkt einen Optionsnutzen durch die zukünftige Existenz und Leistungsfähigkeit der G. Seine Höhe wird u. a. durch die Eigenkapitalbasis, die aus den Gewinnen gebildeten Rücklagen sowie durch aktuelle Investitionen in Produkte, Prozesse und Institutionen bestimmt.

Die Vorteile der Member Value-Orientierung kommen den Mitgliedern zugute ohne mit den Nachteilen einer kurzfristig ausgerichteten ShareholderValue-Strategie konfrontiert zu werden. Eine solche maximiert den Wert des Unternehmens durch die Leistungstransaktionen mit den Kunden für die Eigentümer, die sich häufig als Investoren verstehen. Der Wert der G. hingegen wird durch die Leistungstransaktionen mit den Mitgliedern für die Mitglieder optimiert. Ex ante bewertet das ↑Management der G. seine Entscheidungen in ihren Auswirkungen auf den langfristigen Unternehmenswert. Dies gilt zwar sowohl bei börsennotierten AGen als auch bei G. Ein grundlegender Unterschied zwischen beiden besteht hingegen in der ex post-Bewertung, wenn Eigenkapital auf dem ↑Finanzmarkt nachgefragt wird, sichtbar z. B. im Aktienkurs. Die Unvollkommenheit von Finanzmärkten sowie die damit verbundenen Fehlbewertungen sind immer dann zu berücksichtigen, wenn das Unternehmen auf Investoren aus einem solchen Umfeld angewiesen ist. Auf die kurze Frist ausgerichtete Investorenkalküle können im Ergebnis eine langfristige Wertorientierung aushöhlen, was Unternehmen finanzmarktgetrieben macht. Da G.s-Anteile nicht gehandelt werden, entfällt die ex post-Bewertung mit ihren weitreichenden Konsequenzen. G. sind in der Realwirtschaft verankert, ohne dass unmittelbare Finanzmarkteinflüsse unternehmerische Entscheidungen konterkarieren.

Ohne die Disziplinierung des Managements durch die Finanzmärkte erfolgt die Eigentümerkontrolle der G. durch die Mitglieder, unterstützt durch den Wettbewerb auf dem Güter-, Arbeits- und Managermarkt. Eigenkapital muss von den Mitgliedern aufgebracht werden. Um Rücklagen aufzubauen, um zu investieren und um Fremdkapital zu erhalten, sind Gewinne eine grundlegende Voraussetzung. Die genossenschaftliche Governance ist auf eine langfristige Orientierung der unternehmerischen Aktivitäten angelegt, die von Eigentümern entschieden werden, welche v.a. an der Leistungsbeziehung mit der G. interessiert sind. Dass G. langfristige Strategien verfolgen, ist in der Bevölkerung bekannt und wird als sehr positiv eingeschätzt. Ein wichtiges Governancemerkmal besteht zusätzlich darin, dass die Mitglieder von G. unabhängig von der Anzahl ihrer Geschäftsanteile je eine Stimme haben. Zwar ist die Gründung von G. einzelwirtschaftlich motiviert, doch durch ihr Wirken entstehen zusätzlich positive gesamtwirtschaftliche und gesellschaftliche Effekte.

3. Entwicklungen der genossenschaftlichen Ökonomie

Im Laufe der Jahrzehnte kam es zu einer Ausdifferenzierung der genossenschaftlichen Governancestrukturen. Neben klein bleibenden G. bildeten sich größere genossenschaftliche Netzwerke heraus, die ihre Strukturen zunehmend professionalisierten. Eine komplexe Arbeitsteilung bezieht heute Spezial- und Gemeinschaftsunternehmen sowie Verbände mit speziellen Aufgaben ein. Ausgleichs- und Solidaritätsmechanismen und Verhaltensregeln für das Zusammenwirken der Kooperationspartner wurden festgeschrieben.

Auch heute weisen manche Wirtschaftsbereiche einen hohen genossenschaftlichen Organisationsgrad auf (z.B. Landwirte, Handwerker, Einzelhandelskaufleute, Bäcker, Metzger, Steuerberater). Dennoch haben bis zum Beginn des Jahrtausends die Anzahl der G., deren Wertschöpfungsanteile sowie die Gründungen abgenommen, bevor es neuerlich zu einer Zunahme von G.s-Gründungen kam.

Die Governance von G. grenzt deren Aktivitätsbereiche ein. Heute sind es expandierende und zukunftsorientierte Wirtschafts- und Gesellschaftsbereiche, die ein wieder rege gewordenes Gründungsgeschehen aufweisen. Immer noch eignen sich G. zur Organisation neuer Märkte und Wertschöpfungsketten sowie für die Entwicklung bisher nicht verfügbarer Problemlösungen. Nicht selten geht es um Bereiche, aus denen sich der Staat zurückzieht und die daher neu zu organisieren sind, z.B. bestimmte Bereiche der öffentlichen ↑Infrastruktur, was ein wichtiger Anwendungsbereich im Zusammenhang mit der Budgetsituation von Kommunen

geworden ist. Die Schließung von Infrastrukturlücken durch genossenschaftliche Selbsthilfe kann Wirtschafts- und Lebensräume aufwerten. Andere Beispiele finden sich in der Informations- und Kommunikationstechnologie. So wurde etwa in Deutschland eine zentrale Registrierungsstelle für alle Domains unterhalb der Top Level Domain „.de" mit der Gründung der DENIC eG genossenschaftlich aufgebaut. Intensiv wird die genossenschaftliche Organisation von Daten-Clouds für mittelständische Unternehmen erwogen, um die Abhängigkeit von externen Dienstleistern zu vermeiden und die Eigentümer der Daten als Eigentümer der Cloud gleichzeitig zu den Nutzern der Cloud-Leistungen zu machen. Die genossenschaftliche Organisation wird zu einem Vertrauensanker. Zusätzlich entstehen G., die den Breitbandausbau mittels Glasfasertechnik beschleunigen und den Mitgliedern größere Bandbreitenreserven sichern sollen. In ihren Dimensionen bisher kaum absehbar ist die Gründung genossenschaftlicher Plattformen der Sharing Economy. Sie sollen es den Nutzern ermöglichen, die Kooperationsrente selbst abzuschöpfen und nicht externe Investoren zu beglücken, womit der Kritik am Plattformkapitalismus entgegengewirkt wird, dieser sei nur die digitalisierte Form einer ohnehin abzulehnenden Wirtschaftsordnung.

G. werden auch gegründet, um das Fehlen eines lokalen Angebots von Leistungen zu kompensieren. Bes. relevant ist dies in der Nahversorgung, nicht nur mit Lebensmitteln, sondern ebenso mit logistischen, kulturellen, ärztlichen, sozialen u.a.n persönlichen Dienstleistungen. Die genossenschaftliche Gründung von Dorfläden und -gasthäusern hat große Aufmerksamkeit auf sich gezogen.

Genossenschaftliche Lösungen werden auch gewählt, um Vertrauensgüter und wissensbasierte Leistungen zu organisieren. Da deren Qualität erst eingeschätzt werden kann, wenn sie tatsächlich genutzt werden, gewinnt die Identität der Anbieter große Bedeutung. Der Wunsch Ausbeutbarkeit zu vermeiden und Entscheidungs- und Kontrollrechte in wichtigen Lebensbereichen zu definieren, hat zur Gründung von G. im Gesundheits- und Pflegebereich sowie von Senioren- und Familien-G. geführt. Genossenschaftlich organisierte Wissenschaftler streben mehr Unabhängigkeit in der wirtschaftlichen Verwertung ihrer Forschungsergebnisse an. Zusätzlich werden genossenschaftliche Kooperationen auch vereinbart, um Unabhängigkeit von dominanten Anbietern zu erreichen und um mehr Transparenz über Leistungen zu gewinnen, z.B. durch Energie-G.

Bes. für Handwerker und freiberuflich tätige Personen (↑freie Berufe) ist es herausfordernd aus ihrer Tätigkeit kontinuierliche Einkommensströme zu generieren. Handwerker- und Berater-G. sowie Künstler- oder Ärzte-G. sind die Antworten. G. nehmen hier die Organisationsform virtueller Unternehmen an, in denen projektbezogen zusammengearbeitet wird. Dies tun auch mittelständische Unternehmen, die eine organisatorische Einbindung komplexer Projekte suchen. G. werden auch heute noch gegründet, um die Auslagerung und gemeinsame Organisation von unternehmensnahen Dienstleistungen und Aufgaben zu bewerkstelligen. Auf diese Weise können nicht nur Kostenvorteile erreicht werden, sondern die resultierende Spezialisierung ermöglicht die Entwicklung zusätzlicher Kompetenzen wie die Interessenvertretung in der Politik, digitale Lösungen sowie ↗Innovationen als Antworten auf Trends in Wirtschaft und Gesellschaft.

4. Herausforderungen und Perspektiven

Die Neugründungen und die hohe Akzeptanz deuten auf positive Perspektiven der G. hin, was dadurch unterstützt wird, dass sie ihre Stärken in gesellschaftlichen Umbrüchen und wirtschaftlichem Wandel bes. gut nutzen können. Die Entwicklungen in Gesellschaft, Politik und Wirtschaft beinhalten Wandel. Die genossenschaftliche Governance zeichnet sich durch die Konsistenz von Geschäftsmodell und strategischer Orientierung mit einem Wertegerüst aus. Menschen formulieren steigende Anforderungen an Unternehmen. Ehrlichkeit und Transparenz stehen im Vordergrund. Nachhaltige Strategien, realwirtschaftliche Verankerung, Nähe und Identität gewinnen an Bedeutung. Kontrollmöglichkeiten und die Bereitschaft zur Übernahme von gesellschaftlicher ↗Verantwortung durch Unternehmen werden gefordert, Stabilität, Sicherheit und Verlässlichkeit gewünscht. Der Member Value korrespondiert mit gesellschaftlichen ↗Werten. Der unmittelbare Member Value weist eine direkte Verbindung zu realwirtschaftlicher Verankerung, Nähe und Identität auf, während der mittelbare Member Value der Möglichkeit zur Kontrolle und der Bereitschaft zur Verantwortung entspr. Der nachhaltige Member Value bringt Langfristigkeit sowie Stabilität und Sicherheit zum Ausdruck. Die von den Menschen eingeforderten Werte sind jene Werte, die in der genossenschaftlichen Governance umgesetzt werden.

Doch es wirken auch Gegenkräfte, die der empirische Befund zeigt. Eine abnehmende Bedeutung der G. drückt sich in einem sinkenden Anteil der genossenschaftlichen Wertschöpfung an der gesamten Wertschöpfung, der G. an allen Unternehmen, der neu gegründeten G. an allen neu gegründeten Unternehmen sowie genossenschaftlicher Kooperationen an allen Kooperationen aus. Für G. existieren externe und governancespezifische Herausforderungen. Zu nennen sind die Gefahr der Überbeanspruchung gemeinsamer Leistungen sowie Trittbrettfahrerprobleme, die aus kollektivem Eigentum resultieren können. Mögliche Fehlentwicklungen steigen mit der Heterogenität der Mitglieder sowie mit der G.s-Größe. Zwar eint die Mitglieder ein homogener Organisationsbedarf, was Unterschiede in den Voraussetzungen und Anforderungen an die G. jedoch nicht ausschließt. Diese können die Ent-

scheidungsfindung erschweren oder strukturelle Verlierer schaffen. Zusätzlich weisen G. Prinzipal-Agenten-Beziehungen auf, die Konfliktpotenziale sowohl zwischen den Mitgliedern – das horizontale Dilemma – als auch zwischen dem gemeinsamen Unternehmen und Mitgliedern – das vertikale Dilemma – hervorrufen können. Heterogene Zielfunktionen in Kombination mit Informationsproblemen können opportunistisches Verhalten fördern. Ein häufiger Kritikpunkt seitens der Mitglieder ist die Verselbständigung des Managements. Erfolgreiche G. zeichnen sich dadurch aus, dass sie es schaffen ein stabiles Gleichgewicht zwischen ihren dezentralen und zentralen Elementen herzustellen und dass sie in der Lage sind, die Anpassung an sich verändernde Umweltanforderungen zu bewältigen, ohne die Mikrostruktur der genossenschaftlichen Kooperation zu gefährden. Die damit verbundenen Aufgaben stellen sich – dem genossenschaftlichen Kooperationsmodell entspr. – nicht nur einer jeden G., sondern auch der genossenschaftlichen Ökonomie mit ihren spezialisierten Unternehmen und Verbänden insgesamt.

Literatur

M. Stappel: Die deutschen Genossenschaften 2016, 2016 • T. Theurl: Gesellschaftliche Verantwortung von Genossenschaften durch MemberValue-Strategien, in: Zeitschrift für das gesamte Genossenschaftswesen 63/2 (2013), 81–94 • T. Theurl/C. Wendler: Was weiß Deutschland über Genossenschaften?, 2011 • T. Theurl: Hätte auch Friedrich Wilhelm Raiffeisen den Nobelpreis verdient?: Einige Reflexionen im Nachgang zum Friedensnobelpreis 2006, in: J. Nussbaumer/G. J. Pruckner/dies. (Hg.): Streiflichter der Verteilungsgerechtigkeit, 2008, 183–215 • T. Theurl: Genossenschaftliche Mitgliedschaft und Member Value als Konzept für die Zukunft, in Zeitschrift für das gesamte Genossenschaftswesen 55/1 (2005), 136–145 • O. E. Williamson: Networks – Organizational Solutions to Future Challenges, in T. Theurl (Hg.): Economics of Interfirm Networks, 2005, 3–28 • T. Theurl/A. Schweinsberg: Neue kooperative Ökonomie, 2004 • H. Bonus: Die Genossenschaft als modernes Unternehmenskonzept, 1987 • E. Boettcher: Die Genossenschaft in der Marktwirtschaft, 1980 • H. Faust: Geschichte der Genossenschaftsbewegung, 1977.　　　THERESIA THEURL

II. Rechtlich

1. Grundlage

Das von Hermann Schulze-Delitzsch verfasste erste preußische G.s-Gesetz vom 27.3.1867 wurde Vorbild für das bald darauf vom Norddeutschen Bund erlassene Gesetz vom 4.7.1868, das später für das Deutsche Reich übernommen wurde. Dieses obschon seitdem vielfach ergänzte und (v. a. durch die große GenG-Novelle 1973) geänderte GenG v. 1.5.1889 gilt im Wesentlichen noch heute. Hinzugetreten ist die Verordnung (EG) Nr. 1435/2003 des Rates vom 22.7.2003 über das Statut der SCE.

2. Begriff, Eigenart und genossenschaftliche Grundsätze

Eingetragene Genossenschaften (eG) i. S. d. GenG sind „Gesellschaften von nicht geschlossener Mitgliederzahl, deren Zweck darauf gerichtet ist, den Erwerb oder die Wirtschaft ihrer Mitglieder oder deren soziale oder kulturelle Belange mittels gemeinschaftlichen Geschäftsbetriebes zu fördern" (§ 1 Abs. 1) und im G.s-Register eingetragen sind. Andere Ziele darf eine eG nicht verfolgen. Diese ist also eine gesetzlich zweckgebundene Vereinigungsform. Kennzeichnend für diese bes. Rechtsform ist, dass sie einen nichtkapitalistischen Zweck verfolgt. Anders als insb. die Kapitalgesellschaften (↗AG, GmbH; ↗Gesellschaftsrecht) will die eG ihren Mitgliedern keine zinswirtschaftliche Kapitalrendite (Dividende und steigender Veräußerungswert des Gesellschaftsanteils) verschaffen, sondern diesen die Chance bieten, sich durch Geschäftsabschlüsse mit dem auf gemeinschaftliche Rechnung betriebenen genossenschaftlichen Unternehmen selbst zu fördern (sog.e naturale Selbsthilfeförderung). Die eG strebt also Gewinn nicht für sich, sondern für ihre Mitglieder an, denen sie Förderleistungen zur Verfügung stellt, die für diese unmittelbar nützlich sind. Da sich der wesentliche Fördergeschäftserfolg in den Mitgliederwirtschaften niederschlägt, ist er bei der eG selbst betriebswirtschaftlich schwer messbar (sog.e Operationalisierung des Fördererfolgs). Einen genossenschaftlichen Förderzweck können freilich kraft ↗Satzung auch Gesellschaften anderer Rechtsform (insb. AG, GmbH) verfolgen. Aber die aus dem übergesetzlichen allg.en G.s-Begriff abgeleiteten genossenschaftlichen Grundsätze der Selbsthilfe, Selbstverwaltung und Selbstverantwortung, die aus der Selbsthilfe folgende Doppelfunktion der Mitglieder als gemeinschaftliche Betreiber und Kunden des genossenschaftlichen Unternehmens (Identitätsprinzip), das Demokratieprinzip sowie der grundlegende Förderzweck kommen in der bes.n Rechtsform der eG am besten zum Tragen. Dementsprechend baut die bewusst personalistisch ausgestaltete Vereinigungsform der eG auf der persönlichen Mitgliedschaft und nicht auf der lediglich zweckdienlichen Kapitaleinlage der Genossen (§§ 7 Nr. 1, 19 Abs. 1 GenG) auf. Die Mitglieder dürfen aus der eG austreten (§§ 65 Abs. 1, 67a GenG). Diese erhalten dann aber lediglich ihr Geschäftsguthaben ausgezahlt (§ 73 Abs. 2 S. 2 GenG). Auf die Rücklagen und das sonstige Vermögen haben sie keinen Anspruch (§ 73 Abs. 2 S. 3 GenG). Infolgedessen hat die eG kein festes, sondern ein (obschon nur begrenzt) veränderliches Gesellschaftskapital. Darin liegt eine für die eG ebenso typische wie gefährliche Eigenkapitalschwäche. Freilich kann die Satzung ein Mindestkapital festsetzen, das auch durch Abfindungsansprüche ausscheidender Mitglieder nicht unterschritten werden darf (§ 8a Abs. 1 GenG). Kraft Satzung dürfen auch Personen, die für die Nutzung oder Produktion der Güter und die Nutzung oder Erbringung der Dienste der G. nicht in Frage kommen, als investierende Mitglieder zugelassen werden (§ 8 Abs. 2 S. 1 GenG). Dabei muss aber sichergestellt werden, dass die nichtnutzenden Mitglieder die nutzenden nicht in wesentlichen Angelegenheiten überstimmen können (§ 8 Abs. 2 S. 2 GenG).

Als förderwirtschaftlicher Personalverein darf die eG, soweit die Satzung das gestattet, auch das Nichtmitgliedergeschäft betreiben (§ 8 Abs. 1 Nr. 5 GenG), dies aber nur, um auf diese Weise ihre Mitglieder überhaupt oder wirksamer fördern zu können und nur soweit sie die Drittkunden nicht als Mitglied zu gewinnen vermag. Die eG muss anders als eine Kapitalgesellschaft kein Mindestkapital aufbringen, sondern darf ihr eigenverantwortlich zu bildendes Vermögen allmählich erwirtschaften. Die G.s-Gläubiger werden durch eine nicht nur formelle, sondern auch materielle Gründungsprüfung (§§ 11, 11a GenG) sowie die Pflichtmitgliedschaft in einem genossenschaftlichen Prüfungsverband (§ 54 GenG) geschützt. Außerdem trifft die Mitglieder eine, freilich (gem. § 6 Nr. 3 GenG) in der Satzung beschränk- und gänzlich ausschließbare Nachschusspflicht in der G.s-Insolvenz (§ 105 Abs. 1 GenG).

3. Verfassung (Organisation)

Drei Pflichtorgane, Vorstand (§ 24 GenG), Aufsichtsrat (§ 36 GenG) und Generalversammlung (§ 43 GenG), tragen die genossenschaftliche Organisation. Das GenG versucht, die eigenverantwortliche (d. h. weisungsfreie) Unternehmensleitung durch den Vorstand (§ 27 Abs. 1 GenG) mit möglichst viel basisdemokratischer Teilhabemöglichkeit der Mitglieder zu verbinden. So werden die Vorstands- und Aufsichtsratmitglieder weiterhin von der Generalversammlung gewählt (§§ 24 Abs. 2 S. 1, 36 Abs. 1 S. 1 GenG), allerdings der Vorstand nur, wenn (was die Regel ist) die Satzung nichts anderes bestimmt. Beide Organe müssen aus Genossen bestehen (§ 9 Abs. 2 GenG: Grundsatz der Selbstverwaltung). Jeder Genosse hat in der Generalversammlung grundsätzlich lediglich eine Stimme (§ 43 Abs. 3 S. 1 GenG: Prinzip der persönlichen Stimmrechtsgleichheit aller Genossen). Mehrstimmrechte sind nur begrenzt zulässig (§ 43 Abs. 3 GenG). Stimmvollmachten sind erlaubt. Ein Bevollmächtigter darf aber nicht mehr als zwei Mitglieder vertreten (§ 43 Abs. 5 S. 1 u. 3 GenG). Bei Groß-G. mit mehr als 1500 Mitgliedern beschränkt sich freilich die Selbstverwaltung derjenigen Genossen, die außerhalb der dann kraft Satzung einführbaren Vertreterversammlung (§ 43a GenG) bleiben zwangsläufig auf das aktive und passive Recht der Vertreterwahl. Immerhin kann die Satzung vorsehen, dass bestimmte Beschlüsse (insb. Satzungsänderungen und Grundlagengeschäfte) der Generalversammlung vorbehalten bleiben (§ 43a Abs. 1 S. 2 GenG).

4. Prüfungswesen

Jede eG muss einem Prüfungsverband angehören, dem staatlich das Prüfungsrecht verliehen ist (§§ 54, 63

GenG). Die genossenschaftliche Pflichtprüfung (§ 53 Abs. 1) dient sowohl dem Schutz der G.s-Mitglieder vor Einlageverlust, Nachschüssen und eigenwirtschaftlichen Rückschlägen als auch dem Schutz der G.s-Gläubiger vor Forderungsausfall. Prüfungsziel ist über die gewöhnliche Wirtschaftsprüfung hinaus die Feststellung der Vermögensverhältnisse der eG sowie der Organbesetzung und Organtätigkeit sowie der Fördertauglichkeit und wirtschaftlichen Zweckmäßigkeit der Geschäftsführung. Aufgrund der historisch gewachsenen umfassenden Aufgabe der Prüfungsverbände, die G.s-Idee zu wahren und zu fördern, hat die genossenschaftliche Pflichtprüfung nicht nur vergangenheitsbezogene Kontroll-, sondern zugl. zukunftsgerichtete Beratungsfunktion (sog.e Betreuungsprüfung). Darüber hinaus machen es sich die Prüfungsverbände i. d. R. auch zur Aufgabe (§ 63b Abs. 4 S. 1 GenG), die Mitgliederinteressen sowie die genossenschaftlichen Gesamtbelange auf wirtschafts- und rechtspolitischem Gebiet gemeinsam wahrzunehmen, die Mitglieder betriebswirtschaftlich zu beraten und kollektive Garantie- und Einlagesicherungseinrichtungen zu schaffen.

5. Genossenschaftsverbund

Als gesetzlich zweckgebundener Vereinigungsform sind der eG nur förderzweckdienliche Beteiligungen an anderen Gesellschaften gestattet (§ 1 Abs. 2 Nr. 1 GenG). Gemeinnützigen Bestrebungen darf sie nur dienen, soweit das nicht ihren alleinigen oder überwiegenden Zweck ausmacht (§ 1 Abs. 2 Nr. 2). Praktisch erheblich wird dies v. a. im mehrstufigen G.s-Verbund. So sind die i. d. R. vorwiegend aus natürlichen Personen bestehenden Primär-G. meist in Sekundär- bzw. Zentral-G. organisiert. Letztere wiederum sind ihrerseits oft zu einem genossenschaftlichen Spitzeninstitut auf Landes- oder Bundesebene zusammengeschlossen (sog.er zwei- oder dreistufiger Aufbau). Neben diesem genossenschaftlichen Kernverbund bildet sich oft mittels vielfältiger Unternehmensbeteiligungen ein genossenschaftlicher Nebenverbund. Am ausgeprägtesten ist dieser bei den Kredit-G., die v. a. die Anteile von Investment- und Versicherungsgesellschaften sowie Bausparkassen halten. Diese mehrstufige genossenschaftliche Verbundwirtschaft findet ihre eigens genossenschaftliche Rechtfertigung in der sämtliche Verbundstufen durchziehenden Basisbezogenheit aller Unternehmensziele auf die Förderbedürfnisse der Primärgenossen.

Literatur

Zu II.1-II.4

H. Bonus: The Cooperative Association as a Business Enterprise: A Study in Transaction Economics, in: ZStW 142 (1986), 310–339 • O. E. Williamson: The Economic Institutions of Capitalism: Firms, Markets, Relational Contracting, 1986 • G. Aschhoff/E. Henningsen: Das deutsche Genossenschaftswesen, 1985 • E. Boettcher (Hg.): Die Genossenschaft im Wettbewerb der Ideen – eine europäische Herausforderung, 1985 • Deutsche Genossenschaftsbank: Die Genossen-

schaften in der Bundesrepublik Deutschland, 1985 • W. W. Engelhardt: Allgemeine Ideengeschichte des Genossenschaftswesens 1985 • A. A. Alchian: Specificity, Specialization, and Coalitions, in: ZStW 140 (1984) 34–49 • E. Dülfer: Betriebswirtschaftslehre der Kooperative, 1984 • A. Picot: Transaktionskostenansatz in der Organisationstheorie: Stand der Diskussion und Aussagewert, in: DBW 42/2 (1982) 267–284 • H. W. Winter: Genossenschaftswesen, 1982 • E. Boettcher: Die Genossenschaft in der Marktwirtschaft, 1980 • E. Mändle/H.-W. Winter (Hg.): Handwörterbuch des Genossenschaftswesens, 1980 • R. Schultz/J. Zerche: Genossenschaftslehre, ²1980 • B. Klein/R. G. Crawford/A. A. Alchian: Vertical Integration, Appropriable Rents and the Competitive Contracting Process, in: J. Law Econ. 21/2 (1978), 297–326 • H. Faust: Geschichte der Genossenschaftsbewegung, ³1977 • O. E. Williamson: Markets and Hierarchies. Analysis and Antitrust Implications, 1975 • A. O. Hirschmann: Abwanderung und Widerspruch. Reaktionen auf Leistungsabfall bei Unternehmungen, Organisationen und Staaten, 1974 • R. Eschenburg: Ökonomische Theorie der genossenschaftlichen Zusammenarbeit, 1971 • G. Draheim: Die Genossenschaft als Unternehmungstyp, ²1955.

Zu II.5

V. Beuthien: Genossenschaftsgesetz, ¹⁶2017 • D. Lehnhoff/ J. Holthaus (Hg.): Genossenschaftsgesetz, ³⁸2016 • V. Beuthien/S. Dierkes/M. Wehrheim, Die Genossenschaft mit der Europäischen Genossenschaft, 2008 • J. Laurinkari: Genossenschaftswesen, 1990 • E. Mändle/H.-W. Winter (Hg.): Handwörterbuch des Genossenschaftswesens, 1980 • K. Müller: Kommentar zum Genossenschaftsgesetz, 3 Bde., 1976–2000 • H. Bauer: Genossenschaftshandbuch, 2 Bde., 1973–2017 • H. Paulick: Das Recht der eingetragenen Genossenschaft, 1956.   HOLGER BONUS (1–4)
UND VOLKER BEUTHIEN (5)

Genozid ↗ Völkermord

Gentechnik

I. Im Umbruch und gesellschaftlichen Diskurs –
II. Rechtliche Perspektiven

I. Im Umbruch und gesellschaftlichen Diskurs

Im Hinblick auf die G. lassen sich drei Grundrichtungen unterscheiden:

a) die grüne G., die sich mit der Veränderung von Pflanzen und der Nahrungsmittelproduktion beschäftigt,

b) die rote G. mit ihrem Schwerpunkt in der medizinischen Anwendung und

c) die weiße G. mit Schwerpunkt in der industriellen Produktion von Medikamenten, Substanzen und Industrierohstoffen bis hin zum Biokraftstoff durch transgene Mikroorganismen.

Insb. die grüne G. steht sowohl innerwissenschaftlich wie gesellschaftlich im Zentrum jahrzehntelanger Kontroversen. In der Gesellschaft prallen verschiedene weltanschauliche Denkformen aufeinander. Wissenschaftstheoretisch kann sie als Ausdruck des klassischen Wissenschaftsethos (Freiheit der Wissenschaft und Sicherung ihrer methodologischen Standards), aber auch i.S.d. ↑Wissenssoziologie als Forschungspraxis mit gesellschaftlich-ökonomischen Einbettung (Folgen) verstanden werden. Insb. die zweite Perspektive wird häufig als ↑Wissenschaftsethik bezeichnet. Das Nebeneinander dieser beiden natur- und geisteswissenschaftlich orientierten Ansätze in der Wissenschaftsphilosophie und -ethik, mit denen sich i.d.R. sehr unterschiedliche Bewertungen verbinden, hängt nicht zuletzt mit einer inneren Strukturveränderung der ↑Naturwissenschaften selbst zusammen, nämlich mit dem Übergang von den experimentellen Naturwissenschaften zur technologisierten ↑Forschung und ↑Wissenschaft, welche neben den Forschungsergebnissen auch den Forschungsprozess selbst in Innovationskulturen (↑Innovation) wie deren industrielle Anwendung im Hinblick auf mögliche Folgen auf Natur und Gesellschaft analysieren muss.

1. Gen, Genetik, Züchtungspraxis und Gentechnologie

Der Begriff „Gen" wird auch im Kontext biologischer Wissenschaft nicht eindeutig, sondern als ein natürlicher, materialer, funktionaler oder struktureller Gegenstand verstanden. Der Begriff „Genetik" umfasst also Vererbungslehre, Populationsgenetik, mathematische, evolutive und ökologische Genetik. Man kann wissenschaftstheoretisch Genetik als eine aus der Züchtungspraxis konstituierte biologische Wissenschaft begreifen. Allerdings dürfte es nicht gelingen, die aus der G. generierte synthetische Biologie ebenfalls als aus der Züchtungspraxis hervorgegangen zu rekonstruieren. Hier greift das Leitbild der Bioingenieurskunst. Die Unterschiede zwischen technischer und technologischer Praxis, also zwischen Züchtung und Gentechnologie, bestehen insgesamt darin, dass Laborverfahren dazwischengeschaltet sind. Diese führen zu einer viel besseren Abklärung von biologischen Prozessen im Detail und im Kausalparadigma, nicht aber von Gesamtzusammenhängen. Dies unterscheidet die Züchtungspraxis auf dem Bauernhof von der Züchtungsforschung im Labor, wobei eigentlich der moderne Saatzuchtbetrieb vom Universitäts- bzw. MPI-Labor unterschieden werden muss. Züchtung ist eine lang ausgeübte technische Praxis, wobei nahezu 12 000 Jahre technisches Umgangswissen die Grundlage gebildet haben. Erst gegen Mitte des 20. Jh. gelang es, die wissenschaftlichen Grundlagen für diese technische Praxis zu entschlüsseln. Zugl. bildete sich mit der synthetischen Biologie ein neuer Typ technischen Handelns aus, der die Züchtungspraxis radikal veränderte. Populationen bestehen aus genetisch verschiedenen Individuen, so dass allein schon durch die Fortpflanzung immer wieder neue Varianten von Organismen erzeugt werden.

In der natürlichen Zuchtwahl wird die Rolle des Züchters von den Lebensbedingungen des jeweiligen Organismus übernommen, wobei der Terminus Lebensbedingungen bei Charles Darwin doppeldeutig einmal als wirkende Kraft, einmal als relationaler Ausdruck für die Beziehungen des Organismus zur Umwelt verwendet wird. In der Pflanzenzucht vollendet die Gentechnologie die gegenseitige Durchdringung der beiden Bereiche Pflanzenzüchtung und akademische Züchtungsforschung. Sie vollzog sich in vier Schritten. Der erste wurde von Gregor Mendel unternommen und um 1900 allg. bekannt. Nach G. Mendel begann die Verwissenschaftlichung des praktischen Züchtungsprozesses. Die zweite große Phase benutzte die Verfahren der Mikromutationen und der Polyploidisierung etwa ab 1927. Man könnte sie als konventionelle Mutagenese bezeichnen. Die dritte Entwicklungsstufe setzte durch somaklonale Variation und Protoplastenfusion an einzelnen Zellen und ihrer Manipulation an, bevor ab 1973 mit der G. der Gentransfer und die gezielte Mutagenese begann.

2. Gentechnologie in der Pflanzenzucht, transgen nachwachsende Rohstoffe und industrialisierte Nahrungsmittelproduktion

Weltweit verbreitete transgene Pflanzen sind v.a. Soja, Mais, Baumwolle und Raps; in Europa ist außer Spanien die Forschung zur grünen Gentechnologie weitgehend zum Erliegen gekommen. Deutschlands Felder sind gentechnikfrei und die Freilandforschung zur grünen G. findet hier nicht statt. Affekte gegen Großunternehmen und Ideologien, die in Dichotomien denken wie natürlich/ unnatürlich, welche parallelisiert werden mit gesund/ ungesund, bestimmen die öffentliche Wahrnehmung der grünen G. in Deutschland und Europa. Einer der wesentlichen Gründe dafür ist, dass sich die grüne G. heute nicht mehr in kleinen Saatgutfirmen, sondern im Horizont der chemischen Industrie entwickelt. Allerdings gibt es auch kleine universitäre Institute und Startups. Früher wurde auch kritisiert, dass Teile der Genvektoren in den transgenen Tieren zurückblieben und aus Mikroorganismen stammten. Dies ist allerdings kein vernünftiger Einwand, denn Gensequenzen von Bakterien werden und wurden im Verlauf der ↑Evolution in andere Lebensbereiche ständig übertragen. Die Integration von viralem und bakteriellem Material in höhere Organismen war auch schon vor der G. ein normaler evolutionärer Prozess. Zudem trifft die Möglichkeit des Zurückbleibens von Genvektoren auf die modernen Verfahren der Genomeditierung nicht zu.

Die G. überwindet Begrenzungen, die klassische Kreuzungsmethoden innerhalb einer Art aufwiesen. Warum das aber ein Nachteil sein soll, ist von sich aus nicht einsichtig. Bisher wurden ungefähr 250 Gene oder Pflanzeneigenschaften untersucht. Die Entwicklung neuer Eigenschaften kostet durchschnittlich ca. 80–100 Mio. Euro, die Umweltverträglichkeitsprüfung nicht eingerechnet. Der Einsatz der G. als Methode ist nur unter den homogenen Bedingungen industrialisierter

Landwirtschaft (↑Land- und Forstwirtschaft) möglich, könnte aber bioverträglicher werden. Hinzu kommt, dass die biologischen Zusammenhänge auf dem Feld noch wenig verstanden sind. Monsanto hat jedenfalls durch seine intransparente Kommunikation und mangelnde Rücksicht auf die Belange der Kleinbauern der grünen Gentechnologie sehr geschadet. Das Verhalten dieser Firma liegt aber keineswegs in der G. als Methode begründet, sondern in einer spezifischen Ausformung der Ökonomie und Interpretation des ↑Patentrechts. Auch bei der Bewertung der G. in ihrem Einsatz in Schwellen- und Entwicklungsländern ist eine differenzierte Betrachtungsweise erforderlich. Wie die Bt-Baumwolle in Indien gezeigt hat, kann grüne G. auch für Kleinbauern interessant sein. Durch sie ist der Insektizideinsatz wesentlich verringert worden, und es konnten deutliche Ertragsvorteile für Kleinbauern erzielt werden. Ein Zusammenhang mit der Selbstmordrate indischer Kleinbauern ist, anders als vielfach in der Presse behauptet, nicht wahrscheinlich. Die grüne G. bietet in Entwicklungsländern für Kleinbauern also die Chance, ihre Einkommen deutlich zu verbessern.

Bei der Freisetzung transgener Nutzpflanzen sind insb. ökologische Aspekte zu beachten. Gefahrenpotenziale könnten entstehen, wenn die neu geschaffenen Pflanzenvarietäten sekundäre toxische Metaboliten oder ein toxisches Protein bilden. Zu berücksichtigen ist ferner, ob die transgenen Pflanzen nahe natürliche Verwandte haben. Dies ist in Europa bei den Nutzpflanzen weitgehend nicht der Fall. Andererseits zeigen verschiedene Studien, dass es bei bestimmten Varietäten in definierten Lebensräumen zu unbeabsichtigten Kreuzungen kommen kann. Ein bekanntes Beispiel hierfür ist die Hirse in Afrika. Hier gibt es mittlerweile alle möglichen Schattierungen zwischen den urspr.en Wildtypformen und der im Ackerbau verwendeten ertragreicheren Zuchthirse. In diesem Bereich gibt es neue Modellvorstellungen für biologisches Containment durch Einsatz von nicht vermehrungsfähigem Saatgut. Von Landwirten wird dies als Eingriff in traditionelle Formen der Saatgutvermehrung interpretiert.

Das deutsche GenTG von 1990, in welchem Sicherheitsrichtlinien für gentechnische Experimente festgelegt wurden, erzeugte ein Bewertungsproblem der G. Da die Kompatibilität auch eines GVO (gentechnisch veränderten Organismus) mit der Umwelt vorab nicht leicht abzuschätzen ist, wird der Begriff der Umwelt in ihrem Wirkungsgefüge in die Zweckbestimmung des GenTG aufgenommen. Außerdem müssen die möglichen Langzeitfolgen der neuen Technologie beachtet werden. Aufgrund der Grenzen der Determiniertheit evolutionärer Prozesse sind die Folgen natürlicher Entwicklungsprozesse wie herkömmlicher Züchtungsprozesse oder von GVOs schwierig zu prognostizieren. Die Novellierungen von 1993 und 2004 sprechen von einem höchstmöglichen Schutz von Mensch und Umwelt, und 2005 kommt noch der ethische ↑Tierschutz hinzu. Diese Novellierungen tragen dem gewachsenen ökologischen Bewusstsein Rechnung. Im GenTG wird der Schutz der Natur (↑Naturschutz) zum ersten Mal zum Zweck des Gesetzes. Angesichts des dynamischen Schutzobjekts Natur gab es Definitionsschwierigkeiten mit bestimmten Modellannahmen (z.B. die bes. Kennzeichnungspflicht für GVOs, denn risikofrei sind weder natürliche, züchterische noch gentechnologische Erzeugungsweisen von Mutationen) bei der Risikobewertung i.S.d. Gefahrenabwehr. Eine der größten Schwierigkeiten war, dass es keine hinreichend klare naturwissenschaftliche Bestimmung des Naturbegriffs und seines Zusammenhanges i.S.d. Gesetzes gab. Es musste schließlich anerkannt werden, dass das zugrunde liegende Konzept der Natur selbst eine Konstruktionsleistung der Gesellschaft ist. Durch die neuen Methoden der Genomeditierung wird die Sonderbehandlung der GVOs noch weniger einsichtig, weil methodenspezifische Risiken der Erzeugung von GVOs (ungerichteter Gentransfer und Verbleib von Resten des Genvektors im GVO) wegfallen.

3. Transgene Nutz- und Versuchstiere

Im Hinblick auf evolutionär-ökologische ↑Risiken wurde die Erzeugung transgener Tiere über Artschranken hinaus als ethisch erheblich Problem eingestuft. Zum einen ist zumindest bei den höheren Tieren die Art durch Fortpflanzungsgemeinschaft definiert. Arten entstehen evolutionär gesehen über relativ kurze Zeiträume, nämlich in etwa 10 000 bis 15 000 Jahren. Doch obwohl der Mensch mit dem Hund über einen solchen Zeitraum züchterische Erfahrung besitzt, ist ihm die Züchtung einer neuen Art noch nicht gelungen. Zwar konnten Esel und Pferd zum Maultier gekreuzt werden, doch Maultiere sind nicht fortpflanzungsfähig, so dass von einer neuen Art nicht gesprochen zu werden vermag. Es wird daher nicht so leicht zur Entstehung neuer Arten, im Unterschied zu neuen Rassen, kommen. Artüberschreitender Gentransfer ist sittlich so lange unproblematisch, als es sich um die genetische Grundlage einzelner Merkmale handelt, die produzierten Tiere gesund und in ihrem Verhalten nicht gestört sind. Denn artüberschreitender Gentransfer beim Nutztier bedingt keine speziesübergreifende Änderung der Paarungsgemeinschaft. Auch ein transgenes Schwein bleibt ein Schwein, das sich allerdings aufgrund der genetischen Individualität von anderen Schweinen an vielen Genorten unterscheidet. Unterschieden werden muss hier die transspezifische Evolution, die in langen Zeiträumen zu entspr.en Divergenzen mit Bildung eigener Fortpflanzungsgemeinschaften führt und die intraspezifische Evolution mit der Bildung von Rassen. Der Gentransfer bewirkt keine transspezifischen Evolutionsschritte. Die Tatsache, dass beim Gentransfer Sequenzen von einer Paarungsgemeinschaft auf eine andere übertragen werden, führt zwar innerhalb der aufnehmenden Art zu einer Erhöhung der genetischen Variabilität, bedingt aber keine speziesübergreifende Änderung der Paarungsgemeinschaft. Die Art als ethische Grenze zu definieren, könnte als ein naturalistischer Fehlschluss interpretiert werden.

Auch die Freisetzung transgener Nutztiere stellt kein eigentliches Problem dar, da zumindest bei normalen Nutztieren ein Entkommen aus einem eng umgrenzten Bereich eigentlich unmöglich sein sollte, abgesehen von Insekten. Die Haltungsbedingungen stehen in einem steten Konflikt mit der ökonomisch erforderlichen Kostenminimierung. Neben der Tiergesundheit werden häufig als Kriterium die Bedürfnisse einer Art angeführt. Diese gelte es zu erforschen. Bes. zu berücksichtigen sei die Verpflichtung zu artgemäßer Behandlung und zu artgerechter Haltung und Fütterung der Tiere. Die Behauptung des Verhaltensforschers Wolfgang Wickler ist nicht von der Hand zu weisen, dass „artgemäß" gerade bei gezüchteten Arten eine irreführende Kategorie sei. Ein günstigeres Maß als das Wohlbefinden seien Stresssymptome, die physiologisch relativ gut definiert seien. Auch der Begriff des Schadens scheint praktikabel, weil sich Schäden anders als Leiden, Bedürfnisse, Wohlbefinden oder Interessen empirisch und oft auch direkt im Vergleich mit Unversehrtheit feststellen lassen. Schäden sind darum auch ein wichtiges Bewertungskriterium. Eine Folgenbewertung wird auch die menschliche Gesundheit nicht unberücksichtigt lassen dürfen. Die in Nahrungsmitteln enthaltene Nukleinsäure wird beim Kochen und Braten weitgehend denaturiert. Dasselbe gilt für Proteine, so dass in diesem Bereich Risiken für die menschliche Gesundheit kaum zu erwarten sind.

Tierversuche sollen spezifische Anzeichen oder Symptome einer menschlichen Gesundheitsstörung oder Krankheit sowie die Möglichkeiten von Therapien und die Wirkungen von Medikamenten herausfinden. Sie dienen u.a. der Bewertung ätiologischer, kausalanalytischer Theorien bestimmter Krankheiten, wobei inzwischen sogar psychische Krankheiten zum Gegenstand der Modellierung gemacht werden, also Krankheiten, die als spezifisch menschlich gelten. An den Tiermodellen sollen die zugrunde liegenden Mechanismen studiert und eventuell bestehende Behandlungsmethoden präklinisch bewertet werden. Zwei ethisch relevante Probleme werden im Zusammenhang mit der Versuchstierforschung erwähnt. Es handelt sich um die Frage des zugefügten Schmerzes und des Todes. Denn die überwiegende Mehrzahl gerade transgener Tiermodelle werden vor oder nach dem Experiment getötet. Auch bei herkömmlichen Tierversuchen sind es 70–80%. Schmerz ist in erster Linie vom biologischen Standpunkt aus betrachtet Information, die allerdings im Zusammenhang mit den Experimenten nicht funktional ist. Schmerz und Stress kann die Versuchsergebnisse in unerwünschter Weise beeinflussen und sollte daher meist schon aus methodischen Gründen ausgeschaltet werden. Ergebnisse von leidenden und verängstigten

Tieren sind wissenschaftlich wertlos und artgerechte Tierhaltung ist Voraussetzung für das Gelingen eines Verhaltensversuches. Hier können ethische Argumente unterstützend eingreifen.

4. Synthetische Biologie – die Neuerfindung der Gentechnologie

Seit gut zehn Jahren werden mit dem Begriff „synthetische Biologie" Forschungsvorhaben, Methoden und Verfahren zu einem Umbau natürlicher Organismen bezeichnet, der über das hinausgeht, was bislang mithilfe der G. möglich war. Die Ansätze reichen bis hin zur Schaffung (kompletter) künstlicher „biologischer" Systeme. Die kurz- und mittelfristige Bedeutung wie auch das längerfristige Potenzial des sehr heterogenen Feldes werden innerhalb von Wissenschaft, Wirtschaft und Politik durchaus unterschiedlich eingeschätzt, was auch an der nach wie vor fehlenden stringenten Definition liegt. Viele Forschungs- und Entwicklungsansätze der synthetischen Biologie richten sich auf die Nutzung nachwachsender anstelle fossiler Rohstoffe in der Chemie- und Energieproduktion und damit auf Kernbereiche einer zukünftigen ↗„Bioökonomie". Hinzu kommen vielfältige Ansätze in der ↗Medizin sowie im Bereich der Umweltsensorik und -sanierung. Das Ziel ist jeweils, mithilfe der synthetischen Biologie einige den biologischen Prozessen innewohnenden Begrenzungen zu überwinden bzw. diese zumindest auszudehnen.

Während die Herstellung von am Reißbrett neu entworfenen Zellen oder Organismen gegenwärtig nach wie vor den Status einer Zukunftsvision aufweist, hat sich die Situation bei der synthetischen Biologie im weiteren Sinne, verstanden als nächste Stufe der Bio- bzw. Gentechnologie, in jüngster Zeit massiv gewandelt. Die Diskussion über die neuen Möglichkeiten und Konsequenzen der Genomeditierungsverfahren hat sich seit 2015 so ausgebreitet und intensiviert, dass von einer grundlegenden Veränderung der Debattenlage über die Weiterentwicklung und -nutzung von Genmanipulationstechniken auszugehen ist. Mögliche Gefährdungen durch synthetisch hergestellte Lebewesen ergeben sich durch spezifische Merkmale und mögliche Wechselwirkungen zwischen diesen sowie bestimmten Einbettungs- oder Umweltfaktoren. Dabei spielt die Art und Weise der Erzeugung für die Gefährdung nicht die entscheidende Rolle, sondern vielmehr die Frage nach der Verantwortungsübernahme (und damit verbunden möglichen Haftungsfragen; ↗Verantwortung, ↗Haftung) bei ihrer möglichen Freisetzung. Fragen der biologischen Sicherheit haben die inner- und außerwissenschaftliche Debatte der synthetischen Biologie von vornherein begleitet. Nachdem die meisten Produkte und Verfahren am Anfang ihrer Entwicklung stehen, sind auch ihre möglichen sicherheitsrelevanten Eigenschaften wie Toxizität, Allergenität, Pathogenität, Ausbreitungsverhalten und Überlebensfähigkeit weitgehend unbekannt.

Wenn synthetische Biologie wie die Züchtungsforschung und die Genomforschung zumindest in ihrer neueren Form auf der Basis von gezieltem Gentransfer (anders als frühere Formen einer Ingenieurtechnik, die auf Physik oder Chemie und ihren Naturgesetzen aufbaute) als eine technologische Erweiterung natürlich vorkommender Formen des Lebendigen und seiner Evolution im Rahmen einer zwar künstlich induzierten, aber nichtsdestoweniger möglichen Form der evolutionären Weiterentwicklung dessen, was bereits bei der Kreuzung künstlich induziert gewesen ist, verstanden wird, könnte ein völlig neues Verständnis von bionisch orientierter Technologie entstehen. Technologisches Design des Lebendigen erzeugt lebende Artefakte mit anderen Eigenschaften als eine Technologie auf der Basis von physikalisch oder chemisch beschreibbaren Materialien.

5. Gentechnik und das Paradigma der Projektmedizin
Die meisten Wertekonflikte in der ↑Humangenetik erweisen sich als Konflikte zwischen verschiedenen Ethikkonzeptionen. Dabei ist die wichtigste Konfliktlinie die zwischen Pflichten- und Verantwortungsethik einerseits, dem ↑Utilitarismus andererseits. Reichweite und Grenzen dieser Modelle müssen unter veränderten Bedingungen neu ausgelotet werden. So ist eine Individualisierung, Personalisierung, Technologisierung und Vernetzung im Gesundheitswesen durch Bio- und Projektmedizin in folgenden Bereichen zu erwarten:
a) Lifestylemedikamente, Neuroenhancement, Eigen-Doping und Pharmazeutika: veränderte Patientenrolle und der Hausarzt als Gesundheitsmanager;
b) Intensivmedizin und Organtransplantation: Medizinische Innovation und klinische Praxis; Xenotransplantation;
c) Biomedizin, personalisierte Medizin und Präventivmedizin: Medizinische Dokumentation oder idealer Patient? Humangenetische Beratung;
d) wunschorientierte Medizin: Fortpflanzungsmedizin, Klonen und Designerbabys: Eugenik von unten oder neue Verantwortung für Eltern?
e) Heilsorientierte Medizin: ↑Stammzellenforschung, Neuroenhancement und Lebensverlängerung: Realisierung von Menschheitsträumen oder Hybris?
Das neue Paradigma der Projektmedizin beruht auf der Verknüpfung von Organtransplantation, Bio- bzw. Gentechnologie und Fortpflanzungsmedizin. Es hat noch stärker als bisher einen technologiebedingten Wertewandel erzeugt aufgrund ständig neuer und wachsender Handlungs- und Entscheidungsmöglichkeiten, die nicht eugenischer Art sind. ↑Gesundheit und Krankheit gehören zunächst der Privatsphäre an, haben aber auch eine öffentliche Dimension, da Krankheit auch eine soziale Rollenzuschreibung ist (z.B. die Befreiung von der Arbeitspflicht). Auch wenn sich das Selbstverständnis von Patientenautonomie mit den neuen Typen von Medizin und Medizinethik ändert, grundlegende Schemata

der Leiborientierung sollten trotz der neuen Typen von Medizinethik gerade wegen deren starker Körperorientierung erhalten bleiben. Bei der Überprüfung der Legitimität technischer Entwicklung ist nicht ein naturrechtlich begründetes (↑Naturrecht), normatives Menschenbild zugrunde zu legen, sondern ein Menschenbild, orientiert an ↑Autonomie, Kreativität und Gestaltung des eigenen Lebens, wie es bspw. die hermeneutische Ethik anbietet oder eine phänomenologisch-hermeneutische ↑Anthropologie, auch in der Medizin.

Gesundheit ist heute weniger als früher eine Frage der Gabe und Fügung, sondern stärker eine Aufgabe und eine Frage der Organisation. Gesundheit unter Knappheitsaspekten ist als Gegenstand der Gesundheitsökonomik zu betrachten. Damit wird sich also in absehbarer Zeit nicht mehr alles medizinisch Machbare und Wünschenswerte für jeden finanzieren lassen und wird es darum gehen, Zugangsbeschränkungen zu begründen und einzuführen. Mit der Projektmedizin ist ein tief greifender Wandel im Gesundheitswesen zu beobachten, vom Therapeutischen ins Geschäftsmäßige. Es geht darum, gute Gesundheit zu erreichen, allerdings nicht vollkommene, und den Zugang zu Gesundheitsdiensten gerecht zu verteilen. In diesem Zusammenhang stellt sich die Frage nach der Prävention von Krankheiten. Indem G. ermöglicht, vorsymptomatische Erkrankungsdispositionen früher zu erkennen und zu therapieren, kann sie dazu einen wesentlich Beitrag leisten.

6. Zur sozialethischen Bewertung der Gentechnologie
Als Folge wissenschaftlicher Forschung hat sich zumindest in der technologischen wie in der grundlagenorientierten Forschungspraxis der Gegensatz von natürlich und künstlich, von ↑Natur und ↑Technik, von Natur und ↑Kultur immer mehr verflüchtigt und aufgelöst, während er in der ethischen und öffentlichen Diskussion immer emphatischer herangezogen wird. Es manifestiert sich das Paradox der Lifesciences: Das Natürliche und das Lebendige wird am effizientesten mit modernster Technoscience erforscht und verstanden. Der erfolgreiche technische Zugang zum Lebendigen wie zum Organismus und seiner Organisation sind wesentlicher Ausgangspunkt auch für die Analyse der sittlichen Dimensionen der Erkenntnis des Lebendigen und des Umgangs mit ihm. Das sollte Konsequenzen für ↑Bioethik und medizinische Ethik haben. So ist das entscheidende Kriterium für die Bewertung von G. als Methode, nun technisch eingelöst: wenn Genetiker über die Fähigkeit verfügen, zielgenauen Gentransfer weitestgehend durchzuführen, so ändert das auch die wissenschaftssoziologische (oder ethische) Bewertung dieser Technik. Und das ist jetzt der Fall.

Seit der Entdeckung der Restriktionsendonukleasen (Genscheren) vor über 40 Jahren sind Molekularbiologen in der Lage, gezielt Gene im Genom eines Organismus zu verändern. Vor wenigen Jahren sind nun sog.e

Zinkfinger-Nukleasen, TALENs *(transcription activator-like effector nuclease)* und CRISPR-Cas als steuerbare Genscheren entdeckt bzw. weiterentwickelt worden. Dadurch steht der Forschung ein neues instrumentelles Repertoire für molekulargenetische Arbeiten zur Verfügung. Diese neuen Werkzeuge sind so programmierbar, dass sie nahezu jeden beliebigen Ort der DNA-Sequenz des Genoms genau ansteuern und dort einen Schnitt setzen können. Während die Programmierung und der Einsatz von Zinkfinger-Nukleasen und TALENs noch recht umständlich und kostenintensiv sind, kann die CRISPR-Cas-Methode sehr effizient, zeitsparend und kostengünstig angewendet werden. Sie hält deshalb weltweit in immer mehr Forschungslaboratorien Einzug. Ein entscheidender Durchbruch für die Anwendung von CRISPR-Cas für die Genomeditierung gelang im Jahre 2012. Aufgrund der zunehmend schwindenden Differenzierbarkeit zwischen den durch natürliche Prozesse, konventionelle Züchtungsmethoden und mittels Genomeditierung erzielten genetischen Veränderungen in der Tier- und Pflanzenzucht bedarf es der Entwicklung neuer Verfahren für eine produktbasierte Bewertung und Regulation von GVOs sowie der Erhaltung der biologischen Sicherheitsforschung in Deutschland.

CRISPR-Cas könnte die Agrarwirtschaft revolutionieren. Anders als bei der bisherigen grünen G. werden i. d. R. nicht mehr fremde Gene von außen eingeführt, sondern einzelne in einer Pflanze vorhandene DNA-Bausteine gezielt entfernt oder modifiziert. Forscher nutzen dabei einen Mechanismus, den sie in Bakterien entdeckt haben, um Pflanzen oder Tierzellen dazu zu bringen, präzise Änderungen ihrer DNA-Sequenz selbst vorzunehmen. Die wissenschaftlichen und technologischen Experten vertreten mehrheitlich die Position, dass die herkömmliche Definition eines GVO auf die mit dieser Methode erzeugten Organismen nicht angewendet werden kann. Freilich wird diese Expertenmeinung nicht von allen Rechtswissenschaftlern geteilt und ist insb. im Ökolandbau umstritten.

Genomeditierung könnte zur Methode eines biokybernetisch-nachhaltigen Zeitalters werden. Das evolutionäre Potenzial des jeweiligen Genoms eines Lebewesens einschließlich das des Menschen erweitert sich enorm, der Mensch wird dadurch aber nicht wirklich post- oder gar transhuman. Der Weg zum Designermenschen bleibt nicht zuletzt aufgrund der weiten Verbreitung epigenetischer Formen der Genexpression beim Menschen doch recht schwierig. Folgende Einteilung kann für die Entwicklung der G. vorgeschlagen werden:

a) von der Mendelgenetik zur Entwicklung der theoretischen Vorstellung der Doppelhelix zwischen 1900 und 1953;

b) Entwicklung der Genetik zunächst theoretisch und dann zunehmend experimentell-instrumentell als Biochemie 1953 bis 2012/15 und

c) ab 2010 Entwicklung der Genomeditierung, synthetischen Biologie und *Cross-Scale*-Computermodellierung von biologisch-evolutionären Entwicklungsprozessen.

Die sozialethische Auseinandersetzung hierzu steht erst ganz am Anfang, sie muss *hermeneutisch* ansetzen, um zunächst überhaupt zu verstehen, welchen Einfluss die neuen technischen Möglichkeiten auf das Selbstverständnis des Menschen haben, sie muss *produktbasiert* ansetzten, da sich am Herstellungsverfahren die Unterschiede nicht mehr hinreichend nachweisen lassen, und *verantwortungsethisch* in einer Bewertung von den Folgen her, soweit sie sich evolutionsbiologisch bedingt überhaupt vorhersagen lassen. Dies gilt für alle wissenschaftsbasierten Züchtungsverfahren. Allerdings haben wir auch mit den Verfahren des *Cross-Scale Computer Modelling* neue Instrumente der Folgenabschätzung für ökologische und soziale Konsequenzen.

Literatur

S. Schleissing: Perspektiven der Genom Editierung in der Landwirtschaft; in: TTN-Info 1 (2017), 1–2 • B. Irrgang: Evolutionär orientierte Bioethik im Zeitalter der Life-Sciences. Einführung in die nichtmedizinische Bioethik aus hermeneutisch-phänomenologischer Perspektive, 2016 • B. Irrgang/C.-P. Heidel: Medizinethik. Lehrbuch für Mediziner, 2015 • Leopoldina u. a. (Hg.): Chancen und Grenzen des genome editing, 2015 • A. Sauter u. a.: Synthetische Biologie – die nächste Stufe der Bio- und Gentechnologie. Endbericht zum TA-Projekt, in: Büro für Technikfolgen-Abschätzung beim Deutschen Bundestag (Hg.): Arbeitsbericht Nr. 164, 2015 • A. Meyer/S. Schleissing (Hg.): Projektion Natur. Grüne Gentechnik im Fokus der Wissenschaft, 2014 • B. Irrgang: Projektmedizin. Neue Medizin, technologie-induzierter Wertewandel und ethische Pragmatik, 2012 • J. Boldt/O. Müller/G. Maio: Synthetische Biologie. Eine ethisch-philosophische Analyse, 2009 • B. Irrgang: Der Leib des Menschen. Grundriss einer phänomenologisch-hermeneutischen Anthropologie, 2009 • B. Irrgang: Hermeneutische Ethik. Pragmatisch-ethische Orientierung für das Leben in technologisierten Gesellschaften, 2007 • B. Schöne-Seifert: Grundlagen der Medizinethik, 2007 • B. Irrgang: Von der Mendelgenetik zur synthetischen Biologie. Epistemologie der Laboratoriumspraxis Biotechnologie, 2003 • B. Irrgang: Humangenetik auf dem Weg in eine neue Eugenik von unten?, 2002 • B. Irrgang u. a.: Gentechnik in der Pflanzenzucht. Eine interdisziplinäre Studie, 2000 • M. Gutmann/P. Janich: Zur Wissenschaftstheorie der Genetik, 1997 • B. Irrgang: Forschungsethik Gentechnik und neue Biotechnologie, 1997 • M. Vogt: Sozialdarwinismus, 1997 • DFG (Hg.): Tierversuche in der Forschung, 1993 • D. R. Cohin/J. B. Henderson: Health, Prevention and Economics, 1988 • W. Wickler: Sieben Thesen zum Tierschutz; in: Der Tierzüchter 32/6 (1980), 248. BERNHARD IRRGANG

II. Rechtliche Perspektiven

1. Begriff

Humane G. erforscht und verändert das menschliche Genom. Das Genom eines Menschen umfasst die Summe seiner Erbinformationen, die in Form der Chromosomen in den Zellen eines Menschen vorliegen. Träger der Erbinformationen in jedem Chromosom ist die DNA, in deren Doppelhelixstruktur sich stets Adenin und Thymidin bzw. Cytosin und Guanin zu Basenpaaren ergänzen. Jede Zelle des menschlichen Organismus verfügt grundsätzlich über die gleiche DNA. Dabei bilden jeweils drei aufeinander folgende Basenpaare ein Codon, das die Informationen für die Synthetisierung einer Aminosäure enthält. Durch die Aneinanderreihung von Codons entsteht ein Gen, das wiederum die Erbinformationen für ein Protein („Bausteine des Lebens") codiert. Gene umfassen zwischen 1000 und 500 000 Basenpaare. Der Mensch besitzt zwischen 30 000 und 40 000 Gene. Diese machen jedoch nur 3–5 % der insgesamt ca. 3,2 Mrd. Basenpaare aus. Die Bedeutung der verbleibenden insgesamt 95–97 % ist unerforscht *(junk-DNA)*. Das individuelle Genom jedes Menschen ist einmalig, sodass es zu seiner Identifizierung dienen kann. Darüber hinaus enthält es Informationen über persönliche Anlagen und damit auch über Erbkrankheiten.

2. Rechtlicher Rahmen

Aufgrund der zentralen Bedeutung des menschlichen Genoms für die individuelle Entfaltung der Persönlichkeit genießen alle Menschen im Hinblick auf ihre Erbinformationen bes.n (verfassungs-)rechtlichen Schutz. Mit Blick auf die menschliche ↗Freiheit wird dieser Rechtsschutz v. a. durch das allg.e Persönlichkeitsrecht (Art. 2 Abs. 1 i. V. m. Art. 1 Abs. 1 GG) gewährleistet, das auch das Recht auf (gen-)informationelle Selbstbestimmung umfasst. Sollte eine G. die menschliche Subjektqualität prinzipiell in Frage stellen oder Menschen auf ein bloßes Objekt reduzieren, verstößt dies gegen die Menschenwürdegarantie (Art. 1 Abs. 1 GG; ↗Menschenwürde). Hinsichtlich der ↗Gleichheit aller Menschen gilt das Verbot der genetischen Diskriminierung (Art. 3 Abs. 1 GG, Art. 21 EuGRC). Danach sind sehr hohe Anforderungen an die Begründung einer genetischen Ungleichbehandlung zu stellen, weil genetische Merkmale erstens den Kriterien der absoluten Diskriminierungsverbote sehr nahestehen (Art. 3 Abs. 3 S. 1 GG), zweitens i. d. R. nicht individuell beeinflussbar sind und drittens eine Ungleichbehandlung weiterreichende individuelle und soziale Folgen nach sich ziehen kann. Um ↗Würde, ↗Persönlichkeitsrecht und Gleichheit zu gewährleisten, reguliert der Gesetzgeber die humane G. durch das ESchG, GenDG und StZG sowie das Datenschutzrecht (↗Datenschutz).

3. Genetische Analysen

Genetische Analysen werden durch das GenDG und das ESchG geregelt. Sie dienen der Feststellung genetischer Eigenschaften. Das GenDG verfolgt den Zweck, eine hohe Qualität genetischer Analysen zu gewährleisten und Würde, Persönlichkeitsrecht und Gleichheit der be-

troffenen Person zu garantieren (§ 1 GenDG). Im Mittelpunkt des GenDG steht die Regelung der genetischen Untersuchungen zu medizinischen Zwecken (§§ 7–16 GenDG). Darüber hinaus versucht das Gesetz, für die genetische Untersuchung zur Klärung der Abstammung einen Ausgleich der Interessen aller betroffenen Personen unter bes.r Berücksichtigung des ↗Kindeswohls im Einzelfall herzustellen (§ 17 GenDG; BVerfGE 117, 202). Der Einsatz genetischer Untersuchungen im Versicherungswesen und Arbeitsleben wird restriktiv geregelt, um die Freiheits- und Gleichheitsrechte der versicherten und arbeitenden Personen zu wahren (§§ 18–22 GenDG).

3.1 Genetische Analysen zu medizinischen Zwecken
Die genetische Analyse zu medizinischen Zwecken wird heute durch das Paradigma der „personalisierten" bzw. „individualisierten Medizin" *(precision medicine)* bestimmt, die in der genetischen Analyse den Schlüssel für stratifizierte, wenn nicht sogar individualisierte Behandlungsansätze sieht. Das GenDG reguliert die genetischen Untersuchungen zu medizinischen Zwecken (§§ 7–16 GenDG). Genetische Analysen zu medizinischen Zwecken werden grundsätzlich unter einen Arztvorbehalt gestellt (§ 7 GenDG). Die Einwilligung (§ 8 GenDG), Aufklärung (§ 9 GenDG), genetische Beratung (§ 10 GenDG) und Mitteilung der Untersuchungsergebnisse (§ 11 GenDG) soll die betroffenen Personen in die Lage versetzen, selbstbestimmt über ihre genetischen Untersuchungen, Daten und Proben zu entscheiden. Dies gilt auch für nicht einwilligungsfähige Personen, denen die Bedeutung der genetischen Untersuchung grundsätzlich in einer ihnen gemäßen Weise so weit wie möglich verständlich zu machen ist (§ 14 GenDG). Um in der stark arbeitsteiligen Genmedizin diese Legitimation zu gewährleisten, stellt das GenDG klar, dass die verantwortliche ärztliche Person stets als zentraler Ansprechpartner der betroffenen Person zur Verfügung steht. Die Vertraulichkeit genetischer Analysen wird darüber hinaus durch eine rigide Regelung der Aufbewahrung, Verwendung und Vernichtung von genetischen Analyseergebnissen und Proben gesichert (§§ 12–13 GenDG). Das Ziel des GenDG, die geninformationelle Selbstbestimmung der betroffenen Personen zu stärken, ist v. a. mit Blick auf prädikative genetische Analysen von essentieller Bedeutung: Diese erlauben „nur" eine Wahrscheinlichkeitsaussage über erst künftig auftretende oder vererbbare Erkrankungen (§ 3 Nr. 8 GenDG). Die bes. Herausforderung besteht in diesem Fall jedoch darin, dass sich die betroffenen Personen bereits aufgrund der genetischen Wahrscheinlichkeitsprognose selbst als „krank" begreifen, ohne dies jedoch nach tradierten medizinischen Maßstäben zu sein. Aufgrund dieser genetischen Wahrscheinlichkeitsprognosen treffen die betroffenen Personen weitreichende medizinische Entscheidungen. Ein sehr schwerwiegendes Beispiel dafür ist die Mastektomie bei einem prädi-

kativen Brustkrebsrisiko. Die ganze psychische und physische Tragweite dieses gendiagnostischen Phänomens der sog.en gesunden Kranken *(healthy ill)* spitzt sich noch weiter zu dadurch, dass mit der Verbesserung der genetischen Analysemöglichkeiten die Kluft zu den bisher etablierten medizinischen Therapieansätzen immer größer wird. Darüber hinaus stößt die Regelung des genetischen *informed consent* und der genetischen Beratung des GenDG im Kontext der *precision medicine* an seine faktischen wie rechtlichen Grenzen: Wenn im Rahmen einer genetischen Standardanalyse mehrere hundert oder tausend genetische Merkmale untersucht werden, ist eine genetische Aufklärung i. S. d. § 9 Abs. 2 Nr. 1 GenDG schon rein praktisch nicht mehr möglich: Wie soll bei so vielen genetischen Analysemerkmalen über Zweck, Art, Umfang und Aussagekraft der genetischen Untersuchung im Hinblick auf Krankheitsbedeutung und Behandlungsmöglichkeiten bei gleichzeitiger Wahrung des Rechts auf Wissen wie Nichtwissen aufgeklärt werden? Eine Lösung dieses grundlegenden Problems kann durch eine Weiterentwicklung des klassischen Modells des *informed consent* zu einem Konzept gestaffelter Einwilligungen erfolgen: Eine generalisierte Einwilligung in ein umfassendes genetisches Screening zu Beginn der genetischen Untersuchung kann über ein Beratungsverfahren auf Grundlage der gewonnenen Analyseergebnisse Schritt für Schritt bis zur Einwilligung in eine konkrete Therapie weitergeführt werden. Darüber hinaus werden auch die persönlichen, sozialen und medizinischen Konflikte, die aus dem Drittbezug genetischer Informationen für die genetisch Verwandten der betroffenen Person resultieren, vom GenDG keineswegs angemessen gelöst: Für den Fall, dass im Rahmen einer genetischen Untersuchung zu medizinischen Zwecken genetisch Verwandte der betroffenen Person Träger der zu untersuchenden genetischen Eigenschaften mit Bedeutung für eine vermeidbare oder behandelbare Erkrankung oder gesundheitliche Störung sind, soll die ärztliche Person der betroffenen Person die Empfehlung unterbreiten, diesen Verwandten eine genetische Beratung zu empfehlen (§ 10 Abs. 3 S. 4 GenDG). Doch durch dieses Konzept der sog.en Empfehlung zur Empfehlung werden die Konflikte, die mit dem Drittbezug genetischer Informationen verbunden sind, nicht gelöst, sondern unter Missachtung des Rechts auf Nichtwissen der genetisch Verwandten schlicht privatisiert.

3.2 Genetische Analysen im Kontext der Fortpflanzung
Die genetische Analyse im Rahmen der Fortpflanzung ist in Form der PID und der PND (↑ Pränataldiagnostik) möglich. Diese beiden genetischen Analysen beziehen sich auf einen Embryo: im Fall der PID auf einen Embryo in vitro und im Fall einer PND auf einen Embryo in vivo. Beide genetischen Analysetechniken betreffen die Existenz des Embryos, wenn dieser im Rahmen einer PID „verworfen" wird oder es nach einer PND zu einem ↑ Schwangerschaftsabbruch kommen

sollte. Deshalb muss bei der Regelung von genetischen Analysen im Kontext der Fortpflanzung auch der verfassungsrechtliche Status des ungeborenen Lebens berücksichtigt werden, der allerdings äußerst umstritten ist. Das ↑ BVerfG hat die Würde (Art. 1 Abs. 1 GG) und das Lebensrecht (Art. 2 Abs. 2 S. 1 GG) des Embryos in vivo ab dem Zeitpunkt der Nidation anerkannt und darüber hinaus sehr vorsichtig angedeutet, dass dieser verfassungsrechtliche Schutz auch schon ab der Verschmelzung von Ei- und Samenzelle bestehen könnte (BVerfGE 39, 1; 88, 203). Für die Bestimmung des Status des Embryos in vitro fehlt es an einer entspr.en Entscheidung des BVerfG. Allerdings lassen sich die Grundsätze, die das BVerfG für den Schutz des Embryos in vivo aufgestellt hat, grundsätzlich auf den Embryo in vitro übertragen: Die Natürlichkeit bzw. Künstlichkeit der Erzeugung menschlichen Lebens bildet kein belastbares Abgrenzungskriterium, um den Status des ungeborenen Lebens in vivo und in vitro unterschiedlich zu bestimmen. Auch der ↑ EuGH geht von einem weitreichenden grundrechtlichen Schutz des Embryos in vitro aus (EuGH, ECLI:EU:C:2011:669; ECLI:EU: C:2014:2451). Die PID erfolgt durch die genetische Analyse von Zellen eines Embryos in vitro, die im Rahmen einer künstlichen Befruchtung (IVF) vor dem intrauterinen Transfer vorgenommen wird, um die Gesundheit des Embryos zu untersuchen. In seiner Entscheidung vom 6.7.2010 hat der BGH festgestellt, dass die PID nicht gegen § 1 Abs. 1 Nr. 2 und § 2 Abs. 1 ESchG verstößt (BGH 2010: 2672). Daraufhin hat der Gesetzgeber die PID in § 3a ESchG geregelt, die durch die PID-VO näher ausgestaltet wird: Die PID ist grundsätzlich verboten. Sie ist aber dann nicht rechtswidrig, wenn aufgrund der genetischen Dispositionen der Eltern ein hohes Risiko einer schwerwiegenden Erbkrankheit für deren Nachkommen besteht oder wenn eine schwerwiegende Schädigung des Embryos festgestellt werden soll, die mit hoher Wahrscheinlichkeit zu einer Tot- oder Fehlgeburt führen wird. Darüber hinaus muss die Frau, von der die Eizelle für die künstliche Befruchtung stammt, schriftlich in die PID eingewilligt und eine interdisziplinär zusammengesetzte ↑ Ethikkommission das Vorliegen der Voraussetzungen für die Durchführung einer PID überprüft haben. Die PID darf nur in einem entspr. zugelassenen Zentrum durch eine Ärztin oder einen Arzt durchgeführt werden, wobei keine Verpflichtung einer ärztlichen Person besteht, eine PID vorzunehmen oder an einer solchen mitzuwirken.

Die PND ist die vorgeburtliche Risikoabklärung während einer Schwangerschaft. Vorgeburtliche genetische Untersuchungen werden durch das GenDG geregelt. Der Begriff der vorgeburtlichen Untersuchung wird dabei weit verstanden. Er umfasst alle vorgeburtlichen Risikoabklärungen und damit alle Untersuchungen des Embryos oder Fötus, mit denen die Wahrscheinlichkeit für das Vorliegen bestimmter genetischer Eigenschaften mit Bedeutung für eine Erkrankung oder gesundheitliche Störung des Embryos oder Fötus festgestellt werden (§ 3 Nr. 3 GenDG). Eine solche vorgeburtliche Risikoabklärung kann durch eine genetische Analyse, aber z. B. auch in Form von Bildgebung durch Ultraschall erfolgen (BT-Drs. 16/10532: 21). Eine vorgeburtliche genetische Untersuchung darf nur bei Vorliegen von drei Voraussetzungen durchgeführt werden (§ 15 Abs. 1 S. 1 GenDG): Erstens muss sie medizinischen Zwecken dienen, wodurch ein genetisches Enhancement ausgeschlossen werden soll. Zweitens dürfen nur genetische Eigenschaften des Embryos oder Fötus untersucht werden, die seine Gesundheit während der Schwangerschaft oder nach der Geburt beeinträchtigen oder die Wirkung von Arzneimitteln beeinflussen, mit denen der Embryo oder Fötus behandelt wird. Drittens muss ein *informed consent* der Schwangeren vorliegen. Diese Möglichkeit, eine PND durchzuführen, wird von dem GenDG in zwei Fällen eingeschränkt: Erstens darf einer Schwangeren – mit Blick auf einen möglichen Schwangerschaftsabbruch – das Geschlecht eines Embryos oder Fötus nicht vor Ablauf der zwölften Schwangerschaftswoche mitgeteilt werden, wenn dieses im Rahmen einer vorgeburtlichen genetischen Untersuchung festgestellt wird (§ 15 Abs. 1 S. 2 GenDG). Zweitens darf eine vorgeburtliche genetische Untersuchung nicht vorgenommen werden, wenn diese auf die Feststellung einer Erkrankung zielt, die sich erst nach Vollendung des 18. Lebensjahrs manifestiert (§ 15 Abs. 2 GenDG).

Die Regelung genetischer Analysen im Kontext der Fortpflanzung sieht sich harscher Kritik ausgesetzt: Im Fall der PID ist kein verfassungsrechtlicher Grund ersichtlich, warum die Entscheidungsfindung der betroffenen Frau nicht dem Arzt-Patienten-Verhältnis überlassen bleibt, sondern darüber hinaus eine interdisziplinäre Ethikkommission eingeschaltet wird. Im Fall der PND wird die „Pflicht zum Nichtwissen" der Schwangeren im Hinblick auf spätmanifestierende Erbkrankheiten kritisiert, die z. B. eine vorgeburtliche genetische Untersuchung bei Verdacht einer Chorea Huntington ausschließt. Gegen diese Regelung lässt sich insb. einwenden, dass es bei der vorgeburtlichen genetischen Untersuchung nicht auf den Manifestationszeitpunkt, sondern v. a. auf die Schwere der vererbten Erkrankung ankommt. Schließlich sind die Regelungen der PID und der PND in ihren Voraussetzungen nicht aufeinander abgestimmt. Dadurch begründet der Gesetzgeber in Fällen der assistierten Reproduktion unmittelbar selbst die Gefahr von „Schwangerschaften auf Probe", was einen unverhältnismäßigen und damit verfassungswidrigen Eingriff in das Selbstbestimmungsrecht und die Gesundheit der betroffenen Frauen darstellt.

4. Gentherapie

Die Gentherapie versucht durch die Veränderung der Erbinformationen eines Menschen, genetisch bedingte Krankheiten zu behandeln oder diesen vorzubeugen.

Bei der somatischen Gentherapie wird dazu der genetische Code einzelner Körperzellen eines Menschen verändert. Demgegenüber ist die Keimbahntherapie auf die genetische Modifikation von Keimbahnzellen und damit auf die Gestaltung des Genoms künftiger Menschen gerichtet. Die Gentherapie ist eine medizinische Hochrisikotechnik, weil ihre Auswirkungen auf die Gesundheit und das Leben der betroffenen Personen (derzeit) nicht beherrschbar sind (z. B. Immunreaktionen, Krebsbildung). Insb. die Keimbahnintervention wird durch § 5 ESchG verboten: Es ist untersagt, die Erbinformation einer menschlichen Keimbahnzelle künstlich zu verändern oder eine menschliche Keimbahnzelle mit künstlich veränderter Erbinformation zur Befruchtung zu verwenden. Allerdings sieht das ESchG dann Ausnahmen vom Verbot der künstlichen Veränderung von menschlichen Keimbahnzellen vor, wenn sich diese außerhalb des Körpers befinden und nicht zur Befruchtung verwendet werden oder die Veränderung im Rahmen einer medizinischen Behandlung unbeabsichtigt geschieht (z. B. Impfung, Straleneinwirkung). Die Möglichkeiten und Grenzen der Gentherapie werden aufgrund der Entwicklung der sog.en Genchirurgie (CRISPR/ Cas9) sowie der in-vitro-Rekonstruktion der Keimbahn mittels pluripotenter Stammzellen kontrovers diskutiert. Die „Genchirurgie" verspricht durch präzise Veränderungen der genetischen Information in einer somatischen oder Keimbahnzelle, in Zukunft (eventuell) Krankheiten heilen zu können. Aus verfassungsrechtlicher Perspektive ist ein kategorisches Verbot der somatischen und der keimbahnbezogenen Gentherapie nicht zu rechtfertigen: Das ↑GG kennt keine Pflicht, krank zu sein oder zu werden. Eine Einschränkung der Gentherapie kann jedoch mit Blick auf die damit verbundenen Gesundheits- und Lebensrisiken gerechtfertigt sein. Dies sollte sich in der Reform des Verbots der Keimbahnintervention des § 5 ESchG niederschlagen: Eine Keimbahnintervention kann zugelassen werden, wenn sie nach dem Stand der Wissenschaft und Technik darauf gerichtet ist, die von der Intervention betroffenen Nachkommen vor einer Gefahr für deren Leben oder einer schwerwiegenden Beeinträchtigung des körperlichen oder psychischen Gesundheitszustandes zu bewahren und die vorhersehbaren Risiken und Nachteile gegenüber dem Nutzen für die Nachkommen medizinisch vertretbar sind. Diese Voraussetzungen wären nach dem aktuellen Stand der Entwicklung von Wissenschaft und Technik allerdings (noch) nicht erfüllt.

5. Genetische Forschung

Die genetische Forschung ist heute selbst als Grundlagenforschung therapeutisch finalisiert, d. h. auf die Entwicklung von medizinischen Behandlungsansätzen ausgerichtet. Das zentrale Beispiel dafür ist die Entwicklung der ↑Stammzellforschung. Diese wird in der BRD durch das ESchG und StZG restriktiv geregelt. Teilweise ist die Regulierung der genetischen Forschung in Deutschland auch schlicht durch die naturwissenschaftliche Entwicklung überholt (z. B. „Dolly"). Anstatt die entspr.en Regelungen (z. B. § 6 ESchG) jedoch zu aktualisieren, setzt der Gesetzgeber in der BRD – seit dem Erlass des ESchG und damit seit über 25 Jahren – auf eine „Strategie veralteten Rechts" (Kersten 2015). Die Regulierung der genetischen Forschung wird insb. durch das Bestreben des ESchG und StZG bestimmt, den menschlichen Embryo zu schützen, für den das deutsche Recht allerdings verschiedene, voneinander abweichende Definitionen kennt (§ 8 Abs. 1 ESchG, § 3 Nr. 4 StZG, § 2 Abs. 2 S. 1 Nr. 3 und S. 2 PatG, Art. 6 Abs. 2 c RL 98/44/EG). Darüber hinaus verliert das Kriterium der Totipotenz einer Zelle, das bisher den Kern der verschiedenen, nebeneinander geltenden Legaldefinitionen des Embryos bildet, durch die biotechnologischen Möglichkeiten der Re- und Transdifferenzierung von somatischen Zellen in totipotenten Entwicklungsstadien zunehmend seine normative Kontur. Neben diesen Unsicherheiten im Hinblick auf die Möglichkeiten und Grenzen der genetischen Forschung fehlt es in der BRD an einer ausdifferenzierten Regulierung der Forschungsinfrastruktur: Die genetische Forschung ist auf international anschlussfähige Biobanken angewiesen. Eine Biobank ist eine Sammlung von humangenetischem Material und verschlüsselten und unverschlüsselten Daten, die von Spenderinnen und Spendern der Forschung zur Verfügung gestellt werden. Biobanken sind ausdrücklich aus dem Anwendungsbereich des GenDG ausgenommen (§ 2 Abs. 2 Nr. 1 GenDG). Sie werden deshalb v. a. auf der Grundlage des allg.en Datenschutzrechts in Verbindung mit individuellen Governanceansätzen reguliert, die jedoch für die Bürgerinnen und Bürger als Spenderinnen und Spender von genetischem Material und Daten sowie für die Öffentlichkeit teilweise intransparent und aufgrund fehlender Standardisierung auch international bisher nicht anschlussfähig sind. Deshalb ist der Erlass eines Biobankgesetzes notwendig, welches das Selbstbestimmungsrecht der spendenden Personen effektiv schützt, das Biobankgeheimnis gewährleistet, Einrichtung und Betrieb, Zugangsrechte und die Überwachung von Biobanken regelt sowie strafprozessuale Zeugnisverweigerungsrechte vorsieht.

Literatur

C. Berchtold: Der Wandel genetischer Information, 2016 • O. Hikabe u. a.: Reconstitution in vitro of the entire cycle of the mouse female germ line, in: Nature, 10.11.2016, 299–303 • BBAW: Genomchirurgie beim Menschen, 2015 • U. Gassner u. a.: Biobankgesetz. Augsburg-Münchner Entwurf, 2015 • T. Heinemann/H.-G. Dederer/T. Cantz (Hg.): Entwicklungsbiologische Totipotenz in Ethik und Recht, 2015 • J. Kersten: Strategien veralteten Rechts, in: S. Rixen (Hg.): Die Wiedergewinnung des Menschen als demokratisches Projekt, 2015, 111–135 • L. H. Laimböck: Totipotenz, 2015 • Leopoldina u. a.: Chancen und Grenzen des genome editing, 2015 • H. Schickl u. a.: Abweg Totipotenz, in: MedR 32/12 (2014), 857–862 • S. Schleissing (Hg.): Ethik und Recht in der Fortpflanzungsmedizin, 2014 • U. Gassner u. a.: Fortpflanzungsmedizingesetz. Augsburg-Münchner Entwurf, 2013 • L. Günther/J. Taupitz/P. Kaiser: Embryonenschutzgesetz, ²2013 • J. Kersten: Personalisierte Medizin. Rechtliche Herausforderung für Gesundheit und Gesellschaft, in: ZEE 57/1 (2013), 23–33 • T. Rendtorff (Hg.): Zukunft der biomedizinischen Wissenschaften, 2013 • B.-R. Kern (Hg.): Gendiagnostikgesetz, 2012 • J. Kersten: Die genetische Optimierung des Menschen, in: JZ 66/4 (2011), 161–168 • BGH: Präimplantationsdiagnostik zur Feststellung genetischer Schäden eines extrakorporal erzeugten Embryos, in: NJW 63/36 (2010), 2672–2676 • H. Nowotny/G. Testa: Die gläsernen Gene, 2009 • R. Müller-Terpitz: Der Schutz des pränatalen Lebens, 2007.

JENS KERSTEN

Geopolitik

1. Begriffsbestimmung

Begriff und Konzept der G. verbinden zwei Disziplinen – die Geographie und die ↑Politik. Darin liegt die Schwierigkeit einer eindeutigen Definition, die ihren jeweiligen Schwerpunkt entweder im Bereich des Geographischen oder des Politischen haben muss. Ein zweites Problem liegt in der Vorentscheidung darüber, ob man G. vorrangig als eine theoretische Wissenschaft, als akademische Disziplin auffasst, oder ob man sie zuerst als praktische politische Lehre begreifen möchte. Im einen Fall wird man G. nur als eine Wissenschaft („Politische Geographie") bestimmen können, die den Einfluss der von der natürlichen Gestalt der Erde vorgegebenen geographischen Gegebenheiten auf das politische Handeln untersucht, im zweiten Fall wird man G. als Begründung und Vermittlung politischer Praxis auf der Grundlage einer geographischen Faktenanalyse definieren.

Die Entscheidung für theoretische Wissenschaft oder für politische Praxis hängt wiederum damit zusammen, ob es sich bei den Autoren geopolitischer Schriften um Geographen oder um Staats- bzw. Politikwissenschaftler (↑Staatswissenschaft, ↑Politikwissenschaft) handelt, ob wissenschaftliche Erkenntnisinteressen oder ob das Bedürfnis nach Vermittlung einer bestimmten politischen Praxis im Vordergrund der Bemühungen stehen. Der Begriff G. wurde bereits um 1900 vom schwedischen Staatswissenschaftler Rudolf Kjellén geprägt, der auch die erste, bis heute diskutierte Definition formulierte: „Die Geopolitik ist die Lehre vom Staat als geographischem Organismus oder als Erscheinung im Raume: also der Staat als Land, Territorium, Gebiet oder […] als Reich. Als politische Wissenschaft hat sie ihr Augenmerk stets auf die staatliche Einheit gerichtet und will zum Verständnis des Wesens des Staates beitragen, während die politische Geographie die Erde als Wohnstätte für ihre menschliche Bewohnerschaft in ihren Beziehungen zu den übrigen Eigenschaften der Erde studiert" (Kjellén 1924: 45). Knapper und präziser gefasst könnte man die frühe G. nach ihrem eigenen Verständnis auch als „Lehre von der Erdgebundenheit der politischen Vorgänge" (Haushofer u. a. 1928: 27) definieren, während die neuere Wissenschaft der politischen Geographie um eine weniger geodeterministisch erscheinende Selbstbestimmung bemüht ist und das praktische Moment stärker betont: der ↑Staat wird nun eher als raumwirkender Faktor begriffen und analysiert.

Schließlich spielt G. auch und gerade in der Gegenwart im Rahmen regional- und globalpolitischer Lageanalysen immer noch eine wichtige Rolle. Im Rahmen der konflikthaltigen, von Konkurrenzen verschiedenster Art geprägten Verhältnisse der Weltmächte (USA, Russland, China) und der Mächtegruppierungen zueinander nehmen geopolitische Faktenanalysen zunehmend größere Bedeutung ein.

2. Wissenschaftsdisziplin

G. als Wissenschaft (Politische Geographie) entstand in den letzten beiden Jahrzehnten vor dem Ersten Weltkrieg, nicht zuletzt als Folge der Aufteilung der Welt durch die europäischen Kolonialmächte und die USA. Die hierdurch geprägte räumlich-zeitliche Verdichtung der Erdbetrachtung fand ihren Niederschlag in einer verstärkten Reflexion über die Beziehungen von staatlich-politischer Existenz und geographischer Lage. Bahnbrechend wirkte neben R. Kjéllen der deutsche Geograph Friedrich Ratzel mit seiner Studie über „Die Gesetze des räumlichen Wachstums der Staaten" (1896). Auch in den angelsächsischen Ländern entstand früh eine wissenschaftliche Behandlung geopolitischer Grundfragen, die bes. durch den britischen Geographen Halford John Mackinder vorangetrieben wurde. Dessen Abhandlung über den geographischen Angelpunkt der Weltgeschichte („The Geographical Pivot of History" [1904]) wurde zum Ausgangspunkt einer internationalen Debatte über die Zusammenhänge von geographischer Lage und politischem Handeln.

In Frankreich arbeiteten Paul Vidal de la Blache und Albert Demangeon an der wissenschaftlichen Etablierung der politischen Geographie, während in der Zwischenkriegszeit Karl Haushofer zum führenden deutschen, allerdings auch umstrittensten Vertreter der neuen Disziplin avancierte („Bausteine zur Geopolitik" [1928]). Er arbeitete daran, G. zu einem zentralen Element moderner ↑Politikberatung zu machen, gelegentlich auch auf Kosten wissenschaftlicher Maßstäbe. Sein Sohn Albrecht Haushofer versuchte sich dagegen an der Grundlegung einer strikt wissenschaftlich fundierten G. Im angelsächsischen Bereich formulierte bereits während des Zweiten Weltkriegs der US-amerikanische Geograph Nicholas John Spykman mit seiner „Geography of Peace" (1944) die Grundbegriffe einer neuen G., die auch bereits die Grundlinien einer Nachkriegspolitik der westlichen Alliierten zu umreißen versuchte.

Nach 1945 blühte G. bes. im angelsächsischen Kulturbereich, während die Politische Geographie in Deutschland sich erst von den „Irrwegen" vergangener Zeiten befreien musste; Martin Schwind und Josef Matznetter gehörten hier u. a. zu den Erneuerern der Disziplin. In Frankreich entstand die *géohistoire* als neue Nebendisziplin der ↑Geschichtswissenschaft. Unter der Fülle der britischen und amerikanischen wissenschaftlichen Geopolitiker sind bes. Saul Bernard Cohen, der das moderne Grundlagenwerk zur neuen weltpolitischen Lage nach der Jahrtausendwende lieferte („Geopolitics of the World System" [2003]), sowie Robert David Kaplan („The Revenge of Geography" [2012]) zu nennen. Eine im Zeichen der ↑Globalisierung sich zu Wort meldende „neue Raumwissenschaft" ist derzeit bestrebt, die traditionelle geopolitische Analyse wechselnder Machtlagen und Konkurrenzverhältnisse zugunsten „asymmetrischer Weltverhältnisse" und „postkolonialer" Ansätze (Schröder/Höhler 2005: 16) in den Hintergrund treten zu lassen.

3. Politisches Argument

Seit es geopolitische Reflexionen gibt, dienen sie als politisches Argument. Der britische Historiker John Robert Seeley hatte bereits 1896 in einem Vergleich der geographischen Lage Großbritanniens und Preußens die einflussreiche These formuliert, das Maß der politischen Freiheit innerhalb eines Staates verhalte sich umgekehrt proportional zu dem Druck, der auf seinen ↑Grenzen laste, und dieser Druck sei in einem Kontinentalstaat mit weit auseinandergezogenen Grenzen wesentlich stärker als in einem durch die See geschützten Inselstaat. Der aus der Militärgeographie kommende US-amerikanische Admiral Alfred Thayer Mahan stellte zur gleichen Zeit in seinem breit rezipierten Werk „The Influence of Sea Power upon History" (1892) die These auf, dass nur die seebeherrschenden Mächte imstande seien, die Welt ökonomisch, militärisch und politisch zu dominieren.

Die noch einflussreichere Gegenthese zu A. T. Mahan formulierte H. J. Mackinder, der den geographischen „pivot" (Mackinder 1904; „Angelpunkt") der Weltgeschichte und auch der aktuellen Politik im bes. bevölkerungs- und rohstoffreichen eurasischen „heartland" (Mackinder 1904: 434) erkennen zu können meinte und daher die angelsächsischen Politiker zu einem radikalen Umdenken aufforderte: Die Verhinderung eines deutsch-russischen „Kontinentalblocks" erschien nun als wichtigstes Ziel britischer Weltpolitik. K. Haushofer kehrte einige Jahre später die Kontinentalblock-These um, indem er den Wiederaufstieg Deutschlands zur Weltmacht von der Begründung eines engen deutsch-russisch-japanischen Mächtebündnisses abhängig machte. N. J. Spykman wiederum erweiterte H. J. Mackinders „Herzland"-Theorie um die Auffassung, dem äußeren Randgebiet um das Herzland (*rimland*) komme künftig die eigentliche geopolitische Bedeutung zu; diese These präformierte bereits die amerikanische Containment-Politik der Nachkriegszeit.

Während der Ära der Ost-West-Spaltung und des ↑Kalten Krieges dienten geopolitische Theorien ebenfalls politischen Zwecken, im ↑Westen v. a. der Abwehr der vom kommunistischen Machtblock (UdSSR, VR China) ausgehenden „Weltrevolution", die man als Griff nach der Weltherrschaft interpretierte. Die von H. J. Mackinder ausgesprochenen Warnungen vor dem künftigen Machtpotential des „Herzlandes" wurden in zeitgemäßer Fassung erneuert, u. a. von James Burnham („The Struggle for the World" [1947]), allerdings auch von anderen Autoren, etwa Hans Weigert („New Compass of the World" [1949]), als geodeterministisch in Frage gestellt.

Der weltpolitische Umbruch von 1990/91 und der Zerfall des Sowjetimperiums brachte neue Fragestellungen mit sich: Kennzeichnend wurde (neben der Wiederkehr älterer „One World"-Ideologien) die neue These von der zunehmenden Konflikthaltigkeit kulturell-religiöser Grenzen, die Samuel P. Huntington betonte („The Clash of Civilisations" [1996]); einflussreich war und ist ebenfalls die Reformulierung der „Herzland"-These durch Zbigniew Brzezinski („The Grand Chessboard" [1997]), der im „großen Schachbrett" Eurasien den künftig wichtigsten Schauplatz der Weltpolitik erkannte.

4. Wissenschaftliche Kritik und politische Praxis

Die G. war niemals unumstritten, sondern wurde früh wegen ihrer vermeintlich deterministischen Prämissen kritisiert. Seit den 1980er Jahren entwickelte sich eine „kritische G.", deren Bestreben darauf hinausläuft, geopolitische Theoreme als „essentialistische" Konstrukte im Rahmen von „Machtdiskursen" zu entlarven, dafür wiederum „Räume" als Netze von variablen Relationen und Positionen zu begreifen. So notwendig auch eine kritische Hinterfragung mancher traditioneller Denkweisen einer G. gewesen sein mag, die dazu tendierte, ↑Räume und geographische Gegebenheiten vorschnell als vermeintlich „gesetzmäßig" determinierende Faktoren von Geschichte (↑Geschichte, Geschichtsphilosophie) und Politik zu verabsolutieren, bleibt festzuhalten, dass es der „kritischen G." nicht gelungen ist, geopolitisches Denken konsequent in Frage zu stellen oder dessen Kernthesen zu widerlegen. Neuere wissenschaftliche Ansätze tendieren eher zu einer „possibilistische[n] Sichtweise [...,] die den Raum nicht verabsolutiert, sondern ihn als variablen Faktor ansieht, der in Verbindung mit subjektiven Handlungsweisen die politische Entwicklung zu beeinflussen vermag" (Meyer 2014: 335). Angesichts der vielfältigen Krisenlagen in den ersten beiden Jahrzehnten des 21. Jh. kann man kaum noch vom „death of geopolitics" (Blouet 2001: 159) im Zeitalter der Globalisierung sprechen. Im Gegenteil: Die andauernde Konflikthaltigkeit der ↑internationalen Beziehungen (↑Internationale Konflikte) widerlegt auch die neuere These, im Rahmen der unaufhaltsamen Expansion eines globalen, westlich-kapitalistisch domi-

nierten „Imperiums" vollziehe sich die Euthanasie der traditionellen, an Grenzen aller Art, d. h. an Nationalstaaten, Territorien, Bündnissystemen und Einflusszonen orientierten G. Der Zusammenprall der Kulturen generiert ebenfalls neue internationale Konfliktfelder, vornehmlich im ↑Nahen Osten. Die politische Regeneration Russlands, der wirtschaftliche und politische Aufstieg Chinas, letztlich auch die Neuorientierungsversuche des früheren Westens verändern die machtpolitische Lage in Asien in ungeahntem Ausmaß.

Die vor wenigen Jahren noch einflussreichen universalistischen Utopien einer „Weltgesellschaft" oder gar einer neuen „weltstaatlich" strukturierten Ordnung haben inzwischen entschieden an Glaubwürdigkeit verloren, was zu einer „Renaissance der G." mit beigetragen hat. Die künftige politische Ordnung der Welt kann derzeit nur mit geopolitischen Begriffen und Theoremen beschrieben werden. Die nahe Zukunft wird zeigen, ob die universale Dominanz einer bestimmten Weltmacht (bzw. einer Mächtegruppierung) bevorsteht oder doch eher eine multipolare Ordnung, die sich aus miteinander konkurrierenden, aber in friedlicher Koexistenz lebenden Großräumen formiert.

Literatur

R. Meyer: Europa zwischen Land und Meer. Geopolitisches Denken und geopolitische Europamodelle nach der „Raumrevolution", 2014 • R. D. Kaplan: The Revenge of Geography, 2012 • I. Schröder/S. Höhler: Welt-Räume. Annäherung an eine Geschichte der Globalität im 20. Jahrhundert, in: dies. (Hg.): Welt-Räume. Geschichte, Geographie und Globalisierung seit 1900, 2005, 9–47 • S. B. Cohen: Geopolitics of the World System, 2003 • B. W. Blouet: Geopolitics and Globalization in the Twentieth Century, 2001 • I. Diekmann/P. Krüger/J. H. Schoeps (Hg.): Geopolitik. Grenzgänge im Zeitgeist, 2 Bde., 2000 • M. Hardt/A. Negri: Empire, 2000 • C. S. Gray/G. Sloan (Hg.): Geopolitics. Geography and Strategy, 1999 • Z. Brzezinski: The Grand Chessboard, 1997 • S. P. Huntington: The Clash of Civilisations, 1996 • F. Ebeling: Geopolitik. Karl Haushofer und seine Raumwissenschaft 1919–1945, 1994 • F. P. Sempa: Geopolitics. From the Cold War to the 21st Century, 1989 • G. Parker: Western Geographical Thought in the Twentieth Century, 1985 • H. Gollwitzer: Geschichte des weltpolitischen Denkens, Bd. 2, 1982 • J. Matznetter (Hg.): Politische Geographie, 1977 • A. Haushofer: Allgemeine politische Geographie und Geopolitik, Bd. 1, 1951 • H. Weigert/V. Stefansson/R. E. Harrison (Hg.): New Compass of the World, 1949 • N. J. Spykman: The Geography of the Peace, 1944 • N. J. Spykman: America's Strategy in World Politics, 1942 • K. Haushofer u. a. (Hg.): Bausteine zur Geopolitik, 1928 • R. Kjellén: Der Staat als Lebensform, 1924 • A. Demangeon: Le Déclin de l'Europe, 1920 • H. J. Mackinder: Democratic Ideals and Reality, 1919 • H. J. Mackinder: The Geographical Pivot of History, in: The Geographical Journal 23/4 (1904), 421–437 • F. Ratzel: Politische Geographie, 1897 • F. Ratzel: Die Gesetze des räumlichen Wachstums der Staaten, in: Dr. A. Petermanns Mitteilungen 42 (1896), 97–107.

HANS-CHRISTOF KRAUS

Gerechter Krieg ↑Krieg

Gerechtigkeit

I. Philosophie – II. Gerechtigkeit in Theologie
und christlicher Sozialethik

I. Philosophie

1. Einführung

Urspr. bedeutet G. im Deutschen lediglich die Übereinstimmung mit dem jeweils geltenden ↑Recht. Bis heute heißt die dem Recht dienende Behörde, das Gerichtswesen, gemäß dem lateinischen Wort für G. Justiz. Ohne die enge Beziehung zum Recht aufzugeben, wird die G. seit langem umfassender, zugl. stärker normativ, näherhin moralisch verstanden.

In den archaischen Kulturen hat die G. eine göttliche Herkunft, die im moralischen Rang der G. (↑Moral), im Aspekt ihrer Unverfügbarkeit, auf säkulare Weise fortlebt. Zunächst in ihrem bescheidenen, später dann anspruchsvolleren Verständnis, ist die G. ein Gegenstand menschlicher Sehnsucht und menschlicher Forderung zugl. Dass in der Welt G. herrsche, ist ein basales Verlangen, das die Menschheit über alle Kulturen- und Epochengrenzen hinweg eint. Über ihren Gehalt wird allerdings heftig gestritten. Für Zeiten der kulturellen ↑Globalisierung braucht es einen kulturübergreifenden, globalisierungsfähigen Begriff.

Das Verlangen nach G. setzt voraus, dass man soziale Beziehungen unterschiedlich gestalten und die jeweilige Gestaltung den Betroffenen mindestens teilweise zurechnen kann. G. gibt es nicht unter Tieren, denn sie ist an die Handlungs- und Gestaltungsfreiheit des Menschen gebunden. Allerdings kann es G. gegenüber Tieren geben.

2. Zwei maßgebliche Denker: Platon und Aristoteles

Im antiken Griechenland wird die G. zum Gegenstand einer wissenschaftlich-philosophischen Reflexion. In ihr muss sich die G. sowohl gegen die ältere, aristokratische Moral der agonal verstandenen ↑Ehre als auch gegen die G.s-Skepsis seitens der Sophisten durchsetzen. Dass es noch keinen Juristenstand gibt, begünstigt ein nicht auf das Recht eingeschränktes G.s-Verständnis. Einen ersten Höhepunkt erreicht die abendländische Philosophie der G. im ältesten der G. gewidmeten Werk, in Platons Dialog „Politeia" (Staat) mit dem Untertitel „Peri dikaiou" („Über das/den Gerechten"). Für Platon ist die G., auch wenn sie gelegentlich als „göttlich" qualifiziert wird, kein religiöses, sondern ein säkulares Phänomen, dessen „metaphysischen" Hintergrund die Idee des Guten bildet. Als ein Ordnungsprinzip sowohl für die Gesellschaft als auch für den einzelnen Menschen, für seine persönlichen Kräfte, die sog.en Seelenteile, ist sie v.a. für die politische Führungselite, die Wächter, noch mehr für die Philosophenkönige, unverzichtbar. Sie teilt „jedem das Seine" zu, aber nicht gewisse Güter, sondern Aufgaben- und Tätigkeitsbereiche.

Zusammen mit der Besonnenheit, der Tapferkeit und der Weisheit bildet die G. das seither kanonische Quartett der Haupt- oder Kardinaltugenden.

Der zweite Höhepunkt des abendländischen G.s-Denkens, das fünfte Buch von Aristoteles' „Nikomachischer Ethik", geht insofern über Platons Säkularisierung hinaus, als es auch ohne Metaphysik auskommt. Aristoteles unterscheidet die G. als ganze ↑Tugend, von Thomas von Aquin allg.e G. (*iustitia generalis*) genannt, eine umfassende Rechtschaffenheit, von der für wohlbestimmte Lebensbereiche zuständigen bes.n G. (*iustitia particularis*). In ihrem Rahmen führt er weitere Unterscheidungen ein, die mit den lateinischen Bezeichnungen die abendländische G.s-Debatte beherrschen: Die *iustitia distributiva*, die Verteilungs-G., betrifft Fragen, bei denen die Gefahr der Unersättlichkeit droht, Fragen von Ehre, Geld oder Selbsterhaltung. Die komplementäre, für Ordnung und Austausch zuständige *iustitia commutativa* regelt einerseits sowohl den freiwilligen, für das Zivilrecht mit dem Geschäftsverkehr (Kauf, Verkauf, Darlehen usw.) zuständigen Tausch (Tausch-G.) als auch, jetzt als wiedergutmachende oder korrektive G. (*iustitia correctiva*), den im Strafrecht stattfindenden unfreiwilligen Tausch.

3. Begriff der Gerechtigkeit

Nach liberaler Ansicht, nachdrücklich David Hume, gehört die Knappheit zu den Anwendungsbedingungen der G. In Wahrheit braucht es sie im gesamten Bereich der menschlichen, bald von Kooperation, bald Konkurrenz bestimmten Beziehungen. Mit der G. werden sie einer unbedingt gültigen Verbindlichkeit unterworfen, die wegen ihres moralischen Ranges weder durch technische, funktionale (Ordnungsliebe, Pünktlichkeit, Zuverlässigkeit usw.) oder pragmatische Verbindlichkeiten wie die des Wohlergehens außer Kraft gesetzt noch gegen sie ausgehandelt werden darf. Zulässig ist allein, konkurrierende G.s-Forderungen gegeneinander abzuwägen.

Die G. ist nicht für die gesamte Sozialmoral, sondern nur jenen kleinen Teil, die sog.en Rechtspflichten bzw. die Rechtsmoral, zuständig, deren Anerkennung die Menschen einander schulden. Während man bei Verstößen gegen die verdienstlichen Mehrforderungen, die Tugendpflichten wie Hilfsbereitschaft, Mitgefühl und Wohltätigkeit, enttäuscht ist, antwortet man auf Verstöße gegen die G. mit Empörung und Protest. Die Befolgung von Tugendpflichten kann man nur erbitten, die der G. dagegen verlangen.

4. Missbrauchs- und Verschiebungsgefahr

Wegen des bes.n Ranges der G. droht eine Verschiebungsgefahr, die, bewusst eingesetzt, auf Missbrauch hinausläuft: Man erklärt zu einer geschuldeten Leistung, was entweder eine geringere, etwa nur pragmatische Verbindlichkeit ist oder zur verdienstlichen Mehrleistung von Hilfsbereitschaft oder Wohltätigkeit gehört. Eine zwangsbefugte Gesellschaftsordnung wie der Staat ist aber im Wesentlichen nur für G. zuständig; Mehrleistungen sind freiwillig zu erbringen.

5. Politische und personale Gerechtigkeit

Das Zusammenleben hat zwei Seiten, denen zwei Begriffe der G. entsprechen. Im institutionellen ("objektiven") Verständnis betrifft die G. die sozialen Institutionen und Systeme wie Ehe und Familie, Wirtschaft, Bildungswesen, insb. Recht und Staat, deren gesetzgebende, ausführende und richterliche Gewalt. Darüber hinaus ist sie zuständig für die Beziehungen der Staaten: internationale, transnationale und globale G., und die der Generationen zueinander: intergenerationelle G., auch für das Verhältnis zur Umwelt: ökologische G. Nicht zuletzt kommt es auf eine G. in der Erinnerung, auf anamnetische G., an.

Im zweiten, personalen ("subjektiven") Verständnis ist die G. jene Lebenshaltung zu den Mitmenschen, die weder auf freier Zuneigung beruht noch über das einander Geschuldete hinausgeht. Der gerechte ("rechtschaffene") Mensch erfüllt die Forderung der institutionellen G. nicht bloß gelegentlich und aus Angst vor Strafen, sondern freiwillig und beständig ("habituell"). Als ein Persönlichkeitsmerkmal, als moralische bzw. sittliche Tugend, bewährt sie sich dort, wo man trotz größerer Macht und Intelligenz andere nicht zu übervorteilen sucht oder wo man auch dann sein Tun und Lassen an der G.s-Idee ausrichtet, wenn das geltende Recht hinter ihren Anforderungen zurückbleibt, die Durchsetzung unwahrscheinlich ist oder man dank größerer Macht oder Intelligenz andere übervorteilen könnte.

Während die Antike beide Seiten erörtert, interessiert sich das Mittelalter vornehmlich für die personale G., in den sog.en Fürstenspiegeln für die G. der Herrscher. Der spätere politische ↑Liberalismus verlässt sich lieber auf die G. von Institutionen. Ein gewisses Maß an personaler G., an G.s-Sinn, ist aber für das Funktionieren rechtsstaatlicher Demokratien unerlässlich. Auf seiten der Bürger tritt er dem Abgleiten des Gemeinwesens in einen offensichtlichen Unrechtsstaat, wo erforderlich in Form bürgerlichen Ungehorsam, entgegen, sorgt stattdessen für mehr wirtschaftliche, gesellschaftliche und politische G. Und den Amtsträgern hilft es, ihrem Amtseid (↑Eid) gemäß korruptionsfrei dem ganzen Volk, nicht nur der eigenen Klientel zu dienen. Diese Aufgabe hat eine lange Tradition: Schon der altbabylonische Herrscher Hamurapi versteht sich als "König der G."

6. Prinzipien der Gerechtigkeit

Gemäß dem engen Zusammenhang mit dem Recht, in Übereinstimmung mit der interkulturell gültigen Goldenen Regel und in Verbindung mit dem Gedanken der Wechselseitigkeit bildet den Kern der G.s-Vorstellungen das Prinzip der ↑Gleichheit bzw. das Gleichheitsgebot: Personen in gleichen Umständen sollen gleich handeln und gleich behandelt werden. Nach der negativen Formulierung, dem Willkürverbot, ist jede

Ungleichbehandlung, die nicht aus ungleichen Sachverhalten folgt, ungerecht. Gemäß der positiven Formulierung ist die Grundordnung einer politischen Gemeinschaft wesentlich als gerecht zu bewerten, wenn das Gleichheitsprinzip alle drei Gewalten des Staates verfassungsrechtlich bindet.

Um dem Gleichheitsprinzip zu genügen, muss das geltende Recht erstens aus Bestimmungen bestehen, die nicht Einzelpersonen und Einzelfälle als solche, sondern Typen von Fällen (Einkommen, Diebstahl, Totschlag usw.) mit Hilfe gewisser Kriterien regeln. Rechtsregeln sind zweitens nach Maßgabe ders.n Regeln zweiter Ordnung zu gewinnen, nach den in der ↑Verfassung niedergelegten Verfahrensregeln über die Entstehung von ↑Gesetzen sowie nach normativen Leitprinzipien, etwa den Prinzipien des freiheitlichen ↑Rechtsstaats, der ↑Demokratie und des ↑Sozialstaats. Diese Prinzipien lassen sich aus einer Vermittlung der Anwendungsbedingungen der G. (Kooperation und Konflikt: deskriptives Moment) mit dem höchsten Kriterium der Sittlichkeit (normatives Moment) und grundlegenden Sachgesetzlichkeiten begründen. Erkennt man mit Immanuel Kants kategorischem Imperativ die Universalisierbarkeit als höchstes Kriterium an, dann ergibt sich als G.s-Prinzip die Bewältigung von Kooperations- und Konfliktverhältnissen nach streng allg.en und für alle gleichen Grundsätzen. Drittens müssen Exekutive und ↑Rechtsprechung die Gesetze und Erlasse unparteiisch, ohne Ansehen der Person (ihres Geschlechts, ihrer Religion, Rasse, sozialen oder wirtschaftlichen Stellung), anwenden: formale G. In der bildenden Kunst wird die G. deshalb mit verbundenen Augen dargestellt, was der maßgebliche G.s-Theoretiker der letzten Jahrzehnte, John Rawls, mit dem Schleier des Nichtwissens auf die Begründung der G.s-Prinzipien erweitert.

Die nähere Bestimmung der G. ist umstritten. Bei dem vielerorts vorherrschenden Gesichtspunkt – für Kritiker ein Dogma der internationalen G.s-Debatte –, der Verteilung von Rechten und Pflichten, Gütern und Lasten (austeilende oder distributive G.), gibt es v. a. drei Maßstäbe: Jedem das Gleiche, weil nach seinem Wert als Mensch überhaupt; jedem nach seiner Leistung oder Leistungsfähigkeit; jedem nach seinen ↑Bedürfnissen. Gemäß der Idee der unantastbaren ↑Menschenwürde und der Unverletzlichkeit der Person in Bezug auf die ↑Grundrechte steht jedem das Gleiche zu, daher Menschenrechte: unveräußerliche Rechte jedes Menschen. Soziale Positionen und wirtschaftliche Güter dagegen sollen nach Leistungs-, nach Bedürfnisgesichtspunkten oder einer Verbindung beider verteilt werden. (Der individuelle Lohn richtet sich meist nach der Leistung, die Sozialhilfe nach Bedürftigkeit, die Steuern nach beidem: nach der Höhe des Lohns, aber auch nach Familienstand und Kinderzahl). Die genauen Regeln zu bestimmen gehört in den Aufgabenbereich der Politik, für die die Idee der G. eine normativ-kritische Funktion hat.

Allg. lässt sich sagen, dass zur unantastbaren Menschenwürde auch die elementare Existenzsicherung gehört, hier deshalb der Bedürfnisaspekt den Vorzug verdient, während die Ausgestaltung der eigenen Existenz der Freiheit des einzelnen zu überlassen ist. Dabei sind alle Güter, Positionen und Ämter grundsätzlich für jeden offenzuhalten, und die Ordnung des wirtschaftlich-sozialen Systems hat nicht dem Vorteil gewisser Gruppen, sondern dem Wohlergehen aller zu dienen.

7. Politische Gerechtigkeit: Legitimation und Limitation von Recht und Staat

G.s-Kontroversen beginnen nicht erst bei der Frage, unter welchen Bedingungen eine Rechts- und Staatsordnung gerecht ist: die G. als ein Recht und Staat normierendes Prinzip. Zuvor ist zu untersuchen, warum man überhaupt zwangsbefugte Freiheitseinschränkungen auf sich nehmen soll, statt im strengen Sinn anarchisch, herrschaftsfrei zu leben: die G. als Recht und Staat konstituierendes Prinzip.

Für die systematisch vorrangige Frage gibt es zwei Grundmuster. Das auf Platon und Aristoteles zurückgehende Kooperationsmodell ist durch neuere anthropologische und institutionstheoretische Einsichten weiterzuentwickeln: Als eine umfassende und in sich vielfältig differenzierte Institution erlaubt der Staat seinen freien und gleichen Bürgern nicht bloß ein Überleben, überdies ein angenehmes und sichereres Leben, sondern darüber hinaus Chancen der Selbstverwirklichung. In dem schon bei Aristoteles anklingenden Konfliktmodell wird das Kooperationsmodell ergänzt, darüber hinaus die Legitimationsfrage verschärft. Die sog.en ↑Vertragstheorien eines Thomas Hobbes, John Locke, Jean-Jacques Rousseau, I. Kant, J. Rawls führen ein Gedankenexperiment durch, das von der Handlungsfreiheit ausgeht und probeweise freie Personen annimmt, die ohne Recht und Staat zusammenleben (sog.er Naturzustand). Weil bei dieser Annahme jeder seine Zwecke mit beliebigen Mitteln verfolgen kann, hat er zwar ein „Recht auf alles". Ihm fehlt aber jede Anerkennung und öffentliche Sicherung von Handlungsfreiheit, womit das „Recht auf alles" sich als kein Recht auf irgendetwas, als „Recht auf nichts", entpuppt. Eine uneingeschränkte Handlungsfreiheit ist in sozialer Perspektive unmöglich. Der Standpunkt der G. fordert die unvermeidbaren Freiheitseinschränkungen nicht gemäß den jeweiligen Macht- und Drohpotentialen vorzunehmen, auch nicht die einen zu privilegieren, um andere zu diskriminieren. Die politische G. besteht deshalb in der streng gleichen Einschränkung von Freiheit zum Zweck ihrer allseitigen Sicherung. Dieses Prinzip nimmt den überlieferten Grundgehalt der G.s-Idee auf, die strenge Unparteilichkeit, die ohne Ansehen der Person urteilt.

Im Gegensatz zum Gedanken der Herrschaftsfreiheit (↑Anarchie, Anarchismus) erweisen sich hier Recht und Staat als grundsätzlich legitim. Im Gegensatz zu einem strengen ↑Rechtspositivismus dürfen sie sich aber nicht beliebig entwickeln, sondern sind auf das Prinzip der gleichen Freiheit verpflichtet. Die ↑Legitimation von Recht und Staat ist daher nur als gleichzeitige Limitation möglich: Die notwendigen öffentlichen Gewalten sind nur so weit gerechtfertigt, wie sie für eine Gemeinschaft freier Personen unerlässlich, dabei für jeden einzelnen vorteilhaft sind. Sie entsprechen einer freien Selbstbeschränkung, also der Rechtsfigur des ↑(Gesellschafts-)Vertrags.

8. Mittlere Prinzipien der Gerechtigkeit: Menschenrechte

Die universalen Bedingungen der Freiheitskoexistenz, auf die das Prinzip der gleichen Freiheit das Zusammenleben verpflichtet, belaufen sich, vom einzelnen Rechtssubjekt her gesehen, auf Menschenrechte, nämlich auf angeborene, natürliche (Naturrecht), unveräußerliche und unverletzliche Rechte, die in systematischer Hinsicht primär jedem Menschen gegen seine Mitmenschen, sekundär gegen den Staat zukommen. Auf ihre Institutionalisierung und Positivierung in der Form von Grundrechten oder fundamentalen Staatszielen darf weder ein Gemeinwesen noch eine internationale Rechtsordnung verzichten. Das gilt sowohl für die persönlichen Freiheitsrechte wie den Schutz von Leib und Leben, von Eigentum, einem guten Namen, Meinungs-, Religions-, Wissenschaftsfreiheit usw. als auch für die politischen Mitwirkungsrechte (aktives und passives Wahlrecht usw.: Beteiligungs-G.) oder, als Staatsziele formuliert, für die Freiheit und die Demokratie.

Eine politische Gemeinschaft, die es mit den Freiheits- und den Mitwirkungsrechten ernst meint, muss sich auch um jene generell gültigen empirischen Bedingungen kümmern, ohne die man Freiheits- und Mitwirkungsrechte überhaupt nicht oder nur erschwert realisieren kann. Um die Fähigkeit zu erwerben, ein eigenes Leben zu führen, braucht es Nahrung, Kleidung und Wohnung, ferner eine Zuwendung, die Geborgenheit, Welt- und Selbstvertrauen ermöglicht, nicht zuletzt Chancen für Bildung und Ausbildung. Ihretwegen zählen zu den unveräußerlichen Rechten gewisse Sozial- und Kulturrechte (Teilhabe-G.), ohne dass diese die Form subjektiver öffentlicher Rechte annehmen müssten.

Während auf der Ebene der Menschenrechte die G. „jedem das Gleiche" zuspricht, sind auf der nachgeordneten Ebene Unterschiede unvermeidbar und schon deshalb legitim, weil die Freiheitsrechte es jedem erlauben, sein Leben frei zu gestalten. Hier verbietet die G., negativ formuliert, eine willkürliche Behandlung und fordert, positiv, eine Gleichheit, allerdings keine arithmetische, sondern eine proportionale. Bei der elementaren Existenzsicherung verdient der Bedürfnisaspekt den Vorzug, während die Arbeits- und Berufswelt nach Leistungsgesichtspunkten einzurichten ist. Beim Tausch von Gütern, Leistungen und Geld wiederum soll eine Gleichwertigkeit herrschen.

Eine öffentliche Rechtsordnung ist gerecht, wenn sie

Ungerechtigkeit bestraft (ausgleichende oder retributive G.). Dabei darf das Strafmaß weder beliebig sein, noch sich lediglich nach Abschreckungskriterien richten, denn dadurch würde der Straftäter zum Instrument für die Gesellschaft degradiert. Eine gerechte Strafe hängt zuerst von der Schwere der Rechtsverletzung und dem Maß der Zurechnungsfähigkeit ab. Erst subsidiär sind Aspekte der Abschreckung, Besserung und Wiedereingliederung legitim. Schließlich fordert die Idee der G., verschuldete Schäden in angemessener Höhe wiedergutzumachen.

9. Strategien politischer Gerechtigkeit

Auch mittlere G.s-Prinzipien wie die Menschenrechte gebieten kaum ein konkretes Tun oder Lassen. Sie haben nicht die Bedeutung idealer Pläne oder konkreter ↑Utopien, aus denen rechtliche Normen oder institutionelle Strukturen direkt abgeleitet werden könnten. Als erst generelle G.s-Kriterien sind sie Direktiven für die Urteilskraft, Bewertungs- und Gestaltungsprinzipien, nach deren Maßgabe unter Kenntnis der Lebensverhältnisse und einschlägigen Sachgesetzlichkeiten die politisch-sozialen Verhältnisse wahrgenommen und eingerichtet oder weiterentwickelt werden sollen. Schon weil die Situationsfaktoren in verschiedenen Ländern und zu verschiedenen Zeiten unterschiedlich ausfallen, überdies die Sachgesetzlichkeiten unterschiedlich eingeschätzt werden, nicht zuletzt weil die G.s-Idee, insb. ihre Aspekte der Sozialstaatlichkeit und der Teilhabe-G., der Politik einen nicht geringen Spielraum lässt, führt diese „Strategien der politischen Gerechtigkeit" (Höffe 2003: 456) genannte Aufgabe nicht zu einer identischen Gestaltung der Rechts- und Staatsverhältnisse in aller Welt.

Für die allfälligen politischen Diskurse will Jürgen Habermas im Rahmen seiner Diskurstheorie (↑Diskursethik) die G. auf Rechtfertigbarkeit verkürzen. Die Rechtfertigungsdiskurse setzen aber eine sie orientierende G.s-Vorstellung voraus, deren Kern, etwa den Schutz von Leib und Leben und die Anerkennung aller Betroffenen als gleichberechtigt sie schon praktizieren müssen, daher den Rang von „Präjudizien des Diskurses" hat (Höffe 1989: 531).

10. Soziale Gerechtigkeit

Obwohl die Theorie der G. seit Aristoteles mehrere G.en kennt, ist ihr der Ausdruck „soziale G." bis weit in die Neuzeit unbekannt. Erst in der zweiten Hälfte des 19. Jh. taucht sie in der ↑katholischen Soziallehre auf, erhält in den ↑Sozialenzykliken der Päpste Leo XIII. („Rerum novarum", 1891) und Pius XI. („Qudragesimo anno", 1931) eine prominente Rolle, wird vom reformatorischen Theologen Emil Brunner aufgegriffen, vom Ökonomen und Sozialphilosophen Friedrich von Hayek aber angesichts einer seiner Ansicht nach ausufernden Sozialstaatlichkeit scharf kritisiert: Die Illusion der sozialen G. Heute hat der Ausdruck zwei Bedeutungen. In

einem unspezifischen Sinn verstärkt „sozial", was die G. ohnehin besagt: Es geht um die einander geschuldete Sozialmoral. In einem spezifischen Sinn befasst sich die soziale G. mit jenen Phänomenen wie Arbeitslosigkeit, Schutzlosigkeit bei Krankheit und im Alter, mangelnde Bildung, Armut, sogar Hunger, kurz: Verelendung, die im 18. und 19. Jh. v.a. die Arbeiterschaft in den größer werdenden Städten und einen erheblichen Teil der Landbevölkerung heimsuchten. Hinzukommen als neue soziale Frage Probleme der G. zwischen den Generationen, einschließlich der ökologischen G. Sofern diese Phänomene auf gesellschaftliche Veränderungen zurückgehen, die wie etwa die Industrialisierung, die Verstädterung und die Spezialisierung der Arbeit, später die Globalisierung, einen Komplex von Chancen und Risiken hervorbringen, die per Saldo als kollektiv vorteilhaft erscheinen, einige Gruppen aber schlechter stellt, gebietet die G. Ausgleich und Entschädigung.

Gemäß einem weiteren Argument werden im Verlauf der genannten zivilisatorischen Entwicklungen wichtige bisher wirksame Solidargemeinschaften, primäre Institutionen wie Familien und Großfamilien oder Sippen bzw. Klans, auch sekundäre Solidargemeinschaften wie Zünfte und Kommunen in ihrem Eigenrecht und Eigengewicht sowie ihrer Finanzausstattung entmachtet. Das Gemeinwesen hat dafür eine Entschädigung in Form einer Ausfallbürgschaft zu leisten. indem es jene Aufgaben übernimmt, die die entmachteten Institutionen entweder gar nicht mehr oder nur noch unzureichend zu erfüllen vermögen.

Auch wenn der Sozialstaat an seiner Oberfläche als eine Solidargemeinschaft oder als eine Gemeinschaft der sog.en Verteilungs-G. erscheint, legitimiert er sich in seinem Kern auf der empirischen Seite aus veränderten Gesellschaftsverhältnissen und auf der normativen Seite von der ausgleichenden G. her.

Gerechtigkeitsgeboten ist keine bevormundende Fürsorge, sondern eine „Hilfe zur Selbsthilfe", die teils in Form von Sozialversicherungen, teils über eine Wirtschafts-, Sozial- und Bildungspolitik möglichst vielen Menschen die Chancen für eine die Berufsfähigkeit einschließende tätige Selbstverantwortung ermöglicht. Weil es Unterschiede der Begabungen und des Engagements gibt, verlangt aber die soziale G. keine Ergebnisgleichheit.

Nach der Befähigungs-G. geht es um die Befähigungen (capabilities), die ein Mensch zur erfolgreichen Gestaltung seines Lebens braucht (↑Capabilty Approach).

Andere Ausgleichs- und Entschädigungsaufgaben ergeben sich aus gravierenden Unrechten der Vergangenheit auf der internationalen, sogar globalen Ebene, etwa aus Sklaverei, Leibeigenschaft und Erbuntertänigkeit, aus Kolonialisierung und Imperialismus sowie einer jahrhundertelangen Ungleichbehandlung der Frau. Den Ausgleich schulden freilich die jeweils verantwortlichen Gemeinwesen. Die Hilfe seitens anderer wohlhabenderer Länder fällt schwerlich unter die soziale G.

Vom Standpunkt der G. ist der Gedanke eines ↑Grundeinkommens bedenklich, das jeder unabhängig von seiner wirtschaftlichen und gesellschaftlichen Lage erhalte, der sog.e Bürgerlohn. Nach einem Kernelement der G., der Wechselseitigkeit, verdient man nicht für das bloße Bürgersein einen pekuniären Lohn, sondern erst für einen Beitrag für das Gemeinwesen. Für einen Bürgerlohn, der den Namen verdient, bedarf es einer komplementären Bürgerarbeit.

11. Skepsis gegen Gerechtigkeit und Gegenskepsis

Gegen den Standpunkt der G. herrschen vier Kritiklinien vor. Mit dem Argument „andere Länder, andere Sitten und G.s-Vorstellungen" bestreitet der Relativismus die Möglichkeit einer globalisierungsfähigen G.s-Idee. Der Rechtspositivismus in seiner bescheidenen Form erklärt für die Rechtswissenschaft, um eine autonome Disziplin zu sein, müsse sie sich von Philosophie und Politik unabhängig machen, zu diesem Zweck das positiv geltende Recht vom moralisch gebotenen, überpositiven Recht begrifflich trennen. Den Standpunkt der G. lehnt erst ein radikaler Rechtspositivismus ab, der das gesamte positive Recht ohne ein Element von G. begründen will. Dagegen spricht, dass die (legitime) Zwangsbefugnis einer Rechtsordnung, um von der (illegitimen) organisierten Verbrechens („Mafia") unterscheidbar zu sein, Rechtsgüter wie Leib und Leben, Eigentum und Ehre („guter Name"), nicht zuletzt Grund- und Menschenrechte schützen muss, die jedem einzelnen Betroffenen zugute kommen. Dieses Element von G. beläuft sich auf eine das Recht definierende, zugl. das Recht konstituierende G.

Nach dem soziologischen Systemtheoretiker Niklas Luhmann ist das Recht in der Neuzeit von überpositiven Elementen vollständig frei und deshalb zu einem vorher unbekannten Maß an Veränderung, zu einer „Institutionalisierung der Beliebigkeit" (Luhmann 1969: 28), fähig geworden. Wahr ist, dass außergewöhnliche Wandlungsfähigkeit das moderne Recht lediglich im Rahmen weitreichender G.s-Vorgaben wie den Freiheitsrechten, der ↑Volkssouveränität und der unabhängigen ↑Gerichtsbarkeit, auch der Sozialstaatlichkeit und neuerdings dem Umweltschutz stattfindet.

Seit ihrem Begründer, Jeremy Bentham, hat die Ethik des zu maximierenden Kollektivwohls, der ↑Utilitarismus, Schwierigkeiten mit der G., deren Überwindung auch John Stuart Mill nicht gelingt. Der Utilitarismus erlaubt nämlich berechtigte Ansprüche, selbst die Grund- und Menschenrechte zu verletzen, sofern es dem Kollektivwohl dient, weshalb ihm Karl Marx und Friedrich Engels eine „exploitation de l'homme par l'homme" (MEW 3: 394) vorwerfen.

12. Verfahrensgerechtigkeit

Verbindliche Entscheidungen benötigen Verfahren. Deren Elemente, die Zuständigkeiten, Abläufe und Formen, müssen, um selbst bei unangenehmen Entscheidungen alle Beteiligten zu überzeugen, G.s-Charakter haben. Da die maßgeblichen Verfahren alle Betroffenen streng gleich behandeln, erfüllen sie unstrittig das G.s-Erfordernis, weshalb sie von allen Kulturen anerkannt werden. Die Verfahrens-G., die G. entweder im Verfahren oder durch Verfahren, gehört zum G.s-Erbe der Menschheit und ist ein starkes Gegenargument gegen die These eines puren G.s-Relativismus:

Bei der ersten Art, der reinen Verfahrens-G., liegt die G. im Verfahren selbst. Beim Würfeln, Ziehen eines Loses und Zählen von Stimmen von Abstimmungen gibt es kein verfahrensunabhängiges G.s-Maß für die Ergebnisse, so dass sie nicht bloß subsidiär, sondern originär gerecht sind. Bei der zweiten vollkommenen G. gibt es sowohl einen verfahrensunabhängigen Maßstab für ein gerechtes Ergebnis als auch ein annähernd sicheres Verfahren, um dieses zustandezubringen: Wenn bei der Aufteilung einer Gütermenge, bspw. eines Kuchens, eine Gleichbehandlung als gerecht gilt, dann sorgt der Grundsatz „Wer teilt, erhält das letzte Stück" für eine ziemlich gewisse Gleichbehandlung.

Bei der dritten, der im Recht und im Staat vorherrschenden unvollkommenen Verfahrens-G. gibt es keine Verfahren, die ein gerechtes Ergebnis ziemlich sicher zustande bringen. Hier herrscht, was prozedurale Rechts- und Demokratietheorien gern verdrängen, keine originäre, bestenfalls eine subsidiäre Legitimation. Bei Strafprozessen bspw. fordert die G. zwar nur Schuldige und diese nach Maßgabe ihrer Schuld zu bestrafen. Offensichtlich gibt es kein Verfahren, um Justizirrtümer und Fehlbestrafungen zu verhindern, wohl aber hilfreiche Grundsätze, etwa „Man höre auch die andere Seite" und „Niemand sei Richter in eigener Sache". Hilfreich sind ferner Prozessforderungen samt prozeduralen Fristen, die Öffentlichkeit des Verfahrens und die Möglichkeit von Berufung und Revision.

Die Anwendung einer allg.en Rechtsregel kann in außergewöhnlichen Einzelfällen zu offensichtlich nicht gerechten Entscheidungen führen. Hier fordert das seit Aristoteles vertretene Korrekturprinzip zur G., die ↑Billigkeit, vom Buchstaben des geltenden Rechts abzuweichen, um den außergewöhnlichen Umständen gerecht zu werden.

13. Anamnetische Gerechtigkeit

Die G.s-Forderung nach Unparteilichkeit gilt auch für das Geschichtsbewusstsein, das deshalb einer anamnetischen G. bedarf: Nur ein Weltgedächtnis, das die Untaten die Geschichte nicht länger in parteilicher Auswahl bewahrt, das überdies an die mancherorts nachhaltige, andernorts aber fehlende Wiedergutmachung erinnert, hilft künftigen Gewalttaten vorzubeugen. Wichtiger als dieser präventive Gesichtspunkt ist das G.s-Argument selbst: Die Fairness gegen die Opfer verlangt, die Erinnerung nicht auf wenige, bes. gravierende Verbrechen einzuschränken und selbst sie oft noch selektiv wahrzunehmen: Wo gewisse Genozide

(↑Völkermord) tief ins Weltgedächtnis eingegraben, andere dagegen lieber kleingeredet oder verdrängt werden, begeht man gegenüber den Opfern ein elementares, anamnetisches Unrecht. Zur anamnetischen G. gehört auch, die Erinnerung nicht auf die großen Untaten der Welt zu beschränken. Die vielen Glanzleistungen der Menschheit, die teils persönlichen, teils eher kollektiven Leistungen aus Wirtschaft, Wissenschaft und Philosophie, aus Medizin und Technik, aus Musik, Kunst und Architektur, nicht zuletzt aus Recht und Politik sowie aus der Welt von Mitgefühl und Wohltätigkeit verdienen ebenfalls einen Platz im Gedächtnis der Menschheit.

14. Globale politische Gerechtigkeit

Die politische G. gibt sich nicht mit gerechten Gemeinwesen zufrieden. Sie ist auch für Staatengrenzen überschreitende (internationale), namentlich weltweite (supranationale) Aufgaben zuständig. Den Kern dieser globalen politischen G. bildet eine Rechts- und Friedensordnung, die sich vier Grundsätzen der politischen G. unterwirft: der Herrschaft des Rechts, öffentlicher Gewalten, der Demokratie und den Grund- und Menschenrechten. Die Anerkennung dieser Grundsätze beläuft sich auf eine demokratische Weltrechtsordnung, die auch „Weltrepublik" heißen mag. Bei ihr handelt es sich nicht um eine schlichte, weil weltfremde Utopie, sondern um eine realistische Vision, deren Verwirklichung, blickt man auf das immer dichtere ↑Völkerrecht und auf die Einrichtung von Weltgerichten, in Form einer sanften Weltrepublik, namentlich als ein globales politisches Institutionennetz, schon auf dem Weg ist. Die Legitimation der schließlichen Weltrepublik erfolgt aus der Verbindung von Bürgerrechtfertigung mit Staatenrechtfertigung. Infolgedessen muss das höchste Organ, der Weltgesetzgeber als Weltparlament, aus zwei Kammern bestehen, aus einem Welttag als der Bürgerkammer und einem Weltrat als der Staatenkammer.

Unter der Weltrechtsordnung ist kein zentralistischer Einheitsstaat zu verstehen, sondern eine gegenüber den einzelnen konstitutionellen Demokratien sekundäre Rechtsordnung, die einen föderalen, überdies lediglich subsidiären Charakter hat und keineswegs nur staatsförmig („etatistisch") zu gestalten ist, sondern auch Formen eines Regierens ohne Staatlichkeit („governance without government") zulässt. Die konstitutionellen Demokratien bleiben die primären Träger politischer Legitimität. Sie sind die Primärstaaten, während die Weltrechtsordnung nur den Rang eines Sekundärstaates hat, sogar, falls großregionale Zwischenstufen wie die EU entstehen, lediglich eines Tertiärstaates.

Die von den globalen politischen G. gebotene ↑Subsidiarität verlangt für die Fortbildung der Weltrechtsordnung eine Vorsicht und Umsicht gemäß dem weltstaatlichen Sparsamkeitsprinzip: Nur dort und nur so viel an globaler Verantwortung ist legitim, wo und wie nicht schon die subglobalen Instanzen, insb. die Einzelstaaten, agieren können. Sowohl die Einrichtung überstaatlicher Instanzen als auch jede ihrer Zuständigkeiten tragen die Beweislast. Andernfalls sind die beliebten Einwände von Bürgerferne und Unregierbarkeit oder aber Überbürokratisierung nicht berechtigt. Für das, was die Einzeldemokratien allein oder mittels multilateraler Verträge regeln können, behalten sie jedenfalls die Zuständigkeit.

Die subsidiäre, komplementäre und föderale Weltrechtsordnung erweitert den Schutz der G.s-Prinzipien auf die gesamte Menschheit. Sie trägt die Verantwortung für die (Quasi-)„Menschen- und Grundrechte von Staaten" hinsichtlich deren politischer und kultureller Selbstbestimmung und ihrer territorialen, einschließlich ökologischen Integrität. Die Menschen haben nämlich das Recht, in ihren Gemeinwesen kollektive Eigenarten etwa der Sprache, der Religion und Kultur, auch der Sitten und des Rechts sowie der Mentalität zu pflegen, sofern sie keine Minderheiten diskriminieren, gegen die die G. in pluralistischen Gesellschaften, die Toleranz, geboten ist. Die globale Rechtsordnung hält sich mit einem Recht auf Besonderheit und Differenz für eine Vielfalt von Unterschieden offen.

Angesichts der grenzüberschreitenden ↑Kriminalität plädiert die globale politische G. für eine globale Gerichtsbarkeit, für eine Weltjustiz im Sinne eines Weltstrafrechts, das sich dreidimensional einrichten lässt: (1) Gemäß dem Subsidiaritätsprinzip beginnt die Weltjustiz auf der einzelstaatlichen Ebene: Ein „nationales Weltstrafrecht" unterwirft sich sowohl hinsichtlich der strafwürdigen Delikte als auch der Prozessprinzipien, der Strafen und des Strafvollzugs interkulturellen Grundsätzen, was die nationale Justiz, berechtigt, für im eigenen Geltungsbereich begangene Delikte auch aus anderen Gemeinwesen stammende Personen zu bestrafen. (2) Ein „grenzüberschreitendes Weltstrafrecht" berechtigt im Rahmen einer interkulturell gültigen Strafjustiz zu jener stellvertretenden Strafrechtspflege, die im Land B Festgenommenen in diesem Land für ein im Land A begangenes Delikt zu verurteilen. (3) Eine „weltbürgerliche" oder „kosmopolitische Weltjustiz" ist für jene „Verbrechen gegen die Menschlichkeit" zuständig, die in den betreffenden Ländern nicht verfolgt, vielleicht von deren Verantwortlichen sogar begangen werden.

Ein Weltbürgerrecht verbietet, friedliche Ausländer an der Grenze zu berauben, willkürlich zu inhaftieren oder sogar zu versklaven und, einmal ins Land eingelassen, dem hier geltenden zivil- und Strafrecht zu entziehen. Bei gravierenderen Defiziten an nationalem Rechtsschutz müssen sie einschlägige Klagen über den innerstaatlichen Instanzenweg hinaus vor ein Weltgericht bringen können. Weil das Weltbürgerrecht gegenüber dem nationalen Staatsbürgerrecht nur eine subsidiäre Bedeutung hat, ist es legitim, die Rechte von Ausländern einzuschränken. Ein Recht, sich in jedem Staat der Welt auf Dauer aufzuhalten, an deren Gestaltung gleichberechtigt mitzuwirken und die Segnungen von dessen Sozialstaatlichkeit in Anspruch zu nehmen, kurz: ein Menschenrecht auf Einwanderung, besteht nicht.

Eine globale Marktordnung widersetzt sich sowohl kriminellen Wettbewerbsverzerrungen („Mafia-Methoden") als auch Monopolen, Oligopolen, Kartellen, Steueroasen und anderen Formen unlauteren Wettbewerbes. Nur subsidiär zu den primären nationalen Verantwortlichkeiten erlässt sie eine Welt-Wettbewerbs-Ordnung, betreibt – in engen Grenzen – eine Weltwirtschaftspolitik, richtet ein Weltkartellamt ein und sorgt für soziale und ökologische Mindestkriterien.

Die globale G. tritt zwei gegenläufigen Missbrauchsstrategien entgegen, der Verkürzung der G. auf Forderungen an andere: Länder der Zweiten und Dritten Welt verlangen die Teilhabe an den Reichtümern der Erde, unterschlagen aber gern die Aufgabe, in ihren Ländern für die ressourcenunabhängige G., für Rechtschaffenheit, eine korruptionsfreie Justiz und die Gewährleistung der Menschenrechte, zu sorgen. Weil diese G. von Ressourcen unabhängig ist, tun sich die reicheren Länder dagegen leicht, sie einzufordern. Dagegen sperren sie sich gern jener G.s-Forderung, die auch dort einen freien Welthandel ohne Privilegierung der reichen und Diskriminierung der armen Länder verlangt, wo so kostbare Ressourcen wie die eigenen Arbeitsplätze betroffen sind.

Außer Institutionen braucht es für die globale politische G. auch einen Welt-G.s-Sinn, praktiziert von Bürgern, von Regierungs- und von NGOs. Wie bei der einzelstaatlichen Entsprechung stellen sich drei Aufgaben: In einem initiatorischen Welt-G.s-Sinn erkennen sich alle Menschen (kosmopolitischer Welt-G.s-Sinn) und alle Staaten (weltföderalistischer G.s-Sinn) als gleichberechtigt an, was eine Weltrechtsordnung auf den Weg zu bringen und sie schließlich zu einem föderalen Weltrepublik auszubauen hilft. Ein legislatorischer Welt-G.s-Sinn sorgt dafür, dass die Weltrechtsordnung nach Maßgabe nicht der jeweiligen Machtverhältnisse, sondern des Rechts und der G. entwickelt wird. Schließlich tritt ein applikativer Welt-G.s-Sinn Privilegien, Diskriminierungen und anderem Unrecht in aller Welt entgegen.

15. Ökonomische Gerechtigkeit

Sowohl der nationale als auch der globale Markt funktionieren nach anonymen Kräften, vereinfacht: nach dem Gesetz von Angebot und Nachfrage. Trotzdem darf man nicht auf jede geplante Ordnung verzichten, da die wohlstandsfördernden Kräfte wie Anstrengung und Wagnis einer natürlichen Trägheit abzuringen sind. Ihretwegen versucht eine „aufgeklärte Trägheit", durch Wettbewerbsverzerrungen Anstrengung und Wagnis zu verringern. Dem widersetzt sich die ökonomische G., indem sie – etwa durch Rechtsschutz und Kartellämter kriminellen und anderen Wettbewerbsverzerrungen entgegentritt.

16. Ökologische Gerechtigkeit

Weil die naturale Natur, von keiner Generation geschaffen, ein Gemeineigentum der Menschheit ist, müssen jede Generation und jedes Gemeinwesen, die sich etwas vom Gemeineigentum nehmen, in anderer Weise etwas Gleichwertiges zurückgeben. Der leitende G.s-Grundsatz lautet daher: Die Summe aus naturaler Natur und künstlichen („technischen") Äquivalenten, die ökologische Bilanz, darf sich nicht verschlechtern. Dabei kommt es nicht auf den Pro-Kopf-, sondern auf den Gesamtwert an. Eine Generation, die sich das Recht nimmt, durch eine wachsende Bevölkerung die Umwelt stärker zu belasten, hat die Pflicht, die ökologische Bilanz im selben Maß zu steigern. Weil in diesem Bereich die Gegenwart auf Kosten der Zukunft zu leben pflegt und diese Ungerechtigkeit nur in globaler Vernetzung behoben werden kann, ist erneut die Weltrechtsordnung gefordert. Wie Eltern ihren Kindern lieber ein größeres Erbe hinterlassen, als sie selbst übernommen haben, so müsste eine der Naturkräfte so mächtige Gesellschaftsform wie die wissenschaftlich-technische Zivilisation sogar ihren Stolz darin setzen, den Kindern und Kindeskindern eine ökologisch bessere Bilanz zu vererben.

Literatur

Klassiker

N. Scarano/C. Horn (Hg.): Philosophie der Gerechtigkeit. Texte von der Antike bis zur Gegenwart, ⁴2008 • Platon: Politeia, in: ders.: Sämtliche Werke, Bd. 2, 1994, S. 195-537 • Aristoteles: Nikomachische Ethik,1985 • F. Nietzsche: Zur Genealogie der Moral. Eine Streitschrift, 1887 • J. S. Mill: Utilitarianism, 1863 • I. Kant: Die Metaphysik der Sitten, 1797 • D. Hume: An Enquiry Concerning the Principles of Morals, 1751 • Ders.: An Enquiry Concerning Human Understanding, 1748 • T. Hobbes: Leviathan or The Matter, Forme and Power of a Common Wealth Ecclesiasticall and Civil, 1651.

Zeitgenössische Literatur

P. Kovce (Hg.): Soziale Zukunft: Das bedingungslose Grundeinkommen. Die Debatte, 2017 • H. Kelsen: Was ist Gerechtigkeit?, 2016 • B. Schlink: Praktische Gerechtigkeit, in: Merkur 70/805 (2016), 5-16 • O. Höffe: Gerechtigkeit, ⁵2015 • M. C. Nussbaum: Die Grenzen der Gerechtigkeit. Behinderung, Nationalismus, Spezieszugehörigkeit, 2014 • R. Dworkin: Gerechtigkeit für Igel, 2012 • W. Kluth (Hg.): Facetten der Gerechtigkeit, 2010 • A. K. Sen: Die Idee der Gerechtigkeit, 2010 • G. Hartung/S. Schaede (Hg.): Internationale Gerechtigkeit, 2009 • D. Mieth (Hg.): Solidarität und Gerechtigkeit, 2009 • O. Höffe (Hg.): Lexikon der Ethik, ⁷2008 • A. Ross: On Law and Justice, ²2007 • J. Assmann: Ma'at. Gerechtigkeit und Unsterblichkeit im Alten Ägypten, ²2006 • O. Höffe (Hg.): John Rawls. Eine Theorie der Gerechtigkeit, ²2006 • P. Prodi: Eine Geschichte der Gerechtigkeit, München ²2005 • O. Höffe: Politische Gerechtigkeit. Grundlegung einer kritischen Philosophie von Recht und Staat, ⁴2003 • A. Derschowitz: Die Entstehung von Recht und Gesetz aus Mord und Totschlag, 2002 • O. Höffe: Gibt es ein interkulturelles Strafrecht? Ein philosphischer Versuch, 1999 • O. Höffe: Kategorische Rechtsprinzipien: Ein Kontrapunkt der Moderne, ³1995 • O. Höffe: Moral als Preis der Moderne, 1993 • J. Habermas: Faktizität und Geltung. Beiträge zur Diskurstheorie des Rechts und des demo-kratischen Rechtsstaats, 1992 • O. Höffe: Gerechtigkeit als Tausch, 1991 • O. Höffe: Präjudizien des Diskurses, in: PVS 30/3 (1989), 531 – 535 • O. Höffe: Ethik und Politik, ²1984 • O. R. Kissel: Die Justitia. Reflexionen über ein Symbol und seine Darstellung in der bildenden Kunst, 1984 • P. Bühler u. a.: Justice en dialogue, 1982 • B. Moore: Ungerechtigkeit. Die sozialen Ursachen von Unterordnung und Widerstand, 1982 • F. von Hayek: Recht, Gesetzgebung und Freiheit, Bd. 2, 1981 • N. Luhmann: Ausdifferenzierung des Rechts, 1981 • J. R. Lu-ca: On Justice, 1980 • O. von Nell-Breuning: Gerechtigkeit und Freiheit, 1980 • D. Miller: Social Justice, ²1979 • R. No-zick: Anarchie, Staat, Utopia, 1979 • J. Rawls: Eine Theorie der Gerechtigkeit, 1975 • H. L. A. Hart: Der Begriff des Rechts, 1974 • M. J. Lerner/M. Ross: The Quest for Justice. Myth, Rea-lity, Ideal, 1974 • F. Dürrenmatt: Monstervortrag über Gerech-tigkeit und Recht. Nebst einem helvetischen Zwischenspiel (eine kleine Dramaturgie der Politik), 1969 • N. Luhmann: Legitimation durch Verfahren, 1969 • C. Perelman: Über die Gerechtigkeit, 1967 • J. Pieper: Über die Gerechtigkeit, ⁴1965 • G. Radbruch: Der Mensch im Recht, 1957 • E. Brunner: Ge-rechtigkeit. Eine Lehre von den Grundgesetzen der Gesell-schaftsordnung, 1943.   OTFRIED HÖFFE

II. Gerechtigkeit in Theologie und christlicher Sozialethik

In den theologischen Traditionen und den zeitgenössi-schen Diskursen der Theologie sowie der Sozialethik spielen die unterschiedlichen Begriffe der G. eine pro-minente Rolle und beziehen sich auf den individuellen Menschen, die menschliche Gesellschaft (in jüngerer Zeit erweitert auf die Umwelt) und nicht zuletzt auf Gott selbst.

Dem entsprechen die drei Bereiche, die in der theo-logischen Ethik mit den Begriffen gerecht oder unge-recht qualifiziert werden (konnen):

a) Im *individuellen* Bereich werden Personen und deren Handlungen als (un)gerecht eingestuft. Dies ist das Verständnis der Tradition von philosophischer und theologischer Ethik: G. als personale ↑Tugend.

b) Im *gesellschaftlichen* Bereich geht es um die (Un)Ge-rechtigkeit von Regeln, Gesetzen, Verfahren, Institu-tionen, Systemen (etwa der Wirtschaft) oder ganzen Gesellschaftsordnungen. Nachdem hierfür seit dem 19. Jh. der Begriff „soziale G." aufgekommen war, wurde der Diskurs im 20. Jh. um die Dimension der „Umwelt-G." oder „ökologischen G." erweitert.

c) Der *theologische* Bereich dreht sich um das Problem der G. Gottes und des kosmischen Geschehens. Ein-schlägig sind hier etwa die Theodizee-Frage oder die traditionelle Eschatologie mit dem „gerechten" Urteil Gottes beim Jüngsten Gericht.

Die Bibel thematisiert alle drei Bereiche, die systemati-schen Theologien primär den dritten Bereich und die ↑Christlichen Sozialethiken insb. den zweiten Bereich (mit dem dritten Bereich als vorausgesetztem Fun-dament).

1. Gerechtigkeit in der Bibel

1.1 Gerechtigkeit im AT

Neben vielen normativen Einzelanweisungen, deren unmittelbare Anwendung auf die moderne Gesellschaft aufgrund ihrer Zeitbedingtheit wegen des „garstigen breiten Grabens" (Lessing 1965: 36) der Geschichte nicht zweckmäßig wäre, bietet das AT eine grundsätz-liche theologische und ethische Botschaft, die sich um den Begriff der G. zentriert und auch heute als „regula-tive Idee" fungieren kann.

Der alttestamentliche Begriff der G. entstammt urspr. dem Bereich der ↑Rechtsprechung (Wortwurzel *sdq*: gerecht sein, einen Prozess gewinnen; Ex 23,6 f.; Dtn 1,16.18; Spr 31,9). Aufgrund der Erfahrung, dass viele Richter aber bestechlich sind und ungerechte Urteile fällen (Am 5,7; Koh 3,16), wird bei den Propheten der unschuldig Verurteilte als Gerechter *(saddiq)* bezeichnet und damit G. zu einem ethischen Maßstab zur Beurtei-lung der Rechtsprechung. Zudem wird der Begriff der G. auch theologisch gefüllt, wenn gesagt wird, dass der Gerechte *(saddiq)* auf den „geraden Wegen des Herrn" wandle (Hos 14,10). Mit dem „Aussäen der Gerechtig-keit" (Hos 10,12) wird die G. Gottes (Ps 11,7) anfang-haft auf Erden verwirklicht (Jes 45,8). Konkreter kenn-zeichnet sich die alttestamentliche G. dann etwa in den Zielvorstellungen einer gesellschaftlichen Integration aller (1 Kön 5,5), einer Kooperationsfairness im wirt-schaftlichen Bereich (Ex 23,6–8; Dtn 25,13–16) oder im – empirisch zwar vermutlich nie umgesetzten, den-noch normativ angezielten – Recht auf einen Neu-anfang (Sabbat- und Jobéljahr: Dtn 15,1–6.12–15; Lev 25,3–28).

1.2 Gerechtigkeit im NT

Der Begriff der G. *(dikaiosyne)* kommt im NT insgesamt 91-mal vor, davon 57-mal bei Paulus und hier wiederum 35-mal im Römerbrief. Verwandte Worte (gerecht, ge-rechtmachen) finden sich 118-mal. Der Befund erweist zum einen das inhaltliche Gewicht des Begriffs und zum anderen eine starke theologische Orientierung im NT: G. wird nicht so sehr im Sinn der griechischen Ethik als anthropologische Tugend verstanden, sondern meint das Gerechtsein Gottes und ein soteriologisch bedeut-sames Verhältnis des Menschen zu Gott und der Men-schen untereinander.

Bei Jesus von Nazaret wird die ethische Botschaft von der G. in seine zentrale theologische Botschaft vom „↑Reich Gottes" integriert: „Sucht aber zuerst nach dem Reich Gottes und nach seiner Gerechtigkeit" (Mt 6,33). Diejenigen, die auf Erden „nach der Gerech-tigkeit hungern und dürsten" (Mt 5,6), werden das Heil der G. der *basileía* (Herrschaft) Gottes erfahren.

Paulus benutzt den Begriff der G. v. a. im theologi-schen Kontext seiner Rechtfertigungslehre. G. erscheint als gnadenhaftes Geschenk Gottes: Der glaubende Mensch wird von Gott nicht nach ethischen G.s-Maß-stäben gerichtet, sondern von Gott gerecht gemacht und so der G. teilhaft (Gal 2,16; Gal 3,6; Röm 3,28; Röm 4,3; Röm 9,32–34).

2. Gerechtigkeit in der systematischen Theologie

Die christliche Theologie geht traditionell davon aus, dass eine „unendliche G." eine der moralischen Eigenschaften Gottes sei und dass er dereinst den Erdkreis mit dieser unendlichen G. richten wird (Apg 17,31). Da die Theologie Gott aber zugl. „unendliche Liebe" und „unendliche Barmherzigkeit" zuschreibt, ergibt sich die klassische Frage, ob zwischen der G. Gottes einerseits und der ↑Liebe und Barmherzigkeit Gottes andererseits nicht ein Widerstreit zu diagnostizieren sei. Von Seiten der traditionalistischen katholischen Theologie erhält man diesbezüglich Antworten, die erkennbar das Argumentationsproblem umgehen: „Barmherzigkeit und Gerechtigkeit sind in Gott in wunderbarer Harmonie miteinander verbunden." (Ott 1981: 57) Auf evangelischer Seite kam Martin Luther angesichts dieses Problems zu seiner „Entdeckung", dass Röm 1,17 im Sinn eines Genitivus auctoris als diejenige G. ausgelegt werden müsse, durch die G. den Sünder aufgrund seines (christlichen) Glaubens gerecht macht und rechtfertigt. Der theologische Gedanke, dass die Vorstellung eines Gottes, dessen „gerechtes" Urteil auch eine Verdammnis zu ewigen Höllenstrafen beinhalten könne, mit dem Liebe-Sein Gottes prinzipiell unvereinbar ist, und Gott daher nicht im herkömmlichen Sinn richtet, sondern alles rettet, was gerettet werden kann, findet sich bei Alfred North Whitehead.

3. Gerechtigkeit in der Christlichen Sozialethik

Im Hinblick auf einen ethischen Begriff der G. gingen die christlichen Theologien traditionell bis Ende des 19. Jh. weitestgehend von einem individualethischen Tugendkonzept aus. Ein solches Verständnis erwies sich aber als ungenügend angesichts der strukturellen Entwicklung moderner Gesellschaften, die nicht mehr durch face-to-face-Verhältnisse, sondern durch die Ausdifferenzierung funktionaler Subsysteme (↑Systemtheorie) gekennzeichnet waren.

3.1 Die traditionelle Begrifflichkeit aus der überkommenen Moraltheologie

Traditionell ist G. ein individualethischer Begriff und bezeichnete auch etwa in der überkommenen katholischen ↑Moraltheologie eine personale Tugend. Die einschlägigen Modelle arbeiteten v. a. mit den Begriffsdifferenzierungen bei Thomas von Aquin (STh II-II, 57–79), welche wiederum auf den Unterscheidungen des Aristoteles gründeten. Hier differenzierte man zum einen eine „gesetzliche G." („Legal-G."), die als „allg.e G." (iustitia generalis) „die vollkommene Tugend […] im Hinblick auf den anderen Menschen" (NE 1129 b 26) sei – wobei diese iustitia legalis bei Thomas natur-

rechtlich konzipiert wird und ihr (Formal-)Objekt nicht wie bei Aristoteles in positiven staatlichen Gesetzen, sondern im bonum commune besteht (STh II-II, 58,7). Davon abgehoben wurde die „partikulare G." (iustitia particularis), die sich in „verteilende" (iustitia distributiva) und „ordnende" G. (iustitia commutativa) unterteilt. Dabei funktioniert die „G. der Verteilung" nach dem Prinzip „geometrischer" Proportionalität (Anteile am Ganzen nach Verdienst; NE 1131 b 10), während die ordnende „Tausch-G." (auch „Vertrags-G.") dem Prinzip der „arithmetischen" Proportionalität (rechnerische) Gleichheit auf zwei Seiten folgt (NE 1131 b 24). Anders als die stark von Paulus beeinflusste lutherische Richtung ist die katholische Tradition zunächst klar von diesen Unterscheidungen bei Aristoteles und Thomas her angelegt. Mit dem Aufkommen moderner und strukturell ausdifferenzierter Gesellschaften wurden jedoch die Grenzen dieser individualethischen Tugendkonzeption deutlich.

3.2 Die moderne Gesellschaft und die „soziale Gerechtigkeit" in der traditionellen „Katholischen Soziallehre"

Der Befund eines Ungenügens der traditionellen Begrifflichkeit angesichts der funktionalen Ausdifferenzierung gesellschaftlicher Subsysteme führte mit dem Begriff der „sozialen G." schließlich zur Generierung einer spezifisch gesellschaftsethischen Konzeption von G. Vermutlich ist der Begriff der „sozialen G." erstmals bei Luigi Taparelli d'Azeglio, also im Vorfeld der ↑Katholischen Soziallehre, aufgetaucht: „Die Socialgerechtigkeit (giustizia sociale) bedeutet uns Gerechtigkeit eines Menschen gegen den andern (giustizia fra uomo e uomo). […] Ich kann deßhalb folgern, dass die Socialgerechtigkeit faktisch alle Menschen gleichstellen muß in dem, was die Rechte der Menschheit im Allgemeinen betrifft." (Taparelli 1845: 142 f.) Der Begriff bezeichnet hier also noch allg. die moralische ↑Gleichheit aller Menschen und definiert damit, wessen Interessen bei der Gestaltung der Gesellschaft Berücksichtigung finden müssen. Die traditionelle Katholische Soziallehre versuchte nun, diesen neueren Begriff der „sozialen G." sowohl mit dem herkömmlichen Schema der G.s-Typen als auch mit den sich ausbildenden „↑Sozialprinzipien" (↑Personprinzip; ↑Solidarität; ↑Gemeinwohl; ↑Subsidiarität), die die ethische Forderung L. Taparellis ohne begriffliche Präzisierung inhaltlich implizierten, zu harmonisieren. Dabei kam sie aber nie zu einem Konsens über die Zuordnungen. So wird die „soziale G." bspw. in der ersten Sozialenzyklika „Rerum novarum" faktisch in die Nähe der „verteilenden G." gerückt (Nr. 27), andere Vertreter der Katholischen Soziallehre identifizierten die „soziale G." mit der „gesetzlichen G.", für Oswald von Nell-Breuning war sie ein Synonym für „Gemeinwohl-Gerechtigkeit" (Nell-Breuning 1932: 169), während sie bei wiederum anderen Soziallehrern für die Dynamik innerhalb der traditionellen Dreiteilung stand. Obgleich der Begriff der G. in den Folgejahren allg.e Verbreitung fand – so wird er etwa in „Quadragesimo anno" achtmal ohne nähere Bestimmung verwendet, z.B. in der berühmten Definition von „Subsidiarität" (Nr. 79) –, hatte er also in der traditionellen Katholischen Soziallehre, deren Kern ein substanzmetaphysisch verstandenes „↗Naturrecht" sowie die klassischen „Sozialprinzipien" bildeten, noch nicht die zentrale Bedeutung inne, die der (sozialen) G. in der neueren Christlichen Sozialethik evangelischer oder katholischer Provenienz zugeschrieben wird.

3.3 Gerechtigkeit in der neueren „Christlichen Sozialethik"

Seit der zweiten Hälfte des 20. Jh.s hatte der philosophische G.s-Diskurs mittlerweile wichtige Konzeptionen hervorgebracht, die nicht mehr das substanzmetaphysisch verstandene „Naturrecht" vertraten, sondern meist vertragstheoretisch (↗Vertragstheorie) argumentierten. Zu nennen sind hier insb. die beiden mit dem Gedankenexperiment eines hinter einem „Schleier des Nichtwissens" befindlichen „Urzustands" arbeitenden, sich aber bzgl. des ethischen Entscheidungskriteriums grundsätzlich unterscheidenden Ethikkonzeptionen von John Rawls („Eine Theorie der Gerechtigkeit" von 1971 mit dem „Maximin-Prinzip" als Entscheidungskriterium) und von John Charles Harsanyi (z. B. 1976, mit dem utilitaristischen Entscheidungskriterium [↗Utilitarismus] des höchsten Durchschnittsnutzens). Da es die christlichen Theologien und Sozialethiken weitgehend versäumt hatten, eine eigene und zugl. modernitätskompatible Metaphysikkonzeption zu generieren – eine Ausnahme war diesbezüglich eigentlich nur die prozesstheologische Richtung in der Tradition A. N. Whiteheads –, suchten die Christlichen Sozialethiken primär den Anschluss an diesen philosophischen G.s-Diskurs.

a) „Soziale" G.: Die neuere Christliche Sozialethik hat es faktisch aufgegeben, den Begriff der „sozialen G." mit dem herkömmlichen Schema der G.s-Typen oder der traditionellen „Sozialprinzipien" zu harmonisieren und zeigt sich statt dessen stark beeinflusst von J. Rawls' G.s-Theorie, in dessen „Maximin-Prinzip" sie eine philosophische Rekonstruktion der biblischen und theologischen „vorrangigen Option für die Armen" identifiziert. Während J. Rawls' G.s-Theorie inhaltlich „dem eigentlichen Kerngedanken der christlichen Ethik, nämlich dem Schutz der unveräußerlichen Würde menschlicher Personen" (Mack 2015: 7), Rechnung trage und damit auch der Christlichen Sozialethik „einen Paradigmenwechsel hin zum Konsens- und Vertragsparadigma" (Mack 2015: 172) ermögliche, habe „die christliche Ethik […] einen theoretischen Mehrwert zu bieten, der eine ‚freistehende Gerechtigkeitstheorie' […] theologisch an einen unbedingten, unverfügbaren Kern zurückbindet" (Mack 2015: 7). Übereinstimmung mit J. Rawls herrscht auch bzgl. der teilweise umstrittenen Frage, auf welchen Gegenstandsbereich sich die „soziale G." eigentlich bezieht. So definierte J. Rawls die „soziale

G." als „die erste Tugend sozialer Institutionen" (Rawls 1979: 19) und damit den Gegenstandsbereich der „sozialen G." als den Bereich der gesellschaftlichen („sozialen") Regeln, Gesetze, Verfahren, Institutionen, Wirtschaftssysteme oder insgesamt den Bereich der Gesellschaftsordnung. Damit kann auch die ältere Kritik des wohl schärfsten Kritikers des Begriffs der „sozialen G.", Friedrich August von Hayek, als hinfällig betrachtet werden. Er hatte die „soziale G." zum einen fälschlicherweise mit der Verteilungs-G. identifiziert (Hayek 1976: 23 f.: „Der Begriff ‚soziale Gerechtigkeit' wird heute allgemein als Synonym für das benutzt, was bislang mit ‚austeilender Gerechtigkeit' bezeichnet worden ist") und angesichts der Tatsache, dass der ↗Markt kein Mensch, sondern ein *unpersönlicher* Funktions*mechanismus* ist, den Begriff der „sozialen G." als verfehlt eingestuft: „Der Ausdruck ‚soziale Gerechtigkeit' gehört nicht in die Kategorie des Irrtums, sondern in die des Unsinns wie der Ausdruck ‚ein moralischer Stein'" (Hayek 1981: 112). Versteht man die „soziale G." mit J. Rawls und den Christlichen Sozialethiken jedoch als die G. des Institutionensystems, dann bezieht sich eine größere „soziale G." als Handlungsaufforderung nicht auf eine direkte Gestaltung (Umverteilung) der Marktergebnisse, sondern auf die Gestaltung der *institutionellen Rahmenordnung* („Spielregeln") solcher Marktprozesse. In diesem Sinn schreibt auch der Wirtschaftsethiker Karl Homann: „Die Kategorie der sozialen Gerechtigkeit bezieht sich also auf das Institutionensystem einer Gesellschaft" (Homann 1992: 105). Als attraktiv für die Christlichen Sozialethiken hat sich zudem das Konzept der „Befähigungs-G." erwiesen, das auf den „↗Capability Approach" von Amartya Kumar Sen und Martha Nussbaum zurückgeht: „Menschen zur realen Teilhabe am gesellschaftlichen Leben zu befähigen, ist der Schlüssel für ein aktuelles Verständnis sozialer Gerechtigkeit. Soziale Gerechtigkeit ist kriterial als Befähigungsgerechtigkeit zu bestimmen" (Dabrock 2012: 13), wobei „mit dem Konzept der Befähigungsgerechtigkeit ein gleichermaßen begründungs- wie anwendungsfähiges Kriterium sozialer Gerechtigkeit" (Dabrock 2012: 14) bereit stehe. Wie A. K. Sen die „Befähigungs-G." als Ermöglichung realer Freiheit versteht, so sieht auch die Christliche Sozialethik G. und ↗Freiheit in unauflöslicher Wechselbeziehung: „Reale Freiheit bedarf […] einer Unterfütterung durch Gerechtigkeit, weil erst Gerechtigkeit den einzelnen Menschen reale Freiheit ermöglicht." (Wiemeyer 2015: 12 f.) In den zeitgenössischen Christlichen Sozialethiken werden die Probleme der „sozialen G.", die auch die Ziele der „*globalen* G.", der „*Gender*-G." oder der „*intergenerationellen* G." umfassen, mithilfe dieser von Hause aus philosophischen Konzeptionen methodisch angegangen.

b) Unter dem Druck aktueller Problemlagen kamen in jüngerer Zeit dann als Erweiterungen der „sozialen G." die Begriffe der „*Umwelt*-G." oder „*ökologischen G.*" auf. Hiermit wird die menschliche ↗Verantwortung gegenüber der außermenschlichen Mitwelt thematisiert: die Verantwortung zum einen gegenüber den Tieren und zum anderen gegenüber der gesamten „Umwelt". Auch wenn der Begriff der *Umwelt*-G." „mit der Generationengerechtigkeit das Ziel des schonenden Umgangs mit der Natur, theologisch: die Bewahrung der bedrohten Lebenszusammenhänge der Schöpfung, teilt, so ist die Perspektive der Umweltgerechtigkeit und damit das primäre Verantwortungs*objekt*, anders als bei der Generationengerechtigkeit, holistisch bestimmt" (Lienkamp 2009: 285). Da diese holistische Art von G. in den traditionellen „Sozialprinzipien" der Katholischen Soziallehre keine Berücksichtigung findet, hat Wilhelm Korff vorgeschlagen, sie durch das zusätzliche ökologisch-ethische „Prinzip der *Retinität*" (von lateinisch *rete*: Netz) oder der Vernetztheit aller Dinge zu ergänzen. A. N. Whitehead und Charles Hartshorne haben eine ausgearbeitete und theologisch relevante Metaphysik dieses Gedankens der universalen Vernetzung mit den Tieren sowie der gesamten „Umwelt" vorgelegt. Was zunächst die menschliche Verantwortung gegenüber den *Tieren* (↑ Tierethik) anbelangt, so konfrontiert die begründungstheoretische Figur einer „unantastbaren Würde des Tieres" (Remele 2016) auch die Christlichen Sozialethiken mit „weiteren Aspekten der Gerechtigkeit, die nicht nur Menschen betreffen, sondern auch die anderen empfindungsfähigen Geschöpfe dieser Erde"; man lasse „Fragen der Gerechtigkeit unbeachtet, wenn die Opfer macht- und wehrlos sind [...]. Das ist ganz genau die Situation, in der sich die Tiere befinden." (Tutu 2013: o. S.) Diese post-anthropozentrische Ethik einer G. gegenüber Tieren thematisiert die nächste Runde in der moralischen Evolution der Menschheit: während das 20. Jh. das Jh. der *Menschen*würde und der *Menschen*rechte war (Menschenrechtserklärung der UNO; deutsches GG usw.), wird das 21. Jh. nun das Jh. der ebenso unvermeidlichen wie schwierigen Diskussion um *Tier*würde und der *Tier*rechte. Während das Problem der G. gegenüber Tieren noch durch einen „vegetarisch-veganen Imperativ" (Kurt Remele: „kein *unnötiges* Töten von Tieren und keine unnötige Zufügung von Schmerz und Leid!" [Remele 2016: 80]) bewältigt werden könnte, dürfte das allg.ere Ziel einer holistischen „*Umwelt*-G." oder ein „Friede mit der ganzen Schöpfung" zu einem guten Teil nur den Charakter einer „regulativen Idee" haben, die auf der Ebene des grundsätzlichen Begründungsdiskurses zwar formuliert, aber weder auf der ethischen Anwendungsebene noch auf der pragmatischen Implementationsebene vollständig oder ohne Widerstreite umgesetzt werden kann. Das grundsätzliche Problem wurde von dem Philosophen A. N. Whitehead folgendermaßen formuliert: „Leben ist Räuberei. Genau an diesem Punkt wird in Leben das Problem der Moral akut. Der Räuber muss sich rechtfertigen." (Whitehead 1984: 204 f.) Menschliches Leben ist unumgänglich mit einem in die Schöpfung eingreifenden Ressourcenver-

brauch verbunden. Wenn daher eine vollständige Harmonie oder ein umfassender „Friede" des Menschen mit der ganzen Schöpfung Fiktion bleiben muss, so kann die in ethischen Begründungsdiskursen formulierte Idee einer „*Umwelt*-G." doch als Herausforderung für ethische Anwendungsdiskurse dienen, argumentativ genau zu klären, welche Eingriffe in die Natur sich ethisch rechtfertigen lassen und welche nicht. In diesem Zusammenhang ist zumindest dem Prinzip der „↑ Nachhaltigkeit" Rechnung zu tragen.

c) Angesichts der in der Geschichte der Moralphilosophie und der Christlichen Sozialethik stetig gewachsenen Komplexität der G.s-Ansprüche legt sich der Gedanke einer „*flexiblen* G." nahe (Schramm 2007). „Flexible G." stellt insofern die aktuelle Variante des klassischen *suum cuique* („jedem das Seine") dar, weil die Bestimmung dessen, was in unterschiedlichen lokalen Anwendungssituationen jeweils „das Seine" ist, meist nur mittels einer flexiblen Handhabung differenter G.s-Vorstellungen vorgenommen werden kann.

Literatur

K. Remele: Die Würde des Tieres ist unantastbar, 2016 • E. Mack: Eine Christliche Theorie der Gerechtigkeit, 2015 • J. Wiemeyer: Keine Freiheit ohne Gerechtigkeit, 2015 • W. E. Müller: Konzeptionen der Gerechtigkeit, 2014 • D. Tutu: Foreword. Extending Justice and Compassion, in: A. Linzey (Hg.): The Global Guide to Animal Protection, 2013, o.S. • P. Dabrock: Befähigungsgerechtigkeit, 2012 • M. Nussbaum: Die Grenzen der Gerechtigkeit, 2010 • A. K. Sen: Die Idee der Gerechtigkeit, 2010 • A. Lienkamp: Klimawandel und Gerechtigkeit, 2009 • M. Vogt: Prinzip Nachhaltigkeit, 2009 • M. Schramm: Gerechtigkeitskonzeptionen im Widerstreit. Ansätze zu einer Theorie der „flexiblen Gerechtigkeit", in: M. Dabrowski/J. Wolf (Hg.): Aufgaben und Grenzen des Sozialstaates, 2007, 63–89 • F-J. Bormann: Soziale Gerechtigkeit zwischen Fairness und Partizipation, 2006 • A. Sen: Ökonomie für den Menschen, 2003 • M. Nussbaum: Gerechtigkeit oder das gute Leben, 1999 • J. Wiemeyer: Europäische Union und weltwirtschaftliche Gerechtigkeit, 1999 • M. Vogt: Retinität, in: W. Korff u. a. (Hg.): Lexikon der Bioethik, Bd. 3, 1998, 209 f. • F. Segbers: Markt und Gerechtigkeit, 1995 • C. Kissling: Gemeinwohl und Gerechtigkeit, 1993 • K. Homann: Wirtschaft – Gewinnorientierung und soziale Gerechtigkeit, in: J. Gründel (Hg.): Leben aus christlicher Verantwortung, Bd. 2, 1992, 95–116 • W. Korff: Leitideen verantworteter Technik, in: StZ 114/4 (1989), 253–265 • O. von Nell-Breuning: Gerechtigkeit und Freiheit, ²1985 • A. N. Whitehead: Prozeß und Realität, 1984 • F. A. von Hayek: Recht, Gesetzgebung und Freiheit, Bd. 3, 1981 • L. Ott: Grundriss der Katholischen Dogmatik, 1981 • J. Rawls: Eine Theorie der Gerechtigkeit, 1979 • J. C. Harsanyi: Essays on Ethics, Social Behavior, and Scientific Explanation, 1976 • F. A. von Hayek: Drei Vorlesungen über Demokratie, Gerechtigkeit und Sozialismus, 1976 • C. Hartshorne: Reality as Social Process, 1971 • C. Hartshorne: A Natural Theology for Our Time, 1967 • G. E. Lessing: Die Erziehung des Menschengeschlechts und andere Schriften, 1965 • O. von Nell-Breuning: Die soziale Enzyklika, 1932 • L. Taparelli: Versuch eines auf Erfahrung begründeten Naturrechts, 1845.   MICHAEL SCHRAMM

Gerichtsbarkeit

Durch die G. verwirklicht sich in einem ↑Rechtsstaat die zentrale staatliche Funktion der ↑Rechtsprechung, d. h. die Entscheidung von Rechtsstreitigkeiten anhand spezifischer rechtlicher Maßstäbe.

1. Gerichtsbarkeit in der BRD

Im Rechtsstaat BRD wird diese Funktion der G. durch spezifisch auf die Rechtsprechung bezogene Verfassungsgarantien des GG betont. Erst durch eine funktionstüchtige, effektive und gerechte Rechtsprechung kann der Staat seine grundlegendste Aufgabe, die Wahrung und Durchsetzung des Rechts, erfüllen.

1.1 Begriff: Gerichtsbarkeit

G. bezeichnet erstens die Gesamtheit der Rechtspflegeorganisation als Institution, kann aber zweitens auch die staatliche Gerichtshoheit meinen, also die Befugnis des ↑Staates zur Ausübung von Rechtspflege.

1.1.1 Staatliche Gerichtshoheit

Das engere Verständnis der G. als Rechtspflegeorganisation basiert auf dem weiteren Begriffsverständnis als Hoheitsbefugnis des Staates zur Ausübung von Rechtspflege (sog.e staatliche Gerichtshoheit oder Jurisdiktion). Deutsche G. meint danach die Unterwerfung unter die Rechtsprechungsmacht deutscher Gerichte. Nicht zur deutschen G. zählen private Einrichtungen zur Beilegung von (Rechts-)Streitigkeiten oder Schiedsgerichte. Die ↑kirchliche G. steht neben der staatlichen und ist in ihrer Zuständigkeit und ihren Rechtswirkungen grundsätzlich auf den innerkirchlichen Bereich begrenzt. Entscheidungen von kirchlichen Gerichten sind als Ausübung des kirchlichen Selbstbestimmungsrechts gemäß und in den Grenzen des Art. 140 GG i. V. m. Art. 137 Abs. 3 WRV staatlich anzuerkennen und entfalten damit auch „bürgerliche Wirksamkeit". Die formelle Letztentscheidung liegt indes bei den staatlichen Gerichten.

1.1.2 Organisation der Rechtspflege

Zumeist wird unter G. in erster Linie die Organisation der Gesamtheit der Rechtspflege als Institution verstanden. G. meint damit die Gesamtheit der Organe, denen die staatlichen Rechtspflegeaufgaben zur Ausübung übertragen sind. Die G. ist dabei nach verschiedenen Sachbereichen bzw. Rechtsgebieten in einzelne Fach-G.en ausdifferenziert (Zivil-, Straf-G. etc.).

1.2 Historische Entwicklung der Gerichtsbarkeit

1.2.1 Gerichtsbarkeit vor Etablierung des staatlichen Gewaltmonopols

Bei den *germanischen Stämmen* wurden Auseinandersetzungen, die aus heutiger Sicht auf einer Rechtsverletzung beruhen, als Privatangelegenheit betrachtet. Die betroffenen Familien übten Selbsthilfe, fochten ihren Streit aus oder legten ihn ggf. mittels Streitschlichtung

bei. Es gab keine Rechtsdurchsetzung durch die Gemeinschaft oder irgendeine Obrigkeit, sondern Fehdehandlungen und Selbsthilfe. Beim Vorwurf todeswürdiger Missetaten gab es allerdings bereits zur germanischen Zeit die Möglichkeit, die sog.e Thing-Versammlung anzurufen. Ob es sich hierbei um die erste, minimale Form obrigkeitlicher Rechtsprechungsgewalt handelt, ist jedoch seit langem in der rechtshistorischen Forschung umstritten. Im Wesentlichen ersetzten Fehde, Selbsthilfe und Sühnezahlungen funktional die noch nicht vorhandene obrigkeitliche G.

In der *fränkischen Zeit* zwischen der Völkerwanderung und dem Zerfall des Karolingerreichs im 9. Jh. galt im Wesentlichen nichts anderes.

In der *Karolingerzeit* wurde im Frankenreich erstmals eine königlich betriebene Gerichtsreform durchgesetzt: Karl der Große beschränkte zunächst das thinggenossenschaftliche Verfahren auf drei Versammlungen pro Jahr und installierte daneben kleinere Versammlungen mit sieben bis zwölf Urteilern, den sog.en Schöffen. Grafen wurden vom König als Gerichtsherren eingesetzt und erhielten für ihre Tätigkeit Ländereien, wodurch sich ihre Gerichtsgewalt zu einer territorialen G. ausdehnte. Die Gerichtsgewalt erscheint als oberstes Herrschaftsrecht: Wer die Landesherrschaft ausübt, hat auch die Gerichtshoheit inne.

Der mittelalterliche König war stets auch Richter und hatte für Frieden und Rechtsgewährleistung zu sorgen. Der König zog durch sein Reich und übte seine richterliche Tätigkeit vor Ort aus. Im *Mainzer Reichslandfrieden* von 1235 wurden erstmals diverse Regeln über die Reichs-G. aufgestellt. Eine hierarchische Organisation der G. erfolgte erst ab dem 15. Jh. in Anlehnung an die gelehrte Gerichtsverfassung. Das Reichshofgericht trug durch Stabilität und Kontinuität wesentlich zur Festigung der Gerichtsgewalt des Königs bei. Da es dem Reichshofgericht inkl. Kammergericht unmöglich war, alle Rechtsstreitigkeiten selbst zu entscheiden, wurde die königliche G. im Spätmittelalter vermehrt delegiert. Ab dem 14. Jh. begannen einige Kurfürsten damit, ihre eigenen Territorien von der Reichs-G. abzuschirmen. Dadurch erwuchsen Zuständigkeitskonflikte zwischen Reichs-G. und der territorialen G. der Kurfürsten. Deshalb entstanden die sog.en Evokationsprivilegien, mit denen der König respektive Kaiser zusicherte, keine Fälle aus dem betreffenden Herrschaftsgebiet zur Entscheidung anzunehmen. Dieses Evokationsprivileg wurde in der *Goldenen Bulle* von 1356 festgeschrieben.

Mit den *Gottes- und Landfrieden* im Hoch- und Spätmittelalter versuchte die Obrigkeit ↑Frieden und ↑Recht – zunächst örtlich und zeitlich begrenzt – zu erzwingen. Der Anspruch weltlicher und kirchlicher Herrscher, private Gewaltanwendung einzudämmen, war damit formuliert und führte schließlich stringent zu den Beschlüssen des Wormser Reformreichstag von 1495 und endlich zum Justizgewährungsanspruch im modernen Staat.

1.2.2 Gerichtsbarkeit seit dem staatlichen Gewaltmonopol
Der *Ewige Landfrieden vom 7.8.1495* bildet in der Geschichte der deutschen G. den neuzeitlichen Wendepunkt hin zum staatlichen ↑Gewaltmonopol d. h. zum Verbot jeglicher Form von gewaltsamer Selbsthilfe und der Verweisung auf den staatlichen Rechtsweg. Damit war der Weg zur friedlichen Rechtsdurchsetzung durch staatliche G. gewiesen.

Der Gewährleistung ihrer Funktionstüchtigkeit diente die erste Reichskammergerichtsordnung von 1495. Sie schrieb u. a. vor, dass zumindest die Hälfte der Urteiler einen professionell juristischen Hintergrund haben musste und das römisch-kanonische gelehrte Recht anzuwenden war.

Der Reichshofrat als zweites oberstes Reichsgericht des Heiligen Römischen Reiches hatte eine Doppelfunktion: Er arbeitete als Gericht und zugl. als oberstes Beratungsorgan des Kaisers.

Neben den beiden obersten Reichsgerichten entstand in der *frühen Neuzeit* ein engmaschiges Netz von Stadt- und Landgerichten, Hofräten und Justizkollegien unter der Gerichtsgewalt der einzelnen Landesherren, die diese weiterhin vom Kaiser ableiteten. Die meisten größeren Territorien hatten sog.e Appellationsprivilegien, wodurch es den Parteien untersagt war, gegen die Urteile der Gerichte des Landes die obersten Reichsgerichte anzurufen. Dadurch konnte sich in den Territorien eine eigenständige G. entwickeln. Neben der Reichs-G. und der G. der Landesherren gab es die Patrimonial-G., die an den Besitz bestimmter Ländereien anknüpfte, die G. der Zünfte und Universitäten für ihre Mitglieder oder die bäuerliche Nieder-G. für freie Bauern ohne Unterwerfung unter einen Großgrundbesitzer.

Die *Peinliche Halsgerichtsordnung* Kaiser Karls V. *(Constitutio Criminalis Carolina) von 1532* ordnete den frühneuzeitlichen Strafprozess als Akkusationsprozess (auf Anklage einer Privatperson) oder Inquisitionsprozess (im Amtsermittlungsverfahren). Die Strafverfolgung entwickelte sich damit zu einer hoheitlichen Aufgabe.

Das 19. Jh. war nach dem Ende des Reiches 1806 von einer immer stärker werdenden Verselbständigung der G. als dritte Staatsgewalt geprägt. In der zweiten Hälfte des 19. Jh. entstand nach und nach eine eigene Verwaltungs-G.

Im Hinblick auf das ↑Prozessrecht und die Gerichtsverfassung ging der Anstoß für Veränderungen von den ↑Kodifikationen der Napoleonischen Ära aus. In der Zivilprozessordnung und der Strafprozessordnung schrieb der französische Gesetzgeber wichtige neue Prozessmaximen fest: Grundsatz der Öffentlichkeit und der Mündlichkeit, Dispositionsmaxime im Zivilprozess, obligatorischer Güteversuch, freie richterliche Beweiswürdigung. Das Strafverfahren wurde insgesamt in die Hände der Staatsanwälte (↑Staatsanwaltschaft) gelegt, entschieden wurde entweder durch das Geschworenengericht oder ein Berufsrichterkollegium.

Die neuen Regeln fanden mit den Reichsjustizgesetzen von 1877/79, die u. a. das GVG, die StPO und die ZPO umfassten, Eingang in das Recht des 1871 gegründeten Deutschen Reiches. Das GVG sorgte für einen reichsweiten deutschen Gerichtsaufbau mit Amtsgerichten, Landesgerichten und Oberlandesgerichten sowie dem Reichsgericht an der Spitze.

Das System der deutschen G. blieb während der Weimarer Republik im Wesentlichen unverändert. 1923 führte das JGG eigene Jugend(straf)gerichte, 1926 das ArbGG eine eigenständige Arbeits-G. in der ersten Instanz ein.

Die nationalsozialistische Herrschaft brach auch hinsichtlich der G. mit allen überkommenen rechtsstaatlichen Vorstellungen. So wie die gesamte staatliche Ordnung wurden auch die Gerichtsverfassung und das Prozessrecht politischen und weltanschaulichen Vorgaben untergeordnet. Das Postulat einheitlicher Staatsgewalt erkannte keine Gewaltenteilung im klassischen Sinne und damit auch keine unabhängige G. an. Der Führer galt auch als oberster Gerichtsherr. 1934 wurde der Volksgerichtshof als neue Sonder-G. für politische Straftaten errichtet. Es wurden zahlreiche weitere Sondergerichte eingerichtet, die in Schnellverfahren ohne rechtsstaatliche Garantien entschieden.

Unter der Besatzungsherrschaft der Alliierten nahmen deutsche Gerichte schon kurz nach dem Kriegsende und dem Zusammenbruch des Reichs wieder Rechtsprechungsaufgaben wahr. In den westlichen Besatzungszonen erfolgte der Gerichtsaufbau zügig. Eine wichtige Instanz stellte der Oberste Gerichtshof für die Britische Besatzungszone dar, der bis 1950 judizierte und einer der Vorläufer des BGHs war. In der BRD wurde 1951 das ↑BVerfG errichtet, dem bereits das ↑GG von 1949 umfangreiche Entscheidungskompetenzen in verfassungsrechtlichen Streitigkeiten übertragen hatte.

Die G. in der ↑DDR war Teil einer sozialistischen Staats- und Gesellschaftsordnung. Die Gerichtsverfassung wurde vollständig neu gestaltet. 1949 nahmen das Oberste Gericht und die Oberste Staatsanwaltschaft ihre Arbeit auf. 1952 wurden Kreis- und Bezirksgerichte eingesetzt. Gleichzeitig wurden die Verwaltungsgerichte vollständig abgeschafft. Der Aufbau der Justiz war durch das Prinzip des demokratischen Zentralismus geprägt, was sich in der Anleitung der unteren durch die höheren Gerichte nach Art einer Fachaufsicht äußerte. Die Richter waren weder persönlich noch sachlich unabhängig; dem standen die führende Rolle der Partei sowie die Leitungskompetenz der übergeordneten Gerichte entgegen.

1.3 Gerichtsbarkeit unter dem Grundgesetz –
    verfassungsrechtliche Vorgaben
Die Art. 92 und 95 GG bilden die verfassungsrechtliche Grundlage für die G. in Deutschland. Art. 92 GG bestimmt, dass die rechtsprechende Gewalt den Richtern anvertraut ist und durch das BVerfG, die im GG vorgesehenen ↑Bundesgerichte und durch die Gerichte

der Länder ausgeübt wird. Art. 95 Abs. 1 GG ordnet die Errichtung der obersten Gerichtshöfe des Bundes für die Gebiete der ordentlichen, der ↑Verwaltungs-, der Finanz-, der Arbeits- und der ↑Sozial-G. (BGH, BVerwG, BFH, BAG und BSG) an.

Darüber hinaus regelt das GG die Kompetenzordnung innerhalb des ↑Bundesstaates und bestimmt damit auch, welcher Gebietskörperschaft im föderalen Bundesstaat jeweils die Gerichtshoheit zukommt. Gemäß Art. 74 Nr. 1 GG hat der Bund die konkurrierende Gesetzgebung für die Gerichtsverfassung und das gerichtliche Verfahren, sodass das Gerichtsverfassungsrecht primär bundesrechtlich geregelt ist.

Das GG enthält einige wichtige verfassungsrechtliche Grundsätze hinsichtlich der Wahrnehmung der Rechtsprechungstätigkeit durch die Richter. So wird in Art. 97 Abs. 1 GG der Grundsatz richterlicher Unabhängigkeit aufgestellt. Art. 101 Abs. 1 S. 2 GG begründet den Anspruch auf den gesetzlichen Richter und Art. 103 Abs. 1 GG den Anspruch auf rechtliches Gehör.

Das GG folgt dem Grundsatz der ↑Gewaltenteilung (s. Art. 1 Abs. 3, 20 Abs. 2 S. 1 GG) und etabliert die Rechtsprechung als dritte Gewalt. Das GG garantiert und gewährleistet – über Art. 79 Abs. 3 GG sogar als Teil der Ewigkeitsgarantie – damit die selbständige Existenz der Rechtsprechung neben Gesetzgebung und ↑Verwaltung. Aus dem Grundsatz der Gewaltenteilung ergibt sich bereits, dass die Rechtsprechung durch bes. Organe ausgeübt werden muss und diese von den anderen Gewalten zu trennen sind. Rechtsprechung setzt zudem ein den rechtsstaatlichen Anforderungen entspr.es Verfahren voraus. Teil der Rechtsbindung der rechtsprechenden Gewalt (Art. 20 Abs. 3, 97 Abs. 1 GG) ist unter dem GG die unmittelbare Bindung an die ↑Grundrechte (Art. 1 Abs. 3 GG).

Dem rechtsstaatlichen Rechtsprechungsmonopol des Staates korrespondiert der grundsätzliche Anspruch des Bürgers auf Zugang zu den Gerichten (Rechtsweggarantie des Art. 19 Abs. 4 GG; Justizgewähranspruch aus Art. 2 Abs. 1 i. V. m. Art. 20 Abs. 3 GG).

1.4 Gerichtshoheit

Der räumliche Umfang der deutschen Gerichtshoheit wird durch die Gerichtshoheit anderer Staaten begrenzt. Die deutsche Gerichtshoheit ist daher in territorialer Hinsicht auf den Geltungsbereich des GVG beschränkt. Gerichtstätigkeit, Rechtskraft und Vollstreckbarkeit finden ihre Schranken an den deutschen Staatsgrenzen. Bezüglich Rechtskraft und Vollstreckbarkeit gibt es jedoch vielfach Staatsverträge zur ↑Anerkennung im Ausland.

Deutsche Gerichte dürfen im Ausland nicht von sich aus tätig werden, sondern nur dann, wenn sie durch Rechtshilfeersuchen um Unterstützung gebeten werden und die zuständige fremde staatliche Stelle diesem Vorgehen zustimmt.

Der deutschen G. unterliegen vorbehaltlich bestimmter Exemtionen grundsätzlich alle Personen auf deut-

schem ↑Staatsgebiet, gleich welcher ↑Staatsangehörigkeit, sowie alle im Inland befindlichen Vermögensgegenstände.

Entspr. der föderalen Strukturen der BRD ist die Gerichtshoheit nach dem Bundesstaatsprinzip (Art. 20 Abs. 1 GG) auf den Bund und die Länder verteilt. Art. 92 GG spricht diese Aufteilung im Allgemeinen aus und regelt gemeinsam mit den folgenden Artikeln den jeweiligen Bereich der Gerichtshoheit nach den Grundsätzen des föderalistischen Staatsaufbaus (↑Föderalismus). Grundsätzlich besteht eine strikte Trennung zwischen der Gerichtshoheit des Bundes und der Länder. Diese Trennung wird lediglich hinsichtlich des Strafverfahrens auf den Gebieten der Friedensstörung und des Staatsschutzes mit Art. 96 Abs. 5 GG durchbrochen, demzufolge bundesgesetzlich bestimmt werden kann, dass Gerichte der Länder in solchen Angelegenheiten G. des Bundes ausüben.

Die Gerichtshoheit der Länder erfährt eine umfassende Einschränkung durch die umfangreiche, letztinstanzliche Kontrolle von Entscheidungen durch die obersten Bundesgerichte. Auch die konkurrierende Gesetzgebungszuständigkeit des Bundes nach Art. 74 Nr. 1 GG stellt von vornherein eine Beschränkung der Gerichtshoheit der Länder dar.

In sachlicher Hinsicht ist die Gerichtshoheit von der Gesetzgebungshoheit und der Verwaltungshoheit, somit den anderen Staatsgewalten, abzugrenzen. Unter die sachliche Gerichtshoheit fallen die eigentliche Rechtsprechungstätigkeit, die Aufgaben der Rechtspflege im weiteren Sinne, aber auch z. T. verwaltende Tätigkeiten innerhalb der Justiz, soweit sie aus bes.n Gründen der G. zur Erledigung zugewiesen sind.

1.5 Gerichtsverfassung

Die Organe der G. bestimmen sich nach der Gerichtsverfassung, die u. a. auch die Besetzung und die Organisation der Gerichte regelt. Das GG enthält einige wenige, aber wichtige Bestimmungen hinsichtlich des Gerichtsverfassungsrechts. Das im Übrigen einfachgesetzlich geregelte Gerichtsverfassungsrecht enthält gemeinsame Regelungen der Rechtspflegetätigkeit für alle Zweige der G.

1.5.1 Inhalt des Gerichtsverfassungsrechts

Das Gerichtsverfassungsrecht umfasst die Organisation der Gerichte bzw. der verschiedenen G.en und die Aufgabenverteilung zwischen den Gerichten. Das Gerichtsverfassungsrecht enthält die Gesamtheit der allg.en, für die gesamte Rechtspflege bedeutsamen Regeln, die für die Einrichtung und die Tätigkeit der Gerichte maßgeblich und typisch sind. Darunter fallen die Organisation und Aufgabenverteilung der Gerichte und sonstiger Organe der G., die Vorschriften über die Qualifikation dieser Organe und die grundlegenden Prinzipien der Rechtsprechungstätigkeit. Obwohl es kein allg.es, einheitliches GVG für alle G.en gibt, führen doch ein Zusammenspiel der verschiedenen Regeln und viele Verweise auf das GVG zu einer im Wesentlichen einheitlichen Regelung.

1.5.2 Rechtsquellen des Gerichtsverfassungsrechts
Die Rechtsquellen des Gerichtsverfassungsrechts finden sich im Wesentlichen im GVG und dem EGGVG. Die dort enthaltenen Regelungen gelten primär für die ordentliche G., bestimmte Vorschriften finden aber auch auf die anderen Gerichtszweige Anwendung. Ansonsten finden sich die jeweiligen Regelungen zum Gerichtsverfassungsrecht in den einschlägigen Prozessordnungen. Darüber hinaus enthalten auch das GG und die Landesverfassungen relevante Regelungen für das Gerichtsverfassungsrecht. Wichtige Bestimmungen ergeben sich außerdem aus dem DRiG, den Landesrichtergesetzen und dem RechtspflegerG.

1.5.3 Einzelne Gerichtsbarkeiten
In der BRD werden die Aufgaben der Rechtsprechung nicht durch eine einzige, einheitliche G. wahrgenommen, sondern durch mehrere verschiedene Gerichtszweige (sog.e G.en). Durch Art. 95 Abs. 1 GG ist die Rechtsprechung so geordnet, dass es fünf gleichrangige G.en nebeneinander gibt. Diese G.en sind die ordentliche G., die Arbeits-G., die allg.e Verwaltungs-G., die Sozial-G. und die Finanz-G. Daneben gibt es noch die ↑Verfassungs-G. sowohl auf Landes- als auch auf Bundesebene, die als Kontrollinstanz zur Wahrung des Verfassungsrechts über den einzelnen G.en steht. Außerdem gibt es in Deutschland einige bes. G.en für spezielle Personengruppen, wie bspw. die Berufs-G.en, die Disziplinar-G.en und die kirchliche G.

Die ordentliche G. ist noch einmal unterteilt in drei Unterzweige: die streitige Zivil-G., die freiwillige G. und die Straf-G. Hinzu kommen noch die zum Teil speziell geregelte Patent-G. (§ 65 PatG) und die Schifffahrts-G. (§ 14 GVG). Der streitigen Zivil-G. sind nach der ↑Generalklausel des § 13 GVG alle bürgerlichen Rechtsstreitigkeiten zugewiesen, sofern keine Spezialzuweisung besteht (so z. B. in § 2 ArbGG). Dasselbe gilt für die Straf-G. mit Blick auf alle Strafsachen und die freiwillige G. bezüglich aller Familiensachen und sonstigen Angelegenheiten der freiwilligen G. Ebenfalls zur ordentlichen G. zählen bes. Spruchkörper aufgrund spezialgesetzlicher Regelungen wie die Jugendgerichte, die Kammern für Baulandsachen oder die Landwirtschaftsgerichte.

Gemäß Art. 101 Abs. 2 GG können durch Gesetz bes. Gerichte für bürgerliche Rechtsstreitigkeiten und Strafsachen errichtet werden, die dann allg. für bes. Sachgebiete und alle dort in Betracht kommenden Fälle zuständig sind. Ein solches Gericht ist bspw. das BPatG oder das nur im Verteidigungsfall tätig werdende Wehrstrafgericht. Verboten sind hingegen Ausnahmegerichte (Art. 101 Abs. 1 S. 1 GG, § 16 S. 1 GVG), die in Abweichung von der allg.en gesetzlichen Zuständigkeit ausschließlich zur Entscheidung einzelner konkreter und individueller Fälle gesondert gebildet werden.

1.5.4 Instanzenzug und Spruchkörper
In den fünf G.en ist überall ein Instanzenzug vorgesehen, auch wenn Art. 19 Abs. 4 GG die Existenz eines Instanzenzuges nicht von Verfassungs wegen garantiert. Die jeweiligen gesetzlichen Grundlagen für den Instanzenzug finden sich in den einschlägigen Verfahrensordnungen, für die ordentliche G. im GVG. Für alle G.en gemeinsam gilt ein dreistufiger Instanzenzug – einzige Ausnahme davon ist die Finanz-G. mit nur zwei Stufen. Der Instanzenzug geht zunächst über das Eingangsgericht zum Berufungsgericht und schließlich zum Revisionsgericht.

Exemplarisch ist in der Zivil-G. als erste Instanz entweder das AG oder das LG zuständig (§§ 23 ff., 71 GVG). Die zweite Instanz ist bei Berufung gegen Urteile des AGs – abgesehen von einigen Spezialfällen – das LG (§ 72 GVG), sonst das OLG (§ 119 GVG). Über Revisionen entscheidet grundsätzlich der BGH (§ 133 GVG). Obwohl der Instanzenzug nur dreistufig ist, gibt es insgesamt also vier Gerichte. Der BGH ist ein oberstes Bundesgericht, die anderen Gerichte sind LGe. Sie bilden aber trotzdem gemeinsam eine einheitliche G. mit einem einheitlichen Instanzenzug.

Der Aufbau der Spruchkörper ist verknüpft mit den Instanzenzügen. An den einzelnen Gerichten werden die konkreten Rechtsprechungsaufgaben jeweils durch einen Spruchkörper wahrgenommen, das sog.e erkennende Gericht. In der Regel gibt es an einem Gericht im behördlich-organisatorischen Sinne mehrere Spruchkörper, die je nach Art des Gerichts unterschiedlich benannt sind und deren Existenz durch Gesetz vorgeschrieben ist. Ein solcher Spruchkörper kann aus einem Einzelrichter bestehen oder ein Kollegialgericht mehrerer Richter sein, die entweder Berufs- oder zum Teil Laienrichter sind. In Zivil- und Strafsachen wie auch in Angelegenheiten der freiwilligen G. bildet der Einzelrichter den regelmäßigen Spruchkörper des AGs. Nur in bes.n Fällen entscheidet das AG als Kollegialgericht in Form des Schöffengerichts, erweiterten Schöffengerichts, Jugendschöffengerichts oder Landwirtschaftsgerichts. Soweit durch Gesetz kein Einzelrichter eingesetzt ist, bestehen die Spruchkörper aus mehreren Richtern. Im Kollegialsystem sind immer mindestens drei Richter vorgesehen, die je nachdem Berufsrichter oder ehrenamtliche Richter sind. Je nach Gericht gibt es als Kollegialspruchkörper Schöffengerichte, Schwurgerichte, Kammern oder Senate.

1.5.5 Organe der Gerichtsbarkeit
Unter einem Gericht ist ein zumindest mittelbar staatliches Organ zu verstehen, das unabhängig und von der Verwaltung hinreichend getrennt ist, der Gesetzesanwendung durch ein rechtsförmiges Verfahren dient und dessen Tätigkeit durch unbeteiligte und unabhängi-

ge, personell durch den Staat bestimmte Dritte ausgeübt wird. Vom Gericht als Gerichtsbehörde (z. B. AG) ist der im konkreten Fall entscheidende Spruchkörper (z. B. Einzelrichter) zu unterscheiden.

Die Rechtsprechungstätigkeit in den Gerichten ist ausschließliche Aufgabe der ↑Richter (Art. 92 1. Hs. GG). Bei der Aufgabenwahrnehmung ist der Richter an Gesetz und Recht gebunden (Art. 97 Abs. 1 GG, Art. 20 Abs. 3 GG) und zieht daraus auch die Legitimation für seine Tätigkeit. Außerdem genießt er gemäß Art. 97 Abs. 1 GG und § 25 DRiG Unabhängigkeit. Der Richter ist sachlich unabhängig, wenn er frei ist von Weisungen und sonstigen Einflüssen anderer Staatsorgane. Die persönliche Unabhängigkeit betrifft v. a. den Schutz des Richters vor Eingriffen in seine dienstrechtliche Stellung, von denen Art. 97 Abs. 2 GG die schwerwiegendsten benennt. Dazu zählt aber auch die Gewährung einer sicheren Existenzgrundlage in Form einer angemessenen Besoldung als Grundlage wirtschaftlicher Unabhängigkeit. Neben die Unabhängigkeit tritt das Gebot der Neutralität des Richters, die sachfremde Einflüsse aus der Person des Richters heraus vermeiden soll. Es muss sichergestellt sein, dass der Richter ein unbeteiligter, unparteiisch und unbefangen entscheidender Dritter im Verhältnis zu den Verfahrensbeteiligten ist.

Neben der originären Rechtsprechungsaufgabe ist der G. die umfassende Aufgabe der Rechtspflege übertragen, die nicht ausschließlich von Richtern wahrgenommen wird. An der Rechtspflege sind zahlreiche weitere Personen beteiligt. Sofern es sich bei diesem zusätzlichen Personal um ↑Beamte der G. handelt, unterfallen sie auch dem Gerichtsverfassungsrecht (so z. B. Rechtspfleger, Urkundsbeamte der Geschäftsstelle). Die ↑Staatsanwaltschaft ist ein selbständiges Organ der Rechtspflege, das eine eigene Institution des Gerichtsverfassungsrechts bildet (§§ 141–152 GVG). Außerhalb der G. stehen die ↑Rechtsanwälte und ↑Notare als bes. Organe der Rechtspflege.

1.6 Ausübung der Gerichtsbarkeit: Gerichtsbarkeit und Bürger

Eine der wichtigsten Gewährleistungen des deutschen Gerichtsverfassungsrechts stellt der verfassungsrechtlich fundierte Grundsatz des ↑gesetzlichen Richters (Art. 101 Abs. 1 S. 2 GG, § 16 S. 2 GVG) dar. Ergänzt wird dieser Grundsatz durch das Verbot von Ausnahmegerichten (Art. 101 Abs. 1 S. 1 GG). Der Grundsatz des gesetzlichen Richters, der sachfremde Manipulationen verhindern soll, ist zentrale Organisationsvorgabe der G. und begründet zugl. einen subjektiven Anspruch des Bürgers. Gesetzlicher Richter ist der nach abstrakten Merkmalen im Voraus so eindeutig wie möglich bestimmte Richter.

Im Verhältnis zwischen G. und Bürger treten neben den Grundsatz des gesetzlichen Richters als subjektivrechtliche Ansprüche, abgeleitet aus dem Rechtsstaatsprinzip, der Justizgewährungsanspruch, der Anspruch auf effektiven Rechtsschutz, der Anspruch auf ein faires Verfahren und der Anspruch auf ↑rechtliches Gehör. Für die Allgemeinheit ist schließlich noch der Grundsatz der Öffentlichkeit von Bedeutung.

2. Gerichtsbarkeit im internationalen Kontext

Seit dem Ende des Zweiten Weltkriegs ist zur staatlichen G. internationale oder supranationale G. hinzugetreten. Außerdem haben Schlichtung, ↑Mediation, gütliche Einigung und Schiedsgerichte eine größere Bedeutung erlangt. In zahlreichen Fällen von großem wirtschaftlichem Gewicht spielen nationale staatliche Gerichte kaum noch eine Rolle.

Eine Verlagerung von Zuständigkeiten hin zu supranationalen Gerichten findet sich zunächst auf europäischer Ebene. Die Entscheidungen des obligatorische G. ausübenden ↑EuGH (Art. 19 EUV; Art. 251–281 AEUV) entfalten teilweise unmittelbare Wirkung und binden die Mitgliedstaaten der ↑EU bzw. deren Gerichte.

Aufgabe des ↑EGMR (Art. 19–51 EMRK) ist der Schutz der ↑Menschenrechte und ↑Grundfreiheiten. Gemäß Art. 46 EMRK verpflichten sich alle Vertragsparteien der ↑EMRK, ein endgültiges Urteil des EGMR zu befolgen, d. h. innerstaatlich umzusetzen.

Zu den internationalen Gerichtshöfen rechnen insb. der zur Entscheidung zwischenstaatlicher Streitigkeiten bei (fakultativer) Unterwerfung unter seine Jurisdiktion zuständige ↑IGH in Den Haag und der IStGH (↑Internationale Strafgerichtsbarkeit), der seine Rechtsgrundlage im Römischen Statut von 1998 findet.

Die Einsetzung internationaler G. beruht auf dem ↑Völkerrecht und setzt daher grundsätzlich den Konsens der daran beteiligten Staaten voraus. Da die Gerichtsgewalt zuvörderst den Staaten zusteht, können diese frei entscheiden, ob und in welchem Umfang sie einen Teil ihrer Gerichtsgewalt auf zwischen- oder überstaatliche Institutionen übertragen.

Die Beilegung von Streitigkeiten mit Rechtszwang wird heutzutage vielfach durch gütliche Einigung ersetzt. Dabei werden bewährte alte wie neue, formelle wie informelle Methoden und Instrumente der Streitschlichtung genutzt: Mediation, Täter-Opfer-Ausgleiche, informelle Erledigungen, obligatorische Güteverfahren und Vergleichsschlüsse.

Neben die staatliche G. tritt schließlich auch noch die ↑Schieds-G., bei der es sich um eine vertraglich vereinbarte private G. handelt. Ein oder mehrere von den Parteien gewählte Schiedsrichter entscheiden vertraulich und unter Ausschluss jeglicher Öffentlichkeit über den Streit der Parteien. Schiedsklauseln finden sich v. a. in grenzüberschreitenden Verträgen von größerer wirtschaftlicher Bedeutung, namentlich in Investitionsschutzverträgen. Sie sind aber wegen der Ausschaltung auch funktionstüchtiger staatlicher Gerichte und wegen mangelnder Transparenz jüngst im Zusammenhang mit geplanten Freihandelsabkommen (CETA, TTIP) in die Kritik geraten.

Die staatliche G. sieht sich teilweise auch innerstaatlich durch konkurrierende religiöse Instanzen herausgefordert. So nehmen in einigen westlichen Ländern islamische Friedensrichter für sich das Recht in Anspruch, Streitigkeiten zwischen Muslimen nach der islamischen Tradition bzw. dem ↑Scharia-Recht zu beurteilen und so der Streitentscheidung durch die staatlichen Gerichte zu entziehen. Eine Zuständigkeit religiöser Instanzen kann es aber nur für innerreligiöse Streitigkeiten geben. Im Übrigen muss es schon zur Vermeidung einer Paralleljustiz für Parallelgesellschaften beim Entscheidungsmonopol der einheitlichen staatlichen G. verbleiben.

Literatur

O. R. Kissel/H. Mayer: Gerichtsverfassungsgesetz, Komm., [8]2015 • P. Oestmann: Wege zur Rechtsgeschichte: Gerichtsbarkeit und Verfahren, 2015 • A. von Bogdandy/I. Venzke: In wessen Namen? Internationale Gerichte in Zeiten globalen Regierens, 2014 • M. Stolleis: Öffentliches Recht in Deutschland: eine Einführung in seine Geschichte, 2014 • U. Wesel: Geschichte des Rechts, [4]2014 • U. Eisenhardt: Deutsche Rechtsgeschichte, [6]2013 • K. W. Nörr: Romanisch-kanonisches Prozessrecht: Erkenntnisverfahren erster Instanz in civilibus, 2012 • C. Degenhart: Gerichtsorganisation, in: HStR, Bd. 5, [3]2007, § 114 • D. Wilke: Die rechtsprechende Gewalt, in: dies.n: § 112 • E. Schilken: Gerichtsverfassungsrecht, [4]2007 • J. Duss-von-Werdt: homo mediator. Geschichte und Menschenbild der Mediation, 2005 • W. R. Wrege: Richter und Schlichter! – Plädoyer für die Güteverhandlung im Zivilprozess, in: DRiZ 81/4 (2003), 130–132 • W. Reinhard: Geschichte der Staatsgewalt, 1999 • C. Hinckeldey: Justiz in alter Zeit, [2]1989 • M. Wolf: Gerichtsverfassungsrecht alter Verfahrenszweige, [6]1987, § 4 • K. A. Bettermann: Die Unabhängigkeit der Gerichte und der gesetzlichen Richter, in: K. A. Bettermann/H. C. Nipperdey/U. Scheuner (Hg.): Die Grundrechte: Hdb. der Theorie und Praxis der Grundrechte, Bd. 3, [2]1972, 523–527 • O. R. Kissel: Der dreistufige Aufbau in der ordentlichen Gerichtsbarkeit. Ein Beitrag zur großen Justizreform, 1972 • E. Kern: Geschichte des Gerichtsverfassungsrechts, 1954 • E. Döhring: Geschichte der deutschen Rechtspflege seit 1500, 1953.　　　　CHRISTIAN HILLGRUBER

Gerichtshof der Europäischen Union (EuGH)
↑Europäischer Gerichtshof (EuGH)

Gerichtsverfassung ↑Gerichtsbarkeit

Gesamtschule ↑Schule

Gesandtschaftsrecht

1. Recht der diplomatischen und konsularischen Beziehungen

Das G. regelt die Rechtstellung der diplomatischen Vertretungen bei anderen ↑Staaten und ↑Internationalen Organisationen, der konsularischen Vertretungen sowie von deren Leitern und sonstigen Bediensteten gegenüber ihrem Empfangsstaat bzw. der Internationalen Organisationen und deren Sitzstaat. Nicht darunter gefasst wird üblicherweise das interne Rechtsverhältnis gegenüber dem Entsendestaat, wie es für Deutschland u. a. im GAD vom 30.8.1990 oder im KonsG vom 11.9.1974 geregelt ist.

2. Begriff und Gegenstand

Zweck des G.s ist es, die Bediensteten des Entsendestaats vor unzulässiger Einflussnahme des Empfangsstaats zu schützen und so den ungehinderten diplomatischen und konsularischen Verkehr zu ermöglichen. Deshalb sind sie durch Vorrechte und Befreiungen rechtlich vor belastenden Maßnahmen seitens des Empfangsstaats, insb. vor unmittelbarem Zwang geschützt. Von den meisten Steuern sind sie befreit, um zu verhindern, dass ein Staat sich auf Kosten eines anderen finanziert. Stattdessen besteuert sie der Entsendestaat. Die Verpflichtung zur Einhaltung der Gesetze des Empfangsstaats bleibt unberührt. Die Rechtsdurchsetzung erfolgt allerdings ausschließlich im Wege des *self contained régime*: Dem Empfangsstaat sind Zwangsmaßnahmen zur Rechtsdurchsetzung grundsätzlich verwehrt, er kann den Entsandten aber des Landes verweisen (Erklärung zur *persona non grata*) und so seiner Rechtsordnung in gravierenden Fällen Nachachtung verschaffen. Einschränkungen der Vorrechte und Befreiungen gibt es bei Staatsangehörigen des Empfangsstaats (sog.e *Régnicolen*). Während der Diplomat umfassend geschützt ist, besteht für Konsul nur eingeschränkte ↑Immunität, mindestens aber für Amtshandlungen. Neuerdings gibt es Bestrebungen, den Schutz der entsandten Konsuln dem der Diplomaten anzugleichen.

Zurückgehend auf den Wiener Kongress ist das G. heute in den WÜD vom 18.4.1961 und WÜK vom 24.4.1963 kodifiziert, denen nahezu sämtliche Staaten angehören und deren Bestimmungen heute als Völkergewohnheitsrecht (↑Gewohnheitsrecht) angesehen werden können. Beide ↑Kodifikationen sind nicht abschließend; ergänzend gelten völkergewohnheitsrechtliche Regelungen weiter. In Deutschland sind die Einzelheiten der Behandlung bevorrechtigter Personen in einem Rundschreiben des Auswärtigen Amts (derzeit vom 15.9.2015, GMBl 2015: 1205) geregelt.

3. Diplomatische Beziehungen

Die Aufgabe diplomatischer Vertretungen (heute i. d. R. Botschaften) ist es, den Entsendestaat im Empfangsstaat zu vertreten, die dortige Entwicklung zu beobachten, darüber zu berichten und zunehmend auch in unmittelbaren Dialog mit der Gesellschaft des Empfangslandes zu treten (*public diplomacy*). Die Aufnahme diplomatischer Beziehungen erfolgt durch formlose Willenseinigung. Die Bestellung des Missionschefs erfordert das Einverständnis des Empfangsstaats (*Agrément*) und erfolgt konstitutiv durch Übergabe des *Beglaubigungsschreibens* an das ↑Staatsoberhaupt. Eine Akkreditierung bei mehreren Staaten *(Doppel-, Mehrfachakkreditierung)* ist mit Zustimmung aller Beteiligten möglich, ebenso die Mitvertretung der Interessen eines dritten Staates gegenüber dem Empfangsland *(Schutzmachtvertretung)*.

Die früher übliche Abstufung des Rangs der Missionschefs nach der Bedeutung des vertretenen Staates (Botschafter zwischen Großmächten, ansonsten Gesandte) erfolgt heute nicht mehr, üblich ist aufgrund der souveränen Gleichheit aller Staaten nach der ↑UN-Charta allein der Rang des Botschafters. Gesandte sind heute Stellvertreter oder weitere Mitarbeiter des Botschafters. Als politische Demonstration des Missfallens wird allerdings noch die Herabstufung der Beziehungen auf die Ebene eines Geschäftsträgers *(Chargé d'affaires)* praktiziert; daneben heißt der amtierende Leiter einer Vertretung bei Verhinderung des Botschafters *Chargé d'affaires ad interim* oder *a.i.* Der Vertreter des ↑Heiligen Stuhls trägt den Titel *Nuntius.* Mitglieder des *British* ↑*Commonwealth* tauschen untereinander *Hochkommissare* aus. Alle Diplomaten in einem Empfangsland bilden das *Diplomatische Corps,* dessen Sprecher *(Doyen)* der dienstälteste Botschafter oder nach der Praxis mancher Staaten der Nuntius ist.

Das Personal der diplomatischen Vertretungen teilt sich in die zur *Diplomatenliste* angemeldeten Diplomaten, das Verwaltungs- und technische Personal sowie das dienstliche Hauspersonal, wobei die beiden letzteren Gruppen nur abgestufte Vorrechte und Befreiungen genießen, allerdings zumindest Amtsimmunität. Den Familienangehörigen der Diplomaten stehen die gleichen Vorrechte und Befreiungen wie dem Entsandten zu, um auch insoweit unzulässige Einflussnahmen auf diesen zu unterbinden. Bestimmte Einschränkungen der Vorrechte und Befreiungen aus Gründen der Gegenseitigkeit *(Reziprozität)* oder als Gegenmaßnahme *(Retorsion, Repressalie)* sind zulässig.

Zu den Vorrechten und Befreiungen gehören die Unverletzlichkeit (Verbot jeglicher Zwangsmaßnahmen) der Mission und ihrer Archive. Entgegen landläufiger Meinung ist das Gelände der Mission nicht „exterritorial", sondern gehört weiterhin zum Hoheitsgebiet des Empfangsstaates, der lediglich auf die Ausübung seiner Hoheitsbefugnisse auf dem Gelände weitgehend verzichtet. Zu den Vorrechten und Befreiungen gehören darüber hinaus die Unverletzlichkeit der Person und der Wohnung des Diplomaten, die Befreiung von Zöllen und den meisten Steuern, das Recht auf Flaggenführung, auf freie Kommunikation *(diplomatisches Kurierwesen),* auf freie Durchreise zum und vom Dienstort sowie auf Immunität von den meisten Gerichtsverfahren. Der Verzicht auf diese Immunität kann nicht durch den Diplomaten selbst, sondern nur durch den Entsendestaat erklärt werden, da sie in dessen Interesse gewährt wird.

Diese Regeln gelten *mutatis mutandis* auch für Vertretungen bei Internationalen Organisationen, wobei der genaue Umfang i.d.R. im Sitzabkommen der Organisation oder einem speziellen Privilegienprotokoll festgelegt wird. Deren Bediensteten werden darin abgestufte beschränkte Vorrechte und Befreiungen eingeräumt, zumindest Immunität für Amtshandlungen, um die Internationalen Organisationen in ihrer Handlungsautonomie zu schützen.

Nur durch Völkergewohnheitsrecht geregelt ist die *Sondermission,* die vergleichbare Vorrechte und Befreiungen genießt, sofern sie zwischen Entsende- und Empfangsstaat (formlos) vereinbart ist.

4. Konsularische Beziehungen

Die Aufgabe der konsularischen Vertretungen ist insb. der Schutz und die Förderung der wirtschaftlichen, kulturellen und wissenschaftlichen Beziehungen sowie der Beistand für eigene Staatsangehörige, insb. gegenüber den Behörden des Empfangsstaats. Dabei können sie auch Hoheitsakte (z.B. Vernehmungen, Belehrungen, Entgegennahme von Erklärungen) zumindest gegenüber eigenen Staatsangehörigen ausüben. Die Aufnahme konsularischer Beziehungen erfolgt üblicherweise im Rahmen der Aufnahme diplomatischer Beziehungen, kann aber auch separat vereinbart werden.

Der Leiter der konsularischen Vertretung bedarf der ausdrücklichen Zulassung durch den Empfangsstaat *(Exequatur).* Hier ist die Abstufung in die Rangklassen *Generalkonsul* und *Konsul,* je nach Bedeutung der konsularischen Vertretung, noch gebräuchlich. Mitglieder konsularischer Vertretungen genießen nur eingeschränkte Vorrechte und Befreiungen. Darüber hinaus werden üblicherweise Angehörige des Empfangsstaats oder dort ständig ansässige Personen *ad personam* mit der ehrenamtlichen Wahrnehmung konsularischer Aufgaben betraut *(Wahlkonsularbeamte* oder *Honorarkonsuln),* deren Vorrechte allerdings noch weiter beschränkt sind.

Literatur

J. Wouters/S. Duquet/K. Meuwissen: The Vienna Conventions on Diplomatic and Consular Relations, in: A. F. Cooper/J. Heine/R. Thakur (Hg.): The Oxford Handbook of Modern Diplomacy, 2013, 510–543 • N. Wagner/H. Raasch/T. Pröpstl: Wiener Übereinkommen über konsularische Beziehungen vom 24.4.1963. Kommentar für die Praxis, 2007 • N. Wagner/H. Raasch/T. Pröpstl: Wiener Übereinkommen über diplomatische Beziehungen vom 18.4.1961. Kommentar für die Praxis, 2007 • J. Salmon: Manuel de droit diplomatique, 1994.   PASCAL HECTOR

Geschäftsordnung

G.en (englisch *rules of procedure, standing orders,* französisch *règlement)* sind autonome Regelungen kollegialer Gremien und Institutionen betreffend ihr Verfahren und ihre innere Organisation. Sie werden typischerweise, aber keinesfalls zwangsläufig als ↑*Kodifikation* in Form eines zusammenhängenden Textes verschriftlicht. Zwar ist die Abstimmung des Geschäftsgangs in allen nicht rein monokratischen Institutionen mit selbstständigen Entscheidungsbefugnissen, also etwa auch in jedem ↑Verein, eine unabweisbare Notwendigkeit. Grundsätzliche Bedeutung erlangt das G.s-Recht aber vornehmlich dort, wo es die konflikthafte Austragung politischer Antagonismen innerhalb repräsentativer Organisationen regeln soll. Paradigmatische Bedeutung gewinnt die G. damit für das Binnenrecht der ↑*Parlamente*, aber auch anderer Verfassungsorgane, in denen sich politisch Mehrheit und Minderheit gegenüberstehen.

Die Entstehung der parlamentarischen Rechtsform G. ist eng mit der Entstehung moderner parlamentarischer Repräsentation im 18. Jh. in England, Frankreich und den USA und mit der Theorie des freien Mandats verbunden: Der aus freien und gleichen ↑Abgeordneten bestehenden gesetzgebenden Kammer kann die Art ihrer Deliberation und Entscheidungsfindung nicht vorgegeben, sondern grundsätzlich nur selbst zur autonomen Regelung aufgegeben sein. Je nach der Stellung des Parlaments in der Verfassungsordnung und den vorausgesetzten Begriffen des Organisationsrechts haben sich z. T. sehr unterschiedliche Vorstellungen vom Rechtscharakter des G.s-Rechts herausgebildet, die aber ausnahmslos vom historischen Vorbild des englischen Unterhauses abhängig sind. Die Vorstellung eines Selbstorganisationsrechts kollegialer Verfassungsorgane ist allen demokratischen Verfassungen gemeinsam.

Seine Konturen gewinnt der rechtliche Begriff zumal der parlamentarischen G. typischerweise durch die Abgrenzung zur ↑Verfassung, zum Gesetz sowie zu anderen Rechtsformen des Binnenrechts. Das *Verfassungsrecht* zieht dabei den Rahmen, innerhalb dessen das Selbstorganisationsrecht ausgeübt werden kann, einerseits durch formelle Ermächtigungen (z. B. Art. 40 Abs. 1 S. 2, Art. 65 S. 4 GG), andererseits durch ihre Organisationsregelungen überhaupt, die allemal nicht zur Disposition der G. stehen. Das ↑BVerfG nimmt seit jeher ohne bes. Ermächtigung eine verfassungsunmittelbare G.s-Autonomie für sich in Anspruch. Schwieriger ist die Abgrenzung zum Gesetzesrecht. Die verbreitete Unterscheidung zwischen Innenrecht und Außenrecht, die die G. mit dem internen Recht der parlamentarischen Körperschaft identifiziert und vom materiellen Begriff des Gesetzes unterscheidet, hat allenfalls eine begrenzte und nur beschreibende Funktion, da sie zusätzlicher Kriterien zur Bestimmung von „innen" und „außen" bedarf. Die deutsche Dogmatik unterscheidet daher nach dem Inhaber der Regelungsbefugnis: Als Gesetzgeber wird das Parlament als Staatsorgan tätig, als G.s-Geber hingegen bindet es sich, als Körperschaft, selbst. Der Unterschied zeigt sich am plastischsten zum einen an der Möglichkeit der *G.s-Durchbrechung* (§ 126 GOBT), d. h. an ihrer Nichtanwendung im Einzelfall mit qualifizierter Mehrheit, zum anderen am *Diskontinuitätsprinzip*, demzufolge die Geltungsdauer der G. an den Bestand der Körperschaft gebunden ist, mit dem Zusammentritt eines neuen ↑Bundestages also endet.

Typischer *Regelungsgegenstand* der G. ist zunächst die *Aufbauorganisation*, also etwa die Gliederung des Parlaments in ↑Fraktionen, ferner die Einrichtung von Leitungsorganen und Ausschüssen. Hervorragende Bedeutung hat dabei regelmäßig der Modus ihrer personellen Besetzung. Das G.s-Recht regelt ferner die wichtigsten Verfahren, d. h. die Behandlung von Anträgen durch das Plenum und die Unterorgane. Dazu gehören verfassungsrechtlich gering vorgezeichnete Gebiete wie das parlamentarische Fragewesen, aber auch die Konkretisierung der Regelungen über das Gesetzgebungsverfahren einschließlich der Festlegung der Tagesordnung, der Beschlussquoren oder Zahl der Lesungen. Der G. fällt damit die für die parlamentarische Demokratie entscheidende rechtliche Koordinierung von Mehrheit und Minderheit zu. Mit der Gestaltung und Anwendung der G. steht und fällt damit die Wirksamkeit *parlamentarischer* ↑*Opposition* durch Fraktionen, Gruppen und einzelne Abgeordnete. Ein dritter Regelungsbereich ist die *parlamentarische Disziplin*. Hierbei geht es heute freilich im Schwerpunkt weniger um Maßnahmen zur Abwehr von Störungen als um verhaltensbezogene Anforderungen an Mandatsträger, die weit in den persönlichen Bereich vordringen. Unter dem Gesichtspunkt der „Transparenz" sind G.en vielfach um Verhaltensregeln (z. B. in § 44a AbgG i. V. m. Anlage zur GOBT) ergänzt worden, die v. a. finanzielle Offenlegungspflichten begründen und als Annäherung des freien Mandats an einen Amtsträgerstatus nicht unproblematisch sind.

Die Formentypik des G.s-Rechts wird heute vielfach relativiert durch das Ineinandergreifen von G., Gesetz und sonstigen rechtlichen Instrumenten. Die Auffassung, das Parlament dürfe seine inneren Angelegenheiten allein durch G. regeln, ließ sich aus vielen Gründen nicht durchhalten. So gestand das BVerfG dem Bundestag in einem Grundsatzurteil (BVerfGE 70, 324) ein Rechtsformenwahlrecht zwischen Gesetz und G. zu. Seither hat insb. das deutsche Europaverfassungsrecht wegen Art. 23 Abs. 3 S. 3 und Abs. 7 GG die Vergesetzlichung des Parlamentsrechts weiter vorangetrieben. Im institutionellen Recht der ↑EU, deren politische Organe durch die Verträge ausnahmslos mit einer G.s-Autonomie ausgestattet sind, treffen die unterschiedlichen parlamentsrechtlichen Überlieferungen der Mitgliedstaaten aufeinander, weshalb sich die Vorstellungen über Reichweite und Funktion einer G. z. T. erheblich von den deutschen unterscheiden. Auch kennt das Unionsrecht keine formellen Organisationsgesetze im engeren Sinne, weshalb interinstitutionelle Vereinbarungen, d. h. organisations- und verfahrensrechtliche Vereinbarungen zwischen den Organen, in der politischen Praxis eine herausragende Bedeutung erlangt haben.

Literatur

M. Morlok u. a. (Hg.): Parlamentsrecht, 2016 • K. Palonen: Politics of parliamentary procedure, 2014 • S. Sanchez: Les règlements des Assemblées nationales 1848–1851, 2012 • E.-W. Böckenförde: Die Organisationsgewalt im Bereich der Regierung, ²1998 • H. Dreier: Regelungsform und Regelungsinhalt des autonomen Parlamentsrechts, in: JZ 45/7 (1990), 310–320 • Deutscher Bundestag (Hg.): Die Geschäftsordnungen deutscher Parlamente seit 1848, 1986 • J. Hatschek: Das Parlamentsrecht des Deutschen Reiches, 1915.   FLORIAN MEINEL

Geschichte, Geschichtsphilosophie

I. Philosophisch – II. Historisch

I. Philosophisch

1. Der Begriff Geschichte

Auf die Vergangenheit bezogen, bezeichnet der Ausdruck G. zum einen das Geschehene *(res gestae)*, zum anderen die Darstellung des Geschehenen in der Historiographie *(historia rerum gestarum)*. Als literarischer Gattungsbegriff nimmt das Wort G. freilich nicht speziell auf die Historiographie, sondern generell auf die Erzählung als narrative Konstruktion Bezug. Unter dieser Perspektive wird erörtert, inwiefern G.s-Schreibung den Charakteristika der literarischen Erzählung entspricht. Im Kontext der analytischen Philosophie der G. unterstreicht Arthur Coleman Danto, dass „erzählende Sätze" (Danto 1974: 232), die den Ereignissen eine Struktur unterlegen, für G.s-Schreibung konstitutiv sind; Hayden White zieht die von Giambattista Vico entwickelte Tropologie heran, um vier Formen der ästhetischen Präfiguration historiographischer Werke aufzuzeigen; im Rückgriff auf den Mimesis-Begriff der aristotelischen ↑Rhetorik erörtert Paul Ricœur die Bedingungen der Darstellung von Handlungen. Thematisiert wird in diesem Kontext auch, dass Historiographie stets durch den soziopolitischen Standort perspektiviert ist und normative Kriterien zur Anwendung bringt. Die Vorstellung von Objektivität, im Sinne einer „wertfreien" Abbildung vergangener Begebenheiten, wird damit als uneinlösbar erwiesen.

Das griechische Wort bzw. das römische Lehnwort *historia* hatte eine weite Bedeutung: Es bezeichnete „Erkundung" im Allgemeinen und bezog sich damit auf das Ganze des Erfahrungswissens, inkl. der Kenntnisse der Natur. Diese weite Verwendungsweise des Begriffs „historisch" blieb – in Abgrenzung gegenüber den Vernunftwahrheiten – bis in die Zeit der ↑Aufklärung erhalten und prägt u.a. den Begriff „Polyhistor". Dass Herodot seiner Schrift den Titel „Historien" gab, und damit die Ablösung von der mythischen Vorstellungswelt (↑Mythos) zum Ausdruck brachte, wird als Beginn der empirischen Erforschung vergangener Begebenheiten gesehen. Aristoteles hat den Begriff *historia* als Bezeichnung für die G.s-Schreibung, in Unterscheidung von der Dichtkunst, etabliert. Zu einer eigenständigen akademischen Disziplin wurde die Erforschung von G. erst im ausgehenden 18. Jh. Der heute gängigen Verwendung

des Begriffs G. im Singular („die" G.) liegt die Vorstellung zugrunde, dass die gesamte Menschheit in einen zusammenhängenden Entwicklungsprozess eingebunden sei. Nach Karl Löwith geht dies auf die christliche Auffassung von der einen „Heilsgeschichte" (Löwith 1953: 14) zwischen Gott und der Menschheit zurück.

2. Der Begriff Geschichtsphilosophie

Der Ausdruck „G.s-Philosophie" wird in vielfältiger Bedeutung verwendet. Die Prägung des Begriffs wird Voltaire zugeschrieben, der sich damit gegen geschichtstheologische Spekulationen, speziell diejenigen Jacques Bénigne Bossuets, wandte und für eine natürliche Erklärung der G. plädierte. Schon ein Jahr vor Voltaire, 1764, hatte Isaak Iselin seine „Philosophischen Muthmaßungen" über die G. der Menschheit veröffentlicht. Seine Kernbedeutung erhielt der Begriff bei jenen Autoren der Aufklärung und des Deutschen ↑Idealismus, die sich eine systematische Interpretation der Welt-G. anhand eines Prinzips, das einen Sinnzusammenhang des Ganzen erkennen lässt, zur Aufgabe machten. Die zentralen Begriffe ↑„Fortschritt" und ↑„Freiheit" stellen einen Bezug zur Praxis der Gegenwart her. Spätere Formen der philosophischen Auseinandersetzung mit G. werden oft als „Philosophie der Geschichte nach dem Ende der Geschichtsphilosophie" (Rohbeck/Nagl-Docekal 2003: 8) bezeichnet, wobei die Zäsur i.d.R. nach Georg Wilhelm Friedrich Hegel, z.T. nach Karl Marx, angesetzt wird. Theorien, die eine systematische Interpretation ablehnen und die „historische Vernunft" oder die Methode der Historiographie fokussieren, schlagen eine Gegenüberstellung von „materialer vs. formaler" (Langthaler/Hofer 2014: 7) bzw. von „substantialistischer vs. analytischer" G.s-Philosophie vor (Danto 1974: 11), doch ist dies irreführend, da die systematischen Konzeptionen ebenfalls formale Fragen untersuchen. Signifikant für diese Gegenüberstellung ist auch ihre Verknüpfung mit der These, die systematische G.s-Philosophie sei obsolet geworden.

3. Systematische Konzeptionen

Ausgangspunkt ist nicht die Frage nach der Möglichkeit theoretischer Erkenntnis des Ganzen der G., sondern das Sinnproblem menschlicher Praxis: Während sich die ↑Natur als gesetzmäßig geordnet darstellt, erscheint die G. als ein „Kampfplatz sinnloser Leidenschaften, wilder Kräfte, zerstörender Künste" (Herder 1967f., Bd. 13: 9); die Frage lautet daher, ob die G. dennoch eine sinnvolle Deutung zulasse, die den Menschen erlauben würde, ihre Lage nicht als schlechthin hoffnungslos wahrzunehmen. Für Johann Gottfried Herder bietet der Begriff ↑„Humanität" einen „Leitfaden" durch das „Labyrinth der Geschichte" (Herder 1967f., Bd. 14: 250), freilich nicht in Form eines entfernten Ziels der G., sondern im Blick auf das individuelle Potential: „Was also jeder Mensch ist und seyn kann, das muß Zweck des Menschengeschlechts sein; und was ist dies? Humanität und Glückseligkeit auf dieser Stelle in diesem Grad" (Herder 1967 f., Bd. 13: 350). J. G. Herder wendet sich gegen das Fortschrittsdenken der Aufklärung – gegen „alle Bücher unserer Voltäre und Hume, Robertsons und Iselins" (Herder 1967 f., Bd. 5: 524) – mit der Begründung, dass darin an die früheren ↑Epochen ein ihnen fremder Maßstab angelegt werde.

Dagegen macht Immanuel Kant geltend, dass dem „Menschengeschlecht" auch im Ganzen eine Aufgabe auferlegt sei: „Am Menschen (als dem einzigen vernünftigen Geschöpf auf Erden) sollten sich diejenigen Naturanlagen, die auf den Gebrauch der Vernunft abgezielt sind, nur in der Gattung, nicht aber im Individuum vollständig entwickeln" (Kant 1964: 23). Das „schwerste" Problem, „welches von der Menschengattung am spätesten aufgelöst wird" (Kant 1964: 40), ist die „Errichtung einer vollkommnen bürgerlichen Verfassung" (Kant 1964: 41), die nur mittels „eines gesetzmäßigen äußeren Staatsverhältnisses" (Kant 1964: 41) in Form eines „Völkerbundes" (Kant 1964: 42) umgesetzt werden kann. Freilich verfahren die Menschen „nicht wie vernünftige Weltbürger nach einem verabredeten Plane im Ganzen" (Kant 1964: 22); doch initiiert „die Natur" eine Lösung des Problems, da sie in den Menschen einen „Antagonismus" angelegt hat: Die „ungesellige Geselligkeit", d. h., der „Hang […] in Gesellschaft zu treten, der doch mit einem durchgängigen Widerstande, welcher diese Gesellschaft beständig zu trennen droht, verbunden ist" (Kant 1964: 25), „zwingt" den Menschen schließlich dazu, „seine brutale Freiheit aufzugeben und in einer gesetzmäßigen Verfassung Ruhe und Sicherheit zu suchen" (Kant 1964: 31). Demgemäß lässt sich „die allgemeine Weltgeschichte nach einem Plane der Natur, der auf die vollkommene bürgerliche Vereinigung in der Menschengattung abziele", bearbeiten. G.s-Philosophie formuliert so einen „Leitfaden a priori" (Kant 1964: 38), um „ein sonst planloses Aggregat menschlicher Handlungen wenigstens im Großen als ein System darzustellen". Dies kann als „selbst für diese Naturabsicht beförderlich angesehen werden", da eine „tröstende Aussicht in die Zukunft" eröffnet wird (Kant 1964: 36 f.).

Indem I. Kant seine Fortschrittskonzeption als „eine Rechtfertigung der Natur – oder besser der Vorsehung" (Kant 1964: 38) betrachtet, bezieht er die G.s-Philosophie auf das Problem der Theodizee, wie es u. a. bei Gottfried Wilhelm Leibniz dargestellt ist: Wie kann Gott angesichts der Übel in der Welt gerechtfertigt werden? Expliziter theologisch ist Johann Gottlieb Fichtes Anspruch, einen „Weltplan" zu deduzieren, dessen fünf aufeinanderfolgende Epochen auf die „Führung des Menschengeschlechts durch die göttliche Kraft" verweisen (Fichte 1845/46: 142). Friedrich Wilhelm Joseph Schelling stellt die G. in mehrfach modifizierter Form als Prozess der Rückkehr aus dem Sündenfall in die Einheit mit Gott dar. „Kants Plan einer G. im weltbürgerlichen Sinn […] ist selbst nur der empirische Widerschein der wahren Nothwendigkeit." (Schelling 1861: 309) Später deutet Johann Joseph Görres die Welt-G. als „Offenbarung eines göttlichen Planes" (Görres 1880: 89).

Friedrich Schiller gibt zu bedenken, I. Kant bringe „ein teleologisches Prinzip in die Weltgeschichte", das im „Gang der Welt" keine Entsprechung habe (Schiller 1789: 763 f.). Die zentrale Aufgabe der Versöhnung von Natur und Freiheit könne nicht am Ort der Gesellschaftsordnung, sondern allein in der ↑Kunst erfüllt werden. Auch G. W. F. Hegel moniert, I. Kant deute die Welt-G. von einem abgehobenen „Sollen" her, das nur „außerhalb der Wirklichkeit" vorhanden sei; seine Gegenthese lautet, „dass die Vernunft die Welt beherrsche, dass es also auch in der Weltgeschichte vernünftig zugegangen sei" (Hegel 1970: 49). Da die Welt-G. „auf dem geistigem Boden vorgeht", ist für sie ausschlaggebend, dass „das Wesen des Geistes die Freiheit" ist (Hegel 1970: 29 f.). Doch ist der Geist zunächst nur „an sich" frei, er muss sich seine Freiheit erst in einem Erfahrungsprozess bewusst machen; dies gilt für Individuen ebenso wie für einzelne Völker und die gesamte Welt-G. G. W. F. Hegel hält fest: „Die Weltgeschichte ist der Fortschritt im Bewußtsein der Freiheit – ein Fortschritt, den wir in seiner Notwendigkeit zu erkennen haben" (Hegel 1970: 32). Der Begriff „Weltgeist" bezieht sich auf diesen Lernprozess der Menschheit, der so dargestellt wird, dass jeweils dasjenige ↑Volk, das sich an dem bis dato avanciertesten Verständnis von Freiheit orientiert, das welthistorisch führende, eine Epoche prägende ist. Diese umfassenden Zusammenhänge werden i. d. R. von den Individuen nicht durchschaut; indem sie ihre partikularen ↑Interessen mit „Leidenschaft" verfolgen, werden sie durch die „List der Vernunft" zu Elementen des Fortschrittsprozesses des Ganzen (Hegel 1970: 49).

Der eigentliche Ort von G. ist der ↑Staat: „In der Weltgeschichte kann nur von Völkern die Rede sein, welche einen Staat bilden" (Hegel 1970: 56). Die geistige Basis der Staaten liegt jeweils in der ↑Religion: „Die Religion ist der Ort, wo ein Volk sich die Definition dessen gibt, was es für das Wahre hält" (Hegel 1970: 70). Demgemäß skizziert G. W. F. Hegel die vergangenen Epochen so: „Die Orientalen wissen es noch nicht, dass der Geist oder der Mensch als solcher an sich frei ist, und weil sie es nicht wissen, sind sie es nicht; sie wissen nur, dass Einer frei ist, aber eben darum ist solche Freiheit nur Willkür […]. In den Griechen ist erst das Bewußtsein der Freiheit aufgegangen […], aber sie, wie auch die Römer, wußten nur, dass einige frei sind, nicht der Mensch als solcher." Im ↑Christentum ist „zum Bewusstsein gekommen, dass der Mensch als Mensch frei [ist], die Freiheit des Geistes seine eigenste Natur ausmacht", doch galt es erst, dieses Prinzip in „das weltliche Wesen einzubilden"; diese allmähliche „Durchdringung des weltlichen Zustandes durch dasselbe ist der lange Verlauf" der seitherigen G. (Hegel

1970: 31). An diesem Punkt nimmt nun auch G. W. F. Hegel auf das Problem der Theodizee Bezug: „Dieser Endzweck ist das, […] dem alle Opfer auf dem weiten Altar der Erde und in dem Verlauf der langen Zeit gebracht worden […], das, was Gott mit der Welt will" (Hegel 1970: 33). „Unsere Betrachtung ist insofern eine Theodizee" (Hegel 1970: 28).

4. Alternative Zugänge zur Geschichte

Die Abkehr von der systematischen G.s-Philosophie setzte praktisch gleichzeitig mit derselben ein und wurde in unterschiedlichen Diskursen ausgestaltet. Zum einen in Fortschrittstheorien aus dem Blickwinkel der empirischen Wissenschaften: In Zuspitzung der von Marie Jean Antoine Nicolas Caritat, Marquis de Condorcet formulierten Theorie gesetzmäßiger Fortschritte entwickelte Auguste Comte ein Drei-Stadien Gesetz: Auf das theologische und das metaphysische Zeitalter folgt das positive Stadium, das vom wissenschaftlich-positiven Geist getragen wird. K. Marx und Friedrich Engels wenden gegen G. W. F. Hegel ein, dass die „letzten Ursachen der geschichtlichen Ereignisse […] nicht in der Geschichte selbst" aufgesucht, sondern „aus der philosophischen Ideologie" in diese „importiert" werden. (Marx/Engels 1962: 298). Sie vertreten die These, dass Rechtsverhältnisse als „Überbau" zu betrachten seien, während Produktionsverhältnisse die eigentliche Basis des Lebens bilden. Der Begriff „historischer ↑Materialismus" bezeichnet diese Fokussierung sozio-ökonomischer Prozesse. In partieller Anknüpfung an G. W. F. Hegels dialektische Methode (↑Dialektik) deuten K. Marx und F. Engels die G. als G. von ↑Klassenkämpfen, die letztlich die klassenlose Gesellschaft hervorbringen werden.

Im Kontext der akademischen Etablierung der ↑Geisteswissenschaften machten Vertreter der Historischen Schule (Wilhelm von Humboldt, Leopold von Ranke) gegenüber G. W. F. Hegel geltend, dass die einzelnen Völker, Epochen und Persönlichkeiten in ihrer individuellen Besonderheit, nicht als Vorstufen zu späteren Epochen, untersucht werden müssten. Jacob Burckhardt kritisiert, die von der Aufklärung ausgehende G.s-Philosophie fasse die Gegenwart als überlegen auf: „Gegenwart' galt eine Zeitlang wörtlich als Fortschritt, und es knüpfte sich daran der lächerlichste Dünkel, als ginge es einer Vollendung des Geistes oder gar der Sittlichkeit entgegen" (Burckhardt 1905: 256). Unter dem Titel „Historismus" wurden die auf die Vielfalt des Besonderen ausgerichteten Theorien zum einen charakterisiert, zum anderen mit dem Vorwurf konfrontiert, auf einen Relativismus im Sinn einer Gleich-Gültigkeit der historischen Gestaltungen hinauszulaufen. Friedrich Nietzsche warnt, dass die „Kärrner" der G.s-Forschung die gegenwärtige Generation mit einem Wissensballast überfrachten, der das Leben lähmt, und bringt dagegen die Konzeption des „überhistorischen Menschen" zur Geltung, „der nicht im Prozesse das Heil sieht, für den

vielmehr die Welt in jedem einzelnen Augenblicke fertig ist und ihr Ende erreicht" (Nietzsche 1980a: 255). In seinem Werk „Also sprach Zarathustra" setzt F. Nietzsche den geschichtsphilosophischen Fortschrittskonzeptionen das Bild der „ewigen Wiederkunft" des Gleichen als „höchste Formel der Bejahung, die überhaupt erreicht werden kann", entgegen (Nietzsche 1980b: 335). Einen anderen Typus der individualisierenden Zugangsweise repräsentieren jene Werke, die die einzelnen historischen Epochen am Paradigma des Lebenslaufs von Geburt über Jugend, Reife, Alter und Tod darstellen. Diese zyklische Auffassung setzte im Umfeld der Romantik mit Ernst von Lasaulx ein, der den von G. Vico erhobenen Anspruch aufgreift, „die ideale Geschichte der ewigen Gesetze" (Vico 1990, Bd. 2: 596) aufzuzeigen, nach denen „die Geschichte aller Völker in der Zeit abläuft" (Vico 1990, Bd. 1: 154). Eine komprehensive Ausgestaltung erfuhr diese Sicht u. a. in der vergleichenden Kultur-Morphologie Oswald Spenglers.

Als wirkmächtige Form der Abkehr von inhaltlichen Deutungen der G. erwiesen sich Theorien, die sich auf methodische Fragen beschränken und untersuchen, ob bzw. wie die Historiographie im Vergleich zu den ↑Naturwissenschaften bzw. zur empirischen ↑Soziologie legitimiert werden könne, um den Vorwurf der Unwissenschaftlichkeit zu entkräften. Im Rahmen des südwestdeutschen Neukantianismus unterscheiden Wilhelm Windelband und Heinrich Rickert zwischen nomothetischen (generalisierenden) und ideographischen (individualisierenden) Wissenschaften, wobei sie eine Orientierung an Werten als unverzichtbares Element der Historiographie hervorheben. Johann Gustav Bernhard Droysen erläutert, dass die Geisteswissenschaften, da sie Äußerungen des menschlichen Geistes untersuchen, ein Naheverhältnis zu ihrem Forschungsgegenstand haben. Dem entspr. grenzt er sie gegenuber den Naturwissenschaften mittels der Methodendifferenz von „Erklären" und „Verstehen" ab. Sein Werk „Historik" leitet damit eine lange wissenschaftstheoretische Debatte ein (s. u.). J. G. B. Droysen macht überdies den konstruktiven Zuschnitt der Historiographie deutlich, indem er festhält, dass diese erst „aus Geschäften Geschichte" werden lasse (Droysen 1977: 345). Wilhelm Dilthey entwickelt eine „Theorie der historischen Vernunft", die gegen I. Kants Konzeption eines „starren a priori unseres Erkenntnisvermögens" (Dilthey 1922: XVIII) geltend macht, dass der Mensch als „dies wollend fühlend vorstellende Wesen" (Dilthey 1922: XVIII) aufzufassen ist. Mittels der Begriffstrias „Erleben, Ausdruck und Verstehen" (Dilthey 1970: 235) erläutert W. Dilthey den Zusammenhang zwischen Gegenstand und Erkenntnismöglichkeit der Geisteswissenschaften; dies bildet das Zentrum seiner Konzeption der ↑Hermeneutik.

Aus phänomenologischer Perspektive moniert Hans-Georg Gadamer, W. Diltheys Auffassung laufe darauf hinaus, „das schlechthinnige Herrsein des Verstehenden über das Sein" (Gadamer 1960: XXII) zu beanspruchen. Dagegen bringt H.-G. Gadamer die „Erfahrung der Überlieferung" als ein „Geschehen, dessen niemand Herr ist", zur Geltung (Gadamer 1960: 335). In Anlehnung an Martin Heidegger entwickelt er eine Konzeption der „Geschichtlichkeit", der zufolge wir durch die „naive Rezeption" der ↑Tradition in einem Ausmaß geprägt sind, das wir reflexiv nicht einholen können. Der Begriff „wirkungsgeschichtliches Bewußtsein" bringt gegenüber dem die Geisteswissenschaften prägenden „historischen Bewußtsein" zum Ausdruck, „wieviel Geschehen in allem Verstehen wirksam ist" (Gadamer 1960: XXIX). In Distanznahme von dieser Fokussierung einer unmittelbaren Rezeptivität moniert Jürgen Habermas: „Gadamer verkennt die Kraft der Reflexion" (Habermas 1971: 47).

Eine anders gelagerte Kritik an der hermeneutischen Auffassung von G. wurde seitens der einheitswissenschaftlich ausgerichteten Wissenschaftstheorie formuliert. Carl Gustav Hempel vertritt die These, die Logik der G.s-Forschung sei dies. wie diejenige der Naturwissenschaften, da in jedem Falle, ausgehend von einer „Warum?"-Frage, nach einer „Erklärung" auf der Basis allg.er Gesetze zu suchen sei. Von hier aus entspann sich ab den 1970er Jahren die sog.e Erklären-Verstehen-Kontroverse. Seitens der ↑analytischen Philosophie wird argumentiert, dass die Erklärung, nach der historische „Warum?"-Fragen verlangen, nicht im Rückgriff auf allg.e ↑Gesetze, sondern nur in Form einer Erzählung gegeben werden könne. Die systematische G.s-Philosophie wird hier als „Prophetie" zurückgewiesen: Indem sie über „das Ganze der Geschichte", und damit auch über die Zukunft, spricht, versuche sie, „die Geschichte dessen, was geschieht, zu erzählen, bevor es geschehen ist" (Danto 1974: 30). Dieser Einwand beruht jedoch auf dem Missverständnis, systematische G.s-Philosophie sei ein Projekt der empirischen Forschung.

5. Fortschritt in einer globalisierten Welt

In Auseinandersetzung mit den totalitären Systemen des 20. Jh. wurde die G.s-Philosophie wieder mit Forderungen an die gegenwärtige Praxis verknüpft. Walter Benjamin wirft die Frage auf, „in wen sich denn der Geschichtsschreiber des Historismus eigentlich einfühlt. Die Antwort lautet unweigerlich: in den Sieger" (Benjamin 1977: 254). Einer Fortschritts-G., die einem „Triumphzug" (Benjamin 1977: 254) der Herrschenden gleichkommt, hält W. Benjamin entgegen, uns sei „eine schwache messianische Kraft mitgegeben, an welche die Vergangenheit Anspruch hat" (Benjamin 1977: 252); daher gelte es, „die Geschichte gegen den Strich zu bürsten" (Benjamin 1977: 254), um das „Werk der Befreiung von Generationen Geschlagener" (Benjamin 1977: 257) voranzubringen. Diesem Gedanken folgend moniert Burkhard Liebsch im Blick auf H.-G. Gadamer und P. Ricœur: „Eine Hermeneutik der Trauer, des Zeugnisses oder des Traumas […] sucht man vergeblich"

(Liebsch 1999: 12). Max Horkheimer und Theodor W. Adorno deuten die G. des Okzidents als eine erbarmungslos fortschreitende Unterdrückung der äußeren und der inneren Natur. „Keine Universalgeschichte führt vom Wilden zur Humanität, sehr wohl eine von der Steinschleuder zur Megabombe. Sie endet in der totalen Drohung der organisierten Menschheit gegen die organisierten Menschen" (Adorno 1966: 312). Diese Aufklärung der Aufklärung über sich selbst soll zum eigentlichen, an der „Utopie des Besonderen" (Nagl-Docekal 1996: 51) orientierten Fortschritt beitragen.

Auch aus postmoderner Perspektive (↑Postmoderne) stellen sich Fortschrittskonzeptionen als Legitimationserzählungen für Zwang und Vernichtung dar. Michel Foucault erhebt gegen G.s-Philosophie und Historismus den Vorwurf, zu einer Verstärkung der ↑Macht in der Gegenwart beizutragen, und plädiert für eine alternative Historie, die Diskontinuität, Zerstreuung und die Ränder der G. fokussiert. Im Rückgriff auf F. Nietzsche entwirft er eine „Genealogie der Macht", die untersucht, welche Machtmechanismen alle Lebensbereiche prägen und die Menschen disziplinieren. Jean-François Lyotard legt den Akzent seiner Kritik darauf, dass der Diskurs der ↑Emanzipation unglaubwürdig geworden sei, da er in den „Terror der Homogenisierung" (Lyotard 1979: 147) führe. Zur Überwindung des Egalitarismus der ↑Moderne fordert er, die „große Erzählung" der G.s-Philosophie durch eine Pluralität kleiner Erzählungen zu ersetzen. Damit wird „die" G. durch das „Posthistoire" abgelöst. Johannes Rohbeck wendet ein, dass die weltweiten ↑Krisen der Gegenwart eine erneuerte G.s-Philosophie erforderlich machen, die – in Anknüpfung an I. Kant – die Deutung des Historischen mit einer Ethik für die Zukunft verbindet.

Unter dem Eindruck der Globalisierungsprozesse (↑Globalisierung) wurden universalhistorische Theorien entwickelt, die sich von der Fokussierung der europäisch-westlichen G. abwenden. Arnold Toynbee unterscheidet 21 eigenständige, gleichwertige Kulturen, die er in morphologischer Methode vergleicht. Anders als O. Spengler verbindet er eine zyklische Konzeption mit der Annahme eines zusammenhängenden Verlaufs der G. Für Karl Jaspers läuft die Welt-G. auf die „Einheit" aller Menschen zu; Grundlage dafür ist die der gesamten Menschheit gemeinsame „Achsenzeit", d. i. „das Zeitalter um die Mitte des letzten Jahrtausends v. Chr." (Jaspers 1955: 14), in dem u. a. die Propheten Amos, Jesaja und Jeremias sowie Platon und Aristoteles wirkten, und in dem die Analekten des Konfuzius, Laotses Daodejing und das buddhistische Pali Kanon entstanden. Da der „Reichtum der Verzweigungen" (Jaspers 1955: 257) hier seinen Ursprung hat, ist eine „Verwandtschaft im Fremden" (Jaspers 1955: 257) gegeben, die ermöglicht, „dass die Menschen sich in dem einen Geiste der universalen Verstehbarkeit treffen" (Jaspers 1955: 250). Die Konzeption der „Achsenzeit" erfährt eine Aktualisierung u. a. im Zeichen der Frage, wie (neo-)konfuzianische Konzeptionen für die Auseinandersetzung mit sozial-atomistischen Tendenzen der Gegenwart fruchtbar gemacht werden könnten.

Literatur

R. Langthaler/M. Hofer: Vorwort, in: WJP 46 (2014), 7–8 • T. Zwenger: Der Grund der Geschichte. Geschichtsphilosophie nach Schelling, in: WJP 46 (2014), 49–73 • J. Rohbeck: Zukunft der Geschichte. Geschichtsphilosophie und Zukunftsethik, 2013 • N. Bellah/H. Joas: The Axial Age and its Consequencens, 2012 • J. Rohbeck/H. Nagl-Docekal: Einleitung, in: J. Rohbeck/H. Nagl-Docekal (Hg.): Geschichtsphilosophie und Kulturkritik. Historische und systematische Studien, 2003, 7–20 • R. C. Neville (Hg.): Boston Confucianism, 2000 • B. Liebsch: Geschichte als Antwort und Versprechen, 1999 • H. Nagl-Docekal: Ist Geschichtsphilosophie heute noch möglich?, in: dies. (Hg.): Der Sinn des Historischen, 1996, 7–63 • E. Agehrn: Geschichtsphilosophie, 1991 • H. White: Metahistory, 1991 • G. Vico: Prinzipien einer neuen Wissenschaft über die gemeinsame Natur der Völker, 2 Bde., 1990 • M. Lutz-Bachmann: Geschichte und Subjekt. Zum Begriff der Geschichtsphilosophie bei Kant und Marx, 1988 • P. Ricœur: Zeit und Erzählung, 3 Bde., 1988 f. • M. Foucault: Nietzsche, die Genealogie, die Historie, in: M. Foucault: Von der Subversion des Wissens, 1987, 69–90 • M. Foucault: Archäologie des Wissens, 1981 • Herodot: Historien, 2 Bde., 1980 • F. Nietzsche: Vom Nutzen und Nachteil der Historie für das Leben, in: KSA, Bd. 1, 1980a, 243–334 • F. Nietzsche: Also sprach Zarathustra, in: KSA, Bd. 6, 1980b, 335–349 • J.-F. Lyotard: Das postmoderne Wissen, 1979 • W. Benjamin: Über den Begriff der Geschichte, in: ders.: Illuminationen, 1977, 251–261 • J. G. B. Droysen: Historik. Vorlesungen über die Enzyklopädie und Methodologie der Geschichte, ⁷1977 • A. C. Danto: Analytische Philosophie der Geschichte, 1974 • I. Kant: Schriften zur Geschichtsphilosophie, 1974 • H. Schnädelbach: Geschichtsphilosophie nach Hegel. Die Probleme des Historismus, 1974 • O. Marquard: Schwierigkeiten mit der Geschichtsphilosophie, 1973 • J. Habermas: Zu Gadamers „Wahrheit und Methode", in: ders. u. a. (Hg.): Hermeneutik und Ideologiekritik, 1971, 45–56 • W. Dilthey: Der Aufbau der geschichtlichen Welt in den Geisteswissenschaften, 1970 • G. W. F. Hegel: Vorlesungen über die Philosophie der Geschichte, Bd. 12, 1970 • F. Kambartel: Erfahrung und Struktur, 1968 • B. Suphan (Hg.): J. G. von Herder, Sämtliche Werke, 33 Bde., 1967 f. • J. G. Herder: Auch eine Philosophie der Geschichte zur Bildung der Menschheit, in: ebd., Bd. 5, 1967 f. • J. G. Herder: Ideen zur Philosophie der Geschichte der Menschheit. Erster und Zweiter Theil, in: ebd., Bd. 13, 1967 f. • J. G. Herder: Ideen zur Philosophie der Geschichte der Menschheit. Dritter und Vierter Theil, in: ebd., Bd. 14, 1967 f. • T. W. Adorno: Negative Dialektik, 1966 • I. Kant: Idee zu einer allgemeinen Geschichte in weltbürgerlicher Absicht, in: W. Weischedel (Hg.): I. Kant. Werke, Bd. 6, 1964, 31–50 • F. Engels: Ludwig Feuerbach und der Ausgang der klassischen deutschen Philosophie, in: MEW, Bd. 21, 1962, 259–307 • F. Schiller: Was heißt und zu welchem Ende studiert man Universalgeschichte?, in: Sämtliche Werke, Bd. 4, 1962, 749–766 • H.-G. Gadamer: Wahrheit und Methode, 1960 • P. Gardiner (Hg.): Theories of History, 1959 • C. G. Hempel: The Function of General Laws in History, in: ebd., 344–356 • K. Popper: Prediction and Prophecy in the Social Sciences, in: ebd., 275–285 • K. Rossmann: Deutsche Geschichtsphilosophie von Lessing bis Jaspers, 1959 • K. Jaspers: Vom Ursprung und Ziel der Geschichte, 1955 • K. Löwith: Weltgeschichte und Heilsgeschehen, 1953 • M. Horkheimer/T. W. Adorno: Dialektik der Aufklärung, 1947 • A. J. Toynbee: Der Gang der Weltgeschichte, 12 Bde., 1934–1954 • W. Dilthey: Einleitung in die Geisteswissenschaften. Versuch einer Grundlegung für das Studium der Gesellschaft und der Geschichte. Wilhelm Diltheys gesammelte Schriften, Bd. 1, 1922 • O. Spengler: Der Untergang des Abendlandes, 2 Bde., 1918/1922 • J. Burckhardt: Weltgeschichtliche Betrachtungen, 1905 • H. Rickert: Kulturwissenschaft und Naturwissenschaft, 1899 • W. Windelband: Geschichte und Naturwissenschaften, 1894 • J. J. Görres: Über Grundlage, Gliederung und Zeitenfolge der Weltgeschichte, 1880 • G. W. F. Schelling: Vorlesungen über die Methoden des akademischen Studiums, in: K. F. A. Schelling (Hg.): Sämmtliche Werke, Bd. 5, 1861, 207–352 • J. G. Fichte: Die Grundzüge des gegenwärtigen Zeitalters, in: I. H. Fichte (Hg.): J. G. Fichte. Sämmtliche Werke, Bd. 7, 1845 f, 1–256 • F. A. Comte: Über den Geist des Positivismus, 1844 • A. de Condorcet: Entwurf einer historischen Darstellung der Fortschritte des menschlichen Geistes, 1794 • Voltaire: La philosophie de l'histoire, 1765 • I. Iselin: Über die Geschichte der Menschheit. Philosophische Muthmaßungen, 1764 • G. W. Leibniz: Versuche der Theodizee, 1710 • J. B. Bossuet: Discours sur l'histoire universelle, 1681.

HERTA NAGL-DOCEKAL

II. Historisch

1. Geschichte

Mit G. ist hier, entspr. der doppelten Wortbedeutung, der Umgang mit menschlicher „G." in der Vergangenheit gemeint, und zwar in der elaborierten Form der historischen Erkenntnis. Sie prägt sich aus in der G.s-Schreibung, d. h. in der historiographischen Darstellung. Der G.s-Schreiber, der sie ins Werk setzt, bringt kraft seines Vorstellungs- und Sprachvermögens ein Bild der Vergangenheit hervor. Im Unterschied zur fiktionalen ↑Literatur gilt dabei ein Anspruch auf empirische ↑Wahrheit oder Wahrscheinlichkeit, der durch Sammlung, Sichtung und Prüfung der noch vorhandenen Überreste aus der Vergangenheit eingelöst wird; der G.s-Schreiber muss Quellenforschung betreiben. Seine historiographische Aufgabe besteht darin, die von ihm erhobenen Quellennachrichten zu einem Ganzen zu formen, das über bloße Aggregierung hinausgeht; Quellenforschung ist kein Selbstzweck, sondern Mittel für diese Synthesebildung. Aller Historiographie liegt ein Interesse zugrunde, das sich der Erfahrung der historischen Bedingtheit der je eigenen Zeit verdankt. Ausgangspunkt ist jeweils ein aktuelles Problem, das der Rückblick auf die Vergangenheit erhellen soll und das den ganzen historiographischen Produktionsprozess motiviert oder präformiert. Der Gang der historischen Erkenntnis fällt mit diesem Prozess zusammen. Jedenfalls bleibt die historische Darstellung die regulative Idee, auf die sich jegliche Bemühung um die G. beziehen lässt.

1.1 Antike

Diesen Begriff von G.s-Schreibung hat paradigmatisch Herodot zur Darstellung gebracht. In seinen „Historien" treten zuerst alle seitdem maßgeblichen Kriterien hervor. Auslösendes Moment ist für ihn eine geradezu existentielle Erfahrung von G.: der Einbruch der Perserkriege in seine Lebenswelt. Er entschließt sich daraufhin, diese G. zu schreiben: eine G. der Perserkriege, die er auf den Hintergrund der ganzen bisherigen Welt-G. projiziert. An die Stelle des früheren mythischen Umgangs mit der Vergangenheit tritt die „Real-G." als Gegenstand einer neuen literarischen Gattung; sofern Herodot Mythisches beibehält, wird es der „Real-G." angeglichen. Als nächstes kommt die Sammlung zuverlässiger Quellennachrichten; oberster Maßstab wird die möglichste Nähe zu dem jeweils berichteten Ereignis, vorab durch eigene oder fremde Autopsie. Am Ende steht die kunstvolle Verknüpfung alles Einzelnen am Leitfaden des Generalthemas. Thukydides, der Historiker des Peloponnesischen Krieges, hat diese Linie weiter ausgezogen. Als Kriegsteilnehmer und Zeitgenosse erlebt er die „Real-G." mit einer noch gesteigerten Intensität. Er konzentriert sich in seinem Werk auf die Ursachen und den Verlauf des Krieges; der ↑Mythos wird endgültig bedeutungslos. Er bringt aus eigener Erfahrung und durch systematische Ausforschung weiterer Augen- und Ohrenzeugen ein Höchstmaß an gesicherten Informationen zusammen; das „Methodenkapitel" (1, 22) bietet ein förmliches Programm der Quellenkritik. Thukydides formt aus diesen Materialien das Muster einer streng in sich geschlossenen historischen Monographie.

Alle G.s-Schreiber bis zur Gegenwart stehen, eingestanden oder uneingestanden, in der Nachfolge dieser Gründungsautoren. Die wesentlichen Differenzen rühren von wechselnden Grundeinstellungen her, die die Historiographie jeweils oft für Jahrhunderte prägen. In der Antike wird die Doktrin der „historia magistra vitae" (Cicero, de orat. 2, 9, 36) vorherrschend. Angeleitet von dem Bedürfnis, die in der Lebenswelt erfahrene G. auf dauerhafte Strukturen zurückzuführen, soll die G.s-Schreibung die Menschen über die ↑Normen praktischen Verhaltens belehren. Die Inhalte wechseln: Herodot demonstriert die katastrophalen Folgen menschlicher Selbstüberhebung; Thukydides führt die Machtnatur des Menschen und die ihr eigene Gesetzmäßigkeit vor. Die G.s-Schreibung gerät dadurch in eine untergeordnete Position gegenüber der ↑praktischen Philosophie, der sie, ohne eigenen Wert, Exemplifizierungswissen zur Verfügung stellt. Dem normativen Interesse entspricht das rhetorische Modell der G.s-Schreibung, eine auf feste literarische Regeln gegründete Gattungslehre.

1.2 Mittelalter, Humanismus, Aufklärung

In der christlich-religiös geprägten Lebenswelt des Mittelalters wird die antike Tradition überlagert von der Heils-G., die vom Wirken Gottes an und mit den Menschen handelt. Sie beginnt mit Schöpfung und Sündenfall und endet mit der ewigen Erlösung; die G. bewegt sich in einer klar gegliederten Abfolge von Weltaltern oder Weltmonarchien auf dieses Ziel hin: eine Fortschritts-G., in der jeder ↑Epoche eine bes. Rolle im Heilsplan Gottes zukommt. Am vollständigsten wird dieses Konzept in universalgeschichtlichen Darstellungen, wie der „Chronik" des Otto von Freising, ausgeführt. Der Glaube an die zyklische Wiederkehr des immer Gleichen, das der G. entzogen ist, weicht der Vorstellung eines in der historischen Zeit linear verlaufenden Prozesses. Andererseits resultiert aus der Heils-G. der neue Dualismus von göttlicher G., die zuerst Sache der ↑Theologie ist, und menschlicher G., die tief darunter steht. Letztere verliert fortlaufend an Relevanz; die Quellenforschung wird angesichts der biblischen Offenbarung der Grundtatsachen allen Geschehens nebensächlich; ein primäres Interesse an literarischer Gestaltung besteht nicht. Das antike Modell lebt daher nur in sehr eingeschränkter Form fort.

Der ↑Humanismus des 14. bis 16. Jh. betreibt demgegenüber die Erneuerung dieses Modells. Sein aus dem Gegensatz zur spätmittelalterlichen ↑Scholastik heraus erwachsener Drang nach Wiederbelebung des griechisch-römischen Altertums führt auch dazu, dass die Humanisten nicht nur planmäßig die alten Historiker edieren, sondern auch selbst im klassischen Stil gehaltene G.s-Werke verfassen; die nach dem Vorbild des Livius gestalteten „Historiae Florentini populi" von Leonardo Bruni wirken dabei schulbildend. Dennoch steckt in dieser klassizistischen Rückwendung ein Ansatz historischen Denkens, der über die antike wie die mittelalterliche G.s-Schreibung hinausweist. Die Erkenntnis, dass das Altertum durch das bald sog.e Mittelalter von der als ↑Neuzeit begriffenen Gegenwart getrennt ist, lässt ein Bewusstsein von Historizität entstehen, das v.a., ausgehend von den im Umgang mit den antiken Überresten erprobten historisch-kritischen Verfahren, der Quellenforschung zu einem beispiellosen Aufschwung verhilft. Daraus entwickelt sich ein Typ von philologisch-antiquarischer Historiographie, der sich den didaktischen und literarischen Ansprüchen der „eigentlichen" G.s-Schreibung entzieht. Beide ergänzen sich, stehen aber zugl. in einem eigentümlichen Spannungsverhältnis zueinander.

Die Spannung zwischen Normativität und Historizität erscheint verschärft in der Aufklärungshistorie des 18. Jh. Auch hier wird die antike Tradition zunächst fortgesetzt, und zwar überwölbt und radikalisiert durch den aufklärerischen Vernunftgedanken, der die G. als in Gegenwart und Zukunft zu entscheidenden Kampf gegen die Mächte der Unvernunft begreift; Voltaire hat ihn in seinem historiographischen Œuvre musterhaft dargestellt. Gleichzeitig fördert die ↑Aufklärung, indem sie alle Epochen vor den Richterstuhl der Vernunft (↑Vernunft – Verstand) zieht, die Einsicht in deren Relativität und damit Besonderheit. Es erweist sich als immer schwieriger, diese neue Sicht auf die G. mit dem traditionellen Konzept der Historiographie zu verbinden, wie v. a. der weitere Aufstieg der philologisch-antiquarischen G.s-Schreibung zeigt, der dem zunehmenden Gewicht der Quellenforschung entspricht. Die Werke dieses Typs sind schließlich kaum noch mit der „eigentlichen" G.s-Schreibung vereinbar. Ein instruktives Beispiel für den gescheiterten Versuch einer Synthese liefert die Weltgeschichtsschreibung, die im Anschluss an die Londoner „Universal History" (1736–1765) bes. in Deutschland beliebt ist; prominente Autoren sind Johann Christoph Gatterer und August Ludwig Schlözer. Diese Historien versammeln eine Unmenge von Quellen und quellenkritisch gesicherten Tatsachen, belassen es aber bei einer lediglich geographisch-chronologischen Anordnung dieses Materials. Die traditionelle Gattungslehre enthält keinerlei Ansätze zur Verarbeitung solcher Quellen- und Datenmassen. Das Projekt, eines der wichtigsten der Aufklärung überhaupt, endet in einer Aporie.

1.3 Historisierung und Verwissenschaftlichung
Die entscheidende Zäsur in diesen Verhältnissen tritt an oder seit der Wende vom 18. zum 19. Jh. ein; Deutschland ist dabei Vorreiter. Der Grund ist das Erlebnis der ↑Französischen Revolution, das alle bisherigen Erfahrungen politisch-sozialen Wandels potenziert. Die Revolution führt vor, dass in den menschlichen Angelegenheiten nichts feststeht, vielmehr alles in unaufhörlicher Bewegung und Veränderung begriffen ist, und leitet damit eine ungeheure Dynamisierung und Historisierung des Denkens vom Menschen ein. Von der G.s-Schreibung wird erwartet, dass sie in dieser Situation Orientierung verschafft. Die traditionelle „historia magistra vitae" mit ihrem Glauben an eine übergeschichtliche Welt zeitlos gültiger Normen scheidet dabei aus. Die Revolutionserfahrung lehrt vielmehr, dass die Menschen einer ganz und gar geschichtlichen Welt angehören. Die G.s-Schreibung hat fortan diese neue Lehre zu vermitteln, indem sie die geschichtlichen Grundlagen der Gegenwart freilegt und dabei zwar keine Handlungsanweisungen erteilt, aber die aus der Vergangenheit stammenden Voraussetzungen gegenwärtigen Handelns aufklärt. Da diese Aufgabe sich von Gegenwart zu Gegenwart immer wieder neu stellt, handelt es sich jetzt nicht mehr, wie bisher, um die Tradierung von kanonischem Grundwissen, sondern um die Produktion immer neuen Wissens. G.s-Schreibung wird damit G.s-Forschung, und zwar über die Grenzen der Quellenforschung hinaus, die andererseits erst in diesem Kontext ihr höchstmögliches Niveau erreicht.
Die Revolutionierung des historischen Denkens bedeutet zugl., dass die G.s-Schreibung sich erstmals zur ↑Geschichtswissenschaft fortbildet. Das geschieht, indem sie gegenüber anderen Erkenntnisformen autonom wird. Im Zeichen der Historisierung steigt sie zu einer

selbständigen Disziplin auf, die zunehmend auch auf die ihr bisher übergeordneten Wissenschaften (↑Ethik, ↑Politik, Theologie, ↑Rechtswissenschaft) übergreift und sich damit, jedenfalls zeitweise, zu einer universalen G.s-Wissenschaft erweitert.
Angesichts dieser Entwicklungen wird das rhetorische Modell der G.s-Schreibung zugl. mit der „historia magistra vitae" obsolet. Die literarische Gestaltung eines G.s-Werkes richtet sich künftig allein nach der jeweils erbrachten Forschungsleistung; gleichwohl soll die Darstellung durch die spezifische Eleganz ihrer Gedankenführung ästhetischen Genuss bereiten. Wie schwer sich das in der historiographischen Praxis verwirklichen lässt, zeigt das paradigmatische Werk der neuen Historiographie, die „Römische Geschichte" von Barthold Georg Niebuhr (1811–1832). Das Gegenbeispiel liefert die „Römische Geschichte" von Theodor Mommsen (1854–1885), der dafür 1902 sogar mit dem Nobelpreis für Literatur ausgezeichnet wird.
Bei der Historisierung und Verwissenschaftlichung der G.s-Schreibung handelt es sich um einen Prozess, der bis heute nicht an sein Ende gekommen ist. Er hat immer wieder von scharfen Kontroversen geprägt, verschiedene Stadien mit je eigenen thematischen und methodischen Konzepten durchlaufen, aber niemals die seit dem Anfang des 19. Jh. bestehenden Grundlagen des Faches gesprengt.

2. Geschichtsphilosophie
Der Begriff begegnet zuerst bei Voltaire als Titel einer Schrift („Philosophie de l'histoire", 1765), die gegen den „Discours sur l'histoire universelle" von Jacques Bénigne Bossuet (1681), die damals einflussreichste Neuauflage der im konfessionellen Zeitalter wieder aufgekommenen heilsgeschichtlichen Betrachtungsweise, polemisiert; sie dient später in seinem „Essai sur les mœurs" (1769), einer „en philosophe" (Voltaire 1963, Bd. 1:197) geschriebenen Welt-G. von der Zeit Karls des Großen bis zum 17. Jh., als „introduction". „G.s-Philosophie" ist hier also nur ein anderes Wort für Voltaires Art, Universal-G. zu schreiben. In diesem Sinne verstehen sich alle Universalhistoriker der Aufklärung als G.s-Philosophen. Andererseits grenzt sich die G.s-Philosophie binnen kurzem zumal in Deutschland als bes. literarische Gattung von der eigentlichen Universal-G. ab. Sie reagiert damit auf die weithin gescheiterten Bemühungen der Universalhistoriker, über die Bereitstellung von Quellen und Fakten hinaus eine Darstellung aus einem Guss zu verfertigen. Diese Abkehr wird in der vernichtenden Kritik Johann Gottfried Herders an dem universalhistorischen Projekt von A. L. Schlözer sinnfällig. Die G.s-Philosophie zielt demgegenüber darauf ab, das noch unerledigte formale Problem der Universalgeschichtsschreibung zu lösen. Die Kriterien dazu sind kraft einer Deduktion a priori aufzustellen: Sätze über Anfang, Ende, Verlauf, Ziel, Einheit der Welt-G., nach denen dann das empirische Material zu organisieren ist.

In der Praxis verzichten die Autoren, von Isaak Iselin bis zu J. G. Herder, gewöhnlich auf eigene Quellenforschung, sondern entnehmen den Werken der Historiker, was sie gerade benötigen. Die Historiker gehen ihrerseits auf Distanz zu den G.s-Philosophen, denen sie willkürlichen Umgang mit Quellen und Fakten vorwerfen. Der von beiden Seiten auf die Spitze getriebene Gegensatz bildet den Dualismus, der dem G.s-Denken der Aufklärung überhaupt eigentümlich ist, auf seine Weise ab.

Im Zuge der Historisierung seit der Französischen Revolution wird diesem Gegensatz auf Dauer der Boden entzogen. Den Auftakt zur Annäherung oder Integration gibt die Philosophie des Deutschen ↑Idealismus, beginnend mit Immanuel Kants „Idee zu einer allgemeinen Geschichte in weltbürgerlicher Absicht" (1784). Er versteht seine „Idee" als Hypothese, die der empirischen Verifizierung bedarf, die Historie also nicht erübrigen, sondern vorbereiten soll. Philosophie und G.s-Schreibung bleiben freilich unterschieden. Johann Gottlieb Fichte geht in den „Grundzügen des gegenwärtigen Zeitalters" (1806) einen Schritt weiter, indem er als Philosoph „das Eine Gemeinschaftliche Prinzip" (Fichte 1956: 8) feststellt, um daraus die Phänomene der Gegenwart zu erklären; er begreift sein Werk selbst als ein Stück G.s-Schreibung, als Muster für einen G.s-Schreiber, der sich von einem bloßen „Chronikenmacher" (Fichte 1956: 8) abhebt. Den letzten Schritt geht Georg Wilhelm Friedrich Hegel mit seinen 1822–1831 gehaltenen „Vorlesungen über die Philosophie der Weltgeschichte", indem er die hervorbringende Leistung des Philosophen auf die Historie selbst erstreckt und damit J. G. Fichtes objektivierende Fortbildung von I. Kants transzendentalphilosophischem Ansatz vollendet. Die „Vernunft in der Weltgeschichte" (Hegel 1955: 29), die er zur Prämisse nimmt, meint keine inhaltliche Bestimmung, sondern steht für die Möglichkeit historischer Erkenntnis überhaupt, meint also eine formale Regulierung der historischen Empirie. Die „Vorlesungen" sollen demgemäß „die Weltgeschichte selbst" (Hegel 1955: 8) behandeln. G. W. F. Hegel kann daher keinen grundsätzlichen Unterschied zur Historie erkennen, sofern sie sich nicht auf die unmittelbare faktographische Bestandsaufnahme beschränkt.

Die Historiker, soweit sie nicht in diesem Stadium verharren, gelangen aus der Logik ihrer Forschungsarbeit heraus zu einem analogen Ergebnis. Die idealistische G.s-Philosophie wirkt dabei doppelt stimulierend: positiv durch ihre Problemstellung, die einen Ausweg aus der Krise der herkömmlichen Universalhistorie zu weisen scheint, und negativ durch die ihr notorisch anhaftenden empirischen Mängel, die das professionelle Selbstverständnis der Historiker herausfordern. Zu den frühesten Autoren, die diesen doppelten Anstoß produktiv verarbeiten, gehört Friedrich Schiller, der in seinen universalhistorischen Texten den kantischen Ansatz mit empirischer Expertise verbindet. Später ist die in einer

„Weltgeschichte" (1881–88) gipfelnde Historiographie von Leopold von Ranke, den J. G. Fichte und G. W. F. Hegel gleichermaßen anziehen und abstoßen, ein einziger Versuch, Philosophie und G. zusammenzuführen.

Die von philosophischer wie von historiographischer Seite anvisierte Einheit der beiden Betrachtungsweisen, die der Philosoph und G.s-Schreiber Benedetto Croce 1939 in seiner Kategorie eines „absoluten Historismus" (Croce o. J.) am radikalsten auf den Begriff gebracht hat, leistet einer anderen Bedeutung von „G.s-Philosophie" Vorschub, die inzwischen immer mehr in den Vordergrund getreten ist: nämlich als Theorie oder Methodologie der Historiographie. Man begegnet derartigen Traktaten, je nach historiographischer Orientierung, seit den Anfängen der G.s-Schreibung, Lukian rekapituliert die Regeln der antiken Historiographie; die Humanisten verfassen Abhandlungen „De arte historica" oder „De lectione historiarum"; die Aufklärungshistoriker werden von Theoretikern wie Johann Martin Chladenius und Jakob Wegelin begleitet. Diese Gattungs-G. wird im 19. Jh. fortgesetzt, allerdings mit dem Unterschied, dass es jetzt darum geht, die autonom gewordene Historie theoretisch zu rechtfertigen. Die beiden wichtigsten und bis heute meistzitierten Texte sind die Rede „Über die Aufgabe des Geschichtschreibers" von Wilhelm von Humboldt (1822) und, darauf aufbauend, die erstmals 1857 gehaltene „Historik"-Vorlesung von Johann Gustav Droysen, beide wiederum ohne die Auseinandersetzung mit der idealistischen Philosophie und G.s-Philosophie nicht zu denken. Um sie gruppieren sich Schriften, die der unmittelbaren Einführung in das akademische Studium der G. dienen, etwa von Friedrich Rühs und Friedrich Rehm. An „geschichtsphilosophischen" Schriften dieses Schlages herrscht bis zur Gegenwart kein Mangel; sie spiegeln die zahlreichen Wendungen der historiographischen Konzepte wider, ohne dass sich an ihrem prinzipiellen Zuschnitt etwas geändert hätte.

Literatur

Quellen
Thukydides: Der Peloponnesische Krieg, 2004 • I. Kant: Schriften zur Geschichtsphilosophie, 1999 • F. Schiller: Universalhistorische Schriften, 1999 • F. Rühs: Entwurf einer Propädeutik des historischen Studiums, 1997 • A. L. Schlözer: Vorstellung seiner Universal-Historie, ²1997 • F. Rehm: Lehrbuch der historischen Propädeutik und Grundriß der allgemeinen Geschichte, 1994 • J. G. Herder: Ideen zur Philosophie der Geschichte der Menschheit, 1989 • J. G. Droysen: Historik, 1977 • T. Livius: Römische Geschichte, 11 Bde., 1974–2000 • E. Keßler (Hg.): Theoretiker humanistischer Geschichtsschreibung, 1971 • Lukian: Wie man Geschichte schreiben soll, 1965 • Herodot: Historien, 1959 • M. T. Cicero: Rhetorica, 1: De oratore, 1957 • J.-B. Bossuet: Discours sur l'histoire universelle, 1966 • Voltaire: Essai sur les mœurs et l'esprit des nations, 2 Bde., 1963 • O. von Freising: Chronica. Chronik, 1961 • W. von Humboldt: Über die Aufgabe des Geschichtschreibers, in: Ders.: Werke, Bd. 1, 1960, 585–606 • Voltaire: Œuvres historiques, 1957 • J. G. Fichte: Die Grund-

züge des gegenwärtigen Zeitalters, 1956 • G. W. F. Hegel: Vorlesungen über die Philosophie der Weltgeschichte, 4 Bde., 1955–68 • L. Bruni Aretino: Historiarum Florentini populi libri XII, 4 Bde., 1914–26 • L. v. Ranke: Weltgeschichte, 9 Bde., 1881–1888 • T. Mommsen: Römische Geschichte, Bd. 1–3 und 5, 1854–1856 und 1885 • B. G. Niebuhr: Römische Geschichte, 3 Bde., 1811–1832 • J. C. Gatterer: Versuch einer allgemeinen Weltgeschichte bis zur Entdeckung Amerikens, 1792 • I. Iselin: Über die Geschichte der Menschheit, 2 Bde., ⁵1786 • J. Wegelin: Briefe über den Werth der Geschichte, 1783 • J. M. Chladenius: Allgemeine Geschichtswissenschaft, 1752 • G. Sale u. a.: An Universal History, From the Earliest Account of Time to the Present, 23 Bde., 1736–1765 • B. Croce: Il concetto della filosofia come storicismo assoluto, in: Ders.: Il carattere della filosofia moderna, o. J., 9–28.

Forschungsliteratur

W. Will: Herodot und Thukydides. Die Geburt der Geschichte, 2015 • S. Bourgault/R. Sparling (Hg.): A Companion to Enlightenment Historiographie, 2013 • L. Raphael (Hg.): Klassiker der Geschichtswissenschaft, 2 Bde., 2006 • G. G. Iggers: Deutsche Geschichtswissenschaft. Eine Kritik der traditionellen Geschichtsauffassung von Herder bis zur Gegenwart, ⁴1997 • G. G. Iggers: Historiography in the Twentieth Century, 1997 • V. Reinhardt (Hg.): Hauptwerke der Geschichtsschreibung, 1997 • U. Muhlack: Geschichtswissenschaft im Humanismus und in der Aufklärung, 1991 • F.-J. Schmale: Funktion und Formen mittelalterlicher Geschichtsschreibung, 1985 • E. Breisach: Historiography. Ancient, Medieval and Modern, 1983 • F. Wagner: Geschichtswissenschaft, 1951 • E. Fueter: Geschichte der neueren Historiographie, ³1936 • B. Croce: Zur Theorie und Geschichte der Historiographie, 1915.   ULRICH MUHLACK

Geschichtspolitik

Die Frage, wie mit Geschichte Politik gemacht wird, ist immer zentral gewesen, doch hat sie seit dem Untergang kommunistischer Diktaturen und der Zeitenwende von 1989 an Aktualität gewonnen. Dabei stehen nicht nur Probleme der Identitätsbildung im Vordergrund, sondern v. a. Fragen nach der Entschädigung von Opfern und der Bestrafung von Tätern sowie eine moralisch-intellektuelle Aufarbeitung der Vergangenheit.

1. Pathosformel „Erinnerung"

Dass die Menschen sich exzessiv erinnern, ist eine Erscheinung der ↑Moderne. In frühmodernen Zeiten gab es zwar immer auch einen aktiven politischen Umgang mit Erinnerung, es dominierte jedoch die Kunst des Vergessens. Und als Frieden stiftendes Mittel nach Kriegen enthielt jeder ↑Friedensvertrag Oblivionsklauseln vom „Vergeben und Vergessen" des geschehenen Unrechts. Damit musste es nach den beiden totalen Kriegen des 20. Jh. und dem ↑Völkermord vorbei sein – Vergessen wurde zum Skandalon, Erinnerung zur Pflicht. Erinnerung ist die „Pathosformel" der Gegenwart und der Leitcode für eine demokratische Gesellschaft.

Der öffentliche Umgang mit Geschichte (↑Geschichte, Geschichtsphilosophie) sowie Debatten über geeignete Formen des Erinnerns bringen Aspekte der ↑politischen Kultur und des politischen Selbstverständnisses einer Gesellschaft zum Ausdruck und vermitteln Zugehörigkeiten. Mit der Auswahl dessen, was und wie erinnert wird, und der Inszenierung des Erinnerns an vergangene Ereignisse (sowie natürlich der Kehrseite, was dem Vergessen anheimfällt) wird die gegenwärtige soziale Ordnung in schier unendlichen Variationen gedeutet und legitimiert. Ob sich die Deutschen aber auf Hermann den Cherusker vor 2000 Jahren berufen, sich negativ auf den Holocaust oder positiv auf die Friedliche Revolution von 1989 beziehen – eines wird deutlich: Historische Erinnerung ist stets ein politischer Akt. Bezeichnet „↑Erinnerungskultur" die Gesamtheit des nicht primär wissenschaftlichen, öffentlichen Gebrauchs von Geschichte, so fokussiert „G." die politischen Dimensionen.

Grundsätzlich ist Geschichte nur auf den ersten Blick auf die Dimension der vergangenen Wirklichkeit festgelegt. Sie kann als Bindemittel dienen, um nationale, regionale, soziale oder andere Gruppen zu integrieren; sie kann aber auch ausgrenzen oder den Gegner diffamieren. In pluralistischen Gesellschaften findet – anders als in autoritären Regimen und ↑Diktaturen – permanent ein Kampf um Deutungen, ein Ringen um Diskurshoheit, ein notwendiger Wettstreit der Erinnerungen statt, bei dem es um Interessen, Macht und Herrschaft geht. Massenmedien sind Akteure der öffentlichen G., denn sie selektieren Themen, übernehmen die Skandalisierung, stellen Bilder, Ikonen und Narrative zur Verfügung. So entstehen Erinnerungsevents. Das Gedächtnis wird immer stärker von den Instrumenten und Möglichkeiten der ↑Medien durchdrungen. Daraus folgt, dass (nationale) Selbstverständnisse sich stets auch in Bezug auf historische Ereignisse formieren, die dabei häufig verformt, heroisiert oder sakralisiert werden, soll doch aus ihnen ein positiver kollektiver Selbstwert entstehen.

2. Politikfeld

G. ist ein Handlungs- und Politikfeld. Neben legitimatorischen oder regressiven Absichten sind auch aufklärerische und emanzipatorische bzw. Mischungsverhältnisse möglich. G. ist auch eine politisch-pädagogische Aufgabe, denn es gibt nicht nur politisches Handeln *aus* historischem Bewusstsein, sondern auch politisches Handeln *für* historisches Bewusstsein. Geschichtsbilder mit all ihren Wandlungen sind aufs Engste mit zeitgeschichtlichen Grunderfahrungen verbunden. Die ständige Arbeit an der Geschichte gehört zu den Daueraufgaben einer ↑Demokratie. Sie bedarf, wie die politische Kultur, der Pflege. G. und politische Kultur sind somit Schwestern.

Wichtig sind dabei ↑Öffentlichkeit und Konkurrenz. Deutungskonkurrenz in Demokratien heißt auch, dass ein öffentlicher Wettstreit der Erinnerungen ausgetragen wird. Es sind sichtbar Kräfte und Gegenkräfte am Werk, die um die Hegemonie von Deutungsmustern ringen. Öffentliche Konflikte prägen die politische Kultur eines Landes. Primärerfahrungen von Zeitzeugen können sich in öffentliche Erinnerung umwandeln. Sie können aber auch im Verborgenen bleiben und dort als eine Art subversives Potential überdauern. Zwischen Primärerfahrungen, Wissenschaft und öffentlicher Erinnerung existieren Wechselwirkungen. Dies ist gerade in der heutigen Zeit der Fall, wo wir es mit einer durchgreifenden Historisierung und einer Massenmedialisierung der Geschichte zu tun haben. G. kennzeichnet ferner ein Spannungsverhältnis von ↑Wissenschaft und ↑Politik.

Geschichte konstituiert auf der einen Seite die Politik, genauso bestimmt die Politik die Geschichte mit. Dieser Zusammenhang trifft auf alle Ebenen zu, von der kommunalen bis zur europäischen oder globalen. Geschichtlichkeit und historische Erfahrungen wirken immer konstituierend für ein ↑politisches System, für politische Stile und für die politische Kultur.

Unterscheidungen müssen getroffen werden nach Akteuren, Motiven, Kontexten und Phasen. Umgang mit Vergangenheit war niemals ein Monopol der ↑Geschichtswissenschaft. Eine Vielzahl von Personen, Gruppen und Institutionen ringen in der Demokratie aus unterschiedlichen Motiven um die Deutung der Vergangenheit miteinander: Es geht um wissenschaftliches Ethos, politische Stabilisierung, integrationspolitische Beweggründe, antiquarische Vergangenheitsschwärmerei, kritische Aufklärung und weiteres mehr.

Akteure handeln nie im luftleeren Raum und Motive werden nicht einfach so generiert. Deshalb müssen Kontexte ausgeleuchtet werden. Dies bedeutet, nach den zeitbedingten Begrenzungen zu fragen. Im 19. und frühen 20. Jh. galt z.B. die ↑Nation als eine Art Religionsersatz. Zu analysieren ist, welche Rolle ↑Ideologien spielen oder wie Wissenschaft organisiert ist. Dass es etwa in der globalen bipolaren Struktur des ↑Kalten Krieges nach 1945 auf beiden Seiten des Eisernen Vorhangs zahlreiche Wahrnehmungsblockaden gab, ist unzweifelhaft. So empfiehlt es sich zudem, verschiedene Phasen zu unterscheiden. Faktoren wie bspw. ein Generationenwechsel oder Umbrüche in Politik, Wissenschaft und Gesellschaft wirken sich auf den Umgang mit Geschichte aus.

3. Gegenwärtige Tendenzen

In letzter Zeit liegt ein Schwerpunkt der Forschung auf Erinnerung und Aufarbeitung diktatorischer Vergangenheit. Nach dem Ende vieler Diktaturen sind Prozesse, Praktiken und Organisationsformen in den Fokus gerückt, die darauf zielen, solche Muster aufzuarbeiten und Verbrechen einer gewaltsamen Vergangenheit nach einem gesellschaftlichen Umbruch zu benennen, um den Übergang von der Diktatur zur Demokratie zu gewährleisten. Die Aufarbeitung von Regimeverbrechen nahm die Gestalt einer „zweiten Geschichte" der Dikta-

tur an. Vor diesem Hintergrund verfolgte die postdiktatorische G. eine ganze Reihe von Zielen, die wiederum auf vielfältige Weise erreicht werden konnten. Der wichtigste Aspekt war die Wiederherstellung von Wahrheit und Gerechtigkeit. Dazu mussten ↑Verantwortung und ↑Schuld benannt und anerkannt werden, ohne von den zahlreichen innergesellschaftlichen Widerständen zu sehr verwässert zu werden. In Lateinamerika oder Südafrika zeigte sich dieser Prozess an der Implementierung von „Wahrheits-" und „Versöhnungskommissionen". Häufig entscheidend von der ↑Zivilgesellschaft vorangebracht, wurde die Aufarbeitung von den ehemaligen Tätern immer wieder verzögert oder verhindert. In Ostmitteleuropa gab es vergleichbare Kommissionen. Das größte Problem war hier, dass es sich um Diktaturen handelte, die sich seit vierzig Jahren oder noch länger an der Macht gehalten und somit Gesellschaft, Politik und Rechtssystem massiv imprägniert hatten. Neben der Benennung der Schuld war die „Heilung" ein unerlässliches Ziel, durchaus im psychologischen, individuellen Sinn. Auf der kollektiven Ebene zielte G. auf eine Reinigung, eine gesellschaftliche Katharsis und letzten Endes auf das Schwierigste überhaupt ab: auf eine Versöhnung zwischen Opfern und Tätern. Verschiedene Vorgehensweisen führten zu diesen Zielen. Dazu gehörten eine „Säuberung" in Anlehnung an die ↑Entnazifizierung nach 1945 in Deutschland oder die erwähnten Wahrheitskommissionen. Archive mussten geöffnet, zugänglich gemacht und ausgewertet werden, um die Untaten der Diktatur aufzuarbeiten. Wenn Verbrechen geleugnet wurden, musste dies die Justiz auf den Plan rufen. Überhaupt waren Gerichtsverfahren zur Vergangenheitsaufarbeitung unabdingbar. Täter mussten bestraft werden, Entschädigungen, Reparationen und Wiedergutmachungen die überlebenden Opfer erreichen. Symbolische Akte waren wichtig – dazu gehörten Gedenktage. Darüber hinaus galt es, eine Memorialkultur in Form von Friedhöfen, Gedenkstätten und Museen zu errichten.

Neben der postdiktatorischen G. schälen sich neuerdings weitere Trends heraus. Ein grundsätzlicher Aspekt betrifft viele westliche Länder: Die einstige heroische ↑Erinnerungskultur wird abgelöst von einem Schulddiskurs, der zum Ziel hat, die historische Erfahrung in die eigene Verantwortung zu überführen. Das geschieht in Großbritannien und Frankreich etwa auch in den Debatten über das Erbe des ↑Kolonialismus. Mit Blick auf die ↑Shoa hat ein globaler Wandel stattgefunden: weg von der deutschen Kollektivschuld und hin zum „paradigmatischen Menschheitsverbrechen" mit singulärem Charakter. Seit 1989 werden der ↑Kommunismus und der ↑Nationalsozialismus zunehmend miteinander in Verbindung gedacht. Eine Konkurrenz der Erinnerungen entsteht. So gibt es eine kontrovers diskutierte Initiative für einen europäischen Gedenktag für die Opfer des Kommunismus und Nationalsozialismus (23. August, Hitler-Stalin-Pakt). Diese Diskussion ist ein Zeichen dafür, dass mit der zunehmenden historischen Distanz eine Abstraktion stattfindet: Es geht nicht mehr darum, die Spezifika des Nationalsozialismus gegenüber anderen Unterdrückungssystemen herauszustellen, sondern allg.e Funktionsweisen und Ausprägungen von Diktatur, Unterdrückung und Verfolgung zu betonen. Ziel ist es, einen gemeinsamen europäischen Erinnerungsort zu schaffen. Gleichzeitig ist man bemüht, die Opfer in den Vordergrund des Erinnerns zu stellen, unabhängig von der Frage, unter welcher Art von Diktatur sie gelitten haben. Letztlich hat die Diskussion mit dem Zusammenwachsen von West- und Osteuropa zu tun, steht also für eine Form der Europäisierung der Erinnerung.

Schließlich verändern sich die Formate. Aktuelle Phänomene im Social Media-Bereich, auch beeinflusst durch neue Formen des Tourismus, tauchen überall auf. Formate wie Audiowalks, Facebook-Seiten, Apps, Twitter-Projekte usw. stellen eine neuartige, dezentrale historische Kommunikation dar. Die G. findet heute in ganz anderen, viel multikultureller und globaler gewordenen Gesellschaften statt als früher.

Literatur

E. François u. a. (Hg.): Geschichtspolitik in Europa seit 1989, 2013 • C. Leggewie: Der Kampf um die europäische Erinnerung, 2011 • S. Ruderer: Das Erbe Pinochets, 2010 • K. Hammerstein u. a. (Hg.): Aufarbeitung der Diktatur – Diktat der Aufarbeitung?, 2009 • A. Assmann: Die Last der Vergangenheit, in: ZF 4/3 (2007), 375–385 • E. Wolfrum: Geschichtspolitik in der Bundesrepublik Deutschland, 1999.

EDGAR WOLFRUM

Geschichtswissenschaft

1. Definition

Als G. bezeichnet man die wissenschaftlich-rationalen Verfahren (Geschichtstheorien und -methoden) verpflichtete Erforschung von Geschichte sowie deren meist schriftliche Fixierung (Geschichtsschreibung, Historiographie) und Vermittlung zu Zwecken der ↑Bildung (Geschichtsdidaktik, Geschichtsbewusstsein). Als ↑Wissenschaft unterscheidet sich die G. von Formen des Umgangs mit Geschichte, die nicht ausschließlich auf Faktizität zielen (z. B. ↑Mythos, Legende, Geschichtsdichtung, historischer Roman), die auf individueller Wahrnehmung beruhen (z. B. Erinnerung) oder geschichtliche Erkenntnisse nach religiösen oder ideologischen Vorgaben funktionalisieren (z. B. Heilsgeschichte, Geschichtsphilosophie).

2. Gegenstand, Ziel und Aufgabe der Geschichtswissenschaft

G. behandelt nicht – wie ein häufig anzutreffendes Missverständnis annimmt – die Vergangenheit, sondern hat es mit Gegenständen aus der jeweiligen Gegenwart zu tun, die von Vergangenem zeugen. Diese Zeugnisse sind meist dinglicher Natur, z. B. Urkunden, Reiseberichte, Gerichtsurteile, Ego-Dokumente, Akten, aber auch ↑Denkmäler, archäologische Funde, Baureste, Bilder, Landkarten, Fotos, Tonträger und Filme. Sie können ebenso nicht-dinglicher Natur sein wie ↑Traditionen, ↑Rituale, Gebräuche und mündliche Erzählungen. Alle diese Gegenstände – gleichgültig ob sie gezielt oder unbeabsichtigt der Nachwelt hinterlassen wurden – bezeichnet man als Quellen.

G. erzeugt also kein Bild einer Vergangenheit, die, weil sie eben vergangen ist, in der jeweiligen Gegenwart nicht mehr verfügbar ist. Sie zielt vielmehr auf eine in der jeweiligen Gegenwart des Historikers erzeugte, auf den ihm verfügbaren Quellen basierende, mit wissenschaftlichen Methoden erforschte, nach Plausibilitätskriterien glaubhaft gemachte und von Dritten hinsichtlich ihres Gültigkeitsanspruchs überprüfbare Rekonstruktion der Geschichte. Als Rekonstruktion ist Geschichte nicht die Vergangenheit oder ein Bild von ihr, sondern eine thesenhafte und ausschnitthafte Vorstellung davon, wie zeitlich zurückliegende (also geschichtliche) Dinge, Ereignisse und Handlungen ausgesehen haben mögen, in welchen Kontexten sie gestanden haben, welche Dinge, Ereignisse und Handlungen ihre Ursachen gewesen sein könnten und welche Dinge, Ereignisse und Handlungen als Folge aus ihnen resultierten. G. stellt damit Sachverhalte nicht allein temporal, sondern immer auch kausal und konsekutiv in sinnhafte Zusammenhänge. Das unterscheidet sie von vorwissenschaftlichen Formen der Geschichtserzählung wie der Chronik und der Annalistik, die einer rein temporalen Erzählstruktur („… und dann und dann und dann …") folgen, ohne Sinn zu bilden.

Wichtig für die G. ist die übliche disziplinäre Unterscheidung zwischen der Naturgeschichte als einer Geschichte von Gegenständen, Ereignissen und Prozessen ohne menschliches Handeln (z. B. Entstehung des Planetensystems, Erdgeschichte vor dem Auftreten des Menschen) einerseits und der Geschichte (↑Geschichte, Geschichtsphilosophie) im engeren Sinn als von Menschen gestalteter Welt andererseits. Während die Erforschung der Geschichte der Natur i. d. R. von anderen Disziplinen (z. B. Geologie, Astronomie) betrieben wird, geht es der G. i. d. R. immer um das Soziale, Wirtschaftliche, Politische und Kulturelle als Wirkungsbereiche menschlichen Handelns (↑Handeln, Handlung).

Aufgrund ihres Forschungsgegenstands und ihrer gesamtwissenschaftlichen Zielsetzung ist die G. eine Orientierungswissenschaft mit bes. Bedeutung für Gegenwart und Zukunft des Menschen. Zwar lassen sich Erkenntnisse über historische Zustände und Handlungen so gut wie nie eins zu eins auf Zustände und Handlungen einer anderen Zeitstufe übertragen oder in konkrete Handlungsanweisungen umsetzen: So waren die Gründe für den Ausbruch des Ersten Weltkriegs andere als die für den Ausbruch des Zweiten Weltkriegs; und die Kenntnis von Gründen für beide Kriege gibt uns nicht die Mittel an die Hand, weitere ↑Kriege zu verhindern. Gleichwohl lautet das Credo der G.ler mit den Worten des Schweizer Kulturhistorikers Jacob Burckhardt: „Wir wollen durch Erfahrung nicht sowohl klug (für ein andermal), als weise (für immer) werden." (Burckhardt 1929: 7)

Die Erkenntnisse der G. sind ein eminentes Mittel für menschliche ↑Bildung, weil sie dem Menschen helfen, sich selbst und seine Welt in ihrer Gewordenheit zu verstehen, also eine historisch fundierte Identität herzustellen, Dinge unterschiedlicher Zeitstufen in sinnhafte Zusammenhänge zu bringen, um sich selbst und der eigenen Welt einen Sinn zu verleihen, und vor diesem Hintergrund mit Blick auf die Zukunft Perspektiven zu entwickeln. G. verbindet damit alle drei Zeitdimensionen: Sie entwickelt aus der Gegenwart heraus Vorstellungen über zurückliegende geschichtliche Dinge, Ereignisse und Handlungen und bildet die Identität und den Sinnhorizont des Menschen, damit dieser seine Gegenwart besser verstehen und seine Zukunft planen kann. Gerade diese prospektive Sichtweise garantiert den Charakter von G. als Orientierungswissenschaft, denn „Zukunft braucht Herkunft" (Marquard 2003), und über diese Herkunft informiert die G.

3. Entstehung und Globalisierung von Geschichtswissenschaft

G. ist ein Produkt der abendländischen ↑Kultur, von der ausgehend sie im Verlauf der letzten rund 250 Jahre über die gesamte Erde verbreitet wurde. Das heißt nicht, dass nicht auch in den Zeiten zuvor bzw. in anderen Kulturen historisch geforscht und Geschichte geschrieben worden wäre. Bereits im AT und bei Homer finden sich, eingebettet in Mythen, historische Erzählungen. Thukydides, Tacitus und Herodot schufen in der Antike dauerhafte Vorbilder für Historiographie, an die in Westeuropa die Humanisten anknüpften, während historiographische Formen wie Annalen, Gesten und Chroniken das lateinische Mittelalter dominierten. Forciert wurde die Beschäftigung mit Geschichte in ↑Europa durch die ↑Reformation, die die unterschiedlichen Lager dazu drängte, ihre eigene Geschichte (ihre *Herkunft*) legitimatorisch nach ihrer eigenen Sichtweise darzustellen. In China betrieb der kaiserliche Hofastronom Sima Qian (um 145–86 v.Chr.) bereits Quellenstudien und verfasste auf deren Grundlagen Geschichtswerke. Die Anfänge islamischer Geschichtsschreibung, die zunächst mündliche Berichte schriftlich fixierte, wie auch der indischen Historiographie, die in mythisch-religiöse Versdichtung eingelagert war, werden um das Jahr 800 n.Chr. datiert. Formen nicht- bzw. vor-schriftlichen Geschichtsbewusstseins dürften kulturübergreifend auf dem gesamten Erdball vorhanden sein, seitdem der Mensch ein Bewusstsein von sich selbst entwickelte. All dies sind Formen von historischem Denken, Geschichtsbewusstsein, historischer Arbeit und, wie bei Sima Qian, z.T. modernen Maßstäben entspr.er historischer Forschung. Gleichwohl lassen sie sich aus zwei Gründen nicht im engeren Sinn als G. bezeichnen: Zum einen bildete sich das hier eingangs formulierte Verständnis von G. gebunden an den allg.en modernen Wissenschaftsbegriff erst im Lauf der Frühen Neuzeit vor dem Hintergrund einer Antikerezeption in den europäischen Kulturen heraus; zum anderen ist eine vorbehaltlose (geschichts-)wissenschaftliche Tätigkeit nur in politisch-sozialen Konstellationen möglich, in denen die Freiheit der Meinungsäußerung garantiert ist, also in modernen ↑Demokratien nach westlichem Vorbild.

Die Entstehung von moderner Demokratie und moderner (Geschichts-)Wissenschaft bedingte sich wechselseitig. Das Ideal eines freien Meinungsaustauschs unter Akademikern in der *res publica litteraria* wurde zum Vorbild für politische Demokratien; freiheitlich-liberale Philosophien halfen, das Bild des unabhängigen Wissenschaftlers zu entwickeln; Staaten, die einen Demokratisierungsprozess (↑Demokratisierung) durchliefen, schufen nach und nach geschützte kommunikative Räume, in denen sich das moderne Verständnis von freier Wissenschaft entfalten konnte. Der Zeitraum, in dem diese Transformation von ↑Gesellschaft und ↑Staat sowie der für sie konstitutiven Begrifflichkeiten zu modernen Ausdrucksformen vollzogen wurde, lässt sich mit Reinhart Koselleck als „Sattelzeit" (Koselleck 1979: XV) bezeichnen und zwischen die Mitte des 18. und die Mitte des 19. Jh. datieren. Einen wichtigen Meilenstein dieser Entwicklung von (Geschichts-)Wissenschaft bildet die Schaffung moderner ↑Akademien bzw. Universitäten als von staatlichen und kirchlichen Bevormundungen unabhängiger Institutionen. Moderne G. in diesem Sinne ist eine akademische Disziplin.

In Europa, v.a. in Deutschland, vollzog sich während der Sattelzeit ein Professionalisierungs- bzw. Verfachlichungsprozess (Etablierung einer Disziplin G. an den Universitäten, Gründung historischer Zeitschriften, Bibliotheken und Vereine etc.) und ein Verwissenschaftlichungsprozess (Formulierung von Zielen und Aufgaben der G.), der zum Exportmodell avancierte. Nach westlichem Vorbild entstanden seit der Mitte des 19. Jh. weltweit geschichtswissenschaftliche Institutionen. *Exporteure* waren bes. Historiker aus anderen Kulturen, die in Westeuropa ausgebildet wurden. Diese *Exporteure* übertrugen nicht nur Formen fachlicher Verfassung von G. in ihre Kulturen (etwa indem sie dort historische Seminare gründeten), sondern auch Formen wissenschaftlicher Verfassung (etwa inhaltliche Auffassungen darüber, was Geschichte ist, und Fragestellungen, die von spezifisch europäischer Perspektive zeugen, wie die Modernisierungstheorien). Eine positive Folge dieses Transfers ist, dass sich Historiker heute weltweit austauschen können, weil sie ein Grundverständnis von G. teilen. Problematisch ist dieser Transfer mit Hinblick auf den Umgang mit indigenen Formen von Geschichtsarbeit in außereuropäischen Kulturen. So gründet die indische G. heute weit mehr in den Traditionen der britischen G. als in Formen traditionell indischer Geschichtsarbeit und -schreibung, da die führenden Historiker fast alle an britischen Universitäten ausgebildet wurden und die westliche Auffassung von G. übernahmen. Auch kommt es bei Übertragungen von kulturspezifischen Begrifflichkeiten in die *lingua franca* Englisch mitunter zu Übersetzungsschwierigkeiten, so dass das Erkennen kulturspezifischer Eigenheit (etwa beim Begriff der ↑Menschenrechte) und der interkulturelle Vergleich erschwert werden. Der internationale Blick auf die Kulturen der Welt ist damit weitgehend von westlichen Fragestellungen und westlichen Werten geprägt.

4. Die Etablierung der Geschichtswissenschaft
4.1. Verwissenschaftlichung

Als Verwissenschaftlichung bezeichnet man die Entstehung moderner Wissenschaft mit Blick auf deren Systematik, also deren Theorien und Methoden. Die Anfänge von G. als moderner Wissenschaft liegen zum einen in (aus moderner Sicht) vor-wissenschaftlicher Geschichtsschreibung, v. a. in der Orientierung an antiken historiographischen Vorbildern in der Zeit des ↑Humanismus, zum anderen in anderen Wissenschaften, v. a. in Philosophie, Theologie und Philologie. Philosophie und Theologie entwickelten seit jeher Vorstellungen über den Gang der Welt. So wurde etwa aus den Zeitangaben des ATs ein Datum für die bevorstehende Heraufkunft des Jüngsten Gerichts zu entwickeln versucht. Philologie und Theologie schufen mit bes.m Bezug auf die Bibel und Texte der Klassiker quellenkritische und hermeneutische Methoden, so etwa die Benediktiner der Abtei St. Maur (Mauriner) Mitte des 17. Jh. Zudem entstand allg. ein profanes Zeitbewusstsein; der moderne Zukunftsbegriff entwickelte sich ebenso wie Vorstellungen über das Alter des Menschengeschlechts, die über den biblischen Adam zurückreichten (so 1655 bei beim Werk „Prae-Adamitae" von Isaac de La Peyrère). ↑Adel und erstarkendes Bürgertum (↑Bürger, Bürgertum) sahen in der Genealogie ein Mittel, ihren sozialen Status geschichtlich zu legitimieren. Das geweckte Interesse am Geschichtlichen und eine kritischere Haltung gegenüber kirchlichen Heilsgeschichtsaxiomen in der Aufklärungszeit (↑Aufklärung) führten zu einer stetigen Verselbstständigung historischer Forschung. Im deutschsprachigen Raum entstanden erste *Historiken* als Lehren, was Geschichte sei und wie sie betrieben werden müsse. Der evangelische Theologe Johann Martin Chladenius legte 1752 eine „Allgemeine Geschichtswissenschaft" vor, die den Gegenstand von G. umriss. Wegweisend für die moderne Auffassung von Geschichte als Rekonstruktion wurde v. a. seine Definition eines „Sehepunckts" (Chladenius 1985: 99) als bes.m jeweiliger Perspektive eines Historikers. Gegen Ende des 18. Jh. wurden erste Ansätze zu einer G. als *Einheit von Forschung und Lehre* entwickelt. Bes. an der Universität Göttingen forderten die Aufklärungshistoriker Johann

Christoph Gatterer, August Ludwig von Schlözer und Ludwig Thimotheus Spittler vom Historiker quellenbasierte Arbeit, Angabe von Belegen und hilfswissenschaftliche Kenntnisse. Die kritische Edition von Quellen wurde zum wichtigsten Arbeitsgebiet der Historiker neben der Historiographie, die zunehmend auf quellenkritischer Forschung basierte.

Ihren Status als moderne Wissenschaft mit fachspezifischen Theorien und Methoden erhielt die G. Anfang des 19. Jh., wobei drei Werke als in bes. Maß für diese Entwicklung repräsentativ beurteilt werden: Wilhelm von Humboldt trug 1821 in der Preußischen Akademie der Wissenschaften zu Berlin seine Rede „Über die Aufgabe des Geschichtsschreibers" vor, in der er eine genuin geschichtswissenschaftliche Ideenlehre entwarf, die wegweisend für den *Historismus* wurde und die G. inhaltlich gegenüber der idealistischen Geschichtsphilosophie zu emanzipieren half. Leopold Ranke fügte seinem Werk „Geschichten der romanischen und germanischen Völker von 1494 bis 1535" eine Beilage „Zur Kritik neuerer Geschichtsschreiber" an, die heute als Grundstein für moderne quellenkritische Arbeit und Zitierweise bewertet wird. Den bedeutendsten Beitrag zur Verwissenschaftlichung leistete Johann Gustav Droysen mit seiner „Historik"-Vorlesung, die er zwischen 1857 und 1882 mehrfach an der Universität Berlin vortrug und laufend modifizierte. In dieser Vorlesung knüpfte er an W. v. Humboldt an, kennzeichnete die Kategorien Idee und Entwicklung als leitende Inhalte einer auf staatliche ↑Außenpolitik konzentrierten G. und unterteilte diese in die Bereiche Methodik, Systematik und ↑Topik. Während die Methodik die Arbeitsschritte Heuristik, ↑Kritik und Interpretation als Inbegriff geschichtswissenschaftlicher Vorgehensweise umfasst, behandelt die Systematik den Gegenstand von Geschichte. Die Topik umfasst Formen der Geschichtsschreibung und des Geschichtsbewusstseins. Diese Einteilung kann bis heute als Umriss dessen gelten, was allg. unter G. verstanden wird.

Die historistische G., die W. v. Humboldt, L. Ranke und J. G. Droysen vertraten, herrschte in Deutschland bis in die 1960er Jahre als leitendes Forschungsparadigma. Kritik erfuhr sie v. a. seit dem Ende des 19. Jh. von Seiten der Kulturgeschichte (u. a. durch Karl Lamprecht), die zum einen gegen die Politikorientierung des Historismus auftrat, für den Einbezug von Fragestellungen und Methoden aus Psychologie, Soziologie, Anthropologie und Volkskunde in die Praxis der G. plädierte und Anfang des 20. Jh. in die *Volksgeschichte* mündete. Gegen das idealistische Erbe des Historismus opponierten auch Neu-Kantianer wie Heinrich Rickert, Wilhelm Windelband und Max Weber, die methodisch eine klare Abgrenzung der G. als ↑Geisteswissenschaft von den ↑Naturwissenschaften forderten und ein neues intersubjektives Objektivitätsideal proklamierten. An sie knüpften nach dem Zweiten Weltkrieg die Sozialhistoriker an, die anstelle von Idee und Entwicklung die Kategorien Gesellschaft und Prozess und anstelle des

↑Individuums die Struktur in das Zentrum von G. stellten, für einen „Primat der Innenpolitik" sowie für eine eher beschreibende quantifizierende G. gegenüber der älteren verstehenden qualifizierenden G. eintraten. Die Sozialgeschichte dominierte die westdeutsche G. bis in die 1990er Jahre, in denen das Individuum über den Begriff der *agency* neu entdeckt und Wahrnehmungs- und Repräsentationsformen von Geschichte (v. a. Sprache, Diskurs) als Gegenstand von G. in ihrer Bedeutung hervorgehoben wurden. Die *Neue Kulturgeschichte*, die sich u. a. auf Philosophen wie Michel Foucault, Soziologen wie Pierre Bourdieu und Niklas Luhmann oder Vertreter des *Linguistic Turn* wie Hayden White beruft und seit den 1990er Jahren das leitende Paradigma westeuropäischer G. darstellt, widmet sich in bes.m Maß kulturübergreifender und -vergleichender ↑Forschung mit Schwerpunkt auf der deutenden Wahrnehmung geschichtlicher Ereignisse und Entwicklungen durch die jeweiligen Zeitgenossen.

Die Entwicklung der G. im europäischen Ausland orientierte sich stark an der deutschen G., doch gab es einige signifikante Unterschiede. So prägten Historiker wie Frederick Jackson Turner und Charles Austin Beard mit sozial- und wirtschaftsgeschichtlichen Fragestellungen um 1900 die G. in den USA. Auch in Westeuropa, v. a. in Frankreich, war die G. bereits im 19. Jh. gegenüber Einflüssen aus Soziologie und Ökonomie offener als in Deutschland. Diese Einflüsse mündeten im 20. Jh. in die Strömung der von Lucien Febvre und Marc Bloch gegründeten Annales-Schule, die die gesamteuropäische G. nach 1945 entscheidend prägte, indem sie wirtschaftlich-soziale Fragestellungen in das Zentrum ihrer Arbeit stellte, stärker als die deutschen Historiker quantifizierend vorging und einen größeren Zeithorizont, die *longue durée*, in den Blick nahm. In Frankreich wie in Großbritannien war zudem die Kluft zwischen universitärer und außer-universitärer G. nicht so groß wie in Deutschland. Ansätze aus dem Bereich des ↑Marxismus flossen stärker in den akademischen Diskurs ein und bildeten nicht wie in (West-)Deutschland einen Gegendiskurs zur G. universitärer Historiker. Verstärkend kam hinzu, dass die inhaltliche Verfassung von G. in Westeuropa vor 1945 weniger durch den Versuch politischer Indienstnahme und nach 1945 durch eine Zweistaatlichkeit belastet war, wie sie in Deutschland bis 1990 herrschte. Während in Westeuropa sozialgeschichtliche Themen und Termini, wie in Edward Palmer Thompsons „The Making of the English Working Class" (Thompson: 1963), auch von politisch linken Positionen geprägt wurden, stand die westdeutsche G. immer im Systemkonflikt zu einer ostdeutschen (und osteuropäischen) G., deren Entfaltung durch die Einschränkung von Freiheitsrechten und die verordnete Bindung an die philosophischen Vorgaben des Historischen Materialismus behindert blieb. Dafür entwickelten die ehemaligen Kolonialmächte stärker als Deutschland ein Interesse an *Postcolonial Studies* und damit verbundenen globalen, interkulturellen Fragestellungen. Zudem setzten etwa die soziologieaffinen französischen Annales-Historiker oder die amerikanischen Kliometriker stärker als ihre der hermeneutischen Tradition verhafteten deutschen Kollegen auf quantifizierende Ansätze.

4.2 Verfachlichung

Als Verfachlichung bezeichnet man die Entstehung von Wissenschaftsdisziplinen mit Blick auf deren institutionelle Organisation. Dieser Prozess setzte in der europäischen G. Ende des 18. Jh. ein, als sich die G. an den Universitäten zunehmend von Philosophie und Theologie emanzipierte. Ein erster Indikator für die Verfachlichung ist der enorme Anstieg der Zahl universitärer Ordinariate für G. und ihnen zugeordneter Mitarbeiterstellen. Gab es in Deutschland im Jahr 1810 fünf ordentliche Professuren für G., so waren es 1900 bereits 90 und 1970 insgesamt 236. Im 19. und 20. Jh. verzwanzigfachte sich die Zahl geschichtswissenschaftlicher Ordinariate nahezu, während die Zahl der Lehrstühle aller übrigen Fächer im selben Zeitraum sich nur etwa vervierfachte. Mit diesem Anstieg verbunden war eine Diversifizierung der Fachschwerpunkte. Während die Lehrstuhlgründungen im 19. Jh. mit großer Mehrheit lediglich als Professuren für Geschichte oder für Allgemeine Geschichte nominiert waren, stieg im 20. Jh. zunächst die Zahl von epochal spezialisierten Ordinariaten (Alte, mittelalterliche, neuere Geschichte) und v. a. nach 1945 die Zahl sektoral und regional spezialisierter Ordinariate (z. B. ↑Sozial- und Wirtschaftsgeschichte, Osteuropäische Geschichte, Geschichtsdidaktik). Im Hinblick auf diese fachliche Diversifizierung wird heute mitunter auch im Plural von den G.en gesprochen.

Unterstützt wurde diese Entwicklung zum einen dadurch, dass auch in anderen Fachbereichen historisch ausgerichtete Lehrstühle entstanden, etwa für Literaturgeschichte in den Philologien oder für ↑Rechtsgeschichte in den Rechtswissenschaften, und zum anderen dadurch dass auch außeruniversitäre Forschungseinrichtungen gegründet wurden, so etwa das 1819 als *Gesellschaft für ältere deutsche Geschichtskunde* gegründete Editionsprojekt *Monumenta Germaniae Historica*, die 1858 eingerichtete *Historische Kommission bei der Bayerischen Akademie der Wissenschaften* in München, die 1887 an der *Berliner Akademie der Wissenschaften* institutionalisierten *Acta Borussica* oder das 1917 geschaffene *Kaiser-Wilhelm-Institut für Geschichte*. Auch in den zahlreich neu gegründeten historischen ↑Museen (z. B. Germanisches Nationalmuseum, Nürnberg, 1852) und ↑Archiven wurde verstärkt G. betrieben.

Ein weiterer Indikator der Verfachlichung ist die Professionalisierung der Historikerausbildung. Mitte des 19. Jh. wurden an vielen Universitäten, meist auf Privatinitiative von Geschichtsprofessoren, historische Seminare und ↑Bibliotheken eingerichtet. 1810/11 fasste der Berliner Historiker Friedrich Rühs die Teilnehmer seiner Übungen als *societas historica* zusammen; seit

1825 führte L. Ranke seminarförmige Übungen unter der Bezeichnung *exercitationes historicae* durch. Die Anzahl in diesen Seminaren ausgebildeter (auch promovierter) Fachhistoriker stieg an. Diese Historiker befriedigten ein bis in die 1960er Jahre eminent hohes öffentliches historisches Bildungsbedürfnis. Als Zusammenschluss von Experten und Laien entstanden historische Gesellschaften und Vereine, häufig mit regionalgeschichtlichem Bezug, so etwa der 1812 in Wiesbaden als einer der ersten seiner Art gegründete *Verein für Nassauische Altertumskunde und Geschichtsforschung*, die seit 1852 im *Gesamtverein der deutschen Geschichts- und Altertumsvereine* versammelt sind.

Ein dritter Indikator für den Verfachlichungsprozess ist die Neugründung fachspezifischer Periodika, darunter führende Organe wie HZ, EHR, RH und AHR. Diese Fachzeitschriften dienten nicht zuletzt, etwa durch das Genre der Rezension, der „internen Kommunikation" zwischen den Historikern und festigten die Netzwerke, die seit Mitte des 19. Jh. zwischen Geschichtswissenschaftlern und ihren Schulen entstanden.

Als vierter Indikator für die Verfachlichung von G. lässt sich die Schaffung von Standesvertretungen der „historischen Zunft" und Foren für deren internen Austausch und deren externe Präsentation benennen. So wurden seit dem Ende des 19. Jh. in fast allen europäischen Staaten nationale Historikerverbände gegründet (Gründung des *Verbandes Deutscher Historiker*, 1895), von denen viele dem 1926 gegründeten *Comité international des Sciences Historiques* als internationalem Zusammenschluss angehören. Zu ihren Kernaufgaben zählt die Veranstaltung von Historikertagen als fachwissenschaftlichen Kongressen (1. Deutscher Historikertag, München 1893).

Ein fünfter Indikator lässt sich als fachliche Exklusion beschreiben. Waren seit jeher Frauen und Juden, später auch Sozialisten weitestgehend aus dem Fachdiskurs der G. in Deutschland ausgeschlossen, so manifestierte sich seit der Mitte des 19. Jh. zudem die Trennung zwischen der G. universitärer Geschichtsprofessoren und der außeruniversitären G. der „Halbkundigen", deren „Dilettantismus" Georg Waitz bemängelte (Waitz 1859: 21). Gemeint waren damit Geschichtslehrer, Museumsleute, Publizisten und historisch Interessierte anderer Disziplinen. Wurde noch 1846 auf der Frankfurter Germanistenversammlung ein allg.er *Verein Deutscher Geschichtsforscher* gegründet, so setzte sich bereits ein Jahrzehnt nach der misslungenen Revolution ein Zwei-Klassen-System historischer Arbeit durch, das in Preußen-Deutschland weit stärker ausgeprägt war als in anderen europäischen Staaten. Der Verfachlichungsprozess differenzierte die neue Wissenschaft thematisch, etablierte sie personell, institutionell, organisatorisch und im Hinblick auf feststehende Kommunikationsstrukturen; er vereinseitigte sie aber gleichzeitig bis in die zweite Hälfte des 20. Jh. auf eine politikgeschichtliche Ausrichtung und einen exklusiven Wissenschaftlerkreis, zu dem weder Vertreter der Sozial- und Kulturgeschichte noch, seit den 1880er Jahren, Geschichtsdidaktiker zählten.

5. Ausblick

G. ist heute ein global betriebenes System zur Erzeugung und Verbreitung historischen Wissens. Neben der Internationalisierung sind v. a. in den letzten drei Jahrzehnten die Methodenvielfalt und die leichtere Verfügbarkeit digitalisierter Quellen im Internet Charakteristika moderner G. geworden. Die anfängliche Einschränkung auf hermeneutische, qualifizierende Methoden wurde dabei ebenso überwunden wie der gegenläufige Versuch, diese durch serielle, quantifizierende Untersuchungsverfahren zu ersetzen. Gefordert wird nun ein Methodenpluralismus, der Ansätze und Fragestellungen anderer Disziplinen aufgreift und aktuell durch den Einbezug der Digital Humanities befördert wird. Die Entwicklung informationstechnologischer und computerlinguistischer *Tools*, mit deren Hilfe große Datenmengen (Big Data) seriell bearbeitbar werden, erscheint als Chance, aktuelle Fragestellungen (z. B. Mobilitätsforschung, Netzwerkforschung) zu fördern. Dabei wird zuweilen die Leistung der Digital Humanities überschätzt. Diese können die intellektuelle Arbeit der Historiker nur im Sinne einer aus Sicht der G. als Hilfswissenschaft zu bezeichnenden Disziplin unterstützen, nicht sie ersetzen. Auch in Zukunft zählen die von J. G. Droysen in seiner „Historik" beschriebenen Arbeitsschritte zu den Kernaufgaben von G.

Literatur

J. G. Droysen: Historik. Historisch-kritische Ausgabe, herausgegeben von P. Leyh/H. W. Blanke, 3 Bde., 1977–2016 • S. Jordan: Theorien und Methoden der Geschichtswissenschaft, ³2016 • D. Woolf: A Global History of History, 2011 • D. von Woolf (Hg.): The Oxford History of Historical Writing, 5 Bde., 2011/12 • G. G. Iggers/Q. E. Wang: A Gobal History of Modern Historiography, 2008 • H.-J. Goertz (Hg.): Geschichte. Ein Grundkurs, ³2007 • A. Munslow: The Routledge Companion to Historical Studies, ²2006 • O. Marquard: Zukunft braucht Herkunft, 2003 • L. Raphael: Geschichtswissenschaft im Zeitalter der Extreme, 2003 • S. Jordan (Hg.): Lexikon Geschichtswissenschaft. Hundert Grundbegriffe, 2002 • W. v. Humboldt: Über die Aufgabe des Geschichtschreibers, in: ders.: Sämtliche Werke, Bd. I, 1999, 331–346 • R. Koselleck u. a. (Hg.): Theorie der Geschichte. Beiträge zur Historik, 6 Bde., 1977–1990 • W. Weber: Priester der Klio. Historisch-sozialwissenschaftliche Studien zu Herkunft und Karriere deutscher Historiker und zur Geschichte der Geschichtswissenschaft 1800–1970, ²1987 • J. M. Chladenius: Allgemeine Geschichtswissenschaft, 1985 • R. Koselleck: Einleitung, in: GGB, Bd. 1, 1979, XIII–XXVII • H. Boockmann u. a.: Geschichtswissenschaft und Vereinswesen im 19. Jahrhundert, 1971 • E. P. Thompsons: The Making of the English Working Class, 1963 • E. H. Carr: What is History?, 1961 • J. Engel: Die deutschen Universitäten und die Geschichtswissenschaft, in: HZ 189 (1959), 223–378 • H. Heimpel: Über Organisationsformen historischer Forschung in Deutschland, in: HZ 189 (1959), 139–222 • J. Burckhardt: Weltgeschichtliche Betrachtungen, 1929 • G. Waitz: Falsche Richtungen, in: HZ 1 (1859), 17–28 • L. Ranke: Geschichten der romanischen und germanischen Völker von 1494 bis 1535, 1824.

STEFAN JORDAN

Geschlechterverhältnis ↑Gender

Geschlechtergerechtigkeit

Das „klassische", auf der aristotelisch-scholastischen Systematik basierende Konzept sozialer Gerechtigkeit, das Tausch-, Verteilungs-, Beteiligungs- und Verfahrensgerechtigkeit zueinander ins Verhältnis setzt, wird in moderner sozialethischer Reflexion nicht nur zeitlich (Generationengerechtigkeit) und räumlich (globale Gerechtigkeit), sondern auch geschlechterspezifisch ausdifferenziert.

1. Geschlecht und Gerechtigkeit
Der Anspruch der ↑Gerechtigkeit betrifft alle Arten sozialer Beziehungen und Verhältnisse, mithin auch Geschlechterbeziehungen und gesellschaftliche Geschlechterverhältnisse. In einem gegebenen gesellschaftlichen Kontext unterliegen diese einem Normengefüge (Geschlechterordnung), das selbst (mehr oder weniger) gerecht oder ungerecht sein bzw. entspr.e Wirkungen hervorbringen kann. Eine gerechte Ordnung der Gesellschaft ist daran zu messen, ob *a)* jeder ↑Person als einer geschlechtlich bestimmten die gleiche ↑Achtung ihrer ↑Würde zuteil wird, *b)* jede Person unabhängig von ihrer Geschlechtszugehörigkeit/-identität gleiche Rechte und gleiche Chancen des Zugangs und der Beteiligung an Gütern und Positionen hat und sie dadurch *c)* ↑Anerkennung erfährt und ein selbstbestimmtes Leben im sozialen Zusammenhang führen kann.

Anliegen der G. bleiben theoretisch unbelichtet, wenn philosophisch wie politisch von relevanten Differenzen (u. a. Geschlecht) abstrahiert und Gerechtigkeit auf formale ↑Gleichheit reduziert wird. Wissenschaftliche und politische Geschlechterblindheit ist einer androzentrischen symbolischen Ordnung der Geschlechter eingeschrieben: In den dominanten europäischen philosophischen und politischen Traditionen wie auch im christlichen Denken herrschte weithin eine Identifizierung des Menschlichen mit dem Männlichen und damit eine Universalisierung des geschlechtlich Partikularen vor. Diese in der feministischen Wissenschaftskritik vielfach analysierte Konstellation wirkt sich bis in die Gegenwart hinein auch im Denken der Gerechtigkeit aus. Eine androzentrische Ordnung des Wissens wie der Gesellschaft (Familie, Wirtschaft, Politik, Religion) legitimiert sowohl in den sozialen Beziehungen als auch in den kulturellen Deutungsmustern eine Dichotomisierung und eine Hierarchisierung zulasten aller Personen, die nicht dem vorherrschenden Bild vom „Menschen" entsprechen: Frauen, Kinder und nicht-heterosexuelle

Männer. Historisch greifbar ist dies u. a. in der Auslegungsgeschichte der ↑Menschenrechte; noch bei der Wiener UN-Menschenrechtskonferenz 1993 musste die Gleichrangigkeit der Menschenrechte der Frauen und Mädchen eigens hervorgehoben und gegen Einwände verteidigt werden.

2. Geschlechterdichotomie und Gerechtigkeitsdefizite
Die traditionelle Hierarchisierung im Geschlechterverhältnis zulasten von Frauen (bzw. allen „nicht männlichen" Menschen) ist eingeschrieben in ein komplexes dichotomes System, das weiblich/Frau v männlich/ Mann, Natur v Kultur, Körper v Geist, Gefühl v Verstand polarisiert. Das jeweils erste Element ist dem jeweils zweiten untergeordnet, und diese Hierarchie ist zu Lasten des weiblich konnotierten Pols sexualisiert. Das soziale Gefüge der bürgerlichen Gesellschaft reproduziert diese Struktur zudem in der Dichotomie privat v öffentlich mit weitreichenden Implikationen für geschlechtsspezifische Arbeitsteilung, ungleiche Partizipationschancen an Arbeit, Bildung, Sozialstaat und Demokratie sowie asymmetrische Berücksichtigung geschlechtlich bestimmter Lebenswirklichkeiten und Verhältnisse in einer Vielzahl von Wissensbereichen, nicht zuletzt in Medizin, Verkehr und Infrastrukturplanung.

Der Bereich des „Privaten" (und Partikularen), insb. alles, was mit Körper, Reproduktion, Sorge(arbeit) zu tun hat und „der Frau" zugeordnet war, wurde aus dem Gegenstandsbereich moderner universalistischer Gerechtigkeitstheorien ausgeklammert; entspr. blieben sie weitgehend ignorant gegenüber der Gerechtigkeitsbedeutung strukturell asymmetrischer Geschlechterverhältnisse. Um der Relevanz von Geschlecht als Strukturkategorie des Sozialen Rechnung zu tragen, müssen Gerechtigkeitstheorien den Anspruch universaler Geltung mit den Anforderungen realer Partikularitäten bzw. den verallgemeinerten und den konkreten Anderen zusammendenken.

Wurden die Herausforderungen der G. in der ↑feministischen Ethik v. a. als „↑Frauenfrage" zunächst i. S. d. formalen Gleichheit (Gleichstellung mit den Männern), sodann unter dem Vorzeichen der Achtung der Andersheit (weibliche Differenz) diskutiert, so bezieht die Genderforschung (↑Gender) die Frage nach G. heute komplexer auf alle Geschlechterverhältnisse. Die/den Andere/n als Gleiche/n anzuerkennen erfordert, menschenrechtliche Gleichheit und geschlechtliche (sexuelle wie genderspezifische) Andersheit unter je gegebenen Kontextbedingungen als relevante Aspekte der Gerechtigkeit zu gewichten.

3. Ausgewählte Problemfelder
Rechtlich wie ethisch grundlegend sind das Verbot der ↑Diskriminierung aufgrund des Geschlechts und/oder der sexuellen Orientierung sowie die Verpflichtung des Staates, den Anspruch der Gleichberechtigung aktiv zu fördern und bestehenden Benachteiligungen entgegen-

zuwirken (Art. 3 Abs. 2 GG). Analog ist der Anspruch menschenrechtlicher Gleichheit geltend zu machen. Am Beispiel der Anerkennung geschlechtsspezifischer Verfolgung als Fluchtursache wird zugl. die global-ethische Bedeutung der G. anschaulich. Gravierende Verletzungen der G. sind u. a. die systematische Abtreibung weiblicher Föten, Praktiken der Genitalverstümmelung, Zwangsheirat, Ehrenmorde, sowie vielfältige Benachteiligungen von Mädchen und Frauen in Gesellschaften, die Jungen in der familiären und gesellschaftlichen Ordnung als „wertvoller" erachten. Entspr. erfordert G. grundlegend eine Stärkung der Menschenrechte von Mädchen und Frauen, indem diese im Bewusstsein und in der Durchsetzung ihrer Rechte gefördert werden, nicht zuletzt durch den Zugang zu ↑Bildung und Gesundheitsförderung.

Komplexe Herausforderungen der G. bestehen weltweit im Bereich der ↑Arbeit, namentlich im Verhältnis von Sorge- und Erwerbsarbeit. Dies betrifft einerseits die auch unter den Bedingungen formaler Gleichstellung fortwirkende geschlechtsspezifische Arbeitsteilung, derzufolge der Großteil der unentgeltlich erbrachten, familiären Sorgearbeit (↑Erziehung, Pflege) von Frauen geleistet wird. Dies zeitigt weitreichende benachteiligende Folgen für deren soziale Sicherung, insb. für die Absicherung im Alter, und geht mit einem signifikant erhöhten Armutsrisiko v. a. für Alleinerziehende und längerfristig häuslich Pflegende (i. d. R. Frauen) einher. Zum anderen betrifft es die Schlechterstellung von Frauen im Feld der Erwerbsarbeit (*Gender pay gap*; gläserne Decke) und die typischerweise geringere (monetäre wie ideelle) Anerkennung weiblich konnotierter Berufe, v. a. im Feld von Sorgetätigkeiten und personenbezogenen Dienstleistungen.

Zu den Herausforderungen der G. gehören zudem Normen und Praktiken, die Menschen aufgrund ihrer sexuellen Orientierung ausgrenzen bzw. marginalisieren. Insb. ist auf die langwierigen Kontroversen in vielen europäischen Gesellschaften um die rechtliche Gleichstellung gleichgeschlechtlicher Partnerschaften (↑Homosexualität) mit der ↑Ehe sowie das Adoptionsrecht für gleichgeschlechtliche Paare zu verweisen.

Literatur

K. Klöcker/Th. Laubach/J. Sautermeister (Hg.): Gender – Herausforderung für die christliche Ethik, 2017 • M. Heimbach-Steins: „… nicht mehr Mann und Frau". Sozialethische Studien zu Geschlechterverhältnis und Geschlechtergerechtigkeit, 2009 • M. Nussbaum: Sex and Social Justice, 1999 • H. Pauer-Studer: Geschlechtergerechtigkeit: Gleichheit und Lebensqualität, in: dies./H. Nagl-Docekal (Hg.): Politische Theorie. Differenz und Lebensqualität, 1996, 54–95 • DGVN (Hg.): Gleiche Menschenrechte für alle. Dokumente zur Menschenrechtsweltkonfernez der VN in Wien 1993, 1994 • S. Benhabib: Der verallgemeinerte und der konkrete Andere, in: E. List/H. Pauer-Studer (Hg.): Denkverhältnisse, Feminismus und Kritik, 1989, 454–487.

MARIANNE HEIMBACH-STEINS

Gesellschaft

I. Soziologisch – II. Philosophisch

I. Soziologisch

G. ist ein Schlüsselbegriff im Selbstverständnis der Gegenwart. In ihm vereinen sich Reflexionen auf die spezifische Lebenswirklichkeit des Menschen mit den normativen Vorstellungen von der gewünschten Ordnung. Aus der Entwicklung der G. lässt sich ↑Legitimität für politische Entscheidungen schöpfen, die vollendete Welt-G. der Gleichen, Freien und Solidarischen liefert einen Horizont für ↑Utopien.

Drei G.s-Begriffe dominieren den gegenwärtigen Wortgebrauch:

a) Im politischen und forschungspragmatischen Sinne bezeichnet G. eine territoriale Großgruppe, meist identisch mit einer Staatsnation (deutsche, japanische G.).

b) Im historischen Sinn benennt G. Typen von Großgruppen, die von Territorien gelöst durch strukturelle Merkmale unterschieden werden (Stammes-G., moderne G.).

c) Im theoretischen Sinn bezeichnet G. „das jeweils umfassendste System menschlichen Zusammenlebens. Über weitere einschränkende Merkmale besteht kein Einverständnis" (Luhmann 1994: 233 f.).

Der moderne G.s-Begriff ist durch Wissenschaft geprägt. Seine Entwicklung lässt sich nur verstehen, wenn sie in Beziehung zu den sozialen und kulturellen Phänomenen gesetzt wird, auf die der Begriff reflektiert. Begriffs- und Sozialgeschichte gehören hier zusammen. Indem die wissenschaftliche Deutung der Phänomene den überlieferten Wortgebrauch aufgriff, mit neuen Vorstellungen anreicherte und theoretisch formte, prägte sie auch das Handeln. ↑Wissenschaft erweist sich einmal mehr als Gestaltungsmacht, die das soziale Leben gleichermaßen analysiert wie prägt. Deshalb müssen die soziologischen Theorien von G. auf die Begriffs- und Phänomengeschichte bezogen werden.

1. Begriffs- und Phänomengeschichte

In den modernen G.s-Begriff sind Reflexionen aus verschiedenen Sprachen eingegangen (*societas, society, société*). Sprachübergreifend lassen sich in der europäischen Denktradition drei Bedeutungsfelder von G. unterscheiden:

a) der *partikulare* G.s-Begriff benennt eine Interaktionsgruppe, die sich zu einem Zweck zusammengefunden hat (Haus-, Reise-, Heer-, Tisch-G.);

b) der *politisch-juristische* G.s-Begriff benennt den herkömmlichen Gegenstand staats- und naturrechtlicher Überlegungen. Hier ist G. stets an Komplementärbegriffe gebunden (*societas civilis*, bürgerliche G.);

c) der *anthropologische* G.s-Begriff benennt die menschliche Sozialität. Er wird i. d. R. ohne Artikel verwendet und kennt keinen Plural („Die Menschen sind zur Gesellschaft geboren." [Adelung 1796: 623])

Die neuzeitliche Wortentwicklung ist durch eine Verschmelzung dieser drei Bedeutungsfelder geprägt, die im Übergang von ständischem Ordnungs- zu modernem Entwicklungsdenken aus der Reflexion auf neuartige Sozialformen entstand. In diesem Kontext ist G. ein Produkt des modernen Anstalts- und Territorialstaates, weshalb sich das Denken über G. als eigenständige Realität jenseits des Politischen am prägnantesten in Frankreich mit seinem früh ausgebildeten und starken ↑Absolutismus entwickelte.

Die Überwindung der frühneuzeitlichen Konfessionskriege durch staatliche Herrschaft entwertete im homogenisierten Untertanenverband ständische Privilegien (↑Stand). Seinen politischen und militärischen Autonomieverlust kompensierte der französische Adel, indem er ab 1610 die Geselligkeitsformen der italienischen Renaissancehöfe außerhalb des Hofes in Salons imitierte. Ständischer Rang wurde durch kulturelle Leistung nach Verhaltensidealen *(civilité, honnêteté, politesse)* ersetzt. In den Salons als Formen reiner Geselligkeit wendete sich der Zweck einer partikularen G. auf sich selbst, die soziale Form jenseits anderer Zwecke trat in den Reflexionshorizont. 1664 beschrieb François de La Rochefoucauld in seiner Réflexion „De la société" die Bedingungen, unter denen diese Form der „höheren G." auch bei gegensätzlichen Einstellungen gelingen kann: gesunder Menschenverstand, Humor, individuelle Unabhängigkeit sowie die Fähigkeit, sich zurückzunehmen und natürliche oder gesellschaftliche Vorteile nicht auszuspielen. In der französischen Moralistik entstand eine eigene Literaturgattung, die als sozialpsychologischer Reflexionsapparat für Geselligkeitsformen den Begriff von G. als einer Vereinigung von Gleichen, Freien und Zivilisierten prägte, auf den die ↑Aufklärung zurückgriff.

Aus dem Netzwerk der freien Assoziationen (Salon, Freimaurerloge [↑Freimaurer], Club, Lese-G., ↑Verein) entwickelte sich die bürgerliche ↑Öffentlichkeit und mit ihr ein autonomes Gegenstück zum ↑Staat. Die Trennung von Staat und G. (↑Staat und Gesellschaft) sprengt die bis auf Aristoteles zurückreichende Einheit von Herrschafts-, Rechts- und Sozialverband, wie sie die ↑politische Philosophie bis Samuel von Pufendorf geprägt hatte. Mit Charles de Montesquieu („Esprit des Lois", 1748) und der schottischen Moralphilosophie tritt das neue G.s-Verständnis wieder in die politische Philosophie ein, indem G. bei C. de Montesquieu als Produkt einer bestimmten Regierungsform, der ↑Monarchie, betrachtet wird, in der schottischen Moralphilosophie als private Organisation der Bedürfnisbefriedigung, die dem Anstaltsstaat gegenübergestellt wird. Diese Unterscheidung prägt dann auch Georg Wilhelm Friedrich Hegels G.s-Begriff als System der Bedürfnisse, das vom Staat als Prinzip des Allgemeinen überwölbt wird.

Auf der Grundlage dieser Entwicklung wird der *partikulare* G.s-Begriff nun zum abstrakten Oberbegriff für alle sozialen Verbände. Paul-Henri Thiry d'Holbach („La morale universelle", 1776) schreibt, dass man nicht nur die ganze Menschheit als eine einzige G. begreifen müsse, sondern jedes Volk eine partikulare G. bilde, ebenso jede Nation, jede Stadt, jede Familie und Ehe. Auf dieser Abstraktionsebene wird der *anthropologische* G.s-Begriff integriert, jedoch mit einer entscheidenden Wendung: die fundamentale Sozialität des Menschen drückt sich nicht nur darin aus, dass er „in G." lebt, sondern dass er „in einer G." lebe. Die substantialisierte Vorstellung von der sozialen Form menschlichen Zusammenlebens konnte nun zum Ziel aufklärerischer Hoffnungen werden, die sich nicht mehr auf das Seelenheil des Einzelnen in einer gegebenen sozialen Ordnung, sondern auf die generelle Verbesserung „der G." richteten: Jeder Mensch, schreibt C. de Montesquieu, sei fähig, anderen Einzelnen Gutes zu tun; aber gottgleich sei es, zum Wohl einer ganzen G. beitragen zu können.

In der Sozialphilosophie der französischen Aufklärung rückt der neue G.s-Begriff ins Zentrum. Voltaire lenkt die Geschichtsschreibung von Politik und Religion auf Populationen und ihre Sitten um („Essai sur les Mœurs", 1756), Jean-Baptiste le Rond d'Alembert beschreibt in der Einleitung zur „Encylopédie" als Gegenstand der Geschichte die Entstehung verschiedener G.en als Ergebnis von ↑Kommunikation und ↑Gesetzen. Indem der neue G.s-Begriff sich von den qualifizierenden Attributen der *societas civilis* löst und im Vergleich zu den lange noch synonym gebrauchten Alternativen „Volk", „Staat", „Nation", später dann „Zivilisation" und „Kultur" als reine Form der Sozialität ablöst, entsteht durch Abstraktionsgewinn im rationalistischen Denkstil der Aufklärung auch die Frage nach den Prinzipien jeder G. jenseits historischer Entwicklungen.

Drei Begründungsmuster bilden sich aus, die an die traditionellen Bedeutungsfelder des G.s-Begriffes anschließen:

a) Im Zentrum der moralistischen Reflexion auf die Salons stand die These, dass die Eigenliebe *(amour-propre)* den Menschen in G. führe. Zunächst religiös als Sündhaftigkeit des Menschen gedeutet, wandelt sich die Eigenliebe in der Lehre der Materialisten (↑Materialismus), die den Menschen wesentlich durch seine Bedürfnisse bestimmt sehen, in den ökonomischen Begriff des Interesses: Die legitime Befriedigung seiner ↑Bedürfnisse binde den Menschen an die G., was letztlich allen zu Gute komme. Diese Linie führt über die Bestimmung von G. als Zweckverband bis zu den Theorien rationaler Wahl (↑Rational Choice Theory), die alles soziale Handeln über Interessen erklären.

b) In der staatsrechtlichen Debatte hatte Thomas Hobbes die absolutistische Staatsform entpersonalisiert, indem er als Grundlage des Staates nicht den Willen eines einzelnen Herrschers annahm, sondern einen Ver-

trag, durch den alle interessenbedingt ihre Fähigkeit abtreten, Gewalt auszuüben. Indem Jean-Jacques Rousseau den *contrat social* von der institutionellen ↑Herr-
schaft löst und ihn zum sittlichen Einverständnis aller
Bürger erklärt, wandelt sich dieser Verzicht zur zivil-
religiösen Forderung an die Gesinnung der Bürger, an
eine politisierte *civilité.* Bis hin zur modernen Diskussion um ↑Zivilreligion und ↑Zivil-G. wird seitdem die
konstitutive Bedeutung von ↑Normen für G. debattiert.

c) J.-J. Rousseaus These, die Ungleichheit zwischen
den Menschen sei mit der G. entstanden, hielt Voltaire
entgegen, dass die G. in der Natur des Menschen angelegt sei, mithin kein Mensch ohne G. denkbar wäre.
Deshalb treibe der Instinkt den Menschen wie bestimmte Tierarten in G. Solche anthropologischen Überlegungen über die Prinzipien der G. führen bis in die moderne soziobiologische Diskussion (↑Soziobiologie) über
die evolutionäre Rolle von Kooperation, Altruismus
und Kommunikation.

2. Soziologischer Gesellschaftsbegriff

In der aufklärerischen Diskussion waren die Bedeutungsfelder des G.s-Begriffes zu einem einheitlichen
Gegenstand verschmolzen, der als grundlegender Tatbestand aller menschlichen Existenz nicht mehr in Frage gestellt wurde: G. wurde zur „sozialen Tatsache"
(Durkheim 1984: 114). Durch die abstrahierende Ablösung von der Anschaulichkeit der Bedeutungsfelder des
partikularistischen und juristisch-politischen Begriffs
war der moderne G.s-Begriff strukturell ebenso unterbestimmt wie das Phänomen, auf das er reflektierte: als
Assoziierung der Freien und Gleichen geht die konkrete
Form weder aus einer vorgängigen Zusammengehörigkeit (verwandtschaftlich, ethnisch, ökonomisch, politisch), noch aus einem Zweck (Religion, Herrschaft,
Recht, Bedürfnisse) hervor. G. wird als abstrakte Kategorie jenseits der erlebbaren Sozialformen zum Rätsel,
zu dessen Auflösung eine eigene Wissenschaft notwendig wird: die ↑Soziologie. Da die politischen Entschei-
dungsfragen über die Ordnung und Entwicklung der G.
im Zeitalter des Nationalstaates sich auf der mittleren
Begriffsebene im politischen Gemeinwesen stellten,
wurde die Frage, was G. sei und wie sie sich erklären
und begründen lasse, von zwei Seiten aus angegangen:
generalistisch aus der Perspektive des essentialistisch erneuerten anthropologischen Begriffes und partikularis-
tisch aus der Perspektive konkreter sozialer Phänomene,
die additiv auf den G.s-Horizont verweisen. In der Soziologie unterscheidet man sie als makro- und mikro-
soziologische Zugänge.

2.1 Makrosoziologische Gesellschaftstheorien
Die Bestimmungsversuche für G. wurden in Frankreich
vom Ideal einer rationalen, positiven Wissenschaft geprägt, die ihren Charakter als Morallehre durch die Vorstellung behielt, die Kenntnis der Wirklichkeit garantiere das richtige Handeln. Verbunden ist damit der

Glaube an den ↑Fortschritt des menschlichen Geistes,
der sich bei steigender Durchdringung der gesellschaftlichen Wirklichkeit auch in ihrer rationalen Gestaltung
und Planbarkeit niederschlage. Mit der Unterscheidung
zwischen *Statik* und *Dynamik* schlug Auguste Comte
zwei Kategorien vor, nach denen sich die makrosoziologischen G.s-Theorien in Begriffspaaren ordnen lassen.
Integration – Differenzierung: In der aufklärerischen
↑Sozialphilosophie war die Frage nach dem Band der
G. *(lien de la société)* aufgekommen. Pierre Bayle fragte,
ob eine G. von Atheisten möglich sei. War der aufklärerische Horizont durch die Vorstellungen bestimmt, dass
↑Gesetze und moralbegründende ↑Religion G. zusam-
menhalte, so führt Émile Durkheim beide im Begriff des
Kollektivbewusstseins zusammen. Gemeinsame religiöse Überzeugungen und Gefühle als Grundlage der Normen bilden ein umgrenztes System, das G. zusammen-
halte, indem es Handlungen als kriminell definiere und
dadurch diejenigen integriere, die sich im Rahmen des
Kollektivbewusstseins halten. É. Durkheim unterscheidet entwicklungsgeschichtlich zwei Formen der ↑In-
tegration: In G.en mit mechanischer Solidarität sind
die Individuen durch ihre Ähnlichkeit ohne vermittelnde Instanzen an die G. gebunden, die nur als Ganzes
gleichartig reagieren kann, ähnlich den Molekülen an-
organischer Körper. Höher entwickelte arbeitsteilige
G.en sind dagegen durch organische Solidarität geprägt,
die unterschiedliche Funktionen verbinde und deshalb
das Band der G. verstärke, indem die Einzelnen voneinander abhängig werden. Insofern erhöht sich auch
der Grad der Integration durch eine Arbeitsteilung, die
zu größerer Unähnlichkeit der einzelnen Mitglieder
durch soziale Differenzierung führt.

Integrationstheorien spielen heute v. a. im Bereich der
Migrationssoziologie eine Rolle, immer noch verbunden mit der Frage, ob allein die Befolgung des geltenden
Rechts und die Integration in den Arbeitsmarkt ausreichend sei, eine G. zusammenzuhalten, oder ob es dazu
geteilter Glaubensvorstellungen bedürfe, einer Zivilreligion oder Leitkultur (Assimilationstheorien). Das
Begriffspaar Integration/Desintegration wird in der
neueren Theorie abgelöst durch die systemtheoreti-
schen Begriffe ↑Inklusion/Exklusion, die nicht mehr
auf Teilhabe an einer sozialen ↑Gruppe zielen, sondern
am dominierenden Differenzierungsniveau, etwa an
den Chancen zur Kommunikation in den Subsystemen
Recht, Politik, Bildung.

Neben dem organologischen Integrationsprinzip lieferte die Biologie mit dem Entwicklungsgedanken in
den Theorien gesellschaftlicher Differenzierung auch
eine Grundlage für die Erklärung der Dynamik von
G.en. Nach Herbert Spencer verläuft die ↑Evolution
von einer unzusammenhängenden Gleichartigkeit zur
zusammenhängenden Ungleichartigkeit, von relativ homogenen G.en zu komplexen arbeitsteiligen G.s-Sys-
temen. É. Durkheim betont die integrierende Funktion
der zunehmenden Arbeitsteilung zivilisierter G.en,

Georg Simmel beschreibt den Zusammenhang zwischen Arbeitsteilung, Kreuzung von sozialen Kreisen und Individualisierung. Die moderne Differenzierungstheorie unterscheidet drei unterschiedliche Formen, die zugl. Entwicklungsstufen bilden:

a) in der segmentären Differenzierung (Stammes-G.) reproduzieren G.en bei einer Teilung die sozialen Strukturen der Ursprungs-G. (Ethnogenese; Vereinsneubildungen, Familiengründung);

b) stratifikatorische Differenzierung (Hochkulturen) bildet innerhalb eines bestehenden Schichtsystems neue Schichten aus (Amtsadel; Großbürger; grundbesitzende Bauern);

c) funktionale Differenzierung (moderne G.) bezeichnet die Ausbildung gesellschaftlicher Subsysteme mit je eigenen Funktionen für die Gesamt-G. (Politik, Recht, Religion, Bildung). Nach Niklas Luhmann bestimmt der höchste Grad der in einer G. vorkommenden Differenzierung den Gesamtcharakter des Systems.

Struktur – Funktion: Um die Unterbestimmtheit der abstrakten Kategorie G. aufzulösen, entstand die Vorstellung, eine verborgene innere Ordnung finden zu können, deren statische Komponente sich im Begriff der Struktur niederschlägt, die dynamische im Begriff der Funktion.

Konstitutiv für viele soziologische Makrotheorien ist die Vorstellung, G. sei strukturell von Großgruppen durchzogen, die mit Hilfe von Indikatoren erkannt und benannt werden könnten. Karl Marx deutet die Geschichte als eine Abfolge von Konflikten zwischen der herrschenden Klasse, die über die Produktionsmittel verfügt (Bedürfnistheorie), und der beherrschten Klasse, die ihre Arbeitskraft zur Verfügung stellt. Das Ziel der Geschichte sieht er in der Überwindung aller Klassengegensätze zu einer G. der Gleichen und Freien. Neuere marxistische Ansätze (Frankfurter Schule; ↑Kritische Theorie) sprechen vom Prinzip der antagonistischen G. und verschieben die Utopie ins Vage. Als politisch abgeschwächte Alternative zum Klassenmodell hat sich der Begriff der sozialen Schicht durchgesetzt. Sozialstrukturanalyse untersucht anhand von wechselnden Indikatoren (Einkommen, Bildung, Status) das Schichtgefüge von G.en und ordnet die Individuen Ober-, Mittel- oder Unterschicht zu. Seitdem durch wachsenden ↑Wohlstand die primären Bedürfnisse nach Nahrung, Kleidung und Unterkunft in den Hintergrund gerückt sind, hat sich der Begriff Milieu als horizontale Großgruppenordnung etabliert, der anhand von Indikatoren wie Lebensstil oder ↑Werte gebildet wird. Neuere soziologische Ansätze arbeiten mit Pierre Bourdieus Begriff des sozialen Feldes, der es erlaubt, horizontale und vertikale Indikatoren zu kombinieren, indem Interessen, Praxisformen und Diskurse in die Analyse einbezogen werden.

Der von É. Durkheim aus der Biologie übernommene Begriff der Funktion ermöglicht es, Klassen von Kausalbeziehungen generalisiert und prognostisch anzuwenden. Nach É. Durkheim dient die Arbeitsteilung in erster Linie nicht dazu, verschiedene Güter herzustellen, sondern hat die Funktion, soziale Bindungen zu stärken und damit die Normalstruktur der G. aufrecht zu erhalten. Funktion als nicht-offensichtliche Form der Beziehungen zwischen den Elementen ist der dynamische Stabilisator von nicht-offensichtlichen Strukturen. In diesem Sinne ist Funktion ein Zentralbegriff der soziologischen ↑Systemtheorien. Talcott Parsons generalisiert in seinem AGIL-Schema vier Funktionsvoraussetzungen für soziale Systeme:

a) Anpassung des Systems an Umweltbedingungen *(adaption)*

b) Definition und Erreichung kollektiv verbindlicher Ziele *(goal-attainment)*

c) Gegenseitigkeit der Interaktionen *(integration)* und

d) Strukturerhaltung und -erneuerung *(latency)*.

N. Luhmann unterscheidet zwischen Leistung und Funktion eines gesellschaftlichen Systems: Während es die Leistung etwa des Wirtschaftssystems ist, Rohstoffe aus der natürlichen Umwelt in Güter zur Bedürfnisbefriedigung umzuformen, besteht die Funktion darin, durch Kommunikation über die Knappheit von ↑Gütern auch künftig das Funktionieren des Subsystems intern zu sichern. Bei N. Luhmann ist der Begriff der Struktur der Funktion insofern untergeordnet, als Strukturen Bedingungen für die Einschränkung der Operationen zur Autopoesis des Systems darstellen, sie existieren nur im Vollzug. Die Theorie der funktional differenzierten G. löst bei N. Luhmann den Begriff der modernen G. ab.

↑Soziale Ungleichheit – ↑sozialer Wandel: Im Gegensatz zur Ständeordnung oder zum Kastensystem ist im modernen G.s-Begriff die Gleichheit aller Mitglieder vorausgesetzt. Deshalb wird soziale Ungleichheit von einer selbstevidenten Erfahrung zu einem erklärungsbedürftigen Problem. Im Anschluss an die Bedürfnistheorie wird die ungleiche Verteilung begehrter und knapper Güter (Einkommen, Bildung, generell Zugang zu gesellschaftlichen Ressourcen) anhand von strukturellen Unterprivilegierungen nach sozialer Herkunft oder Geschlecht untersucht. Auf diesem Forschungsfeld erneuern sich die moralischen Implikationen des G.s-Begriffs, indem die egalitären Gerechtigkeitsnormen (↑Gerechtigkeit) zur Entdeckung immer neuer ↑Gruppen führen, die über sozialpolitische Maßnahmen egalisiert werden müssen. Stand in den 60er Jahren das Konstrukt des „katholischen Arbeitermädchens vom Lande" (Dahrendorf 1965: 48) im Fokus der deutschen Bildungsförderung, so ist es heute der männliche Jugendliche mit Migrationshintergrund. In den USA wird die Rolle von Rasse für soziale Ungleichheit diskutiert, in Großbritannien und Frankreich der koloniale Migrationshintergrund.

Ein differenziertes Konzept zur Messung sozialer Ungleichheit bietet P. Bourdieus Kapitaltheorie, die an der ungleichen Verteilung von Kapitalsorten (ökonomisches, kulturelles, soziales und symbolisches Kapital) und Kapitalvolumen Muster sozialer Ungleichheit absteckt. In N. Luhmanns Begriffspaar Inklusion/Exklusion hat die Diskussion um soziale Ungleichheit Anschluss an die Integrationstheorien gefunden, indem die Möglichkeit zur Teilhabe am sozialen System, speziell an den Leistungen der Funktionssysteme, zum entscheidenden Kriterium sozialer Ungleichheit wird. In der gegenwärtigen politischen und pädagogischen Diskussion wird der Begriff Inklusion jedoch häufig um diese Dimension verkürzt und im Sinne von Integration verstanden.

Im Gegensatz zu den Sozialmodellen von Hochkulturen, die ihre innere Ordnung meist kosmologisch begründeten und deshalb als unveränderlich ansehen, ist der moderne G.s-Begriff auf Perfektibilität angelegt. Ging es in den Salons um die Steigerung von Manieren, Geist und Zivilität, in den Freimaurerlogen um die Verbesserung des individuellen Menschen und der Menschheit, in Lese-G.en um Bildung, so werden die generalisierten Vorstellungen der klassischen G.s-Theorien von Evolutions- und Entwicklungsmodellen geprägt, zunächst als Theorien der Zivilisierung, später der ↑Modernisierung. Als bewusst wertneutraler Begriff, der sich um Entteleologisierung bemüht und für empirische Forschung offen ist, hat sich ab den 1920er Jahren der Begriff sozialer Wandel etabliert. Mit ihm werden alle quantitativen und qualitativen Veränderungen in der Sozialstruktur, in Bewusstseins- und Verhaltensformen erfasst. Theorien des sozialen Wandels identifizieren ein zentrales Antriebsmoment für gesellschaftliche Veränderungen. K. Marx sieht dieses Moment in den Produktivkräften, William Fielding Ogburn in technischen Entwicklungen, denen sozialkulturelle Elemente mit einer Zeitverzögerung folgen *(cultural lag)*. Vilfredo Pareto betont den Tausch von Elitenpositionen (↑Elite), Ralf Dahrendorf die Überwindung gesellschaftlicher Konflikte.

Auf gesellschaftstheoretischer Ebene hat sich diese Forschung im Dauerproblem verfestigt, was die moderne G. charakterisiert und ob sie durch eine postmoderne G. (reflexive, multiple etc. Moderne) abgelöst werde. Die soziologische Gegenwartsdiagnostik versucht, aus einzelnen Entwicklungstendenzen eine typologische Beschreibung zu entwickeln, die zugl. den Anspruch erhebt, die Spitze der gesellschaftlichen Entwicklung abzubilden. Aus den ökonomischen Globalisierungsprozessen (↑Globalisierung) folgert Martin Albrow die Welt-G., N. Luhmann aus den globalen Kommunikationsnetzen. Bei Daniel Bell führt der Dienstleistungssektor in die postindustrielle G., bei Ulrich Beck die wachsende Wahrnehmung von Gefährdungspotentialen zur Risiko-G. und bei Peter Gross der Zwang zur individuellen Entscheidung zur Multioptions-G. Gegenwartsdiagnosen verbinden sich teils mit sozialstrukturellen Modellen, etwa in der Identifikation von Milieus der

Erlebnis-G., teils knüpfen sie an die moralistische Tradition der G.s-Theorie an, indem sie in konkrete Vorschläge zur politisch-sozialen Gestaltung münden, wenn aus der Verantwortungs-G. kommunitaristische Folgerungen (↑Kommunitarismus) gezogen werden. Die Vielfalt der soziologischen Gegenwartsdiagnostik zeigt den durch Jahrhunderte Forschung nicht verminderten Bedarf, die Unterbestimmtheit des G.s-Begriffes aufzulösen, eben eine Diagnose-G.

2.2 Mikrosoziologische Gesellschaftstheorien

Im Gegensatz zu den Theorien, die G. als vorgegebene Ganzheit betrachten, stehen Ansätze, die G. als Summe des Zusammenspiels von begrifflich abstrahierten Einzelphänomenen sehen. Gabriel Tarde identifiziert in der Vielzahl der beobachtbaren sozialen Beziehungen ein Grundmuster, das Gesetz der Nachahmung. G. ist eine Gruppe von Menschen, die durch Nachahmung *(imitation)* und Gegen-Nachahmung *(contre-imitation)* Ähnlichkeiten aufweise, indem sich Verhaltensformen an vorgängigen orientieren oder von ihnen abgrenzen. G. wird hier in einem radikalen Gegenentwurf zu den Vorstellungen von É. Durkheim als ein Phänomen verstanden, das nicht durch eine verdeckte Tiefenstruktur, sondern durch die Formen an seiner Oberfläche begreifbar wird. Fortgeführt wird ein solcher Ansatz in der soziobiologischen Analyse von Massen- und Schwarmverhalten, aber auch die Akteur-Netzwerk-Theorie von Bruno Latour grenzt sich mit direktem Bezug auf G. Tarde von makrosoziologischen G.s-Theorien ab und integriert Dinge in die Kette der sozialen Beziehungen.

G. Simmel führt die Frage nach den transzendentalen Voraussetzungen von G. auf die in jedem Individuum bereits angelegte Sozialität. Sie setzt den Einzelnen in eine immer schon bestehende Beziehung zum sozialen Ganzen, die sich in unterschiedliche Formen der Vergesellschaftung realisiere. Das Gebiet der Soziologie als Wissenschaft von der G. besteht bei G. Simmel in der Suche nach reinen Formen der Wechselwirkung, wie sie sich in der Übereinstimmung, im Streit, im Geheimnis oder in der Kreuzung sozialer Kreise zeigen. Nach George Herbert Mead kann G. nicht bestehen, ohne dass in ihren Mitgliedern durch Sozialisation Geist *(mind)* und ↑Identität *(self)* als Ergebnis sozialer Beziehungen bereits angelegt sind. Die menschliche Natur ist schon immer eine gesellschaftliche, auch die komplexesten G.en lassen sich als Ausdifferenzierung der soziophysiologischen ↑Interaktionen zwischen einzelnen Menschen verstehen.

Ferdinand Tönnies knüpft an den deutschen Sprachgebrauch an, der noch im 19. Jh. kaum zwischen G. und ↑Gemeinschaft unterschied, weshalb auch die Entwicklung einer generellen Wissenschaft von der G. erst spät in den Fokus rückte. Während Gemeinschaft die traditionellen Siedlungsformen der ↑Familie, der verwandtschaftlichen Bindung und lokalen Nachbarschaft bezeichnet, die durch weitgehend gemeinsame Güterproduktion und -konsumtion gekennzeichnet sind, fasst G. alle Sozialbindungen zusammen, die durch Tausch von Gütern entstehen und den Einzelnen nicht als Person, sondern nur in einer spezifischen Rolle (↑Soziale Rolle) integrieren. Erst in der G. entsteht ein Allgemeines, das die isolierten Einzelnen durch gemeinsamen Bezug auf eine abstrakte Einheit wieder verbindet. Insofern verfremdet G. den Menschen. Gemeinschaft ist hier nicht ein Teil von G., sondern ihr idealtypisches Gegenstück, und in politischen Deutungen positive Utopie, an die unterschiedliche Formen des sozialen Radikalismus ihre Ideale von Klasse oder Rasse binden. An F. Tönnies' Unterscheidung knüpft Max Weber in seiner „Soziologie ohne Gesellschaft" (Tyrell 1994) an. Konstitutives Element ist hier der Begriff der sozialen Handlung (↑Handeln, Handlung). Handlungen, die durch traditionale und affektuelle Bestimmungsgründe geprägt sind, führen zur Vergemeinschaftung, Handlungen mit zweck- und wertrationalen Bestimmungsgründen zur Vergesellschaftung. Im Begriff der sozialen Gruppe ist eine neutrale Alternative zu historisch-politisch vorgeprägten Begriffen wie G. und Gemeinschaft gegeben. Norbert Elias führt als weitere Alternative den Begriff der sozialen Figuration ein, der Beziehungsmuster zwischen Individuen identifizierbar macht.

3. Die Zukunft der Gesellschaft

Wenn die Sozialform und das Bestimmungsproblem G. als soziales Gegenstück zum modernen Territorialstaat entstanden ist, stellt sich die Frage, ob und inwiefern sie als Assoziierung der Gleichen, Freien und Solidarischen geschichtlich Bestand haben kann, sobald der moderne Staat nicht mehr im Zentrum der politischen Organisation steht. Wo der Staat scheitert, verschmelzen in parastaatlichen Ordnungen soziale Zugehörigkeit und Machtbeziehungen auf lokaler und trans-lokaler Ebene erneut. Autoritäre politische Ordnungen finden ökonomisch und technologisch Anschluss an die ↑Moderne, regulieren aber die soziale Sphäre im direkten Zugriff wie vormoderne Herrschaft. Vielleicht war die Trennung unterschiedlicher Sphären, die den modernen G.s-Begriff begründete, nur ein westliches Modell, und andere verlangen nach anderen Begriffen. Diese Lage spiegelt sich in terminologischen Unschärfen: Wenn in der Welt-G. der Mensch nicht mehr personaler Bezugspunkt ist, sondern Adresse systemspezifischer Kommunikation, wird G. in einen Horizont wie „Welt" oder „Natur" verschoben, in dem es nur noch Theorien, aber keine Forschung mehr gibt. Wenn die Anzahl der konkurrierenden Gegenwartsdiagnosen unübersichtlich wird, verliert der Begriff seinen Erkenntniswert. Wenn der Akteur im Netzwerk der Dinge nivelliert oder das Humanum als Sonderfall der Primatenforschung gilt, ist der paradigmatische Kern abgelöst, der den Begriff über Jahrhunderte hinweg getragen hat: dass die G. aus Menschen gebildet wird.

Literatur

M. Prisching (Hg.): Modelle der Gegenwartsgesellschaft, 2003 • J. Ritsert: Gesellschaft. Ein unergründlicher Grundbegriff der Soziologie, 2000 • N. Luhmann: Die Gesellschaft der Gesellschaft, 1999 • C. Albrecht: Zivilisation und Gesellschaft. Bürgerliche Kultur in Frankreich, 1995 • N. Luhmann: Gesellschaft, in: W. Fuchs-Heinritz u. a. (Hg.): Lexikon zur Soziologie, ⁴1994, 235 • H. Tyrell: Max Webers Soziologie – eine Soziologie ohne „Gesellschaft", in: G. Wagner/H. Zipprian (Hg.): Max Webers Wissenschaftslehre, 1994, 390–414 • É. Durkheim: Über soziale Arbeitsteilung. Studien über die Organisation höherer Gesellschaften, 1988 • É. Durkheim: Die Regeln der soziologischen Methode, 1984 • F. H. Tenbruck: Émile Durkheim oder die Geburt der Gesellschaft aus dem Geist der Soziologie, in: ZfS 10/4 (1981), 333–350 • R. Dahrendorf: Bildung ist Bürgerrecht, 1965 • F. de La Rochefoucauld: Réflexions ou Sentences et Maximes morales suivi de Réflexions diverses et des Maximes de Madame de Sablé, 1976 • M. Riedel: Gesellschaft, bürgerliche, in: GGB, 1975, 719–800 • M. Riedel: Gesellschaft, Gemeinschaft, in: ebd., 801–862 • R. Dahrendorf: Bildung ist Bürgerrecht. Plädoyer für eine aktive Bildungspolitik, 1965 • H. Plessner: Grenzen der Gemeinschaft. Eine Kritik des sozialen Radikalismus, 1924 • G. Rümelin: Über den Begriff der Gesellschaft und einer Gesellschaftslehre, in: ders.: Reden und Aufsätze, 1889, 248–277 • J. C. Adelung: Grammatisch-kritisches Wörterbuch, ²1796.

CLEMENS ALBRECHT

II. Philosophisch

In Bezug auf die G.s-Reflexion ist das Verhältnis von Philosophie und Soziologie von einer charakteristischen Ungleichzeitigkeit geprägt. Wissenschaftspragmatisch ist die Forschungsdisziplin der Soziologie in der letzten Jahrhundertwende fest verankert. Hier haben v. a. die in der zweiten Hälfte des 19. Jh. einsetzenden Beschleunigungsprozesse der ökonomisch-sozialen Ausdifferenzierung zu einer analytisch eigenständigen Bearbeitung des G.s-Themas geführt. Dagegen setzte die philosophische Reflexion auf die G. erheblich früher ein; bereits Thomas Hobbes hatte im 17. Jh. die Künstlichkeit gesellschaftlicher Zusammenschlüsse betont. Aus der ↑Natur führte kein direkter Weg mehr in die soziale Wirklichkeit – vielmehr musste sie eigens konstruiert werden. Diese unterschiedlichen Reflexionshorizonte gilt es im Blick zu behalten, wenn man von einer Soziologie bzw. einer Philosophie der G. spricht: Während die soziologische Betrachtungsweise dem generischen Kontext von ↑Gemeinschaft und G. weitgehend verpflichtet bleibt, nähert sich die Philosophie dem G.s-Komplex – idealtypisch gesprochen – aus der Perspektive des begrifflichen Gegensatzes von Natur und ↑Freiheit an. Das wiederum besitzt unmittelbare Auswirkungen auf die Wissenschaftsmethodologie der beiden Disziplinen: Die Soziologie verhält sich zu ihrem G.s-Begriff wesentlich empirisch und anti-metaphysisch, die Philosophie indes normativ und generalisierend.

1. Zur Philosophie der Gesellschaft

Der G.s-Begriff geht etymologisch auf die Vorstellung eines gemeinsam geteilten ↑Raumes zurück: „G. bedeutet wörtlich den Inbegriff räumlich vereint lebender oder vorübergehend auf einen Raum vereinter Personen" (Geiger 1931: 202). Diese Raumvorstellung war bis zum Spätmittelalter vorherrschend – und sie identifizierte G. größenunabhängig mit der ↑Familie, dem ‚Haus', der ständischen Ordnung (↑Stand), später sogar wieder mit der ‚gesitteten Menschheit' (Anthony Shaftesbury, Adam Smith, Charles de Montesquieu, Antoine de Condorcet). Diese urspr.e Identität von Gemeinschaft und G. musste allerdings in dem Moment zerbrechen, wo sich die philosophische ↑Anthropologie wandelte und an die Stelle des politischen animal sociale (Aristoteles) den atomisierten homo faber (Max Frisch) setzte. Damit lag der menschliche Zusammenschluss nicht mehr in der metaphysischen Natur des Menschen beschlossen; vielmehr musste er organisiert werden. Mit der heuristischen Annahme der ↑Kontingenz alles Sozialen löste sich die Reflexion der G. also zunehmend aus ihrem Gemeinschaftskontext und avancierte zu einer eigenständigen Realität, die die politische Identitätsfrage nicht mehr als gemeinsame Anstrengung zur Verwirklichung des Guten (↑Gute, das) verstand, sondern zunächst als eine auf das Eigeninteresse abgestimmte vertragliche Zweckvereinbarung versprengter Individuen. An die Stelle der politischen Natur des Menschen trat so der Begriff der Freiheit, der bis heute die Sicht der Philosophie auf die G. prägt. Anders als die Soziologie, welche sich mit der G.s-Thematik aus genealogischer und funktionaler Perspektive beschäftigt, geht es in der Philosophie deshalb vorrangig um Fragen der normativen Rechtfertigung. Fällt, aus welchen Gründen auch immer, eine Metaphysik der Natur weg, müssen die Legitimitätsszenarien andere sein; und v.a. ergeht an die Philosophie dann die Aufgabe, jene Widersprüche und Paradoxien zu analysieren, die dort entstehen, wo sich G. in ihrem Freiheitsbegriff verfehlen.

2. Theorien der Gesellschaft

In den klassischen ↑Vertragstheorien des 17. und 18. Jh. nimmt die Reflexion auf die G. eine eigenständige Form an. Wenn Natur und Gott als Instanzen einer in der Metaphysik oder der ↑Religion verankerten und von der G. allg. anerkannten Teleologie des Sozialen und Guten in Frage gestellt werden oder sogar ausfallen, bleibt nur noch ein rechtsfreier Raum, ein sog.er status naturalis von Freien und Gleichen übrig, die sich untereinander in einem Zustand völliger Deregulierung, d. h. in einem Krieg aller gegen alle befinden. Räume werden nicht mehr miteinander geteilt, sondern nur noch besetzt und gegen andere mit allen Mitteln verteidigt. Um aber den tödlichen Überraschungsraum des Naturzustandes, in dem jeder jeden vernichten kann, verlassen zu können, konzipiert T. Hobbes eine (fiktive) Vertragssituation, in dem die Individuen wechselseitig

auf die Ausübung von ↑Gewalt verzichten und sich darauf einigen, dieses Recht auf eine dritte unbeteiligte Person, den zu autorisierenden Souverän, zu übertragen (Begünstigtenvertrag). Versteht man G. als ein über ↑Autorität und ↑Recht regulierter sozialer Zusammenschluss, dann liefert T. Hobbes ein frühes Argument dazu: G. entsteht dort, wo jeder im wechselseitigen Einverständnis auf sein Recht auf alles verzichtet und sich an die von ihm gewählte Autorität vertraglich bindet. Die uneingeschränkte Machtfülle des Souveräns garantiert dabei im Gegenzug Schutz für ↑Leben und ↑Eigentum. Doch der eigentümlichen Legierung aus Autorisierungs- und Unterwerfungskonstrukt überdauert der G.s-Zusammenschluss den Vertragsschluss nicht: Durch die Einsetzung einer höchsten Gewalt mit den konstituierenden Mitteln der Rechtsübertragung ist nämlich bei T. Hobbes „das Volk nicht" mehr „länger eine Person, sondern eine aufgelöste Menge; denn nur vermöge der höchsten Gewalt war es eine Person, und diese Gewalt hat es dann von sich auf diesen einen Menschen übertragen" (Hobbes 1994: 154).

Aus diesem Befund zieht John Locke seine weitergehenden Schlüsse für die normativen Ordnungsvoraussetzungen einer bürgerlichen G.: Anders als T. Hobbes findet er diese bereits im Ur-Zustand, der dem Individuum bereits umfassende natürliche Rechte auf Freiheit, ↑Gleichheit und Eigentum zuspricht. Der Naturzustand ist bei J. Locke ein normativer Rechtszustand, der die Regeln menschlichen Zusammenlebens verbindlich festlegt. Politische Autorität kann daher nicht auf reine Unterwerfung setzen, sondern sie muss gegründet werden, um die natürliche Verfassungsordnung zu schützen. Die ↑Institutionen bilden nach, was von Natur aus gilt. Doch auch bei J. Locke ist der Kriegszustand im Naturzustand stets präsent. Die umfänglichen Rechte auf Leben, Freiheit und Besitz können im Naturzustand nicht garantiert werden, weil es hier grundsätzlich an effektiver Rechtssicherung mangelt. Der Übergang in die G. und in ein demokratisch-prozedurales System politischer ↑Herrschaft ist somit ein fundamentales Klugheitsgebot der strategisch vorgehenden Vernunft: „Politische Gewalt ist jene Gewalt, die jeder Mensch im Naturzustand hatte und die er in die Hände der Gesellschaft gegeben und innerhalb der Gesellschaft an die Regierenden, die die Gesellschaft über sich eingesetzt hat […]. Und diese Gewalt hat ihren Ursprung allein in Vertrag und Übereinkunft und in der gegenseitigen Zustimmung derjenigen, die die Gemeinschaft bilden." (Locke 1977: § 171).

Für das politisch-soziale G.s-Denken des 19. Jh. hingegen ist Georg Wilhelm Friedrich Hegels ↑Rechtsphilosophie bestimmend gewesen. Er entwickelte eine Theorie der bürgerlichen G., die als Gestalt der Differenz im System der substanziellen Sittlichkeit zwischen den Ebenen der Familie und den staatlichen Institutionen angesiedelt ist. In dieser Perspektive des objektiven Geistes verkörpert die bürgerliche G. den apolitischen

„Kampfplatz des individuellen Privatinteresses Aller gegen Alle" (Hegel 1986: § 289). Der Naturzustand muss also – im Gegensatz zu den vertragstheoretischen Annahmen – nicht eigens überwunden werden, sondern die bürgerliche G. stellt vielmehr dessen Konkretisierung dar: „Die bürgerliche G. ist der zuvor nur gedachte Naturzustand" (Hegel 1986: § 289). Deshalb kann sie in den Augen G. W. F. Hegels auch nicht verlassen, sondern nur durch die sittliche Idee des Staates „aufgehoben" werden, der das Recht auf Besonderheit und individueller Bedürfnisbefriedigung mit der Metaphysik des Vernunftganzen vermittelt. Der seit Aristoteles vorfindliche Widerspruch zwischen den unterschiedlichen Anforderungen von Familie und Bürgersinn löst G. W. F. Hegel somit dialektisch auf, indem er auf der Ebene der bürgerlichen G. die Privatinteressen des „Bourgeois" verortet, während er als Staatsbürger, als „Citoyen", das allg. e Vernunftwohl in seinen Handlungen zum Ausdruck bringt. Der ↑Vertrag als rechtfertigungstheoretisches Einigungsinstrument hat bei G. W. F. Hegel dagegen endgültig ausgespielt; für ihn muss die privatwirtschaftliche Eigentumsnatur des Vertrages vom vernünftigen Allgemeinen abgegrenzt werden.

In den ökonomischen Theorien der G., vorzugsweise dem ↑Marxismus, wurden wiederum die Widersprüche in den materiellen Lebensverhältnissen der bürgerlichen G. zum Gegenstand der Kritik. G. W. F. Hegels Bewusstseinsgestalten des objektiven Geistes kehrten in den Analysen von Karl Marx und Friedrich Engels als ökonomisch entfremdete Überbauphänomene wieder. Mit dieser Ökonomisierung der ↑Sozialphilosophie G. W. F. Hegels bleibt der bürgerlichen G. die sittliche Aufhebung in den ↑Staat verwehrt; vielmehr wird sie selbst zu einem Ort der Entfremdung, in dem die kapitalistische Organisation der Produktionsverhältnisse die materielle Ausbeutung des Proletariats bedingt: „Die Geschichte aller bisherigen Gesellschaft ist die Geschichte von Klassenkämpfen." (MEW 4: 462) Die Widersprüche eines auf Tausch und privatwirtschaftlichen Warenverkehrs ausgerichteten Produktionsparadigmas lassen sich nach K. Marx und F. Engels somit nur durch die proletarische Revolutionierung (↑Revolution) bourgoiser Eigentumsverhältnisse beseitigen. An die Stelle der bürgerlichen G. tritt so die Vorstellung einer nichtbürgerlichen, klassenlosen G.

Im 20. Jh. konzipierte Karl Raimund Popper ein in der Tradition des politischen ↑Liberalismus stehendes „offenes" G.s-Modell. Im Gegensatz zu ideologisch geschlossenen G.s-Formationen (deren philosophische Ursprünge K. R. Popper in den totalitären Machtdoktrinen (↑Totalitarismus) von Platon, G. W. F. Hegel und K. Marx vermutet) zeichnet sich dieses durch die systemische Freisetzung „der kritischen Fähigkeit des Menschen in Freiheit" (Popper 1957: 1) aus. Die staatliche Gewalt wird hier begrenzt durch die politisch implementierten Systemmöglichkeiten des gewaltfreien Regierungswechsels.

Schließlich gibt es in den letzten Jahren auch ein religionsphilosophisch relevantes G.s-Konzept, das von René Noël Théophile Girard entwickelt worden ist und auf wesentliche Einsichten der von ihm entwickelten mimetischen Konfliktanthropologie zurückgreift. Für ihn gilt, dass der urspr.e G.s-Zusammenschluss mit einem Akt der Gewalt, dem sog.en Gründungsmord, originär verknüpft ist. Dieser wird durch einen Sündenbockmechanismus reguliert, der den naturzuständlichen Krieg eines jeden gegen jeden in einen Kampf aller gegen einen verwandelt. Ausgrenzung wird somit zu einem bestimmenden Motor im Hervorbringen der gesellschaftlichen Ordnung. Die durch mimetische Rivalitätskonflikte erzeugten Spannungen werden abgebaut, indem ein Opfer gefunden wird, das für Anarchie, Chaos und Zerstörung verantwortlich gemacht werden kann. G., Gewalt und Exklusion hängen demnach für R. Girard unweigerlich zusammen.

3. Zur Kritik der Gesellschaft

Die normative Frage nach Rechtfertigung und Legitimität von G. überhaupt setzte den Sozialgedanken bereits frühzeitig der philosophischen Kritik aus. V. a. die Ungleichheit der modernen Zivilisation und die seriell produzierten Entfremdungseffekte der Massenindustrie weckten Zweifel an dem vertragstheoretischen Sozialisierungsnarrativ. Es war v. a. Jean-Jacques Rousseau, der diese Art des Bedenkens als eine der Ersten philosophisch systematisierte, indem er den urspr.en Sinn des kontraktualistischen Befriedungsargumentes radikal umwertete: Nicht mehr der G.s-Verlust der Natur, sondern der Naturverlust der G. stand ihm dabei kritisch vor Augen: „Man bewundere die menschliche Gesellschaft, soviel man will, es wird deshalb nicht weniger wahr sein, dass sie die Menschen notwendigerweise dazu bringt, sich in dem Maße zu hassen, in dem ihre Interessen sich kreuzen, außerdem sich wechselseitig scheinbare Dienste zu erweisen und in Wirklichkeit sich alle vorstellbaren Übel zuzufügen." (Rousseau 1998: 115 f.). Der Mensch war also von Natur aus gut und der Vergesellschaftungsprozess führte dazu, dass er sich von sich selbst entfremdete; insofern stellt erst die G. aufgrund der ungleichen Verteilung ihrer Eigentumsverhältnisse für J.-J. Rousseau die eigentliche Quelle sozialer Deprivation dar. Und der „Contract Social" (1762) kann nur die Aufgabe besitzen, den kriegerischen Zustand der G. zu beenden. Diese Thesen J.-J. Rousseaus haben die ↑politische Philosophie der letzten zwei Jh. stark beeinflusst; über G. W. F. Hegel und K. Marx vermittelt prägen sie bis heute noch z. B. die einflussreiche Rhetorik des Kommunitarismus: So lehnt etwa Alasdair MacIntyre die Idee der G. weiter strikt ab. Für ihn steht fest, dass sich ↑Gerechtigkeit nicht in liberal-individualistischen Zweckverbünden, sondern nur in traditions- und wertebewussten Gemeinschaften auf substanzielle Weise verwirklichen lässt.

Eine gegenwärtig einflussreiche Form der G.s-Kritik

geht auf Jürgen Habermas zurück. Er befürchtet, dass die desintegrativen Folgelasten der gesellschaftlichen Ausdifferenzierung normativ nicht abgefangen werden können und die zweckrational organisierten System-imperative daher dauerhaft in der Lage sein werden, den Lebenswelten des Alltags ihre Verdinglichungs-macht (↑Verdinglichung) aufzuzwingen: „Die Sprache des Marktes dringt heute in alle Poren ein und preßt alle zwischenmenschlichen Beziehungen in das Schema der selbstbezogenen Orientierung an je eigenen Präferen-zen. Das soziale Band, das aus gegenseitiger Anerken-nung geknüpft wird, geht aber in den Begriffen des Vertrages, der rationalen Wahl und der Nutzen-maximierung nicht auf." (Habermas 2001: 23).

Literatur

M. Kühnlein/M. Lutz-Bachmann (Hg.): Vermisste Tugend?. Zur Philosophie Alasdair MacIntyres, 2015 • M. Kühnlein (Hg.): Das Politische und das Vorpolitische. Über die Wert-grundlagen der Demokratie, 2014 • J.-J. Rousseau: Vom Ge-sellschaftsvertrag oder Grundsätze des Staatsrechts, 2010 • F. Tönnies: Gemeinschaft und Gesellschaft. Grundbegriffe der reinen Soziologie, 2005 • J. Habermas: Glauben und Wis-sen, 2001 • J.-J. Rousseau: Abhandlung über den Ursprung und die Grundlagen der Ungleichheit unter den Menschen, 1998, • R. Girard: Mimetische Theorie und Theologie, in: W. Palaver u.a. (Hg.): Vom Fluch und Segen der Sünden-böcke, 1995, 15–29 • A. MacIntyre: Der Verlust der Tugend. Zur moralischen Krise der Gegenwart, 1995 • T. Hobbes: Vom Bürger, in: Elemente der Philosophie II/III, 1994 • G. Hegel: Grundlinien der Philosophie des Rechts oder Naturrecht und Staatswissenschaft im Grundriss, in: Werke Bd. 7, 1986 • T. Hobbes: Leviathan oder Stoff, Form und Gewalt eines kirchlichen und bürgerlichen Staates, 1984 • J. Locke: Zwei Abhandlungen über die Regierung, 1977 • K. Popper: Die of-fene Gesellschaft und ihre Feinde, Bd. 1, 1957 • T. Geiger: Gesellschaft, in: A. Vierkandt (Hg.): Handwörterbuch der Soziologie, 1931.   MICHAEL KÜHNLEIN

Gesellschaft bürgerlichen Rechts (GbR)
↑Gesellschaftsrecht

Gesellschaft mit beschränkter Haftung (GmbH)
↑Gesellschaftsrecht

Gesellschaftspolitik

Mit dem Begriff G. werden politische Konzepte, Dis-kurse und Maßnahmen zusammengefasst, die darauf abzielen, gesellschaftliche Strukturen und Prozesse in Orientierung an Werten wie ↑Gerechtigkeit und Chan-cengleichheit (↑Chancengerechtigkeit, Chancengleich-heit) zu gestalten. Um dies zu konkretisieren, sind zum einen die Inhalte der G. und zum andern die in dieser Weise handelnden Akteure näher zu beschreiben.

Der Begriff „↑Gesellschaft" bezeichnet die Gesamt-heit der Kommunikation und Interaktion zwischen Menschen. „Die Operation, durch die soziale Systeme

und mithin Gesellschaft sich konstituieren, ist Kom-munikation. Wenn immer Kommunikation zustande kommt, bildet sich Gesellschaft" (Luhmann 2000: 16). Unter „↑Politik" können Prozesse der Diskussion und des Aushandelns von Handlungskonzepten sowie deren Umsetzung mittels u. a. eines administrativen Apparates bzw. einer Verwaltungsorganisation verstanden werden. Somit könnte der Gegenstand der G. so gefasst werden, dass in ihr Handlungskonzepte für die Gesellschaft im Ganzen entworfen und umgesetzt werden. Der in dieser Weise handelnde Akteur, das Subjekt der G., wäre eben-falls die Gesellschaft, d. h. die Gesellschaft entwirft und realisiert in Form der G. Handlungskonzepte für sich selbst.

Mit dieser abstrakten Beschreibung lassen sich aller-dings konkrete Formen der G. nicht in Verbindung bringen. Zum einen ist „die Gesellschaft insgesamt" als Objekt der G. zu umfassend, um sinnvolle Handlungs-konzepte entwerfen zu können, da sie sich in eine Viel-zahl von Teilbereichen aufgliedert und nicht immer alle Ziele gleichzeitig verfolgt werden können. Zum andern ist die Gesellschaft zu vielgestaltig, um als Subjekt bzw. handelnder Akteur einer derart umfassenden G. in Be-tracht zu kommen, denn sie umfasst eine Vielfalt unter-schiedlicher Akteure und Personengruppen, die ihre he-terogenen ↑Interessen und Handlungskonzepte in Form des politischen Diskurses verhandeln. Eine be-griffliche Bestimmung der G. muss die Komplexität ge-sellschaftlicher Teilbereiche und entspr.er Themen so-wie die Unterschiedlichkeit gesellschaftlicher Akteure berücksichtigen, um gehaltvoll verwendet werden zu können.

1. Entwicklung von der Sozialpolitik zur Gesellschaftspolitik

Historisch wird die G. in der Tradition der ↑Sozialpoli-tik gesehen, die einen Ausgleich bzw. Verbesserungen der Lage bes. belasteter bzw. benachteiligter Bevölke-rungsgruppen anstrebte. Gegenüber einer gewinnorien-tierten ↑Wirtschaft sah die Sozialpolitik ihre Aufgabe in der Vertretung der Arbeitnehmerinteressen, die den Schutz vor Risiken und eine ausgleichende Verteilung des erwirtschafteten ↑Wohlstands anstrebte. Im Zuge einer Erweiterung ihres Gegenstandsbereichs über Fra-gen des Sozialversicherungsschutzes bzw. der Einkom-mens- und Wohlstandsverteilung hinaus entwickelte sich eine umfassendere G., deren thematisches Spek-trum sich auch auf Prävention und zielgruppenspezi-fische Dienstleistungen erstreckte. Diese Entwicklung betraf sowohl das Spannungsverhältnis von Wirtschaft und sozialem Ausgleich als auch wirtschaftliche Auswir-kungen auf andere Lebensbereiche: Im wirtschaftlichen Kontext kamen in den 1960er Jahren Fragen der ↑De-mokratisierung des Arbeitslebens durch ↑Mitbestim-mung der Arbeitnehmer oder später des gesellschaft-lichen Umgangs mit zunehmender ↑Arbeitslosigkeit ins Blickfeld. Über den Wirtschaftsbereich hinaus wur-

den in den 1970er Jahren gleichberechtigte Bildungschancen, gleiche Entfaltungschancen für Frauen und
Männer einschließlich der Vereinbarkeit von Familie
und Beruf sowie die Gesellschaft als ganze betreffende
Fragen des Umgangs mit begrenzten ökologischen Ressourcen und der Friedenspolitik diskutiert. Gemeinsam
ist diesen Themen, dass sie nicht auf einen gesellschaftlichen Bereich (der Bildungspolitik, der Energiepolitik
etc.) beschränkt bleiben, sondern die jeweils bereichsspezifische Perspektive um übergreifende Fragestellungen erweitern.

2. Gegenstand und Form der Gesellschaftspolitik

Damit gelangt man zu einem anderen Verständnis von
G. als mit dem eingangs skizzierten holistischen Ansatz.
In der Pluralität der gesellschaftlich ausdifferenzierten
Teilsysteme werden Funktionen bearbeitet, die menschliche Grundanliegen zur Verwirklichung bringen. Im jeweiligen Bereich diese Grundanliegen zu thematisieren
und die Gesellschaft so zu gestalten, dass diese zunehmend besser und zunehmend gleichverteilt realisiert
werden, ist das Bestreben der G. Darin kommt ihr „normativer" Charakter i. S. d. Zielrichtung auf eine „gute"
Gesellschaft zum Ausdruck, die „durch die Akzentuierung des Wertes der ↑Gleichheit als Chancengleichheit
oder Ausgleich von Benachteiligungen" charakterisiert
ist (Ferber 2012: 161). Diese Akzentuierung kann nicht
abstrakt die Gesellschaft insgesamt anvisieren, sondern
konkretisiert sich in der Optimierung der Lebensbedingungen im jeweiligen gesellschaftlichen Teilbereich. Die
G. wirkt somit als bereichsspezifisches Korrektiv in
Richtung auf Chancengleichheit und Benachteiligungs-
ausgleich, indem sie die jeweiligen Zielsetzungen und
Perspektiven im Lichte komplementärer oder übergreifender Interessen in Frage stellt. „In diesem Sinne dient
Gesellschaftspolitik als ein Leitbegriff, der bewusst und
gezielt bestehende Grenzen politischen Handelns überschreitet" (Ferber 2012: 158).

Strukturell ist der normative Aspekt einer „guten"
Gesellschaft eng mit demokratischen Politikformen verbunden, die eine weitgehende ↑Partizipation der Bürgerinnen und Bürger am gesellschaftspolitischen Diskurs und an politischen Entscheidungen ermöglichen.
Zum Gegenstand der G. gehört somit auch, sich ver-
selbstständigende wirtschaftliche Entwicklungen, die
sich mit dem Verweis auf Marktmechanismen als „alter-
nativlos" darstellen, an demokratische Kontrolle (↑poli-
tische Kontrolle) rückzubinden.

3. Akteure der Gesellschaftspolitik

Neben dieser Annäherung an das, was G. beinhaltet, ist
eine weitere Frage, welche Akteure die G. gestalten. Ein
engeres Verständnis der G. geht davon aus, dass der
↑Staat als Akteur die G. umsetzt: „Gesellschaftspolitik
ist demnach zielrationales staatliches Handeln zum
Zwecke der bewussten und planmäßigen Gestaltung
der Gesamtheit der sozialen Verhältnisse, d. h. der Be-

dingungen menschlichen Zusammenlebens im modernen Staat" (Ortlieb/Lösch 1986: 978). Zwar sei es im
demokratischen Staat „einzelnen, Gruppen, Bürgerinitiativen, Verbänden, politischen Parteien, Kirchen
usw. unbenommen, mehr oder weniger konkrete gesellschaftspolitische Zielvorstellungen zu entwickeln und
zu verfolgen, also zu versuchen, die Normen und Institutionen der Gesellschaft nach ihren Vorstellungen und
in ihrem Interesse zu beeinflussen. [...] Doch Gesellschaftspolitik als planmäßige zielrationale Gestaltung
des Gesellschaftsganzen setzt eine dazu legitimierte,
zentrale Trägerinstitution gesellschaftspolitischen Handelns voraus, und das kann im modernen Staat nur die
exekutive und legislative Staatsgewalt sein [...]" (Ort-
lieb/Lösch 1986: 982). Die Fortführung dieser Argumentation zeigt jedoch ein Dilemma auf. Wenn nämlich
in dieser Weise gesellschaftspolitisches Gestalten an den
Staat als einzig legitimen Akteur gebunden wird, bedeutet eine Fortentwicklung der G. zugl. eine Ausweitung
staatlichen Handelns. Umgekehrt hätte dann ein liberales Staatskonzept, das den Spielraum staatlichen Handelns zu begrenzen trachtet, zwangsläufig eine entspr.e
Reduktion der G. auf die Formulierung weniger zentraler Rahmenbedingungen zur Folge.

Alternativ eröffnet eine konzeptionelle Lockerung
des Verhältnisses zwischen Staat und G. größere Spielräume für deren Umsetzung: Die Gesellschaft bzw.
deren Teilgruppen definieren in unterschiedlichen Interaktionen mit staatlichen Institutionen die Zielsetzungen und Umsetzungsformen der G. in verschiedenen
Lebenslagekonstellationen laufend neu. Wenn innerhalb des gesellschaftspolitischen Diskurses unterschieden wird, welche Themen und Interessen in der ↑Zivil-
gesellschaft diskutiert werden und welche davon in
staatliches Handeln überführt werden, wirft dies aber
die weitergehende Frage auf, mit welchen Prozessen
der Selektion, Ergänzung und Uminterpretation dies
verbunden ist und mit welchen (zustimmenden oder
kritischen) Antworten die Zivilgesellschaft darauf reagiert. In diesem weiter gefassten Verständnis lässt sich
formulieren, „dass es bei gesellschaftspolitischen Fragen
nicht allein oder auch nur in erster Linie um staatliche
Politik geht. Es geht um eine Balance zwischen staatlicher Politik, wirtschaftlichem Handeln und gesellschaftlicher Selbstorganisation, wobei alle Akteure in
einen gesellschaftlichen Verantwortungsrahmen eingebunden sind" (Rehfeld 2015: 548). Interessant ist dann
zu verfolgen, welche gesellschaftspolitischen Themen,
die in der Zivilgesellschaft diskutiert werden, von den
politischen Parteien aufgegriffen und in welcher Form
sie als staatliche Politik umgesetzt werden.

Wenn aber nicht nur der Staat, sondern in einem weiteren Verständnis die unterschiedlichen Akteure der Zivilgesellschaft die G. mitgestalten, stellt sich die Frage,
wie die Vielzahl gesellschaftspolitischer Interessen und
Zielvorstellungen zu konkreten politischen Strukturen
gebündelt und realisiert werden kann. In diesem Zu-

sammenhang unterscheidet Jürgen Habermas „drei normative Modelle der Demokratie" (Habermas 1997: 277). Nach dem liberalen Modell „hat die Politik (im Sinne der politischen Willensbildung der Bürger) die Funktion der Bündelung und Durchsetzung gesellschaftlicher Privatinteressen gegenüber einem Staatsapparat, der auf die administrative Verwendung politischer Macht für kollektive Ziele spezialisiert ist" (Habermas 1997: 277). Das alternative, als „republikanisch" bezeichnete Modell sieht dagegen die G. nicht nur als Bündelung wirtschaftlicher Einzelinteressen, sondern darüber hinaus als ein gesellschaftliches Forum, in dem aus dem Diskurs der Bürger heraus gemeinschaftliche Interessen entwickelt werden, die durch die staatliche Administration umgesetzt werden: „In der republikanischen Konzeption gewinnen die politische Öffentlichkeit und, als deren Unterbau, die Zivilgesellschaft eine strategische Bedeutung. Beide sollen der Verständigungspraxis der Staatsbürger ihre Integrationskraft und Autonomie sichern. Der Entkoppelung der politischen Kommunikation von der Wirtschaftsgesellschaft entspricht eine Rückkoppelung der administrativen Macht mit der aus der politischen Meinungs- und Willensbildung hervorgehenden kommunikativen Macht" (Habermas 1997: 278). Diese „Rückkoppelung" staatlichen Handelns an den Diskurs der Zivilgesellschaft werde aber in dieser Konzeption – so J. Habermas – zu vereinfacht gesehen, nämlich als unmittelbare Einflussnahme gesellschaftlicher Kräfte auf einen nur noch ausführenden Staatsapparat. Demgegenüber vertritt er das dritte Modell zweier getrennter Ebenen, die sich auf indirekte Weise wechselseitig beeinflussen: Was auf der Ebene der Zivilgesellschaft in offenen, kreativen und informellen Prozessen der Meinungsbildung erörtert wird, nehmen politische ↑Parteien selektiv auf und setzen Teile davon auf der Ebene der formellen, staatlich verfassten Politik um. Der gesellschaftliche Diskurs vollzieht sich somit in „Arenen, in denen eine mehr oder weniger rationale Meinungs- und Willensbildung über gesamtgesellschaftlich relevante Themen und regelungsbedürftige Materien stattfinden kann. Die informelle Meinungsbildung mündet in institutionalisierte Wahlentscheidungen und legislative Beschlüsse, durch die die kommunikativ erzeugte Macht in administrativ verwendbare Macht transformiert wird" (Habermas 1997: 288). Damit wird zwischen der „Arena" der gesellschaftspolitischen Diskurse und der institutionalisierten Form ihrer Umsetzung unterschieden. Im Zusammenwirken beider Ebenen werden einerseits Offenheit und Kreativität und andererseits institutionelle Verbindlichkeit der G. miteinander verknüpft. Das politische System „ist ein auf kollektiv bindende Entscheidungen spezialisiertes Teilsystem, während die Kommunikationsstrukturen der Öffentlichkeit ein weitgespanntes Netz von Sensoren bilden, die auf den Druck gesamtgesellschaftlicher Problemlagen reagieren und einflussreiche Meinungen stimulieren. Die nach demokratischen Verfahren zu kommunikativer Macht verarbeitete öffentliche Meinung kann nicht selber ‚herrschen', sondern nur den Gebrauch der administrativen Macht in bestimmte Kanäle lenken" (Habermas 1997: 290).

Diese Unterscheidung und indirekte Koppelung von gesellschaftspolitischem Diskurs der Zivilgesellschaft und den institutionellen Strukturen des politischen Teilsystems kommt dem Verständnis Niklas Luhmanns von relativ unabhängig voneinander agierenden Teilsystemen der Gesellschaft recht nahe. Allerdings zeigt sich N. Luhmann skeptisch gegenüber den positiven Konnotationen, die J. Habermas mit dem zivilgesellschaftlichen Diskurs verbindet. In einer gegen J. Habermas gerichteten Polemik schreibt er dem Begriff der Zivilgesellschaft „so deutlich schwärmerische Züge" zu, „dass man, wenn man fragt, was dadurch ausgeschlossen wird, die Antwort erhalten wird: die Wirklichkeit. Zivilgesellschaft – das ist jetzt die alte Zwänge abwerfende, sich nur durch freien Austausch von Argumenten bestimmende Vereinigung aller Menschen [...]" (Luhmann 2000: 12). Demgegenüber betont er die in sich geschlossene Wirkungsweise des staatlichen Systems als einer Organisation, die gekennzeichnet sei „durch die harte Differenz von Mitgliedern und Nichtmitgliedern, durch hierarchisch geordnete Abhängigkeiten, durch verteilte, nur im Rahmen von Zuständigkeiten abstimmungsbedürftige Entscheidungsbefugnisse, deren Produkte von anderen hinzunehmen sind" (Luhmann 2000: 13). Das politische System, das J. Habermas zwar nicht unmittelbar, aber doch durch eine von der gesellschaftspolitischen Diskussion ausgehende „Stimulation" beeinflusst sieht, grenzt N. Luhmann als eigenständige, gegenüber solchen Diskussionen relativ immune Organisation ab. Für das Konzept einer G., die „nicht konkrete gesellschaftliche Ziele vorgibt, sondern nach selbstbestimmten, politisch, sozial und wirtschaftlich handelnden Menschen fragt, die ihre Gesellschaft gestalten" (Rehfeld 2015: 549), bietet N. Luhmanns Verständnis des politischen Systems offensichtlich keinen Raum.

4. Aktuelle Formen und Aufgaben der Gesellschaftspolitik

Anknüpfend an das von J. Habermas skizzierte Verständnis wird G. im Diskurs einer Zivilgesellschaft entwickelt, die einer Pluralität unterschiedlichen Meinungen und Interessen Raum gibt. Dieser Diskurs fließt im Rahmen einer repräsentativen ↑Demokratie nicht unmittelbar in politische Entscheidungen ein, sondern wird als Anregung in das politische System eingespeist und dort zu politischen Konzepten geformt. Dabei ist mit N. Luhmann kritisch zu bewerten, dass die im historischen Kontext der 1970er und 1980er Jahre entstandene positive Konnotation der Zivilgesellschaft als Arena für demokratische Strömungen und Bürgerinteressen mit fortschrittsorientiertem bzw. emanzipatorischem Gesamtduktus, der als kritisches Element das zur Verharrung tendierende Politik- und Verwaltungssystem in

Bewegung bringt, nicht immer gegeben sein muss. Zum einen können sich in der „Zivilgesellschaft" auch rückwärtsgewandte, zukunftsskeptische Strömungen (unter der klischeehaften Selbstetikettierung als „das Volk" bzw. „die authentische Volksmeinung") Ausdruck verschaffen. Zum anderen darf die Einflussnahme wirtschaftlicher Interessen und gesellschaftlicher ↑Eliten auf die Politik in Form des Lobbyismus (↑Lobby), der zur Durchsetzung von Partikularinteressen dient, nicht übersehen werden. Im Rahmen des zivilgesellschaftlichen Diskurses nimmt neben der Öffentlichkeit der mündigen Bürger auch die Halböffentlichkeit der Lobbyisten Einfluss auf staatliches Handeln, dgl. seitens der Wirtschaft finanzierte ↑Stiftungen, Think Tanks und Kampagnenagenturen.

N. Luhmanns Skepsis gegenüber der Konzeption einer gesamtgesellschaftlichen (positiv-emanzipatorischen) Entwicklung kann berücksichtigt werden, indem G. auf einzelne gesellschaftliche Teilsysteme bezogen wird, in denen für jeweils konkrete Bereiche politische Konzepte ausgehandelt und umgesetzt werden können. Unter der Voraussetzung einer Pluralität bereichsspezifischer Politiken wie Bildungspolitik, Wirtschaftspolitik, Arbeitsmarktpolitik, Gesundheitspolitik, Sozialpolitik etc. mit den Akteuren des jeweiligen politischen Systems kann dann die Chance der G. darin liegen, das unmittelbar systemangehörige Denken zu hinterfragen, indem Fragen aus anderen Bereichen bzw. in übergeordnetem Interesse bestehende Perspektiven vertreten und kritisch zu systemimmanenter Politik in Stellung gebracht werden.

Die aktuelle Relevanz eines in diesem Sinne kritischen und auf eine „gute" Gesellschaft ausgerichteten gesellschaftspolitischen Diskurses kann exemplarisch an folgenden Themen verdeutlicht werden:

a) Im Spannungsfeld von Wirtschafts- und Arbeitsmarktpolitik bringt die G. Aspekte der guten Arbeit und der gerechten Wohlstandsverteilung zur Sprache. Dies geschieht u. a. in der Diskussion um prekäre Beschäftigungsverhältnisse und Mindestlohn zur Vermeidung von Erwerbstätigkeit im Niedriglohnbereich („Working Poor") und in der Diskussion darüber, welcher Grad an Armutsrisiken toleriert werden soll. An diesem Diskurs sind v. a. Akteure aus Politik, Wirtschaft und ↑Gewerkschaften sowie ↑Verbänden beteiligt.

b) Im Bereich der ↑Umweltpolitik ist es ein gesellschaftspolitisches Anliegen, die nachhaltige Sicherung ökologischer Ressourcen gegen kurzfristige ökonomische Interessen durchzusetzen. An diesem Diskurs sind Akteure aus Wirtschaft, ↑Wissenschaft, Politik und Bürgerinitiativen beteiligt. In diesem Zusammenhang steht auch die Gestaltung einer ↑Energiepolitik, die den Umgang mit den weltweit verfügbaren Rohstoffressourcen nicht allein unter wirtschaftlichen Gesichtspunkten bewertet und die (am Beispiel der Nutzung von Atomenergie) das technisch Machbare sorgfältig gegenüber den damit verbundenen Sicherheitsrisiken abwägt.

c) In der Medizinethik werden die Umsetzung (und Vermarktung) des biotechnisch Machbaren oder die Rückbindung bspw. der Reproduktion menschlichen Lebens an ethische Normen diskutiert. An diesem Diskurs sind v. a. Akteure aus Wissenschaft, Politik, ethischen Organisationen und ↑Religionsgemeinschaften beteiligt.

d) Gleichstellungspolitisch ist zu fragen, wie die Sicherung der Karrierechancen von Frauen (auch in Führungspositionen) und der Vereinbarkeit von Familie und Beruf für Männer und Frauen auch dann gelingt, wenn dies unmittelbar wirtschaftlichen Interessen entgegensteht. An diesem Diskurs, der u. a. auch die Quotierung von Führungspositionen vorsieht, beteiligen sich insb. Vertreterinnen und Vertreter von Politik, Sozialpartnern und Gleichstellungsinitiativen.

e) Zu den gesellschaftspolitischen Aspekten der ↑Bildungspolitik gehört die Frage, inwieweit neben dem systemeigenen Fokus des Bildungssystems auf die Vermittlung von Qualifikationen und die Gestaltung der Curricula auch die ↑Inklusion von Menschen mit Lernschwierigkeiten (aufgrund von kognitiven Beeinträchtigungen oder migrationsbedingten Sprachdefiziten) garantiert werden kann. An diesem Diskurs sind Akteure aus Bildungspolitik, Wissenschaft und Verbänden beteiligt.

f) Auch die Umsetzung universeller ↑Menschenrechte für alle benachteiligten Personengruppen wie Menschen mit Behinderungen, Menschen mit Migrationshintergrund oder ethnische Gruppen ist ein Thema einer G., die sich an den Normen einer guten Gesellschaft orientiert.

g) Gesellschaftspolitische Fragen in der Außen- und Migrationspolitik beziehen sich auf die Gestaltung des globalisierten Austauschs. In diesem Zusammenhang gehören die Regelung von Immigration nach humanitären (Primat der Versorgung von Flüchtlingen) oder wirtschaftlichen (Primat des Fachkräftebedarfs) Kriterien ebenso wie die Integration nationaler Staaten in ↑internationale Organisationen wie die EU oder, umgekehrt, nationalstaatlich orientierte Desintegration (mitsamt ihren wirtschaftlichen und sozialen Folgen).

h) Im Bereich der internationalen ↑Finanzpolitik stellt sich aus gesellschaftspolitischer Perspektive die Frage, ob internationale Finanzkrisen nur im Einklang mit den Mechanismen und Interessen der „↑Finanzmärkte" gelöst werden können, oder ob dazu politische Alternativen denkbar sind.

Die G. ist normativ auf ein gutes Leben und gleichberechtigte Lebenschancen für alle Mitglieder der Gesellschaft ausgerichtet. Ihre Akteure sind die in demokratischen Strukturen partizipierenden Personen und Gruppierungen der Zivilgesellschaft, die behauptete Sachzwänge in übergreifendem Interesse hinterfragen. Über das Spannungsfeld von Wirtschaft und jenem sozialpolitischen Ausgleich hinaus, aus dem sich die G. entwickelt hat, erweitert diese ihren Gegenstandsbereich auf die demokratisch-politische Gestaltung von

Lebensbereichen, die der Eigenlogik gesellschaftlicher Teilsysteme und den davon ausgehenden Sachzwängen unterworfen sind. In einer globalisierten Welt unter dem Einfluss international agierender Organisationen stoßen die Möglichkeiten einer solchen Gestaltung an ihre Grenzen. Dennoch fordert Wolfgang Streeck: „Demokratisierung heute müsste heißen, Institutionen aufzubauen, mit denen Märkte wieder unter soziale Kontrolle gebracht werden können: Märkte für Arbeit, die Platz lassen für soziales Leben, Märkte für Güter, die die Natur nicht zerstören, Märkte für Kredit, die nicht zur massenhaften Produktion uneinlösbarer Versprechen verführen" (Streeck 2013: 237). Die Herausforderung der G. besteht darin, die beispielhaft skizzierten Entwicklungen in unterschiedlichen gesellschaftlichen Teilbereichen zu beobachten, kritisch zu analysieren und den Diskurs über mögliche Optimierungen konkreter Lebensbedingungen aktiv mitzugestalten.

Literatur

B. Wendt u. a. (Hg.): Wie Eliten Macht organisieren, 2016 • H. Romahn/D. Rehfeld (Hg.): Lebenslagen. Beiträge zur Gesellschaftspolitik, 2015 • D. Engels: Lebenslage und gesellschaftliche Inklusion. Theoretischer Ansatz und empirische Umsetzung am Beispiel von Personen mit Migrationshintergrund, in: ebd., 153–174 • D. Rehfeld: Die Rolle angewandter Wirtschafts- und Sozialforschung auf dem Weg zu einer neuen Gesellschaftspolitik, in: ebd., 541–552 • W. Streeck: Die gekaufte Zeit. Die vertagte Krise des demokratischen Kapitalismus, 2013 • C. von Ferber: Gesellschaftspolitik, in: I. Beck/ H. Greving (Hg.): Lebenslage und Lebensbewältigung, 2012, 158–169 • N. Luhmann: Die Politik der Gesellschaft, 2000 • J. Habermas: Drei normative Modelle der Demokratie, in: ders.: Die Einbeziehung des Anderen. Studien zur politischen Theorie, 1997, 277–292 • H.-D. Ortlieb/D. Lösch: Gesellschaftspolitik, in: StL, Bd. 2, ⁷1995, 978–985 • G. Weisser: Gesellschaftspolitik. Der Beitrag der Wissenschaft zu gesellschaftspolitischen Konzeptionen, in: Der Ministerpräsident des Landes Nordrhein-Westfalen – Landesamt für Forschung (Hg.): Jahrbuch 1969, 1969, 747–777 • H. Achinger: Sozialpolitik als Gesellschaftspolitik, 1958. DIETRICH ENGELS

Gesellschaftsrecht

1. Begriff

G. regelt die Rechtsverhältnisse der privatrechtlichen Personenvereinigungen, die zur Erreichung eines bestimmten gemeinsamen Zwecks durch Rechtsgeschäft begründet werden. Anders gewendet ist es das Recht der privatrechtlichen Zweckverbände und der kooperativen Vertragsverhältnisse. Diese Definition umreißt mit Ausnahme der sog.en Einpersonengesellschaften einigermaßen flächendeckend den Bereich des G.s. Die Besonderheit des G.s gegenüber dem sonstigen Zivilrecht liegt dabei zunächst darin, dass es nicht in erster Linie dem Schutz und der Befriedigung der Interessen einzelner Individuen dient, sondern sich mit den Interessen befasst, die einem Zusammenschluss mehrerer Per-

sonen gemein sind. Gegenüber den so beschriebenen bloßen Gemeinschaften müssen Gesellschaften aber weitere Voraussetzungen erfüllen, damit sich für sie in den Grundzügen vergleichbare Regeln aufstellen lassen. Erst dies erlaubt ihre systematische Zusammenfassung in einem eigenen Rechtsgebiet. In diesem Sinne wesentlich sind

a) die Begründung durch einen privatrechtlichen ↑Vertrag (daher: *privatrechtliches Kooperationsrecht*)

b) die Freiwilligkeit des Zusammenschlusses sowie

c) die gemeinsame Zweckverfolgung (und zwar mehr als nur die einmalige Festlegung von Leistungspflichten).

Aufgabe des G.s ist es dabei, die so entstandene kollektive Betätigung (komplexerer Dimensionen) in geordnete juristische Bahnen zu lenken, wobei die Ordnungsaufgaben dieses Teilgebiets des Zivilrechts unterschiedlich verteilt sind. Typische Gegenstände der verschiedenen Regelungskomplexe sind

a) die Entstehung (und auch Beendigung) der zulässigen Organisationsformen und ihre Rechtsnatur

b) die ↑Haftung der Mitglieder und der Schutz der Gläubiger

c) die zulässige innere Struktur (Verfassung der Gesellschaft) sowie

d) die Mitgliedschaft in der Gesellschaft selbst (Rechte, Übertragung, Minderheitenschutz).

2. Gesellschaftsrechtliche Grundstrukturen

Wie sämtliche zivilrechtliche Materien ist auch das G. durch die ↑Privatautonomie geprägt, wobei im Einzelnen aufgrund spezifischer Schranken zu unterscheiden ist. So wird die *Gründungsfreiheit* zwar durch Art. 9 Abs. 1 GG gewährleistet. Aus Gründen des Verkehrs- und Gläubigerschutzes ist die Wahl anderer als der im Gesetz vorgesehenen Gesellschaftsformen rechtlich aber nicht zulässig *(numerus clausus)*. Die gesetzlich vorgesehenen Rechtsformen können aber auch zu Mischformen kombiniert werden (z. B. zur GmbH & Co. KG). Zwischen den verschiedenen verfügbaren Gesellschaftsformen können die Gründer einer Gesellschaft grundsätzlich frei wählen *(Freiheit der Rechtsformwahl)*. Für welche Rechtsform sie sich dabei entscheiden, hängt von ganz verschiedenen Faktoren ab. Bei einigen Rechtsformen zeigt die Wahlfreiheit aber Grenzen auf. Manche Gesellschaftsformen stellt das Gesetz nämlich nur für bestimmte Zwecke zur Verfügung. Einen solchen *Rechtsformzwang* gibt es nur im Personen-G., namentlich bei der GbR einerseits und der OHG, KG oder PartG andererseits. Wünschen die Gründer etwa eine GbR, betreiben aber ein Handelsgewerbe, so entsteht kraft Rechtsformzwangs stattdessen automatisch eine OHG. Eine Partnerschaftsgesellschaft ist zudem nur für Freiberufler (§ 1 PartGG; ↑Freie Berufe) offen; werden die Voraussetzungen nicht erfüllt, so entsteht stattdessen ebenso automatisch eine GbR.

Schließlich ist noch zu nennen, dass das Gesetz der Privatautonomie (als Inhaltsfreiheit) durchaus Grenzen setzt, die je nach Rechtsform ganz unterschiedlich eng gezogen sind. Während das Personengesellschafts- und GmbH-Recht noch eine große Gestaltungsfreiheit im Innenverhältnis genießt, wird das Aktienrecht zum Schutz der Anleger insofern durch den Grundsatz der *Satzungsstrenge* beherrscht (§ 23 Abs. 5 AktG).

3. Abgrenzung zu anderen Gemeinschaften

Verschiedene Zusammenschlüsse (Gemeinschaften) sind nicht als Gesellschaften im Sinne der obigen Definition zu qualifizieren und müssen hiervon abgegrenzt werden. Zu nennen sind insb.

a) Organisationen des öffentlichen Rechts (wie Gemeinden, Universitäten oder Berufskammern) unabhängig von ihrem Rechtscharakter im Übrigen

b) Familienrechtliche Gemeinschaften. Selbst wenn sie rechtsgeschäftlicher Art (wie die Ehe) sind, stellen sie keine Gesellschaften dar, da sie nicht der Verfolgung eines bestimmten, beschränkten Zwecks dienen, sondern eine umfassende Lebensgemeinschaft begründen (§§ 1353–1362 BGB). Freilich ist es den Ehegatten oder Eltern gemeinsam mit ihrem Kind unbenommen, neben der familienrechtlichen Gemeinschaft eine auf bestimmte Zwecke gerichtete Gesellschaft zu gründen,

c) Erbengemeinschaften. Diese sind nicht auf die Verfolgung eines gemeinsamen Zwecks gerichtet, sondern allein auf Auseinandersetzung (§§ 2042–2046 BGB); zudem entstehen sie kraft Gesetzes, also nicht durch Rechtsgeschäft

d) Privatrechtliche Stiftungen. Die in §§ 80–88 BGB geregelten privatrechtlichen Stiftungen haben keine Mitglieder und sind deshalb auch keine Personengemeinschaft, sowie

e) Gemeinschaften nach Bruchteilen (§§ 741–758 BGB). Anders als bei Gesellschaften wird bei solch schlichten Rechtsgemeinschaften kein über das Anschaffen, Halten, Verwalten oder Instandhalten einer Sache hinausgehender gemeinsamer Zweck verfolgt. So kann man die Bruchteilsgemeinschaft vielmehr als Zweckgemeinschaft bezeichnen, in der jedem Teilhaber an jedem einzelnen Gegenstand des Vermögens ein quotaler Anteil zusteht. Relevant wird die Unterscheidung v. a. bei der Frage der Veräußerbarkeit von Anteilen. Über seinen Anteil am einzelnen Gegenstand kann jeder Teilhaber einer Bruchteilsgemeinschaft nämlich frei verfügen (§ 747 S. 1 BGB). Demgegenüber ist das Vermögen von Personengesellschaften nach § 718 Abs. 1 BGB gemeinschaftliches Vermögen der Gesellschafter (Gesellschaftsvermögen); bei einem Zusammenschluss, der auf gemeinschaftliche Betätigung ausgerichtet ist, kommt es daher stärker auf die Individualität der Beteiligten an, so dass gemäß § 719 Abs. 1 BGB nicht über den eigenen Anteil am Gesellschaftsvermögen verfügt werden kann. Zulässig ist jedoch die Übertragung der *Mitgliedschaft* mit Zustimmung der Mitgesellschafter.

4. Stellung im Verhältnis zu anderen Rechtsgebieten

Das G. weist zahlreiche Querverbindungen zu anderen Rechtsgebieten auf. Dies betrifft zunächst das *Bürgerliche Recht* (z. B. gelten die Regeln zur Geschäftsfähigkeit und den Willenserklärungen auch im G.) und das ↑*Handelsrecht*, wie schon aus der Ansiedlung gesellschaftsrechtlicher Vorschriften im BGB und im HGB ersichtlich wird. Eine enge Verbindung besteht auch zum ↑*Arbeitsrecht*, insb. zum Recht der ↑*Mitbestimmung*. Zweiteres betrifft im Wesentlichen die innere Organisation von Gesellschaften.

Eine ganz wesentliche Bedeutung kommt dem ↑*Kapitalmarktrecht* zu, das dem Anlegerschutz und der Funktionsfähigkeit der Kapitalmärkte dient. Der enge Zusammenhang mit dem G. besteht dabei darin, dass ↑(Aktien-)Gesellschaften (aber etwa auch Kommanditgesellschaften) häufig den Kapitalmarkt nutzen, um Kapital für ihre unternehmerische Tätigkeit zu sammeln. Gesellschafts- und kapitalmarktrechtlichen Bedürfnissen dient zudem das *Rechnungslegungsrecht*. Denn für viele gesellschaftsrechtliche Zusammenhänge ist es Voraussetzung, etwa für die Gewinnermittlung oder das Kapitalschutzsystem bei den Kapitalgesellschaften. Freilich handelt es sich bei der Rechnungslegung nicht um eine originär gesellschaftsrechtliche Problematik; die entspr.e Pflicht besteht vielmehr für alle Kaufleute (§ 238 Abs. 1 HGB).

Enge Bezüge gibt es auch zwischen dem Gesellschafts- und dem *Insolvenzrecht* (↑*Insolvenz*). So treten die insolvenzrechtlichen an die Stelle der gesellschaftsrechtlichen Liquidationsregeln. Dass zum Schutze der Gläubiger rechtzeitig ein Insolvenzantrag gestellt wird, sorgt für eine gleichmäßige Befriedigung der Gläubiger sowie für einen geordneten Rückzug aus dem Wirtschaftsleben. Das Insolvenzverfahren nimmt sogar einen direkten Einfluss auf die Organisationsverfassung der Gesellschaft und ermöglicht die gesamte Binnenstruktur der Gesellschaft im Rahmen einer Sanierung zu ändern, nach Möglichkeit unter Rettung überlebensfähiger Unternehmensteile.

Kartell- und ↑*Wettbewerbsrecht* betreffen zwar Unternehmen in gesellschaftsrechtlicher Organisationsform als Akteure wie auch Kooperationen in gesellschaftsrechtlicher Form zwischen Unternehmen. Es geht u. a. um Fusionskontrollen und Kartelle als wettbewerbsbeschränkendes Verhalten. Das G. selbst weist aber keine wettbewerbsspezifischen Aufgaben aus.

Stark beeinflusst wird das G. in seiner Ausgestaltung durch die Praxis auch durch das ↑*Steuerrecht*. Steuerrechtliche Aspekte beeinflussen sehr häufig die Wahl der Gesellschaftsform; viele Konstruktionen des G.s werden so erst durch die steuerrechtliche Gestaltungsweise in sich verständlich.

Schließlich ist noch das *Konzernrecht* (genauer: Recht der verbundenen Unternehmen) integraler Bestandteil des G.s. Das Konzernrecht beschäftigt sich mit der Verbindung mehrerer Gesellschaften zu einer Unternehmensgruppe, während die Rechtsquellen des G.s nahezu ausschließlich die einzelne Gesellschaft im Blick haben. V. a. im Aktienrecht findet sich dazu eine Reihe von spezifischen gesetzlichen Regelungen (§§ 15–19 AktG und das gesamte Dritte Buch).

5. Praktische Bedeutung

Angesichts der breit gefächerten Erscheinungsformen von rechtsgeschäftlich begründeten Personenvereinigungen zu gemeinsamer Zweckverfolgung ist das G. ein wichtiger Bestandteil der wirtschaftlichen Praxis. Die Zahl der großen deutschen Kapitalgesellschaften (GmbH und AG) lag für das Jahr 2016 bei über 1,1 Mio. Gesellschaften. Bei Personengesellschaften ist die genaue Ziffer mangels Registerpflicht für die GbR zwar völlig unbekannt. Die GbR wird jedoch die zahlenmäßig wohl am häufigsten anzutreffende Gesellschaftsform sein. Zieht man alleine die 2016er Zahlen für OHG und KG in Höhe von rund 270 000 Gesellschaften (Zahlen nach Kornblum, a. a. O.) heran, so wird die Zahl aller Personengesellschaften vermutlich in den Millionenbereich gehen – und das ohne Einbeziehung der „Gelegenheitsgesellschaften", also derer, bei denen sich die Vertragspartner gar nicht der Tatsache bewusst sind, dass sie eine Gesellschaft im Rechtssinne betreiben, die Rechtsordnung sie aber so behandelt.

Für die Schaffung vieler wichtiger Industrieprodukte – und allg. für schwierige Aufgaben – erweist sich die Bildung von privaten Organisationen als sinnvoll und notwendig, weil dadurch persönliche und finanzielle Ressourcen vieler Personen für die Verfolgung gemeinsamer Zwecke dienstbar gemacht werden können, was ohne eine Organisation dieser Art schier unerreichbar wäre. Das wirtschaftliche Leben wird deshalb entscheidend von Gesellschaften geprägt. Der Hauptanwendungsbereich des G.s betrifft somit diejenigen Gesellschaften und Formen, die als Unternehmensträger am Wirtschaftsleben teilnehmen.

Gesetzgeberische Aktivitäten, Rechtsprechung, die Kautelarpraxis und die Rechtswissenschaft selbst befassen sich ganz überwiegend mit den erwerbsorientierten Gesellschaften. Die Zusammenarbeit und der Gedankenaustausch auf diesem Gebiet haben eine lebendige Tradition zutage gebracht. G. ist somit keinesfalls ein statisches Rechtsgebiet. Schlussendlich macht die gestalterische Herausforderung im Vorfeld der Planung einen ganz bes.n Reiz der gesellschaftsrechtlichen Betätigung in der Praxis aus, begründet zugl. aber auch eine anspruchsvolle Rechtsmaterie.

6. Rechtsquellen

Das G. ist nicht in einer einheitlichen ↑ Kodifikation zusammengefasst. Vielmehr ist es auf eine ganze Reihe verschiedener Regelungen verteilt, die dabei wiederum teilweise aufeinander aufbauen. Neben den eigentlichen gesellschaftsrechtlichen Regelungen weisen aber auch weitere Regelungen in anderen Normzusammenhängen auf eine unmittelbare Rückwirkung zum G. hin. Dabei handelt es sich auf *nationaler Ebene* v. a. (und im Verhältnis zu anderen Rechtsgebieten bereits dargestellt) um die Regelungen

a) des Kapitalmarktrechts (WpHG, WpÜG)

b) des Insolvenzrechts (InsO) und

c) der Grundrechte auf ↑ Vereinigungsfreiheit (Art. 9 Abs. 1 GG), die Eigentumsgarantie (Art. 14 GG) und sogar die ↑ Berufsfreiheit (Art. 12 GG).

Neben den nationalen Regelungen haben auch Rechtsquellen des *europäischen Rechts* einen erheblichen Einfluss auf das G. Dies gilt zunächst für die ↑ Grundfreiheiten der Niederlassungsfreiheit (Art. 49 – Art. 55 AEUV) und der Kapitalverkehrsfreiheit (Art. 63 – Art. 66 AEUV), die v. a. im Rahmen des internationalen G.s von Bedeutung sind. Rechtstechnisch sind als Formen des sekundären Unionsrechts darüber hinaus die Richtlinien, Verordnungen oder Empfehlungen von Bedeutung (Art. 288 AEUV). Zur Rechtsangleichung dient v. a. eine große Anzahl von Richtlinien, die der Umsetzung in nationales Recht bedürfen (bzw. bedurften) und mehr oder minder große Spielräume dafür lassen. Schließlich hat der europäische Gesetzgeber auch eine Reihe supranationaler Gesellschaften geschaffen. Die wichtigsten Gesellschaftsformen sind bisher: SE, SCE und EWIV. Neben den sekundärrechtlichen Rechtsquellen europäischen Rechts gelten für diese Gesellschaftsformen zusätzlich nationale Ergänzungsbestimmungen.

7. Organisationsformen

7.1 Überblick zu den Gesellschaftsformen

Das G. regelt und betrifft eine Vielzahl von Rechtsformen. Die verschiedenen Gesellschaftsformen mitsamt ihren gebräuchlichen Abkürzungen, den einschlägigen Rechtsgrundlagen und nach Personengesellschaften und Körperschaften aufgeteilt, sind in der Tabelle auf der nächsten Seite dargestellt.

7.2 Systematisierung durch Personengesellschaften und Körperschaften

Das BGB unterscheidet als die beiden gesellschaftsrechtlichen Grundfiguren den Verein (§§ 21–54) und die GbR (§§ 705–740). Alle weiteren und vorstehend dargestellten Gesellschaften basieren daher entweder auf dem Verein und werden als *Körperschaft* bezeichnet oder aber sie gründen auf der GbR und unterfallen dem Oberbegriff der *Personengesellschaft*. Ausgangspunkt der Unterteilung war urspr. die Frage der Rechtsfähigkeit, also die Fähigkeit, selbst Träger von Rechten und Pflichten zu sein. So sind Körperschaften ↑ *juristische Personen*, die eigene Rechtspersönlichkeit besitzen. Damit sind sie Trägerinnen von Rechten und Pflichten und insb. des Gesellschaftsvermögens und sind von anderen Personen genauso strikt zu trennen wie zwei

Gesellschaftsformen	
Gesellschaft bürgerlichen Rechts (GbR)	§§ 705–740 BGB
offene Handelsgesellschaft (OHG)	§§ 105–160 BGB
Kommanditgesellschaft (KG)	§§ 161–177a HGB
GmbH & Co. KG (Mischform)	§§ 161–177a HGB und GmbHG
stille Gesellschaft	§§ 230–236 HGB
Partnerschaftsgesellschaft (PartG) und als Rechtsform- variante die Partnerschaftsgesellschaft mit beschränkter Berufshaftung (PartG mbB)	PartGG mit Regelung der Untervariante in § 8 Abs. 4
Europäische Wirtschaftliche Interessenvereinigung (EWIV)	EWIV-Verordnung und EWIV-Ausführungsgesetz (national)
Körperschaften	
eingetragener (rechtsfähiger) Verein (e. V.)	§§ 21–53 BGB
nicht eingetragener (nicht rechtsfähiger) Verein	§ 54 BGB
Aktiengesellschaft (AG)	AktG
Kommanditgesellschaft auf Aktien (KGaA)	§§ 278–290 AktG
Gesellschaft mit beschränkter Haftung (GmbH) und als Rechtsformvariante die Unternehmergesellschaft haftungsbeschränkt (UG)	GmbHG mit Regelung der Untervariante in § 5a
eingetragene Genossenschaft (eG)	GenG
Versicherungsverein auf Gegenseitigkeit (VVaG)	§ 7, §§ 171–210 VAG
Europäische Aktiengesellschaft (Societas Europaea – SE)	SE-Verordnung und nationale Gesetze SEAG und SEBG
Europäische Genossenschaft (Societas Cooperativa Europaea – SCE)	SCE-Verordnung, SCE-Richtlinie und nationale Gesetze SCEAG und SCEBG

Wesentliche Unterschiede der Verbandsformen		
	Personengesellschaften	Körperschaften
Organisationsgrundlage	Gesellschaftsvertrag	Satzung
Entstehung	Vertragsschluss	Eintragung ins Register oder staatliche Ver- leihung *(Normativ-* bzw. *Konzessionssystem)*
Vermögen	Gesamthandsvermögen	Verbandsvermögen
Haftung	Unbeschränkte persönliche Haftung der Gesellschafter	Haftung nur der juristischen Person (keine persönliche Haftung der Mitglieder)
Vertretung	Nur durch Gesellschafter *(Selbstorgan- schaft)*	Auch durch Nichtmitglieder möglich *(Fremdorganschaft)*
Mitgliederzahl und Verbundenheit	Geringe Mitgliederzahl und enge Verbun- denheit der Gesellschafter	Organisation größerer (unbegrenzter) Mit- gliederzahlen; verselbständigte Verbands- person
Beschlussfassung	Gesellschafter durch *Einstimmigkeitsprinzip*	Versammlung durch *Mehrheitsprinzip*
Ausscheiden	Ausscheiden eines Gesellschafters führt zur Auflösung der Gesellschaft (GbR)	Ausscheiden eines Gesellschafters lässt den Bestand der Körperschaft unberührt
Abwicklung	Liquidation unter den Gesellschaftern (§§ 730–735 BGB)	Liquidation durch den Vorstand oder be- sondere Liquidatoren (vgl. als Grundregel die §§ 47–50 BGB)

natürliche Personen voneinander. Bei den Personengesellschaften *(Gesamthandsgemeinschaften)* existierte nach traditionellem Verständnis keine von den Gesellschaftern zu trennende Rechtsperson. Seit Anerkennung der Rechtsfähigkeit der Außengesellschaft bürgerlichen Rechts durch den BGH werden sie aber von der ganz herrschenden Meinung als (teil-)rechtsfähig angesehen (grundlegend BGHZ 142, 315, 321; 146, 341, 343). Sie stellen daher als Personengruppe heute ebenfalls ein Zuordnungsobjekt dar und können Trägerinnen von Rechten und Pflichten sein, ohne jedoch juristische Personen zu sein.

Typisch für Personengesellschaften ist die Abhängigkeit des Verbandes von der Individualität ihrer Gesellschafter, wie sie sich z. B. in der Höchstpersönlichkeit der Mitgliedschaftsrechte ausdrückt. Für Körperschaften ist demgegenüber die überindividuelle Verselbständigung des Verbandes charakteristisch. Die folgende Gegenüberstellung dieser beiden Verbandsformen soll deren wesentlichen Unterschiede deutlich machen. Allerdings betreffen die Merkmale den jeweiligen Grundfall und können nicht auf alle Situationen übertragen werden, zumal diese aufgrund der Gestaltungsfreiheit im Einzelnen auch erheblich abweichen können.

Literatur

L. Hübner: Examinatorium Gesellschaftsrecht – Teil 1, in: JURA 39/2 (2017), 130–147 • J. Koch: Gesellschaftsrecht, [10]2017 • C. Windbichler: Gesellschaftsrecht, [24]2017 • G. Bitter/S. Heim: Gesellschaftsrecht, [3]2016 • H. Hirte: Kapitalgesellschaftsrecht, [8]2016 • U. Kornblum: Bundesweite Rechtstatsachen zum Unternehmens- und Gesellschaftsrecht (Stand 1.1.2016), in: GmbHR 13 (2016), 691–701 • U. Eisenhardt/U. Wackerbarth: Gesellschaftsrecht I., Recht der Personengesellschaften, [16]2015 • S. Mock: Gesellschaftsrecht, 2015 • T. Raiser/R. Veil: Recht der Kapitalgesellschaften, [5]2015 • I. Saenger: Gesellschaftsrecht, [3]2015 • C. Schäfer: Gesellschaftsrecht, [4]2015 • U. Wackerbarth/U. Eisenhardt: Gesellschaftsrecht II. Recht der Kapitalgesellschaften, 2013 • K. Schmidt: Gesellschaftsrecht, Unternehmensrecht II. [4]2012 • M. Habersack/D. A. Verse: Europäisches Gesellschaftsrecht, [4]2011 • M. Lenenbach: Kapitalmarktrecht und kapitalmarktrelevantes Gesellschaftsrecht, [2]2010 • H. Wiedemann: Gesellschaftsrecht Band II: Recht der Personengesellschaften, 2004 • Ders.: Gesellschaftsrecht Band I: Grundlagen, 1980 • K. J. Hopt: Vom Aktien- und Börsenrecht zum Kapitalmarktrecht? Teil 2: Die deutsche Entwicklung im internationalen Vergleich, in: ZHR 141 (1977), 389–441.

HERIBERT HIRTE

Gesellschaftsvertrag

Der sozialphilosophische Begriff des G.es ist dem Spektrum der ↑Vertragstheorien zuzuordnen und lässt sich von Staats- und Herrschaftsverträgen sowie der rationalen Rechtfertigung moralischer Grundsätze unterscheiden, obwohl der Sprachgebrauch hier nur unpräzise differenziert. Weitgehend analog zum G. wird das Konzept des Sozialkontrakts bzw. des *social contract* verwendet. Inhaltlich befassen sich einschlägige Ansätze mit der Grundfrage politischer ↑Legitimität, womit die Basis für ↑Gerechtigkeit sowie – im fließenden Übergang zur Vertragstheorie allg. – die Autorisierung von Gesetzen und Entscheidungsträgern angesprochen sind.

1. Ideengeschichtliche Anfänge

Die Idee der Vergesellschaftung wurde schon in der Antike mit dem Vertragsgedanken verknüpft. Bezeugt wird z. B. in Xenophons Memorabilien, wie der Sophist Hippias im 5. Jh. v. Chr. die positiven Gesetze als schriftliche Übereinkünfte der Polisbürger deutete, was im Gemeinwesen erlaubt und verboten sei. Bei Hippias wie auch in Antiphons Frag. über die Wahrheit, bei Protagoras oder Lykophron, den die aristotelische „Politik" (1280b 8–12) erwähnt, wird diesbezüglich der Gegensatz zwischen dem göttlichen ↑Naturrecht sowie dem für ein konkretes Gemeinwesen nach dem Prinzip der Nützlichkeit von Menschen gesetzten Recht qua vertraglicher Abmachung betont. Die Begriffe ↑Recht und Gerechtigkeit werden hier nahezu synonym verwendet. Die sophistische Entmystifizierung und Relativierung des ↑Gesetzes *(nomos)* thematisiert ebenso Platons „Politeia" (358–359). Diese antizipiert – im Kontrast zur eigenen Ideenlehre – die epikureische Idee des Vertrages, wonach das einsichtige Ziel der Gewaltvermeidung eine soziale Konvention erfordert, die das Begehen von Unrecht unter Strafe stellt und das Erleiden von Unrecht verhindert. Jene historische Verortung von Recht und Gerechtigkeit als ↑Vertrag argumentiert nicht nur zugunsten einer demokratischen Gesetzgebungslogik, sondern stellt durch den Fokus auf den rationalen Vorteil des Einzelnen auch ein metaphysisches Fundament des Gemeinwesens in Frage. Damit weist die antike Idee des Sozialkontrakts auf die Prämissen der bürgerlichen Gesellschaft der Moderne voraus.

2. Hochphase in der Neuzeit

Während im Mittelalter die Figur des Herrschaftsvertrages dominiert, den Volk und Fürsten eingehen, um ein reziprokes Vertrauensverhältnis zu konstituieren, wird die Idee des G.es in der frühen Neuzeit zunächst v. a. von Johannes Althusius aufgegriffen. Er verbindet die Machtbegrenzung durch ↑Föderalismus und Subsidiaritätsprinzip (↑Subsidiarität) mit einem gestuften Aufbau des Staates von unten nach oben. Die konsozial gebildete Gesellschaft *(consociatio)*, verstanden als organischer Volkskörper, der Familien und ↑Stände integriert, avanciert so zur Inhaberin einer eigenen Form der (dualen) Souveränität. Die Vertragspartner, die sich zur politischen Entität zusammenschließen, sind hier indes noch nicht Individuen, sondern Städte, Gemeinden und Provinzen.

Die Anklänge der (korporatistischen) ↑Volkssouveränität bei J. Althusius, die sich gegen Jean Bodins absolutistische Souveränitätsidee richtet, wurden später bei John Locke fortgesetzt und von Jean-Jacques Rousseau zur systematischen Theorie des G.es erweitert, die ihren Antipoden in Thomas Hobbes fand. Schon bei J. Locke ist die Distanz zum „Leviathan" (Hobbes 1651) entscheidend, spricht der „Second Treatise" (Locke 1690) doch explizit von der Gründung einer politischen Gesellschaft *(political society)*, die Entscheidungen nach dem ↑Mehrheitsprinzip fällt und die legislative und exekutive Gewalt nur unter Vorbehalt einer Regierung anvertraut. In T. Hobbes monistischer Theorie (↑Monismus) hatte hingegen der Herrschaftsvertrag den G. absorbiert, indem die Menge der Individuen nur qua ↑Repräsentation durch den Souverän eine handlungsfähige Rechtsperson bilden und eine der ↑Herrschaft vorgeschaltete, basisdemokratische Gründung der Gesellschaft – wie sie etwa Baruch de Spinozas, Samuel von Pufendorfs oder Johann Gottlieb Fichtes Zweistufentheorie vorsah – entfällt. In J-J. Rousseaus „Contrat social" (1762) geht dann spiegelbildlich zu T. Hobbes der Herrschaftsvertrag im G. auf, indem die Individuen durch ihre Selbstveräußerung als Kollektiv zu Inhabern der unteilbaren und unveräußerlichen Souveränität, als Subjekte zu Bürgern und als Objekte der Gesetze zu Untertanen werden (Rousseau 1762: I 6). Als Mixtur der Prämissen von T. Hobbes und J.-J. Rousseau, den (Gesellschafts-)Vertrag jedoch von der Aufgabe der Begründung des staatlichen Gemeinwesens entlastend, präsentiert sich schließlich der Sozialkontrakt bei Immanuel Kant. In dessen zentralen politiktheoretischen Schriften – „Gemeinspruch" (1793) und „Metaphysik der Sitten" (1797) – fungiert der Vertrag als normative Richtschnur für die Gesetze.

Im Ganzen spiegelt die Konjunktur des G.es in der Neuzeit die in Europa voranschreitenden Säkularisierungs- und Demokratisierungsprozesse (↑Säkularisierung, ↑Demokratisierung) wider, in deren Gefolge der Gedanke eines rational handelnden, autonomen ↑Individuums als Motor der Vergesellschaftung und Referenzpunkt des Politischen sich erst entfalten konnte. Strittig blieb, ob es sich beim G. um ein rein hypothetisches Konstrukt (T. Hobbes, B. de Spinoza, J.-J. Rousseau, I. Kant u. a.) oder um eine Faktizität handelte, worauf v. a. Sidney Algernons „Discourses concerning Government" (1698) pochten und was sein Zeitgenosse J. Locke immerhin andeutete. Der Einfluss der Letztgenannten auf die amerikanische Revolution 1776 dürfte daher ihrer Konkretisierung des G.es als reale Verfassungswirklichkeit geschuldet sein und initiierte in den USA – wie Hannah Arendts „On Revolution" (1963) unterstrich – ein völlig neuartiges Vertragsdenken.

3. Weitere Entwicklungen und aktuelle Bedeutung

Nachdem der G. – unter Einfluss des v. a. von David Hume und Georg Wilhelm Friedrich Hegel lancierten Vorwurfs eines ahistorischen Zugangs – im 19. Jh. massiv an Bedeutung sowie bes. seinen universalen Anspruch verlor, erlebte er in Form der neokantischen Variante von John Rawls ab den 1970er Jahren eine Renaissance. J. Rawls' kontraktualistische Idee politischer und sozialer Gerechtigkeit im Staat löste eine intensive Debatte aus, in der die Kommunitaristen (z. B. Michael J. Sandel, Charles Taylor; ↑Kommunitarismus) Kritik an einem reanimierten Atomismus übten, während neoliberalen und libertären Denkern (z. B. James Buchanan, Robert Nozick) die von J. Rawls' „Theory of Justice" in Aussicht gestellte Redistribution von Gütern zu weit ging. Kritisiert wurde zudem die generelle Vernachlässigung der ↑Geschlechtergerechtigkeit in der Tradition des Sozialkontrakts. Im Schatten des Siegeszugs des ↑Neoliberalismus und des Drucks der ↑Globalisierung auf national organisierte ↑Sozialstaaten wurden bis heute Forderungen nach einem neuen G. (englisch: *New Deal*) laut. Diese betonen die Notwendigkeit, die politische Legitimität kollektiv verbindlicher Entscheidungen neu zu verhandeln und neben der Regulierung des Marktes auch ökologische und demographische Herausforderungen (Stichwort: Generationenvertrag) ins Visier zu nehmen. Allerdings wurden ebenso Zweifel geäußert, die seit J.-J. Rousseau bekannt sind, nämlich, dass die Logik des Vertrages den Imperativen der bürgerlichen Gesellschaft zu sehr unterliegt, als dass von dort Ressourcen des sozialen Zusammenhalts zu erwarten wären.

Literatur
W. Kersting: Vertragstheorien, 2016 • M. Nussbaum: Die Grenzen der Gerechtigkeit, 2010 • K. Gabriel/H.-J. Große Kracht (Hg.): Brauchen wir einen neuen Gesellschaftsvertrag?, 2005 • J. Reitzig: Gesellschaftsvertrag, Gerechtigkeit, Arbeit, 2005 • M. Swanson: The Social Contract Tradition and the Question of Political Legitimacy, 2001 • W. Kersting: Die politische Philosophie des Gesellschaftsvertrags, 1994 • R. Solomon: A Passion for Justice. Emotions and the Origins of the Social Contract, 1990 • R. Kley: Vertragstheorien der Gerechtigkeit, 1989 • C. Pateman: The Sexual Contract, 1988 • R. Müller/H. Klenner: Gesellschaftsvertragstheorien von der Antike bis zur Gegenwart, 1985 • J. Rawls: A Theory of Justice, 1971 • H. Arendt: On Revolution, 1963 • I. Kant: Die Metaphysik der Sitten, 1797 • I. Kant: Über den Gemeinspruch: Das mag in der Theorie richtig sein, taugt aber nicht für die Praxis, 1793 • J.-J. Rousseau: Du contrat social, 1762 • S. Algernon: Discourses Concerning Government, 1698 • J. Locke: Two Treatises of Government, Second Treatise, 1690 • T. Hobbes: Leviathan, 1651.   OLIVER HIDALGO

Gesetz

I. Rechtlich – II. Philosophisch

I. Rechtlich

1. Begriff

Erscheinung und Begriff des G.es gehören zum Urgestein des Rechtsdenkens und der Rechtswissenschaft. In der Verfassungsgebung werden zumeist nur verfahrens- und kompetenzrechtliche Elemente des G.es-Begriffs festgelegt, im Übrigen wird der G.es-Begriff vorausgesetzt. Die Termini G., *lex, nomos* bedeuten durchgehend Vorschrift, Gebot, Sollen, ↑Norm, und zwar ohne Rücksicht auf deren Entstehensgrund, der entweder attributiv oder durch einen *genitivus subiectivus* zum Ausdruck gebracht wird: *lex aeterna, lex divina, lex naturae, lex humana positiva,* Parlaments-G. usw. Dieser *normative G.es-Begriff* ist bereits ein Produkt der zivilisatorischen Entwicklung. Mit ihm wird ein früherer Zustand überwunden, in dem G. *(nomos)* soviel wie naturhafte Ordnung bedeutet, nicht die Verpflichtung zu bestimmtem Verhalten, sondern das Verhalten selbst, in dem die sich von der Gottheit bestimmte Natur der verschiedenen Arten der lebenden Wesen darstellt. In den Begriffen der *lex aeterna* und der *lex naturae* kommt nicht mehr diese archaische Einheit von G. und Menschennatur zum Ausdruck, vielmehr geht es um das mit den Mitteln der Vernunft erkannte natürliche G., das das menschliche Verhalten, einschließlich die menschliche G.-Gebung, steuern soll. Eine begriffliche Unterscheidung zwischen den von menschlichen Autoritäten erlassenen G.en und natur- oder vernunftrechtlich begründeten G.en (↑Naturrecht) ist notwendige Voraussetzung für eine der Theologie und der Philosophie gegenüber eigenständige Jurisprudenz (↑Rechtswissenschaft).

G. *(lex)* ist abzugrenzen von ↑Recht *(ius)*. Recht steht für den subjektiven Anspruch, der aus G. oder ↑Vertrag folgt. Recht kann aber auch die gesamte objektive Rechtsordnung oder ein Teilgebiet dieser (z.B. Strafrecht, Privatrecht) bezeichnen. Während mit G. die generell-abstrakte Geltungsanordnung (= *Rechtsnorm,* Norm) bezeichnet wird, umfasst der Rechtsbegriff darüber hinaus auch das im Urteil oder in einer sonstigen Einzelfallentscheidung auf den konkreten Fall angewandte G., z.B. Richterrecht. ↑Gewohnheitsrecht hingegen hat Rechtsnormcharakter, entstammt aber nicht einer bewussten Geltungsanordnung.

Der G.es-Begriff hat unter dem Gesichtspunkt des G.-Gebungsverfahrens (↑Gesetzgebung), der daran beteiligten staatlichen Organe und insb. der dahinter stehenden gesellschaftlichen Kräfte im 19. Jh. eine engere Bedeutung (wieder-)erlangt, wonach nur diejenigen Akte staatlicher Rechtssetzung als G.e bezeichnet werden, die vom ↑Parlament gebilligt und vom Monarchen sanktioniert worden sind. Damit war der staatsrechtliche G.es-Begriff wesentlich kompetenz- und verfahrensrechtlich geprägt. Da jedoch einerseits nicht der gesamte Bereich der Rechtsetzung zur Domäne der parlamentarischen G.-Gebung gehörte und da andererseits das Parlament Entscheidungskompetenzen auf Gebieten hatte, die herkömmlicherweise nicht zur Rechtsetzung zählten, kam es zur *Aufspaltung des G.es-Begriffs.* Danach ist G. im formellen Sinne jeder in dem verfassungsrechtlich vorgeschriebenen G.-Gebungsverfahren zustande gekommene Willensakt des G.-Gebers ungeachtet seiner Struktur. G. im materiellen Sinne ist jede Rechtsnorm. Alle nicht vom parlamentarischen G.-Geber erlassenen Rechtsnormen (↑Rechtsverordnungen, ↑Satzungen), aber auch Gewohnheitsrecht und vereinbartes Recht sind daher G.e im nur materiellen Sinne. Soweit Rechtsakte vom Parlament verabschiedet werden, die nicht Rechtsnormen sind, liegen G.e im nur formellen Sinne vor, was z.B. für das jährliche Haushalts-G. und für bestimmte Organisations-G.e angenommen wurde. Aus der Definition des Begriffs Rechtsnorm ergibt sich, wie groß die gemeinsame Schnittmenge der beiden G.es-Begriffe ist. Der Rechtsnormbegriff erstreckt sich heute nicht mehr nur auf eine individualistisch konzipierte Abgrenzung und Verbindung von Willenssphären, sondern umfasst auch solche Regelungen, die den Grund für die Ausübung der staatlichen und jeder öffentlichen Gewalt legen, sowie deren Aufbau, Ausgestaltung und Tätigkeiten im Einzelnen normieren. Damit ist der Umfang der sog.en G.e im nur formellen Sinne nahezu auf Null reduziert.

2. Allgemeinheit des Gesetzes

Hier sind zwei Problemschichten auseinanderzuhalten. Allgemeinheit bedeutet zunächst *generell.* Generell ist ein G., bei dem sich die Verknüpfung eines abstrakt beschriebenen Tatbestandes mit einer Rechtsfolge auf eine in die Zukunft offene Gattung *(genus)* von Fällen und Personen erstreckt. Die Generellität des G.es ist ein reines Formprinzip, das kein Garant für eine gerechte Rechtsnorm ist. Gleichwohl kommt dem generellen Charakter der G.e unter mindestens zwei Gesichtspunkten größte Bedeutung zu. Zunächst verlangt das beschränkte Zeitbudget des G.-Gebers, dass er die zur Regelung anstehenden Materien nach generellen Kriterien regelt, um sich auf das Wichtigste beschränken zu können. Indem ferner das generelle G. eine offene Gattung von Adressaten betrifft, die bei dessen Erlass nicht individualisierbar sind, gewährleistet das generelle G. zu einem guten Teil die ↑Freiheit und ↑Gleichheit der Bürger (vgl. Art. 19 Abs. 1 S. 1 GG: ein grundrechtseinschränkendes G. muss allg. und nicht nur für den Einzelfall gelten). Diese Garantie von Freiheit und Gleichheit ist jedoch abhängig von Art und Inhalt der Gattungsbildungen und von deren Verknüpfung mit einer bestimmten Rechtsfolge.

Es gibt eine zweite Schicht der Allgemeinheit des G.es, die der vernunftrechtlichen Tradition entstammt und in den Verfassungen des westeuropäisch-nordame-rikanischen Typs Niederschlag gefunden hat. Danach unterliegen die G.e einer Probe, bei der die vorgenommene Gattungsbildung und deren Verknüpfung mit einer Rechtsfolge daraufhin überprüft werden, ob sie auf Grundsätzen beruhen, die verallgemeinerungsfähig sind. Maßstäbe für diese Verallgemeinerungsprobe ergeben sich aus dem Prinzip des Ausgleichs zwischen freien Menschen, insb. den ↑Grundrechten und den ↑Staatszielbestimmungen, die Differenzierungsgebote, -verbote und -erlaubnisse enthalten, die u. a. den erforderlichen Minderheitenschutz gewährleisten können.

3. Typen der Gesetze

Zahlreiche Einteilungskriterien für G.e sind zumeist rein klassifikatorischer Art (etwa Haupt- und Neben-G.e, Einführungs- und Ausführungs-G.e, Spezial- und Ausnahme-G.e) und zur Erfassung des G.es-Begriffs nicht von Nutzen. Unter dem oben erörterten Gesichtspunkt der Maßstäbe für die Gerechtigkeit der G.e ist die folgende Einteilung der G.e von Bedeutung:

a) *Zivilrechtliche G.e,* die die Freiheit des einen mit der Freiheit des anderen abstimmen, indem sie die Zuordnung von Sachen und die aus Verträgen folgenden Pflichten regeln sowie Schädigungen und ungerechtfertigte Bereicherungen ausgleichen;

b) *Eingriffs-G.e,* die die Freiheit der Bürger zum Schutze von Individual- oder Gemeinschaftsbelangen einschränken;

c) *Leistungs-G.e,* die finanzielle oder finanzwirksame staatliche Leistungen zusprechen;

d) *Organisations- und Verfahrens-G.e,* die regelmäßig in einem dienenden Verhältnis zu den G.es-Kategorien a–c stehen.

Für die einzelnen G.es-Typen gelten je verschiedene regulative Maßstäbe. Kategorie *a* steht unter dem überkommenen Prinzip der ausgleichenden ↑Gerechtigkeit; Kategorie *b* wird beherrscht vom Prinzip des geringsten Eingriffs; im Hinblick auf Kategorie *c* müssen die Selbstverantwortung des Bürgers und die Grenzen der Besteuerung, die Grundlage der Finanzierung der Leistungen ist, beachtet werden. Die Organisations- und Verfahrens-G.e werden von denselben Grundsätzen beherrscht, die für die ihnen zugrunde liegenden G.e der Kategorien *a–c* gelten, wobei auch die Verfahrens- und Organisationseffektivität beachtet werden muss. Sog.e *Maßnahme-G.e* verfolgen einen konkreten Zweck und stellen die zur Erreichung dieses Zweckes für angemessen gehaltenen Mittel zur Verfügung. Auch Maßnahme-G.e müssen den materiellen verfassungsrechtlichen Vorgaben entsprechen, insb. im Einklang mit den Grundrechten stehen.

4. Geltung der Gesetze

Die *sachliche* Geltung der G.e wird von verschiedenen verfassungsrechtlichen Grundsätzen bestimmt. Aus dem Vorrang der ↑Verfassung ergibt sich eine *Stufen-ordnung der G.e.* Die Verfassung bewirkt, dass ihr widersprechende einfache Parlaments-G.e ungültig sind. Die Realisierung dieses Prinzips verlangt jedoch die Möglichkeit gerichtlicher oder sonstiger G.es-Kontrolle. Anderenfalls wird in jedem einfachen G. eine authentische Interpretation der Verfassung zu sehen sein, was jedoch einen Vorrang der Verfassung im strengen Sinne ausschließt. Unterhalb der Parlaments-G.e stehende Rechtsnormen haben Geltung, soweit sie nicht im Widerspruch zu Parlaments-G.en stehen. – Im ↑*Bundesstaat* haben Landes-G.e nur Geltung, soweit sie Materien regeln, die nicht der Bundesgesetzgebung unterliegen oder die der Bundesgesetzgeber den Ländern ausdrücklich übertragen hat (z. B. Art. 71 GG), bei konkurrierender Bundes- und Landesgesetzgebungskompetenz nur, solange und soweit der Bund von seinem G.-Gebungsrecht keinen Gebrauch gemacht hat (z. B. Art. 72 Abs. 1 GG). Soweit Landes-G.e (einschließlich Landesverfassungsrecht) gegen gültiges Bundesrecht verstoßen, erlangen sie keine Geltung oder verlieren ihre Geltung; denn „Bundesrecht bricht Landesrecht" (Art. 31 GG).

Die *zeitliche* Geltung der G.e ist regelmäßig nicht beschränkt; d. h., ein gültiges G. gilt, bis es aufgehoben wird. Die Aufhebung erfolgt entweder ausdrücklich oder durch den Erlass eines neuen G.es gleicher oder höherer Stufe, das inhaltlich im Widerspruch zu dem früheren G. steht.

Die *räumliche* Geltung eines G.es ergibt sich i. d. R. aus der Abgrenzung des Hoheitsgebietes der öffentlich-rechtlichen Körperschaft, in deren Namen der G.-Geber tätig wird. Das Hoheitsrecht erstreckt sich auch auf die unter der Flagge oder dem Hoheitszeichen des betreffenden Staates fahrenden Schiffe und Flugzeuge. Die Geltung ausländischen Privatrechts im Inland regeln die Kollisionsnormen des ↑Internationalen Privatrechts (vgl. z. B. Art. 7 ff. EGBGB). Zur Geltung des inländischen Strafrechts für im Ausland begangene Straftaten (vgl. z. B. §§ 5 ff. StGB.)

5. Gesetz, Rechtsstaat und Demokratie

Der G.es-Begriff hat eine Schlüsselrolle für die Rechtsstaatskonzeption, und zwar in doppelter Hinsicht: Der G.es-Begriff ist Bestandteil der Lehre von der ↑Gewaltenteilung, nach der die Organe der G.-Gebung und G.es-Anwendung verschieden sein müssen, um rationale und kontrollierte Ausübung der Staatsgewalt (↑Staat) sicherzustellen. Hieraus folgt das grundsätzliche Verbot der Rückwirkung von belastenden G.en. Die bes. förmliche (G.-Gebung) wie inhaltliche Qualität des G.es, die aus dem G.es-Begriff folgt, ist ein weiterer Garant der Rechtsstaatlichkeit, und zwar auch im materiellen Sinne. Ausdruck des Demokratieprinzips ist der G.es-Begriff insofern, als die G.e vom Parlament, das unmittelbar vom Volk gewählt ist (evtl. unter Mitwirkung einer zweiten Kammer), erlassen werden. Die im folgenden behandelten Prinzipien dienen zugl. der Verwirklichung des ↑Rechtsstaates und der repräsentativen ↑Demokratie.

Das *Gesetzmäßigkeitsprinzip* besteht aus dem Vorrang des G.es und dem Vorbehalt des G.es. *Vorrang des G.es* bedeutet, dass der in Form des G.es geäußerte Staatswille rechtlich jeder anderen staatlichen Willensäußerung vorgeht. Soweit eine Verfassung mit Vorrang besteht, wie das in den meisten Verfassungsstaaten westlicher Prägung der Fall ist, geht die Verfassung dem G. vor. Der Vorrang besteht nur für das verfassungsmäßige G. Der Vorrang hört dort auf, wo die Zugriffskompetenz der G.-Gebung ihre verfassungsrechtliche Grenze hat, die von den Vorbehaltsbereichen der ↑Rechtsprechung und der Exekutive gebildet wird.

Vorbehalt des G.es bedeutet, dass die im Vorbehaltsbereich stattfindende Verwaltungstätigkeit einer ausdrücklichen gesetzlichen Grundlage bedarf. Die Formulierung des Vorbehaltsprinzips steht gegen die Ansicht, das G. sei nur Schranke und Rahmen für die im übrigen frei agierende ↑Verwaltung. Der Umfang des Vorbehalts des G.es ergibt sich aus dem jeweiligen Verfassungsrecht. Der klassische aus dem 19. Jh. überkommene Eingriffsvorbehalt, wonach alle Eingriffe in Freiheit und Eigentum der Bürger unter G.es-Vorbehalt stehen, ist heute in den westlichen Ländern durchweg anerkannt, zumeist auch bezogen auf Eingriffe innerhalb sog.er bes.r Gewaltverhältnisse. Staatliche Leistungen (Sozialleistungen und Subventionen) stehen unter dem G.es-Vorbehalt, soweit sie auf Dauer angelegt, für einen großen Adressatenkreis bestimmt sind oder hohe Summen ausbringen. Eine weitere Ausdehnung des G.es-Vorbehalts auf Leistungs- und Organisationsrecht gilt im Hinblick auf die dadurch berührten Grundrechte.

Rechtsstaat und Demokratie finden im Bereich der rechtsprechenden Gewalt Ausdruck in der *Bindung des Richters an G. und Recht* (Art. 20 Abs. 3, Art. 97 Abs. 1 GG), die Rechtsgleichheit und ↑Rechtssicherheit verbürgen soll; sie ist Kehrseite der Unabhängigkeit der ↑Richter. Das Prinzip der Gesetzmäßigkeit der Verwaltung in Verbindung mit dem verwaltungsgerichtlichen Rechtsschutz fordert eine gerichtliche Überprüfung der angefochtenen Verwaltungsakte am Maßstab des G.es. Die gesetzliche Bindung des Strafrichters wird herkömmlicherweise bes. hervorgehoben (*nullum crimen, nulla poena sine lege*, z. B. Art. 103 Abs. 2 GG). Die richterliche G.es-Bindung ist eine verfassungsrechtliche Kompetenzbestimmung; sie ist zu realisieren nach den Regeln der G.es-Auslegung.

6. Gesetzesauslegung und Gesetzesanwendung

Das G. bezieht sich als Verhaltensregel auf die Wirklichkeit. Diese Beziehung verlangt Anwendung der Regel auf konkrete Fälle. G.e werden erlassen, damit sich das Leben nach ihnen richtet. Die Normativität des G.es setzt ein Substrat, einen Lebensbereich voraus, auf den sich das G. bezieht. Dieser Lebensbereich ist in allen

seinen konkreten Ausformungen und in seiner Entwicklung und Wandlung, denen alles Menschliche unterworfen ist, vom G.-Geber nicht im Einzelnen vorauszusehen und zu erfassen. Der dem G. unterstellte Lebensbereich ist zunächst noch ein Konglomerat von schon Wirklichem und noch Möglichem, der erst durch menschliche Akte *hic et nunc* feste Gestalt annimmt. Die jeweilige Wirklichkeit, auf die sich das G. beziehen soll, entsteht also erst. Da die konkrete Wirklichkeit, die das G. formen soll, dem G.-Geber nicht verfügbar ist, kann das G. auf das individuelle und gesellschaftliche Leben immer nur *relativ bestimmt* wirken. Vor aller Anwendung und Auslegung steht zunächst eine allg.e *acceptatio legis*. So wickeln sich die Privatrechtsgeschäfte i. d. R. im Rahmen des Bürgerlichen Rechts, der Straßenverkehr nach dem Straßenverkehrsrecht ab; die meisten Menschen respektieren die Straf-G.e. Zu einer bewussten Anwendung und Auslegung des G.es kommt es nur im Streitfall oder falls für die G.es-Anwendung ein Verfahren zwingend vorgesehen ist. Die Anwendung des G.es setzt die Antwort auf zwei miteinander verwobene Fragen voraus: Welcher Sachverhalt liegt vor? Passt das (ein) G. auf diesen Sachverhalt? Normative Wirkung des G.es auf die Wirklichkeit setzt voraus, dass bereits die Herausmeißelung des juristischen Sachverhalts aus der Welt der Geschehensabläufe durch das G. geleitet wird. Karl Engisch hat diesen Vorgang als Hin- und Herwandern des Blicks zwischen Norm und Wirklichkeit beschrieben. Der Brückenschlag zwischen der sprachlichen Abstraktion des G.es und der Wirklichkeit ist möglich, weil die G.e im Hinblick auf die Wirklichkeit formuliert werden. Die zu ordnende Wirklichkeit ist insofern an der Konstitution des G.es beteiligt. Mit den Mitteln der Sprache werden Aspekte der Wirklichkeit im gesetzlichen Tatbestand begrifflich erfasst und einer ebenfalls abstrakt-begrifflich gefassten Rechtsfolge unterworfen. Die im gesetzlichen Tatbestand begrifflich erfasste Wirklichkeit verlangt eine Wertung des G.-Gebers, die u. a. bestimmt wird durch die leitenden Ideen, unter denen die Wirklichkeit betrachtet wird. Der so gewonnene Begriff von der Wirklichkeit ist etwas Allgemeines, das Wiederholung ermöglicht. Bei der G.es-Anwendung wird der geschilderte Vorgang umgekehrt. Dabei knüpft der Anwender des G.es an die Erfahrungen an, die für die Herstellung des G.es benutzt worden sind. Die Umkehrung des dem G. zugrunde liegenden Abstraktionsprozesses bei der Entscheidung von Einzelfällen ist möglich, weil die Sprache kraft ihrer gemeinsamen Benutzung Verständigung über die Wirklichkeit erlaubt. Die semantische Leistung der im G. verwendeten Begriffe ist bes. groß, wenn es sich um neue G.e handelt, die möglichst präzise formuliert sind. Handelt es sich um ältere oder weniger präzise formulierte G.e, so ist die Wirklichkeitsreferenz der Begriffe i. d. R. aufgrund eines allg.en Vorverständnisses herstellbar. D. h. außer den verwendeten Worten spielen eine Rolle: exemplarische Konfliktfälle in Präjudizien, gemeinsame soziale Erfahrungen, der Traditionszusammenhang und schließlich die Juristenausbildung. Wesentliche Hilfen für die Auslegung der G.e sind außer verfassungsrechtlichen Leitlinien die juristischen Auslegungsregeln, v. a. die historische, grammatische, systematische und teleologische Auslegung (Methode), wenngleich sie nicht automatisch ein richtiges Ergebnis verbürgen. Eine allg.e, verpflichtende Systematik dieser Regeln besteht nicht. Die Auslegungsregeln sind Anleitungen zur Begründung von Auslegungsentscheidungen.

Literatur

G. Kirchhof: Die Allgemeinheit des Gesetzes, 2009 • C. Starck (Hg.): Die Allgemeinheit des Gesetzes, 1987 • V. Schlette: Die Konzeption des Gesetzes im französischen Verfassungsrecht, in: JöR 33 (1984), 279–313 • E.-W. Böckenförde: Gesetz und gesetzgebende Gewalt, ²1981 • U. Scheuner: Die Funktion des Gesetzes im Sozialstaat, in: Recht als Prozess und Gefüge. FS für Hans Huber zum 80. Geburtstag, 1981, 127–142 • G. Roellecke/C. Starck: Die Bindung des Richters an Gesetz und Verfassung, in: VVDStRL 34 (1976), 7–144 • C. Starck: Der Gesetzesbegriff des Grundgesetzes, 1970 • G. Roellecke: Der Begriff des positiven Gesetzes und das Grundgesetz, 1969 • D. Jesch: Gesetz und Verwaltung, ²1968 • K. Vogel/R. Herzog: Gesetzgeber und Verwaltung, in: VVDStRL 24 (1966) 125–253 • K. Engisch: Logische Studien zur Gesetzesanwendung, ³1963 • K. Huber: Maßnahmegesetz und Rechtsgesetz, 1963 • K. Zeidler: Maßnahmegesetz und „Klassisches" Gesetz, 1961 • H. W. Kopp: Inhalt und Form der Gesetze als Problem der Rechtstheorie, 2 Bde. 1958 • C.-F. Menger/H. Wehrhahn: Das Gesetz als Norm und Maßnahme, in: VVDStRL 15 (1957), 3–108 • E. Forsthoff: Über Maßnahmegesetze, in: O. Bachof (Hg.): Gedächtnisschrift für Walter Jellinek, 1955, 221–236 • F. Heinimann: Nomos und Physis, 1945 • R. Thoma: Der Vorbehalt der Legislative und das Prinzip der Gesetzmäßigkeit der Verwaltung und Rechtsprechung, in: G. Anschütz/R. Thoma (Hg.): Hdb. des Deutschen Staatsrechts, Bd. 2, 1932, 221–236 • H. Heller/M. Wenzel: Der Begriff des Gesetzes in der Reichsverfassung, in: VVDStRL 4 (1928) 98–207 • C. Schmitt: Verfassungslehre, 1928 • G. Anschütz: Kritische Studien zur Lehre vom Rechtssatz und formellen Gesetz, 1891 • A. Haenel: Das Gesetz im formellen und materiellen Sinne, 1888 • G. Jellinek: Gesetz und Verordnung, 1887.   CHRISTIAN STARCK

II. Philosophisch

1. Der Begriff des Gesetzes

Das G. hat im grundlegenden Begriffsverständnis zwei wesentliche Eigenschaften: *Notwendigkeit* und *Allgemeinheit (Generalität)*. Die Notwendigkeit kann dabei eine *natürliche* oder *praktische*, die Allgemeinheit eine *sachliche* oder *personale* sein.

Das altgriechische Wort *nómos* verwies zwar schon auf Allgemeines, konnte aber bloße *Regelmäßigkeiten* und damit *Wirkliches* bezeichnen, also auch Wiederholungen ohne Notwendigkeit, etwa die Gewohnheit, das Herkommen, den Brauch oder die Art. Erst der aus der Rechtssphäre stammende, lateinische Ausdruck *lex*

bezog sich im klassischen Verständnis ausschließlich auf Notwendiges und Allgemeines. Diesen Bezug haben viele europäische Sprachen in Lehnworten wie *legge, loi, ley, lei, law* oder anderen Ausdrücken wie G., Satzung, Sitte (= ethisches bzw. moralisches G.) weitergeführt.

Aufgrund seiner Verbindung von Notwendigkeit und Allgemeinheit lässt sich das G. von anderen Phänomenen abgrenzen, bei denen nur eine der beiden Eigenschaften wesentlich ist, etwa die *Notwendigkeit ohne wesentliche Allgemeinheit* wie bei Anordnung, Befehl, Imperativ, Pflicht, Rat, Ursache, Verpflichtung und Vorschrift, oder die *Allgemeinheit ohne wesentliche Notwendigkeit* wie bei Art, Brauch, Gewohnheit, Herkommen, Konvention, ↑Norm, Normalität, Regel, Regelmäßigkeit, und Typus.

2. Die Arten des Gesetzes

Das G. kann sich auf die unterschiedlichsten Gegenstände beziehen. So gibt es *logische, mathematische, physikalische, chemische, biologische (natürliche), psychologische, soziale/soziologische, ethische/naturrechtliche, moralische, juridische* G.e usw. Die logischen und mathematischen G.e betreffen alle Gegenstände und Verhältnisse, die physikalischen G.e alle Materie und Energie, die chemischen G.e alle chemischen Prozesse, die biologischen G.e alle Lebewesen. Die psychologischen und *sozialen G.e* beziehen sich auf den Menschen sowie höhere Tiere. Sie bilden mit den natürlichen G.en die *theoretischen G.e.* Die ethischen, moralischen und juridischen, also *praktischen* G.e sind *notwendig* für das *Handeln* und *verpflichten* deshalb nur den Menschen.

Das G. kann als ein Etwas der Wirklichkeit, des Denkens oder der Sprache angesehen werden, also als eine außergedankliche und außersprachliche Realität, ein Gedanke oder ein Satz. Ersteres vertritt ein Realismus, etwa bei Aristoteles. Die Gegenposition des Anti-Realismus bzw. ↑Konstruktivismus behaupteten manche Sophisten, etwa Protagoras mit seinem *homo-mensura*-Satz, der Mensch sei das Maß aller Dinge. Auch für einen Atomismus (Leukipp, Demokrit), können natürliche G.e nicht real sein. Der Konstruktivismus widerspricht aber der grundsätzlich realistischen Auffassung der ↑Wissenschaften und des Alltags.

Der *Universalienstreit* ist für die Frage nach der Realität der G. wesentlich: Die denk- und sprachunabhängige Wirklichkeit von G.en erfordert das Bestehen eines denk- und sprachunabhängigen Allgemeinen und somit eine realistische Auffassung (David Malet Armstrong). Für einen begrifflichen bzw. gedanklichen Nominalismus (Konzeptualismus, etwa bei Wilhelm von Ockham) können Universalien und folglich auch G.e nur in unserem Denken und unserer Sprache existieren. Ein radikaler, sprachlicher Nominalismus (etwa bei Thomas Hobbes) hält Universalien nur für Worte, so dass G.e nur Sätze sein könnten.

Neben uniformen Auffassungen, gibt es aber auch differierende, wonach verschiedene Arten von G.en unterschiedlich real sind. Logische und mathematische G.e werden etwa von manchen für gedanklich konstruiert, physikalische G.e für wirklich gehalten. Viele glauben, dass sich psychologische und soziale G.e nur auf Einzelwesen und Einzelereignisses in der Wirklichkeit beziehen. Ethische bzw. naturrechtliche G.e werden von Vertretern eines Objektivismus, Realismus bzw. ↑Naturrechts für an sich bestehend oder zumindest verpflichtend angesehen, während Anhänger eines Subjektivismus, Antirealismus bzw. ↑Positivismus dies bestreiten. Moralische und juridische G.e existieren jedenfalls in menschlichen oder göttlichen Äußerungen und Handlungen als soziale Wirklichkeit bzw. „positive" G.e, etwa in den ↑Zehn Geboten auf den Steintafeln des Mose oder im deutschen ↑GG.

G.e können entweder durch einen *G.-Geber von außen auferlegt* oder *immanent* durch das genötigten Individuen *selbst geschaffen werden*. In der Antike und im Mittelalter wurde Gott sowohl als letzter G.-Geber der natürlichen als auch der praktischen G.e angesehen. Die neuzeitliche Physik formulierte dagegen immanente G.e. Auch Immanuel Kants moralisches G. der Vernunft (↑Vernunft – Verstand) ist ein immanentes, also autonomes G. Bei den juridischen G.en kann man zwischen den von außen auferlegten G.en der *G.-Gebung* durch Herrscher, Parlament, Regierung sowie Verwaltung und den immanenten G.en des ↑Gewohnheitsrechts, des Richterrechts sowie der Verwaltungsvorschriften unterscheiden, zwei Arten von G.en, welche etwa im Kodifikationsstreit zwischen Friedrich Carl von Savigny und Anton Friedrich Justus Thibaut zu Beginn des 19. Jh. gegeneinander in Stellung gebracht wurden.

3. Der Stufenbau der Gesetze

Wegen ihrer verschieden weit reichenden Allgemeinheit und Notwendigkeit sind die einzelnen Arten der G.e unterschiedlich grundlegend und bilden deshalb eine Art Stufenbau, welchen bereits die antike bzw. mittelalterliche Stufenbaulehre in ersten Ansätzen formuliert hat, etwa bei Thomas von Aquin als Hierarchie von *lex aeterna* (ewiges G.), *lex divina* (göttliches G.), *lex naturalis* (natürliches G.) und *lex humana* (menschliches G.). Am fundamentalsten sind die logischen und mathematischen G.e. Im Mittelalter hat man erörtert, ob sogar Gott ihrer Notwendigkeit unterworfen sei. Die nächsten Stufen bilden die physikalischen, chemischen, biologischen, psychologischen, sozialen G. und dann die ethischen bzw. naturrechtlichen G.e, welche schließlich die moralischen und rechtlichen G.e rechtfertigen.

Bereits in der Antike begannen unterschiedlich radikale Versuche einer Reduktion weniger fundamentaler Seins- und Wissensbereiche und ihrer G.e auf fundamentalere. Schon Pythagoras hat die Zahlen und damit die mathematischen G.e für grundlegend gehalten. T. Hobbes wollte alle G.e auf das physikalische Kausal-G. zurückführen. David Hume sah im Kausal-G. dann

nur noch eine Beschreibung regelmäßiger Einzelereignisse ohne objektive Notwendigkeit. Neuere Vorschläge der Rückführung aller wissenschaftlichen Erkenntnis auf die Physik haben ähnlich reduktive Implikationen. Manche versuchen alle sozialen G.e auf biologische G.e, etwa solche der Evolutionstheorie (↑Evolution), zu reduzieren oder alle praktischen G.e auf psychologische oder soziale G.e, etwa Friedrich Nietzsche und Niklas Luhmann. Wie bei den Wissenschaften war auch eine Reduktion der G.e bisher nicht erfolgreich und hat keine allg.e Akzeptanz gefunden.

Moralische und juridische G.e müssen jedenfalls alle grundlegenderen G.e beachten. Sie dürfen weder gegen logische und mathematische noch gegen naturwissenschaftliche, psychologische und soziale G.e verstoßen. Die Folgen eines Verstoßes sind unterschiedlich: Nach dem Grundsatz „Sollen impliziert Können" sind rechtliche G.e, die widersprüchlich, also logisch oder mathematisch fehlerhaft und nicht interpretativ korrigierbar sind, ungültig. Gleiches folgt aus naturwissenschaftlichen Fehlern. Verstöße gegen psychologische und soziologische G.e führen nicht zur Ungültigkeit, aber regelmäßig zur teilweisen Unwirksamkeit. Verpflichten juridische G.e anders als moralische G.e, so werden sie wenig befolgt werden.

Umstritten ist die Folge, wenn moralische und rechtliche G.e gegen ethische bzw. naturrechtliche oder göttliche G.e verstoßen. Die klassische, naturrechtliche Auffassung nahm nach dem Grundsatz *lex iniusta non est lex* eine Ungültigkeit solcher moralischen und rechtlichen G.e an. Der sog.e ↑*Rechtspositivismus*, der ab dem 19. Jh. Verbreitung fand und heute v. a. in den angelsächsischen Ländern führend ist, hält dagegen auch vollkommen ungerechte G.e für positives Recht und damit rechtsverbindlich. Gustav Radbruch vertrat noch 1932 die Auffassung, dass der ↑Richter selbst extrem ungerechte G.e anwenden müsse, weil er damit zumindest der ↑Rechtssicherheit als einem Element der umfassenden ↑Gerechtigkeit diene. Als Reaktion auf die Verbrechen des ↑Nationalsozialismus hat er diese Auffassung in dem berühmten Aufsatz „Gesetzliches Unrecht und übergesetzliches Recht" (Radbruch 2003) aufgegeben: Nach der sog.en *Radbruchschen Formel*, sind unerträglich ungerechte G.e ungültig und G.e ohne Intention der Gerechtigkeit kein Recht. Deutsche Gerichte haben die Formel beim Umgang mit NS-Unrecht und sachlich auch in den Mauerschützenprozessen herangezogen.

4. Ethische, moralische und juridische Gesetze

Die Notwendigkeit und Allgemeinheit der einzelnen G.es-Arten unterscheidet sich: Während die theoretischen G.e körperlich-individuell, ohne geistige und sprachliche Fassung sowie in jedem einzelnen Fall oder zumindest streng statistisch in einer Mehrzahl von Fällen wirksam sind, setzen die praktische G.e eine geistige und sprachliche Fassung sowie eine personale Interaktion voraus und wirken nicht in jedem einzelnen Fall.

Die *Notwendigkeit* des praktischen G.es ist also eine *geistige, sprachliche, personal-interaktive* und insofern *intentionale*. Sie besteht darin, das *Handeln von Menschen* (↑Handeln, Handlung) durch eine mehr oder minder starke *Verpflichtung* zu bestimmen. Da Menschen aber frei oder zumindest innengesteuert sind, können sie sich gegen die Befolgung entscheiden und eine gebotene Handlung unterlassen oder eine verbotene Handlung ausführen, so dass praktische G.e anders als theoretische G.e (von Wundern abgesehen) in einzelnen Fällen unwirksam bleiben.

Hinsichtlich der *Notwendigkeit* praktischer G.e lassen sich *kategorische* und *hypothetische* G.e unterscheiden. *Kategorische G.e* gebieten *ohne Rücksicht auf den Willen* des Verpflichteten. *Hypothetische G.e* setzen einen zustimmenden Willen des Verpflichteten voraus. I. Kant hat begrifflich umfassender zwischen *kategorischen* und *hypothetischen Imperativen* differenziert.

Die *Allgemeinheit* des praktischen G.es kann eine *sachliche* oder eine *personale* sein. Das G. kann also mehrere Sachverhalte bzw. Ereignisse oder die ↑Pflichten mehrerer Personen regeln. Im ersten Fall spricht man von einem *abstrakten* G., im zweiten Fall von einem *generellen* (im engeren Sinn) G. Ethische und moralische G.e sind regelmäßig abstrakt und generell. Fehlt die Abstraktheit, besteht ein *Einzelfall-G.*, fehlt die Generalität ein *Einzelpersonen-G.*

Die Disziplin der *Metaethik* stellt die Frage, ob und wie *ethische* G.e bestehen und verpflichten. Während traditionelle Gesellschaften und Theorien von einer unmittelbaren oder zumindest mittelbaren Verpflichtung durch Gott ausgingen, muss eine immanente, nichtreligiöse ↑Ethik den Bestand und die Verpflichtungskraft *ethischer* G.e auf andere Weise rechtfertigen. Nach dem von manchen angenommenen Satz „Ohne Gott ist alles erlaubt" ist das unmöglich. Ein säkularer Skeptizismus bzw. Subjektivismus kommt zum gleichen Ergebnis. Dagegen nimmt ein Realismus bzw. Objektivismus eine objektive ethische Verpflichtung auch ohne Gott an.

Moralische und *rechtliche* G. bestehen zumindest in unseren Äußerungen tatsächlich. Sie dienen dem Ziel der Vermittlung zwischen potentiell gegenläufigen, konfligierenden Belangen mit kategorischen Mitteln, erstere auch mit internen, letztere nur mit externen und formalen Mitteln. Rechtliche G.e sind regelmäßig abstrakt-generell. *Einzelfall-G.e* des Rechts sind etwa Ermächtigungen eines einzelnen staatlichen Organs, Organisationsbestimmungen oder Haushalts-G.e. Der Unterschied zwischen *kategorischen* und *hypothetischen G.en* manifestiert sich im Recht in der Differenz von *zwingendem (ius cogens)* und *abdingbarem Recht (ius dispositivum)*. G.e des ↑Strafrechts und des ↑öffentlichen Rechts sind häufig zwingend, solche des Zivilrechts, bes. des Vertragsrechts weitgehend abdingbar.

G.e sind eine wichtige *Rechtsquelle* und ein zentrales Element des ↑Rechtsstaats. G.e werden mit ihrer Allgemeinheit den Zielen der *Gleichheit, Gerechtigkeit, Si-*cherheit, Voraussagbarkeit, demokratischen Legitimation* und *Effizienz* regelmäßig förderlicher sein als bloße Einzelfallregelungen wie Gerichtsurteile und Verwaltungsakte. Dies erklärt und rechtfertigt ihre stetige Zunahme und nunmehr erreichte Dominanz sowie die Schaffung sehr allg.er G.e als ↑*Verfassungen* an der Spitze der G.es-Hierarchie. Allerdings bedürfen G.e regelmäßig der Konkretisierung durch Einzelentscheidungen, da nur diese dem einzelnen Konflikt gerecht werden können.

Die Zuordnung staatlichen Handelns zu einzelnen Gewalten hat im neuzeitlichen ↑Staat teilweise zur Verengung und Erweiterung des juridischen G.es-Begriffs und damit zur begrifflichen Verwirrung geführt: Partiell verengt wurde der Begriff auf die sog.en *formellen* G.e gesetzgebender Organe, etwa *Parlaments-G.e* der Legislative, denen z.B. *Ordnungen* bzw. *Verordnungen* der Exekutive und *Satzungen* autonomer Körperschaften wie Gemeinden oder sonstiger juristischer Personen gegenübergestellt wurden (*materielle* G.). Erweitert wurde der Begriff auf *alle Produkte* der Legislative, auch solche ohne Notwendigkeit und Allgemeinheit, etwa bloße Beschreibungen, Feststellungen oder Regelungen für Einzelfälle, etwa Fachplanungen (BVerfGE 95, 1 [17]). Art. 19 Abs. 1 S. 1 GG fordert nur die Allgemeinheit grundrechtsbegrenzender G.e, was vom ↑BVerfG allerdings auf echte Einschränkungsvorbehalte verengt wurde (BVerfGE 24, 367 [396]). Durch einen Einzelfall veranlasste, aber allg. formulierte und damit auf alle zukünftigen Fälle anwendbare G.e, sog.e *Maßnahme-G.*, sind zulässig (BVerfGE 4, 7 [18 f.]; 10, 89 [108]; 121, 30 [49]).

Art. 20 Abs. 3 GG lautet: „Die Gesetzgebung ist an die verfassungsmäßige Ordnung, die vollziehende Gewalt und die Rechtsprechung sind an Gesetz und Recht gebunden." Das *Prinzip der G.-Mäßigkeit* fordert mit dem *G.es-Vorrang* den Primat der G.e vor allen anderen staatlichen Willensäußerungen und mit dem *G.es-Vorbehalt* für wesentliche Regelungen, insb. Grundrechtseingriffe die Form des G.es. Der Strafrichter muss sich etwa bei seinem Urteil an das Straf-G. halten. Und ohne vorheriges Straf-G. darf niemand bestraft werden (Art. 103 Abs. 2 GG): *nullum crimen/nulla poena sine lege*.

Das positive Recht versucht G. gelegentlich selbst zu definieren, etwa in § 2 EGBGB: „Gesetz im Sinne des Bürgerlichen Gesetzbuchs und dieses Gesetzes ist jede Rechtsnorm". Da der Begriff der Norm allerdings die Notwendigkeit nicht wesentlich enthält (s. Punkt 1) und erheblich jünger, unklarer und weniger grundlegend als der Begriff des G.es ist, bleibt dieser Definitionsversuch wenig erhellend.

Literatur

G. Radbruch: Rechtsphilosophie, ²2011, § 10 • M. Hampe: Eine kleine Geschichte des Naturgesetzbegriffs, 2007 • F. Ossenbühl: Rechtsetzen, § 100–105, in: HStR, Bd. 5, ³2007, 135–385 • M. Hampe (Hg.): Naturgesetze, 2005 • G. Radbruch: Gesetzliches Unrecht und übergesetzliches Recht, in: ders.

(Hg.): Rechtsphilosophie, ²2003, 211–219 • M. Hampe: Gesetz und Distanz, 1996 • C. Starck (Hg.): Die Allgemeinheit des Gesetzes, 1987 • D. M. Armstrong: What is a Law of Nature?, 1983 • N. Cartwright: How the Laws of Physics Lie, 1983 • E.-W. Böckenförde: Gesetz und gesetzgebende Gewalt, ²1981 • D. Hume: A Treatise of Human Nature, 1978 • R. Grawert: Gesetz, in: GGB, Bd. 2, 1975, 863–922 • W. Krawietz u.a.: Gesetz, in: HWPh, Bd. 3, 1974, 480–532 • C. Starck: Der Gesetzesbegriff des Grundgesetzes, 1970 • F. Heinimann: Nomos und Physis, 1945.

DIETMAR VON DER PFORDTEN

Gesetzgebung

1. Allgemeine Bedeutung

Unter G. ist nicht nur das Verfahren, der Weg der G. zu verstehen, der zum Erlass des ↑Gesetzes führt. In einer älteren, noch heute fortwirkenden Bedeutungsschicht besagt G. in erster Linie das *bewusste und planmäßige Setzen von* ↑*Recht*, wobei nicht das Verfahren, sondern das Ergebnis des Verfahrens, die erlassenen Gesetze, im Vordergrund stehen. Insoweit ist G. Ausdruck einer gewandelten Auffassung über das Recht. Der im Mittelalter allg. gültige Vorrang des „guten alten Rechts", das auf Herkommen und Tradition beruht, wurde abgelöst durch den Vorrang der staatlichen G. Diese stützte sich auf drei Faktoren: auf den aufklärerischen Gedanken der rationalen Erfassung und Gestaltung des naturrechtlich fundierten Rechts (↑Naturrecht), auf das Bedürfnis nach Vereinheitlichung des Rechts in den mehr oder weniger absolutistisch regierten europäischen Staaten und deutschen Territorien (↑Kodifikation) und – zunächst noch verborgen, aber mehr und mehr hervortretend – auf den Gedanken der Anpassung des Rechts an die Zeitverhältnisse. Dieser dritte Aspekt des Begriffs der G. steht mit dem kompetenz- und verfahrensrechtlichen G.s-Begriff in genetischem Zusammenhang. Mag die aufklärerische Idee der G. zunächst fern vom Verfahrensgedanken gestanden haben, da die Inhalte der G. weitgehend als naturrechtlich geprägt verstanden wurden, so warf doch die in der G. stattfindende Dynamisierung des Rechts in verschärfter Weise die Frage nach dem Gesetzgeber und nach der verfahrensrechtlichen Organisation der G. auf.

Der G. als Staatsfunktion kommt vor den beiden anderen Staatsfunktionen, der Exekutive (Regierung und Verwaltung) und der ↑Rechtsprechung, eine herausgehobene Stellung zu, da Vollziehung und Rechtsprechung an die geltenden Gesetze gebunden sind (sog.er Vorrang des Gesetzes). Dies gilt ganz allg. unabhängig davon, ob und wie die drei Staatsfunktionen voneinander getrennt sind. Die G. bestimmt im Rahmen verfassungsrechtlicher Vorgaben über den Schutz und den Ausgleich von Rechten zwischen den Bürgern, über das Strafrecht, über Rechte und Pflichten der Bürger gegenüber dem Staat, über die ↑Staatsaufgaben, über die Art und Weise, in der diese wahrgenommen werden.

2. An der Gesetzgebung beteiligte Organe

Die verfassungsrechtlichen Modelle der G. lassen sich erst bewerten, wenn man weitere verfassungsrechtliche Grundentscheidungen und das tatsächliche Erscheinungsbild der Ausübung der staatlichen ↑Herrschaft mit in den Blick nimmt. Nur so wird deutlich, ob z. B. die Trennung der G. von den anderen Staatsfunktionen nur äußere Fassade ist oder substantielle Bedeutung hat (↑Gewaltenteilung). Die wichtigste Unterscheidung in der Organisation der G. ist nämlich, ob diese zusammen mit den anderen Staatsfunktionen von ein und demselben Staatsorgan wahrgenommen wird bzw. unter der Kontrolle dieses Staatsorgans steht oder ob ein gewaltenteiliges System vorliegt, in dem die G. von den anderen Staatsfunktionen getrennt ist (↑Staatsorganisation). Solche Trennung lässt sich auf verschiedene Weisen durchführen, was nicht ohne Einfluss auf die Gestaltung des G.s-Verfahrens ist. Die prinzipielle Trennung von gesetzgebender und gesetzesvollziehender Gewalt hat John Locke damit begründet, dass es gefährlich sei, wenn die Legislative die von ihr erlassenen Gesetze auf den konkreten Fall anwenden könnte. Erst der Umstand, dass die der gesetzgebenden Versammlung angehörenden Bürger den Gesetzen und damit der die Gesetze anwendenden Gewalt selber unterworfen seien, garantiere gerechte Gesetze. Dieser antiabsolutistische Gedanke ist die Grundlage des gemäßigten Staates. Verfeinerungen der Gewaltenteilung liegen darin, dass die Funktion der G. selbst gewaltenteilig wahrgenommen wird. So war im monarchischen ↑Konstitutionalismus regelmäßig die Übereinstimmung des Monarchen und der beiden Kammern zu jedem Gesetz erforderlich (z. B. Art. 62 preußische Verfassung von 1850). Das aus der vorangegangenen Zeit stammende G.s-Recht des Monarchen wurde durch die Mitwirkungsrechte der beiden Kammern beschränkt. Die beiden Kammern waren nach verschiedenen sozialen Gesichtspunkten zusammengesetzt und sollten sich gegenseitig mäßigen. Heute spielt die zweite Kammer für die G. weiterhin eine Rolle, wobei v. a. die föderalistische Staatsstruktur (↑Föderalismus) für die Bildung einer zweiten Kammer genutzt werden kann, die entweder aus der Mitte der Landesregierungen, aus der Mitte der Landesparlamente oder auf Grund von Wahlen in den einzelnen Ländern besetzt werden kann. Die zweite Kammer kann eine bloße Ratsfunktion haben, mitentscheiden, dazwischenliegende Mitwirkungs- und Kontrollbefugnisse haben oder je nach Materie verschiedene Mitwirkungsbefugnisse wahrnehmen. Außerhalb einer bundesstaatlichen Organisation kann die zweite Kammer auf Grund allg.er Wahlen, berufsständisch, auf Grund des Erbrechts oder monarchischer (präsidialer) Ernennung (englisches Oberhaus) zusammengesetzt werden. Die Frage der Intensität der Mitwirkung an der G. ist auch außerhalb föderalistischer Systeme heute eine Legitimitätsfrage, die zumeist zuungunsten solcher zweiten Kammern beantwortet wird.

G. kann in Demokratien auch unmittelbar durch das Volk durch ↑Plebiszit (Volksentscheid) stattfinden. Regelmäßig erfolgt Verfassunggebung, seltener Verfassungsänderung durch Plebiszit. Aber auch einfache G. kann auf Grund eines Volksbegehrens, des Antrags eines am G.s-Prozess beteiligten Organs oder eines oder mehrerer Gliedstaaten dem Volksentscheid unterworfen werden. Volksentscheide verlangen ausgearbeitete Gesetzentwürfe der Antragsteller. Dem Volksentscheid können auch alternative Antworten auf eine Frage unterbreitet werden, die dann im Anschluss an den Volksentscheid vom ↑Parlament nach Maßgabe des Volksentscheids zu regeln ist.

3. Gesetzgebung im Bundesstaat

Im ↑Bundesstaat müssen die Zuständigkeiten auf dem Gebiete der G. durch die Bundesverfassung verteilt werden (Gewaltenteilung). Die meisten Bundesstaaten weisen die Materien der G. des Bundes ausdrücklich aus und überlassen im Übrigen den Ländern die G. Das Gewicht der den Ländern überlassenen Materien der G. entscheidet über die Substanz der ihnen verbliebenen politischen Gestaltungsmacht. Wenn im Wege der Verfassungsinterpretation ungeschriebene Bundeskompetenzen gefunden werden, so müssen sich diese auf Materien beschränken, die in untrennbarem Zusammenhang mit Bundesmaterien stehen. Eine Besonderheit des deutschen Verfassungsrechts besteht darin, dass die G.s-Kompetenz des Bundes in drei verschiedenen Formen erscheint:

a) Ausschließliche G. des Bundes besteht für Materien, in denen nur der Bund Gesetze geben soll (Art. 73 GG), es sei denn, er überträgt die G. auf die Länder (Art. 71 GG).

b) Im Bereich der konkurrierenden G. (Art. 74 GG) haben die Länder die Befugnis der G., solange und soweit der Bund von seinem G.s-Recht keinen Gebrauch macht (Art. 72 Abs. 1 GG).

c) Grundsatz-G. des Bundes im Haushalts- und Finanzplanungsrecht führt zu Gesetzen, die Bund und Länder gleichermaßen binden (Art. 109 Abs. 4 GG).

G. im Bundesstaat verlangt nicht nur Kompetenzverteilung, sondern auch gliedstaatlichen Einfluss auf die Bundes-G. Das geschieht regelmäßig durch eine zweite Kammer. Diese wird in der BRD in abgestufter Weise an der G. beteiligt.

4. Das Verfahren der Gesetzgebung

Dieses besteht aus drei oder vier Verfahrensabschnitten. a) Die Gesetzesinitiative führt zu b) Beratung und evtl. Beschlussfassung im Parlament; c) bei Mitwirkung einer zweiten Kammer sind deren Einflussrechte zu bestimmen und Verfahren für den Fall des Dissenses mit der ersten Kammer zu schaffen; d) das G.s-Verfahren endet mit der Ausfertigung und Verkündung des Gesetzes.

a) Das Recht der *Gesetzesinitiative* haben regelmäßig die an der G. beteiligten Kammern (Häuser) und die Regierung, die zur Durchführung ihres Programms Gesetze braucht und deshalb von dem Initiativrecht sehr häufig Gebrauch macht. Innerhalb der Volksvertretung hat regelmäßig eine qualifizierte Minderheit das Recht der Gesetzesinitiative. Die eigentliche Anregung einer Initiative braucht nicht von dem initiativberechtigten Organ, sondern kann von ↑Parteien, ↑Verbänden oder einer Landesregierung ausgehen. In den meisten Zweikammersystemen werden Initiativen der Regierung über die zweite Kammer geleitet und umgekehrt, damit die erste Kammer vor Eintritt in die Beratung sowohl die Meinung der Regierung wie die der zweiten Kammer kennt.

b) Die *Beratungen im Parlament* werden eingeteilt in Plenar- und Ausschussberatungen. Nachdem im Plenum die Grundsatzfragen eines Gesetzentwurfs beraten worden sind, wird der Entwurf an Ausschüsse überwiesen, die über das Ergebnis ihrer Beratungen dem Plenum berichten, das dann nach weiterer Befassung mit dem Entwurf einen Gesetzesbeschluss fassen kann.

c) Falls eine *zweite Kammer* besteht, schließen sich deren Beratungen, die regelmäßig ebenfalls in Plenar- und Ausschussberatungen gegliedert werden, an die Beschlussfassung der ersten Kammer an. Unabhängig davon, ob eine zustimmende Entscheidung der zweiten Kammer für den Erlass des Gesetzes erforderlich ist oder ob die zweite Kammer nur ein von der ersten Kammer (ggf. qualifiziert) überstimmbares Veto einlegen kann, ist ein Vermittlungsausschuss notwendig, zumindest aber nützlich, der Kompromisslösungen erarbeiten und vorschlagen kann.

d) Nach einem zustimmenden Beschluss der zweiten Kammer oder nach Überstimmung deren Vetos durch die erste Kammer folgt die *Ausfertigung* durch das ↑Staatsoberhaupt. In einem Einkammersystem könnte auch die Ausfertigung durch den Parlamentspräsidenten vorgesehen werden. Der Ausfertigung geht in den meisten Staaten eine Prüfung voraus, ob das Gesetz nach den dafür in der ↑Verfassung normierten Regeln zustande gekommen ist. Gesetze, die außerhalb dieser Regeln verabschiedet worden sind oder die inhaltlich evident gegen die Verfassung verstoßen, brauchen nicht ausgefertigt zu werden und sollten es auch nicht. In den parlamentarischen Demokratien (anders in den Präsidialdemokratien) kommt dem Präsidenten hingegen keine Befugnis zu, ein vom Parlament verabschiedetes Gesetz auf dessen politische Zweckmäßigkeit und Opportunität zu überprüfen.

5. Prinzipien des Gesetzgebungsverfahrens
5.1 Diskussion und Information
Diskussion und Information sind bereits entscheidende Merkmale im Stadium der Gesetzesinitiative. Die Initiativberechtigten sind i. d. R. Kollektivorgane oder, was die Initiative aus der Volksvertretung anbelangt, kollektiver

Teil eines Kollektivorgans. Vor der Abstimmung über eine Vorlage wird durch Austausch von Argumenten eine Verständigung gesucht. Bei Regierungsvorlagen, die in der Staatspraxis der parlamentarischen Demokratien die größte Bedeutung haben, sind die je nach Sachgebiet sachkundigen Ministerien zu beteiligen. Ferner können schon im Initiativverfahren Sachverständige und Interessenvertreter herangezogen werden, die zusätzliche Informationen liefern. Auf dem Wege vom Referentenentwurf zum Kabinettsbeschluss kann der Gesetzentwurf veröffentlicht und damit eine ganz allg.e Diskussion angeregt werden, die in jedem Fall, spätestens mit der Einbringung ins Parlament, möglich wird. Das Regierungskabinett berät und stimmt über Gesetzentwürfe ab. Die Diskussion im Initiativverfahren setzt sich nach Vorlage des Gesetzentwurfs im Parlament fort, und zwar strukturiert in Diskussion über allg.e und Einzelfragen, um möglichst Klarheit über Konzeption und Detail zu gewinnen. Hilfen für die Diskussion stellen die Schriftlichkeit aller Diskussionsgrundlagen und ein gewisser Zeitabstand zwischen den Beratungsabschnitten dar, wenn neue Gesichtspunkte eingeführt werden. Damit wird dem einzelnen ↑Abgeordneten die Möglichkeit gegeben, sich das zur Debatte stehende Gedankengut – ggf. mit Hilfe von Rücksprachen mit sachverständigen Fraktionsfreunden – klarzumachen. Da das Plenum des Parlaments ein zu großes Gremium für eine gründliche Diskussion ist, werden Gesetzentwürfe regelmäßig in Ausschüssen erörtert, die mit relativ sachkundigen Abgeordneten besetzt sind. Die Ausschüsse können bes. Informationssitzungen veranstalten, in denen Sachverständige angehört werden. Die Schlussabstimmung im Parlament beruht regelmäßig auf umfassender Information und Diskussion. Ggf. findet nochmalige Diskussion und Erweiterung der Information innerhalb der zweiten Kammer statt.

5.2 Öffentlichkeit

Neben Diskussion und Information zeichnet sich das G.s-Verfahren durch weitgehende ↑Öffentlichkeit aus. Öffentlich sind die Beratungen im Plenum des Parlaments und ggf. der zweiten Kammer. Die Darlegung des G.s-Konzepts und die daran anschließende Diskussion finden vor der Öffentlichkeit statt und setzen sich damit der öffentlichen Kritik aus. Dabei können Gruppeninteressen sichtbar werden. Differenzierter ist das Verhältnis von Öffentlichkeit und Diskussion im Stadium der Gesetzesinitiative. Dieser Verfahrensabschnitt soll überhaupt erst einen Entwurf hervorbringen, der zur parlamentarischen und damit öffentlichen Beratung gestellt wird. Öffentlichkeit hat in diesem Verfahrensabschnitt zunächst den Sinn, sachliche Information über die der Regelung zugrunde liegende Materie zu ermöglichen, wobei Ansichten der vom Gesetz Betroffenen bedeutsam sind. Weiter bewirkt die Öffentlichkeit schon im Stadium des Initiativverfahrens, dass bis zu den Beratungen des Gesetzes im Parlament für Kritiker mehr

Zeit bleibt, Argumente zu sammeln und zu begründen. Im Gegensatz zur Diskussion in den Plena der gesetzgebenden Kammern ist es zweckmäßig, deren Ausschüsse i. d. R. nicht öffentlich beraten zu lassen. Gerade durch einen nichtöffentlichen Verfahrensabschnitt kann das Verfahren gefördert werden. Die nichtöffentliche Debatte ermöglicht, die vor der Öffentlichkeit ausgetragenen politischen Kontroversen wenigstens teilweise auf Sachfragen zurückzuführen. Sofern ein Ausschuss die Aufgabe hat, zwischen gegensätzlichen Mehrheitsauffassungen zweier an der G. beteiligter Kammern zu vermitteln, ist es geradezu zwingend, dass dieser Ausschuss nicht öffentlich tagt. Mit der Zurückgabe der Sache an das Plenum des Parlaments wird das Verfahren wieder öffentlich, und zwar rückwirkend, indem über das Ergebnis der Ausschussberatungen öffentlich berichtet wird. Das Verfahren endet regelmäßig mit öffentlichen Abstimmungen.

6. Die Bedeutung des Gesetzgebungsverfahrens für den Inhalt des Gesetzes

Das Gesetz als Ergebnis eines verfassungsrechtlich geregelten Verfahrens steht im Gegensatz zur Vorstellung vom Gesetz als Befehl des Herrschers. Die übermäßige Betonung des Willens in der zweiten Formel wird in der ersten Formel durch Argumentation, Information, Öffentlichkeit, Vernunft, Kompromiss und durch Schutz vor leichtfertiger Majorisierung ersetzt. Das demokratische Element des Verfahrens bietet eine wichtige Garantie dafür, dass die G. nicht in die Hand der Vertreter einer bestimmten Weltanschauung fällt. Insoweit gewährleistet bereits das G.s-Verfahren eine gewisse inhaltliche Güte des Gesetzes. Daneben lässt sich dem Verfahren noch ein weiteres inhaltliches Moment entnehmen, und zwar eine Proportionalität von Erzeugungsverfahren und Wichtigkeit der Regelung. Die Qualität der gesetzgebenden Organe weist auf die grundlegende Bedeutung der Gesetze hin. Diese Organe können weder in beliebigem Umfang Einzelfälle regeln noch ↑Normen erlassen, die zwar generell sind, die aber kaum allg.e politische Bedeutung haben oder die so schnell überholbar sind, dass das Erzeugungsverfahren länger dauert als die Normen anschließend wirksam sind. Die Knappheit der Zeit und die Grenzen der Detailkenntnis der gesetzgebenden Organe verbieten die Schaffung unwichtiger Normen. Das G.s-Verfahren ist darauf angelegt, möglichst dauerhafte, weitsichtig vorausgeplante und gut abgewogene Regelungen zu wichtigen Fragen des menschlichen Zusammenlebens hervorzubringen. Was wichtige Fragen von allg.er Bedeutung sind, beantworten die Verfassung durch die Gesetzesvorbehalte und der Gesetzgeber im Rahmen des Vorrangs des Gesetzes (Gesetz). Die Proportionalität von G.s-Verfahren und Gesetzesinhalt kann das G.s-Verfahren nur beherrschen, wenn der parlamentarische Gesetzgeber Delegationsmöglichkeiten hat (↑Rechtsverordnung, ↑Satzung).

7. Notgesetzgebung

Für Zeiten schwerer Störungen des inneren Friedens oder für den Verteidigungsfall sehen die meisten Verfassungen ein vereinfachtes G.s-Verfahren der ordentlichen G.s-Organe vor und bestimmen für den Fall, dass diese nicht zusammentreten können, ein anderes gesetzgebendes Organ (Parlamentsausschuss, Regierung oder Präsident). Falls die Regierung oder der Präsident die G. übertragen bekommt, spricht man von Notverordnungsrecht. Das Beispiel des Art. 48 WRV, nach dem der Reichspräsident zur Wiederherstellung der erheblich gestörten öffentlichen Sicherheit und Ordnung die „nötigen Maßnahmen treffen" konnte, stellt eine extrem weitgehende Ermächtigung dar, die zu Recht als Diktaturgewalt bezeichnet worden ist. Die schlechten Erfahrungen, die damit gemacht worden sind, haben dazu geführt, dass das ↑GG bis zur Einführung der Notstandsverfassung ein Notgesetzgebungsrecht gar nicht vorgesehen hatte. Seit 1968 gilt für den Verteidigungsfall (Art. 115a GG) ein abgekürztes G.s-Verfahren (Art. 115d GG) bei erweiterter G.s-Kompetenz des Bundes (Art. 115c GG); falls einem rechtzeitigen Zusammentritt des ↑Bundestages unüberwindliche Hindernisse entgegenstehen, nimmt der Gemeinsame Ausschuss (Art. 53a GG) die G.s-Befugnisse von Bundestag und ↑Bundesrat einheitlich wahr (Art. 115e GG) (↑Staatsnotstand und Staatsnotrecht).

Der in Art. 81 GG geregelte G.s-Notstand betrifft nicht eine Notstandslage des Staates, sondern eine Störung der Staatsfunktionen durch einen Mehrheitsverlust der Bundesregierung im Bundestag. Wenn in solch einem Fall der Bundestag nicht aufgelöst wird (Art. 68 GG), bekommt die ↑Bundesregierung für eine kurz bemessene Zeit die Chance, für ihre Politik notwendige Gesetze mit Zustimmung des Bundesrates zu erlassen.

8. Gesetzgebungswissenschaft

In Staaten mit verfassungsgerichtlicher Gesetzeskontrolle, in denen der Vorrang der Verfassung nicht nur auf dem Papier steht, sondern stets zur Wirksamkeit gebracht werden kann, ist die G.s-Wissenschaft in erster Linie mit der Frage beschäftigt, welche Voraussetzungen ein Gesetz erfüllen muss, um mit der Verfassung im Einklang zu stehen. Die Auslegung und Anwendung der ↑Grundrechte spielt dabei eine bedeutende Rolle. G.s-Wissenschaft ist insoweit eine der Verfassungsrechtsdogmatik verpflichtete Wissenschaft. In der BRD hat das nahezu ausschließliche Interesse an der Verfassungsmäßigkeit der Gesetze andere Aspekte der G.s-Wissenschaft verkümmern und vergessen lassen.

Seit den 1970er Jahren lässt sich eine Besinnung auf die außerverfassungsrechtlichen Aspekte der G.s-Wissenschaft feststellen, die bes. aus Österreich Impulse erhalten hat. Es geht dabei um wichtige Zweckmäßigkeitsfragen der G., z.B. um die Wirtschaftlichkeit (auch des Vollzugs), Einfachheit, Verständlichkeit, Effektivität und Dauerhaftigkeit von Gesetzen. Die Vermeidung unliebsamer Neben- und Folgewirkungen sowie die Wirksamkeitskontrolle der Gesetze sind in die wissenschaftliche Fragestellung aufgenommen worden. Die Aufgabe einer umfassenden G.s-Wissenschaft ist es, Kriterien für sowohl zweckmäßige als auch verfassungsmäßige Gesetze sowie gegen jedes Übermaß an G. zu entwickeln. Zweckmäßig sind Gesetze dann nicht, wenn neben ihrer guten (beabsichtigten) Wirkung schlechte Nebenwirkungen eintreten, die wiederum staatliche Aktivitäten herausfordern.

Die Gründe für die mangelnde oder verfehlte Wirksamkeit von Gesetzen sind zahlreich und miteinander verwoben. Häufig erörtert worden sind die Fehlerursachen, die darauf zurückzuführen sind, dass die Gesetze nicht verständlich, nicht klar, nicht einfach genug sind, dass sie Missbrauch ermöglichen, weil sie menschlichen Grundhaltungen nicht genügend Rechnung tragen. So können festgefügte Auffassungen und Lebensgewohnheiten der Bürger nicht durch einen Federstrich des Gesetzgebers geändert werden. Es werden zu viele und zu detaillierte Gesetze erlassen, die zu oft geändert werden. Gesetze zielen häufig nur auf kurzfristige oder gar nur auf propagandistische Wirkung zur Beruhigung aufgebrachter Teile der Bevölkerung. Der Gesetzgeber nimmt die Realien des Soziallebens nicht immer hinreichend zur Kenntnis. Dabei geht es zum einen um Einzelheiten, über die man sich mit Hilfe von Sachverständigen informieren kann, aber auch um innere Zusammenhänge mit anderen gesetzlichen Regelungen, die nicht genügend berücksichtigt werden, weil die Wirklichkeit, nach ministeriellen Zuständigkeiten abgegrenzt, nur noch sektoral zur Kenntnis genommen wird. Ideologische Verengung der Wirklichkeitssicht und der Glaube an die Machbarkeit der gesellschaftlichen Verhältnisse in einer sozialtechnologischen Sicht der Gesellschaft verleiten dazu, über Lebenserfahrungen hinwegzugehen, da diese als für die Zukunft nicht verbindlich betrachtet werden.

Die geschilderte Lage der G. ist tief verwurzelt in den gesellschaftlichen und politischen Verhältnissen, die zu einer ständigen Überforderung der G. führen. Erst wenn die Bürger und die Politiker in den westlichen Demokratien wieder bereit sind, weniger vom Staat zu fordern bzw. weniger mit den Mitteln der G. erreichen zu wollen, kann die G. stabiler und besser werden. Insb. müssen die Politiker der Verlockung widerstehen lernen, aus der Position der Mehrheit Gesetze zu erlassen, die nicht hinreichend durchdacht, nicht mit dem übrigen Recht abgestimmt, schlecht konstruiert und unangemessen teuer im Vollzug sind. Von Seiten der G.s-Wissenschaft kann dazu beigetragen werden, dass die Gesetze sprachlich, technisch und unter dem Gesichtspunkt der Kongruenz mit den bestehenden Gesetzen verbessert werden. Außerdem halten solche Bemühungen, die institutionalisierten G.s-Diensten übertragen werden könnten, das Bewusstsein wach, dass der G. Grenzen gezogen sind. Soweit sich die Gesetzesmaterien dazu eignen, sollten Gesetzentwürfe durch Praxistests auf ihre Vollzugseignung geprüft werden. Über geltende Gesetze sollten Vollzugsberichte für die Parlamente erstellt werden.

Literatur

G. Müller/F. Uhlmann: Elemente einer Rechtssetzungslehre, ³2013 • H. Schneider: Gesetzgebung, ³2002 • U. Diederichsen/R. Dreier (Hg.): Das missglückte Gesetz, 1997 • H. Schäffer (Hg.): Theorie der Rechtssetzung, 1988 • K. Stern: Das Staatsrecht der Bundesrepublik Deutschland, Bd. 1, ²1984, § 20 • W. Hugger: Gesetze – Ihre Vorbereitung, Abfassung und Prüfung, 1983 • K. Eichenberger: Gesetzgebung im Rechtsstaat, in: VVDStRL, Bd. 40, 1982, 7–39 • M. Kloepfer: Gesetzgebung im Rechtsstaat, in: ebd., 63–98 • R. Novak: Gesetzgebung im Rechtsstaat, in: ebd., 40–62 • T. Öhlinger (Hg.): Methodik der Rechtssetzung, 1982 • C. Degenhart: Gesetzgebung im Rechtsstaat, in: DÖV 34 (1981), 477–486 • K. Stern: Das Staatsrecht in der Bundesrepublik Deutschland, Bd. 2, 1980, § 37 • S. Magiera: Parlament und Staatsleitung in der Verfassungsordnung des Grundgesetzes, 1979 • G. Schwerdtfeger: Optimale Methodik der Gesetzgebung als Verfassungspflicht, in: R. Stödter/W. Thieme (Hg.): FS für Hans Peter Ipsen, 1977, 173–188 • H. Schröder: Gesetzgebung und Verbände, 1976 • P. Noll: Gesetzgebungslehre, 1973 • G. Dilcher: Gesetzgebungswissenschaft und Naturrecht, in: JZ 24/1 (1969), 1–7 • S. Gagner: Studien zur Ideengeschichte der Gesetzgebung, 1960 • U. Scheuner: Die Aufgabe der Gesetzgebung in unserer Zeit, in: DÖV 13 (1960), 601–611 • W. Ebel: Geschichte der Gesetzgebung in Deutschland, ²1958 • E. Zitelmann: Die Kunst der Gesetzgebung, 1904.

CHRISTIAN STARCK

Gesetzlicher Richter

1. Allgemeine Bedeutung des Prinzips

Das Prinzip des g.n R.s besagt, dass niemand seinem g.n R. entzogen werden darf. Hieraus folgt, dass in jedem gerichtlich zu entscheidenden Einzelfall kein anderer als derjenige ↑Richter tätig werden und Recht sprechen darf, der in den allg.en Normen der Gesetze und gerichtlichen Geschäftsverteilungspläne dafür vorgesehen ist. Das ↑GG hat dieses Prinzip in Art. 101 Abs. 1 S. 2 GG verankert.

Mit diesem Kerngehalt verfolgt das Prinzip des g.n R.s sowohl eine formelle als auch eine materielle Zielsetzung: In *formeller Hinsicht* soll der Gefahr vorgebeugt werden, dass die Justiz durch eine Manipulation der rechtsprechenden Organe sachfremden Einflüssen ausgesetzt wird, insb. indem durch die Auswahl der zur Entscheidung berufenen Richter Ergebnis oder Inhalt der ↑Rechtsprechung beeinflusst werden könnte. Der für die Entscheidung zuständige Richter darf folglich nicht einzelfallbezogen, d.h. *ad hoc* und *ad personam* ausgewählt werden. Durch dieses Verbot der einzelfallbezogenen Auswahl soll nicht nur die Unabhängigkeit der Rechtsprechung gewahrt, sondern auch das Vertrauen der Rechtsuchenden und der Öffentlichkeit in die

Unparteilichkeit sowie in die Sachlichkeit der Gerichte gesichert werden. Das damit geschichtlich seit jeher zusammenhängende Verbot von Ausnahmegerichten – im GG durch Art. 101 Abs. 1 S. 1 GG kodifiziert – soll eine Umgehung dieses Prinzips des g.n R.s verhindern und stellt sich insofern als dessen Unterfall dar. Neben dieser rechtsstaatlichen Komponente beinhaltet das Prinzip zudem eine bedeutsame *materielle Gewährleistung:* Es garantiert, dass der Rechtsuchende vor einem Richter steht, der tatsächlich unabhängig und unparteiisch ist und dementsprechend die Gewähr für Neutralität sowie Distanz gegenüber den Verfahrensbeteiligten bietet.

2. Kodifikationsgeschichte des Prinzips

Aufgrund seiner zentralen Bedeutung für ein gewaltengeteiltes, rechtsstaatlich-demokratisches Gemeinwesen blickt das Prinzip des g.n R.s auf eine lange Kodifikationsgeschichte zurück: So enthielt bereits Titel III Kap. V Art. 4 der französischen Verfassung von 1791 entsprechende Regelungen. In Deutschland untersagte es Abschnitt VI Art. X § 175 der (allerdings nicht in Kraft getretenen) Paulskirchenverfassung von 1849, seinem g.n R. entzogen zu werden und erklärte Ausnahmegerichte für unzulässig. Zudem fanden sich derartige Regelungen in den meisten deutschen Landesverfassungen des 19. Jh., nicht aber in der Reichsverfassung von 1871 – auf Reichsebene beließ man es bei dem noch heute gültigen § 16 GVG. Art. 105 S. 1 und 2 WRV (1919) setzte diesen Kodifikationsprozess fort und begründete erstmalig auch für das Reich eine verfassungsrechtliche Gewährleistung. Mit Art. 101 Abs. 1 GG übernahmen die Schöpfer des GG diese Bestimmungen nahezu wortgleich; entspr.e Regelungen finden sich zudem in einigen Landesverfassungen (z. B. Art. 86 Abs. 1 S. 2 BayVerf).

Obschon in den Verfassungstraditionen vieler EU-Mitgliedstaaten das Prinzip des g.n R.s nicht so stark ausgeprägt ist wie in Deutschland, statuiert nunmehr auch Art. 47 Abs. 2 EuGRC eine dahingehende Gewährleistung („Jede Person hat ein Recht darauf, dass ihre Sache von einem […] zuvor durch Gesetz errichteten Gericht […] verhandelt wird."). Diese Regelung hinwiederum geht auf Vorbilder in Art. 14 Abs. 1 S. 2 IPbpR und Art. 6 Abs. 1 S. 1 EMRK zurück.

3. Wesentlicher Gehalt des Prinzips

Das in Art. 101 Abs. 1 S. 2 GG als ↑Grundrecht kodifizierte Prinzip des g.n R.s schützt nicht nur vor legislativen und exekutiven Beeinträchtigungen der Gerichtsorganisation „von außen", sondern auch vor judikativen Manipulationen „von innen".

Für die Legislative beinhaltet das Prinzip zunächst die (negative) Aussage, dass niemand durch eine einzelfallbezogene gesetzgeberische Maßnahme seinem Richter entzogen werden darf. Zugl. verbürgt es einen (positiven) Anspruch auf die gesetzliche Determination des Richters: So setzt das Prinzip einen Bestand von Rechtssätzen voraus, der im Grundsatz für jeden denkbaren Streitfall im Vorhinein den für die Entscheidung zuständigen Richter bezeichnet. Diese abstrakt-generellen Festlegungen sind primär durch den parlamentarischen (Bundes-)Gesetzgeber zu treffen. Insb. hat er die fundamentalen Zuständigkeitsregeln zu normieren, muss also durch seine Prozessordnungen bestimmen, welche Gerichte mit welchen Spruchkörpern (Einzelrichter, Kammern, Senate etc.) für welche Verfahren sachlich, örtlich und instanziell zuständig sind. Ergänzt werden diese Bestimmungen, nach Maßgabe der Gesetze, durch Geschäftsverteilungspläne der Gerichte (§ 21e GVG), in denen v. a. die konkreten Zuständigkeiten der jeweiligen Spruchkörper und ihrer Richter bzw. Vertretungsrichter festzulegen sind.

Der Exekutive untersagt das Prinzip des g.n R.s, dort für den Bürger verbindliche Entscheidungen zu treffen, wo die Zuständigkeit eines Richters gesetzlich begründet ist. Die Exekutive kann dieses Prinzip zudem durch Eingriffe in die gesetzliche Zuständigkeitsverteilung beeinträchtigen. Obschon eine derartige exekutive Einflussnahme heute eher selten ist, äußert sie sich nichtsdestotrotz in der Einrichtung oder Auflösung von Spruchkörpern, in der Festlegung von Gerichtsbezirken oder in der Wahl bzw. Ernennung von Richtern. Allerdings finden solche Einflussnahmemöglichkeiten ihre Rechtfertigung entweder in einer parlamentsgesetzlichen Verordnungsermächtigung (z. B. zur Festlegung von Gerichtsbezirken) oder beruhen auf verfassungsunmittelbaren Anordnungen (wie die Wahl der Richter nach Art. 94 Abs. 1 und Art. 95 Abs. 2 GG).

Zwar schützte das Prinzip des g.n R.s urspr. die Unabhängigkeit der Justiz vor einzelfallbezogenen Eingriffen der Legislative und Exekutive. Für Art. 101 Abs. 1 S. 2 GG erweiterte das ↑BVerfG dessen Gewährleistungsgehalt allerdings schnell auch auf Akte der Judikative. Neben den vorstehend bereits erwähnten positiven Vorgaben für die Legislative handelt es sich bei dieser Schutzrichtung mittlerweile um den bedeutendsten Anwendungsgehalt des Art. 101 Abs. 1 S. 2 GG. Der Entzug des g.n R.s kann dabei entweder auf einer fehlerhaften Handhabung gesetzlicher oder sonstiger Zuständigkeits- bzw. Verfahrensvorschriften beruhen – etwa in Gestalt einer Abweichung vom gerichtlichen Geschäftsverteilungsplan, der Mitwirkung eines kraft Gesetzes ausgeschlossenen Richters, der fehlerhaften Behandlung eines Befangenheitsgesuchs oder der gebotenen, aber unterbliebenen Vorlage eines Rechtsstreits an den ↑EuGH (Art. 267 AEUV). Das BVerfG beschränkt sich insoweit jedoch auf eine Willkürkontrolle der angewandten Zuständigkeits- und Verfahrensnormen, um als Verfassungsgericht nicht in die Rolle eines prozessrechtlichen Revisionsgerichts gedrängt zu werden. Zudem können rechtswidrige gerichtsinterne Organisationsakte (z. B. fehlerhaft erstellte Geschäftsverteilungspläne) einen Verstoß gegen das Prinzip des g.n R.s zur Folge haben.

Literatur
D. Wolff: Willkür und Offensichtlichkeit. Die verfassungsgerichtliche Prüfung einer Verletzung von Art. 101 Abs. 1 S. 2 GG i. V. m. Art. 267 Abs. 3 AEUV, in: AöR 141/1 (2016), 40–105 • R. Müller-Terpitz: Art. 101 GG, in: B. Schmidt-Bleibtreu/H. Hofmann/H.-G. Henneke (Hg.): GG. Kommentar zum Grundgesetz, 2014, 2479–2496 • G. Britz: Verfassungsrechtliche Effektuierung des Vorabentscheidungsverfahrens, in: NJW 65/19 (2012), 1313–1317 • M. Bäcker: Altes und Neues zum EuGH als gesetzlichem Richter, in: NJW 64/5 (2011), 270–272 • D. Remus: Präsidialverfassung und gesetzlicher Richter, 2008 • U. Müßig: Gesetzlicher Richter ohne Rechtsstaat?, 2007 • M. Düwel: Kontrollbefugnisse des Bundesverfassungsgerichts bei Verfassungsbeschwerden gegen gerichtliche Entscheidungen, 2000 • E. Kern: Der gesetzliche Richter, 1927.
           RALF MÜLLER-TERPITZ

Gesundheit

I. Sozialethisch – II. Pädagogisch –
III. Soziologisch – IV. Wirtschaftlich

I. Sozialethisch

1. Begriff und Gegenstand

„Gesund" meint urspr. „vollständig, ganz, heil" (Vonessen 1974: 559), wie es im Lateinischen *(salus)*, darüber hinaus auch im französischen oder hebräischen Gruß *(salut* bzw. *schalom)* anklingt. G. beschreibt den Zustand eines Menschen oder einer Bevölkerungsgruppe, der einerseits leiblich-körperliche, andererseits aber auch mentale, psychische und spirituelle Aspekte, also den „ganzen" Menschen umfasst. Er enthält sowohl deskriptive als auch normative Anteile und ist nicht nur ein Zentralbegriff der ↑Medizin, sondern auch Thema der Sozialwissenschaften, Künste, Philosophie, Ethik und Theologie. Die Redewendung des „gesunden Menschenverstandes" oder die begriffliche und semantische Nähe der Begriffe „Heilung" (medizinisch) und „Heil" (soteriologisch, theologisch) bringen dies zum Ausdruck.

Umstritten ist die G.s-Definition der ↑WHO von 1947, welche den G.s-Begriff in die Nähe des Glücks-Begriffs (↑Glück) rückt: „Gesundheit ist der Zustand vollständigen physischen, geistigen und sozialen Wohlbefindens und nicht nur die Abwesenheit von Krankheit oder Schwäche" (Engelhardt 1998: 112). Kurz nach dem Zweiten Weltkrieg wurde damit ausgedrückt, was auch gegenwärtig im Zentrum des Interesses der G.s-Wissenschaften und der Alltagssemantik steht, nämlich, dass die G. mehr umfasse als die bloße Abwesenheit von Krankheit und dass die Sorge um die G. individuelle wie gesellschaftspolitische Aufmerksamkeit verdiene. Im Verständnis von G. der WHO-Definition bleibt unklar, wer angesichts dieser Maximalkriterien überhaupt als gesund gelten darf, ob und inwiefern die G. mehr ist als eine nicht erreichbare Idealvorstellung und wie z. B.

chronisch Kranke oder Menschen mit Behinderungen mit dieser für sie unerreichbaren Zielsetzung umgehen sollen.

Seit den 1980er Jahren ist in öffentlichen Diskursen eine zunehmende Sensibilität für die multifaktorielle Bedingtheit von G. und eine stärker an der G.s-Förderung als an der Krankheitsverhinderung orientierte G.s-Politik wahrzunehmen. Damit verbunden ist die Infragestellung der Alleinzuständigkeit der Medizin für die G. und eine zunehmende Bedeutung der multi- bzw. transdisziplinär arbeitenden G.s-Wissenschaften. Sozialpolitisch wird die Bestimmung von G. einerseits wichtig im Diskurs über Ressourcenknappheit (Prioritätensetzung und Rationierung); andererseits gewinnt er an Bedeutung hinsichtlich der Abgrenzung zu Maßnahmen der Verbesserung eigentlich gesunder Menschen durch ↑Doping, gedächtnissteigernde Medikamente oder kosmetische Chirurgie (Enhancement, wunscherfüllende Medizin).

Der G.s-Begriff bleibt im Unterschied zum Krankheitsbegriff meist unterbestimmt, häufig wird er lediglich ex negativo als Abwesenheit von Krankheit konkretisiert. Menschen verstehen G. i. d. R. erst durch ein persönliches Krankheitserlebnis, daher schreibt Hans-Georg Gadamer auch von der „Verborgenheit der Gesundheit" (Gadamer 1993). G.s-Definitionen aus Sicht der Sozialmedizin oder von Public Health gehen nicht mehr von einem beschreibbaren Zustand, sondern von einem multifaktoriell bedingten, *dynamischen Prozess* aus, der sich am Ziel eines ganzheitlich verstandenen Wohlbefindens orientiert und auf permanente Optimierung desselben ausgerichtet ist: G. wird als Fließgleichgewicht verstanden, „welches das Individuum ständig mit seiner Umwelt herzustellen versucht, um sein Wohlbefinden zu optimieren. In diesem Fließgleichgewicht beeinflussen vier Dimensionen den jeweiligen Gesundheitszustand, nämlich die biologisch-genetischen Gegebenheiten, die medizinisch-technischen Möglichkeiten (Gesundheitswesen) sowie der Lebensstil und die Umweltfaktoren" (Gutzwiller/Jeanneret 1996: 23).

2. Gesundheit in wissenschaftlichen Diskursen
Während in der Antike zwischen Krankheit und G. die Existenz eines dritten Bereichs der Neutralität (*neutrum* = keines von beiden) angenommen wurde, den es mittels Diätetik, dem rechten Umgang mit Licht und Luft, Bewegung und Ruhe, Schlafen und Wachen, Essen und Trinken, Ausscheidungen und Gefühlen zu erhalten galt, wird G. im Rahmen der modernen Biomedizin binär und krankheitsorientiert, nämlich als *Abwesenheit von Krankheit*, verstanden. Im Rahmen dieses Verständnisses hat die Medizin keine Zuständigkeit für die G., sondern ausschließlich für Krankheit, die als ein Defekt oder eine Funktionsstörung verstanden wird, welche sich im Unterschied zur G. differenziert beschreiben lässt. Christopher Boorse versteht G. in seinem biostatischen Modell als das *normale Funktionieren des körper-*

lichen Organismus, wobei er Normalität statistisch und anhand typischer Referenzgruppen definiert. G. bleibt somit eine rein theoretische Vorstellung, losgelöst von der Erfahrungswelt und dem subjektiven Befinden eines individuellen Patienten. Praktisch erfahrbar ist dagegen die Krankheit. Im Gegensatz dazu definiert Lennart Nordenfelt G. subjektiv-relativistisch, nämlich als die *Fähigkeit eines Individuums*, unter vernünftigen Standardbedingungen in seinem gesellschaftlichen und kulturellen Rahmen *eigene vitale Ziele verfolgen zu können*, die zur Erfüllung eines Minimums an Glück erforderlich sind. Der Medizin fällt nicht mehr die Aufgabe zu, einen krankhaften Umstand zu beenden, sondern die genannten Fähigkeiten wiederherzustellen.

Die sog.e *biopsychosoziale Medizin* orientiert sich nicht mehr alleine an der Krankheit, sondern an einem ganzheitlichen, die gesamte Person in ihrem gesellschaftlichen Umfeld umfassenden G.s-Konzept. Neben die Bekämpfung von Krankheit tritt die Idee der Förderung und Erhaltung der G. Auf das in der Psychosomatik entstandene, in der *Palliative Care*, Präventivmedizin und *Public Health* weitergeführte Konzept hat die Theorie der Salutogenese von Aaron Antonovsky Einfluss ausgeübt. A. Antonovsky hatte beobachtet, dass viele Opfer des NS krank wurden, während andere gesund blieben. Ihn interessierten die Bedingungen, die dazu beitrugen, dass Menschen trotz extremer Belastungen gesund blieben. Auf dieser Basis entwickelte er sein *salutogenetisches Modell*: Es beschreibt Widerstandsressourcen, die krankmachende Einflüsse ausgleichen und überwinden können, z. B. Selbstwertgefühl, soziale Bindungen, Wissen oder Bewältigungsstrategien. Orientierung bietet dabei das sog.e Kohärenzgefühl *(sense of coherence)*, das aus drei Komponenten besteht: Verständlichkeit oder Überschaubarkeit *(comprehensibility)*, um Krisen vorausahnen zu können, Machbarkeit oder Selbstvertrauen *(manageability)*, um Krisen meistern zu können, und Sinnhaftigkeit *(meaningfulness)*, die bewirkt, dass das Überwinden einer Krise als zielführend erfahren wird. Die Grundthese lautet: Je stärker das Kohärenzgefühl, desto größer ist die Wahrscheinlichkeit, sich in Richtung des G.s-Pols auf dem Krankheits-G.s-Kontinuum zu bewegen. Anstelle des binären Verständnisses von G. und Krankheit tritt somit eine Klassifikation auf einer kontinuierlichen Skala, anstelle der Diagnostik einer bestimmten Krankheit die Berücksichtigung der ganzen Person, anstelle der Medikamentenorientierung eine Ausrichtung an vorhandenen Bewältigungsressourcen.

Im Zuge der *personalisierten Medizin*, welche dem biomedizinischen Paradigma des G.s-Verständnisses folgt und an Krankheit orientiert ist, bildet sich gegenwärtig ein neues Medizinkonzept heraus, das Teile des biopsychosozialen Modells aufnimmt. Es werden individuelle Daten auf molekularer Ebene erhoben (Gendiagnostik) und diese mit Hilfe der IT im Hinblick auf eine individualisierte Prognosestellung und Therapie ausgewertet. Aufgrund genetischer Dispositionen werden neu *gesun-*

de Kranke identifiziert, welche zum Zeitpunkt der Diagnostik wohlauf sind, aufgrund des genetischen Befunds jedoch mit einer späteren Erkrankung zu rechnen haben und sich daher präventiv behandeln lassen. In der sog. en *P4-Medizin* tritt an die Stelle eines reaktiven, auf Krankheit reagierenden Vorgehens eine proaktive, am Wohlbefinden bzw. an der G. orientierte Medizin, in welcher autonome Persönlichkeiten im Zentrum stehen, die sich weltweit zu Netzwerken zusammenschließen, diagnostisch tätig sind und Forschungsprojekte vorantreiben. P4 bezieht sich auf die vier Adjektive prädiktiv, personalisiert, präventiv und partizipatorisch.

In den transdisziplinär ausgerichteten *G.s-Wissenschaften* bzw. der gesundheitspolitisch ausgerichteten *Public Health* werden G. und Krankheit als soziale Konstruktionen verstanden: G. werde heute weitgehend individualisiert wahrgenommen, nämlich als Produkt des persönlichen Verhaltens und der Genetik. Das sei unvollständig. Übersehen würden dabei politische, wirtschaftliche, kulturelle, technische und ökologische Determinanten, die auf körperliche und psychische G. einwirkten und sie teilweise indirekt über das G.s-Verhalten mitbestimmten. Wie stark gesellschaftliche Faktoren auf die G. Einfluss ausüben, lässt sich an der durchschnittlichen Lebenserwartung in einer Gesellschaft erkennen: So besteht eine Korrelation zwischen gesellschaftlichen Rahmenbedingungen, wie sozialer Gleichheit, Partizipationsmöglichkeiten und Bedingungen zur Führung eines selbstbestimmten Lebens, und der durchschnittlichen Lebenserwartung.

Psychologische Theorien von gesundheitlichem Wohlbefinden gewichten das subjektive Befinden, z.B. die Fähigkeit zur Stressbewältigung oder die Möglichkeit, externe und interne Anforderungen zu bewältigen, wobei als Leitbild die Herstellung eines Gleichgewichts zwischen Anstrengung und Erholung, Anspannung und Entspannung sowie aktuellem und habituellem Wohlbefinden gilt. In der *ethnographischen Forschung* werden G.s-Konzepte als soziokulturell verankerte Wahrnehmungs- und Bewertungsmuster verstanden. In der *sozialepidemiologischen Forschung* werden standardisierte Erhebungsmethoden angewendet, in welchen die G. mit mehrdimensionalen Skalen erfasst wird; als Orientierungspunkte dienen dabei: Nicht-Fitsein v Fitness, Krankheit oder ↗Behinderung v Freisein von Krankheit, Krankheitserfahrungen v keine Krankheitserfahrungen, psychosoziale Probleme v Wohlbefinden. Darüber hinaus finden Einkommen, Geschlecht sowie Beruf, Bildung und sozialer Status als G.s-Determinanten Beachtung.

Ein integratives G.s-Verständnis ist das *Meikirch-Modell* (Johannes Bircher, Shyama Kuruvilla, Eckhart Hahn): Hier wird G. als ein dynamischer Status des Wohlbefindens verstanden, der sich aus der Interaktion zwischen individuellen Möglichkeiten, den Herausforderungen des Lebens und sozialen sowie umweltbezogenen Determinanten ergibt. Wie im salutogenetischen Modell ist auch hier entscheidend, wie ein Mensch auf die Herausforderungen des Lebens reagiert. Darüber hinaus werden soziale G.s-Determinanten und Umweltbedingungen berücksichtigt: Der einzelne Mensch verfüge über ein *biologisches G.s-Potential*, das im Laufe des Lebens abnehme, daneben aber auch über ein *persönlich erworbenes Potential* zur Erhaltung der G., welches der Einzelne im Laufe des Lebens vergrößern könne (im Idealfall, um den biologischen Abbau zu kompensieren). Dieses Potential wird in einem engen Abhängigkeitsverhältnis zu sozialen G.s-Determinanten und Umweltbedingungen verstanden, welche auf gesellschaftspolitischer und systemischer Ebene verändert werden können.

3. Ausblick

Der stark zunehmende finanzielle Druck im Bereich der G.s-Versorgung, der sich auch im politischen Unwillen manifestiert, im Bereich der G.s-Prävention stärker zu investieren, dürfte sich voraussichtlich auch auf das G.s-Verständnis auswirken: Eine Möglichkeit, die Reichweite des Rechts auf eine gute G.s-Versorgung einzugrenzen, wäre eine Beschränkung des G.s-Verständnis auf grundlegende Funktionen oder Fähigkeiten und damit das Gegenteil der eingangs zitierten WHO-Definition.

Die gleichzeitig forcierten Möglichkeiten zur Verbesserung eigentlich Gesunder durch kosmetische Chirurgie, Neuro-Enhancement, pränatale Diagnostik und *gene editing* erhöhen den Druck auf die einzelne Person, ihre G. permanent zu optimieren. Es besteht die Gefahr, dass die G. zum höchsten Gut im Leben wird, was zu Enttäuschungen führen muss, insofern die G. lediglich ein Bedingungsgut bzw. eine Disposition zur Verwirklichung anderer Güter ist.

Je erfolgreicher die Medizin ist, desto mehr nehmen chronische Krankheitszustände zu. Aus Sicht des einzelnen Menschen wird darum wichtig bleiben, die sog.e kleine G. wahrzunehmen und wertzuschätzen: Die Fähigkeit, mit Einschränkungen, Schmerzen oder Behinderungen leben zu können. Am Ende der „Fröhlichen Wissenschaft" schreibt Friedrich Nietzsche von der „großen Gesundheit", einer „stärkeren gewitzteren zäheren verwegneren lustigeren, als alle Gesundheiten bisher waren". Damit stellt er den G.s-Wahn infrage und skizziert gleichzeitig die Vorstellung von „gefährlich-gesunden" Menschen, die in der Lage seien, Ziele jenseits etablierter G.s-Ideale zu verfolgen (Nietzsche 1999: 636).

Literatur

J. Bircher/E. G. Hahn: Understanding the nature of health. New perspectives for medicine and public health. Improved wellbeing at lower costs, in: F1000Research 5 (2016), o. S. • M. Richter/K. Hurrelmann: Die soziologische Perspektive auf Gesundheit und Krankheit, in: dies. (Hg.): Soziologie von Gesundheit und Krankheit, 2016, 3–19 • J. Bircher/S. Kuruvilla: Defining health by addressing individual, social, and environmental determinants, in: JPHP 35/3 (2014), 363–386 •

P. Hucklenbroich: Die wissenschaftstheoretische Struktur der medizinischen Krankheitslehre, in: ders./A. Buyx (Hg.): Wissenschaftstheoretische Aspekte des Krankheitsbegriffs, 2013, 13–83 • European Science Foundation: Personalised Medicine for the European Citizen Towards more precise medicine for the diagnosis, treatment and prevention of disease, 2012 • M. Marmot u. a.: WHO European review of social determinants of health and the health divide, in: The Lancet 380/9846 (2012), 1011–1129 • K. Bergdolt/I. F. Herrmann (Hg.): Was ist Gesundheit?, 2011 • G. Aumüller/A. Franck: Interkulturelle Aspekte des Gesundheitsbegriffs, in: ebd., 61–74 • I. F. Herrmann/M. Gadebusch Bondio: Was versteht der Schwerkranke unter „Gesundheit"?, in: ebd., 143–151 • R. Wilkinson/K. Pickett: The Spirit Level. Why Equality is Better for Everyone, 2009 • D. von Engelhardt: Lebenskunst (ars vivendi). Kunst des Krankseins (ars aegrotandi) und Kunst des Sterbens (ars moriendi), in: ZME 52/3 (2006), 239–248 • L. Honnefelder: Gesundheit als hohes Gut, in: V. Schumpelick/B. Vogel (Hg.): Was ist uns die Gesundheit wert?, 2006, 16–33 • I. Rajower/R. H. Noack: Von der Pathogenese zur Salutogenese, in: C. A. Zenger/T. Jung (Hg.): Management im Gesundheitswesen und in der Gesundheitspolitik, 2003, 57–68 • F. Nietzsche: Die fröhliche Wissenschaft, in: KSA, Bd. 3, 1999, 343–651 • D. von Engelhardt: Gesundheit, in: W. Korff/L. Beck/P. Mikat (Hg.): Lexikon der Bioethik, Bd. 2, 1998, 108–114 • A. Antonovsky: Salutogenese. Zur Entmystifizierung der Gesundheit, 1997 • F. Gutzwiller/O. Jeanneret: Konzepte und Definitionen, in: dies. (Hg.): Sozial- und Präventivmedizin. Public Health, 1996, 23–29 • H.-G. Gadamer: Über die Verborgenheit der Gesundheit, 1993 • H.-G. Canguilhem: Das Normale und das Pathologische, 1974 • F. Vonessen: Gesund, Gesundheit, in: HWPh, Bd. 3, 1974, 559–561.

MARKUS ZIMMERMANN

II. Pädagogisch

1. Begriffsfeld

G.s-Pädagogik thematisiert das *ganzmenschliche Wohlergehen* des Einzelnen als elementare *lebenslange Bildungsaufgabe*. Voraussetzung für diese Sichtweise waren freilich die *Ausweitungen* des G.s-Verständnisses im Zuge der *interdisziplinären* Fassung der „G.s-Wissenschaften" i. S. v. *public health* einerseits sowie die gesundheits*pädagogischen* Forschungsbemühungen der letzten Jahrzehnte mit der Überwindung einer im Dienst der kurativen Medizin befindlichen „Rumpfpädagogik" (vgl. nur die sprichwörtlichen Zahnarztbesuche in der Grundschule) andererseits. So konnte bspw. Gerhard Schäfer, einer der Pioniere eines umfassenden Verständnisses von G.s-Bildung, aufzeigen: Die alle personalen Regionen des Menschseins umspannende positive Konnotation von „G.", wie sie bereits etymologisch (*gasunda*: stark, kräftig, heil) grundgelegt ist, findet sich auch im internationalen Vergleich, nicht zuletzt in den Entwicklungsländern, wieder, wo – im Unterschied zur Negativzentrierung um den Krankheitsbegriff hierzulande – mit dem Wort *health* Aspekte wie Lebenskraft, Energie, Nahrung, Freude, Schlaf usw. assoziiert werden. „G." zielt dann gleichsam als Systemeinheit auf das Wohlsein des ganzen Menschen einschließlich seiner seelisch-geistigen Stabilität und seines sozial-ökologischen Aufgehobenseins ab. Demgegenüber vermochte das ehemalige Konzept der G.s-*Erziehung*, schulmeisterlich und individuenzentriert wie es war, in seiner Ausrichtung primär auf fallweise individuelle Krankheitsvermeidung, nicht einmal im Ansatz das Prädikat verdienen, eine veritable pädagogische Theorie zu präsentieren. Diese beginnt vielmehr erst dort, wo pädagogisches Handeln auf die Anregung zu ureigenen Aktivitäten des Individuums, also auf Bildungsprozesse, abzielt; eben dort, wo mit G.s-*Bildung* die Ausformung eines *kultivierten Lebensstils* in den Blick kommt, kraft dessen der Mensch inmitten seiner situativen Lebensweltbezüge, und sei es als Rollstuhlfahrer in anstrengendem Berufsleben, an seinem Wohlergehen verantwortlich mitwirkt. G.s-Bildung hebt somit in einem lebenslangen dynamischen Prozess auf die „Fähigkeit (ab), am Leben mit möglichst vielen Facetten teilzunehmen" (Schäfer 1998: 26).

2. Das Bildungskonzept der Diätetik im Rahmen der Gesundheitsförderung
2.1 Grundlinien

Ähnlich hatte sich ja schon die klassische „Diätetik" (griechisch *díaita*: gesunde Lebensführung im Dienst des Heilungsprozesses) in positiver Einstellung am Wohlergehen des Menschen orientiert. Auch eröffnete sie dem Patienten hinsichtlich seines Wohlergehens einen beträchtlichen Freiheits- und Gestaltungsspielraum, ja, sie wies ihm dabei die Hauptaktivität zu. So hatte der Einzelne innerhalb des Systems gesunder Lebensführung bis in deren mittelalterliche Version von *regimen sanitatis* hinein sechs Lebensbereiche in Ordnung zu halten:

a) die Luft (*aer*),
b) Arbeit und Muße (*motus et quies*),
c) Speise und Trank (*cibus et potus*),
d) Schlafen und Wachen (*somnus et vigilia*),
e) Entleerung und Füllung (*inanitio et repletio*),
f) die Gemütsbewegung (*affectus animi*).

In diesem austarierten System intendierte die Diätetik ein „Gleichgewicht der wohlausgewogenen Proportionen" (Hörmann 1998: 115), das „der Kultivierung der individuellen Lebensführung im Sinne einer harmonischen Gesamtpersönlichkeit diente" (Schipperges 2003: 12 f.). Was jedoch diesem idealistisch-elitären Bildungsgedanken abging, war die Realität erdenschwerer sozialer Gegebenheiten.

Während nämlich die privilegierte griechische Oberschicht ihr Augenmerk auf eine wohlgeordnete Rhythmik ihres Alltagslebens zwischen Körperübung, Baden, Schlafen und Anspannen richtete, „brachten die Sklaven in gebückter Stellung, bei rauchigem Schein der Öllampen, unter der Frohn der Aufseher, bis zu zehn Stunden am Tag tief unter der Erde beim Abbau der Erze zu" (Henkelmann/Karpf 1983: 27).

Vergleichsweise aktualisiert gesagt wäre es wohl zynisch, einer alleinerziehenden Mutter, die zwischen schwerem Berufspensum, Haushalt und Kindererziehung hin und her hetzt, den Ratschlag zu erteilen, sich doch mehr Zeit für regelmäßige Spaziergänge einzuräumen.

Soll also das Opfer nicht zum Täter stilisiert werden, so gilt es, das Konzept der G.s-Bildung in den umfassenden Rahmen der G.s-Förderung *(health promotion)* zu integrieren. Danach wird die Mitgestaltung des Einzelnen an seinem Leib-seelisch-sozialen Wohlergehen gesellschaftlich situiert (Familie, Nachbarschaft, Bekannte, Freundeskreis, Gemeinde, Unternehmen etc.) und durch sozio-strukturelle Maßnahmen (Produktions-, Arbeits- und Wohnbedingungen, Umweltgestaltung) im Kleinen wie im Großen sozial und politisch unterstützt.

2.2 Exemplarische Konkretionen

a) Neben diesen sozial-ökologischen Faktoren ist ferner auf die *bio-ökologischen* Einflussgrößen abzuheben, wie sie die klassische Diätetik in ihrer herausragenden Bedeutung für leib-seelisches Wohlergehen hervorgehoben hat. Was da nämlich mit *aer* angesprochen worden ist, das meint heute *Natur* und *natürliche Umwelt.* Hier müsste *Natur* in einer *Kultur der sinnlich-ästhetischen Begegnung* wieder erfahrbar gemacht werden als gestaltenreiches Ausdrucksfeld und schöpferische Quelle für menschliches Wohl und Gedeihen.

b) ↑Arbeit und Muße *(motus et quies)* bedeuten sicherlich zunächst eine Humanisierung der Arbeitswelt (inkl. Arbeitsplatzphysiologie, Leistungspathologie), näherhin ein Gleichgewicht von Stress und ↑Freizeit, Arbeit und Muße. In unserem gegenwärtigen Zivilisationskontext sollte *motus* jedoch auch einmal wörtlich verstanden und ausgelegt werden als *Bewegung.* So sollten in einer „sitzenden Zivilisation" G.s-Bildungsmaßnahmen in ihren Angeboten zu ihren vielfältigen motorischen Formen zwischen Leistungs- und Ausdrucksbewegung anregen und dabei körperliche Ertüchtigung zur Erfahrung der innerlichen Zentrierung verhelfen.

c) Damit zeichnet sich schließlich auch die personnahe Zone einer *Regulation des individuellen Affekthaushaltes (affectus animi)* ab. Dem Aufbau einer kultivierten Psychohygiene gebührt gegenwärtig wohl die zentrale Aufmerksamkeit auf einem Bildungsfeld, das vom Leib ausgeht und über das Psychische letztlich der kraftvollen Wahrnehmung unserer geistigen Lebensaufgabe dient. So könnte die Diätetik in einer vom Stress gezeichneten globalisierten Gesellschaft in transformierter Fassung durchaus als ein Strukturschema für vielfältige Angebote in Schule und ↑Erwachsenenbildung fungieren.

3. Gesundheitsbildung im Konzept der Salutogenese
3.1 Konzeptaufbau

Ihre entschiedenste Ausrichtung am Heil- und Wohlsein des Menschen erhielt G.s-Bildung schließlich von außerhalb der Pädagogik, nämlich durch die Theorie der Salutogenese des Soziologen, Epidemiologen und Stressforschers Aaron Antonovsky. Anlässlich empirischer Erhebungen über in Israel lebende Frauen, war er auf die Entdeckung gestoßen, dass 29% einer Gruppe von Überlebenden des KZs eine gute psychische G. zuerkannt wurde. Diese dramatische Erfahrung bewegte ihn dazu, das *Salutogenetische Modell* zu formulieren („Health, stress and coping", 1979). Statt der üblichen pathogenetischen Fragen nach den Ursachen von Krankheit stellt sich in *salutogenetischer Orientierung* jetzt die andere Frage: Was sind die *Bedingungen und Kräfte, unter denen sich G. entwickelt?*

Tragend sind hier *generalisierte Widerstandressourcen,* die als *heilsame Widerstandspotentiale* einer Person dazu befähigen, gut mit Anspannung umzugehen und die Kraft verleihen, Stressoren in Richtung Heilsein und Wohlergehen umzulenken. Sie münden in der mentalen Steuerungsinstanz des Kohärenzgefühls *(sense of coherence)* als ein „alles durchdringendes, dauerhaftes, dynamisches *Gefühl der Zuversicht"* (Antonovsky 1997: 16), dass

a) schwierige Situationen doch irgendwie einzuordnen und zu verstehen sind *(comprehensibility),* dass sie

b) zu bewältigen sind *(manageability)* und dass sich

c) diese Anstrengung auch lohnt *(meaningfulness).*

3.2 Pädagogische Applikationen

Die Komponenten des *sense of coherence* sind nicht gleichsam „vom Himmel gefallen", sondern sie erwachsen ein Leben lang und bilden sich heran aus *Erfahrungen, die weitestgehend pädagogisch bestimmt sind.*

Ad *a):* *Verstehbarkeit* (das Vertrauen, auch schwierige Situationen einordnen zu können) setzt die Erfahrung von *Konsistenz* voraus, von *stabiler Zuwendung* bei entspr.em angemessenem Regelverhalten.

Ad *b):* *Handhabbarkeit* (die Überzeugung, mit Schwierigkeiten fertig werden zu können) basiert auf der *Erfahrung von ausgewogener Belastung,* die vom Einzelnen tatsächlich zu bewältigen ist.

Ad *c):* *Bedeutsamkeit* (die Überzeugung von Menschen, dass ihnen manche Lebensbereiche sehr am Herzen liegen) erwächst aus der Erfahrung der *Sinnhaftigkeit durch Teilhabe/verantwortliche Partizipation* im Umgang mit nahestehenden Menschen und der Mitwirkung an den für den Einzelnen wichtigsten Tätigkeiten.

3.3 Fazit

Ungeachtet der empirischen Validität des *sense of coherence*-Modells könnte eine derartige Ressourcen-Konzeption sich pädagogisch befreiend auswirken: auf die Stärkung der Zuversicht des Einzelnen, in einer fragmentierten Welt der Brüche und Widersprüche sinnstiftend tätig werden zu können. Von der Kindertagesstätte an bis ins Berufsleben hinein bedürfen wir zu unserem Glück und sinnhaften Gelingen dieses Vertrauensvor-

schusses, jeweils auf unserem ureigenen Feld verantwortlich mitwirken zu dürfen.

Literatur

K. Hurrelmann/U. Laaser/O. Razum (Hg.): Hdb. der Ge-
sundheitswissenschaften, ⁶2016 • G. Mertens: Gesundheit als
unentdecktes Referenzmaß von Bildungsqualität, in:
M. Obermaier/M. Müller-Neuendorf (Hg.): Bildungsqualitä-
ten, 2015, 73–87 • H. Rosa: Entschleunigung und Entfremdung, ⁴2014 • J. Bäuerlen: Gesundheit und Arbeitswelt. Für
eine gelungene Balance von Erwerbsarbeit und Familie,
Bd. 35, 2013 • R. Höfer: Jugend, Gesundheit und Identität.
Studium zum Kohärenzgefühl, 2013 • B. Heykaus: Rhyth-
misch-tänzerische Bewegung im Unterricht an weiterführenden Schulen. Eine pädagogisch-anthropologische Fundierung
in der Nach-PISA-Zeit, 2010 • H. Gutmann/C. Gutwald
(Hg.): Religiöse Wellness, 2005 • H. Schipperges: Gesundheit
und Gesellschaft. Ein historisch-kritisches Panorama, 2003 •
J. Bengel/R. Schrittmacher/H. Willmann: Was erhält Menschen gesund? Antonovskys Modell der Salutogenese – Dis-
kussionsstand und Stellwert: eine Expertise, 2001 • G. Hörmann: Gesundheitserziehung, in: W. Korff/L. Beck/P. Mikat
(Hg.): Lexikon der Bioethik, Bd. 1, 1998, 114–117 • G. Schäfer: Balanceakt Gesundheit. Die Kunst, richtig zu leben, 1998
• A. Antonovsky: Salutogenese. Zur Entmystifizierung der
Gesundheit, 1997 • U. E. Jungmair: Das Elementare. Zur Mu-
sik- und Bewegungserziehung Carl Orffs, 1992 • H. Schipperges: Heilung, in: A. Eser/M. von Lutterotti/P. Sporken (Hg.):
Lexikon Medizin, Ethik, Recht, 1992, 461–467 • H. Schipperges u. a.: Die Regelkreise der Lebensführung. Gesundheitsbil-
dung in Theorie und Praxis, 1988 • T. Henkelmann/D. Karpf:
Gesundheitserziehung – gestern und heute, 1983 • A. Antonovsky: Health, Stress and Coping, ²1981 • U. Bronfenbren-
ner: Die Ökologie der menschlichen Entwicklung. Natürliche
und geplante Experimente, 1981.   GERHARD MERTENS

III. Soziologisch

1. Entwicklungen zur Gesundheitssoziologie

Zuerst stellt sich die Frage nach einer Definition von
G.s-Soziologie. Im „Roche Lexikon Medizin" 2003 wird
von einer „Beziehungslehre" gesprochen zwischen Gesellschaft, G. und Krankheit. Ein leitender Gedanke dieser „mehrperspektivischen Definition von Gesundheit"
(Hurrelmann 2013: 115) ist, dass gesundheitliche Probleme und Krankheiten in diesem Zusammenhang auch
sozial verursacht sind. Dabei kommen zum Tragen
(Hurrelmann 2013: 116):

a) „generelle Handlungs- und Bewältigungsfähigkeit;

b) Leistungsfähigkeit für Beruf, Sport und andere Lebensbereiche;

c) Stärke, Kraft und Energie auf körperlicher und seelischer Ebene;

d) Körperliches und psychisches Wohlbefinden;

e) Harmonie und Gleichgewicht zwischen Mensch und
Umwelt".

„Was heißt Gesundheit heute" (Adam/Herzlich 2010:
18) ist eine essentielle Frage der G.s-Soziologie: Leben

wir in einer „societé médicalisée" (Adam/Herzlich 2010:
36)? Um die Entwicklungen der G.s-Soziologie besser
zu verstehen, zeigen sich mehrere Entwicklungsstränge. Festzuhalten ist, dass die G.s-Soziologie sowohl eine
spezielle Soziologie wie eine junge Disziplin der G.s-
Wissenschaften ist.

Orientiert sich das klassische Krankheitsverständnis
einer *societé médicalisée* an einem bio-medizinischen Modell, so ist das G.s-Verständnis der G.s-Soziologie orientiert an einem ganzheitlichen Modell, verbunden mit
der G.s-Definition der WHO: G. bedeutet das absolute
Wohlbefinden in körperlicher, sozialer, psychischer,
ökonomischer und ökologischer Hinsicht. In der Ottawa
Charta von 1986 wird „Gesundheit […] als die Fähigkeit
bzw. Kompetenz des Individuums beschrieben, die eigenen Gesundheitspotentiale auszuschöpfen und damit
angemessen auf die Herausforderungen der Umwelt zu
reagieren" (Uhle/Treier 2015: 8).

Methodologisch forscht die G.s-Soziologie empirisch-
analytisch, empirisch-qualitativ, handlungsbezogen,
systemisch wie auch anwendungsorientiert. Es ist das
wissenschaftliche Ziel, die soziologischen Voraussetzungen, Chancen und Perspektiven zur Erhaltung und Förderung einer „G. heute" als auch entspr.e Beeinträchtigungen und Verletzungen verstehen und erklären zu
können.

Des Weiteren bedeutsam ist die medizinische Soziologie. Untersucht werden psychosomatische Krankheiten wie Adipositas, Demenzen, Depressionen, Herz-
Kreislauf-Erkrankungen, Krebs, Rückenleiden und Sui-
zide. Zweifelsfrei hat die Medizinsoziologie zur koper-
nikanischen Wende in den medizinischen Wissenschaften beigetragen. Problembezogen geht es um die
Klärung gesellschaftlicher Disparitäten, mangelnde soziale Kohäsion, soziale Konflikte, gesundheitsschäd-
licher Lebensstil und die Wirkungen auf die G. Diese
Themen haben Eingang gefunden in eine Soziologie in
der ↑Medizin. Ebenso etablierte sich eine Soziologie
von der Medizin. Hervorgehoben werden organisatio-
nale Einflüsse auf G. und Krankheit in Verbindung mit
mangelnder Gratifikation und Arbeitsstress, so auch im
Krankenhaus. Die „medizinische Deutungsmacht" (La-
bisch/Spree 1989) wurde durch eine soziologische und
sozialwissenschaftliche G.s-Forschung maßgeblich korrigiert.

2. Soziale Epidemiologie

Auch etablierte sich eine soziale Epidemiologie: Mikro-
soziologisch geht es um Copingprozesse zur Bewältigung von Krankheiten oder Arbeitsstress wie eine substantielle Verbesserung der Arzt-Patient-Beziehung.
Mesosoziologisch stehen bürokratische Strukturen, Prozesse und Verwerfungen im Vordergrund. Gerade die
Entdeckung einer Krankenhaussoziologie ebnete den
Weg für ein strukturelles Verständnis von Organisa-
tionsverläufen. Die gesundheitssoziologische Betrachtungsweise ist der Fund einer „gesunden Organisation"

(Badura u.a. 2010: 31). Makrosoziologisch wurde der Einfluss der Sozialstruktur als soziologische Analyse von Armut, Bildung, Gender, Lebensstile wie sozialer Ungleichheit auf die psycho-soziale G. und die Genese von Krankheiten untersucht. Wird Ungleichheit als ungerecht empfunden, so kann der Umstand nicht nur zu politischen und sozialen Reaktionen führen wie Rückzug, Gewalt und Kriminalität, sondern auch zu gesundheitlichen Beeinträchtigungen. Bevölkerungsgruppen, die sich nicht anerkannt und integriert fühlen, empfinden sich als zurückgesetzt. Sie können ihre gesundheitlichen Potentiale nicht hinreichend entfalten. Es werden ungünstige Muster des G.s-Verhaltens entwickelt mit der Neigung zu G.s-Störungen. Eine Überbeanspruchung der Anpassungsfähigkeit des Menschen als biopsycho-soziales System mit einer „Verletzlichkeit der Persönlichkeit" (Hurrelmann 2013: 104) kann die Folge sein.

3. Von der Pathogenese zur Salutogenese

G. und Krankheit stehen auch im Kontext der Medizingeschichte. Aaron Antonovsky vollzog einen paradigmatischen Wandel von der Pathogenese zur Salutogenese bzw. von der medizinischen Soziologie zur G.s-Soziologie. Im Mittelpunkt steht die Frage nach den Quellen der G. Das bio-medizinische Modell wird durch ein bio-psycho-sozio-ökologisches Modell überwunden. Ebenso wird die Dichotomie krank v gesund aufgebrochen. Es wird von einem Kontinuum zwischen beiden Polen ausgegangen, d. h. mehr oder weniger krank oder gesund. Die Entwicklung eines Kohärenzgefühls erfordert, dass die Akteure gut über die Sachverhalte informiert sind, handlungsfähig bleiben und ihr Handeln subjektiv für sinnvoll erachten. Konkret bedeutet Salutogenese, die Verfügung über soziale, personale und organisatorische Systemressourcen. *Soziale* Ressourcen umfassen ein ↑Sozialkapital durch soziale Unterstützung, sozialen Rückhalt und ↑Solidarität. *Personale* Ressourcen schließen hohe Kohärenz, Selbstwirksamkeit und Widerstandsfähigkeit ein. *Organisatorische* Ressourcen umspannen Tätigkeitsinhalte, Handlungsspielraum und soziale Teilhabe. Um dem Druck von Belastungen zu widerstehen, sollten diese Systemressourcen die G. unterstützen. Insofern können sie als „Strategien zur Optimierung der Gesundheitsverhältnisse" (Hurrelmann 2013: 155) wie als „Strategien zur Stärkung des Gesundheitsverhaltens" (Hurrelmann 2013: 193) interpretiert werden. Gesundheitssoziologische Ansätze zur Optimierung der G.s-Verhältnisse sind eine gesundheitsrelevante ↑Sozialpolitik, Arbeitsweisen der G.s-Systemgestaltung, Handhabungen zur Gestaltung kommunaler und familialer Lebensräume und zur G.s-Förderung in Sozialorganisationen. Praktiken zur Stärkung des G.s-Verhaltens gründen in der G.s-Kommunikation, G.s-Erziehung und G.s-Bildung, G.s-Beratung und Patientenschulung, G.s-Aufklärung und Festigung der G.s-Kompetenz.

4. WHO-Ziele der Gesundheit –
Herausforderungen für die Gesundheitssoziologie

Die Realisierung eines optimalen G.s-Systems bedarf epidemiologischer Kenntnisse über gesundheitliche Erschwernisse, Wissen über die Infrastruktur und ökonomische Mittel als auch Einblicke in Ziele und Orientierungen. Der Diskurs über G.s-Ziele geht von einem bio-psycho-sozio-öko-Modell aus. Die ↑WHO hat diese Figuration entscheidend mitgeprägt, durch G.s-Ziele operationalisiert und auf der Welt-G.s-Versammlung von 1986 an Entwurf der „Gesundheit für alle" verbreitet. Der Diskurs zu den G.s-Zielen hat als Curriculumsbeitrag für die G.s-Soziologie auch einen didaktischen Wert. 1978 wurde dieser Plan auf der Konferenz von Alma-Ata besprochen. Enthalten sind 38 Ziele, gegliedert in „Endziele für eine bessere Gesundheit" (Ziele 1–12) und „Strategien für eine bessere Gesundheit" (Ziele 13–38). Mit Blick auf die Endziele sind gesundheitssoziologisch gewichtig die allg.e G., Chancengleichheit (↑Chancengerechtigkeit, Chancengleichheit) und Lebensqualität, die G. bestimmter Bevölkerungsgruppen wie günstigere Möglichkeiten für Menschen mit Behinderung, Altern in G., G. von Kindern, Jugendlichen und Frauen wie die Prävention und Bekämpfung von Krankheiten und G.s-Problemen. Mit Blick auf die „Strategien für eine bessere Gesundheit" geht es um die Anwendung der Endziele. Gesundheitssoziologisch beachtlich ist die Sozialisation mit dem Ziel eines gesundheitsförderlichen Lebensstils v.a. mit Blick auf die Förderung von G.s-Kompetenz, einer gesunden Umwelt einschließlich der arbeitenden Bevölkerung, bedarfsgerechter qualitätsvoller Versorgung auf dem Hintergrund des G.s-Managements in den stationären und ambulanten Hilfestrukturen, den Ausbau der Strategien einer „Gesundheit für alle" wie die Erörterung ethischer Angelegenheiten.

5. Fazit

„Was heißt Gesundheit heute" (Adam/Herzlich 2010: 18) war der Anstoß für die G.s-Soziologie. Im Lichte einer „Risikogesellschaft" (Beck 1986) mit machtvollen sozialen Strukturen und epidemiologischen Herausforderungen ist der Paradigmenwechsel von der Pathogenese zur Salutogenese eine Chance, Vulnerabilitäten durch den Ausbau von G.s-Förderung, Prävention und Rehabilitation abzuwenden. Die G.s-Soziologie leistet einen wissenschaftlichen und anwendungsorientierten Beitrag, um die gesundheitswissenschaftlichen Herausforderungen auf der Mikro-, Meso- und Makroebene ins Bewusstsein zu rücken. G.s-Soziologie begründet die Basis für G.s-Strategien im Verbund mit *Public-Health*-Entwicklungen und dem „Befähigungs- und Verwirklichungsansatz" des Nobelpreisträgers Amartya Kumar Sen (Sen 2007: 52) um auf einer, von A. Sen so definierten dynamischen Basis von Einkommen, Familie, Bildung, Arbeitgeber, Vereine, Kirchen etc. das Gemeinwohl wie die G.s-Kompetenz zu stärken.

Literatur

B. Mann: Organisationskonflikte und -entwicklung am Beispiel des Betrieblichen Gesundheitsmanagements mit salutogener Führung, in: J. Groß (Hg.): Soziologie für dem Öffentlichen Dienst, 2017, 60–75 • M. Wilkesmann: Transformationsprozesse im Krankenhaus, in: M. Richert/K. Hurrelmann (Hg.): Soziologie von Gesundheit und Krankheit, 2016, 353–368 • T. Uhle/M. Treier: Betriebliches Gesundheitsmanagement, ³2015 • K. Hurrelmann/M. Richter: Gesundheits- und Medizinsoziologie, ⁸2013 • P. Adam/C. Herzlich: Sociologie de la maladie et de la médecine, 2010 • B. Badura/U. Walter/T. Hehlmann (Hg.): Betriebliche Gesundheitspolitik, 2010 • A. Honneth: Das Ich im Wir. Studien zur Anerkennungstheorie, 2010 • J. Siegrist/M. Marmot: Soziale Ungleichheit und Gesundheit. Erklärungsansätze und gesundheitspolitische Folgerungen, 2008 • B. Mann: Medizin zwischen Naturwissenschaften, Philosophie und Soziologie. Wolfgang U. Eckarts Geschichte der Medizin, 2007 • A. K. Sen: Ökonomie für den Menschen. Nobelpreis für Wirtschaftswissenschaften, ⁴2007 • B. Mann: Gesundheitssoziologie. Lehrbrief, 2005 • B. Mann: Krankenhaussoziologie und Gesundheitswesen, in: Soziologische Revue 37/4 (2004), 480–491 • W. Slesina: Gesundheitssoziologie, in: H. G. Homfeldt u. a. (Hg.): Studienbuch Gesundheit, 2002, 271–289 • E. Annandale: The Sociology of Health Medicine, 1998 • F.-W. Schwartz u. a. (Hg.): Das Public Health Buch. Gesundheit und Gesundheitswesen, 1998 • A. Antonovsky: Salutogenese. Zur Entmystifizierung der Gesundheit, 1997 • R. Wilkinson: Unhealthy Societies, 1996 • J. Siegrist: Medizinische Soziologie, 1995 • B. Badura u. a. (Hg.): Zukunftsaufgabe Gesundheitsförderung, 1991 • A. Labisch/R. Spree (Hg.): Medizinische Deutungsmacht im sozialen Wandel, 1989 • U. Beck: Risikogesellschaft. Auf dem Weg in eine andere Moderne, 1986 • B. Mann: Altenheimeintritt und soziale Strategien, in: B. Claußen/K. Filipp/K. Wasmund (Hg.): Materialien zur sozialwissenschaftlichen Forschung, Bd. 3. 1987, 1–266 • WHO: Ottawa Charta for Health Promotion, 1986 • A. Mitscherlich u. a. (Hg.): Der Kranke in der modernen Gesellschaft, 1970 • J. Rohde: Soziologie des Krankenhauses. Zur Einführung in die Soziologie der Medizin, 1962 • Roche Lexikon Medizin: Gesundheitssoziologie (o. J.), URL: https://www.gesundheit.de/lexika/medizin-lexikon/gesundheitssoziologie (abger.: 20.03.2018).

BERNHARD MANN

IV. Wirtschaftlich

Die eigene G. ist für den Einzelnen, aber auch für Arbeitgeber, Sozialsystem und letztlich für die Gesellschaft als Ganzes von zentraler Bedeutung. G., Leistungs- und Arbeitsfähigkeit sind untrennbar miteinander verwoben. Ein Mindestmaß an G. ist daher nicht nur Grundvoraussetzung für ein erfülltes Leben jedes Einzelnen, sondern sichert langfristig auch das Funktionieren der Sozialversicherungssysteme (↑Sozialversicherung) sowie das Fortbestehen ganzer Volkswirtschaften. Die Förderung und der Erhalt sowie die Wiederherstellung der G. der Bevölkerung ist zentrale Aufgabe des G.s-Wesens. Es ist nicht nur einer der größten Kostenfaktoren für die Sozialsysteme, sondern zugleich auch einer der bedeutendsten Wirschaftssektoren

in Deutschland. Die Betrachtung der wirtschaftlichen Bedeutung des Sektors muss daher sowohl die Ausgaben- als auch die Wertschöpfungsseite beleuchten.

1. Ausgaben- bzw. Kostenbetrachtung

Basis für Aussagen über die Entwicklung der G.s-Ausgaben bildet die G.s-Ausgabenrechnung des Bundes. Die G.s-Ausgaben werden hier nach Ausgabenträgern, Leistungsarten und Einrichtungen ausgewiesen. Die Entwicklung der G.s-Ausgaben lässt sich bis zu den Anfängen der G.s-Berichterstattung im Jahr 1992 zurückverfolgen. Die Definition von G.s-Ausgaben folgt dabei der Logik des sog.en *System of Health Accounts*, einem von der ↑WHO, der ↑OECD und dem Eurostat gemeinsam entwickelten Konzept. Ergänzt wird die G.s-Berichterstattung in Deutschland durch die Krankheitskostenrechnung des StBA. Hier werden die Kosten nach Krankheiten bzw. Krankheitsgruppen, Alter, Geschlecht und Einrichtung ausgewiesen. Man erhält somit einen Einblick in die wirtschaftliche Bedeutung einzelner Krankheitsgruppen. Die Krankheitskostenrechnung wurde letztmalig für das Jahr 2008 aktualisiert. Im Unterschied zur G.s-Ausgabenrechnung werden Investitionen aufgrund der Zuordnungsproblematik zu einzelnen Krankheitsbildern nicht extra ausgewiesen. Die in der Krankheitskostenrechnung des StBA ausgewiesenen Krankheitskosten sind daher niedriger als die in der G.s-Ausgabenrechnung ausgewiesenen G.s-Ausgaben.

1.1 Gesundheitsausgaben

2014 wurden in Deutschland insgesamt knapp 328 Mrd. Euro für G. ausgegeben. 321,7 Mrd. Euro sind dabei den laufenden G.s-Ausgaben zuzurechnen, 6,2 Mrd. Euro entfielen auf Investitionen in Anlagegüter und Gebäude. Seit 1992 haben sich die G.s-Ausgaben nominal mehr als verdoppelt. Das entspr. einem Anstieg von ca. 3,3 % pro Jahr. 2012 wurde erstmalig die 300-Mrd.-Euro-Marke überschritten. Eine ähnliche Entwicklung zeigt sich auch bei den Ausgaben pro Kopf. Während 1992 noch 1972 Euro je Einwohner ausgegeben wurden, waren es 2014 4050 Euro. Auch in Relation zur Wirtschaftsleistung ist ein ansteigender Trend zu erkennen. Wurden 1992 noch 9,4 % des BIP für G. ausgegeben, so sind es heute 11,2 %. International liegt Deutschland damit an der Spitze der OECD-Staaten. Lediglich die USA, die Schweiz und Japan geben mehr Geld in Relation zu ihrer Wirtschaftsleistung aus. Bei den Ausgaben pro Kopf liegt Deutschland hingegen eher im unteren Mittelfeld der OECD-Staaten.

Der größte Ausgabenträger ist die gesetzliche ↑Krankenversicherung. Mit 191,8 Mrd. Euro kam die gesetzliche Krankenversicherung 2014 für 58,5 % der Ausgaben auf. Auf die privaten Haushalte und Organisationen ohne Erwerbszweck fielen 43,2 Mrd. Euro, auf die private Krankenversicherung 29,3 Mrd. Euro und auf die soziale ↑Pflegeversicherung 25,5 Mrd. Euro. Die öffentlichen Haushalte bzw. Arbeitgeber kamen für

14,8 Mrd. Euro bzw. 13,9 Mrd. Euro auf. Dabei zeigten sich in den letzten Jahren deutliche Verschiebungen zwischen den einzelnen Ausgabenträgern. Während die öffentlichen Haushalte im Jahr 1992 beispielsweise für rund 11,1 % der Gesundheitsausgaben aufkamen, waren es im Jahr 2014 nur noch 4,5 %. Die Soziale Pflegeversicherung hingegen kam 2014 für 7,7 % der Gesundheitsausgaben auf, 1995, im Jahr ihrer Einführung, waren es lediglich 2,8 %. Der Ausgabenanteil der gesetztlichen Krankenversicherung sank im gleichen Zeitraum von 61,9 % im Jahr 1992 auf 58,5 % im Jahr 2014. Diese Verschiebungen sind im Wesentlichen das Ergebnis zahlreicher gesundheitspolitischer Reformen sowie Umverteilungsmaßnahmen.

Die Ausgaben verteilten sich 2014 dabei wie folgt auf die einzelnen Leistungsarten: Der größte Ausgabenblock entfiel auf Waren (90,3 Mrd. Euro). Allein für Arzneimittel wurden 51,1 Mrd. Euro ausgegeben. Für ärztliche bzw. pflegerische Leistungen wurden 89,2 Mrd. bzw. 82,9 Mrd. Euro ausgegeben. Vergleichsweise gering hingegen sind die Ausgaben für Prävention und G.s-Schutz (11,5 Mrd. Euro) sowie Verwaltung (15,3 Mrd. Euro). Der größte Anstieg der Ausgaben in den vergangenen Jahrzehnten ist im Bereich der pflegerischen und therapeutischen Leistungen zu verzeichnen. Die Ausgaben in diesem Bereich stiegen von 1992 bis 2014 um 50,1 Mrd. Euro. Das entspr. einem Plus von 4,3 % pro Jahr. 1992 machten die Ausgaben für pflegerische bzw. therapeutische Leistungen lediglich 20,6 % der Gesamtausgaben aus, heute sind es 25,3 %. Zum Vergleich: Die Ausgaben für ärztliche Leistungen stiegen im gleichen Zeitraum um lediglich 3,1 % pro Jahr.

Bezogen auf die Einrichtungen wurde 2014 mit 163,5 Mrd. Euro (49,9 %) der größte Teil im Bereich der ambulanten Einrichtungen ausgegeben. Allein die Ausgaben für Arztpraxen und Apotheken summierten sich auf 95,0 Mrd. Euro. Mit 123,4 Mrd. Euro stellen die stationären und teilstationären Einrichtungen den zweitgrößten Kostenblock dar. Seit 1992 sind die Ausgaben im ambulanten Bereich um 105 % und im stationären Bereich um 112 % gestiegen. Insb. in der ambulanten und auch der stationären bzw. teilstationären Pflege waren dabei überdurchschnittliche Zuwachsraten zu verzeichnen. Der überdurchschnittliche Ausgabenanstieg (> 9 % pro Jahr) in diesem Bereich ist im Wesentlichen auf die Einführung der Pflegeversicherung sowie durch die demographische Entwicklung und die damit verbundene steigende Anzahl Pflegebedürftiger zu erklären.

1.2 Indirekte Kosten

Neben der Entstehung von direkten Kosten ist Krankheit oftmals auch mit erheblichen indirekten Kosten verbunden. Indirekte Kosten stellen gewissermaßen den Produktivitätsverlust dar, der einer Volkswirtschaft durch krankheitsbedingte Fehlzeiten, eine reduzierte Produktivität am Arbeitsplatz bzw. vorzeitiges Aus-

scheiden aus dem Erwerbsleben durch Inanspruchnahme von Frühruhestandsregelungen oder Tod von Erwerbstätigen entstehen.

Schätzungen der BAuA zufolge führten krankheitsbedingte Fehlzeiten 2014 volkswirtschaftlich zu einem Produktionsverlust in Höhe von rund 57 Mrd. Euro bzw. einem Ausfall an Bruttowertschöpfung (Verlust an Arbeitsproduktivität) von 90 Mrd. Euro. Ein Großteil der Fehlzeiten ist dabei auf chronisch-degenerative Erkrankungen zurückzuführen, welche zudem zu den häufigsten Ursachen für einen vorzeitigen Ausstieg aus der Erwerbstätigkeit zählen. Produktivitätsverluste entstehen aber auch, wenn Beschäftigte aufgrund gesundheitlicher Beschwerden in ihrer Leistungsfähigkeit eingeschränkt und damit weniger produktiv sind. Dieses gemeinhin als Präsentismus bezeichnete Phänomen ist international gut bekannt und untersucht. Die Produktivitätsverluste, die durch dieses Verhalten entstehen, sind enorm. Je nach Literatur werden die Kosten auf ebenso groß bzw. ein Vielfaches der Verluste beziffert, die Unternehmen bzw. der Gesellschaft durch das Fernbleiben vom Arbeitsplatz (Absentismus) entstehen.

1.3 Krankheitskosten

Für das Berichtsjahr 2008 (Krankheitskostenrechnung des StBA) wurden insgesamt Krankheitskosten in Höhe von 254 Mrd. Euro ausgewiesen. Mit insgesamt rund 37,0 Mrd. Euro stellten Erkrankungen des Herz-Kreislauf-Systems den größten Kostenfaktor dar. Dicht gefolgt wurden diese von Krankheiten des Verdauungssystems (34,8 Mrd. Euro), psychischen und Verhaltensstörungen (28,7 Mrd. Euro) sowie Krankheiten des Muskel-Skelett-Apparats und des Bindegewebes (28,5 Mrd. Euro). Diese vier Diagnosegruppen machten 2008 zusammen etwa die Hälfte der Krankheitskosten aus. An fünfter Stelle folgten Neubildungen mit 18,1 Mrd. Euro. Dabei lassen sich z. T. deutliche geschlechtsspezifische Unterschiede feststellen. Die größten Unterschiede zwischen Männern und Frauen zeigten sich bei den psychischen und Verhaltensstörungen, bei den Krankheiten des Muskel-Skelett-Systems und des Bindegewebes sowie bei Krankheiten des Urogenitalsystems. Im Allgemeinen entfallen auf Frauen höhere Krankheitskosten als auf Männer. Ein Großteil der Differenz ist dabei auf die höhere Lebenserwartung der Frauen und die damit verbundenen Mehrkosten im höheren Alter zurückzuführen. Auch Schwangerschaft und Geburt, geschlechtsspezifische Erkrankungen (z. B. Brustkrebs) und Pflegekosten spielen eine Rolle. Während Männer im Alter häufig von ihren Frauen gepflegt werden, übernimmt dies bei Frauen oft eine Pflegeeinrichtung, was zusätzliche Kosten verursacht. Rechnet man diese Kosten anteilig heraus, so sind bereits auf der Basis der genannten Daten kaum noch Unterschiede zwischen den Geschlechtern zu verzeichnen. Berücksichtigt man ferner, dass die Lebenserwartung der Männer im Vergleich zu der der Frauen in den letzten Jahren überproportio-

nal anstieg, so ist damit zu rechnen, dass die Krankheitskosten langfristig immer mehr konvergieren. Mit Ausnahme der Altersgruppe der 85Jährigen und Älteren,
steigen die Krankheitskosten mit zunehmendem Alter.
Die Reihenfolge der kostenintensivsten Krankheiten variiert dabei geringfügig je nach Altersklasse. In der
Gruppe der über 85Jährigen bspw. fanden sich psychische und Verhaltensstörungen an erster Stelle. Auch
in den Jahren 2002, 2004 und 2006 kristallisierten sich
die genannten Diagnosegruppen als kostenintensivste
Krankheiten heraus. In Zukunft sollte daher vermehrt
in die Prävention dieser kostenintensiven Erkrankungen
investiert werden.

2. Wertschöpfung

Die G.s-Ausgabenrechnung des StBA erlaubt eine de-
taillierte Analyse des Ausgabengeschehens inkl. dessen
Entwicklung. Sie macht jedoch keinerlei Aussage zur
Wertschöpfung, die durch diese Ausgaben erzeugt wird.
Dies ist zentraler Inhalt der gesundheitswirtschaftlichen
Gesamtrechnung. Die G.s-Wirtschaft wird hier nicht als
Kostenfaktor, sondern vielmehr als Wachstums- und Be-
schäftigungsmotor für die Gesamtwirtschaft gesehen.
Im Mittelpunkt der Wertschöpfungsperspektive stehen
die positiven Effekte der G.s-Wirtschaft auf die deutsche
Volkswirtschaft. Im Gegensatz zur G.s-Ausgabenrech-
nung ist der G.s-Bereich hier umfassender definiert
und beinhaltet bspw. auch Bereiche wie ↑Sport und
↑Ernährung, die zwar keinen direkten Bezug zur gesundheitlichen Versorgung, wohl aber zu G. im Allgemeinen haben. Auch das Preiskonzept, das der ge-
sundheitsökonomischen Gesamtrechnung zugrunde
liegt, ist ein anderes. Die beiden Rechenwerke sind
daher nur bedingt vergleichbar.

2014 betrug die Bruttowertschöpfung 279 Mrd. Euro
bzw. 11,1 % der Wertschöpfung der Gesamtwirtschaft.
Seit 2000 verzeichnete die Bruttowertschöpfung der
G.s-Wirtschaft ein positives reales Wachstum von
durchschnittlich 2,2 % pro Jahr. Die Bruttowertschöpfung der Gesamtwirtschaft ist im gleichen Zeitraum um
lediglich 1,3 % pro Jahr angestiegen. V.a. aber sind die
Entwicklungen stabiler. Dies zeigte sich letztmalig während der Wirtschafts- und Finanzkrise 2009, in denen
das Wachstum der G.s-Wirtschaft knapp 1 % betrug,
während die Gesamtwirtschaft und insb. das verarbei-
tende Gewerbe einen deutlichen Einbruch hinnehmen
musste. Die positive Entwicklung der G.s-Wirtschaft
wirkte hier einer gesamtgesellschaftlichen Rezession
entgegen. Die G.s-Wirtschaft gilt daher gemeinhin auch
als Stabilisator in Krisenzeiten. Ferner hat die Bruttowertschöpfung der G.s-Wirtschaft auch anteilsmäßig
zugenommen. Während sie 2000 nur 9,6 % der Gesamtwirtschaft ausmachte, waren es 2014 11,1 %.

Neben den positiven Effekten auf das Wachstum, gilt
die G.s-Wirtschaft auch als Beschäftigungstreiber. 2014
waren 6,2 Mio. Menschen und damit jeder siebte Erwerbstätige in Deutschland in der G.s-Wirtschaft be-

schäftigt. Selbst in den Jahren während und nach der
Wirtschafts- und Finanzkrise stieg die Anzahl der Beschäftigten in der G.s-Wirtschaft weiter an, was die stabilisierende Wirkung dieses Bereichs auf den ↑Arbeits-
markt unterstreicht. Die Prognosen deuten auch für die
nächsten Jahre auf eine zunehmende Bedeutung der
G.s-Wirtschaft für Wachstum und Beschäftigung hin.

3. Fazit

In Deutschland werden jährlich rund 300 Mrd. Euro
und damit rund 10 % der Gesamtwirtschaftsleistung für
G. ausgegeben. Damit zählen die G.s-Ausgaben zu den
bedeutendsten Kostenfaktoren für unser Sozialsystem.
Zugl. ist aber auch die stabilisierende Wirkung und
enorme Bedeutung der G.s-Wirtschaft als Beschäfti-
gungs- und Wachstumsmotor der deutschen Volkswirtschaft hervorzuheben. Zuletzt bleibt zu konstatieren,
dass es sich bei den Ausgaben um Investitionen in das
höchste Gut des Menschen handelt.

Literatur

BAuA: Volkswirtschaftliche Kosten durch Arbeitsunfähigkeit
2014, 2016 • OECD: Health expenditure and financing
(2016), URL: http://stats.oecd.org/Index.aspx?DataSetCode
=SHA (abger.: 20.3.2018) • RKI/StBA: Gesundheitsberichterstattung des Bundes (2016), URL: http://www.gbe-bund.
de/gbe10/trecherche.prc_them_rech?tk=19200&tk2=19300&
p_uid=gast&p_aid=93915729&p_sprache=D&cnt_ut=10&
ut=19310 (abger.: 20.3.2018) • Bundesministerium für Wirtschaft und Energie: Die Gesundheitswirtschaftliche Gesamtrechnung für Deutschland, 2015 • RKI (Hg.): Gesundheit in
Deutschland. Gesundheitsberichterstattung des Bundes. Gemeinsam getragen von RKI und Destatis, 2015 • StBA: Gesundheit, in: StBA: Statistisches Jahrbuch, 2015, 117–150 •
O. Schöffski/J.-M. Graf von der Schulenburg (Hg.): Gesundheitsökonomische Evaluationen, 2012.   NADJA AMLER
                                  UND OLIVER SCHÖFFSKI

Gesundheitspolitik

I. Allgemein – II. Ökonomisch

I. Allgemein

1. Das „Menschenrecht auf Gesundheit"

G. „umfasst die Formulierung von Zielen, die politische
Auseinandersetzung um sie, die Wahl der Instrumente
sowie ihre Anwendung und Überprüfung" (Schwartz/
Kickbusch/Wismar 2000: 172). Gesundheitspolitische
Ziele sind vielfältig, abhängig von gesellschaftlicher
Entwicklung, politischen Strukturen sowie der Entwicklung der ↑Medizin. In modernen Industriegesellschaften können sie in fünf Kategorien zusammengefasst
werden: Gesundheitsstatus verbessern; Risikofaktoren
reduzieren; Gesundheitsbewusstsein der Öffentlichkeit
sowie Gesundheitsdienstleistungen verbessern; Durchführung überwachen und evaluieren. Gesundheits-

politische Forderungen werden häufig mit einem formal nicht existenten „Menschenrecht auf Gesundheit" begründet. Viele Krankheiten sind Folge der individuellen Konstitution von Menschen (etwa: Erbkrankheiten), von nicht menschengemachten Umweltereignissen (etwa: Erdbeben) oder von selbstbestimmten Lebensweisen. Im völkerrechtlich verbindlichen IPwskR wird „das Recht eines jeden auf das für ihn erreichbare Höchstmaß an körperlicher und geistiger Gesundheit" anerkannt (Art. 12 Abs. 1 IPwskR); Art. 12 Abs. 2 d IPwskR verlangt die „Schaffung der Voraussetzungen, die für jedermann im Krankheitsfall den Genuß medizinischer Einrichtungen und ärztlicher Betreuung sicherstellen".

2. Gesundheitssysteme

Auf der Grundlage verschiedener nationaler Entwicklungspfade sind drei unterschiedliche Typen von Gesundheitssystemen entstanden:

a) Das Sozialversicherungsmodell stellte die Grundlage der 1883 von Reichskanzler Otto von Bismarck eingeführten ↑Krankenversicherung dar. Es beruht auf Beiträgen von Arbeitgebern und ↑Arbeitnehmern in formellen Beschäftigungsverhältnissen (später durch verschiedene Komponenten erweitert). Zentrale Charakteristika sind die Dreiecksbeziehung zwischen Pflichtversicherten, Krankenkassen und Leistungserbringern, die direkt mit den Krankenkassen abrechnen, sowie nach Einkommen gestaffelte Beiträge. Grundsätzlich besteht dieses Modell in Deutschland bis heute; auch in den Niederlanden, Österreich, Belgien und Frankreich ist es grundlegend.

b) Das Marktmodell geht von der Versicherungsfreiheit mit risikoabhängigen Beiträgen aus; Leistungen werden zwischen Patienten und Anbietern abgerechnet und (je nach Vertrag) von den Versicherungen erstattet. Beispiele sind v.a. die USA und Schweiz.

c) Im staatlichen Modell stehen nationale Gesundheitsdienste im Mittelpunkt, weitestgehend aus Steuermitteln finanziert und auf einer hierarchischen staatlichen Ressourcenallokation beruhend; Beispiele liefern v.a. Großbritannien, Spanien, Schweden und Italien. Überall sind diese Modelle allerdings durch ↑Reformen modifiziert worden, so dass aufbauend auf den jeweiligen Grundstrukturen gemischte Systeme entstanden sind.

G. ist gekennzeichnet durch kontinuierliche politische Auseinandersetzungen um die Ausgestaltung der Systeme, um prioritäre Gesundheitsziele sowie durch die Einflussnahme einer Vielzahl von ↑Interessengruppen. Hier spielen einerseits die Ausgestaltung politischer Institutionen und die entspr.e Kompetenzverteilung (↑Föderalismus, Rechte von ↑Verbänden), andererseits die Entwicklung von Policy-Netzwerken zwischen verschiedenen Akteuren eine wichtige Rolle. Verteilungskonflikte führen häufig zum Auftreten neuer Akteure bzw. zur Veränderung der Kräfteverhältnisse

zwischen Akteuren und setzen Reformprozesse in Gang. Starke Akteursgruppen (Ärzteverbände, Versicherungsverbände, Verbände der pharmazeutischen Industrie, Arbeitgeberverbände, Gewerkschaften) beeinflussen die G. u.a. durch die Präsenz ihrer Vertreter im Umfeld von Politikern, Ministerien sowie Parlamenten, die hier den Informationsbedarf in einem komplexen Politikfeld ausnutzen (↑Lobby). Da das Gesundheitswesen insgesamt in Deutschland jährlich mit ca. 300 Mrd. Euro finanziert wird und fast fünf Mio. Beschäftigte umfasst, geht es hier um hohe Einsätze.

3. Systemwandel

Die von O. von Bismarck eingeführte GKV, verbunden mit einer korporatistischen Steuerung (↑Korporatismus) des Gesundheitssystems durch Krankenkassen und kassenärztliche Vereinigungen als selbstverwaltete K.d.ö.R. wurde 1949 weitergeführt. Es stellt bis heute das Grundgerüst der Finanzierung des Systems dar. Allerdings hatte die Pflichtversicherung zunächst die Aufgabe, die Gesundheitsversorgung der einkommensschwachen Bevölkerungsschichten abzusichern; von allen, die keiner Versicherungspflicht unterlagen, wurde erwartet, sich privat zu versichern. Dieses duale System besteht fort; auch die PKV wird durch Gesetze und VO reguliert (Tarife, Wettbewerbsrecht usw.). Mit 9,39 Mio. waren laut Mikrozensus 2011 rund 11,65% aller Versicherten in Deutschland privat krankenvollversichert. Die DDR behielt 1949 das Sozialversicherungsmodell formell bei, ohne jedoch die Selbstverwaltungsstrukturen zu übernehmen; d.h. die Leistungen wurden weitestgehend staatlich organisiert, private Krankenversicherungen wurden verboten.

Arbeitslose sind auf der Grundlage des AVAVG (1927) krankenversichert; vergleichbare Regelungen wurden in der BRD weitergeführt. Auch die „Reichsverordnung über die Fürsorgepflicht" (1924; Schaffung von Fürsorgeverbänden, um nicht GKV-gesicherte Bedürftige zu unterstützen) wurde übernommen und erst 1961 durch das BSHG ersetzt, das auch das Recht auf „Krankenhilfe" (§ 37) festschrieb. 1995 trat als letzter Zweig der ↑Sozialversicherung die ↑Pflegeversicherung hinzu. 1969 wurde mit der Zusammenfassung der zahlreichen Einzelgesetze zu einem ↑Sozialgesetzbuch begonnen (SGB V: GKV).

Die 1960er und frühen 1970er Jahren sind durch erhebliche Kostensteigerungen gekennzeichnet. Investitionen in den Ausbau der Krankenhäuser, Einführung weiterer Leistungen der Krankenkassen, Aufnahme neuer Berufsgruppen (Selbständige, Landwirte) in die GKV und die Einzelleistungsvergütung der Kassenärzte ohne Rahmenvereinbarung führten zu einer „Kostenexplosion", die angesichts der 1973/74 einsetzenden Wirtschaftskrise erhebliche Finanzierungsprobleme mit sich brachte. „Krankenversicherungs-Kostendämpfungsgesetze" von 1977 und 1981 standen am Anfang mehrerer Gesundheitsreformen (bis 1992), die sich zunächst am Erhalt bestehender Strukturen orientierten (Übertragung von Steuerungskompetenzen an Krankenkassen und Verbände der Leistungsanbieter; Reform der Gebühren und Modifizierung der Vergütungsverordnung; Privatisierung von Behandlungskosten durch individuelle Zuzahlungen).

Nachdem es trotz der Kostendämpfungspolitik Anfang der 1990er Jahre wieder zu hohen Defiziten der GKV kam, wurden – beeinflusst durch ein zunehmend wirtschaftsliberales Umfeld – seit 1992 v. a. wettbewerbsorientierte Strukturreformen angestrebt wie freie Krankenkassenwahl und Pauschalen bzw. Individualbudgets bei der Vergütung von Ärzten und Krankenhäusern (u. a. von der Verweildauer unabhängige Pauschalen, Fallpauschalengesetz 2002). Das sog.e Beitragsentlastungsgesetz (1996) brachte erhebliche Zuzahlungen der Kassenpatienten, die Ende 2003 noch einmal erhöht wurden (u. a. Einführung der Praxisgebühr; GKV-Modernisierungsgesetz). Die Handlungsmöglichkeiten der Krankenkassen zur Einführungen von Selbstbehalten, Beitragsrück- und Kostenerstattungen wurden erweitert. Am 1.10.2004 beschloss der Bundestag einen Sonderbeitrag für Arbeitnehmer von 0,9 %, womit zum ersten Mal die Parität der Beitragszahlung aufgehoben wurde (Begrenzung der Lohnnebenkosten).

Nach diesen marktorientierten Reformen privatisierten v. a. öffentliche Träger viele ihrer Kliniken: Während die Gesamtzahl der Krankenhäuser von 1991 bis 2013 von 2 411 auf 1995 sank (davon öffentlich finanzierte von 1109 auf 596), stieg die Zahl der privatwirtschaftlich betriebenen Kliniken in ders. Zeit von 358 auf 693).

Die Einführung eines sog.en Gesundheitsfonds 2007 brachte eine wichtige Strukturveränderung mit sich: Alle Beiträge (Arbeitgeber, Arbeitnehmer, Staat) werden in diesen vom Bundesversicherungsamt verwalteten Fonds eingezahlt und über diesen an die Krankenkassen verteilt – unter Berücksichtigung der Struktur ihrer Mitglieder (morbiditätsorientierte Mittelzuweisung). Die Kassen können wiederum Prämienrückzahlungen vornehmen bzw. Zusatzzahlungen verlangen. Darüber hinaus wurde eine Versicherungspflicht für alle Bürger eingeführt.

Den letzten Reformschub brachte das GKV-Versorgungsstrukturgesetz (2011). Im Vorfeld gab es kontroverse Diskussionen über die Einführung einer sog.en Gesundheitsprämie („Kopfpauschale"), einkommensunabhängig von jedem Familienmitglied über 18 Jahre zu zahlen. Damit wäre das urspr.e Solidaritätsprinzip der GKV aufgehoben worden. Lediglich Geringverdiener sollten einen Ausgleich aus Steuermitteln erhalten: ein nicht durchsetzbares Modell. Die Reform konzentrierte sich auf ein verändertes Finanzierungsmodell der Krankenkassenbeiträge (Einfrieren der Beiträge, Finanzierung von Kostensteigerungen allein durch die Arbeitnehmer über einen von der Kasse festzulegenden Zusatzbeitrag) sowie auf das Gesetz zur Neuordnung des Arzneimittelmarktes, um eine Senkung der Medikamentenpreise zu erreichen.

Während das Versicherungssystem die Erbringung der meisten Leistungen durch private, korporativ organisierte Anbieter vorsieht, spielen in einigen Bereichen Ausgaben der öffentlichen Haushalte (Bund, Länder und Gemeinden) eine erhebliche Rolle, etwa in der Finanzierung von Kliniken (aufgrund der Privatisierungen rückläufig), Forschung und Ausbildung, Rehabilitations- und Pflegemaßnahmen und im öffentlichen Gesundheitsdienst.

4. Der öffentliche Gesundheitsdienst

Die wichtigsten Arbeitsbereiche des Bundesministeriums für Gesundheit (BMG) bestehen neben der Erhaltung der Leistungsfähigkeit des Gesundheitssystems im Gesundheitsschutz, der Krankheitsbekämpfung, der Biomedizin und der Schaffung und Erhaltung von gesundheitsfördernden Rahmenbedingungen im Umwelt- und Sozialbereich. Diese Bereiche sind weitgehend gesetzlich geregelt (u. a. InfSchG, TPG, ESchG und StZG). Das BMG ist auch für die Rahmenvorschriften für die Herstellung, klinische Prüfung, Zulassung, Vertriebswege und Überwachung von Arzneimitteln und Medizinprodukten verantwortlich. Weiterhin ist eine Zentralabteilung für „Europa und Internationales" zuständig.

Diesen Zielen dienen eine Reihe von Fachbehörden und wissenschaftlichen Institutionen, die dem BMG zugeordnet und aus dem 1994 aufgelösten Bundesgesundheitsamt entstanden sind:
a) das RKI (zentrale Einrichtung des Bundes auf den Gebieten der Krankheitsüberwachung und -prävention und der biomedizinischen Forschung),
b) das PEI (Bundesinstitut für Impfstoffe und biomedizinische Arzneimittel),
c) das „Bundesinstitut für Arzneimittel und Medizinprodukte" (Zulassung, Verbesserung der Sicherheit, Risikoerfassung und -bewertung),
d) die „Bundeszentrale für gesundheitliche Aufklärung" (Prävention und Gesundheitsförderung) und
e) das „Deutsche Institut für Medizinische Dokumentation und Information" (Datenbanken für Arzneimittel, Medizinprodukte und Versorgungsdaten sowie zur Bewertung gesundheitsrelevanter Verfahren, Telematik).

Die Länder führen Bundesgesetze in den Bereichen des BSeuchG, des LFGB sowie des AMG durch und verfügen über entspr.e Untersuchungseinrichtungen. In den meisten Ländern bestehen Ministerien, die Gesundheit mit anderen Bereichen (meist Arbeit und Soziales) zusammenfassen, sowie Landesgesundheitsämter, deren Koordination über die Gesundheitsministerkonferenz erfolgt. Sie verfügen über Gemeinschaftseinrichtungen wie die „Akademien für öffentliches Gesundheitswesen" in Düsseldorf und München sowie das „Institut für medizinische und pharmazeutische Prüfungsfragen".

Gesundheitsaufgaben vor Ort werden von den kommunalen Gesundheitsämtern übernommen (Medizinalaufsicht über Berufe und Einrichtungen des Gesundheitswesens, Gesundheitshygiene und Gesundheitsschutz, Gesundheitsförderung und -vorsorge, gutachterliche Tätigkeit; Epidemiologie und Gesundheitsberichterstattung).

5. Gesundheitspolitik und Medikamente

Medizinische Forschung, die Entwicklung von Medikamenten und der Zugang zu diesen (Finanzierung) spielen eine wichtige Rolle. Nach Angaben des StBA wurden 2014 etwa 15,9 % der gesamten deutschen Gesundheitsausgaben (51 098 von 321 720 Mrd. Euro) für Medikamente ausgegeben. Da die Preise unter Patentschutz Monopolpreise sind, gibt es hier erheblichen Verhandlungsspielraum zwischen Herstellern und Vertretern des Gesundheitssystems, der im Zusammenhang mit Kostendämpfungsmaßnahmen zunehmend genutzt wird: Das „Gesetz zur Neuordnung des Arzneimittelmarktes" (2011) verlangt von den Herstellern für alle Arzneimittel mit neuen Wirkstoffen bei der Markteinführung Nachweise über den Zusatznutzen. Damit können die pharmazeutischen Unternehmen die Preise für ihre Arzneimittel nicht mehr nach eigenem Ermessen festlegen. Während die Pharmaindustrie dieses Vorgehen kritisch sieht, da sie hohe Preise – wie sie ihnen das Patentrecht national und im Rahmen des TRIPS-Abkommens auch international zubilligen – mit der Amortisierung hoher Entwicklungskosten für Medikamente rechtfertigt, halten Kritiker dem entgegen, dass die entspr.e Grundlagenforschung durchweg an staatlich finanzierten Forschungsinstituten betrieben wird. Ein bes. ernstes Problem stellen hohe Preise für neue Medikamente für Entwicklungsländer dar, die diese Kosten im Rahmen sehr viel niedrigerer Gesundheitsbudgets nicht tragen können – selbst bei Preisrabatten von Seiten der Hersteller.

6. Internationale Gesundheitspolitik

Die Kontrolle von Infektionskrankheiten war bereits in der zweiten Hälfte des 19. Jh. Ausgangspunkt der Gründung internationaler Gesundheitsorganisationen. Die ↑WHO wurde 1948 „als leitende (‚directing‘) und koordinierende Autorität in der internationalen Gesundheitsarbeit" gegründet (UN-WHO 1947: Kap. 2a).

Die WHO entwickelte eine Vielzahl von Tätigkeitsfeldern (u. a. Verhandlungen und Verwaltung der *International Sanitary/Health Regulations;* Diskussionsforum für die Koordination internationaler G.; Förderung der Entwicklung von Gesundheitssystemen; Klassifikation von Krankheiten und entspr.e medizinische wie technische Expertise und Koordination für spezifische Probleme wie etwa Gesundheit und Flugreisen, essentielle Medikamente). Je nach Themenbereich wurde mit anderen IGOs kooperiert, etwa mit UNICEF bei der Erklärung „Gesundheit für alle" und der Forderung nach dem Aufbau von Basisgesundheitssystemen in Entwicklungsländern (Konferenz von Alma Ata 1978) oder bei der Bekämpfung tropischer Krankheiten. Die Position der WHO veränderte sich seit den 1990er Jahren u. a. als Folge des Globalisierungsprozesses erheblich. *Global Health* war während der 1990er Jahre noch stärker als andere Felder von *Global Governance* (↑Governance) durch rasche Zunahme einflussreicher Akteure geprägt. Neben einer wachsenden Bedeutung zivilgesellschaftlicher Organisationen interagieren neue globale Initiativen (z. B. „Global Fund to Fight AIDS, Tuberculosis and Malaria"; die „Globale Impfallianz") mit nationalen Regierungen und IGOs. Das Konzept *Global Health Governance* wurde in den akademischen Diskurs eingeführt, um das (durchaus konfliktive) Zusammenspiel von verschiedenen institutionellen Formen und Akteuren auf unterschiedlichen Ebenen zu analysieren. Kritik an mangelnder Effektivität der WHO wurde zum Anlass, ihr Budget einzufrieren, was die Handlungsfähigkeit der Organisation erheblich reduzierte.

Entspr. ihrer Verfassung hat die WHO die Initiative zur Verhandlung neuer Vertragswerke übernommen („International Health Regulations" von 2005 und die Tabak-Konvention „Framework Convention on Tobacco Control"). Wichtige Themen – Stärkung von Gesundheitssystemen, Zugang zu neuen, teuren Medikamenten in armen Ländern, zunehmende Bedrohung durch Infektionskrankheiten, wachsende Resistenz von Krankheitserregern gegen bisher wirksame Medikamente – machen eine effektive Koordination internationaler G. wichtiger denn je. Gerungen wird um Reformen der WHO, in denen es um die Führungsrolle in *Global Health*, aber auch um eine gesicherte Finanzierung der Weltorganisation geht.

International wichtig ist die regionale Kooperation. Im Rahmen des Vertrags über die ↑EU (Maastricht 1992) blieb G. zwar in der Kompetenz der Einzelstaaten, doch wurden die Mitglieder im Rahmen der „Offenen Methode der Koordinierung" aufgefordert, ihre Gesundheitssysteme an freiwillig vereinbarten gemeinsamen Zielsetzungen zu orientieren. Im Zusammenhang mit den Mobilitätsrechten besteht weitreichende Koordinierung der Krankenkassen. Weiteres Beispiel ist die Errichtung des „European Centre for Disease Prevention and Control" in Stockholm.

Literatur

M. Simon: Das Gesundheitssystem in Deutschland, ⁵2016 • M. Simon: Lobbyismus in der Gesundheitspolitik (6.2.2015), in: bpb, URL: http://www.bpb.de/politik/innenpolitik/gesundheitspolitik/200658/lobbyismus-in-der-gesundheitspolitik (abger.: 20.3.2018) • W. Hein/S. Moon: Informal Norms in Global Governance, 2013 • T. Gerlinger/T. Schönwalder: Gesundheitsreformen in Deutschland 1975 bis 2012 im Überblick (1.3.2012), in: bpb, URL: http://www.bpb.de/politik/innenpolitik/gesundheitspolitik/72874/etappen (abger.: 20.3.2018) • T. Schrecker (Hg.): The Ashgate Research Companion to the Globalization of Health, 2012 • M. Zacher/T. J. Keefe: The politics of global health governance, 2009 • U. Lindner: Die Krise des Wohlfahrtsstaats im Gesundheitssektor. Bundesrepublik Deutschland, Großbritannien und Schweden im Vergleich, in: AfS Bd. 47 (2007) 297–324 • M. Stolleis: Geschichte des Sozialrechts in Deutschland, 2003 • P. Drahos/R. Mayne (Hg.): Global Intellectual Property Rights, 2002 • F. W. Schwartz/V. Arolt (Hg.): Das Public-Health-Buch, 2000 • H. Brand/N. Schmacke: Der öffentliche Gesundheitsdienst, in: ebd., 259–268 • F. W. Schwartz/I. Kickbusch/M. Wismar: Ziele und Strategien der Gesundheitspolitik, in: ebd., 172–188.　　WOLFGANG HEIN

II. Ökonomisch

1. Definition

In einer umfassenden Sichtweise lässt sich G. als politisches Handeln definieren, mit dem Ziel, die Gesundheit und die Verteilung der Gesundheit in der Bevölkerung positiv zu beeinflussen. Eine engere Sichtweise stellt auf Maßnahmen ab, welche die Gestaltung des Gesundheitswesens betreffen. Üblicherweise wird diese engere Sichtweise eingenommen. Die umfassende Betrachtung weist jedoch darauf hin, dass politische Maßnahmen aus den Bereichen der Umwelt-, Bildungs-, Verkehrs- und Sozialpolitik ebenfalls Gesundheit prägen, indem sie die Lebensumstände der Menschen sowie deren Gesundheitsverhalten beeinflussen.

2. Ziele

Die konkreten Ziele der G. werden im politischen Prozess festgelegt. Auf einer abstrakten Ebene ist in den meisten Ländern unstrittig, dass alle Bürger Zugang zu einer medizinischen Grundversorgung haben sollten. In entwickelten Ländern ist diese Grundversorgung sehr weitreichend definiert. Im Rahmen von solidarischen Gesundheitssystemen sollen alle Bürger Zugang zu neuen und teuren Technologien haben. Das ökonomische Ziel besteht darin, dass die Leistungen wirtschaftlich, d. h. zu geringstmöglichen Kosten erstellt werden. Für die GKV ist dieses Ziel in § 12 SGB V verankert.

3. Gesundheit aus ökonomischer Sicht

Aus ökonomischer Sicht ist Gesundheit zum einen ein Gut, das Menschen schätzen, weil Krankheit zu Leid und Einschränkungen führt. Zum anderen trägt Gesundheit zur Arbeitsfähigkeit und Arbeitsproduktivität bei. Manche Verbesserungen der Gesundheit können sich durch höhere Steuer- oder Beitragseinnahmen deshalb teilweise oder ganz selbst finanzieren. In einer dynamischen Perspektive steht Gesundheit in enger Beziehung zu ↗Bildung, Arbeitsmarkterfolg und gesellschaftlicher Teilhabe (↗Partizipation).

4. Gesundheitspolitik und Gesundheitsverhalten

Gesundheit wird in erheblichem Maße vom Gesundheitsverhalten beeinflusst. Insb. Ernährung, Bewegung und risikobehaftete Lebensgewohnheiten wie Rauchen oder der Konsum von Drogen bestimmen die Gesund-

heit. Dieses Verhalten kann durch Bildung und Aufklärung beeinflusst werden. In einem gewissen Umfang können auch Besteuerung (z. B. von Zigaretten und alkoholischen Getränken) und Subventionierung (z. B. von Breitensport) zu einem gesünderen Lebensstil beitragen. Insofern Menschen Schwierigkeiten haben, Pläne für ein gesundheitsförderliches Verhalten umzusetzen, können auch verhaltensökonomische Interventionen, insb. „Nudges" nützlich sein.

Bei einigen Gesundheitsgütern treten ↗externe Effekte auf. Dies trifft insb. auf Impfungen zu. Vielfach werden durch die Impfung nicht nur die Geimpften selbst geschützt, sondern auch nichtgeimpfte Personen, insofern durch die Impfung die Übertragungswahrscheinlichkeit sinkt. Dieser positive externe Effekt spricht für eine Subventionierung von Impfungen. Allerdings können die Wirkungen von ↗Subventionen gering ausfallen, wenn die Impfentscheidung stark von der Prävalenz der Krankheit beeinflusst wird.

5. Krankenversicherung und die Nachfrage nach Gesundheitsleistungen

Empirische Studien zeigen, dass die Nachfrage nach Gesundheitsleistungen mit dem Versicherungsschutz zunimmt. Diese Nachfragezunahme ist dann bedenklich, wenn sie zu einer Nachfrage nach Leistungen führt, die bei geringem Nutzen hohe Kosten verursachen. Zuzahlungen können diese Übernachfrage einschränken. Sie verringern jedoch den Versicherungsschutz und können auch dazu führen, dass sinnvolle Behandlungen nicht nachgefragt werden. Bei Zuzahlungen ist zudem zu beachten, dass Personen mit geringem Einkommen und schlechtem Gesundheitszustand stark belastet werden können. In der GKV in Deutschland sind die Zuzahlungen deshalb auf 2 % des Familienbruttoeinkommens beschränkt. Für chronisch Kranke beträgt die Belastungsgrenze 1 % des Jahreseinkommens.

6. Krankenversicherungsmärkte

Durch rein private Krankenversicherungsmärkte lässt sich ein Zugang für alle Bürger zu einer medizinischen Grundversorgung i. d. R. nicht gewährleisten. Der Schutz ist dann für Bürger mit geringem Einkommen nicht erschwinglich. Dies gilt auch für Menschen mit gesundheitlichen Problemen, weil Krankenversicherer diese Personen nicht oder nur zu hohen Prämien versichern. Eine solidarische Gesundheitsversorgung erfolgt deshalb üblicherweise durch staatliche Gesundheitssysteme wie z. B. in Großbritannien oder durch Sozialversicherungssysteme (↗Sozialversicherung) wie z. B. in Deutschland und den Niederlanden. Im Rahmen der deutschen sozialen ↗Krankenversicherung stehen die gesetzlichen Krankenkassen im Wettbewerb. Kontrahierungszwang und Diskriminierungsverbot sollen sicherstellen, dass jeder Berechtigte Zugang zu einer Krankenversicherung hat. Ein Problem hierbei ist der Anreiz zur Risikoselektion, insb. zur Vermeidung von teuren Versicherten. Ein Ausgleichssystem zwischen den Kassen, der morbiditätsorientierte Risikostrukturausgleich, soll dem entgegenwirken. Kassen erhalten dabei höhere Zuweisungen, wenn sie Personen mit Eigenschaften versichern, die höhere Ausgaben erwarten lassen.

Der Kassenwettbewerb soll zur Wirtschaftlichkeit der Versorgung beitragen, indem Kassen ihre Versorgung optimieren. In der Gestaltung ihrer Leistungen sind die Kassen jedoch stark eingeschränkt, da die meisten Leistungen einheitlich über das SGB V geregelt sind. Zudem werden viele Entscheidungen zu Leistungen und deren Vergütung im Rahmen der gemeinsamen ↑Selbstverwaltung getroffen. In einigen Bereichen könnten die Kassen jedoch Selektivverträge mit ausgewählten Leistungserbringern schließen.

7. Regulierung von Leistungserbringern

Die ↑Märkte für Gesundheitsleistungen sind hoch reguliert. Eine freie Preisbildung ist in großen Bereichen ausgeschlossen. Niederlassungsentscheidungen unterliegen Bedarfsregulierungen. Aus gesundheitsökonomischer Sicht relevant ist insb. die Vergütung von Leistungserbringern. Empirische Studien zeigen, dass Leistungserbringer auf finanzielle Anreize reagieren. In den vergangenen Jahrzehnten wurde verstärkt die Kostenverantwortung auf die Leistungserbringer verlagert, etwa durch Kopfpauschalen in der ärztlichen Vergütung oder Vergütung nach *Diagnosis Related Groups* im Krankenhausbereich. Ziel war insb., Anreize zu wirtschaftlichem Handeln zu schaffen. Allerdings besteht die Gefahr, dass finanzieller Druck zu Lasten der Qualität geht. Zudem können Anreize zu unerwünschter Patientenselektion entstehen. Z.B. können Patienten mit hohen erwarteten Behandlungskosten Schwierigkeiten haben, behandelt zu werden, wenn die Pauschale nur die Kosten von durchschnittlichen Patienten deckt. Ein weiteres Problem besteht im sog.en *Upcoding*, d.h. der Höherkodierung von Patienten, um eine höhere Pauschalzahlung zu erhalten.

8. Preisregulierung von Arzneimitteln

Hersteller neuer patentgeschützter Arzneimittel versuchen vielfach, hohe Preise durchzusetzen. Viele staatliche Gesundheitssysteme regulieren diese Preise, um ihre Ausgaben zu begrenzen. In Deutschland werden die Preise für patentgeschützte Arzneimittel im Rahmen eines Verhandlungsprozesses zwischen Herstellern und dem GKV-Spitzenverband festgelegt. Grundlage hierfür ist die Feststellung eines Zusatznutzens durch den Gemeinsamen Bundesausschuss. Andere Länder regulieren Preise vielfach auf Grundlage internationaler Vergleichspreise. Dies kann negativ auf die Länder wirken, deren Preise als Referenz genutzt werden. Pharmaunternehmen können aus strategischen Gründen dort die Preise höher setzen oder den Markteintritt verzögern. Bei allen Formen der Preisregulierung von Arzneimitteln stellt sich die Frage, wie stark die Anreize zur Entwicklung neuer Medikamente beeinflusst werden.

9. Ausgabenentwicklung

In den letzten Jahrzehnten ist ein stetiger Anstieg des Anteils der Gesundheitsausgaben am Volkseinkommen zu beobachten. Hierfür werden insb. der medizinischtechnische Fortschritt und die Alterung der Gesellschaft verantwortlich gemacht. Inwieweit diesem Ausgabenanstieg auch eine bessere Gesundheitsversorgung gegenübersteht, ist auf aggregierter Ebene schwer zu messen. Die Lebenserwartung nimmt zwar stetig zu, wird allerdings von vielen Faktoren beeinflusst, insb. von besseren Lebens- und Arbeitsbedingungen. Auf der Ebene einzelner Therapien können jedoch Aussagen darüber getroffen werden, ob erhöhten Ausgaben auch eine angemessene Zunahme an Gesundheit gegenübersteht. Hier besteht Evidenz, dass die zusätzlichen Kosten neuer Therapien vielfach einen hohen Nutzen hatten. Bes. Bedeutung haben in diesem Kontext gesundheitsökonomische ↑Evaluationen. Diese ermitteln und vergleichen die Kosten und Gesundheitsverbesserungen für neue und bereits etablierte Therapien. Das bekannteste Gesundheitsmaß sind dabei qualitätsbereinigte Lebensjahre, welche zusätzlich gewonnene Lebensjahre mit einem Qualitätsfaktor gewichten. Gesundheitsökonomische Evaluationsmethoden und die damit verbundenen Werturteile werden kontrovers diskutiert.

10. Einfluss von Interessengruppen

Im Gesundheitswesen sind viele ↑Interessengruppen in ↑Verbänden organisiert, die versuchen, Einfluss auf politische Entscheidungen zu nehmen. Im Rahmen der gemeinsamen Selbstverwaltung sind einige der Interessengruppen (Ärzte und Zahnärzte, Krankenhäuser, Krankenkassen) direkt in die Entscheidungsprozesse in der GKV eingebunden. Diese Strategie ist mit Vor- und Nachteilen verbunden. Zum einen werden gesundheitspolitische Probleme in einem moderierten und fortdauernden Prozess gelöst. Zum anderen wird das Gesundheitswesen von Funktionären bestimmter Verbände dominiert. Leistungserbringer, die nicht eingebunden sind (z.B. Heilpraktiker und Physiotherapeuten) oder die sich in Verbänden nicht durchsetzen können, haben geringere Chancen, ihre Interessen zur Geltung zu bringen. Gegen organisierte Interessen im Gesundheitswesen lassen sich allerdings kaum Reformen durchsetzen, weil Politiker bei der Durchführung auf die Mitwirkung dieser Verbände angewiesen sind.

Literatur

H. Jürges/J. Köberlein: What explains DRG upcoding in neonatology?, in: JHE 43 (2015), 13–26 • C. Sorenson/M. Drummond/B. Bhuiyan Khan: Medical technology as a key driver of rising health expenditure, in: CEOR 5 (2013), 223–234 • F. Breyer/P. Zweifel/M. Kifmann: Gesundheitsökonomik, ⁶2012 • M. V. Pauly/T. G. McGuire/P. P. Barros (Hg.): Handbook of Health Economics, Bd. 2, 2012 • J. Cawley/C. J. Ruhm: The Economics of Risky Health Behaviors, in: ebd., 95–199 • T. G. McGuire: Demand for Health Insurance, in: ebd., 317–396 • J. B. Christianson/D. Conrad: Provider Payment and Incentives, in: P. C. Smith/S. Glied (Hg.): The Oxford Handbook of Health Economics, 2011, 624–648 • F. Breyer/J. Costa Font/S. Felder: Ageing, health, and health care, in: OREP 26/4 (2010), 674–690 • R. H. Thaler/C. R. Sunstein: Nudge. Improving Decisions about Health, Wealth, and Happiness, 2008 • D. R. Just: Behavioral economics, food assistance, and obesity, in: ARER 35/2 (2006), 209–220 • D. M. Cutler/M. McClellan: Is technological change in medicine worth it?, in: HAFF 20/5 (2001), 11–29 • A. J. Culyer/J. P. Newhouse (Hg.): Handbook of Health Economics, Bd. 1, 2000 • D. M. Cutler/R. J. Zeckhauser: The Anatomy of Health Insurance, in: ebd., 563–643 • D. S. Kenkel: Prevention, in: ebd., 1675–1720 • T. G. McGuire: Physician Agency, in: ebd., 461–536 • E. Nord: Cost-Value Analysis in Health Care. Making Sense Out of QALYs, 1999 • M. Chalkley/J. M. Malcomson: Contracting for Health Services when Patient Demand Does Not Reflect Quality, in: JHE 17/1 (1998), 1–19 • R. P. Ellis: Creaming, Skimping and Dumping: Provider Competition on the Intensive and Extensive Margins, in: JHE 17/5 (1998), 537–555.   MATHIAS KIFMANN

Gewalt

G. gehört als „Teil menschlicher Sozialität" in welcher Form auch immer „zum Erfahrungsinventar vermutlich aller Menschen zu jeder Zeit" (Gudehus/Christ 2013: VII). Völlig gewaltfreie Gesellschaften sind eher die Ausnahme. Auch wenn sie manchmal (und irrtümlich) als animalisch bezeichnet wird, ist die von Menschen individuell oder kollektiv ausgeübte und erlittene G. (hier im Sinne von *violentia*, violence als illegale G., nicht von *potestas*, power als legale G.) typisch menschlich. Dies gilt sowohl für (Macht-)Aktionen physischer G. als auch für Zusammenhänge sog.er struktureller G., die Johan Galtung in den 1970er Jahren als „vermeidbare Beeinträchtigung grundlegender menschlicher Bedürfnisse oder, allgemeiner ausgedrückt, des Lebens, die den realen Grad der Bedürfnisbefriedigung unter das herabsetzt, was potentiell möglich ist" (Galtung 1975: 12), definiert und weder Helden noch (zurechenbare) Täter, sondern nur Opfer kennt. Typisch menschlich sind auch die Konzepte der kulturellen G. (nach J. Galtung) und der symbolischen G. (nach Pierre Bourdieu und Jean-Claude Passeron), die auf die Entlarvung von sprachlichen und nichtsprachlichen Zeichensystemen zielen, die bis in „das Innerste der Körper" (Bourdieu 2005: 73) die „Illusion der Chancengleichheit" (Bourdieu/Passeron 1971) nähren und damit ideologisch faktische Machtverhältnisse verschleiern. Bei aller Verschiedenheit von engen und weiten Begriffen der G. ist ihnen doch der Bezug zum Körper als Träger „grundlegender menschlicher Bedürfnisse" (Galtung 1975: 12) gemeinsam. Auch die weiten Begriffsbildun-

gen sind aus der Ausgangs- und Kernbedeutung von G., die auf den Körper zielt, abgeleitet. Dies gilt letztlich auch für den Begriff der psychischen und der verbalen G., wenn etwa Verbindungen, Verschiebungen und Substituierungen – etwa die Ersetzung von körperlicher G. durch Liebesentzug oder Ausgrenzungen, Beleidigungen, Demütigungen, Erniedrigungen – thematisiert werden (z. B. Mobbing, Verletzung des Schamgefühls).

1. Sozialwissenschaftliche Gewaltforschung

Die gegenwärtig vorherrschende sozialwissenschaftliche G.-Forschung konzentriert sich auf das Konzept der physischen G., die stets auch ihre psychische Seite hat. Dabei stellt sie anthropologisch als „grundlegendes Charakteristikum die Entgrenzung des menschlichen Gewaltverhältnisses" (Popitz 1986: 73) heraus: zum einen die Tatsache, dass der Mensch nie gewaltsam handeln muss, aber immer gewaltsam handeln kann. Dem Menschen fehle ein angeborene G.-Hemmung. Entgrenzung meint zum anderen, dass die menschliche G. nicht auf bestimmte Motive – etwa ↑Aggression – festgelegt ist. Der Vollstrecker der „nackten Gewaltsamkeit der Zwangsmittel" des Staates etwa ist der „rationale homo politicus" (Weber 1947: 546 f.). G. ist motivational nicht fixiert: „Gewaltakte können nüchtern und illusionslos vollzogen werden, etwa als routinemäßige Befolgung von Befehlen […] Lockender Gewinn, lockender Ruhm oder die lockende Bekehrung von Heiden sind nicht unbedingt aggressionsbestimmte Motive" (Popitz 1986: 74). Entgrenzung der menschlichen G. bezieht sich schließlich auch auf G.-Imaginationen und darauf, dass die Adressaten von G.-Handlungen nicht festgelegt sind: „Menschen können gegen Fremde und gegen Vertraute, gegen Mitglieder anderer und eigener Gruppen, gegen Erwachsene und gegen Kinder gewalttätig werden" (Popitz 1986: 74). Der Mensch ist ein Wesen, das prinzipiell jeden und jede töten kann: „Homo Necans" (Burkert 1972) – nicht nur Tiere, sondern auch Menschen konnten Göttern geopfert werden.

2. Religionsgewalt

Damit ist nicht gesagt, dass ↑Religionen der Schlüssel zum Verständnis von zwischenmenschlicher G. sind, obwohl kaum bezweifelbar ist, „dass es eine Verbindung von Religion und Gewalthandlungen gibt", diese aber vermutlich „immer mit wirtschaftlichen, ethnischen, politischen oder rechtlichen Konflikten einhergeht" (Kippenberg 2013: 67). Allerdings kann auch Religion qua Religion Quelle von G. sein, zumal sie hierfür Deutungsmuster – Narrative, Drehbücher, heroische Vorbilder – zur Verfügung stellt. Das ↑Christentum, das als gewaltsam sanktionierte jüdische Erneuerungsbewegung begann, und ein G.-Symbol (Kreuz) als Identitätsmarker pflegt, begründet zwar – prominent im Gleichnis vom Unkraut im Weizen (Mt 13,24–30) – ein „Freibleiben von zwischenmenschlicher Religionsgewalt" (Angenendt 2016: 39), hat aber im Verlauf seiner Geschichte selbst gegen dieses ↑Tabu mehrfach verstoßen (G.-Mission, Kreuzzüge, Ketzertötung, Hexenprozesse), was andererseits religionsintern nie unkritisiert blieb. Während die Ostkirche keine kirchlich verordnete Ketzertötung kennt, kam der große theologische Tabubruch mit der Scholastik. Die ehedem tolerante Deutung der Ketzer schlug um: „Päpste und Theologen rechtfertigen die Ketzertötung. Spätestens Papst Innozenz IV. (gest. 1254) stimmte zu. Thomas von Aquin (gest. 1274) hielt in voller Kenntnis des Weizen/Unkraut-Gleichnisses dafür: „Hartnäckige Ketzer verdienen ‚nicht nur von der Kirche durch den Bann ausgeschieden, sondern auch durch den Tod von der Welt ausgeschlossen zu werden' […] Dieser Umschlag ist doppelt verwunderlich, einmal weil Thomas den Gewissensentscheid, auch den sachlich falschen, für verpflichtend hielt, zum anderen weil sich die Theologie jetzt trotz aller Vorwarnungen eine zweifelsfreie Aussonderung des Unkrauts anmaßte" (Angenendt 2016: 40).

3. Reichweite

Obwohl G. so alt ist wie die Menschheit und die Grenzen von Gesellschaften, Kulturen und Religionen überschreitet, ist sie in ihren Erscheinungs- und Verteilungsweisen vielfältig und kontextgebunden, ursächlich nicht immer erklärbar, häufig nicht – weder zweckmittelrational, wertrational, traditional noch affektuell – verstehbar und auch nicht immer funktional (z. B. zum dauerhaften Macht-, Prominenz-, Prestige- und Statusgewinn). G. ist deshalb leicht dämonisierbar (und heroisierbar). Sie kann sich intentional gegen Sachen, Tiere und Mitmenschen richten, auch gegen sich selbst. G. kann individuelle oder kollektive Akteure bzw. Träger haben, je nach Kontext als legitim oder illegitim gelten, als legal oder illegal. G. kann integrativ oder desintegrativ wirken, formell – institutionalisiert – oder informell – spontan, situativ, ungeplant – in allen Daseinsbereichen in Erscheinung treten, in den Sphären der Politik, der Wirtschaft, der Religion, der Kunst, der Straße genauso wie in den Intimsphären des privaten Lebens, z. B. als häusliche G. oder als Vergewaltigung in der Ehe; auf der Mikroebene von Interaktions- und Gruppenprozessen (treten, schlagen, foltern, töten); auf der Makroebene ganzer Gesellschaften mit der Tendenz zur „Veralltäglichung von Gewalt" (Waldmann 1997), z. B. als Blutrache, ↑Rassismus, ↑Antisemitismus, Holodomor, ↑Bürgerkrieg, und zwischen Gesellschaften (heiße und kalte ↑Kriege, auch als Cyberkriege); auf der Mesoebene von körperbezogenen Organisationen wie Kinderheimen und Pflegeheimen und auch nicht-körperbezogenen Organisationen, etwa als sog.er „workplace violence" (Hoffmann 2011). Gewaltnah sind „brachiale Organisationen" (Etzioni 1978: 96ff.), d. h. solche „Zwangsorganisationen" (Kühl 2013), deren Kontrollmechanismen zur Verhinderung der Exit-Option im Kern durch G.-Androhung und G.-Ausübung bestimmt sind (Gefängnisse, Zuchtanstalten, Strafkolonien, Straf-

lager, Arbeitslager, Vernichtungs- bzw. ↑Konzentrationslager); mehr oder weniger organisierte sog.e „Gewaltgemeinschaften" (Speitkamp 2013), wie sie sich z. B. als Räuberbanden, Söldnergruppen, Freischärler, marodierende Haufen, Jugendgangs, Hooligans, „Kameradschaften" oder „Terrorzellen" konkretisieren; G.-Handlungen bzw. G.-Netzwerke, die über das Internet repräsentiert und aktiviert werden, aber auch als informationstechnologische Infrastruktur von Terrororganisationen dienen; „kriminelle Organisationen" (Paul/Schwalb 2012), die, wie z. B. die italienische Mafia, die chinesischen Triaden, die japanische Yakuza, zur Bereitstellung illegaler Waren und (sexueller) Dienstleistungen miteinander konkurrieren und ohne staatliche Institutionen des Rechts, neben diesen oder sogar gegen sie operieren (↑Kriminalität). G. kann als direkte sinnliche Erfahrung, als indirektes, verbreitungsmedialisiertes bzw. digital vermitteltes Erleben, öffentlich oder verborgen sein. Zunehmend wird das Internet zum Schauplatz von fiktiven und faktischen G.-Taten. Immer wird durch G. Schmerz und Leid bewirkt, in Kauf genommen, wenn nicht intendiert: die Verwundung und Verletzung – letztlich Vernichtung – des Körpers und der Seele.

4. Entgrenzung und Typen

Die anthropologische These von der Entgrenzung der menschlichen G.-Verhältnisse redet keinesfalls einer Tendenz zur Ausweitung oder Extremisierung der G.-Praxis im heutigen Zusammenleben demokratischer Rechts- und Wohlfahrtsstaaten das Wort. So zeigt sich, dass bestimmte G.-Arten einerseits und bestimmte G.-Situationen andererseits auch unterschiedliche Begrenzungen erfahren haben. Denn der Entgrenzung des menschlichen G.-Verhältnisses steht auch „eine spezifisch humane Chance der Eingrenzung, der Einfriedung von Gewalt" (Popitz 1986: 87), gegenüber. Jan Philipp Reemtsma unterscheidet drei Typen von G.-Akten: 1. Lozierende G., die nicht auf diesen Körper selbst gerichtet ist, sondern etwas anderes erreichen soll (z. B. Erpressung von Lösegeld). Man könnte sie – wie auch die blockierende G. (z. B. jemandem den Mund zukleben) – als Unterfall instrumenteller G. sehen, in der die Machtaktion nur ein Mittel zu einem anderen Zweck jenseits des Körpers ist. 2. Raptive G., wenn es um die Nutzung des Körpers eines anderen – gegen dessen Willen – geht (z. B. medizinische Experimente, Vergewaltigung, pädophiler Sex, wie er auch im Raum der Kirche und kirchlicher Einrichtungen skandalisiert wurde). 3. Autotelische G.: Sie hat die Verletzung, ja Zerstörung des Körpers des anderen selbst zum Ziel, berauscht sich daran und erschöpft sich darin. Bereits unsere abendländische Literatur beginne „mit der Schilderung eines Exzesses autotelischer Gewalt: Es reicht Achill nicht, Hektor zu töten, er will dessen Körper zerstören. Rom [– genauer Vespasian bzw. dann Domitian –] hat an dem öffentlichen Entzücken an Inszenierungen autotelischer Gewalt ein Gebäude errichtet […]: das Kolosseum"

(Reemtsma 2008: 14). In diesem G.-Raum (nach dem Konzept von Jörg Baberowski und Gabriele Metzler) wurde fast vier Jh. lang zerfleischt, gekämpft und gestorben. Norbert Elias hat gezeigt, dass in der mittelalterlichen Gesellschaft „die Grausamkeitsentladung […] nicht vom gesellschaftlichen Verkehr aus[schloss]. Sie war nicht gesellschaftlich verfemt. Die Freude am Quälen und Töten anderer war groß, es war eine gesellschaftlich erlaubte Freude" (Elias, Bd. 1, 1977: 268). Auch die Hinrichtungsrituale der Frühen Neuzeit waren Demonstrationen autotelischer G., die zugl. beweisen sollten, dass der Souverän das kann und darf: einen Körper verbrennen, ihn rädern und ausweiden. Bis zum Ende des 18. Jh. haben wir Berichte über solche öffentlichen Hinrichtungsrituale, die Michel Foucault „Theater der Hölle" (Foucault 1977: 61) nennt. Heute ist hierzulande autotelische G. „so erfolgreich geächtet, dass wir sie gar nicht mehr wahrnehmen können, und wo wir nicht umhinkommen, sie dennoch zu sehen, sie nur als pathologische Monstrosität" definieren (Reemtsma 2008: 14). Häufig werde sie in den Massenmedien auch als „sinnlose G." bezeichnet. Wo autotelische G. nicht mehr als Sanktion oder Demonstration von staatlicher ↑Macht daherkommt, wird sie kriminalisiert und psychopathologisiert. Gleichwohl zeigt sie sich noch in einigen jugendlichen Milieus, denen es darum geht, das Machtgefühl über den am Boden Liegenden auszukosten und die eigene Ohnmachts-, Demütigungs- und Missachtungserfahrung, nicht zuletzt in der Familie, auszugleichen. Selbst erlebte Misshandlungen und Missachtungen des Bedürfnisses nach Anerkennung wurden in vielen Studien als gewaltförderliche Machtquellen in Erziehungskontexten identifiziert. Wie Erwachsene mit der größeren Abhängigkeit von Kindern und Jugendlichen umgehen, ist folgenreich für deren Entwicklungschancen. Als weiteres Phänomen in anomischen Lagen von Jugendlichen können vielfältige Formen von „Erlebnisgewalt" (Ebertz 1997) genannt werden, auch Formen geselliger und digital-spielerischer G.

5. Begrenzung

Auch lozierende bzw. instrumentelle wie raptive Formen von G. sind in der modernen Gesellschaft weitgehend kriminalisiert und gelten als legal allenfalls noch in der staatlichen Verbrechensbekämpfung oder in zwischenstaatlichen G.-Taten. Deren Verringerung ist – abgesehen von Ausnahmen wie der EU, die sich als Friedensmacht versteht, die aus der extremen G.-Geschichte des 20. Jh. gelernt hat – allerdings nur „schwerlich festzustellen" (Gleichmann 2006: 319). Internationale Spannungen führen einerseits zur Ausbreitung differenzierter – asymmetrischer – Formen realisierter G.-Drohung, die in der Politikwissenschaft unter dem Stichwort „Neue Kriege" (Münkler 2002) debattiert werden, andererseits auch zur wachsenden Angst, im eigenen Land Opfer eines Terroranschlags (↑Terrorismus) zu werden. Zum Erfahrungsraum des „wohl bedeut-

samste[n] zivilisatorische[n] Fortschritt[s] der Menschheitsgeschichte" (Reemtsma 2008: 14), gehört die – freilich niemals abgeschlossene und stets prekäre – innerstaatliche Monopolisierung der physischen G. G. wird damit unter erhöhten Legitimationsdruck gestellt, ja geächtet. Sie wird – zumindest in der dominanten Kultur rechtsstaatlicher demokratischer Gesellschaften – nur noch für legitim erachtet, wo sie vor schlimmerer G. schützen soll. Dieser erhöhte Legitimationsdruck gilt auch für die Träger der „gewaltbewältigenden Gewalt" (Popitz 1986: 91) des Staates selbst, der enge Grenzen auferlegt werden. Indem z. B. die ↑Todesstrafe abgeschafft, die lebenslängliche Freiheitsstrafe für Kapitalverbrechen auf 15 Jahre reduziert, der G.- bzw. Waffengebrauch der ↑Polizei selbst unter Ausnahmebedingungen gestellt und die „Wehrdienstverweigerung" ermöglicht wurde, ist das staatliche ↑G.-Monopol systematisch beschränkt worden. Mit einem deutlichen „Zug zur Milde" (Haferkamp 1990: 12) im deutschen ↑Strafrecht hat sich auch das „Monopol legitimen physischen Zwanges" (Weber 1972: 29) sukzessive einer selbstzivilisierenden Entwicklung unterworfen, im Effekt freilich auch die entwaffneten Bürgerinnen und Bürger gezwungen, zu lernen und die nachwachsenden Generationen zu lehren, ihre Konflikte gewaltfrei, zumindest ohne Einsatz physischer G., zu lösen. All dies erklärt die gewachsene Sensibilität für G.-Fragen, das blanke Entsetzen und die Skandalisierbarkeit, wenn irgendwelche Formen von G. ins Zusammenleben einbrechen. G.-Freiheit ist zu einem Zentralwert moderner Staatsgesellschaften geworden.

Auch ehemalige G.-Situationen haben eine Begrenzung erfahren. So sind Gefängnisse wahrscheinlichere Orte der G.-Ausübung, Fußballstadien oder Tiefgaragen oder Clubs der Hells Angels gewaltwahrscheinliche, Parlamente und Einkaufszentren in manchen Ländern gewaltfreie, in anderen Ländern gewaltwahrscheinlichere Kontexte. Weitgehend gewaltbegrenzte Orte dürften hierzulande Sakralgebäude, Verkehrswege und – trotz der Amokläufe der letzten Jahre – auch die Schulen und inzwischen sicher auch die meisten Familien geworden sein, seitdem das Züchtigungsrecht abgeschafft und es als Misshandlung gilt, wenn Lehrkräfte wie Eltern ihren pädagogischen Bemühungen mit dem Rohrstock oder der Rute Nachdruck verleihen suchen – Erziehungsinstrumente, die Ende der 1950er Jahre noch in 80 % der deutschen Familien galten. Zugenommen hat das terroristische Bedrohungsgefühl auf öffentlichen Plätzen mit großen Menschenansammlungen. Diese Angst vor (islamistischen) G.-Taten und Anschlägen ist insb. unter Frauen weit verbreitet. Die Meisten derer, die sich bedroht fühlen, ändern ihr Verhalten, indem sie bestimmte Orte oder Ereignisse meiden. Die Mehrheit ist allerdings „bemüht, das gewohnte Leben weiterzuführen und nicht aus Angst vor einem terroristischen Anschlag die eigenen Freiheitsspielräume aufzugeben" (ROLAND Rechtsschutz-Versicherungs-AG 2017: 27).

6. Fragmentierung
der Gewaltforschung

Die G.-Forschung ist in unterschiedliche Disziplinen fragmentiert und dabei fraktioniert. So stehen Pessimisten oder Realisten Optimisten gegenüber, die – auch im politisch-philosophischen Rückgriff auf Thomas Hobbes – von einer wachsenden Zivilisierung des Zusammenlebens durch das staatliche G.-Monopol und weitere gewaltlimitierende Effekte ausgehen. Z. B. ist „das ganze Werk von Norbert Elias […] zentriert um Probleme der längerfristigen Verringerung der menschlichen Gewalttat als Machtquelle" (Gleichmann 2006: 328). Auf diesem Hintergrund lässt sich zeigen, dass auch „eine Erstquelle zwischenmenschlicher Religionsgewalt" (Angenendt 2016: 39) erheblichen Legitimationsverlust erleidet. Dieser besteht darin, dass sich „die jeweilige Religionsgesellschaft vor dem Gotteszorn zu schützen sucht" (Angenendt 2016: 39), der ihr zufolge auf Häresie, Apostasie und Pollution droht, indem sie „von sich aus den Frevler noch vor Ausbruch des Gotteszornes tötet" (Angenendt 2016: 39). Hinzu kommt, dass die religiöse G.-Metaphorik, etwa im Blick auf die Jenseitsvorstellungen (Hölle, Fegefeuer), an Plausibilität verliert bzw. auf Ablehnung stößt.

Nicht zuletzt im Verweis auf moderne Barbareien in der G.-Geschichte des 20. Jh. (Adolf Hitler, Josef Stalin und Mao Zedong), auf die bloß rudimentären Tendenzen einer globalen Zentralisierung militärischer Macht, auf die weltweite Zunahme von Opfern zwischenstaatlicher G., auf die (in Deutschland) aktuell wachsende G.-Ausübung gegenüber Polizisten, Ärzten und Sozialarbeitern, auf das anwachsende Bedrohungsgefühl in der Bevölkerung und – nicht zuletzt – auf die anthropologisch begründete Verletzungsfähigkeit und Verletzungsoffenheit des Menschen überhaupt gehen jene Pessimisten davon aus, dass keine Gesellschaft von sich sagen kann, dass sie der G., sogar maßloser G., somit „der Grausamkeit keinen Raum gibt" (Trotha 2013: 221). Auch bezweifeln sie die zivilisationstheoretische Behauptung einer Weiterentwicklung zu einem globalen *status civilis*, „dass die Welt-Gewaltmonopolisierung in den Händen der USA der nächste Schritt im Prozess der Zivilisation" (Tönnies 2009: 29) ist. Freilich müssen auch diese Pessimisten einräumen, dass sich Gesellschaften in Vergangenheit und Gegenwart darin unterscheiden, wie viel Raum sie der G. geben, welcher Art und wo der Raum der G. ist, und welche Formen von G. in diesen Räumen praktiziert werden und – nicht zuletzt – dürfen. Die Optimisten müssen hingegen einräumen, dass der Aufbau eines legitimen Welt-G.-Monopols ein weiter Weg ist. Auch dabei wird der Satz Max Webers gelten, zumindest zu denken geben: „Gewalt und Bedrohung mit Gewalt gebiert […] nach einem unentrinnbaren Pragma alles Handelns unvermeidlich stets erneut Gewaltsamkeit" (Weber 1947: 547).

Literatur

G. Hackenschmied/P. Mosser: Gutachten. Untersuchungen von Fällen sexualisierter Gewalt im Verantwortungsbereich des Bistums Hildesheim, in: IPP (Hg.): IPP-Arbeitspapiere Nr. 12, 2017 • ROLAND Rechtsschutz-Versicherungs-AG: Roland Rechtsreport 2017, 2017 • A. Angenendt: Wen trifft Gottes Zorn? Gottesfrevel im Christentum und im Islam, in: Herder Korrespondenz 70/5 (2016), 39–43 • K. Armstrong: „Im Namen Gottes". Religion und Gewalt, 2014 • C. Gudehus/M. Christ (Hg.): Gewalt. Ein interdisziplinäres Handbuch, 2013 • H. G. Kippenberg: Religion, in: ebd., 2013, 66–75 • W. Speitkamp: Gewaltgemeinschaften, in: ebd., 184–190 • T. von Trotha: Grausamkeit, in: ebd., 221–226 • M. Apelt/V. Tacke (Hg.): Handbuch Organisationstypen, 2012 • S. Kühl: Zwangsorganisationen, in: ebd., 345–358 • A. T. Paul/B. Schwalb: Kriminelle Organisationen, in: ebd., 327–344 • J. Baberowski/G. Metzler: Gewalträume. Soziale Ordnungen im Ausnahmezustand, 2012 • J. Hoffmann: Workplace Violence. Gewaltphantasien am Arbeitsplatz, in: F. Robertz (Hg.): Gewaltphantasien, 2011, 231–250 • J. Zinsmeister/P. Ladenburger/I. Mitlacher: Schwere Grenzverletzungen zum Nachteil von Kindern und Jugendlichen im Aloisiuskolleg Bonn-Bad Godesberg, 2011 • S. Tönnies: Die „Neuen Kriege" und der alte Hobbes, in: APuZ 46 (2009), 27–32 • J. P. Reemtsma: Hässliche Wirklichkeit und liebgewordene Illusionen, in: SZ, 25.1.2008, 14 • P. R. Gleichmann: Soziologie als Synthese, 2006 • P. Bourdieu: Die Männliche Herrschaft, 2005 • M. N. Ebertz: Die Zivilisierung Gottes. Der Wandel von Jenseitsvorstellungen in Theologie und Verkündigung, 2004 • H. Münkler: Die Neuen Kriege, 2002 • T. Sutterlüty: Gewaltkarrieren. Jugendliche im Kreislauf von Gewalt und Missachtung, 2002 • M. N. Ebertz: Gewalt-Erlebnis – Erlebnisgewalt?, in: e&l 5/1 (1997), 10–13 • P. Waldmann: Veralltäglichung von Gewalt: das Beispiel Kolumbien, in: T. von Trotha, (Hg.): Soziologie der Gewalt, 1997, 141–161 • H. Haferkamp: Leistungsangleichung und Individualisierung – Unbegriffene Ursachen der Kriminalität und des Strafens in Modernen Wohlfahrtsstaaten, in: ders. (Hg.): Der Wohlfahrtsstaat und seine Politik des Strafens, 1990, 7–62 • H. Popitz: Gewalt, in: ders. (Hg.): Phänomene der Macht: Autorität – Herrschaft – Gewalt –Technik, 1986, 68–106 • A. Etzioni: Soziologie der Organisationen, 1978 • N. Elias: Über den Prozess der Zivilisation. Soziogenetische und psychogenetische Untersuchungen, 2 Bde., 1977 • M. Foucault: Überwachen und Strafen. Die Geburt des Gefängnisses, 1977 • J. Galtung: Strukturelle Gewalt. Beiträge zur Friedens- und Konfliktforschung, 1975 • P. Bourdieu/J.-C. Passeron: Grundlagen einer Theorie der symbolischen Gewalt, 1973 • W. Burkert: Homo Necans. Interpretation altgriechischer Opferriten und Mythen, 1972 • M. Weber: Wirtschaft und Gesellschaft, ⁵1972 • P. Bourdieu/J.-C. Passeron: Die Illusion der Chancengleichheit: Untersuchungen zur Soziologie des Bildungswesens am Beispiel Frankreichs, 1971 • M. Weber: Gesammelte Aufsätze zur Religionssoziologie I, ⁴1947. MICHAEL N. EBERTZ

Gewaltenteilung

1. Geschichtliche Entwicklung und Begriff

G. ist ein Grundsatz für die Organisation der ↑Staatsgewalt, der Machtmissbrauch bei deren Ausübung verhindern und Freiheit der Bürger sichern soll. Die G. hat wichtige Wurzeln in der Konzeption der gemischten Verfassung, die in der Antike in verschiedenen Variationen entwickelt (Aristoteles, Polybios, Cicero), über das Mittelalter bis in die Neuzeit hinein (z. B. Johannes Limnaeus) erörtert worden ist und praktische Bedeutung hatte. Die gemischte Verfassung, in der v. a. monarchische und demokratische bzw. aristokratische Herrschaftselemente miteinander verknüpft waren, wurde sowohl als Garant gegen die Entartung der ↑Herrschaft wie auch als Form für die Mitwirkung der Bevölkerung oder von Teilen derselben an der Herrschaft verstanden.

Die Idee der Teilung der Herrschaftsgewalt kommt in zwei grundverschiedenen Ausprägungen vor. Teilung und Gliederung der ↑Macht können auf der Basis realer politischer Mächte stattfinden, deren verschiedene Herrschaftsrechte in gegenseitige gewaltenhemmende Balance gebracht werden (v. a. der Ständestaat, politisch gesehen auch die konstitutionelle Monarchie). Von dieser bei Charles de Montesquieu zu findenden materiellen Konzeption der G. ist die funktionelle Gliederung einer einheitlich gedachten Staatsgewalt zu unterscheiden. Die Vorstellung von der Einheitlichkeit der Staatsgewalt hat sich in Europa auf Grund der Erfahrungen der religiösen Bürgerkriege durchgesetzt; sie hat bes.n Ausdruck im monarchischen Absolutismus gefunden und wirkt noch in der Begründung aller staatlichen Gewalt auf das Volk fort (Volkssouveränität). Da ↑Demokratie und das demokratische ↑Mehrheitsprinzip noch keine hinreichenden Garantien für Freiheit und Gerechtigkeit und gegen Machtmissbrauch sind, dient die G. im demokratischen Staat als wichtiges Element des Staatsaufbaus. Die Gliederung und Teilung der Staatsfunktionen einer einheitlichen Staatsgewalt steht im Einklang mit der Lehre von der ↑Souveränität. Denn Souveränität als Eigenschaft der Staatsgewalt, höchste Gewalt zu sein, ist zu unterscheiden von der Innehabung und Organisation der Staatsgewalt, die nach Funktionen geteilt ausgeübt werden kann, ohne dadurch zwangsläufig ihre Einheitlichkeit und Souveränität einzubüßen. Gliederung, Hemmung und Kontrolle der Staatsgewalt dürfen jedoch nicht so weit getrieben werden, dass der Staat nicht mehr mächtig genug ist, seine Aufgaben der Friedenssicherung und des sozialen Ausgleichs effektiv zu erfüllen. Im Grunde geht es bei der ↑Staatsorganisation um die für den Freiheitsschutz richtige Kombination von G. und Gewaltenverbindung.

Der Kern der klassischen G.s-Lehre ist in der Unterscheidung zwischen allg. regulierender Gewalt (Legislative), ausführender Gewalt (Exekutive) und davon unabhängiger richterlicher Gewalt (Judikative) zu sehen, selbst wenn die Terminologie nicht immer einheitlich ist und – wie bei John Locke – die ausführende Gewalt noch in die Föderative, Prärogative und z. T. auch Exekutive zerfällt, soweit diese nicht richterliche Gewalt ist. Solche Aufgabenverteilungen, die sich schon bei antiken Autoren finden (z. B. Aristoteles, Politik 1297 b f.), werden bei J. Locke in den Dienst des Freiheitsschutzes ge-

stellt. Er sieht in der Übertragung der ↑Gesetzgebung auf eine veränderliche Versammlung eine Garantie dafür, dass nur solche Gesetze erlassen werden, denen sich die Mitglieder der gesetzgebenden Versammlung selber unterwerfen wollen und die auszuführen Aufgabe der Exekutive ist: Die Legislative soll generelle Gesetze erlassen, die Exekutive diese ausführen, um Unterdrückung sowohl von Seiten des Gesetzgebers wie der Exekutive auszuschließen. Die G. als Institution zur Verhinderung von Machtmissbrauch und zur Sicherung der Freiheit wird von C. de Montesquieu auf der Basis der Dreiteilung (*puissance législative, puissance exécutrice et puissance de juger*) sich gegenseitig hemmender Gewalten (*le pouvoir arrête le pouvoir*) erörtert. C. de Montesquieus Darlegungen münden in die bemerkenswerte, noch heute gültige Feststellung, dass sich die Freiheit der Bürger an der Art der G. des betreffenden Staates messen lasse.

Die auch außerhalb der europäischen Rechtskultur bekannte Idee der G. ist ein staatsphilosophisches Prinzip, das verschieden konkretisiert werden kann und das in all seinen möglichen Varianten immer auf einen gemäßigten Staat hinausläuft. Der gemäßigte Staat ist die Konsequenz des Hauptstroms der europäischen Rechtsüberlieferung, die ein über dem Staat stehendes Recht anerkannt hat. G. ist das organisatorische Rückgrat der Menschenrechtsidee (↑Menschenrechte). Deshalb kommt es für effektiven Freiheitsschutz stärker auf eine gewaltenteilige Staatsorganisation als auf Grundrechtskataloge an.

Staaten, in denen eine Partei herrscht, die nicht in freien ↑Wahlen mit anderen Parteien konkurriert, kennen zwar auch verschiedene, äußerlich voneinander getrennte Staatsfunktionen; diese werden jedoch von der allein herrschenden Partei maßgeblich durchdrungen, so dass sich stets die Zielsetzungen der Partei durchsetzen.

2. Erscheinungsformen

Eine deutliche Ausprägung des G.s-Prinzips stellt der monarchische ↑Konstitutionalismus in Deutschland im 19. Jh. dar. Auf der Grundlage der monarchischen Herrschaftsformel (vgl. Art. 57 der Wiener Schlussakte v. 15.5.1820) werden das im ↑Parlament vertretene Bürgertum an der Gesetzgebung beteiligt und exekutive Eingriffe in die Bürgersphäre unter den Gesetzesvorbehalt gestellt. Außerdem setzte sich auch in der Praxis die sachliche und persönliche Unabhängigkeit der ↑Richter durch, die nur an Gesetz und Recht gebunden waren. Der monarchische Konstitutionalismus ist als eine eigentümliche Mischform zwischen dem überwundenen Absolutismus und dem heraufziehenden Parlamentarismus eine bes. Ausprägung des gemäßigten gewaltenteiligen Staates.

In den rechtsstaatlichen Demokratien ist die G. verschieden ausgeprägt je nachdem, ob die Verfassung ein parlamentarisches, ein präsidiales oder ein direktorales (so die Schweiz) ↑Regierungssystem organisiert. Das parlamentarische Regierungssystem, das selbst wieder in verschiedenen Variationen vorkommt, führt i.d.R. zu einer engen Verknüpfung von Exekutive und Parlamentsmehrheit, die die Regierung wählt und stürzen kann und der die Regierung in ihrer gesamten Tätigkeit verantwortlich ist. Faktisch liegt im Normalfall eine politische Einheit von Regierung und Parlamentsmehrheit vor, und zwar auch dann, wenn eine Koalition die Mehrheit bildet. Dagegen ist die G. i.S.d. Montesquieuschen Dreiteilung in der Präsidialdemokratie des nordamerikanischen Typs konsequent durchgeführt. Eine strenge Trennung von Exekutive und Legislative wird dadurch erreicht, dass der Präsident als Chef der Bundesverwaltung eine von den Häusern des Parlaments (Kongress) vollständig getrennte eigenständige demokratische ↑Legitimation besitzt und ein hohes Maß an Unabhängigkeit von der Parlamentsmehrheit hat. Das Zusammenspiel zwischen Präsident und Parlament beruht im Wesentlichen auf gegenseitigen Kontrollen, die im Einzelnen in der Verfassung vorgesehen sind. Zwischen dem präsidialen und dem parlamentarischen Regierungssystem gibt es mehrere Zwischenformen, die sich z.B. danach unterscheiden, wie stark die Befugnisse des Präsidenten bei der Regierungsbildung sind. Nach Art. 53, 54 WRV war die Regierung sowohl vom Präsidenten als auch vom Parlament abhängig, das der vom Präsidenten ernannten Regierung das Vertrauen entziehen konnte.

In den rechtsstaatlichen Demokratien ist die ↑Rechtsprechung unabhängig von den beiden anderen Gewalten. Neben der ordentlichen ↑Gerichtsbarkeit (Zivil- und Strafjustiz; Gerichtsbarkeit, Gerichtsverfassung), gibt es Verwaltungsgerichtsbarkeit, die gegen Akte oder Unterlassungen der Verwaltung angerufen werden kann. Die Institution der gerichtlichen Normenkontrolle ist als bes. Ausprägung der G. zu bewerten, da sie ermöglicht, die Mehrheitsentscheidungen des Parlaments zu kontrollieren und auf ihre Verfassungsmäßigkeit zu prüfen und im Falle der Verfassungswidrigkeit unangewendet zu lassen. Die Normenkontrolle kann einem bes.n Verfassungsgericht zugewiesen sein, das die Befugnis hat, verfassungswidrige Gesetze für nichtig zu erklären.

3. Bundesstaatlichkeit als Element der Gewaltenteilung

Bundesstaatlichkeit – eine Grundidee der Organisation der staatlichen Gewalt – bewirkt eine vertikale Teilung der staatlichen Funktionen. Die Organisation des ↑Bundesstaates lässt sich auf drei Prinzipien zurückführen. Erstens ist eine materielle Aufgabenverteilung und entspr. Finanzverteilung (↑Finanzverfassung, ↑Finanzverwaltung) erforderlich, wobei die Zuständigkeiten auf den Gebieten der Gesetzgebung, der ↑Verwaltung und der Rspr. zwischen Bund und Ländern verteilt werden müssen. Bes. die Zuständigkeit der Länder zur Ausfüh-

rung von Bundesgesetzen verstärkt ein wichtiges Element der horizontalen G., die Trennung von Legislative und Exekutive, die im parlamentarischen Regierungssystem nur abgeschwächt wirksam wird. Außerdem bedeutet bundesstaatliche Aufgabenverteilung, dass Verantwortung nach unten verlagert wird (weiter verstärkt durch gemeindliche ↑Selbstverwaltung [↑Gemeinde]), dass die im Bund in der ↑Opposition befindliche Partei in den Ländern Regierungsverantwortung tragen kann und dass sich mannigfalte weitere Machtgliederungen einstellen, wie z.B. die Stärkung der Landesverbände der Parteien gegenüber der zentralen Parteiorganisation. Zweitens muss eine bundesstaatliche Verfassung Aufsichts- und Kontrollbefugnisse des Bundes über die Länder vorsehen, damit sichergestellt wird, dass die Bundesgesetze dem Recht gemäß ausgeführt werden (Bundesaufsicht und Bundeszwang). Drittens verlangt eine bundesstaatliche Organisation eine Regelung, in welcher Weise die Länder auf die Bildung des Bundeswillens Einfluss nehmen können. Die Einrichtung einer „Länderkammer", die als Bundesorgan an der Gesetzgebung und Verwaltung des Bundes beteiligt ist, bewirkt eine intralegislative Kontrolle bei der Gesetzgebung. Die Bundesstaatlichkeit selbst wird durch die Einrichtung eines Verfassungsgerichts stabilisiert, das über Kompetenzstreitigkeiten zwischen Bund und Ländern nach Verfassungsrecht entscheidet. Ähnlich wie die Bundesstaatlichkeit und die kommunale Selbstverwaltung führt auch die Übertragung von Kompetenzen auf supranationale Einrichtungen zu einer vertikalen G.

4. Moderne Probleme der Gewaltenteilung

Die außerhalb der Staatsorgane rechtlich verorteten politischen ↑Parteien haben in den Demokratien westlicher Prägung großen politischen Einfluss, der gerade darin zu sehen ist, dass sie die Besetzung der ↑Ämter der einzelnen Staatsfunktionen bestimmen. Überall, wo das Parlament Amtsträger wählt oder die Regierung das Recht der Beamtenernennung hat, kann sich parteipolitischer Einfluss breitmachen, der zumindest in den oberen Rängen durch die verfassungsrechtliche Garantie des gleichen Zugangs zu öffentlichen Ämtern nach Eignung, Befähigung und fachlicher Leistung (z.B. Art. 33 Abs. 2 GG) nicht abgebremst wird. Im Parteienstaat muss darauf geachtet werden, dass die G. nicht zu einer äußeren Fassade wird, hinter der die jeweils regierende Partei durch eingeübte Loyalitäten ihrer Anhänger überall einen einheitlichen Willen durchsetzt und bis in die unteren Ränge der Beamtenschaft Patronage ausübt. Entscheidende Garantien für die Selbständigkeit der einzelnen Staatsfunktionen im Rahmen ihrer verfassungsmäßigen Aufgaben sind die mit freien Wahlen verbundene Chance des „Machtwechsels", die bundesstaatliche Organisation und Aufgabenverteilung, Zweidrittelmehrheiten bei der Wahl der Verfassungsrichter, die Unabsetzbarkeit der Richter und das Berufsbeamtentum (↑Beamte). Die verfassungsrechtliche Sicherung des Berufsbeamtentums (Art. 33 Abs. 2, 5 GG) ermöglicht eine Balancierung zwischen politischer Führung mit Innovationsdrang und einer bürokratischen Verwaltung, die für Kontinuität und Beharrung sorgt. Solche und andere Intraorgan-Kontrollen sowie ↑Inkompatibilitäten sind neuartige Formen der G., die Machtmissbrauch verhindern und Freiheit der Bürger sichern helfen.

Eine weitere Gefahr für die freiheitssichernde Funktion der G. besteht in einer falsch verstandenen monistischen Demokratiekonzeption (↑Monismus). „Die konkrete Ordnung der Verteilung und des Ausgleichs staatlicher Macht, die das Grundgesetz gewahrt wissen will, darf nicht durch einen aus dem Demokratieprinzip fälschlich abgeleiteten Gewaltenmonismus in Form eines allumfassenden Parlamentsvorbehalts unterlaufen werden" (BVerfGE 49, 89, 124 f.).

Mit der G. als Prinzip der Organisation der Staatsgewalt nichts zu tun hat die Vorstellung von einer „vierten Gewalt" der Massenmedien (↑Medien). Die z. B. durch die Presse stattfindende Kontrolle der staatlichen Gewalt beruht auf grundrechtlich gesicherter Freiheit der Meinung und Information (↑Meinungsfreiheit, ↑Informationsfreiheit).

Literatur

C. Möllers: Gewaltengliederung, 2005 • U. Di Fabio: Gewaltenteilung, in: HStR, Bd. 2, ³2004, § 27 • W. Heun: Das Konzept der Gewaltenteilung in seiner verfassungsgeschichtlichen Entwicklung, in: C. Starck (Hg.): Staat und Individuum im Kultur- und Rechtsvergleich, 2000, 95–115 • Aristoteles: Politik, ⁴1990 • K. Stern: Das Staatsrecht der Bundesrepublik Deutschland, Bd. 2, 1980, § 36 • S. Magiera: Parlament und Staatsleitung in der Verfassungsordnung des Grundgesetzes, 1979 • K. Löwenstein: Verfassungslehre, 1975 • H. Schambeck: Föderalismus und Gewaltenteilung, in: FS für Willi Geiger, 1974, 643–676 • W. Leisner: Gewaltenteilung innerhalb der Gewalten, in: H. Spanner (Hg.): Festgabe für Theodor Maunz, 1971, 267–285 • H. Rausch (Hg.): Zur heutigen Problematik der Gewaltentrennung, 1969 • M. J. G. Vile: Constitutionalism and the Separation of Powers, 1967 • E. R. Huber: Deutsche Verfassungsgeschichte, Bd. III, 1963 • W. Kägi: Von der klassischen Dreiteilung zur umfassenden Gewaltenteilung, in: Verfassungsrecht und Verfassungswirklichkeit. FS für Hans Huber, 1961, 151–174 • M. Imboden: Montesquieu und die Lehre von der Gewaltentrennung, 1959 • H. Peters: Die Gewaltenteilung in moderner Sicht, 1954 • C. J. Friedrich: Der Verfassungsstaat der Neuzeit, 1953 • C. de Montesquieu: De l'esprit des lois, 1748 • J. Locke: Two Treatises of Government, Second Treatise, 1690.   CHRISTIAN STARCK

Gewaltmonopol

1. Begriff und Entwicklung

Unter G. wird nach Max Weber die alleinige rechtliche Befugnis des ↑Staates zu physischer Gewaltausübung in seinem Herrschaftsbereich verstanden. Seiner Herrschaftsgewalt unterworfene Personen sind daher grund-

sätzlich von erlaubter Gewaltausübung ausgeschlossen. Das G. formuliert einen normativen Anspruch. Sein Zweck ist, den inneren Frieden zu wahren. Hierin wird zu Recht eine der wichtigsten Aufgaben des Staates gesehen. Legitimiert werden kann das G. allerdings nicht mehr mit dem Gedanken der Machterhaltung oder gar – steigerung des Staates als solchem, der bei der historischen Formierung des G.s (Beseitigung des privaten Fehderechts) eine maßgebliche Rolle spielte. Weder legitimiert der Staat das G. noch das G. den Staat. Die Legitimierung des G. erfolgt vielmehr durch die im und vom demokratischen Staat zu konstituierende Ordnung der Freiheit, die eine gleiche ↑Freiheit der Individuen sein, ihre gleiche Teilhabe (↑Partizipation) an Diskussion und Entscheidung der öffentlichen Angelegenheiten garantieren muss. Dies kann – abgesehen von den dies im Einzelnen ermöglichenden Gesetzen – nur durch den Ausschluss privater Gewalt gesichert werden. Anderes könnte nur in der ↑Utopie einer konfliktfreien Gesellschaft gelten.

Allerdings ist, da es nicht nur freiheitlich-demokratische Staaten gibt, zu fragen, ob das G. allein aus einer staatsinternen Perspektive zu betrachten ist. Angesichts der Erwartungen, die das ↑Völkerrecht an alle Staaten richtet, wäre dies eine legitimatorische Engführung.

2. Völkerrechtliche Fundierung

Die Staaten sind nicht nur die primären Subjekte des Völkerrechts, sie sind auch die wichtigsten Akteure, um die Respektierung seiner Regeln zu gewährleisten. Das Völkerrecht setzt auf ihr G., um den Weltfrieden und die internationale Sicherheit gefährdende Ausbrüche privater ↑Gewalt zu verhindern. „↑Failed States" gehören insoweit zu den größten Gefahrenquellen. Dies gilt auch in Bezug auf ↑Menschenrechte. Ohne G. kann ein Staat seiner Garanten- und Schutzpflicht für die ihn verpflichtenden Menschenrechte, bes. für das Recht auf Sicherheit (z. B. Art. 5 EMRK), nicht nachkommen.

3. Innerstaatliche Fundierung

Für einen demokratischen ↑Rechtsstaat ist diese äußere Legitimation indes nicht genügend. Die interne Grundlegung des G.s erfolgt durch das für alle Grundrechtsausübungen geltende Gebot der Friedlichkeit, das sich aus der Pflicht des Staates ergibt, die gleiche Freiheit aller zu ermöglichen. Art. 8 GG, der allein die friedliche Versammlung schützt, ist nur eine spezielle Ausprägung dieses Gedankens. Die sich hieraus ergebende Notwendigkeit für den Staat, Maßnahmen zum Schutz des inneren Friedens (↑innere Sicherheit) einerseits und der Freiheit seiner Bürger andererseits abzuwägen, stellt das G. unter das Gebot der Verrechtlichung, wie sie etwa in den gesetzlich geregelten Grundrechtseingriffen des Polizeirechts oder der Gesetze zur Ausübung unmittelbaren Zwangs zum Ausdruck kommt. Die Schutzpflicht des Staates kompensiert das dem Einzelnen auferlegte Verbot der Selbstdurchsetzung seiner Rechte und zeigt sich bes. darin, dass ihm der Staat den Zugang zu seinen Gerichten öffnet und die Durchsetzung der gerichtlichen Entscheidungen notfalls im Rahmen seines G.s garantiert.

Zur Verrechtlichung des G.s gehören ferner die der staatlichen Zwangsgewalt gezogenen Voraussetzungen und Grenzen, die sich aus innerstaatlichem und Völkerrecht ergeben. Hierunter fällt in Deutschland etwa das Verbot der ↑Todesstrafe und der ↑Folter, einschließlich der sog.en Rettungsfolter, da sie mit der ↑Menschenwürde nicht vereinbar sind; das Verbot ist darum selbst im (inneren oder äußeren) Notstand unaufgebbar. Schließlich genügt das G. rechtsstaatlichen Anforderungen nur, wenn seine rechtliche Ausgestaltung sowie seine Anwendung gerichtlich, je nach völkerrechtlicher Verpflichtung auch von internationalen Instanzen, z. B. dem ↑EGMR, kontrollierbar sind.

4. Ausnahmen von der Friedenspflicht Privater

Die dem G. korrespondierende Friedenspflicht Privater reicht nur so weit, wie der Staat nach Maßgabe seiner Rechtsordnung in der Lage oder willens ist, die Friedensordnung aufrechtzuerhalten und seiner Schutzverpflichtung nachzukommen, also etwa durch seine Sicherheitskräfte die Individuen vor Gewalteinwirkung anderer zu schützen oder seine Gerichte zur Durchsetzung der Rechte seiner Einwohner zu öffnen. Andernfalls wird durch den staatlichen Schutzausfall das Friedlichkeitsgebot der Privaten außer Kraft gesetzt und der Einzelne zu Selbsthilfe, ↑Notwehr oder Nothilfe berechtigt (z. B. §§ 227–231 BGB); anderes wäre mit einer Ordnung der Freiheit nicht vereinbar. Auch insofern bedarf es aber verhältnismäßiger Regelung. Als Ausnahme vom G. kann auch das individuelle ↑Widerstandsrecht (Art. 20 Abs. 4 GG) betrachtet werden, das gegen jeden besteht, der die freiheitliche Ordnung zu beseitigen unternimmt, falls andere Abhilfe nicht möglich ist. Es steht somit im Dienst dieser Ordnung und damit auch des Anspruchs des Staates, Inhaber des G.s zu sein.

5. Gefährdungen des Gewaltmonopols

Die Zunahme von Gewaltdelikten, gerade politisch motivierter Gewalt, indiziert eine sich ändernde gesellschaftliche Einstellung zur Gewalt als Aktionsform, berührt aber als solche nicht den staatlichen Anspruch auf das G. Jedoch können Zurückweichen und Untätigkeit des Staates gegenüber solchen Erscheinungen ihrerseits zu mehr Gewaltanwendung einschließenden privaten Aktionen führen, private Gewalt ihren Ausnahmecharakter verlieren lassen und damit die Glaubwürdigkeit des staatlichen Anspruchs untergraben. Das Outsourcing von Gewalteinsatz zulassenden Sicherheitsaufgaben, v. a. wenn es um private Militärfirmen geht, wie sie sich in einzelnen Staaten finden, ist hier bes. relevant. Hingegen wird das G. durch die politische Einordnung Deutschlands in die internationale Gemeinschaft (↑UNO), ↑NATO oder die ↑EU nicht in Frage gestellt,

da es zu den nicht übertragbaren Hoheitsrechten gehört (BVerfGE 123, 267, 358).

6. Fazit

Das G. ist zum Schutz von ↑Frieden und Freiheit unverzichtbar. Sein Sinn wird weder durch soziologische Theorien nicht gewaltabhängiger Rechtsdurchsetzung in Frage gestellt, weil auch sie Zwangsdurchsetzung nicht völlig ausschließen können, noch durch die Deutung von ↑Macht als eines galertartigen, netzwerkhaften, jeder institutionell geleiteten Rechtsförmigkeit entbehrenden multifunktionalen Phänomens, weil dies der faktischen Erscheinung des Staates nicht entspr. Zuletzt bleibt die Erkenntnis, dass es Fälle gibt, in denen nur mit Gewalt auf Gewalt reagiert werden kann. Dann aber sind Frieden und Freiheit durch das staatliche G. immer noch am besten geschützt.

Literatur

P. G. Ertl/J. Troy (Hg.), Vom „Krieg aller gegen alle" zum staatlichen Gewaltmonopol und zurück?, 2012 • A. Fisahn: Legitimation des Gewaltmonopols, in: KritV 94/1 (2011), 3–17 • T. Gutmann/B. Pieroth (Hg.): Die Zukunft des staatlichen Gewaltmonopols, 2011 • E. Klein: Staatliches Gewaltmonopol, in: O. Depenheuer/C. Grabenwarter (Hg.): Verfassungstheorie, 2010, 635–656 • E. M. Schimpfhauser: Das Gewaltmonopol des Staates als Grenze der Privatisierung von Staatsaufgaben, 2009 • D. Grimm: Das staatliche Gewaltmonopol, in: F. Anders/I. Gilcher-Holtey (Hg.): Herausforderungen des staatlichen Gewaltmonopols, 2006, 18–38 • C. Möllers: Gewaltmonopol, in: EvStL, 2006, 804–807 • M. Weber: Politik als Beruf, in: ders.: Schriften 1894–1922, 2002, 512–556 • M. Heintzen: Das staatliche Gewaltmonopol als Strukturelement des Völkerrechts, in: Der Staat 25/1 (1986), 17–33 • J. Isensee: Die Friedenspflicht der Bürger und das Gewaltmonopol des Staates, in: G. Müller u. a. (Hg.): Staatsorganisation und Staatsfunktionen im Wandel, 1982, 23–40 • D. Merten: Rechtsstaat und Gewaltmonopol, 1975.

ECKART KLEIN

Gewaltverbot

1. Bedeutung und Entwicklung

Das völkerrechtliche G., gekoppelt mit dem Gebot der friedlichen Streitbeilegung, ist neben der Verpflichtung der Staaten, die ↑Menschenrechte zu achten und zu schützen, das entscheidende Instrument, um den internationalen ↑Frieden zu wahren. Die Rechtsgrundlage ist Art. 2 Nr. 4 UN-Charta 1945. Frühere Ansätze des Völkerbunds (1919) und der Stimson-Doktrin (1932) konnten das mit der Staatssouveränität verbundene *ius ad bellum* nicht beseitigen. Der Kriegsächtungspakt 1928 band die Vertragsparteien nur „in ihren gegenseitigen Beziehungen" (Art. 1). Es bedurfte der Katastrophe des Zweiten Weltkriegs, um ein allg.es G. auf der internationalen Ebene zu etablieren und damit den Souveränitätsbegriff entscheidend zu modifizieren. Von dem auf andere Staaten bezogenen G. zu unterscheiden sind ihrer Natur nach polizeimäßige, militärische ↑Gewalt aber ggf. einschließende Maßnahmen, die zum Schutz des eigenen Luftraums, der Territorialgewässer oder gegen die ↑Piraterie auf Hoher See ergriffen werden. Zum Schutz des inneren Friedens steht dem ↑Staat auf dem eigenen Territorium das ↑Gewaltmonopol zu.

2. Inhalt und Rechtsstatus

Art. 2 Nr. 4 UN-Charta verbietet den Gebrauch und die Androhung militärischer Gewalt gegen andere Staaten, nicht aber politischen und wirtschaftlichen Zwang. Verboten sind ↑Krieg, aber auch alle diese Intensität nicht erreichenden militärischen Maßnahmen. Auch Cyberoperationen können Anwendung militärischer Gewalt, u. U. sogar bewaffnete Angriffe sein, da es insoweit auf die mit konventionellen Waffen vergleichbare Zerstörungswirkung ankommt.

Das G. schützt die territoriale Integrität oder die politische Unabhängigkeit von ↑Staaten. Die die Kriegsgegner der Alliierten des Zweiten Weltkriegs betreffende Ausnahme (Feindstaatenklausel, Art. 107 UN-Charta) ist mit Aufnahme dieser Staaten in die ↑UNO obsolet geworden. Nicht durchsetzen konnte sich die Breschnew-Doktrin, mit der die UdSSR militärische Interventionen bei Abkehr ihrer Satellitenstaaten von den „sozialistischen Errungenschaften" rechtfertigen wollte. Mehr Probleme bereitet die militärische Intervention auf Einladung der rechtmäßigen Regierung. Zwar wird dabei die ↑Souveränität dieses Staates grundsätzlich nicht verletzt. Doch kann sie zu einer Gefährdung des internationalen Friedens führen, bes. wenn weitere Staaten Aufständische als Insurgenten anerkennen und militärische Hilfe leisten. Der Vorschlag, in solchen Fällen jede militärische Intervention von dritter Seite als völkerrechtswidrig zu behandeln, hat indes noch keine allg.e Anerkennung gefunden.

Das G. erfasst ferner jede aus anderen Gründen mit den Zielen der UN (Art. 1) unvereinbare Androhung oder Anwendung militärischer Gewalt. Daraus folgt etwa die Bedeutung des G.s für stabilisierte De-facto-Regimes, die dadurch ebenso geschützt wie verpflichtet werden. Dazu gehören aber nicht internationale Terrororganisationen (z. B. „Islamischer Staat"), auch wenn sie über eine territoriale Basis verfügen.

Das G. gilt universell. Als Norm der ↑UN-Charta bindet es alle UN-Mitglieder, darüber hinaus als zwingendes Völkergewohnheitsrecht *(ius cogens)* alle Staaten, die sich dieser Verpflichtung daher weder durch interne Absprachen noch durch Austritt aus der ↑UNO entziehen können.

3. Ausnahmen

3.1 Selbstverteidigungsrecht

Unbeeinträchtigt vom G. bleibt das „naturgegebene" individuelle und kollektive Selbstverteidigungsrecht von Staaten bei einem bewaffneten Angriff. Art. 51 UN-Charta, der ↑Gewohnheitsrecht spiegelt, gewährt dieses

Recht aber nur, bis der UN-Sicherheitsrat die erforderlichen Maßnahmen getroffen hat. Der ↑IGH hat das Selbstverteidigungsrecht dahin interpretiert, dass ein bewaffneter Angriff nur durch einen anderen Staat, also z. B. nicht durch eine internationale Terrororganisation, erfolgen könne und eine unterhalb der Schwelle eines bewaffneten Angriffs liegende Gewaltanwendung nicht zur Selbstverteidigung berechtige. Beide Einschränkungen sind strittig; der Sicherheitsrat hat das Selbstverteidigungsrecht der USA bei den Angriffen durch Al Qaida am 11.9.2001 anerkannt. Strittig ist auch der Fall der präventiven Verteidigung. Steht ein bewaffneter Angriff konkret und unmittelbar bevor, wird man sie für zulässig halten müssen. Zeichnet sich nur die abstrakte Gefahr eines Angriffs ab, ist ein *preemptive strike* nur schwer zu rechtfertigen. Ob dies auch gilt, wenn etwa eine in einem Staat ansässige Terrororganisation über ↑ABC-Waffen verfügt und mit Einsatz droht, ist jedenfalls dann zweifelhaft, wenn der UN-Sicherheitsrat untätig bleibt. Auch die gezielte Tötung (↑Targeted Killing) einzelner Personen, z. B. durch Drohnen, kann verhältnismäßige Selbstverteidigung sein.

3.2 UN-Sicherheitsrat

Nach Art. 39 und 42 UN-Charta kann der Sicherheitsrat zur Wahrung oder Wiederherstellung des Weltfriedens und der internationalen Sicherheit militärische Maßnahmen verbindlich anordnen oder empfehlen. Auf dieser Grundlage ist staatliche Gewaltanwendung gerechtfertigt. Dies gilt zwar nicht bei Empfehlungen der Generalversammlung, doch kann dadurch die Argumentationslast auf die Staaten verschoben werden, die die Rechtmäßigkeit der Gewaltanwendung bestreiten.

3.3 Rettung eigener Staatsangehöriger und humanitäre Intervention

Obwohl die gewaltsame Rettung eigener Staatsangehöriger durch die Heimatstaaten häufig geübte Praxis ist, wird sie in der Literatur oft als Verstoß gegen das G. verurteilt. Doch hat sich insoweit wohl eine eigenständige Ausnahme vom G. herausgebildet. Problematischer ist der Gewalteinsatz gegen einen Staat, wenn dort schwere Menschenrechtsverletzungen, gar Genozid (↑Völkermord) geschehen. Hier kollidieren die beiden wichtigsten Ziele der UNO, Schutz von Frieden und Menschenrechten, miteinander. Bleibt der Sicherheitsrat untätig (Kosovo-Fall), verlagert sich die Verantwortung auf die handlungsfähigen Staaten (↑NATO). Neuere Überlegungen in den UN zur *responsibility to protect* könnten auf eine weitere (werdende) Ausnahme vom G. hinweisen.

4. Verletzungsfolgen

Verstöße gegen das G. können durch Zwangsmaßnahmen sanktioniert (Art. 39–42 UN-Charta) und im Fall eines bewaffneten Angriffs aufgrund des Selbstverteidigungsrechts abgewehrt werden. Nach den Regeln der Staatenverantwortlichkeit sind Verletzerstaaten zur

Wiedergutmachung verpflichtet, die durch UN- ↑Sanktionen und friedliche Repressalien erzwungen werden kann. Wichtig ist das Verbot, Situationen, die durch Verstoß gegen das G. geschaffen wurden (z. B. ↑Annexion), anzuerkennen. Haben sich die Staaten der Jurisdiktion des IGH oder eines Schiedsgerichts unterworfen, kann die Rechtsverletzung verbindlich festgestellt werden. Die Führung eines Angriffskrieges ist prinzipiell auch als Individualverbrechen nach dem IStGH-Statut (1998) strafbar.

Literatur

O. Dörr: Use of Force, Prohibition of, in: R. Wolfrum (Hg.): MPEPIL, Bd. 10, 2012, 607–620 • O. Corten: The Law Against War, 2010 • C. Verlage: Responsibility to Protect. Ein neuer Ansatz im Völkerrecht zur Verhinderung von Völkermord, Kriegsverbrechen und Verbrechen gegen die Menschlichkeit, 2009 • T. Gazzini: The Changing Rules on the Use of Force in International Law, 2005.　　　ECKART KLEIN

Gewerbefreiheit ↑Berufsfreiheit

Gewerberecht

1. Begriff und Systematik
1.1 Begriffsklärung

Das G. ist Teil des Besonderen ↑Verwaltungsrechts und dient insb. der Abwehr von Gefahren, die mit den erfassten selbständigen, unternehmerischen Betätigungen verbunden sind.

Der gesetzlich nicht definierte Begriff des Gewerbes und der daran anknüpfende Begriff des G.s markiert einen zentralen Bereich der selbständigen beruflichen Betätigung, der durch die Absicht der Gewinnerzielung gekennzeichnet ist. Leitbild für seine Prägung sind die klassischen industriellen Betätigungsformen, die sich im Rahmen der Industrialisierung herausgebildet haben und die im 19. Jh. zur Etablierung der Gewerbefreiheit und des G.s und der gleichzeitigen Abkehr vom mittelalterlichen Zunftwesen geführt haben. Der Gewerbebegriff wird dabei in der folgenden Formel definitorisch erfasst: „Gewerbe ist jede erlaubte und nicht sozial unwertige, auf Gewinnerzielung gerichtete und auf Dauer angesetzte selbständige Tätigkeit, ausgenommen Urproduktion, freie Berufe und bloße Verwaltung und Nutzung eigenen Vermögens" (BVerwG 24.06.1976 – I C 56.74).

Die einzelnen Bestandteile der Definition lassen erkennen, dass es jeweils um relative Merkmale und Abgrenzungen geht. So sind die Urproduktion, die freiberufliche Tätigkeit und grundsätzlich auch die Verwaltung des eigenen Vermögens auf Gewinnerzielung ausgerichtet. Im Falle des Gewerbes kommt diesem Merkmal jedoch in praktischer Hinsicht eine größere Prägekraft zu. Umgekehrt liegt die Voraussetzung der Gewinnerzielung auch dann vor, wenn vorübergehend keine Gewinne erzielt werden. Alleine die Absicht ist im Rahmen einer typisierenden Betrachtung maßgeblich. Auf Dauer ausgerichtet ist die Tätigkeit auch dann, wenn sie saisonal ausgeübt wird.

1.2 Systematik des Gewerberechts

Das G. findet seinen historischen Ursprung in den Gewerbeordnungen, die anknüpfend an das preußische Gewerbesteueredikt vom 2.11.1810 zunächst in einzelnen Ländern und schließlich am 21.6.1869 durch die Gewerbeordnung des Norddeutschen Bundes (später des Deutschen Reiches) erlassen wurden und zu den ältesten in ihrer Grundkonzeption fortgeltenden Gesetzen des deutschen Rechtsbestandes gehören. Ausgehend von dieser Kernregelung hat sich das G. im Laufe der Zeit jedoch erheblich ausdifferenziert, was zur Auslagerung einzelner Teilbereiche in gewerberechtliche Spezialgesetze wie das Handwerksrecht, das Gaststättenrecht und viele weitere Tätigkeitsfelder geführt hat. Die (allg.en) Regelungen der GewO kommen auch in diesen Bereichen jedoch überwiegend weitere zu Anwendung, etwa die Regelungen zur Gewerbeanmeldung (§ 14 GewO) und zur Gewerbeuntersagung wegen Unzuverlässigkeit (§ 35 GewO).

2. Gewerbefreiheit als Ausgangspunkt

Der Erlass der Gewerbeordnungen war historisch und systematisch mit dem Übergang von dem durch Privilegien und strenge Marktzugangsbeschränkungen geprägten Zunftmodell zum liberalen Modell der Gewerbefreiheit verbunden. Dies kommt bis heute in § 1 Abs. 1 GewO zum Ausdruck: „Der Betrieb eines Gewerbes ist jedermann gestattet, soweit nicht durch dieses Gesetz Ausnahmen oder Beschränkungen vorgeschrieben oder zugelassen sind." Während der erste Halbs. die auch in Art. 12 Abs. 1 GG zum Ausdruck kommende ↑Berufs- und Unternehmerfreiheit umsetzt, spiegelt S. 2 die mit dem Grundrecht verbundenen Beschränkungsmöglichkeiten wieder. Letztere haben im Laufe der Zeit an Umfang und Bedeutung gewonnen, wie ein Blick auf die Gliederung der GewO zeigt. Dabei überwiegt die Zunahme der zulassungspflichtigen gewerblichen Tätigkeiten im Vergleich zur Aufhebung entspr.er Normen. Grund für diesen Trend zur Zurückdrängung der Gewerbefreiheit waren und sind Belange der Gefahrenabwehr und des ↑Verbraucherschutzes.

In der neueren Rechtsentwicklung erweist sich das Unionsrecht, insb. die Europäische Dienstleistungsrichtlinie 2006/123/EG (DLRL – ABl.EU 2006 Nr. L 376/36) als Garant der Gewerbefreiheit. Dabei wird der freie Marktzugang nicht nur für grenzüberschreitende gewerbliche Betätigungen hohen Rechtfertigungsanforderungen unterworfen. Die DLRL ist nämlich anders als die ↑Grundfreiheiten auch auf rein innerstaatliche Wirtschaftsvorgänge anwendbar. Jede neue Einführung von Marktzugangsschranken durch die Einführung einer Zulassungsregelung unterliegt deshalb den Prüfungs- und Rechtfertigungsanforderungen der Art. 14 f. DLRL und einem Notifizierungsverfahren nach Art. 15 Abs. 7 DLRL.

3. Systematik der Gewerbeordnung und Steuerungsinstrumente

Die GewO unterscheidet in ihrer Regelungssystematik zwischen drei Arten der Gewerbeausübung, für die jeweils unterschiedliche Steuerungs- und Kontrollregime gelten: Für das stehende Gewerbe (§§ 14–52 GewO) gilt grundsätzlich nur eine Anzeigepflicht. Für bestimmte Gewerbebereiche wird jedoch eine Genehmigungspflicht begründet (§§ 29 ff. GewO). Auch die meisten sondergesetzlichen Regelungen der gewerblichen Betätigung, wie die HandwO, beziehen sich auf das stehende Gewerbe. Beim Reisegewerbe (§§ 55–61a GewO) wird umgekehrt grundsätzlich eine Genehmigung in Form der Reisegewerbekarte verlangt, von der es Ausnahmen gibt. Bei den Messen, Ausstellungen und Märkten (§§ 64–71b GewO) gilt wiederum ein bes.s Steuerungsregime, bei dem die willkürfreie Ausgestaltung der Zulassung zur Teilnahme im Vordergrund steht. Für diesen Bereich hat die Föderalismusreform 2006 die Gesetzgebungskompetenz auf die Länder verlagert (Art. 74 Abs. 1 Nr. 11 GG), wobei die Länder von dieser Kompetenz bislang aber kaum Gebrauch gemacht haben, so dass die Regelungen der GewO weiter zur Anwendung kommen.

Das Steuerungs- und Aufsichtsregime des G.s ist abgestuft ausgestaltet und orientiert sich an den potenziellen Gefahren, die mit der Betätigung verbunden sind bzw. sein können.

Für alle Formen des stehenden Gewerbes gilt die Anzeigepflicht nach § 14 GewO, die sich auf die Aufnahme, die Änderung und die Beendigung des ↑Betriebs einschließlich der Zweigstellen erstreckt und den Zweck hat, die zuständigen Behörden zur Ausübung ihrer Aufsichtstätigkeit zu befähigen. Die Anzeigepflicht stellt keine Markzugangskontrolle dar und ihre Nichtbeachtung führt alleine nicht zur Rechtswidrigkeit der Betätigung.

Soweit dies gesetzlich vorgesehen ist, kann die Aufnahme einer gewerblichen Betätigung auch der Erteilung einer Genehmigung abhängig sein (§§ 29 ff. GewO und spezialgesetzliche Regelungen), deren Voraussetzungen unterschiedlich ausgestaltet sein können. Auf einer untersteten Stufe wird nur die Zuverlässigkeit des Gewerbetreibenden kontrolliert (etwa § 34c Abs. 2 GewO). In anderen Fällen werden der Nachweis einer bestimmten Sachkunde und weiterer tätigkeitsbezogener Anforderungen verlangt.

Auch bei den Aufsichtsrechten ist zu differenzieren. Bedarf es einer Genehmigung, so findet bereits im Rahmen des Genehmigungsverfahrens eine erste Kontrolle statt. Besteht keine Genehmigungspflicht, so wird durch die Gewerbeanzeige die Gewerbeaufsichtsbehörde in den Stand gesetzt, nach pflichtgemäßem Ermessen und

v. a. bei entspr.en Anhaltspunkten eine Kontrolle durchzuführen. Davon abweichend hat der Gesetzgeber für die „überwachungsbedürftigen Gewerbe" in § 38 GewO angeordnet, dass unmittelbar nach Eingang der Anzeige eine Kontrolle durchgeführt wird. Das Ermessen wird hier also gesetzlich dirigiert.

Werden im Rahmen einer Aufsichtsmaßnahme Rechtsverstöße und eine Unzuverlässigkeit des Gewerbetreibenden festgestellt, so kann die weitere Betätigung ganz oder teilweise untersagt werden (Gewerbeuntersagung nach § 35 GewO). Im Falle von Genehmigungen können diese auch zurückgenommen oder widerrufen werden.

Literatur

R. von Landmann/G. Rohmer: GewO. Kommentar, 75. Erg.-Lfg., Stand März 2017 • J.-C. Pielow: Gewerbeordnung. Kommentar, ²2016 • M. Schulte/J. Kloos: Hdb. Öffentliches Wirtschaftsrecht, 2016 • J. Ziekow: Öffentliches Wirtschaftsrecht, ⁴2016 • P. Tettinger/R. Wank/J. Ennuschat: Gewerbeordnung, Kommentar, ⁸2011 • S. Leible: Die Umsetzung der Dienstleistungsrichtlinie. Chancen und Risiken für Deutschland, 2008 • M. Schlachter/C. Ohler: Europäische Dienstleistungsrichtlinie, 2008.   WINFRIED KLUTH

Gewerbesteuer

1. Historie, Begründung und Ausgestaltung

Die G. wurde in Deutschland 1936 eingeführt – damals noch in der Ausgestaltung von drei Bemessungsgrundlagen (Ertrag; Kapital und Lohnsumme) (BVerfG 15.2.2016–1 BvL 8/12, Rdnr. 2). Die Lohnsummensteuer wurde zum 1.1.1980, die Gewerbekapitalsteuer zum 1.1.1998 abgeschafft. Die G. ist eine (deutsche) Gemeindesteuer (Art. 106 Abs. 2 GG) mit einem in den letzten Jahren relativ konstanten Aufkommen von rund 44 Mrd. Euro. Aktuell kennt die G. als Bemessungsgrundlage nur den Gewerbeertrag als modifizierten (einkommen- oder körperschaftsteuerlichen) Gewinn aus Gewerbebetrieb. Steuerobjekt ist der Gewerbebetrieb (oder negativ abgegrenzt: keine Land- und Forstwirte, Freiberufler oder andere Selbständige i. S. v. § 18 Abs. 1 Nr. 1 S. 2 EStG sowie Vermögensverwaltung). Die zur Einführung der G. herangezogene Begründung über das Äquivalenzprinzip, dass die Gewerbebetriebe, die die ↑Gemeinde belasten, zur Steuer herangezogen werden, ist heute Auslöser der Kritik, da auch Nicht-Gewerbebetriebe gemeindliche Einrichtungen nutzen, ohne der G. zu unterliegen. Heinrich Montag schreibt der heutigen G. grundrechtswidrige Beschreibungen wie Verstoß gegen das Leistungsfähigkeitsprinzip und „gegen den Gleichheitsgrundsatz" (Montag 2015: 718) zu. Der Versuch des Gesetzgebers, die G. auf eine auch auf selbständig Tätige i. S. v. § 18 EStG ausgeweitete für alle Gemeinden verpflichtende Gemeindewirtschaftssteuer auszudehnen (Bundesrat Drs. 561/03: 32), ist nicht Gesetz geworden.

Spezielle Gemeindesteuern kennen auch umliegende

andere Staaten – eine ↑Steuer auf einen modifizierten Gewinn aus Gewerbebetrieb aber nur Luxemburg. Hieraus können Probleme in der Vermeidung von Doppelbesteuerungen resultieren, da die deutschen Doppelbesteuerungsabkommen die G. nicht umfassen.

Die Gemeinde hat gemäß Art. 106 Abs. 2 S. 2 GG das verfassungsgemäße Recht Hebesätze festzulegen, die gemäß § 16 Abs. 4 GewStG für alle Gewerbebetriebe einer Gemeinde gleich hoch sein und mindestens 200 % betragen müssen. Aus diesem Hebesatzrecht resultieren zum einen Gemeinden, die zur Finanzierung ihres Haushalts die Hebesätze kontinuierlich erhöhen (hierzu zählt insb. das Ruhrgebiet, das in 2015 bei den Gemeinden über 20 000 Einwohnern die Spitzenplätze 1–13 einnimmt; erst auf Platz 26 kommt mit München die erste Nicht-NRW-Gemeinde und zum anderen Gemeinden, die den Hebesatz als Standortattraktion nutzen und diesen senken. Medienwirksam vorgeführt worden sind hier die NRW-Gemeinden Monheim oder Eschborn.

2. Gewerbesteuer als Objektsteuer

Die G. ist eine Objektsteuer („Der Gewerbesteuer unterliegt jeder stehende Gewerbebetrieb, soweit er im Inland betrieben wird" [§ 2 Abs. 1 S. 1 GewStG]). Gewerbebetriebe stellen alle Kapitalgesellschaften kraft Rechtsform (§ 2 Abs. 2 S. 1 GewStG) sowie Einzelunternehmen mit gewerblichen Einkünften i. S. v. § 15 EStG (§ 2 Abs. 1 S. 2 GewStG) und Personengesellschaften dar, die kraft gewerblicher Tätigkeit, gewerblicher Infizierung (§ 15 Abs. 3 Nr. 1 EStG) oder gewerblicher Prägung (§ 15 Abs. 3 Nr. 2 EStG) einen Gewerbebetrieb betreiben. Zur Objektivierung der Bemessungsgrundlage *Gewerbeertrag* wird der Gewinn aus Gewerbebetrieb modifiziert um Hinzurechnungen und Kürzungen, womit Mehrfachbe- oder -entlastungen mit G. (z. B. § 8 Nr. 5 und 8, § 9 Nr. 2 und Nr. 2a GewStG) oder mit anderen Gemeindesteuern (↑Grundsteuer; z. B. § 9 Nr. 1 GewStG) verhindert werden sollen. Auch soll die Bemessungsgrundlage auf das Inland beschränkt (z. B. § 8 Nr. 12, § 9 Nr. 3 GewStG) und bestimmte (rechtsformabhängige) Gewinnermittlungsregeln objektiviert werden (z. B. § 8 Nr. 4 oder Nr. 9 GewStG). Ein Freibetrag für Einzelunternehmer und Personengesellschaften in Höhe von 24 500 Euro gemäß § 11 Abs. 1 Nr. 1 GewStG stellt keine Begünstigung dar, sondern ist ein nicht gelungener Nachteilsausgleich dafür, dass Entgelte zwischen der Rechtsform und dem Eigentümer entweder nicht vereinbart werden können (bei einem Einzelunternehmer) oder den Gewinn aus Gewerbebetrieb nicht mindern (wegen der Umqualifizierung von bestimmten schuldrechtlichen Entgelten bei Mitunternehmerschaften gemäß § 15 Abs. 1 Nr. 2 EStG).

3. Ökonomische Wirkung der Gewerbesteuer

Die Wirkung der G. besteht zunächst in einem Finanzabfluss in Richtung der Gemeinde, in der der Gewerbetrieb liegt. Bei Kapitalgesellschaften führt die G. –

wie die ↑Körperschaftsteuer – zu einer rechtsformspezifischen Definitivsteuerbelastung, da sie durch Gewinnausschüttungen nicht verändert wird. Die Steuerbelastung einer Kapitalgesellschaft setzt sich somit aus der Körperschaftsteuerbelastung, dem Solidaritätszuschlag und der – hebesatzabhängigen – G. zusammen. Bei einem G.-Hebesatz von 400 % erhält man somit eine Definitivbelastung von 29,825 % des zu versteuernden Einkommens (hier als identisch zum Gewerbeertrag unterstellt).

Bei natürlichen Personen mit gewerblichen Einkünften in der Summe der Einkünfte (dies können Einzelunternehmer mit gewerblichen Einkünften oder natürliche Personen als Gesellschafter gewerblicher Personengesellschaften sein) vermindert sich deren ↑Einkommensteuer pauschal um eine G.-Anrechnung gemäß § 35 EStG (maximal um das 3,8-fache des G.-Messbetrags mit weiteren Obergrenzen). Die Steuerbelastung auf den (anteiligen) Gewinn aus Gewerbebetrieb – hier erneut unterstellt als identischer Gewerbeertrag und Gewinn aus Gewerbebetrieb – setzt sich damit aus der G.-Belastung des Gewerbebetriebes zzgl. der ESt auf die gewerblichen Einkünfte und abzüglich der G.-Anrechnung zusammen. Die Anrechnung gemäß § 35 EStG gleicht – unter der obigen Prämisse – die G.-Belastung aus bis zu einem G.-Hebesatz von ca. 400,9 %, denn vermindert um die Anrechnung gemäß § 35 EStG wird die *tarifliche* ESt gemäß § 32a EStG zur *festzusetzenden* ESt. Letztere ist die Bemessungsgrundlage für den Solidaritätszuschlag, so dass theoretisch eine vollständige Entlastung von G. und ESt bei einem Hebesatz von 380×1,055 gelingt. Im Ergebnis führt die G. bei natürlichen Personen als Einzelunternehmer oder als Gesellschafter von gewerblichen Mitunternehmerschaften – neben Formalaufwendungen für die G.-Erklärung – im Saldo nur zu materiellen Zusatzbelastungen bei Hebesätzen ab 401 %.

Literatur

V. Breithecker: Einführung in die Betriebswirtschaftliche Steuerlehre, 2016 • V. Breithecker/R. Klapdor: Einführung in die Internationale Betriebswirtschaftliche Steuerlehre, 2016 • J. Hauser: Zank um die Gewerbesteuer, in: FAZ, 17.7.2015, 19 • H. Montag: § 12 Gewerbesteuer, in: K. Tipke/J. Lang (Hg.): Steuerrecht, 2015, 717–737 • StBA: Grund- und Gewerbesteuereinnahmen im Jahr 2014 um 2,0 % gestiegen. Pressemitteilung 316/15, 2015 • Bundesministerium der Finanzen: Die wichtigsten Steuern im internationalen Vergleich 2013, 2014 • U. Förster: Kommentierung zu § 35 EStG, in: V. Breithecker u. a.: UntStRefG – Unternehmensteuerreformgesetz 2008, 2007, 237–252.   VOLKER BREITHECKER

Gewerblicher Rechtsschutz

1. Begriff

Der g. R. im objektiven Sinn umfasst alle Regelungen, die absolute Rechte an immateriellen Gegenständen des gewerblichen Bereichs konstituieren oder ausgestalten. Dem entsprechen im subjektiven Sinn gewerbliche Schutzrechte, insb. technische Schutzrechte (Patent, Gebrauchsmuster, Sortenschutzrecht), Kennzeichenrechte (Marke, Unternehmenskennzeichen, Werktitel, geographische Herkunftsangaben) und das Design (Art. 1 Abs. 2 PVÜ).

Gemeinsam mit dem Urheberrecht bildet der g. R. das Recht des geistigen Eigentums oder ↑Immaterialgüterrecht. Beide Begriffe setzen sich im Anschluss an die internationale Terminologie immer mehr durch und verdrängen allmählich das früher in Deutschland und Kontinentaleuropa übliche Begriffspaar *g. R. und Urheberrecht*.

Während das Urheberrecht vermögens- und persönlichkeitsrechtliche Elemente vereint und durch private Handlungen sowohl entstehen als auch verletzt werden kann, ist der g. R. reines ↑Wirtschaftsrecht. Die gewerblichen Schutzrechte sind Vermögensrechte, sie dienen dem Schutz der gewerblichen Tätigkeit und können nur durch Handeln im geschäftlichen Verkehr verletzt werden. Allerdings weisen im Urheberrecht die verwandten Schutzrechte, sofern sie in erster Linie Investitionen in die Werkvermittlung schützen, Wesensmerkmale des g. R. auf.

Urspr. wurde auch das Recht gegen den unlauteren Wettbewerb zum g. R. gezählt (Art. 1 Abs. 2 und Art. 10bis PVÜ). Da das Lauterkeitsrecht aber neben dem Schutz unternehmerischer Leistungen gleichwertig auch dem Verbraucherschutz dient (§ 1 UWG) und zudem keine absoluten Rechte zuweist, sondern lediglich das Marktverhalten regelt, sprechen mittlerweile die besseren Gründe dagegen, das Lauterkeitsrecht als Teil des g. R. anzusehen. Allerdings entziehen sich einige Materien, bspw. der Schutz von Geschäftsgeheimnissen oder der Schutz gegen das unlautere Angebot nachgeahmter Produkte (§ 4 Nr. 3 UWG), einer klaren Zuordnung, weil sie trotz ihrer systematischen Zuordnung zum Lauterkeitsrecht immaterialgüterrechtliche Charakterzüge aufweisen.

2. Gemeinsame Wesensmerkmale

Gewerbliche Schutzrechte sind absolute Rechte. Ihr Objekt, das Immaterialgut, ist unkörperlicher Natur. Die Rechte sind übertragbar und können durch Erteilung ausschließlicher oder einfacher Lizenzen verwertet werden. Sowohl wettbewerbsbeschränkende Abreden in Lizenzverträgen als auch eine missbräuchliche Ausübung der Schutzrechte im Fall einer marktbeherrschenden Stellung unterliegen der kartellrechtlichen Kontrolle. Die Ansprüche bei Verletzung entsprechen sich weitgehend, weil sie querschnittartig für das gesamte Immaterialgüterrecht unionsrechtlich geregelt sind.

Gewerbliche Schutzrechte schränken die wirtschaftliche Freiheit potentieller Nachahmer ein und bedürfen daher der Rechtfertigung. Im Vordergrund stehen heutzutage nicht deontologische, sondern utilitaristisch-ökonomische Begründungen. Könnten Erfindungen oder Designs unbeschränkt nachgeahmt werden, so bestünde keine Knappheit und es entstünde kein ↑Markt. Zugleich würde sich die ↑Investition in ↑Forschung und Entwicklung nicht lohnen, weil Nachahmer diese Kosten vermeiden und die Preise des Originalherstellers unterbieten könnten. Technische Schutzrechte und Designs verknappen Immaterialgüter künstlich und setzen so einen Anreiz für geistiges Schaffen mit Mitteln des Marktes. Hingegen steht bei Kennzeichenrechten nicht die Kreativität des Entwerfers im Mittelpunkt: Marken schaffen Markttransparenz. Indem sie Abnehmern die Unterscheidung zwischen konkurrierenden Produkten ermöglichen, garantieren sie eine Funktionsbedingung des ↑Wettbewerbs, senken Informationskosten der Abnehmer und schaffen für Anbieter einen Anreiz dazu, in Qualität zu investieren.

Der g. R. unterliegt dem Territorialitätsprinzip: Die Wirkung der Schutzrechte erstreckt sich nur auf das Territorium des Erteilungsstaats oder, im Fall nicht registrierter Rechte, des Anerkennungsstaats.

3. Rechtsquellen

Auf internationaler Ebene findet die Unterscheidung zwischen dem g. R. und dem Urheberrecht in zwei grundlegenden internationalen Übereinkommen ihren Niederschlag. Während die RBÜ dem Schutz des Urheberrechts dient, setzt die PVÜ Mindeststandards des g. R. Ergänzt wird die PVÜ durch das TRIPS, das als Unterabkommen des WTO-Übereinkommens die Mitgliedstaaten nicht nur zur Befolgung der Standards von PVÜ und RBÜ verpflichtet, sondern strengere Mindeststandards aufstellt und bestimmte Möglichkeiten der Rechtsdurchsetzung vorschreibt. Daneben bestehen mehrere weitere Übereinkommen.

Auf EU-Ebene genießt der g. R. als Teil des geistigen Eigentums verfassungsrechtlichen Schutz durch Art. 17 Abs. 2 EuGRC. Durch zahlreiche Richtlinien wurde das Recht der Mitgliedstaaten aneinander angeglichen, bspw. durch die Markenrechtsrichtlinie von 1988 (neu verkündet als RL 2015/2436), die Geschmacksmusterrechtsrichtlinie von 1998 (RL 98/71/EG) und die Richtlinie zum Schutz von Geschäftsgeheimnissen von 2016 (RL 2016/943). Die Vorschriften über die Rechtsdurchsetzung wurden durch die Richtlinie 2004/48/EG zur Durchsetzung der Rechte des geistigen Eigentums harmonisiert. Neben die Rechtsangleichung durch Richtlinien tritt die Schaffung einheitlicher, autonomer EU-Schutzrechte durch Verordnungen. Insb. erteilt das EU-IPO mit Sitz in Alicante EU-Marken und EU-Designs (Gemeinschaftsgeschmacksmuster).

Gemäß Art. 73 Nr. 9 GG hat der Bund die ausschließliche Gesetzgebungskompetenz für den g. R. Der verfassungsrechtliche Schutz des geistigen Eigentums wird im GG nicht eigens erwähnt, doch nach gefestigter Rechtsprechung des BVerfG fallen gewerbliche Schutzrechte in den Schutzbereich des Art. 14 Abs. 1 GG. Die wichtigsten einfachen Gesetze sind im Bereich der technischen Schutzrechte das PatG, das GebrMG und das SortSchG, für das Kennzeichenrecht das MarkenG sowie für das Designrecht das DesignG.

4. Die zentralen gewerblichen Schutzrechte

Das Patent ist ein ausschließliches Recht an einer Erfindung, also einer technischen Lehre zur Lösung eines technischen Problems. Patente werden durch das DPMA erteilt, wenn die angemeldete Erfindung neu, erfinderisch und gewerblich anwendbar ist und wenn keine Ausschlussgründe vorliegen. Patente schützen nicht nur gegen Nachahmer, sondern auch gegen unabhängige Entwickler und unterliegen nur wenigen Schranken. Kehrseite des starken Schutzes ist die kurze Schutzdauer von 20 Jahren. Patente haben für viele Wirtschaftsbereiche, bspw. für die pharmazeutische Industrie, erhebliche Bedeutung. In den vergangenen Jahrzehnten wurde das Patentrecht auf neue Gebiete, insb. auf biotechnologische Erfindungen und computer-implementierte Erfindungen erweitert. Diese Erweiterung hat eine kontroverse Diskussion über die ethischen Grenzen des Patentschutzes im Bereich der ↑Gentechnik, über mögliche nachteilige Effekte von Schutzrechten auf die Entwicklung freier Software und über das Spannungsverhältnis zwischen geschützten Patenten und der Zugänglichkeit von Standards ausgelöst. Auf europäischer Ebene erteilt das EPA mit Sitz in München Schutzrechte. Dabei handelt es sich allerdings nicht um einheitliche EU-Rechte: Das EPÜ ist ein ↑völkerrechtlicher Vertrag mit Mitgliedstaaten außerhalb der EU, der Anmelder kann Patentschutz in nur einigen dieser Staaten beantragen, und nach der Erteilung wird das europäische Patent weitgehend wie ein nationales Schutzrecht behandelt. Auf EU-Ebene stehen die Einrichtung eines einheitlichen, supranationalen Patentgerichts auf der Grundlage eines völkerrechtlichen Vertrags und die Schaffung eines EU-Patents mit einheitlicher Wirkung kurz bevor.

Die Marke ist ein Kennzeichen, das dazu dient, die Waren oder ↑Dienstleistungen verschiedener Anbieter voneinander zu unterscheiden. Marken können nach Anmeldung beim EUIPO oder beim DPMA durch Registereintragung entstehen. Daneben schützt das deutsche Recht Marken aber auch ohne Registrierung, wenn sie benutzt werden und Verkehrsgeltung erlangen. Da Marken nicht das Ergebnis kreativen Schaffens oder technischer Invention betreffen, setzt ihr Schutz keine Neuheit oder Erfindungshöhe, sondern in erster Linie Unterscheidungskraft voraus. Neben Wort- und Bildmarken sind mittlerweile auch weitere Markenformen anerkannt, bspw. Hörmarken, Warenformmarken oder abstrakte Farbmarken. Da der Markenschutz unbegrenzt verlängert werden kann, verhindern v. a. bei Warenformmarken spezielle Ausschlussgründe, dass sich Anmelder durch die Hintertür des Markenrechts unbefristeten Schutz für Erfindungen oder Designs verschaffen.

Das Design schützt die zwei- oder dreidimensionale Erscheinungsform von Produkten, sofern sie neu ist und Eigenart aufweist. Ähnlich wie die Marke können Designrechte durch Anmeldung beim EUIPO bzw. beim DPMA und Eintragung entstehen. Die Schutzdauer beträgt bis zu 25 Jahren. Daneben schützt die EU-Gemeinschaftsgeschmacksmusterverordnung auch nicht eingetragene Designs, die lediglich in der ↑EU der Öffentlichkeit zugänglich gemacht werden. Dieser Schutz ist allerdings auf drei Jahre befristet.

Literatur

R. Kraßer/C. Ann: Patentrecht, ⁷2016 • H.-P. Götting: Gewerblicher Rechtsschutz, ¹⁰2014 • H.-J. Ahrens/M.-R. McGuire: Modellgesetz für Geistiges Eigentum, 2012 • L. Bently: What is „Intellectual Property"?, in: CLJ 71/3 (2012), 501–505 • M. Goldhammer: Geistiges Eigentum und Eigentumstheorie, 2012 • R. Merges: Justifying Intellectual Property, 2011 • W. M. Landes/R. A. Posner: The Economic Structure of Intellectual Property Law, 2003 • A. Ohly: Geistiges Eigentum?, in: JZ 58/11 (2003), 545–554 • V. Jänich: Geistiges Eigentum – eine Komplementärerscheinung zum Sacheigentum?, 2002.
ANSGAR OHLY

Gewerkschaften

I. Historische Entwicklung – II. Gewerkschaften als Akteure im politischen System – III. Sozialethische Begründung

I. Historische Entwicklung

G. sind organisierte Zusammenschlüsse abhängig Beschäftigter in wirtschaftlichen Unternehmungen. Ökonomisch bilden sie Kartelle auf dem ↑Arbeitsmarkt. Soziologisch vereinigen sie Berufsgenossen oder Arbeitskameraden in Betrieben oder über viele Betriebe hinweg zu einer kollektiven Kraft, deren Ressourcen in der Macht der großen Zahl oder in der Unverzichtbarkeit strategischer Qualifikationen und Prozesskenntnisse bestehen. Sie bilden soziale Kampfverbände im produktiven Antagonismus zwischen ↑Kapital und ↑Arbeit und sind insofern Formen der Vergesellschaftung, die sich strukturell zuallererst im kapitalistischen Modus des Wirtschaftens finden. G. sind keine Organe des sozialen Protests oder Hort einer berufs- und branchenübergreifenden ↑Solidarität.

G. entstanden zuerst in England seit Ende des 18. Jh., wo sie aus den älteren Gesellenvereinigungen herauswuchsen, wenig später in den USA, wo sie – wie in Großbritannien – bis Mitte des 19. Jh. als „Konspirationen" verboten waren und gerichtlich verfolgt wurden.

Um 1890 klang die von Handwerkern geprägte Phase der ↑Arbeiterbewegung aus. Überall formierten sich die ersten Arbeiterorganisationen nicht als Reaktion auf die frühe Industrialisierung (↑Industrialisierung, Industrielle Revolution), sondern als Folge der zunehmenden Kommerzialisierung der traditionellen Handwerksberufe. Kleine Handwerksmeister und Gesellen erfuhren, dass ihr Können auf den Märkten fortschreitend an Wert einbüßte, während das Kapital (Verleger, Großkaufleute) immer mehr den Wert der Arbeit diktierte und die „erlernte Kunstfertigkeit" des Handwerkers zur Ware degradierte. Gesellen sahen sich zunehmend in eine lebenslange abhängige Lohnarbeiterexistenz gezwungen.

V. a. in Großbritannien und den USA bildeten sich G. entlang streng definierter Grenzen zwischen verschiedenen Berufsgruppen. Sie errichteten Barrieren gegen ethnische Gruppen (meist gegen die jeweils als letzte angekommenen Immigranten) und Ungelernte. Sie appellierten an das Gruppenethos der Mitglieder. Die Verankerung im selben ↑Handwerk ermöglichte eine gemeinsame Interessenlage, die Bildung finanzieller Rücklagen und den Zugang zu Kenntnissen des metierspezifischen Arbeitsmarkts. Ziel war die Kontrolle über lokale Arbeitsmärkte mittels Durchsetzung von *closed shop*- oder *union shop*-Regeln, nach denen entweder nur G.s-Mitglieder für eine Arbeit in Frage kamen oder der Beitritt für alle neu eingestellten Arbeiter verpflichtend war. Organisierte Belegschaften wurden zu einer wirksamen Waffe in ↑Arbeitskämpfen, da sie nicht durch ungelernte Streikbrecher ersetzt werden konnten.

Diese Art von G.s-Arbeit etablierte sich in Großbritannien und den USA in einigen der expandierenden frühen Industrien (Kohlebergbau, Eisen- und Stahlproduktion, Eisenbahnen, Metallverarbeitung, Textilindustrie, Druckgewerbe). Facharbeiter-G. waren erfolgreich, so lange die ↑Unternehmen eine gewisse Größe nicht überschritten und der Wettbewerb unter einer großen Zahl von Firmen intensiv blieb.

In Deutschland wurden die Kräfte der kapitalistischen Kommerzialisierung ebenfalls sichtbar. Das betraf dies. Branchen wie in Westeuropa und den USA, allerdings auf unterschiedliche Weise. Obwohl Preußen an sich 1807–10 das Zunftsystem abschaffte, hielt sich hier wie in anderen Staaten die Zunfttradition, bis der Norddeutsche Bund im Jahr 1869 freien Handel durchsetzte. Dies hemmte die Kapitalisierung der Handwerksbetriebe. Dennoch schritt die Kommerzialisierung voran. Anstatt größere wirtschaftliche Einheiten (wie in Westeuropa oder den USA) hervorzubringen, führte sie aber zu einer großen Zahl kleinster Betriebe.

Diese Umstände waren ungünstig für eine Formierung von G. aus dem betrieblichen Umfeld. Es ist kein Zufall, dass sich die ersten G.s-Organisationen in Deutschland, die 1848 gegründeten Verbände der Drucker und der Zigarrenhersteller, in Berufszweigen etablierten, in denen das Wachstum der Betriebsgrößen dem amerikanischen und britischen am nächsten kam und die am wenigsten von der Zunfttradition beeinflusst waren. Den meisten deutschen Gewerbetreibenden erschienen G. jedoch als ein wenig attraktives Organisationsmodell, in dem sie die schlechtesten Eigenschaften der Zünfte verkörpert sahen. Daher konzentrierten sie sich zunächst auf die unter Kommerzialisierungsdruck

stehenden handwerklichen Branchen, in denen eine G.s-Gründung von außen initiiert wurde. Das geschah in recht erratischer Weise unter Federführung der konkurrierenden sozialdemokratischen Strömungen. Entspr. schwach blieben die meisten deutschen G. bis zu ihrem vorläufigen Verbot unter dem Sozialistengesetz.

Ein Vergleich zwischen den USA (1883) und Deutschland (1877/78) zeigt, dass die Zahl der amerikanischen G.s-Mitglieder fünfmal höher war als die der deutschen (bei in etwa gleicher Bevölkerungszahl). In den USA fanden sich die größten Gruppen unter den Eisen- und Stahlarbeitern, im Kohlebergbau und bei den Zigarrenmachern, während keine der großen Industrien in Deutschland über einen nennenswerten gewerkschaftlichen Organisationsgrad verfügte. Im Jahr 1877 gehörten nur 1,5 % der Arbeiter in Handwerk und ↑Industrie einer G. an.

Zudem führten die Auseinandersetzungen unter den Parteien zur Spaltung der Arbeiterorganisationen entlang ideologischer Konfliktlinien: sozialdemokratische „freie" G., liberale *Hirsch-Dunckersche Gewerkvereine*, seit 1894 auch *Christliche Gewerkvereine*. Diese Spaltung stellte eine bis 1933 fortwährende Belastung für die G.s-Bewegung dar. Sie war eine Folge davon, dass die deutschen G. maßgeblich Kopfgründungen der Parteien waren, die v. a. 1869 mit Gewährung der ↑Koalitionsfreiheit das weiterbestehende Unterstützungskassensystem der ehemaligen Gesellenschaften in die Hand zu bekommen und sich ein zusätzliches Rekrutierungspotenzial zu verschaffen suchten. In der Sozialdemokratie hatten die G. ihre Existenzberechtigung als eigenständige Arbeitervertretung noch lange nicht bewiesen; sie blieben bis in die späten 1870er Jahre als Organisationsform gefährdet.

Als erfolgreiche Gründung „von oben" erwiesen sich dagegen die *Christlichen Gewerkvereine*, die v. a. in den Regionen mit vitalem katholischen Vereinswesen reüssierten. Hier war nicht die Zentrumspartei (↑Zentrum), sondern die ↑katholische Kirche Initiatorin, die die sozialreformerischen Impulse der päpstlichen Enzyklika von 1891 (↑Sozialenzykliken) aufgenommen hatte und die Gewerkvereine als Bollwerk gegen die Sozialdemokratie und als wirtschaftsfriedliche Alternative zu den Freien G. präsentierte, um damit ihrem Ideal eines neoständischen Interessenausgleichs eine neue organisatorische Form zu geben. Die Christlichen G. beschlossen auf ihrem ersten Kongress in Mainz 1899 ein Grundsatzprogramm, das Interkonfessionalität und parteipolitische Neutralität propagierte. Der Schlüssel für das Gedeihen der G.s-Bewegung war letztlich ein hinreichendes Maß an politischer Unabhängigkeit in einem ideologisch und parteipolitisch gespaltenen Spektrum. Die G.s-Bewegung war in den späten Jahren des Sozialistengesetzes durch lokale Basisorganisationen in verschiedenen Wirtschaftszweigen belebt worden, die als politisch neutrale „Fachvereine" firmierten. Angesichts der Machtlosigkeit der Sozialdemokratie war für die

Freien G. der Aufbau einer unabhängigen Organisation erforderlich, zumal beider Klientel keineswegs identisch war: 1910 waren 20 % aller Industriearbeiter Mitglieder einer G., aber nur 7 % in der ↑SPD. Unter den Gewerkschaftern waren etwas mehr als ein Drittel gleichzeitig Mitglieder bei den Sozialdemokraten.

Der entscheidende Unterschied zwischen der deutschen und der amerikanischen G.s-Bewegung vor dem Ersten Weltkrieg lag somit im Bereich der Strategie. Die deutschen G. vertrauten auf eine zentralisierte Organisation und gebündelte Finanzmittel. Während die einzelnen Werkstätten oder Fabrikbetriebe in den USA und Großbritannien die Basis der G.s-Organisation bildeten, waren die deutschen G. dort nur relativ schwach vertreten. Hier führten stattdessen landesweite *Zentralverbände* die einzelnen Branchen-G., die immer noch nach Berufsgruppen gegliedert waren und eher gelernte als ungelernte Arbeiter ansprachen. Der Durchbruch zu einer politisch unabhängigen zentralen Organisation wurde erreicht, als 1890 die *Generalkommission* als parteiunabhängiges strategisches Führungsgremium der Freien G. Deutschlands gegründet wurde.

Diese Entwicklung sorgte für ein kontinuierliches Wachstum der G. von der zweiten Hälfte der 1890er Jahre bis zum Ersten Weltkrieg. 1904 repräsentierten die Mitglieds-G. eine Mio. zahlende Mitglieder, weit mehr als die *Christlichen Gewerkvereine* und die *Hirsch-Dunckerschen Gewerkvereine* mit 300 000 bzw. 100 000 Mitgliedern. 1913 betrug die Mitgliederzahl der Freien G. mehr als 2,5 Mio. Der Schlüssel zum Erfolg war, dass die G. durch ihre zentralisierte Struktur Streikaktionen strategisch über ganz Deutschland koordinieren konnten. Die Zahl der Flächentarifverträge wuchs zwischen 1906 und 1913 von etwa 3 000 auf 13 500. Am Ende dieser Zeit gab es für zwei Mio. Arbeiter in Deutschland und ein Drittel aller G.s-Mitglieder solche Abkommen.

In der Weimarer Republik zeigten die Auseinandersetzungen des „Ruhreisenstreits" von 1928, dass die G. und die Wahrung ihrer Rechte völlig von der Unterstützung des Staates abhängig geworden waren. Obwohl die Sozialdemokraten nur an vier der 21 Regierungen beteiligt waren, übten sie prägenden Einfluss auf die Arbeits- und Sozialgesetzgebung aus. Das Betriebsrätegesetz von 1920 institutionalisierte die Mitwirkung der G. bei Fragen der Tarifpartnerschaft auf Betriebsebene; die Betriebsräte blieben das wichtigste Verbindungsglied zwischen der G. und ihren Mitgliedern.

Der ↑Nationalsozialismus zerbrach dieses leidlich funktionierende System. Einen Tag nach dem ersten reichsweiten Maifeiertag gingen die Nationalsozialisten am 2.5.1933 gegen die G. vor. Vom Widerstand im Untergrund abgesehen, wurden die deutschen Arbeitnehmerorganisationen kampflos zerschlagen. Der NS installierte seine eigenen Arbeiterorganisationen, die mit den enteigneten Geldern der G. ausgestattet wurden. Die DAF war jedoch kein Ersatz, sondern ein Instrument der Partei zur Kontrolle der Arbeiterschaft.

Die Bedeutung eines gesellschaftlichen Konsenses über Parteigrenzen hinweg für die Etablierung eines stabilen Systems von Tarifbeziehungen ist nirgendwo deutlicher geworden als in der BRD nach 1949. Vor dem Hintergrund der Erfahrungen von Weimar und NS bekamen Interessenvertretungen in Tariffragen Verfassungsrang. Art. 9 Abs. 3 GG wurde zur Grundlage der ↑„Tarifautonomie", nach welcher der Staat den rechtlichen Rahmen schaffen soll, innerhalb dessen G. und Arbeitnehmerverbände freie Übereinkommen treffen mussten. Die Arbeitnehmerorganisationen erhielten das Recht auf Arbeitsniederlegungen verbrieft. Im Gegenzug mussten sie auf politische Streiks verzichten. Mit zentral organisierten Verbänden und dem bindenden Charakter der Tarifvereinbarungen für ganze Regionen trug die Tarifautonomie entscheidend dazu bei, dass die Verhandlungen nicht zersplittert geführt wurden. Dadurch nahm die Streikhäufigkeit stark ab. Zwischen 1955 und 1987 stechen nur fünf Jahre hervor, in denen mehr als 1 000 Tarifkonflikte durch Arbeitskämpfe ausgetragen wurden, während es in insgesamt 13 Jahren weniger als 100 Streiks gab. Der wirtschaftliche Aufstieg der BRD nach 1945 wurde von den friedlichsten Tarifbeziehungen in ganz Europa zweifellos befördert.

Nach Kriegsende hatte sich das Klima zwischen G. und Unternehmen einschneidend verändert. In der Schwerindustrie arbeiteten beide nun eng zusammen, um die Demontage von Produktionsanlagen durch die Alliierten zu verhindern. Dieser Widerstand war in den westlichen Besatzungszonen erfolgreich, während die UdSSR die Demontage in ihrer Zone durchsetzte. Die im Westen von Vertrauen und Kooperation geprägten Beziehungen zwischen Belegschaften und Unternehmensleitungen führten zur Wiederbelebung der Betriebsräte, die mit dem BetrVG (↑Betriebsverfassungsrecht) 1952 auch eine rechtliche Basis erhielten. Zudem bekamen Arbeitnehmerrepräsentanten ein Anrecht auf ein Drittel der Sitze im Aufsichtsrat von Kapitalgesellschaften. Das MitbestG (↑Mitbestimmung) von 1976 vergrößerte diesen Anteil noch einmal. Am weitesten ging das MontanMitbestG 1951, das Aufsichtsräte aus jeweils fünf Vertretern der ↑Arbeitnehmer und Arbeitgeber und als elftes Mitglied eine neutrale Person fixierte („paritätische Mitbestimmung"). Ein Vertreter der G. war als Arbeitsdirektor Teil der Unternehmensleitung.

Der Zuwachs an Arbeitnehmerrechten ging mit der Expansion der G. Hand in Hand. Entscheidend hierfür war, dass der ↑DGB, die Dachorganisation der 16 deutschen Industrie-G., 1949 als weltanschauliche Richtungen übergreifende Einheits-G. gegründet wurde (bei Fortbestehen anderer Arbeitnehmervertretungen und der DAG). Trotz der stets proklamierten parteipolitischen Neutralität tendierte der DGB in den folgenden Jahrzehnten meist zur SPD. Schon in den frühen 1950er Jahren übertraf die Mitgliederzahl die Marke von sechs Mio. Sie stieg kontinuierlich, bis sie 1981 mit acht Mio.

ihren Höhepunkt erreichte. Bis weit in die 1970er Jahre waren die DGB-G. dabei stets männerdominiert; 1981 stellten Frauen ca. ein Fünftel der Mitglieder.

Literatur

T. Welskopp: Transatlantische Bande. Eine vergleichende Geschichte der Gewerkschaften in Deutschland und den USA im 19. und 20. Jh., in: U. Bitzegeio u. a. (Hg.): Solidargemeinschaft und Erinnerungskultur im 20. Jahrhundert, 2009, 29–61 • M. Schneider: Kleine Geschichte der Gewerkschaften, 2000 • T. Welskopp: Das Banner der Brüderlichkeit. Die deutsche Sozialdemokratie vom Vormärz bis zum Sozialistengesetz, 2000 • M. van der Linden/J. Rojahn (Hg.): The Formation of Labour Movements 1870–1914, 2 Bde., 1990 • D. Montgomery: The Fall of the House of Labor. The Workplace, the State, and American Labor Activism, 1987.

THOMAS WELSKOPP

II. Gewerkschaften als Akteure im politischen System

1. Gewerkschaftstypen

Die Vielfalt der modernen G. lässt sich anhand zweier Kriterien erfassen, aus denen verschiedene Einzeltypen und Kombinationsmöglichkeiten erwachsen. Erstens ist nach der *Programmatik* zu fragen, die bei *Richtungs-G.* an weltanschaulich nahestehenden Parteien orientiert ist. So etwa haben kommunistisch geprägte G. nach dem Muster der französischen CGT gerade in Westeuropa lange Tradition und sind in ihrer Entwicklung ohne ihre Mutterparteien nicht denkbar. Demgegenüber haben sich *Einheits-G.* nach dem Beispiel des ÖGB von diesen ideologischen Bindungen zumindest dem eigenen Anspruch nach gelöst, um in allen weltanschaulichen Milieus als Interessenvertreter der ↑Arbeitnehmer akzeptiert werden zu können. Zweitens kann auch das *Verhältnis zum* ↑*Staat* deutlich variieren: Einerseits können Arbeitnehmervertretungen als *pluralistische G.* verfasst sein, die ganz bewusst Distanz zur öffentlichen Hand halten und die Interessen ihrer Klientel als *Pressure Group* offensiv und streikbetont nicht nur gegenüber dem Staat, sondern auch gegenüber anderen G. sowie den Arbeitgebern vertreten. Diese Distanz kann insb. in Form des *Syndikalismus* ideologisch motiviert sein, wie etwa in Frankreich, aber auch weltanschaulich neutralen Charakter besitzen, wenn das gesamte System organisierter Interessenvertretung wie in den USA von vorherein sehr fragmentiert und auch ausgesprochen dezentral gestaltet ist. Demgegenüber gehen *korporatistische G.* enge Verbindungen mit Staat und Arbeitgebern ein, woraus dann auch ein anderer Aktionsstil resultiert: Im Tripartismus deutscher Prägung etwa dominiert der einvernehmliche Dialog der drei Parteien in Verhandlungsgremien. G. dieser Art agieren folglich auch wesentlich kompromissorientierter.

Damit ist klar, dass bestimmte Merkmalskombinationen funktionaler sind als andere: Korporatistische G. besitzen auch einen systematischen Hang zur Einheits-

G., weil die Verhandlungslogik tripartistischer Gremien dann am besten funktioniert, wenn die Beteiligten mit einem Interessenvertretungsmonopol ausgestattet sind und Beschlüsse damit autoritativ mittragen können. Demgegenüber sind pluralistische G. häufig zugl. auch Richtungs-G., da sich die Distanz gegenüber dem Staat, anderen Arbeitnehmervertretungen und nicht zuletzt gegenüber den Unternehmern parteipolitisch-ideologisch am besten begründen lässt.

2. Organisationsmuster im Ausland

Im internationalen Vergleich variieren die Organisationsmuster der G. beträchtlich. Hier können nur typische Beispiele herausgegriffen werden, welche die Vielfalt spiegeln. In Österreich und mit gewissen Abstrichen auch in den skandinavischen Staaten ist die einheitsgewerkschaftliche Formierung der Arbeitnehmerinteressen weit fortgeschritten. So wurde der ÖGB nach 1945 in der Alpenrepublik als umschließender Einheitsverband für mehr als ein Dutzend unselbständiger, branchenspezifischer Einzel-G. gegründet und dies mit Unterstützung nicht nur der Linksparteien, sondern auch der konservativen ÖVP. Auch mit einem Organisationsgrad von 60 % der Arbeitnehmer im Jahr 1980 nahm der ÖGB im internationalen Vergleich zunächst eine prägnante Stellung ein; 2011 war dieser allerdings nicht zuletzt wegen der Umbrüche im Parteiensystem auf magere 28 % abgesackt.

Auch Dänemark verfügt mit den schon 1898 gegründeten Landsorganisationen über einen dominierenden gewerkschaftlichen Gesamtverband, der 1980 sogar einen Organisationsgrad von 75 % aufwies, allerdings im Unterschied zum ÖGB nur als Dachorganisation mehrerer Dutzend selbständiger Einzelorganisationen fungierte und zudem durch zwei weitere, allerdings wesentlich kleinere G.-Bünde (FTF, AC) Konkurrenz bekommen hat. 2011 war der landesweite gewerkschaftliche Organisationsgrad auch dort auf 67 % abgesunken.

Sehr hoch ist die gewerkschaftliche Formierung in Schweden, wo der Arbeiterverband „Landsorganisationen i Sverige" und die Angestellten- und Beamten-G. TCO schon 1979 allein 85 % der Arbeitnehmer umfassten. Zwar war diese Höhe auch dort nicht zu halten, doch belief sich der landesweite Organisationsgrad 2011 noch auf respektable 70 %. Auch in Norwegen besitzt der dortige G.s-Bund „Landsorganisasjonen i Norge" eine vergleichbar dominierende Position. Einheitsdachverbände weisen ansonsten noch Großbritannien mit dem TUC und Irland mit dem ICTU auf, die allerdings aufgrund ihrer lockeren Struktur nur wenig Einfluss auf die Mitgliedsorganisationen besitzen und im Falle des TUC auch mit (allerdings schwächeren) Konkurrenzorganisationen (GFTU, STUC) konfrontiert sind.

Kurzum: Die Existenz einer oder weniger Einheits-G. kann, wie in Österreich oder Schweden, auch zu einem hohen Organisationsgrad führen. Zwingend ist das allerdings nicht, sondern von weiteren Rahmenbedingungen abhängig, wie etwa einer konsensuellen ↑politischen Kultur oder einem korporatistischen Politikstil (↑Korporatismus), die auch innerhalb eines Landes starken Veränderungen unterliegen können, wie das Beispiel Österreich erneut zeigt. Zudem variieren die gewerkschaftlichen Strukturmuster selbst sehr stark, von einer unitarischen Gesamtorganisation nach dem Muster des ÖGB bis hin zu sehr lockeren dachverbandlichen Gefügen in Form des TUC reichend.

In richtungsgewerkschaftlich geprägten Ländern, zu denen neben dem klassischen Beispiel Frankreich auch Belgien, Italien, die Niederlande und die Schweiz zählen, stellt sich die Frage der Einheitlichkeit dagegen von vornherein nicht. Dort stehen verschiedene große G. traditionell in einer bestimmten politischen bzw. religiösen Tradition. Neben der kommunistisch geprägten CGT sind in Frankreich noch die sozialistische CGT-FO und die christsoziale CFDT von größerer Bedeutung, banden allerdings schon 1979 zusammen lediglich 22 % aller Arbeitnehmer an sich. 2011 war der landesweite Organisationsgrad, also unter Berücksichtigung der daneben noch existierenden Vielfalt kleiner G., auf nur mehr 8 % gesunken!

Diese weltanschauliche Trias war in Italien bis zum Kollaps des alten Parteiensystems in den 90er Jahren mit der kommunistischen CGIL, der sozialistischen UIL und der christlichen CISL ebenfalls prägend, wobei auch hier neben diesen Großorganisationen eine Vielfalt kleinerer G. existiert. Seither haben sich die politischen Bindungen dieser dominierenden Arbeitnehmervertretungen durch die Neukonfiguration des dortigen Parteiensystems allerdings deutlich abgeschwächt. All dies weist auf ein generelles Muster richtungsgewerkschaftlicher Systeme hin: Sie bestehen insgesamt aus wesentlich mehr Einzel-G., sind im Schnitt deutlich fluider, und die wenigen großen Organisationen stehen auch noch mit vielen kleinen, oft nur einzelbetrieblich tätigen, in Konkurrenz.

3. Organisationsmuster in Deutschland
Auch in Deutschland existieren verschiedene G.s-Typen nebeneinander, wobei die Einheits-G. in Gestalt des ↑DGB und seiner Mitgliedorganisationen klar dominieren. Mit dieser organisatorischen Grundsatzentscheidung wollte man gegen die richtungsgewerkschaftliche Vielfalt der Weimarer Republik gezielt einen Kontrapunkt setzen. Nicht zuletzt auf sie führten die G.s-Architekten der Nachkriegszeit die Zersplitterung der damaligen ↑Arbeiterbewegung und damit ihren schwachen Widerstand gegen die Nationalsozialisten zurück – wobei allerdings gerade im ↑Widerstand Fundamente der Korrektur gelegt worden sind.

Dem DGB gehören acht Einzel-G. an. Dabei dominieren IG Metall und ver.di, da sie fast drei Viertel der Mitglieder stellen. 2016 waren rund sechs Mio. Arbeitnehmer als Mitglieder von DGB-G. registriert. Dennoch verringerte sich der gewerkschaftliche Organisations-

grad in den letzten Jahrzehnten merklich. 1981 umfasste der DGB allein in Westdeutschland noch rund acht Mio. Mitglieder, 1991 nach der Integration ostdeutscher G. kurzzeitig fast zwölf Mio.

Allerdings bestanden bzw. existieren auch heute noch außerhalb des DGB G., die richtungsunabhängig verfasst sind. Zum einen galt dies für die 1950 gegründete und erst 2002 in ver.di aufgegangene DAG, zum anderen besteht mit dem 1955 entstandenen DBB eine mitgliedstarke Organisation, die die Tarifverhandlungen im ↑öffentlichen Dienst durchaus auch in Konkurrenz zu ver.di maßgeblich mitbestimmt.

Neben diesen einheitsgewerkschaftlich verfassten Organisationen existieren jedoch bis heute auch noch religiös geprägte Richtungs-G., die allerdings klar im Schatten der dominierenden DGB-G. stehen. Zusammengefasst sind sie im 1959 gegründeten CGB mit derzeit 14 Mitgliedsvereinigungen. Gedacht war und ist der CGB als christlich geprägtes Gegengewicht zum DGB, dessen SPD-freundlicher Kurs abgelehnt und dessen Selbstverständnis als überparteiliche Einheits-G. in Frage gestellt wird. Mit rund 300 000 Mitgliedern im Jahre 1983 bzw. rund 280 000 2016 spielen die christlichen G. aber weder arbeits- und sozialpolitisch noch tarifrechtlich eine signifikante Rolle. Denn die einzelnen Branchen werden entweder von den DGB-G. oder von anderen unabhängigen Organisationen dominiert.

4. Gewerkschaften und Staat im Ausland
Das Verhältnis zwischen G. und Staat wird von den Organisationsmustern der Arbeitnehmervertretungen selbst maßgeblich mitbestimmt. Deren korporatistische Einbindung in tripartistische Verhandlungsgremien wird leichter gelingen, wenn es die öffentliche Hand nur mit einem überschaubaren Set von Einheits-G. zu tun hat. Richtungsgewerkschaftlich geprägte Systeme sind dafür eher hinderlich, wobei dieser Zusammenhang aber nicht zu eindimensional bewertet werden darf. Denn auch das jeweilige Staatsverständnis und die politische Kultur prägen die Staat-Verbände-Beziehungen maßgeblich mit. Auch dafür gibt es typische Beispiele.

So haben G.s-Strukturen und politische Rahmenbedingungen in Frankreich in der Tat lange Zeit engere korporatistische Einbindungen der Arbeitnehmervertretungen verhindert. Gesetzlich wurde die Assoziationsfreiheit dort erst 1901 mit der Aufhebung des noch aus der Revolutionszeit stammenden koalitionsfeindlichen *Loi Le Chapelier* zugestanden. Erst seither konnte sich die moderne französische G.s-Bewegung richtig entfalten, wahrte aber nicht zuletzt aufgrund ihrer fragmentierten Struktur ein syndikalistisches und zum Staat bewusst auf Distanz gehendes Selbstverständnis. Dazu trug die öffentliche Hand allerdings auch nach 1901 mit einer ausgeprägt etatistischen Gesinnung (↑Etatismus) der administrativen Eliten bei, in der enge korporatistische Kooperation mit ↑Interessengruppen keinen Platz besaß.

Allerdings hat sich diese Distanz gerade in der Gestaltung der Arbeitsbeziehungen seit Gründung der Fünften Republik 1958 merklich verringert. Zwar steuert der Staat diese Beziehungen im Unterschied zu Deutschland bis heute maßgeblich mit. Durch die offizielle staatliche Anerkennung großer G. als repräsentative Arbeitnehmervertretungen sowie deren Einbindung in die vom Arbeitsministerium geleitete tripartistische CNNC haben sich seit den 60er Jahren korporatistische Ansätze entwickelt, die jedoch aufgrund der gewerkschaftlichen Heterogenität brüchig bleiben. Auch der 1983 geschaffene und direkt dem Premierminister zugeordnete CNVA mit rund 70 ausgewählten Verbandsvertretern trägt erkennbar korporatistische Züge, ist jedoch ohne großes politisches Gewicht.

Vorherrschend korporatistisch verfasst sind demgegenüber bis heute die Staat-Verbände-Beziehungen in Österreich, wozu auch die ausgeprägt einheitsgewerkschaftliche Organisation der Arbeitnehmerorganisationen in Form des mit einem Repräsentationsmonopol ausgestatteten ÖGB maßgeblich beigetragen hat, in dem verschiedene parteipolitisch geprägte Fraktionen zwar präsent sind, aber organisationsintern zum Ausgleich gebracht werden. Auch hier darf dieser Zusammenhang nicht monokausal interpretiert werden. Denn die seit 1945 stark konsensuell geprägte Parteienkultur, die einen Kontrapunkt zur von Bürgerkriegswirren geprägten Zwischenkriegszeit setzen wollte, trug zu dieser korporatistischen Konzertierung maßgeblich bei. Ausdruck dessen ist auch die Pflichtmitgliedschaft der Arbeitnehmer (mit Ausnahme von Teilen der im öffentlichen Dienst Beschäftigten) in den Arbeiterkammern, die als öffentlich-rechtliche Körperschaften den Wirtschaftskammern der Unternehmer gegenüberstehen. Die österreichische Arbeitnehmerschaft ist also durch ÖGB und Kammern gleichsam doppelt korporatistisch formiert. Mit dem Erstarken der rechtspopulistischen ↑FPÖ und nicht zuletzt durch gesamtgesellschaftliche Pluralisierungsprozesse ist dieser stark auf die beiden Großparteien ↑SPÖ und ÖVP zugeschnittene Korporatismus mehr und mehr in die Kritik geraten.

5. Gewerkschaften und Staat in Deutschland

Auch in Deutschland ist die Einbindung der G. in korporatistische Arrangements mit Staat und Unternehmern ausgeprägt, wenngleich nicht so stark wie in Österreich. Zum einen kommt dies in den fortwährenden Anstrengungen der öffentlichen Hand zum Ausdruck, die Kontakte zu den repräsentativen Spitzenorganisationen und damit eben auch zu den G. in exklusiven Verhandlungsgremien zu institutionalisieren. Schon während der Großen Koalition von 1966 bis 1969 sollten die maßgeblichen wirtschaftlichen Spitzenverbände in Form einer „Konzertierten Aktion" in die wirtschaftspolitische Planung einbezogen werden. Zu ihnen zählten auch der DGB und seine wichtigsten Mitglieds-G. sowie die DAG und der DBB. Dahinter stand der

Wunsch der Regierung, die einzelnen ↑Verbände zur Durchsetzung ihrer Maßnahmen in den jeweiligen Wirtschaftsbranchen oder zumindest als kommunikativen Transmissionsriemen zu nutzen. Zudem sollte auf die repräsentierten Tarifvertragsparteien mäßigend eingewirkt werden. Beschlusskompetenzen besaß die Konzertierte Aktion freilich nicht. Die in sie gesteckten Hoffnungen erfüllte sie jedoch nicht, zumal sie zuletzt ca. 100 Teilnehmer umfasste und damit faktisch handlungsunfähig wurde.

Trotzdem behielt die Idee systematischer wirtschaftspolitischer Koordination zwischen Staat und Spitzenverbänden ihre Attraktivität. Die aus der Wiedervereinigung resultierenden wirtschaftlichen Probleme verstärkten gerade von Seiten der G. die Versuche zu neuerlicher gesamtwirtschaftlicher Konzertierung, hatten sie doch mit erheblichen Organisationsproblemen in Ostdeutschland zu kämpfen. So war es nicht verwunderlich, dass die ersten Impulse zur Schaffung einer neuen Konzertierten Aktion aus den Reihen der Arbeitnehmerorganisationen kamen. Im Oktober 1995 schlug der Vorsitzende der IG Metall, Klaus Zwickel, erstmals vor, ein „Bündnis für Arbeit" aus G., Unternehmerverbänden und der öffentlichen Hand einzurichten, um die bestehenden wirtschaftspolitischen Probleme gemeinsam zu bewältigen. Die ↑SPD witterte darin eine politische Chance. Deshalb warb Gerhard Schröder im Bundestagswahlkampf 1998 mit dem Versprechen, das „Bündnis für Arbeit" zu einem zentralen Projekt seiner Regierung zu machen. Schon im Dezember 1998 bildete sich das Gremium. Trotz einzelner arbeitsmarktpolitischer Erfolge scheiterte aber auch dieses Konzertierungsgremium im Jahr 2002 an unüberbrückbaren tarifpolitischen Gegensätzen zwischen G. und Arbeitgebern.

Neben diesem Hang zur Institutionalisierung tripartistischer Dialogforen zwischen Staat, G. und Arbeitgebern kennzeichnen den deutschen Korporatismus aber auch die weit reichenden selbstregulatorischen Aufgaben der Verbände, die vor allen Dingen im Prinzip der ↑Tarifautonomie zum Ausdruck kommen: Arbeitnehmer- und Arbeitgebervertretungen sind ihm gemäß befugt, ohne staatliche Beteiligung branchenspezifische Tarifverträge abzuschließen. Auf Arbeitnehmerseite steht es dabei nur den anerkannten G. zu, als Vertragspartner zu fungieren. Auf Unternehmerseite sind es entweder Arbeitgeberverbände oder Einzelunternehmer, mit denen ggf. firmenspezifische Haustarifverträge abgeschlossen werden. Branchenweit ausgehandelte Tarifverträge verpflichten alle Mitglieder der beteiligten G. und Arbeitgeberverbände zu ihrer Übernahme.

6. Perspektiven

Künftig stehen G. vor mehreren großen Herausforderungen. Zum einen müssen sie noch stärker als bisher der ausgeprägten Organisationsmüdigkeit der Arbeitnehmer entgegenwirken. Zwar wäre es zu pauschal, diesen „Marsch aus den Institutionen" nur den G. selbst anzulasten. Denn sowohl die Auflösung homogener sozialer Milieus mit einem entspr. einheitlichen Korpsgeist der Arbeiter als auch der durch politisch-kulturelle Modernisierungsprozesse ausgelöste Individualisierungstrend lassen es für den einzelnen Arbeitnehmer immer weniger wichtig erscheinen, sich fest an eine bestimmte G. zu binden. Gerade die ausgesprochen heterogenen Dienstleistungsbranchen sind davon gekennzeichnet. Trotzdem lässt sich dieser Entwicklung durch ein attraktives Angebot selektiver Anreize (Rechtsberatung, Prozessvertretung etc.), die als Servicepaket nur Mitgliedern zugutekommen, entgegenwirken. Hier gibt es durchaus noch Optimierungspotential.

Großen Nachholbedarf haben die G. auch bei der Supranationalisierung. Zwar haben die nationalen G. längst europäische Dachverbände gebildet. Mehr als lockere und damit wenig effektive Koordinationsgremien sind diese aber bis heute nicht. Auch auf nationaler Ebene ist gewerkschaftliche Arbeit immer noch zu sehr von der konkreten Tarifpolitik bestimmt, weswegen die zunehmenden arbeitsmarktpolitischen Entscheidungsprozesse in der ↑EU nicht konsequent genug begleitet werden. Die Bewältigung dieses komplexen Szenarios organisatorischer und strategischer Probleme ist daher entscheidend für die Zukunftsfähigkeit der internationalen G.s-Bewegung.

Literatur

W. Schroeder/B. Weßels (Hg.): Die Gewerkschaften in Politik und Gesellschaft der Bundesrepublik Deutschland, 2014 • L. Fulton: Arbeitnehmervertretung in Europa (2013), URL: http://de.worker-participation.eu (abger.: 16.3.2018) • S. Mielke/P. Rütters: Gewerkschaften, in: U. Andersen/ W. Woyke (Hg.): Handwörterbuch des politischen Systems der Bundesrepublik Deutschland, 2013, 271–281 • T. Haipeter/K. Dörre (Hg.): Gewerkschaftliche Modernisierung, 2011 • A. Hassel: Gewerkschaften, in: T. von Winter/U. Willems (Hg.): Interessenverbände in Deutschland, 2007, 173–196 • M. Sebaldt/A. Straßner: Verbände in der Bundesrepublik Deutschland, 2004 • A. Mintzel/O. von Nell Breuning: Gewerkschaften, in: StL, Bd. 2, ⁷1985, 1035–1050 • S. Mielke (Hg.): Internationales Gewerkschaftshandbuch, 1983.

MARTIN SEBALDT

III. Sozialethische Begründung

In der sozialen Ordnung der BRD sind G. fest verankert. Seit den 1980er Jahren sind Mitgliedszahlen sowie Organisationsgrad und öffentliche Reputation jedoch rückläufig. Demgegenüber lässt sich in sozialethischer Perspektive die hohe gesellschaftliche Relevanz der G. bestätigen.

1. Gewerkschaften im Kapitalismus

In Gesellschaften mit einzelkapitalistisch verfassten Volkswirtschaften hat man sich darauf verständigt, die

Allokation von Arbeitskraft marktförmig zu betreiben. Systemisch werden dadurch die Anbieter von Arbeitskraft in Konkurrenz untereinander getrieben und in ihrer Machtposition gegenüber den Arbeitgebern geschwächt. Indem sie sich in G. organisieren, setzen sie diese Konkurrenz für gemeinsame ↑Interessen, insb. zur Aushandlung von Tarifverträgen, außer Kraft und gleichen so die Machtasymmetrie auf dem ↑Arbeitsmarkt aus. Damit sind G. eine notwendige Bedingung, Arbeitsmärkte trotz der für sie konstitutiven Asymmetrie gesellschaftlich zuzulassen.

G. agieren nicht nur „vor Abschluss des Arbeitsvertrages" auf dem Arbeitsmarkt, sondern auch „nach Abschluss des Arbeitsvertrages" in den ↑Betrieben und ↑Unternehmen. Dort nehmen sie über Vertrauensleute, Betriebsräte und Aufsichtsratsmitglieder an der gesetzlich festgeschriebenen ↑Mitbestimmung teil. Zudem engagieren sich G. auf unterschiedlichen politischen Feldern, z. B. in der ↑Sozialpolitik. Von Seiten staatlicher Politik wurden die G. in das für Deutschland typische korporatistische Arrangement (↑Korporatismus) eingebunden. Bewertet man dieses wegen seiner wirtschaftspolitischen und sozialintegrativen Wirkungen positiv, wird man auch die Rolle der G. anerkennen. In ihren unterschiedlichen Handlungsfeldern tragen G. maßgeblich dazu bei, die markt- und wettbewerbsförmige Volkswirtschaft unter gesellschaftlicher Kontrolle zu halten.

Hatte etwa Oswald von Nell-Breuning früher die Innovationskraft der G. herausgestellt, werden diese gegenwärtig häufig als „Bremsen" der wirtschaftlichen und politischen Entwicklung hingestellt. Tatsächlich haben sie sich im Interesse der ↑Arbeitnehmer Änderungen in der sozialen Sicherung oder beim Arbeitsschutz entgegengestellt und damit den gesellschaftlichen und volkswirtschaftlichen Wandel abgebremst. Gleichwohl sind G. nie nur Bremse, sondern immer auch Motor der Veränderung, wobei diese „janusköpfige" Wirkung (Schroeder 2005: 123) mal mehr in der Richtung des einen, mal des anderen Extrems manifest wird. In der jüngeren Vergangenheit haben die G. als industriepolitische Bremsen maßgeblichen Anteil am Fortbestehen eines starken industriellen Bereichs, wodurch die deutsche Volkswirtschaft vergleichsweise unbeschadet durch die Krisen der letzten Jahrzehnte gebracht werden konnte.

Obgleich häufig mit anti-kapitalistischer Semantik auftretend, sind G. als Partei im Gegenüber von ↑Kapital und ↑Arbeit „Geschöpfe" (Briefs 1927: 1108) der kapitalistischen Wirtschaftsordnung. Wo man sie zu schwächen sucht, ist dies kein Zeichen der Stärke des ↑Kapitalismus, sondern Ausdruck seiner Krise.

2. Arbeitnehmer- und Mitgliederinteressen

Rückläufige Mitgliederzahlen und abnehmender Organisationsgrad der Arbeitnehmer sind für die G. prekär. Als Gegenmacht können sie die Interessen der Arbeitnehmer nur dann wirksam vertreten, wenn sie diese als Mitglieder „haben". Deren Interessen wiederum können sie nur als Interessenvertretung der Arbeitnehmer verfolgen. Beide Interessenlagen stehen nicht im Widerspruch, müssen gleichwohl in den G. aufwändig vermittelt werden.

In der Vermittlung von Arbeitnehmer- und Mitgliederinteressen dominieren zumeist die ersten, wie sich im Rückblick etwa auf die gewerkschaftliche Tarif- und Sozialpolitik zeigt. Zumindest über längere Zeitstrecken hinweg bewirkte die Tarifpolitik einen Ausgleich bei Löhnen und Gehältern: Die G. haben die partikularen Interessen einkommensstarker Mitglieder relativieren und unter den Mitgliedern anspruchsvolle Solidaritätszumutungen als Moment des gesellschaftlichen ↗Gemeinwohls durchsetzen können. In der Rentenpolitik haben sie auch die Interessen der ehemaligen Arbeitnehmer vertreten und diese mit denen von beitragszahlenden Arbeitnehmern vermitteln können. Auch auf diesem Wege haben die G. zum Gemeinwohl beigetragen. Dass das G.s-Handeln von Arbeitnehmerinteressen dominiert wird, ist auch systematisch plausibel: Politisch werden die Interessen der Mitglieder vorrangig über deren Arbeitnehmerlage kommuniziert und legitimiert.

Inzwischen gerät den G. die Dominanz der Arbeitnehmerinteressen zum Nachteil, indem bes. starke Berufsgruppen ihre Interessen über berufs- und spartenbezogene G. verfolgen und damit aus der ausgleichenden Tarifpolitik ausscheren oder indem sich Sozialverbände auf die Interessenvertretung von Rentnern spezialisieren und so deren Positionen ohne den für die G. unumgänglichen Interessenausgleich vertreten. Bei zunehmender Konkurrenz zu den stärker von Mitgliedsinteressen bestimmten Verbänden und G. wird es für die großen G. mit umfassendem Vertretungsanspruch schwieriger, zwischen Arbeitnehmer- und Mitgliederinteressen zu vermitteln und diese – sozialethisch gesehen – wertvolle Vermittlungsaufgabe zu erfüllen.

Dass G. Arbeitnehmerinteressen verfolgen, wurde ihnen in Zeiten der verfestigten Massenarbeitslosigkeit abgesprochen. Ihnen wurde vorgeworfen, gemeinsam mit den Arbeitgebern Tarifpolitik zu Lasten von Arbeitslosen zu betreiben und tarifpolitische Einigungen auf Kosten der Allgemeinheit zu suchen. Mit ihrer Vorabdefinition von „eigentlichen" Arbeitnehmerinteressen wird diese Kritik kaum überzeugen können. Gleichwohl werden darin zwei Sachverhalte manifest:

a) Den G. gelingt es nicht mehr, alle Beschäftigtengruppen gleichermaßen zu organisieren. In der Folge weicht die Mitgliederstruktur von der der Beschäftigten und der Erwerbspersonen insgesamt ab. Darunter leidet die eben beschriebene Vermittlungsfunktion. Auch wird ihr politisches Mandat geschwächt.

b) G. verfügen nicht über originäre Instrumente, um die Belange der auf dem Arbeitsmarkt Benachteiligten zu vertreten.

Der Überhang der Mitgliederinteressen wird den G.

auch von anderer Seite vorgehalten: In ihren Tarifabschlüssen seien die deutschen G. unter den volkswirtschaftlichen Möglichkeiten geblieben. Damit hätten sie die Lohnkosten in Deutschland niedrig gehalten und Wettbewerbsvorteile ermöglicht, dadurch die Beschäftigung im eigenen Land und im Interesse der eigenen Mitglieder und zulasten der Arbeitnehmer in anderen Ländern stabilisiert. Auch diese Kritik überschätzt die Möglichkeiten der G., über ihren politischen Raum hinweg Tarifpolitik zu betreiben. Auch wenn Tarifabschlüsse über die eigene Volkswirtschaft hinaus von Relevanz sind, heißt dies nicht, dass diese Relevanz von G. in den Tarifauseinandersetzungen wirksam eingebracht werden kann.

3. Koalitionsfreiheit und Verbandsautonomie

Nicht organisierte Arbeitnehmer kommen in den Genuss gewerkschaftlicher Politik, v.a. von Tarifverträgen, und eignen sich „als ‚Trittbrettfahrer' [...] unentgeltlich an [...], was die Gewerkschaftsmitglieder durch Aufwand von Mühe und Geld und im Fall von Arbeitskämpfen unter empfindlichen Opfern errungen haben" (Nell-Breuning 1990: 73). Ihnen gegenüber könnte für alle Arbeitnehmer eine ethische Verpflichtung behauptet werden, einer G. beizutreten und deren Aktivitäten mit eigenen Beiträgen zu ermöglichen. Jedoch gründen G. in „Koalitionsfreiheit", nicht aber in einem „Koalitionszwang". Damit wird nicht nur die Handlungsfreiheit der Einzelnen, sondern auch die Unabhängigkeit der auf freiwilliger Mitgliedschaft basierenden G. gewährleistet.

Der bes. Grundrechtsschutz der ↗Koalitionsfreiheit (Art. 9 Abs. 3 GG) ist wegen der für die Arbeits- und Wirtschaftsbeziehungen herrschenden Markt- und Wettbewerbsfreiheit notwendig. Insofern G. als ↗Kartelle wirken, müssen sie in dieser Funktion für die auf Markt- und Wettbewerbsfreiheit beruhende Wirtschaftsordnung ausdrücklich bestätigt werden. Deswegen gilt die Koalitionsfreiheit nicht nur als Unterfall der allg.en ↗Vereinigungsfreiheit. Sie ist zugl. das verfassungsmäßige Gegenstück zur Markt- und Wettbewerbsfreiheit und ein zivilisierendes Korrektiv in einer darauf basierenden Wirtschaftsordnung. In diesem Verständnis hat sie ihre Abkömmlinge in der ↗Tarifautonomie und im Streikrecht.

Auch wenn es zur Koalitionsfreiheit gehört, sich in keiner G. organisieren zu müssen, ist es den G., v.a. in der Tarifpolitik, nicht möglich, nicht organisierte Arbeitnehmer nicht zu vertreten. Ihr Vertretungsanspruch geht notwendig über die eigenen Mitglieder hinaus; zudem werden die mit Arbeitgebern abgeschlossenen Tarifverträge von diesen für alle Arbeitnehmer angenommen, um keine Anreize für G.s-Mitgliedschaft zu schaffen. Deswegen bedeutet „negative Koalitionsfreiheit" nicht, dass einzelne das Recht besitzen, von den politischen Wirkungen der G. nicht betroffen zu werden. Eine solche Deutung der negativen Koalitionsfreiheit würde die politischen Handlungsmöglichkeiten der G. unterminieren und damit die von G.s-Mitgliedern wahrgenommene „positive Koalitionsfreiheit" aushebeln.

Eine notwendige Folge der Koalitionsfreiheit ist die innere Verbandsautonomie der G. Sie müssen sowohl die Interessendeutung der Arbeitnehmer als auch ihre politischen Tätigkeiten auf allen ihren Handlungsfeldern unabhängig von äußerer Einflussnahme vornehmen können. Als Folge dieser grundrechtlichen Freiheit müssen intern die Grundrechte der Mitglieder gewährleistet werden, v. a. durch demokratische Organisation. Zugl. darf aber die für gewerkschaftliche Politik notwendige Geschlossenheit und Durchsetzungsfähigkeit nach außen nicht gefährdet werden.

4. Öffentliche Anerkennung

Als notwendiges Korrektiv der auf Markt- und Wettbewerbsfreiheit gründenden Wirtschaftsordnung genießen G. öffentliche und staatliche Privilegien. Dazu bedarf es einer rechtlich belastbaren Vorstellung davon, wann man es mit „echten" G. zu tun hat. Dies lässt sich v. a. über deren Funktion in der Tarifpolitik auszeichnen.

4.1 Handlungsmacht

Um tariffähig zu sein, müssen G. durch die Anzahl ihrer Mitglieder und deren Loyalität sowie durch ihre finanziellen Ressourcen auf Arbeitgeber das erforderliche Maß an Druck ausüben können, um Tarifverhandlungen aufnehmen und Tarifverträge abzuschließen. In diesem Sinn müssen G. auch zum Mittel des Streiks greifen können. Das Merkmal der „Kampfbereitschaft" wurde vom ↗BVerfG relativiert – wodurch auch „wirtschaftsfriedliche" G. anerkannt worden sind.

4.2 (Gegner-)Unabhängigkeit

Als Tarifpartei müssen G. materiell unabhängig von der Arbeitgeberseite sein, dürfen keine Arbeitgeber oder in arbeitgeberähnlicher Funktion Tätige als Mitglieder haben und müssen hinreichend von äußerer Einflussnahme unabhängig sein, v. a. vom Staat und von politischen Parteien. Aus Sicht der G. muss dieses Maß an Unabhängigkeit nicht in der Gegenrichtung bestehen, so dass sie z. B. ihren Einfluss auf politische Parteien nutzen können, um Arbeitnehmerinteressen durchzusetzen.

4.3 Überbetrieblichkeit

Als Tarifpartei kommen nur G. in Frage, die überbetrieblich organisiert und handlungsmächtig sind – und so die über die Betriebe hinausgehenden Arbeitnehmerinteressen in den Blick nehmen und bei deren Vertretung die Konkurrenz zwischen den Arbeitgebern nutzen können.

5. „Ein Betrieb, eine Branche, eine Gewerkschaft"

Die Konstitution der Einheits-G. unter dem Dach des ↗DGB wurde in der ↗christlichen Sozialethik, wenn auch nicht einhellig, positiv beurteilt. Dass die Arbeitnehmer in einem Betrieb und in einer Branche jeweils durch eine G. vertreten werden, erleichtert es ihnen, sich auf Arbeitnehmerinteressen zu konzentrieren, stattet sie mit einer hohen Unterstützung durch die von ihnen Vertretenen aus und befreit Tarifauseinandersetzungen von dem Wettbewerb zwischen G.

Das Prinzip der Einheits-G. steht inzwischen durch Berufs- und Sparten-G. unter Druck. Der von diesen ausgehende Solidaritätsverlust ist offenkundig. Die für einzelne Berufsgruppen erzielten Erfolge werden mit hoher Wahrscheinlichkeit zulasten schwächerer, von diesen G. nicht vertretener Berufsgruppen gehen. Zudem werden die Tarifauseinandersetzungen, zumal für die Arbeitgeberseite, durch die Konkurrenz von G. untereinander komplizierter und unübersichtlich. Darauf müssen die beteiligten G. Antworten und Wege finden, um die ↗Solidarität der Arbeitnehmer auch unter den Bedingungen der G.s-Konkurrenz zu organisieren. Öffentlicher Interventionsbedarf besteht hingegen dann, wenn sich unter die konkurrierenden G. nicht tariffähige Verbände mischen und dadurch ein tarifpolitischer Unterbietungswettbewerb ausgelöst wird.

Eine weitere Belastung der Einheits-G. entsteht durch die Verlagerung tarifpolitischer Materien aus überbetrieblichen in innerbetriebliche bzw. betriebsnahe Verhandlungen. Diese „Verbetrieblichung" ist einerseits der in Flächentarifverträgen vereinbarten Flexibilität (z. B. Öffnungsklauseln) geschuldet, die auf betrieblicher Ebene verhandelt werden muss. Andererseits sahen sich die G. genötigt, die aus Arbeitgeberverbänden fliehenden Unternehmen durch Haus- oder Ergänzungstarifverträge „einzufangen". Für die G. entstand dadurch ein mehrstufiges Verhandlungssystem, in dem sowohl die Grenzen zwischen Tarif-, Betriebs- und Mitbestimmungspolitik als auch die zwischen betrieblicher und überbetrieblicher Politik porös geworden sind. Die G. sehen sich gefordert, in diesem mehrstufigen System auch Verhandlungen auf den Ebenen unterhalb von Flächentarifverträgen zu koordinieren und Verhandlungsstände über die Betriebe hinweg abzustimmen.

6. Kirche und Gewerkschaft

Ignoranz gegenüber der Lohnarbeit und der Lage von Arbeitnehmern, aber auch Unverständnis für die politische Logik von G., der Alleinvertretungsanspruch für Kirchenmitglieder und die Sympathie für konservative Parteien, nicht zuletzt auch das religions- und kirchenfeindliche Auftreten sozialistischer G. haben über das 19. Jh. hinweg weite Kreise der ↗katholischen Kirche in ein feindliches Verhältnis zu den G. gebracht. In dem Maße, wie die G. zur tragenden Stütze der Wirtschaftsbeziehungen öffentlich anerkannt und staatlich integriert wurden, baute sich das kirchliche Ressentiment ab. Zum entspannteren Verhältnis haben auch die vielen Glaubenden beigetragen, die sich in den DGB-G.

engagierten, ebenso kirchliche Initiativen wie die Betriebsseelsorge mit ihrer Nähe zu den G. sowie die christliche Sozialethik, allen voran das Engagement von O. von Nell-Breuning. In der Enzyklika „Laborem exercens" (1981, Nr. 20) finden G. ihren späten päpstlichen „Segen".

Zumindest zwischen „offizieller" Kirche und G. besteht allerdings bis heute eine kulturelle Differenz: In der katholischen Kirche sind personalistische und harmonistische Vorstellungen weit verbreitet; der ausdrücklich kämpferische Auftrag von G. und deren entspr.e Rhetorik stoßen dort auf geringere Verständnis. Zudem erhalten Probleme der Erwerbsarbeit (nicht nur) in einer Kirche, die v.a. in der „Freizeit" der Kirchenmitglieder stattfindet, zu geringe Aufmerksamkeit.

Sperrig ist das Verhältnis insb. im Bereich der kirchlichen Beschäftigung. Die verfassten Kirchen und die kirchliche Wohlfahrtspflege bedienen sich der Lohnarbeit, um ausreichend qualifizierte Mitarbeiter zu gewinnen. Unter dem Schutz von Art. 140 GG haben sie für diese Beschäftigung zugl. ein Sonderdienst- und Sonderarbeitsrecht („Dritter Weg") geschaffen, das Tarifverträge ausschließt (↑Kirchliches Arbeitsrecht). Während G. als notwendige Akteure der Wirtschaftsbeziehungen „außerhalb der Kirche" anerkannt werden, werden sie als Akteure der Arbeitsbeziehungen „innerhalb der Kirche" ausgeschlossen. In sozialethischer Perspektive kann dieser „Ausschluss" nicht überzeugen. Sofern die Kirchen mit der Lohnarbeit ein säkulares, gesellschaftlich und rechtlich bestimmtes Verhältnis für ihre Mitarbeiter nutzen, sollten sie auch zur Übernahme der mit diesem Verhältnis verbundenen Regelungen bereit sein.

Zwar hat das BAG 2012 das kirchliche Selbstbestimmungsrecht für den Bereich der kirchlichen Arbeitsverhältnisse bestätigt. Es hat die Kirchen jedoch verpflichtet, die G. an den kollektiven Regelungen der kirchlichen Arbeitsbedingungen zu beteiligen. Durch dieses Urteil werden die Kirchen gefordert, den G. Zugang zu den kirchlich Beschäftigten zu eröffnen und realistische Angebote der tarifpolitischen Verhandlung zu unterbreiten, die „echte" G. annehmen können.

Literatur

W. Schroeder (Hg.): Hdb. Gewerkschaften in Deutschland, ²2014 • F. Hengsbach: Bruchlinien gewerkschaftlicher Solidarität?, in: JCSW, Bd. 52, 2011, 195–227 • W. Schroeder: Die Macht der Gegenmacht, in: H. Crüwell u. a. (Hg.): Arbeit, Arbeit der Kirche und Kirche der Arbeit, 2005, 120–133 • F. Hengsbach: Kirche und Gewerkschaften – immer noch ein sprödes Verhältnis?, in: GMH 42/5 (1991), 282–294 • O. von Nell-Breuning: Gewerkschaften (1975), in: ders. (Hg.): Den Kapitalismus umbiegen, 1990, 69–81 • G. Briefs: Gewerkschaftswesen und Gewerkschaftspolitik, in: J. Conrad u. a. (Hg.): Handwörterbuch der Staatswissenschaft, Bd. 4, ⁴1927, 1108–1150.   MATTHIAS MÖHRING-HESSE

Gewinnbeteiligung ↑Erfolgsbeteiligung

Gewissen, Gewissensfreiheit

I. Philosophisch – II. Theologisch – III. Rechtlich

I. Philosophisch

Mit dem Gewissen (G.) ist die unverzichtbare Schnittstelle benannt, an der sich im Menschen objektive und allg.e moralische Wert- und Normvorstellungen mit deren subjektiver und konkreter Aneignung kreuzen. Denn im G. manifestiert sich die innere, d. h. zweifelsfreie Überzeugung von der Richtigkeit oder Falschheit der eigenen moralischen Handlungen (↑Handlungstheorie), Zwecke, Beurteilungen und ↑Entscheidungen; eine Überzeugung, die sich stets vor dem Hintergrund der allg.en und objektiv geltenden Moralvorstellungen positioniert und sich demnach in Konformität mit ihnen oder in Differenz zu ihnen versteht, ohne freilich unmittelbar von ihnen abhängig zu sein. Denn das G. umfasst weit mehr als eine bloße Anwendungsinstanz, die allg.-objektive ↑Normen und Prinzipien in die konkrete Praxis umsetzt bzw. auf den konkreten moralischen Einzelfall anwendet. Vielmehr ist das G. selbst der Ort, in dem das Bewusstsein um die Gültigkeit moralischer Richtigkeit oder Falschheit nicht nur subjektiv und undelegierbar verankert ist, sondern in dem die Überzeugungen von „gut" und „böse" bzw. „recht" und „unrecht" in konstitutiver Weise überhaupt erst als für eine Person verbindlich generiert werden. In dieser engen Verbindung von Moralität (↑Moral) und personaler ↑Identität liegt der Grund, warum die G.s-Freiheit untrennbar mit dem G. verbunden bleibt, insofern die Aufhebung der Freiheit des G.s, d. h. des Rechtes, sich im Fall eines Konfliktes gegen den Anspruch einer ↑Autorität entscheiden zu können, einer Aufhebung der personalen Identität im Bereich des Moralischen gleichkäme. Das G. erweist sich somit als Grundlage moralischer Persönlichkeit.

1. Phänomenologie des Gewissens

Die im G. greifbar werdende Spannung von innerer Gewissheit und äußerem Anspruch spielt in allen Beschreibungen dieses nur schwer definierbaren Phänomens die zentrale Rolle. Denn im G. tritt etwas zutage, das zwar in seiner Unzweifelhaftigkeit als das Innerlichste empfunden wird, aber gleichzeitig als eine Stimme erfahren wird, die ihre Herkunft von außerhalb zu haben scheint. Bereits in der Antike, die freilich keinen systematisch ausgearbeiteten G.s-Begriff kennt, ist es das dem Sokrates zugeschriebene Daimonion (Platon, Apologia 31c-d; Platon, Phaidros 242b-c), der ihn innerlich ermahnt und warnt. Im christlichen Denken wird das G. als eine innere Stimme gedeutet, mittels derer Gott im Menschen spricht. Auf Augustinus geht die Bestimmung des G.s als eines internen Gerichtshofes zurück, wo der Mensch mit sich selbst ins Gericht geht (In Ioh. ev. 33, 5).

Nirgends wird diese sich im Inneren abspielende

Spannung greifbarer als in dem, was man das schlechte G. oder noch treffender den G.s-Biss nennt, nämlich die Erfahrung, gegen sein G. geurteilt oder gehandelt zu haben, d.h. etwas gedacht oder getan zu haben, das nicht mit dem eigenen G. vereinbar ist. Die Metapher des Bisses macht deutlich, wie quälend eine solche Einsicht, sei sie auch noch so undifferenziert, sein mag; d.h. im Umkehrschluss: Wie stark das G. das Wohlergehen des Menschen zu beeinflussen vermag. Denn kaum etwas wird als angenehmer und befriedigender betrachtet als ein gutes oder reines G. (das folglich als „sanftes Ruhekissen" beschrieben werden kann).

Die Rede vom schlechten oder guten G. macht auf einen weiteren Unterschied aufmerksam, der für eine Phänomenologie des G.s zu bedenken ist, insofern es eine doppelte Funktion erfüllt: Im Sinne einer Rat gebenden oder mahnenden Weisung richtet sich im G. der Blick nach vorn auf das Zukünftige; im Sinne einer kritischen Kontrolle erfüllt das G. den Zweck einer Überprüfung in Bezug auf Vergangenes. Beide Funktionen erfüllen den zu Beginn genannten konstitutiven Aspekt der Generierung der für eine personale Identität verbindlich geltenden Überzeugungen von „gut" und „böse": Nicht nur der dem G. folgende Blick nach vorn hat Konsequenzen für eine moralische Handlung, insofern er deren sittliche Qualität zu beeinflussen vermag, sondern auch der retrospektiv gewonnene Blick zurück, der zwar die Handlung als solche nicht ungeschehen machen kann, aber seinerseits, insb. vermittelt über moralisch bedeutsame Phänomene wie Reue oder Scham, eine korrigierende Wirkung auf zukünftige Entscheidungen und Handlungen auszuüben vermag.

Daran zeigt sich, dass das Phänomen des G.s nicht statisch und unverrückbar zu verstehen ist, sondern der Modifizierbarkeit und Gestaltung unterliegt – wenn nicht gar bedarf. Gewissenslosigkeit als diejenige Form, die sich der G.s-Erforschung und G.s-Bildung verweigert oder gar das G. zum Schweigen zu bringen versucht, ist gleichbedeutend damit, dass eine Person auf ihre moralische ↑Autonomie verzichtet und ihres Status als sittliches ↑Subjekt verlustig geht. Der Mensch steht vielmehr in der Verpflichtung, sein G. zu erforschen, d.h. seine moralischen Urteile, Zwecke und Handlungen sich selbst gegenüber kritisch zu reflektieren. Dies impliziert den Gedanken der G.s-Bildung, d.h. der Arbeit am G., die freilich in einer gewissen Diskrepanz zur Vorstellung der Autonomie des G.s und der damit einhergehenden inneren Gewissheit der Richtigkeit oder Falschheit der eigenen moralischen Handlungen, Zwecke, Beurteilungen und Entscheidungen steht. In diesem Kontext stellt sich nämlich die Frage nach den äußeren Einflüssen, denen das G. ausgesetzt ist, und damit auch das Problem seiner heteronomen Bestimmung durch ↑Erziehung und ↑Sozialisation. Sich von seinem solcherart manipulierten G. zu emanzipieren kann dann gerade als Befreiungsakt zu wahrer Autonomie verstanden werden.

2. Historische Stationen

Will man die Geschichte des G.s in Grundzügen zusammenfassen, so fällt auf, dass Begriff und Theorie erst mit der Spätantike und insb. mit deren christlichen Denkern Einzug in die Philosophie erhalten. Der Zusammenhang, in dem dies geschieht, ist die Aufmerksamkeit, die die spätantik-patristischen Autoren der mit dem G. verknüpften Innerlichkeit und Untrüglichkeit widmen. Zwar kennt auch die antike Philosophie die mit dem G. einhergehenden moralischen Phänomene einer mahnenden Stimme und auch die G.s-Erforschung im Sinne einer kritischen Selbstprüfung der eigenen Lebensführung zählt zu den bekannten Motiven. Doch erst das ganz auf den inneren Menschen konzentrierte Interesse der christlichen spätantiken Autoren erhebt das G. zu dessen innerer Prüfungsinstanz und gleichzeitig zum Ort, an dem Gottes Präsenz im Menschen greifbar wird.

Bereits hier zeichnet sich eine Bedeutung ab, die dem G. in den folgenden Jahrhunderten systematisch zugewiesen werden wird: Es ist eine von Gott eingepflanzte unbestechliche Urteilsinstanz, die in einer Art apriorischen Besitz das Wissen um gut und böse in sich enthält. Der schöpfungstheologischen Bestimmung der Gottebenbildlichkeit des Menschen entspr. ethisch gesprochen seine natürlich gegebene, intuitive Kenntnis basaler, universaler moralischer Vorstellungen wie sie etwa in den ↑Zehn Geboten formuliert sind. Die Frage im Hintergrund ist die nach den Quellen moralischer Überzeugungen. Was bereits Röm 2,14 f. und der Gedanke an die Heiden, die sich selbst Gesetz sind, weil sie über ein G. verfügen, deutlich gemacht hat, wird mit Rekurs auf ein natürliches moralisches Wissen des Menschen, wie es sich im G. manifestiert, beantwortet.

Der prüfende Blick ins Innere steht auch im Zentrum der Ethik des Petrus Abaelardus, die die ↑Intention des Handelnden zum entscheidenden Kriterium für die moralische Bewertung erhebt. Vor diesem Hintergrund präsentiert P. Abaelardus eine G.s-Lehre, in der das G. zur letzten Instanz erhoben wird, die die wahren inneren Beweggründe des Handelns offenlegt und als unbedingt verpflichtend anzusehen ist: Wenn die subjektive G.s-Überzeugung objektiv einem Irrtum unterliegt, kann das entspr.e Handeln zwar nicht gut sein, aber es ist doch moralisch höher zu werten als ein Handeln, das objektiven Regeln entspr., dem G. jedoch widerspricht – so macht es P. Abaelardus am provokativen Beispiel der aus innerer G.s-Überzeugung tätigen Verfolger Christi deutlich, deren Tun moralisch verwerflich gewesen wäre, wenn sie Christus wider ihr G. geschont hätten (Scito te ipsum: I 45).

Thomas von Aquin präsentiert, erstmals präzise durchdacht, eine Zweistufigkeit des G.s, dessen Unterscheidung von *synderesis* (Urgewissen) und *conscientia* (G.s-Urteil) systematisch von hoher Relevanz ist. Denn damit wird deutlich, dass die natürliche Erkenntnis des Guten und Schlechten in Gestalt eines universalen Vernunftgesetzes im Urgewissen nicht unmittelbar handlungsleitend ist, sondern zu unterscheiden ist von der Art und Weise, wie die praktische Vernunft im G.s-Urteil die Kenntnis solcher allg.er Prinzipien auf den konkreten Einzelfall anwendet. Damit wird die das G. kennzeichnende Spannung von einerseits vorgegebenen objektiven, allg.en moralischen Wert- und Normvorstellungen und andererseits deren subjektiver, konkreter Aneignung, die der Vernunft als gestaltungsoffen aufgegeben ist, einer philosophischen Begründung unterstellt. Dieser Verortung des G.s in der autonomen praktischen Vernunft, in der sich die moralische Identität des Handelnden zum Ausdruck bringt, entspr. es, dass Thomas ohne Abstriche die Verpflichtung auch des irrenden G.s vertritt (STh I-II 19, 5 und 6).

Mit den neuzeitlichen Modifikationen, die die (aristotelisch geprägte) Konzeption einer praktischen Vernunft durchläuft, ändert sich zwar weniger die phänomenologische Beschreibung der Funktion des G.s, dafür aber der ihm zugeschriebene Stellenwert. Für Immanuel Kant ist es nur noch in formaler Hinsicht der Ort des Selbstvollzugs der praktischen Vernunft, während die eigentliche Bestimmung des moralischen ↑Gesetzes durch den kategorischen Imperativ erfolgt. Eine radikale Infragestellung erfährt das G. durch Friedrich Nietzsche, der die Spannung von innerer, subjektiver Überzeugung und äußerem, objektivem Anspruch zugunsten des Letzteren auflöst und dem G. jegliche moralgenerierende Wirkung abspricht: Insb. das schlechte G. wird so zur Krankheitserscheinung, von der es sich zu befreien gilt, weil sein äußerer Autoritätsanspruch den „Instinkt der Freiheit [...] ins Innere [einkerkert]" (Nietzsche 1988: II 17). Die Neuzeit widmet sich insb. der damit zusammenhängenden Frage nach der Entstehung des G.s durch Erziehung und Sozialisation, die die Rede vom G. als dem Ort intuitiv erkannter universaler Moralprinzipien einer kritischen Reflexion unterzieht.

Literatur

P. Abaelardus: Scito te ipsum/Erkenne dich selbst, 2011 • H.-B. Gerl-Falkovitz: Gewissen, in: NHphG, Bd. 2, 2011, 1020–1035 • L. Honnefelder: Was soll ich tun, wer will ich sein? Vernunft und Verantwortung, Gewissen und Schuld, 2007 • T. Kobusch: Christliche Philosophie. Die Entdeckung der Subjektivität, 2006 • E. Schockenhoff: Wie gewiss ist das Gewissen? Eine ethische Orientierung, 2003 • R. L. Fetz: Das Gewissen. Angelpunkt von Moralität und Identität, in: A. Regenbogen/J. Fellsches (Hg.): Universalistische Moral und Ethik in der Lehre, 1995, 51–68 • K. Hilpert: Gewissen. II. Theologisch-ethisch, in: LThK, Bd. 4, 1995, 621–626 • G. Höver/L. Honnefelder (Hg.): Der Streit um das Gewissen, 1993 • F. Nietzsche: Zur Genealogie der Moral, in: KSA, Bd. 5, 1988, 245–412 • J.-G. Blühdorn: Gewissen I, in: TRE, Bd. 13, 1984, 192–213 • H. Reiner: Gewissen, in: HWPh, Bd. 3, 1974, 574–592.   ISABELLE MANDRELLA

II. Theologisch

Der Begriff der G.s-Freiheit *(libertas conscientiae)* ist erstmals in der Schrift des Boethius über den „Trost der Philosophie" nachgewiesen; bei Johannes von Salisbury ist von der Unverletzlichkeit des G.s *(salva idemnitate conscientiae)* die Rede. Die rechtliche Gewährleistung der G.s-Freiheit setzt jedoch die Anerkennung religiöser ↑Toleranz voraus, die ein Ergebnis der Religionskriege des 16. Jh. ist. Die Idee der ↑Menschenwürde führt im Selbstverständnis moderner Demokratien zur Anerkennung individueller Abwehr- und Teilhaberechte, deren historischer Ursprung in der G.s- und ↑Religionsfreiheit liegt. Seit dem 19. Jh. emanzipiert sich der Anspruch der G.s-Freiheit jedoch zunehmend aus der inneren Verbindung mit der Religionsfreiheit. Die modernen Verfassungen führen sie als ein eigenständiges, von der Religionsfreiheit unabhängiges ↑Grundrecht auf, das unmittelbar aus dem obersten Achtungsgebot vor der Freiheit und Würde aller Bürger als dem letzten Verfassungsziel hervorgeht. Dieser Vorgang ist von epochaler Bedeutung für das Selbstverständnis der ↑Moderne: Das G. löst sich aus der engen Bindung an den ↑Glauben und wird auf sich selbst gestellt. Es gewährt nicht nur die Freiheit zum eigenen Glauben, sondern auch die Freiheit vom religiösen Glauben überhaupt und darüber hinaus die Freiheit zum selbstverantwortlichen Handeln (↑Handeln, Handlung) und zur individuellen Lebensgestaltung gemäß den eigenen Überzeugungen. Freiheit, Vernunft (↑Vernunft – Verstand) und Selbstbestimmung des Einzelnen finden ihre innere Begrenzung allein durch den Gleichheitsgrundsatz, der die betroffenen Rechte anderer wahrt.

Der rechtliche Schutz des G.s als der letzten und höchsten Instanz der autonomen Persönlichkeit unterliegt keinerlei Einschränkungen durch einen allg.en Gesetzesvorbehalt. Der demokratische Grundsatz, dass die Geltung der Rechtsordnung aus einer wechselseitigen Anerkennung aller Staatsbürger in ihrer gegenseitig unverfügbaren Freiheit und Würde hervorgeht, führt allerdings zu einer Differenzierung hinsichtlich eines negativen und positiven Aspektes der G.s-Freiheit. Diese manifestiert sich in der Freiheit zur eigenen G.s-Bildung und in der Freiheit zur G.s-Betätigung entspr. den eigenen religiösen, moralischen und politischen Überzeugungen. Während die Freiheit der G.s-Bildung keinerlei rechtlichen Einschränkung unterliegt, findet die allg.e Handlungsfreiheit des Einzelnen ihre Grenze an der Freiheit anderer. Die Berufung auf das G. gibt niemandem das Recht, die geschützte Freiheitssphäre anderer zu verletzen und deren Rechte zu missachten.

Ebenso wie die Idee der Menschenwürde aus einem komplexen Entstehungskontext hervorgeht – im Allgemeinen wird sie auf die Trias von griechischer Philosophie, christlicher ↑Ethik und europäischem ↑Humanismus zurückgeführt, wobei die einzelnen Faktoren unterschiedlich gewichtet werden –, verdankt sich auch das moderne G.s-Verständnis antiken, jüdisch-christlichen und spezifisch neuzeitlichen Einflüssen. Bereits Sokrates beruft sich auf die dunkle und rätselhafte Stimme seines Daimonions, die ihm in den konkreten Wechselfällen des täglichen Lebens als warnender – nie jedoch als gebietender – Ratgeber zur Seite steht. Dieses göttliche Daimonion hindert ihn daran, etwas Bestimmtes zu tun, das ihn in die Irre leiten oder von der ungehinderten Wahrheitssuche abhalten könnte. Schon hier deutet sich der dialektische Wechselbezug an, der zwischen der notwendigen Freiheit des G.s und seiner unbedingten Verpflichtung durch die erkannte ↑Wahrheit waltet. In seiner Verteidigungsrede weist Sokrates den unter der Bedingung angebotenen Freispruch, dass er die Suche nach Wahrheit aufgibt, mit den Worten zurück: „Ich achte euch sehr, ihr Athener, und liebe euch, aber ich werde Gott mehr gehorchen als euch, und solange ich atme und die Kraft dazu habe, nicht aufhören, nach Weisheit zu suchen und euch zu ermahnen und jeden von euch, den ich antreffe, zurechtzuweisen" (Platon, Apologie, 29d). Nach der Darstellung des Evangelisten Lukas beruft sich Petrus später vor dem Synedrium als Sprecher der Apostel auf denselben Grundsatz, um die öffentliche Verkündigung des Evangeliums zu rechtfertigen. Er entwaffnet die Hohenpriester durch die Frage, „ob es vor Gott Recht ist, mehr auf euch zu hören als auf Gott" (Apg 4,19) und gibt ihnen selbst die freimütige Antwort: „Man muss Gott mehr gehorchen als den Menschen" (Apg 5,29). Diese später als Clausula Petri bezeichnete Sentenz, die auf die Verteidigungsrede des Sokrates vor seinen Athener Richtern Bezug nimmt, kann als Geburtsstunde des G.s in seinem Verständnis als letztgültiger Instanz personaler Verpflichtung angesehen werden.

Die persönliche Erfahrung eines unbedingten Gebundenseins durch die erkannte Wahrheit, die sich im G. artikuliert, führt später zu verschiedenen reflexiven G.s-Theorien. Das G. wird darin als „heiliger Schutzgeist" (Sen. epist. 41, 1,2), als „Wächter und Beobachter aller unserer Fehler und Vorzüge" (Sen. epist. 41, 1,2), als „innerer Gerichtshof" (Röm 2,14–16; Kant 1914: 438 f.), als „Stimme Gottes" (Aug. de serm. dom. 2,9, 32) oder vorsichtiger als „Echo der Stimme Gottes" (Newman 1961: 78) und als „natürliche Anlage zur Unterscheidung von Gut und Böse" (STh I, 79,12) gedeutet. Allen diesen Erklärungsmodellen ist gemeinsam, dass sie das G. als kritisches Selbst- und Verantwortungsbewusstsein des Menschen sowie als eine Instanz der mahnenden, anklagenden oder zum Guten antreibenden Selbstüberprüfung des eigenen Handelns verstehen. Welche Rolle das G. im Leben jedes Einzelnen spielt, hängt jedoch davon ab, wie er auf die Stimme Gottes hört und das natürliche Unterscheidungsvermögen für Gut und Böse in sich ausbildet. Der eine pfeift auf sein G. und schlägt seine Ratschläge in den Wind, dem anderen ist es eine unerlässliche Richtschnur in allen wichtigen Fragen der persönlichen Lebensführung und der Mitbeteiligung am Prozess demokratischer Meinungsbildung und politischer Entscheidungsfindung (↑Entscheidung).

Dem G. ist die letzte Selbstbeurteilung der Person aufgetragen; in ihm prüft der zu einem verantwortlichen Leben in Freiheit und Vernunft gerufene Mensch, ob sein konkretes Tun und darin er selbst vor dem Maßstab des *secundum rationem vivere* (= vernunftgemäß leben) Bestand hat. Das konkrete G.s-Urteil gewinnt seine Verpflichtungskraft aus den moralischen Prinzipien, die in ihm zur Anwendung auf die konkreten Handlungsumstände gelangen; zugl. eignet jedem G.s-Urteil ein unhintergehbares Moment der Subjektivität, da das konkret Gebotene nur durch den eigenständigen Gebrauch des praktischen Vernunft erkannt wird. Dieser unverzichtbare Selbstbezug des Menschen rückt in den G.s-Theorien der Moderne, die dem Autonomieverständnis der ↑Aufklärung folgen, beherrschend in den Mittelpunkt. Doch bedeutet moralische ↑Autonomie entspr. dem in Immanuel Kants kritischer Philosophie erreichten Anspruch dieses Begriffs nicht einfach das Recht, individuelle Wünsche durchzusetzen. Insofern diese häufig im Bannkreis selbstbezogener Neigungen und Interessen verbleiben, gehören bloße Wünsche noch der Sphäre der Heteronomie an, in der ein Standpunkt autonomer moralischer Selbstverpflichtung noch gar nicht erreicht ist. Zu wahrer Autonomie gelangt der Mensch erst dadurch, dass er seine individuellen Wünsche dem kritischen Filter eines allg.en Vernunftprinzips unterwirft und sie daraufhin befragt, ob sie als allg.es ↑Gesetz gedacht werden können oder mit dem Recht des Anderen als ↑Person übereinstimmen. Auch in den modernen G.s-Theorien geht es daher darum, zwei Aspekte des G.s zueinander zu vermitteln: Das G. ist zugl. die Stimme des Selbst wie die Stimme des Anderen. In ihm meldet sich der „Ruf der Sorge" (Heidegger 2006: 274) zu Wort, der zum individuellen Selbstsein auffordert; zugl. zeigt sich das G. jedoch als eine Verpflichtungsinstanz, die jeden Menschen daran erinnert, dass sein individuelles Dasein nur im Mitsein mit den anderen gelingen kann. Werden die Verbindlichkeiten, die jedem aus den Beziehungen erwachsen, in denen er zu den für sie oder ihn bedeutsamen anderen steht, aus der G.s-Erfahrung verdrängt, droht das G. zu einer Instanz subjektiver Beliebigkeit zu verkommen.

Nachdem die Verbindlichkeit auch des irrenden G.s in den klassischen G.s-Lehren der theologischen Tradition von Augustinus über Thomas von Aquin bis John Henry Newman immer anerkannt war, findet sich im ↑Zweiten Vatikanischen Konzil die erste lehramtliche Stellungnahme zur Würde des sittlichen G.s. Der Kompromisscharakter dieses Textes, der eine personale G.s-Auffassung mit einer streng am Gedanken des sittlichen Gesetzes und seiner objektiven Wahrheit ausgerichteten Konzeption verbindet, in der das G. nur die Rolle eines passiven Rezeptionsorgans für den Willen Gottes spielt, aber keine eigenständige Funktion im Findungsprozess

der sittlichen Wahrheit besitzt, wurde oftmals festgestellt. In der nachkonziliaren Lehrentwicklung trat
der objektive Pol des G.s, die ihm aufgetragene Selbstbindung an das moralische Gesetz und seine objektiven
↗ Normen noch stärker hervor, ohne dass die letztinstanzliche Verbindlichkeit des G.s als unhintergehbare
Stimme persönlicher ↗ Verantwortung dabei in Frage gestellt wurde (so Papst Johannes Paul II. in der Enzyklika
„Veritatis splendor"). Bei G.s-Konflikten innerhalb der
↗ katholischen Kirche gilt die den juristischen Regeln
der Beweislastumkehr entspr.e Maxime, nach der ein katholischer Christ den Weisungen des kirchlichen Lehramtes zur persönlichen Lebensführung zunächst mit
einem Vertrauensvorschuss entgegentreten und sie probeweise in der Hoffnung annehmen soll, dass die eigene
Einsicht in den Sinn dieser Weisung nachreifen wird.
Wenn dies aber trotz einer ernsthaften Überprüfung
der vom Lehramt geltend gemachten Gründe und einer
um Verständnis bemühten Beratung mit anderen nicht
gelingt, muss der Einzelne seinem G. folgen, ohne dass
dies als Illoyalität gegenüber der kirchlichen Glaubensgemeinschaft gewertet werden darf.

Literatur
J. v. Salisbury: Policraticus, 2008 • W. Wolbert: Gewissen und
Verantwortung, 2008 • M. Heidegger: Sein und Zeit, 2006 •
Boethius: Trost der Philosophie, 2005 • P. Fonk: Das Gewis-
sen. Was es ist – wie es wirkt – wie weit es bindet, 2004 •
E. Schockenhoff: Wie gewiss ist das Gewissen? Eine ethische
Orientierung, 2003 • M. Kneib: Entwicklungen im Verständ-
nis der Gewissensfreiheit, 1996 • H. D. Kittsteiner: Die Ent-
stehung des modernen Gewissens, 1991 • J. H. Newman: Ent-
wurf einer Zustimmungslehre, 1961 • I. Kant: Metaphysik der
Sitten, in: AA, Bd. 6, 1914, 203–494.

EBERHARD SCHOCKENHOFF

III. Rechtlich

1. Rechtliche Relevanz des Gewissens
Der Begriff G. bezeichnet zunächst (wie andere Begriffe
auch, etwa „Glaube", „Kunst", „Beruf") ein vor- und au-
ßerrechtliches Phänomen, welches durch die Rezeption
in einem Rechtstext insoweit zum Rechtsbegriff mutiert.
Infolgedessen ist ein solcher nach juristischen Grundsätzen zu behandeln, nicht nach den für den „Ur-Begriff"
maßstäblichen Kautelen (so sehr diese auch ihren Beitrag zur wirklichkeitsbezogenen Umschreibung des
Rechtsbegriffs leisten können). Bes. anspruchsvoll ist
dies, wenn (wie beim G.) ein Begriff mit philosophischen und theologischen Implikationen eng verwoben
ist, diese aber im säkularen Verfassungsstaat nicht ohne
Weiteres normativ zugrunde gelegt werden können.
Erstmals begegnet die G.s-Freiheit im Westfälischen
Frieden, welcher den im konfessionell homogenen Territorium *(cuius regio, eius religio)* verbliebenen Andersgläubigen die Abhaltung der einfachen Hausandacht

gewährleistete. Wurde damit in der Sache ein rudimen-
tärer Aspekt der individuellen Glaubensfreiheit verbürgt, firmierten ab dem späten 18. und insb. im 19. Jh.
Glaubens- und G.s-Freiheit vielfach als austauschbare
Begriffe. Für die deutsche Verfassungsentwicklung
rechnet die G.s-Freiheit seit der (gescheiterten) Paulskirchenverfassung 1848/49 zum festen Repertoire
grundrechtlicher Gewährleistungen. Gleiches gilt in der
zweiten Hälfte des 20. Jh. für die universalen wie regionalen Menschenrechtspakte (1948: AEMR der UNO;
1950: ↗ EMRK; 1966: IPbpR). Infolge der Universalisierung der Idee der ↗ Menschenrechte wie der Prozesse
der ↗ Säkularisierung und Pluralisierung hat der Bezugspunkt der G.s-Freiheit seine frühere Eindeutigkeit
verloren: Das G. beruht nicht mehr notwendigerweise
auf einem religiösen, weltanschaulichen oder ander-
weitig konzipierten systematischen Fundament.

2. Das Grundrecht der Gewissensfreiheit
Nach Art. 4 Abs. 1 GG ist die Freiheit des G.s unverletzlich. Speziell darf niemand gegen sein G. zum Kriegs-
dienst mit der Waffe gezwungen werden (Art. 4 Abs. 3,
12a Abs. 2 GG). Da der Verfassungstext keinen Anhaltspunkt dafür enthält, was er unter G. versteht, sich
aber nur das schützen lässt, was auch definiert werden
kann, sah sich das ↗ BVerfG schon früh zu einer „juristischen" Definition veranlasst, welche seitdem ganz
überwiegend anerkannt ist. Demnach ist die vom GG
gemeinte G.s-Entscheidung „jede ernste sittliche, d. h.
an den Kategorien von ‚Gut' und ‚Böse' orientierte Entscheidung [...], die der Einzelne in einer bestimmten
Lage für sich bindend und unbedingt verpflichtend innerlich erfährt, so daß er gegen sie nicht ohne ernste
Gewissensnot handeln könnte" (BVerfGE 12, 45 [55]).
Grundrechtlich geschützt ist die Betätigung des G.s also
dann, wenn vier Kriterien kumulativ vorliegen:

a) Individualität: da das G. eine höchstpersönliche
Kategorie ist, kommt es allein auf die Perspektive des
Einzelnen an, nicht auf ein „verobjektiviertes Durch-
schnittsgewissen";

b) Moralität: das G. muss von ethisch-moralischen
Überlegungen geprägt und geleitet sein; eine (wenngleich feste und hartnäckige) Überzeugung, die sich
aus politischen, wirtschaftlichen oder sonstigen Gründen speist, genügt hingegen nicht;

c) Existentialität: die vom G. gebildete Überzeugung
muss derart wesentlich sein, dass ihr für die Persönlichkeit des Betreffenden eine existenzielle Bedeutung zukommt, sie also für die Konstituierung oder Dekonstitu-
ierung der Person bedeutsam ist;

d) Plausibilität: da infolge der eminent individuell-
subjektiven Natur des G.s ein objektiver „Beweis" der
„Richtigkeit" ausscheiden muss, hat der Betreffende jedenfalls darzulegen, von welchen moralischen Überzeugungen er sich leiten lässt und weshalb diese für ihn
existentiell sind.

Auf die G.s-Freiheit können sich allein natürliche, nicht

aber ↑juristische Personen berufen (die Verweisungs-norm des Art. 19 Abs. 3 GG ist nicht anwendbar). Geschützt von Art. 4 Abs. 1 GG ist nicht allein die G.s-Bildung *(forum internum)*, sondern ebenso die G.s-Be-tätigung und -Berücksichtigung *(forum externum)*. Diese sind freilich auf die Person und den Verantwortungs-bereich des Betreffenden bezogen wie beschränkt: We-gen des höchstpersönlichen Charakters der Kategorie G. kann der Einzelne *für seine Person* ihn treffende Zu-mutungen abwehren (klassisch: Nichtbeteiligung an Abtreibungen oder an der Produktion von Kriegs-gütern) oder ihm gebotenes Erscheinendes realisieren. Ein Recht zur autonomen, vom G. geleiteten Disposi-tion über Rechtsgüter Dritter oder gar der Allgemein-heit vermittelt die G.s-Freiheit hingegen nicht.

Bei der G.s-Freiheit handelt es sich um ein ohne ge-schriebenen Gesetzesvorbehalt gewährleistetes ↑Grund-recht. Nach allg.en grundrechtsdogmatischen Kauteln sind Einschränkungen aber immer dann möglich, wenn diese auf einer gesetzlichen Grundlage beruhen und dem Schutz gleichrangiger Rechtsgüter dienen, nämlich den kollidierenden Grundrechten Dritter sowie anderen mit Verfassungsrang ausgestatteten Belangen.

3. Anwendungsfelder und Konfliktlösungen

Rechtliche Relevanz erlangt die G.s-Freiheit, wenn individuelle Überzeugung und allg. geltende Norm aufeinandertreffen. Praktisch relevante Fallgruppen sind die Kollision der G.s-Freiheit mit der staatsbürger-lichen Gehorsamspflicht (z.B. Konstellationen der – partiellen – Steuerverweigerung aus G.s-Gründen), der Vertragserfüllungspflicht (Konfliktlagen in Arbeitsver-hältnissen), dem staatlichen Strafmonopol (Problematik des G.s-Täters) sowie allg. dem staatlichen ↑Gewalt-monopol (etwa: Substituierung staatlicher Verfahren und Entscheidungen durch die eigene Überzeugung, so beim ↑„Kirchenasyl", oder Aktionen des ↑„zivilen Un-gehorsams" zur Durchsetzung eigener politischer oder ähnlicher Ziele).

Die Konfliktlösung erfolgt jeweils im Einzelfall auf der Ebene des einfachen Rechts. Dieses wiederum ist, da nach der ständigen Rspr. des BVerfG die Grundrechte nicht nur subjektive Abwehrrechte des Einzelnen gegen den Staat sind, sondern eine in die gesamte Rechtsord-nung ausstrahlende „objektive Wertordnung" konstituie-ren, seinerseits unter Würdigung des Gehalts der G.s-Freiheit auszulegen und anzuwenden. Rechtstechnisch erfolgt diese Einwirkung durch für Wertungen „offene" Normen, wie die ↑Generalklauseln des Zivil- sowie die entspr.en Kauteln (unbestimmte Rechtsbegriffe, ↑Er-messen) des öffentlichen Rechts.

Die Kasuistik v.a. in der Rspr. ist nahezu unüberseh-bar. Als allg.e Leitlinien für eine fallbezogene Konflikt-lösung lassen sich immerhin benennen: Ausschluss von reinen Bagatellbelangen (etwa: Begehren eines veganen Grundstückseigentümers auf Beseitigung eines Jagd-hochsitzes), die von vornherein auf eigene Rechtsgüter

beschränkte Dispositionsbefugnis (so können Angehöri-ge der „Zeugen Jehovas" für sich selbst eine lebensret-tende Bluttransfusion ablehnen, nicht aber bei ihren minderjährigen Kindern) und die Respektierung des staatlichen Gewaltmonopols. Dieses bildet erst die Grundlage für die Garantie der G.s-Freiheit und steht nicht unter ihrem Vorbehalt.

Literatur

C. Goos: Gewissensauseinandersetzungen in der Gesell-schaft – Gewissensfreiheit im Recht, in: ZevKR 59/1 (2014), 69–95 • H. Bethge: Gewissensfreiheit, in: HStR, Bd. 7, ³2009, § 158 • S. Mückl: Geistesgeschichtliche Grundlagen der Ge-wissensfreiheit, in: S. Detterbeck (Hg.): Recht als Medium der Staatlichkeit, 2009, 209–222 • S. Mückl: Die Gewissens-, Glaubens- und Religionsfreiheit als zentrales Menschenrecht, in: A. Rauscher (Hg.): Hdb. der Katholischen Soziallehre, 2008, 77–90 • M. Borowski: Die Glaubens- und Gewissens-freiheit des Grundgesetzes, 2006 • J. Isensee: Gewissen im Recht – Gilt das allgemeine Gesetz nur nach Maßgabe des individuellen Gewissens?, in: G. Höver/L. Honnefelder (Hg.): Der Streit um das Gewissen, 1993, 41–61 • M. Herdegen: Ge-wissensfreiheit und Normativität des positiven Rechts, 1989.

STEFAN MÜCKL

Gewohnheitsrecht

1. Begriff

Als G. gilt derjenige Teil des positiven Rechts, der nicht in einem förmlichen Rechtsetzungsverfahren erzeugt wird. Ganz überwiegend sind als Voraussetzung für die Geltung als G. die langdauernde tatsächliche Übung *(longa consuetudo)* sowie die Überzeugung von der wohl-gemerkt rechtlichen Notwendigkeit der Befolgung *(opi-nio iuris vel necessitatis)* anerkannt (BVerfGE 22, 114 [121]), wobei das (Prioritäts-)Verhältnis zwischen dem objektiven (Übung) und dem subjektiven Element (Überzeugung) seit jeher differenziert beurteilt wird. Im angloamerikanischen Bereich begegnet daneben das Abstellen auf langdauernde Übung und staatliche An-erkennung derselben. Lediglich lokal geltendes G. wird als Observanz bezeichnet.

Als Geltungsgrund des G.s werden nebeneinander die Anerkennung durch die zur förmlichen Rechtset-zung berufenen Institutionen (unter den Auspizien der Neuzeit also i.d.R. der Staat: die als „Abhängigkeitsleh-ren" firmierenden Ansätze stellen auf ausdrückliche Ge-stattung oder zumindest Duldung ab) sowie der freie Willen der dem G. folgenden Rechtsgenossen („Eigen-ständigkeits"- oder „Willenslehren") genannt. Im Hin-tergrund steht die Einsicht, dass G. stets, aber auch erst dann zu einem Rechtsproblem wird, wenn formalisierte Rechtsetzung erstens überhaupt stattfindet und zwei-tens institutionell monopolisiert wird. Wenn das staat-liche Rechtserzeugungsmonopol im demokratischen Verfassungsstaat der Volkssouveränität unterliegt, ver-schwindet die Frage nach dem Geltungsgrund des G.s, stellt dieses doch nur einen anderen Modus der Rechtserzeugung in freier Selbstbestimmung dar.

Das Verhältnis des G.s zum sonstigen positiven Recht folgt den allg.en Kollisionsregeln der *lex superior* oder *lex posterior*. Erkennt man die (str.e) Existenz von Verfassungs-G. an, so geht es danach den förmlichen ↑Gesetzen vor. Im Übrigen kann der parlamentarische Gesetzgeber G. jederzeit außer Kraft setzen. Der umgekehrte Fall der Derogation gesetzlicher Bestimmungen durch langjährige Nichtübung *(desuetudo)* unterstreicht den normativen Gleichrang des G.s, bleibt aber die seltene Ausnahme.

2. Geschichte und gegenwärtige Bedeutung

Ungeachtet in der Spätantike kodifizierter und auch weitertradierter Einschränkungen der Wirkung des G.s gegenüber dem geschriebenen Gesetz (C.8.52.2) dominiert das G. das Rechtsleben des Mittelalters. Mit der Rezeption des gelehrten Rechts beginnen die theoretische Durchdringung des G.s wie seine Abgrenzung; Willens- wie Anerkennungslehren werden grundgelegt (etwa Geltung aufgrund eines *tacitus consensus populi*). Charakteristisch ist, dass sich die naturrechtlich radizierten ↑Kodifikationen des ausgehenden 18. Jh. strikt gegen das G. wenden (§ 60 ALR von 1794). Im 19. Jh. leistet dann die ↑historische Rechtsschule die (zumindest theoretische) Rehabilitierung des G.s (namentlich Georg Friedrich Puchta und Friedrich Carl von Savigny).

Die gegenwärtige Bedeutung des traditionellen G.s im modernen demokratischen Verfassungs- und Gesetzgebungsstaat ist vergleichsweise marginal. Verfassungsrechtlich ohnehin ausgeschlossen ist G. zu Lasten des Rechtsunterworfenen im Straf- und im Eingriffsrecht (Art. 103 Abs. 2 GG). Im Zivilrecht geht § 293 ZPO ausdrücklich von der Existenz von G. aus. Die Norm macht zugl. deutlich, dass die verbindliche Feststellung der Existenz von G. regelmäßig Sache der Gerichte ist. Zuletzt hat bspw. der BGH die Eintragungsfähigkeit des Doktortitels in das Partnerschaftsregister auf G. gestützt (Beschl. v. 4.4.2017 – II ZB 10/16), wohingegen das schleswig-holsteinische LVerfG parlamentarisches G. zwar festgestellt hat, es aber nicht für ausreichend hielt, um von der geschriebenen Geschäftsordnung abzuweichen (LVerfG 1/17 vom 17.5.2017).

3. Besondere Referenzgebiete
3.1 Völkerrecht

Erhebliche praktische Bedeutung kommt dem G. ungeachtet aller Debatten um die „Konstitutionalisierung" des Feldes innerhalb des ↑Völkerrechts zu. Art. 38 Abs. 1 lit. b IGH-Statut erkennt ausdrücklich „das internationale Gewohnheitsrecht als Ausdruck einer allgemeinen, als Recht anerkannten Übung" an, wobei in der völkerrechtlichen Debatte wiederum das Verhältnis von objektivem (Übung) und subjektivem Element (Überzeugung) kontrovers diskutiert wird. Das betrifft die relevanten Akteure (Staaten oder alle Völkerrechts-

subjekte?) sowie die Methode der Feststellung von Völker-G. (traditionell ist die Sichtung der Staatenpraxis prioritär, während die jüngere Literatur zunächst nach der gemeinsamen Rechtsüberzeugung sucht und diese lediglich durch Praxis validiert, teils auch auf diesen Schritt verzichtet). Verfestigtes völkerrechtliches Handeln ohne Rechtsüberzeugung wird als *comity* oder *courtoisie* bezeichnet. Auch im Völkerrecht kann sich regionales G. bilden (für Europa etwa der kategorische Ausschluss der ↑Todesstrafe).

3.2 Kanonisches Recht

Der ↑CIC 1983 widmet dem G. einen eigenen Titel (can. 23–28) und preist die Gewohnheit als „beste Auslegerin der Gesetze" (can. 27). G. darf weder dem göttlichen Recht (can. 24 § 1) noch einem Gesetz zuwiderlaufen, das sie ausdrücklich verwirft (can. 24 § 2). Positiv setzt die Geltung als G. Vernünftigkeit (can. 24 § 2), die Absicht der Rechtserzeugung (can. 25) sowie entweder bes. Billigung durch den Gesetzgeber oder ununterbrochene 30jährige Übung voraus (can. 26; zur Überwindung eines ausdrücklichen gesetzlichen Verbots zukünftigen G.s ist eine 100jährige oder „unvordenkliche" Übung notwendig). Außer- oder widergesetzliches G.s kann durch entgegenstehendes G., insb. aber durch Gesetz widerrufen werden (can. 28). Die praktische Bedeutung von G. ist im kanonischen Recht (↑Kirchenrecht) ungeachtet dieses Versuchs, das Unregelbare zu regeln, ähnlich gering wie im weltlichen Bereich. Das protestantische Kirchenrecht erkennt G. dem Grunde nach an, ohne es näher einzuhegen. Auch im orthodoxen Kirchenrecht gilt G. als Rechtsquelle, wobei vereinzelt die Abgrenzung zum Institut der Oikonomia fraglich wird.

4. Abgrenzung zu anderen Rechtsinstituten

Umstritten ist die Abgrenzung des G.s vom Richterrecht. Versteht man dieses als unumgängliche richterliche Rechtsfortbildung, stellt es sich als Weiterdenken des Gesetzesrechts dar; spricht man als Richterrecht demgegenüber die freie richterliche Rechtsschöpfung an, so fehlt dieser Konnex. So oder so geht es typischerweise um kleinere Anerkennungsgemeinschaften, da Richterrecht bereichsspezifisch entsteht und fortentwickelt wird (als Beispiele drängen sich das Arbeits- oder Prüfungsrecht auf), wohingegen G. grundsätzlich auf der Rechtsüberzeugung der gesamten Rechtsgemeinschaft fußt.

Vom G. zu unterscheiden sind ferner sog.e allg.e Rechtsgrundsätze, wie sie sich namentlich im Völkerrecht, im Unionsrecht (Art. 6 Abs. 3 EUV) aber auch im allg.en ↑Verwaltungsrecht finden. Sie teilen mit dem G. die fehlende Verschriftlichung, fußen aber auf fundamentalen Gerechtigkeitserwägungen oder normlogischen Prämissen; insofern weisen sie eine Überschneidung zum Kriterium der „Vernünftigkeit" einer Gewohnheit auf.

Überschneidungen mit dem G. weisen auch solche

Bestimmungen des geschriebenen Rechts auf, die Rechtswirkungen an eine langjährige Praxis oder Nichtpraxis knüpfen; hierher gehören die Ersitzung (§§ 900, 937 ff. BGB), die Verwirkung sowie die Verjährung. Auch die Schleusen- bzw. Verweisnorm des § 346 HGB (Handelsbrauch, verstanden als „eine im Verkehr der Kaufleute untereinander verpflichtende Regel […], die auf einer gleichmäßigen, einheitlichen und freiwilligen tatsächlichen Übung beruht, die sich innerhalb angemessenen Zeitraumes für vergleichbare Geschäftsvorfälle gebildet hat und der eine einheitliche Auffassung der beteiligten Kreise zugrunde liegt") knüpft an die tatsächliche Übung an und verleiht ihr normative Dignität.

Abzugrenzen ist das traditionelle G. zuletzt von zahlreichen Phänomenen der Rechtserzeugung, die vom überkommen Modell der staats- und gesetzeszentrierten Rechtsetzung abweichen und als Forschungsgegenstand des sog.en Rechtspluralismus firmieren: Dies betrifft die Erscheinungsformen des *soft law*, „private" Rechtsetzung wie die *lex mercatoria* oder die von Wissenschaftlern formulierten Grundregeln des europäischen Vertragsrechts.

Literatur

R. Baker: Legal Recursivity and International Law: Rethinking the Customary Element, in: The Dartmouth Law Journal XIV/1 (2016), 41–66 • P. Petkoff: Oikonomia and custom in the canonical commentaries of Theodore Balsamone, in: Kanon XXIV (2016), 170–184 • R. M. Scoville: Finding Customary International Law, in: Iowa Law Review 101/5 (2016), 1893–1948 • P. Krebs/M. Becker: Entstehung und Abänderbarkeit von Gewohnheitsrecht, in: JuS 53/2 (2013), 97–103 • V. C. Tiefenthaler: Gewohnheit und Verfassung, 2012 • N. Jansen/P. Oestmann (Hg.): Gewohnheit – Gebot – Gesetz, 2011 • D. J. Bederman: Custom as a Source of Law, 2010 • M. Pilch: Rechtsgewohnheiten aus rechtshistorischer und rechtstheoretischer Perspektive, in: Rechtsgeschichte 17 (2010), 17–39 • S. Meder: Ius non scriptum – Traditionen privater Rechtsetzung, 2008 • G. Dilcher/E.-M. Distler (Hg.): Leges, Gentes, Regna. Zur Rolle von germanischen Rechtsgewohnheiten und lateinischer Schrifttradition bei der Ausbildung der frühmittelalterlichen Rechtskultur, 2006 • M. Frühauf: Zur Legitimation von Gewohnheitsrecht im Zivilrecht unter besonderer Berücksichtigung des Richterrechts, 2006 • T. Treves: Customary International Law, in: MPEPIL, 2006 • R. Garré: Consuetudo: Das Gewohnheitsrecht in der Rechtsquellen- und Methodenlehre des späten ius commune in Italien (16.–18. Jh.), 2005 • International Law Association (Hg.): Statement of Principles Applicable to the Formation of General Customary International Law, 2000 • H. A. Wolff: Ungeschriebenes Verfassungsrecht unter dem Grundgesetz, 2000 • P. Geyer: Das Verhältnis von Gesetzes- und Gewohnheitsrecht in den privatrechtlichen Kodifikationen, 1998 • D. Ostertun: Gewohnheitsrecht in der Europäischen Union, 1996 • H. O. Freitag: Gewohnheitsrecht und Rechtssystem, 1976 • C. Tomuschat: Verfassungsgewohnheitsrecht?, 1972 • H. Kotsonis: Usage in Modern Canon Law, its Nature, its Influence, its Relationship with Custom, in: Ve Congrès international de droit comparé, 1960, 67–82 • G. F. Puchta: Das Gewohnheitsrecht, 1828.   FABIAN WITTRECK

Glaube

1. Allgemein

Der G.ns-Begriff umfasst folgende Bedeutungsvarianten:

a) G. als defiziente Wissensform i. S. v.:
  i) Meinen, Überzeugt-Sein („Ich glaube, morgen wird es schön"),
  ii) Für-wahr-Halten einer an sich nachprüfbaren Tatsache („Ich glaube, dass Berlin 3,4 Mio. Einwohner hat") und
b) G. als personales Vertrauensverhältnis i. S. v.:
  i) einer existentiellen Ausrichtung („Ich glaube an dieses Ideal") und
  ii) Vertrauen („Ich glaube dir").

Diese Dimensionen sind auch für den christlichen G.ns-Begriff relevant: Augustinus unterschied zwischen

a) credere Deum (glauben, dass Gott existiert),
b) credere Deo (dem Gott glauben) und
c) credere in Deum (an Gott glauben).

in Deum = *Selbsthingabe an Gott / Liebe*

lebendiger Glaube

credere

notwendige Basis

Deum = *Überzeugtsein, dass Gott ist*

Deo = *Glauben, was Gott offenbart*

Allg. bezeichnet der G.ns-Begriff die Ganzhingabe des Menschen an Gott als adäquate Antwort auf die Selbstmitteilung Gottes in Jesus Christus. Der G. ist ein freier, mit Verstand und Willen vollzogener Akt und zugl. göttliches Gnadengeschenk. Im Vertrauen auf die in Christus geoffenbarte Heilszusage Gottes und im Einstimmen in das Credo der Kirche gewinnt der Mensch inneren Halt und unbedingte Heilsgewissheit.

2. Biblischer Befund

Der G.ns-Begriff wurzelt in der biblischen Sprachtradition. Für das alttestamentliche G.ns-Verständnis ist das hebräische Wort *aman* (sich halten an; fest, zuverlässig, bewährt sein) zentral, das das Einnehmen einer Haltung des Vertrauens bzw. der Zuversicht gegenüber Gottes Heilstaten und seinen Verheißungen bezeichnet, wodurch der Existenz Bestand verliehen wird (Jes 7,9). Gegenstand und Inhalt des festen Vertrauens ist der Bund Jahwes mit seinem Volk Israel, näherhin sein Heilshandeln in der Vergangenheit, seine Treue in der Gegenwart und seine Verheißungen und Führungen in der Zukunft. Der G.ns-Inhalt verdichtet sich in G.ns-Formeln (Dtn 26,5–10; Jos 24,1–13), die v. a. das heilschaffende Handeln Gottes in der Geschichte thematisieren. Wenn der alttestamentliche G. auch kollektiv strukturiert ist, so orientiert er sich doch an personalen Verwirklichungen (z. B. Abraham, Mose, Propheten). Im Zentrum des neutestamentlichen G.ns-Verständnisses steht weniger der in der Geschichte sich offenbarende Gott als vielmehr das Christusereignis, so dass sich der G. als Entscheidung zu Jesus Christus konkretisiert. Nach Ostern wird die Annahme des apostolischen Kerygmas (Röm 10,9 f.; 1 Kor 15,2–5; Eph 1,3–13) zur spezifisch christlichen G.ns-Form. Durch den Christus-G.n geschieht nach Paulus die Rechtfertigung des Menschen (Röm 1,17; 3,22; 4,13; 10,9 f.; Gal 2,16; 3,15–18). Sie entlässt aus sich eine neue Existenzform sowie ein sittliches Sollen (Gal 5,25; 1 Kor 13,2).

3. Theologiegeschichte

Die Alte Kirche vertrat ein personales G.ns-Verständnis i. S. d. totalen Ja der Person zum Gott Jesu Christi, akzentuierte aber zugl. aufgrund häretischer (gnostischer) Anfeindungen die inhaltliche Seite des G.ns (G.ns-Regel). Augustinus machte zwischen G.n und Erkennen ein dialektisches Verhältnis aus und unterschied zwischen G.ns-Akt und G.ns-Inhalt (trin. XII 2,5). Der G.ns-Akt (*fides qua creditur*/Du-G.) ist wirkende Ursache der Rechtfertigung und insofern heilsnotwendig. Er darf dabei nicht individualistisch missverstanden werden, handelt es sich doch um eine Existenzform, die auf die in der Kirche bezeugte Offenbarung Gottes bezogen ist. Insofern umfasst der G. auch die inhaltlichen Aussagen der Offenbarung. Mit dem G.ns-Inhalt (*fides quae creditur*/Dass-G.) gewinnt der Mensch Kenntnis von Gott und damit verbunden ein vertieftes Selbst- und Weltverständnis. Die G.ns-Erkenntnis widerstreitet der Vernunfterkenntnis nicht: Gott ist Urheber von beidem. Im Mittelalter wurde auch die Kenntnis der G.ns-Gegenstände G. genannt, wobei für den heilshaften G.n ein Minimalbestand an G.ns-Inhalten als ausreichend erachtet wurde (*fides implicita*). In der scholastischen ↑Theologie (↑Scholastik), die mithilfe der *ratio* den G.ns-Gehalt zu erhellen und notwendige Vernunftgründe (*rationes necessariae*) im G.n anzugeben versuchte, setzte eine verstärkte theologische Reflexion über den G.ns-Akt ein und damit verbunden eine fortschreitende Intellektualisierung der G.ns-Theologie, was bis zum Ersten Vatikanischen Konzil anhielt („Dass-G."). Es kam zu einer immer stärkeren Betonung der kognitiven Dimension des G.ns, des Für-wahr-Haltens und der G.ns-Inhalte. Das Erste Vatikanische Konzil bestimmte den G.n als „eine übernatürliche Tugend, durch die wir […] glauben, dass das von ihm Geoffenbarte wahr ist" (DH 3008), bewirkt durch den Heiligen Geist und gestützt durch äußere Zeichen der Glaubwürdigkeit (göttliche Taten, Wunder, Weissagungen, katholische Kirche) (DH 3009; 3013 f.). Das ↑Zweite Vatikanische Konzil hat die instruktionstheoretische Engführung des G.ns-Begriffs überwunden: Der G. ist nicht nur Akt intellektueller Zustimmung, sondern der Ganzübereignung an Gott; er ist ein im Christusereignis begründetes und durch die Gnade bewirktes personales Begegnungs-

und Kommunikationsgeschehen (DV 5). Gegenwärtig wird der G.ns-Theologie wieder ein größeres Interesse entgegengebracht; bes. Beachtung finden die G.ns-Erfahrungen, Glaubwürdigkeitserkenntnis und kontextuellen Ausformungen des G.ns.

4. Ökumenische Perspektiven

Alle christlichen ↑Konfessionen sehen im G.n die angemessene Antwort des Menschen auf die göttliche Offenbarung. Die Frage, welche Rolle den guten Werken zukommt, wurde bes. in der Reformationszeit (↑Reformation) kontrovers beantwortet. Martin Luther verwarf die scholastische G.ns-Theologie mit ihren Überlegungen zum Verhältnis von G.ns-Inhalt und G.ns-Vollzug, lehnte u. a. die *fides implicita* (WA 39, Bd. 1: 45) und die *fides acquisita* ab (WA 6: 89), betonte die Gnadenhaftigkeit des Rechtfertigungsgeschehens (*sola gratia/fide*) und verstand den G.n als bedingungsloses Vertrauen (*fiducia*) auf die ↑Barmherzigkeit Gottes (BSLK 560). Doch schon Philipp Melanchthon, Johannes Calvin und später die altprotestantische Orthodoxie hoben wieder stärker die Erkenntnis (*cognitio*) im G.n hervor. Die kognitive Seite des G.ns gewann in Form der Kenntnis (*notitia*) und Zustimmung (*assensus*) erneut an Bedeutung, und ein gewisser G.ns-Beitrag des Menschen wurde nicht mehr prinzipiell ausgeschlossen. Entgegen den Kontroversen in der G.ns-Theologie konnte am 31.10.1999 eine „Gemeinsame Erklärung zur Rechtfertigungslehre" zwischen dem Lutherischen Weltbund und der römisch-katholischen Kirche (↑Katholische Kirche) unterzeichnet und ein „Konsens in Grundwahrheiten der Rechtfertigungslehre" festgehalten werden; gemeinsam wurde bekannt, „dass der Sünder durch den Glauben an das Heilshandeln Gottes in Christus gerechtfertigt wird" (Nr. 25).

Literatur

C. Böttigheimer: Glauben verstehen, 2012 • D. Hercsik: Der Glaube, 2007 • P. Neuner: Der Glaube als subjektives Prinzip der theologischen Erkenntnis, in: HFTh, Bd. 4, ²2000, 23–36 • Lutherischer Weltbund/Päpstlicher Rat zur Förderung der Einheit der Christen: Gemeinsame Erklärung zur Rechtfertigungslehre, 1999 • H. Schütte: Glaube im ökumenischen Verständnis, ¹¹1996 • H. Waldenfels u. a.: Glaube, Glauben, in: LThK, Bd. 4, ³1995, 666–685 • G. Lancikowski u. a.: Glaube, in: TRE, Bd. 13, 1984, 277–365.

CHRISTOPH BÖTTIGHEIMER

Glaubensfreiheit ↑Religionsfreiheit

Gleichberechtigung von Mann und Frau ↑Gender

Gleichgewichtspolitik

G. zählt zu den ältesten Konzepten in Theorie und Praxis der ↑internationalen Beziehungen. Sie ist i. S. v. *balance of power* und *balancing* zentral v. a. für die realistische Denk- und Theorieschule der internationalen Politik (↑Realismus). In einem allg.en Sinne bezeichnet G. die Begrenzung von ↑Macht durch Macht sowie die Bestrebung, ein Ungleichgewicht von Machtressourcen zu Lasten der eigenen Seite zu vermeiden.

Die Verwendung der Begriffe ist nicht einheitlich; *balance of power* wird in der Literatur in bis zu neun unterschiedlichen Bedeutungen verwendet. Diese semantische und konzeptionelle Mehrdeutigkeit ist vielfach kritisiert worden. Einigkeit besteht in der Differenzierung zwischen der *balance of power* als einem (vorhandenen oder anzustrebenden) Zustand eines Staatensystems und dem *balancing behaviour* als von einzelnen Staaten vorgenommenen Maßnahmen zur Verbesserung ihrer Machtstellung relativ zu anderen Staaten. Macht wird in diesem Zusammenhang i. d. R. als militärische Macht verstanden.

Balance of power ist nicht als ein Gleichgewicht im physikalischen Sinne zu verstehen, sondern als ein Zustand, in dem kein ↑Staat in einem Staatensystem so mächtig ist, dass er die anderen Staaten direkt beherrschen kann. Befürworter einer *balance of power* sehen einen solchen Zustand als förderlich für Systemstabilität und ↑Frieden an. Unterschiedlich wird die Frage beantwortet, welche Mechanismen Gleichgewicht in einem Staatensystem produzieren. Die Antworten unterscheiden sich u. a. danach, ob hierfür eine bewusste Entscheidung einzelner Akteure notwendig ist, oder ob die strukturellen Zwänge des internationalen Systems so stark auf einen Gleichgewichtszustand hinwirken, dass es hierzu keiner Willensentscheidung einer einzelnen Regierung bedarf. Bei der G. i. S. v. *balancing behaviour* lässt sich u. a. eine innere und eine äußere Form unterscheiden: *internal balancing* bezeichnet die Stärkung der eigenen Machtressourcen, z. B. durch Aufrüstung; *external balancing* meint das Eingehen von Allianzen gegen einen anderen Staat.

Während Vorstellungen einer G. zwischen verschiedenen ↑politischen Systemen schon für das antike Griechenland und das alte China nachweisbar sind, fand die G. ihre klassische Ausprägung im europäischen Staatensystem des 18. und 19. Jh. Das Westminster-Parlament legte zwischen 1727 und 1868 im jährlich verabschiedeten Militäretat regelmäßig „the preservation of the balance of power in Europe" (zit. n. Wight 2002: 172) als eine der Aufgaben des britischen Militärs fest. *Balance of power* bezeichnete aus dieser Sicht die Abwesenheit eines Hegemonen auf dem europäischen Kontinent. Die infolge der ↑Französischen Revolution und der Napoleonischen Herrschaft ausgebrochenen Kriege (1792–1815) erschütterten dieses Gleichgewicht und führten zur Bildung einer Gegenkoalition. Der Wiener Kongress (1814/15) suchte nach einer Wiederherstellung und dauerhaften Sicherung des europäischen Gleichgewichts. Die sich ab der Mitte des 19. Jh. wandelnden Kräfteverhältnisse und die Bildung eines deutschen Nationalstaats 1871 stellten die überkommene G. ernsthaft

in Frage. Machttheoretisch argumentierende Ansätze sehen darin die wesentliche Erklärung für den endgültigen Zusammenbruch des auf G. beruhenden europäischen Staatensystems im Ersten Weltkrieg.

Die Gründung des ↑Völkerbundes 1919 war auch Ausdruck einer liberal-idealistischen Kritik an der G., da diese den ↑Weltkrieg nicht verhindert hatte. Die auf Institutionalisierung statt auf G. basierende Ordnung des Völkerbundes scheiterte in den 1930er Jahren an der aggressiven Machtexpansion insb. NS-Deutschlands und Japans. In einer klassisch gewordenen Kritik warf Edward Hallett Carr 1939 den Idealisten vor, die Bedeutung von Macht und G. in der internationalen Politik sträflich vernachlässigt zu haben.

Nachdem die herausgehobene Machtstellung europäischer Staaten mit dem Zweiten Weltkrieg endete, blieben nach 1945 die USA und die UdSSR als einzige große Mächte übrig. Zu dem von ihnen durch Allianzen und konventionelle Aufrüstung betriebenen *balancing* trat nun eine mittels Nuklearwaffen (↑ABC-Waffen) forcierte G., und genau dieses „Gleichgewicht des Schreckens" sollte einen Krieg der Supermächte verhindern.

Der Kollaps der UdSSR transformierte das internationale Kräfteverhältnis insofern, als die USA nach 1990 kein Gegengewicht im herkömmlichen Sinne mehr hatten. Legt man die üblichen Annahmen über G. zugrunde, so war das jahrelange Ausbleiben eines „harten" *balancing* gegen die USA eine erklärungsbedürftige Anomalie. In den amerikanischen Debatten der 1990er Jahre argumentierten die Befürworter einer Strategie der *Primacy* insofern gegen G. als Ordnungsprinzip, als sie für einen dauerhaften und möglichst weiten Machtvorsprung der USA vor allen möglichen Rivalen eintraten. Die meisten Vertreter der neorealistischen Theorieschule gingen hingegen davon aus, die amerikanische Vormachtstellung würde nur zeitweiligen Bestand haben, ehe sich ein neues multipolares Gleichgewicht einstellen würde.

Im frühen 21. Jh. verdichten sich die Anzeichen dafür, dass unterschiedliche Staaten wieder verstärkt G. betreiben. Sowohl die von der US-Regierung ab 2011 im Rahmen des *Rebalancing to Asia* eingeleiteten Maßnahmen als auch die Anlehnung verschiedener asiatischer Staaten an die USA weisen Züge einer G. auf, die auf die Verhinderung einer hegemonialen Stellung Chinas in ↑Ostasien abzielt. Umgekehrt betreibt China durch den Ausbau seiner Seestreitkräfte ein internes *balancing* gegen die starke US-Position im Pazifik. Trotz der konzeptionell, empirisch und normativ begründeten Kritik an G. ist zu erwarten, dass die *balance of power* als Kategorie der internationalen Politik relevant bleiben wird.

Literatur

D. Lake: Balance of Power, in: J. Krieger (Hg.): The Oxford Companion to International Relations, 2014, 70–72 • J. Mearsheimer: The Tragedy of Great Power Politics, ²2014 • X. Gu: Balance of Power, in: C. Masala u. a. (Hg.): Hdb. der Internationalen Politik, 2010, 67–75 • R. Little: The Balance of Power in International Relations, 2007 • M. Wight: Power Politics, ³2002 • B. Posen/A. Ross: Competing Visions for US Grand Strategy, in: International Security 21/3 (1996), 5–53 • K. Waltz: Theory of International Politics, 1979 • E. Haas: The Balance of Power, in: WP 5/4 (1953), 442–477 • H. Morgenthau: Politics Among Nations, 1948 • E. H. Carr: The Twenty Years' Crisis, 1939.   CARLO MASALA
UND TILL FLORIAN TÖMMEL

Gleichheit

I. Philosophisch – II. Sozialethisch

I. Philosophisch

1. Philosophischer Begriff

G. bezeichnet ein Prinzip der ↑politischen Philosophie. Mit ihm wird die Vorstellung einer gleichen Verteilung von ↑Gütern oder Ansprüchen artikuliert, wodurch es einen zentralen Bestandteil philosophischer Gerechtigkeitskonzeptionen bildet. Die Idee der G. orientiert so das politische Handeln sowie den Aufbau der institutionellen Grundstruktur von Gesellschaften und gilt, wenn auch nicht unumstritten, neben ↑Freiheit heute als zweiter Grundpfeiler einer normativen Theorie der Politik.

Der Begriff G. referiert auf die Beschaffenheit von Beziehungen und zwar in der Weise, dass wenigstens zwei verschiedene Personen, Gegenstände etc. dann gleich sind, wenn sie in mindestens einer, jedoch nicht jeder Hinsicht, voneinander nicht zu unterscheiden sind. Die Aussage, zwei Personen seien gleich, wäre also stets durch die Angabe zu präzisieren, in welcher Hinsicht sie dies sind. G. ist somit nicht mit *Identität* zu verwechseln, die eine Beziehung bezeichnet, in der wenigstens zwei Personen, Gegenstände etc. in jeder Hinsicht nicht zu unterscheiden wären. Des Weiteren ist G. auch nicht mit *Allgemeinheit* zu verwechseln. Aussagen, wie etwa, dass alle Menschen den gleichen Anspruch auf eine umfassende Befriedigung ihrer Grundbedürfnisse hätten, beziehen sich nur scheinbar auf G. In ihnen wird nicht zum Ausdruck gebracht, dass Menschen im Vergleich mit anderen Menschen ein solcher Anspruch zukommt, sondern dass ihnen dieser absolut zukommt und *für alle gilt*.

2. Gleichheit als Egalitarismus

Die zeitgenössische Gerechtigkeitsdebatte ist wesentlich durch den *Egalitarismus* geprägt. Seine Hauptströmung bildet dabei der sog.e *Glücksegalitarismus*, dessen prominenteste Vertreter etwa John Rawls, Ronald Dworkin oder Gerald Allen Cohen sind. Die Bezeichnung Glücksegalitarismus erklärt sich dadurch, dass nur jene zwischen Menschen bestehenden Ungleichheiten ausgeglichen werden sollen, die den betroffenen Personen selbst nicht zuzurechnen sind. So soll einerseits die Bedeutung von bspw. Herkunft, Klassenzugehörigkeit und

Geburtsort nivelliert werden, andererseits jedoch Eigenverantwortung und personale ↑Autonomie gewahrt werden. In der Debatte über die Rolle von G. ist die Frage zentral, ob G. einen *Eigenwert* hat oder ob ihr vielmehr nur ein *instrumenteller Wert* zukommt. Die Forderung nach größerer G. muss nicht auf einem *strikten Egalitarismus* beruhen, für den gleiche Verhältnisse als solche einen Eigenwert haben. Vielmehr kann sich hinter solchen Forderungen die Einschätzung verbergen, die Herstellung von größerer G. würde das geeignete *Mittel* zu einem anderen *Zweck* darstellen. Ein solcher Zweck könnte etwa darin bestehen, dass es weniger Not oder Bedürftigkeit in einer Gesellschaft gibt, oder dass sich das Gesamtniveau des Wohlergehens erhöht oder aber, dass die Folgen von ungerechtfertigten Herrschaftsverhältnissen gemildert werden. Ideengeschichtlich von bes.r Bedeutung ist die Annahme, G. hätte einen instrumentellen Wert für die Etablierung und Bewahrung von solidarischen Sozialverhältnissen und sei hierfür sogar unverzichtbar. Einem solchen grundsätzlich *instrumentellen Egalitarismus* steht die Annahme gegenüber, ungeachtet der mit ihr verbundenen oder durch sie bewirkten weiteren Umstände, dass G. selbst ein Wert zukäme. Ein solcher *strikter Egalitarismus* richtet sich auf die spezifische Verfassung von Beziehungen, die zwischen Menschen bestehen, also darauf, wer wie viel wovon im Verhältnis zu wem hat. Eine solche Position ist mit dem Einwand der Angleichung nach unten konfrontiert. G. kann grundsätzlich dadurch erreicht werden, dass etwas gegeben oder etwas genommen wird. Die Forderung nach G. – und darauf zielt der Einwand ab – besagt an sich nichts über das Niveau an Gütern oder ähnliches, über das diejenigen verfügen, die in einer Beziehung zueinander stehen. Das Problem der Angleichung nach unten spielt in der zeitgenössischen Diskussion auch deshalb eine so große Rolle, da es sich als *Testverfahren* eignet, mittels dessen jeweils die *Gründe* aufgedeckt werden können, die einer normativen Forderung zugrunde liegen.

3. Ergebnis- oder Chancengleichheit

Eine egalitaristische Position, die auf eine strikte Ergebnis-G. abzielt, stellt die strikteste Form von Egalitarismus dar. Diese sieht vollkommen davon ab, wie die in einer Beziehung zueinanderstehenden Individuen selbst gehandelt und entschieden haben. Selbst wenn ein Individuum durch ihm vollständig zurechenbare ↑Entscheidungen (etwa bezogen auf die Konsumtion von Gütern) ein anderes Niveau erreicht, spielt dies dem strikten Egalitarismus zufolge keine Rolle. Eine solche Position wird heutzutage von vielen Autoren als wenig plausibel angesehen. Aus der Perspektive der ↑Gerechtigkeit scheint eine solche Perspektive auf G. nicht zu überzeugen, da sie Fragen von Verantwortung und individueller Zurechenbarkeit von Entscheidungen gerade nicht einbezieht. Demgegenüber verteidigen viele Autoren die Idee der *Chancen-G.* (↑Chancengerechtigkeit, Chancen-G.). Dieser zufolge soll jeder und jede die gleiche Gelegenheit im Leben haben, Vorstellungen und Ziele auch erreichen zu können. Während eine Ergebnis-G. von der Rolle des individuellen Handelns absieht, versucht die Idee der Chancen-G. dieses zu integrieren. Der Grundgedanke ist, dass „das Schicksal der Menschen von ihren Entscheidungen und nicht von ihren Lebensumständen bestimmt wird" (Kymlicka 1997: 60). Obwohl es aktuell einen großen Konsens darüber gibt, dass Chancen-G. das angemessene Verständnis von G. ist, wird darunter Verschiedenes behandelt. Grundsätzlich lassen sich drei große Ansätze erkennen, die hier zum Zweck der Unterscheidung als *formal, moderat* und *radikal* bezeichnet werden. Dem formalen Verständnis von Chancen-G. zufolge, sollen unverdiente Eigenschaften wie Hautfarbe, Geschlecht oder Religion keine Nachteile darstellen. Die moderate Position geht hier weiter, da sie auch die Bedingungen des Erwerbs der Fähigkeiten egalisieren will, d. h. das Augenmerk auf die soziale Herkunft und Klasse der betroffenen Personen richtet. Hier geht es darum Chancen-G. dadurch zu erreichen, dass jede Form der *gesellschaftlichen Benachteiligung* beseitigt wird. Die radikale Konzeption geht noch einen Schritt weiter, indem sie die Frage, wodurch die Nachteile jeweils verursacht werden – ob sie etwa durch die institutionelle Grundstruktur einer Gesellschaft bewirkt werden oder aber das Ergebnis von Zufall sind – für unerheblich erklärt. Entscheidend ist für diese Position alleine die Frage der realen Chancen-G.

4. Kritik des Egalitarismus

In der zeitgenössischen Debatte der politischen Philosophie wird der *strikte Egalitarismus* in drei Hinsichten kritisiert. Erstens wird kritisiert, dass ein Gerechtigkeitsverständnis, das nur Nachteile ausgleichen würde, die nicht in der individuellen Verantwortung von Personen liegen, *inhuman* sei. So argumentiert etwa Elizabeth Anderson, der Egalitarismus beinhalte, dass man den Opfern kalkulierten Pechs nicht zur Hilfe kommen müsse und dies wiederum würde „eine Missachtung des Gebots darstellen, diese Unglücklichen mit gleicher Achtung und gleicher Rücksicht zu behandeln" (Anderson 2000: 128). Als Beispiel führt E. Anderson den Fall eines nicht versicherten Autofahrers an, der durch fahrlässiges Handeln einen Unfall verursacht, bei dem er stark geschädigt wird. Da dem Glücksegalitarismus zufolge dem Autofahrer vollständig die Folgen seiner Entscheidungen zuzurechnen seien, könne dieser nicht von der Gemeinschaft verlangen, dass diese ihm etwa eine medizinische Betreuung zukommen lasse. Auch würde der Glücksegalitarismus in anderen Fällen, in denen er etwa benachteiligten Personen Ansprüche zugestehen würde, dies aus falschen Gründen tun. So wäre es E. Anderson zufolge ein falscher Grund, wenn man kranken oder vereinsamten Menschen deswegen helfen sollte, da sie im Vergleich zu anderen schlechter gestellt wären. Diese auf einem Vergleich beruhende Begründung wür-

de eine *Stigmatisierung* der Betroffenen darstellen und vollkommen den Punkt übersehen, dass Krankheit und Vereinsamung intrinsisch schlecht wären. Ähnlich argumentiert auch Joseph Raz, der die Ansicht vertritt, dass es eigentlich nie die Ungleichheit selbst sei, die uns an ungleichen sozialen Verhältnissen moralisch empören würde, sondern stets das jeweilige Elend, was mit diesen verbunden ist. Durch den Vergleich der Lebenssituation zweier Personen tritt nach J. Raz nur schärfer hervor, was praktisch geboten sei: dass nämlich derjenigen Person geholfen wird, die stärker von einem Missstand betroffen ist. Aber der Missstand besteht J. Raz zufolge nicht in der Ungleichheit, sondern ist aus sich heraus oder *absolut* schlecht. Eine weitere einflussreiche Form der Egalitarismuskritik hat Michael Walzer in seinem Buch „Sphären der Gerechtigkeit" (Walzer 1992) vorgelegt. Gesellschaften seien durch unterschiedliche Bereiche geprägt, in denen jeweils unterschiedliche Gerechtigkeitsprinzipien angemessen wären. Diese Komplexität von Gerechtigkeit würde durch den Egalitarismus fälschlicherweise auf ein in allen Sphären gleichermaßen geltendes G.s-Prinzip reduziert werden.

In der Gegenwart begegnen v. a. zwei Positionen, die sich als eine Alternative zum Egalitarismus verstehen. Die an die Überlegungen von J. Raz anknüpfende *Vorrangposition (prioritarianism)* geht davon aus, dass nicht G. moralisch wertvoll sei, sondern das menschliche Wohlergehen in einer nicht-komparativen Weise den normativen Referenzpunkt darstellen müsse. Die Verteilung von Gütern wird hier dadurch ermittelt, dass den am schlechtesten gestellten Personen ein bes.r Vorrang zugestanden wird. Dieser erklärt sich jedoch nicht dadurch, dass diese Personen in Relation zu anderen schlechter gestellt sind, sondern dass sie absolut betrachtet in einer so schlechten Situation leben, dass ihnen elementare Güter zugesprochen werden müssen. Eine weitere Alternative stellt der u. a. von Harry Frankfurt entwickelte *Suffizienzansatz* dar. Diesem zufolge käme einer gleichen Verteilung auch kein intrinsischer Wert zu, entscheidend sei vielmehr, dass die betreffenden Individuen in einem *ausreichenden Maße* über die fraglichen Güter verfügen. Ungleichheiten jenseits eines solchen Niveaus kommen nach H. Frankfurt moralisch keine Bedeutung zu.

Literatur

M. Nussbaum: Fähigkeiten schaffen. Neue Wege zur Verbesserung menschlicher Lebensqualität, 2015 • G. A. Cohen: Why not Socialism?, 2009 • G. A. Cohen: Rescuing Justice and Equality, 2008 • A. Swift: Political Philosophy, 2006 • S. Gosepath: Gleiche Gerechtigkeit. Grundlagen eines liberalen Egalitarismus, 2004 • R. Dworkin: Sovereign Virtue. The Theory and Practice of Equality, 2002 • A. Krebs (Hg.): Gleichheit oder Gerechtigkeit. Texte der neuen Egalitarismuskritik, 2000 • E. Anderson: Warum eigentlich Gleichheit?, in: ebd., 117–171 • D. Parfit: Gleichheit und Vorrangigkeit, in: ebd., 81–106 • J. Raz: Strenger und rhetorischer Egalitarismus, in: ebd., 50–80 • W. Kymlicka: Politische Philosophie heute, 1997 • L. P.

Pojman/O. McLeod (Hg.): Equality. Selected Readings, 1996 • R. Arneson: Gleichheit und gleiche Chancen zur Erlangung von Wohlergehen, in: A. Honneth (Hg.): Pathologien des Sozialen, 1994, 330–350 • T. Pogge: An Egalitarian Law of Peoples, in: PPA 23/3 (1994), 195–224 • M. Walzer: Sphären der Gerechtigkeit, 1992 • H. Frankfurt: Equality as a Moral Ideal, in: Ethics 98/1 (1987), 21–43 • J. Griffin: Well-Being, 1986 • D. Parfit: Reasons and Person, 1984 • A. K. Sen: Choice, Welfare and Measurement, 1982 • J. Rawls: Eine Theorie der Gerechtigkeit, 1979.   PHILIPP SCHINK

II. Sozialethisch

1. Begriffliche Orientierung

Hilfestellung bei der Systematisierung des G.s-Begriffs liefern die in der englischen Sprache ausgebildeten Termini *sameness* und *equality*. *Sameness* bezieht sich auf inhaltliche Aspekte von G. und meint die Beziehung zwischen unterschiedlichen Dingen, wonach diese eine/mehrere (niemals alle) Eigenschaften gemeinsam haben; im Blick auf bestimmte Eigenschaften werden Vergleiche gezogen, denen zufolge G./Ungleichheit konstatiert wird. *Equality* füllt den Begriff in einem formal-normativen Sinn (alle Menschen sind „gleich") und bezieht sich auf Konzeptionen der Gleichberechtigung und Gleichbehandlung. In der Geschichte geht dieser *Equality*-Anspruch oftmals mit einer erkämpften Forderung nach Gleichstellung einher.

2. Sitz im Leben – Erkämpfte Gleichheit

Historisch sind G.s-Bestrebungen insb. dort aufgetreten, wo innerhalb einer hierarchisch gestuften Ordnung Unrechts- und Ausschlusserfahrungen artikuliert worden sind. Es gab immer wieder – sozial mehr oder weniger dauerhaft wirksame – Bewegungen, die G. einforderten, wie etwa die Sklavenaufstände im Römischen Reich oder die Bauernkriege im 16. Jh. Zu einem gesellschaftlichen Durchbruch gelangte der G.s-Gedanke jedenfalls zur Zeit der Aufklärung, im Zuge derer G. sozial erkämpft wurde (vgl. die amerikanische „Bill of Rights" von 1776; die französische „Erklärung der Menschenrechte" von 1789). Infolgedessen wurde die G. als wesentlicher, meist in den politischen Verfassungen verankerter ↑Grundwert implementiert. Im Kontext von ↑Humanismus und ↑Aufklärung erlangt die G.s-Idee somit eine politisch-rechtliche Relevanz. G. zählt fortan zu den wesentlichen Grundprinzipien moderner Staatlichkeit, wonach alle Staatsbürger die gleichen Rechte und Pflichten haben sollen, egal welcher Herkunft, Religion, Hautfarbe oder welchem Geschlecht sie angehören. Die auf der G.s-Idee basierenden ↑Grundrechte führen z. B. zur Abschaffung der Sklaverei oder zur Einführung des Frauenwahlrechts. Im Kontext dieser Entwicklungen entfaltete sich die Idee der ↑Menschenrechte als universales, ethisches Prinzip und als Grundprinzip von Rechtsstaatlichkeit (↑Rechtsstaat) in demokratischen Gesellschaften.

3. Biblische Bezüge auf Gleichheit und deren Rezeption

Die Bibel hat eine lange Auslegungstradition, im Zuge derer auf den biblischen G.s-Begriff durchaus unterschiedlich Bezug genommen wurde. Häufig wird die in der Bibel verankerte G. als geistiges Ideal oder als Eigenschaft von Einzelnen verstanden (G. vor Gott), zumal sie in den damaligen, hierarchischen Gesellschaftssystemen meist keinen unmittelbaren gesellschaftlich-rechtlichen Niederschlag gefunden hat. Im AT wird G. anhand der Gottesebenbildlichkeitsvorstellung verdeutlicht: *Der Mensch ist als Bild Gottes erschaffen;* als Bild, d. h. als Repräsentant, demzufolge jeder Mensch auch zur Mitherrschaft Gottes berufen ist (z. B. Gen 5,1–2; Gen 9,6). Im NT wird auf jene Passagen Bezug genommen, die den Menschen als Ebenbild Gottes bezeichnen, der in bes.r Weise göttlichem Schutz untersteht (z. B. Jak 3,9). Jesu Umgang mit Zöllnern und Sündern (z. B. Lk 5, 27–32) wird als Verweis auf die G. aller Menschen gegenüber der vergebenden ↑Liebe Gottes interpretiert (z. B. Lk 15; Mt 20,1–15). Bei Paulus wird die G.s-Idee fortgeführt, indem Gott sein Urteil „ohne Ansehen der Person" fällt (z. B. Röm 2,11; aber auch Apg 10,34 f.) und alle Getauften „eins in Christus" (z. B. Gal 3,27 f.; Kol 3,10 f.) sind, wenngleich sie als Sünder der Gnade bedürfen (z. B. Röm 3,23 f.).

Wenngleich es immer wieder Bestrebungen hinsichtlich einer sozial-ethischen Auslegung der Bibel in der Geschichte gab, fand die soziale Interpretation erst im 20. Jh. eine stärkere Verbreitung und weitgehende Akzeptanz. Demzufolge wird das biblische G.s-Ideal in der kirchlichen Soziallehre des 20. Jh. als sozialethische Kategorie ins Feld geführt und erhebt so einen gesellschaftlichen Anspruch auf Gleichbehandlung für alle.

4. Soziallehre der Kirche

Vor dem Hintergrund einer ständisch durchstrukturierten, hierarchisierten Gesellschaft musste um die Implementierung der G. innerhalb der Soziallehre der Kirche gerungen werden. Erst im 20. Jh. wird G. als normativ-ethische Kategorie mit einer sozialen Bedeutung in der Soziallehre der Kirche dauerhaft etabliert.

Ein fundamentaler Durchbruch hin zur Verankerung der G.s-Idee in der Soziallehre der Kirche findet in der Enzyklika „Pacem in terris" (1963) statt. Schockiert von den menschenverachtenden Ereignissen des Zweiten Weltkrieges betont Papst Johannes XXIII. die Bedeutung der Achtung der Menschenrechte als notwendige Konsequenz einer christlichen ↑Anthropologie. Zugl. wird die unauflösliche Beziehung zwischen Rechten und Pflichten in derselben Person unterstrichen, die wiederum für alle Menschen gleichermaßen gilt. Indem der Papst die AEMR von 1948 guthieß und unterstützte, wurde das Konzept unveräußerlicher Menschenrechte und Grundfreiheiten, und in diesem Sinne auch das Gebot der G. als „Menschenrecht für alle", in die ↑katholische Soziallehre integriert. Im Rahmen des dort verankerten Personalitätsprinzips, welches auf der Personenwürdevorstellung beruht, wird der G.s-Anspruch innerhalb der Soziallehre der Kirche entfaltet. Zwar besagt dieser, dass die Menschen an sich nicht gleich (i. S. v. *sameness*) sein können, da sie einmalig und individuell geschaffen sind; doch hinsichtlich ihrer ↑Würde, die auf der Gottesebenbildlichkeit des Menschen beruht, sind sie gleich. Die G. der ↑Menschenwürde fordert sowohl eine freiheits- und bürgerrechtliche G. sowie ein sozialgerechtes System, welches unter dem Postulat der Menschenrechte allen Bürgern die gleichen Chancen und Mittel bietet, am gesellschaftlichen Leben zu partizipieren und frei das eigene Leben zu gestalten.

5. Systematische Aspekte
5.1 Gleichheit und Freiheit
Die Forderung nach Gleichbehandlung wurzelt in der Achtung des Menschen als ↑Person. Ganz wesentlich zum Person-Sein des Menschen gehört wiederum die ↑Freiheit. Das Freiheitspostulat befähigt den Menschen zur Entscheidung und macht ihn gleichsam zum Träger von Verantwortung (↑Personprinzip). Darauf baut wiederum die Idee der Menschenrechte auf, die gegenseitige ↑Achtung und individuelle Freiheit fordert. Der universale Anspruch der Menschenrechte sowie der ↑Universalismus der G. bringen die konkrete Handlungsmaxime hervor: „Alle Menschen sollen als Gleiche behandelt werden". Ronald Dworkin interpretiert das Prinzip der Gleichbehandlung als Recht des einzelnen „auf dieselbe Weise mit Achtung und Rücksicht behandelt zu werden" (Dworkin 1993: 79). Das bedeutet, dass niemand sozial und gesellschaftlich bevorzugt gegenüber einem anderen behandelt werden darf, solange nicht gute Gründe dafür eingebracht werden können.

G. und Freiheit werden mitunter auch in ein Spannungsverhältnis zueinander gesetzt. Während die Forderung nach mehr G. (z. B. ↑Kommunismus) die Einschränkung von Privilegien nach sich zieht und die Freiheitsausübung mindert, kommt die Forderung nach mehr Freiheit (z. B. Libertarismus) den sozial Stärkeren zugute und mindert tendenziell die G. innerhalb der Gesellschaft. Im Zuge des Non-Egalitarismus wird G. als Grundnorm für entbehrlich gehalten und durch Normen der ↑Solidarität ersetzt, die sich etwa aus der Pflicht ergeben, allen ein menschenwürdiges Leben zu ermöglichen. Damit ↑Gerechtigkeit innerhalb der Gesellschaft erreicht werden kann, braucht es ein rechtlich gesichertes, relativ stabiles Gleichgewicht von Freiheit und G. Der normative Kern der G. soll dabei in gleicher individueller Freiheit bestehen.

5.2 Gleichheit und Differenz
Die Diskussion um G. und Differenz wurde v. a. sehr stark im Rahmen feministischer Theoriebildung (↑Feminismus) geführt. Im Zuge des G.s-Feminismus stellt die G. der Geschlechter (↑Geschlechtergerechtigkeit) den ethischen Bezugsrahmen dar. G. bildet das normative Hintergrundkonzept für diverse Forderungen nach

gesellschaftlicher und politischer Gleichstellung sowie nach Umverteilung der Ressourcen. Es geht darum, Frauen genauso wie Männer zu behandeln, ihnen die gleichen gesellschaftlichen Möglichkeiten, Chancen und Rechte zuzugestehen. Der starke G.s-Bezug als normative Kategorie hat etwa ab den 1980er-Jahren Kritik hervorgerufen, die bes. auf die Bedeutung der Differenz als kategorialen Schlüsselbegriff hingewiesen hat. Der – in sich heterogen aufgestellte – sog.e Differenzfeminismus geht davon aus, dass es einen authentischen, eigentlichen Unterschied der Geschlechter gibt, der herausgearbeitet und beleuchtet werden muss. Gefordert wird die Aufwertung von Weiblichkeit (weibliche Werte, Erfahrungen, Eigenschaften) i. S. d. Anderen. Bei aller anfänglichen Kritik an der G.s-Idee und dem Versuch der Überwindung des G.s-Konzepts durch den Differenzfeminismus sind mittlerweile die Vermittlungsnotwendigkeit und -möglichkeiten in den Fokus gerückt. Einen G.s-Grundsatz mit Differenzbewusstsein schlägt Herta Nagl-Docekal vor: Indem alle Menschen „als Gleiche" zu behandeln sind, sind einerseits der Anspruch auf Gleichberechtigung im Sinne einer Umverteilung von Arbeiten, Chancen, Macht und Einfluss sowie andererseits die kulturelle Anerkennung von Differenzen zusammenzudenken.

5.3 Gleichheit und Gerechtigkeit
Im Zuge der gesellschaftlichen Entwicklungen v. a. im 20. Jh. wurde die G.s-Idee auch auf sozialstaatliche Themen (↑Sozialstaat) bezogen, so etwa um gegen essenzielle Unterschiede in der Behandlung durch das ökonomische, politische, religiöse, sittliche Regelsystem einzutreten. In diesem Kontext wird etwa mehr Chancen-G. (↑Chancengerechtigkeit, Chancen-G.) eingefordert, um Benachteiligungen aufgrund unangemessener Wesenszuschreibungen bzw. Ausgangsbedingungen entgegenzuwirken. Mit der Forderung nach Chancen-G. wird auf sozial-gesellschaftlicher Ebene i. d. R. vom Staat verlangt, dass er kompensierende Maßnahmen setzt. So etwa im Sinne einer Kompensations-G. durch Sozialhilfe und Fürsorgearbeit, wodurch das Kriterium der Leistung bzw. der Begabung in Hinblick auf die Ausgangsbedingungen Privilegierter relativiert wird. Soziale G. richtet sich schließlich auch gegen das Bestehen von (allzu großen) Differenzen hinsichtlich Eigentum, Einkommen, (Aus-)Bildungsmöglichkeiten und Bildungsstand. Insb. in diesem Kontext bedarf die Vermittlung von G./Gleichbehandlung und Differenz einen Bezug auf die übergeordnete Kategorie der Gerechtigkeit (im Sinn eines *tertium comparationis*). G.s- und Gerechtigkeitsbestrebungen sind insofern unverzichtbar aufeinander bezogen, als dass einerseits sozio-ökonomische Voraussetzungen z. B. für gleiche Chancen zu schaffen sind (Distributionsebene) und andererseits auf der Anerkennungsebene jene Wertvorstellungen zu überwinden sind, die gleiche gesellschaftliche Beteiligungschancen verhindern. In diesem Kontext sind die sozialethischen

Kriterien der Umverteilung und ↑ Anerkennung zentral, welche zwar als zwei unterschiedliche, aber miteinander zu verschränkende Aspekte sozialer Gerechtigkeit zu interpretieren sind. Gleiche Anerkennung ist als fundamentales Element von Gerechtigkeit zu integrieren, weil viele Ungerechtigkeitsverhältnisse mit mangelnder Anerkennung korrelieren. Letzteres stellt ein gerechtigkeitsethisches Problem dar, insofern mangelnde Anerkennung durch gesellschaftliche Institutionen entweder erzeugt oder zum Ausdruck gebracht wird. Eine andere Art der Verzahnung von G. und Gerechtigkeit unternimmt der Ansatz des ↑ Capability Approach: Durch die Ausbildung von Fähigkeiten sollen gleiche gesellschaftliche Partizipationsmöglichkeiten (↑ Partizipation) geschaffen werden und zukünftige berufliche sowie private Herausforderungen bewältigt werden können. Damit sollen die prinzipiellen Voraussetzungen für ein menschenwürdiges Leben geschaffen werden.

Literatur

M. Hofheinz/F. Mathwig/M. Zeindler (Hg.): Wie kommt die Bibel in die Ethik?, 2011 • C. Schnabl: Christliche Sozialethik und katholische Soziallehre zwischen Gleichheit und Differenz, in: C. Spieß/K. Winkler (Hg.): Feministische Ethik und christliche Sozialethik, 2008, 73–107 • J. Nida-Rümelin: Eine Verteidigung von Freiheit und Gleichheit, in: ZfP 53/1 (2006), 3–25 • C. Schnabl: Gerecht sorgen. Grundlagen einer sozialethischen Theorie der Fürsorge, 2005 • N. Fraser/ A. Honneth: Umverteilung oder Anerkennung?, 2003 • M. Nussbaum: Women and Human Development. The Capabilities Approach, 2000 • H. Nagl-Docekal: Gleichbehandlung und Anerkennung von Differenz. Kontroversielle Themen feministischer politischer Philosophie, in: dies./ H. Pauer-Studer (Hg.): Politische Theorie. Differenz und Lebensqualität, 1996, 9–53 • R. Dworkin: Umgekehrte Diskriminierung, in: B. Rössler (Hg.): Quotierung und Gerechtigkeit, 1993, 74–95.   CHRISTA SCHNABL

Gleichstellungspolitik

G. ist die Beeinflussung sozialer Verhältnisse und Strukturen mit dem Ziel des Abbaus von Benachteiligung aufgrund des Geschlechts. Geschlecht ist ein Strukturmerkmal der Gesellschaft und gilt als Faktor ↑ sozialer Ungleichheit. Dessen Wirkung abzubauen, ist Ziel der G.

1. Gesetzliche Grundlagen

Die rechtlich-normative Grundlage der Gleichberechtigung von Männern und Frauen formuliert Art. 3 Abs. 2 GG. Im Zuge der Verfassungsreform (1994) wurde er durch einen Handlungsauftrag an den Staat ergänzt: „Der Staat fördert die tatsächliche Durchsetzung der Gleichberechtigung von Frauen und Männern und wirkt auf die Beseitigung bestehender Nachteile hin."

Auf internationaler Ebene ist die CEDAW das umfassendste internationale Menschenrechtsdokument für die Rechte der Frau. Es verpflichtet Staaten zu Maßnahmen zur Durchsetzung rechtlicher und tatsächlicher Gleichstellung von Frauen. Wegweisend war auch die Vierte Weltfrauenkonferenz der Vereinten Nationen von Peking 1995. In der „Aktionsplattform von Peking", verpflichtend für alle Mitgliedstaaten der VN, werden für zwölf gesellschaftliche Bereiche konkrete Maßnahmen zur Förderung der Gleichstellung der Geschlechter benannt.

Zudem sind die Gleichstellungs- und Antidiskriminierungsrichtlinien der ↑ EU auch für Deutschland bindend und haben die G. wesentlich beschleunigt. Bereits der Vertrag zur Gründung der EWG (1957) enthielt mit dem damaligen Art. 119 den Grundsatz auf gleichen Lohn für gleiche Arbeit. Ab Mitte der 1970er Jahre präzisieren sich Gleichstellungsregelungen in den Verträgen und Richtlinien. Heute ist Gleichstellung im EUV, im AEUV und auch in der EuGRC verankert. Die ↑ Europäische Kommission und der ↑ EuGH haben insb. seit Mitte der 1990er Jahre die Entwicklung der G. auch in Deutschland forciert.

Mit dem AGG (2006), das vier EU-Richtlinien umsetzte, wurden zudem die Zielgruppen für ein Verbot von ↑ Diskriminierungen ausgeweitet. Das AGG bezieht sich auf direkte und indirekte Diskriminierung in Beruf und Beschäftigung, im Sozialrecht, im Privatrecht sowie im Beamtenrecht. Verboten sind Diskriminierungen aufgrund von Geschlecht, ethnischer Herkunft, Religion oder Weltanschauung, ↑ Behinderung, des Alters und der sexuellen Identität.

2. Gleichstellungspolitik im föderalen Staat

G. ist auf allen Ebenen des ↑ politischen Systems angesiedelt, in Form sowohl von gesetzlichen Bestimmungen als auch von institutionellen Zuständigkeiten. Auf der Bundesebene wurde das Ministerium für Jugend, Familie und Gesundheit 1985 auch im Titel um die Frauenpolitik als zusätzlichem Aufgabengebiet erweitert. 2001 trat das BGleiG in Kraft, das die Umsetzung der Geschlechtergleichstellung in der Bundesverwaltung, in den Bundesgerichten und in den Körperschaften, Anstalten und Stiftungen des öffentlichen Rechts vorsieht. Auch finden sich hier die Regelungen zur Ausarbeitung der Gleichstellungspläne und der Wahlen der Gleichstellungsbeauftragten in der Verwaltung. Es wurde 2015 neu formuliert und enthält seitdem auch Regelungen für die Privatwirtschaft. Überarbeitet wurden auch die Vorschriften zur besseren Vereinbarkeit von Familie, Beruf und Pflege; ferner müssen künftig alle Behörden und Gerichte des Bundes Zielvorgaben zur Erhöhung des Frauenanteils auf der Führungsebene festlegen. Auch die Beteiligungs- und Mitwirkungsrechte der Gleichstellungsbeauftragten wurden gestärkt. Das neue BGremBG von 2015 sieht die paritätische Vertretung von Frauen und Männern in Gremien vor, soweit der Bund Mitglieder für diese bestimmen kann. Dazu gehören u. a. Aufsichts- und Verwaltungsräte. Zunächst wird der Mindestanteil 30 % Frauen und 30 % Männer betragen; ab 2018 soll der jeweilige Anteil auf 50 % erhöht werden.

In den Bundesländern wurden ab Mitte der 1980er Jahre ebenfalls sog.e Frauenfördergesetze verabschiedet. Heute existieren in allen Bundesländern Landesgleichstellungs- oder Landesgleichberechtigungsgesetze. Deren Zuständigkeiten und Reichweite variieren. In einigen Ländern beschränken sie sich auf die Beschäftigten des öffentlichen Dienstes; andere Länder sehen entspr.e (grund-)gesetzliche Verpflichtung für jegliches Verwaltungshandeln. Die Landesgesetze regeln ferner die Rahmenbedingungen für Gleichstellungsarbeit der Kommunen (z. B. für das Amt der Gleichstellungsbeauftragten: Bestellung ab welcher Bevölkerungszahl, Aufgabe haupt- oder nebenamtlich …), zu Spielräumen bei der öffentlichen Auftragsvergabe oder in Hinblick auf Gender-Quoten für Gremien. Die Akteure auf Länderebene beraten sich in der GFMK.

Auf kommunaler Ebene sind bundesweit etwa 1400 Beauftragte, oft in Gleichstellungsbüros, zuständig für Fragen, die mit Geschlechtergleichstellung zu tun haben. Nach innen bringen sie Initiativen ein, beraten und sind zuständig für Personalentwicklung und Belange der Beschäftigten der Verwaltung; nach außen ist es ihre Aufgabe, gleichstellungspolitische Initiativen in ihren Kommunen zu initiieren und zu begleiten, etwa Initiativen zum Abbau von Gewalt gegen Frauen und zum Schutz Betroffener.

3. Akteure

Kennzeichnend für die G. ist die hohe Zahl an nichtstaatlichen Akteuren, frauenpolitischen Gruppen und Verbänden. In Deutschland hat, wie in anderen westeuropäischen Staaten, die Zweite Frauenbewegung ab Ende der 1960er Jahre Themen der Gleichstellung stark forciert, auf Benachteiligung von Frauen öffentlichkeitswirksam aufmerksam gemacht und zur Institutionalisierung der Frauenpolitik beigetragen. Zu den Forderungen gehörten u. a. das Recht auf Selbstbestimmung, die Abschaffung des § 218, die Bekämpfung der Gewalt gegen Frauen und die Gründung von Frauenhäusern sowie die Gleichbehandlung am Arbeitsplatz.

Großen Einfluss nicht-staatlicher Akteure gibt es auch auf der Ebene der EU. Hier wird, insb. für die zweite Hälfte der 1990er Jahre, von einem „velvet triangle" (Woodward 2004) gesprochen, einem Netzwerk zwischen „Femokratinnen" (in der Bürokratie, z. B. in der Kommission, weiterhin tätige ehemalige Aktivistinnen und Frauenbeauftragte), Akteurinnen der ↗Frauenbewegung und Wissenschaftlerinnen.

4. Leitbild und Maßnahmen

Das Leitbild von Gleichstellung hat sich in den letzten Jahren konkretisiert. Etwa formuliert die Bundesregierung, ihr Ziel sei „nicht eine Politik für Frauen oder Männer, sondern vielmehr eine Politik, die Frauen und Männern gleiche Chancen bietet" (BMFSFJ 2014: 10).

Aufgabe sei „das Aufbrechen ungerechter Strukturen und Mechanismen sowie der Wandel von traditionellen Rollenmustern hin zu einer Gleichstellung von Frauen und Männern in Partnerschaft, Familie und Beruf" als „politische, soziale, kulturelle und ökonomische Aufgabe" (BMFSFJ 2014: 10). Dem Ersten Gleichstellungsbericht im Auftrag der Bundesregierung aus dem Jahre 2011 liegt als Leitbild des Geschlechterverhältnisses einerseits die Berufstätigkeit, andererseits die Übernahme von Sorgearbeit für Kinder und Pflegebedürftige von Männern und Frauen gleichermaßen zugrunde. Das bedeutet die Abkehr vom klassischen westdeutschen Modell des männlichen Haupternährers, das mit dem Fehlen einer eigenständigen ökonomischen Absicherung vieler Frauen einherging. Es ist Aufgabe der G., die Rahmenbedingungen so zu verändern, dass die steigenden Erwerbswünsche sowie die ökonomische Unabhängigkeit von Frauen unterstützt werden. Der Bedarf an entspr.en Maßnahmen und der Nachholbedarf Deutschlands im Vergleich zu anderen westlichen Demokratien zeigt sich im Übrigen an Gleichstellungsindizes. Deutschland liegt beim Gender Equality Index des EIGE nur im Mittelfeld der EU-Staaten. Bes. hoch ist die Geschlechterdiskrepanz u. a. in der Erwerbsrate, gemessen an Vollzeitäquivalenten, beim Gehalt, beim Anteil familiär geleisteter Pflegearbeit sowie bei Führungspositionen. Das Gehaltsgefälle liegt laut Eurostat bei 22 % (2014).

Alledem entgegenwirkende G. ist natürlich ressortübergreifende Querschnittspolitik. Dem soll auch die Strategie des Gender Mainstreamings Rechnung tragen. ↗Gender Mainstreaming wurde auf der Vierten Weltfrauenkonferenz entwickelt, von der EU forciert und soll bei der Planung, Durchführung und Bewertung sämtlichen Verwaltungshandelns die Berücksichtigung von Gleichstellung sowie der Lebenswirklichkeiten von Frauen und Männern zum durchgängigen Leitprinzip machen. Kritisiert wird derzeit die mangelnde Berücksichtigung von Gender Mainstreaming sowie unzulängliches Engagement bei der Durchsetzung dieses Konzepts sowohl in der deutschen als auch in der EU-Politik.

Literatur

F. Irgmaier/B. Bergemann: Vom Alltagsbegriff zum Forschungsprogramm: Ergebnisse des Workshops. Entstehung von Politikfeldern – Vergleichende Perspektiven und Theoretisierung, in: B. Bergemann (Hg.): Entstehung von Politikfeldern, 2016, 1–13 • EIGE: Gender Equality Index 201, 2015 • Europäisches Parlament: Gleichstellungspolitik in Deutschland. Eingehende Analyse, 2015 • BMFSFJ: Peking +20, 2014 • F. Schreyögg/U. Wrangell: Kommunale Gleichstellungsarbeit und ihre Akteurinnen – die Frauen- und Gleichstellungsbeauftragten. Auftrag – Umsetzung – Ergebnisse, in: Gender 6/1 (2014), 65–81 • BMFSFJ: Neue Wege – Gleiche Chancen. Gleichstellung von Frauen und Männern im Lebensverlauf. Erster Gleichstellungsbericht, 2013 • U. Klein: Geschlechterverhältnisse, Geschlechterpolitik und Gleichstellungspolitik in der Europäischen Union. ²2013 • A. Jünemann/C. Klement: Die Gleichstellungspolitik in der Europäischen Union. The policy of gender equality in the European Union, 2005 • A. E. Woodward: Building Velvet Triangles: Gender and Informal Governance, in: T. Christiansen/S. Piattoni (Hg.): Informal Governance in the European Union, 2004, 76–93 • C. Hoskyns: Integrating gender. Women, Law and Politics in the European Union, 1996.   UTA KLEIN

Globalisierung

I. Historisch (bis zu den 1980er Jahren) –
II. Wirtschaftswissenschaftlich – III. Politikwissenschaftlich

I. Historisch (bis zu den 1980er Jahren)

In der Geschichtswissenschaft kursieren zwei unterschiedliche Definitionen von G.: Zum einen gibt es eine weite Begriffsfestlegung, welche die Entwicklung und Expansion von transgesellschaftlichen Vernetzungen, Interaktionen und Interdependenzen in den Bereichen des Sozialen, Kulturellen, Wirtschaftlichen wie Politischen umfasst. In den Blick genommen werden dabei sowohl Menschen, Waren, kulturelle Artefakte, Praktiken und Ideen, die die Grenzen zwischen geographisch voneinander entfernten und gesellschaftlich voneinander differierenden Regionen überschreiten, als auch Strukturen und Institutionen, die diese distinkten Gesellschaften miteinander verbinden, sei es über Infrastrukturen des Transports und der Kommunikation oder über supranationale Organisationen (↑UNO, international agierende ↑NGOs). Sie alle führen dazu, dass sich viele Weltzusammenhänge verdichten, zugl. aber auch neue Machtasymmetrien entstehen. Der engere G.s-Begriff, der im Folgenden verwendet wird, beschränkt sich dagegen auf die wachsende ökonomische Verflechtung in Form der Entstehung transregionaler, -nationaler oder -kontinentaler Waren-, Dienstleistungs-, Kapital- (↑Geld- und Kapitalmarkt) und ↑Arbeitsmärkte. Unter G. wird damit ein Prozess verstanden, der zwar nicht per se alle Weltregionen umfassen muss und auch nicht als teleologisch, linear oder irreversibel gedacht werden sollte, insgesamt aber doch wachsende gegenseitige wirtschaftliche Beeinflussungen und Abhängigkeiten mit ökonomischen wie sozialen Folgen generiert.

1. „Globalisierung" vor der Globalisierung?

Innerhalb der Geschichtswissenschaft ist die Datierung des Beginns der G. umstritten. So sehen manche bereits im Mittelalter mit dem wachsenden ↑Handel von Luxusgütern (Gewürze und Seide von Asien nach Europa) eine G. im Gange. Andere setzen deren Beginn eher mit der Entdeckung des Seeweges nach Asien um 1500 und der intensivierten Einbeziehung des afrikanischen Kontinents in den Fernhandel bzw. mit der Eroberung Ame

rikas an, wobei das Eindringen europäischer Kaufleute und Handelsgesellschaften in die asiatischen Handelsnetze, die Ausbeutung der amerikanischen Silber- und Goldschätze, der interkontinentale Transfer von Nutztieren und -pflanzen (*Columbian Exchange*), die Entwicklung des transatlantischen Sklavenhandels (↑Sklaverei) seit dem 16. Jh. und der Siegeszug der Plantagenwirtschaft als bes. Kennzeichen wachsender ökonomischer Interaktionen mit ihren enormen Auswirkungen an den jeweiligen Orten der Verflechtung angesehen werden. Gegner dieser These der „Proto-G." verweisen dagegen auf all jene Weltregionen und Wirtschaftssektoren, die bis zum 19. Jh. von diesen wirtschaftlichen Kontakten nur peripher oder überhaupt nicht verändert wurden, beschränkte sich der Konsum der meisten Menschen auf der Erde doch weitgehend auf Produkte aus ihrer jeweiligen Region. Entscheidend in der Debatte sind die Kriterien, die für das Vorhandensein von G.s-Vorgängen angelegt werden. So kann gefragt werden, ob von G. erst dann zu sprechen sei, wenn sich gesellschaftliche Strukturen infolge des Austauschs von Waren oder Dienstleistungen qualitativ und/ oder quantitativ signifikant wandeln. Eine weitere Möglichkeit ist das Kriterium der geographischen Reichweite und Ubiquität, eines potenziell weltumspannenden Charakters.

Neuzeithistoriker datieren den Beginn der G. daher meist auf die Mitte des 19. Jh., wenn sie auch im mittelalterlichen und frühneuzeitlichen Fernhandel Strukturen und Praktiken angelegt sehen, die ihre Wirkmächtigkeit im 19./20. Jh. weiter entfalteten. Als wesentlicher Indikator für G.s-Prozesse wird von ihnen oft die wachsende internationale Preiskonvergenz angeführt. Weitgehender Konsens herrscht zudem in Hinblick auf die Einteilung des G.s-Prozesses in Phasen: Eine erste Welle der G. habe im Zeitraum von etwa Mitte des 19. Jh. bis 1914 stattgefunden, eine zweite Phase der Verdichtung lasse sich dann seit den späten 1940er Jahren ausmachen, eine dritte habe um 1990 herum eingesetzt. Zwischen den ersten beiden Phasen habe mit den beiden ↑Weltkriegen und den von ihnen verursachten Desintegrationsprozessen, den Tendenzen zum Protektionismus und den vielerorts entwickelten Autarkiebestrebungen (↑Autarkie) eine Phase der De-G. bzw. Stagnation gelegen. Allerdings sollte die Trennung zwischen diesen Phasen nicht allzu strikt gesehen werden, lassen sich doch selbst in der Zwischenkriegszeit Entwicklungen ökonomischer Verflechtungen beobachten und zeigt etwa die ↑Weltwirtschaftskrise der späten 1920er und frühen 1930er Jahre, dass eine wechselseitige Abhängigkeit eines Großteils der nationalen Wirtschaften trotz des Ersten Weltkrieges weiterhin bestand.

2. Die erste Globalisierungswelle

Mehrere Indikatoren können herangezogen werden, um eine erste G.s-Welle, die v. a. auf einem Austausch von Rohstoffen und Grundnahrungsmitteln gegen Indus trieerzeugnisse basierte, seit Mitte des 19. Jh. auszumachen. So zeigt sich die Internationalisierung sowohl der Beschaffungs- als auch der Absatzmärkte am Wachstum des internationalen Warenaustauschs: Zwischen 1850 und 1914 verzehnfachte sich das Welthandelsvolumen, die Exportquote vieler Länder erhöhte sich, etwa jene Deutschlands von ca. 7,4 % (1870) auf 12,2 % (1913). Hinzu kam eine hohe internationale Kapitalmobilität. Auch der Ankauf ausländischer Staatspapiere wurde üblich. Portfolioinvestitionen etwa in Form der Beteiligung an Eisenbahngesellschaften wuchsen deutlich. Immer mehr Unternehmen verzeichneten einen Anstieg des Anteils ihres ausländischen Umsatzes am Gesamtumsatz und engagierten sich im Ausland in Form von Direktinvestitionen; multinationale Unternehmen wie General Electrics begannen ihren Aufstieg.

Voraussetzung, aber zugl. auch Folge dieser ersten G.s-Welle waren die sprunghaften Entwicklungen im Bereich von Kommunikation und Transport seit Mitte des 19. Jh., die den interregionalen, internationalen und interkontinentalen Austausch von Waren, Informationen und Arbeitskräften erleichterten. So wurde Mitte der 1860er Jahre das erste transatlantische Telegraphenkabel verlegt. Die Durchsetzung der Dampfschifffahrt auch jenseits der Binnengewässer verkürzte die Transport- und Reisezeiten erheblich, was u. a. zur G. des Arbeitsmarktes beitrug. Die Eröffnung des Suez-Kanals 1869 verkürzte und verbilligte den Warentransport zwischen Europa und Asien bzw. Afrika deutlich. Der Ausbau von Eisenbahnlinien in Europa und Amerika sowie in den afrikanischen und asiatischen Kolonien (↗Kolonialismus) erleichterte den Transport von Massengütern (Rohstoffe, Agrarprodukte, Fabrikate).

Des Weiteren kann die Industrialisierung (↗Industrialisierung, Industrielle Revolution) zunächst in einzelnen europäischen Regionen, dann auch jenseits des Atlantiks sowohl als Ursache als auch als Folge von G.s-Tendenzen angesehen werden, führte sie doch zu einem enormen Verbrauch von Rohstoffen, die teilweise wie die Baumwolle aus anderen Kontinenten herbeigeschafft werden mussten, während zugl. Absatzmärkte auch jenseits der jeweiligen Heimatmärkte zu bestücken waren. Darüber hinaus ist die Erschließung von Landmassen etwa im Westen der USA und damit von Agrarflächen und Rohstoffvorkommen zu nennen. Hinzu kam ein Wandel der vorherrschenden wirtschaftstheoretischen und -politischen Leitideen: Vertreter protektionistischer Konzepte fanden immer weniger Gehör, stattdessen wurden wirtschaftsliberale Vorstellungen wirkmächtig. Dies führte zur Senkung von Zöllen (↗Zoll) und nichttarifären Handelsbarrieren. Einige Forscher schreiben dabei dem 1860 zwischen England und Frankreich abgeschlossenen Cobden-Chevalier-Vertrag (Meistbegünstigungsklausel und Zollsenkungen) eine bes. Bedeutung zu. Jedoch stockte der Prozess der außenwirtschaftlichen ↗Liberalisierung bereits in den späten 1870er Jahren wieder; infolge des Export-

booms v. a. US-amerikanischer und russischer Agrarprodukte kam es in mehreren europäischen Ländern zu einem Preisverfall und protektionistischen Gegenmaßnahmen (Schutzzölle). Allerdings bremste das den G.s-Prozess nur bedingt; die weltwirtschaftliche Verflechtung wurde weiter vorangetrieben, z. B. durch die Durchsetzung des Goldstandards in der zweiten Hälfte des 19. Jh., was zu einer Verringerung des Währungsrisikos führte und internationale Finanztransfers erleichterte. Die Standardisierung von Maßen und Gewichten, die Einführung von Weltzeitzonen 1884 und weitere internationale Absprachen (z. B. Patent-/Markenschutz) verringerten ebenfalls die Transaktionskosten im Welthandel.

Analysiert man den geographischen Radius dieser ersten G.s-Welle, so kann Europa, gestützt auf staatliches, oft gewaltsames Handeln, als eine diesen Prozess bes. dynamisierende Region ausgemacht werden. Während bis ins 18. Jh. v. a. Akteure in Asien die interkontinentale Wirtschaftsverflechtung mitbestimmen, so konnten nun v. a. Europäer ihre Interessen durchsetzen. Dieser Prozess der sog.en *Great Divergence* führte zur Ausbildung von Wohlstandsgefällen und Machtasymmetrien zwischen den wirtschaftlich verflochtenen Regionen: Teile Europas sowie Nordamerikas entwickelten sich zu Zentren, während viele Regionen Asiens, Afrikas und des südlichen Amerikas weitgehend auf einen Status von (Semi-)Peripherien reduziert wurden, ein Prozess, der vielerorts durch den Aufbau kolonialer Strukturen verstärkt wurde.

3. Die zweite Globalisierungswelle

Nach den Verheerungen zweier Weltkriege nahm der Aufbau der außenwirtschaftlichen Strukturen und Beziehungen eine gewisse Zeit in Anspruch. Die Exportquote der Länder Mittel- und Westeuropas erreichte erst nach einem Vierteljahrhundert wieder den Stand von 1913, der transnationale Nettokapitaltransfer war weltweit sogar zu Ende des 20. Jh. noch geringer als vor 1914. Dennoch sind in der zweiten Hälfte des 20. Jh. die Indizien für die Expansion von transgesellschaftlichen Verflechtungen insb. in der sog.en westlichen Welt – Staaten des sowjetischen Machtbereichs schotteten sich vom Weltmarkt eher ab – sowohl im Bereich der Waren-, Dienstleistungs- und Kapital- als auch der Arbeitsmärkte unübersehbar. U. a. stieg zwischen 1950 und 1990 der Weltexport um 1250 % und damit deutlich schneller als die Weltproduktion. Dieser G.s-Schub verlief sowohl in Form einer Regionalisierung intensivierter wirtschaftlicher Austauschbeziehungen, etwa im Rahmen von EWG/ EG, ↗Vereinigung Südostasiatischer Nationen (ASEAN) oder zwischen den sozialistischen Staaten (RGW), als auch auf globaler Ebene.

Vergleicht man die erste mit der zweiten G.s-Welle, so lassen sich einige Unterschiede feststellen. Erstens ging die Bedeutung von europäischen Akteuren für den G.s-Prozess zurück, während v. a. die Initiative auf US-amerikanischer Seite zunahm; zudem wurde Japan immer wichtiger. Zweitens war diese zweite G.s-Welle nun auch jenseits des kolonialen Zusammenhangs noch stärker als die erste durch zielgerichtetes politisches Handeln induziert bzw. gelenkt; der Marshall-Plan ist dafür ein treffendes Beispiel. Drittens nahm die Gestaltungsmacht supranationaler Organisationen zu, hatten doch z. B. EWG, ↑OPEC, ↑Weltbank oder ↑IWF erheblichen Einfluss auf die Funktionsmechanismen des internationalen Handels – was wiederum die wirtschaftspolitischen Handlungskompetenzen von Nationalstaaten teilweise beschränkte bzw. verlagerte. So trugen internationale Abkommen wie das GATT von 1947 zu einer schrittweisen Handelsliberalisierung zumindest im kapitalistisch organisierten Teil der Welt bei. Viertens ist auf die wachsende Bedeutung multinationaler Unternehmen hinzuweisen: Die Zahl von Firmen mit Niederlassungen im Ausland und deren Anteil am Welthandel stieg im Vergleich zur Zeit um 1900 nochmals deutlich an, damit erhielten Direktinvestitionen im Ausland ein größeres Gewicht, v. a. seit dem Anbruch der neoliberalen Ära (↑Neoliberalismus) in den 1980er Jahren. Dies bedeutete auch, dass die internationalen Wirtschaftsbeziehungen weniger als zuvor vom traditionellen Außenhandel und stärker von der Auslandsproduktion bestimmt wurden. Und nicht zuletzt lässt sich eine Verstärkung des intraindustriellen Handels konstatieren, bei dem die entwickelten Volkswirtschaften untereinander hochwertige Industriegüter austauschten.

Die gesellschaftlichen Folgen der zweiten G.s-Welle wiesen ebenfalls einige Spezifika auf. Hier ist etwa auf die intensivierte internationale Arbeitsteilung mit ihren Konsequenzen für soziale Ungleichheitsstrukturen im globalen Maßstab hinzuweisen: Die bereits relativ wirtschaftsschwachen Regionen Afrikas und Südasiens verloren abermals an Boden. Auch die größere Abhängigkeit nationaler Ökonomien von weltweiten Konjunkturschwankungen oder vom Handeln einflussreicher wirtschaftlicher Akteure ist herauszuheben, was z. B. an den Problemen der von der OPEC ausgelösten Ölpreiskrise 1973/74 oder der Vertiefung der Schuldenkrise Lateinamerikas infolge des 1979 vollzogenen Übergangs zur Hochzinspolitik in den USA aufgezeigt werden kann. Zudem lässt sich in Hinblick auf die ökologischen Folgen des G.s-Schubs eine neue Quantität wie Qualität feststellen: Die intensivierte Ausbeutung natürlicher Ressourcen und das Wachstum von Transportvolumina und -distanzen trugen zur verstärkten Umweltzerstörung und zum globalen ↑Klimawandel bei. Wie während der ersten G. waren Gewinner und Verlierer während der zweiten weltwirtschaftlichen Verdichtungsphase sowohl zwischen als auch innerhalb der jeweiligen Gesellschaften sehr ungleich verteilt.

Literatur
G. Riello: Cotton. The Fabric that Made the Modern World, 2013 • A. Epple: Globalisierung/en (2012), in: Docupedia-Zeitgeschichte, URL: https://docupedia.de/zg/Globalisierung (abger.: 20.3.2018) • A. Nützenadel: Die wirtschaftliche Dimension der Globalisierung, in: P. Den Boer u. a. (Hg.): Europäische Erinnerungsorte 3: Europa und die Welt, 2012, 19–26 • N. P. Petersson: Globalisierung, in: J. Dülffer/W. Loth (Hg.): Dimensionen internationaler Geschichte, 2012, 271–291 • P. E. Fässler: Globalisierung, Ein historisches Kompendium, 2007 • J. Osterhammel/N. P. Petersson: Geschichte der Globalisierung, ⁴2007 • C. Torp: Die Herausforderung der Globalisierung. Wirtschaft und Politik in Deutschland 1860–1914, 2005 • M. D. Bordo/A. M. Taylor/J. G. Williamson (Hg.): Globalization in Historical Perspective, 2003 • H. S. Klein: The Atlantic Slave Trade, 1999 • K. H. O'Rourke/J. G. Williamson: Globalization and History. The Evolution of a Nineteenth-Century Atlantic Economy, 1999.

GABRIELE LINGELBACH

II. Wirtschaftswissenschaftlich

1. Charakterisierung
1.1 Begriffsdefinition
Der Begriff G. wird allg. im Sinne einer Intensivierung internationaler Austauschbeziehungen und Interdependenzen insb. im Bereich von Politik, Kultur und Wirtschaft verstanden. Die nachfolgenden Ausführungen konzentrieren sich auf die wirtschaftliche Dimension der G. als Prozess einer voranschreitenden internationalen Vernetzung ökonomischer Aktivitäten. Das Ausmaß der G. manifestiert sich dabei in einer zunehmenden Integration der Güter-, Dienstleistungs-, Kapital- (↑Geld- und Kapitalmarkt) und ↑Arbeitsmärkte.

1.2 Neuere historische Entwicklung
Der Beginn der modernen Ära der G. lässt sich auf eine im Jahre 1944 veranstaltete Konferenz der Alliierten in ↑Bretton Woods im U.S.-amerikanischen Bundesstaat New Hampshire datieren. Unterstützt durch im Zeitverlauf fallende Transport- und Kommunikationskosten trug diese Konferenz maßgeblich zu einer beschleunigten ↑Liberalisierung von Güter- und ↑Finanzmärkten bei, indem sie neben den internationalen Organisationen des ↑IWF und der ↑Weltbank auch das GATT (seit 1995 als Bestandteil der ↑WTO) sowie ein bis in die frühen 1970er Jahre bestehendes globales System fester ↑Wechselkurse etablierte. Das Ausmaß der G. nahm in den 1980er und 1990er Jahren durch die wirtschaftliche Öffnung vormals weitgehend geschlossener Volkswirtschaften in Asien und Südamerika, insb. Chinas, Indiens und Brasiliens, sowie durch den Zusammenbruch der UdSSR und der damit einhergehenden Marktöffnung der Länder Mittel- und Osteuropas nochmals deutlich zu. Die verstärkte Dynamik der G. wurde in dieser Zeit durch eine sukzessive Deregulierung der Güter- und Finanzmärkte in den hochentwickelten Volkswirtschaften der OECD zusätzlich befördert. Diese Entwicklung wurde erst durch die globale Wirtschafts- und Finanzkrise der späten 2000er Jahre abgebremst, die

eine Phase der Deglobalisierung einläutete, welche sich in Form abflachender Handelsströme sowie einer verstärkten Re-Regulierung der Finanzmärkte manifestierte.

2. Dimensionen der Globalisierung

2.1 Internationaler Güterhandel

Als ein quantitatives Maß der G. auf den Gütermärkten dient der realwirtschaftliche Offenheitsgrad, definiert als Summe aus Exporten und Importen von Waren und Dienstleistungen in Relation zum BIP. Für die Welt als Ganze hat sich dieser im Zeitraum von 1970 bis 2015 mit einem Anstieg von unter 20 % auf etwa 45 % mehr als vedoppelt. Der internationale Güterhandel wird durch das Prinzip des komparativen Vorteils gelenkt. Gemäß diesem Prinzip wird sich jedes am Welthandel beteiligte Land auf die Produktion und den Export jener Güter spezialisieren, mit denen sich im Vergleich zu allen anderen im Inland produzierbaren Gütern am Weltmarkt die jeweils höchsten Erträge der eingesetzten Produktionsfaktoren erzielen lassen. Die Handelsgewinne dieses Spezialisierungsmusters entstehen dabei selbst in Ländern, die alle Produkte mit einem höheren Ressourcenaufwand produzieren als andere Länder. Zugl. importiert jedes Land solche Güter, die im Rest der Welt zu geringeren Kosten und Preisen im Vergleich zu einer Inlandsproduktion hergestellt werden. Komparative Vorteile resultieren dabei entweder aus technologischen Unterschieden in den Produktionsbedingungen der einzelnen Länder oder erwachsen aus unterschiedlichen Ausstattungen mit Produktionsfaktoren.

Neben der Produktionsspezialisierung gemäß komparativer Vorteile entstehen volkswirtschaftliche Gewinne aus dem internationalen Güterhandel auch durch die Ausnutzung zunehmender Skalenerträge in der ↑Produktion. Für Unternehmen, die neue Absatzchancen auf den Weltmärkten realisieren, führt die Kostendegression steigender Losgrößen zu sinkenden Stückkosten. Bei verschärftem ↑Wettbewerb auf international umkämpften Märkten werden die gesunkenen Stückkosten in Form geringerer Güterpreise an die Konsumenten weitergereicht. Zugl. vergrößert sich durch den internationalen ↑Handel auch die in jedem Land verfügbare Produktvielfalt und erhöht auf diese Weise den Nutzen der Konsumenten in allen am Welthandel beteiligten Ländern. Handelsliberalisierung führt zudem zu einer Ressourcenumverteilung zugunsten der produktiveren Exportunternehmen und verändert die Unternehmensstruktur dahingehend, dass die am wenigsten produktiven Firmen aus dem ↑Markt ausscheiden, während die produktiveren Unternehmen expandieren. Auf diese Weise erhöht der internationale Handel die durchschnittliche Produktivität im Unternehmenssektor jedes Landes. Diese theoretischen Erkenntnisse werden durch neuere empirische Evidenz insofern erhärtet, als international tätige Unternehmen in der Regel eine höhere Produktivität aufweisen und höhere Reallöhne zahlen als ausschließlich national aufgestellte Firmen.

Obwohl ↑Freihandel für alle Länder von Vorteil ist, verursacht dieser zugl. Umverteilungseffekte innerhalb jedes Landes insb. dadurch, dass international nicht wettbewerbsfähige Industriezweige zurückgedrängt werden oder ganz aus dem Markt ausscheiden müssen. Vom Strukturwandel negativ betroffene Industrien werden häufig durch Importzölle (↑Zoll) u. a. handelspolitische Maßnahmen geschützt, die zwar gesamtwirtschaftlich schädlich sind, vom Weltmarkt abgeschirmte Industrien aber begünstigen. Durch acht erfolgreiche Verhandlungsrunden trug das GATT entscheidend dazu bei, das durchschnittliche Wertzollniveau auf Industrieprodukte im Laufe der zweiten Hälfte des 20. Jh. von etwa 50 % auf unter 5 % zu senken. Dieser Prozess kam allerdings durch die im Jahre 2001 eröffnete, aber ins Stocken geratene, neunte multilaterale Verhandlungsrunde (Doha-Runde) zum Erliegen. Parallel dazu führen die v. a. seit Ende des 20. Jh. an Popularität zunehmenden regionalen Freihandelsabkommen wie die EWG, ↑MERCOSUR oder ↑NAFTA zu Blockbildungen von Ländergruppen, die einer weiteren multilateralen Handelsliberalisierung im Rahmen der WTO im Wege stehen können.

Die meisten Schwellenländer, die sich seit den 1980er Jahren bes. stark dem internationalen Handel geöffnet haben, wiesen in der Folge signifikant höhere Wachstumsraten auf als jene Länder, die ihre Handelsbeziehungen weniger stark globalisiert haben. Dabei kam es zu einem erheblichen Rückgang der Armut sowie einer Reduktion der internationalen Einkommensspreizung, die aus den von der G. ausgelösten wirtschaftlichen Aufholprozessen der Entwicklungs- und Schwellenländer gegenüber den industrialisierten Ländern resultierte. Gleichzeitig hat sich jedoch die Einkommensungleichheit innerhalb vieler Länder verstärkt. Diese Entwicklung ist aber nur zu einem Teil der G. der Gütermärkte zuzuschreiben, wobei Einkommenseinbußen insb. in den international nicht wettbewerbsfähigen Industriezweigen zu verzeichnen sind. Die Einkommensspreizung liegt jedoch auch im technologischen Wandel begründet, der mit einer verstärkten Nachfrage nach hochqualifizierter Arbeit zu Lasten von geringqualifizierten Arbeitskräften einhergeht.

2.2 Internationale Finanzmärkte

Die G. der ↑Finanzmärkte manifestiert sich in einem rasanten Wachstum des internationalen Kapitalverkehrs. Das Volumen international gehandelter Finanzaktiva in Form von Bankaktiva, Schuldverschreibungen und Aktien ist seit den 1980er Jahren noch rasanter angestiegen als der Weltgüterhandel und ist in etwa dreimal so schnell gewachsen wie das Weltsozialprodukt. Dabei ist die Summe aller grenzüberschreitenden Forderungen und Verbindlichkeiten allein seit Mitte der 1990er Jahre bis zum Beginn der ↑Finanzmarktkrise

im Jahre 2007 von rund 130 % auf etwa 280 % des Welt-
sozialprodukts angestiegen. In den Jahren nach der Krise hat sich diese Dynamik zunächst wieder verlangsamt,
wobei v. a. die Kapitalströme in die Entwicklungs- und
Schwellenländer deutlich eingebrochen sind.

Die Liberalisierung des internationalen Kapitalverkehrs entfaltet eine Reihe wachstums- und wohl-
fahrtsfördernder Effekte, welche sich über unterschiedliche Kanäle auf die teilnehmenden Volkswirtschaften
auswirken. Die G. der Finanzmärkte ermöglicht eine effizientere Kapitalallokation, wobei Finanzkapital jeweils in die Verwendungen mit den höchsten Grenz-
erträgen gelenkt wird. Darüber hinaus können bei
freiem Kapitalverkehr Investitionsrisiken international
diversifiziert und die Kapitalkosten gesenkt werden,
wodurch das Investitionsvolumen steigen und das
↑Wirtschaftswachstum beschleunigt werden kann. Neben diesen wachstums- und wohlfahrtsfördernden Effekten gehen von der internationalen Finanzmarktintegration zusätzlich stabilisierende Wirkungen auf die
Einkommens- und Konsumentwicklung in den in die
Weltfinanzmärkte integrierten Volkswirtschaften aus.
In den Entwicklungs- und Schwellenländern ermöglicht
die internationale Kapitalmobilität im Zuge des Zu-
flusses von Finanzmitteln eine Diversifizierung der
vielfach auf Rohstoffe und landwirtschaftliche Produkte
beschränkten Produktionsbasis, was die makroökonomische Volatilität in diesen Ländern reduziert. Zugl.
bewirkt die G. der Finanzmärkte, dass die Konsumausgaben weniger stark vom laufenden Einkommen abhängen, wodurch eine wohlfahrtsfördernde Konsumglät-
tung ermöglicht wird.

Als Kehrseite der Finanzmarktliberalisierung ist die
Weltwirtschaft im Laufe der letzten Jahrzehnte wiederholt von Finanzkrisen heimgesucht worden, die von den
1980er Jahren bis in die frühen 2000er Jahre überwiegend Schwellenländer, mit der globalen Finanz- und
Wirtschaftskrise der späten 2000er Jahre aber auch die
Industrieländer traf. Je nach Erscheinungsform kann dabei zwischen Bankenkrisen, Währungskrisen und
↑Staatsschuldenkrisen unterschieden werden. Im Vorfeld solcher Krisen erfahren die betroffenen Länder
typischerweise zunächst einen starken Zufluss internationalen Finanzkapitals, welches insb. im Fall laxer Bankenregulierung in zunehmend unproduktivere Verwendungen gelenkt wird. Dabei kommt es zu steigenden
Vermögenspreisen sowie einer erhöhten Verschuldung
von Regierungen, Banken, Unternehmen und Haushalten. Auslöser der Krise ist dann ein durch Ver-
trauensverluste verursachter deutlicher Einbruch der
Vermögenswerte, der zu Liquiditäts- oder Solvenzproblemen von Banken, Unternehmen und Haushalten
führt. Diese beeinträchtigen die ökonomische Aktivität
in den betroffenen Ländern und können, wie im Falle
der globalen Finanzkrise, gar zu einer weltweiten Rezession führen.

Sofern die wachstums- und wohlfahrtsfördernden

Wirkungen der Finanzmarkt-G. durch eine Beschränkung des freien Kapitalverkehrs nicht zunichte gemacht
werden sollen, lässt sich das Auftreten von Finanzkrisen
nicht gänzlich vermeiden. Die Wahrscheinlichkeit des
Auftretens und die Schwere von Finanzkrisen können
aber durch geeignete wirtschaftspolitische Maßnahmen,
insb. durch eine umsichtige Finanzmarktaufsicht sowie
eine angemessene Regulierung des Bankensystems, verringert werden. In Krisensituationen eignen sich zudem
auch vorübergehende Kapitalverkehrskontrollen zur
Eindämmung abrupter Kapitalbewegungen.

2.3 Multinationale Unternehmen
Durch den freien Kapitalverkehr werden multinationalen Unternehmen grenzüberschreitende ↑Investitionen
in eigene Produktionsstätten und Tochterunternehmen
sowie Fusionen mit oder Beteiligungen an ausländischen Unternehmen ermöglicht. Die Zuflüsse in die
Empfängerländer solcher internationaler Direktinvestitionen haben sich im Vierteljahrhundert zwischen 1990
und 2015 weltweit von gut 200 Mrd. US-Dollar auf
annähernd 2 Billionen US-Dollar fast verzehnfacht. Traditionell kann zwischen horizontalen und vertikalen Direktinvestitionen unterschieden werden. Bei horizontalen Direktinvestitionen verlagern Unternehmen Teile
ihrer Produktion auf ausländische Produktionsstätten,
um von dort den lokalen Absatzmarkt im Zielland zu
bedienen (Markterschließungsmotiv). Bei vertikalen Direktinvestitionen werden hingegen die Wertschöpfungskette der Produktion aufgebrochen und nur einzelne
Produktionsstufen ins Ausland verlagert. Auf diese Weise können internationale Faktorpreisdifferenzen ausgenutzt werden, um Einsparungen bei den Produktions-
kosten zu realisieren, bspw. durch eine Auslagerung bes.
arbeitsintensiver Produktionsstufen in Billiglohnländer.

Multinationale Unternehmen weisen i. d. R. eine
höhere Produktivität im Vergleich zu reinen Exportunternehmen auf. Somit können sie das Zielland durch
geringere Preise, höhere Löhne, sowie bei nicht vollständig repatriierten Gewinnen auch durch ein steigendes Steueraufkommen begünstigen. Zudem sind Direkt-
investition mit einem technischen oder organisatorischen Wissenstransfer in die Zielländer verbunden, der
mittels Technologie-Spillover-Effekten auch die Unter-
nehmenslandschaft im Zielland begünstigen kann. Die
aus der Präsenz multinationaler Unternehmen resultierende höhere Wettbewerbsintensität kann aber auch zu
verringerten Marktanteilen lokaler Unternehmen führen, insb. wenn diese in direkter Konkurrenz mit den
multinationalen Unternehmen stehen. Diese negativen
Verdrängungseffekte lassen sich dabei tendenziell durch
eine wirtschaftspolitische Förderung vertikaler Zuliefer-
beziehungen zwischen multinationalen und lokalen
Unternehmen abschwächen.

Die weitverbreitete Furcht vor einer Monopolisierung
der Wirtschaft durch multinationale Unternehmen ist
sowohl auf der Ebene der Nationalstaaten und erst recht

auf globaler Ebene ungerechtfertigt. Kein privatwirtschaftliches Unternehmen kann sich dem weltweiten Konkurrenzdruck entziehen. Sollten Unternehmen dennoch eine marktbeherrschende Stellung erlangen, so ist diese ohne den Schutz des Staates üblicherweise von kurzer Dauer, da neue Produkte und Unternehmen die Vormachtstellung etablierter Unternehmen schnell wieder erodieren. Eine wirksame Wettbewerbspolitik sowie die steuerliche Gleichbehandlung multinationaler mit rein national aufgestellten Unternehmen kann dabei international faire Wettbewerbsbedingungen gewährleisten.

2.4 Internationale Migration von Arbeitskräften
Fallende Transport- und Kommunikationskosten haben nicht nur eine Internationalisierung von Güter- und Finanzmärkten, sondern auch die internationale ↗Migration von Arbeitskräften befördert. Allein im Zeitraum von 2000 bis 2015 ist die Anzahl internationaler Migranten, inklusive der weltweit etwa 15 Mio. Flüchtlinge, um 40 % auf über 250 Mio. Menschen gestiegen, was 3,4 % der Weltbevölkerung entspr. Im Hinblick auf individuelle ökonomische Motive der Migration spielen neben Unterschieden im erwarteten Erwerbseinkommen zwischen Ursprungs- und Zielland insb. die Transferierbarkeit von Berufsqualifikationen und Fähigkeiten eine Rolle. Von der Migration können nicht nur die Migranten selbst profitieren, sondern auch das Zielland aufgrund der mit der Zuwanderung häufig verbundenen positiven Wachstumseffekte. Allerdings verteilen sich die Migrationsgewinne im Zielland mitunter ungleich auf die Wirtschaftssubjekte. Während der Faktor ↗Kapital sowie ↗Arbeitnehmer, deren Qualifikationsniveaus sich komplementär zu denen der Migranten verhalten, gewinnen, verlieren Arbeitnehmer mit einem vergleichbaren Qualifikationsniveau aufgrund des gestiegenen Arbeitskräfteangebots im Zielland. Die Effekte verhalten sich im Ursprungsland der Migranten entspr. umgekehrt. Langfristig können sich diese Effekte allerdings einebnen, sofern sich die Produktionsstrukturen in den Ländern dem veränderten Arbeitsangebot anpassen, wobei das Zielland vermehrt arbeitsintensive und das Ursprungsland vermehrt kapitalintensive Güter ausbringt (sog.er Rybczinski-Effekt). Eine vollständige Nivellierung ist hier jedoch allenfalls für kleine Länder zu erwarten, in denen diese Strukturanpassungen keine Preiseffekte am Weltmarkt generieren.
Sofern eine Transferierbarkeit von Berufsqualifikationen und Fähigkeiten gegeben ist, wandern eher gebildete als ungebildete Personen aus den Entwicklungsländern in die Industrieländer aus. Dieses als *brain drain* bekannte Phänomen kommt den Zielländern zugute, schmälert jedoch den Bestand hochqualifizierter Arbeitnehmer in den Ursprungsländern der Migration. Im Fall der Rückmigration profitieren jedoch auch die Herkunftsländer von den erworbenen Fachkenntnissen der Migranten. Zugl. tragen Rücküberweisungen von im

Zielland erworbenen Einkommen zur wirtschaftlichen Entwicklung ihrer Herkunftsländer bei. Das Ausmaß solcher Rücküberweisungen in die Entwicklungs- und Schwellenländer betrug 2015 mit über 400 Mrd. US-Dollar etwa das Dreifache der offiziellen Entwicklungshilfe.

3. Globalisierungskritik

Die G. verändert die wirtschaftliche Struktur einer Volkswirtschaft, indem sie Industrien mit komparativen Vorteilen begünstigt und eine Ressourcenumverteilung zugunsten von Exportunternehmen befördert. Sie gefährdet damit die Besitzstände gerade jener Industrien, die am Weltmarkt nicht wettbewerbsfähig sind. Die seit Ende des 20. Jh. aufkeimende G.s-Kritik richtet sich insb. gegen diesen durch die G. induzierten strukturellen Wandel, der durch protektionistische Maßnahmen auf nationalstaatlicher Ebene behindert oder gar unterbunden werden soll. Protektionismus schützt jedoch nur die Industrien mit komparativem Nachteil, behindert aber die Neuentstehung von Arbeitsplätzen in den international wettbewerbsfähigen Wirtschaftssektoren, und wirkt sich somit negativ auf das Produktionswachstum aus. Zugl. führt er zu höheren Preisen und geringeren Reallöhnen, und zwar sowohl in Industrie- als auch in Entwicklungsländern.
Um die mit der G. einhergehenden Umverteilungs- und Struktureffekte auf den Güter- und Arbeitsmärkten sozial abzufedern, und zugl. die weitverbreitete Skepsis gegenüber der G. abzubauen, sollten Regierungen geeignete Sicherungsmechanismen zur Verfügung stellen, um diejenigen zu unterstützen, die durch den strukturellen Wandel benachteiligt werden. Dies kann zudem durch eine Stärkung des Bildungssektors sichergestellt werden, um weite Teile der Weltbevölkerung mit den erforderlichen Fähigkeiten auszustatten und sie damit in die Lage zu versetzen, die sich in einer dynamisch ändernden Weltwirtschaft bietenden beruflichen Chancen optimal nutzen zu können.

Literatur
IMF: World Economic Outlook April, 2016 • UNCTAD: World Investment Report, 2016 • World Bank: Migration and remittances factbook, ³2016 • WTO: World Trade Statistical Review, 2016 • Ö. Bodvarsson/H. Van den Berg: The Economics of Immigration, 2013 • F. Jaumotte/S. Lall/C. Papageorgiou: Rising income inequality, in: IMF Economic Review 61/2 (2013), 271–309 • B. Kempa: Internationale Ökonomie, 2012 • P. Krugman/M. Obstfeld/M. Melitz: Internationale Wirtschaft, ⁹2012 • C. Reinhart/K. Rogoff: Dieses mal ist alles anders, 2010 • B. Kempa: Finanzmarktglobalisierung und Finanzmarktkrise. WiSt 38/3 (2009), 139–143 • J. Bhagwati: Termites in the Trading System, 2008 • J. Bhagwati: Verteidigung der Globalisierung, 2008 • A. Bernard u.a.: Firms in international trade, in: JEP 21/3 (2007), 105–130 • P. Lane/G. Milesi-Ferretti: The external wealth of nations mark II, in: JiE 73/2 (2007), 223–250 • T. Apolte: Wohlstand durch Globalisierung, 2006 • K. Dynan/D. Elmendorf/D. Sichel: Can financial innovation help to explain the reduced volatility of economic activity?, in: JME 53/1 (2005),

123–150 • D. Dollar/A. Kraay: Trade, growth, and poverty, in: EconJ 114/493 (2004), F22-F49 • H. Görg/D. Greenaway: Much Ado about Nothing? Do Domestic Firms Really Benefit from Foreign Direct Investment? In: World Bank Research Observer 19/2 (2004), 171–197 • E. Helpman/M. Melitz/ M. Yeaple: Export versus FDI with heterogeneous firms, in: AER 94/1 (2004), 300–316 • N. Berthold/O. Stettes: Wohlstand der Nationen oder wem nützt die Globalisierung?, in: Universität Würzburg, Wirtschaftswissenschaftliche Beiträge 61 (2003), 1–16 • M. Melitz: The impact of trade on intra-industry reallocations and aggregate industry productivity, in: EC 71/6 (2003), 1695–1725 • P. Krugman: Increasing returns, monopolistic competition, and international trade, in: JiE 9/4 (1979), 469–479.   BERND KEMPA

III. Politikwissenschaftlich

1. Dimensionen, Ursachen und Bedeutung der jüngsten Globalisierungswelle

Der Begriff G. tauchte im Zusammenhang mit der jüngsten, „dritten Welle" der internationalen Ausdehnung wirtschaftlicher Aktivitäten auf, zumal im Kontext der globalen Verbreitung von westlichen Marken. Er ist kein rein volkswirtschaftlicher Begriff, sondern wird unter Politikwissenschaftlern, Soziologen und Vertretern der Internationalen Politischen Ökonomie auf die weltweite Intensivierung von ökonomischen, sozialen, kulturellen und politischen Prozessen angewandt. G. meint dabei

a) „Internationalisierung" im Sinne einer Zunahme zwischenstaatlicher Interdependenzen und grenzüberschreitender ökonomischer Aktivitäten;

b) „↑ Liberalisierung" durch Marktöffnungen, Deregulierung und Abbau von Handelsschranken;

c) „↑ Amerikanisierung" oder „Universalisierung" im Sinne einer Diffusion von westlichen Ideen und Normen;

d) einen Prozess der zunehmenden „Deterritorialisierung" bzw. abnehmenden Effektivität einzelstaatlicher Politikgestaltung und Regulierung.

Hinzu kommen drei Faktoren aus politökonomischer Sicht:

a) Der bislang beispiellose Austausch von Daten und ↑ Informationen dank der Fortschritte im Computer- und Telekommunikationsbereich mit Kosteneinsparungen von fast 100 % seit den 1970er Jahren. Dieser technologische Fortschritt hat insb. bei den Dienstleistungen zu großen Wachstumsimpulsen geführt.

b) Der Anstieg des Welthandels um ca. 6 % in diesem Zeitraum bei gleichzeitigen durchschnittlichen Wachstumsraten der Weltwirtschaft von nur 3 %; allein zwischen 1970 und 1999 stieg der Exportanteil am Weltbruttosozialprodukt von 14 auf 24 %. Ursächlich dafür war die massive Senkung der Kosten für den See- und Lufttransport innerhalb der vergangenen Jahrzehnte um 65 bzw. 88 %, wobei v.a. die seit Anfang der 1980er Jahre relativ fallenden Rohölpreise und die Marktlibera-

lisierungen bis zum Ende der 1990er Jahre kostensenkend wirkten.

c) Die zunehmende internationale Kapitalverflechtung und das starke Anwachsen des Kapital- und Devisenverkehrs als Ergebnisse der Liberalisierung von Kapital- (↑ Geld- und Kapitalmarkt) und ↑ Finanzmärkten. Während schon der weltweite ↑ Handel mit Waren und Dienstleistungen in dieser Phase doppelt so schnell wie die Weltproduktion wuchs, haben sich auch noch die Direktinvestitionen gegenüber dem Handel mehr als verdoppelt und betrugen das Zehnfache des Volumens von Anfang der 1980er Jahre; der Handel mit Finanzanlagen bzw. Devisentransaktionen nahm gegenüber dem Anfang der 1970er Jahre sogar um das Vierzigfache zu. Noch um 2000 waren die Aktien, Anleihen und Bankanlagen der Welt 100 Billionen Dollar wert; heute sind es rund 270 Billionen, was dem Vierfachen der Weltwirtschaftsleistung entspricht.

Solche G. war also nirgends so dramatisch wie auf den Kapitalmärkten. Deren Liberalisierung in den 1980er Jahren, zudem sinkende Informations- und Transaktionskosten gerade in der Finanzwirtschaft, haben in vielen Bereichen zu einem faktischen Verlust nationaler Finanzmärkte geführt. Diese Entwicklung hin zu einem globalen Finanzmarkt wurde zusätzlich befördert durch neue Präzisionstechniken zur Bewertung von Finanzanlagen, durch die Ausdehnung der Geschäftsbereiche zumal von Banken und Versicherungen sowie überhaupt durch das Entstehen global aufgestellter Banken und internationaler Finanzierungskonglomerate. Neben den technologisch bedingten Ursachen der ökonomischen G. trugen auch politische und strukturelle Veränderungen zur beschleunigten Entgrenzung von ↑ Märkten bei. Wesentliche Faktoren sind die Integration der mittel- und osteuropäischen Länder in den globalen Arbeitsteilungsprozess nach dem Zusammenbruch des sozialistischen Wirtschafts- und Herrschaftssystems der UdSSR; die Öffnung der bevölkerungsreichen Entwicklungs- und Schwellenländer gegenüber den Weltmärkten (v.a. der BRICS-Staaten Brasilien, Russland, Indien, China und Südafrika); und die Vollendung des ↑ Europäischen Binnenmarktes mit der Umsetzung der ↑ EWWU. V.a. die damit einhergehende Verlagerung arbeitsintensiver Produktion durch multinationale Unternehmen von den OECD-Ländern in Schwellenländer führte einerseits zur Verbesserung von deren Wettbewerbsfähigkeit auf den globalen Gütermärkten, andererseits zu erhöhtem Lohndruck auf die weniger bis mäßig Qualifizierten in den hochentwickelten Ländern.

Das Ergebnis all dessen sind nicht nur quantitative, sondern auch qualitative Veränderungen. Die durch Massenmedien und elektronische Kommunikationsmittel bedingte Zunahme globaler Interaktionsnetzwerke bringt exponentielle systemische Effekte von der lokalen bis zur globalen Ebene. In diesem Zusammenhang erfasst der Begriff der „Glokalisierung" die Verbindung vieldimensionaler global-überregionaler Prozesse mit lokal-regionalen Prozessen, und zwar nicht nur in Fragen der Produktions-, Finanz- und Wohlstandsverteilung. Zu den darüber hinaus wichtigen Sachbereichen gehören:

a) ↑Sicherheit, indem sich nämlich sozioökonomische Ungleichheiten in innerstaatlichen Konflikten entladen; ferner Bedrohungen durch transnationalen ↑Terrorismus, die Proliferation von Massenvernichtungswaffen, die Zunahme des Drogenhandels und die Finanzierung terroristischer und militärischer Aktivitäten durch illegale Finanztransaktionen;

b) ↑Entwicklungspolitik, auch durch konkurrierende, nicht konditionierte Strukturpolitik aus den Schwellenländern, und zumal angesichts der Verschärfung armutsbedingter Weltprobleme in einer „globalen Risikogesellschaft";

c) ↑Klimawandel durch den weltweit gestiegenen Ressourcenbedarf aufgrund der Nachfrage aus den Schwellenländern;

d) ↑Demographie und ↑Migration (mitsamt politisch wichtig werdenden Ängsten von vermeintlichen oder echten „G.s-Verlierern"), zumal angesichts der Ausbreitung von Pandemien sowie massiven Verzögerungen beim demographischen Übergang in Entwicklungsländern.

2. Auswirkungen der Globalisierung auf die Weltwirtschaft und Weltordnungspolitik

Die Auswirkungen der jüngsten G.s-Welle sind umstritten. Einig ist man nur darin, dass die gegenwärtige G. nach Reichweite und Umfang präzedenzlos ist. Zu den strukturellen Auswirkungen zählen v. a. die zunehmenden parallelen Fragmentierungsprozesse angesichts scheinbar grenzenloser G. Die Verschärfung sozioökonomischer Disparitäten und die Wahrnehmung von Verlusten an eigener kultureller oder politischer Identität befördern in allen Weltregionen Abschottungs- und Renationalisierungstendenzen. Begleitet wird das von der Wahrnehmung der Demokratiedefizite globaler Institutionen sowie mangelnder Kontrollkapazität nationaler Regierungen, und zwar gerade angesichts einer vom ↑„Westen", v. a. den USA, vorangetriebenen Öffnung globaler Märkte. Als Reaktion kommt es zu Versuchen einer politischen Ausgestaltung der ökonomischen G. (*global governance*, ↑Governance) durch Regulierung und Verrechtlichung.

Bes. wichtig sind die mit der G. verbundenen neuen Sicherheitsrisiken. Die Proliferation von Massenvernichtungswaffen, innerstaatliche Konflikte bzw. Staatszerfall sowie transnationaler Terrorismus mitsamt vielerlei Spillover-Effekten auf Staat und Gesellschaft haben die Grenzen zwischen innerer und äußerer Sicherheit fließend gemacht.

Am umstrittensten sind die Auswirkungen ökonomischer G. Weitgehende Einigkeit gibt es darin, dass der Öffnungsgrad einer Gesellschaft deren ↑Wohlstand

und Wachstumschancen mitbestimmt, und dass die G. dazu geführt hat, dass sich zwischen 1981 und 2010 die Zahl der Personen mit einem Einkommen von unter 1,25 US-Dollar um weit mehr als eine halbe Mrd. auf etwa 1,2 Mrd. Personen verringert hat. Zwar führt die Erhöhung des Arbeitsangebots durch die Integration der Schwellen- und Entwicklungsländer in die Weltwirtschaft zur Verschlechterung ihrer *terms of trade* gegenüber den Industrieländern. Doch gleichzeitig steigen auch Einkommen und Konsum in diesen Ländern, was sich positiv auf deren Wohlfahrt auswirkt. Trotzdem kann von einer Angleichung globaler Wohlfahrtschancen keineswegs die Rede sein. Im Gegenteil haben sich die Disparitäten zwischen und innerhalb von Gesellschaften v. a. dadurch verschärft, dass mit dem Auftreten multinationaler Unternehmen der globale Handel immer mehr zu einem Intrakonzernhandel der hochentwickelten Länder wurde.

Zu den kritischsten Thesen über die G.s-Folgen gehört die vom „entfesselten Finanzmarkt". Die primäre Funktion des ↑Geldes, den realen Produktionsprozess und seine Transaktionen widerzuspiegeln bzw. zu fördern, tritt danach immer stärker zurück hinter eine Verselbständigung von Finanzkreisläufen: Unkontrollierte Geld- und Kapitalströme schaffen autonome Zins- und Wechselkursbewegungen, die im globalisierten Markt die Preise und Standortbedingungen verzerren. Nur ein Bruchteil – ca. 5 % um das Jahr 2000 – wird noch zur Finanzierung der Handelsströme benötigt; die restlichen 95 % haben sich von den realwirtschaftlichen Vorgängen gelöst und folgen anderen Motiven, insb. Renditeüberlegungen, die sich aus Zinsdifferenzen und Standortfaktoren ergeben. Das Ergebnis ist, dass sich der Wert des globalen Finanzvermögens jetzt auf etwa 270 Billionen Dollar beläuft, diesem Wert aber gigantische Verbindlichkeiten der Schuldner gegenüberstehen.

Allerdings entspr. die These vom „entfesselten Kapitalmarkt" spätestens seit der globalen Finanzkrise nicht mehr ganz der Wirklichkeit. Untersuchungen zeigen, dass nicht nur der Weltgüterhandel deutlich langsamer wächst als vor der Krise (v. a. aufgrund technologisch-logistischer Grenzen bei grenzüberschreitenden Wertschöpfungsketten; wegen des Versuchs von Schwellenländern, die heimische Wertschöpfung zu erhöhen; oder dank technologischer Innovationen wie „Industrie 4.0", die ihren Absatz zunächst auf heimischen Märkten finden), sondern dass auch das ↑Kapital nach wie vor großenteils in seinen Herkunftsländern angelegt wird und also nicht immer der effizientesten Verwendung zugeführt wird.

Im Ergebnis zeigt sich: G. ist nicht an sich negativ, erzielt auf den Weltmärkten positive Effekte aber v. a. dann, wenn Folgendes passt: der Grad struktureller Voraussetzungen in den von Liberalisierung betroffenen Ländern (Mikroökonomik, Institutionen …); die globalen politischen Kontroll- und Regulierungsinstrumente für Finanz- und Kapitalmärkte; und – v. a. – der Zeitpunkt, zu dem Schwellen- und Entwicklungsländer von Kapitalzuflüssen profitieren können.

Literatur

T. Cohn: Global Political Economy, 2016 • B. Milanovic: Global Inequality: A New Approach for the Age of Globalization, 2016 • R. Wendt: Vom Kolonialismus zur Globalisierung: Europa und die Welt seit 1500, 2015 • E. Koch: Globalisierung: Wirtschaft und Politik, 2014 • P. Nitschke: Formate der Globalisierung: Über die Gleichzeitigkeit des Ungleichen, 2013 • B. Eichengreen: The World Economy After the Global Crisis: A New Economic Order for the 21st Century, 2012 • A. Niederberger/P. Schink (Hg.): Globalisierung: Ein interdisziplinäres Hdb., 2011 • C. Scherrer/C. Kunze: Globalisierung, 2011 • D. Brock: Globalisierung, 2008 • U. Beck: Was ist Globalisierung? Irrtümer des Globalismus – Antworten auf Globalisierung, 2007 • J. Osterhammel/N. Petersson (Hg.): Geschichte der Globalisierung, 2007 • J. Stiglitz: Making Globalization Work, 2007 • S. Schirm (Hg.): Globalisierung: Forschungsstand und Perspektiven, 2006 • J. A. Scholte: Globalization: A Critical Introduction, 2005 • M. Wolf: Why Globalization works, 2004 • J. M. Keynes: Nationale Selbstgenügsamkeit, in: Schmollers Jahrbuch für Gesetzgebung, Verwaltung und Volkswirtschaftslehre im Deutschen Reich, Bd. 57/II, 1933, 561–570.   STEFAN FRÖHLICH

Glokalisierung ↑Globalisierung

Glück

1. Varianten des Glücksstrebens

G. galt seit je als ein entscheidender Faktor menschlicher Lebensqualität. Sigmund Freuds Diktum „Die Menschen streben nach dem Glück, sie wollen glücklich werden und so bleiben" (Freud 1999: 433) zieht sich seit Platon und Aristoteles bis in die heutige Zeit durch die Lehrbücher der ↑Ethik und Humanwissenschaften. Eine Ausnahme war Friedrich Nietzsche. Unter ironischer Anspielung auf den utilitaristischen Slogan vom größten G. der größten Zahl hielt er fest: „Der Mensch strebt *nicht* nach Glück; nur der Engländer thut das" (Nietzsche 1980: 61).

Umstritten war die Definition des G.s. Vier G.s-Arten lassen sich unterscheiden:

a) Das G. des Kopfes – das intellektuelle G. –, das als höchstes Gut am Ideal eines sittlichen Lebens festgemacht wird und die ↑Tugend als Mittel zur Erreichung des G.s bestimmt. Nach Aristoteles ist glücklich, wer „gemäß vollkommener Tugend handelt und mit äußeren Gütern hinreichend versehen ist" (NE 1101 a). Baruch de Spinoza spitzt zu: „Das Glück ist nicht der Lohn der Tugend, sondern selbst Tugend" (Spinoza 1976: 295). Für Immanuel Kant ist G. zwar gegenüber der Tugend nachrangig, aber doch eine Art Belohnung für den, der das Moralgesetz befolgt, sich dadurch um das G. verdient macht und deshalb als des G.s würdig erweist.

b) Das G. des Herzens – das emotionale G. –, das in der gläubigen Hinwendung zu einem göttlichen Wesen

erlebt wird und die Grundlage für die zwischenmenschlichen Beziehungen abgibt. V. a. christliche Denker haben auf das im ↑Glauben an Gott empfundene emotionale G. gesetzt. So bekundet Blaise Pascal: „Wir erkennen die Wahrheit nicht nur mit der Vernunft, sondern auch mit dem Herzen. […] Und damit sind jene, denen Gott die Religion durch das Gefühl des Herzens gegeben hat, glückselig" (Pascal 1988: Nr. 282). Søren Kierkegaard macht das G. an der ethischen Selbstbestimmung als religiösen Akt fest, in dem das Ich sich an ein Absolutes bindet. Diese Selbstwahl „ist meines Herzens wie meines Gedankens Wahl, meiner Seele Lust und meine Seligkeit" (Kierkegaard 1985: 227).

c) Das G. des Bauches – das Konsum-G. –, das den Genuss und die Lust zu höchst bewertet. Die Hedonisten und die Utilitaristen haben das Streben nach G. mit dem natürlichen Begehren von Lust identifiziert. Lust, so Epikur, ist „Anfang und Ende des glückseligen Lebens" (Epikur 1967: 283). Doch fordert er nicht dazu auf, möglichst viel Lust zu genießen, sondern ein ausgewogenes Verhältnis zwischen Körper und Geist herzustellen. Wahres G. bestehe im „Freisein von körperlichem Schmerz und von Störung der Seelenruhe" (Epikur 1967: 284). Jeremy Bentham und John Stuart Mill hingegen messen das G. in Lust- bzw. Nutzenquanten. Je mehr G. eine Handlung für ein Individuum oder eine Gruppe erzeugt – maximal das größte G. der größten Zahl –, desto besser ist sie. Lust und Unlust – *pleasure and pain* – sind die Messlatten in einem Nutzenkalkül, mit dem jeweils der Zuwachs an G. ermittelt wird. G.s-Güter, die die Eigenschaft haben, „Gewinn, Vorteil, Freude, Gutes oder Glück hervorzubringen" (Bentham 1975: 38) bzw. Unglück zu vermeiden, sind erstrebenswert. Anders als J. Bentham gewichtet J. S. Mill die kultivierten Freuden höher als die fleischlichen. Es sei besser, „ein unzufriedener Mensch zu sein als ein zufriedengestelltes Schwein" (Mill 1976: 18). Kritiker des ↑Utilitarismus haben darauf hingewiesen, dass ein Gerechtigkeitsproblem (↑Gerechtigkeit) entsteht, wenn es um die Ermittlung des kollektiven G.s und die Güterverteilung geht. So hat John Rawls gegen das Nutzenmaximierungsprinzip eingewendet, dass es nur den Durchschnittsnutzen berücksichtige, der „geringeres Wohl und geringere Freiheit bei einigen um des größeren Glücks anderer willen zulässt, denen es vorher schon besser ging" (Rawls 1975: 621).

d) Das G. der Hand – das praktische G. –, das sich technischer Erfindungsgabe (↑Innovation) und handwerklich-künstlerischer Geschicklichkeit verdankt. Davon weiß Archimedes, der mit dem Jubelschrei „heureka" sein G. über die Entdeckung des hydrostatischen Gesetzes verkündete, ebenso wie Francis Bacon, wenn er von den technischen Errungenschaften in Nova Atlantis, dem „glücklichsten aller Länder" (Bacon 1971: 184) berichtet.

Das Zusammenspiel der Kompetenzen von Kopf, Herz, Bauch und Hand nach Maßgabe des jeweils Erforderlichen ermöglicht vollkommenes G. Es verhindert Trägheit und Verweichlichung, die ein Überschuss an Lust mit sich bringt, ebenso wie den Verlust an Bodenhaftung infolge anhaltender geistiger Verzückung. „Glücklich ist also ein Leben in Übereinstimmung mit der eigenen Natur" (Seneca 1998: 13). Auf dem Weg zum G. „schreite die Tugend voran, die Lust begleite sie und bewege sich wie ein Schatten um den Körper" (Seneca 1998: 39).

2. Die Glücksspender

Im Deutschen enthält das Wort G. mehrere Nuancen, die in anderen Sprachen durch verschiedene Ausdrücke bezeichnet werden, so im Englischen durch *luck, happiness, felicity*, im Französischen durch *fortune, bonheur, félicité*. Im Lateinischen finden sich vier wesentliche Ausdrücke für G., die zugl. auf dessen Urheber verweisen:

a) Mit *fortuna* ist das Zufalls-G. gemeint, das jemandem unverdient und ohne eigenes Zutun zuteil wird, sei es durch günstige Umstände, sei es durch überirdischen Beistand – etwa in Gestalt der launischen Göttin Fortuna, die ihr Füllhorn nicht nach Verdienst oder Bedürftigkeit, sondern nach Belieben ausschüttet.

b) Mit *felicitas* ist das durch eigene Anstrengungen erworbene G., das Erfolgs-G. benannt: Als Schmied des eigenen G.s gilt es, sein Kräftepotential so zu mobilisieren, dass die gesetzten Ziele tatsächlich erreicht werden. So konnte Sisyphos gemäß der Deutung Albert Camus' das mit der Plackerei des sinnlosen Steinewälzens verbundene Unglück überwinden, indem er die Götter austrickste. Er ignorierte deren Zielvorgabe, den Stein endgültig auf dem Gipfel des Berges zu platzieren und bestimmte den jeweils nächsten Schritt als sein Ziel – ein Ziel, das er aus eigener Kraft erreichen konnte. „Man muss sich Sisyphos als einen glücklichen Menschen vorstellen" (Camus 2000: 160).

c) Mit *beatitudo* wird jenes G. charakterisiert, das einen Menschen in der Beziehung zu Gott durchdringt, wenn er dessen unüberbietbare Sinnfülle als ewige Seligkeit erlebt. Thomas von Aquin spricht von einem geistigen Genuss Gottes, der den nach G. Strebenden unendlich entzückt.

d) Mit *prosperitas* wird ein G. angesprochen, das die Politiker in die Pflicht nimmt. Der ↑Staat muss optimale Bedingungen bereitstellen, die es den Bürgern ermöglichen, ihr G.s-Bedürfnis angemessen zu befriedigen. So wurde in der amerikanischen Unabhängigkeitserklärung von 1776 ausdrücklich festgehalten, dass das Streben nach G. *(the pursuit of happiness)* ein ↑Menschenrecht ist.

Allerdings kann das G.s-Streben zu Interessenkonflikten und damit zur Verletzung der Freiheitsrechte anderer führen. Deshalb wird in den meisten politischen ↑Utopien für die Eliminierung der ↑Freiheit zugunsten des G.s plädiert und das Ich durch das Wir vollständig vereinnahmt. Ein allmächtiger Staatsapparat kontrolliert das Privatleben seiner Bürger bis in die Intim-

sphäre und belohnt regelkonformes Verhalten mit der Teilnahme am Allgemein-G. In den klassischen Utopien von Thomas Morus, **Tommaso** Campanella und F. Bacon wird der Entzug persönlicher Freiheit und die Abrichtung zur ↑Tugend mit dem Hinweis auf das Prinzip unterschiedsloser ↑Gleichheit legitimiert, das allein ein friedliches Miteinander und damit ein dauerhaftes G. ermögliche. In den Anti-Utopien des 20. Jh. wird Gleichheit im Zuge einer perfekten Konditionierung durch physische Eingriffe und Psychoterror erzeugt. In Aldous Huxleys Zukunftsroman sind alle Menschen „chemisch-physikalisch gleich" (Huxley 1980: 75). Nach Bedarf in der Retorte hergestellt, mit 60 Jahren euthanasiert, verbringen sie ihr Leben wie vorgestanzte Puzzleteilchen passgenau eingefügt in die für sie vorgesehene Lücke des Staatsmodells. Sie müssen keine Entscheidungen mehr treffen und kennen keine Existenzprobleme. „Jeder ist heutzutage glücklich" (Huxley 1980: 76), heißt es. Dabei handle es sich um „ein Glück, das alle Tage anhält" (Huxley 1980: 119).

Empirische G.s-Forschung betreiben heute v. a. Ökonomen und Neurowissenschaftler. Mittels weltweit erhobener Daten wird der Einfluss von ↑Geld, Lebensstandard, sozialen Beziehungen, politischen Verhältnissen, Umweltfaktoren etc. auf das G.s-Empfinden erfragt und bzgl. seiner Intensität in G.s-Statistiken dargestellt. Von Neuro-Enhancement verspricht man sich eine Gehirnoptimierung, die zu einem glücklicheren Leben beiträgt. Doch auch körpereigene Endorphine wie Serotinin und Dopamin gelten als G.s-Hormone, deren Wirkung durch Schokolade, Sport, Sex u. a. verstärkt werden könne.

Literatur

T. Esch: Die Neurobiologie des Glücks, ³2017 • R. Spaemann: Glück und Wohlwollen. Versuch über Ethik, 2017 • T. Sedlácek: Ökonomie von Gut und Böse, 2012 • D. Thomä/C. Henning/O. Mitscherlich-Schönherr (Hg.): Glück. Ein interdisziplinäres Hdb., 2011 • B. S. Frey/C. Frey Marti: Glück – Die Sicht der Ökonomie, 2010 • A. A. Bucher: Psychologie des Glücks, 2009 • M. Hampe: Das vollkommene Leben, 2009 • M. Binswanger: Die Tretmühlen des Glücks, 2006 • A. Pieper: Glückssache. Die Kunst gut zu leben, ⁴2001 • A. Camus: Der Mythos des Sisyphos, 2000 • S. Freud: Das Unbehagen in der Kultur, in: ders.: Gesammelte Werke, Bd. 14, 1999, 421–508 • L. A. Seneca: Vom glücklichen Leben, 1998 • B. Pascal: Gedanken, 1988 • Thomas von Aquin: Das Wesen der Glückseligkeit, in: STh, Bd. 2, 1985, 20–31 • I. Kant: Kritik der praktischen Vernunft, in: W. Weischedel (Hg.): Werke in 6 Bänden, Bd. 4, 1983, 103–302 • A. Huxley: Schöne neue Welt, 1980 • F. Nietzsche: Götzendämmerung, in: KSA, Bd. 6, 1980, 55–161 • J. S. Mill: Der Utilitarismus, 1976 • B. de Spinoza: Die Ethik nach geometrischer Methode dargestellt, 1976 • J. Bentham: Eine Einführung in die Prinzipien der Moral und der Gesetzgebung, in: O. Höffe (Hg.): Einführung in die utilitaristische Ethik, 1975, 35–58 • J. Rawls: Eine Theorie der Gerechtigkeit, 1975 • F. Bacon: Neu-Atlantis, in: K.-J. Heinisch (Hg.): Der utopische Staat, 1971, 171–215 • Epikuros, in: Diogenes Laertius: Leben und Meinungen berühmter Philosophen, Bd. 10, ²1967, 221–295 • S. Kierkegaard: Unwissenschaftliche Nachschrift, 2. Teil, in: ders.: Gesammelte Werke, 16. Abt., 1958.   ANNEMARIE PIEPER

Görres-Gesellschaft

1. Zielsetzung und Aufbau

Die „Görres-Gesellschaft zur Pflege der Wissenschaft" (G.-G.) ist eine der ältesten deutschen Wissenschaftsgesellschaften in privater Trägerschaft, ein rechtsfähiger Verein mit Sitz in Bonn. Sie hat sich zum Ziel gesetzt, „in Bewahrung ihres im katholischen Glauben wurzelnden Gründungsauftrags wissenschaftliches Leben auf den verschiedenen Fachgebieten an[zu]regen und [zu] fördern und die Gelegenheit zum interdisziplinären Austausch [zu] bieten" (Satzung idF von 2016). Diesen Zweck sucht sie zu erreichen durch

a) wissenschaftliche Arbeit und Nachwuchsförderung,

b) Mitgliederversammlungen, öffentliche Tagungen und Symposien,

c) wissenschaftliche Unternehmungen, insb. durch Gründung und Unterhaltung wissenschaftlicher Institute sowie durch Herausgabe wissenschaftlicher Zeitschriften, Reihen und Einzelwerke,

d) Förderung internationaler Beziehungen und Verbindung mit gleichgesinnten Wissenschaftlern und gleichgearteten Institutionen,

e) Unterstützung wissenschaftlicher Bestrebungen im Sinne der G.-G., bes. durch Gewährung von Stipendien.

Die G.-G. als freie Vereinigung von Wissenschaftlern und Wissenschaftsfreunden aus verschiedenen Berufszweigen gliedert sich, entspr. den Hauptrichtungen der von ihr geförderten wissenschaftlichen Tätigkeit, in Sektionen. Sie unterhält Institute in Rom (seit 1888) und Jerusalem (seit 1908), früher auch in Madrid (seit 1926) und Lissabon (seit 1962) und kooperiert u. a. mit dem Cusanuswerk. Geleitet wird die G.-G. von einem ehrenamtlichen Vorstand, der aus dem Präsidenten, seinen beiden Stellvertretern, dem (hauptamtlichen) Generalsekretär sowie aus sechs Beisitzern besteht. Der Vorstand wird, wie die Leiter der einzelnen Sektionen, von der Mitgliederversammlung gewählt. Die jährlichen Generalversammlungen der G.-G. finden an wechselnden Orten statt, auch in Österreich und in der Schweiz.

2. Entstehung

Die G.-G. repräsentiert ein Stück deutscher Wissenschafts- und Katholizismusgeschichte (↑Katholizismus) seit dem letzten Drittel des 19. Jh. Gegründet wurde sie in Koblenz am 25.1.1876, dem 100. Geburtstag von Joseph von Görres, dem Vorkämpfer staatsbürgerlicher und kirchlicher Freiheitsrechte. Die Gründungsversammlung wurde von einem preußischen Polizeikommissar samt Stenographen auf „staatsfeindliche Umtriebe" (Becker 1981: 265) beobachtet. Anlass dazu bildete

die Situation des ↑Kulturkampfs, durch den auch katholische Wissenschaftler in erheblichem Umfang benachteiligt wurden (Nichtberücksichtigung der Parität, faktische Berufsverbote und gesellschaftliche Isolierung).

Aus dem Selbstbehauptungswillen einer Gruppe vornehmlich jüngerer Wissenschaftler, insb. des Philosophen Georg von Hertling und des Historikers Hermann Cardauns, Privatdozenten in Bonn, in Verbindung mit dem Kölner Publizisten und Rechtsanwalt Julius Bachem sowie dem von der preußischen Regierung abgesetzten früheren Bonner Oberbürgermeister Leopold Kaufmann kam der Anstoß, die Vorherrschaft des weltanschaulichen ↑Liberalismus zurückzudrängen und eine Gesellschaft „zur Pflege der Wissenschaft im katholischen Deutschland" (Becker 1981: 265) zu gründen. Der Vereinszweck umfasste auch das Angebot materieller Hilfe insb. an jüngere Gelehrte durch Stipendien und Publikationsmöglichkeiten. Die G.-G. hatte Ende 1876 bereits 730 Mitglieder.

3. Geschichte

Unbeschadet ihrer Gründung als eine Art von Not- und Verteidigungsgemeinschaft trat die G.-G. v. a. durch jährliche Generalversammlungen rasch aus ihrer geistigen Defensivrolle und zeitbedingten apologetischen Akzentuierung heraus, was ihr durch den Abbruch des Kulturkampfs erleichtert wurde. Sie richtete ihre Aktivität als „Laienorganisation" von Gelehrten – mit Theologen als Mitgliedern, aber ohne eigene theologische Sektion und ohne Konkurrenz zum neugestärkten kirchlichen Lehramt – auf die geistige Auseinandersetzung mit den Problemen der modernen Welt. Das geschah auf dem Fundament des „Bekenntnisses zum christlichen Glauben und Menschenbild in der Tradition der Katholizität, zur Freiheit als personaler und sozialer Kategorie der Staats- und Gesellschaftsgestaltung" (Böhm 1980: 258) sowie aus der Überzeugung, dass der Verdacht einer Unvereinbarkeit von wissenschaftlicher ↑Rationalität und christlichem ↑Glauben überholt ist.

Die G.-G. begann, durch Beiträge und Spenden ihrer Mitglieder finanziert, ihre Arbeit in vier Fachsektionen: für Rechts- und Sozialwissenschaft (seit 1877), Philosophie (seit 1877), Geschichte (seit 1878) und Naturwissenschaften (seit 1906). Ihre Tätigkeit, die mit „Vereinsschriften" und Jahrbüchern der Sektionen einsetzte, wurde entscheidend geprägt von ihrem ersten Präsidenten G. von Hertling. Bereits früh gelang es, übergreifende Forschungsunternehmungen in Gang zu setzen, die teilweise bis in die Gegenwart hinein weitergeführt bzw. durch Neubearbeitung fortgesetzt werden konnten, darunter das zunächst wesentlich von J. Bachem (in der 5. Aufl. von Hermann Sacher und in der 6. Aufl. von Clemens Bauer) geprägte, gegen staatliche Omnikompetenz konzipierte „↑Staatslexikon" (1. Aufl. 1889–97; 6. Aufl. 1957–61 mit Ergänzungsbänden 1969–70; 7. Aufl. 1985–93; 8. Aufl. 2017–20) sowie Editionen aus dem Vatikanischen Archiv zum „Concilium Tridentinum" (wesentlich geprägt von Stephan Ehses, Hubert Jedin und Theobald Freudenberger) und zur Geschichte der päpstlichen Hof- und Finanzverwaltung, auch Nuntiaturberichte. Zu den rasch begründeten Zeitschriften der G.-G., die bis heute erscheinen, so das „Historische Jahrbuch" (seit 1880), die „Römische Quartalschrift für christliche Altertumskunde und Kirchengeschichte" (seit 1887), das „Philosophische Jahrbuch" (seit 1888), sind inzwischen zahlreiche weitere hinzugetreten.

Der urspr. in den ↑Geisteswissenschaften liegende Schwerpunkt der Arbeiten der Gesellschaft hat sich zunehmend, ablesbar an der Errichtung neuer Sektionen und neuer Publikationsreihen, in andere Gebiete ausgeweitet (Kirchenmusik, Pädagogik, Psychologie und Psychotherapie). Als geistig fundierte Gemeinschaft hat sie von vornherein ein „interdisziplinäres Element in ihrem Verständnis als wissenschaftliche Gruppe" (Becker 1981: 278) aufgenommen und lieferte damit auch einen Beitrag zur wissenschaftlichen Pluralität.

Nachfolger G. von Hertlings als Präsidenten der G.-G. waren die Historiker Hermann von Grauert (1919–24), Heinrich Finke (1924–38) die Rechtswissenschaftler Hans Peters (1940/41, 1948–66) und Paul Mikat (1967–2007), der Kommunikationswissenschaftler Wolfgang Bergsdorf (2008–2015) und der Amerikanist und Literaturwissenschaftler Bernd Engler (seit 2016). Ihrer Zielsetzung entspr. war die G.-G. – die vor dem Ersten Weltkrieg an der römischen Kurie zu Unrecht in den Verdacht „modernistischer Häresie" geraten war (↑Modernismus) – nach 1933 den nationalsozialistischen Machthabern verhasst. Sie wurde von ihnen aber zunächst noch – insb. wegen ihrer Auslandsinstitute und des internationalen Ansehens ihres Präsidenten H. Finke – geduldet, allerdings in ihrer Arbeit erheblich behindert, am 11.6.1941 dann vom Reichsminister des Innern aufgelöst und ihr Vermögen beschlagnahmt. Die Mitgliederzahl lag damals bei knapp über 3000 (1925 auf ihrem Höhepunkt: bei 4600). Zwischen 1938 und 1948 konnten keine Generalversammlungen stattfinden.

4. Entfaltung in der Gegenwart

Im Oktober 1945 beantragte die G.-G. in Freiburg bei der französischen Militärregierung die Wiederzulassung. 1948 wurde sie im Bonner Vereinsregister eingetragen. Das Römische Institut der G.-G. hatte als einziges deutsches wissenschaftliches Auslandsinstitut auf dem exterritorialen Boden des Campo Santo überlebt. Vorrangig erschienen die in der Nachkriegsnot schwierige Werbearbeit, die Wiederanbahnung enger Beziehungen zur katholischen Kirche (Kardinal Josef Frings 1949) und zum Ausland (Consejo Superior in Madrid), die Wiederbelebung der Sektionen sowie tragender Unternehmungen: des Philosophischen (ab 1946), des Historischen Jahrbuchs (ab 1950) und der großen Editionen (Joseph von Görres, Concilium Tridentinum: beide mit Kriegsverlusten durch die Zerstörung der Verlagshäuser

Bachem und Herder). Mit der Absage an das „Vakuum" wert- und voraussetzungsfreier Wissenschaft, in die folgerichtig die „politische Theologie des Staates" (Peters 1949: 39) eingebrochen sei, verband Präsident H. Peters auf der Generalversammlung 1949 den Aufruf zur Mitwirkung an der Neugestaltung der Gesellschaft. Die G.-G. müsse die „Defensivstellung" (Peters 1949: 40) verlassen, neben der Einzelforschung den Blick auf das Ganze richten, dem Zusammenhang zwischen ↑Natur- und Geisteswissenschaften nachgehen. Sie solle „Nachwuchsförderung" (Peters 1949: 42) betreiben, möglichst viele katholische Wissenschaftler um sich scharen und für alle an sie herantretenden Kontakte offen sein. Die G.-G. erschloss sich neue Arbeitsgebiete (Medizin, Politische und Kommunikations-Wissenschaft, Pädagogik, Psychologie, Soziologie) und suchte aus traditionellen Arbeitsfeldern Antworten auf zeitgemäße Fragen zu gewinnen. Der Überbetonung der „Gesamtgesellschaft" durch die „kritische Theorie" hielt der Philosoph Max Müller im Anschluss an Thomas von Aquin die „Möglichkeiten personaler Existenz" entgegen. Das Problem der zunehmenden Orientierungslosigkeit und Gewalt thematisierte die G.-G. 1994. Die Reformvorschläge der „Saarbrücker Viererbande" von 1967 (Konrad Repgen, Josef Dolch, Hermann Krings, Wieland Siebel) zielten darauf, die G.-G. über den Beirat an den Hochschulorten zu verankern und sie zum Ansprechpartner der Universitätsleitungen und Kultusministerien zu machen. Sie verblieb aber in den Bahnen einer unabhängigen, ehrenamtlichen, von Einzelinitiativen zehrenden Wissenschaftsgesellschaft, die sich erst 2004 eine bescheidene Geschäftsstelle (in Bonn) zulegte. Sie erhielt eine effiziente Leitung von großer Kontinuität durch die Wahl des Bochumer Juristen Paul Mikat (gegen Vizepräsident Johannes Spörl) zum Präsidenten (1967–2007). Er mied die Einmischung in politische und innerkirchliche Konflikte, machte der G.-G. keine inhaltlichen Vorgaben und erwies sich als ein unübertrefflicher Verfechter solider Gelehrtenarbeit. Ihm und seinem Nachfolger, dem Politologen Wolfgang Bergsdorf (2008–2015) gelang es, Repräsentanten des Staates und der Kirche sowie anderer Wissenschaftsorganisationen des In- und Auslands zu den Generalversammlungen hinzuzuziehen. Doch legte die G.-G. stets auch Wert auf die Mitgliedschaft außerhalb des Universitätsbetriebs stehender Gebildeter sowie zunehmend auf konfessionelle Öffnung. Mit einem Ehrenring zeichnet sie seit 1977 verdiente Persönlichkeiten des wissenschaftlichen und öffentlichen Lebens aus. Von 1949 bis 2016 wuchsen die elf Sektionen der G.-G. auf 20 an. Sie publizieren (2017) bei elf Verlagen elf wissenschaftliche Reihen aus verschiedenen Fachdisziplinen, 13 Zeitschriften/Jahrbücher, drei (von fünf) Editionen und fünf Lexika/Handbücher (neben dem StL z. B. das „Lexikon der Bioethik" und das „Handbuch der Wirtschaftsethik"). Die G.-G. unterhält Auslandsinstitute in Rom und Jerusalem. Der Gesellschaft gehörten 1949 801 und 1975 2032 Mitglieder an. Ende

2014 hatte sie 2 758 Mitglieder. Die Stagnation bei evidenter Zunahme der Publikationsbreite machte verstärkte Bemühungen um die Nachwuchsförderung (beim Cusanuswerk seit 2007) notwendig, die unter dem 2015 gewählten Präsidenten, dem Tübinger Anglisten Bernd Engler, Intensivierung erfahren.

Literatur

R. Morsey: Die Wahl von Paul Mikat zum Präsidenten der Görres-Gesellschaft, in: Görres-Gesellschaft (Hg.): Jahres- und Tagungsbericht der Görres-Gesellschaft 2011, 2011, 45–78 • R. Morsey: Die Görres-Gesellschaft zur Pflege der Wissenschaft. Streiflichter ihrer Geschichte, 2009 • R. Morsey: Görres-Gesellschaft und NS-Diktatur, 2002 • H. E. Onnau/ R. Morsey: Das Schrifttum der Görres-Gesellschaft zur Pflege der Wissenschaft 1976–2000, 2001 • H. E. Onnau: Die Görres-Gesellschaft zur Pflege der Wissenschaft. Die Vorträge auf den Generalversammlungen, 1876–1985, 1990 • W. Becker: Georg von Hertling 1843–1919, Bd. 1, 1981 • H. E. Onnau/L. Böhm: Das Schrifttum der Görres-Gesellschaft zur Pflege der Wissenschaft 1876–1976. Eine Bibliographie, 1980 • N. Trippen: Zwischen Zuversicht und Mutlosigkeit. Die Görres-Gesellschaft in der Modernismuskrise 1907–1914, in: Saeculum 30/2–3 (1979), 280–291 • W. Spael: Die Görres-Gesellschaft 1876–1941, 1957 • H. Peters: Ansprache von Professor Dr. Hans Peters, in: Görres-Gesellschaft (Hg.): Jahresbericht der Görresgesellschaft 1949, 37–45 • Görres-Gesellschaft (Hg.): Jahres- und Tagungsbericht der Görres-Gesellschaft, 1876–1939 und ab 1949.　　　　　　　　　　　　RUDOLF MORSEY (1–3)
　　　　　　　　　　　UND WINFRIED BECKER (4)

Gottesbezug

1. Allgemein

Eine Präambel ist ein sinnexplanativer oder identitätsstiftender Vorspruch grundlegender Texte. Die Präambel des ↑GG ist dafür ein typisches Beispiel. Manche sehen hier nur Pathos, aber das übersieht die Rechtsqualität von Präambeln. Das ↑BVerfG hat im Blick auf das in der Ursprungsfassung des GG enthaltene Wiedervereinigungsgebot die Rechtsqualität bestätigt. Es geht dabei aber immer auch um Selbstvergewisserung, um Herkunft, Ziele und Identität einer Gemeinschaft. Carlo Schmid hat darauf hingewiesen, dass „[d]iese Präambel […] mehr als nur ein pathetischer Vorspruch [ist]" (Di Fabio 2017: 32 f.), sondern eine Wegweisung: eine intellektuelle, eine geistige Wegweisung für das Verständnis der ↑Verfassung. Das GG macht einerseits deutlich, wer handelndes Subjekt ist – nämlich das deutsche Volk als Summe der Staatsbürger kraft ihrer verfassunggebenden Gewalt – und andererseits verdeutlicht es mit der Präambel die Ziele der europäischen Einigung und der internationalen Zusammenarbeit zur Erhaltung des Weltfriedens. Die verfassungsgebende Gewalt sieht sich in Freiheit handelnd, bestimmten Zielen verpflichtet und dabei selbst in Verantwortung „vor Gott und den Menschen". Mit dieser Formulierung reiht sich das GG in den Kreis derjenigen staatlichen Verfassungen ein, die einen G. auf-

weisen. Sowohl deutsche Landesverfassungen als auch ausländische Verfassungen innerhalb und außerhalb Europas weisen vergleichbare G.e auf. In einzelnen Bundesländern wie Niedersachsen (eingeführt 1994) und Schleswig-Holstein (abgelehnt 2016) kam es sogar zu Debatten oder Referenden über den G. in der Verfassung.

2. Grundgesetz

Der G. des GG ist nicht theokratisch gemeint; er ist kein Relikt aus einer Zeit, die die Trennung von Kirche und Staat (↑Kirche und Staat) so nicht kannte und voraussetzte wie das GG. Weder die Paulskirchenverfassung von 1849 noch die ↑WRV von 1919 wiesen einen G. auf. Der G. ist vielmehr in der deutschen Verfassungsgeschichte Teil des posttotalitären Neuanfangs nach 1945. Die bayerische Verfassung von 1946 hat diesen Ansatzpunkt bes. deutlich hervorgehoben: „Angesichts des Trümmerfeldes, zu dem eine Staats- und Gesellschaftsordnung ohne Gott, ohne Gewissen und ohne Achtung vor der Würde des Menschen die Überlebenden des Zweiten Weltkrieges geführt hat, […] gibt sich das Bayerische Volk […] nachstehende […] Verfassung".

Die Präambel des GG sagt in vereinfachter Wiedergabe: „Im Bewusstsein seiner Verantwortung *vor Gott und den Menschen* […] gibt sich das deutsche Volk Kraft seiner verfassungsgebenden Gewalt folgende Verfassung". Die Präambel formuliert also eine doppelte Verantwortungsnomination. ↑Verantwortung ist Rechenschaftspflicht. Dass politische Herrschaftsgewalten – das Parlament, die Regierung und die Gerichte – gegenüber den Menschen verantwortlich sind, und in Wahlen demokratisch oder mit der Klage vor dem Gericht auch verantwortlich gemacht werden können, ist eine der Grundlagen der freiheitlichen Gesellschaft. Im GG ist von der Würde des Menschen, von der freien Entfaltung der Persönlichkeit die Rede, von der Gleichheit vor dem Gesetz; alles auf das Individuum, auf die ↑Person, auf den Menschen bezogen. Der Mensch steht im Mittelpunkt der Rechtsordnung. Nicht als Volk, nicht als Rasse, nicht als Klasse, sondern als Einzelwesen steht der Mensch im Mittelpunkt. Vor diesem Hintergrund ist die Erklärung der Präambel der Verantwortung „vor den Menschen" nicht weiter erklärungsbedürftig. Demgegenüber ist die andere Verantwortungsinstanz „vor Gott" ersichtlich auf etwas Transzendentes gerichtet und scheint im Diesseits ohne rechtstechnische Bedeutung.

Für Gläubige ist die Rechenschaft vor Gott möglicherweise zentraler Bestandteil ihres religiösen Selbstverständnisses, aber wie verträgt sich eine solche Figur mit der religiösen und weltanschaulichen Neutralität des GG? Bei einer mit dem Neutralitätsprinzip des GG vereinbaren Auslegung wird man den G. weder für irrelevant noch für religiös determiniert halten. Es geht hier auch um Fragen der Grenzen menschlicher Vernunft, der Bürgerfreiheit und demokratischen Gestaltungsmacht. Es geht um die Quellen unserer humanen, auf universale ↑Menschenrechte gegründeten Identität.

Die polnische Verfassung von 1997 macht das explizit: „[…] beschließen wir, das Polnische Volk – alle Staatsbürger der Republik, sowohl diejenigen, die an Gott als die Quelle der Wahrheit, Gerechtigkeit, des Guten und des Schönen glauben als auch diejenigen, die diesen Glauben nicht teilen, sondern diese universellen Werte aus anderen Quellen ableiten […]“.

Der Parlamentarische Rat in Bonn wollte 1949 neben Förmlichkeit, Mehrheitsherrschaft und sozialen ↑Rechtsstaat auch eine Werteordnung, die materiell verteidigt werden sollte. Die verfassungsgebende Versammlung wollte, dass die Idee der Würde des Menschen nicht noch einmal, auch nicht durch Mehrheitsentscheidungen, in Frage gestellt wird. Das GG ist insofern eine posttotalitäre, wertgebundene Verfassung und zeigt, dass sie um geschichtliche und soziokulturelle Voraussetzungen jedes normativen Geltungsanspruchs weiß. Die Verfassung ist Ergebnis eines ideengeschichtlichen Prozesses, eine Momentaufnahme, die konkretisiert und verstetigt, aber nicht garantieren kann, was ihr vorausliegt. Die Verfassung ruht auf dem Fundament eines sittlichen ↑Konsenses. Dieser sittliche Konsens wird seit Beginn der Neuzeit nicht mehr allein oder unangefochten aus Gott hergeleitet. Aber dieser sittliche Konsens weiß, dass der Mensch nicht allein durch seine Urteilskraft vor dem Irrtum und der Hybris sich selbst bewahren kann. Insofern ist der G. des GG zumindest eine Art Demuts-, aber auch eine Reflexionsformel. Denn auch die ↑Demokratie kann irren. Es ist ein Zeichen menschlicher Unvollkommenheit, aber auch der Qualität des Menschen, irren zu können und sich dessen bewusst zu sein. Die Debatten über Sterbehilfe oder über die Verfügung des menschlichen Genoms, ethische Debatten über die ↑Digitalisierung der Welt und die Schaffung künstlicher Intelligenz, über die Grenzen der Politisierung oder Ökonomisierung der Gesellschaft, die Verwissenschaftlichung und Verrechtlichung der Gesellschaft: Sie alle verlangen nicht nur nach Selbstbewusstsein, sondern auch nach einem reflexiven Bewusstsein notwendiger Grenzen. Insofern ist die Nomination der Verantwortung vor Gott eine Erinnerung an das, was der menschlichen Vernunft nicht oder nicht vollständig zugänglich ist. Zugl. setzt die *Nominatio Dei* ein Zeichen gegen den Missbrauch der ↑Religionsfreiheit, ein Zeichen gegen fundamentalistischen Gotteseifer (↑Fundamentalismus); sie markiert eine der Quellen von Toleranz. Hier sollte man sich hüten, einen solch tiefgreifenden Zusammenhang auf ein funktionell verengtes Liberalitätsargument zu reduzieren, um dann zu sagen, dass man solcher Liberalitätsgaranten schon im Hinblick auf die Würde des Menschen gar nicht bedürftig sei.

3. Europäische Union

Als nach dem Jahr 2000 eine allfällige Änderung der Europäischen Verträge zu einem ehrgeizigen Verfassungskonvent führte, mit nahezu allen Symbolen eines staatlichen Selbstverständnisses, wurde auch über den G. in einer europäischen Verfassung diskutiert. Immerhin beauftragte Konventionspräsident Valéry Giscard d'Estaing nach einem Besuch beim Papst das Sekretariat ein Dokument zur Rolle der ↑Religion im Verfassungsvertrag auszuarbeiten, aber die Ablehnung der Delegierten aus Frankreich, den Niederlanden und den skandinavischen Ländern war zu groß. Ein G. war im Text nicht vorgesehen, und das führte gerade auch aus Deutschland zu Kritik.

Allerdings konnte angesichts der sehr heterogenen nationalen Entwicklungen und historischen Vorprägungen diese Ablehnung des G.es nicht wirklich überraschen und war keineswegs ein Zeichen der funktionalistischen Fehlentwicklung der ↑EU. Die EU ist ein Verbund, der auf die kulturelle, soziale und politische Identität der Mitgliedstaaten bes. Rücksicht nimmt und Worte wie Vielfalt oder ↑Subsidiarität nicht nur zur Bemäntelung unitarischer Tendenzen nutzen darf.

4. Offenheit und Toleranz des Grundgesetzes

In einer religiös und weltanschaulich pluralen Gesellschaft wird die Frage bedeutsam, wer der Gott der Präambel eigentlich ist. Ist es der jüdisch-christliche Gott oder der aller drei abrahamitischen Religionen? Ist das also auch der Gott des ↑Islam? Die Antwort lautet: Selbstverständlich ist es auch der Gott des islamischen Gläubigen wie auch jeder anderen Glaubensgemeinschaft. Man könnte sogar im Blick auf die Erklärung der polnischen Präambel sagen: Es ist sogar der „Gott der Atheisten" in jeder Negation Gottes damit gemeint. Der G. legt sich nicht auf eine bestimmte Gottesvorstellung fest, er nimmt lediglich die Möglichkeit in Bezug, dass es jenseits des menschlichen Erkenntnisvermögens noch etwas Anderes gibt oder insofern sogar als Gewissheit gesetzt geben kann. Und diese Möglichkeit der ↑Transzendenz kann auch ein Agnostiker nicht gänzlich ausschließen. Der Kontext der Präambel ist insofern kein theologischer. Wer und was Gott ist, und in welcher Beziehung er zum Menschen steht, bleibt eine theologische Frage, eine Frage religiöser Freiheit und nicht der Auslegung der Präambel.

Mit solchen Hinweisen wird die Offenheit und ↑Toleranz des GG verdeutlicht, niemand, der sich vor kultureller Überfremdung fürchtet oder sogar islamophob ist, wird im G. der Präambel einen Leitfaden zur Verteidigung des ↑Abendlandes finden. Und doch darf dieser wichtige Hinweis nicht die Verwobenheit christlichen Gottesglaubens und politischer Herrschaftsordnung in der Genese der europäischen Identität vollständig ausblenden. Religion darf ihre Gottes- und Weltdeutung absolut setzen, stößt aber auf die Schrankenziehung des absoluten Identitätskerns weltlicher Herrschaft. Es liegt in der dialektischen Dynamik der neuzeitlichen Ideengeschichte, dass der christliche Gott, der Nächstenliebe und Friedlichkeit immer wieder auch die robuste Merkantilität und politische Machtentfaltung des alten Kontinents herausgefordert, manchmal angetrieben, aber häufig eben auch begrenzt hat. Insofern ist die Achtung der Personalität des anderen Menschen längst jenseits der vernunftphilosophischen und christlichen Ursprünge und seiner Formprägungen säkularisiert, eingelassen in das westliche Wertefundament. Von jedem ↑Glauben und jeder ↑Weltanschauung wird deshalb Friedlichkeit und Respekt vor dem anderen verlangt, gerade auch vor dem Andersgläubigen.

5. Aktuelle Herausforderungen

Heute fürchten manche ein religiöses Wiedererwachen als Gefahr für die öffentliche Friedens- und Toleranzordnung. Angesichts der Pluralisierung, aber auch der Fragmentierung religiös und traditionell unterschiedlicher ↑Lebenswelten gerade auch hinsichtlich europäischer Einwanderungsgesellschaften, nimmt die Bereitschaft zu, laizistisch (↑Laizismus) zu optieren, und womöglich sogar insgesamt das Konzept der wohlwollenden Neutralität im Umgang mit Glauben und Weltanschauung aufzugeben. Sollte die säkulare Werteordnung etwa in öffentlichen Einrichtungen wie der Schule durch den Missbrauch der Religionsfreiheit herausgefordert werden, wird man in der Tat klare Zeichen des Vorrangs der grundgesetzlichen Werteordnung setzen müssen, und das kann zu einer Verbannung religiöser Gehalte aus dem öffentlichen Raum führen. Aber damit darf sich unsere Gesellschaft nicht zufriedengeben, weil sie insofern lediglich auf Pathologien reagiert und reagieren muss, aber diese Pathologien nicht einfach hinnehmen darf. Insofern stehen Erziehung und Bildung, aber auch die Durchsetzung der öffentlichen Ordnung im wirksamen Rechtsstaat vor neuen Herausforderungen, damit die Bedingungen für Liberalität und Toleranz nicht schwinden, sondern gestärkt werden. Die überwiegende Anzahl der nach Europa gelangenden Menschen aus anderen Kulturkreisen will sich integrieren und das kann durchaus dadurch erschwert werden, dass unsere Rechtsordnung nicht mehr von Gott spricht und Räume des Glaubensbekenntnisses verschließt. Die Bedingung jeder ↑Freiheit in der ↑Achtung des anderen und in der unbedingten Friedlichkeit muss mit der ansonsten gezeigten Toleranz immer wieder deutlich gemacht werden. Insofern stehen wir am Anfang eines interaktiven Lernprozesses, den der G. der Präambel uns nicht abnehmen kann, der aber als Fingerzeig wertvoll ist.

Literatur

U. Di Fabio: Grundgesetz und nominatio dei, in: B. Bäumer/ F. Zabel (Hg.): Wie viel Glaube braucht das Land? Antworten aus Politik Kirche und Gesellschaft, 2017, 31–50 • U. Di Fabio: Begegnung mit dem Absoluten, in: FAZ, 21.12.2016, 6 • H. Kreß: Gott in der Verfassung? Kritische Anmerkungen zu einer neu angefragten Debatte, in: ZRP 152/153 (2015), 152–154 • M. Strunz: Der Gottesbezug im Vertrag über die Europäische Union – ein Lösungsvorschlag, in: BayVBl 138 (2007), 648–651 • A. Vogt: Der Gottesbezug in der Präambel des Grundgesetzes, 2007 • G. Waschinski: Gott in die Verfassung? Religion und Kompatibilität in der Europäischen Union, 2007 • E.-W. Böckenförde: Staat, Gesellschaft, Freiheit, 1976.   UDO DI FABIO

Governance

I. Politikwissenschaftlich – II. Wirtschaftswissenschaftlich – III. Rechtswissenschaftlich

I. Politikwissenschaftlich

In der Politikwissenschaft ist der Begriff G. umstritten, und er wird in unterschiedlicher Weise definiert. In der Wirtschaftswissenschaft wurde er eingeführt, als man die Bedeutung von ↑Institutionen und damit auch des ↑Staates erkannte, und in der Rechtswissenschaft bezeichnet er Regelungssysteme. Der politikwissenschaftliche Begriff bezog sich zunächst auf ↑Politik außerhalb der staatlichen Institutionenordnung. Im Teilgebiet der Internationalen Beziehungen erfasste er das Regieren jenseits des Staates, in der Regierungs- und Verwaltungsforschung die Tatsache, dass ↑Staatsaufgaben von Privaten oder im Zusammenwirken zwischen Staat und Privaten erfüllt werden. Schien der Begriff damit zunächst den vielfach diagnostizierten Niedergang des Staates zu unterstellen, gilt er inzwischen als Konzept, das auch für die ↑Staatswissenschaft relevant ist.

In einem engen Begriffsverständnis definiert man G. als Regieren in Netzwerken, in denen Private und Organisationen der ↑Zivilgesellschaft beteiligt sind, oder als gesellschaftliche Selbststeuerung. Von diesem soziologischen Verständnis weicht der politikwissenschaftliche Begriff ab. Abgesehen davon, dass er auf die Relevanz von Institutionen aufmerksam macht, betont er, dass auch die „neuen" Formen des Regierens jenseits des Staates in dessen Kontext und meistens unter Beteiligung staatlicher Akteure oder mit staatlicher Unterstützung praktiziert werden. Zumindest bleibt der Staat der Referenzpunkt, mit dem nicht-staatliche G.-Formen verglichen werden.

Im Unterschied zum normativen G.-Verständnis, das sich in internationalen Organisationen verbreitet hat und Leitlinien für „gutes" Regieren und Verwalten umschreibt („good g."), verwendet die Politikwissenschaft G. als einen Analysebegriff. Dieser verweist auf Modi des kollektiven Handelns bzw. auf die Koordination in institutionalisierten Regelsystemen mit dem Ziel, öffentliche Aufgaben i. S. d. ↑Gemeinwohls zu erfüllen. Die Koordinierung kann durch verschiedene Mechanismen der Interaktion (einseitige Anpassung, Verhandeln, ↑Wettbewerb, Überzeugung) und in unterschiedlichen Institutionen und Strukturen (↑Hierarchie, Netzwerk, ↑Gemeinschaft, ↑Markt) erfolgen. Mit Gemeinwohl meint man eine erwartete Leistung, die von allen Betroffenen akzeptierbar ist, obgleich die Akteure, die Leistungen erbringen sollen, zugl. ihre eigenen Interessen mit den ihnen verfügbaren Machtmitteln verfolgen. Die G.-Forschung ist weder blind für Machtverhältnisse noch normativ voreingenommen. Vielmehr richtet sie sich auf die Frage, welche Institutionen und Mechanismen der Koordination geeignet sind, das Gemeinwohl zu verwirklichen, effektives und demokratisch legitimiertes Regieren zu ermöglichen oder gesellschaftliche Probleme zu lösen. Anstatt ein Modell des guten Regierens anzubieten, lenkt der politikwissenschaftliche Begriff die Aufmerksamkeit auf neuartige Probleme von Politik und Demokratie, die aus der Transformation von Staatlichkeit resultieren.

1. Governance im Staat

Der G.-Begriff steht daher nicht im Widerspruch zum Staatsbegriff. Er liefert vielmehr ein analytisches Instrumentarium, um die komplexe Wirklichkeit des Staates sowie der Tätigkeit des „arbeitenden Staates" (Stein 1980: 44), also von Regierung und Verwaltung zu begreifen. Der Staat erweist sich aus dieser analytischen Perspektive als differenzierte institutionelle Ordnung, die verschiedene Formen von G. oder Kombinationen von Formen ermöglicht. Damit erscheint das klassische Staatsverständnis als einseitig, wenngleich nicht obsolet. Ihm zufolge stellt der Staat eine hierarchische Ordnung dar, die eine einseitige Durchsetzung von ↑Entscheidungen auch gegen den Widerstand von Betroffenen ermöglicht und legitimiert. Dass die Vollzugsorgane des Staates aufgrund von Gesetzen die Adressaten ihrer Anordnungen zu einseitiger Anpassung an diese zwingen können, berücksichtigt auch die G.-Analyse. Sie weist aber darauf hin, dass sich Adressanten staatlicher Regeln und Anordnungen wehren können und versuchen, diesen auszuweichen. Auch „hoheitliches" Staatshandeln in einer hierarchischen Ordnung wird somit als Interaktionsprozess betrachtet, in dem sich Behörden nicht immer durchsetzen.

Die Stärke des Staates zeigt sich demnach nicht in seiner ↑Souveränität oder seinen Kompetenzen, sondern in seiner Fähigkeit, gemeinwohlverträgliches kollektives Handeln unter Berücksichtigung divergierender ↑Interessen zu verwirklichen. Deshalb geht die G.-Forschung davon aus, dass schon Gesetze in komplexen Prozessen zwischen Regierungen, Verwaltungen, Parteien und Verbänden ausgehandelt werden, obgleich am Ende das Parlament nach der Mehrheitsregel beschließt (↑Gesetzgebung). Sie berücksichtigt dabei, dass sowohl die Verhandlungsarrangements als auch das Verhältnis zwischen Verhandlungen und Mehrheitsentscheidung bzw. dem Parteienwettbewerb im Parlament unterschiedlich ausfallen kann. Darüber hinaus befasst sie sich mit Entscheidungsprozessen von ↑Verwaltungen, die Gesetze anwenden und dabei meistens mit den Betroffenen von Vollzugsentscheidungen verhandeln. Die Staatsgewalt erscheint also im „Schatten der Hierarchie", der Verhandlungsprozesse und -ergebnisse ermöglicht und beeinflusst. Die verhandelnde

Verwaltung kann auch durch Netzwerke gestützt werden, in denen private Akteure informell, aber dauerhaft eingebunden sind. Folgt die Verwaltungspraxis dem NPM-Modell (↑Public Management), kommen auch Wettbewerbsmechanismen zum Einsatz, um die Arbeit von Behörden auf bestimmte Ziele oder Standards hin zu lenken oder Verwaltungen durch Konkurrenz mit privaten Leistungsanbietern zur Effizienzsteigerung zu veranlassen. Kritische Analysen zeigen, dass Verhandlungen sich gegenüber den institutionellen Verantwortungs- und Kontrollstrukturen verselbständigen und Klientelismus fördern können. Der Einbau von marktförmigen Wettbewerbsmechanismen wiederum begünstigt eine einseitige Orientierung an der Wirtschaftlichkeit und Sparsamkeit, worunter andere Gemeinwohlbelange leiden können. Der G.-Ansatz kann in der Verwaltungsforschung auch zeigen, dass die in Staats- und Verwaltungsreformen versprochenen oder von verhandelnden Verwaltungen erwarteten Leistungen nur unter bestimmten Bedingungen erfüllt werden, weil die Wirkungen der jeweiligen Mechanismen der Handlungskoordinierung kontextabhängig sind.

Der G.-Begriff lenkt den Blick darauf, dass die Staatstätigkeit die Grenzen zwischen Staat und Gesellschaft überschreitet. Zum einen kooperieren Verwaltungsbehörden mit privaten Unternehmen, schließen Verträge und organisieren unterschiedlich ausgestaltete ↑„Public-Private-Partnerships". Zum zweiten suchen Regierungen, Parlamentarier und Verwaltungen den Rat von Experten aus Verbänden und Wissenschaft. Drittens werden oft Bürger oder zivilgesellschaftliche Organisationen an Entscheidungsprozessen beteiligt („partizipative G."). Die Verflechtung zwischen Staat und Gesellschaft wird in der G.-Analyse nicht einfach konstatiert, sondern konkret als Interaktionsbeziehung und Koordinationsprozess untersucht.

Damit liefert der G.-Begriff weder eine neue Erkenntnis noch konstatiert er einen Niedergang des Staates. Vielmehr dient er dazu, Interdependenzen und Interaktionen zwischen staatlichen und gesellschaftlichen Akteuren präziser zu erfassen und besser zu erklären als ältere staatstheoretische Ansätze. Dazu sind neben institutionellen Bedingungen die Rollen, Interessen und ↑Macht dieser Akteure zu identifizieren. Erforderlich ist einerseits eine klare begriffliche Unterscheidung von Staat und Gesellschaft. Andererseits sind wechselseitige Abhängigkeiten staatlicher und gesellschaftlicher Akteure in den Blick zu nehmen zusammen mit den Prozessen, in denen diese Akteure ihre Handlungen koordinieren, um Interdependenzen zu bewältigen. Der G.-Begriff bietet daher eine Grundlage für eine gesellschaftszentrierte Staatsanalyse, ohne eine einseitige Abhängigkeit des Staates von der Gesellschaft zu unterstellen. Insofern fand er ebenso Anklang in der Policyforschung (↑Policy) wie in der neomarxistischen Regulierungstheorie.

Als bes. fruchtbar erweist sich der G.-Ansatz zur Analyse und Erklärung von Staatstätigkeit, die über terririale ↑Grenzen von Staaten oder deren Untergliederungen hinauswirkt. Alle modernen Staaten stehen vor dem Problem, dass ihre Gebietsstruktur nicht mit der Reichweite von Aufgaben übereinstimmt. Prozesse der ↑Regionalisierung oder Dezentralisierung verstärken daraus resultierende Interdependenzprobleme. Dementsprechend entwickelten sich unterschiedliche Formen von G. in grenzüberschreitenden Räumen. *Urban G.* verwirklicht sich in vielfältigen institutionellen Arrangements und Koordinationsmechanismen, während sich *Regional G.* in netzwerkartigen Strukturen zeigt, die Vertreter von regionalen Verwaltungen, Kommunen, Unternehmen, Verbänden und Vereinen in offenen, funktional abgegrenzten Handlungsräumen zusammenführen. Nicht weniger vielfältig sind die zwischenstaatlichen Formen der Koordination, die unter dem Begriff *Global G.* zusammengefasst werden.

2. Multilevel Governance

Diese horizontalen G.-Formen auf einzelnen „Ebenen" sind vertikal verschränkt, weil das Regieren in vielen Politikfeldern Zuständigkeiten lokaler, regionaler, nationaler oder internationaler Organe betrifft bzw. auf sie zurückgreifen muss. Die Politikformen, die dadurch entstanden sind, bezeichnet man in der Politikwissenschaft als *Multilevel G.* Dieser Begriff bezieht sich sowohl auf einen Prozess der Veränderung von Staatlichkeit als auch auf eine Form des Regierens. Die erste Variante verweist auf den Aufstieg der Regionen im Prozess der ↑Globalisierung und europäischen Integration, die zweite auf Strukturen und Prozesse der Koordination, die Grenzen von territorialen Einheiten überschreiten.

Der Begriff *Multilevel G.* wurde in der Europaforschung geprägt, zunächst mit dem Anspruch, die Dynamik der Machtverlagerungen vom Nationalstaat auf Regionen und die ↑EU zu erklären. In Deutschland wurde er teilweise mit „Mehrebenen-Regieren" übersetzt und in einem weiteren Sinn zur Charakterisierung der verflochtenen Strukturen und komplexen Prozesse der europäischen Politik herangezogen. Als Analysebegriff wird er aber auch auf Bundesstaaten angewandt. Die Föderalismusforschung (↑Föderalismus) befasst sich schon lange mit intergouvernementalem Regieren. Der G.-Begriff beschreibt jedoch nicht nur die Interaktionen zwischen Exekutiven, sondern auch den Einfluss von ↑Parteien, ↑Verbänden und zivilgesellschaftlichen Akteuren auf diese Prozesse sowie die damit verbundene Strukturdynamik. Im Unterschied zum Föderalismusbegriff, der lange Zeit staatszentriert gebraucht wurde und erst neuerdings wieder nicht-staatlich verfasste politische Ordnungen einschließt, erstreckt sich der Begriff *Multilevel G.* auch auf Koordination jenseits des Staates. Die Forschung identifizierte auf der Basis dieses Konzepts sehr unterschiedliche, z. T. wenig institutionalisierte Formen der Politik.

Ausgehend von Forschung zum deutschen ↑Bundesstaat und zur EU konzentrierte sich die Forschung zu-

nächst auf Verhandlungssysteme, in denen Regierungen geteilte Kompetenzen ausüben. Später erkannte man weitere G.-Modi, die von einseitiger Steuerung in der Hierarchie bis zu Wettbewerben reichen. Generell stellt *Multilevel G.* die miteinander interagierenden Regierungen oder Verwaltungen vor bes. Herausforderungen, da sie mehr oder weniger starken Bindungen an ihre Parteien oder Parlamente unterliegen oder sie auf ↑Interessengruppen Rücksicht nehmen müssen. Insofern treffen hier staatliche und nicht-staatliche G.-Formen aufeinander, die eng oder lose gekoppelt sein können. Eher lose gekoppelt sind sie in der EU. Das europäische Regieren zeichnet sich, neben der institutionellen Verflechtung infolge geteilter Kompetenzen und der Mitwirkung nationaler Regierungen im Ministerrat, dadurch aus, dass es auch flexible Varianten von G. nutzt, etwa ↑Steuerung durch Standards und Evaluierung (↑Evaluation; Offene Methode der Koordinierung), Verhandlungen im Schatten der Hierarchie oder konsensuales Handeln (↑Konsens) in Netzwerken von Experten und Interessenvertretern.

In der internationalen Politik finden wir ebenso komplexe G.-Formen, die jedoch weniger institutionell eingebettet sind als in Staaten oder in der EU. In diesen Mehrebenensystemen dominieren Regierungen als Vertreter von Nationalstaaten, da nur sie über die Macht verfügen, Vereinbarungen innerhalb ihres Zuständigkeitsbereichs in verbindliche Entscheidungen umzusetzen. Regelmäßig erarbeiten aber Experten, oft unter Mitwirkung von Interessengruppen oder ↑NGOs, Agenden der Regierungsverhandlungen, entwickeln Entscheidungsalternativen und liefern Informationen über Entscheidungsfolgen. Der Zusammenhang der verschiedenen Politikebenen und der sie verbindenden Verhandlungsgremien ist häufig recht lose, weshalb Koordination nicht nur durch Verträge oder Absprachen, sondern auch durch den Transfer von Reformmodellen erfolgt. Wenngleich internationale Organisationen mit ihren Verwaltungen, private Unternehmen und zivilgesellschaftliche Organisationen einen starken Einfluss ausüben, wird jenseits des Staates nicht ohne Staaten regiert. Zum einen wirken Regierungen meistens als mächtige Akteure in Verhandlungen und als Vermittler in Konflikten mit. Zum anderen müssen Empfehlungen, Vereinbarungen oder Ziele innerhalb von Staaten vollzogen werden, weshalb *transnationale G.* ohne die Durchsetzungsmacht von Regierungen nicht funktionieren würde.

3. Governance und Transformation des Staates

Schien die Politikwissenschaft zunächst mit dem G.-Begriff ihren Fokus weg vom Staat zu verlagern, so wird inzwischen betont, dass man politische G. kaum ohne den Staat denken kann. Damit verweist das Konzept auch auf die Transformation von Staatlichkeit. Diese beobachten wir nicht nur in der westlichen Staatenwelt, die sich mit der Globalisierung und europäischen Integration veränderte. Auch in anderen Weltregionen gibt es Ansätze einer Integration, meistens unter Führung dominierender Staaten. Wieder andere Regionen leiden unter Desintegration und Staatszerfall (↑Failed State). Unabhängig davon, ob starke Staaten existieren oder ob die Staatsgewalt begrenzt ist bzw. sich im Zerfall befindet, müssen G.-Leistungen erfüllt werden. In „Räumen begrenzter Staatlichkeit" (Risse/Lehmkuhl 2007) treten private Unternehmen, soziale Gemeinschaften, internationale Hilfsorganisationen oder parastaatliche Organisationen an die Stelle von Regierungen und Verwaltungen. Entspr.e Phänomene beobachten wir aber auch in entwickelten Staaten, in denen öffentliche Aufgaben privatisiert, internationalisiert oder in gesellschaftlicher Selbstregulierung erfüllt werden.

Die zentrale Frage der G.-Forschung lautet nicht, ob mehr oder weniger Staat erforderlich ist, um Gemeinwohlleistungen zu erbringen. Mit G. ist ein dynamischer Struktur-Prozess-Zusammenhang gemeint, der die Transformation des Staates einerseits widerspiegelt, andererseits aber auch bewirkt. Einzelne Autoren haben den Begriff Meta-G. vorgeschlagen, um die Transformation von Institutionen und Koordinationsformen durch G. zu erfassen. Doch verweist schon der G.-Begriff auf diesen Zusammenhang. Mit ihm liegt noch keine Theorie der Transformation des Staates vor, jedoch ein Analyserahmen, der die Theoriebildung anleiten kann.

Literatur

R. Mayntz (Hg.): Negotiated Reform, 2015 • A. Héritier/M. Rhodes (Hg.): New Modes of Governance in Europe, 2011 • T. Risse (Hg.): Governance Without a State, 2011 • S. Piattoni: The Theory of Multilevel Governance, 2010 • S. Bell/A. Hindmoore: Rethinking Governance, 2009 • A. Benz: Politik in Mehrebenensystemen, 2009 • A. Benz: Der moderne Staat, ²2008 • A. Benz u.a. (Hg.): Hdb. Governance, 2007 • M. Marcussen/J. Torfing: Democratic Network Governance in Europe, 2007 • T. Risse/U. Lehmkuhl (Hg.): Regieren ohne Staat? Governance in Räumen begrenzter Staatlichkeit, 2007 • R. Mayntz: Governance Theory als fortentwickelte Steuerungstheorie?, in: G. F. Schuppert (Hg.): Governance-Forschung, 2005, 11–20 • J. Kooiman: Governing as Governance, 2003 • B. Jessop: The Future of the Capitalist State, 2002 • L. Hooghe/G. Marks: Multi-level Governance and European Integration, 2001 • J. Pierre/B. G. Peters: Governance, Politics and the State, 2000 • F. W. Scharpf: Games Real Actors Play, 1997 • J. N. Rosenau/E.-O. Czempiel (Hg.): Governance Without Government, 1992 • F. W. Scharpf: Die Politikverflechtungsfalle, in: PVS 26/3 (1985), 323–356 • L. von Stein: Hdb. der Verwaltungslehre und des Verwaltungsrechts, 1980.

ARTHUR BENZ

II. Wirtschaftswissenschaftlich

1. Begriff und Global Governance Diskussion

G. (von lateinisch *gubernare*) meint alle Formen regelgebundener Machtausübung (↑Macht) und Leitung sowie deren Kontrolle, und zwar sowohl im Raum der nationalen und internationalen Politik *(Global G.)* als auch von Organisationen, insb. von Wirtschaftsunternehmen *(Corporate G.)*, aber auch von ↑NGOs und öffentlich-rechtlichen Organisationen. Als positiv-analytischer Begriff will G. zunächst (formelle und informelle) G.-Strukturen sowie ggf. das Zusammenwirken privater und staatlicher Akteure darin beschreiben. Als normativer Begriff wird G. verwendet, um eine ausschließliche und selbstverständliche Zuschreibung regelgebundener Machtausübung an traditionale politische bzw. nationalstaatliche Instanzen zu überwinden *(Global G. Diskussion)*. Auf Organisationsebene sollen die Grundlagen für verantwortliches Verhalten (CSR) von Entscheidungsträgern im Unternehmen geschaffen werden.

Hintergrund der Begriffsbildung sind dabei v. a. die ungeklärten Ordnungsfragen der ↑Globalisierung (Umwelt, Soziales, Korruptionsbekämpfung etc.), deren Lösung blockiert wird durch G.-Probleme, z. B. in Form von Machtmissbrauch und Klientelismus in Entwicklungs- und Schwellenländern – unterstützt durch Profiteure in entwickelten Volkswirtschaften. Anstelle eines lang vorherrschenden normativen Demokratiekonzepts ist es deshalb zur Etablierung des Leitbildes „guten Regierungshandelns" *(Good G.)* gekommen. Dabei war die Einführung des G.-Konzeptes lange mit dem Ruf nach einem stärkeren Einbezug von Wirtschaft und NGOs als G.-Akteuren verbunden. Dies hat im Zusammenhang mit den Zielen globaler nachhaltiger Entwicklung (erstmals 1999/2000 formuliert als „Millennium Goals") zur Gründung der Netzwerkplattform des UN „Global Compact" geführt, der zehn UN-Prinzipien in global agierenden ↑Unternehmen verankern will. Hoffnungen auf diese neuen, international agierenden G.-Akteure für eine selbstregulierende Wirtschaft jenseits des Nationalstaates sind allerdings v. a. durch die Finanzkrise 2007 erschüttert worden. Der offensichtliche Opportunismus privater G.-Institutionen wie Rating-Agenturen oder Banken (LIBOR Skandal) offenbart deren begrenzte Eignung für eine nicht staatliche Kontrolle von G.-Risiken. Wenig berücksichtigt ist in der angelsächsisch geprägten G.-Diskussion allerdings der nachhaltige Erfolg der G.-Instrumente der ↑sozialen Marktwirtschaft z. B. im Bereich der Selbstverwaltungsorganisationen der Tarifpartner zur Bekämpfung struktureller ↑Arbeitslosigkeit bzw. zur Stärkung der Resilienz der Arbeitsmarktinstitutionen oder im Bereich der ↑beruflichen Bildung (duales Ausbildungssystem).

2. Governance in der internationalen Entwicklungs- und Umweltpolitik

Vergleichsweise lebhaft ist die G.-Diskussion zur Analyse regionaler und kommunaler Leitungsgewalt aufgenommen worden. Hier wird auch weniger ideologisch und stärker deskriptiv-analytisch argumentiert. Vorbereitend haben „Sozialkapital-Forscher" der 1990er

Jahre die Bedeutung von (sektorübergreifenden) Kooperationsnetzwerken für Vertrauen *(trust)* und Zusammenarbeit herausgearbeitet.

Insb. im Bereich der ↑Entwicklungs- und ↑Umweltpolitik wird auf G. als Leitbegriff zurückgegriffen. Dies gilt etwa für die Erstellung von Infrastrukturgütern oder die gemeinsame Nutzung von Rohstoffen durch (konkurrierende) Nutzergruppen. In Bezug auf Wasservorräte hat sich die Wasser-G. (↑Wasser) als Forschungsfeld etabliert. Nutzergruppen auf verschiedenen Organisationsebenen (lokal, regional, national) müssen hier mit Hilfe eines polyzentrischen Systems „verflochtener Institutionen" *(nested institutions)* koordiniert werden und lokale *bottom-up* gesteuerte Selbstregulierungsprozesse ergänzen komplementär *top-down* Entscheidungsprozesse (z. B. Regulierung durch den nationalen Gesetzgeber, ↑Entscheidung). Polyzentrische Systeme sind notwendig, da Wasser-G. meist regionale Informations- und Sanktionspotenziale benötigt, die nicht einfach auf eine anonyme Großgesellschaft hin skalierbar sind. Hier weist die moderne G.-Forschung Berührungspunkte mit dem Subsidiaritätsprinzip (↑Subsidiarität) auf. Dieses räumt der autonomen Selbststeuerung der kleineren Gruppe einen Vorrang ein, solange sie effektiv umgesetzt werden kann. Darüber hinaus muss die größere Gemeinschaft subsidiär unterstützen und zugl. durch institutionelle Rahmensetzung die Entfaltung negativer ↑externer Effekte lokalen Handelns vermeiden. Polyzentrische Arrangements werden auch in der Entwicklungspolitik vorgeschlagen – etwa zum Schutz von Gemeinschaftsgütern *(common pool ressources).*

3. Governance im Bereich verantwortlichen Organisationshandelns

Wirkmächtiger als im Bereich der politischen Ordnung ist der G.-Begriff bei der Kontrolle regelgebundener Machtausübung im Bereich von Organisationen geworden *(Corporate G., Organizational G.).* Eine wichtige konzeptionelle Grundlage in diesem Bereich stellt die Prinzipal-Agent-Theorie dar, die den Interessengegensatz zwischen einem Auftraggeber/Eigentümer (z. B. dem Hauptaktionär bzw. Eigentümer-Unternehmer) und den von ihm beauftragten Agenten zum Gegenstand hat. Untersucht werden unterschiedliche Typen von Interessengegensätzen und mögliche vertragliche bzw. organisatorische Lösungsmechanismen. Anwendungsfelder von Prinzipal-Agent-Analysen sind primär Unternehmen und privatwirtschaftliche Organisationen, aber zunehmend auch NGOs wie Clubs und Verbände (z. B. ADAC Skandal).

In der Wirtschaftspraxis ist es bereits zur Jahrtausendwende zur Erarbeitung von Verhaltenskodizes (Corporate G.-Codes) für internationale Unternehmen gekommen (z. B. OECD 1999, überarbeitet 2015), die zwar keine unmittelbare Gesetzeskraft erlangten aber durchaus Steuerungswirkungen (↑Steuerung) auf natio-

nales Recht entfalten konnten. In Deutschland wurde 2001/02 auf Initiative der Bundesregierung durch ein Gremium von Wirtschaftsfachleuten ein 15-seitiger nationaler Kodex formuliert, der durch die „Kodexkommission" auf seine Umsetzung hin kontrolliert bzw. regelmäßig problembezogen nachjustiert wird. Der DCGK verpflichtet Vorstand und Aufsichtsrat zu Entscheidungen i. S. d. sozialen Marktwirtschaft sowie einer nachhaltigen Wertschöpfung.

Derartige Corporate G.-Instrumente dienen dabei z. B. den Anlegern von Kapitalgesellschaften und anderen interessierten Anspruchsgruppen *(Stakeholder)* zur Sicherung ihrer berechtigten Erwartungen an das Unternehmen. Aus Sicht des Kapitalmarktes (↑Geld- und Kapitalmarkt) stellen Risiken der Unternehmensführung *(G. Risks)* einen wichtigen Bestandteil der Umwelt-, Sozial- und Unternehmensführungsrisiken *(Environmental, Social and G. Risks)* dar. G.-Risiken gehen vom Handeln der Unternehmensleitung bzw. von delegierten Amtsträgern des Unternehmens aus und treten üblicherweise in Form von Machtmissbrauch auf – z. B. als ↑Korruption und Bestechung von Regulierungsbehörden, Steuerhinterziehung, Insider-Handel, überhöhte Bezüge für Amtsträger oder Günstlingwirtschaft bei der Besetzung von Gremien.

Ein kohärentes Management dieser Risiken mithilfe eines professionellen Systems spielt bei der Bewertung des Unternehmens am Kapitalmarkt eine Rolle (↑Compliance), da sich Managementfehler auf die interne Unternehmenskultur, das Unternehmensimage bei Mitarbeitern und Beobachtern und den Unternehmenserfolg auswirken können. Von den Unternehmen wird dementsprechend ein effektives Management von G.-Risiken auf der Grundlage einer systematischen Risikoerfassung erwartet. So fordern bspw. internationale Finanzmarktinstitutionen die Berücksichtigung von G.-Risiken bei der Gestaltung von Analyse- und Entscheidungsprozessen im Investmentbereich, z. B. im Rahmen der Investitionspolitik, durch die Entwicklung von G.-Instrumenten, Kennzahlen und Evaluationsanalysen oder durch Integration in die Kompetenzbeurteilung interner und externer Vermögensverwalter.

Neben der professionellen Erfassung und Bewertung von G.-Risiken weist der DCGK auch auf „ein ethisch fundiertes, eigenverantwortliches Verhalten" (2017: 1) hin. Hier geht es um Fragen einer G.-Kultur, wie sie insb. in vielen mittelständischen Familienunternehmen praktiziert wird. Diese haben jenseits der politischen Vorgaben eigene Vorgehensweisen entwickelt. An die Stelle eines formalen und mitunter bürokratischen Compliance-Systems treten dabei wechselseitige Beobachtung im laufenden Geschäftsbetrieb sowie die informelle Korrektur weisungsgebundener Mitarbeiter durch den Führungskreis. G.-Instrumente wurzeln in Unternehmenswerten und einem „Stil des Hauses", welche nicht unbedingt formell fixiert sind, aber im Alltag trotzdem steuerungsrelevant werden. Persönliche Verankerung in den Unternehmenswerten kann dann etwa zur Bedingung einer Beförderung in den Führungskreis werden; die „Passung" von Unternehmenswerten und G.-Kultur kann ein Kriterium bei Fusionen bzw. Akquisitionen sein. Typische Probleme umfassen hier Auseinandersetzungen in der Eigentümerfamilie bzgl. der Strategie des Unternehmens sowie die ungeklärte Unternehmensnachfolge. Im Gegensatz zu Großunternehmen ist die diesbezügliche Praxis von mittelständischen Unternehmen in der Managementforschung aber noch zu wenig bearbeitet.

Literatur

DCGK: Deutscher Corporate Governance Kodex, 2017 • P. Woodhouse/M. Muller: Water Governance. An Historical Perspective on Current Debates, in: World Development 92 (2017), 225–241 • Kommission Governance Kodex für Familienunternehmen: Governance Kodex für Familienunternehmen, 2015 • OECD: OECD Prinzipien zur Wassergovernance, 2015 • UN: Milleniums-Entwicklungsziele. Bericht 2015, 2015 • G. F. Schuppert: Verflochtene Staatlichkeit, 2014 • A. Koeberle-Schmid/H.-J. Fahrion/P. Will (Hg.): Family Business Governance. Erfolgreiche Führung von Familienunternehmen, ²2012 • K. P. Müller/G. F. Schuppert: Corporate Governance im Wandel, 2012 • T. Risse (Hg.): Governance Without a State? Policies and Politics in Areas of Limited Statehood, 2011 • G. F. Schuppert: Alles Governance – oder was?, 2011 • OECD: OECD Grundsätze der Corporate Governance, 1999 • E. Ostrom: Die Verfassung der Allmende. Jenseits von Markt und Staat, 1999 • F. Fukuyama: Trust. The Social Virtue and the Creation of Prosperity, 1995 • D. North: Institutionen, Institutioneller Wandel und Wirtschaftsleistung, 1992 • M. Jensen/W. Meckling: Theory of the firm. Managerial behavior, agency costs and ownership structure, in: JFE 3/4 (1976), 305–360.　　　　　ANDRÉ HABISCH

III. Rechtswissenschaftlich

1. Governance und Regelungsstrukturen

G. ist in seiner analytischen Variante ein Brückenbegriff, der unterschiedliche disziplinäre Ansätze zwar nicht zusammenführen, wohl aber wechselseitige Anregungspotentiale vermitteln kann. Seine wesentlichen, weithin geteilten Merkmale lassen sich mit Gunnar Folke Schuppert dahingehend zusammenfassen, dass G. ein interdisziplinärer Brückenbegriff ist, ein analytisches und kein normatives Konzept, der Analyse der Handlungskoordination unterschiedlicher Akteure dient, rechtswissenschaftlich in dem Begriff der Regelungsstrukturen seinen Ausdruck findet und zur Überwindung von Staatszentriertheit der Analyse beiträgt.

In der Rechtswissenschaft wird G. überwiegend als eine andere Bezeichnung für den Begriff der Regelungsstrukturen erachtet. Der Sache nach thematisiert G. die Regime der Handlungskoordination unterschiedlicher Akteure, die ebenfalls durch ↑Recht oder durch rechtlich eingebettete Modi im Interesse einer gemeinsamen Aufgabenerledigung koordiniert werden. Wie von dem Begriff der Regelungsstrukturen nahegelegt, wird damit ein analytischer Rahmen aufgespannt, innerhalb dessen die Wirkungszusammenhänge, Substitutions- und Ergänzungsverhältnisse zwischen Handlungsmaßstäben, Akteuren und Instrumenten thematisierbar werden. Regelungsstrukturen umfassen also die für die Regelung eines bestimmten Sachbereichs bzw. einer Aufgabe wichtigen Regelungsinstanzen, Maßstäbe, Formen und Instrumente.

2. Anwendungsfelder

Urspr. hatte der Begriff v. a. im Kontext der ↑Privatisierung und ↑Deregulierung die Funktion, auf die staatliche und nicht staatliche Akteure übergreifenden Aufgabenerledigungszusammenhänge zu reagieren und diese als eine Struktur beschreib- und analysierbar zu machen, um so die normativen Anforderungen zu bestimmen, die für das Zusammenwirken gelten. Staatliche und nicht staatliche Akteure unterliegen nicht nur jeweils einem unterschiedlichen Rechtsregime, hinter dem unterschiedliche – auch verfassungsrechtliche – Prinzipien stehen, sondern handeln auch in einem jeweils unterschiedlich geprägten institutionellen Kontext. Das Konzept der Regelungsstruktur lenkt dann den Blick darauf, dass die Anforderungen auf das gesamte institutionelle Arrangement bezogen werden müssen, um Gemeinwohlziele (↑Gemeinwohl) zu erreichen. Plastisch spricht G. F. Schuppert davon, dass die Gemeinwohlbeiträge staatlicher wie nicht staatlicher Akteure zu koordinieren und dabei zugl. die Eigenrationalitäten staatlicher und nicht staatlicher Akteure zu wahren seien.

Dies verschiebt den Bezugspunkt der normativen Analyse von den Anforderungen an den einzelnen staatlichen Akteur und seine ↑Entscheidungen auf die Regelungsstrukturen, die das Zusammenwirken von staatlichen und privaten Akteuren koordinieren. Aus normativer Perspektive stellt sich dann die Frage, ob und in welchem Umfang daraus ein Auftrag an den ↑Staat folgt, das Zusammcnwirken staatlicher und privater Akteure gemeinwohlbezogen zu organisieren. Dieser normative Bezugspunkt lässt sich insoweit als überwirkende Legitimationsverantwortung des Staates beschreiben, welche die Organisationsgrenzen der ↑Verwaltung überschreitet.

Das Konzept der Regelungsstruktur ist indes nicht auf das Verhältnis von staatlichen und nicht staatlichen Akteuren beschränkt, sondern betrifft auch das Verhältnis staatlicher Akteure untereinander. Insoweit nimmt es die Pluralität der staatlichen Akteure ebenso wie ihre interne Verfassung in den Blick und thematisiert das Zusammenspiel der Akteure als einen aufgabenbezogenen Zusammenhang, der normativ (mit-)konstituiert ist. Die Analyse der Regelungsstrukturen lässt sich ebenso etwa auf das Verhältnis von Ministerialverwaltung und verselbstständigten, mehr oder weniger autonomen Einheiten, deren differenzierte Binnenstruktur, auf neue Formen der Handlungskoordination auch durch *soft law* wie auf Mehr-Ebenen-Systeme (↗Mehr-Ebenen-Regieren), wie die Strukturen des Europäischen Verwaltungsraumes, der *Judicial G.*, in Europa oder aber des internationalen ↗Verwaltungsrechts anwenden. Sie betreffen keineswegs nur das ↗öffentliche Recht und das ↗Europarecht und sein Zusammenspiel mit dem nationalen Recht sowie das transnationale und internationale Recht, sondern auch das ↗Privatrecht. Bevorzugt finden sich die G. nutzenden Analysen im Bereich der Analyse der gemeinsamen Aufgabenerledigung staatlicher und privater Akteure, einschließlich der rechtshistorischen Aufarbeitung privat-staatlicher Regelungsstrukturen, wie überhaupt dem Zusammenwirken von staatlichen und privaten Akteuren, der wissenschaftlichen Beratung, der Analyse von strategischem Handeln von Marktakteuren im Regulierungsrecht, von Organisationen, der Universitäten, wie überhaupt des Wissenschaftsbereichs in der rechtswissenschaftlichen Innovationsforschung (↗Innovation).

3. Mechanismen der Handlungskoordination

Das G.-Konzept bedarf weiterer Operationalisierungen, um seine Reichweite und Fruchtbarkeit zu erproben. Insoweit ist es eher Perspektivwechsel und Arbeitsprogramm. Daher liegt es nahe, in spezifischen Feldern konkrete Regelungsstrukturen zu untersuchen. Sozialwissenschaftliche G.-Konzepte analysieren ganz unterschiedliche Modi der Handlungskoordinierung. Die durchaus verwirrende Vielfalt von Mechanismen geht über die klassischen Mechanismen wie ↗Hierarchie, ↗Wettbewerb, Verhandlungen und Netzwerke hinaus. Angesichts des zentralen Anliegens des Ansatzes, der Analyse von Formen der Handlungskoordinierung, kann das nicht überraschen. Insoweit wird man mit erheblichen Varianzen zwischen einzelnen Forschungsfeldern zu rechnen haben. Verkompliziert wird die Lage noch dadurch, dass sich regelmäßig eine Kombination von G.-Modi findet, die in ihren Verkoppelungen und den Mischungsverhältnissen das konkrete G.-Regime eines bestimmten Sektors bilden. Dies begründet durchaus Schwierigkeiten der Analyse, die sowohl die präzisierende Beschreibung von elementaren G.-Modi als auch ihre feldspezifischen Differenzierungen und ihre Verknüpfung zu einem G.-Regime betreffen. Der Vorteil besteht freilich darin, in strukturierter Weise einen Rahmen für die Nutzung empirischer Aussagen zur Wirkung der Mechanismen der Koordination und ihrem Zusammenwirken zur Verfügung zu stellen.

Für die rechtswissenschaftliche G.-Analyse ist die Rolle des Rechts in diesem Kontext näher zu bestimmen. Die Rechtswissenschaft ist durch ihren Gegenstand auf den ersten Blick eingegrenzt auf rechtliche Formen der Handlungskoordinierung. Insoweit macht die rechtswissenschaftliche Analyse nicht beliebige Formen gesellschaftlicher Handlungskoordination zu ihrem unmittelbaren Gegenstand. Die in der G.-Diskus-

sion als analytische Elementarkategorien benutzten Modi der Handlungskoordinierung wie Hierarchie, Wettbewerb, Netzwerke, Verhandlungen oder ↗Gemeinschaften sind daher nicht schon als solche für die rechtswissenschaftliche Analyse bedeutsam, sondern nur dann, wenn sie – jenseits rechtspolitischer Interessen – als normativ relevante Frage thematisiert werden können. Bei genauerer Betrachtung sind rechtliche wie nichtrechtliche Formen der Handlungskoordinierung gleichermaßen Teil des G.-Regimes, innerhalb dessen sich dann bestimmte Kommunikations- und Handlungszusammenhänge ausbilden und Entscheidungen getroffen werden. Insoweit wird die jeweilige Handlungspraxis durch rechtliche wie nichtrechtliche Modi der Handlungskoordinierung geprägt.

4. Kritik an dem Konzept

Die rechtswissenschaftliche Kritik arbeitet sich oftmals an einem wirklichen oder vermeintlichen Gegensatz von steuerungsorientierter oder wirkungsorientierter Rechtswissenschaft und G.-Ansätzen ab, freilich gelegentlich nicht ohne meinungsfreudige Ignorierung rechtswissenschaftlicher Aussagen zur G.-Forschung und ebenso nicht ohne gelegentliche Identitätsannahmen von Rechtsdogmatik (↗Dogmatik) und Rechtswissenschaft. Das sagt zwar einiges über das jeweilige Wissenschaftsverständnis aus, weniger aber über die Fruchtbarkeit des G.-Ansatzes. Dieser hatte niemals zum Ziel, rechtsdogmatische Aussagen zu ersetzen, so wenig wie der vorgebliche Gegenspieler einer steuerungsorientierten oder wirkungsorientierten Rechtswissenschaft. In der Sache geht es um ein Analyse-Instrumentarium, das in der Lage ist, die Veränderungen von Staatlichkeit sichtbar und besser analysierbar zu machen.

Demgegenüber wird ein Steuerungsansatz propagiert, der eher an herkömmliche Perspektiven der Rechtswissenschaft anknüpft. So soll der Steuerungsbegriff (↗Steuerung) als normativer Zurechnungs- und Rechtsfolgezusammenhang verstanden werden, wobei freilich nicht immer deutlich wird, was damit für die Analyse gewonnen wird. Über den Steuerungsansatz soll allerdings auch eine Ausdifferenzierung und Erweiterung des Untersuchungsgegenstandes erfolgen. Dadurch sollen die Einbeziehung von Personal, Organisation und Verfahren ebenso wie die anderen Formen staatlichen Handelns wie Warnungen, Empfehlungen oder monetäre Ansätze ermöglicht und darüber hinaus die Wirkungszusammenhänge und Wechselbeziehungen zwischen unterschiedlichen Instrumenten berücksichtigt werden. Dann liegt allerdings eine gewisse Nähe zu Fragen, die auch im Rahmen des G.-Ansatzes thematisiert werden, auf der Hand. Übergreifende Wirkungszusammenhänge und unterschiedliche „Steuerungs"-Medien stehen im Zentrum einer G.-Analyse. Ebenso ist nicht zu übersehen, dass der G.-Ansatz eine Perspektivänderung auf veränderte Formen von Staatlichkeit beinhaltet und insoweit vielfältig an rechtswissenschaftliche Entwicklungen und Diskussionen anschließen kann. Dazu braucht man nur auf die Stichworte Europäisierung, Internationalisierung und Privatisierung zu verweisen. Diese Entwicklungen stellen aber zugleich das in Frage, was den Steuerungsansatz ausmacht: Wer steuert wen, mit welchen Instrumenten und mit welchem Erfolg? Die G.-Perspektive zieht insoweit gerade die Konsequenz aus der Einsicht, dass politische Steuerung in Reaktion auf die gesellschaftliche Pluralität, Dynamik und Komplexität der zu bewältigenden Aufgaben durch unterschiedliche staatliche und nicht staatliche Akteure (die eben nicht verabschiedet werden) auf unterschiedlichen Ebenen und mit je nach Feldern unterschiedlichen Formen und Instrumenten stattfindet und damit nicht oder nicht notwendig mehr einem zentralen Steuerungssubjekt zugeschrieben werden kann. Der Ansatz will einen analytischen Rahmen zur Verfügung stellen, der strukturiert – nicht mehr und nicht weniger.

Literatur

P. Collin: Privat-staatliche Regelungsstrukturen im frühen Industrie- und Sozialstaat, 2016 • S. Grundmann/F. Möslein/K. Riesenhuber (Hg.): Contract Governance, 2015 • A. Pilniok: Changing European Governance of Research. A Public Law Perspective, in: D. Jansen/I. Pruisken (Hg.): The Changing Governance of Higher Education and Research, 2015, 207–234 • A. Pilniok/H.-H. Trute: Die externe Governance der Promotionsphase: Wer setzt die Standards, in: J. Brockmann/A. Pilniok/H.-H. Trute/E. Westermann: Promovieren in der Rechtswissenschaft. Zwischen Individualbetreuung und strukturierten Programmen, 2015, 137–160 • H.-H. Trute: Governance und Wissen, in: P. Weingart/G. G. Wagner (Hg.): Wissenschaftliche Politikberatung im Praxistest, 2015, 115–135 • A. C. Ciacchi: Judicial Governance in Private Law through the Application of Fundamental Rights, in: ALJ 1/1 (2014), 121–134 • W. Hoffmann-Riem: Governance als Perspektivenerweiterung in der Rechtswissenschaft, in: ALJ 1/1 (2014), 3–19 • F. Möslein: Privatrechtliche Regelsetzung, Governance und Verhaltensökonomik, in: ALJ 1/1 (2014), 135–143 • G. F. Schuppert: Verwaltungsorganisation und Verwaltungsorganisationsrecht als Steuerungsfaktoren, in: W. Hoffmann-Riem/E. Schmidt-Aßmann/A. Voßkuhle (Hg.): Grundlagen des Verwaltungsrechts, Bd. 1, 2012, § 16 • M. A. Glaser: Internationale Verwaltungsbeziehungen, 2011 • W. Hoffmann-Riem: Die Governance-Perspektive in der rechtswissenschaftlichen Innovationsforschung, 2011 • A. Pilniok: Governance im europäischen Forschungsförderverbund, 2011 • G. F. Schuppert: Alles Governance oder was?, 2011 • G. F. Schuppert: Governance-Forschung. Versuch einer Zwischenbilanz, in: DV 44/2 (2011), 273–289 • R. Broemel: Strategisches Verhalten in der Regulierung, 2010 • R. Broemel u. a.: Disciplinary Difference from a legal Perspective, in: D. Jansen (Hg.): Governance and Performance in the German Public Research Sector, 2010, 19–41 • C. Franzius: Warum Governance?, in: KJ 42/1 (2009), S. 25–38 • D. Jansen: Governance and Performance in the German Public Research Sector, 2009 • W. Kahl: Über einige Pfade und Tendenzen in Verwaltungsrecht und Verwaltungsrechtswissenschaft – ein Zwischenbericht, in: DV 42/4 (2009), 463–493 • J. Kersten: Governance in der Staats- und Verwaltungsrechtswissenschaft, in: E. Grande/S. May (Hg.): Perspektiven der Governance-Forschung, 2009, 45–59 • H.-H. Trute/A. Pilniok: Von der Ordinarien- über die Gremien- zur Managementuniversität? Veränderte Governance-Strukturen der universitären Forschung und ihre normativen Konsequenzen, in: D. Jansen (Hg.): Neue Governance für die Forschung, 2009, 19–35 • I. Appel: Das Verwaltungsrecht zwischen klassischen dogmatischen Verständnis und steuerungswissenschaftlichen Anspruch, in: VVDStRL, Bd. 67, 2008, 226–277 • H.-H. Trute/D. Kühlers/A. Pilniok: Governance als verwaltungsrechtswissenschaftliches Analysekonzept, in: G. F. Schuppert/M. Zürn (Hg.): Governance in einer sich wandelnden Welt, PVS Sonderheft 41 (2008), 173–189 • D. Jansen (Hg.): New Forms of Governance in Research Organisations, 2007 • A. Benz: Eigendynamik von Governance in der Verwaltung, in: J. Bogumil/W. Jann/F. Nullmeier (Hg.): Politik und Verwaltung, PVS Sonderheft 37 (2006), 29–49 • H.-H. Trute/D. Kühlers/A. Pilniok: Rechtswissenschaftliche Perspektiven, in: A. Benz u.a (Hg.): Hdb. Governance, 2006, 240–252 • J. von Blumenthal: Governance. Eine kritische Zwischenbilanz, in: ZPol 15/4 (2005), 1149–1080 • G. F. Schuppert (Hg.): Governance-Forschung, 2005 • A. Benz (Hg.): Governance. Regieren in komplexen Regelsystemen, 2004 • S. Lange/U. Schimank (Hg.): Governance und gesellschaftliche Integration, 2004 • H.-H. Trute/W. Denkhaus/D. Kühlers: Governance in der Verwaltungsrechtswissenschaft, in: DV 37/3 (2004), 451–473 • J. Kooiman: Governing as Governance, 2003 • H.-H. Trute: Verwaltung und Verwaltungsrecht zwischen gesellschaftlicher Selbstregulierung und staatlicher Steuerung, DVBl 111/17 (1996), 950–964.

HANS-HEINRICH TRUTE

Greenpeace

Globaler Umweltprotest im telemedialen Zeitalter seit 1970

G. ist eine trans- und international agierende ↑NGO, die sich seit den frühen 1970er Jahren weltweit für den Schutz der Umwelt und der natürlichen Lebensgrundlagen einsetzt. Sie verfolgt das Ziel, Medienöffentlichkeit für Umweltprobleme und Umweltzerstörung herzustellen, umweltpolitische und -rechtliche Veränderungen zu erzielen sowie Regierungen, Konzerne und Gesellschaft breit für Umweltbelange zu sensibilisieren. Mit Stand von 2016 stützt sich G. auf über drei Mio. finanziell fördernde Mitglieder und verfügt über 60 Büros und Repräsentationen mit teils nationalen, teils überregionalen Zuständigkeiten. Mit in den letzten Jahren kontinuierlich steigenden Einnahmen (2016: ca. 342 Mio. Euro) gehört G. zu den größten international tätigen NGOs überhaupt.

1. Entstehung, Organisation und Aktionsformen

G. hat seine Wurzeln in der nordamerikanischen Protest- und Alternativkultur der frühen 1970er Jahre. Die Gründung der Organisation im Jahr 1971 im kanadischen Vancouver geht zurück auf eine Gruppe von Friedensaktivisten, die auf einem Fischkutter gegen Atomwaffentests der USA vor der Küste Alaskas protestierten. Weitere Proteste gegen Atomversuche, Walfang und die Robbenjagd in der Arktis folgten. Berichterstattung über die teils spektakulären Protestaktionen machte G. international bekannt; ab 1974 folgte die Gründung neuer Gruppen in Neuseeland, Australien, Großbritannien, Frankreich, den Niederlanden, 1980 auch in Deutschland. Seit den 1990er Jahren expandierte G. in Osteuropa, Südamerika und im Pazifik, dann verstärkt in Asien und seit 2008 auch in Afrika. Die globale Standortpolitik folgte dabei immer auch dem Entwicklungsgrad nationaler Medienlandschaften sowie dem Mobilisierungs- und Spendenpotenzial der jeweiligen Gesellschaften.

Konflikte über die zukünftige Ausrichtung und Struktur der Organisation führten im Oktober 1979 zur Gründung von „G. International" als Stiftung nach niederländischem Recht mit Sitz in Amsterdam. Dieser obliegt als Dachorganisation die Koordination der Regional- und Länderbüros, die Planung internationaler Kampagnen sowie die Kontrolle von Haushalt und Finanzen. Im Zuge dieser Strukturreformen wurde die urspr. konsensual und basisdemokratisch ausgerichtete Praxis der einzelnen G.-Gruppen ersetzt durch vertikale, hierarchische, professionelle und effizienzorientierte Entscheidungsstrukturen. Ein aktivistisches Abenteuer- und Heldenimage sowie die von der Organisation selbst betriebene Assoziation mit dem indianischen Mythos der Regenbogenkrieger verliehen G. allerdings ein alternativkulturelles Image auch dann noch, als sich die Organisation längst von der „Hippiebewegung zum Ökokonzern" (Zelko 2014) transformiert hatte.

Neben der finanziellen Unabhängigkeit von Parteien, Staaten und Konzernen sind für G. charakteristisch die über mehrere Jahre angelegten thematischen Kampagnen, konfrontative direkte Aktionen, Gewaltlosigkeit, spektakuläre Visualität und strategische Medienorientierung, sowie eine hohe Affinität zum Meer als die Kontinente verbindendem, globalem Aktionsraum. Neben den ozeanbasierten Kampagnen der Anfangsjahre thematisierte G. seit den frühen 1980er Jahren die Umweltprobleme fortgeschrittener Industriegesellschaften und deren Externalisierung in die Ozeane und in die Länder der Südhalbkugel. Seit Anfang der 1990er Jahre bildet der Kampf gegen den ↑Klimawandel und die Abkehr von fossilen Brennstoffen einen handlungsleitenden Rahmen. Gegenstand von Kampagnen waren zuletzt auch Ernährungssicherheit, nachhaltige Landwirtschaft (↑Nachhaltigkeit) sowie fortgesetzter Einsatz gegen Giftstoffe, u. a. in Konsumprodukten. Verbindende Grundlage aller Kampagnen ist die moralische Anwaltschaft für den Schutz globaler Gemeingüter, nämlich von Ozeanen und maritimer Fauna über Wälder, Atmosphäre, Klima bis hin zum planetarischen Ökosystem.

Die Globalisierung der Organisation, die Ausweitung der Aktionsfelder sowie das Mainstreaming des Umweltdiskurses erforderten seit den 1980er Jahren eine Diversifizierung der Aktionsformen. G. agierte auch als politischer Lobbyist (↑Lobby) und Berater, als umweltdiplomatischer Akteur und als Beobachter bei wichtigen internationalen Umweltabkommen. Punktuelle Kooperation mit Wirtschaftsunternehmen, eigene wissenschaftliche Forschung und Kommunikation vermittels eigener Medienkanäle gehören ebenso zum Handlungsrepertoire der Organisation wie Merchandising, ↑Verbraucherschutz und Konsumberatung. Im Zuge der Kommunikationsrevolution von Internet und digitalbasierten sozialen Medien lassen sich verstärkt Versuche der organisatorischen Enthierarchisierung und Flexibilisierung sowie der Mobilisierung und Inklusion der Basis *(people power)* beobachten.

2. Medialisierung, Globalisierung und Kosmopolitisierung des Umweltschutzes

Die Erfolge der weltweiten Kampagnentätigkeit von G. sind zahlreich. Sie beinhalten u. a. Selbstverpflichtungen von Staaten und Wirtschaftsunternehmen zur Einhaltung höherer Umweltstandards, ebenso durch langjährigen Kampagnendruck maßgeblich mitherbeigeführte internationale Abkommen und Umweltregime. Die kurz- und langfristigen Wirkungen von G.-Kampagnen auf ökologische Sensibilität und gesellschaftliches Konsumverhalten (↑Konsum, ↑Konsumethik) werden sehr hoch veranschlagt. Doch gab es immer wieder auch Kritik an der Reduktion komplexer ökologischer Probleme auf punktuelle und visualisierbare Medienereignisse sowie am politisch-ökologischen Unternehmertum von G. ohne Anspruch auf die Ausweitung basisdemokratischer Partizipation.

Zu betonen ist das Mobilisierungspotenzial konfrontativer Verhaltensstile, das rechtsverändernde Potenzial ↑zivilen Ungehorsams, sowie die von G. angestossene Professionalisierung im NGO-Bereich, bspw. bei ↑Fundraising und ↑Öffentlichkeitsarbeit. G. gilt als prominentes Beispiel einer durch NGOs vorangetriebenen Transnationalisierung von Politik jenseits etablierter Formen und Institutionen repräsentativer Willensbildung. Bei der Etablierung und Überwachung internationaler umweltpolitischer Normen und Verhaltensstandards spielte G. eine wichtige Rolle, ebenso bei der Schaffung themen- und ereignisbezogener Weltöffentlichkeit. Kaum zu überschätzen ist auch die prägende Wirkung von G. für das visuelle Framing globaler Umweltprobleme seit dem ausgehenden 20. Jh.: Schlauchbootfahrer und Schornsteinkletterer haben ikonischen Status mit hohem internationalem Wiedererkennungswert. Wie kaum eine andere NGO beförderte G. damit nicht allein die räumliche Globalisierung von ↑Umweltpolitik, sondern auch deren moralische Kosmopolitisierung im planetarischen Rahmen.

Literatur

F. T. Furtak: Greenpeace International, in: ders. (Hg.): Internationale Organisationen. Staatliche und nicht-staatliche Organisationen in der Weltpolitik, 2015, 379–392 • F. Zelko:

Greenpeace. Von der Hippiebewegung zum Ökokonzern, 2014 • R. Vandamme: Basisdemokratie als zivile Intervention. Der Partizipationsanspruch der Neuen Sozialen Bewegungen, 2000 • P. Wapner: Environmental Activism and World Civic Politics, 1996. BERNHARD GIßIBL

Grenze

I. Philosophisch – II. Rechtlich –
III. Gesellschaftliche und politische Relevanz

I. Philosophisch

Der Ausdruck „G." markiert ein Phänomen, das jeden Menschen unmittelbar betrifft: An G.n stößt man; sie sind das Äußerste oder Letzte von etwas, d. h. „das Erste, außerhalb dessen sich kein Teil findet, und das Erste, innerhalb dessen alles ist" (Aristoteles, Metaphysik, 1022a4 f.). Hier endet etwas an einem anderen und durch das andere. Daher gibt es dort, wo eine G. ist, immer auch ein Zweites. G.n trennen aber nicht nur, sondern verbinden auch immer. Nach Immanuel Kant setzen G.n bei ausgedehnten Gegenständen immer schon „einen Raum voraus, der außerhalb einem gewissen bestimmten Platze angetroffen wird, und ihn einschließt" (Kant 1998: 227). Schranken dagegen „bedürfen dergleichen nicht, sondern sind bloße Verneinungen, die eine Größe affizieren, so fern sie nicht absolute Vollständigkeit hat" (Kant 1998: 227). Für Georg Wilhelm Friedrich Hegel dagegen sind Schranken negierte G.n: „Als Schranke, Mangel wird etwas nur gewußt, ja empfunden, indem man zugleich darüber hinaus ist" (Hegel 1986: 144). Das Begrenztwerden durch anderes ist zumeist der Grund dafür, warum G.n gleich welcher Art als Problem (der Grenzziehung, der Grenzüberschreitung etc.) erfahren werden. Eine solche Problematisierung setzt allerdings die Fähigkeit voraus, G.n nicht nur zu erkennen und darauf zu reagieren, sondern sich auch zu diesen in ein Verhältnis zu setzen.

1. Grenzen des Seienden

„G." wird in den verschiedenen Epochen sowie in den verschiedenen Disziplinen der Philosophie in je anderer Weise thematisiert. Der Begriff „G." wird sowohl phänomenal-deskriptiv als auch kriterial gebraucht. Während für Anaximander das *apeiron* (= was keine G.n hat), ein räumlich unbegrenzter und auch qualitativ unbestimmter Urstoff, das Prinzip ist, aus dem das Seiende hervorgeht und in das hinein es nach einer bestimmten Gesetzmäßigkeit wieder vergeht, rücken bei Parmenides die G.n des Seienden in den Mittelpunkt: Diese sind keine G.n im zeitlichen oder räumlichen Sinn. Vielmehr halten sie das als unentstanden, unvergänglich, homogen, einzigartig und vollendet gedachte Seiende vom Werden und Vergehen und damit vom Nicht-Seienden ab; es sind G.n eines konsequenten Seinsdenkens. Die

Orientierung an Maß *(metron)* und G. *(peras)*, und zwar sowohl in kosmologischen als auch in ethischen Zusammenhängen, tritt bes. deutlich in Platons Spätphilosophie hervor; harmonische ↑Ordnung kommt nur durch Verbindung des Unbegrenzten mit der G. zustande. Auch Aristoteles, für den das Unendliche nicht aktual (wohl aber potentiell) existieren kann, orientiert seine Metaphysik am Begrenzten und Bestimmten: Selbständig und „ein bestimmtes Etwas" (Aristoteles, Metaphysik, 1029a27 f.) zu sein ist das, was in höchstem Maß der Substanz *(ousia)*, dem primär Seienden, zukommt. Er unterscheidet vier Bedeutungen von G.:

a) das Äußerste eines Dings
b) die äußere Gestalt ausgedehnter Dinge
c) das Ziel einer Bewegung oder Handlung
d) die Essenz als G. der Erkenntnis sowie der Sache

Auch in der Ethik gilt, dass das Schlechte zum Bereich des Unbegrenzten, das Gute zum Bereich des Begrenzten gehört. Nach Augustinus ist jede geschaffene Natur durch Maß *(modus)*, Gestalt *(species)* und Ordnung *(ordo)* bestimmt. Seine definitive Gestalt findet dieses eidetische Denken in der mittelalterlichen Transzendentalienlehre: Jedes Seiende ist, insofern es von einem anderen abgeteilt ist, ein *aliquid*, d. h. ein *aliud quid* (= ein anderes Was). Alles, was ist, hat eine G. und aufgrund dieser Begrenzung eine Bestimmtheit, die sich in der Definition *(horismos; definitio)* ausdrückt. „G." ist somit eine Grunddimension von Sein.

2. Grenzen der Vernunft

Die G.n der Vernunft (↑Vernunft – Verstand) und der ↑Sprache kommen durch die Begegnung der Philosophie mit dem Gott der Offenbarung bes. deutlich zu Bewusstsein und werden in Hinblick auf die Gottesprädikate v. a. im Rahmen der „negativen Theologie" intensiv diskutiert. Als absolute G. wird von Anselm von Canterbury „etwas, über das hinaus nichts Größeres gedacht werden kann" (Mojsisch 1989: 50) als Kennzeichnung Gottes festgehalten. Programmatische Bedeutung für die Philosophie als solche erlangen die G.n der theoretischen Vernunft bei I. Kant: In seiner kritischen Neubegründung der Metaphysik unternimmt er eine „Grenzbestimmung der reinen Vernunft", und zwar durch die Vernunft selbst. I. Kant bedient sich „des Sinnbilds einer Grenze [...], um die Schranken der Vernunft in Ansehung ihres ihr angemessenen Gebrauchs festzusetzen" (Kant 1998: 236). Die Vernunft selbst sieht ein, dass sie in ihrem Verstandesgebrauch auf das begriffliche *Erkennen* der Sinnenwelt eingeschränkt ist, zugl. aber über diese hinaus*denken* kann und muss (vgl. die regulativen Ideen von Gott, Freiheit und Unsterblichkeit). Damit sollen sowohl Dogmatismus als auch Skeptizismus vermieden werden. G. W. F. Hegel setzt sich kritisch mit I. Kants Unterscheidung zwischen G. und Schranke auseinander; ihm verdanken wir die spekulativste Durchdringung der beiden Begriffe: „Daß die Grenze, die am Etwas überhaupt ist,

Schranke sei, muß es zugleich in sich selbst *über sie hinausgehen*, sich an ihm selbst *auf sie als auf ein Nichtseiendes beziehen*" (Hegel 1928: 151).

Literatur

L. Kraus: Ontologie der Grenzen ausgedehnter Gegenstände, 2016 • Augustinus: De natura boni, 2010 • W. Hogrebe (Hg.): Grenzen und Grenzüberschreitungen, 2004 • B. Mojsisch (Hg.): Kann Gottes Nicht-Sein gedacht werden?, 1989 • G. W. F. Hegel: Enzyklopädie der philosophischen Wissenschaften, 1986 • Thomas von Aquin: Von der Wahrheit, 1986 • I. Kant: Prolegomena zu einer jeden künftigen Metaphysik, die als Wissenschaft wird auftreten können, in: ders.: Werke, Bd. 3, 1998, 111–264 • G. Striker: Peras und Apeiron, 1970 • G. W. F. Hegel: Wissenschaft der Logik, 1928.

STEPHAN HERZBERG

II. Rechtlich

G., ein Lehnwort aus dem altpolnischen *(granica)*, bezeichnet das Ende eines ↑Raumes. Spätestens mit dem Übergang zur (geographischen) Sesshaftigkeit durch zunehmend höher organisierte menschliche Gruppen ist der begrenzte Raum zu einem zentralen Referenzpunkt der Zivilisationsgeschichte geworden – und zwar in zweifacher Hinsicht: Einerseits erhöhte die Monopolisierung der Ressourcen eines bestimmten Raumes durch eine bestimmte Gruppe von Menschen in ganz existentieller Weise deren (Über-)Lebenschancen und führte damit zu einem Solidarisierungseffekt ("raumbezogene Identifikation") auch kultureller Natur ("heilige Stätten"). Andererseits aber führte eben dieser Anspruch auf Exklusivität auch zu einem immer wieder konfliktreichen Ausschluss raumfremder Konkurrenten ("raumbezogene Intoleranz"). Diese beiden, durchaus korrespondierenden Effekte lassen sich grundsätzlich bei allen Formen "politischer" Inbesitznahme und Aufteilung des Raumes beobachten, von Familien- und Stammesverbänden bis hin zu Stadtstaaten, Großreichen sowie schließlich dem neuzeitlichen ↑Staat, wie er sich seit dem Spätmittelalter in Europa herausgebildet hat und später weltweit zur organisatorischen "Blaupause" moderner politischer ↑Herrschaft überhaupt geworden ist. So verwundert es auch nicht, dass Gegenstand des ersten dokumentierten "zwischenstaatlichen" Vertrages überhaupt die Beilegung eines epischen Grenzkonflikts zwischen den beiden mesopotamischen Stadtstaaten Lagaš und Umman gewesen ist (ca. 2740 v. Chr.).

Schon in der Welt der Antike wurde die Grenzziehung wegen ihrer bes.n Bedeutung für das friedliche Zusammenleben nicht nur als notwendig empfunden, sondern sogar mit der Autorität göttlichen Willens versehen: "Heiliger Terminus: Du setzest den Völkern, den Städten und den starken Königreichen Grenzen; jeder Acker wäre ohne dich umstritten" (Huldigung des römischen Grenzgottes Terminus am Fest der Termina-

lia [Ovid 1957: 659 ff.]). Das Motiv der gottgewollten Grenzziehung um der Friedenssicherung (Pazifizierung) willen findet sich auch an verschiedenen Stellen der alttestamentarischen Überlieferung (z. B. Ps 74,17; Dtn 19,14). Selbst wenn die gewillkürte Aufteilung und Abgrenzung des Bodens sich in der Folgezeit allmählich aus ihrer theologischen Verankerung zu lösen vermochte und sich dieser Vorgang als ein ganz und gar weltliches, in den allermeisten Fällen konsensuales Einigungswerk der Repräsentanten benachbarter Gebietskörperschaften profanisierte und emanzipierte, ist der gedankliche Zusammenhang zwischen Grenzziehung und ↑Frieden doch bis heute unverändert erhalten geblieben (das "umfriedete Gebiet").

In der (mittel-)europäischen Rechtsgeschichte ist die Entwicklung zur Staats-G. im modernen Sinne im Wesentlichen das Ergebnis einer zweifachen "Verdichtung": In räumlicher Hinsicht kam es in Folge demographischer Entwicklungen zur allmählichen Ablösung von Grenzsäumen und -Marken (z. B. Mark Brandenburg, Uckermark, Steiermark) durch die theoretisch-raumlose Grenzlinie. In sachlicher Hinsicht führte der jahrhundertelange Prozess der Bündelung von Hoheitsrechten in der Hand eines einzigen Hoheitsträgers und die damit einhergehende Beseitigung des Nebeneinanders sich räumlich überlappender Einzelrechte zur tatsächlichen und rechtlichen Aufwertung der G. als einer zunehmend "absoluten" und impermeablen Scheidelinie der Hoheitssphären benachbarter Gebietskörperschaften. ("Linearisierung durch Konsolidierung und Konzentration von Herrschaftsgewalt" [Khan 2004: 21]). Es ist dieses Grenzkonzept, welches sodann – insb. als Ergebnis der (kolonialen) Expansion europäischer Staaten – weltweite Verbreitung und Anerkennung gefunden hat.

Es sind erst Rechtssätze, die das ↑Staatsgebiet und seinen räumlichen Umfang konstituieren und begrenzen. G.n im Rechtssinne sind damit stets etwas Künstliches – "natürliche" G.n kennt das positive Recht nicht. Staatsraumbezogene Regelungen erfolgen dabei regelmäßig auf zwei verschiedenen Rechtsebenen: dem nationalen (Verfassungs-)Recht und dem ↑Völkerrecht. Wegen des Grundsatzes der souveränen Gleichheit der Staaten kann eine regelmäßig erfolgende räumliche Identitätsbestimmung qua Verfassungsrechts (z. B. Aufzählung der Länder in der Präambel des GG oder in Art. 23 GG urspr.e Fassung 1949) allerdings wirksam nicht auf Kosten und zu Lasten eines anderen (benachbarten) Staates erfolgen. Daher erfolgt die konkrete Grenzziehung im Regelfall konsensual mittels eines völkerrechtlichen (Grenz-)Vertrages, wenn auch vielfach unter machtpolitisch ungleichen Bedingungen (↑Friedensverträge). Allgemeinverbindliche Regeln hinsichtlich der Grenzziehung enthält das Völkerrecht, abgesehen von sehr punktuellen Zweifelsregeln ("Thalwegprinzip [...] in schiffbaren Flüssen" [Khan 2004: 423]), im Wesentlichen nur für die Abgrenzung gegenüber staatsfreien Räumen: Maximal 12 Seemeilen breites Küstenmeer (Art. 3 UNCLOS), obere G. des staatlichen Hoheitsgebietes im Luftraum bei ca. 100 km (die sog.e Karmann-Linie, strittig).

Die *Unverletzlichkeit der G.*, insb. gegenüber gewaltsamen Veränderungen (Art. 2 Nr. 4 UN-Charta), stellt einen Grundpfeiler der Völkerrechtsordnung der Gegenwart dar. Dieser Grundsatz *(uti possidetis)* gilt auch bei anderen Veränderungen des territorialen Status quo in der Staatenwelt (Dekolonialisierung, Sezession, Auflösung von Staaten).

Das Staatsgebiet ist ein dreidimensionales Gebilde. Seine G. ist damit keine Linie, sondern eine (vertikale) Fläche, durch welche die Abgrenzung sowohl auf der Erdoberfläche als auch in lotrechter Richtung im Luftraum und unter der Erdoberfläche erfolgt. Zumindest theoretisch verfügen damit auch alle Staaten dieser Welt über einen gemeinsamen Grenzpunkt im Erdmittelpunkt.

Literatur

D.-E. Khan: Territory and Boundaries, in: B. Fassbender/A. Peters (Hg.): The Oxford Handbook on the History of International Law, 2014, 225–249 • D.-E. Khan: Die deutschen Staatsgrenzen. Rechtshistorische Grundlagen und offene Rechsfragen, 2004 • A. Randelzhofer: Grenze, in: I. Seidl-Hohenveldern (Hg.): Lexikon des Rechts – Völkerrecht, ³2001, 152 f. • H.-J. Karp: Grenzen – ein wissenschaftlicher Gegenstand, in: H. Lemberg (Hg.): Grenzen in Ostmitteleuropa im 19. und 20. Jahrhundert. Aktuelle Forschungsprobleme, 2000, 9–17 • R. Goedhart: The never ending dispute. Delimitation of air space and outer space, 1996 • H.-W. Nicklis: Von der „Grenitze" zur Grenze. Die Grenzidee des lateinischen Mittelalters (6.–15. Jh.), in: BlldtLG 128 (1992), 1–29 • A. Demandt (Hg.): Deutschlands Grenzen in der Geschichte, 1990 • G. Steiner: Der Grenzvertrag zwischen Lagaš und Umma, in: Acta Sumerologica 8 (1986), 219–301 • Société française pour le droit international (Hg.): La frontière. Colloque de Poitiers 1979, 1980 • D. Bardonnet: Les frontières terrestres et la relativité de leur tracé (Problèmes juridiques choisis), in: Académie de Droit International (Hg.): Recueil des Cours, Bd. 153 (1976-V), 9–166 • C. de Visscher: Problèmes de confins en droit international public, 1969 • N. Mateesco Matte: Deux frontières invisibles. De la mer territorial à l'air territorial, 1965 • C. Rühland: Probleme der Staatsgrenzen im Lichte des Völkerrechts, in: E. Bruel u. a. (Hg.): Internationalrechtliche und staatsrechtliche Abhandlungen, 1960, 419–428 • Ovid: Die Fasten, Bd. 1, 1957 • H. Martinstetter: Die Staatsgrenzen, 1952 • J. Ancel: Les Frontières. Étude de Géographie Politique, in: Académie de Droit International (Hg.): Recueil des Cours, Bd. 55 (1936-I), 203–297 • P. de Lapradelle: La frontière. Étude de Droit International, 1928.   DANIEL-ERASMUS KHAN

III. Gesellschaftliche und politische Relevanz

G.n sind von fundamentaler Bedeutung für die Strukturierung gesellschaftlicher Beziehungen und ↑Ordnungen. Von Grenzziehungen hängt nicht nur die Unterscheidung der sozialen Systeme voneinander und von deren Umwelt ab. Charakter und Dynamik der G.n bedingen auch die Binnenstrukturen der gesellschaftlichen Ordnungen. Verwandtschaftssysteme oder Glaubensgemeinschaften etwa pflegen klarer definierte Abgrenzungen als Märkte. Dementsprechend sind die sozialen Beziehungen je nachdem offener oder enger, verbindlicher oder lockerer. G.n wirken als Mechanismen der sozialen Schließung, d. h. sie regeln die Möglichkeiten des Zugangs und umgekehrt die Bedingungen des Ausschlusses der Teilnahme an der sozialen Beziehung bzw. der Mitgliedschaft in der Ordnung, je nach Höhe und Qualität der Hürden (Rechte, formale Qualifikationsanforderung, Mitgliedschaftsbeiträge, Initiationsrituale u. a.), die sie dem Aus- bzw. Zutritt entgegenzustellen pflegen. Grenzschließungen dienen dann der Monopolisierung von Ressourcen und Chancen, mithin der Verminderung von Konkurrenz.

Ein Sonderfall von G.n liegt bei *territorialen* sozialen Ordnungen vor. Diese sind räumlich-geographisch identifizierbare, gleichsam in die Erdoberfläche eingezeichnete Trennungs- und Verbindungsräume oder -linien. Territoriale G.n sind für ethnische und kulturelle ↑Gemeinschaften (Religions- oder und Sprachgemeinschaften), v. a. aber für Herrschaftsgebilde und politische Verbände typisch. Diese zeichnen sich durch eine enge Verbindung von gebietsbezogener ↑Herrschaft und der Monopolisierung der physischen Gewalt aus.

G.n sind keine statischen Gebilde, sondern unterliegen einer spezifischen Dynamik, die der ihnen eigenen Dialektik von Öffnung und Schließung zuzuschreiben ist.

1. Theoretische Ansätze

Für die soziologische Betrachtung erweist sich v. a. Georg Simmels Studie über den „Raum und die räumlichen Ordnungen der Gesellschaft" von 1908 als wegweisend. Die darin entfaltete allg.e Systematik der Bedeutung des ↑Raumes für Entwicklung und Bestimmtheit gesellschaftlicher Beziehungen und Ordnungen verdeutlicht zugl. auch die Relevanz von territorialen G.n für die Strukturierung von gesellschaftlichen Ordnungen. Raum und G. sind wechselseitig füreinander konstitutiv. Die G.n sind aber nicht als naturwüchsige oder „substanzielle" Gegebenheiten zu betrachten, selbst dort nicht, wo sie etwa mit Flussläufen, Meeren oder Gebirgszügen zusammenfallen. „Die Grenze ist nicht eine räumliche Tatsache mit soziologischen Wirkungen, sondern eine soziologische Tatsache, die sich räumlich formt" (Simmel 1983: 467). Damit hat G. Simmel als einer der ersten die soziale Konstruiertheit von Gebiets-G.n erkannt. Exemplarisch zeigt sich das am Typus der territorialen Herrschaft, v. a. am modernen ↑Staat: Indem dieser sich unabhängig von allen natürlichen, verwandtschaftlichen oder ständischen Mitgliedschaftsmerkmalen konstituiert und die abstrakte Gebietszugehörigkeit zum alleinigen Kriterium der Unterordnung erhoben hat, ist seine ↑Macht innerhalb des territorialen Geltungsraumes seiner Institutionen allumfassend.

Auf die strukturgebende Kraft von Territoriums-G.n

weist Ende des 19. Jh. auch der Historiker Frederik Jackson Turner hin. Dieser führte die bes. Mentalität der Nordamerikaner mit dem ihr eigenen „Pioniergeist", aber auch die ↑Evolution der nationalen politischen Institutionen, darauf zurück, dass Generationen von Siedlern im Westen einen offenen und als unbewohnte Wildnis betrachteten Raumhorizont, die *frontier*, vor sich hatten, der es ermöglichte, gesellschaftliche (Verteilungs-)Konflikte durch expandierende Raumeroberungen solange zu externalisieren und zu entschärfen, wie die Besiedlung an ihre natürlichen geographischen G.n stieß.

Der Sozialwissenschaftler Stein Rokkan interessierte sich bes. für die Bedeutung der G. im historischen Prozess der Staats- und Nationenbildung in ↑Europa. Sein Leitgedanke: „Die Geschichte eines jeden Territoriums ist im wesentlichen eine Geschichte der Erfolge und Fehlschläge [...] [im] Konflikt zwischen Grenzabbau und Grenzverstärkung" (Rokkan 2000: 132). S. Rokkan entwickelte einen richtungweisenden „territorialen Ansatz" für die vergleichende Analyse der politischen Systembildung, der auf einem multidimensionalen Analysemodell basiert und dem die Begriffe „Grenzbildung" und „Strukturierung" zugrunde liegen. Als „Grenzbildung" bezeichnet er den Aufbau von räumlichen Barrieren für den ↑Verkehr von ökonomischen Gütern, Personen und Botschaften an der Demarkationslinie zwischen Innen und Außen. „Strukturierung" dagegen meint den dazu komplementären Prozess des Aufbaus eines militärischen und administrativen Apparats, der Zentralisierung politischer Entscheidungen und der kulturellen Homogenisierung im Binnengefüge. Wesentliche Aspekte der „Territorialisierung" bilden dabei die Differenzierung zwischen Zentren und Peripherien sowie die ethnischen, konfessionellen und sozialen bzw. klassenbezogenen Spaltungen, die aus der „internalisierten" Sozialstruktur resultieren. Beide territorialen Differenzierungen stehen in enger Wechselbeziehung mit den äußeren Grenzziehungen. S. Rokkan unterscheidet außerdem zwischen den G.n eines geographischen Raumes und denjenigen eines „Mitgliedschaftsraumes". Diese sind i. d. R. schwerer zu überwinden als jene, da sie meist an materiale Kriterien (wie Abstammung, Konfession oder Rechte) geknüpft sind. Die Formierung nationaler ↑Identitäten, die Herausbildung demokratischer Strukturen sowie die Institutionalisierung von ↑Solidarität und Wohlfahrtsstaatlichkeit (↑Wohlfahrtsstaat) in Europa erklärt S. Rokkan mit der durch den „grenzenziehenden Staat" durchgesetzten *kongruenten* Schließung der G.n des politisch-administrativen und des kulturell-sprachlichen Raumes sowie seiner inneren, durch die Bürokratie, das Militär und die Bildungsinstitutionen verwirklichten Homogenisierung der nationalen Gesellschaft.

2. Die Grenzen des Nationalstaates

Der Nationalstaat ist eine institutionelle Innovation, die Europa im Laufe mehrerer Jahrhunderte hervorgebracht

hat. Ihr liegt ein spezifisches Arrangement von geographischen, herrschaftlich-politischen, sozialen sowie kulturellen Grenzziehungen zugrunde. Für die territorialen G.n ist kennzeichnend, dass sie nicht nur das ↑Staatsgebiet als exklusiven Herrschaftsraum abgrenzen, sondern zugl. eine politische Kollektivität von Menschen als eine Einheit und im Hinblick auf ihren politischen Status als prinzipiell Gleiche definieren: das ↑„Volk" oder den Demos. Die modernen Nationalstaaten weisen hinsichtlich ihrer Außen-G.n ein gegenüber den älteren Staatsformen zusätzliches Merkmal auf: Sie konstituieren mit ihrem Raumrahmen zugl. ein soziales und kulturelles Kollektiv, die ↑„Nation". Diese Kollektivität bildet einen „Mitgliedschaftsraum" im Sinne S. Rokkans. Seit der ↑Französischen Revolution basiert dieses Kollektiv auf dem Prinzipien der grundsätzlichen Gleichheit seiner Mitglieder und der Selbstbestimmung (↑Autonomie) der Völker. Mit der Institutionalisierung der Idee der ↑Volkssouveränität geht die Legitimationsfunktion des staatlichen Verbandes von den sozialen Trägern der Monarchie auf die Bürgergemeinschaft, auf den Demos über. Je nachdem, welche Vorstellungen über das nationale Kollektiv vorherrschend sind, fällt die konkrete Festsetzung der Außen-G.n aus, nicht umgekehrt. Bei einer ethnisch-kulturellen Definition werden sie von den (selten eindeutigen) G.n der Besiedlung oder der Reichweite kultureller Institutionen, etwa der Konfession oder dem Sprachkollektiv, bei einer staatsbürgerlichen Definition von den formalen Zugehörigkeits- und Gleichheitskriterien des Rechts, mithin prinzipiell unabhängig von ethischen Merkmalen, bestimmt. Davon hängen darüber hinaus nicht nur die politisch-konstitutionellen Binnenordnungen – Geltung von formalen Verfassungsnormen bzw. Geltung verfassungsindifferenter materieller Kriterien („Volk") –, sondern auch die Konfliktpotentiale der Gesellschaft ab.

Der europäische Nationalstaat repräsentiert somit einen Typus der politischen Vergesellschaftung, der durch ein hohes Maß an territorialer, kultureller und sozialer Geschlossenheit charakterisiert ist. Die Staats- und Nationsbildung brachte die Grenzverläufe des geographischen Raumes und des Mitgliedschaftsraumes in eine symmetrische Übereinstimmung und schuf ein segmentäres System relativ geschlossener territorialer ↑politischer Systeme und politisch-sozialer Kollektive. Im Zuge dessen wurden ältere, nichtlineare und verschwommene G.n, etwa zwischen Dynastien oder Imperien, allmählich aufgelöst, kleinräumigere politische Loyalitätsgemeinschaften wie Ethnien oder Städte von den meist größeren Einheiten der nationalen Flächenstaaten überwölbt und absorbiert.

3. Europäische Einigung als Großprojekt des Grenzabbaus

Während die erste Hälfte des 20. Jh. im Zeichen ethnisch-nationalistischer Grenzbefestigungen stand und Grenzüberschreitungen überwiegend militärischen und damit gewaltsamen Charakters waren, haben sich in der zweiten Jahrhunderthälfte in Europa und global immer mehr Tendenzen des Grenzabbaus durchgesetzt. Einen Höhepunkt erlebte dieser Prozess beim Fall des Eisernen Vorhanges und der Berliner Mauer, die vier Jahrzehnte lang Europa in zwei räumlich, politisch und gesellschaftlich gegeneinander abgegrenzte Blöcke teilten. Vorausgegangen war dem seit den 1950er Jahren der Prozess der europäischen Einigung (↑Europäischer Integrationsprozess). Dabei entstanden erstmals genuin *supranationale* Institutionen (↑Europäische Kommission, ↑EuGH u. a.), die weitreichender noch als internationale Organisationen (↑UNO u. a.) die einzelstaatlichen Rechts- und Verwaltungsstrukturen zur Öffnung ihrer Strukturen gegenüber Rechts- und Verfahrensnormen zwangen. Einem großangelegten Aufbrechen der nationalstaatlichen Monopolisierung von ökonomischen Ressourcen kommt die vom europäischen Verband seit den 1980er Jahren betriebene Binnenmarktpolitik gleich. Gemäß der Leitideen eines vereinigten Europas ohne G.n wurden systematisch die zwischenstaatlichen Transaktionshindernisse für ökonomische Güter, Arbeitskräfte, Dienstleistungen entfernt und schließlich zu Beginn des Jahrtausends mit der ↑Währungsunion ein neuer Währungsraum, die Eurozone, verwirklicht. In Konsequenz dessen kam es im größten Teil der ↑EU zum Wegfall der Grenzkontrollen für Personen (Schengener Abkommen). Die europäische Integration ist das politische Institutionenprojekt der Moderne mit der bisher größten G.n auflösenden Wirkung, wobei Integration und territoriale Erweiterung in Wechselwirkung miteinander stehen.

Das bedeutet aber keinesfalls, dass die politischen G.n in Europa bedeutungslos oder gar obsolet geworden wären. Die Forschung beobachtet einen grundlegenden Gestaltwandel der Grenzpolitik und -regime. Gelang es den geschlossenen Nationalstaaten noch, eine weitgehend *kongruente* Kontrolle der G.n des politischen, wirtschaftlichen und „gesellschaftlichen" Raumes zu etablieren, so setzte sich v. a. in der westlichen Welt eine neuartige Dialektik von Grenzabbau und Grenzbefestigung durch, die in einer Differenzierung der Grenzordnungen und der politisch-sozialen Territorien mündete. Grenzkontrollen wurden selektiver. So wurden im Wirtschaftssystem im Zuge der teilweisen Liberalisierung des Welthandels territoriale Hindernisse vielfach abgebaut. Davon erfasst wurden auch die Alltagskulturen mit ihren sich immer mehr annähernden Konsum- und Lebensstilmustern, v. a. für die Ober- und Mittelschichten, sowie die Kommunikationsformen im Zusammenhang der sich weltweit explosionsartig ausbreitenden IT-Technologien und des ↑Internets. V. a. kulturelle Differenzierungen sind mit den nationalstaatlichen Differenzierungen nicht mehr identisch und transzendieren diese. Mit Blick auf die Personenmobilität wird der selektive Charakter bes. deutlich: „Grenzen werden nicht generell durchlässiger, sondern öffnen sich zunehmend für bestimmte Personengruppen, während sie für andere Gruppen undurchlässiger werden" (Mau 2008: 129). Zu schwer überwindbaren Barrieren werden sie im Allgemeinen für Bürger aus politisch instabilen und ärmeren Ländern, während sie für Geschäftsleute, Hochqualifizierte, Wissenschaftler, Studierende und Touristen einfacher zu überschreiten sind.

Mit dem systematischen Grenzabbau innerhalb der EU ging zudem eine Aufmerksamkeitsverschiebung zugunsten ihrer Außen-G.n einher. Mit dieser ist ein neuer Typus territorialer G. entstanden, der sich von nationalstaatlichen G. in mehrerer Hinsicht unterscheidet: durch die territoriale Durchlässigkeit des supranationalen Verbandes (↑Supranationalität), der durch neu hinzutretende Mitgliedsländer prinzipiell erweiterbar ist, durch deren schwierige Kontrollierbarkeit aufgrund relativ schwacher Eigenkompetenzen der EU und ausgedehnter Küsten im Mittelmeerraum sowie durch den Umstand, dass es sich bei den EU-Außen-G.n immer zugl. um die G. eines Mitgliedstaates handelt. Hinzu kommt, dass es sich bei Mitgliedstaaten mit Außen-G.n durchweg um Länder der Peripherie Europas handelt, die meist an geopolitische Krisenregionen bzw. arme Länder angrenzen. Das macht die EU-Außen-G. bes. vulnerabel, insb. unter dem Druck von Masseneinwanderung und -fluchtbewegungen (↑Migration).

Während der geschlossene Nationalstaat sich im Rahmen und unter dem Schutz seiner G.n als territoriale „Gesellschaft" und politische Ordnung konsolidieren konnte, die sich in der zweiten Hälfte des 20. Jh. zu Demokratien und Wohlfahrtsstaaten weiterentwickelte, stehen einer Staatswerdung und Nationsbildung auf europäischer Ebene nicht nur die genannten strukturellen Schwächen der EU-Außen-G. entgegen. Auch die Beständigkeit der nationalen Kulturen und Identitäten, die einzelstaatliche Verfasstheit der Demokratien und Wohlfahrtssysteme sowie die Pluralität an europäischen Regimen mit je eigenen und meist inkongruenten Grenzziehungen lassen die Ausbildung einer „Nation Europa" oder einen europaweiten Staatsbildungsprozess als eher unwahrscheinlich erscheinen. Der „post-nationale Raum" in Europa zeichnet sich somit durch ein Grenzsystem aus, das die Kongruenzen und Schließungsfunktionen des herkömmlichen nationalstaatlichen Grenzregimes eingebüßt hat und sich als ein neuartiges System variabler und fluider Funktions- und Mitgliedschaftsräume darstellt. Damit wurden die Innen-Außen-Verhältnisse in Europa und darüber hinaus auf eine neue Grundlage gestellt.

Die Staats-G. ist somit eine gesellschaftliche Institution, die, solange die politischen Räume stabil und unumstritten sind, ihre spezifischen Funktionen meist im Hintergrund erfüllt und dabei weitgehend unbeobachtet bleibt. Kommt es jedoch zu offenen Konflikten um Staatsgebiete, zu Grenzstreitigkeiten oder zu massenhaften und unerwünschten oder umstrittenen Grenzüberschreitungen (etwa bei Massenmigration), treten die

Staats-G.n verstärkt wieder in das öffentliche Bewusstsein. Sie gewinnen dann direkte Handlungsrelevanz, erfahren eine Politisierung und werden verstärkt zum Gegenstand soziologischer Beobachtung und Reflexion.

Literatur

M. Eigmüller/G. Vobruba (Hg.): Grenzsoziologie. Die politische Strukturierung des Raumes, ²2016 • M. Bach: Europa ohne Gesellschaft. Politische Soziologie der europäischen Integration, ²2015 • U. Jureit/N. Tietze (Hg.): Postsouveräne Territorialität. Die Europäische Union und ihr Raum, 2015 • M. R. Lepsius: Institutionalisierung politischen Handelns, 2013 • M. Weber: Wirtschaft und Gesellschaft. Soziologie. Unvollendet. 1919–1920, in: MWG, Abt. 1, Bd. 23, 2013, 1–180 • G. Vobruba: Der postnationale Raum, 2012 • S. Mau u. a.: Grenzen in der globalisierten Welt. Selektivität, Internationalisierung, Exterritorialisierung, in: Leviathan 36/1 (2008), 123–148 • S. Sassen: Territory, Authority, Rights from Medieval to Global Assemblages, 2008 • M. Eigmüller: Grenzsicherungspolitik. Funktion und Wirkung der europäischen Außengrenze, 2007 • G. Vobruba: Die Dynamik Europas, ²2007 • S. Mau: Die Politik der Grenze. Grenzziehung und politische Systembildung in der Europäischen Union, in: BerJSoz 16/1 (2006), 115–132 • S. Bartolini: Restructuring Europe, 2005 • S. Rokkan: Staat, Nation und Demokratie in Europa, 2000 • F. J. Turner: The Significance of the Frontier in American History (1893), in: ders.: The Frontier in American History, 1996, 1–38 • M. R. Lepsius: Interessen, Ideen und Institutionen, 1990 • G. Simmel: Soziologie. Untersuchungen über die Formen der Vergesellschaftung, ⁶1983.   MAURIZIO BACH

Grenznutzen ↑Nutzen

Grundeinkommen

Wesentliches Merkmal aller Konzepte, die unter der Bezeichnung des G.s zusammengefasst werden können, ist ein Rechtsanspruch auf die Auszahlung eines ↑Einkommens für alle Bürger oder Einwohner einer bestimmten Gebietskörperschaft ohne weitere Voraussetzungen. Ein G. wird ohne Berücksichtigung der sonstigen Einkommens- oder Vermögensverhältnisse der Empfänger ausgezahlt und unterscheidet weder nach individueller Bedürftigkeit, noch nach vorhergehender und aktueller Beschäftigung der Empfänger oder der Bereitschaft der Empfänger, in Zukunft eine Beschäftigung aufzunehmen. Die Befürworter eines G.s verstehen die entspr.e Auszahlung voraussetzungs- und bedingungslos als allg.es ↑Menschenrecht oder allg.es Bürger- bzw. Einwohnerrecht der betreffenden Gebietskörperschaft.

1. Unterschiedliche Zielsetzungen und Visionen

Die Idee des G.s, in Deutschland üblicherweise *bedingungsloses G.* oder *Bürgergeld* genannt, lässt sich bis ins 18. Jh. zurückverfolgen. Das Grundkonzept des G.s erfreut sich in unterschiedlichsten Kreisen und weltweit großer Attraktivität, wobei sich die einzelnen Aus-

prägungen der diskutierten Modelle stark voneinander unterscheiden.

Wirtschafts-liberale Befürworter streben mit Hilfe der Vorschläge an, die Wirtschaft im Allgemeinen und den ↑Arbeitsmarkt im Besonderen von der Belastung sozialpolitisch motivierter Beiträge und arbeitnehmerschutzpolitisch motivierter Regulierungen zu lösen, um wirtschaftliche Dynamik zu entfachen. Ihnen geht es vor allen Dingen um eine Ablösung der als bürokratisch (↑Bürokratie) und ineffizient betrachteten sozialpolitischen Aktivitäten in den vorherrschenden Systemen durch ein einfaches, transparentes und schlankes System einer Grundabsicherung. Sozialpolitisch-humanistisch geprägte Marktkritiker hingegen sehen in ihren breit angelegten Gesellschaftsentwürfen, die meist neben dem G. noch weitere grundlegende Veränderungen beinhalten, die historische Chance, die Abhängigkeit großer Teile der Bevölkerung vom Zwang zur Erwerbsarbeit zu beenden u. a., marktunabhängige Verteilungsmechanismen zu etablieren. Ihnen geht es in erster Linie um die Befreiung der in den heutigen sozialpolitischen Systemen durch die Selbsthilfeverpflichtung (Zwang zur Annahme „zumutbarer" Erwerbsarbeit) als fremdbestimmt empfundenen Bürger und die Abschaffung der als entwürdigend und verletzend verstandenen Bedürftigkeitsprüfungen.

Neue Aufmerksamkeit gewinnt das G. zu Beginn des 21. Jh. aufgrund der vielfach erwarteten Veränderung durch umfassende Digitalisierungsprozesse (↑Digitalisierung). Viele Befürworter eines G.s befürchten, dass große Bevölkerungsanteile vom Erwerbsarbeitsmarkt oder jedenfalls von sozialversicherungspflichtiger Beschäftigung ausgeschlossen werden könnten. Daher werde eine Neuausrichtung der sozialpolitischen Absicherung unumgänglich, um nicht große Bevölkerungsteile verarmen zu lassen. Andere Vertreter der Idee begrüßen die Digitalisierung der Produktion und die Einführung eines G.s als zwei Seiten ders. Medaille, die den alten Menschheitstraum wahr werden lässt, von der Last der Erwerbsarbeit befreit zu werden.

2. Ausgestaltung und Höhe

Während ein G. in Form einer *Sozialdividende* (Juliet Rhys-Williams) unabhängig vom Steuersystem regelmäßig ausgezahlte Beträge beinhaltet, sehen Modelle des G.s in Form einer *negativen Einkommensteuer* (Milton Friedman) ggf. Verrechnungen des G.s mit positiven Steuerschuldbeträgen vor.

Viele Konzepte des G.s begründen einen individuellen Rechtsanspruch, der nicht von Haushaltsgemeinschaften mit Partnern, Eltern oder Kindern abhängt. Viele Modelle des G.s unterscheiden jedoch die Beträge, auf die einzelne Mitglieder Anspruch haben, nach der Lebenssituation und sehen geringere Beträge für minderjährige Kinder sowie geringere oder höhere Beträge für Menschen im Rentenalter vor.

Einige Modelle schlagen Beträge in einer Höhe vor,

die unterhalb aktuell bestehender Rechtsansprüche der Grundsicherung bei wirtschaftlicher Bedürftigkeit liegen und somit entweder durch zusätzliche Sozialtransfers (↗Sozialpolitik) oder durch Einkommen aus Erwerbsarbeit ergänzt werden müssten. Eine andere Gruppe von Vorschlägen orientiert sich bei der vorgeschlagenen Höhe am aktuellen Grundsicherungsniveau und ersetzt bestehende Transfers durch das G. Andere Vorschläge wiederum fordern deutlich höhere Beträge, da sie das heute geltende Grundsicherungsniveau nicht als ausreichend betrachten, um eine menschenwürdige Existenzsicherung und gesellschaftliche Teilhabe der Empfänger zu garantieren. Die im Jahr 2016 in Deutschland diskutierten Modelle weisen eine Spannbreite von monatlich 500 Euro bis monatlich 1 500 Euro für volljährige Empfänger aus. Für die Initiative zur Einführung eines garantierten Mindesteinkommens, über die die die Schweizer Bevölkerung am 5.6.2016 (ablehnend) abgestimmt hat, standen 2 500 CHF pro Erwachsenem zur Diskussion. Neben der vorgeschlagenen Höhe des G.s unterscheiden sich konkrete Vorschläge gravierend in der Frage, welche bestehenden Sozialleistungen und Transfereinkommen bei Einführung des G.s entfallen sollen und ob ergänzend weitere (eventuell bedürftigkeitsgeprüfte) Transferansprüche vorgesehen sind.

Zugl. muss die Finanzierungsseite einbezogen werden, um die reale Kaufkraft des G.s zu berücksichtigen. Einige Modelle treffen konkrete Auskünfte zur Finanzierung, andere halten die Finanzierung ihres Vorschlages für zweitrangig, da ihr Eintreten für die Idee des G.s zunächst als gesellschaftspolitischer Diskussionsimpuls intendiert ist. Die Vorschläge zur Finanzierung von G. beinhalten üblicherweise die Erwartung, dass der Wegfall der Bedürftigkeitsprüfung und der Prüfung von Haushaltsgemeinschaften große Einsparungen ermöglicht. Dazu kommen die Mittel, die in den bisher geltenden, bei Einführung des G.s jedoch entfallenden Transfersystemen veranschlagt werden. Die darüber hinaus – je nach Höhe des in Aussicht gestellten G.s – z.T. erheblichen zusätzlich benötigten Beträge zur Finanzierung sollen häufig durch ein völlig neu gestaltetes Steuersystem aufgebracht werden, mit dem die jeweiligen Autoren die Hoffnung auf weitere von ihnen begrüßte Lenkungseffekte verbinden: Primärenergie- und Ressourcenverbrauchsteuern, Vermögens- und Reichensteuern, Devisen- und Börsenumsatzsteuern, Luxusgütersteuern, Wertschöpfungssteuern, Kapitalertragssteuern etc. Viele Konzepte sehen darüber hinaus massive Erhöhungen der ↗ESt für alle oder für Bezieher von bestimmte Höhen überschreitenden Einkommen vor. Wenige Modelle plädieren für die Abschaffung aller anderen Steuern und die Einführung einer einheitlichen MwSt in Höhe von 50 % oder mehr.

3. Einwände und Kritik

Ein G. in einer Höhe, welche ein menschenwürdiges Leben und die Teilhabe an der Gesellschaft ermöglicht, gilt vielen Ökonomen als unfinanzierbar. Varianten mit geringeren Finanzierungsansprüchen ermöglichen z.T. geringere Lebensstandards als heutige Grundsicherungssysteme. Sofern G. durch bedürftigkeitsorientierte Transfers ergänzt werden sollen, verflüchtigt sich der Charme des Bürokratieabbaus und der Vermeidung von Einzelfallprüfungen.

Die Bedingungslosigkeit muss bereits entscheidend eingeschränkt werden, sofern das G. nicht weltweit in vergleichbarer Höhe eingeführt würde. In diesem Fall müsste eine Abgrenzung der zur Gemeinschaft gehörenden, also bezugsberechtigten Menschen vorgenommen werden. In Frage steht darüber hinaus aber auch, ob die Bedingungslosigkeit des G.s dauerhaft von der Mehrheit der Wähler akzeptiert würde. In dem Moment, in dem jedoch darüber entschieden würde, welche Lebensführung zum Erhalt des G.s berechtigt und welche nicht, verliert die Idee ihre liberale Unschuld.

Literatur

S. Roth: Sympathische Sozialutopie oder neuer Weg zur Knechtschaft?, in: Roman Herzog Institut (Hg.): Bedingungsloses Grundeinkommen, 2008, 10–16 • Y. Vanderborght/ P. Van Parijs: Ein Grundeinkommen für alle? Geschichte und Zukunft eines radikalen Vorschlags, 2005 • M. Friedman: Capitalism and Freedom, 1962 • J. Rhys-Williams: Something to look forward to, 1943 • T. Spence: The rights of infants, 1796.
STEFFEN J. ROTH

Grunderwerbsteuer

Die im GrEStG geregelte G. besteuert den Umsatz von Grundstücken. Die Gesetzgebungszuständigkeit über die G. liegt beim Bund (Art. 105 Abs. 2 GG). Allerdings haben die Länder gemäß Art. 105 Abs. 2a S. 2 GG die Befugnis zur Bestimmung des Steuersatzes. Die Ertragshoheit liegt bei den Ländern (Art. 106 Abs. 2 Nr. 3, Art. 107 Abs. 1 GG). Die Landesgesetzgeber können darüber bestimmen, ob und inwieweit das Aufkommen der G. den ↗Gemeinden (Gemeindeverbänden) zufließt (Art. 106 Abs. 7 S. 2 GG). Auch die ausschließliche Verwaltungshoheit liegt bei den Ländern (Art. 108 Abs. 2 GG). Das Aufkommen der G. ist, nicht zuletzt aufgrund der in den meisten Ländern (mit Ausnahme von Bayern und Sachsen) erhöhten Steuersätze bis zu 6,5 %, ständig gestiegen (8,4 Mrd. im Jahr 2007, 11,2 Mrd. im Jahr 2015). Rechtspolitisch und rechtsökonomisch wird diese Entwicklung als problematische Erhöhung der Transaktionskosten im Grundstücksverkehr thematisiert.

1. Gegenstand der Grunderwerbsteuer

Gegenstand der G. sind die in § 1 GrEStG bezeichneten Rechtsvorgänge, die auf einen Rechtsträgerwechsel bzgl. eines Grundstücks abzielen bzw. einen Rechtsträgerwechsel fingieren. Einen Rechtsträgerwechsel lösen nicht nur Erwerbsvorgänge zwischen Privaten, sondern auch solche zwischen ↑juristischen Personen (z. B. GmbH oder AG) sowie Gesamthandsgemeinschaften (z. B. GbR oder OHG) aus.

Die in § 1 Abs. 1 Nr. 1 bis Nr. 7 GrEStG enthaltene Besteuerungstatbestände erfassen neben der Veräußerung auch Erwerbsvorgänge ohne vorangegangenes Verpflichtungsgeschäft (Auflassung) sowie den Übergang des Eigentums ohne vorheriges schuldrechtliches Geschäft und ohne Auflassung (z. B. die Umwandlung durch Spaltung oder Verschmelzung) sowie das Meistgebot im Zwangsversteigerungsverfahren. Steuerbar ist auch die Abtretung des Anspruchs auf Abtretung eines Übereignungsanspruchs oder der Rechte aus Kaufangeboten. Auch der Verschaffung der Verwertungsbefugnis (§ 1 Abs. 2 GrEStG) unterliegt der G.

Gemäß § 1 Abs. 2a GrEStG unterliegt auch der Erwerb der Gesamthandsgemeinschaft der Besteuerung, wenn mindestens 95 % der Anteile innerhalb fünf Jahren auf neue Gesellschafter übergehen. Der Besteuerung wird hier eine (zivilrechtlich nicht vorhandene) neue Gesellschaft zugrunde gelegt. Der Erwerb von Anteilen an einer Gesellschaft unterliegt außerdem der Besteuerung nach § 1 Abs. 3 und 4 GrEStG, wenn die Übertragung unmittelbar oder mittelbar von 95 % der Anteile in der Hand der Erwerbers erfolgt. Für nach dem 6.6.2013 erfolgte Erwerbsvorgänge unterliegt nunmehr gemäß § 1 Abs. 3a GrEStG auch der Erwerb einer wirtschaftlichen Beteiligung der Besteuerung, wenn der Betreffende unmittelbar oder mittelbar mindestens zu 95 % an einer Gesellschaft beteiligt ist. Durch diese Regelung sollen insb. sog.e Rett-Blocker-Strukturen der Besteuerung unterworfen werden.

Die G. besteuert ausschließlich inländische, d. h. in der BRD gelegene Grundstücke. Der für das GrEStG maßgebende Begriff des Grundstücks ergibt sich aus § 2 GrEStG. Grundsätzlich folgt das GrEStG dem Grundstücksbegriff des bürgerlichen Rechts (§ 2 Abs. 1 S. 1 GrEStG). Gewisse Ausnahmen ergeben sich aus § 2 Abs. 1 S. 2, Abs. 2 und 3 GrEStG.

2. Steuervergünstigungen

Zahlreiche Steuervergünstigungen ergeben sich §§ 3–7 GrEStG. Freigestellt sind insb. die Erwerbe nach § 3 Nr. 2 GrEStG, die Mehrfachbelastung mit ↑Erbschaft- und Schenkungsteuer und G. vermeiden sollen. Nach §§ 5, 6 und 7 GrEStG wird unter näheren Voraussetzungen keine GrEStG erhoben, wenn sich lediglich die Rechtsqualität und nicht der Umfang der Berechtigung ändert. Bes. Schwierigkeiten bereitet die Anwendung § 6a GrEStG. Hiernach wird auf Erwerbsvorgänge nach § 1 Abs. 1 Nr. 3 S. 1, Abs. 2, Abs. 2a, Abs. 3 oder Abs. 3a GrEStG aufgrund einer Umwandlung nach § 1 Abs. 1 Nr. 1–3 UmwG, einer Einbringung sowie bei anderen Erwerbsvorgängen auf gesellschaftlicher Grundlage keine Steuer erhoben. Dies setzt voraus, dass an der Umwandlung ausschließlich ein herrschendes sowie eine oder mehrere abhängige Unternehmen beteiligt sind. Außerdem muss der Beteiligung unmittelbar oder mittelbar über einem Zeitraum von insgesamt zehn Jahren mindestens 95 % betragen haben.

3. Bemessungsgrundlage und Durchführung der Besteuerung

Die Bemessungsgrundlage der G. ist nach Maßgabe der §§ 8 und 9 GrEStG zu ermitteln. Im Regelfall ergibt sich die Gegenleistung aus allen Leistungen, die der Erwerber als Entgelt für den Erwerb des Grundstücks gewährt oder der Veräußerer für die Veräußerung des Grundstücks empfängt. Ist Gegenstand des Grunderwerbs ein Grundstück in einem zukünftigen Zustand, können unter näheren Voraussetzungen auch Aufwendungen für die Errichtung oder Sanierung eines Gebäudes zu den Erwerbskosten zählen. Zur Gegenleistung auch die weiteren in § 9 GrStG aufgezählten Leistungen.

In den in § 8 Abs. 2 GrStG aufgezählten Fällen bestimmt sich die Gegenleistung nach den Grundbesitzwerten, die nach dem Vorschriften des BewG zu ermitteln sind. Dies betrifft Fälle, in denen eine Gegenleistung nicht vorhanden oder nicht zu ermitteln ist. Gleiches gilt für Umwandlungen auf Grund von Bundes- oder Landesrecht, für Einbringungen oder andere Erwerbsvorgänge auf gesellschaftsvertraglicher Grundlage sowie für Erwerbsvorgänge nach § 1 Abs. 2a, Abs. 3 und Abs. 3a GrEStG.

Die Steuerberechnung nach § 11 GrEStG (bzw. der abweichenden Steuersatzbestimmungen der einzelnen Länder) erfolgt auf der Grundlage der sich aus § 8 und § 9 GrEStG ergebenden Bemessungsgrundlage. Das Finanzamt kann im Einvernehmen mit dem Steuerpflichtigen die Steuer in einem Pauschbetrag festsetzen, wenn dadurch die Besteuerung vereinfacht und das steuerliche Ergebnis nicht wesentlich verändert wurde. Für die Durchführung der Besteuerung enthalten §§ 13–15 GrEStG Regelungen über die Steuerschuldnerschaft, die Entstehung der G. sowie ihre Fälligkeit; im Übrigen gelten die allg.en Regelungen der AO.

Unter bestimmten Voraussetzungen gewährt § 16 GrEStG einen Anspruch auf Nichtfestsetzung der G. bzw. auf Aufhebung oder Änderung der Steuerfestsetzung. Eine Steuerfestsetzung wird nach § 16 Abs. 1 GrEStG rückgängig gemacht, wenn der Veräußerer seine urspr.e Rechtstellung zurück erlangt. Eine Rückgängigmachung durch Vereinbarung sowie durch Ausübung eines vorbehaltenes Rücktritts- oder Wiederkaufsrecht wird nur berücksichtigt, wenn sie innerhalb von zwei Jahren erfolgt. Die Rückgängigmachung aufgrund eines anderweitigen Rechtsanspruchs ist an keine Frist gebunden. Eine Rückabwicklung nach einem Übergang des Eigentums gemäß § 16 Abs. 2 GrEStG wird nur berücksichtigt, wenn er innerhalb von zwei Jahren seit Entstehung der Steuer erfolgt. Die Zeitspanne für zwei Jahre gilt nicht, wenn die Rückgängigmachung des Erwerbsvorgangs auf einem nichtigen Rechtsgeschäft beruht oder das Rechtsgeschäft nach den Regeln des BGB rückgängig gemacht werden kann. Eine spätere Kaufpreisminderung kann unter den Voraussetzungen des § 16 Abs. 3 GrEStG berücksichtigt werden.

Vornehmlich zur Sicherung des Steueraufkommens statuiert das GrEStG zahlreiche Anzeigepflichten. Die Sicherung des Steuereingangs erfolgt durch das Rechtsinstitut der Unbedenklichkeitsbescheinigung, die die Eintragung in das Grundbuchs von einer steuerlichen Unbedenklichkeitsbescheinigung des Finanzamts abhängig macht.

Literatur
R. Hoffmann/G. Hofmann: Grunderwerbsteuergesetz, ¹¹2017 • E. P. Boruttau: Grunderwerbsteuergesetz, ¹⁸2016 • A. Pahlke: Grunderwerbsteuergesetz, ⁵2014.   ARMIN PAHLKE

Grundfreiheiten

Der Begriff G. wird zum einen in der ↑EMRK, zum anderen – ohne in den EU-Verträgen ausdrücklich genannt zu werden – für die zur Herstellung des Binnenmarkts dort gewährleisteten Rechte verwendet (↑Europäischer Binnenmarkt). Die Unterscheidung zwischen ↑Menschenrechten und G. in der *EMRK* von 1950 sollte deutlich machen, dass die Vertragsparteien die G. als die Konsequenz der Menschenrechte und diese als Basis für die Entwicklung der G. ansehen. Von den in der EMRK erfassten Rechten erfasst der Begriff G. speziell die Freiheitsrechte (persönliche Freiheit; Gedanken-, Gewissens- [↑Gewissen, Gewissensfreiheit] und ↑Religionsfreiheit; Meinungsäußerungsfreiheit; ↑Versammlungs– und Vereinigungsfreiheit). Die *G. des Binnenmarktes* (Personenfreizügigkeit einschließlich Arbeitnehmerfreizügigkeit und Niederlassungsfreiheit, Dienstleistungsfreiheit, Kapital- und Zahlungsverkehrsfreiheit), Warenverkehrsfreiheit) werden im deutschsprachigen Schrifttum (im Englischen *fundamental freedoms*) wegen ihrer grundlegenden Bedeutung für den Binnenmarkt als Kernstück der EU und wegen der Begründung von Individualrechten so genannt, was auch vom ↑EuGH aufgegriffen wurde.

EU-G. haben als Individualrechte Grundrechtsgehalte und daher Gemeinsamkeiten mit EU-Grundrechten (↑Europarecht, ↑Grundrechte). Als Freiheitsrechte haben beide Überschneidungen (Personenverkehrsfreiheiten als wirtschaftliche G. und ↑Berufsfreiheit und Recht zu arbeiten bzw. unternehmerische Freiheit, Art. 15 bzw. Art. 16 EuGRC). Sie unterscheiden sich aber in ihrer Wirkrichtung und in ihren Funktionen (G. zur Herstellung des Binnenmarkts durch Beseitigung der durch Binnengrenzen verursachten Hindernisse; Grundrechte zur Gewährleistung von Freiheitsrechten). Dies hat praktische Folgen. Während alle EU-G. an

(wenngleich weit verstandene) zwischenstaatliche Sachverhalte anknüpfen, berechtigen die EU-Grundrechte alle, die vom Anwendungsbereich des Unionsrechts (Primärrecht oder Sekundärrecht) erfasst werden, auch wenn der Sachverhalt im Übrigen keinen grenzüberschreitenden Bezug aufweist (z. B. neben den Grundrechten der EuGRC Art. 157 AEUV: Verbot von ↑Diskriminierungen von Männern und Frauen im Arbeitsleben). G. verpflichten in erster Linie die Mitgliedstaaten zur Beseitigung der von ihnen errichteten Mobilitätshindernisse, aber auch die Unionsorgane, insb. bei der Rechtsetzung. Um die Effektivität zu gewährleisten, binden sie Private (sog.e Drittwirkung) jedenfalls dann, wenn deren Maßnahmen staatlichen Maßnahmen (Gesetzen) vergleichbare Wirkung haben (z. B. Regeln von Sportverbänden wie UEFA, EuGH, Rs. C-415/93 – Bosman; Gewerkschaften, EuGH, Rs. C-438/05 – Viking Line). Unionsgrundrechte verpflichten die Union und ihre Organe, aber auch die Mitgliedstaaten bei der (vom EuGH weit verstandenen) Durchführung des Rechts der Union (Art. 51 Abs. 1 EuGRC). EU-G. und EU-Grundrechte können wechselseitig Schranken begründen (z. B. Fall EuGH, Rs. C-112/00 – Schmidberger: Demonstration mit Brennerblockade [Meinungsäußerungs- und Versammlungsfreiheit als Schranke der G. des freien Waren- bzw. Dienstleistungsverkehrs]; Fall EuGH, Rs. C-368/95 – Vereinigte Familiapress [Medienvielfalt als Schranke der Warenverkehrsfreiheit, bei deren Beschränkung wiederum die Pressefreiheit zu beachten ist]). Kollisionen zwischen diesen prinzipiell gleichrangigen Rechten müssen durch das Bemühen um praktische Konkordanz gelöst werden.

Literatur
D. Ehlers: Allgemeine Lehren der Grundfreiheiten, in: D. Ehlers (Hg.): Europäische Grundrechte und Grundfreiheiten, ⁴2014, § 7 • R. Streinz: Grundrechte und Grundfreiheiten, in: HGR, Bd. 6/1, 2010, § 151 • T. Kingreen: Grundfreiheiten, in: A. von Bogdandy/J. Bast (Hg.): Europäisches Verfassungsrecht. Theoretische und dogmatische Grundzüge, ²2009, 705–748.   RUDOLF STREINZ

Grundgesetz (GG)

1. Entstehung

GG ist die offizielle Bezeichnung für die am 23.5.1949 in Kraft getretene ↑Verfassung der ↑BRD. Der Name „GG" wurde vermutlich auf Anregung des Hamburger Ersten Bürgermeisters Max Brauer gewählt, greift aber auf ältere Begriffsbestände (*lex fundamentalis, loi fondamentale*) zurück. Er sollte den provisorischen Charakter der Norm zum Ausdruck bringen, insb. sollte die Offenheit der Deutschen Frage unterstrichen und der Akt der Verfassunggebung gegenüber demjenigen einer westdeutschen Staatsgründung deutlich abgegrenzt werden. Das GG entstand auf Drängen der westlichen

Alliierten, die ihre drei Besatzungszonen mit einer handlungsfähigen politischen Organisationsstruktur versehen wollten, um im beginnenden ↑Kalten Krieg kein strategisches Vakuum in Mitteleuropa zuzulassen.

Am 1.7.1948 übergaben die westlichen Militärgouverneure den Regierungschefs der Länder in den westlichen Besatzungszonen die sog.en Frankfurter Dokumente, mit denen diese für Anfang September zur Einberufung einer verfassunggebenden Versammlung aufgefordert und ihnen zugl. bestimmte Vorgaben zu Inhalt und Inkraftsetzung dieser Verfassung gemacht wurden. In den anschließenden „Koblenzer Beschlüssen" setzten die Ministerpräsidenten diese Vorgaben mit – auch für die späteren Verhandlungen charakteristischen – Relativierungen um: Aus der verfassunggebenden Versammlung wurde ein „Parlamentarischer Rat", aus der Verfassung ein „GG". Stets ging es der deutschen Seite darum, durch den Prozess nicht die Chancen auf eine Vereinigung aller Besatzungszonen zu vereiteln. Die damals wie heute verwendete Formulierung, es sei darum gegangen, ein „Provisorium" zu schaffen, brachte und bringt zugl. eine spezifisch deutsche Vorstellung davon zum Ausdruck, welche Dauerhaftigkeit Verfassungen beanspruchen sollen, die – wie nicht nur der französische Fall zeigt – durchaus nicht auf alle Verfassungstraditionen zutrifft.

Wesentliche Vorbereitungen für das GG begannen im sog.en Herrenchiemseer Konvent, zu dem der bayerische Ministerpräsident mit seinen Kollegen in der Westzone im August 1948 Politiker, Beamte und Wissenschaftler eingeladen hatte. Der dort entstandene Entwurf hat die anschließenden Beratungen des Parlamentarischen Rates in der Sache und stilistisch stark geprägt und durch die Formulierung von Regelungsalternativen auch dort strukturiert, wo sich seine Inhalte nicht durchsetzen konnten.

Am 1.9.1948 trafen sich schließlich die von den westlichen Landtagen entsandten 65 Mitglieder des Parlamentarischen Rates zu dessen erster feierlichen Sitzung in Bonn. Das Gremium bestand aus zwei gleich großen Fraktionen von ↑CDU und ↑SPD sowie aus weiteren vornehmlich liberalen und kommunistischen Mitgliedern. Das Gremium war von älteren Juristen mit praktischer Berufserfahrung dominiert, doch waren nur relativ wenige von ihnen durch den ↑Nationalsozialismus ernsthaft belastet. Nur vier der Mitglieder waren Frauen. Organisatorisch, mitunter auch politisch blieb das Gremium stark von den Regierungschefs der Länder abhängig, die über die notwendigen administrativen Ressourcen verfügten, um die Arbeit des Rates zu unterstützen. Das Gremium wählte Konrad Adenauer zu seinem Präsidenten, der die Chance auf Besetzung des einzigen das gesamte zukünftige West-Deutschland repräsentierende Amt nutzte, indem er sich als Außenpolitiker gegenüber den Alliierten profilierte, ohne die Verfassungsberatungen inhaltlich allzu sehr zu prägen.

Die Debatten im Parlamentarischen Rat stießen in der Öffentlichkeit auf relativ wenig Interesse. Die diskutierten Fragen erschienen der Bevölkerung zu abstrakt und abgehoben von „richtigen" Problemen. Zudem waren die Beratungen von vergleichsweise großem internen Konsens geprägt, der auch darin zum Ausdruck kam, dass viel um Details der Formulierungen in den Ausschüssen gerungen, dagegen deutlich weniger im Plenum diskutiert wurde. Innerhalb des Parlamentarischen Rates waren v. a. der Aufbau der zweiten gesetzgebenden Kammer (Bundesrat mit Vertretern der Landesregierungen oder direkt von den Landesvölkern gewählter Senat), der Status der ↑Kirchen, namentlich ihre Präsenz in den öffentlichen Schulen, und Art und Maß der bundesstaatlichen Ausgestaltung, insb. der ↑Finanzverwaltung, zwischen den politischen Lagern umstritten. Quer zu diesen politischen Konflikten zwischen einem sozialdemokratischen laizistischen Zentralismus einerseits und einem christdemokratischen ↑Föderalismus andererseits lag eine weitere Front: Die Durchsetzung der vollständigen Gleichberechtigung der Frau im heutigen Art. 3 Abs. 2 war namentlich das Werk des Mitglieds Elisabeth Selbert (SPD), die sich mit Hilfe einer öffentlichen Protestbewegung gegen eine große Koalition von Männern durchsetzen konnte und damit nicht zuletzt den ersten Schritt zur Revolutionierung des ↑Familienrechts in der BRD nahm.

Hintergründig kamen in den Beratungen auch unterschiedliche Vorstellungen vom Wesen der Verfassunggebung zum Ausdruck: Einem Verständnis derselben als Akt demokratischer Neugründung einer politischen Ordnung, für das etwa Carlo Schmid eintrat, stand eine naturrechtliche Deutung (↑Naturrecht) des Prozesses als Ausführung eines moralisch determinierten Normbestands gegenüber, der als Rückkehr zu einem christlichen Wertvorstellungen besser entspr.en Zustand verstanden werden konnte und die namentlich von Adolf Süsterhenn vertreten wurde. Kompromissformeln wie die Anrufung von sowohl säkular als auch christlich zu deutenden ↑Menschenrechten und insb. dem Schutz der ↑Menschenwürde in Art. 1 Abs. 1 halfen dabei, diesen Grunddissens sowohl zu überbrücken als auch zu überdecken.

Bedrohlicher für den Erfolg der Verfassunggebung als die internen Konflikte im Parlamentarischen Rat waren die Meinungsunterschiede zwischen den Deutschen und den Alliierten. Letztere wünschten sich v. a. eine deutlich stärker ausgeprägte föderale Struktur. Um den Jahreswechsel 1948/49 erschien ihre Zustimmung zum Entwurf des Parlamentarischen Rates in weiter Ferne. Letztlich kam sie gegen den Wunsch der Vertreter der Besatzungsmächte vor Ort auf Druck der westlichen Außenministerien zustande, die für den heranziehenden Kalten Krieg möglichst schnell die Handlungsfähigkeit einer westdeutschen Regierung herstellen wollten. Nach ihrer Zustimmung wurde das GG durch die westlichen Landtage ratifiziert. Einzig der bayerische Landtag, im Wissen darum, dass es auf seine Stimmen nicht ankommen würde, stimmte dem GG nicht zu. Mit der ersten Wahl zum Deutschen Bundestag am 14.8.1949 und schließlich mit der Aufnahme der Arbeit des ↑B-VerfG im September 1951 war die institutionelle Gründung der BRD auf Grundlage der Regeln des GG abgeschlossen.

Trotz des zügigen Beginns einer legitimierten Verfassungspraxis auf Bundesebene wurde die ↑Legitimität des GG wegen des Einflusses der Alliierten und der fehlenden Zustimmung des Bundesvolkes auch später nicht selten in Zweifel gestellt („Geburtsmakel"). Freilich ist unklar, welcher normative Maßstab für eine „normal" legitimierte Verfassunggebung gelten sollte, wenn diese die Legitimationsbedingungen, auf denen sie beruht, in jedem Fall erst schaffen muss. Das GG war namentlich bei den deutschen Staatsrechtlern in den Anfangsjahren keine beliebte Verfassung, was mit deren Zweifeln am parlamentarischen Regierungssystem, an gesellschaftlichem ↑Pluralismus sowie mit einer ausgeprägten Skepsis gegenüber der selbstbewussten ↑Verfassungsgerichtsbarkeit zu tun hatte. Hinzu kam die fehlende staatliche Einigung, die dem GG aus dieser Sicht etwas von seiner institutionellen Würde zu nehmen schien. Als sich mit dem Kommen der Wiedervereinigung 1989/90 (↑Deutsche Einheit) die Frage nach einer Verfassungsneuschöpfung in genau dem Zusammenhang stellte, der von den Verfassern des GG vorhergesehen und in Art. 146 geregelt wurde, schreckte die Disziplin freilich mehrheitlich vor einer solchen Entscheidung zurück und beugte ihre staatstheoretischen Überzeugungen sowohl politischer Opportunität als auch der Macht der Gewohnheit.

Die Entstehung des GG ist niemals in die politische Imagination der bundesrepublikanischen Gesellschaft eingegangen: Die zeitgenössische Öffentlichkeit hatte andere Sorgen, danach war es zu spät. Obwohl das GG als spektakulär erfolgreiche ↑Kodifikation gilt, auch im Ausland einflussreich wurde und dessen Erfolg mit dem Begriff des „Verfassungspatriotismus" (Sternberger 1990) eine eigene theoretische Anerkennung erfuhr, wurde es nie zu einer volkstümlichen Verfassung. Bis heute sind auch die prägenden Figuren im Parlamentarischen Rat weitgehend unbekannt geblieben oder wie K. Adenauer, Theodor Heuss und C. Schmid in anderen Funktionen bekannt geworden. Dagegen gingen Namen wie Hermann von Mangoldt, Walter Strauß oder E. Selbert nicht in das allg.e historische Gedächtnis der BRD ein. Die symbolische Kargheit der Verfassunggebung unterstützte diese Entwicklung.

In der wissenschaftlichen Literatur gilt das GG als Schöpfung der verfassunggebenden Gewalt des deutschen Volkes. Normativ kommt dieses Verständnis auch in den Formulierungen der Präambel und der Schlussbestimmung des Art. 146 zum Ausdruck. Diese Annahme verkennt freilich die zentrale Rolle der Länder, die in allen Phasen seiner Entstehung unvermeidlich die maßgeblichen institutionellen Akteure zumindest auf deut-

scher Seite stellten. Selbst wenn man die Frage nach dem verfassunggebenden Subjekt als eine solche der normativen Zurechnung, nicht als eine solche der realen Autorschaft versteht, erscheint es verfehlt, die Rolle der Länder zu leugnen. Sie bleiben als gründende Institutionen ein wesentlicher Teil der verfassunggebenden Gewalt, die das GG schuf.

Die Entstehung des GG steht einerseits im Zeichen vieler Zäsuren: des Untergangs der Weimarer Republik, des nationalsozialistischen Zivilisationsbruchs und des verlorenen Angriffskrieges; andererseits setzt es Kontinuitäten fort, namentlich die deutsche rechtsstaatliche Tradition, die im 19. Jh. begann und die durch großes Vertrauen in rechtliche Formen, deren wissenschaftliche Durchdringung und gerichtliche Kontrolle gekennzeichnet ist. Trotz aller Distanzierungsbemühungen seiner Verfasser schließt das GG in vielen Elementen auch an die – in der BRD lange Zeit unterschätzten – Weimarer Traditionen eines parlamentarischen politischen ↑Konstitutionalismus an.

2. Systematik und Stil

Das GG war urspr. ohne großes Bewusstsein für die ästhetische Dimension der Verfassunggebung in elf Abschnitte gegliedert gewesen, denen im Laufe der Zeit noch drei weitere hinzugefügt wurden, von denen zwei die Notstandsverfassung (↑Staatsnotstand) und die dritte die ↑Gemeinschaftsaufgaben von Bund und Ländern regeln. Der Text lässt sich systematisch auf verschiedenen Ebenen gliedern: Auf der ersten kann zwischen einem grundrechtlichen (Art. 1–19) und einem staatsorganisationsrechtlichen (Art. 20–146) Teil unterschieden werden.

Der grundrechtliche Teil setzt mit der Anrufung der Menschenwürde zu Beginn einen bes.n inhaltlichen Akzent, um daran anschließend eine Fülle verschiedener Freiheits- und Gleichheitsrechte aufzuzählen. Dass das GG anders als die ↑WRV mit den ↑Grundrechten beginnt, ist eine programmatische Entscheidung zugunsten eines normativen ↑Individualismus (oder Personalismus) angesichts der vorangegangenen Schreckensepoche. Der grundgesetzliche Text legt großen Wert auf ein genau differenziertes Schutzkonzept, in dem unterschiedliche Handlungen in verschiedener Weise und unterschiedlich intensiv geschützt werden sollen. Die geschützten Handlungen kommen teilweise aus der atlantischen Verfassungstradition (Meinungsfreiheit, Religionsfreiheit, Eigentumsgarantie) und teilweise aus den spezifischeren Gewährleistungen der Paulskirchenverfassung und der WRV (Wissenschafts-, Kunst-, Berufsfreiheit) Diese Differenzierungen im GG zeugen von hohem begrifflichen Niveau der Verfassunggebung, zugl. sind sie heute durch die Rechtsprechung des BVerfG weitgehend verschliffen. Die Bedeutung der Frage, welches Grundrecht für einen bestimmten Fall einschlägig ist, ist gegenüber allg. geltenden Rechtfertigungsanforderungen, insb. der alles dominierenden Prüfung der ↑ Verhältnismäßigkeit, in den Hintergrund getreten. Dies hängt auch damit zusammen, dass nach heutigem Verständnis alle denkbaren Handlungen, soweit sie nicht unter ein bestimmtes Grundrecht fallen, doch von der allgemeinen Handlungsfreiheit geschützt werden.

Im weitgehenden Verzicht auf Grundpflichten (Ausnahme war für eine Zeit die allg.e ↑ Wehrpflicht) steht das GG in einer liberalen Verfassungstradition, die es dem einfachen Gesetzgeber überlässt, die Bürgerschaft rechtsverbindlich in die Pflicht zu nehmen. Das GG ermächtigt den Gesetzgeber zu solchen Verpflichtungen, ordnet sie aber nicht selbst an.

Der den Grundrechten folgende längere staatsorganisationsrechtliche Teil folgt nach einem ersten Abschnitt (II.) mit bedeutsamen prinzipiellen, aber wenig sortierten Regeln einem doppelten, sich systematisch überschneidenden Gliederungsprinzip: Ein erstes, dem die Abschnitte III.-VI. folgen, konstituiert die Verfassungsorgane des GG: ↑ Bundestag (Art. 38–49), ↑ Bundesrat (Art. 50–53), ↑ Bundespräsident (Art. 54–61) und ↑ Bundesregierung (Art. 62–69). Diese Abschnitte enthalten Regeln für die Wahl der Organe, Vorschriften zu deren interner Rechtsetzungsautonomie sowie Vorgaben für das Verhältnis der Organe untereinander. Viele der Regelungen lassen der Staatspraxis einigen Raum und sind nur selten Gegenstand verfassungsgerichtlicher Spruchpraxis geworden. So wird man das Verhältnis zwischen der Ressortkompetenz eines Bundesministers, der Richtlinienkompetenz des Bundeskanzlers und der Kompetenz der Bundesregierung als Verfassungsorgan nicht abschließend dem GG entnehmen können. Gleiches gilt für die früh in der BRD zugunsten der Bundesregierung beschränkten Zuständigkeiten des Bundespräsidenten gerade im Bereich der auswärtigen Beziehungen.

Den Abschnitten über die Verfassungsorgane folgen diejenigen zu den drei Gewalten (gesetzgebende, vollziehende und rechtsprechende) sowie zu den Finanzbeziehungen (VII.-X.). In diesen Abschnitten wird insb. die Kompetenzverteilung zwischen Bund und Ländern ausgestaltet. Hervorzuheben sind die Regelungen zum äußeren Gesetzgebungsverfahren (↑ Gesetzgebung), also dem Verfahren im Verhältnis zwischen den Organen. Dazu gehören auch die Regeln zur Änderung des GG selbst und deren inhaltlichen Grenzen (Art. 79). Hervorzuheben ist im Abschnitt zur rechtsprechenden Gewalt die Anordnung der richterlichen Unabhängigkeit (Art. 97 Abs. 1) und spezieller Justizgrundrechte wie dem Schutz vor willkürlicher Verhaftung (Art. 104), vor Misshandlung (Art. 104 Abs. 1 S. 2) und vor rückwirkender Bestrafung (Art. 103 Abs. 2). An die Darstellung der drei Gewalten und der ↑ Finanzverfassung schließt der neu eingefügte Abschnitt zur Notstandsverfassung an (Xa., Art. 115a-115l). Der Text endet mit vielfach seit längerem obsolet gewordenen Übergangsregelungen, der systemwidrig ans Ende gesetzten Inkor-

poration der Staatskirchenartikel der WRV (Art. 140) und der Abschlussregelung zugunsten einer Verfassungsneuschöpfung (Art. 146).

Diese Systematik des GG macht es nicht immer einfach und niemals zwingend, eine bestimmte Norm an einer bestimmten Stelle zu platzieren. So finden sich etwa Fragen der auswärtigen Beziehungen einerseits an einem dafür reservierten Platz des II. Abschnitts (Art. 23 ff.), dann aber auch an vielen anderen Stellen, etwa im Abschnitt für den Bundespräsidenten (Art. 59) oder bei der vollziehenden Gewalt (Art. 88 S. 2).

Mit dieser Gliederung lassen sich zugl. einige inhaltliche Vorgaben machen, die freilich teilweise durch den praktischen Umgang mit dem GG modifiziert worden sind. Der Aufbau des GG legt die Verfassungsentwicklung hin zu einer überragenden Bedeutung der Grundrechte nahe, auch wenn sie nicht einfach dadurch determiniert wurde. Das GG ist als eine Gründung der Länder auch mit verschiedenen Vermutungsregelungen zugunsten der Länderkompetenz ausgestattet (Art. 30, 70, 83). Dort, wo das GG schweigt, sind die Länder zuständig, auch wenn es anders als in seiner Originalversion nicht mehr an allzu vielen Stellen zu Kompetenzfragen schweigt.

Das GG kodifiziert in Art. 20, zum Auftakt des II. Abschnitts, Grundsätze, die durch Art. 79 Abs. 3 gemeinsam mit der Menschenwürde für unabänderlich erklärt werden: ↑ Demokratie, ↑ Rechtsstaat, ↑ Sozialstaat, ↑ Bundesstaat und ↑ Republik. D. i. nicht allein wegen der angeordneten Unabänderbarkeit bemerkenswert, sondern auch, weil Verfassungstexte sich außerhalb von Präambeln und Deklarationen klassischerweise auf Verfahrens- und Organisationsnormen beschränkten. Die im GG angelegte Neigung zu prinzipiellen normativen Formulierungen, die noch dazu in Verbindung mit einer starken verfassungsgerichtlichen Kontrolle festgeschrieben wurden, hat zu einem spezifisch am Grundsätzlichen orientierten verfassungsrechtlichen Argumentationsstil geführt, der anders als noch unter der WRV oder im heutigen österreichischen Verfassungsrecht auf eine Herleitung anhand konkreter einschlägiger Normtexte weniger Wert legt. Mit Ausnahme des Republikprinzips, das als Verbot einer monarchischen Regierungsform gedeutet wird, wurden allen Prinzipien durch das BVerfG Rechtsfolgen entnommen. Diese reichen beispielhaft vom Recht auf ein ↑ Existenzminimum aus der Verbindung von Menschenwürde und Sozialstaatlichkeit über Grenzen rückwirkender Besteuerung aus dem Rechtsstaatsprinzip bis zu Grenzen der Übertragung von Kompetenzen auf die ↑ EU aus dem Demokratieprinzip.

Stilistisch unterschied sich das originale GG des Jahres 1949 von der WRV und dessen Vorgängerverfassungen. Seine Sprache ist im Original sachlich, lakonisch und beschränkt sich auf Regelungen, die einen definierten juristischen Gehalt haben. Ornamentales und Programmatisches fehlen dem GG, das eben als eine Übergangsverfassung gedacht und formuliert ist, damit auch ein Sinn für große Symbolik, der 1948/49 nicht zur Verfügung stand und auch anlässlich der Änderungen des GG zur Wiedervereinigung nicht versucht wurde. In den zahlreichen Änderungen, die das GG erfuhr, wurde dieser Stil nicht beibehalten. Während sich die anlässlich der Wiedervereinigung vorgenommenen Anpassungen erfolgreich um Annäherung an den alten Duktus bemühen, wirken viele Änderungen überreguliert, technokratisch und in der Sprache einer Verordnung gehalten. Dies ist Ausdruck fehlenden Vertrauens zwischen den beteiligten politischen Akteuren, das die Notwendigkeit begründet, auch Marginales festzuschreiben.

Umrahmt werden die Normen des GG von einer einleitenden Präambel und einer den provisorischen Charakter des Textes hervorhebenden Schlussbestimmung. Beide standen in ihrer Originalfassung im Zeichen der sich anbahnenden deutschen Teilung. Das BVerfG nahm die Formulierung der Präambel zur Grundlage der Herleitung eines Wiedervereinigungsgebots. Auch in seiner nach der Wiedervereinigung geänderten Fassung sieht das GG weiterhin ausdrücklich die Möglichkeit seiner eigenen Ablösung durch eine neue vom deutschen Volk zu bestimmende Verfassung vor. Ähnlich der Regelung des ↗Widerstandsrechts (Art. 20 Abs. 4) scheint das GG hier die Grenzen des Regelbaren zu überschreiten. Denn eine revolutionäre Verfassungsablösung lässt sich nicht durch die bestehende Ordnung einhegen. Die legale Änderung des GG muss sich dagegen im Rahmen der bestehenden Verfahren und Änderungsgrenzen halten, denen insoweit nichts hinzuzufügen ist.

3. Grundentscheidungen

Fünf Grundentscheidungen prägen das GG: Zum Ersten ein ausgefeilter Grundrechtsteil, der durch die allg.e Rechtsschutzgarantie in Art. 19 Abs. 4 die staatliche Gewalt umfassend unter den Vorbehalt eines auf das Individuum zugeschnittenen Legalitätsverständnisses stellt, das durch die ↗Gerichtsbarkeit zu schützen ist – und dies, obwohl die Kontrollansprüche des BVerfG dem Parlamentarischen Rat nicht in der Weise vor Augen stehen konnten, wie sie sich schließlich verwirklichten. Diese Entscheidung ist dafür mitverantwortlich, dass sich staatliches Handeln in der BRD einem sehr dichten Netz gerichtlicher Kontrollen gegenübersieht und damit im Vergleich zu vielen anderen westlichen Verfassungstraditionen einen gewissen, freilich nicht neuen Überhang des rechtsstaatlichen über das demokratische Element zum Ausdruck bringt. Dies wird allerdings dadurch aufgefangen, dass einer der wichtigsten Wirkungen der weit verstandenen grundrechtlichen Schutzgarantien darin liegt, dass der Vorbehalt des Gesetzes ausgelöst und dadurch ein demokratisches Verfahren erzwungen wird. Die Grundrechte des GG begrenzen also

nicht nur, sondern sie befördern auch einen politischen Prozess, der zur Gesetzgebung führt.

Eine zweite Grundentscheidung erfolgte zugunsten der Einrichtung einer parlamentarischen Demokratie, in der die vom Volk ausgehende ↗Staatsgewalt stets durch den Filter eines Repräsentationsorgans (↗Repräsentation) läuft, der durch Gesetzgebung und parlamentarische Verantwortlichkeit der Regierung alle Staatsgewalt, auch die unabhängigen Gerichte, betrifft. Direktdemokratische Mechanismen erschienen den Schöpfern des GG aus (von der Historiographie mittlerweile bestrittener) Erfahrung mit der Weimarer Republik ungeeignet. Das GG bietet einen ganzen Komplex von Normen, die am Ideal einer stabilen Mehrheitsbildung im ↗Parlament und einer daran anschließenden mit dem Parlament kooperierenden starken Bundesregierung orientiert sind. Eine Teilung der Gewalten zwischen Parlament und Regierung ist dem GG unbekannt, die entscheidende Linie verläuft zwischen parlamentarischer Mehrheit und Regierung einerseits und parlamentarischer ↗Opposition andererseits. Aus diesem Normkomplex ist die Figur des konstruktiven ↗Misstrauensvotums in Art. 67 hervorzuheben, durch die das Parlament sich nicht einfach seiner Verantwortung zur Mehrheitsbildung durch eine Misstrauenserklärung entziehen kann, ohne einem neuen Regierungschef das Vertrauen zu erklären. Zu diesem Komplex gehört auch, dass politischen ↗Parteien in Art. 21 ausdrücklich eine positive Rolle zugesprochen und damit implizit auch die Bedeutung disziplinierter ↗Fraktionen innerhalb des Parlaments vom GG anerkannt wird. Die Probleme der Weimarer Republik mit der Bildung parlamentarischer Mehrheiten waren für diese Entscheidung von Bedeutung. Die vergleichsweise lange Dauer der Regierungszyklen in der BRD illustriert, dass diese Rechnung der Schöpfer des GG aufgegangen ist. Eine gewisse institutionelle Ortlosigkeit des Amts des Bundespräsidenten, der durch die Bundesversammlung, also ein Repräsentationsorgan gewählt, aber keinem Parlament direkt gegenüber verantwortlich ist, ergibt sich ebenfalls aus dieser Grundentscheidung.

Die dritte, freilich nicht vom Parlamentarischen Rat allein getroffene Entscheidung betrifft die bundesstaatliche Struktur. Nach dem starken Zentralisierungsschub in der WRV, der im Nationalsozialismus dramatisch verstärkt wurde, schuf das GG eine Re-Föderalisierung, die in gewisser Weise bereits durch seine eigene dezentrale Entstehung vorweggenommen wurde. Dabei griffen die Verfasser des GG in mehrfacher Hinsicht auf die bundesstaatlichen Traditionen des Kaiserreichs zurück. So wählt das GG ein Modell des „Exekutiv-Föderalismus", in dem im Regelfall die Gesetzgebung des Bundes von den Ländern vollzogen wird und damit beide Ebenen miteinander verschränkt werden. Dieser Vollzug steht im Regelfall in der rechtlichen und politischen Verantwortung der Länder und kann vom Bund nicht hierarchisch kontrolliert werden. Eine solche Kontrolle erfolgt vielmehr wesentlich dezentral über die Anrufung der Gerichte durch Dritte. In der Logik dieser Ausgestaltung des Bundesstaates liegt auch die Wahl des aus dem Kaiserreich überkommenen Bundesratsmodells, also einer Vertretung von Regierungen der Länder, keiner parlamentarischen Versammlung, als eine Art zweite Kammer, die an der Gesetz- und Verordnungsgebung beteiligt wird. Wenn die Länderexekutiven Bundesrecht vollziehen, sollen sie auch an dessen Setzung beteiligt werden. Hieraus wie aus der gesamten Verschränkungskonstruktion folgen aber Schwierigkeiten, die demokratische Verantwortlichkeit für staatliches Handeln klar zurechenbar zu machen. Zu der Entscheidung für den Bundesstaat gehört der im Verfassungsvergleich keineswegs selbstverständliche Schutz der kommunalen ↑Selbstverwaltung (Art. 28 Abs. 2), der eine weitere staatliche Ebene, die aber formal Teil der Landesverwaltung ist, verfassungsrechtlich schützt.

Eine vierte Grundentscheidung betrifft die internationale Einbindung der deutschen Verfassungsordnung. Wie so viele seiner Vorgängerordnungen (Westfälische Friedensverträge, Deutsche Bundesakte, Reichsverfassung, WRV) ist auch das GG Ergebnis einer krisenhaften internationalen Entwicklung. Sein Inhalt ist von außen geprägt. Zugl. gibt das GG der Einbettung der BRD in die internationale Ordnung einen hohen normativen Wert. Diese ist eine verfassungsrechtliche Pflicht, die sich auf alle Arten ↑internationaler Organisationen bezieht, heute aber namentlich auf die universale ↑UNO, auf die ↑NATO als System kollektiver Verteidigung und auf die zwischenzeitlich mit einer speziellen Norm bedachten EU (Art. 23). Mit dem Verbot des Angriffskriegs und einer bes.n Regelung für Verfahren beim Export von Rüstungsgütern (Art. 26) hat das GG nicht nur organisatorische, sondern auch materielle Regelungen auf diesem Feld getroffen.

Eine fünfte Grundentscheidung schließlich bezieht sich auf die sog.e wehrhafte Demokratie. Anders als oft behauptet, kannte auch die Ordnung der Weimarer Republik Maßnahmen des Republikschutzes, doch bewegten sich diese nicht auf der Ebene des Verfassungsrechts. Die Verfasser des GG integrierten gleich eine Fülle von Normen, die den doch nur provisorisch gedachten Bestand der Ordnung sichern sollten. Dazu gehört die Möglichkeit, Individuen und politischen Parteien ihren Schutzstatus durch das BVerfG aberkennen oder schmälern zu lassen (Art. 18 sowie Art. 21 Abs. 2), die freilich nach dem Verbot von SRP und KPD in der frühen BRD in ihrer Anwendung erfolglos blieben. Dazu gehört auch die Bestimmung von Grenzen parlamentarischer Delegation (Art. 80) – der Erfahrung des Ermächtigungsgesetzes geschuldet – sowie schließlich die Stipulierung von Grenzen der Abänderbarkeit des GG in der später so genannten „Ewigkeitsklausel" (Art. 79 Abs. 3). Ob die Verfasser des GG meinten, auf diese Weise ein Abgleiten in den Autoritarismus zu verhindern, ist

zweifelhaft. Vornehmlich dürfte es ihnen darum gegangen sein, einen solchen Übergang klar zu kennzeichnen und ihm damit den Anspruch auf Legalität zu nehmen, den die Nationalsozialisten für die Machtergreifung erhoben hatten.

4. Formelle Änderungen und rechtliche Wandlungen

Das GG kann mit einer qualifizierten Mehrheit von zwei Dritteln in Bundesrat und Bundestag geändert werden (Art. 79 Abs. 2). Von dieser Möglichkeit wurde in den knapp 70 Jahren seiner Geltung vergleichsweise oft Gebrauch gemacht (62 Mal, Stand Juli 2017). Hierin zeigt sich ein mehr von praktischen politischen Notwendigkeiten als von symbolischer Verehrung geprägtes Verhältnis des GG seitens des politischen Prozesses. Die allermeisten Änderungen betreffen die föderale Ordnung, darunter dienten wiederum die meisten der Stärkung der Bundeskompetenzen auf Kosten der Länder. Die systematische Bewegungsrichtung der Änderungen der bundesstaatlichen Ordnung und der Finanzverfassung ist ansonsten uneindeutig. In manchen Momenten scheint sich der Verfassunggeber um die Entflechtung der Strukturen und um die Stärkung demokratischer Verantwortlichkeit auf den verschiedenen Ebenen zu bemühen, häufiger aber verflicht er Tätigkeiten und Finanzierungsströme zwischen Bund und Ländern intensiv. Andere Schwerpunkte betreffen die Einführung neuer Staatsziele (↑Umweltschutz und ↑Tierschutz in Art. 20a; ↑Staatszielbestimmungen), die sich vornehmlich als Akte symbolischer Rechtsetzung ohne großen praktischen Effekt erwiesen, die Einschränkung grundrechtlicher Schutzbereiche (↑Asyl, Fernmelderecht, Unverletzlichkeit der Wohnung), die Einbettung der BRD in die EU (Art. 23) und die ↑Privatisierung öffentlicher Infrastruktur (Art. 87e-87f).

Zu den umstrittensten Änderungen des GG gehört die Einführung einer Notstandsverfassung im Jahre 1968, die mit einem eigenen Abschnitt versehen wurde (Xa.). Die Debatte um diese Frage in den späten 1960er Jahren verlief konfrontativ, das Projekt selbst war schon deutlich länger in der juristischen Diskussion. Das Ergebnis des verfassungsändernden Prozesses wirkt aus heutiger Sicht vorsichtig und legitimationsbewusst. Die unbegrenzte Ermächtigung der Exekutive für einen (vermeintlichen) Notfall ist dem GG auch in diesem Spezialregime fremd. Als Kompensation für die Einführung der Notstandsverfassung wurde dem GG ein eigenes Widerstandsrecht (Art. 20 Abs. 4) eingefügt, das der Bürgerschaft das Recht zur Verteidigung der eigenen Ordnung gegenüber einem verfassungsfeindlichen Putsch geben sollte. Die juristische Konstruktion der Norm bleibt freilich ungewiss.

Formelle Änderungen des GG müssen ausdrücklich dessen Text ändern (Art. 79 Abs. 1). Damit soll sichergestellt werden, dass der Text des GG alle wichtigen verfassungsrechtlichen Entscheidungen enthält und nicht wie in der WRV durch politische ad-hoc-Entscheidungen durchbrochen werden kann, die sich in der Urkunde nicht wiederfinden lassen. Trotz dieser Vorkehrung haben sich unweigerlich viele für das GG relevante Veränderungen neben dem Text abgespielt. Vier wesentliche sind zu nennen:

Als erste Wandlung ist die ↑Konstitutionalisierung von Recht und politischem System in der BRD zu nennen. Obwohl sich der Parlamentarische Rat ausdrücklich für eine spezialisierte und starke Verfassungsgerichtsbarkeit ausgesprochen hatte, war der Einfluss, den das BVerfG auf die gesamte deutsche Rechtsordnung nehmen würde, in diesem Maße nicht abzusehen. Er dürfte auch im internationalen Vergleich als sehr weitgehend zu beurteilen sein. Dies zeigt sich auch an den Konflikten zwischen dem Gericht und den politischen Organen namentlich in der Frühphase. Auf der institutionellen Ebene wurde das vom GG ausdrücklich nicht als Verfassungsorgan eingerichtete Gericht damit zu einem wesentlichen Akteur des politischen Systems der BRD, das sich mit Duldung der anderen Organe den Status des Verfassungsorgans bald selbst zusprach. Auf der rechtlichen Ebene entwickelten sich damit die Grundrechte zu Normen, die in allen Bereichen der Rechtsordnung, nicht nur in jenen, die unmittelbar die Rechtsbeziehungen zwischen Staat und Gesellschaft (↑Staat und Gesellschaft) regeln, von Bedeutung sind. In der politischen Auseinandersetzung wurde schließlich die Behauptung der Verfassungswidrigkeit zu einem ubiquitär verwendeten Vorwurf, der dazu führte, dass so gut wie jedes politisch umstrittene Projekt auch zu einem verfassungsrechtlichen Problem wurde, das eine verfassungsgerichtliche Entscheidung verlangte. Das Ausgreifen der Grundrechte des GG ist damit nicht allein durch das BVerfG zu erklären. In manchen Fällen war es wie im Fall des vom Gericht entwickelten Rechts auf ↑informationelle Selbstbestimmung Ergebnis einer politischen Bewegung gegen die Volkszählung des Jahres 1983, die die Rechtsprechung aufnahm und formalisierte. In anderen Fällen wie beim Schutz des Rechts von Toten oder bei der Rechtsprechung zum ↑Schwangerschaftsabbruch hat das Gericht den Grundrechtsschutz ohne oder gegen den Trend politischer Bewegungen erweitert.

Die Konstitutionalisierung von Recht und Politik ist nicht auch allein im Bereich der klassischen Grundrechte zu beobachten. Ein anderes Beispiel stellt das Wahlrecht dar, für dessen Ausgestaltung das GG in Art. 38 Abs. 1 vier Prinzipien aufstellt (Allgemeinheit, Freiheit, Gleichheit, Geheimheit), die dazu dienen sollten, faire und ergebnisoffene ↑Wahlen zu ermöglichen, ohne deswegen das komplexe, noch dazu bundesstaatlich strukturierte Wahlsystem vorzugeben. Heute konstituieren sie ein dichtes Netz verfassungsrechtlicher Regeln, das es fast unmöglich macht, ein verfassungskonformes Wahlrecht zu entwerfen.

Eine zweite Wandlung, die sich zumindest auch jenseits formeller Textänderungen abspielt, besteht in der Unitarisierung des Bundesstaates. Die Diagnose, dass sich die bundesstaatliche Struktur heute weniger aus eigenen politischen Prozessen in den Ländern speist als vielmehr aus der Beteiligung der Länder am politischen Prozess des Bundes, wurde bereits in den 1960er Jahren von Konrad Hesse gestellt und trifft nach wie vor zu. Ein Wandel ist insb. in der Rolle des Bundesrates zu erkennen, der von einer Ländervertretung mehr und mehr zu einer Art zweiter Kammer wurde, die von bundesparteipolitischen Präferenzen dominiert ist. Zwar ist diese Entwicklung in der Anlage des Exekutiv-Föderalismus von Anfang an vorgezeichnet, denn mit dieser Entscheidung haben die Verfasser des GG der Verflechtung von Bund und Ländern den Vorzug gegenüber eindeutig unterscheidbaren politischen Prozessen gegeben. Nicht vorhergesehen war aber die hohe Zahl an Gesetzen, die der Zustimmung des Bundesrates bedürfen. Die Tatbestände, die die Zustimmungsbedürftigkeit auslösen, sind unübersichtlich über das gesamte GG verteilt. Jüngere Versuche, die Beteiligungsquote durch Änderungen des GG zu senken, waren relativ erfolgreich, trotzdem spielt der Bundesrat bei der Gesetzgebung des Bundes weiterhin eine größere Rolle als von den Schöpfern des GG geplant.

Als dritte Wandlung ist die Europäisierung der Rechtsordnung zu nennen, die vom GG rechtlich ermöglicht wurde, um dann wesentlich an diesem vorbei zu laufen. Urspr. als internationale Organisation völkerrechtlicher Provenienz, wenn auch mit bes.n Eigenschaften entworfen, wirken Rechtsakte der EU heute auf verschiedenste Art und Weise in die deutsche Rechtsordnung ein und beschränken damit sowohl den Vorrang des GG als auch dessen Anspruch, die Grundlagen der Rechtsordnung in einer einheitlichen Urkunde abzubilden. Damit werden auch materielle Regelungen des GG wie die Grundrechte zumindest in ihrer Anwendbarkeit beschränkt. Eine Änderung des GG, die Öffnung der ↑Bundeswehr für weibliche Kampfkräfte, war unmittelbar durch die europäische Rechtsprechung vorgegeben. Während die wesentlichen Entscheidungen zu Vorrang und Vorbehalt des ↑Europarechts europarichterrechtliche Schöpfungen waren, die am Text des GG vorbeigingen, wurde im Rahmen der Zustimmung zum Vertrag von Maastricht das GG so ergänzt, dass sich nun wesentliche normative Determinanten für den deutschen Beitrag zur EU und wichtige Regelungen zur Beteiligung von Bundestag und Bundesrat im GG wiederfinden (Art. 23). Das ändert nichts daran, dass sich entscheidende Teile des heute in Deutschland geltenden Rechts nicht mehr im GG abgebildet finden.

Schließlich ist die Beteiligung deutschen Militärs bei Kampfeinsätzen im Ausland auch Gegenstand eines wichtigen verfassungsrechtlichen Wandlungsprozesses. Dass die Frage der Konstitutionalisierung des Militärs schon für die Schöpfer des GG nicht beantwortet war, zeigt der bereits 1950 ausbrechende Kampf um den

Wehrbeitrag, der wesentlich in verfassungsrechtlichen Kategorien geführt wurde. Die Entscheidung für den 1956 ergänzten Verfassungstext setzte eine Beschränkung auf Militäreinsätze im Rahmen des westlichen Verteidigungsbündnisses und zur Selbstverteidigung voraus. Als sich nach 1989 der Einsatzrahmen veränderte, entwickelte das BVerfG einen strengen Vorbehalt parlamentarischer Zustimmung für Einsätze im Ausland, der letztlich in der Kodifizierung eines eigenen Entsendegesetzes mündete. Nicht alle verfassungsrechtlichen Probleme sind damit geklärt, aber es hat sich mit der gefestigten Praxis einer genauen Mandatserteilung durch den Bundestag eine neue Staatspraxis entwickelt, die so im GG nicht angelegt war. Sie führt auch dazu, dass der militärische Einsatz selbst heute durch das Parlament genauer bestimmt wird als die politischen Ziele, die mit diesem verbunden sind.

5. Ausblick

Das GG wird allg. als eine erfolgreiche und für viele andere Ordnungen vorbildliche Verfassung betrachtet. Dieser Eindruck ist im Ganzen zutreffend, bedarf aber in mehrerer Hinsicht der Qualifikation. Zutreffend ist er zum einen, weil sich das hohe Maß an demokratischer Stabilität zumindest auch dem GG und dem mit ihm geschaffenen Institutionenwesen verdankt, zum anderen, weil das GG in seiner Konkretisierung durch das BVerfG wie wenige Verfassungsordnungen in vielen Teilen der Welt als gut funktionierende, wenn nicht vorbildliche Ordnung verstanden wird. Zu qualifizieren ist diese positive Bewertung namentlich, weil sich das GG des Jahres 2017 von dem des Jahres 1948/49 durch eine gewaltige Anzahl von Änderungen, durch eine so nicht vorhersehbare Rechtsprechung des BVerfG und durch die Überwölbung der deutschen Rechtsordnung durch europäisches und internationales Recht ganz wesentlich unterscheidet. Das GG ist deswegen weniger als ein stabiles Fundament richtig beschrieben denn als ein flexibles Instrument politischer Selbstorganisation.

Literatur

J. Collings: Democracy Guardians, 2015 • H. Dreier/F. Wittreck: Grundgesetz, [10]2015 • H. Dreier (Hg.): Grundgesetz-Kommentar, Bd. I–III, [3]2013–2018 • H. Bredekamp: Politische Ikonologie des Grundgesetzes, in: M. Stolleis (Hg.): Herzkammern der Republik, 2011, 9–35 • E. Frenzel: Zugänge zum Verfassungsrecht, 2009 • C. Möllers: Das Grundgesetz. Geschichte und Inhalt, 2009 • D. Grimm: Die Verfassung und die Politik, 2001 • M. F. Feldkamp: Der Parlamentarische Rat 1948–1949, 1998 • K. Niclauß: Der Weg zum Grundgesetz, 1998 • A. Voßkuhle: Verfassungsstil und Verfassungsfunktion, in: AöR 119/1 (1994), 35–60 • D. Sternberger: Verfassungspatriotismus, in: ders.: Schriften, Bd. 10, 1990, 13–16.   CHRISTOPH MÖLLERS

Grundlagenvertrag ↑Innerdeutsche Beziehungen

Grundpfandrechte

1. Allgemeines

Der Begriff G., den das ↑BGB selbst nicht kennt, ist ein von der Rechtswissenschaft genutzter Oberbegriff für die gesetzlich geregelten Rechtsinstitute Hypothek, Grundschuld und Rentenschuld. Kennzeichen dieser beschränkten dinglichen Rechte ist, dass der Berechtigte einer Geldforderung die Duldung der ↑Zwangsvollstreckung in das mit dem G. belastete Grundstück – und damit auch in das in die Haftung einbezogene Gebäude – verlangen kann; ein Anspruch auf Erfüllung der Forderung besteht hingegen nicht. Wegen des Grundsatzes des Typenzwangs (Numerus Clausus) im ↑Sachenrecht ist es nicht möglich, vertraglich andere als die vom BGB vorgesehenen G. zu begründen. Ebenso wenig ist es deshalb möglich, die gesetzlich geregelten G. vertraglich mit anderen Rechtswirkungen auszustatten. G. gehören zu den Kreditsicherheiten. Anders als die persönlichen Sicherheiten Bürgschaft und Garantie, bei denen der Sicherungsgeber nur allg. mit seinem Vermögen haftet, geben G. dem Gläubiger im Hinblick auf die Verwertung eines bestimmten Grundbesitzes gegenüber anderen Gläubigern das Recht, bevorzugt befriedigt zu werden (Realsicherheit). Während die Entstehung des Pfandrechts an beweglichen Sachen die Übergabe der Sache an den Gläubiger voraussetzt, wird die Publizität bei G.n durch die Eintragung in das Grundbuch – genauer gesagt in dessen Abteilung III – hergestellt. Die Eintragung in das Grundbuch ist für die Entstehung aller G. Wirksamkeitsvoraussetzung. G. als Sicherungsmittel haben für den Kreditgeber erhebliche Vorteile: außer der grundsätzlichen Wertbeständigkeit der Grundstücke und der durch die Eintragung im Grundbuch hergestellten Publizität zeichnen sich G. v. a. durch einen hohen Sicherungsstandard aus, da – eine günstige Rangstelle vorausgesetzt – ein Ausfall der Sicherheit nicht zu besorgen ist.

G. sind Verwertungsrechte mit genau bestimmtem Haftungsumfang, weil einerseits durch die Eintragung im Grundbuch sowohl der Gegenstand der ↑Haftung – das belastete Grundstück – als auch die Haftsumme bestimmt sind. Charakteristisch für G. ist zudem, dass sie die Trennung von persönlicher und dinglicher Haftung ermöglichen: Während der Schuldner der Forderung grundsätzlich gleich bleibt, lastet das G. auf dem Grundstück, so dass dessen jeweiliger Eigentümer haftet. Anders als bewegliche Sachen können Grundstücke mehrfach, d. h. für unterschiedliche Forderungen belastet werden, weil das Grundbuch für dasselbe Grundstück die Eintragung von theoretisch unbegrenzt vielen G.n zulässt. Für die Befriedigung ist grundsätzlich der Rang der Rechte maßgeblich, der sich nach der Priorität richtet.

2. Hypothek

Gesetzlicher Ausgangsfall der G. ist die Hypothek (§§ 1113 ff. BGB). Sie unterscheidet sich von der Grundschuld darin, dass sie das Bestehen der zu sichernden Forderung voraussetzt (Akzessorietät). Die Bestellung der Hypothek setzt darüber jedenfalls die Einigung von Eigentümer und Gläubiger und die Eintragung der Hypothek in das Grundbuch voraus. Bei der Briefhypothek – nach der Vorstellung des Gesetzgebers ist dies der Normalfall – ist zudem die Übergabe des Hypothekenbriefs an den Gläubiger erforderlich. Bei der Buchhypothek, bei welcher kein Hypothekenbrief erteilt wird, muss sich die Einigung der Beteiligten auch auf den Ausschluss des Briefs beziehen, und der Briefausschluss muss in das Grundbuch eingetragen werden. Eine Briefhypothek kann in eine Buchhypothek umgewandelt werden und umgekehrt. Das materielle Recht sieht für die Bestellung einer Hypothek keine Form vor. Allerdings verlangt § 29 GBO wenigstens die notarielle Beglaubigung der Unterschrift des Eigentümers. In der Praxis wird die Hypothekenbestellung beinahe in allen Fällen notariell beurkundet. Dies hat aber streng genommen nichts mit der Hypothekenbestellung selbst zu tun, sondern mit der in derselben Urkunde erklärten Unterwerfung unter die sofortige Zwangsvollstreckung. Diese Bedarf zu ihrer Wirksamkeit der notariellen Beurkundung (§ 794 Abs. 1 Ziffer 5 ZPO).

Die Hypothek kann einem Dritten übertragen werden; dies geschieht allerdings nicht durch die Übertragung der Hypothek selbst, sondern durch Abtretung der Forderung. Mit der Forderung geht die Hypothek auf den neuen Gläubiger über. Ausfluss der Akzessorietät der Hypothek ist, dass die Forderung nicht ohne die Hypothek und die Hypothek nicht ohne die Forderung abgetreten werden kann. Für die Abtretung der hypothekarisch gesicherten Forderung ist bei der Briefhypothek neben der Einigung die Übergabe des Hypothekenbriefs erforderlich. Einer Eintragung des neuen Gläubigers in das Grundbuch bedarf es nicht, wenn die Abtretungserklärung wenigstens in schriftlicher Form erteilt wird. Hingegen ist die Eintragung des neuen Gläubigers bei der Buchhypothek Wirksamkeitsvoraussetzung. Möglich ist auch der gutgläubige Erwerb der Hypothek vom Nichtberechtigten.

3. Grundschuld

Anders als die Hypothek ist die Grundschuld nicht akzessorisch, auch wenn sie natürlich im Regelfall ebenfalls der Sicherung einer Forderung dient (Sicherungsgrundschuld). Das BGB widmet der Grundschuld nur wenige Paragrafen und erklärt stattdessen im Grundsatz die Vorschriften über die Hypothek für anwendbar, „soweit sich nicht daraus ein anderes ergibt, dass die Grundschuld nicht eine Forderung voraussetzt" (§ 1192 Abs. 1 BGB). Daher gibt es sowohl eine Brief- wie auch eine Buchgrundschuld, und es gelten insb. die sonstigen Entstehungsvoraussetzungen der Hypothek entspre-

chend. Auch die Übertragung der Grundschuld erfolgt im Grundsatz nach dem Recht der Hypothek; allerdings gilt die Untrennbarkeit von Forderung und G. hier nicht, so dass es möglich ist, Forderung und Grundschuld an unterschiedliche Personen abzutreten.

§ 1192 Abs. 1a BGB enthält nunmehr eine Legaldefinition der Sicherungsgrundschuld. Es handelt sich demnach um eine Grundschuld, die zur Sicherung eines Anspruchs verschafft worden ist. Damit erkennt das Gesetz an, dass auch wenn die Grundschuld nicht vom Bestehen einer Forderung abhängt, diese gleichwohl in vielen Fällen einem bestimmten Sicherungszweck, etwa der Erfüllung eines Darlehensvertrags, dient. In einem solchen Fall können im Fall der Abtretung der Grundschuld Einreden, die dem Eigentümer auf Grund der Zweckabrede (Sicherungsvertrag) mit dem bisherigen Gläubiger gegen die Grundschuld zustehen oder sich aus dem Sicherungsvertrag ergeben, auch jedem Erwerber der Grundschuld entgegengesetzt werden.

Wegen der Abstraktheit der Grundschuld hat diese die Hypothek in der Rechtspraxis – insb. in der Kreditsicherungspraxis der ↑ Banken – weitestgehend verdrängt. Während Briefgrundschulden meistens zur Besicherung von kurz- oder mittelfristigen ↑ Krediten eingesetzt werden, handelt es sich bei der überwiegenden Anzahl Grundschulden, die langfristige Kredite sichern, um Buchgrundschulden.

4. Rentenschuld

Bei der seltenen Rentenschuld handelt es sich nach § 1199 Abs. 1 BGB um eine Grundschuld, durch die das Grundstück mit einer regelmäßig wiederkehrenden Geldleistung belastet wird. Der Gläubiger kann diese Rente im Wege der Zwangsvollstreckung durchsetzen. Der Eigentümer kann die Rentenschuld durch die Zahlung einer Ablösungssumme, die in das Grundbuch eingetragen werden muss, tilgen. Die geringe Praxisrelevanz erklärt sich aus dem Umstand, dass der Eigentümer bei der Rentenschuld lediglich mit dem Grundstück haftet. Bei einer in Abt. II des Grundbuchs eintragungsfähigen Reallast, die die Praxis bevorzugt, haftet der Eigentümer hingegen auch persönlich.

Literatur

H. Prütting/F. Lent/K. H. Schwab (Hg.): Sachenrecht, 36 2017 • F. Baur/J. F. Baur/R. Stürner (Hg.): Sachenrecht, 18 2009 • D. Reinicke/K. Tiedtke: Kreditsicherung, 5 2006.

LEIF BÖTTCHER

Grundrechte

1. Begriff und Wirkungsraum

1.1 Essentialia des Verfassungsstaates

a) Verfassungsstaatlicher Resonanzboden. Die G. und der Verfassungsstaat stehen in einem wechselseitigen Bedingungsverhältnis: ohne G. kein Verfassungsstaat und umgekehrt. Einerseits bilden die G. notwendige Bestandteile des bürgerlichen Verfassungsstaates in einem substanziellen Verständnis, welches namentlich an die im ausgehenden 18. Jh. anhebende US-amerikanische und französische Verfassungstradition anknüpft. Andererseits setzen G. das Bestehen einer Rechtsordnung voraus, die mehrere Rechtsschichten kennt, deren höchste eine rechtlich positivierte (nicht notwendigerweise kodifizierte) ↑ Verfassung ist, die Vorrang vor allen sonstigen Rechtsakten der öffentlichen Gewalt, damit grundsätzlich auch vor allen Gesetzen, beansprucht. In den G.n koinzidieren, ideengeschichtlich betrachtet, drei Entwicklungsstränge, aus denen sich der Begriff der G. und deren zentrale Wirkungsbedingungen ableiten lassen: nämlich erstens die mit der ↑ Aufklärung einhergehende natur- bzw. vernunftrechtliche Vorstellung, dass es unverbrüchliche und unveräußerliche *(unalienable, inaliénable)* Rechte des ↑ Individuums kraft Menschseins gebe; zweitens die antiabsolutistische Idee der Verfassung als einer (positiv)rechtlichen Grundordnung des Gemeinwesens, die alle staatliche Gewalt konstituiert und legitimiert, determiniert und limitiert; und drittens schließlich das funktionellrechtliche Konzept einer ↑ Verfassungsgerichtsbarkeit, kraft deren G. justiziabel werden und die ihnen damit zur Durchsetzung in der Rechtsordnung im Übrigen verhilft. Wiewohl nicht im engeren Sinne Begriffsbestandteil, markiert die gerichtsförmige Anwendung und Durchsetzung der G. deren zentrale Wirksamkeitsbedingung; ohne G.s-Gerichtsbarkeit kommt den G.n kaum mehr als der Charakter von *soft law* zu (s. u. 3.1 und 3.6).

b) Begriff. Unter G.n versteht man – in einem ausgebauten Verfassungsstaat – die ↑ Freiheit und ↑ Gleichheit des Einzelnen (oder einer Gruppe von Individuen) sichernden, subjektiven Rechte im Verfassungsrang, die ein ↑ Staat (oder ein sonstiger, staatsähnlicher Träger öffentlicher Gewalt) typischerweise in knapp-eingängiger Sprachgestalt gewährleistet und die gegen unterverfassungsrangige Akte von Organen des grundrechtsverbürgenden Staates (oder eines sonstigen Trägers öffentlicher Gewalt) geltend gemacht werden können. G. sind also verfassungsrangige („Trumpf"-)Rechte des Einzelnen gegen Akte der öffentlichen (typischerweise: staatlichen) Gewalt, die vor dem Hintergrund von Freiheit und Gleichheit der gewaltunterworfenen Individuen die Rechtfertigungsbedürftigkeit und -fähigkeit öffentlicher Gewalt umschreiben und durch „Fundamentalität, Positivität und Konstitutionalität" (Stern 2004: §1, Rn. 51) gekennzeichnet sind. Leicht abweichend von dieser allg.en Begriffsbestimmung können kraft positivrechtlicher Bestimmung unter G.n jene Verbürgungen zugunsten des Einzelnen zu verstehen sein, die in einem bestimmten Abschnitt der Verfassung (bspw. Art. 1–19 GG im I. Abschnitt „Die G.") gewährleistet oder durch ein bes.s G.s-Schutzverfahren wie die Verfassungsbeschwerde (bspw. Art. 93 Abs. 1 Nr. 4a GG) gekennzeichnet sind.

Dass die G. als Freiheits- und Gleichheitsverbürgungen – einer verbreiteten naturrechtlichen Vorstellung folgend – dem Staat und seinem Regelungszugriff vorausliegen, d. h. vorstaatlich sind und als solche vom Staat bestenfalls anerkannt werden können, ist für G. im geltendrechtlichen Sinne weder notwendig noch zutreffend: G. sind – wenn auch verfassungs- und damit höchstrangiger – Teil jener Rechtsordnung, gegen deren Akte sie Schutz gewähren; als Verfassungsbestimmungen bieten sie aus sich heraus keinen Schutz gegen Verfassungsänderungen.

Wiewohl G. und ↑ Demokratie sich zu erheblichen Teilen aus identischen ideengeschichtlichen Quellen speisen und in einem freiheitlich-demokratischen Verfassungsstaat ihre wirkmächtig(st)e Verbindung unter dem Vorzeichen der ↑ Menschenwürde eingehen, sind sie doch als spannungsvoll aufeinander bezogen zu unterscheiden: Während bei den G.n die Selbstbestimmung des Individuums gegenüber dem (über)staatlich organisierten Kollektiv im Vordergrund steht, zielt Demokratie just auf die Selbstbestimmung dieses (über-) staatlichen Kollektivs, ↑ Volk genannt.

1.2 Menschenrechte – Grundfreiheiten – Staatszielbestimmungen

Von G.n können ↑ Menschenrechte, ↑ Grundfreiheiten und ↑ Staatszielbestimmungen unterschieden werden.

a) Menschenrechte. Gleichviel, ob man unter Menschenrechten – im naturrechtlichen, überpositiven Sinne – universelle, natürliche und unantastbare, auf gleiche Freiheit zielende Rechtspositionen des Einzelnen kraft seines Menschseins versteht, die aller öffentlichen Gewalt vorausliegen, oder aber – im völkerrechtlichen Sinne – völkervertragliche Sicherungen des Individuums (oder Gruppen von Individuen) gegen Freiheits- und Gleichheitsverletzungen seitens der Vertragsparteien (Staaten oder ↑ internationale Organisationen): in beiden Fällen ist die öffentliche Gewalt, deren Akte sich an den Menschenrechten messen lassen muss, einer „fremden", da nicht autochthonen Bindung und Kontrolle unterworfen (im ersten Falle kraft ↑ Naturrechts, im zweiten kraft Selbstverpflichtung). Werden völkervertraglich gesicherte Menschenrechte mittels nationaler Rechtsetzung in den Rang nationaler Verfassungsbestimmungen erhoben, über deren Einhaltung nationale Gerichte wachen – wie das bei der EMRK durch österreichisches Bundesverfassungsrecht der Fall ist –, so mutieren sie innerstaatlich zu G.n. Weit größer als der Unterschied zwischen (internationalen) Menschenrechten und (supra)nationalen G.n wiegt indes im rechtstatsächlichen Effekt der Unterschied zwischen Menschen- und G.s-Verbürgungen mit einer entspr. wirksamen judikativen Kontrolle auf der einen Seite gegenüber Menschen- und G.s-Verbürgungen ohne eine solche Kontrollinstanz auf der anderen Seite.

b) Grundfreiheiten. Figurieren Grundfreiheiten lediglich als begriffliches Pendant zu Menschenrechten – etwa im Sinne der ↑EMRK („Convention for the Protection of Human Rights and Fundamental Freedoms", „Convention de sauvegarde des droits de l'homme et des libertés fondamentales") –, gilt für sie das zu den Menschenrechten Gesagte. Anders verhält es sich bei Grundfreiheiten im Sinne des Europäischen Unionsrechts, für die auch der Begriff der Marktfreiheiten geläufig ist; darunter sind die zentralen grundrechtlichen Gewährleistungen des ↑Europäischen Binnenmarktes zu verstehen (Warenverkehrsfreiheit, Arbeitnehmerfreizügigkeit, Niederlassungs- und Dienstleistungs-, Kapital- und Zahlungsverkehrsfreiheit). Sie sind, erkennt man in den EU-Gründungsverträgen das Unionsverfassungsrecht, als spezifisch binnenmarktbezogene G. der ↑EU zu betrachten und stehen gleichrangig neben den sonstigen, sozusagen eigentlichen G.s-Verbürgungen des Unionsprimärrechts wie namentlich der EuGRC.

c) *Staatszielbestimmungen.* Durch Staatszielbestimmungen wird die öffentliche Gewalt verfassungsrechtlich dazu verpflichtet, ein bestimmtes Ziel (z. B. ↑Umwelt- oder ↑Tierschutz) durch unterverfassungsgesetzliche Rechtsakte (↑Gesetz, ↑Rechtsverordnung usw.) zu erreichen. Von G.n unterscheiden sich Staatszielbestimmungen insb. dadurch, dass sie dem Individuum keinerlei subjektive Rechtsposition verleihen, ihm also nicht die Rechtsmacht zuweisen, das dem Träger der öffentlichen Gewalt gebotene Verhalten im Rechtswege einfordern zu können.

2. Grundrechte in Deutschland

2.1 Vorgrundgesetzliche Grundrechte

Während im globalen Maßstab die „Virginia Declaration of Rights" (zumeist als „Virginia Bill of Rights" bezeichnet) aus dem Jahre 1776 und die „Déclaration des droits de l'homme et du citoyen" aus dem Jahre 1789 als die Geburtsakte moderner G.s-Kodifikationen gelten, hebt das Zeitalter verfassungsgesetzlich gesicherter G. in Deutschland nach der Wegbereitung durch vormärzliche Landesverfassungen mit der – zwar beschlossenen, aber aufgrund des Scheiterns der 1848er-Revolution niemals umgesetzten – Paulskirchenverfassung („Verfassung des deutschen Reiches") von 1849 an. Unter der Überschrift „Die Grundrechte des deutschen Volkes" normierte die Paulskirchenverfassung in 50 Bestimmungen (§§ 130–189) einen weitreichenden, genossenschaftlich inspirierten, den konstitutionalistischen Dualismus einer „paritätischen Zweieinheitlichkeit von Fürst und Volk" (Kühne 2004: § 3 Rn. 28) reflektierenden, auch das Wahlrecht und die Gewähr kommunaler ↑Selbstverwaltung integrierenden G.s-Katalog, der mit Vorrang vor sonstigem (Reichs- und Landes-)Recht ausgestattet und mit der Verfassungsindividualklage zum Reichsgericht (§ 126 lit. g), einem Vorläufer der (Individual-)Verfassungsbeschwerde, gerichtlich bewehrt war.

Während in der Folgezeit bis zum Ende des Ersten Weltkriegs G. nach und nach in fast alle gliedstaatlichen Verfassungen Eingang fanden, enthielten sich die Verfassung des Norddeutschen Bundes von 1867 und die Bismarcksche Reichsverfassung („Verfassung des Deutschen Reichs") von 1871 als reine Organisationsstatute der Gewährleistung von G.n, wenngleich nicht übersehen werden darf, dass manches G.s-Anliegen im Wege reichsgesetzlicher Normierung verwirklicht wurde.

Ähnlich umfangreich wie die Paulskirchenverfassung, aber doch abweichend in puncto Gewährleistungsinhalten und Regelungsanordnung, Wirkkraft und Rechtsschutz regelte die ↑WRV („Die Verfassung des Deutschen Reichs") von 1919 in ihrem Zweiten Hauptteil die „Grundrechte und Grundpflichten der Deutschen" (Art. 109–165). Mit ihren fünf Abschnitten „Die Einzelperson", „Das Gemeinschaftsleben", „Religion und Religionsgesellschaften", „Bildung und Schule" sowie „Das Wirtschaftsleben" beschritt die Weimarer Reichsverfassung einen über die „klassisch"-liberalen Verbürgungen deutlich hinausgreifenden sozialgestalterischen, soziale G. und Grundpflichten einbeziehenden Weg. Neben weitreichenden Gesetzesvorbehalten und dem Streit um ein richterliches Prüfungsrecht gegenüber Reichsgesetzen – also der Befugnis von Gerichten, Reichsgesetze auf ihre Übereinstimmung mit (Reichs-)G.n zu überprüfen – war es insb. das Fehlen einer spezifischen G.s-Gerichtsbarkeit, die einer stärkeren Wirksamkeitsentfaltung der Weimarer G. im Wege stand.

Die NS-Diktatur (1933–45), die die WRV zwar nicht formaliter aufhob, sie aber nicht mehr als rechtliche Grundlage des neuen Reiches betrachtete, wusste mit der antitotalitären Idee von gegen das staatliche Kollektiv gerichteten Individualrechten egalitär-liberaler Provenienz nichts anzufangen und setzte dem die Rechtsstellung als Volksgenossen auf der Grundlage völkisch-(-rassisch)er Artgleichheit entgegen. Das NS-Regime propagierte und verfolgte damit eine konsequente und umfassende Politik der „Grundrechtsvernichtung" (Dreier 2004, § 4 Rn. 54).

2.2 Grundrechte des Grundgesetzes

In Reaktion auf den nationalsozialistischen G.s-Nihilismus mit seinen nach Zahl und Art schwerstwiegenden Verletzungen menschenrechtlicher Ideen fasste die Auftaktbestimmung des Herrenchiemseer Entwurfs aus dem August 1948 den antitotalitären Grundkonsens der Mütter und Väter des ↑GG bündig zusammen: „Der Staat ist um des Menschen willen da, nicht der Mensch um des Staates willen." (Art. 1 Abs. 1) Um dieser „gegenbildlich identitätsprägende[n] Bedeutung" des menschenverachtenden NS-Regimes für die verfassungsrechtliche Ordnung der ↑BRD (BVerfGE 124, 300) nachhaltig Ausdruck zu verleihen, drehte das GG vom 23.5.1949 im Vergleich zur WRV die Reihenfolge von Organisationsteil und G.s-Teil um, positionierte letzteren als ersten Abschnitt (Art. 1–19) und stellte die Menschenwürdegarantie („Die Würde des Menschen ist unantastbar. Sie zu achten und zu schützen ist Verpflichtung aller staatlichen Gewalt." – Art. 1 Abs. 1) an die

Spitze des operativen Teils des GG. Im Gegensatz zum Weimarer G.s-Katalog beschränkt sich das GG im Wesentlichen auf die sog.en „klassischen" G. und verzichtet namentlich auf soziale G.

Im Gegenzug wird unter dem GG (zunächst 1951 durch §§ 90–95 BVerfGG, sodann 1969 auch durch Art. 93 Abs. 1 Nr. 4a GG) ein hocheffektives Verfahren zur Durchsetzung der G. eingeführt: die (Individual-) Verfassungsbeschwerde. Ebenfalls mit der Verfassungsbeschwerde durchsetzbar – und insoweit den G.n des Ersten Abschnitts gleichgestellt – sind grundrechtsgleiche Rechte wie die sog.en Justiz-G. (namentlich Art. 101 Abs. 1 Satz 2, Art. 103 Abs. 1–3, Art. 104) und das Wahlrecht (Art. 38 Abs. 1). Wiewohl das GG mittlerweile 62 Änderungsgesetze mit mehr als 225 Einzeländerungen über sich hat ergehen lassen müssen, sind die meisten G. von Änderungen verschont geblieben, die wichtigsten G.s-Änderungen waren die – jeweils vor dem ↑BVerfG angefochtene – Asyl- (1993; vgl. BVerfGE 94, 49) und Lauschangriffsnovelle (1998; vgl. BVerfGE 109, 279).

2.3 Grundrechte in den Landesverfassungen
Bis auf die Verfassung Hamburgs, die ein reines Organisationsstatut darstellt, enthalten heute sämtliche ↑Landesverfassungen G., teils durch schlichte Inkorporierung der G. des GG. Die vorgrundgesetzlichen Landesverfassungen in den westlichen Besatzungszonen der Jahre 1946 und 1947 (Baden, Bayern, Bremen, Hessen, Rheinland-Pfalz, Württemberg-Baden und Württemberg-Hohenzollern) spielten für die Formulierung der G. des GG eine nicht zu unterschätzende Rolle, wenn auch just die in ihnen verbreitete sozialgestalterische Tendenz im Parlamentarischen Rat keinen Widerhall fand. Soweit Landes-G. Bundesrecht widersprechen, sind sie (bundes)verfassungswidrig (Art. 31 GG); Art. 142 GG bestimmt zusätzlich, dass Landes-G., die inhaltlich übereinstimmend mit den G.n des GG Verbürgungen aussprechen, in Kraft bleiben. Der verdrängenden Dominanz und dem unitarisierenden Sog der Bundes-G. können die Landes-G. im Wesentlichen nur dort entkommen, wo es sich wie im Schul- und Hochschulbereich um ausschließliche Landesgesetzgebungszuständigkeiten handelt, oder, soweit die Landesverfassungen über die Gewährleistungen des GG hinausgehende soziale G. verbürgen; freilich ist insoweit der Vorrang sämtlichen Bundesrechts vor Landes(verfassungs)recht gemäß Art. 31 GG zu beachten. Zwar besitzen mittlerweile alle 16 Bundesländer Verfassungsgerichte, doch nur 11 von ihnen (nicht: Bremen, Hamburg, Niedersachsen, Nordrhein-Westfalen, Schleswig-Holstein) kennen das Verfahren der Verfassungsbeschwerde, mit der der Einzelne Verletzungen eigener G. durch die Landesstaatsgewalt rügen kann.

2.4 Grundrechte in der DDR
In der SBZ (1945–49) und in der ↑DDR (1949–1990) enthielten zwar sämtliche Landesverfassungen der Jahre 1946–47 (Mark Brandenburg, Land Mecklenburg, Provinz Sachsen-Anhalt, Land Sachsen, Land Thüringen) und auch die Verfassungen der DDR aus den Jahren 1949 sowie 1968/74 nominell G.s-Gewährleistungen. Diese waren indes nicht in einem freiheitlich-verfassungsstaatlichen Sinne effektiv: Einerseits ließ der Führungsanspruch der SED einen Selbstand des (Verfassungs-)Rechts nicht zu, andererseits wurde die G.-Freiheit nicht in einem negativen Sinne („Freiheit *vom* Staat") verstanden, sondern in einem positiven, G. und Grundpflichten verschmelzenden Sinne („Freiheit *zum* Staat"). Der Verfassungsentwurf des Runden Tisches aus dem April 1990, der in seinem 1. Kapitel „Menschen- und Bürgerrechte" (Art. 1–40) regelte, entfaltete infolge der Wiedervereinigung am 3.10.1990 keine nachhaltige Wirkung mehr.

2.5 Unionsgrundrechte und
Gewährleistungen der EMRK
In Deutschland, genauer: in der Reichweite der deutschen Rechtsordnung, gelten neben den Bundes- und Landes-G.n G. und grundrechtsähnliche Gewährleistungen überstaatlicher Provenienz.

a) Unions-G.: Da sind zum einen die Unions-G., die als – supranationales – Unionsprimärrecht unmittelbar und vorrangig vor grundsätzlich allem nationalen Recht anzuwenden sind. Unions-G. fließen nach Art. 6 EUV aus zwei Quellen: Zum einen sind sie – die Rechtsfortbildung des ↑EuGH in den Rang einer Gründungsvertragsnorm erhebend – gewährleistet als ↑Allgemeine Rechtsgrundsätze des Unionsrechts, wie sie in der EMRK garantiert sind und sich aus den gemeinsamen Verfassungsüberlieferungen der Mitgliedstaaten qua wertender Verfassungsvergleichung ergeben (Art. 6 Abs. 3). Und zum anderen sind sie in der seit dem Inkrafttreten des Vertrags von Lissabon 2009 geltenden Charta der Grundrechte der EU (EuGRC) von 2000 niedergelegt (Art. 6 Abs. 1). Solange die ↑EU der EMRK noch nicht beigetreten ist – was der EuGH derzeit für mit dem Wesen der Union unvereinbar hält (EuGH, Gutachten 2/13 vom 18.12.2014) –, gilt die EMRK noch nicht unmittelbar im Unionsrecht (vgl. Art. 6 Abs. 2). Die Unions-G. binden indes nur die Organe der Union selbst und „die Mitgliedstaaten ausschließlich bei der Durchführung des Rechts der Union" (Art. 51 Abs. 1 Satz 1 EuGRC). Der Schutz des Einzelnen durch die Unions-G. gewährleistet einen dem GG „im wesentlichen vergleichbaren Grundrechtsschutz" (Art. 23 Abs. 1 Satz 1 GG; vgl. BVerfGE 73, 339; 102, 147). Hinzutreten als binnenmarktspezifische Unions-G. die sog.en Markt- oder Grundfreiheiten (Art. 34, 45, 49, 56 und 63 AEUV) (s. a. 1.2 b) und 4.).

b) EMRK: Neben supranationalen G.n binden – internationale – Menschenrechtskonventionen die deutsche Staatsgewalt, soweit und solange Deutschland Vertragsstaat der betreffenden Konvention ist. Dies betrifft bspw. die ↑ESC von 1961, die UN-Pakte über bürgerliche und politische sowie über wirtschaftliche, soziale und kulturelle Rechte von 1966, die UN-Kinderrechtekonvention von 1989 oder die UN-Behindertenrechtskonvention von 2006. Derlei Menschenrechtsverbürgungen genießen in der deutschen Rechtsordnung indes nur den Rang des Transformations- oder Zustimmungsgesetzes (Art. 59 Abs. 2 GG), stehen also im Rang eines Bundesgesetzes, so dass sie den Bundesgesetzgeber nicht binden.

Dies gilt im Ausgangspunkt auch für die einen menschenrechtlichen Mindeststandard für die Staaten des ↑Europarates sichernde EMRK von 1950 (mit ihren derzeit 14 Zusatzprotokollen). Diese steht allerdings aufgrund des ihr eigenen, in globalem Maßstab einmalig weitreichenden, dichten und effizienten Rechtschutzsystems (↑EGMR) der Bedeutung verfassungsgerichtlich effektuierter G. in einem Verfassungsstaat im Grundsatz nicht nach. Dies hat das BVerfG dazu veranlasst, unter Hinweis auf die „Völkerrechtsfreundlichkeit des Grundgesetzes" und dessen Bekenntnis zu den Menschenrechten in Art. 1 Abs. 2 GG die EMRK-Verbürgungen im Rahmen des methodisch Zulässigen als auslegungsleitende Aspekte bei der Deutung der G. des GG zu betrachten (BVerfGE 128, 326); auf diesem Weg erwachsen ihre Gewährleistungsinhalte als G.s-Gehalte in (Bundes-)Verfassungsrang.

3. Grundrechtsdogmatik unter dem Grundgesetz

3.1 Grundrechtsdogmatik und BVerfG
Die nicht nur im europäischen, sondern auch im weltweiten Maßstab herausragende juristische Bedeutung und politische Strahlkraft der G. des GG ist Ausdruck und Folge eines Denkens von der Verfassung her, welches die BRD in bes.r Weise kennzeichnet. Diese Verfassungsorientierung von ↑Recht, ↑Politik und ↑Wissenschaft markiert ihrerseits einen unverzichtbaren Katalysator einer Entwicklung, die als zunehmende ↑Konstitutionalisierung der Rechtsordnung teils begrüßt, teils aber auch kritisch begleitet wird.

Das Medium, kraft dessen die Verfassungs-, näherhin: die G.-Orientierung des Rechtsdenkens in praxi bewerkstelligt und sichergestellt wird, sind nicht die G. als solche, sprich: in ihrer lapidaren Textgestalt, sondern sind die G., wie sie in der (G.-)Dogmatik systematisch entfaltet und damit gleichsam wissenschaftlich veredelt werden. Unter Rechtsdogmatik (↑Dogmatik) ist jene im deutschsprachigen Raum entwickelte juristische Kerndisziplin zu verstehen, die mit wissenschaftlichem, und d. h. insb. systematischem Konsistenzanspruch Antwort auf die Frage gibt, was das geltende Recht verlangt, verbietet oder ermöglicht; sie ist also eine die Rechtsanwenderperspektive einnehmende juristische Gebrauchs- oder auch Entscheidungs(hilfe)disziplin, die ↑Rechtswissenschaft und Rechtspraxis verklammert.

Mit dem vom GG geschaffenen und mit einer beispiellosen Kompetenzfülle ausgestatteten ↑BVerfG steht erstmals in der deutschen ↑Verfassungsgeschichte ein – sich gegen alle anfänglichen Widerstände aus der Politik und der etablierten ↑Gerichtsbarkeit durchsetzender – Hüter der Verfassung (und damit auch der G.) bereit, der in einer zupackenden ↑Rechtsprechung die G. in einem immer weiter sich ausdifferenzierenden und ausgreifenden Gewährleistungssystem dogmatisch auffächert und die G.s-Orientierung der Rechtsordnung im Übrigen, ↑Gesetzgebung, ↑Verwaltung und Rechtsprechung gleichermaßen umfassend, sichert und überwacht. Zusammen mit der auf eine größtmögliche Wirksamkeit der G. zielenden extensiven Auslegung der grundrechtlichen Gewährleistungsgehalte, die mit einer entspr.en Ausdehnung der Eingriffsrechtfertigungen einhergeht, ist es insb. die Propagierung einer von allen grundrechtsgebundenen Gewalten zu vollziehenden verfassungs- bzw. grundrechtskonformen Auslegung allen unterverfassungsgesetzlichen Rechts, die, prozessual flankiert durch die Urteilsverfassungsbeschwerde sowie die abstrakte und konkrete Normenkontrolle, zur Konstitutionalisierung der Rechtsordnung beiträgt. Auslegung und Anwendung der G. folgen einer immer stärker die Rechtsordnung auch im Detail und im Einzelfall durchdringenden Logik einer auf Dauer gestellten G.s-Expansion. Die „Allbezüglichkeit" (Hollerbach 1969: 37) der G. führt dazu, dass nahezu jede Rechtsfrage sich als G.s-Frage reformulieren lässt – und damit die Eignung besitzt, vor das BVerfG gebracht zu werden. Der imponierende Bedeutungsaufstieg der Verfassung im Allgemeinen und der G. im Besonderen – das Diktum von der „Grundrechtsrevolution" (Möllers 2009: 73) geht um – ist daher untrennbar verbunden mit der Einrichtung und dem Wirken des BVerfG. Die Karlsruher Rechtsprechung, die mittlerweile über 220 000 erledigte Verfahren umfasst (1951–2016), davon mehr als 215 000 Verfassungsbeschwerden, ist denn auch der eigentliche Autor der grundgesetzlichen G.s-Dogmatik; wer von letzterer spricht, meint erstere.

3.2 Grundrechtstheorie und Grundrechtspraxis
Unter G.s-Theorie wird zweierlei verstanden: zum einen die den G.n gewidmete Teildisziplin der Verfassungstheorie und zum anderen jede Gesamtsicht von G.n, die, von einem Hauptzweck der G.s-Verbürgung ausgehend, Auslegung und Anwendung der einzelnen G. anleitet.

Als Teilmenge der Verfassungstheorie zielt die G.s-Theorie – die anwendungsorientierte G.s-Dogmatik ergänzend und anleitend – darauf, die G. nach ihrem das positive Recht (↑Rechtspositivismus) transzendierenden Grund und Sinn zu befragen, aus den positivrechtlichen Einzelverbürgungen eine Sinn(vermittlungs)einheit zu extrapolieren und die positivierten G. an metapositiven G.s-Idealen zu messen bzw. die G. unterschiedlicher Rechtsordnungen vergleichend zu untersuchen. Die G.s-Theorie figuriert darüber hinaus als

Lehre von den Bedingungen grundrechtlicher Sinnerfüllung, wenn sie einerseits danach fragt, welche tatsächlichen, nicht normierten Voraussetzungen erfüllt sein müssen, damit von G.s-Verbürgungen effektiv Gebrauch gemacht werden kann (sog.e G.s-Voraussetzungen), und andererseits danach, in welcher Weise von den G.n Gebrauch gemacht werden solle, damit diese sowohl ihre freiheits- oder gleichheitsverbürgende als auch ihre gemeinwesenstabilisierende Wirkkraft am stärksten entfalten (sog.e G.s-Erwartungen).

Bezeichnet G.s-Theorie hingegen nicht eine eigene (Teil-)Disziplin, sondern jede „systematisch orientierte Auffassung über den allgemeinen Charakter, die normative Zielrichtung und die inhaltliche Reichweite der Grundrechte" (Böckenförde 1974: 1529), können zahlreiche G.s-Theorien unterschieden werden. Nach einer älteren Typologie ist zu differenzieren zwischen der liberalen oder auch bürgerlich-rechtsstaatlichen, der institutionellen, der Wert-, der demokratisch-funktionalen sowie der sozialstaatlichen G.s-Theorie. Ein jüngerer Ansatz unterteilt die Strömungen der G.s-Deutung in die Prinzipientheorie, die in den G.n Prinzipien im Sinne von Optimierungsgeboten erkennt, den (vorherrschenden) funktionalen G.s-Pluralismus, der von der Konkurrenz mehrerer, nebeneinander stehender G.s-Funktionen ausgeht, und den abwehrrechtlichen Ansatz, der andere G.s-Dimensionen als das Abwehrrecht nur anerkennt, soweit sie verfassungstextlich ausdrücklich vorgesehen sind.

Für die G.s-Praxis, sprich: für Anwendung und Wirkkraft der G. im Rechtsalltag, spielt die G.s-Theorie in beiden Lesarten neben und in der G.s-Judikatur des BVerfG keine wirklich selbständige, gar entscheidungsleitende Rolle. Gegen (dogmatische Begründungen in) Entscheidungen des BVerfG wird ein grundrechtstheoretischer Einwand regelmäßig kein Gehör finden: Verfassungsorgane, Gerichte und Behörden sind an Entscheidungen des BVerfG gebunden (§ 31 Abs. 1 BVerfGG), und die Staatsrechtslehre verhält sich, schon um ihrer Praxisorientierung willen, alles in allem bundesverfassungsgerichtspositivistisch. Die Vorreiterrolle in Sachen G.s- und Verfassungstheorie, die der Weimarer Staatsrechtslehre zugeschrieben wird (ohne dass diese jedoch relevanten rechtspraktischen Einfluss gehabt hätte), hat die Verfassungsrechtswissenschaft weitgehend zugunsten des BVerfG eingebüßt. Das BVerfG selbst hat sich indes keiner bestimmten G.s-Theorie angeschlossen oder gar unterworfen; wenn überhaupt, pflegt es in puncto G.s-Theorie – nicht anders als in puncto G.s-Interpretationsmethode – einen richterlich-pragmatischen, okkasionalistisch-eklektizistischen Stil. Ort und Aufgabe von G.s-Theorie ist damit – neben der G.s-Politik – in erster Linie die um möglichste Rationalisierung des G.s-Umgangs bemühte grenzüberschreitende wissenschaftliche G.s-Reflexion und -kommunikation.

3.3 Gewährleistungsdimensionen

Herkömmlich werden, je nachdem, zu welcher Reaktion die G. den Staat verpflichten (oder auch nur ermächtigen) und welche Art Anspruch die G. dem G.s-Berechtigten dem Staat gegenüber verleihen, unterschiedliche (Gewährleistungs-)Dimensionen oder auch Funktionen der G. – als Freiheitsrechte – hervorgehoben. Als klassische und primäre G.s-Funktion gilt jene, die das G. als Abwehrrecht des Einzelnen gegen staatliche Eingriffe deutet. In ihr erkennt man das den ↑Rechtsstaat kennzeichnende „Verteilungsprinzip – prinzipiell unbegrenzte Freiheit des Einzelnen, prinzipiell begrenzte Machtbefugnis des Staates –" (Schmitt 1928: 126 f.). Mit der negatorischen Verpflichtung des Staates, nicht ohne Rechtfertigung die Selbstbestimmung seiner Bürger zu beschränken, lässt sich, so unverzichtbar wie die abwehrrechtliche Prägung auch ist, ein auf einen effektiven Freiheitsschutz bedachtes modernes G.s-Verständnis aber nicht hinreichend und vollständig erfassen.

In seinem für die gesamte weitere G.s-Entwicklung richtungweisenden „Lüth-Urteil" aus dem Jahr 1958 hat das BVerfG schon früh betont, dass sich „in den Grundrechtsbestimmungen des Grundgesetzes [...] auch eine objektive Wertordnung [verkörpert], die als verfassungsrechtliche Grundentscheidung für alle Bereiche des Rechts gilt" (BVerfGE 7, 198). In dem Maße, in dem der moderne Staat sich der sozialen Sicherung und kulturellen Förderung der Bürger zuwende, forderten die G. neben der Freiheit *vom* Staat die Freiheit(sermöglichung und -sicherung) *durch* den Staat. Unter dem wenig glücklichen Label „objektiv-rechtlicher" oder auch „objektiver" G.s-Funktionen (die nämlich allesamt im Grundsatz subjektive Individualrechtspositionen umschreiben) hat das BVerfG unter weitgehender Zustimmung der Staatsrechtslehre G.n – derivative, nicht originäre – Teilhaberechte (vgl. BVerfGE 33, 303), ↑Einrichtungs- (vgl. BVerfGE 24, 367) sowie Organisations- und Verfahrensgarantien (vgl. BVerfGE 53, 30; 69, 315) entnommen; der an den Gesetzgeber adressierte Ausgestaltungsauftrag (vgl. BVerfGE 57, 295) sowie die auch von Exekutive und namentlich Judikative zu aktualisierende Ausstrahlungswirkung der G.e auf Auslegung und Anwendung des sog.en einfachen Rechts (vgl. BVerfGE 7, 198) können hier ebenfalls genannt werden. Am nachhaltigsten dürfte sich die Anerkennung der grundrechtlichen Schutzpflicht des Staates, sich schützend und fördernd vor die Freiheit des Einzelnen zu stellen (vgl. BVerfGE 39, 1; 88, 203), auf das G.s-Gefüge ausgewirkt haben; das BVerfG liest sie in Reaktion auf die Gefährdung der Freiheit des Einzelnen nicht unmittelbar durch den Staat, sondern durch den nicht G.s-gebundenen, vielmehr seinerseits G.s-berechtigten Nebenmenschen aus (einzelnen) G.n heraus. In jüngerer Zeit zeigen sich – derzeit in ihrer Wirkung auf das G.s-Gefüge noch schwer abzuschätzende – Tendenzen, auf der Basis eines ausgreifenden Antidiskriminierungsansatzes den G.s-Schutz von den Freiheitsrechten hin zu den Gleichheitsrechten zu verschieben oder doch den Unterschied zwischen beiden G.s-Arten zu verschleifen.

Wenngleich die vorgenannten Wirkweisen der G. teilweise auf Kritik aus der Verfassungsrechtswissenschaft gestoßen sind und stoßen und sie sich schwerlich in einem einheitlichen und überschneidungsfreien, stimmigen und vollständigen System von G.s-Funktionen einfangen lassen (was das BVerfG indes auch nicht behauptet), finden sie weiterhin in der G.s-bezogenen Rechtsprechung sowohl des BVerfG als auch der Fachgerichte Verwendung. Dies erscheint so lange als dogmatisch unbedenklich (und als heuristisch hilfreich), als die in concreto erfolgende Qualifizierung als Abwehrrecht, als Schutzpflicht oder als sonstiges Leistungsrecht zur Beschreibung und Einordnung, aber nicht zur eigentlichen Begründung des betreffenden Gewährleistungsgehalts dient.

3.4 Grundrechtsberechtigte und -verpflichtete
Das G.s-Verhältnis besteht zwischen demjenigen, dessen Freiheit oder Gleichheit geschützt wird, und demjenigen, vom dem ersterer diesen Schutz einfordern kann, kurz: zwischen G.s-Berechtigtem (G.s-Träger) und G.s-Verpflichtetem.

a) G.s-Berechtigte: Das GG kennt keine einheitliche Bestimmung der G.s-Berechtigung. Wenn gesagt wird, dass die G. des GG Freiheit und Gleichheit des Einzelnen gegen den Staat schützen, handelt es sich um eine zwar griffige und einprägsame, aber doch verkürzende und ungenaue Redeweise. Bei jedem G. ist gesondert zu bestimmen, wer sein Träger ist, was nicht ausschließt, dass sich Regelhaftigkeiten bei der Zuweisung der G.s-Berechtigung benennen lassen.

Die G.e richten sich zunächst an *natürliche Personen*. Eine wichtige Grundunterscheidung ist jene zwischen Jedermann- und Deutschen-G.n: Während Jedermann-G. – wie bspw. die Allgemeine Handlungsfreiheit, das Recht auf Leben und körperliche Unversehrtheit oder die Meinungsäußerungsfreiheit (Art. 2 Abs. 1, Art. 2 Abs. 2 Satz 1, Art. 5 Abs. 1 Satz 1: „Jeder hat das Recht …") oder die ↑Kunst- und ↑Wissenschaftsfreiheit (Art. 5 Abs. 3 Satz 1: „Kunst und Wissenschaft … sind frei.") oder die Eigentums- und Erbfreiheit (Art. 14 Abs. 1 Satz 1: „Das Eigentum und das Erbrecht werden gewährleistet.") oder das ↑Petitionsrecht (Art. 17: „Jedermann hat das Recht …") oder der allg.e Gleichheitssatz (Art. 3 Abs. 1: „Alle Menschen …") – jeder natürlichen Person ohne weiteres zustehen, knüpfen die Deutschen-G. – wie namentlich die ↑Versammlungs-, die ↑Vereinigungs- oder die ↑Berufsfreiheit (Art. 8 Abs. 1, Art. 9 Abs. 1, Art. 12 Abs. 1 Satz 1: „Alle Deutschen haben das Recht …") oder die ↑Freizügigkeit (Art. 11 Abs. 1: „Alle Deutschen genießen …") – die G.s-Berechtigung an die Deutscheneigenschaft i. S. d. Art. 116 Abs. 1 GG. Ausländer können sich zwar nicht auf Deutschen-G. berufen; ihnen steht aber der – freilich schwächere – Schutz des Auffang-G.s der All-

gemeinen Handlungsfreiheit gem. Art. 2 Abs. 1 GG zur Verfügung. Abweichendes ergibt sich für nichtdeutsche Unionsbürger, die vom unionsrechtlichen Verbot der ↑Diskriminierung aus Gründen der ↑Staatsangehörigkeit (Art. 18 AEUV) profitieren: Das Unionsrecht zwingt indes nicht dazu, die expliziten Deutschen-G. zu Unionsbürger-G.n umzuinterpretieren; ihm kann vielmehr auch, ohne dem GG interpretatorische Gewalt anzutun, dadurch Rechnung getragen werden, dass die unionsrechtlichen Vorgaben im Rahmen der Eingriffsrechtfertigung in Bezug auf Art. 2 Abs. 1 GG in der Weise Rechnung getragen wird, dass die Allgemeine Handlungsfreiheit im Effekt keinen geringeren Schutz verbürgt als das andernfalls einschlägige Deutschen-G.; eine Unionalisierung der staatsbürgerlichen Mitwirkungsrechte lässt sich auf diesem Wege jenseits des unionsrechtlich statuierten (vgl. Art. 20 Abs. 2 Satz 2 lit. b AEUV) Kommunalwahlrechts (vgl. Art. 28 Abs. 1 Satz 3 GG) nicht erreichen. – Wie das ↑Elternrecht aus Art. 6 Abs. 2 Satz 1 („Eltern"), das Asylrecht gem. Art. 16a („Politisch Verfolgte") oder das Misshandlungsverbot des Art. 104 Abs. 1 Satz 2 („festgehaltene Personen") belegen, kann die G.s-Berechtigung aber auch von anderen Merkmalen und Eigenschaften abhängig gemacht sein. Dass jemand in einem bes.n Näheverhältnis zum Staat („Sonderstatusverhältnis") steht, etwa als Schüler, ↑Beamter oder Strafgefangener, tangiert seine G.s-Berechtigung dagegen nicht; die Funktionsnotwendigkeiten der jeweiligen Institution (bspw. Schule, ↑öffentlicher Dienst, ↑Strafvollzug) können aber ein höheres Maß an Einschränkungen rechtfertigen. Zwar schließen sich die Ausübung von Staatsgewalt und die Wahrnehmung von G.n aus; das schließt aber, wie das Beispiel der ein islamisches Kopftuch tragenden Lehrkraft zeigt, nicht aus, dass bei Gelegenheit der Ausübung von Staatsgewalt auch G. ausgeübt werden können (vgl. BVerfGE 138, 296).

Das GG kennt keine Abstufungen der G.s-Berechtigung; es gilt ein Alles-oder-Nichts. Minderjährigkeit mindert die G.s-Berechtigung nicht; daher sind auch Kinder selbstverständlich und ungeschmälert Träger von G.n. Davon zu unterscheiden ist die Frage, ob Kinder ihre G. selbst, d. h. ohne fremde (typischerweise: elterliche) Hilfe auszuüben vermögen. Das hängt davon ab, ob sie bereits über die tatsächliche G.s-Wahrnehmungsfähigkeit verfügen: solange ein Mindestmaß an Reflexionsfähigkeit und Verantwortungsbewusstsein fehlt, können Selbstbestimmungsbefugnisse von Rechts wegen nicht kraft eigenen Willens wahrgenommen werden.

Die G.s-Berechtigung natürlicher Personen fängt grundsätzlich mit der Geburt an und endet mit dem Tod. Umstritten und für Fragen der Pränatal- wie der Präimplantationsmedizin von nicht zu unterschätzender Bedeutung ist, ob und inwieweit pränatalem menschlichem Leben G.s-Trägerschaft zukommt. Unstreitig steht jedes menschliche Leben, auch das vorgeburtliche (mit der Verschmelzung von Ei- und Samenzelle), unter dem Schutz der Menschenwürde (Art. 1 Abs. 1). Das BVerfG bejaht eine staatliche Schutzpflicht für das ungeborene Leben (aus Art. 2 Abs. 2 Satz 1 i. V. m. Art. 1 Abs. 1), lässt dabei aber offen, ob es sich um eine den Staat lediglich objektiv treffende Pflicht handelt oder ob der *nasciturus* selbst G.s-Träger dieser Schutzpflicht ist (vgl. BVerfGE 39, 1; 88, 203). Das BVerfG nimmt, ebenfalls gestützt auf die Menschenwürde, einen – freilich mit zunehmender Zeit abnehmenden – postmortalen Persönlichkeitsschutz an (vgl. BVerfGE 30, 173); dies wird kritisiert unter Hinweis darauf, dass hier – anders als beim pränatalen Leben – kein menschliches Leben mehr gegeben sei, an das der Schutz der Menschenwürde anknüpfen könne.

Art. 19 Abs. 3 erstreckt die G.s-Berechtigung auf *„inländische juristische Personen, soweit* [die G.] *ihrem Wesen nach auf diese anwendbar sind"*. Das GG verwendet hier nicht den sonst üblichen Begriff der ↑juristischen Person, der („Voll-")Rechtsfähigkeit inklusive Prozessfähigkeit fordert; vorausgesetzt wird lediglich eine rechtlich gegenüber ihrem personellen Substrat verselbständigte Organisation, so dass sogar nicht rechtsfähige ↑Vereine als „juristische Personen" i. S. v. Art. 19 Abs. 3 gelten können. Die G.s-Berechtigung juristischer Personen hängt, anders als häufig insinuiert, nicht an der privatrechtlichen oder öffentlichrechtlichen Organisationsform – mit der Konsequenz, dass privatrechtliche juristische Personen am G.s-Schutz teilhätten, öffentlichrechtliche hingegen nicht –, sondern daran, ob in ihnen G.s-Substanz organisiert ist oder aber ob sie Trabanten der G.s-gebundenen Staatsgewalt darstellen. So fehlt juristischen Personen des ↑Privatrechts, die im Alleineigentum des Staates stehen (wie etwa die Deutsche Bahn AG) oder aber von der öffentlichen Hand beherrscht werden (wie etwa die Fraport AG), rundweg die G.s-Berechtigung (vgl. BVerfGE 128, 226), indes sie den Universitäten ([nur] für die Wissenschaftsfreiheit, Art. 5 Abs. 3 Satz 1), den Rundfunkanstalten ([nur] für die Rundfunkfreiheit, Art. 5 Abs. 1 Satz 2 2. Alt.) und den mit Körperschaftsstatus ausgestatteten Religionsgesellschaften jeweils ungeachtet ihres Status als Körperschaften des öffentlichen Rechts zusteht. Eine Ausnahme von dem Grundsatz, dass der Staat sich „wesensmäßig" nicht auf G. berufen kann, wird für die Verfahrens-G., insb. das Recht auf den ↑gesetzlichen Richter (Art. 101 Abs. 1 Satz 2) und auf ↑rechtliches Gehör (Art. 103 Abs. 1), angenommen – dies freilich mit der kuriosen Konsequenz, dass die organisierte Staatsgewalt insoweit auch eine Verfassungsbeschwerde erheben könnte.

Ausländische juristische Personen sind von der G.s-Erstreckung des Art. 19 Abs. 3 nicht erfasst. Dies soll infolge des Anwendungsvorrangs der Grundfreiheiten im Europäischen Binnenmarkt und des allg.en Diskriminierungsverbots wegen der Staatsangehörigkeit (Art. 26 Abs. 2, Art. 18 AEUV) für juristische Personen, die ihren (Haupt-)Sitz in einem anderen EU-Mitgliedstaat haben, anders sein (vgl. BVerfGE 129, 78); sogar einer erwerbswirtschaftlich tätigen inländischen juristischen Person des Privatrechts, die vollständig von einem anderen EU-Mitgliedstaat getragen wird, gesteht das BVerfG mit Rücksicht auf die „Europarechtsfreundlichkeit des Grundgesetzes" in Ausnahmefällen eine Berufung auf die Eigentumsfreiheit zu (BVerfGE 143, 246 [„Vattenfall"]).

b) G.s-Verpflichtete: Anders als die G.s-Berechtigung bestimmt das GG die G.s-Verpflichtung einheitlich: Gemäß Art. 1 Abs. 3 ist alle staatliche Gewalt, gleichviel ob in gesetzgebender, vollziehender oder rechtsprechender Gestalt, ob als Bundes-, Landes- oder Kommunalgewalt, ob in Organisations- und Handlungsformen des öffentlichen (↑Öffentliches Recht) oder des Privatrechts an die G. gebunden. Jedes rechtserhebliche Tun oder Unterlassen, welches dem durch das GG konstituierten Staat zurechenbar ist, unterliegt der G.s-Bindung; damit entspr. die Reichweite der G.s-Bindung im Wesentlichen jener des Gebotes demokratischer ↑Legitimation aller Staatsgewalt (Art. 20 Abs. 2). Privatrechtssubjekte sind danach G.s-Verpflichtete, wenn sie entweder organisationsrechtliche Ausgliederungen staatlicher Gebietskörperschaften (Bund, Land, Kommune) sind – sei es als Träger mittelbarer Staatsverwaltung (z. B. Sozialversicherungsträger), sei es als öffentliche Wirtschaftsunternehmen in Privatrechtsform (z. B. Fraport AG, vgl. BVerfGE 128, 226) – oder aber, wenn und soweit ihnen – wie bei Beliehenen – die Ausübung hoheitlicher Gewalt übertragen worden ist (z. B. TÜV). Nicht der Bindung an die G. des GG unterliegt demgegenüber die Ausübung von Hoheitsgewalt durch fremde Staaten, durch internationale Organisationen (↑UNO, ↑NATO) und durch die Organe der EU; die G.s-bezogenen Anforderungen an deren Tätigkeit in Deutschland werden vielmehr durch Art. 23 und 24 bestimmt (im Wesentlichen vergleichbarer G.s-Standard). Bei der Umsetzung oder Ausführung von Unionsrecht (z. B. Richtlinien) wie bei der Mitwirkung an der Schaffung von Unionsrecht (z. B. im Ministerrat) sind Träger deutscher Staatsgewalt selbstverständlich nach dem GG grundrechtsgebunden. Bei Auslandssachverhalten ist deutsche Staatsgewalt – in Übereinstimmung mit der Personalhoheit – an die G. des GG gebunden, wenn und soweit die fraglichen Ausländer Adressaten (und nicht bloß faktisch Betroffene) deutscher Staatsgewalt sind.

Private sind als solche demgegenüber nicht grundrechtsverpflichtet. Die einzige verfassungsausdrückliche Ausnahme wird für Art. 9 Abs. 3 Satz 2 (Abreden, die gegen die Koalitionsfreiheit verstoßen) angenommen. Dies gilt ungeachtet der sozialen Mächtigkeit, die Private gegebenenfalls im Verhältnis zu anderen Privaten zu entfalten vermögen. Das BVerfG hat bereits 1958 im „Lüth-Urteil" der G.s-Bindung Privater (unter dem Label der „unmittelbaren Drittwirkung der Grundrechte im Privatrecht" [repräsentativ: Nipperdey 1961]) eine klare Absage erteilt (BVerfGE 7, 198). Die stattdessen favorisierte These von der *„mittelbaren Drittwirkung"* der G. (repräsentativ: Dürig 1956) hat indessen zu einer Reihe von Fehlvorstellungen und Missverständnissen Anlass gegeben. Demgegenüber gilt es festzuhalten: G. können Privaten (nota bene: soweit sie keine Staatsgewalt ausüben) niemals entgegengehalten werden; diese sind vielmehr ihrerseits G.s-Berechtigte; im Bürger-Bürger-Verhältnis gelten die G. nicht; exklusiver Verpflichteter der G. ist die Staatsgewalt. Am Beispiel des sog.en Elternrechts (Art. 6 Abs. 2 Satz 1) lässt sich die Wirkung von G.n im Privatrecht verdeutlichen: Zwar verbürgt das GG den Eltern in Bezug auf ihr Kind den Vorrang vor allen – auch privaten – Miterziehern und Mitpflegern; dies können die Eltern aber nur dem staatlichen Miterzieher entgegenhalten, weil die privaten Miterzieher nicht aus Art. 6 Abs. 2 selbst verpflichtet werden; verpflichtet zur Umsetzung der G.s-Gewährleistung ist „lediglich" der Staat; von *ihm* können die Eltern verlangen, eine Regelung der elterlichen Sorge (im BGB, ↑Elterliches Sorgerecht) vorzusehen, die es ihnen ermöglicht, sich – im Rahmen des ↑Kindeswohls – auch gegen Miterzieher ihrer Kinder durchzusetzen. Die in Art. 6 Abs. 2 enthaltene sachliche Verbürgung ist hier zwar mediatisiert durch das BGB; von einer „mittelbaren Drittwirkung" des G.s zu sprechen, verdunkelt aber eher den Sachverhalt und lädt zu vermeidbaren Missdeutungen ein.

3.5 Grundrechte und Gesetzesrecht

G. sind, wie die Bindung aller staatlichen Gewalt (Art. 1 Abs. 3) zum Ausdruck bringt, zuvörderst Maßstabsrecht: Maßstab für sonstiges staatliches Recht. In der vom GG konstituierten parlamentarischen Demokratie steht insoweit das Verhältnis der G. zum Parlamentsgesetz im Mittelpunkt des Interesses. Das Verhältnis beider lässt sich mit dem Vorrang der G. – sprich: deren größerer Rechtsdurchsetzungsmacht gegenüber dem Gesetz – allein nicht zureichend und vollständig beschreiben, sondern ist deutlich vielfältiger. Denn G. sind nicht nur höchstrangige, sondern zugl. zu erheblichen Teilen der Konkretisierung durch Gesetze bedürftige Rechte.

a) Vorrang nach Geltung und nach Genese: Eine bes. geartete Gesetzesabhängigkeit der G. besteht darin, dass das GG vielfach Rechtsinstitute und Rechtsbegriffe nicht völlig neu erfunden, sondern vielmehr insoweit an das tradierte Verständnis im Gesetzesrecht angeknüpft hat. Das gilt in jeweils gesondert zu bestimmendem Umfang und, um nur wenige Beispiele zu nennen, für ↑Ehe und ↑Familie ebenso wie für ↑Eigentum und ↑Erbrecht. Dass den G.n gegenüber dem Gesetz die höhere Rechtsverdrängungsmacht zukommt, sich also das Gesetz an den G.n auszurichten hat, verträgt sich daher sehr wohl mit dem Umstand, dass der Verfassung(sgesetz)geber sich bei der Schaffung von G.n an gesetzesrechtlichen Regelungsvorstellungen ausgerichtet hat.

b) Ausgestaltung und Begrenzung von G.n: G. setzen dem Gesetzesrecht Grenzen. Aber auch das Gesetz schränkt – nota bene: in dem von der Verfassung im Ganzen oder dem G. im Besonderen selbst eingeräumten Umfange – das G.s-Versprechen ein. Dafür hat sich das Dreischritt-Schema von Schutzbereich–Eingriff–Rechtfertigung eingebürgert: Eine G.s-Beschränkung stellt danach keine G.s-Verletzung dar, wenn das grundrechtlich geschützte Verhalten (Schutzbereich) zwar durch die Staatsgewalt beeinträchtigt wird (Eingriff), diese Beeinträchtigung aber auf der Grundlage der vom GG selbst zugelassenen Einschränkungsmöglichkeiten gerechtfertigt werden kann (Rechtfertigung).

Das Gesetzesrecht dient freilich nicht nur der Beschränkung von G.n: es bedarf seiner in vielfältiger Hinsicht, um den G.n allererst zu Wirkung und Entfaltung zu verhelfen. Als Funktion des Gesetzesrechts im Blick auf die G. tritt damit neben die Begrenzung die Ausgestaltung. Wiewohl beide, bezogen auf die Effektuierung der G.s-Gewährleistung, im Verhältnis wechselseitiger Ausschließung stehen, ist ihre Alternativität doch keine (substanziell-)absolute, sondern eine relative (oder auch relationale), sprich: kann das identische Gesetz in unterschiedlichen Konstellationen das eine Mal begrenzende und das andere Mal ausgestaltende Wirkung zeitigen. So kann ein Gesetz, welches die Rechte des Eigentümers definiert, für denjenigen, der bereits vor dessen Erlass Eigentümer war, eine Beschränkung bisheriger Befugnisse darstellen, indes es für denjenigen, der erst nach dem Inkrafttreten des Gesetzes Eigentum erwirbt, den verfassungsrechtlichen Eigentumsschutz erst eröffnet; im ersten Falle handelt es sich um eine Schranken-, im zweiten um eine Inhaltsbestimmung i. S. v. Art. 14 Abs. 1 Satz 2.

Das Ausgestaltungs- und das Begrenzungsregime unterscheiden sich in Bezug auf Notwendigkeit, Art und Maß der Rechtfertigung; so gelten etwa das Verbot des Einzelfallgesetzes, das Zitiergebot und die Wesensgehaltsgarantie (Art. 19 Abs. 1 und 2) für grundrechtsausgestaltende Gesetze nicht. Unzutreffend wäre es freilich, den grundrechtsausgestaltenden Gesetzgeber als frei von grundrechtlichen Vorgaben zu betrachten; auch die G.s-Ausgestaltung muss sich an verfassungsrechtlichen Anforderungen messen lassen, mögen diese auch regelmäßig mehr oder weniger deutlich hinter denen bei G.s-Beschränkungen zurückbleiben. So dürfte wegen des (Wesentlichkeits-)Vorbehalt des Gesetzes nahezu jede G.s-Ausgestaltung ein Gesetz erfordern. Bei manchen Ausgestaltungsmaßnahmen – wie bspw. bei der Inhaltsbestimmung von Eigentum und Erbrecht – ist der Gesetzgeber materiell lediglich an die (für den Einzelnen nur im Extremfalle Schutz entfaltende) Institutsgarantie gebunden. Bei anderen – wie bspw. bei der Wissenschafts- oder der Rundfunkfreiheit oder dem Elternrecht – ist der Gesetzgeber verpflichtet, eine einfachgesetzliche Ausgestaltung zu wählen, die, am Maßstab des Untermaßverbots, eine effektive G.s-Ausübung gewährleistet.

*c) Gesetzesvorbehalt und verfassungsimmanente Schran-
ken:* Die Ermächtigung zur Beschränkung („Schranken")
von G.n variiert von G. zu G. Das GG hat ein differenziertes Schrankenregime vorgesehen. An ausdrücklichen Schranken kennt es neben allg.en grundrechtlichen Gesetzesvorbehalten (z. B. Art. 8 Abs. 2:
„… kann dieses Recht durch Gesetz oder aufgrund eines
Gesetzes beschränkt werden") auch bes. („qualifizierte"), die Beschränkungsvoraussetzungen spezifizierende
Gesetzesvorbehalte (z. B. Art. 5 Abs. 2: „Diese Rechte
finden ihre Schranken in den Vorschriften der allg.en
Gesetze, den gesetzlichen Bestimmungen zum Schutze
der Jugend und in dem Recht der persönlichen Ehre.").
Bei vorbehaltlos gewährleisteten G.n – wie bspw. der
↑Religionsfreiheit –, geht das BVerfG dennoch nicht
von deren Schrankenlosigkeit aus, auch wenn es die
Übertragung von Gesetzesvorbehalten anderer G. ablehnt. Vielmehr unterliegen vorbehaltlos gewährleistete
G. sog.en verfassungsimmanenten G.s-Schranken: Mit
Rücksicht auf die „Einheit der Verfassung" finden (auch)
vorbehaltlos gewährleistete G. ihre Grenze an anderen
im Verfassungsrang verbürgten Rechtspositionen, zu
denen neben G.n auch sonstige Verfassungsgewährleis-
tungen zählen. Es ist eine Frage der – durch Gesetz zu
strukturierenden (Vorbehalt des Gesetzes) und am
Grundsatz der ↑Verhältnismäßigkeit orientierten –
„Herstellung praktischer Konkordanz" (Hesse 1995:
Rn. 72), welcher der konkurrierenden Verfassungsver-
bürgungen auf der Ebene des Gesetzes und/oder der Gesetzesanwendung der Vorrang gebührt (s. a. d).

d) Übermaßverbot und Untermaßverbot: Die regelmäßig wichtigste Kautele bei der Einschränkung von
G.n – Juristen sprechen hier von „Schranken-Schranke"
– ist der *Grundsatz der Verhältnismäßigkeit* (des Mittels
zur Zweckerreichung), der sich in vier Prüfungsstufen
aufgliedern lässt: Erstens muss der Mitteleinsatz einen
erlaubten Zweck verfolgen; bei allg.en Gesetzesvorbehalten ist der Kreis erlaubter Zwecke lediglich negativ,
bei qualifizierten Gesetzesvorbehalten und verfassungsimmanenten G.s-Schranken hingegen positiv (taxativ)
bestimmt. Zweitens darf das Mittel zur Zweckerreichung nicht ungeeignet sein (Geeignetheit). Drittens
darf es unter den – wenigstens – gleicheffektiven Mitteln zur Zweckerreichung kein milderes, d. h. das betroffene G.s-Gut schonenderes als das gewählte geben (Erforderlichkeit). Auf der vierten und letzten Stufe ist zu
prüfen, ob das Eingriffsmittel zum angestrebten Ein-
griffszweck nicht außer Verhältnis steht; das ist dann
der Fall, wenn die durch den Mitteleinsatz verursachten
Einbußen an anderen Rechtsgütern, insb. an dem durch
das betreffende G. geschützten Rechtsgut, nach Maßgabe ihrer Dringlichkeit und Schwere höher zu bewerten sind als der Zuwachs an Schutz für jenes Rechtsgut,
um dessentwillen das betreffende G. eingeschränkt wird
(Verhältnismäßigkeit im engeren Sinne oder auch Übermaßverbot). Ob ein Eingriff verhältnismäßig, d. h. geeignet, erforderlich und nicht übermäßig ist, lässt sich,

da und soweit die Frage auf prognostische und/oder be-
wertende Elemente zielt, nicht selten auf unterschiedliche Weise beantworten; in diesen Konstellationen billigt das BVerfG dem Gesetzgeber einen nur beschränkt
verfassungsgerichtlich überprüfbaren Einschätzungs-,
Bewertungs- und Gestaltungsspielraum zu.

Soweit nicht eine Begrenzung des G.s in Rede steht,
sondern der Gesetzgeber in Wahrnehmung seiner Aus-
gestaltungs- oder insb. seiner Schutzpflicht tätig wird,
entspr. dem Übermaßverbot, welches sich gegen ein Zu-
viel an gesetzgeberischer Aktivität richtet, das sog.e *Untermaßverbot*, welches einem Zuwenig an gesetzgeberischer Aktivität wehren soll. Mit Rücksicht darauf, dass
das Abwehrrecht in Zielsetzung und Inhalt ein bestimmtes staatliches Verhalten verbietet, während die
Schutzpflicht lediglich ein effektives, im Übrigen aber
grundsätzlich unbestimmtes Verhalten fordert, ist hier
der verfassungsgerichtlich nur beschränkt überprüfbare
Prognose-, Einschätzungs- und Gestaltungsspielraum
des in concreto Handelnden regelmäßig größer als bei
der Eingriffsrechtfertigung. „Das Bundesverfassungsgericht kann die Verletzung einer solchen Schutzpflicht
nur feststellen, wenn Schutzvorkehrungen entweder
überhaupt nicht getroffen sind, wenn die getroffenen
Regelungen und Maßnahmen offensichtlich ungeeignet
oder völlig unzulänglich sind, das gebotene Schutzziel
zu erreichen, oder wenn sie erheblich hinter dem
Schutzziel zurückbleiben" (BVerfGE 92, 26).

e) G. und Privatrecht: Ein Sonderregime wird verbreitet für das Verhältnis von G.n und Privatrecht angenommen. Deren bekanntestes Konzept ist jenes von der
„mittelbaren Drittwirkung der Grundrechte im Privatrecht". Nicht selten mischen sich hier auch Vorstellungen
unter, die die Privatautonomie als vorstaatliche und damit den G.n gegenübertretende Rechtsmacht betrachten. Dem kann unter dem GG mit dessen G.s-Verständ-
nis nicht gefolgt werden. Aus G.s-Sicht sind zwei
regelmäßig vermengte Fragen – eine aufs Sachlich-Ge-
genständliche und eine aufs Personelle zielende – strikt
auseinanderzuhalten, nämlich: Steht das Privatrecht unter dem Einfluss der G.? Und: Sind Private in ihrem
Rechtsgebaren an die G. gebunden? Während sich die
zweite Frage rundheraus verneinen lässt, muss die Antwort auf die erste Frage differenziert und alternativ ausfallen: Privatrecht ist – vollumfänglich – an die G. gebunden, soweit es sich um staatlicherseits gesetztes, also
legislatives, exekutives oder judikatives (vgl. Art. 1
Abs. 3) Privatrecht handelt. Plakativ: Das ↑BGB und
die Rechtsprechung des BGH haben die G. – wie alle
sonstige Staatsgewalt auch – zu beachten. Keinerlei
G.s-Bindung unterliegt demgegenüber von Privaten –
in Wahrnehmung der vom staatlichen Gesetz bereitgestellten, überwiegend rechtsgeschäftlichen Optionen
– gesetztes Privatrecht; d. h.: ein Rechtsgeschäft unter
Privaten, bspw. ein Kauf- oder ein Mietvertrag, kann
als solcher nicht an den G.n gemessen werden; diese
können als Maßstäbe nur („mittelbare") Relevanz erhal-

ten, wenn und soweit sie in das Gesetzesrecht – kraft legislativer Entscheidung oder bei dessen Anwendung kraft judikativer Entscheidung – Eingang gefunden haben. Der bisweilen vom BVerfG bemühte Verweis auf die gestörte Vertragsparität (vgl. BVerfGE 81, 242) ist nicht geeignet, daran etwas zu ändern.

f) G.s-konforme Gesetzesauslegung: Ein Schlüsselkonzept bei der G.s-Orientierung (↗Konstitutionalisierung) der Rechtsordnung im Übrigen ist das an alle Staatsgewalt, insb. an jedes Gericht adressierte Gebot sog.er verfassungskonformer – hier: grundrechtskonformer – Gesetzesauslegung. Von mehreren möglichen Gesetzesdeutungen, die teils zu einem verfassungswidrigen, teils zu einem verfassungsmäßigen Ergebnis führten, sei diejenige vorzuziehen, die mit dem GG im Einklang stehe (st. Rspr. seit BVerfGE 2, 266). Voraussetzung dafür sei, dass sich die Gesetzesauslegung im Rahmen des methodisch Zulässigen halte und die prinzipielle Zielsetzung des Gesetzgebers nicht konterkariere. Die grundrechtskonforme Gesetzesauslegung ermöglicht damit eine grundrechtsinduzierte „sanfte" Korrektur des Gesetzesinhalts, ohne dafür den Gesetzgeber bemühen zu müssen. Der daran geäußerte Zweifel, dass es hier in der Sache um eine Spielart der Norm(inhalts)verwerfung (ohne Normtextverwerfung) geht, die ausweislich Art. 100 Abs. 1 dem BVerfG vorbehalten ist, spielt in der Rechtspraxis keine Rolle.

3.6 Grundrechtsschutz durch Verfassungsgerichtsbarkeit

a) Spezialisierte G.s-Gerichtsbarkeit. Die wohl folgenreichste Innovation in Sachen G. nach dem Zweiten Weltkrieg ist es, deren Schutz einer spezialisierten G.s-Gerichtsbarkeit anzuvertrauen, die alle Akte der öffentlichen Gewalt – Parlamentsgesetze und fachrichterliche Entscheidungen eingeschlossen – auf deren G.s-Verträglichkeit hin überprüfen kann. Prototyp eines solchen G.s-Gerichts ist das 1951 eingerichtete BVerfG, dem es rasch gelungen ist, die Verfassung als rechtliche Grundordnung des Gemeinwesens, deren eigentliches Gravitationszentrum die G. markieren, mit justiziell bewehrtem Vorrang vor allem sonstigen (innerstaatlichen) Recht zu etablieren. Die „Ausstrahlungswirkung" der G. (BVerfGE 7, 198) erfasst die Rechtsordnung bis in ihren hintersten Winkel. Ermöglicht wird diese Vergrundrechtlichung des Rechtsdenkens nicht zuletzt durch die drei G.s-Sicherungsverfahren, die es dem BVerfG erlauben, allen staatlichen Gewalten gegenüber die G. in ihrem Gewährleistungsinhalt und ihrer Wirkkraft im und für den Rechtsalltag auszubuchstabieren:

Da ist zunächst die *abstrakte Normenkontrolle* gem. Art. 93 Abs. 1 Nr. 2, in deren Rahmen die Bundesregierung, eine Landesregierung oder ein Viertel der Mitglieder des Bundestages jedes (Bundes- und Landes-)Gesetz u. a. auf seine Vereinbarkeit mit den G.n überprüfen lassen kann, und das, ohne an Fristen gebunden zu sein. Im Rahmen der *konkreten Normenkontrolle* nach Art. 100

Abs. 1 muss jedes Gericht, das ein Gesetz, auf dessen Gültigkeit es bei der eigenen Entscheidung ankommt, für verfassungswidrig hält, das Verfahren aussetzen und die Entscheidung des BVerfG über die Gültigkeit des betreffenden Gesetzes einholen. Erst nach der Entscheidung des BVerfG und auf deren Grundlage wird das Ausgangsverfahren vom vorlegenden Gericht entschieden. Während sämtliche Gerichte infolge ihrer G.s-Bindung die Pflicht haben, die anzuwendenden Gesetze auf ihre Verfassungs-, insb. G.s-Konformität hin zu prüfen (und sie, wenn möglich, auch grundrechtskonform auszulegen, s. dazu 3.5 f), kommt ausschließlich dem BVerfG (und im Rahmen ihrer Kompetenzen den Landesverfassungsgerichten) die Rechtsmacht zu, Gesetze für verfassungswidrig und nichtig zu erklären (Normverwerfungsmonopol). Das dritte und – nicht nur unter quantitativen Auspizien (rund 98 % aller Verfahren beim BVerfG, in den letzten Jahren ca. 6 000 p. a., rechnen hierher) – wichtigste ist jenes der *Verfassungsbeschwerde.* Diese kann jeder G.s-Berechtigte mit der Behauptung erheben, durch die öffentliche Gewalt (Legislative, Exekutive, Judikative) in einem seiner G. oder in Art. 93 Abs. 1 Nr. 4a GG aufgezählten grundrechtsgleichen Rechte (Art. 20 Abs. 4, Art. 33, 38, 101, 103 und 104) verletzt worden zu sein. Richtet sich die Verfassungsbeschwerde gegen einen exekutiven oder judikativen Akt, so bedarf es der vorherigen Erschöpfung des Rechtsweges (vor den regulären Gerichten); es handelt sich dann um eine Urteilsverfassungsbeschwerde. Ist dagegen Gegenstand der Verfassungsbeschwerde ein Gesetz (oder eine Rechtsverordnung), gegen das der (reguläre) Rechtsweg nicht offensteht, so ist die (Rechtssatz-)Verfassungsbeschwerde nur in den seltenen Fällen zulässig, in denen der Beschwerdeführer geltend machen kann, selbst, gegenwärtig und unmittelbar durch den angegriffenen Rechtssatz verletzt zu sein. Wegen der großen Zahl an Verfassungsbeschwerden ist ein Annahmeverfahren vor den bei beiden Senaten gebildeten, jeweils aus drei ↗Richter(innen) bestehenden Kammern eingerichtet worden (vgl. §§ 93a–93d BVerfGG). Rund 99,5 % aller Verfassungsbeschwerden werden endgültig von den Kammern auf der Grundlage der bisherigen Senatsrechtsprechung entschieden. Ungeachtet der insgesamt niedrigen Stattgabequote von 2,3 % (1951–2016) bzw. von 1,99 % (2016) bildet das grundsätzlich jedermann offenstehende Verfassungsbeschwerdeverfahren den Hauptgrund dafür, dass das BVerfG unter den gesellschaftlich relevanten Institutionen seit Jahrzehnten über Spitzen-Beliebtheitswerte verfügt.

b) ↗Verfassungsgerichtsbarkeit und Fachgerichtsbarkeit. Von nicht zu unterschätzender Bedeutung für Gewährleistungsinhalte, Wirkdimensionen und Durchsetzungsstärke der G. ist das Verfahren der Urteilsverfassungsbeschwerde, tritt hier doch das BVerfG in unmittelbaren richterlichen Dialog mit den sog.en Fachgerichten, allen voran den obersten ↗Bundesgerichten (BGH, BVerwG, BAG, BSG, BFH). Die Urteilsverfassungsbeschwerde erlaubt es dem BVerfG, nicht nur das Gesetz, sondern auch dessen Anwendung durch die ihrerseits grundrechtsgebundenen Gerichte, sprich: die Gesetzesauslegung, die Sachverhaltsermittlung und die Subsumtion des Sachverhalts unter die Gesetzesvorgaben, an den Vorgaben der G. zu messen. Um aber nicht die ihm nicht gebührende Rolle eines „Superrevisionsgerichts" zu arrogieren, überprüft das BVerfG fachrichterliche Entscheidungen nur auf die „Verletzung von spezifischem Verfassungsrecht" (BVerfGE 18, 85): Die Gestaltung des Verfahrens, die Feststellung und Würdigung des Sachverhalts, die Auslegung des Gesetzesrechts und dessen Anwendung auf den einzelnen Fall seien grundsätzlich Sache der Fachgerichte; das BVerfG prüfe lediglich, ob Auslegung und Anwendung des einfachen Rechts Fehler enthielten, die auf einer grundsätzlich unrichtigen Anschauung von der Bedeutung der betroffenen G. beruhten, und ob sie willkürlich seien. Damit verfügt das BVerfG über einen Maßstab, der so variabel und flexibel ist, dass damit jedem Bedürfnis, eine Sachentscheidung des BVerfG zur Durchsetzung der G. herbeizuführen, Rechnung getragen werden kann.

4. Europäischer Grundrechtsverbund

Der Menschen- und G.s-Schutz hat in den letzten 50 Jahren einen zuvor ungekannten Bedeutungsaufschwung erlebt. Dieser erfährt seinen kräftigsten Schub aus Europa, wo er sich aus drei sachlich parallel, wenn auch leicht zeitversetzt verlaufenden, sich wechselseitig verstärkenden Entwicklungssträngen speist: Seit den späten 1950er Jahren entfaltet das BVerfG seine G.s-Judikatur. Seit Mitte der 1960er Jahre folgt der EuGH mit der justiziellen Effektuierung der Marktfreiheiten, der ab den frühen 1970er Jahren erste behutsame Ansätze eines richterrechtlich entwickelten G.s-Schutzes folgt, der erst mit dem Inkrafttreten der EuGRC im Jahre 2009 zu den nationalstaatlichen G.s-Kodifikationen aufschließen kann. Der EGMR schließlich, der seit den späten 1950er Jahren Bahnbrechendes, wenn auch zunächst eher für einen Spezialistenkreis Wahrnehmbares für den Menschenrechtsschutz leistet, wächst mit dem Inkrafttreten des 11. EMRK-Zusatzprotokolls im Jahre 1998, welches in einem auf 47 Mitgliedstaaten angewachsenen Europarat das Rechtsschutzssystem umstellt, zu jenem weltweit einmaligen Hüter der Menschenrechte heran, bei dem jährlich mehr als 50 000 Verfahren auflaufen. In Europa herrscht damit die weltweit höchste Menschenrechts- und G.s-Dichte.

In Anlehnung an das Konzept des „Europäischen Verfassungsgerichtsverbundes" (Voßkuhle 2010: 1) lässt sich, terminologisch leicht ungenau, vom Europäischen G.s-Verbund sprechen, der gleichermaßen durch materielle Konvergenz und institutionelle Konkurrenz von internationalem Menschenrechtsschutz (EMRK und EGMR), supranationalem (EuGRC und EuGH) und nationalem G.s-Schutz (für Deutschland: GG und BVerfG) gekennzeichnet ist. Strukturen und Inhalte, Argumente und Ergebnisse des G.s- und Menschenrechtsschutzes auf diesen drei Ebenen gleichen sich, aufs Ganze gesehen, nach und nach spürbar an. Dabei spielen intrinsische Motive, sprich: die rechtsvergleichende Inspiration durch das leistungsfähigere Konzept, eine ebenso große Rolle wie extrinsische Beweggründe, unter denen die Vermeidung von Friktionen und Blockaden zwischen den drei Menschen- und G.s-Schutzregimes die wohl bedeutendste Rolle einnimmt.

Bei aller inhaltlichen Konvergenz und aller institutionellen Rücksichtnahme, die in der Verbund-Semantik zum Ausdruck gelangt, darf jedoch nicht übersehen werden, dass die EMRK, die Unions-G. und die nationalen G. (hier: jene des GG) im Rechtssinne nicht Teil eines übergreifenden, einheitlichen Menschenrechts- und G.s-Regimes sind, sondern dreischichtiges Maßstabsrecht darstellen, das einen je eigenen Geltungsgrund, einen je eigenen rechtlichen Anwendungs- und Resonanzraum, ein je eigenes Rechtsschutz- und Durchsetzungsregime mit einem je eigenen, sprich: unabhängigen richterlichen Garanten besitzt.

Literatur

F. Hufen: Staatsrecht II. Grundrechte, ⁶2017 • W. Kahl/C. Waldhoff/C. Walter (Hg.): Bonner Kommentar zum Grundgesetz, 186. Erg.-Lfg., Stand September 2017, Ordner 1–6 • T. Kingreen/R. Poscher: Grundrechte. Staatsrecht II, ³³2017 • H. von Mangoldt/F. Klein/C. Starck (Hg.): Kommentar zum Grundgesetz, Bd. 1, ⁷2017 • T. Maunz/G. Dürig: Grundgesetz, 80. Erg.-Lfg., Stand Juni 2017, Bde. I–VII • L. Michael/M. Morlok: Grundrechte, ⁶2017 • M. Sachs (Hg.): Grundgesetz-Kommentar, ⁸2017 • H. D. Jarass/B. Pieroth (Hg.): Grundgesetz für die Bundesrepublik Deutschland, ¹⁴2016 • H. Dreier (Hg.): Grundgesetz-Kommentar, Bd. I, ³2013 • W. Kahl: Grundrechte: in: O. Depenheuer/C. Grabenwarter (Hg.): Verfassungstheorie, 2010, § 24 • A. Voßkuhle: Der europäische Verfassungsgerichtsverbund, in: NVwZ 29/1 (2010), 1–7 • J. Isensee/P. Kirchhof (Hg.): HStR, insb. Bde. VII–IX, ³2009–2011 • C. Möllers: Das Grundgesetz. Geschichte und Inhalt, 2009 • J. F. Lindner: Theorie der Grundrechtsdogmatik, 2005 • D. Merten/H.-J. Papier (Hg.): HGR, insb. Bde. I, 2004; II, 2006; III, 2009; IV, 2011; V, 2013 • H. Dreier: Die Zwischenkriegszeit, in: HGR I, 2004, § 4 • J.-D. Kühne: Von der bürgerlichen Revolution zum Ersten Weltkrieg, in: ebd., § 3 • W. Pauly: Grundrechtslaboratorium Weimar, 2004 • K. Stern: Die Idee der Menschen- und Grundrechte, in: ebd., § 1 • W. Hoffmann-Riem: Enge oder weite Gewährleistungsgehalte der Grundrechte?, in: M. Bäuerle u. a. (Hg.): Haben wir wirklich Recht?, 2003, 53–76 • R. Poscher: Grundrechte als Abwehrrechte, 2003 • C.-W. Canaris: Grundrechte und Privatrecht, 1999 • M. Jestaedt: Grundrechtsentfaltung im Gesetz, 1999 • K. Hesse: Grundzüge des Verfassungsrechts der Bundesrepublik Deutschland, ²⁰1995 • K. Hesse: Bedeutung der Grundrechte, in: HdBVerfR, ²1994, § 5 • H. Dreier: Dimensionen der Grundrechte, 1993 • S. Huster: Rechte und Ziele, 1993 • E.-W. Böckenförde: Zur Lage der Grundrechtsdogmatik nach 40 Jahren Grundgesetz, 1990 • G. Lübbe-Wolff: Die Grundrechte als Eingriffsabwehrrechte, 1988 • K. Stern: Das Staatsrecht der Bundesrepublik Deutschland, Bde. III/1, 1988; III/2, 1994; IV/1, 2006; IV/2 2010 •

R. Alexy: Theorie der Grundrechte, 1985 • P. Häberle: Die Wesensgehaltgarantie des Art. 19 Abs. 2 GG, ³1984 • J. Isensee: Grundrechte und Demokratie, in: Der Staat 20/2 (1981), 161–176 • R. Wahl: Rechtliche Wirkungen und Funktionen der Grundrechte im deutschen Konstitutionalismus des 19. Jahrhunderts, in: Der Staat 18/3 (1979), 321–348 • J. Schwabe: Probleme der Grundrechtsdogmatik, 1977 • H.-H. Rupp: Vom Wandel der Grundrechte, in: AöR 101/2 (1976), 161–201 • B. Schlink: Abwägung im Verfassungsstaat, 1976 • E.-W. Böckenförde: Grundrechtstheorie und Grundrechtsinterpretation, in: NJW 27/35 (1974), 1529–1538 • H. H. Klein: Die Grundrechte im demokratischen Staat, 1974 • A. Hollerbach: Ideologie und Verfassung, in: W. Maihofer (Hg.): Ideologie und Recht, 1969, 37–61 • K.-A. Bettermann u. a. (Hg.): Die Grundrechte, Bde. I/1, 1966; I/2, 1967; II, 1954/1968; III/1, 1958/1972; III/2, 1972; IV/1, 1960/1972; IV/2, 1972 • P. Lerche: Übermaß und Verfassungsrecht, 1961 • H. C. Nipperdey: Grundrechte und Privatrecht, 1961 • W. Leisner: Grundrechte und Privatrecht, 1960 • G. Dürig: Grundrechte und Zivilrechtsprechung, in: T. Maunz (Hg.): FS für Hans Nawiasky, 1956, 157–190 • C. Schmitt, Verfassungslehre, ¹1928.   MATTHIAS JESTAEDT

Grundschuld ↑Grundpfandrechte

Grundschule ↑Schule

Grundsteuer

1. Einordnung und derzeitige Grundsteuer

Eine G. zielt auf die Nutzung von Grundstücken (Grund und Boden und darauf stehende Gebäude). Daneben gibt es in Deutschland die Erfassung des Eigentumswechsels durch die ↑Grunderwerbsteuer, die Besteuerung des Wertzuwachses im Rahmen der Einkommensbesteuerung und die Erfassung durch die ↑Erbschaftsteuer. Historisch ist die G. eine der ältesten Steuern, und sie war bis ins 19. Jh. eine der größten Steuern. Das lag an der früheren Bedeutung der Landwirtschaft und an der leichten Erfassbarkeit des sichtbaren Objekts. Sie knüpft nicht am tatsächlichen Ertrag an, wie etwa eine Mietsteuer, sondern am fiktiven oder Sollertrag im Sinne eines durchschnittlich erzielbaren Istertrages. D. i. kein Notbehelf, etwa weil man den Istertrag oft nicht kennt, sondern ein Anreiz, mit den vorhandenen Bodenressourcen mehr zu erwirtschaften (Ansornsteuer).

Die derzeitige G. in Deutschland befindet sich in einem Reformprozess (s. u.). Sie besteht aus zwei Teilen. Die G. A liegt auf dem land- und forstwirtschaftlichen Vermögen. Die G. B erfasst das sonstige Grundvermögen. Dazu zählen bebaute und unbebaute Grundstücke, das Erbbaurecht und das Wohnungseigentum. Betriebsgrundstücke unterfallen je nach Nutzung einer der beiden Teilsteuern. Es gibt umfangreiche Befreiungen für öffentliche und gemeinnützige Institutionen. Bemessungsgrundlage sind derzeit noch die Einheitswerte. Auf sie werden bundeseinheitliche Steuermesszahlen angewendet. Die sich daraus ergebenden Steuermessbeträge werden mit den Hebesätzen der jeweiligen Gemeinde multipliziert und ergeben die Steuerschuld. 1961 und 1962 wurde eine G. C erhoben, auch Baulandsteuer genannt, weil sie auf Grundstücke erhoben wurde, die bebaut werden durften und für die man Druck auf die Eigentümer ausüben wollte, sie tatsächlich zu bebauen. Eine solche Steuer wird auch heute gelegentlich diskutiert.

Das Aufkommen betrug 2015 für die G. A 393 Mio. Euro und für die G. B 12 818 Mio. Euro. Die G. machte damit 6 % der kommunalen Einnahmen und 2 % der Gesamtsteuereinnahmen aus.

2. Die Grundsteuer als geborene Gemeindesteuer

Eine grundsätzliche Erörterung ist erforderlich, um die laufende Reform und das wahrscheinliche Ergebnis beurteilen zu können. Die G. steht unter den Kriterien für eine gute Gemeindesteuer weit vorn. Sie entstammt, anders als etwa der sog.e USt-Anteil der ↑Gemeinden, dem Gemeindegebiet. Sie kann als eine Art pauschales Äquivalent für die auf das Grundstück bezogenen Gemeindeleistungen angesehen werden. Sie erfasst private Haushalte und Unternehmen und dient damit dem Interessenausgleich, d. h. der Kämmerer ist an beiden gleich interessiert. Sie ist fühlbar, weil im Gegensatz etwa zur ↑USt die G. direkt angelastet wird. Durch das kommunale Hebesatzrecht ist sie zugl. beweglich und weist so einen deutlichen Bezug zur kommunalen Finanzautonomie auf.

Dies alles ist wichtig für die Erfüllung des Prinzips der fiskalischen Äquivalenz. Es besagt, dass eine Gemeinde den Bürgern die Kosten für die erwünschten Ausgaben direkt anlasten kann und soll, damit ein Abwägen zwischen dem Vorteil zusätzlicher Ausgaben und dem Nachteil zusätzlicher Einnahmen erfolgt.

Die G. schwankt fast nicht mit der Konjunktur und sichert dadurch stabile Einnahmen. Diese wachsen zugl. tendenziell mit dem regionalen Wachstum, weil sich dadurch die Bemessungsgrundlage erhöht. Sie ist also fiskalisch ergiebig, sollte aber nicht zu stark angespannt werden, weil sonst wegen der Fühlbarkeit auch die Widerstände wachsen, wie das amerikanische Beispiel der Referenden gegen hohe Steuersätze zeigte. Auch schwankt die Steuerkraft zwischen Kommunen nicht sehr stark, anders als etwa bei der ↑GewSt. Die Kosten für die Erhebung und Entrichtung der Steuer sind vergleichsweise hoch, lassen sich aber durch die geplante Reform deutlich senken. Getragen wird die Steuer, soweit sie auf dem – immobilen – Bodenwert liegt, langfristig weitgehend durch die Eigentümer, was unter Verteilungszielen vorteilhaft ist.

3. Die anstehende Reform der Grundsteuer

Die Reform drängt, weil die obersten Gerichte sonst die G. als in dieser Form nicht haltbar deklarieren könnten. Der BFH hat 2010 die bisher angewendeten Wertansätze für nach dem 1.1.2017 mit der Verfassung nicht vereinbar erklärt. Ein Wegfall durch Nichthandeln ist aber nie ernsthaft diskutiert worden. Hauptkritikpunkt sind die veralteten Einheitswerte. Sie stammen aus dem Jahr 1964, für die neuen Bundesländer 1936. Inzwischen haben sich die Wertverhältnisse für Grundstücke sehr stark auseinander entwickelt. Grundstücke in modernen Ballungsgebieten haben sich enorm im Wert erhöht, während Grundstücke in Regionen mit Abwanderungsdruck im Wert stark zurückgeblieben sind. Das widerspricht den Forderungen nach Gleichheit der Besteuerung.

Die vorliegenden Reformvorschläge sind unterschiedlicher Art, wobei niemand das Festhalten an alten System mit einer sehr aufwändigen neuen Bewertung in Form einer neuen Hauptfeststellung fordert. Am einen Ende stehen Vorschläge, den tatsächlichen Verkehrswert der Grundstücke zugrunde zu legen, so wie dies in der Erbschaftsteuer geschieht und in den USA üblich ist. D. i. aufwändig. Das andere Ende bildet der Vorschlag, Boden und Gebäude ohne Wertkomponente zugrunde zu legen, also eine reine Flächensteuer zu schaffen. D. i. technisch einfach, aber ungerecht, weil das große Grundstück neben der Mülldeponie höher besteuert wird als das kleine Grundstück in bester Lage. Dazwischen liegen Kompromissmodelle, wie die im Gesetzgebungsverfahren befindliche Fassung. Sie alle arbeiten mit Bodenrichtwerten. Durch diese wird eine zeitnahe und kostengünstige Bewertung der vorhandenen Bodenfläche möglich, denn diese Werte werden für die Erbschaftsteuer ohnehin erfasst. Die Gebäudewerte sollen pauschal ermittelt werden, wobei die aktuellen Baupreise, das Alter und die Gebäudeart herangezogen werden sollen. Dem entspr.en Gesetz hat der Bundesrat zwar am 24.9.2016 zugestimmt und dem Bundestag hat er es am 21.12.2016 zugeleitet, aber dort wurde es bis zum Ende der Legislaturperiode nicht behandelt.

Literatur

Wissenschaftlicher Beirat beim Bundesministerium der Finanzen: Reform der Grundsteuer, 2011 • H. Zimmermann: Die Grundsteuer als geborene Gemeindesteuer, in: M. Hansmann (Hg.): Kommunalfinanzen in der Krise, 2011, 194–212.

HORST ZIMMERMANN

Grundwerte

I. Philosophisch – II. Theologisch –
III. Rechtswissenschaftlich

I. Philosophisch

1. Begriff

Als G. bezeichnet man Orientierungsgrößen bzw. Zielvorgaben für das Handeln der einzelnen Menschen und der Gemeinschaften. Gegenüber Werten sind G. durch ihre bes. Wichtigkeit ausgezeichnet. Diese Auszeich-

nung kann sich aus dem Zweck-Mittel-Schema ergeben, insofern G. als Zielwerte den instrumentellen Werten (↗Wert) übergeordnet sind, sowie aber auch aus ihrer Dauerhaftigkeit, ihrer intersubjektiv weitreichenden Anerkennung oder auch daraus, dass sie als Voraussetzung angesehen werden, um andere Werte oder Gruppen von Werten realisieren zu können.

Wie der Wertbegriff überhaupt, so spielt auch der G.-Begriff in gesellschaftspolitischen Debatten, in der parteipolitischen Auseinandersetzung und in der empirisch verfahrenden Sozialwissenschaft eine bedeutende Rolle. Die Soziologie fragt entspr., wie angesichts der Pluralität der Menschen und ihrer Wünsche und angesichts der Konflikthaftigkeit des Zusammenlebens ein Zusammenhalt der Individuen möglich ist, was den Kitt zwischen den Gliedern der Gesellschaft ausmacht. Bis in heutige Debatten hinein kann der G.-Begriff aber auch der parteipolitischen Identitätsbestimmung und der Abgrenzung dienen.

Der Prominenz des Wertbegriffs in der politischen Auseinandersetzung und in der sozialwissenschaftlichen Beschreibung steht allerdings eine zurückhaltende bis skeptische Position in der moralphilosophischen Analyse gegenüber. Für die praktische Philosophie insgesamt zeigt sich der Wertbegriff als historisch rezenter Terminus der Philosophie, der nur selten zu einem Grundbegriff avancierte. Dies liegt zunächst an der Herkunft aus der ↗Ökonomie und der ökonomischen Theorie. Wert ist urspr. eine Bezugskategorie in der Preisgestaltung von Handelswaren. Erst vor dem Hintergrund ökonomischer Werttheorien wird der Wertbegriff durch die Philosophie aufgegriffen. Er bleibt in vielfacher Weise unbestimmt, kann sowohl als Ersatz für den traditionellen Begriff des ↗Guten wie aber auch als sehr weit zu fassender Oberbegriff fungieren, der nicht nur das Gute, sondern auch das Wahre und das Schöne mitumgreift.

Ein weiteres Problem für den Wertbegriff ergibt sich aus dem Versuch, Werte vom Vorgang der Bewertung weitgehend unabhängig zu machen. Insb. im deutschen Sprachraum wird der Wertbegriff philosophisch mit Max Scheler und Nikolai Hartmann in Verbindung gebracht, deren materiale Wertethik als radikale Position innerhalb der metaethischen Auseinandersetzung über den Status dessen, worauf sich unsere moralischen Sprachäußerungen beziehen, gedeutet wird. Obschon die klassische Wertphilosophie des 19. und frühen 20. Jh. meist davon gesprochen hat, dass Werte nicht sind, sondern gelten, scheinen ihr Werte deshalb objektiv zu sein, weil ihnen eine spezifische Form der Existenz zukommt, die nicht in Abrede gestellt werden kann. Sieht man aber auf die weitere, v. a. auch in englischer Sprache geführte moralphilosophische Debatte, dann können sowohl wertobjektivistische, wertsubjektivistische wie auch pragmatische Positionen unterschieden werden. Auch der verbreitete ethische Ansatz des ↗Utilitarismus geht von einer Axiologie (Wertlehre) aus, in der es allerdings nur einen G. gibt, welchen die Utilitaristen ↑Nutzen oder ↑Glück nennen. Metaethisch vermittelnde Positionen gehen sowohl von einem bewertenden ↑Subjekt wie auch von überindividuell wirksamen Bedürfnis- und Handlungskontexten aus, auf die sich die Begründung von Werten zu beziehen hat. Teilweise wird dabei auch von anthropologischen Grundkonstanten gesprochen.

Zu einem zentralen Begriff der gesellschafts- und parteipolitischen Auseinandersetzung wurde der Begriff der G. in den 70er Jahren des 20. Jh. Vorausgegangen waren Wandlungen (↑Wertewandel) der Einstellung zu Partnerschaft, Ehe und Familie, zum Geschlechterverhältnis, zum Schwangerschaftsabbruch, zur Erziehung und zur politischen Partizipation. Die katholischen Bischöfe Deutschlands publizierten vor der Bundestagswahl 1976 unter dem Titel „Gesellschaftliche Grundwerte und menschliches Glück" ein Hirtenwort, welches Orientierungsfragen thematisieren sollte und v. a. einen Werteverfall beklagte. Die ↑CDU nahm in ihr Grundsatzprogramm die G. ↑Freiheit, ↑Solidarität und ↑Gerechtigkeit als Maßstäbe politischen Handelns auf und folgte damit dem Beispiel des Godesberger Grundsatzprogramms der ↑SPD von 1959. Ungeachtet dieser Übereinstimmung wird der Rekurs auf G. durch die großen Parteien aber auch zu Abgrenzungszwecken benutzt. Für Niklas Luhmann resultiert die Rede von G.n aus dem Erfordernis, auf „zunehmende strukturelle Differenzierungen des Gesellschaftssystems" mit zunehmender „Generalisierung der für alle verbindlichen Symbolik" zu reagieren (Luhmann 1981: 300). N. Luhmann spricht vom Vorschlag einer ↑Zivilreligion als dem Trend, „Religion als Moral oder als Werteordnung zu generalisieren" (Luhmann 1981: 300). In den parteipolitischen Inanspruchnahmen von G.n sieht er die Schwierigkeit, diese thematisch abzugrenzen und konkrete politische Verhaltensweisen zu deduzieren.

2. Werteordnung der Verfassung

Gegenüber parteipolitischen Inanspruchnahmen kann die Formulierung von G.n indes auch an die Auslegung des ↑GG anknüpfen, wie sie durch das BVerfG erfolgte. Es geht in vielen seiner Urteile davon aus, dass die ↑Grundrechte ein Gefüge bilden, welches auch als Wertordnung beschrieben werden kann, die im Kern v. a. durch die Unantastbarkeit der Würde des einzelnen Menschen (↑Menschenwürde) ausgedrückt ist. Offen bleibt jedoch, wie das Verhältnis zwischen G.n und Grundrechten genauer beschrieben werden kann, inwieweit eine Übersetzbarkeit einzelner Werte in einzelne Rechte gegeben ist und was den Mehrwert der Werte gegenüber den Rechten ausmacht.

3. Philosophische Reflexion

Aus Sicht der ↑praktischen Philosophie versammeln sich in den Wert- und G.-Diskussionen inhaltliche und Verfahrensprinzipien, ↑Tugenden, moralische Güter und Rechte in einer nichtsystematisierten Weise. Indes ist es durchaus sinnvoll, gegenüber einer einseitigen Stilisierung der normativen Debatte z. B. in der Fokussierung auf die Frage von Rechten oder Ansprüchen, oder auf die Prüfung von ↑Interessen oder auf die Formulierung von Tugenden oder Haltungen, die Frage nach dem gelingenden Leben und Zusammenleben für weitere normative und evaluative Kategorien offen zu halten. Ob sich hierzu der Rekurs auf Werte als die beste Option erweist, muss allerdings skeptisch betrachtet werden. Für die Suche nach dem verbindenden Muster normativer Einzelgehalte besteht neben der Rede von G.n die Alternative, hinter dieser das Bedürfnis des Ausweises eines gemeinsamen gesellschaftlichen Ethos zu entdecken. Ein solches Ethos gilt nicht rein faktisch, sondern muss sich als plausibel begründet erweisen, führt aber nicht die Konnotation der Unveränderlichkeit mit sich. Als gesamtgesellschaftliches Ethos steht es im Bezug zu anspruchsvolleren Konzepten des guten Lebens, wie sie z. B. durch konfessionell geprägte Ethosformen repräsentiert sind. Der liberale ↑Rechtsstaat lebt sowohl vom gesamtgesellschaftlichen Ethos wie auch von dessen Ausprägung durch solche umfassendere Konzepte des guten Lebens.

Literatur

M. Honecker: Grundwerte, in: J. Hübner u. a. (Hg.): Evangelisches Soziallexikon, 2016, 657–661 • A. G. Wildfeuer: Wert, in: NHphG, Bd. 3, 2011, 2484–2504 • K. Lehmann: Grundwerte, in: StL, Bd. 2, ⁷1986, 1131–1137 • N. Luhmann: Grundwerte als Zivilreligion, in: ders.: Soziologische Aufklärung, Bd. 3, 1981, 293–308 • Grundwertekommission der SPD: Unsere Grundwerte, URL: https://grundwertekommission.spd. de/unsere-grundwerte (abger.: 20.3.2018).

MICHAEL FUCHS

II. Theologisch

Für die Theologie stellt die Debatte um G. in mehrfacher Hinsicht eine Herausforderung dar. Denn sie berührt zum einem die Frage nach dem ethischen Kern der christlichen Botschaft und dessen Eigenart, zum anderen die des Verhältnisses der Glaubenssphäre zu Gesellschaft und Staat. Des Weiteren betrifft sie die Problematik der Tradierung normativer ethischer Gehalte unter gesellschaftlichen Bedingungen, die durch rasche Veränderungen und das Auftauchen neuer Fragestellungen gekennzeichnet sind. Schließlich ist sie von der Frage herausgefordert, welches die Aufgabe der ↑Kirche für das gemeinsame Ethos in einer Gesellschaft ist, die weder rechtlich noch faktisch maßgeblich von ihr bestimmt wird.

In den theologischen wie auch in den kirchenamtlichen Beiträgen zur G.-Debatte wurde die Frage nach dem ethischen Kern der christlichen Botschaft von Anfang an so eingebracht, dass man bei der inhaltlichen

Ausfaltung des mit dem Begriff „G." Chiffrierten auf Eckpunkte des christlichen Menschenbildes („↑Menschenwürde") rekurrierte oder aber auf Korrespondenzen zum biblischen Dekalog (↑Zehn Gebote) verwies und/oder sich auf substantielle Übereinstimmungen bzgl. der sozial erforderlichen Grundhaltungen, wie sie in den griechisch-römischen, vom ↑Christentum stark rezipierten und weiterentwickelten tugendethischen Konzeptionen theoretisch reflektiert und praktisch wertgeschätzt wurden, berief. Damit kann man auf für die eigene geschichtliche Identität unzweifelhaft wichtigen Listen von Verbindlichkeiten hinweisen, die ihrerseits jeweils zur Legitimation aus Kontinuität und zur Konkretisierung weiterer Verbindlichkeiten herangezogen wurden und insofern schon in der Vergangenheit eine begründende und gesellschaftstragende Funktion ausgeübt haben, wenn auch in einem wesentlich begrenzteren und deutlich homogeneren Rahmen.

Auch wenn bei der Artikulation des christlichen Ethos als Konsequenz und sich verleiblichendem Ausdruck des christlichen Glaubens der Schwerpunkt der Aufmerksamkeit zweifellos auf den Einzelnen und sein Verhältnis zum Anderen als dem „Nächsten" konzentriert war, gehörte die Sorge um das Gelingen von Gemeinschaft und auch die Loyalität zur ↑Friede ermöglichenden gesellschaftlichen und politischen ↑Ordnung schon seit ihren Anfängen zum Reflexionsbereich der christlichen Ethik. Konsequenterweise hat sich dieser Strang reflexiver Aufmerksamkeit seit dem Gewahrwerden des artefaktischen Charakters aller gesellschaftlichen Strukturen, Institutionen und Ordnungen in der Neuzeit über die Ordnung des Hauses zu einer breiteren und methodisch eigenständigen ↑christlichen Sozialethik und daneben zu einer eigenen kirchlichen Soziallehre entwickelt. Beide sehen sich aus genuin theologischen Gründen dazu verpflichtet, über die unverzichtbaren ethischen Grundlagen und normativen Bezugsgrößen zu reflektieren, an denen sich Gesellschaft, Staat und Politik in den Wandlungsprozessen (heute bes.: Pluralisierung, ↑Globalisierung, ↑Säkularisierung) zusätzlich zur technischen und ökonomischen Sachlogik orientieren müssen, damit humanes Menschsein und Zusammenleben gelingen können.

Die Tradierung normativer ethischer Verbindlichkeiten ist ein Problem, mit dem Theologie und Kirche an kulturellen Nahtstellen und Epochenschwellen schon immer konfrontiert wurden. Aktuell stellt es sich aufgrund beschleunigter Wandlungsprozesse aber ungleich stärker, und das nicht nur in der kirchlichen Realität, sondern auch in der Sphäre des ↑Rechts und auf sämtlichen gesellschaftlichen Feldern, wofür die anhaltende, terminologisch unterschiedlich chiffrierte Debatte über G. selbst ein Symptom ist. Zur Lösung dieser Aufgabe beitragen können die theologische Ethik und die kirchliche Sozialverkündigung aber nur, wenn sie den Versuchungen von ↑Fundamentalismus und Parallelgesellschaft gleichermaßen widerstehen und ihre eigene

hermeneutische Kompetenz aktiv ins Spiel bringen. Das bedeutet im Blick auf die G.-Problematik, sich der historischen und gesellschaftlichen Bedingtheit der überlieferten konkreten normativen Positionierungen zu vergewissern und die mit ihnen verbundenen prinzipiellen Orientierungen im Blick auf die neu sich stellenden Fragen zur Anwendung und zur Entfaltung zu bringen.

Die Debatte über G. fragt schon von sich aus nach stabilen „vorstaatlichen" bzw. metaphysischen oder sogar religiösen Voraussetzungen, wenn sie nach dem gemeinsamen ethischen Fundament der ↑Gesellschaft sucht, das der ↑Staat als Staat aus Gründen der Weltanschauungsneutralität bzw. der Achtung der Religions- und Gewissensfreiheit seiner Bürger weder vorschreiben noch in eigener Regie bearbeiten darf und erst recht nicht garantieren kann. ↑Verfassung, ↑Grundrechte, Organisationsgrundsätze, gesellschaftsbezogenes Ethos wie ↑Toleranz, Gemeinsinn, Respekt vor dem Menschen als Menschen und Zivilcourage sind mit anderen Worten begründungsoffen. Gleichwohl sind diese obersten Werte begründungsfähig und können in nichtstaatlichen Überzeugungs- und Sozialräumen kultiviert und vermittelt werden. In diesen zivilgesellschaftlichen bzw. – in der Terminologie der traditionellen katholischen Sozialverkündigung – intermediären Räumen liegt die Chance bzw. auch die Aufgabe der Kirche(n), als Teil der Gesellschaft mit der „Freude und Hoffnung, [der] Trauer und Angst der Menschen" (GS 1) zur Tradierung, Akzeptanz, Aktualisierbarkeit, aber auch zur Verteidigung der G. in der sozialen und ↑politischen Kultur der demokratischen Gesellschaften beizutragen. Dieser Dienst umfasst auch die Implementierung durch Wertschätzung, Erziehung und Einübung, das Versehen mit lebenspraktischer Relevanz, die Herstellung von Kohärenz mit anderen gelebten ↑Werten, das Inbezugsetzen der Grundorientierungen mit den neuen Problemen des erlebten gesellschaftlichen Wandels sowie ihre advokatorische Einforderung für die Gruppen der Schwachen und Benachteiligten in der Gesellschaft.

Literatur

C. Mandry: Europa als Wertegemeinschaft, 2009 • N. Lammert (Hg.): Verfassung – Patriotismus – Leitkultur, 2006 • H. Wagner: Bezugspunkte europäischer Identität, 2006 • W. Picken: Demokratische Grundwerte. Die Bedeutung der demokratischen Grundwerte für die Bundesrepublik Deutschland und den Einigungsprozess Europas, 2004 • A. Klein (Hg.): Wertediskussion im vereinten Deutschland, 1995 • G. Brunner: Grundwerte als Fundament der pluralen Gesellschaft, 1980 • Rat der EKD/DBK: Grundwerte und Gottes Gebot, 1979 • K. H. Bayertz/H. H. Holz (Hg.): Grundwerte. Der Streit um die geistigen Grundlagen der Demokratie, 1978 • J. Isensee: Ethische Grundwerte im freiheitlichen Staat, in: A. Paus (Hg.): Werte, Rechte, Normen, 1978, 131–169 • A. Schwan: Grundwerte der Demokratie, 1978 • Die Deutschen Bischöfe: Grundwerte verlangen Grundhaltungen, 1977

• G. Gorschenek (Hg.): Grundwerte in Staat und Gesellschaft, 1977 • O. Kimminich (Hg.): Was sind Grundwerte?, 1977.

KONRAD HILPERT

III. Rechtswissenschaftlich

1. Rechtsgeltung und Werte

Jede Einsicht in einen (Be-)Wirkungszusammenhang von G.n und (positivem) Recht verwirft die gegenteiligen Deutungen des strikten ↑Rechtspositivismus. Geht es diesem darum, die Geltungsfähigkeit des Rechts allein formal (aus rechtlich geregelter Setzung und Durchsetzbarkeit) zu begründen, bestimmt sich der materielle Begriff des ↑Rechts unter dem Sinnprinzip der ↑Gerechtigkeit auch aus seiner Übereinstimmung mit jenen inhaltlichen G.n, die als ethisch-moralische Höchstrelevanzen nach dem (Einheits-)Willen einer Rechtsgemeinschaft das Gerecht-fertigt-sein von Handlungen, Zielsetzungen und Verhaltensregeln konstituieren und konkretisieren.

G. und Recht stehen hier nicht als unverbundene Sollensordnungen nebeneinander oder gar in einem Gegeneinander, das allenfalls dort endet, wo das positive Gesetz in unerträglichem Maße allen Wert- und Gerechtigkeitsvorstellungen widerspricht (sog.e *Radbruchsche Formel*). Sondern in dem Umfang, in dem eine politische Gemeinschaft die ihre (kulturelle) Identität und Existenz prägenden G. auch in ihre Rechtsordnung, namentlich in ihre ↑Verfassung als rechtlicher Grundordnung übernimmt, macht sie diese zugl. als Entstehensbedingung des Rechts („aus Kultur") sichtbar und als Geltungsbedingung des Rechts („als Kultur") verbindlich. Sie verlieren dadurch nicht ihren vor- und außerrechtlichen Charakter, nehmen aber in dieser rechtsförmigen Anknüpfung, Vergewisserung und Verstetigung zugl. an der Ordnungskraft des (Verfassungs-)Rechts teil und erfahren dadurch in dem Ansinnen ihrer integrierenden und sozialen Wirksamkeit eine normative Verstärkung.

2. Wertentschiedenheit des Verfassungsstaats

In diesem Sinne gehört die relational auf die G. des westlichen Kulturkreises bezogene „Wertentschiedenheit" zum Typus Verfassungsstaat, so auch zum „genetischen Programm des Grundgesetzes" (Di Fabio 2006: 1032), ebenso wie zu dem (vertraglichen) Grundkonsens der zur EU und zum Europarat verbundenen Staatengemeinschaft. Danach steht die Würde des Menschen (↑Menschenwürde) und sein Vermögen zur freien Entfaltung seiner Persönlichkeit (↑Persönlichkeitsrechte) im Mittelpunkt einer mit juristischem Geltungsvorrang ausgestatteten „wertgebundene[n] Ordnung" (BVerfGE 2,1), die – jeden totalitären Herrschaftsanspruch (↑Totalitarismus) kategorisch ins Unrecht setzend – dauerhaft und für jedweden Mehrheitswillen unabänderlich von den Grundentscheidungen für Freiheit und Gleichheit, für Menschenrechte und Grundrechte bestimmt

und von den diesen korrelierenden Systementscheidungen für Republik, Rechtsstaatlichkeit, Demokratie und Sozialstaatlichkeit (auch Bundesstaatlichkeit) flankiert wird (↑Freiheitliche demokratische Grundordnung).

3. Rationaler Umgang mit Werten im Recht

Solche Wertentschiedenheit des (Verfassungs-)Rechts bezieht sich auf die G. als solche. Sie erstreckt sich weder auf deren vorrechtliche oder rechtliche Geltungsgründe noch auf deren Ableitung im Einzelnen. Der rechtswissenschaftliche „Legalismus" warnt daher ganz grundsätzlich vor jedem weitergehenden Begriff der Verfassungsordnung, namentlich der ↑Grundrechte, als einer „objektive[n] Wertordnung" (BVerfGE 7, 198). Damit werde, zumal durch die letztverbindliche Autorität verfassungsgerichtlicher Rechtsprechung, die Gefahr einer normüberschießenden, paternalistisch-antiliberalen „Umbildung des Verfassungsgesetzes" (Forsthoff 1959) hervorgerufen, die sich nicht nur intersubjektiver Nachvollziehbarkeit und dogmatischer Kontrolle entziehe, sondern auch zu Lasten der eigenverantwortlichen (Aus-)Gestaltung der Rechtsordnung durch den demokratischen Gesetzgeber gehe („Tyrannei der Werte" [Schmitt 2011]).

Mit der „konstitutionalistischen" (Gegen-)Position bleibt indessen festzuhalten, dass das Wertordnungsdenken *im* Recht keineswegs die wertphilosophische (idealistische oder gesinnungsethische) Ersetzung *des* Rechts bedeutet, ebenso wenig die Leugnung der freiheitssichernden Neutralitätspflicht des Staates. Wohl aber bedeutet es die Notwendigkeit, die Funktion des Rechts zur zweckrationalen (praktisch gerechten, verantwortungsethisch ausgewogenen) Ordnung der sozialen Wirklichkeit „im Lichte", d. h. unter den Maximen jener rechtsimmanenten G. zu entfalten, die ihr Sinn und Ziel, Rahmen und Maß geben. Das bedingt im Dienste materialer Rationalität einen methodisch anspruchsvollen und theoretisch reflektierten Umgang mit Werten im Rechtssystem, der allfälligen Neigungen zu Verabsolutierungen, Tabuisierungen und Simplifizierungen mit kritischer Selbstkontrolle und interpretatorischer Disziplin begegnet. Zu dieser gehört – in Ergänzung zum klassischen Methodenkanon der juristischen Auslegung – die Abstrahierung und systematische Ordnung von Wertgeboten, die Sensibilität für die Existenz verschiedener Wertesphären, die Offenlegung der Wertsubstanz eines Rechtssatzes, die strikte Radizierung von wertebasierten Ableitungen, die Vermeidung von inflationären Ausdifferenzierungen, die äußerlich folgerichtige, von inneren Motivationen möglichst distanzierte Begründung von Präferenzsätzen; bei allem die stete Prüfung der Abwägungsfähigkeit von Rechtswerten (↑Abwägung), ihrer Aufnahmefähigkeit für kritische Einwendungen, revidierte Einsichten und gewandelte Anschauungen, schließlich ihrer Anschlussfähigkeit für zweckrationale, situationsgerechte Entscheidungen und (alltags-)praktisch taugliche Ergebnisse.

4. Werteverantwortung von Staat und Gesellschaft

Die normwissenschaftliche Problemstellung findet ihr Spiegelbild in der G.-Debatte der 1970er Jahre. Deren Kontroverse, ob der ↑Staat die Verantwortung für den Schutz der G., u. U. auch gegen die demokratische Mehrheit, trage oder ob dies einzig die Sache der pluralistischen Gesellschaft und ihrer Ordnungsmächte sei, reicht jedoch weiter. Sie erstreckt sich auch auf jene Elemente der gesamtgesellschaftlichen Werteordnung, die nicht in das positive Recht eingegangen sind, von diesem allenfalls hie und da in Bezug genommen werden (z. B. „↑Sittengesetz"), im Übrigen aber als außerrechtliche (Kultur-)Standards dem unmittelbar juristischen Zugriff entzogen sind. Die Kompetenzfrage konfrontiert mit dem Dilemma, dass jede wirkliche Geltung des Rechts bei seinen Adressaten unausweichlich darauf verwiesen ist, auf reale Akzeptanz und verständige Loyalität zu treffen, andererseits aber der freiheitliche und säkulare Staat weder das Recht noch die Kraft hat, das eine wie das andere selbsttätig zu organisieren oder gar einseitig zu oktroyieren. Insofern lebt der Verfassungsstaat – so das berühmte *Böckenförde*-Diktum – von Voraussetzungen, die er selbst nicht garantieren kann.

Doch entpflichtet dieses wesenhafte Unvermögen den Staat nicht von seiner (verfassungs-)rechtlichen Wertebindung. Diese widerspricht nicht nur einem rest- und wehrlosen Ausgeliefertsein an die Majorität, sondern ihr lässt sich, indem sie auf dauerhafte Realität und Vitalität angelegt ist, durchaus auch eine mittelbare normative Relevanz entnehmen. Im Hinblick darauf bieten die normativen Umfeld-Kategorien der Verfassungsvoraussetzungen und Verfassungserwartungen (↑Verfassungsvoraussetzungen, Verfassungserwartungen) dem Staat den legitimen Boden dafür, seine Institutionen und Verfahren behutsam und im Verbund mit den gesellschaftlichen Kräften auch für die Pflege der G., insgesamt für eine anhaltende Rechtskultur der ↑Freiheit und ↑Gleichheit, der ↑Solidarität und der ↑Toleranz einzusetzen, auf deren integrierende Leistung auch die soziale Wirksamkeit des Mehrheitswillens gebaut ist.

Literatur

P. Häberle: Der kooperative Verfassungsstaat – aus Kultur und als Kultur, 2013 • C. Schmitt: Die Tyrannei der Werte, ³2011 • T. Rensmann: Wertordnung und Verfassung, 2007 • U. Di Fabio: Zur Theorie eines grundrechtlichen Wertesystems, in: HGR, Bd. 2, 2006, §46 • A. Uhle: Freiheitlicher Verfassungsstaat und kulturelle Identität, 2004 • E.-W. Böckenförde: Zur Kritik der Wertbegründung des Rechts, in: ders.: Recht, Staat, Freiheit, 1991, 67–91 • E.-W. Böckenförde: Grundrechte als Grundsatznormen, in: ders.: Staat, Verfassung, Demokratie, 1991, 159–199 • G. Gorschenek (Hg.): Grundwerte in Staat und Gesellschaft, 1978 • J. Isensee: Verfassungsgarantie ethischer Grundwerte und gesellschaftlicher Konsens, in: NJW 30/1977, 545–551 • H. Goerlich: Wertordnung und Grundgesetz, 1973 • A. Podlech: Wertungen und Werte im Recht, in: AöR 95/2 (1970), 185–223 • E. Forsthoff: Die Umbildung des Verfassungsgesetzes, in: H. Barion/E. Forsthoff/W. Weber (Hg.): FS für Carl Schmitt zum 70. Geburtstag, 1959, 35–62.
                                        HANS-DETLEF HORN

Grünen, Die ↑Bündnis 90/Die Grünen

Gruppe

1. Begriffliche Reichweite

G. ist in der Alltags- wie in der sozialwissenschaftlichen Fachsprache eine Sammelbezeichnung für ganz unterschiedliche soziale Beziehungen geworden, aber auch für Kollektive, (statistische) Aggregate bzw. Sozialkategorien, d. h. auch für Personen, die keine Kontakte zueinander, aber gemeinsame Merkmale haben. Dabei kann der Umfang von G.n von der kleinsten sozialen Einheit (Paar, Dyade) über größere Abstammungs- oder Verwandtschaftssozietäten (Sippe, Clan), digitale Netzwerke (Freundschafts-G.n auf Facebook) und organisierte Zusammenschlüsse (↑Interessengruppen, ↑Verbände, ↑Parteien u. a.), letztere auch Sekundär-G.n (im Gegensatz zu den bes. biographie- und sozialisationsrelevanten Primär-G.n) genannt, bis hin zu Ständen, Klassen, Volk, Nation und Gesamtgesellschaft reichen. „Manchmal wird sogar als Gruppe die Gesamtheit der Menschen bezeichnet", so Theodor Geiger (Geiger: 1982: 44). Auch als Kompositum anderer fachwissenschaftlicher Begriffe findet G. Verwendung: z. B. Eigen-G. v Fremd-G., Rand-G., Status-G., Orientierungs-G. bzw. Bezugs-G.

2. Gruppe als Mikrobeziehung

Prägnanz gewinnt der Begriff der G., wenn er – wie in der neueren Soziologie – idealtypisch als Sozialform eigener Art auf soziale Mikrobeziehungen („Klein-G.") bezogen wird: als Kommunikations- und Handlungszusammenhang einer subjektiv überschaubaren Teilnehmerschaft, deren stark personenbezogenes Mit- und Gegeneinander auf wiederholten, insofern relativ beständigen und nicht nur passageren Face-to-Face-Interaktionen beruht, darüber ein Gefühl der Zusammengehörigkeit generiert, aber auch Grenzen der Zugehörigkeit markiert, doch – im Unterschied zu ↑Organisationen oder Teams – keine spezifischen Zwecke, speziellen gesatzten (Verfahrens-)Ordnungen, ausdifferenzierten und verfestigten Positionen, Rollen- und Statusunterschiede kennt. Die Verschränkung dieser somit genannten vier Grundmerkmale des Mit- und Gegeneinanders: Personalität (statt Anonymität), Unmittelbarkeit (statt Indirektheit), Dauerhaftigkeit (statt Flüchtigkeit), Diffusität (statt Spezifizität) macht die strukturelle Eigentümlichkeit und die spezielle Prozess- und Konfliktdynamik (G.n-Dynamik) innerhalb von G.n und zwischen ihnen aus, aber auch die Stärken wie Schwächen ihrer Attraktivität (G.n-Valenz, G.n-Kohäsion), ihres Einflusses auf Einzelpersonen (G.n-Druck), ihrer Leistungskraft (G.n-Effektivität) und ihrer Stabilität (G.n- oder Wir-Bewusstsein). Damit wird der Begriff der G. qualitativ bestimmt. Dem Idealtyp der G. nahekommende reale Beispiele sind Stammtische, Hauskreise, Gangs, Rockerbanden, Cliquen, Kaffeekränzchen, Wohngemeinschaften, Freundschaften, Liebespaare. Geht man von der – quantitativen wie qualitativen – Besonderheit von Dyaden aus, wie sie schon Georg Simmel herausgearbeitet hat, setzen G.n als unterste quantitative Grenze mindestens triadische Beziehungen voraus, die aber auch ihrerseits spezielle Eigendynamiken entfalten können. Schon T. Geiger zufolge ist das Paargebilde von der G. begrifflich zu unterscheiden. Eine *quantitativ* bestimmte Obergrenze lässt sich nicht exakt benennen, *qualitativ* liegt sie da, wo die Unmittelbarkeit der Beziehungen nicht mehr erlebt, der kommunikative Zugang zu jedem anderen, das „Jede(r)-kennt-jede(n)", nicht mehr praktiziert werden kann.

3. Gruppe besonderer Art

G.n bes.r Art sind, weil hochgradig institutionalisiert, ↑Familien, weil digitalisiert, diverse Online-Communities und Chat- oder Messenger-G.n im Internet. Letztere ergänzen das vielfältige Spektrum von lokalen, auf leibhaftiger Anwesenheit basierenden G.n um überlokale, ja transnationale G.n-Bildungen, können aber die Merkmale der Personalität und der Unmittelbarkeit nur unzureichend sicherzustellen, da die ↑Interaktion mithilfe einer sog.en Plattform (z.B. Facebook) zustande kommt. Webcam-Chats oder Videokonferenzen sollen das Fehlen des direkten Face-to-Face-Kontaktes ausgleichen, vermögen allerdings nicht alle Sinne zu erreichen. Auch Smileys und andere Emoticons oder Ideogramme können die Abwesenheit von interpretierbarer Körpersprache und Mimik nur unzureichend ersetzen. Das Merkmal der Dauerhaftigkeit scheint in digitalen G.n schwächer ausgeprägt zu sein, sofern in solchen G.n die Bereitschaft zum „exit" relativ hoch ist. Allerdings ging es schon den ersten G.n im Internet in den 1960er Jahren auch um die persönliche Verbundenheit zwischen den Nutzern. Online-Communitys vermögen die gleichen Funktionen zu erfüllen wie die, welche auch anderen G.n zugeschrieben werden: personale Anerkennung und emotionale Involvierung, Selbstdarstellung, soziale Zugehörigkeit wie Zusammengehörigkeit und Identitätsförderung. Auch zeigen solche G.n häufig eine starke Vernetzung mit der Offline-Welt. Allerdings lassen sich auch digitale G.n von „Online-Aktivisten" ausmachen, die ausschließlich gemeinsame Aktionen im Internet als subkultureller „Gegenpol zum kapitalistisch orientierten Umfeld" konzerieren und

sich für „die Zirkulation freier Information und alternativer Darstellungen" (Warns 2012) engagieren.

4. Gruppe zwischen Organisationen und Interaktionen

Um ihren Zwecken Rechnung zu tragen, lassen Organisationen informelle G.n in begrenztem Ausmaß zu und können auch artifiziell G.n-Bildungen herbeiführen. Damit reduzieren sie – in unterschiedlichem Grad – deren Diffusität (organisierte G.n; formelle G.n; instrumentelle G.n) und sind herausgefordert, die durch die Unmittelbarkeit der Wahrnehmung der Interaktionspartner freigesetzten „positiven" wie „negativen" Gefühle (Sympathie, Antipathie, Liebe, Treue, Hass, Indifferenz, Neid, Eifersucht, Missgunst, Ressentiment) unter Kontrolle zu bringen. Auch in G.n außerhalb von organisationalen Kontexten ist die Steuerung durch Gefühle und der Gefühle eine zentrale Herausforderung für den Zusammenhalt. Als Kontrapunkt gegen gesamtgesellschaftliche Entheimatungs- und bürokratische wie professionelle Anonymisierungstendenzen und gegen die Liberalisierung von identitätsstiftenden Primär- und Intim-G.n hat die Sozialform der G. auch wohlfahrtspolitisch etwa in Gestalt von Selbsthilfe-G.n und von G.n-Psychotherapie eine Aufwertung erfahren und gehört heute zur Infrastruktur des Wohlfahrtssektors.

Das Merkmal der Unmittelbarkeit der Sozialbeziehungen teilt die G. mit anderen Sozialformen, die seit Erving Goffman als Begegnungen (Encounters), in der ↑Systemtheorie Niklas Luhmanns auch einfache Sozialsysteme oder lose Interaktionszusammenhänge genannt werden. Patienten in Wartezimmern, Passagiere im Zugabteil, Gaffende an der Unfallstelle, Flanierende in den Einkaufspassagen, Migranten am Schalter der Erstanlaufstelle sind Beispiele dafür, was in der älteren Soziologie auch situative Gruppierung hieß. Deren Verstetigung zur G. *kann* erfolgen, muss aber nicht und bleibt zumeist aus. Die G. gewinnt ↑Identität und Bestand erst „oberhalb ihrer einzelnen Begegnungen und Treffs; sie ‚überlebt' es, wenn die Mitglieder jeweils auseinandergehen" (Tyrell 2008: 51). Experimentell hergestellt, werden Interaktionsabläufe mehr oder weniger systematisch oder ad hoc zusammengestellter Teilnehmer häufig (in der Psychologie) bereits als G. bezeichnet, obwohl ihre Perennierung nicht vorgesehen ist. Damit gerät ein zentrales Merkmal von G. nicht in den Blick, was sie einerseits mit Organisationen teilt, gegen deren Mechanismen zur zweckspezifischen Ausrichtung und sachzentrierten Disziplinierung von Sozialbeziehungen sie sich andererseits zugunsten thematisch offener, persönlich gefärbter und als persönlich erlebbarer Sozialbeziehungen eigener Art und eigenen Rechts abgrenzt.

Literatur

S. Kühl: Gruppen, Organisationen, Familien und Bewegungen. Zur Soziologie sozialer Systeme zwischen Interaktion und Gesellschaft, 2012 • N. D. Warns: Gruppen im Internet, in: Studierende der Universität Potsdam, Internet Resistance

Research – Formen des Widerstands im Internet (2012), URL: https://netresistanceresearch.wikispaces.com/Gruppen+im +Internet (abger.: 20.3.2018) • H. Tyrell: Soziale und gesellschaftliche Differenzierung, 2008 • U. Thiedeke (Hg.): Virtuelle Gruppen, 2003 • F. Neidhardt: Innere Prozesse und Außenweltbedingungen sozialer Gruppen, in: B. Schäfers (Hg.): Einführung in die Gruppensoziologie, ³1999, 135–156 • G. Nollmann: Konflikte in Interaktion, Gruppe und Organisation, 1997 • T. Geiger: Gesellschaft, in: A. Vierkandt (Hg.): Handwörterbuch der Soziologie, ²1982, 38–48 • E. Goffman: Interaktion, 1973 • W. Bernsdorf: Gruppe, in: W. Bernsdorf (Hg.): Wörterbuch der Soziologie, Bd. 2, 1972, 313–326 • N. Luhmann: Einfache Sozialsysteme, in: ZfS 1/1 (1972), 52–65 • H. Popitz: Der Begriff der sozialen Rolle als Element der soziologischen Theorie, ³1967.   MICHAEL N. EBERTZ

Gruppe der führenden Industrienationen (G7/G8)

Die G. d. f. I., heute auch *Gruppe der Sieben* oder G7 (in Deutschland früher oft als *Weltwirtschaftsgipfel* bezeichnet), zwischen 1998 und 2014 offiziell *Gruppe der Acht* (G8), ist ein seit 1975 bestehender Zusammenschluss von sieben weltwirtschaftlich herausgehobenen Industriestaaten. Mitglieder sind die sieben größten Volkswirtschaften des Westens bzw. der OECD-Staaten: die USA, Japan, die BRD, Großbritannien, Frankreich, Italien und Kanada; zwischen 1998 und 2014 gehörte Russland der vorübergehend zur G8 gewordenen G. d. f. I. an. An den G7-Gipfeln nehmen zusätzlich der Kommissions- und der Ratspräsident der ↑EU teil. Die G. d. f. I. ist einerseits ein Club mit festen Mitgliedern, anderseits ein System unterschiedlicher intergouvernementaler Foren und Arbeitsstäbe, die teilweise auch Staaten mit einbeziehen, die nicht zur G7 gehören. Den Kernbestand des G7-Systems bilden zwei Formate: das medial vielbeachtete jährliche Gipfeltreffen der Staats- und Regierungschefs sowie die Treffen der Finanzminister und Zentralbankchefs der G7-Staaten.

Während die G. d. f. I. ein etablierter Bestandteil von internationaler Politik und *Global Governance* ist, verfügt das Format im Gegensatz zu anderen internationalen Institutionen weder über einen konstituierenden Vertrag noch über einen festen Standort. Die G. d. f. I. hat kein ständiges Sekretariat oder eigenes Personal, das die Treffen vorbereitet und die Beschlüsse der G7 umsetzt; diese Tätigkeiten bleiben den Mitgliedern vorbehalten. Die Vor- und Nachbereitung der G7-Treffen wird von den sog.en Sherpas der G7-Regierungen geleitet; in Deutschland wird diese Aufgabe i.d.R. von einem wirtschafts- und finanzpolitisch ausgewiesenen Staatssekretär oder Ministerialdirektor wahrgenommen. Die auf den Gipfeltreffen und bei den Treffen der G7-Finanzminister getroffenen Vereinbarungen sind rechtlich nicht bindend, sondern kommen politischen Selbstverpflichtungen gleich. Aufgrund ihres – insb. relativ zum politischen Gewicht – geringen Formalisierungs- und Bürokratisierungsgrads ist die G. d. f. I. als eine „unorthodoxe" (Hajnal 2007: 2) internationale Institution, als „Metainstitution" (Hajnal 2007: 5) sowie als „network of networks" (Hajnal 2007: 5) klassifiziert worden. Die G7 gehört zu denjenigen Organisationen bzw. internationalen Regimen, welche die übliche politikwissenschaftliche Gegenüberstellung von ↑Staaten einerseits und ↑internationalen Organisationen andererseits relativieren. Ihr *level of governance* liegt in einem Zwischenbereich von Staat und internationaler Organisation.

Wenngleich die G. d. f. I. ihren informellen Charakter im Grundsatz behalten hat, wurde das G7/G8-System in vier Jahrzehnten sowohl thematisch als auch personell erheblich erweitert und vergrößert. Der urspr.e Hauptzweck der Gipfeltreffen war eine verbesserte Koordination politischer Maßnahmen in Bezug auf die ↑Weltwirtschaft. In den Jahrzehnten ihres Bestehens sind zahlreiche neue Themen dazugekommen. Das erweiterte Aufgabenfeld schließt heute u. a. Umwelt-, Klima- und Gesundheitspolitik, Entwicklungszusammenarbeit und die Umschuldung ärmerer Länder, Terrorismusbekämpfung und Nichtweiterverbreitung von Massenvernichtungswaffen sowie allg.e Fragen internationaler Regulierung ein. Die urspr. fast ausschließlich ökonomische Funktion der G7 ist zwischenzeitlich v. a. dadurch relativiert worden, dass sich die weltwirtschaftlichen Verhältnisse stark verändert haben: Die G7-Länder repräsentierten 1975 noch rund 60 % des weltweiten BIP; in der Mitte der 2010er Jahre waren es nur noch rund 47 % des wechselkursbasierten BIP bzw. 33 % des BIP nach Kaufkraftparität. Weltökonomische Koordinationsaufgaben werden – insb. seit der globalen ↑Finanzmarktkrise 2008 – nun stärker von der *Gruppe der Zwanzig* (G20) wahrgenommen, die maßgebliche Schwellenländer wie China, Indien und Brasilien einschließt.

1. Ursprünge und Entwicklung

Die Einrichtung der G. d. f. I. war eine Reaktion auf diejenigen Prozesse, die zeitgenössisch als transnationale „Interdependenz" (Nye/Keohane 1971: 337) bezeichnet und später unter den Begriff der ↑Globalisierung gefasst wurden. Hintergrund der Entstehung der G. d. f. I. war die Krisen- und Umbruchserfahrung westlicher Staaten in den 1970er Jahren, die ein endgültiges Ende der Nachkriegszeit markierten. Zu diesem Einschnitt gehört die Eintrübung des zuvor vorherrschenden Optimismus bzgl. einer anhaltenden Prosperität in den Industrieländern. Zu Beginn der 1970er Jahre nahm das Bewusstsein für die umfassende Bedeutung des Ökonomischen zu: 1971 beendete die US-Regierung das aus ihrer Sicht unhaltbar gewordene Bretton-Woods-System (↑Bretton Woods) fester Wechselkurse in Anbindung an den US-Dollar, das die internationale Währungsarchitektur der Nachkriegszeit getragen hatte; 1972 stellte der ↑*Club of Rome* seinen vielbeachteten

Bericht „Die Grenzen des Wachstums" vor, der rückblickend als Ausdruck eines Paradigmenwechsels vom technisch-ökonomischen Fortschrittsoptimismus hin zu dosierter Fortschrittsskepsis und wachsendem ökologischen Bewusstsein gilt; im Herbst 1973 zeigte die von den arabischen OPEC-Staaten (↗OPEC) ausgelöste Ölpreiskrise, dass die wohlhabenden Industriestaaten verwundbar gegenüber externen Schocks waren: 1974 gerieten die OECD-Länder in eine spürbare Rezession. In vielen westlichen Ländern leitete dies die „Stagflation" der 1970er Jahre ein, bei der stagnierendes Wachstum und steigende Arbeitslosigkeit mit hohen Inflationsraten zusammentrafen.

Zugl. sah es während der Hochphase der ↗Entspannungspolitik der späten 1960er und der 1970er Jahre so aus, als verlöre die militärische Sicherheitspolitik im Vergleich zu den 1950er und frühen 1960er Jahren an Bedeutung. Westliche Regierungen erweiterten ihren Begriff von Sicherheit und ↗Sicherheitspolitik. Diese umfassten nicht mehr nur Allianzen, Militär und Vertragsdiplomatie, sondern zusätzlich Währungs-, Handels- und Energiefragen. Die Milderung des zuvor scharfen Ost-West-Antagonismus (↗Ost-West-Konflikt) und die wirtschaftliche Stagnation brachten es mit sich, dass die Differenzen innerhalb des westlichen Lagers eher zunahmen. Um die möglichen nachteiligen Folgen zu beheben, brachte der US-Sicherheitsberater und Außenminister Henry Kissinger in den frühen 1970er Jahren die Idee eines den Umständen der Zeit angepassten „Mächtekonzerts" vor, in dem eine enge Auswahl westlicher Staats- und Regierungschefs die Weltpolitik koordinieren sollten. H. Kissingers Vorstellungen trafen zunächst auf Skepsis bei den Europäern und bei US-Präsident Richard Nixon; in Frankreich hatte Charles de Gaulle allerdings schon früher die ähnliche Idee eines weltpolitischen „Direktoriums" (Böhm 2014: 14) vorgetragen.

Die zur Gründung der G. d. f. I. führende Initiative ging schließlich von Bundeskanzler Helmut Schmidt und dem französischen Präsidenten Valéry Giscard d'Estaing aus. Im Rahmen der sog.en Library Group oder *Gruppe der Fünf* hatten sich die Finanzminister der USA, Japans, der BRD, Großbritanniens und Frankreichs seit 1973 mehrfach getroffen. Sowohl H. Schmidt als auch V. Giscard d'Estaing waren zuvor Finanzminister gewesen und hatten den Wert des informellen und vertraulichen Austausches im Rahmen der G5-Finanzministertreffen schätzen gelernt. Beide sahen dringenden westlichen Koordinierungsbedarf in weltökonomischen Fragen und Kompensationsbedarf für die Führungsschwäche der USA. Der erste Gipfel der G. d. f. I. fand am 15.11.1975 im französischen Rambouillet statt; damals noch als Sechsergruppe ohne Kanada, das 1976 beim Gipfel von San Juan erstmals teilnahm. Auch wenn der erste Gipfel einen ad-hoc-Charakter hatte und eine Verstetigung urspr. nicht ausdrücklich vorgesehen war, setzte sich bald ein jährlicher

Turnus mit rotierenden Gastgeberländern durch. 1978 fand mit dem Bonner Gipfel erstmals ein G7-Treffen in Deutschland statt.

Die Etablierung der G7 hatte eine zuvor bestehende Lücke in der Zusammenarbeit des (hier geoökonomisch zu verstehenden) Westens geschlossen. Seit 1945 hatten die westlichen Regierungen nämlich nur selten multilaterale Gipfeltreffen abgehalten, im Gegensatz sowohl zu den Ostblockstaaten als auch zu den afroasiatischen bzw. blockfreien Ländern. Die einzigen multilateralen Treffen der westlichen Staats- und Regierungschefs zwischen 1949 und 1974 waren drei NATO-Gipfel gewesen; auch europäische Gipfel fanden erst seit den 1970er Jahren regelmäßig statt.

Das G7-System wurde schrittweise um weitere Zusammenkünfte ergänzt, häufig als ad-hoc-Treffen. Seit 1982 trafen sich die für Handel zuständigen Minister regelmäßig, seit 1992 die Umweltminister; unregelmäßige Treffen gab oder gibt es zwischen den für Auswärtiges, Inneres und Justiz, Energie, Beschäftigung, Bildung und Entwicklung zuständigen Ministern. Für die Gipfeltreffen der G. d. f. I. lassen sich gewisse Sequenzen jeweils beherrschender Themen ausmachen. In den späten 1970er Jahren waren makroökonomische Fragen zwar nicht die ausschließlichen, aber doch stark im Vordergrund stehende Themen. Im Zuge der Rückkehr zur weltpolitischen Konfrontation nahmen ab 1980 sicherheitsstrategische Fragen im eigentlichen Sinn breiteren Raum ein, zu denen nicht-traditionelle Sicherheitsfragen wie internationaler ↗Terrorismus und Luftpiraterie kamen.

Während der großen weltpolitischen Umbrüche zwischen 1989 und 1991 waren die in diesem Kontext aufgeworfenen wirtschaftlichen Fragen – z.B. die Transition der osteuropäischen Staaten von Plan- zu Marktwirtschaften – wesentlicher Bestandteil der G7-Treffen. Die UdSSR bzw. Russland nahm seit 1991 regelmäßig an den Gipfeln der G. d. f. I. teil. 1998 wurde die G7 um die Russische Föderation zur G8 erweitert. Diese Aufnahme erfolgte im Rahmen der politischen Bemühungen, Russland in die institutionelle Architektur des Westens zu einzubinden und die Stellung prowestlicher Reformpolitiker in Moskau zu stärken. Das Finanzminister- und Zentralbanktreffen bestand weiter im G7-Format.

2. Die Gruppe der führenden Industrienationen in der Kritik

Die G. d. f. I. ist stets auf eine vielstimmige Kritik gestoßen. Bei allen Unterschieden ihrer Motivation und Vorgehensweise eint die Kritiker eine Ablehnung der „Exklusivität" des G7/G8-Clubs. Während die „Insider" der G. d. f. I. die informelle, unbürokratische und personenbezogene Form der G7/G8-Diplomatie loben, nehmen Kritiker an der fehlenden völkerrechtlichen ↗Legitimation der Gruppe Anstoß. Daneben gibt es weitere Aspekte der Kritik, die von unterschiedlichen Gruppen vorgetragen werden. Zu den frühen Kritikern *innerhalb* der G7-Staaten gehörten die Diplomaten der jeweiligen Außenministerien. Sie sahen sich durch das informelle Gipfelformat ausgeschlossen und in ihrem Einfluss reduziert – wohl nicht zu Unrecht: Die Einrichtung der Gipfel und die starke Rolle der Finanzminister im G7-Format fügte sich ein in den langanhaltenden Trend des Einfluss- und Bedeutungsverlustes von Diplomaten und Außenministerien. Gestärkt wurden dagegen die jeweiligen Ämter der Staats- und Regierungschefs, in Deutschland das Bundeskanzleramt. Kritik gab es überdies von den „kleineren" Staaten des Westens, das die Entstehen eines exklusiven Staatenclubs der „Großen" mit Argwohn sahen. Durch die EG- bzw. EU-Repräsentanten bei den Gipfeltreffen sind die meisten europäischen Länder zumindest indirekt am G7-System beteiligt.

Sehr grundsätzliche Kritik wird schließlich sowohl von Vertretern des „globalen Südens" als auch von Gruppen vorgebracht, die meist der politischen Linken, seltener der extremen Rechten zugehören. Hier erscheint die G. d. f. I. als ein Club der Mächtigen, der am weiteren Ausbau seiner globalen Machtposition und an einer Globalisierung arbeitet, die nur wenigen nütze. Gegen die Treffen der G. d. f. I. hat es immer wieder sowohl friedliche als auch gewalttätige Proteste gegeben. Am Rande der G7/G8-Gipfel finden seit den 1990er Jahren stets globalisierungskritische Gegenveranstaltungen statt. Die G7/G8 werden sowohl in einem konkreten Sinne als eines der Spitzengremien des globalen ↑Kapitalismus als auch etwas abstrakter wie eine Chiffre für eine abgelehnte Wirtschaftsform (↑„Neoliberalismus", „Washington Consensus") wahrgenommen.

3. Neuere Entwicklungen

Schon während der 1990er und frühen 2000er Jahre gab es zahlreiche Forderungen nach einer Reform der G7/G8, die im Einzelnen sehr unterschiedlich und zuweilen gegenläufig waren. Eine häufig erhobene Forderung richtete sich darauf, das G7/G8-System insgesamt inklusiver zu machen, sowohl aus Gründen der Repräsentativität als auch wegen des ökonomischen Aufstiegs verschiedener Schwellenländer. Kritiker bezweifelten die Funktionalität eines weltwirtschaftlichen Führungsgremiums, das zwar Russland, Italien und Kanada, nicht aber China, Indien und Brasilien umfasste. Um dieses Problem zu mildern, trafen sich die Gipfel der G. d. f. I. in den 2000er Jahren häufig im Format der G8+5, d. h. unter Einschluss von China, Indien, Brasilien, Mexiko und Südafrika. Zudem wurden regelmäßig Staats- und Regierungschefs als Vertreter unterschiedlicher Regionalorganisationen (u. a. ↑AU, ↑ASEAN) zu den Gipfeln eingeladen. Auf dem G8-Gipfel im britischen Gleneagles 2005 nahmen Algerien, Äthiopien, Ghana, Nigeria, Senegal, Südafrika und Tansania nicht nur teil, sondern unterzeichneten auch das Abschlusskommuniqué.

Als Reaktion auf die Finanzkrise in Asien (1997/98) war 1999 auf amerikanisch-kanadische Initiative ein regelmäßiges Treffen der Finanzminister und Zentralbankchefs der *Gruppe der 20 wichtigsten Industrie- und Schwellenländern* eingerichtet worden. Diese G20 besteht aus den G8-Staaten sowie Argentinien, Australien, Brasilien, China, Indien, Indonesien, Mexiko, Russland, Saudi-Arabien, Südafrika, Südkorea, der Türkei und der EU. Der seit einigen Jahren diskutierte Vorschlag, die G20 durch regelmäßige Treffen der Staats- und Regierungschefs aufzuwerten, realisierte sich schließlich durch einen externen Schock: die drastische Zuspitzung der zuvor schwelenden globalen Finanz- und Bankenkrise im September 2008. Das erste Gipfeltreffen im G20-Rahmen fand am 15./16.11.2008 in Washington statt. Im ersten Jahrzehnt ihres Bestehens haben sich die G20-Gipfel zur wichtigen Plattform für *Global Governance* entwickelt. An der G20 gibt es ähnliche Kritik wie an der G7, die auf fehlende Repräsentativität und Legitimation abhebt. Jenseits der interessenpolitischen Motivation der G20-„Outsider" verweist diese Kritik auf das in vielen politischen Zusammenhängen begegnende Dilemma zwischen Legitimität/Repräsentativität und Effektivität/Effizienz. Ein Anspruch der G7/G8 auf *die* maßgebliche koordinierende Funktion in der Weltwirtschaft besteht angesichts der Verschiebung der geoökonomischen Gewichte heute nicht mehr; die G7 wäre aufgrund ihres Zuschnitts hierzu auch nicht länger in der Lage.

Als Reaktion auf die russische Annexion der ukrainischen Halbinsel Krim beschlossen die übrigen G8-Staats- und Regierungschefs 2014, sich bis auf weiteres wieder im Rahmen der G7 zu treffen. Der für 2014 eigentlich in St. Petersburg geplante Gipfel wurde kurzfristig nach Brüssel verlegt. Mit der Suspendierung Russlands ist die G. d. f. I. wieder zu einem Format geworden, dem ausschließlich hochentwickelte marktwirtschaftliche Demokratien angehören. Zu einer Zeit, in welcher der Einfluss des Westens insgesamt zurückgeht und die Kohärenz der westlichen Staaten – nicht zuletzt in ökonomischen Fragen – fraglich wird, scheint die G7 aber keineswegs obsolet zu sein, sondern nur vor einer Neudefinition ihrer Aufgaben zu stehen.

Literatur

J. Luckhurst: G20 Since the Global Crisis, 2016 • StBA: G7 in Zahlen, 2016 • M. Klein/J. Engelhardt: Weltwirtschaftssystem, in: W. Woyke/J. Varwick (Hg.): Handwörterbuch Internationale Politik, ¹³2015, 542–552 • E. Böhm: Entstehung und Funktion der G7-Gipfel, 2014 • S. Gill: Group of Seven/Group of Eight, in: J. Krieger (Hg.): The Oxford Companion to International Relations, 2014, 387–390 • P. Hajnal: The G8 System and the G20, 2007 • R. Keohane: International Organization and the Crisis of Interdependence, in: IO 29/2 (1975), 357–365 • J. Nye/R. Keohane: Transnational Relations and World Politics, in: IO 25/3 (1971), 329–349.   CARLO MASALA UND TILL FLORIAN TÖMMEL

Guerilla

I. Geschichtliche Aspekte – II. Theoretische Positionen

I. Geschichtliche Aspekte

1. Definition

G. (spanisch: *guerrilla*, kleiner Krieg) bezeichnet den militärisch oder paramilitärisch (↑Militär) organisierten irregulären bewaffneten Kampf und gilt oft auch als Synonym für Freiheitsbewegungen. Der Begriff des Guerillero wurde weitgehend synonym mit „Partisan" oder „Freischärler" gebraucht; seit der Jahrtausendwende ergeben sich zudem Überlappungen zum Begriff „Terrorist". Dabei differierten je Perspektive (militärisch, politisch, rechtlich) unterschiedliche Konnotationen, die sich im Zeitverlauf stark wandelten. Stets blieb umstritten, welchen Grad an Regularität/Irregularität den G.-Kämpfern zukam. Bedingt durch den irregulären Charakter der Kampfhandlungen und den Mobilisierungsmodus stellt die Trennung zwischen Kämpfern und unbeteiligter Zivilbevölkerung ein bes. Problem dar. Der von Protagonisten der G. propagierte „Volkskrieg" verfolgt das Ziel politischer und militärischer Mobilisierung. Dies verbindet sich mit rechtlichen Legitimationsstrategien und medialer Inszenierung.

Kennzeichnend für die G. sind taktische Gefechtshandlungen in kleinem Maßstab. Diese richten sich zumeist gegen reguläre Armeen. Volkskriegskonzeptionen von Carl von Clausewitz oder Mao Zedong zielten darauf ab, diese taktische Ebene auf eine strategische zu heben. Zudem führt der in G.-Konflikten meist beiderseits aberkannte Status als rechtmäßige Konfliktpartei zur Entgrenzung der Gewaltintensität (↑Gewalt) und Vergeltungsmaßnahmen gegenüber Unbeteiligten. Gleichwohl können sich im Konfliktverlauf auch Tendenzen einer Symmetrisierung ergeben.

2. Historische Entwicklung

Die heutige Bedeutung des Begriffs G. knüpft sich an den Spanischen Unabhängigkeitskrieg (*guerra de la Independencia*, englisch: *Peninsular War*, 1808–14). Das Wort G. wurde jedoch bereits Anfang des 17. Jh. verwendet. Im 18. Jh. war der militärische Begriff G. identisch mit demjenigen des kleinen Krieges (französisch: *petite guerre*). Hiermit eng verbunden war der Einsatz von Partisanen (französisch/englisch: *partisan*, deutsch: Parteigänger). Als solche wurden Führer von im kleinen Maßstab agierenden Truppenkörpern (französisch: *parti*) bezeichnet. Typisch war hier in der Frühen Neuzeit der Einsatz sog.er leichter Truppen, wozu bes. Husaren oder Freitruppen (organisiert in Form von regulären Truppen wie irregulären Milizen) zählten. Zum kleinen Krieg zählten Handstreiche, Hinterhalte, die Lager- und Marschsicherung, das Beschaffen von Pferdefutter oder das Eintreiben von Beute.

Im Gefolge der Atlantischen Revolutionen in Nordamerika (1776) und Frankreich (1789; ↑Französische Revolution) wurde das Recht zur Kriegführung dem ↑„Volk" zugesprochen. Damit erlangten vormals rein militärisch geprägte Begriffe (kleiner Krieg/G., Partisan, aber auch Söldner/↑Soldat) politische Konnotationen. Mit dem spanischen Kampf gegen die napoleonische Besatzungsherrschaft wurde G. ab 1808/09 gleichbedeutend mit „Volkskrieg" gebraucht. Diese Entlehnung aus der Militärsprache diente legitimierenden Absichten und wurde als Unabhängigkeitskrieg (↑Krieg) oft auch verklärt. Erst ab Mitte des 19. Jh. setzte sich das Wort G. als Bezeichnung für irreguläre Kämpfer vollends durch. Gleichzeitig wurden aufständische Zivilpersonen aus konservativer Perspektive meist als „Briganten" oder „Insurgenten" bezeichnet. Der auf die taktischen Aspekte fokussierte Begriff „kleiner Krieg" bestand in der Militärsprache bis ins frühe 20. Jh. fort.

Während im 19. Jh. das Konzept vom Volkskrieg in der Deutung des politischen ↑Liberalismus und später des ↑Sozialismus mit der Forderung nach der allg.en ↑Wehrpflicht und gleichen politischen Teilhaberechten aller Staatsbürger verbunden wurde, galt eine Beteiligung der Bevölkerung am Kampf aus konservativ-legitimistischer Sicht als Gewaltverbrechen. Dies führte etwa seitens preußisch-deutscher Truppen im Jahr 1871 zu massiven Vergeltungsmaßnahmen gegen französische *Franctireurs* und vermeintlich beteiligte Zivilpersonen. Ähnliche Gewalteskalationen traten zu Beginn des Ersten Weltkriegs in Belgien sowie im Zweiten Weltkrieg massiv an der Ostfront, auf dem Balkan, in Italien und z. T. in Frankreich auf. Obwohl Repressalien gegen kämpfende Zivilpersonen dem geltenden Kriegsbrauch entsprachen, blieb die Grenze zu Kriegsverbrechen stets unscharf. Im Zeitalter der Weltkriege vermengte sich der Kampf gegen irreguläre Kräfte mit Kriegsverbrechen (z. B. im rassenideologischen Vernichtungskrieg des ↑Nationalsozialismus).

Nach dem Zweiten Weltkrieg wurden irreguläre Konzepte zur Landesverteidigung v. a. in blockfreien und neutralen Staaten konzipiert, insb. in Jugoslawien, wo unter Josip Broz Tito der Mythos des Partisanen zur Herrschaftslegitimierung diente. Dagegen hielt die Gründungsgeneration der westdeutschen ↑Bundeswehr irreguläre Verteidigungskonzeptionen für militärisch abwegig. Trotz zeitweiser Unterstützung sozialistischer Befreiungsbewegungen der Dritten Welt galt dieser Primat konventioneller Kriegführung auch für die bewaffneten Organe der DDR.

Verstärkt mit dem Ende des Zweiten Weltkriegs traten antikoloniale Befreiungsbewegungen hervor, nun explizit unter der Bezeichnung G. und in gewisser Kontinuität irregulärer Konflikte seit Beginn der europäischen Expansion. Beeinflusst von europäischer Militärterminologie, v. a. aber in Anlehnung an die Oktoberrevolution in Russland (1917) und inspiriert durch den Erfolg der chinesischen Volksbefreiungsarmee unter Mao (1949) firmierten diese Aktivitäten oft als „revolutionärer Krieg" (↑Revolution). Die dagegen seitens der europäischen Kolonialmächte ergriffenen militärischen Maßnahmen wurden als „antisubversiver Kampf", *low intensity warfare* oder *Counterinsurgency* bezeichnet. Die v. a. auch mediale Inszenierung Ernesto „Che" Guevaras als Held der Befreiungsbewegungen der Dritten Welt strahlte auch nach Europa und in die USA aus. Die von E. Guevara und Régis Debray propagierte Fokus-Theorie beeinflusste zusammen mit dem Konzept der Stadt-G. (Carlos Marighella) auch terroristische Gruppierungen in Westeuropa, die sich selbst teils als G. bezeichneten und phasenweise im Austausch mit den Konfliktherden im ↑Nahen Osten standen. Seit der britischen Mandatsherrschaft 1918/19 und der Gründung des Staates Israel 1948 entwickelte sich hier eine Art Laboratorium für fortwährende Umformungsprozesse irregulärer Gewalt und Maßnahmen zu ihrer Niederschlagung.

3. Definitionsschwierigkeiten und rechtliche Aspekte

G. ist als trennscharfer Gattungsbegriff nur begrenzt geeignet. Vielmehr unterliegt er einem steten Wandel. In seiner Kritik an einer zu weit gefassten Begrifflichkeit markierte Carl Schmitt folgende Kennzeichen des Partisanen, die auch für die G. Anwendung finden können: Irregularität, Mobilität, politisches Engagement und die Verteidigung der eigenen Heimat (tellurischer Charakter). Diese Definition erlaubt zwar juridisch eindeutige Zuordnungen, ist aber für eine historisch adäquate Beschreibung der Phänomene problematisch.

Die bereits im republikanischen bzw. spätantiken Rom (Cicero, Augustinus) sowie im Mittelalter (Thomas von Aquin) und der Frühen Neuzeit (Francisco de Vitoria) fortentwickelte Theorie vom Gerechten Krieg *(bellum iustum)* enthält verschiedene Konzepte zur rechtlichen Würdigung irregulärer Kämpfer, die auch auf die G. übertragbar sind. Demnach gilt das Recht zum Krieg *(ius ad bellum)* nur für reguläre militärische Kräfte und daher nicht für G.-Kämpfer. Entspr. sind die Kriterien für die Befolgung von Regeln der Konfliktaustragung *(ius in bello)* von ihrer Anerkennung als rechtmäßige Kombattanten abhängig.

Zur kriegsrechtlichen Unterscheidung dieser Kräfte entstand im Jahr 1863 der Lieber-Code, der die völkerrechtlichen Diskussionen (↑Völkerrecht) in der Folgezeit beeinflusste. Die Haager Landkriegsordnung von 1907 knüpft den rechtmäßigen Kombattantenstatus insb. an das Vorhandensein einer einheitlichen Führung, an das offene Führen der Waffen sowie an sichtbare Erkennungszeichen. Die ↑Genfer Konvention von 1949 zur Behandlung von Kriegsgefangenen erkennt einen Kombattantenstatus auch jenen Widerstandsbewegungen zu, die unter den genannten Kriterien im besetzten Gebiet kämpfen. Das Erste Zusatzabkommen erlaubt zudem einen bewaffneten Kampf gegen Kolonialherrschaft (↑Kolonialismus) und fremde Besatzung. Voraussetzung für die völkerrechtlichen Schutzbestimmungen ist die Einhaltung der völkerrechtlichen Vorgaben durch beide Konfliktparteien. Im konkreten Fall bleibt freilich die Abgrenzung zwischen rechtmäßigen und unrechtmäßigen Konfliktteilnehmern schwierig, und auch die Bezeichnungen der unrechtmäßigen Kombattanten haben sich im Zeitverlauf derart verändert, dass G. als Quellenbegriff jeweils historisch präzise eingeordnet werden sollte.

Wiederholt haben sich sowohl die taktisch-strategischen als auch die semantischen Grenzen zwischen militantem ↑Widerstand, ↑Terrorismus, G.-Kriegführung und regulären militärischen Operationen verschoben. Dies gilt letztlich auch für Aktivitäten des transnational operierenden Terrorismus und die gegen ihn ins Feld geführten militärischen Maßnahmen, ohne dass dabei die Definitions- und Bewertungsschwierigkeiten in befriedigender Weise gelöst worden wären.

Literatur
M. Rink: Spaniens edles Beispiel. Eine preußische Guerilla?, in: B. Aschmann/T. Stamm-Kuhlmann (Hg.): 1813 im europäischen Kontext, 2015, 99–122 • S. Scheipers: Unlawful Combatants. A Genealogy of the Irregular Fighter, 2015 • D. Walter: Organisierte Gewalt in der europäischen Expansion. Gestalt und Logik des Imperialkrieges, 2014 • R. Carrasco Àlvarez: La guerra interminable. Claves de la guerra de guerrillas en España, 2013 • B. Heuser: Rebellen – Partisanen – Guerilleros. Asymmetrische Kriege von der Antike bis heute, 2013 • H.-H. Kortüm: Kriegstypus und Kriegstypologie, in: D. Beyrau/M. Hochgeschwender/D. Langewiesche (Hg.): Formen des Krieges, 2013, 71–98 • D. Porch: Counterinsurgency. Esposing the Myths of a New Way of War, 2013 • H. Münkler: Die neuen Kriege, 2002 • C. Marighella: Hdb. des Stadtguerillero, 1971 • Mao Zedong: Theorie des Guerillakrieges oder Strategie der Dritten Welt, 1966 • E. Guevara: Der Partisanenkrieg, 1962.
MARTIN RINK

II. Theoretische Positionen

Die Entwicklung der Theorie des Partisanen von Carl von Clausewitz über Wladimir Iljitsch Lenin zu Mao Zedong wurde durch die Dialektik von Regulär und Irregulär, von Berufsoffizier und Berufsrevolutionär vorangetrieben. Die Partisanen des spanischen G.-Krieges von 1808 waren die ersten bewaffneten Gruppen, die es wagten, irregulär gegen die ersten modernen regulären Armeen zu kämpfen. Partisanen kämpften auf ihrem engeren Heimatboden. C. von Clausewitz' Formel vom ↑Krieg als der Fortsetzung der ↑Politik enthält bereits in nuce eine Theorie des Partisanen, deren Logik durch W. I. Lenin und Mao zu Ende geführt worden ist. Die G. ist dadurch nicht mehr eine bloße begrenzte militärische Taktik; sie birgt in sich politische und strategische Konsequenzen, die in ↑Revolutionen münden sollen.

1. Carl von Clausewitz' „Kleiner Krieg"

Seit C. von Clausewitz herrschte Konsens darüber, dass unter kleinem Krieg der Gebrauch kleiner Truppenabteilungen im Feld zu verstehen ist. Gefechte von 20, 50, 100 oder 3 000–4 000 Mann gehören, wenn sie nicht Teil eines größeren Gefechts sind, dazu. Diese Definition – so C. von Clausewitz – möge zwar mechanisch oder unphilosophisch wirken, sei aber die zutreffendste. Alle kriegerischen Handlungen, die mit kleinen Truppenabteilungen geschehen, sind Gegenstände des kleinen Krieges. In seinen Vorlesungen darüber unterstreicht er dessen „sonderbaren Charakter" (Clausewitz 1966: 238), da in ihm neben der höchsten Kühnheit eine viel größere Scheu vor Gefahr als im großen Krieg besteht. Diesen Charakter nehmen auch die Truppen an, welche ihn führen. Für C. von Clausewitz gilt es, eine Gesamtansicht des Phänomens „kleiner Krieg" zu bieten. Dies geschieht mittels der „philosophisch-dialektischen Denkweise" (Hahlweg 1973: 19) und unter Berücksichtigung der Tiefe des historischen Erfahrungsraumes. Insofern können die „Vorlesungen über den Kleinen Krieg" als der erste Hauptteil des Werkes „Vom Kriege" angesehen werden. Er will eine Ortsbestimmung des Kleinen Krieges vornehmen, die verwirrende Vielfalt der Erscheinungsformen im Bereich der neuen Kriegskunst überschauen und deuten. Seine Überlegungen können als Hauptquelle für die Ideengeschichte des G.-Kriegs aufgefasst werden. Er macht dabei plausibel: Den Volkskrieg hat man als eine Erweiterung und Verstärkung von Krieg überhaupt anzusehen.

2. Die Theorie der Guerilla im 20. Jh.

Carl Schmitt nennt in seiner „Theorie des Partisanen" (1963) wesentliche Kriterien des G.-Kampfes wie Irregularität, politische Intensität, gesteigerte Mobilität sowie den tellurischer Charakter. Der Partisan ist für ihn ein irregulärer Kämpfer. Er kämpft an einer politischen Front; der politische Charakter seines Tuns bringt den urspr.en Sinn des Wortes „Partisan" (ganz im parteiischen Sinn des Begriffs) wieder zur Geltung. Er verfügt über Beweglichkeit, Schnelligkeit und beherrscht den überraschenden Wechsel von Angriff und Rückzug. Trotz aller taktischen Beweglichkeit ist die Situation des Partisanen grundsätzlich defensiv. Allerdings verändert der G.-Kampf sein Wesen, wenn er sich mit der absoluten Aggressivität einer weltrevolutionären oder einer technizistischen ↑Ideologie identifiziert.

Bei W. I. Lenin ging die Theorie des Partisanen in die Praxis des politischen Kampfes über. Seit dem Dezemberaufstand von 1905 ist es fast nirgends in Russland zur völligen Einstellung der Kampfhandlungen gekommen, die von Seiten des „revolutionären Volkes" (LW 10: 146) in einzelnen Partisanenüberfällen zum Ausdruck kommen. Wie W. I. Lenin unterstreicht, dienen derartige Partisanenaktionen zugl. der Desorganisierung des Feindes und der Vorbereitung bewaffneter Massenaktionen. Derartige Aktionen sind auch für die Kampferziehung und militärische Ausbildung der Kampfgruppen notwendig. Die Partisanenkampfaktionen müssen so geartet sein, dass sie der Aufgabe Rechnung tragen, Kader von Führern der Arbeitermassen während des Aufstands zu erziehen und Erfahrung in überraschenden Angriffshandlungen zu vermitteln.

Mao „verortet" zunächst den eigenen Krieg als einen revolutionären Krieg, der in einem halbkolonialen und halbfeudalen Land geführt wird. Deshalb müssen nicht nur die allg.en Gesetze des Krieges, sondern auch die spezifischen Gesetze des revolutionären Krieges in China studiert werden. Für Mao bilden Kriege die höchste Kampfform. Gestützt auf seine Widerspruchslehre werden Kriege zur Lösung der Widersprüche angewendet, sobald diese Widersprüche eine bestimmte Entwicklungsstufe erreicht haben. Wenn man die näheren Umstände des Krieges nicht begriffen hat, ist man nicht imstande, ihn zu gewinnen. Die Überlegungen vom W. I. Lenin und Mao werden von v. a. von linken Theoretikern und Praktikern der G. aufgegriffen.

So stützt sich Frantz Fanon v. a. auf die algerische Revolution, wenn er behauptet, dass sich die kolonialen Völker nur mit Gewaltmethoden befreien könnten. ↑Kolonialismus ist ↑Gewalt im Naturzustand und kann sich nur einer noch größeren Gewalt beugen. Daher werde die Gewalt diesen Völkern aufgezwungen und nur der allg.e bewaffnete Aufstand führe zur politischen Befreiung. Gewalt wirkt in diesem Befreiungskampf totalisierend und nationalisierend. F. Fanon rückte dabei alle nicht gewalttätigen Formen des politischen Kampfes in den Hintergrund und vertrat die Meinung, dass gerade die bewaffnete Gewalt immer die Hauptrolle spielen müsse.

Nach der Focus-Theorie von Régis Debray – einem Kampfgenossen von Ernesto „Che" Guevara – müssen sich die Handlungen der Revolutionäre in allen Ländern Lateinamerikas – zumindest in der ersten Etappe – auf den Partisanenkrieg auf dem Land beschränken. R. Debray negiert somit die Rolle der Arbeiterklasse, indem er erklärt, dass die soziale Basis der revolutionären Bewegung in der Stadt eingeengter sei als in ländlichen Gebieten. Hauptziel der Partisanen-Handlungen müsse die Vernichtung des Gegners und die Erbeutung seiner Waffen sein. R. Debray rückt die Aufgaben der politischen Organisierung an die zweite Stelle und kommt zu der Schlussfolgerung, dass die Partisanenbewegung nicht von einer politischen Partei organisiert werden müsse, sondern umgekehrt, dass die Partisanenarmee die Basis bilde, aus der eine wirklich revolutionäre Partei entstehen könne. Er folgert daraus, dass unverzüglich mit dem Partisanenkrieg begonnen werden müsse.

Die revolutionäre Strategie des nordvietnamesischen Generals Vo Nguyen Giap ging von einem auf lange Sicht geführten Kampf aus, der sich auf eine Abfolge von Phasen erstreckte:

a) eine defensive Phase,

b) die Phase des Gleichgewichts und

c) die Phase der allg.en Gegenoffensive.

Die Kampfformen mussten den konkreten Verhältnissen angepasst werden. V. a. zu Anfang war die eigentliche Kampftechnik die G. Die G. konnte in den Bergen und im Mekongdelta operieren. Sie konnte sich nicht zuletzt auf Kosten des Feindes ausrüsten. Im Zusammenspiel mit der regulären Armee gelang es, die gegnerischen Truppen zu schwächen oder aufzureiben. Der G.-Krieg ging bald in einen Bewegungskrieg über, der noch stark von der G.-Technik beeinflusst war, doch bald an der Hauptfront im Norden zur vorrangigen Kampfform aufstieg. Diese Entwicklung vom G.-Kampf zum Bewegungskrieg verlief parallel zu einer ständigen Vergrößerung der Volksarmee. Am Ende könne dann auch eine moderne Armee von einer aus der G. aufwachsenden und zunächst unterlegenen Truppe besiegt werden, falls auf deren Seite überlegene moralische Faktoren samt kriegerischem Können ins Gewicht fielen.

Der *Movimiento de Liberación Nacional* hat erstmals – als Tupamaros – die Kampfform der Stadt-G. entwickelt. Ihr zentraler Theoretiker war Carlos Marighella. Die Stadt-G. kämpft gegen die Militärdiktatur und wendet dabei unkonventionelle Mittel an. Ihr Ziel ist die weitere Entwicklung der revolutionären ↑ Strategie, v. a. die Bildung einer Land-G., die zur Gründung eines Volksheeres führt, um das bestehende System (hier: Brasiliens) zu „entlarven" und zu zerstören. Nach C. Marighella wird der Stadtguerillero weniger durch die Art der Aktionen charakterisiert als vielmehr durch das Bewusstsein, das ihn zu diesen Aktionen führt. C. Marighella begreift durchweg den G.-Krieg als eine revolutionäre Kampfform. Zum gegenwärtigen historischen Zeitpunkt – so sehen es die Vertreter der Stadt-G. – besitzt eine bewaffnete Gruppe (oder Fraktion) größere Möglichkeiten, sich in eine „große Armee des Volkes" zu verwandeln. Das Konzept der Stadt-G. hatte großen Einfluss auf linksextremistische Terrorgruppen (↑ Terrorismus) in Westeuropa.

3. Fortdauernde Erscheinung der „Guerilla"

Im Grunde gewinnt von F. Fanon über R. Debray bis zu C. Marighella (trotz Einbettung ihrer Konzepte in eine materialistische Gesellschaftstheorie) eine idealistische Denkweise mit Lust an der Ausübung von Gewalt die Überhand über die Wertschätzung militärischer Organisationskraft, wie sie von C. von Clausewitz über W. I. Lenin und Mao bis hin zu V. N. Giap als selbstverständlich erachtet wurde. In der einen Theorielinie stehen denn auch erfolgreiche Widerstandsbewegungen (↑ Widerstand) und Revolutionen, während die andere eine in politisch-gewalttätige Romantik (↑ Politische Romantik) verzweigte und wenig Konstruktives hinterließ. Gleichwohl finden sich strategisch-taktische Überlegungen des G.-Krieges im Begriff des „asymmetrischen" Krieges wieder, bei dem sich die Dialektik von regulären Streitkräften und irregulärer G. fortsetzt.

Literatur

F. Wassermann: Asymmetrische Kriege, 2015 • T. Rid/M. Hecker (Hg.): War 2.0. Irregular Warfare in the Information Age, 2009 • D. Schössler: Carl von Clausewitz, 2005 • H. Münkler: Die neuen Kriege, 2002 • H. Münkler (Hg.): Der Partisan, 1990 • C. von Clausewitz: Vom Kriege, ¹⁸1973 • W. Hahlweg: Das Clausewitz-Bild einst und jetzt, in: ebd. • A. Schubert: Die Stadtguerilla als revolutionäre Kampfform, 1972 • J. Schickel (Hg.): Guerrilleros, Partisanen. Theorie und Parxis, ²1970 • V. Giap: Volkskrieg, Volksarmee, 1968 • E. Guevara: Guerilla. Theorie und Methode, 1968 • R. Debray: Revolution in der Revolution? Bewaffneter Kampf und politischer Kampf in Lateinamerika, 1967 • C. von Clausewitz: Schriften – Aufsätze – Studien – Briefe, Bd. 1, 1966 • Mao Zedong: Ausgewählte Werke, Bd. 1, 1966 • C. Schmitt: Theorie des Partisanen, 1963 • W. I. Lenin: Über Krieg, Armee und Militärwissenschaft, 1961.   DIETMAR SCHÖSSLER

Gute, das

„Das G." ist ein Sammelbegriff für alles, was wir als gut bezeichnen, und „gut" und „schlecht" sind die allg.sten Begriffe, mit denen wir Sachverhalte in der Welt positiv bzw. negativ bewerten. „Gut" als allg.ster Begriff positiver Bewertung spielt eine fundamentale Rolle sowohl in der praktischen Philosophie, die das für und durch den Menschen G. zum Thema hat, als auch in der theoretischen Philosophie, insofern auf ontologisch-metaphysischer Ebene das Verhältnis von Sein und Gutsein zur Debatte steht.

Eine breite metaphysische Tradition neigte dazu, das Sein und das Gutsein der Dinge ineinszusetzen *(ens et bonum convertuntur)* und das Schlechtsein als Mangel an Sein und Gutsein *(privatio boni)* zu interpretieren. Seiendes wird hier generell auch als Zu-Seiendes verstanden. Etwas ist und ist gut, insofern es das ist und verwirklicht, was es seinem Wesen nach sein kann bzw. zu sein bestimmt ist. Es ermangelt des ihm eigenen Seins und ist schlecht, insofern es die ihm eigenen Möglichkeiten, etwas Bestimmtes zu sein und zu verwirklichen, unterbietet oder verfehlt. Das Blindsein etwa eines Sinnenwesens ist etwas Schlechtes (ein *malum physicum*); ihm fehlt etwas, was zur Vollkommenheit seines Seins als Sinnenwesen gehört.

Im Zusammenhang einer objektiven Wesensmetaphysik, die das Sein des Seienden als teleologisch strukturierten Ordnungszusammenhang interpretiert, führt der Begriff des G.n als Vollkommenheit und Zweckmäßigkeit des Seins zum Gedanken eines Systems des intrinsischen und relationalen Gutseins der Dinge, das abgeschlossen und begründet wird durch ein zuhöchst G.s *(bonum supremum)*, dem jedes Seiende nach Maßgabe seiner Teilhabe an ihm sein Gutsein verdankt. Jedes Seiende ist wirklich und ist gut in dem Maß, in dem es seinem ihm eigenen Wesen entspricht. Und dieses Wesen ist fundiert in einem letzten Prinzip (beim Begründer Platon in der Idee des G.n, vgl. Politeia,

507a-517 b, in christlicher Tradition in Gott), das jedem Seienden seine Stellung und seine Funktion im All der Dinge und Vorgänge zuweist.

„Gut" wird in unterschiedlicher Bedeutung verwendet. Klassisch ist einmal die (auf Cicero zurückgehende) materiale Unterscheidung des G.n in Angenehmes *(iucundum)*, Nützliches *(utile)* und sittlich Lobenswertes *(honestum)*. Diese Unterscheidung wird heute vielfach ergänzt um das menschlich G. i. S. d. Gedeihens und Wohlergehens *(well-being)*. Klassisch ist zweitens die (auf Platon und Aristoteles zurückgehende) formale, an der Zielstruktur unseres Strebens orientierte Gliederung des G.n in solches, was wir um seiner selbst willen, was wir seiner selbst und seiner Folgen wegen und was wir nicht an ihm selbst, sondern nur seiner Folgen wegen schätzen. Klassisch ist schließlich die Unterscheidung von solchem, was bedingt, d. h. nur unter Umständen gut ist, was unbedingt, d. h. unter allen Umständen gut ist, was besser bzw. zuhöchst gut ist neben und im Vergleich zu anderem G.m *(bonum supremum)* und schließlich, was vollendet gut ist im Sinne eines Ziels aller Ziele, das unser Streben erfüllt und über das hinaus nichts Besseres erstrebt werden kann (das höchste Gut als *bonum consummatum)*.

V. a. die letzteren Unterscheidungen spiegeln sich in der kontrovers diskutierten Frage nach der Abgrenzung und Verhältnisbestimmung des sittlich G.n, Schönen und Ehrenvollen *(honestum)* zum außermoralisch bzw. „natürlich" G.n *(bonum)*. Das eindeutige Kriterium der Unterscheidung bildet der Gesichtspunkt des Gebrauchs: Außermoralisch G.s, d. h. solches, was wir unter normalen Umständen seinem Gegenteil vorziehen (in Immanuel Kants Gliederung: Talente des Geistes, Eigenschaften des Temperaments, sowie leibliche und äußere Glücksgaben), ist dadurch gekennzeichnet, dass es sich durch den, der es besitzt, gut oder schlecht gebrauchen lässt bzw. dass es ihm gut oder schlecht bekommt, während moralisch G.s (der gute Wille, Vernunft in Verbindung mit Charaktertugend) den Besitzer vor einem schlechten Gebrauch schützt bzw. sich selbst aufhebt, sollte er versucht sein, es schlecht zu gebrauchen.

Die Frage der Verhältnisbestimmung von moralisch G.m und außermoralisch G.m spielt eine zentrale Rolle in allen ↑Ethiken. Sie meldet sich zum einen zu Wort mit der Frage, was es für einen moralisch Gesinnten an Sachverhalten in der Welt zu verfolgen gilt, zum anderen mit der Frage, was als das höchste, das vollendete Gut *(bonum consummatum)* für menschliches Leben und Streben zu gelten hat.

In der Beantwortung der zweiten Frage unterscheiden sich nicht nur die eudämonistischen Ethiken der Antike, sondern auch die kantische und die utilitaristische Ethik der Neuzeit sowie ihre deontologischen und teleologischen Varianten und Abkömmlinge der Gegenwart. Aristoteles erklärt die geistige und charakterliche ↑Tugend des Menschen als Menschen zum notwendigen

und wesentlichen, wenngleich nicht zureichenden Faktor seines Endziels, des ↑Glücks *(eudaimonia)*. Zu dessen Fülle gehören nach ihm auch glückliche Lebensumstände und schicksalsabhängige Güter. Die hellenistischen Ethiken der Stoa und des Epikureismus sehen dagegen die Erreichung des Endziels allein über die Bildung des Geistes und des Charakters gesichert. Dabei behauptet die Stoa, dass Tugend und tugendhaftes Handeln das einzig seiner selbst wegen Erstrebenswerte sei, dass außermoralisch G.s nur dem sittlich G.n zum Wohl gereiche und dass das Erreichen der Tugendhaftigkeit mit der Fülle menschlichen Glücks ineinsfalle. Ähnlich wie der stoische ist auch der epikureische Weise unter allen Umständen glücklich. Doch im Unterschied zur Stoa formuliert Epikur das höchste Gut in Begriffen der Schmerz- und Leidfreiheit bzw. des Vergnügens und stuft die Tugend zum notwendigen und zureichenden Mittel herab. Der antike Gegensatz zwischen Epikureismus und Stoa schreibt sich in der gegenwärtigen Antithetik eines (mehr) utilitaristisch oder eines (mehr) kantianisch geprägten Verständnisses von Sittlichkeit und der entspr.en Verhältnisbestimmung von Sittlichkeit und Glück des Menschen fort. Dabei ist diese neuzeitliche und moderne Verhältnisbestimmung durch Züge gekennzeichnet, die die Nähe und Distanz zur jüdisch-christlichen Tradition der Weltsicht und Lebensauffassung zur Voraussetzung haben. Alle großen philosophischen Ethiken der nichtchristlichen Antike sind um den Nachweis bemüht, dass Glück im Sinn eines guten menschlichen Lebens und Amoralität sich ausschließen; und umgekehrt, dass der Tugendhafte, wie schlimm die Umstände auch kommen mögen, wenn schon nicht glücklich, so doch nicht unglücklich sein wird. Dies ist anders in der jüdisch-christlichen Tradition. Hier dominiert nicht die Figur des Sokrates, sondern die Figur eines Hiob oder Jesus, in der Rechtschaffenheit und irdisches Glück auseinanderfallen. Und hier dominiert eine gute Botschaft, die die Selbstbeglückungskraft menschlicher Tugend in Frage stellt, die dem menschlichen Elend und Leid eine immense Bedeutung beimisst, und die einen geschenkhaften und gerechten Ausgleich von Moralität und Glück am Ende „dieser" Weltzeit bzw. im Jenseits verheißt.

Die (von Jeremy Bentham und John Stuart Mill gegründete) utilitaristische Ethik entnimmt von dieser Tradition die Gewichtung menschlichen, ja des gesamtkreatürlichen Elends und Leids. Sie formuliert das selbstwert- und endzielhafte G. in Begriffen eines Weltzustands, der möglichst frei ist von Schmerz und Leid, und möglichst erfüllt ist von positivem Empfinden des Lebens auf all seinen Stufen. Und sie versteht dieses Ziel als säkulare Aufgabe des Menschen. Sie funktionalisiert das moralisch-rechtlich G. i. S. v. Regeln, Handlungen und Einstellungen, die der effizienten Beförderung eines solchen Weltzustands dienen. Und sie versucht, den für die Realisierung des zielhaft G.n erforderlichen Einstellungen der Rechtlichkeit, des Gemeinsinns und des Altruismus durch gesetzliche Institutionen und durch die Restituierung hellenistischen, insb. epikureischen Tugend- und Glücksverständnisses Geltung zu verschaffen.

I. Kants Welt- und Selbstverständnis steht in der Tradition der jüdisch-christlichen Lehre vom Menschen als Bild Gottes. Diese hatte den unvergleichlichen Wert des Menschen, seine ↑ Würde, in sein vernünftiges und freies Subjektsein (↑ Subjekt), in seine Fähigkeit zu vernünftigem Weltverständnis und zu verantwortlicher Selbst- und Weltgestaltung gesetzt. Für I. Kant konstituiert genau diese „Anlage zur Persönlichkeit" und ihre Aktualisierung im „guten Willen" dasjenige, was allein „ohne Einschränkung für gut könnte gehalten werden" (Kant: Grundlegung zur Metaphysik der Sitten 393). Die Prinzipien des guten Willens eines Menschen und die Prinzipien seiner Glückseligkeit seien heterogener Natur; der moralisch G. sei „in dieser Welt" nicht *eo ipso* auch der außermoralisch Glückliche. Gleichwohl fordere Vernunft nach Gesichtspunkten der ↑ Gerechtigkeit, dass ein des Glückes bedürftiges und des Glückes würdiges Wesen auch glücklich sei. Das zuhöchst G., die Zuordnung und das Zusammenstimmen von Moralität und Glückseligkeit, wird so gesehen zum Gegenstand einer gläubigen Hoffnung reiner praktischer Vernunft, die nur ein allwissender, allmächtiger und gerechter Gott „in einer anderen Welt" einzulösen vermag.

Was tun wir, wenn wir etwas oder jemanden als „gut" bezeichnen? Beziehen wir uns auf etwas in der Welt? Beschreiben wir eine reale Eigenschaft von Objekten? Oder bringen wir nur unsere positiven Empfindungen und Gefühle den Objekten bzw. Sachverhalten gegenüber zum Ausdruck? Klar ist, dass wir mit diesem Wort immer auch unsere Wertschätzung, unsere Zustimmung und unsere Empfehlung von bzw. zu etwas bzw. jemandem zu verstehen geben. Während am einen Extremende der Theoriepositionen der sog.e Emotivismus die radikal subjektivistische Auffassung vertritt, dass mit dem Wort „gut" generell nur die subjektive Empfindung, Zustimmung und Empfehlung des Sprechers zum Ausdruck kommt, steht am anderen Ende die extrem realistische Auffassung, dass Gutsein eine objektive Eigenschaft bestimmter Objekte (unabhängig von ihrem Wahrgenommen-, Gewünscht- und Gedachtwerden durch uns Menschen) ist.

Die emotivistische Position versagt bei der Erklärung des Gebrauchs von „gut" in einem funktionalen Sinn (bei Instrumenten, Geräten, Gebrauchsgegenständen, Organen, Teilen von Maschinen, bei Vermögen, Fachkunden, Berufen und ihrem Einsatz bzw. Vollzug). Hier gibt es z. T. präzise Kriterien, die das objektive Gegebensein von „gut" i. S. d. guten Eignung, der guten Fähigkeit, des guten Passens zu etwas und der guten Ausführung bzw. des guten Vollzugs von etwas festzustellen erlauben. Die objektive Bestimmung des Was und Wozu seiner Funktion enthält die Kriterien der Feststellung des objektiven Gutseins des Gegenstandes bzw. dessen,

was er leistet. Dies ist anders, wenn wir nicht die Verrichtung bzw. den Vollzug einer objektiv bestimmbaren Funktion, sondern wenn wir ein Ziel vor Augen haben, das wir für selbstwerthaft gut halten (wie ↑ Gesundheit, Schönheit, ↑ Freiheit, Lust etc.), oder wenn wir, ohne Rücksicht auf seine Funktion, von einem guten Menschen oder einem guten Leben sprechen. Ist ein Gebrauch von „gut" in solchen Urteilen nur Ausdruck persönlichen Empfindens und subjektiver Zustimmung? Und kann es hier, wenn überhaupt, dann nur eine mehr oder weniger breit gestützte empirische Allgemeinheit des subjektiven Urteils geben?

Eine Zurückweisung von Subjektivismus und Relativismus wird diesbezüglich auf drei verschiedenen Wegen gesucht. Die Transzendentalphilosophie in der Tradition I. Kants ist personalistisch und rationalistisch orientiert. Ihr ist das freie, vernünftige Subjekt und sein guter Wille das evidentermaßen höchste und uneingeschränkt G. Ihr gilt als objektiv gut und wertvoll, was eine freie, vernünftige Subjektivität (ihrem Potential und ihrer Aktualität nach) ausmacht und was sie, unter vernünftigen Subjekten konsensfähig, als Zustand und Vorgang in der Welt bejahen kann. Der ↑ Utilitarismus ist naturalistisch und rationalistisch orientiert. Gut und schlecht sind nach ihm Grundeigenschaften des sich selbst empfindenden und erlebenden Lebens. Dass Lust etwas objektiv G.s und Schmerz etwas objektiv Schlechtes ist, darüber hat nach dieser Auffassung die ↑ Natur mit allen Lebensimpulsen (aller menschlichen Reflexion vorgängig) „entschieden". Dieses natural G. ist die Quelle all dessen, was inhaltlich als objektiv wertvoll zu betrachten ist. Im utilitaristischen Konzept des moralisch objektiv Richtigen verbinden sich natural G.s mit formal Vernünftigem: Es gilt, durch unser Handeln einen möglichst großen Betrag an Vergnügen, verteilt auf möglichst viele Menschen bzw. empfindende Wesen zu erzielen. Der Utilitarismus macht nicht das freie, vernünftige Personsein, sondern einen welthaften (in Grenzen auch quantifizierbaren) Sachverhalt, das lustvolle bzw. schmerzfreie Erleben des Lebens möglichst vieler empfindungsfähiger Lebewesen zum Ausgangs- und Zielpunkt seiner Theorie des G.n.

Jenseits des Objektivismus von personalistischer Transzendentalphilosophie und naturalistischem Utilitarismus formiert sich gegenwärtig, in gewissem Anschluss an die phänomenologische Wertphilosophie die Position des Wertrealismus. Sprachanalytische Gründe belegen, dass „gut" nicht „gewünscht" und nicht „gewollt" bedeutet. Was immer im Sinne eines Endziels gewünscht wird, kann gut oder schlecht sein. Und nicht deshalb ist, unseren elementaren Intuitionen entspr., etwas gut, weil wir es faktisch oder vernünftigerweise wollen, sondern wir wünschen und wollen etwas, weil es gut ist bzw. weil wir es für gut halten.

In unserer lebensweltlichen Einstellung nähmen wir Wertvolles und Wertwidriges (etwa liebevolles oder grausames Verhalten) unmittelbar wahr. Die Phänomene sprächen für die ontologische Selbständigkeit von Werten. Denn etwas wahrnehmen besagt normalerweise, dass das Wahrgenommene nicht auf eine Subjektivitätsleistung reduzierbar ist. Es ist die Frage, wie stark man diese (in unseren Intuitionen und unserer wertenden Sprache vorausgesetzte) ontologische Selbständigkeit des wahrgenommenen G.n in Ansatz bringt. Man unterscheidet gegenwärtig einen schwachen von einem starken Wertrealismus. Während der starke Realismus Werte als von Subjektivitätsleistungen völlig unabhängige Entitäten versteht, konstruiert sie der schwache Realismus als Relationen, die sich ähnlich deuten lassen wie die sog.en sekundären Qualitäten von Erfahrungsgegenständen. Diese sind real und objektiv; sie finden sich im Objekt als Objekt der sinnlichen Erfahrung („der Tisch ist braun"), wenngleich nicht real und objektiv in dem Sinne, in dem es etwa die molekulare Struktur des Tisches ist. Doch dass ein realer Gegenstand eine bestimmte Farbe hat, ist eine objektive, auch objektiv feststellbare Tatsache, wenngleich nur objektiv und real für Menschen und ähnlich verfassten Sinnenwesen. Keinen größeren oder geringeren Realitäts- und Objektivitätsanspruch als für sekundäre Qualitäten möchte der schwache Realismus für Werteigenschaften erheben: Eine Handlung ist gut ähnlich wie der Tisch braun ist. Die sekundären Qualitäten sind in Wahrheit relationale Eigenschaften; es sind keine bloßen Projektionen von Subjekten: Es ist etwas Reales, nicht auf Subjektivitätsleistungen Reduzierbares am Gegenstand, das diesen einem Sinnenwesen wie dem Menschen unter bestimmten Bedingungen als so und so beschaffen erscheinen lässt. Analoges soll von objektiven, auch und nicht zuletzt von moralischen ↑Werten gelten.

Literatur

M. Forschner: Das Gute, in: NHphG, Bd. 2, 2011, 1132–1144 • C. Halbig: Praktische Gründe und die Realität der Moral, 2007 (Lit.) • J. McDowell: Mind, Value and Reality, 2001 • G. H. von Wright: The Varieties of Goodness, 1963 • H. Kuhn: Das Sein und das Gute, 1962 • W. D. Ross: The Right and the Good, 1930 • M. Scheler: Der Formalismus in der Ethik und die materiale Wertethik, 1916 • I. Kant: Grundlegung zur Metaphysik der Sitten, in: AA, Bd. 4, 1781, 385–464.   MAXIMILIAN FORSCHNER

Güter

1. Die Vielfalt von Gütern

G. sind Mittel zur Bedürfnisbefriedigung (↑Bedürfnis). Mit der Fähigkeit, Bedürfnisse zu befriedigen weisen G. bei den potentiellen Nutzern eine Wertschätzung und gegebenenfalls eine Zahlungsbereitschaft zum Erwerb von Nutzungsrechten auf. G. lassen sich in eine Vielzahl von Kategorien einordnen. Im Folgenden sollen zunächst die wichtigsten G.-Arten voneinander abgegrenzt werden. Anschließend werden in den folgenden Ab-

schnitten die wichtigsten dieser Klassifikationen genauer betrachtet.

a) Eine erste Unterscheidung ist diejenige in freie und knappe G. Unter einem freien G. versteht man ein solches, das in größerem Umfang zur Verfügung steht als es von den Konsumenten gewünscht wird, sodass ein jeder Konsument bis zum Grad der vollständigen Sättigung konsumieren kann und die Menge der betrachteten G. noch immer nicht verbraucht ist. Beispiel für freie G. sind die Luft zum Atmen, Sand in der Sahara oder das Salzwasser in den Ozeanen. Solange G. als frei bezeichnet werden können, besteht kein wirtschaftliches Versorgungsproblem (etwa bei der „Lieferung" von Luft), was zur Folge hat, dass sie in der Ökonomik nicht weiter untersucht werden.

Knappe G. sind solche, die nur in einem begrenzten Umfang zur Verfügung stehen und deren Bereitstellung im Allgemeinen mit Kosten verbunden ist. Sie werden oftmals auch als wirtschaftliche G. bezeichnet und stehen im Vordergrund dieses Beitrags.

b) Eine zweite G.-Klassifikation erfolgt anhand des Kriteriums, ob G. materiell sind oder nicht. Materielle G. können angefasst werden, sie weisen also eine körperliche Substanz auf. Immaterielle G. sind hingegen körperlos. Beispiele für immaterielle G. sind ↑Dienstleistungen, Rechte und Informationen.

c) Konsum-G. werden von Produktions-G.n unterschieden. Unter den letzteren versteht man solche G., die als Input in den volkswirtschaftlichen Produktionsprozess eingehen.

d) G. können in Gebrauchs- und Verbrauchs-G. eingeteilt werden. Der wesentliche Unterschied zwischen diesen Kategorien besteht eigentlich nur in der Nutzungsdauer. Verbrauchs-G. – man denke etwa an Nahrungsmittel – werden in kurzer Zeit verbraucht, während Gebrauchs-G. über einen längeren Zeitraum eingesetzt werden. Sie besitzen damit einen Investitions- bzw. Kapitalcharakter. Beispiele für Konsum-Gebrauchs-G. sind Automobile, Fernseher und Wohnimmobilien. Maschinen, Werkzeuge und Patente sind hingegen als Produktions-Gebrauchs-G. (Kapital-G.) einzustufen.

e) Nach den Kriterien der Rivalität im und der Exkludierbarkeit vom Konsum werden verschiedene Arten von Kollektiv-G.n (öffentlichen G.n) bzw. privaten G.n unterschieden. Diese Thematik wird in Abschnitt 2 genauer betrachtet.

f) Meritorische und demeritorische G. sind solche, bzgl. derer dem Verbraucher unterstellt wird, dass er seine Konsumentscheidungen nicht optimal trifft und sein Verhalten einer Korrektur bedarf. Die Meritorik ist Gegenstand des dritten Abschnitts.

g) G. lassen sich auch danach unterscheiden, inwieweit Informationsdefizite hinsichtlich der G.-Qualität vorliegen oder nicht. Die damit verbundene Einteilung in transparente G., Inspektions-, Erfahrungs- und Vertrauens-G. wird in Abschnitt 4 erläutert.

2. Private und öffentliche Güter

Die Kollektiv-G.-Theorie grenzt G. nach der Erfüllung oder Nichterfüllung zweier Kriterien ab: der Exkludierbarkeit und der Rivalität. Unter einer Exkludierbarkeit vom ↑Konsum versteht man die Eigenschaft, ob es zu vertretbaren Kosten möglich ist, einen Verbraucher vom Konsum des G.es auszuschließen. So ist es z. B. durch ein simples Abschließen einer Wohnung möglich, andere Menschen von der Nutzung des eigenen Wohnraums auszuschließen. Damit liegt eine Exkludierbarkeit vor. Im Gegensatz dazu ist es kaum möglich, einen Bürger vom Nutzen des Rechtssystems oder der Bundeswehr auszuschließen. Selbst wenn der betrachtete Bürger überhaupt keinen Beitrag zur Finanzierung des Rechtsapparates leistet, profitiert er doch von den damit verbundenen Verhaltensänderungen der Mitbürger und vom Schutz vor den inhaftierten Verbrechern. Hier liegt offensichtlich keine Exkludierbarkeit vor.

Das Fehlen der Möglichkeit zum Ausschluss vom Konsum hat ein Trittbrettfahrerproblem zur Folge: Im Vertrauen darauf, dass die anderen Bürger eine Finanzierung der Bundeswehr sicherstellen, hat jeder Einzelne einen Anreiz, seinen eigenen Beitrag dazu zu verweigern, ohne dass sein persönlicher Nutzen aus der Landesverteidigung sinkt. Doch selbst wenn die anderen Bürger ihren Beitrag ebenfalls verweigern, ist es für den betrachteten Verbraucher nicht sinnvoll, als einziger in die (damit völlig wirkungslose) Landesverteidigung zu investieren. Bei fehlender Exkludierbarkeit vom Konsum liegt somit ein über den Markt kaum lösbares Finanzierungsproblem vor. In diesem Fall könnte der Staat einspringen und durch eine Zwangsfinanzierung (Steuern) das von den Menschen eigentlich gewünschte G. Landesverteidigung bereitstellen.

Das zweite Kriterium der Kollektiv-G.-Theorie besteht in der Rivalität im Konsum. Rivalität im Konsum liegt dann vor, wenn der Konsum eines G.es durch eine Person den Konsum desselben G.es durch andere Menschen beeinträchtigt oder ganz unmöglich macht. Jede Scheibe Brot, die Person A verzehrt, steht Person B nicht mehr zur Verfügung. Es herrscht vollkommene Rivalität im Konsum. Es existieren jedoch auch andere G., für die das nicht gilt: z. B die Landesverteidigung. Wird etwa ein Kind geboren, das ebenfalls von der Bundeswehr geschützt wird – es konsumiert somit das G. Landesverteidigung – so wird der Nutzen der anderen Bürger des Landes durch den neuen Konsumenten gar nicht beeinträchtigt. Es liegt somit überhaupt keine Rivalität im Konsum vor. Bei fehlender Rivalität im Konsum ergibt sich ein anderes „Problem": Wird das G. für eine bestimmte Menge von Menschen bereitgestellt, so ist ein Ausschluss der anderen Menschen gar nicht gewünscht: Könnten sie am Konsum teilnehmen, entstünden keine Kosten, wohl aber ein signifikanter Konsumnutzen. Dürften jedoch alle Menschen kostenlos an der Nutzung teilnehmen, wer soll dann die Bereitstellung des G.es finanzieren?

Fasst man die beiden Kriterien zusammen, so ergibt sich eine 2×2-Matrix mit den resultierenden Arten von Kollektiv- bzw. Privat-G.n, die in Tab. 1 dargestellt ist. Für den Fall, dass sowohl Exkludierbarkeit als auch Rivalität vorliegt, spricht man von privaten G.n. Diese werden im Allgemeinen durch den wettbewerblichen Marktprozess (↑Markt, ↑Wettbewerb) in angemessenem Umfang bereitgestellt.

Das Gegenstück hierzu bilden die (rein) öffentlichen G., bei denen weder eine Exklusion vom Konsum möglich ist noch eine Rivalität im Konsum vorliegt. Ein Musterbeispiel dafür stellt die bereits erwähnte Landesverteidigung dar. Da eine Exklusion vom Konsum weder möglich noch wünschenswert ist, aber ein Trittbrettfahrerproblem bei der Finanzierung vorliegt, ist eine Zwangsfinanzierung durch ↑Steuern oder ↑Abgaben nur schwer zu vermeiden.

	Exkludierbarkeit gegeben	Keine Exkludierbarkeit
Rivalität im Konsum	Private Güter	Gesellschaftliche Ressourcen
Keine Rivalität im Konsum	Klubkollektivgüter	(Rein) Öffentliche Güter

Tab. 1: Öffentliche und private Güter

Eine Finanzierung durch den ↑Staat bedeutet jedoch noch nicht, dass der Staat die öffentlichen G. auch produziert. Grundsätzlich könnte er die Produktion auch bei privatwirtschaftlichen Unternehmen in Auftrag geben. Dies würde in den meisten Fällen kostensenkend und damit ressourcenschonend wirken. In anderen Fällen, wie etwa der Landesverteidigung oder der Rechtsprechung, gibt es weitere Gründe – z. B. die Sorge vor einem Missbrauch der resultierenden privaten, militärischen Macht – dafür, dass auch die Produktion des G.es durch den Staat erfolgen sollte.

Eine dritte Form von G.n sind die gesellschaftlichen Ressourcen, die gelegentlich auch als Allmende-G. bezeichnet werden. Bei ihnen ist die Exkludierbarkeit nicht gegeben, Rivalität im Konsum herrscht dennoch vor. Ein Beispiel hierfür wäre ein von mehreren Unternehmen genutztes Ölfeld oder der Fischbestand in den Weltmeeren. In beiden Fällen könnte es zu kostspielig sein, andere Personen an der Nutzung der Ressource zu hindern. Wollte man etwa den Weltbestand an Walen vor unbegrenztem Zugriff schützen, so müsste man die Ozeane umfassend kontrollieren. Wenn eine Exklusion von der Nutzung nicht möglich ist, so ist von einer verschwenderischen Übernutzung der Ressource auszugehen: Jede Zurückhaltung im Verbrauch der Ressource ermöglicht v. a. den anderen Nutzern einen leichteren Zugriff: Der Wal, den Fischer A verschont, wird mit Freude von Fischer B gefangen und geht damit Fischer

A für alle Zeiten verloren. Dies ist der Grund dafür, warum viele Tierarten vom Aussterben bedroht sind.

Zu lösen ist dieses Problem eigentlich nur durch technische oder rechtliche Innovationen, die letztendlich doch einen Ausschluss vom Konsum und damit die Zuweisung privater Eigentumsrechte ermöglichen. Falls zwar der Zugriff auf die Ressource nicht verhindert, aber zumindest gemessen werden kann, könnten auch Kontrollen der Absatzmengen auf Märkten oder Kontrollen mit Sanktionen in Kleingruppen helfen.

In der letzten Kategorie, die hier als Klubkollektiv-G. (Clubgüter) bezeichnet wird, ist die Exkludierbarkeit zwar gegeben, es herrscht jedoch keine Rivalität im Konsum. Beispiele hierfür wären das Kabelfernsehen, nicht voll besetzte Züge oder Hörsäle oder nicht ausgelastete Sportanlagen. Ein weiterer Zuhörer in einem halbvollen Hörsaal verursacht keine zusätzlichen Kosten und mindert den Genuss der anderen Zuhörer in keiner Weise. Gleichzeitig könnte der zusätzliche Hörer aber durch eine Eingangskontrolle vom Konsum ausgeschlossen werden. Dies wäre jedoch nicht wünschenswert, insoweit die Vorlesung schon angeboten wird. Würde jedoch niemand einen Beitrag für die Bereitstellung des Vorlesungsangebots zahlen, so würde die Vorlesung gar nicht erst stattfinden. Ein möglicher Ausweg für das Finanzierungsproblem besteht in der Klublösung: Alle an Vorlesungen interessierten Bürger zahlen einen festen Beitrag und ermöglichen somit die Bereitstellung des Vorlesungsangebots. Durch Zahlung des Beitrags können sie zu beliebig vielen Veranstaltungen gehen. Sollte der Hörsaal jedoch überfüllt sein, wechselt die Veranstaltung ihren Charakter, da nunmehr Rivalität im Konsum vorliegt. Die Veranstaltung wird zu einem privaten G., und die Forderung eines weiteren Eintrittspreises wird sinnvoll, um denjenigen, die für die Veranstaltung die höchste Wertschätzung aufweisen, den Zugang zu sichern.

3. Meritorische und demeritorische Güter

G. werden dann als meritorisch oder demeritorisch bezeichnet, wenn unterstellt wird, dass der Verbraucher ohne Eingriff des Staates eine für ihn selbst suboptimale Entscheidung träfe. Mit anderen Worten: Die Konsumentensouveränität wird in Frage gestellt.

Als Begründung wird angeführt, dass bestimmte Konsumhandlungen einen Eigenwert hätten oder dass dem Konsumenten die Reife fehlt zu erkennen, was eigentlich gut für ihn ist. So könnte etwa dem Theaterbesuch ein über den reinen Konsumgenuss hinausgehender Wert eingeräumt werden, der vom Verbraucher nicht hinreichend gewürdigt wird. Aus diesem Grund soll der Verbraucher gedrängt oder gezwungen werden, das so verdienstvolle („meritorische") G. in höherem Maß zu konsumieren. Fehlende Reife wird häufig für Kinder und Jugendliche unterstellt, die z. B. einer Schulpflicht unterliegen. Aber auch Erwachsenen wird gelegentlich unterstellt, dass sie etwa ihre Bedürfnisse

im Alter unterschätzen und deshalb einer Altersvorsorgepflicht unterliegen sollten.

Während meritorische G. in größerem Umfang konsumiert werden sollen, als es der Verbraucher eigenständig entscheiden würde, werden demeritorische G. als inhärent schädlich angesehen. Demeritorische Eingriffe haben dementsprechend zum Ziel, den Konsum dieser G. zu verringern. Klassische Beispiele hierfür sind Suchtmittel wie Tabak, Alkohol, harte und weiche Drogen oder auch Wetten (Spielsucht).

Die „klassische" Interpretation meritorischer Eingriffe in die Konsumentscheidungen unterliegt einem grundsätzlichen Problem: Wie bestimmt man den meritorischen Zusatzwert einer Konsumhandlung und wer bestimmt diesen? Einschätzungen können hier weit auseinander liegen, sodass einer willkürlichen Bevormundung Tür und Tor geöffnet werden. Woher will die bevormundende Instanz besser wissen, was für Person A und für alle anderen, doch ganz unterschiedlichen Personen besser oder schlechter ist? Dies Problem gilt übrigens auch für demokratisch legitimierte meritorische Eingriffe: Warum sollte eine Mehrheit von Wählern mit bestimmten Präferenzen der Minderheit Konsumvorgaben diktieren können? Und warum soll die Mehrheit den „wahren" Konsumnutzen besser erkennen können als die Minderheit?

Warum reicht es nicht aus, die Konsumenten hinreichend zu informieren, sodass sie selbst herausfinden können, was gut für sie ist? Im Grunde kann als Begründung allenfalls angeführt werden, dass der Lernprozess der Menschen bei bestimmten G.n (etwa harten Drogen) systematisch versagt. Abgesehen davon, dass ein solches Versagen allenfalls bei einigen wenigen G.n anwendbar sein könnte, bleibt noch immer das Problem festzustellen, wann dies zutrifft und warum die Einschätzung einiger vermeintlicher Fachleute zutreffender sein soll als die Selbsteinschätzung der Konsumenten. Zusammenfassend lässt sich feststellen, dass alle Ansätze, bei denen vermeintlich besser informierte Menschen anderen ihre Konsummuster zumindest teilweise vorgeben möchten, überaus fragwürdig sind.

Es gibt jedoch einen anderen, „neueren" Ansatz der Meritorik, dessen Idee weniger darin besteht, anderen Menschen Verbrauchmuster vorzuschreiben, als vielmehr den Versuch von Menschen darstellt, *sich selbst* an bestimmte Verhaltensweisen zu binden. Die Grundidee besteht in der Einführung sog.er Meta-Präferenzen, also Präferenzen über Präferenzen. Ein auf diese Weise betrachteter Mensch unterscheidet zwischen seiner Wunschvorstellung über sein eigenes Verhalten und seinem tatsächlichen Verhalten. So mag eine Person bspw. die Meta-Präferenz haben, keinen Alkohol zu trinken. Gleichzeitig erkennt er, dass die Wahrscheinlichkeit groß ist, von diesem Idealbild abzuweichen, wenn er in geselliger Runde nicht als Außenseiter gelten möchte und deshalb gemeinsam mit den anderen doch Alkohol zu sich nimmt. Um seinem Wunschbild über sich selbst näher zu kommen, könnte er – seine Willensschwäche antizipierend – sich einer Selbstbindung aussetzen wollen. Bspw. könnte er allen seinen Freunden einen hohen Geldbetrag versprechen, wenn er jemals wieder beim Alkoholkonsum beobachtet würde. Befindet er sich nun erneut in der geselligen Runde, so wäre die Androhung der hohen Vermögenseinbuße möglicherweise hilfreich, den Alkoholverzicht konsequent umzusetzen.

Wenn bestimmte Formen solcher Willensschwächen nicht nur im privaten Umfeld auftreten, kann es schwierig werden, derartige Selbstbindungs-Versprechen mit allen ihm möglicherweise in der Zukunft begegnenden Menschen vorzunehmen. In diesem Fall könnte man einem gesetzlichen Alkoholverbot zustimmen wollen, um eine umfassende Selbstbindung einzurichten. Sollten viele Menschen ein solches Selbstbindungsbedürfnis aufweisen, könnte eine demokratische Mehrheit ein demeritorisch motiviertes Alkoholverbot realisieren, nicht um andere Menschen im Konsum zu bevormunden, sondern um sich selbst an die eigenen Meta-Präferenzen zu binden. Damit würde zwar noch immer die Mehrheit der Minderheit Konsummuster verbieten, doch geschähe dies nicht aus der Perspektive vermeintlich überlegenen Wissens, sondern nur, um sich selbst vor eigenen Fehlentscheidungen zu schützen.

Solche „individualistisch-meritorischen" (Erlei 1992: 34) Eingriffe sind grundsätzlich legitimierbar, da eine Präferenzverletzung unvermeidlich ist: Entweder die sich meritorisch binden wollendenden Personen werden daran gehindert, ihre Meta-Präferenzen realisieren zu können, oder die überstimmte Minderheit wird in ihrer Konsumfreiheit beeinträchtigt. Da in jedem Fall eine Freiheit – die zur Selbstbindung oder die zum freien Konsum – verletzt wird, handelt es sich um eine Frage der Abwägung, in welchen Fällen ein meritorischer Eingriff noch als verhältnismäßig angesehen werden kann. Gleichzeitig gilt es nicht zu übersehen, dass jede Möglichkeit meritorischer Vorgaben auch missbräuchlich genutzt werden kann, insb. dann, wenn nicht wirklich alle Menschen über die Vorgabe abstimmen können, sondern eine parlamentarische Elite die Entscheidung trifft.

4. Information und Güterarten

Ein ganz andersartiger Problemkomplex ergibt sich, wenn man G. anhand des Ausmaßes von Informationsdefiziten über die G.-Eigenschaften unterscheidet. Die ökonomische Literatur unterscheidet dabei v. a. vier Arten von G.n:

a) transparente G.,
b) Inspektions-G.,
c) Erfahrungs-G. und
d) Vertrauens-G.

Unproblematisch sind die transparenten G., deren wesentliche Eigenschaften dem Verbraucher hinreichend genau bekannt sind. Beispiele hierfür sind v. a. nahezu homogene G. wie etwa Benzin, Elektrizität oder Getreide. Käufer und Verkäufer wissen beim Handel solcher

G. hinreichend genau, auf was sie verzichten bzw. was sie erwerben.

Ein wenig problematischer sind die sog.en Such- oder Inspektions-G. Für diese gilt, dass die Produktqualität zwar nicht im Vorhinein bekannt ist, diese jedoch durch einfache Maßnahmen der Inspektion – z. B. Anblick, Anfassen, Messen, Wiegen usw. – erfasst werden kann. Das Inspizieren kostet u. U. Zeit und Geld, sodass Inspektionen, die wiederholt durch unterschiedliche Kaufinteressenten durchgeführt werden, zu unnötig hohen Messkosten führen können. Dies kann jedoch leicht vermieden werden, indem erfahrene oder zertifizierte Händler die Messung einmalig und glaubhaft – unter Androhung empfindlicher Strafen bei Fehlmessungen – vornehmen.

Erfahrungs-G. zeichnen sich dadurch aus, dass zumindest eine Marktseite (im Allgemeinen der Käufer) die Eigenschaften des G.es nicht durch eine Inspektion bestimmen kann, sondern erst im Rahmen der Nutzung selbst oder im Anschluss an den vollzogenen Verbrauch. Ein beliebtes Beispiel hierfür sind Gebrauchtwagen. Zwar mag der Verkäufer durch seine jahrelange Erfahrung mit dem Auto eine relativ gute Vorstellung von dessen Qualität haben, doch wird er sie häufig nur dann ehrlich an den Kaufinteressenten weitergeben, wenn er die Qualität für hoch erachtet. Möchte er jedoch ein Montagsauto verkaufen, hat er einen großen Anreiz, die Produkteigenschaften zu verschweigen oder sogar zu lügen. Für den potentiellen Käufer bedeutet dies, dass ihm zumeist mitgeteilt wird, die Produktqualität sei hoch. Da er leider den Wahrheitsgehalt der Aussage nicht feststellen kann, sind die entspr.en Mitteilungen für ihn wertlos. George A. Akerlof hat gezeigt, dass unter solchen Bedingungen Märkte vollständig zusammenbrechen können. Im Rahmen der Prinzipal-Agent-Theorie wird argumentiert, dass diese Art von ↑Marktversagen durch Filterung und Signalisierung vermieden werden kann. Zwar werden dabei oftmals keine effizienten Marktergebnisse erzielt, doch werden immerhin Second-best-Zustände erreicht.

Die Filterung basiert auf der Idee, dass der schlecht informierte Transaktionspartner seinem Gegenüber mehrere Verträge zur Auswahl vorlegt. Die unterschiedlichen Vertragsangebote sind dabei so gestaltet, dass gut informierte Verkäufer je nach Qualität des eigenen Produkts unterschiedliche Verträge auswählen und damit – unfreiwillig – ihr Vorsprungswissen offenbaren.

Das Konzept der Signalisierung beinhaltet, dass der gut informierte Transaktionspartner kostenverursachende Handlungen vornimmt (oder unterlässt), die dem schlecht informierten Kaufinteressenten glaubhaft signalisieren, welche Produkteigenschaften vorliegen. Ein Beispiel: Der Verkäufer kann umfassende Garantierechte einräumen, die sich für ihn nur dann rechnen, wenn die Wahrscheinlichkeit ihrer Inanspruchnahme gering ist. Auf diese Weise können sich Anbieter von hochwertigen Autos von den Verkäufern von Montagsautos absondern und einen höheren Verkaufspreis erzielen.

Ein wirkliches Problem stellt die vierte Klasse von G.n, die Vertrauens-G., dar. Diese sind dadurch gekennzeichnet, dass der Käufer die Produktqualität weder vor dem Kauf noch nach dem Konsum beurteilen kann. Das klassische Beispiel hierfür ist die ärztliche Behandlung. Kommt ein nicht medizinisch ausgebildeter Patient zum Arzt und erfährt eine Behandlung, so kann er in den meisten Fällen allenfalls beurteilen, ob bestimmte Symptome – falls überhaupt welche vorlagen – verschwunden sind oder nicht. Ob sein Wohlbefinden jedoch auf die Behandlung zurückzuführen ist und ob die Behandlung notwendig war und fachgerecht ausgeführt wurde, entzieht sich seinem Wissen. Negative Folgen des Eingriffs mögen sich vielleicht erst in einigen Jahren zeigen und können dann kaum noch zweifelsfrei auf die Therapie zurückzuführen sein.

Eine solche grundsätzliche Nichtmessbarkeit der Produktqualität lädt natürlich zum Missbrauch seitens des gut informierten Transaktionspartners ein. Signalisierung und Filterung werden hier oftmals nicht funktionieren, da die Produktqualität auch nach dem Konsum verborgen bleibt. U.U. können Reputationsmechanismen helfen. So mag es sich herumsprechen, dass manche Ärzte wesentlich häufiger kostspielige Eingriffe vornehmen als andere. Reputationsmechanismen stellen jedoch keine umfassende Allzweckwaffe dar und können eher die groben Fehlverhaltensweisen unterbinden.

Literatur

M. Erlei/M. Leschke/D. Sauerland: Institutionenökonomik, ³2016 • H. Grossekettler: Öffentliche Finanzen, in: T. Apolte u. a.: Vahlens Kompendium der Wirtschaftstheorie und Wirtschaftspolitik, ⁹2007, 561–715 • E. Ostrom: Die Verfassung der Allmende. Jenseits von Staat und Markt, 1999 • M. Erlei: Meritorische Güter. Die theoretische Konzeption und ihre Anwendung auf Rauschgifte als demeritorische Güter, 1992, Lit. • J. Elster: Ulysses and the Sirens. Studies in rationality and irrationality, 1984 • G. Brennan/L. Lomasky: Institutional aspects of „Merit goods“ analysis, in: Finanzarchiv 41/2 (1983), 183–206 • Y. Barzel: Measurement cost and the organization of markets, in: J. Law Econ. 25/1 (1982), 27–48 • B. Klein/K. B. Leffler: The role of market forces in assuring contractual performance, in: JPE 89/4 (1981), 615–641 • G. A. Akerlof: The market for „lemons“. Quality uncertainty and the market mechanism, in: QJE 84/3 (1970), 488–500 • R. A. Musgrave: Finanztheorie, ²1969 • C. E. McLure: Merit wants. A normatively empty box, in: Finanzarchiv 27/3 (1968), 474–483 • R. A. Musgrave: A multiple theory of budget determination, in: Finanzarchiv 17/3 (1956/57), 333–343. MATHIAS ERLEI

Güterabwägung

Für die Wahl zwischen verschiedenen Handlungsoptionen bietet sich ihre vergleichende Beurteilung an. Sie wird als ↑Abwägung charakterisiert, bei der jeweils Vor- und Nachteile betrachtet, Chancen und Risiken gewichtet werden. Der Ausdruck ↑Güter wird in einem sehr weiten Sinne verstanden, er kann sittliche Güter und außermoralische Güter, Rechtsgüter, Grundgüter und Bedarfsgüter, soziale Güter, individuelle Rechte, die Entwicklung von Fähigkeiten und die Befriedigung von ↑Bedürfnissen, sowie die Erfüllung von ↑Pflichten umfassen. Der vergleichenden Betrachtung werden also alle Zielgrößen des menschlichen Handelns (↑Handeln, Handlung) unterworfen, also alles, was durch Handlungen angestrebt oder durch sie verwirklicht wird. Die vergleichende Betrachtung führt zum Vorzug der Handlungsalternative, für die die stärksten Gründe sprechen und für die das Verhältnis von absehbarem Gut und absehbarem Übel möglichst positiv ist. Wegen des weiten Verständnisses von Gütern kennen nicht nur Theorien der rationalen Wahl (rational choice), sondern auch konsequentialistische und eudämonistische Ethiken und schließlich auch deontologische Ethiken das Erfordernis von G.en. Unterschiedlich eingeschätzt wird hingegen, ob es bei der vergleichenden Bewertung zu Ergebnissen kommen kann, in denen mehrere Handlungsoptionen hinsichtlich des Verhältnisses von gut und übel gleich zu gewichten sind und somit eine Dilemma-Situation vorliegt. Deontologische Ethiken erkennen zumeist die Möglichkeit der Kollision von Pflichten an, gehen aber häufig davon aus, dass stets eine Hierarchisierung möglich ist, so dass moralische Dilemmata nicht entstehen oder nur subjektiv empfunden werden.

Der Rede von G.en im praktischen Handeln, im ↑Recht und in der ↑praktischen Philosophie liegt die Einsicht zugrunde, dass menschliches Handeln unter komplexen Bedingungen steht und dass diese Bedingungen für die Beurteilung der Vorzugswürdigkeit einer Handlungsoption auch unter normativen und moralischen Gesichtspunkten berücksichtigt werden müssen. Was zu tun ist, erweist sich nicht intuitiv, es liegt nicht auf der Hand, sondern es kommt darauf an, dass Situationen richtig wahrgenommen, die relevanten Prinzipien korrekt erkannt und die Umstände umfassend berücksichtigt werden. Stärker noch als bei der Einordnung von Werten im Bilde der vertikalen Differenzierung (ranghöher-rangniedriger) oder der Unterscheidung von Pflichten nach Graden der Vollkommenheit bringt das Bild von den Waagschalen, in die Güter gelegt werden, das Gewicht auch des geringerwertigen Gutes anschaulich zum Ausdruck.

Bereits die Einstellung eines rationalen Egoismus sieht sich mit Handlungsentscheidungen und der Auswahl von handlungsleitenden Regeln konfrontiert, die eine Abwägung erforderlich machen. Dabei müssen Güter unterschiedlicher Art, wie auch kurz- und langfristige ↑Interessen gewichtet werden. Das Bild des Wägens hält fest, dass auch für die nichtvorzuziehende Option Gründe sprechen, dass also in beide Waagschalen etwas gelegt wird. Der ↑Utilitarismus als bedeutendstes Beispiel einer folgenorientierten, konsequentialistischen ↑Ethik, der für die ↑Entscheidung nicht das eigene

Wohl, sondern das Wohl aller von der Handlung Betroffenen zum Richtmaß nimmt, muss die erwartbaren Folgen der Handlungsalternativen vergleichend sichten. Zu den Betroffenen können auch zukünftige Generationen und auch empfindungsfähige Tiere gezählt werden. Für die Gewichtung von Wohl und Übel müssen Kriterien herangezogen werden, so etwa bei Jeremy Bentham die Intensität, die Dauer, die Gewissheit, die Nähe, die Folgenträchtigkeit, die Reinheit und das Ausmaß bzw. die Anzahl der betroffenen Personen. Es können aber auch, so bei John Stuart Mill und durchaus Vorschlägen der antiken Ethik verwandt, Freuden des Geistes den Freuden des Körpers vorgeordnet, also in stärkerer Weise gewichtet werden. Obschon der Utilitarismus eine Ein-Wert-Axiologie zugrunde legt, ganz gleich, ob er diesen Wert ↑Glück, ↑Nutzen, ↑Wohlstand, Wohlergehen oder Lust nennt, wird für die Berechnung dieses Wertes die Gewichtung von vielen außermoralischen Gütern notwendig, in deren Verwirklichung eben dieser eine Wert besteht. Nicht berücksichtigt werden hingegen die Bedeutung der Absichten des Handelnden und das Verhältnis der Handlungen zum personalen Selbstverständnis der Handelnden.

Auch in der Aristotelischen Ethik und in der Ethik des Thomas von Aquin spielen praktische Überlegungen in Form von G.en eine wichtige Rolle. Aristoteles und Thomas betonen, dass für die Beurteilung der Handlung verschiedene Aspekte eine Rolle spielen – absehbare Folgen sind nur ein Aspekt unter mehreren – und sprechen daher von einer praktischen Deliberation. Beide weisen verschiedene Vermögen aus, die an dieser Deliberation beteiligt sind. Bei den Folgen wird zwischen Handlungsziel, natürlichen Wirkungen als vorhersehbaren Nebenfolgen und nicht vorhersehbaren Nebenfolgen unterschieden. Zusätzlich zu der Absicht als Aspekt der Handlung, der dieser Differenzierung der Folgen zugrunde liegt, müssen die Umstände *(circumstantia)* berücksichtigt werden.

Im Rahmen dieser aristotelischen Handlungsbeurteilung sind drei Konzepte einschlägig. Die Lehre vom kleineren Übel, jene von der Doppelwirkung und schließlich die Forderung nach einem billigen Urteil *(aequitas*, Epikie). Die erste besagt, dass von unvermeidlichen Übeln das geringere vorzuziehen ist. Die Lehre von der Doppelwirkung betrifft vorhersehbare schlechte Folgen, die aber als nicht direkt intendiert gelten. Die Epikie (↑Billigkeit) schließlich ist ein ergänzender Teil der Tugend der ↑Gerechtigkeit, durch die problematische Anwendungen der Gesetzesgerechtigkeit kompensiert werden. Die Lehre vom Vorzug des geringeren Übels geht bereits auf die NE des Aristoteles zurück. Die Rede oder das Prinzip der Doppelwirkung kann bei Thomas gefunden werden und setzt den Vorzug des geringeren Übels voraus. Danach nämlich kann ein Übel, das unabdingbar zur Erreichung eines bestimmten Ziels ist, dann in Kauf genommen werden, wenn die folgenden Bedingungen erfüllt sind: Die schlechte

Nebenwirkung darf nicht um ihrer selbst willen angestrebt werden. Zudem ist diese Nebenwirkung in ihren Folgen von geringerem Übel als die Folgen, die durch Unterlassung der Handlung und die Verfehlung des primär intendierten Zweckes entstehen würden. Thomas meint dabei ausdrücklich auch ein moralisches Übel und seine Rechtfertigung. Entspr. des Bildes vom Wägen muss also auch bedacht werden, dass das bewusst in Kauf genommene Übel für das Gewissen (↑Gewissen, Gewissensfreiheit) des Einzelnen trotz der ethischen Rechtfertigung mit einer Last verbunden bleibt. Die Lehre von der Epikie schließlich kann das Billige als höhere Form des Gerechten qualifizieren, bleibt aber dennoch ein Resultat einer Abwägung, insofern eine Einschränkung eines prinzipiell gerechten ↑Gesetzes problematisch und riskant bleibt.

Darüber hinaus wird man auch das in zeitgenössischen Moraldiskussionen begegnende Konzept des zu vermeidenden moralischen Dammbruchs als wichtige Anwendung der Lehre vom kleineren Übel damit als Modus der G. auffassen müssen. Argumente, die auf die Gefahr eines Dammbruchs hinweisen, unterstellen, dass die Akzeptanz einer bestimmten Handlung oder Handlungsklasse zur Akzeptanz verwandter Handlungen oder Handlungsklassen führt bzw. führen kann. Da diese Folge als moralisch problematisch gilt, wird auch die auslösende Handlung als problematisch angesehen. Ein gültiges Argument entsteht, wenn der Nachweis gelingt, dass das Zulassen einer bestimmten Handlungsklasse tatsächlich die Duldung der unerwünschten Handlungsklasse wahrscheinlich macht, dass diese Folge nicht durch vertretbare institutionelle Rahmenvorgaben zu verhindern ist und dass der Schaden der einen Handlungsklasse den Nutzen der an sich akzeptierten Handlung überwiegt. Wenn also all dies zutrifft, dann kann zur Vermeidung des moralischen Dammbruchs auch die an sich akzeptable Handlungsweise moralisch diskreditiert werden.

Ethiken des deontologischen Typs, zumal wenn sie aus einer Kritik klassischer teleologischer Ethiken entstanden sind, kommen weitgehend ohne die Metapher der G. aus. Zudem ist in ihnen teilweise der Pflichtbegriff so konzipiert, dass nicht prima facie-Pflichten gemeint sind, sondern nur sittlich bindende Pflichten. Pflichten ergeben sich also erst als Resultat eines Rangvergleichs normativer Gesichtspunkte. In diesem Sinne scheint es in der kantischen Ethik keine Pflichtenkollision, kein moralisches Dilemma und entspr. auch kein Erfordernis der Abwägung zwischen Pflichten oder Gütern zu geben. Dies aber ist eben das Resultat eines Rangvergleichs normativer Forderungen, der sich durchaus in der Metaphorik des Abwägens darstellen ließe.

In diesem Sinne lassen sich deontologische Ethiken über weite Strecken als Begründungsansätze lesen, die Regeln für die G. generieren. In dieser Perspektive ist das Instrumentalisierungsverbot, welches sich aus der

Selbstzweckformel des kategorischen Imperativs ergibt („Handle so, dass du die Menschheit, sowohl in deiner Person, als in der Person eines jeden andern, jederzeit zugleich als Zweck, niemals bloß als Mittel brauchest." [Kant 1968: 429]), der Hinweis darauf, dass ↑Personen nicht der Abwägung gegen andere Güter ausgesetzt sein dürfen.

In John Rawls Theorie der Gerechtigkeit als Fairness, die J. Rawls in der Tradition des kantischen Ethikansatzes gedeutet wissen will, sind die Gerechtigkeitsprinzipien und ihre Rangordnung jeweils Hinweise für das Prozedere einer Gewichtung von normativen Forderungen, ebenso wie die Differenzierung zwischen verschiedenen Gütern (Grundgüter, öffentliche Güter) Kriterien für ihre Abwägung beinhalten.

Der eigentliche Ort von G.en ist aber nicht die Begründung von praktischen Prinzipien, sondern das durch rationale Überlegungen geprägte praktische Handeln selbst und damit die Anwendung von Prinzipien und Vorzugsregeln auf konkrete Entscheidungen. Deshalb spielt die G. in der konkreten bzw. speziellen Ethik eine wichtige Rolle. Diese wird in sog.e Bereichsethiken eingeteilt, welche zusammen auch als angewandte Ethik bezeichnet werden. Paradigmatisch für die Entwicklung war die ↑Bioethik oder biomedizinische Ethik. In dem prominenten Lehrbuch von Tom Beauchamp und James Childress, das für die biomedizinische Ethik die nichthierarchisierten Prinzipien Selbstbestimmung *(autonomy)*, Wohltätigkeit *(beneficence)*, Nichtschaden *(nonmaleficence)* und Gerechtigkeit *(justice)* auflistet, ist neben der Spezifikation *(specification)* der Prinzipien das Erfordernis des Abwägens *(balancing)* zentral, da nur so alle relevanten Prinzipien in einer Entscheidungssituation zum Tragen kommen können.

Die Bedeutung von Abwägungen lässt sich auch in den Voten und Darstellungen des Nationalen und des Deutschen Ethikrates zeigen, etwa bzgl. der Entscheidungen am Lebensende, bei den Problemen der anonymen Kindesabgabe, der Intersexualität oder der Präimplantationsdiagnostik. Für die Rechtfertigung von Tierversuchen in der medizinischen ↑Forschung ist international das sog.e 3R-Prinzip einschlägig. Das nationale Recht der Mitgliedstaaten der EU soll darauf ausgerichtet sein, die Verwendung von Tieren zu Forschungszwecken zu vermeiden *(replacement)*, zu verringern *(reduction)* und zu verbessern *(refinement)*. Hintergrund dieser Forderung ist eine Abwägung gegenüber den Erkenntnisinteressen der Grundlagenforschung und dem von der medizinischen Forschung erhofften Nutzen gegenüber dem Schutz der Versuchstiere.

Literatur

C. Horn: Güter und Güterabwägung, in: D. Sturma/B. Heinrichs (Hg.): Hdb. Bioethik, 2015, 51–57 • M. Düwel/C. Hübenthal/M. Werner (Hg.): Hdb. Ethik, 2011 • D. Birnbacher: Utilitarismus, in: ebd., 95–107 • C. Horn: Güterabwägung, in: ebd., 391–396 • S. Hahn: Abwägung/Überlegung, in: P. Kolmer/A. G. Wildfeuer (Hg.): Neues Hdb. philosophischer Grundbegriffe, 2011, 35–47 • A. Kley/M. Sigrist: Güterabwägung bei Tierversuchen, in: H. Sigg/G. Folkers (Hg.): Güterabwägung bei der Bewilligung von Tierversuchen, 2011, 35–47 • H. M. Baumgartner: Prinzipien, in: W. Korff/L. Beck/P. Mikat (Hg.): Lexikon der Bioethik, 1998, 64–66 • W. Korff: Ethische Entscheidungskonflikte: Zum Problem der Güterabwägung, in: A. Hertz/T. Rendtorff/H. Ringeling (Hg.): Hdb. der christlichen Ethik, 1993, 78–92 • L. Honnefelder: Güterabwägung und Folgenabschätzung in der Ethik, in: H.-M. Sass/H. Viefhues (Hg.): Güterabwägung in der Medizin, 1991, 44–61 • I. Kant: Grundlegung zur Metaphysik der Sitten, in: AA, Bd. IV, 1968, 385–464.   MICHAEL FUCHS

Gymnasium ↑Schule

H

Haager Friedenskonferenz

Im Sommer 1892 überraschte Zar Nikolaus II. die Regierungen aller Länder mit der Anregung einer Konferenz für ↑Frieden und Abrüstung. Dieser „Blitz aus dem Norden" (Tuchman 1966: 229) stand im Zusammenhang mit einer allg.en Friedensbemühung und wurde vom polnischen „Eisenbahnbaron" (Sapper 2008: 306) und Bankier Jan Bloch angeregt. Als siebentes von neun Kindern hatte sich J. Bloch zu einem Unternehmer, Publizisten und Pazifisten entwickelt. Er baute u. a. die Eisenbahnstrecke zwischen St. Petersburg und Warschau, 1883 wurde er zum Staatsrat ernannt und geadelt. Vor dem Hintergrund des russisch-türkischen Kriegs von 1877 erkannte er die Gefahr der Materialschlacht des modernen ↑Krieges. In seinem sorgfältig argumentierenden, sechsbändigen Werk von 1899 zur „Zukunft des Krieges" warnte er vor den finanziellen Kosten und den Verlusten an Menschenleben, dass kaum ein Staat noch Kriege würde führen können. Die hohen Verluste und die Demoralisation würden jedoch ebenso auch im Inland den Druck so ansteigen lassen, so dass ihm insb. ein so gefährdetes Reich wie Russland nicht standhalten könne. Einst geachtet und 1901 für den Friedensnobelpreis nominiert, ist J. Bloch heute kaum noch bekannt. Immerhin konnte er die Aufmerksamkeit des Zaren erringen, mit dem er auch für Besprechungen zusammentraf.

Konferenzen zur Beendigung von Kriegen waren nichts Neues. Doch ohne Anlass und allein zur Weiterentwicklung des ↑Völkerrechts waren sie eine Innovation. Immerhin kannte man jedoch die Entwicklung gemeinsamer technischer Standards und eines internationalen Verwaltungsrechts. Doch in Den Haag sollten, mehr als nur Klauseln eines ↑Friedensvertrags, v. a. drei Bereiche des Völkerrechts neu geregelt werden: Abrüstung, die Regeln des Landkriegs und ↑Schiedsgerichtsbarkeit.

Den Haag wurde vom Zaren ausgesucht, weil die Niederlande bes. neutral eingeschätzt wurden. Nach der Konsultation bedeutender Völkerrechtler versammelten sich auf Einladung der Niederlande im „Huis ten Bosch" vom 18.5. bis zum 29.7.1899 die Vertreter von 14 Staaten, jedoch nur sechs davon nicht aus Europa, nämlich die USA, Mexiko, Persien, Siam, Japan und China. Der Vatikan war nicht beteiligt. Das mediale Interesse war moderat, immerhin gab es mit Berta von Suttner eine bedeutende Beobachterin der Friedensbewegung. Unter russischem Vorsitz wurden drei Kommissionen für die drei Ziele gebildet, welche getrennt ihre Texte entwickelten.

Die erste Kommission zur Abrüstung war v. a. durch deutsche Widerstände zum Scheitern verurteilt; der Kaiser, der sein persönliches Regiment über die Armee gefährdet sah, drohte, beim ersten Wort der Abrüstung seine Delegierten zurückzuziehen. Der 80jährige deutsche Delegationsleiter, Graf Georg Herbert zu Münster, und sein Vertreter, Karl von Stengel von der Münchener Universität, folgten diesen Vorgaben, wogegen der Königsberger Philipp Zorn wenig ausrichten konnte.

Die zweite Kommission sammelte unter dem Vorsitz des russischen Völkerrechtlers Feodor von Martens die gewohnheitsrechtlichen oder schon partiell vereinbarten Regeln des Landkriegs der vergangenen 50 Jahre. Ziel war es hier v. a., die Regeln als Ausdruck eines allg.en Konsenses anerkennen zu lassen. Dabei sollten die neuen Regeln nicht herangezogen werden dürfen, um andere bereits etablierte Regeln hinterfragen zu dürfen. Die Martens Klausel stellte daher sicher, dass das neue Recht das ältere nicht abschaffen solle.

In der dritten Kommission unter Léon Bourgeois wurde das Schiedsrecht verhandelt. Mit einem Vertrag zwischen den USA und Großbritannien von 1897 gab es eine Textvorlage. Die Entwicklung des Ständigen Schiedsgerichtshofs bot zwar ein Forum und Regeln für Schiedsgerichtsbarkeit, konnte jedoch keine zwingende Schiedsgerichtsbarkeit erreichen, nur eine dreimonatige cooling off-periode vor dem Beginn militärischer Aktionen. Immerhin ist hier der deutlichste Erfolg der Konferenz angesprochen.

Mit der Schlussakte von 1899 wurden drei Konventionen geschaffen, nämlich für die friedliche Streitbeilegung, für die Regeln des Landkriegs und für den Seekrieg. Hierfür wurde die ↑Genfer Konvention vom 22.8.1865 bestätigt. Hinzu traten drei Deklarationen mit Verboten eines Beschusses von Ballons aus, von der Verwendung von Giftgasen und von Deformationsgeschossen („dum-dum-Geschossen"). Danach folgten fünf einmütig beschlossene vœux (Wünsche), mit der die Versammlung ihre Vorstellungen verbalisierte zur Weiterentwicklung der einschlägigen Konventionen, zur Stellung der Neutralen, zur Reduktion der Waffen und zur weiteren Entwicklung des Seekriegsrechts. Die Konventionen und Deklarationen wurden dagegen nicht beschlossen, um ihnen nicht den Charakter einer Mehrheitsentscheidung zukommen zu lassen. Vielmehr wollte man so das allg.e Völkerrecht verändern. Lassa Oppenheim sah darin den Versuch, das Völkerrecht zu konstitutionalisieren.

Die Reaktion der Zeitgenossen fiel unterschiedlich aus. Manche Briten sahen die Ergebnisse als bedeutungslos an, weil kein Einfluss auf politische Probleme genommen wurde und sich keine politischen Beziehungen zwischen den Mächten verändert hätten; Theodor Mommsen sah in den Beschlüssen sogar einen „Druckfehler der Geschichte" (Sapper 2008: 310). V. a. beschlossen die Delegierten 1899 jedoch, sich wieder zusammensetzen zu wollen, um das Völkerrecht weiter zu entwickeln. 1905 folgte auf Anregung von Theodore Roosevelt eine neue Einladung zur nächsten F., doch erst wollte man noch die dritte Pan-Amerikanische Konferenz von 1906 abwarten. 1906 verbreitete Russland ein Programm für die neue Konferenz.

So traf man sich vom 15.6. bis zum 18.10.1907 wieder am selben Ort. Doch nicht nur die Dauer, auch die Zahl der Delegierten stieg auf 256. Nun waren 44, also fast alle existierenden Staaten vertreten, aber immer noch ohne den Vatikan oder Vertreter aus Afrika und nur die bereits erwähnten aus Asien. Aber auch das mediale Interesse auf die Konferenz war erheblich gewachsen und schuf einen Erfolgsdruck. Neben den mächtigen drei Tagungsbänden von 1907 wirken die Dokumente von 1899 bescheiden. Die Themen von 1899 sollten bestätigt und weiter entwickelt werden. Dafür wurden wieder die Kommissionen gebildet, hinzu trat nur noch eine vierte für Fragen des Seekrieges. Teilweise wurde die Arbeit auf Unterkommissionen verteilt.

1907 erzielte man 13 Konventionen sowie eine Deklaration und eine Schlussakte, die von den Staaten ratifiziert wurden. Von den Konventionen waren zehn neu, drei jedoch Überarbeitungen von 1899. Immer noch konnte kein Zwang einer Schiedsgerichtsbarkeit eingeführt werden. Mit Ergänzungen wurde die Landkriegsordnung neu beschlossen und die weiteren Verbote von 1899 bestätigt. Hinzu kamen Regeln zur Eröffnung von Feindlichkeiten und zu den Rechten von Neutralen, auch im Seekrieg, was sich an die Vorschriften zum Landkrieg anlehnte. Ein bes.s Streitthema war dagegen der Seekrieg wegen der Spannung zwischen dem Reich und Großbritannien. Immerhin wurden auch hier auf der Grundlage des ↑Gewohnheitsrechts Regeln entworfen, darunter eine Konvention für die Errichtung von internationalen Prisegerichten als Appellationsinstanz. Die Londoner Deklaration zum Recht des Seekriegs vom 26.2.1909 bestätigt zunächst den Erfolg der Haager Konvention XII. Doch das britische House of Lords blockierte dann die Ratifikation, so dass hier ein bes.r Streitpunkt der nachfolgenden Weltkriege entstand.

Eine weitere für 1915 geplante F. konnte nicht mehr stattfinden. Doch immerhin hatten die beiden Konferenzen ein neues Regelwerk für eine Fülle von Themen errichtet. Man kann hier in moderner Terminologie von „soft law" sprechen und beklagen, wie gerade in den ↑Weltkriegen viele dieser Regeln gebrochen wurden; erst mit der Ratifikation durch den letzten Vertragspartner sollten die Rechtsregeln verbindlich werden. Ob dagegen die Entwicklung des später sog.en „humanitären Völkerrechts" der Härte des Krieges Vorschub leistete, muss bezweifelt werden. Dagegen wurde ein Prozess in Gang gesetzt, das Völkerrecht konsensual weiter zu entwickeln mit Augenmaß für die modernen Bedürfnisse. Das gilt nicht nur für das „humanitäre Völkerrecht", sondern die ganze Weltorganisation von den

↑Vereinten Nationen bis hin zum internationalen ↑Handelsrecht, ohne das die Welt heute kaum auskommen könnte.

Editionen
Conférence internationale de la Paix, ²1907 • Deuxième Conférence Internationale de la Paix, La Haye 15 Juin – 18 Octobre 1907. Actes et Documents, 1907.

Literatur
B. Baker: Hague Peace Conferences (1899 and 1907), in: Max Planck Encyclopedia of Public International Law, Bd. 4, 2012, 689–698 • R. Higgins: The 1908 Hague Peace Conference as a Milestone in the Development of International Law, in: Y. Daudet (Hg.): Actualité de la conférence de La Haye de 1907, 2008, 29–40 • M. Sapper: Jan Bloch: Unternehmer, Publizist, Pazifist, in: Osteuropa 58/8–10 (2008), 303–311 • A. Eyffinger: A Highly Critical Moment: Role and Record of the 1907 Hague Peace conference, in: Netherlands International Law Review 54/2 (2007), 197–228 • G. Best: Peace Conferences and the Century of Total War: The 1899 Hague Conference and What came after, in: Int. Aff. 75/3 (1999), 619–634 • E. Heresch: Nikolaus II. „Feigheit, Lüge und Verrat". Leben und Ende des letzten Russischen Zaren, 1992 • B. W. Tuchman: The proud tower, 1966.

MATHIAS SCHMOECKEL

Habitus

1. Philosophische Tradition

Das Konzept H. ist seit langem tradiert und findet sich bei so unterschiedlichen philosophischen, soziologischen und kunsthistorischen Autoren wie Aristoteles, Thomas von Aquin, Blaise Pascal, Max Weber, Marcel Mauss, Edmund Husserl, Arnold Gehlen, Erwin Panofsky, Norbert Elias und Pierre Bourdieu. Immer geht es um Bedeutungen, die durch Handlung (↑Handeln, Handlung) erworbene Handlungsdispositionen, Erfahrung, Gewöhnung, praktische Erinnerung, Können, ethische und körperliche Haltungen, Fertigkeiten, sowie kognitive Leistungen, Stile, inkorporierte Weltsichten und deren Beharrung verschieden miteinander verknüpfen. Während die philosophische Tradition H. auf ethische Haltungen, ↑Tugenden, zuständliche Eigenschaften, Personen oder Tätigkeiten zurechnet, werden H. in Sozialtheorien auch in Relation zu sozialen Konditionierungen durch *soziale Lagen*, historische Konstellationen oder Zugehörigkeiten zu ↑Gruppen, sozialen Klassen und gesellschaftlichen Feldern aufgefasst.

Die philosophische Verwendung des Konzepts geht auf Aristoteles' *hexis*-Begriff zurück, der von Thomas in den lateinischen Begriff H. übersetzt und weiterentwickelt wird. Aristoteles unterscheidet ethische Tugenden und Verstandestugenden. Erstere werden zur hexis im Sinne einer relativ beständigen Disposition unseres Charakters durch ↑Erziehung, Einübung und Gewöhnung. Sie werden als „zweite Natur" Grundlage einsichtsvoller, freiwilliger tugendhafter Handlungen. Letztere wie ↑Wissenschaft, ↑Kunst oder Klugheit werden durch Belehrung und Erfahrung erworben und befähigen als dianoetische hexeis zu bestimmten kognitiven Leistungen. Thomas fügt der ethischen und kognitiven Bestimmung des H. weitere hinzu, indem er H. im eigentlichen Sinne als „dauerhafte Anlage eines Dinges zu etwas", als „Eigenschaft, Anlage, Geeignetheit" (zit. n. Schütz 1958: 355, 351, 354) auffasst und H. in einem erweiterten Sinne nicht nur auf Tätigkeiten, Personen, Handlungsresultate, sondern auch auf Objekte zurechnet. H. werden bei Thomas an den Tätigkeiten erkannt, welche aus ihnen hervorgehen. Deren Verrichtung ohne weitere Überlegung spricht für die Existenz eines H. Thomas situiert H., insb. den *H. practicus*, zwischen Potenz und Akt, eine Unterscheidung, die bei E. Husserl wieder auftauchen wird.

H. bezeichnet bei E. Husserl den identifizierbar bleibenden Stil der Aktivitäten der ↑Person. Auf sedimentierter Erfahrung und Wahrnehmung beruhend kennzeichnet er personale Haltungen zur bekannten Umwelt und unbekannten Horizonten. Zugl. beschreibt H. bei E. Husserl eine praktische Möglichkeit des Könnens. Horizont dieses Könnens bildet eine habituell vorgezeichnete positive Potentialität, „die jeweils zur Aktualisierung kommt, immerfort in Bereitschaft ist, in Tätigkeit überzugehen" (Husserl 1991: 255).

2. Sozialtheorie

An das thomistisch-aristotelische Konzept schließt P. Bourdieu an, der dieses über E. Panofskys Entwurf eines epocheneinheitlichen Stilbegriffs anhand des Parallelismus scholastischen Denkens und der gotischen Architektur rezipiert und den H. als Vermittler zwischen Struktur und Praxis in neue sozialtheoretische Synthesen überführt; dies mittels kumulativer Verwendung bestehender Begriffsbestimmungen. P. Bourdieus Praxistheorie ist Teil der Transformation soziologischen Denkens in der Mitte des 20. Jh., die ein vorherrschendes struktur-, rationalitäts- und normlastiges Verständnis des Sozialen infrage stellt. Nicht Strukturen, erst H. als erworbenes System von übertragbaren Dispositionen und Schemata, die als Denk-, Handlungs- und Wahrnehmungsmatrix fungieren, sind, stets in Relation mit sozialen Feldern, generatives Prinzip der Praxis. Auch wenn H. nicht als exklusives Prinzip einer jeden Praxis fungieren, gibt es doch keine Praxis, der kein H. zugrunde liegt. Wie ein praktischer Sinn fungieren H. implizit auf der Grundlage vorreflexiver Orientierungen, ungedachter Denkkategorien und eines sozial geteilten Glaubens *(croyance)*, der dem Geschehen erst einen Sinn verleiht. Urspr. im Rahmen ethnologischer Studien (↑Ethnologie) entwickelt, macht sich hier die dem H. eigentümliche *Hysteresis* bemerkbar: Habituelle Dispositionen, zugl. strukturierte und strukturierende Struktur, überdauern auch in Gesellschaftsstrukturen, deren Produkt sie nicht sind.

Neuen Stellenwert erhält das Konzept in den späteren gesellschaftstheoretischen Studien. Der H. gewinnt hier zum einen Profil in einer Theorie der Herstellung und Reproduktion gesellschaftlicher Machtverhältnisse: Indem er im Sinne eines *amor fati* die Verhältnisse als natürlich und adäquat anerkennt, durch die er konditioniert ist, bildet er ein wesentliches Moment in der Reproduktion spezifischer Klassen- und Klassifikationsstrukturen. Die im H. inkorporierten Differenzen fungieren als *modus operandi* für Distinktionskämpfe, die zugl. um legitime Erwerbsstile kultureller Kompetenzen geführt werden und sich im symbolischen Raum der Lebensstile objektivieren. Zum anderen verbindet sich die Idee, dass der H. sich stets in *Feldern* verwirklicht, durch den Zugang zu dessen doxischer Weltsicht, die Teilhabe an der feldspezifischen *illusio*, dessen *nomos* und *enjeux*, in den späteren Studien zunehmend mit einer differenzierungstheoretisch akzentuierten Feldtheorie. Feldspezifisches Engagement, etwa die Einübung spezifisch künstlerischer, klerikaler, politischer, wissenschaftlicher H., amalgamieren sich dabei zu einem H., in dem auch die Zugehörigkeit zu anderen Feldern und dessen zeitlich-soziale Laufbahn *(trajectoire)* im dreidimensionalen sozialen Raum aufbewahrt sind. Nicht zuletzt darauf beruhen Resonanzen zwischen den Feldern, die feldinterne Dynamiken mit Referenzen auf feldexterne Antagonismen aufladen bzw. umgekehrt für bestimmte Positionen prädisponieren oder innovative Feldlogiken in Gang setzen. Eine Logik der *double coups* verschaltet die sozialen Felder mit einem übergeordneten Machtfeld (↑Macht), in dem in reflexiver Weise um die gesellschaftsweite Anerkennung der in den einzelnen Feldern erworbenen H. als eine Machtressource gekämpft wird. Neuere Forschungen schließen an P. Bourdieus Feldtheorie an, um die ↑Globalisierung feldspezifischer Praktiken beobachtbar zu machen und diese selbst als Katalysatoren der Globalisierung zu identifizieren. Sie fokussieren auf globale Strukturen. Genese, Aufbau und kulturelle Brechungen weltweit beobachtbarer habitueller Grundlagen im Sinne feldspezifischer Dispositionen, Handlungs- und Wahrnehmungsschemata als Befähigung zur Praxis im globalen Raum harren der Erforschung.

Literatur

J. Go/M. Krause (Hg.): Fielding Transnationalism, 2016 • P. Bourdieu: Manet, 2015 • P. Bourdieu: Politik, 2013 • C. Bohn: Eine Welt-Gesellschaft, in: C. Colliot-Thélène u. a. (Hg.): Pierre Bourdieu. Deutsch-französische Perspektiven, 2005, 43–78 • F. Ricken: hexis/Haltung, in: O. Höffe (Hg.): Aristoteles-Lexikon, 2005, 252–254 • P. Bourdieu: Die Regeln der Kunst, 2001 • P. Bourdieu: Sozialer Sinn, 1993 • E. Husserl: Husserliana 4, Ideen. Zweites Buch, 1991 • P. Bourdieu: Die feinen Unterschiede, 1987 • P. Bourdieu: Entwurf einer Theorie der Praxis, 1979 • E. Panofsky: Architecture gothique et pensée scolastique. Traduction et postface de Pierre Bourdieu, 1967 • L. Schütz: Thomas-Lexikon, ²1958.

CORNELIA BOHN

Haftung

Der Begriff H. hat im Recht mehrere Bedeutungen. Er dient zum einen als Synonym für ↑„Schuld" und meint dann entweder wie diese die Pflicht des Schuldners, dem Gläubiger eine Leistung zu erbringen, d. h. etwas zu tun, zu dulden oder zu unterlassen (§ 241 Abs. 1 BGB) oder er meint die Verantwortlichkeit für ein bestimmtes eigenes oder fremdes Verhalten oder einen Umstand und die daraus resultierenden Rechtsfolgen. Auch wird der Ausdruck H. in einen begrifflichen Gegensatz zur Schuld gesetzt und meint dann nicht das Leistensollen, sondern das Einstehenmüssen des Schuldners für den Fall, dass er seine Leistungspflicht nicht erfüllt, also den Zwang, dem er in Form von Zwangsvollstreckungs- und sonstigen Maßnahmen des Gläubigers zur Durchsetzung seines Anspruchs unterworfen ist.

1. Haftung als Schuld

In einigen Normen des BGB bedeutet „haften" nichts anders als „schulden" oder „zur Leistung verpflichtet sein", so wenn es heißt, dass mehrere als Gesamtschuldner „haften". Weitaus häufiger wird „H." enger i. S. v. „Verantwortlichkeit" für Verhaltensweisen, Risiken und Gefahren verstanden und meint insb. ↑Schadensersatz zu leisten. Je nachdem ob sich die Pflicht aus unerlaubter Handlung oder Verletzung vertraglicher Pflichten ergibt, wird von deliktischer oder von vertraglicher H. gesprochen. Bei der deliktischen H. wird weiter nach einzelnen H.s-Tatbeständen unterschieden (H. des Aufsichtspflichtigen, Tierhalters usw., §§ 832–839a BGB), bei der vertraglichen H. nach den einzelnen Pflichtverletzungen (H. wegen Unmöglichkeit, Verzugs, Sach- und Rechtsmängeln oder Schutzpflichtverletzung).

Daneben dient der Begriff zur Bezeichnung der Verhaltensform oder Umstände, für die der Schuldner verantwortlich gemacht wird. Haften bedeutet hier neben „Verantwortlichsein" so viel wie „Vertreten-" bzw. „Einstehenmüssen". Man spricht auch von H.s Maßstab. Vertraglich wird grundsätzlich für Vorsatz und Fahrlässigkeit gehaftet (§ 276 Abs. 1, 3 BGB), wobei das Verschulden bzw. Vertretenmüssen widerleglich vermutet wird (§ 280 Abs. 1 S. 2 BGB). Unter bes.n Umständen ist die H. entweder auf Vorsatz und grobe Fahrlässigkeit (z. B. §§ 300 Abs. 1, 521, 599 BGB) oder auf eigenübliche Sorgfalt beschränkt (§§ 277, 690, 708, 1359, 1664, 2131 BGB). In anderen Fällen ist sie verschärft, d. h. es wird verschuldensunabhängig gehaftet: so etwa der Schuldner, der eine Garantie abgegeben oder ein Beschaffungsrisiko übernommen hat (§ 276 Abs. 1 BGB) oder – für Zufall – der Schuldner während des Verzugs (§ 287 Abs. 2 BGB). Vertraglich hat ein Schuldner auch für das Verschulden der Personen, derer er sich bei der Erfüllung seiner Pflichten bedient (Erfüllungsgehilfen, § 278 BGB), und eine ↑juristische Person für das Verschulden ihrer Organe (§ 31 BGB) einzustehen.

Die deliktische H. setzt ebenfalls grundsätzlich Verschulden, also Vorsatz oder Fahrlässigkeit, ausnahmsweise auch nur Vorsatz bzw. Absicht (§ 826 BGB) voraus. Für Zufall haftet derjenige, der einem anderen eine Sache durch unerlaubte Handlung entzogen hat (§ 848 BGB). Manchmal wird das Verschulden widerleglich vermutet (z. B. §§ 831, 832, 833 S. 2, 834, 836 f. BGB). Juristische Personen haften auch deliktisch für das Verschulden ihrer Organe (§ 31 BGB). Darüber hinaus kennt das Deliktsrecht anders als das Vertragsrecht keine H. für fremdes Verschulden. Dies gilt auch im Fall der „Haftung für Verrichtungsgehilfen" (§ 831 BGB), in dem der Geschäftsherr nicht für das Verschulden seiner Gehilfen, sondern für vermutetes eigenes Verschulden bei deren Auswahl, Unterweisung und Überwachung haftet.

In den Fällen der Gefährdungs-H. knüpft die Verantwortlichkeit an die Betriebsgefahr einer Sache oder Einrichtung an. Ungeachtet ihrer Gefährlichkeit ist die Benutzung der Sache oder Einrichtung gestattet, im Gegenzug soll aber derjenige, der den Nutzen hat, die Lasten tragen, wenn sich die Betriebsgefahr realisiert und ein anderer geschädigt wird. Beispiele sind die H. des Fahrzeughalters (§ 7 Abs. 1 StVG), des Halters eines Luxustiers (§ 833 BGB) oder die Produkt-H. (§ 1 ProdHaftG).

2. Haftung als Rechtszwang

Erst durch H. als Rechtszwang, dem der Schuldner im Fall der Nichterfüllung seiner Pflicht unterworfen ist, wird das mit der Schuld begründete Leistensollen durchsetzbar. H. in diesem Sinn schafft die privatrechtliche Grundlage für das Zwangsvollstreckungsrecht und ist nicht etwa nur dessen Folge. Im modernen ↑Schuldrecht sind Schuld und H. regelmäßig vereint, ist eine Leistungspflicht also grundsätzlich im Weg der ↑Zwangsvollstreckung durchsetzbar. In der Vergangenheit war dies nicht immer der Fall. So stand im römischen Recht die H., d. h. der Zugriff des Gläubigers auf den Schuldner am Anfang der Entwicklung und trat das Leistensollen, die Schuld, erst im weiteren Verlauf zur H. hinzu. Im germanischen Rechtskreis wurde urspr. ein Leistungsversprechen erst durchsetzbar, wenn durch ein weiteres Geschäft die H. begründet wurde.

Mit Blick auf den rechtshistorischen Befund ist am Anfang des 20. Jh. eine Dichotomie von Schuld und H. angenommen und die Ansicht vertreten worden, es gebe auch im geltenden Recht Schulden ohne H. und H. ohne Schuld. Das hat sich nicht durchsetzen können. Als Schulden ohne H. wurden und werden z. T. die Naturalobligationen oder unvollkommenen Verbindlichkeiten wie Spiel und Wette (§§ 762 ff. BGB) angeführt, da sich aus ihnen kein durchsetzbarer Anspruch ergibt, der Gläubiger eine gleichwohl erfolgte Leistung jedoch behalten darf. Nach dem BGB begründen derartige Rechtsverhältnisse aber gerade keine Verbindlichkeit bzw. Schuld i. S. d. Gesetzes (s. z. B. § 762 BGB).

Der Rechtszwang äußert sich vornehmlich in der

Zwangsvollstreckung, die der Gläubiger mit Hilfe des Staats (Gericht, Gerichtsvollzieher) betreibt. Die unterschiedlichen Arten bestimmen sich nach dem Objekt, das der Zwangsvollstreckung unterworfen ist. Die urspr.e H. mit Leib und Leben (leibliche H.) ist aus dem modernen Recht verschwunden. Dies heißt aber nicht, dass das moderne Zwangsvollstreckungsrecht nur noch die H. mit dem Vermögen kennt. Es sieht vielmehr unterschiedliche Möglichkeiten der Rechtsdurchsetzung vor: Die Herausgabe von Sachen wird durch gewaltsame Wegnahme erzwungen (§§ 883 ff. ZPO), die Vornahme vertretbarer Handlungen durch Festsetzung von Zwangs- bzw. Ordnungsgeld (§ 887 ZPO), die unvertretbarer Handlungen durch Zwangs- bzw. Ordnungshaft (§§ 888 ff. ZPO) und die Pflicht zur Abgabe einer Willenserklärung durch Fiktion der geschuldeten Erklärung (§ 894 ZPO).

Nur bei Ansprüchen auf Geld hat der Gläubiger die Möglichkeit, gewaltsam auf das Vermögen des Schuldners zuzugreifen. I. d. R. unterliegt das gesamte Schuldnervermögen mit Ausnahme der unpfändbaren Sachen und Rechte der Zwangsvollstreckung („unbeschränkte" oder „persönliche Vermögens-H."). Ist dies nicht der Fall, liegt eine beschränkte H. vor. Bei der bloß „rechnerisch beschränkten H." ist allerdings in Wirklichkeit nicht die H., sondern nur die Schuld auf eine bestimmte Summe beschränkt, für die der Schuldner mit seinem gesamten Vermögen haftet. Bei einer „echten H.s-Beschränkung" kann der Gläubiger im Weg der Zwangsvollstreckung nur auf bestimmte Vermögensteile oder ein Sondervermögen des Schuldners zugreifen. Paradebeispiel ist die Beschränkung der H. des Erben auf den Nachlass (§§ 1975–1992 BGB). Nach nahezu einhelliger Auffassung können H.s-Beschränkungen ebenso wie die Beschränkung der Zwangsvollstreckung auf bestimmte Vollstreckungsmaßnahmen auch rechtsgeschäftlich vereinbart werden. Umstritten ist allerdings, wie sich die Abrede auswirkt, ob sie eine Vollstreckung unzulässig oder bei abredewidriger Vollstreckung schadensersatzpflichtig macht.

Neben die Vermögens-H. kann aufgrund Rechtsgeschäfts oder gesetzlicher Anordnung (§§ 562, 647 BGB) die Sach-H. mit einer bes.n Sicherung durch dingliche Verwertungsrechte an bestimmten beweglichen (Pfandrecht) oder unbeweglichen Sachen (↑Grundpfandrechte) treten. Diese Rechte wirken grundsätzlich auch gegen dritte Personen, können von Dritten von vornherein für fremde Schulden begründet werden und gewähren dem Gläubiger jeweils ein bevorzugtes Befriedigungsrecht (vgl. etwa § 805 ZPO). Sie werden deshalb zumeist bestellt, wenn dem Gläubiger die Vermögens-H. allein nicht zur Sicherung seines Anspruchs ausreicht. Die zusätzliche Sicherung einer Forderung durch dingliche Verwertungsrechte ist nach allg.er Ansicht die einzig zulässige Form, die Vollstreckbarkeit des Anspruchs über das ansonsten vorgesehene Maß hinaus auszudehnen.

Literatur

I. Ebert: Haftung, in: HdRG, Bd. 2, ²2012, 658–660 • H. F. Gaul u. a.: Zwangsvollstreckungsrecht, ¹²2010 • F. Dorn: Begriff des Schuldverhältnisses und Pflichten aus dem Schuldverhältnis, in: M. Schmoeckel u. a. (Hg.): Historisch-kritischer Kommentar zum BGB, Bd. 2, Teilbd. 1, 2007, § 241, Rdnr. 40–52 • W. Ogris: Schuld und Haftung, in: HdRG, Bd. 4, 1990, 1505–1510 • J. Gernhuber: Das Schuldverhältnis, 1989, 63–88 • K. Larenz: Lehrbuch des Schuldrechts, Bd. 1, ¹⁴1987, 21–26 • W. Zeiss: Haftung, in: StL, Bd. 2, ⁷1986, 1160–1165 • L. Enneccerus: Haftung, in: H. Lehmann (Hg.): Recht der Schuldverhältnisse, Bd. 1, ¹⁵1958, 9–13.

FRANZ DORN

Handel

1. Begriffsbestimmung und inhaltliche Einordnung

Der Begriff H. im weiteren Sinne (lateinisch *commercium*, englisch *commerce*) bezeichnet den kommerziellen Austausch von Waren oder ↑Dienstleistungen zwischen Haushalten oder ↑Unternehmen. Der Bereich des H. wird aus volkswirtschaftlicher Sicht dem tertiären Wirtschaftssektor, dem sog.en Dienstleistungssektor, zugeordnet. Weitere Dienstleistungsgewerbe sind Bank- und Versicherungswesen, Verkehr, Tourismus, Information und Kommunikation, Unterhaltung und Kunst, das Leistungsangebot freier Berufe, wie bspw. der Ärzte, Rechtsanwälte, Unternehmens- und Steuerberater sowie Bereiche des öffentlichen Dienstes.

In einer historischen Betrachtung ist festzustellen, dass mit zunehmendem ↑Wohlstand einer Volkswirtschaft ein Bedeutungsgewinn des tertiären Sektors einhergeht. Insb. die zunehmende internationale Verflechtung von ↑Märkten und die stetige Vernetzung von Wirtschaftssubjekten mittels moderner Informations- und Telekommunikationstechnologien unterstützen das Wachstum des Dienstleistungssektors – und damit die Bedeutung des H. – anhaltend.

Der Begriff H. kann in verschiedener Hinsicht Verwendung finden. H. im *funktionellen* Sinn bedeutet, Verteilungsunterschiede zwischen verschiedenen Märkten zu nivellieren. Somit dient der H. in volkswirtschaftlicher Sicht der Austauschversorgung zwischen ↑Produktion und Konsumption (↑Konsum) von Waren oder Dienstleistungen durch die Herbeiführung eines Ausgleiches zwischen räumlichen und zeitlichen Unterschieden in der Angebots- und Nachfragesituation.

Unternehmen, deren hauptsächliche Tätigkeit in der Beschaffung und Weiterveräußerung von Waren oder Dienstleistungen besteht, werden im *institutionellen* Sinn als *H.s-Gewerbe* bezeichnet. H.s-Gewerbe ist jeder Gewerbebetrieb, es sei denn, das Unternehmen erfordert nach Art oder Umfang keinen in kaufmännischer Weise eingerichteten Geschäftsbetrieb.

Charakteristisch für H.s-Gewerbe ist, dass die H.s-Güter nur begrenzt verändert oder weiterverarbeitet werden. I. d. R. beschränken sich derartige Veränderungen auf Verpackungen, Bezeichnungen oder Sortimentsanordnungen. H.s-Gewerbe, die ihre H.s-Aktivität in erster Linie auf andere Gewerbetreibende ausrichten, werden als *Groß-H.* bezeichnet. H.s-Gewerbe, die direkt an Letztverbraucher verkaufen, werden unter dem Begriff *Einzel-H.* subsumiert (in der Schweiz auch bezeichnet als *Detail-H.*).

Im Hinblick auf den räumlichen Aktionsradius des H.s kann zwischen *Binnen-H.* und *Außen-H.* unterschieden werden. Binnen-H. umfasst H.s-Aktivitäten zwischen H.s-Partnern innerhalb von Zoll-und Landesgrenzen. Im Gegensatz hierzu ist Außen-H. grenzüberschreitender H.s-Verkehr. Der Außen-H. kann ferner in *Import-H.* sowie *Export-H.* unterschieden werden. Import-H. ist die Verbringung von ausländischen Waren oder Dienstleistungen ins Inland. Deren Durchleitung vom Ausland über das Landesgebiet in weitere Auslandsmärkte wird als Transit-H. bezeichnet. In Bezug auf den Transportweg kann zwischen H., der sich auf Landgebiet vollzieht, *Land-H.*, sowie H. mit Hilfe von Schifffahrt, *See-H.*, unterschieden werden. Beim Export-H. werden heimische Waren oder Dienstleistungen an Geschäftspartner im Ausland verkauft. Im Gegensatz zum Binnen-H. sind im Außen-H. spezifische Aspekte in der Abwicklung von H.s-Geschäften zu berücksichtigen. Hierzu zählen gesetzliche Auflagen mit direkter oder indirekter Beeinflussung des H.s-Flusses (bspw. Importquoten, Importzölle, Einfuhrrestriktionen sowie weitere handelspolitische Barrieren), die Handhabung unterschiedlicher ↑Währungen im ↑Zahlungsverkehr (insb. Wechselkursrisiken), die Regelung von handelsvertraglichen Aspekten zwischen unterschiedlichen Rechtssystemen und -vorschriften (u. a. Gewährleistungs- und Verbraucherschutzgesetze) sowie der Umgang mit unterschiedlichen Kulturkreisen und damit möglicherweise verbundenen Notwendigkeiten zur Adaption und Lokalisierung des angebotenen Waren- und Dienstleistungsprogramms.

Bzgl. der angebotenen Güter ist der *Waren-* oder auch *Produkt-H.* vom *Dienstleistungs-H.* zu unterscheiden. Im Bereich des Dienstleistungs-H. finden sich Leistungsangebote ohne Grenzübertritt (bspw. Logistikdienstleistungen, Dienstleistungsaustausch) sowie mit Grenzübertritt (bspw. Tourismusdienstleistungen, Bildungsdienstleistungen). Im Zuge der Internationalisierung und Vernetzung von Gütermärkten ist vermehrt eine Verknüpfung von Produkt- und Dienstleistungs-H. festzustellen. Beispiele sind die Integration von Finanzierung, Transport, Versicherung, Montage und Wartung von Produktangeboten des H.s.

Hinsichtlich der zeitlichen Ausrichtung des H.s-Gewerbes kann zwischen *Bedarfs-H.* und *Spekulations-H.* unterschieden werden. Der Bedarfs-H. zielt darauf ab, die aktuelle Nachfrage zu befriedigen. H.s-Gewerbe treten hier als Absatzmittler auf, die Waren oder Dienstleistungen räumlich, zeitlich sowie mengenmäßig derart distribuieren, dass marktseitige Überschüsse und Män-

gel minimiert oder vollständig ausgeglichen werden können. Die Folge einer intensiven ↑Distribution von H.s-Waren ist eine art-, mengen- und qualitätsbezogene Nivellierung von Sortimenten innerhalb der Zielmärkte mitsamt einer gleichmäßigeren Verteilung und Anpassung örtlicher Marktpreise. Im Gegensatz zum Bedarfs-H. basiert Spekulations-H. nicht auf konkretem, aktuellen Bedarf, sondern auf Erwartungen hinsichtlich einer zukünftigen Marktentwicklung. Spekulations-H. ist regelmäßig risikobehaftet und nur innerhalb geordneter, transparenter und allg. zugänglicher Marktprozesse mittelfristig abbildbar. Gerade bei spekulativen H.s-Geschäften kommt der Frage der unternehmerischen Verantwortung und der damit verbundenen finanziellen, persönlichen Unternehmerhaftung gesteigerte Bedeutung zu.

Zuletzt kann mit Blick auf die Umsetzung der H.s-Aktivitäten *Eigen-H.* und *Fremd–,* bzw. *Kommissions-H.* unterschieden werden. Beim Eigen-H. erfolgt der H. auf eigene Rechnung, d. h. das H.s-Gewerbe kauft Waren oder Dienstleistungen selber ein, um sie nachfolgend weiter zu veräußern. Beim Fremd-H. oder auch Kommissions-H. erfolgt die Geschäftsbesorgung auf eigenen Namen, jedoch auf fremde Rechnung. Weitere Formen der H.s-*Gestaltung* bestehen in der Form des H.s-*Agenten* sowie des H.s-*Maklers.* H.s-Agenten kaufen Waren oder Dienstleistungen in fremdem Namen und auf fremde Rechnung. H.s-Makler hingegen beschränken ihr Tun auf die bloße Vermittlung von einzelnen H.s-Geschäften. Bei erfolgreichem Zustandekommen eines solchen Geschäftes erhält der H.s-Makler eine Vermittlungsprovision oder Beteiligung für seine Dienstleistung.

2. Historische Entwicklung

Frühzeitliche Funde belegen, dass bereits die Menschen in der Frühgeschichte und Steinzeit H. betrieben, wenn auch überwiegend in lokal begrenztem Ausmaß. Schon hierbei diente der H. dem Austausch von ↑Gütern, der als *Tausch-H.* vollzogen wurde. Mit der Erfindung von Zwischentauschmitteln (Warengeld) verbreitete sich der H. immer weiter. Durch den über ↑Geld vermittelten H. zeigte sich, dass die Austauschversorgung mit knappen Gütern die wirtschaftliche Situation aller Beteiligten mehrheitlich verbessern kann. Somit hat H. eine tragende Rolle bei der Erzeugung ökonomischen Wohlstandes. Die historische Entwicklung des H.s ist seit jeher eng mit der politischen, wie gesamtgesellschaftlichen Situation verbunden. Das Ausprägungsniveau des H.s spiegelt auch den zivilisatorischen Entwicklungsstand einer Gesellschaft und Volkswirtschaft, ihrer Leistungsfähigkeit, Pluralität, wie auch Offenheit wider.

Erfolgreicher H. basiert überdies auf der Verfügbarkeit von logistischer ↑Infrastruktur für die Abwicklung von Austauschprozessen. In Antike, Mittelalter und Früher Neuzeit dominierte der Austausch von physischen Waren den H. Somit hatten Transportmittel und Transportweg erfolgskritische Bedeutung für die Abwicklung von H.s-Geschäften. In Küstenregionen oder an zentralen H.s-Routen gelegene Städte und Regionen stiegen hierdurch erfolgreich zu H.s-Zentren auf. Als erste große H.s-Macht der Antike gilt Mesopotamien, dessen H.s-Verkehr sich bereits im 3. Jahrtausend v. Chr. von der Ostsee bis ins pakistanische Indus-Tal erstreckte. Als Bindeglied zwischen Orient und Abendland entwickelte sich daraufhin der Mittelmeerraum zu einem bedeutenden Raum für See-H. Bes. Erfolge im H. erzielten hierbei die Phönizier und Griechen, die ihrerseits eine Vielzahl von H.s-*Kolonien* gründeten und erkannten, dass H. ertragreicher als Landwirtschaft ist. Auf dieser Erkenntnis gründet auch der Erfolg der Kaufmannsdynastien im Mittelalter (u. a. Fugger, Medici, Welser, Tucher), die über weite Strecken See- und Land-H. betrieben. Mit dem Aufschwung des H.s entstand das Bankwesen (↑Banken) (u. a. in Form der Vorfinanzierung von See- und Land-H.) sowie das Zollwesen (↑Zoll).

Im Mittelalter entwickelte sich der Fern-H. in Westeuropa, insb. der See-H. im Tyrrhenischen Meer sowie in der Ost- und Nordsee. In Nordeuropa dominierten die in Skandinavien ansässigen Wikinger den Seeverkehr, vielfach durch Raubzüge, zunehmend aber auch durch den H. verschiedener Waren (u. a. Pelze, Sklaven, Gewürze und Stoffe), der von England über Nord- und Osteuropa bis nach Byzanz reichte.

Mitte des 14. Jh. kam es zur Gründung der Hanse, eines Zusammenschlusses norddeutscher Kaufleute. Die Hanse entwickelte sich im Hochmittelalter zu einem bedeutendem H.s-*Netzwerk*, das seinerseits annähernd 300 See- und Binnenstädte (Hansestädte) miteinander verband. Mit der Entdeckung neuer See-H.s-Routen, z. B. nach Amerika, kam es zu einer Verlagerung der H.s-Aktivitäten auf außereuropäische Märkte. Durch das Erstarken des Übersee-H.s verlor der europäische Land- und See-H. an Bedeutung – und mit ihm, die regional operierende Hanse.

Mit dem Aufkommen des ↑Merkantilismus gegen Ende des 16. Jh. gewannen die Kolonien (↑Kolonialismus) der europäischen Nationen an Bedeutung für die Versorgung des ↑internationalen H.s mit Rohstoffen, aber auch Sklaven. In dieser Phase konzentrierte sich der H. auf den Ausbau des Außen-H.s und die Erzielung einer positiven H.s-Bilanz, um durch die damit erzielten Einnahmen die Geldmenge und damit den Einfluss des nationalen Herrscherhauses absichern zu können. Zur Erhöhung des H.s-Bilanzüberschusses zielte die ↑Wirtschaftspolitik darauf ab, den Import möglichst auf Rohstoffe zu begrenzen und zugl. durch den Export von Fertigwaren die heimische Produktion zu fördern. In diesem Zusammenhang sollte die Abwicklung des Außen-H.s über inländische Kaufleute organisiert werden.

Der internationale ↑*Frei*-H. entwickelte sich im Zuge der Industrialisierung zu Beginn des 19. Jh. Während die H.s-Politik vieler europäischer Nationen, insb. im Warenverkehr mit den eigenen Kolonien noch merkan-

tilistische Züge aufwies, gewann der Außen-H. aufgrund der enormen Steigerungsraten der inländischen, industriellen Produktion an Attraktivität. Im Gegenzug zum merkantilistisch geprägten Warenverkehr, der durch wiederkehrende wirtschaftspolitische Eingriffe (bspw. Ein- und Ausfuhrbeschränkungen/-verbote, Import- und Exportzölle) von Seiten der beteiligten H.s-Staaten beeinträchtigt wurde, verfolgt die Idee des Frei-H.s das Ziel eines Austausches von Produkten und Dienstleistungen ohne jegliche Form handelspolitischer Beeinträchtigung. Somit kam es im Zuge des Erstarkens der Frei-H.s-Bewegung ab Mitte des 19. Jh. zur Senkung oder auch Aufhebung von Importzöllen sowie zur Schaffung zollfreier Marktregionen.

Technologische Weiterentwicklungen in der Warenlogistik, insb. im Schienenverkehr, in der Schifffahrt sowie im Bereich der Luftfahrt haben die Transportkosten des H.s stetig gesenkt und somit die Erhöhung von Frachtmengen im Verlauf der Jahrzehnte kontinuierlich befördert.

Die beiden ↑Weltkriege und Wirtschaftskrisen (↑Krise/↑Weltwirtschaftskrisen) des 20. Jh. führten zu tiefgreifenden, aber kurzfristigen Beeinträchtigungen der weltweiten H.s-Aktivitäten. Aktuell trägt der H., national wie international, maßgeblich zum Wohlstand, aber auch zum kulturellen Austausch zwischen verschiedenen Ländern bei.

In einer Zusammenschau der historischen Entwicklung des H.s ist festzustellen, dass sich der Warenaustausch in Abhängigkeit wiederkehrender Parameter gestaltet. Als wesentliche Triebkräfte zur Entfaltung und Fortentwicklung von H. gelten Distributionsunterschiede von Waren und Dienstleistungen zwischen Märkten, die Existenz von Kostenvorteilen (Arbitrage) sowie zuletzt und Anbieter und Nachfrager.

Als grundsätzliche Rahmenbedingungen für die Entwicklung eines leistungsfähigen H.s gelten weiterhin: Stabile politische Verhältnisse, eine hinreichende wirtschaftliche Kaufkraft der Marktteilnehmer, wie auch die Verteilungsgerechtigkeit innerhalb einer Gesellschaft insgesamt. Ferner beeinflussen soziokulturelle Aspekte des Bedarfskonsums, der Grad technologischer ↑Innovation, die Existenz eines rechtlichen Rahmens zur Abwicklung von H.s-Geschäften unter ↑Rechtssicherheit sowie zunehmend Fragen der ökologischen ↑Nachhaltigkeit von ↑Produktion und Konsumption die Möglichkeiten zur Entwicklung und Ausgestaltung des H.s insgesamt. Ausgangsbasis für jegliche Form des H.s ist die Ressourcenausstattung eines Landes. Während traditionell Bodenschätze (bspw. Rohstoffe, Edelmetalle, landwirtschaftliche Güter) Grundlage des H.s waren, gewinnen neuerdings immaterielle Aspekte, wie bspw. das Bildungsniveau, die damit einhergehende Innovationskraft sowie die kommunikationstechnologische Infrastruktur an Bedeutung (bspw. geographische Verbreitung von Highspeed Internet, Technologie-Cluster im IT-Umfeld).

3. Volkswirtschaftliche Bedeutung und strukturelle Entwicklung

Binnen- und Außen-H. haben große Bedeutung für eine Volkswirtschaft. Seit Mitte des 19. Jh. wächst der Anteil des H.s am BSP der europäischen Länder. Die Summe von Exporten und Importen weltweit beträgt mittlerweile mehr als die Hälfte ihrer Gesamtproduktion.

Durch die Erweiterung von Absatzmärkten eröffnen sich für international agierende Anbieter auf produktionstechnischer Ebene Möglichkeiten zur Ausnutzung von Skaleneffekten und zur Realisierung von Kostenvorteilen. Gleichzeitig führt die Öffnung und Verbindung von Märkten zu intensiviertem Wettbewerb und einer schrittweisen Verbesserung des verfügbaren Leistungsangebotes aus Sicht der Nachfrager.

H. initiiert Innovation und die Verbreitung technischer Neuerungen. Vor diesem Hintergrund verbinden sich mit der Internationalisierung von Absatzmärkten weitergehende Investitionsentscheidungen, die ihrerseits auch dazu geeignet erscheinen, langfristig das BIP der betroffenen Zielmärkte zu verbessern. In Summe kann Außen-H. eine Steigerung inländischer Produktivität, die Schaffung von Arbeitsplätzen, erhöhte Innovationstätigkeit sowie wachsende ↑Investition mit sich bringen und somit zu wirtschaftlicher Prosperität im Inland insgesamt beitragen.

Aus gesamtgesellschaftlicher Sicht übernimmt der H. eine zentrale Funktion zwischen Produktion und Konsumption. Die Kern-Aufgaben des H.s sind Distribution, Zusammenstellung von Sortimenten, Information und Beratung, Durchführung finanzieller Transaktionen sowie Bereitstellung von Verbund-Dienstleistungen.

In einer strukturellen Perspektive ist festzustellen, dass der H. v. a. durch die fortgesetzte Verflechtung von Beschaffungs- und Absatzmärkten, insb. auf Basis von Telekommunikationstechnologie und Internet-H. (↑E-Commerce), einem tiefgreifenden Wandel ausgesetzt ist. In weiten Teilen des H.s finden seit Jahren massive Konzentrationsprozesse statt. Beispiele für diese Entwicklung finden sich vielerorts insb. im H. mit Nahrungsmitteln, Sportwaren, Verlagserzeugnissen, Spielwaren, Kommunikations- und Informationstechnik sowie sonstigen Haushaltswaren. In diesen Märkten dominieren häufig große H.s-Unternehmen den Absatz, während kleinere Fach-H.s-Betriebe zusehends vom Markt verschwinden.

Mit der Verbreitung von Informations- und Telekommunikationstechnologie entwickelt sich der Internet-H., der mit einer Vielzahl großer, aber auch kleinerer, virtueller Webshops den stationären H. vielerorts verdrängt. Aus Sicht der Verbraucher bietet der Internet-H. große Vorteile gegenüber dem stationären H. Diese sind v. a.: Äußerst breite und tiefe Sortimente virtueller Warenkataloge (sog.e Long Tail-Sortimente), vergleichsweise schnelle und kostengünstige Logistik-Distribution, einfache und unkomplizierte Formen der Finanzierung und Bezahlung sowie eine Software-basierte Konsumentenbedarfsanalyse, durch die ihrerseits aus Kundensicht attraktive Waren- und Dienstleistungsempfehlungen resultieren. Somit verlagern sich die Bedeutungsanteile des H.s vom Residenz-, Domizil-, und Treff-H. zum Distanz-H., der seinerseits schrittweise Marktanteile auf Kosten traditioneller Kontaktformen im H. gewinnt.

Die digitale Transformation des H.s ist eine wachsende unternehmerische Herausforderung für klassische Offline-Gewerbe, die inhaltlich eine Erweiterung der H.s-Funktion um elektronisches ↑Marketing und gleichzeitig eine Verschlankung von Unternehmensleistungen durch Auslagerung traditioneller Funktionen (Transport, Bezahlung) an spezialisierte Dienstleistungsgewerbe bedeutet.

Literatur

United Nations Department of Economic and Social Affairs: World Economic Situation and Prospects 2017, 2017 • F. Giovanni/A. Tena-Junguito: A Tale of two Globalizations: Gains from Trade and Openness 1800–2010, 2016 • G. Heinemann, Gerrit: Der neue Online-Handel, ⁷2016 • StBA: Statistisches Jahrbuch 2015, Deutschland und Internationales, 2016 • G. Wöhe/U. Döring/G. Brösel: Einführung in die Allgemeine Betriebswirtschaftslehre, ²⁶2016 • K. Barth/M. Hartmann/H. Schröder: Betriebswirtschaftslehre des Handels, 2015 • C. Büter: Außenhandel, ³2013 • P. Dollinger: Die Hanse, ⁶2012 • H. Schröder: Handelsmarketing. Strategien und Instrumente für den stationären Einzelhandel und für Online-Shops, 2012 • H. Ott/J. Zentes/T. Schüz: Handel, in: StL, Bd. 2, ⁷1986, 1178–1185 • E. Speck: Handelsgeschichte des Altertums, 3 Bde., 1900–1906 • o. V.: Handel, in: Bibliographisches Institut (Hg.): Meyers Konversationslexikon, Bd. 8, ⁵1897, 288–293.   KAI ALEXANDER SALDSIEDER UND NINA SALDSIEDER

Handeln, Handlung

I. Soziologie – II. Rechtswissenschaft

I. Soziologie

1. Allgemeines

Handeln (H.) und Handlung (H.lung) (griechisch *práxis*, lateinisch *actio*, englisch *act, action*) bezeichnen Grundkategorien der Wissenschaften vom Menschen, deren Hauptmerkmal die ↑Intentionalität ist. Diese Auffassung wird gleichermaßen geteilt von einer Geschichtswissenschaft, welche die zeitliche Abfolge historischer Ereignisse unter Bezugnahme auf das Tun und Erleiden von ↑Individuen und ↑Gruppen zu rekonstruieren beabsichtigt, einer Psychologie, die den Zusammenhang von H.lungs-Motivation und Zielverwirklichung ins Zentrum der Aufmerksamkeit stellt, einer ↑Anthropologie, die sich zur Hauptaufgabe macht, unter Bezugnahme auf kulturelle sowie soziostrukturelle Gegebenheiten individuelles sowie Gruppenverhalten zu veranschaulichen und zu erklären und einer Soziologie, die absichtsvolles H. und Unterlassen als bevorzugte Mittel zur Erschließung sozialer Mikro- sowie Makrophänomene betrachtet. Die Begriffe „H." und „H.lung" stehen ebenfalls im Mittelpunkt einer Wirtschaftswissenschaft, die den rationalen Akteur als Grundbaustein ihrer theoretischen Modelle ansieht, sowie auch einer Rechtswissenschaft, die menschliche Verhaltensweisen sowohl unter der Perspektive ihrer rechtmäßigen Entfaltung als auch ihrer legitimen Beschränkung thematisiert. Weil H. und H.lung als Schlüsselkategorien der Wissenschaften von Menschen gelten, fehlt es in den Sozialwissenschaften nicht an Versuchen, disziplinübergreifende H.lungs-Theorien zu entwickeln.

2. Handlungsabgrenzung und Handlungsträger

Was Gesellschaftsmitglieder als eine H.lung wahrnehmen, ist keine Naturtatsache, sondern bereits Ergebnis sozialer Bedeutungszuschreibung. Erst durch diese Zuschreibung wird es möglich, in einem Geschehenskontinuum diskrete Einheiten zu unterscheiden, die als „H.lungen" definiert werden. Menschliche Sprachen, mit ihrem Schatz an Semantiken bzw. Typisierungen, ermöglichen diese Unterscheidungen.

Sozialwissenschaftliche Ansätze, die bewusst holistisch vorgehen, lehnen die Vorstellung ab, H. sei als Aneinanderreihung distinkter Akte zu begreifen. H. sei vielmehr als ein kontinuierlicher Fluss anzusehen. Nur im Rückblick, „durch ein diskursives Moment der Aufmerksamkeit auf die *durée* durchlebter Erfahrung" (Giddens 1997: 54), sei es für den Beobachter möglich, von einer H.lung zu sprechen.

Die Antwort auf die Frage, was als H.lungs-Träger zu gelten hat, fällt unter Sozialwissenschaftlern unterschiedlich aus. In Max Webers verstehender Soziologie werden H. und Sinn eng an das Einzelindividuum gekoppelt: nur das Einzelindividuum kann nach M. Weber als Träger eines sinnhaften Sich-Verhaltens betrachtet werden. Folglich kann nur das H. von Einzelindividuen als ein Objekt des Sinn-Verstehens betrachtet werden. Mit dieser Auffassung grenzt sich M. Weber gegenüber zwei gleichermaßen problematischen Sichtweisen ab: einerseits gegenüber der Vorstellung, es sei möglich, H.lungs-Fähigkeit und Sinnhaftigkeit jenem Komplex psychischer, chemischer und physischer Prozesse zuzuschreiben, die ein Individuum mit-konstituieren, andererseits gegenüber der häufigen Praxis, H.lungs-Fähigkeit Kollektivgebilden wie Staat, Nation, oder Genossenschaft zuzuschreiben.

Talcott Parsons verabschiedet sich von M. Webers H.lungs-Auffassung insofern, als er einen von der Intentionalität des handelnden ↑Subjekts weitgehend abgekoppelten *unit act* als grundlegenden Baustein der eigenen Theorie ansieht. Mit T. Parsons Übergang von einem voluntaristischen zu einem ausgesprochen systemischen Theorieansatz wird die Ablösung vom intentionalen Subjekt endgültig besiegelt: Soziale Wirklichkeit wird nicht vom handelnden Subjekt her, seinen Motiven und ↑Interessen, sondern grundsätzlich vom „System" und den Wirkungsbeziehungen seiner Elemente untereinander begriffen (↑Systemtheorie).

3. Handeln und Verhalten

In Anlehnung an M. Weber gilt es, die Nichtidentität von H. und Verhalten festzustellen: H. bezeichnet eine spezielle Form von Verhalten. Nur insofern intentionale Akteure mit ihrem Verhalten einen *Sinn* verbinden, darf nach M. Weber dieses Verhalten als „H." qualifiziert werden. Unreflektierte Reaktionen des Individuums auf seine Umwelt wären als „Verhalten" zu klassifizieren. Begreifen wir H. als ein durch individuelle Gründe bzw. Motive veranlasstes und getragenes Ereignis der Welt, so muss das Sinnerschließungspotential von Verhalten geringer eingeschätzt werden als das von H.: Durch die Bezugnahme auf ein schlichtes Verhalten bleibt uns der Zugang zu Motiven bzw. Gründen des Handelnden versperrt. Der Beobachter kann diese nur mutmaßen, nicht mit Gewissheit erfassen. Steht jedoch die Identifizierung von H.lungs-Motiven *nicht* im Vordergrund, so darf das heuristische Potential von Verhalten nicht unterschätzt werden. Unter Bezugnahme auf individuelles Verhalten ist es dem Beobachter gegeben, auf jene „inneren Lagen" zu schließen, die im Bewusstsein des Beobachteten nicht bzw. nur bruchstückhaft repräsentiert sind – man denke dabei etwa an Phänomene wie das Erröten, eine bestimmte Körperhaltung oder eine bes. Stimmlage.

4. Handeln, Handlung und Entschluss

In M. Webers Ansatz einer verstehenden Soziologie erfasst der Begriff „subjektiver Sinn" zweierlei Phänomene: das anvisierte Ziel und den motivierenden Grund. Alfred Schütz' phänomenologische Analysen zur Sinnkonstitution schließen an diese Doppeldeutigkeit an und entfalten ihr analytisches Potential; dabei bedienen sie sich der Unterscheidung H./H.lung. H.lung verweist nach A. Schütz auf einen mit Sinn behafteten Vorgang, der bereits abgeschlossen ist: In der Praxis ist H.lung dem H. immer nachgestellt. Als gedankliche Antizipation von Ablauf und Abschluss des H.s setzt jedoch H. immer eine H.lung voraus. Im „Handlungsentwurf" (Schütz 1974), so A. Schütz, wird eine H.lung *modo fucturi exacti* vorgestellt. Der individuelle H.lungs-Entwurf hat eine Vorgeschichte, die im vergangenen Erfahrungsschatz des Handelnden, in seiner Lebensgeschichte, wurzelt. Je nach Entwurf werden bestimmte Aspekte des individuellen Erfahrungsschatzes relevant, andere geraten hingegen in den Hintergrund. Erst durch den *Entschluss* findet eine H.lung ihre Verwirklichung. Bes. Relevanz gewinnt der Entschluss in Situationen, die der Handelnde als problematisch einstuft.

Insb. in der Denktradition des ↑Pragmatismus wird Unreflektiertheit als der Hauptmodus menschlichen Daseins in der Welt betont. Erst wenn Ereignisse der

Außenwelt den gewohnten und weitgehend routinierten H.lungs-Ablauf erschüttern, drängt sich die Notwendigkeit auf, die Situation neu zu definieren und passende Lösungen zum aufgetretenen Problem zu finden. Alles menschliche H. wird so im Blick der Pragmatisten in der Spannung zwischen unreflektierten H.lungs-Gewohnheiten und kreativen Leistungen gesehen. Auch für bestimmte Varianten der Theorie der rationalen Wahl charakterisieren Unreflektiertheit und automatische Reaktionen ohne Ziel-Mittel-Kalkulationen das H. von Menschen in der Alltagswelt. Die Orientierung des H.s an gesellschaftlich geteilten *Habits*, Schemata und Skripten ist „rational", weil es sich dabei um integrierte Wissensstrukturen handelt, welche den Handelnden von der sich immer wieder neu stellenden Notwendigkeit der Informationsverarbeitung weitgehend entlasten. Die durch Beschaffung und Verarbeitung von ↑Information entstehenden „Kosten" machen verständlich, warum Handelnde nicht unbedingt die maximal nützliche Alternative wählen, warum sie also meistens nach der Maxime *satisfying* statt *maximizing* handeln. Die Einsicht in den exzeptionellen Status des Entschlusses und in die Unreflektiertheit als Hauptmodus menschlichen H.s in der Welt finden wir in Arnold Gehlens Auffassung wieder, nach der es vernünftig ist, sich auf die handlungsentlastende Macht der ↑Institutionen zu verlassen.

5. Soziales Handeln

Nach M. Webers Definition ist soziales H. als ein H. anzusehen, „welches seinem von dem oder den Handelnden gemeinten Sinn nach auf das Verhalten anderer bezogen wird und daran in seinem Ablauf orientiert ist" (Weber 1976: 1). Schließt man sich dieser Definition an, so wäre nicht jedes H., das uns in Kontakt zu anderen Menschen bringt, als ein soziales H. zu betrachten: der unbeabsichtigte Zusammenstoß zwischen zwei Fahrradfahrern ist kein soziales H., wohl aber der Streit, der darauf folgt. Entscheidend für die Zuschreibung des Attributs „sozial" ist also die Tatsache, dass der Handelnde im Bewusstsein dessen handelt, dass das eigene H. einen Einfluss auf andere Menschen haben wird bzw. haben könnte. Sozial bleibt dieses H. auch dann, wenn die gewünschten Wirkungen (wegen Fehleinschätzung) ausbleiben, oder wenn der Handelnde die H.lungs-Adressaten (weil auf eine unbestimmte Gruppe gerichtet) nicht kennt, oder wenn den H.lungs-Adressaten der H.lungs-Initiator (weil unter Bedingungen von Anonymität agierend) verborgen bleibt.

6. Typen und Determinanten des Handelns

Unter Sozialwissenschaftlern besteht weitgehender Konsens darüber, dass H. unter Bezugnahme auf die spezifische „Situation" des Handelnden erschlossen werden muss. Dies heißt u. a. nachzuvollziehen, dass H.lungs-Ziele, H.lungs-Begründungen und H.lungs-Modalitäten auch durch die Zugehörigkeit des Handelnden zu einer bestimmten Gesellschaft und einer bestimmten Epoche bedingt sind: Menschliches H. ist immer auch kulturell qualifiziert. Dies einzusehen heißt nicht zu behaupten, H. sei schlichtweg das Produkt von ↑Kultur. Gegenüber des in einer Gesellschaft vorhandenen kulturellen bzw. symbolischen Repertoires können sich Menschen, je nach Grad der gefühlten Bindung an diesen, ihrer Position in der ↑Sozialstruktur, sowie ihrer individuellen Interessenlage unterschiedlich relationieren.

Wenn M. Weber zwischen zweckrationalen, wertrationalen, affektuellen und traditionellen H.lungs-Typen unterscheidet, so trägt er der Tatsache Rechnung, dass menschliches H., neben ↑Werten, ↑Traditionen und Emotionen auch von Interessen bestimmt sein kann. Dass Weltbilder oft die Bahnen festlegen, innerhalb derer sich die Dynamik der Interessen entfaltet, tut der Tatsache keinen Abbruch, dass Handelnde innerhalb des durch das spezifische Weltbild gesetzten Rahmens zweckrational handeln können. Je nach vertretener Disziplin und theoretischer Ausrichtung haben Sozialwissenschaftler auf diesen oder jenen H.lungs-Typus den Akzent gelegt. So betont Vilfredo Pareto den a-logischen und affektuellen Charakter des H.s, während Neoklassiker der Ökonomie dem zweckrationalen H.lungs-Typus analytischen Vorrang zuschreiben. Normativistische Ansätze wiederum, welche soziale ↑Ordnung ins Zentrum der Aufmerksamkeit stellen, betrachten die Orientierung an ↑Normen und Werten als maßgeblich für die H.lungs-Orientierung.

Eine analytisch vielversprechende Möglichkeit, H. in seinen konstitutiven Elementen zu charakterisieren, ist sicherlich diejenige, die T. Parsons und Edward Albert Shils vorschlagen. Dazu gehört neben den *Zielen* und den *Mitteln* zu ihrer Verwirklichung eine *Situation*, die dem Handelnden Ressourcen bereitstellt, diesem aber auch Schranken setzt. Zum Begriff des H.s gehören darüber hinaus – dies ist für T. Parsons bes. wichtig – *normative Vorgaben*, die dem H. eine Orientierung geben. Es ist von T. Parsons konsequent gedacht, wenn in seinem Spätwerk „Handlungssysteme" als Kreuzpunkt der gleichzeitigen Wirkung einer zielbestimmenden „Persönlichkeit", einer Opportunitäten schaffenden, gleichzeitig aber auch Schranken setzenden „sozialen Struktur" und einer orientierungsgebenden „Kultur" (Parsons 1968) begriffen werden. T. Parsons betont sowohl die Autonomie als auch die Interdependenz dieser Dimensionen und nimmt dadurch von denjenigen Abstand, die sie in einem Verhältnis einseitiger Abhängigkeit stehend begreifen und somit dem Kultur- bzw. dem Sozialdeterminismus Vorschub leisten. T. Parsons' Unterscheidung erweist dem Wissenschaftler gute Dienste v. a. dann, wenn dieser bereit ist, sich von einer engen systemischen Perspektive zu lösen. Dies ist bei jenen zeitgenössischen Sozialwissenschaftlern der Fall, die unter der Bezeichnung „analytische Soziologie" signieren. In dem als H.lungs-Konstitutiv verstandenen Zusammenhang Wünschen/Opportunitäten/Überzeugungen der analytischen Soziologen erkennen wir wieder zentrale Elemente sowohl der weberschen als auch der parsonsschen H.lungs-Konzeption.

Angesichts der Tatsache, dass menschliches H. von einer schier unendlichen Mannigfaltigkeit von endogenen und exogenen Faktoren bedingt sein kann, bleibt es für den empirisch verfahrenden Sozialwissenschaftler zwingend, sich auf jene H.lungs-Determinanten zu beschränken, die *jedes* H. auszeichnen. Dies heißt, folgendes zu berücksichtigen: Handelnde streben mit ihrem H. danach, Wünsche zu befriedigen bzw. Interessen zu verwirklichen. Dabei greifen Handelnde auf Opportunitäten ihrer physischen bzw. sozialen Umwelt zurück, gleichzeitig unterstehen sie aber jenen Restriktionen, die ihnen diese Umwelt auferlegt. Zur Definition, Begründung und Legitimation ihrer Interessen sowie der Mittel zur ihrer Verwirklichung rekurrieren Handelnde auf (geteilte) Überzeugungen bzw. Ideen.

Literatur

P. Hedström: Anatomie des Sozialen. Prinzipien einer analytischen Soziologie, 2008 • H. Esser: Soziologie. Spezielle Grundlagen, Bd. 1, 1999 • A. Giddens: Die Konstitution der Gesellschaft, 1997 • H. Joas: Die Kreativität des Handelns, 1992 • T. Luckmann: Theorie des sozialen Handelns, 1992 • R. Münch: Theorie des Handelns, 1988 • R. Boudon: La place du désordre, 1984 • V. Pareto: Trattato di sociologia generale, 1981 • M. Weber: Wirtschaft und Gesellschaft, 1976 • A. Schütz: Der sinnhafte Aufbau der sozialen Welt, 1974 • T. Parsons: The Structure of Social Action, 1968 • R. Merton: Social Theory and Social Structure, 1967 • C. S. Peirce: Zur Entstehung des Pragmatismus, 1967 • H. A. Simon: Models of Man, 1964 • A. Gehlen: Anthropologische Forschung 1961, 69–77 • T. Parsons/E. A. Shils: Toward a General Theory of Action, 1951.   GABRIELE CAPPAI

II. Rechtswissenschaft

Als disziplinenübergreifender Grundbegriff von Philosophie (↑Ethik, ↑Anthropologie), empirischen Verhaltenswissenschaften (Psychologie, Ethnologie, Soziologie, Ökonomie) und Rechtswissenschaft bezeichnet H. einzelne, oft aber in einen Kontext (Plan, Strategie) eingebundene Bausteine menschlichen Verhaltens. Der Aufbau des H.lungs-Begriffs divergiert stark.

1. Empirisch

In den empirischen Wissenschaften sind einerseits menschliche Willensakte (H. als bewusste H.lung), andererseits ihre Relevanz für die Mit- oder Umwelt charakteristische Bestandteile, kontextuell auch notwendige Bedingung für die Annahme einer H.lung. Der Willensakt unterscheidet H. einerseits von unspezifischen Formen menschlichen Verhaltens, insb. rein physiologischen Reaktionen (Herzklopfen, Erröten, Schwitzen), andererseits von implizitem Verhalten, namentlich dem Denken. Ohne die für normative Wissenschaften prägenden Zuschreibungen ist aber v. a. die äußere Beobachtbarkeit des Verhaltens handlungsprägend. Die Umwelt-/Sozialrelevanz von H. folgt auf der Output-Seite der Anregung des handelnden Subjekts durch die Umwelt/Mitwelt (respondentes Verhalten) und stellt H. in den Kontext bidirektionaler ↑Kommunikation. Dieses breite Verständnis des Relevanzkriteriums wirkt auf die Anforderungen zurück, die an den Willensakt zu stellen sind: Er setzt keine positiven Körperbewegungen oder aktive (motorische, verbale) Äußerungen voraus. Vielmehr schließt H. unter der Voraussetzung einer qualifizierten Willensbildung Unterlassungen als Gegenmodell zu einem (sozial erwarteten und input-seitig kommunizierten) aktiven Tun ein. Je schwächer oder unspezifischer eine vorangegangene Anregung des ↑Subjekts durch Umwelt/Mitwelt ist, desto mehr beschränkt sich auch der H.lungs-Begriff auf aktives Tun (operantes Verhalten).

2. Normativ

Heterogener, schon in der Konzeption plural angelegt sind demgegenüber die normativen H.lungs-Begriffe. Gemeinsam sind ihnen Vorstellungen von einem strukturierten H.lungs-Aufbau. Er kennt i. d. R. eine *a)* grundlegende Zweispurigkeit von Tun und Unterlassen, *b)* quer dazu die Differenzierung nach objektiven (äußeren, deskriptiven) und subjektiven (inneren, kognitiven) Merkmalen, schließlich *c)* mehrere Bewertungsstufen.

a) Die Unterscheidung zwischen Tun und Unterlassen verknüpft normative mit empirischen H.lungs-Begriffen: Als (aktives) Tun werden grundsätzlich diejenigen H.lungen verstanden, in denen ihr Träger empirisch beobachtbare Veränderungen der Wirklichkeit vornimmt, während sich Unterlassungen empirisch nicht beobachten, sondern erst durch gedankliche (z. T. normativ gebotene) aktive Alternativ-H.lungen begrifflich konstituieren lassen. Entspr. divers sind die zugehörigen H.lungs-Parameter: Die aktive H.lung lässt sich in den Kategorien von Subjekt, Raum, Zeit und Modus beschreiben; i. d. R. ist sie in diesen Dimensionen eng begrenzt (Dauer-H.lung, flächige H.lung) oder sogar punktuell zu fixieren (H.lungs-Ereignis). Die H.lung durch Unterlassen gewinnt dagegen erst durch wertende Zuschreibungen, d. h. aus dem gedachten alternativen aktiven Tun ihre entspr.en Parameter. Das Unterlassen ist insofern stets flächig, ja diffus. Zugl. fällt seine normative (ethische, historische, rechtliche) Bewertung wegen der Unsicherheiten in der Alternativimagination viel schwerer als bei der aktiven H.lung; diese Bewertung ist logisch nur schwer operationalisierbar und wirft daher stark erhöhte (Rechts-)Unsicherheit auf. Die Qualifizierung von Unterlassen als H.lung verlangt normativ stets eine bestimmte Verhaltenspflicht, die den Willensakt substituiert.

b) Strukturell Ähnliches gilt für die Zweispurigkeit äußerer und innerer H.lungs-Elemente: Außer beim Unterlassen lässt sich das äußere H. als solches beobachten und parametrisieren. Die zugrunde liegende oder begleitende Einstellung (Wissen, Wollen und deren Gegenteile) ist dagegen nur indirekt (z. B. über Sprechakte) und unsicherheitsbehaftet zu erschließen. Hier liegen Domänen der ↑Psychologie, der kognitiven Verhaltenstheorie, der forensischen Psychiatrie und der Strafrechtswissenschaft.

c) Zu den Bewertungsstufen gehören z. B. in der für die gerichtliche Praxis prägenden Strafrechtswissenschaft die Verwirklichung eines gesetzlichen (Grund- oder Qualifikations-)Tatbestands, die Rechtswidrigkeit der Tat (Abwesenheit einer Rechtfertigung der Tat durch ↑Notwehr, Nothilfe, ↑Notstand oder bei spezifischer gesetzlicher H.lungs-Legitimation, z. B. durch öffentlich-rechtliche Eingriffsbefugnisse von Hoheitsträgern) und – davon wiederum unterschieden – deren persönliche Vorwerfbarkeit (die z. B. bei nicht strafmündigen Kindern, bei Störungen des Geisteszustands, bes.r Erregung etc. entfallen oder gemindert sein kann).

Literatur
C. M. Flick (Hg.): Tun oder Nichttun – zwei Formen des Handelns, 2015 • L. C. Berster: Das unechte Unterlassungsdelikt, 2014 • G. Jakobs: Theorie der Beteiligung, 2014 • E. Reimer: Ort des Unterlassens, 2004 • L. K. Miller: Principles of Everyday Behavior Analysis, 1997 • B. F. Skinner: About Behaviorism, 1974 • B. F. Skinner: The Behavior of Organisms, 1938 • J. B. Watson: Behaviorism, 1925.　　　EKKEHART REIMER

Handelsrecht

1. Gegenstand und Charakteristika
1.1 Begriffsbestimmung
H. wird herkömmlich als *Sonderprivatrecht der Kaufleute* bezeichnet. Damit wird zweierlei gesagt:

Erstens ist H. ↑*Privatrecht*, auch wenn es vereinzelt ihrer Natur nach öffentlich-rechtliche Normen enthält (etwa §§ 8–16 [Registerrecht] oder §§ 18–37 HGB [Firmenrecht]). Und zweitens ist H. *Sonder*privatrecht. Da runter fallen Privatrechtsnormen, die nur zivilrechtliche Teilbereiche erfassen, namentlich nur bestimmte Gruppen von Personen. So gilt das H. nach herkömmlicher Lesart eben nur – so jedenfalls das historische Konzept des HGB – für Kaufleute, und folgt mit der Anknüpfung an die Kaufmannseigenschaft (daher: *Kaufmannsrecht*) dem sog.en *subjektiven System*. Danach kommt es für die Anwendung des H.s grundsätzlich nicht darauf an, ob ein bestimmtes Rechtsgeschäft vorliegt, sondern ob das Rechtssubjekt dem H. unterstellt wird. Das erste Buch des HGB behandelt dementsprechend den „Handelsstand" und dort in §§ 1–7 die Kaufleute. Während andere Rechtsordnungen teilweise ein „objektives System" ihrem H. zugrunde legen, namentlich etwa Frankreich *(actes de commerce)*, beruht die deutsche Anknüpfung an den Kaufmannsstand auf den Fortwirkungen des Ständewesens und des Berufsrechts.

1.2 Bedeutung
Als Sonderprivatrecht für den kaufmännischen Rechtsverkehr beruht das H. auf der Überzeugung, das Privatrecht auf bes. Bedürfnisse stärker einzurichten:

H. trägt in einem bes.n Maße zu einer zwischenstaatlichen Rechtsvereinheitlichung bei, da der Handelsverkehr stärker als der sonstige Privatrechtsverkehr auf grenzüberschreitende Vorgänge abgestimmt ist; durch seinen frühzeitigen Praxisbezug ist es sozusagen Schrittmacher der Rechtsentwicklung. Des Weiteren setzt ein gut funktionierender Handelsverkehr Einfachheit und Schnelligkeit des Abschlusses und der Abwicklung von Handelsgeschäften voraus. Charakteristisch hierzu sind etwa: Formfreiheit für einzelne Geschäfte (§ 350 HGB), Schweigen als Annahme (§ 362 HGB) oder die Rügeobliegenheit im Gewährleistungsrecht (§ 377 HGB). Schließlich sind noch die ineinandergreifenden Gesichtspunkte der Rechtsklarheit und des Vertrauensschutzes hervorzuheben. So verringern die bes.n Regelungen zur Vertretungsmacht (§§ 49 f., 54, 56 HGB) das Risiko des *falsus procurator*. Dem Vertrauensschutz dient aus sachenrechtlicher Sicht insb. das nach § 366 HGB zusätzliche Vertrauen des Erwerbers in die Verfügungsmacht des Veräußerers.

2. Rechtsquellen
Das H. im materiellen Sinne ist nicht identisch mit dem und nicht ausgeschöpft durch das HGB. Eine Gleichsetzung von HGB und H. vermittelt ein schiefes Bild. Quellen des H.s sind breit vorhanden:

2.1 Gesetzes- und Verordnungsrecht
Im Mittelpunkt des handelsrechtlichen Gesetzesrechts stehen die fünf Bücher des HGB vom 10.5.1897, welches als Bundesrecht fortgilt (Art. 125 GG). Enthalten sind hier:

HGB	
Erstes Buch (§§ 1–104a)	Handelsstand: Kaufleute, Handels- und Unternehmensregister, Handelsfirma, Prokura und Handlungsvollmacht, Handlungsgehilfen, Handelsvertreter, Handelsmakler, Bußgeldvorschrift
Zweites Buch (§§ 105–237)	Handelsgesellschaften und stille Gesellschaft: Offene Handelsgesellschaft, Kommanditgesellschaft, Stille Gesellschaft
Drittes Buch (§§ 238–342e)	Handelsbücher: Vorschriften für alle Kaufleute, Ergänzende Vorschriften für Kapitalgesellschaften und bestimmte Personenhandelsgesellschaften, für eingetragene Genossenschaften und für Unternehmen bestimmter Geschäftszweige

Viertes Buch (§§ 343–475h)	Handelsgeschäfte: Allgemeine Vorschriften, Handelskauf, Kommissionsgeschäft, Frachtgeschäft, Speditionsgeschäft, Lagergeschäft
Fünftes Buch (§§ 476–619)	Seehandel

Abb. 1 Bücher des HGB

Grundlage des H.s sind hier v. a. das Erste und das Vierte Buch des HGB, da diese weitgehend das Sonderprivatrecht der Kaufleute enthalten. Außerhalb des HGB finden sich zahlreiche handelsrechtliche Normen etwa im WechselG, ScheckG, DepotG, VVG sowie auch in der ZPO im Bereich der gerichtlichen Zuständigkeit (§§ 29 Abs. 2, 38 Abs. 1 ZPO). Von den Rechtsverordnungen hervorzuheben sind die EVO und die HRV. Im Übrigen wird das nationale Recht zunehmend durch das ↗Europarecht beeinflusst, namentlich aufgrund von RL. Die Rechtsvereinheitlichung hat so insb. auf dem Gebiet des Kaufrechts (UN-Kaufrecht, CISG) zu einem Einheitsrecht geführt.

2.2 Handelsgewohnheitsrecht und Handelsbräuche

Wie sonstiges ↗Gewohnheitsrecht entsteht auch das *Handels*gewohnheitsrecht durch eine länger praktizierte und von Rechtsgeltungswillen getragene, ständige Übung durch die betroffenen, hier also kaufmännischen, Verkehrskreise. Bekannte Beispiele sind die Lehre vom Scheinkaufmann und die Regeln zum kaufmännischen Bestätigungsschreiben. Vom Handelsgewohnheitsrecht zu unterscheiden sind die nach § 346 HGB anerkannten Handelsbräuche. Sie entstehen durch eine länger praktizierte Übung von Auslegungsregeln oder Verhaltenserwartungen (und dienen so als Auslegungshilfe; §§ 157, 242 BGB). Im Gegensatz zum Gewohnheitsrecht sind sie nicht als Rechtsnormen anerkannt, weil es ihnen an einem allg.en Rechtsgeltungswillen fehlt; erst wenn zur lang anhaltenden Übung der Rechtsgeltungswille hinzukommt, wird aus dem Handelsbrauch ein (Handels-)Gewohnheitsrecht. Größere Bedeutung erlangen die Handelsbräuche gerade im Bilanzrecht bei den GoB.

2.3 Allgemeine Geschäftsbedingungen

↗AGB sind im Handelsverkehr weit verbreitet, bedürfen aber zwingend einer vertraglichen Einbeziehung (§ 305 Abs. 1 BGB); daher sind sie auch keine Rechtsnormen. Zur erleichterten Anwendung der §§ 305–310 BGB unter Kaufleuten ist auf § 310 BGB zu verweisen (so z. B. stillschweigende Willensübereinstimmung über Abs. 1 S. 1 i. V. m. §§ 14, 305 Abs. 2 BGB; wichtig auch Abs. 1 S. 2. Halbs. 2). Allg.e Verbreitung haben z. B. die AGB-Sparkassen, AGB-Banken oder die Allgemeinen Deutschen Spediteur-Bedingungen.

3. (Kurz-)Geschichte des Handelsrechts

Als Frühformen eines H.s lassen sich bereits die im Spätmittelalter in den oberitalienischen Handelsstädten und den Hansestädten vorzufindenden Privilegien und Handelsbräuche für bzw. zwischen Händlern und Kaufleuten begreifen. In Deutschland enthielt erstmals das PrALR von 1794 umfassende Regelungen des H.- und ↗Gewerberechts. Nach der Vorbildwirkung des französischen *code de commerce* für zahlreiche handelsrechtliche ↗Kodifikationen namentlich in den linksrheinischen Gebieten und Baden bis in die Mitte des 19. Jh. trat im Jahr 1861 mit dem ADHGB die erste gesamtdeutsche H.s-Kodifikation in Kraft. Auch wenn das ADHGB eine durchaus moderne und gelungene Kodifikation darstellte und Protokolle der Kommission ebenso wie die Rspr. des Reichsoberhandelsgerichts vielfach noch heute zur Auslegung von HGB-Vorschriften herangezogen werden, beschloss man, das H. im Zuge der Schaffung des ↗BGB an dieses anzupassen. Zeitgleich mit dem BGB trat sodann das im Grundsatz noch heute geltende HGB am 1.1.1900 in Kraft. Die mehrfachen Änderungen des HGB, die keine revolutionären Einschnitte brachten, sind hier nicht alle im Einzelnen aufzuzählen. Von grundsätzlicher Bedeutung sind nur zu nennen: die Ausgliederung des reformierten Aktienrechts in das selbstständige AktG 1937, die Reformierung des Kaufmannsbegriffs und des Firmenrechts durch das HRefG 1998 und die Reform des Registerrechts durch das EHUG von 2006.

4. Kaufleute als handelsrechtliche Grundlegung

Da das H. als Sonderprivatrecht der Kaufleute konzipiert ist, stellt das HGB die Festlegung des Kaufmannsbegriffs an die Spitze (§§ 1–7). Handelsrechtliche Vorschriften sind demzufolge nur anwendbar, wenn mindestens einer der am Geschäft Beteiligten Kaufmann ist:

4.1 Kaufmannsrecht

Die Kaufmannseigenschaft setzt das Betreiben eines Handelsgewerbes voraus, und Handelsgewerbe selbst ist nach § 1 Abs. 2 HGB (Ist-Kaufmann) seit der Reform durch das HRefG grundsätzlich jeder Gewerbetreibende (heute richtiger als „Kaufmann" daher: Gewerbetreibender); ausgenommen werden nur Kleingewerbetreibende, deren Unternehmen nach Art oder Umfang einen in kaufmännischer Weise eingerichteten Geschäftsbetrieb nicht erfordert. Eine gesetzliche Definition des Gewerbebegriffs, der an erster Stufe zu klären ist, findet sich weder im HGB noch im Gewerberecht; im Steuerrecht ist zwar auf § 15 Abs. 2 S. 1 EStG abzustellen, doch ist der Gewerbebegriff angesichts der Relativität der Rechtsbegriffe nicht notwendigerweise für alle Rechtsgebiete derselbe. Für das H. verstehen Rspr. und Wissenschaft unter dem Begriff des Gewerbes im Grundsatz eine *a)* selbstständige, *b)* planmäßig, auf eine gewisse Dauer angelegte, *c)* nach außen gerichtete, marktorientierte, *d)* auf Gewinnerzielung gerichtete (str.) und *e)* zulässige und rechtsgeschäftlich durchsetzbare (str.) Tätigkeit, *f)* mit Ausnahme der ↑freien Berufe (vgl. BGHZ 63, 32, 33). ↑Juristische Personen des Privatrechts wie Kapitalgesellschaften (AG, KGaA, SE, GmbH) sind Kaufleute, unabhängig davon, ob sie ein Gewerbe betreiben (§ 6 Abs. 2 HGB, Formkaufmann). Personenhandelsgesellschaften (OHG und KG) sind notwendigerweise auf den Betrieb eines Handelsgewerbes gerichtet und erhalten die Kaufmannseigenschaft zuerkannt (§ 6 Abs. 1 HGB). Die Eintragung eines Kleingewerbetreibenden in das HR hat im Fall des § 2 HGB konstitutive Wirkung, da dieser erst durch sie den Kaufmannsstatus erlangt (Kann-Kaufmann); der Kleingewerbetreibende ist hierzu berechtigt, aber nicht verpflichtet (S. 2).

4.2 Unterschiede zum Unternehmensrecht
H. und Unternehmensrecht sind nicht dasselbe, weil die Rechtsmaterien sich voneinander unterscheiden und die maßgebliche Anknüpfung zum jeweiligen Rechtsgebiet auch nach der grundlegenden Novelle durch das HRefG weiterhin anders verläuft. ↑Unternehmen meint die wirtschaftliche Organisation, mittels derer ihr „Träger" am ↑Markt tätig wird. Der Kaufmannsbegriff wird durch den des Unternehmens aber nicht ersetzt, und so ist bis jetzt keine grundlegende Umgestaltung des H.s in ein Recht der Unternehmen vorgesehen. Wichtige Formen unternehmerischer Betätigung bleiben vom H. also ausgeklammert. Namentlich die freiberuflichen Tätigkeiten, eine historisch begründete Differenzierung, fallen nicht unter den Anwendungsbereich handelsrechtlicher Normen. Das Bürgerliche Recht enthält in § 14 BGB indes eine Legaldefinition des Unternehmers und hat somit einen unternehmensrechtlichen Ansatz gewählt. Dieser Begriff ist weiter als der Kaufmannsbegriff (und umfasst freiberufliche Tätigkeiten). Im Übrigen wählt das österreichische Gesetzbuch insoweit einen anderen Weg und hat durch das UGB den Kaufmannsbegriff durch den des Unternehmers ersetzt.

5. Verweis auf Besonderheiten
Abschließend hier noch eine kurze Auflistung der typisch handelsrechtlichen Punkte, mit denen das HGB das Bürgerliche Recht spezifiziert:
a) das (elektronische) HR mit seiner Publizitätswirkung (wichtig: § 15 HGB);
b) Prokura als bes. handelsrechtliche Vollmacht mit gesetzlich bestimmtem Umfang (§§ 48–53 HGB) sowie die Handlungs- und die Ladenvollmacht (§§ 54, 56 HGB);
c) erleichterter Eigentums- und Pfandrechtserwerb (§ 366 HGB);
d) das kaufmännische Zurückbehaltungsrecht und das die Abrechnung erleichternde Kontokorrent (§ 369 bzw. § 355 HGB);
e) Verzögerungen beim Handelskauf (§§ 373 f. HGB);
f) Besonderheiten bei der Mängelhaftung beim Handelskauf durch sog.e Rügeobliegenheit (§ 377 HGB).

Literatur
H. Brox/M. Henssler: Handelsrecht mit Grundzügen des Wertpapierrechts, ²²2016 • P. S. Fischinger: Handelsrecht, 2015 • H. Oetker: Einleitung, in: H. Oetker (Hg.): HGB, ⁴2015, Rdnr. 44–61 • W.-H. Roth: Einleitung vor § 1, in: I. Koller u. a. (Hg.): HGB, ⁸2015, Rdnr. 18 • K. J. Hopt: Vorwort, in: A. Baumbach/K. J. Hopt (Hg.): Handelsgesetzbuch, ³⁶2014, Rdnr. 1–30 • P. Jung: Handelsrecht, ¹⁰2014 • K. Schmidt: Handelsrecht, Unternehmensrecht I, ⁶2014 • C.-W. Canaris: Handelsrecht, ²⁴2006 • H. Krejci: Unternehmensgesetzbuch statt HGB. Skizzen zur österreichischen Handelsrechtsreform, in: ZHR 170/2 (2006), 113–143 • M. Henssler: Gewerbe, Kaufmann und Unternehmen, in: ZHR 161/1–2 (1997), 13–51.   HERIBERT HIRTE

Handelsverträge

1. Begrifflichkeiten und Arten
H. sind völkerrechtliche Abkommen zwischen mehreren ↑Staaten, Staatengemeinschaften oder Wirtschaftszonen zur Regelung der außenwirtschaftlichen Beziehungen. Im Vergleich zu Zoll- oder Wirtschaftsunionen begründen H. eine geringere Form der Integration, da sie die außenwirtschaftlichen Beziehungen der Vertragsstaaten nur punktuell betreffen und deren generelle wirtschaftliche Selbständigkeit nicht beeinträchtigen. H. können zwischen zwei (bilaterale H.) oder mehreren (multilaterale H.) Staaten abgeschlossen werden, wobei erstere aufgrund der zunehmenden Komplexität der Vertragsverhandlungen heute dominieren.

2. Historische Entwicklung
H. lassen sich bereits bis ins Mittelalter zurückverfolgen. So wurden durch H. ausländischen Fürsten, Städten oder Kaufmannsvereinigungen (z. B. Hanse) Handelsprivilegien eingeräumt. Zur Zeit des ↑Merkantilismus wurden H. in großem Umfang eingesetzt und waren auch Teil der sog.en Wirtschaftskriegsführung, in dem meist generelle Wareneinfuhrverbote verhängt wurden, die nur gegen die Gewährung eines entsprechenden Marktzutritts beim Vertragspartner aufgehoben wurden. Dabei waren H. oftmals lediglich ein Teil größerer Allianzen etwa auf militärischem Gebiet. Ein typisches Beispiel ist der Methuen-Vertrag von 1703 zwischen England und Portugal, der diesen einen gegenseitigen Marktzugang zusicherte. Diese generelle Tendenz setzte sich im 18. und 19. Jh. fort, zumal H. zunehmend als ordnungspolitisches Steuerungsinstrument für die nationale Volkswirtschaft begriffen und entsprechend eingesetzt wurden. Eine entscheidende Wende erfolgte erst durch die Schaffung des GATT von 1947, mit dem ↑Zölle, Abgaben und andere Hemmnisse des ↑internationalen Handels abgebaut werden sollten. Das GATT wurde 1995 durch die ↑WTO abgelöst, das in umfassender Weise eine Rahmenrechtsordnung für den Abschluss von H.n durch die Mitglieder der WTO vorgibt.

3. Wirtschaftliche Zielsetzung und Kritik

H. dienen der Schaffung von ↑Freihandel und damit der ordnungspolitischen Steuerung der eigenen Volkswirtschaft in zweierlei Hinsicht. Denn zum einen kann über diese der Zugang der Unternehmen der eigenen Volkswirtschaft zu ausländischen Märkten ermöglicht werden. Zum anderen kann die eigene Volkswirtschaft durch H. aber auch gesteuert werden, indem ausländischen Konkurrenten der Zugang zum nationalen ↑Markt verwehrt wird, was etwa zum Aufbau eines eigenen Wirtschaftsbereichs oder aber zum Schutz des nationalen Marktes dienen kann. Durch den Abschluss von H.n verlieren die ↑Staaten zwar diese Steuerungsmöglichkeiten. Allerdings sind damit auch Wohlfahrtsgewinne aufgrund der von Adam Smith begründeten *Theorie der komparativen Kostenvorteile* verbunden, da durch die mit den H.n verbundene Marktöffnung der (internationale) ↑Wettbewerb gefördert wird und damit i. d. R. ein Innovationsschub verbunden ist. Darüber hinaus wird dadurch Fehlentwicklungen vorgebeugt, indem sich rückständige und nicht innovative Unternehmen und Produkte auf Dauer am (internationalen) Markt nicht behaupten können. Diese volkswirtschaftlichen Vorteile von Handelsabkommen sind allerdings auch mit einem ordnungspolitischen Kontrollverlust verbunden, der v. a. in den letzten beiden Jahrzehnten in den Fokus der politischen Auseinandersetzung geraten ist. Denn mit dem Abschluss von H.n wird oftmals nicht nur der gegenseitige Marktzugang eingeräumt, sondern es werden meist konkrete Standards für Produkte und Dienstleistungen festgelegt, um ein Regelungsgefälle zwischen den Vertragsstaaten zu vermeiden. Damit regeln H. aber nicht mehr nur die Außenwirtschaftsbeziehungen der Vertragsstaaten, sondern nehmen aufgrund der dann bestehenden völkerrechtlichen Bindungen direkten Einfluss auf die nationale ↑Ordnungs- und ↑Wirtschaftspolitik. Dies wird v. a. im Bereich der Arbeitnehmer- und Verbraucherschutzrechte zunehmend kritisiert. Diese Aspekte haben etwa innerhalb der EU zu einer Diskussion über die Art und Weise der Verhandlung und der Ratifizierung derartiger Abkommen etwa im Rahmen des CETA geführt, die den Abschluss von H.n in Zukunft deutlich erschweren wird.

4. Bedeutung

Innerhalb des ↑Europäischen Binnenmarktes sind H. für die einzelnen Mitgliedstaaten kaum noch von Bedeutung. Denn im Verhältnis zu Drittstaaten nimmt die ↑EU diese Kompetenz im Rahmen der gemeinsamen Handelspolitik wahr (Art. 207, 218 AEUV). Soweit es sich bei dem Handelsvertrag um ein gemischtes Abkommen handelt, ist die Zustimmung der mitgliedstaatlichen Parlamente erforderlich. Ein gemischtes Abkommen liegt immer dann vor, wenn das Abkommen auch Bereiche im originären Kompetenzbereich der Mitgliedstaaten betrifft, was aufgrund der heutigen Komplexität von H.n meist der Fall ist.

5. Zentrale Kennzeichen und Inhalte von Handelsverträgen

Der Inhalt von H.n kann sehr unterschiedlich ausgestaltet sein und sich etwa nur auf einzelne Wirtschaftsbereiche beziehen. Während bis Mitte des 20. Jh. H. meist für einzelne Wirtschaftsbereiche und Branchen geschlossen wurden, zeichnen sich diese in der heutigen Zeit durch eine wachsende Komplexität aus. So regeln H. nicht mehr nur den direkten gegenseitigen Marktzugang, sondern setzten für den Marktzugang konkrete Standards für einzelne Produkte und Dienstleistungen fest. Darüber hinaus enthalten H. typischerweise *Reziprozitätsklauseln*, wonach einem Vertragspartner nur solche Rechte eingeräumt werden, die dieser dem anderen Vertragspartner auch selbst einräumt. Zudem sind oftmals *Paritätsklauseln* vorzufinden, wonach Staatsangehörige des Vertragspartners nicht schlechter als eigene Staatsangehörige gestellt werden dürfen. Weiterhin sind oft *Meistbegünstigungsklauseln* anzutreffen, wonach dem anderen Vertragspartner die gleichen Rechte eingeräumt werden müssen, die der Vertragspartner einem Drittstaat zuerkennt. Ein vergleichsweise junges Phänomen sind schließlich *Investitionsschutzklauseln*, die Investoren aus dem Staat des Vertragspartners einen weitgehenden Schutz vor ↑Enteignungen und Entschädigungen gewähren und diesem typischerweise direkte Schadenersatzansprüche gegen einen Vertragsstaat einräumen.

Literatur

C. Tietje: WTO und Recht und des Weltwarenhandels, in: ders. (Hg.): Internationales Wirtschaftsrecht, ²2015, § 3 • M. Herdegen: Internationales Wirtschaftsrecht, ¹⁰2014 • J. A. Bischoff: Just a little bit of „mixity"? The EU's role in the field of international investment protection law, in: CMLRev 48/5 (2011), 1527–1569.　　　　　　SEBASTIAN MOCK

Handlungstheorie

I. Soziologisch – II. Philosophisch – III. Rechtswissenschaftlich

I. Soziologisch

Philosophie und Soziologie stellen ohne Zweifel jene Disziplinen dar, in denen H.n in darstellender, explikativer und auch kritischer Absicht am ausführlichsten artikuliert wurden. Dies ist bes. dann der Fall, wenn diese Disziplinen mit der Zusatzbezeichnung „analytisch" bzw. „erklärend" aufgetreten sind.

Es besteht unter Wissenschaftlern ein relativer Konsens darüber, welche Elemente einer Handlung (↑Handeln, Handlung) als deskriptiv zu gelten haben: neben dem Handlungssubjekt, dem Handlungstyp, der Handlungsmodalität, dem Handlungskontext wären die Gründe bzw. die Ursachen des Handelns zu nennen.

Dass diese Elemente in einem Verhältnis gegenseitiger Abhängigkeit stehen, zeigt der einfache Umstand, dass die Frage nach den Handlungsgründen sowohl auf das Handlungssubjekt als auch auf einen Restriktionen setzenden sowie Ressourcen gewährleistenden Handlungskontext verweist. Thematisiert man hingegen den Handlungskontext (↑Institution, ↑Organisation, Konvention) hinsichtlich der Faktoren, die zu seiner Entstehung und zeitlichen Stabilisierung beitragen, so ist, zumindest aus einer methodologisch-individualistischen Perspektive, die Bezugnahme auf die Handlungssubjekte und ihre Handlungsmodalitäten zwingend.

Das Vorhandensein einer gegenseitigen Konditionierung zwischen den genannten Handlungselementen findet Ausdruck auch in der Einsicht, dass wenn einerseits individuelles (↑Individuum) sowie Gruppenhandeln (↑Gruppe) in der Zeit relativ stabile Strukturen bilden, andererseits diese Strukturen individuelles sowie Gruppenhandeln konditionieren. Eine Verbindung zwischen Handlung und Struktur ist in Max Webers theoretischem Ansatz bereits „strukturell" angelegt: es gibt für M. Weber eine klare Korrespondenz zwischen Handlungstypen und kollektiven Phänomenen auf der Makroebene. Den zweckrationalen, wertrationalen, affektuellen und traditionellen Handlungstyp betrachtet M. Weber als jeweils konstitutiv für Beziehungs- bzw. Ordnungsarten wie Interessenlage, legitime ↑Ordnung, Brauch und Sitte.

Weit komplexer als die Frage der Handlungsbeschreibung, gestaltet sich jene der Handlungserklärung. In diesem Zusammenhang sind insb. die Bemühungen der ↑analytischen Philosophie zu nennen, das Verhältnis von Begriffen wie „Gründe" und „Ursachen", „↑Determinismus" und „↑Freiheit", sowie „Willensfreiheit und „↑Verantwortung" grundlagentheoretisch zu klären. Im Allgemeinen lässt sich in sozialwissenschaftlicher Perspektive beobachten, dass, je nach Disziplinzugehörigkeit und theoretischem Hintergrund des Forschers, die Bestimmung erklärungsrelevanter Handlungsdeterminanten unterschiedlich ausfällt. Einseitigkeit und Reduktionismus sind dabei geläufige Phänomene: Mal wird die Relevanz der physisch-biologischen Umwelt betont (↑Natur), mal wird die sinn- und orientierungsgebende Bedeutung geteilter ↑Werte und Überzeugungen unterstrichen (↑Kultur), mal wird die konditionierende Macht von Routinen, ↑sozialen Rollen, Konventionen hervorgehoben (↑Gesellschaft). So sehr diese Einseitigkeiten eine Legitimation in der „Logik" der jeweiligen Disziplin finden mögen, so sehr muss man daran festhalten, dass sie ein echtes Problem für ausgewogene Handlungserklärungen darstellen. Die Einflüsse von *Physis* bzw. *BIOS* (*via* Umwelt bzw. genetische Anlage) auf das Handeln sind gewiss beträchtlich, entscheidend ist aber, wie kulturelle Besonderheiten diese Einflüsse kanalisieren und transformieren. Die handlungskonditionierende Macht der Kultur (*via* Überzeugungen und Werte) kann sicherlich als gewichtig angesehen werden, entscheidend ist aber, wie Menschen bei der Verwirklichung ihrer Wünsche bzw. Verfolgung ihrer ↑Interessen mit dieser Macht rational bzw. strategisch umgehen. Dies gilt nicht nur für moderne, sondern auch für „primitive" Gesellschaften. Schließlich darf auch das Gewicht gesellschaftlicher Zwänge (*via* ↑Normen, Rollen und Konventionen) nicht unterschätzt werden, es muss aber gleichzeitig eingesehen werden, dass Individuen keine passiven „Rollenträger" bzw. Konventionen-Befolger sind.

Erkennt man die Tragweite der Brechungen kultureller sowie gesellschaftlicher „Vorgaben" durch den Handelnden, so ist man besser in der Lage nachzuvollziehen, warum für M. Weber die einfache Beziehung auf eine „lediglich empirisch beobachtbare noch so strenge *Regel* des Geschehens" (Weber 1988: 69) für die Interpretation menschlichen Handelns keineswegs ausreicht. Darüber hinaus fordert M. Weber die Bezugnahme auf die subjektive Lage der Akteure im Feld: ihre Motive bzw. ihre subjektive Definition der Situation. Dies einzusehen heißt nicht davon auszugehen, der Wissenschaftler sei von der Aufgabe entbunden, auch nach „objektiven" Merkmalen der Situation zu fragen. Karl Poppers Forderung an den Wissenschaftler, nicht bei psychologischen Erklärungen stehen zu bleiben und die „Logik der Situation" ernst zu nehmen, drückt die Unverzichtbarkeit dieser Aufgabe aus. M. Webers und K. Poppers Sichtweisen stehen im Verhältnis der Komplementarität zueinander: Handlungserklärungen, die Motive, Überzeugungen und Interessen der Akteure nicht angemessen berücksichtigen, sind ebenso problematisch wie Handlungserklärungen, die der „Logik der Situation" (Opportunitäten und Restriktionen) nicht adäquat Rechnung tragen. Beide Vorgehensweisen führen zu Sackgassen in der Form rationalistischer, kulturalistischer, oder sozio-zentrischer Fehlschlüsse.

Die Relevanz des Handlungskontextes für das Verstehen bzw. Erklären des Handelns ist nicht zuletzt daran erkennbar, dass, so lässt sich beobachten, seine Veränderung meistens mit einer Veränderung der subjektiven „Definition der Situation" und folglich des Handelns einhergeht. Dies gilt es zu betonen, auch gegenüber jenen Theorien der rationalen Wahl (↑Rational Choice Theory), die auf der Grundlage eines „Invarianzprinzips" individuelle Entscheidungen modellieren. Gegen diese Invarianzannahme ließe sich einwenden, dass alternative Beschreibung bzw. „Einrahmungen" der Situation unterschiedliche Präferenzannahmen und folglich unterschiedliche Entscheidungen zur Folge haben.

Die Eigenschaft des Kontexts, Handeln zu beeinflussen, wirft ein kritisches Licht auch auf jene Forschungsverfahren, die weitgehend de-kontextualisiert Anwendung finden. So informativ und nützlich die Erhebung individueller Einstellungen bzw. Dispositionen in Abstraktion des Kontexts auch sein kann, bietet diese Verfahrensweise keine Garantie dafür, dass damit faktische Handlungsabläufe erfasst werden können.

Geht der Wissenschaftler von der Annahme aus, dass es keine „Makrogesetze" gibt, mit deren Hilfe Genese, Reproduktion oder Wandeln kollektiver Phänomene erklärt werden könnten, dass diese Phänomene vielmehr ihren Ursprung und temporale Beständigkeit in der Mikroebene haben, so gewinnen Begriffe wie „Handeln", „Handlungskette" und „Interaktion" eine entscheidende Bedeutung bei der Erklärung von kollektiven Phänomenen wie typischem Gruppenverhalten oder sozialen Aggregaten. Es gibt unterschiedliche Varianten dieses „methodologischen Individualismus" (James Samuel Coleman, Peter Hedström, Clemens Kronenberg, Renate Mayntz), aber alle stimmen letztlich darin überein, dass jene „Mechanismen", die kollektive Phänomene generieren und perpetuieren, ihre Genese in der bes.n Art der Interaktion zwischen Individuen haben.

Literatur

C. Kronenberg: Die Erklärung sozialen Handelns, 2011 • R. Mayntz: Sozialwissenschaftliches Erklären, 2009 • P. Hedström: Anatomie des Sozialen, 2008 • H. Esser: Soziologie. Spezielle Grundlagen, Bd. 1, 1999 • J. S. Coleman: Foundations of Social Theory, 1990 • M. Archer: Culture and Agency, 1988 • M. Weber: Gesammelte Aufsätze zur Wissenschaftslehre, 1988 • A. Giddens: Die Konstitution der Gesellschaft, 1984 • C. Lévy-Strauss: Le regard éloigné, 1983 • A. Tversky/D. Kahneman: The Framing of Decisions and the Psychology of Choice, in: Science, 211/4481 (1981), 453–458 • K. Popper: Die Offene Gesellschaft und ihre Feinde, Bd. 2, 1977 • N. Rescher: Handlungsaspekte, in: G. Meggle (Hg.): Analytische Handlungstheorie, 1977, 1–7 • M. Weber: Wirtschaft und Gesellschaft, 1976 • H. Popitz: Der Begriff der sozialen Rolle als Element der soziologischen Theorie, 1975 • E. O. Wilson: Sociobiology, 1975 • D. M. MacKay: Freedom of Action in a Mechanistic Universe, 1967 • R. Merton: Social Theory and Social Structure, [11]1967 • D. Davidson: Action, Reasons, and Causes, in: JP 60/23 (1963), 685–700 • C. Ginet: Can the Will be Caused?, in: PhRev 71/1 (1962), 49–55 • F. Tenbruck: Zur soziologischen Rezeption der Rollentheorie, in: KZfSS 13/1 (1961), 1–40 • B. Malinowski: Sitte und Verbrechen bei den Naturvölkern, 1940 • T. LaPiere: Attitude vs. Actions, in: Soc. Force. 13/2 (1934), 230–237 • W. I. Thomas/F. Znaniecki: Methodological Note, in: dies. (Hg.): The Polish Peasant in Europe and America, 1927, 1–86.   GABRIELE CAPPAI

II. Philosophisch

Die philosophische H. (englisch *action theory*) beschäftigt sich mit Fragen, die im Zusammenhang mit Handlungen, bes. menschlichen Handlungen, auftreten. Sie fragt danach, was Handlungen sind, wem Handlungen zugeschrieben werden können und wie sich Handlungen erklären lassen. Dabei können Handlungen in unterschiedlicher Hinsicht betrachtet werden, entweder insofern eine ursachen- oder vermögenstheoretische Analyse der Ursprünge von Handlungen angestrebt wird oder insofern ein Versuch unternommen wird, Handlungen zu deuten und zu verstehen. Der allg.en

H. stehen verschiedene spezielle H.n gegenüber, die nicht Handlungen in ihrer Gesamtheit, sondern unter bes.r Hinsicht, bspw. mit Blick auf sprachliches oder ökonomisches Handeln, betrachten.

1. Der Begriff der Handlung

Unter einer Handlung (↑Handeln, Handlung) wird im Allgemeinen eine zielgerichtete, absichtliche und bewusste menschliche Tätigkeit verstanden, unabhängig davon, ob es sich um ein Tun oder ein Unterlassen handelt. Dadurch unterscheiden sich Handlungen von unbeabsichtigten oder unwillkürlichen Körperbewegungen. Der Begriff der Handlung schließt nicht zwingend eine aktive Wirkung auf die Außenwelt mit ein, da auch ein Unterlassen als Handlung zu verstehen ist.

Wird Willensfreiheit angenommen, so geht man davon aus, dass es in unserer Macht steht, Handlungen auszuführen oder zurückzuhalten. Demgegenüber steht der strenge ↑Determinismus, nach dem Handlungen nichts anderes als Ergebnisse wirkursächlicher Kausalität sind und damit mit strenger Notwendigkeit erfolgen. Kompatibilistische Ansätze, die meist an David Hume anknüpfen, versuchen den freien Willen und den Determinismus zu vereinbaren. So geht D. Hume davon aus, dass Menschen nicht im klassischen Sinn die ↑Freiheit haben, Handlungen auszuführen oder zurückzuhalten. Hingegen entwirft er den Begriff einer hypothetischen Freiheit, die darin besteht, dass andere ↑Entscheidungen hätten getroffen werden können, wäre man durch andere Wünsche oder Überzeugungen bestimmt.

Nur im übertragenen Sinn lässt sich vom Handeln einer ↑Gruppe sprechen; im eigentlichen Sinne handeln nur ↑Individuen. Werden im Handeln der Einzelnen die Wirkungen auf andere Handelnde oder das Zusammenwirken mit anderen Handelnden auf ein gemeinsames Ziel hin betrachtet, so kann man auf metaphorische Weise von dem Handeln einer Gruppe sprechen. Max Webers Begriff des sozialen Handelns erklärt daher weniger den Sinn des Handelns Einzelner von individuellen ↑Intentionen aus, sondern mehr aus der Orientierung auf das Verhalten anderer. Da auch ein Unterlassen eine Handlung darstellt, kann man in diesem Sinne auch dann von kollektivem Handeln sprechen, wenn einzelne Gruppenmitglieder passiv bleiben.

2. Handlungstheorie
2.1 Aristoteles

Aristoteles versteht einen menschlichen Akt nur dann als Handlung (*práxis*), wenn er willentlich und um seiner selbst willen erfolgt und damit letztlich auf die Glückseligkeit hingeordnet ist. Das aristotelische Handlungsmodell ist damit teleologisch fundiert. Allg.es Prinzip der Willentlichkeit und damit der Zurechenbarkeit einer Handlung ist der bewusste und freiwillige Vollzug sowie die Kenntnis der jeweiligen Handlungsumstände, weshalb ein Handeln im aristotelischen Sinne für vernunftlose oder willensunfreie Geschöpfe unmöglich ist. Für Aristoteles ist nicht jede intentionale Tätigkeit eine Handlung im strengen Sinn, denn Herstellen *(poíesis)* bringt etwas um eines bestimmten Zweckes willen hervor, welcher der Tätigkeit nicht immanent ist. Das Handeln ist somit nicht von seinem Produkt her zu bewerten, sondern von Seiten der Tugendhaftigkeit (↑Tugend) im Handlungsvollzug. Um richtiges, d. h. tugendhaftes, Handeln zu erklären, verwendet Aristoteles das Modell des praktischen Syllogismus, nach dem eine Handlung genau dann erfolgt, wenn ein konkretes Merkmal unter einen Obersatz im Sinne eines allg.en Urteils fällt. Der Obersatz ist dabei eine normative Prämisse, sodass es sich um kein deduktives Schlussverfahren handelt.

2.2 Thomas von Aquin

Im Anschluss an Aristoteles bestimmt Thomas von Aquin das Handeln als eine Bewegung, deren Prinzipien im Bewegten selbst liegen müssen. In „De veritate" legt Thomas eine umfassende Erörterung menschlichen Handelns in seiner gesamten Komplexität vor. Der Mensch ist in seiner kreativen Gottesebenbildlichkeit freier Handlungen fähig und erlangt seine zweite und eigentliche Vollkommenheit durch rechtes, d. i. tugendhaftes und auf das höchste Gute ausgerichtetes, Handeln. Handeln erklärt Thomas in der „Summa Theologiae" durch ein Wollen *(velle)*, das auf ein Ziel *(finis)* gerichtet ist, in dem der Wille teilweise oder – beim Letztziel – vollständig zur Ruhe kommt. Der Wille bestimmt sich im Handeln durch freie Wahl *(liberum arbitrium, electio, intentio)* selbst zu seinem Akt. Bei Thomas wie auch bei zahlreichen weiteren Autoren der ↑Scholastik steht im Akt der Willenswahl bes. die Frage nach dem Zusammenspiel von Vernunft und Willen im Vordergrund. Von der Beantwortung dieser Fragen wird die Grundlage wesentlicher Elemente der sittlichen Bewertung von Handlungen gewonnen.

2.3 Moderne Handlungstheorien

In der modernen H. ergeben sich zwei Hauptfragen: einerseits die Frage nach sicherer Identifikation von Handlungen, andererseits die Frage nach Möglichkeit und Weise von Handlungserklärungen.

Das Identifikationsproblem entspringt aus der Loslösung der Handlung aus dem bei Aristoteles prägenden teleologisch-sittlichen Rahmen. Zwar verwenden prominente H.n den von Aristoteles entlehnten praktischen Syllogismus, nutzen ihn aber, um beliebige intentional beabsichtigte Tätigkeiten zu erklären, womit gegenüber dem aristotelischen Ansatz der Begriff der Handlung deutlich ausgeweitet wird. Nicht mehr das letzte Ziel bestimmt das menschliche Handeln, sondern die Intentionen des Handelnden. Für den Beobachter wird damit nicht mehr mit Sicherheit deutlich, ob in einer Körperbewegung eine intentionale Handlung erblickt werden muss oder nicht.

Dieses Identifikationsproblem führt zu der Frage, ob es bestimmte Gründe für das Handeln einer Person gibt und wie diese in ihrer Rolle als Gründe verstanden werden müssen. Ein Vorschlag zur Behandlung dieser Probleme ist die Unterscheidung von natürlichen Ereignissen und Handlungen durch Wahl einer aktivischen oder passivischen Beschreibung. Die Aussage „Peter bewegt seinen Arm" ist von „Peters Arm bewegt sich" dahingehend verschieden, dass erstere eine intentionale Handlung beschreibt, letztere aber offenlässt, ob Peters Arm bewegt wird oder ob er den Arm selbst bewegt. Im Anschluss an Ludwig Wittgenstein thematisiert Gertrude Elizabeth Margaret Anscombe dieses Problem in der *Identitätsthese*: Beide Beschreibungen sind Beschreibungen desselben Ereignisses, wie können wir aber entscheiden, welche richtig ist? G. E. M. Anscombe schlägt vor, das Problem durch Stellen einer „Warum-Frage" zu beantworten. Jene Beschreibung sei die richtige, mit der sich die Frage nach dem Warum des Ereignisses beantworten lasse.

Diese vielfach kritisierte These führte bes. zu dem Einwand, dass es nicht die in der Beschreibung einer Handlung vorkommende Intention und damit die teleologische Struktur ist, die ein Ereignis zu einer Handlung macht, sondern die jeweilige Ursache, aus der eine Handlung folgt. Da Handlungen von sonstigen Wirkungen unterschieden sein sollen, müssen die bes.n Eigenschaften von Handlungen als Wirkungen und die von Ursachen als Handlungsmotivatoren bestimmt werden. Donald Davidson führt dazu den Begriff der Primärgründe *(primary reasons)* ein, die die Summe von Wünschen *(desires)*, Zielen und moralischen ↑Werten des Handelnden enthalten sollen. Tritt zu solchen Gründen die Überzeugung *(belief)*, dass eine bestimmte Handlung diesen Gründen entspr., wird die Handlung vollzogen und ist daher über Referenz auf Gründe und Überzeugungen *(desire-belief*-Schema) erklärbar. Georg Henrik von Wright kritisiert D. Davidsons Position mit dem *Argument der logischen Beziehung*, das unterstellt, dass Handlungsgründe mit dem, was gewollt wird, in einer logischen Beziehung stehen müssen, was für Ursachen und Wirkungen aber nicht gelten kann. Es stellt sich damit erneut die Frage, welche Art der Verursachung bei Handlungen vorliegt. Eine bes. Beachtung hat dabei das Problem erfahren, inwieweit Handlungsgründe und Intentionen als mentale Zustände auf physikalische Zustände reduzierbar sein können, womit auch die Frage nach der Freiheit oder der Determiniertheit menschlicher Handlungen wieder in den Blick rückt.

Literatur

M. Alznauer/J. M. Torralba: Theories of Action and Morality, 2016 • M. Kühler/M. Rüther (Hg.): Hdb. Handlungstheorie, 2016 • M. Willaschek: Praktische Vernunft: Handlungstheorie und Moralbegründung bei Kant, 2016 • A. Leist (Hg.): Action in Context, 2007 • L. v. Mises: Human Action, 2007 • W. Vossenkuhl: Praxis, in: E. Martens/H. Schnädelbach (Hg.): Philosophie, 2003, 217–261 • D. Davidson: Essays on Actions and Events, 2001 • Aristoteles: Nikomachische Ethik, 1985 • G. H. v. Wright: Explanation and Understanding, 1971 • A. I. Goldman: A Theory of Human Action, 1970 • G. E. M. Anscombe: Intention, 1957 • M. Weber: Wirtschaft und Gesellschaft, 1922 • D. Hume: A Treatise on Human Nature, 1739/40.   STEFAN SCHWEIGHÖFER

III. Rechtswissenschaftlich

Das positive Recht knüpft an menschliches Handeln einschließlich des Unterlassens zahlreiche Rechtsfolgen. Die daher auch erforderliche rechtswissenschaftliche H. reflektiert neben dem Handlungsbegriff (↑ Handeln, Handlung) v. a. Funktion, Kontext, Gehalt und innere Struktur von Handlungen. Prägend ist dabei die Grundunterscheidung zwischen Rechtshandlungen und rechtlich erheblichen Handlungen.

1. Theorie der Rechtshandlungen

Rechtshandlung (Rechtsakt) ist jedes Handeln eines Rechtssubjekts, das auf die Herbeiführung oder Bestätigung einer Rechtsfolge zielt. Juristische H.n liefern eine Klassifikation der Handlungsformen und durchdringen die rechtlichen Voraussetzungen für Zustandekommen (Wirksamwerden), Anfechtbarkeit, Widerruf und Aufhebung von Rechtsakten. Während privatautonomes Handeln in der Rechtsgeschäftslehre ausschließlich auf die Willenserklärung als Grundbaustein setzt (§§ 105, 116–144 BGB) und mit diesen gleichermaßen einseitige Rechtsgeschäfte (inkl. der Ausübung von Gestaltungsrechten) und gegenseitige ↑ Verträge (§§ 145, 433–453 BGB) aufbaut, differenziert das ↑ öffentliche Recht zwischen öffentlich-rechtlichen Willenserklärungen (Privater) und Hoheitsakten (der öffentlichen Gewalt einschließlich mit öffentlicher Gewalt beliehener Privater) und fächert letztere in zahlreiche Handlungsformen auf. Prägendes Ordnungsmuster ist die Normenhierarchie und – quer zu dieser – die Lehren von Anwendungsvorund -nachrang. Innerstaatlich weist die Normenhierarchie, die sich im Mehrebenensystem vervielfältigt, höchsten Rang den ↑ Verfassungen (Regelungen in den Verfassungsurkunden mit dort niedergelegten sog.en Ewigkeitsgarantien, ungeschriebenem Verfassungsrecht, verfassungsändernden Gesetzen) zu. In vielen Jurisdiktionen stehen den Verfassungen die nicht in die Verfassungsurkunde inkorporierten Verfassungsgesetze gleich (z. B. Österreich), darunter rangieren sog.e Organgesetze, Maßstäbegesetze und Grundsätzegesetze, sodann das einfache Parlamentsgesetz und die Handlungsformen des breiten Bereichs sog.er exekutivischer Rechtssetzung (↑ Rechtsverordnung, ↑ Satzung autonomer Körperschaften des öffentlichen Rechts).

Allen diesen Handlungsformen, die abstrakt-generelle Regelungen (↑ Gesetze im materiellen Sinne) tragen, stehen die einzelfall- oder situationsbezogenen Rechts-

akte gegenüber. Unter ihnen ragen Verwaltungsakte inkl. sog.er Allgemeinverfügungen und öffentlich-rechtliche Verträge heraus. Während die verwaltungsrechtliche H. öffentlich-rechtliche Verträge im Wesentlichen parallel zu privatrechtlichen Verträgen konzipiert (vgl. § 62 BGB; differentia specifica in §§ 54–62 VwVfG), hat sich um die Verwaltungsakte eine eigenständige, durch Otto Mayer auf das französische Recht gegründete verwaltungsrechtliche H. gebildet. Sie erkennt im Verwaltungsakt die – heute in § 118 AO, § 35 VwVfG kodifizierte – hoheitliche Maßnahme, die eine Behörde (§ 6 AO, § 1 VwVfG) zur Regelung eines Einzelfalls auf dem Gebiet des öffentlichen Rechts trifft und die auf unmittelbare Rechtswirkung nach außen gerichtet ist. Diese Rechtswirkung kann konstitutiv, deklaratorisch oder kassatorisch (actus contrarius), gebietend, gestattend, verbietend oder „dinglich" (Widmungsakte im Recht der öffentlichen Sachen) sein. Großen Raum nimmt in der H. des Verwaltungsaktes – neben dessen Entstehungsbedingungen (formell in Fragen von Zuständigkeit, Verfahren der Bekanntgabe, u. U. Formerfordernissen; materiell in der Abwesenheit von Nichtigkeitsgründen i. S. d. § 44 VwVfG) seine Vereinbarkeit mit höherrangigem Recht ein, die – im Unterschied zu nahezu sämtlichen anderen Handlungsformen – beim Verwaltungsakt keine Wirksamkeitsvoraussetzung ist. Auch rechtswidrige Verwaltungsakte sind wirksam, können aber – durch behördliche Rücknahme oder gerichtliche Aufhebung – beseitigt werden, wobei vielfach entspr.e Beseitigungsansprüche bestehen (vgl. § 113 VwGO und die Vorschriften des Aufsichtsrechts im weiteren Sinne). Weitere Themen und klassifizierende Kriterien der staats- und verwaltungsrechtlichen H. sind Fragen der Durchsetzung parlamentarischer und behördlicher Entscheidungen (self-executing effect oder Umsetzungsbedürftigkeit der Rechtsakte, Selbsttitulierungskompetenz der Verwaltung).

Quer zu den parlamentsrechtlichen (staatsrechtlichen) und behördlichen (verwaltungsrechtlichen) H.n liegen die prozessualen H.n, die sich – quer durch die Teilrechtsordnungen – mit unterschiedlichen Typen gerichtlicher Entscheidungen befassen. So können z. B. Gesetze (selbst förmliche Parlamentsgesetze) gleichermaßen prinzipal (abstrakte Normenkontrolle, Rechtssatzverfassungsbeschwerde) und inzident (konkrete Normenkontrolle, Mitüberprüfung der Wirksamkeit von Gesetzen, wo diese eine Vorfrage im Rahmen von Streitigkeiten über konkret-individuelle Maßnahmen ist) auf ihre Vereinbarkeit mit höherrangigem Recht überprüft werden.

Im Unterschied zu klassischen Handlungslehren des deutschen Staats- und Verwaltungsrechts setzen H.n für den Bereich des ↑ Europarechts – bei Übernahme und Anreicherung der Kriteriologie – normativ anders an. Prägend ist insoweit zunächst die Unterscheidung von Primärrecht (Verträgen) einerseits und Sekundär- und Tertiärrecht (unional gesetztem Recht) andererseits. Innerhalb des Sekundärrechts gehen die unionsrechtlichen

H.n von der in Art. 288 AEUV angelegten Auffächerung aus. Sie unterscheiden Verordnungen (EU-weite Geltung und Anwendung, *self-executing*, abgesichert durch richterrechtlich anerkanntes Wiederholungsverbot), RL (Determinationsrecht, das nur Zielbefehle enthält; das diese Rechtsbefehle auf einen Teil der Mitgliedstaaten beschränken kann und das diesen die Wahl der Form und der Mittel überlässt; grundsätzlich keine *self-executing*-Wirkung, wohl aber hohe auslegungsleitende Relevanz für das gesamte mitgliedstaatliche Recht), Beschlüsse der Unionsorgane (Beispiel: der Eigenmittelbeschluss, Entscheidungen der Kommission in Kartell- oder Beihilfeverfahren, Entscheidungen über europäische Subventionen) und *soft law* der Unionsorgane (Empfehlungen, Stellungnahmen). Die – vielfach apokryph gebliebene – Kategorie des Tertiärrechts umfasst v. a. delegierte Rechtsakte (Art. 290 AEUV) und Durchführungsrechtsakte (Art. 291 AEUV), wobei diese beiden tertiärrechtlichen Regelungstypen sich ders.n Handlungsformen bedienen können, die auch für das Sekundärrecht zur Verfügung stehen (Art. 288 AEUV), ohne dass die Unionsorgane sich durch Wahl einer schwächeren Handlungsform auf Sekundärebene die Möglichkeit der Verwendung einer starken Handlungsform auf Tertiärebene abschneiden. Daher kann z. B. eine RL (Sekundärrecht) durch eine Durchführungs-VO (Tertiärrecht) konkretisiert und damit faktisch gehärtet werden.

2. Theorie rechtlich erheblicher Handlungen

Von der Theorie der Rechtshandlungen streng zu trennen – und in der H. weitgehend unverbunden konstruiert – ist die Theorie der rechtlich erheblichen Handlungen, unter denen für das Zivil- und ↑Strafrecht die Tat, für das öffentliche Recht der sog.e Realakt herausragen. Als Tat bezeichnet die deliktische (v. a. die strafrechtliche) H. eine Handlung (Tun oder Unterlassen), die aktuell oder potenziell den Tatbestand einer deliktischen Norm erfüllt, daher typischerweise rechtswidrig ist (aber im Einzelfall gerechtfertigt sein kann) und an die sich – unmittelbar oder jedenfalls, wenn ein persönliches Verschulden (Vorsatz, Fahrlässigkeit) hinzutritt – belastende Rechtsfolgen wie Kriminalstrafe, Bußgelder, sog.e Nebenfolgen (Entzug der Fahrerlaubnis, Einziehung, Vermögensverfall), Schadensersatz- und/oder Entschädigungspflichten knüpfen. Die bes. intensiv bearbeiteten strafrechtlichen H.n unterscheiden sich v. a. durch die unterschiedliche Zuordnung der (individuellen) gedanklichen Vorstellungen. Die klassischen kausalen Handlungslehren erblicken in der Willensrichtung des Täters ein Kriterium der ↑Schuld. Demgegenüber begreifen die heute vorherrschenden finalen Handlungslehren die Finalität (also die Beherrschung des äußeren Verhaltens durch einen steuernden, i. d. R. zielgerichteten Willen) bereits als notwendiges Merkmal jeder Handlung, scheiden also unwillkürliche Bewegungen von vornherein aus dem Handlungsbegriff aus. Hinzu treten moderne Anreicherungen wie die soziale Handlungslehre (die nur sozialerhebliches Verhalten als Handlung im strafrechtlichen Sinne begreift) und die personale Handlungslehre (die als Handlung ansieht, was sich einem Menschen als „seelisch-geistiges Aktionszentrum" zuordnen lässt).

Die verwaltungsrechtlichen Realakte und ebenso die weitgehend parallel konstruierten Handlungen im Rahmen der zivilrechtlichen Rechtsgeschäftslehren (etwa Erfüllungshandlungen, § 362 BGB) sind demgegenüber in ihrer begrifflichen Konzeption weniger intensiv bearbeitet als die deliktischen Tatbegriffe, weil hier i. d. R. die Kontextualität im Vordergrund steht. Anerkannt ist aber auch hier, dass selbst ein „nur" kommunikatives Handeln – etwa Ehrverletzungen, behördliche Warnungen etc. – als sog.e faktische (auch: mittelbar-faktische) Grundrechtseingriffe (Handlungen ohne Regelungswirkung) vielfach ähnlich hohen rechtlichen Anforderungen genügen müssen wie belastende Rechtsakte.

Literatur

E. Deutsch: Deliktsrecht, ⁶2014 • K. F. Röhl/H. C. Röhl: Allgemeine Rechtslehre, ⁴2014 • B. Caspers: „Schuld" im Kontext der Handlungslehre Hegels, 2012 • K. H. Gössel: Probleme einer rein normativen Begriffs- und Systembildung, insbesondere in ihrem Verhältnis zum Naturalismus in der Handlungslehre, in: M. Hettinger u. a. (Hg.): FS für Wilfried Küper zum 70. Geburtstag, 2007, 83–94 • E. Reimer: Ort des Unterlassens, 2004 • I. Voßgätter Niermann: Die sozialen Handlungslehren und ihre Beziehung zur Lehre von der objektiven Zurechnung, 2004 • G. Jakobs: Der strafrechtliche Handlungsbegriff, 1992 • J. Baumann: Hat oder hatte der Handlungsbegriff eine Funktion?, in: G. Dornseifer u. a. (Hg.): GedS für Armin Kaufmann, 1989, 181–188 • K. Otter: Funktionen des Handlungsbegriffs im Verbrechensaufbau, 1973 • P. Bockelmann (Hg.): FS für Karl Engisch zum 70. Geburtstag, 1969 • E. Schmidt: Soziale Handlungslehre, in: ebd., 339–352 • H. von Weber: Bemerkungen zur Lehre vom Handlungsbegriff, in: ebd., 328–338 • H. Welzel: Um die finale Handlungslehre – eine Auseinandersetzung mit ihren Kritikern, 1949.   EKKEHART REIMER

Handwerk

I. Wirtschaftswissenschaftlich – II. Geschichtlich

I. Wirtschaftswissenschaftlich

1. Begriff

Es gibt zahlreiche Versuche, H. als Berufstätigkeit, als Unternehmensform, als Wirtschaftsbereich oder als soziale Schicht zu fassen. So kann man H. arbeitssoziologisch als eine Gruppe von Berufstätigen begreifen, deren Mitglieder ihre Arbeit stark durch ihre Personalität prägen und sie mit einem bes.n Qualifikations- und Qualitätsanspruch ausüben. Auch kann man philosophisch „H." als eine praktische, auf Problemlösung im Einzelfall angelegte Tätigkeit von „Mundwerk" als einer reflexiv-theoretischen Tätigkeit unterscheiden. Vorherrschend ist jedoch eine pragmatisch-positivistische Sichtweise, die unter H. das versteht, was ihm jeweils durch Gesetzgebung zugeordnet und deshalb durch spezifische gewerbe- oder bildungsrechtliche Regelungen als Wirtschaftsbereich verfasst ist, wie dies insb. in den deutschsprachigen Ländern der Fall ist.

2. Organisation und Recht

Die wechselvolle Organisationsgeschichte des H.s in Deutschland wurde 1953 durch die als Bundesgesetz verabschiedete HandwO in festere Bahnen gelenkt. Mit ihr wurde ein mittlerer Weg zwischen den bis dahin konkurrierenden liberalen und korporatischen Ordnungsmodellen eingeschlagen. Sie sieht insb. eine Pflichtmitgliedschaft der Betriebe, der Arbeitnehmer mit abgeschlossener Berufsausbildung und der Lehrlinge in den HWKn als Selbstverwaltungskörperschaften sowie eine Zulassungspflicht zur Gewerbeausübung ("Großer Befähigungsnachweis") vor.

Den derzeit 53 HWKn obliegt nicht nur das Führen der H.s- und der Lehrlingsrolle, die Bestellung von Vereidigung von Sachverständigen oder die Gewerbeförderung, sondern auch die Regelung und Überwachung der Lehrlingsausbildung sowie Angebote und der Erlaß von Vorschriften zur Fortbildung. Wichtigste Organe zur Selbstverwaltung der HWKn sind Vollversammlung, Vorstand und Präsidium, denen jeweils zu zwei Dritteln Vertreter der Betriebsinhaber und zu einem Drittel Vertreter der ↑Arbeitnehmer angehören.

Wie die HWKn sind die ihnen durch Rechtsaufsicht unterstellten Innungen K. d. ö. R., allerdings mit freiwilliger Mitgliedschaft. Für jedes Gewerk kann im gleichen Bezirk jeweils nur eine Innung gebildet werden. Die Innungen sind Pflichtmitglieder bei der Kreishandwerkerschaft, in deren Bezirk sie ihren Sitz hat, und lassen i. d. R. ihre Geschäfte von dieser führen. Sie vertreten die gewerblichen Interessen eines Gewerks oder mehrerer fachlich nahestehender Gewerke, fungieren als Tarifpartner und Arbeitgeberverband und können von der jeweiligen HWK zum Erlass von Gesellenprüfungsordnungen und zum Einrichten von Gesellenprüfungsausschüssen ermächtigt werden. Deren Organisationsgrad ist je nach Gewerk sehr unterschiedlich, aber insgesamt und langfristig rückläufig. Daraus resultiert ein anhaltender Fusionsprozess.

Privatrechtlich sind die HWKn und Innungen regional und auf Bundesebene jeweils zu Verbänden zusammengeschlossen. Im "Zentralverband des Deutschen Handwerks" (ZDH) als Dachverband sind die allermeisten H.s-Organisationen repräsentiert. Aktuelle Reformdiskussionen zur H.s-Organisation in Deutschland zielen auf die Modernisierung der Kammerverwaltungen (E-Government, Transparenz), die Stärkung des ehrenamtlichen (↑Freiwilligenarbeit) Engagements (Rekrutierung, Wahlrecht), die Erhöhung der Leistungsfähigkeit der Innungen als Fachverbände und Tarifpartner sowie eine stärkere institutionelle und personelle Entflechtung von Kammer- und Innungsorganisationen.

Während die organisationsrechtlichen Vorschriften der HandwO seit 1953 nicht grundlegend verändert wurden, erlebten die gewerberechtlichen Regelungen zwei wesentliche Reformen: Zum einen wurden 1965 etliche Berufe (z. B. Bestatter, Kosmetiker) als "handwerksähnliches Gewerbe" ohne Zulassungspflicht in das H. (Anlage B, heute B2) integriert, zum Anderen erfolgte 2004 im Zusammenhang mit der "Agenda 2010" eine weitgehende Liberalisierung der Zulassungspflicht, mit der verfassungs- und europarechtliche Bedenken aufgenommen wurde. So wurden nicht nur die Zulassungsvoraussetzungen erheblich flexibilisiert (z. B. "Altgesellenregelung"), sondern auch die Zulassungspflicht in vielen, nun zulassungsfreien H.en ganz abgeschafft (Anlage B1). Diese Liberalisierung blieb umstritten, dürfte aber in ihren Wirkungen sowohl von Befürwortern als auch Kritikern überschätzt werden. Stark gestiegenen Betriebszahlen und rückläufigen Meisterfortbildungen in einzelnen Gewerken (z. B. Fliesenleger) stehen geringe oder nicht nachweisbare Effekte auf Umsatz, Preisentwicklung, Beschäftigung oder Ausbildungsleistung gegenüber. Auch nach der erfolgten Liberalisierung bleibt die Zulassungspflicht im H. – wie auch Zulassungsregeln in anderen Berufen – im Visier der europäischen Wettbewerbspolitik, obwohl sie verfassungsrechtlich und wettbewerbspolitisch v. a. mit Verweis auf die Gefahrgeneigtheit bestimmter Tätigkeiten begründet werden kann. 2017 sind 41 Gewerke dem zulassungspflichtigen H., 53 dem zulassungsfreien H. und 57 dem handwerksähnlichen Gewerbe zugeordnet, wobei die Abgrenzung zum IHK-Bereich nicht ganz trennscharf ist und viele Betriebe Doppelmitgliedschaften führen.

3. Wirtschaftliche Bedeutung und Struktur

Funktional erstreckt sich die Bedeutung des H. in der Gesamtwirtschaft auf Herstellung von Gütern, Installation und Montage, Wartung und Reparatur, Erbringung von Dienstleistungen, Planungs-, Beratungs- und Begutachtungstätigkeiten, Handelstätigkeit sowie Ausbildung des Fachkräftenachwuchses über den eigenen Bedarf hinaus. Diese Funktionen spiegeln sich auf unterschiedliche Weise in den sieben Gewerbegruppen des H.s wider: Bauhauptgewerbe (z. B. Maurer), Ausbaugewerbe (z. B. Elektrotechniker), H.e für den gewerblichen Bedarf (z. B. Metallbauer), Kfz-Gewerbe, Lebensmittelgewerbe (z. B. Bäcker), Gesundheitsgewerbe (z. B. Augenoptiker) und Personenbezogene Dienstleistungen (z. B. Friseur).

Daten zur wirtschaftlichen Entwicklung des H.s stehen insb. aus den organisationseigenen Statistiken des ZDH, aus der vierteljährlichen H.s-Berichterstattung der statistischen Ämter sowie aus den amtlichen H.s-Zählungen zur Verfügung, die seit 2008 als jährliche Auswertungen der im Unternehmensregister verfügbaren Verwaltungsdaten vorgelegt werden. Das deutsche H. stellte demnach 2016 mit knapp 1 Mio. Betriebe über 16 % aller Unternehmen, beschäftigte mit 5,5 Mio. tätigen Personen etwa jeden achten Erwerbstätigen und trug mit einem Umsatz von ca. 561 Mrd. Euro etwa 8 % zur Bruttowertschöpfung bei. Dahinter steht eine Betriebsstruktur, die zu 80 % von ↗Betrieben unter 10 Beschäftigten und von Einpersonenunternehmen geprägt ist. In den letzten Jahrzehnten sank die Beschäftigung leicht und die Umsatzentwicklung blieb wegen der starken Abhängigkeit des H.s von der Binnenkonjunktur zumeist hinter der gesamtwirtschaftlichen Entwicklung zurück. Die Betriebszahlen nahmen wegen der Gründungsdynamik im zulassungsfeien H. v. a. nach 2004 deutlich zu, haben sich aber inzwischen stabilisiert. Das zulassungspflichtige H. ist v. a. beim Umsatz nach wie vor dominant, das zulassungsfreie H. trägt wegen des personalintensiven und von großen Betriebseinheiten geprägten Gebäudereiniger-H.s stark zur Beschäftigung bei. Typologisch lassen sie die heterogenen Entwicklungen von Betriebszahlen, Umsatz und Beschäftigung fassen, indem man unterscheidet zwischen: schrumpfenden Gewerken (z. B. Informationstechniker, Schuhmacher), expansiven Gewerken (Feinwerkmechaniker, Gesundheits-H.e), Konzentrationsgewerken mit wachsendem Gewicht großer Betriebe (Lebensmittelgewerbe, Elektromaschinenbauer), Dekonzentrations-H.en mit wachsender Bedeutung von kleinen und Kleinstbetrieben (Fliesenleger, Maler und Lackierer) sowie Polarisierungs-H.en (Elektrotechniker, Glaser), in denen mittlere Betriebsgrößen an Gewicht verlieren. Dahinter stehen in den einzelnen Märkten erhebliche Herausforderungen für die Wettbewerbssituation des H.s: technologisch bedingte Dynamik der Berufsbilder und Geschäftsmodelle, Konkurrenz durch nichthandwerkliche Anbieter, Infragestellung des dreistufigen Vertriebswegs durch Hersteller, Großhandel oder Plattformanbieter, Druck durch öffentliches Vergaberecht und -praxis (Generalunternehmer- und Öffentliche-Private-Partnerschaft-Vergabe statt Fach- und Teillosvergabe) und durch wirtschaftliche Betätigung öffentlicher Unternehmen, Nachfrageveränderungen durch demographischen Wandel, Auswirkungen der Digitalisierung auf Produktionsprozesse, Marketing und Unternehmenskooperation sowie Dynamik der technischen und betriebswirtschaftlichen Qualifikationsanforderungen. Das H. ist wie der Mittelstand insgesamt durch politische Regulierung verhältnismäßig stärker als Großunternehmen belastet (z. B. ESt und GewSt, Bürokratiebelastung, industriepolitisch geprägte Normierung technischer Standards). Eine ordnungspolitisch reflektierte H.s-Politik sollte als wichtige Säule der Mittelstandspolitik daher vorrangig darauf achten, dass die Rahmenbedingungen von vornherein handwerks- und mittelstandsverträglich gestaltet werden, und nicht erst im Nachhinein über Ausnahmeklauseln auf einen Nachteilsausgleich hinzuwirken versuchen. In der handwerksspezifischen Gewerbeförderungspolitik spielen Beratungsangebote sowie die Unterstützung bei Existenzgründungen, Betriebsübergaben und Innovationsprozessen eine wichtige Rolle.

4. Bedeutung für Qualifizierung

Mit 363 000 Auszubildenden und über 96 000 Gesellenprüfungen (2016) trägt das H. zu etwa 27 % zur beruflichen Bildung bei, wobei etwa die Hälfte der Ausgebildeten früher oder später in andere Wirtschaftsbereiche wechselt und dort zur Fachkräftesicherung beiträgt. Die Ausbildung erfolgt dual in den Betrieben und in den Berufskollegs. Im kleinbetrieblich geprägten H. wird die Ausbildung im Betrieb unterstützt durch überbetriebliche Unterweisungen, für die Kammern und Innungen eigene Bildungsstätten betreiben. Identitätsprägend für das H. ist das differenzierte System der Fort- und Weiterbildung, das der fachlichen Qualifizierung und der Rekrutierung des Unternehmernachwuchses dient und insb. die jährlich etwa 21 000 Meisterprüfungen umfasst.

Die Gesamtentwicklung der Berufsbildung ist langfristig deutlich rückläufig – nicht nur im H. Gründe dafür liegen im demographischen Wandel, im Wandel von Berufsvorstellungen von Jugendlichen, im sinkenden Stellenwert unternehmerischer Selbständigkeit und im durch EU und OECD forcierten Trend zu Abitur und akademischer Bildung. Zwar ist die Berufsbildung inzwischen durch den Europäischen bzw. Deutschen Qualifikationsrahmen anerkannt und damit z. B. die Gleichwertigkeit von Meisterfortbildung und Bachelor-Abschluss definiert. Aber der Stellenwert der Berufsbildung und die Rekutierung von Fachkräften und Unternehmernachwuchs sind damit nicht gesichert. Die Herausforderungen bestehen in der Attraktivität und Modernisierung der Berufsbilder, in einer verstärkten Rekrutierung von bislang unterrepräsentierten Zielgruppen wie Abiturienten oder Frauen, der Etablierung von verbindlichen Qualitätsstandards in der Berufsbildung und der Verbesserung der Finanzierungssituation für Lehrpersonal, Infrastruktur und Ausstattung, in der Stärkung einer freiwilligen Qualifikationskultur im nicht zulassungspflichtigen Bereich, in dem Aufzeigen attraktiver Karrierewege (Durchlässigkeit zur akademischen Bildung, Entwicklung von dualen und trialen Angeboten zur Verknüpfung beruflicher und akademischer Bildung und/oder Ausbau einer „höheren Berufsbildung" als Alternative zur akademischen Bildung). Profitieren würde die Berufsbildung darüber hinaus von einer stärkeren Profilierung der ↗ökonomischen Bildung (Wirtschaftsordnung, Unternehmerbild) und der technischen Bildung (MINT-Fächer) sowie von einer ergebnisoffenen und praxisnahen Berufsorientierung und -vorbereitung an allen allgemeinbildenden Schulen.

5. Gesellschaftspolitische Bedeutung

Das H. wird geprägt von mittelständischen Unternehmensrechtsformen (Familienunternehmen, ↗Mittelstand), bei denen ↑Eigentum und Leitung bei voller Haftung in einer Hand liegen. Es bildet daher eine ordnungspolitische Gegenwelt zu managergeführten Unternehmen. Dank seiner hohen ökonomischen Stabilität trägt das H. – anders noch als in der Weimarer Republik – die Mittelschicht und das Bürgertum (↑Bürger, Bürgertum) mit seinen Werthaltungen. Durch die Möglichkeiten zum Aufstieg durch Qualifizierung hat es von je her große Bedeutung für die ↑Integration von Zuwanderern (↑Migration). In Deutschland lässt sich wie in der Schweiz erkennen, dass ein breit verankertes System der Berufsbildung maßgeblich zu einer niedrigen Jugendarbeitlosigkeit führt. Das ehrenamtliche Engagement vieler H.er und die bes. ↑Unternehmenskultur im H. tragen in hohem Maße zum ↑Sozialkapital auf kommunaler Ebene bei. In der Lebenspraxis des H.s sind Prinzipien wie Personalität, Freiheit, Verantwortung und Subsidiarität, wie sie von der christlichen Soziallehre ausformuliert wurden, sehr präsent. Anders als in früheren Epochen steht das H. heutzutage für den freien und fairen Leistungswettbewerb und bildet damit soziologisch gesehen ein Fundament der ↑Sozialen Marktwirtschaft als Wirtschaftsordnung.

Literatur

K. Müller: Die Stellung des Handwerks innerhalb der Gesamtwirtschaft, 2017 • C. Boyer: Ständisches Privileg oder Garant des Leistungswettbewerbs?, in: H. G. Hockerts/G. Schulz (Hg.): Der „Rheinische Kapitalismus" in der Ära Adenauer, 2016 • A. Koch/S. Nielen: Ökonomische Effekte der Liberalisierung der Handwerksordnung von 2004, 2016 • F. Welter/B. Levering/E. Mayer-Strobl: Mittelstandspolitik im Wandel, 2016 • P. Janich: Handwerk und Mundwerk, 2015 • K. Müller: Strukturentwicklungen im Handwerk, 2015 • C. Welzbacher u. a.: Digitalisierung der Wertschöpfungs- und Marktprozesse, 2015 • D. Sack/K. van Elten/S. Fuchs: Legitimität und Self-Governance, 2014 • R. Sennett: Handwerk, ⁵2014 • Rheinisch-Westfälisches Institut für Wirtschaftsforschung: Analyse der Unternehmensregisterauswertung Handwerk 2008, 2012, Rheinisch-Westfälisches Institut für Wirtschaftsforschung: Entwicklung der Märkte des Handwerks und betriebliche Anpassungserfordernisse, 2012 • HWK Düsseldorf (Hg.): Eigentümerverantwortung in der sozialen Marktwirtschaft, 2011 • K. Müller: Statistische Datenquellen für das Handwerk, 2010 • M. Will: Selbstverwaltung der Wirtschaft, 2010 • HWK Düsseldorf (Hg.): Das Unternehmerbild in der Sozialen Marktwirtschaft und die Managerhaftung, 2009 • M. Glasl/B. Maiwald/M. Wolf: Handwerk – Bedeutung, Definition, Abgrenzung, 2008 • Rheinisch-Westfälisches Institut für Wirtschaftsforschung: Determinanten des Strukturwandels im deutschen Handwerk, 2004.   HANS JÖRG HENNECKE

II. Geschichtlich

1. Begriff

Eine exakte Definition des H.s ist weder über seinen Gegenstandsbereich noch funktional möglich. Die namengebende *Handarbeit* findet sich auch in anderen *Ge-*

werben. Von der „Urproduktion" in Landwirtschaft und Bergbau unterscheidet sich das H. durch die *Weiterverarbeitung* von Produkten, vom Dienstleistungssektor durch die Konzentration auf die *Warenproduktion* und von der Fabrikindustrie durch *kleinere Betriebe, geringere Mechanisierung, individuelle und hochwertige Produkte* und einen *vornehmlich regionalen Absatz*. Für alle Kriterien können Übergänge und Ausnahmen festgestellt werden, weshalb es sich beim H. um einen *Typusbegriff* im Sinne Max Webers handelt, der sich dem historischen Wandel flexibel angepasst hat.

2. Geschichte

2.1 Vorgeschichte

Die sensible *Greifhand* ist eines der Merkmale, das den Menschen vom Tier unterscheidet. Handwerklich hergestellte Werkzeuge, Waffen und Kunstobjekte gehören zu den *Artefakten* vorschriftlicher Kulturen. Die ältesten Steingeräte werden auf ein Alter von 2,7 Mio. Jahren geschätzt. Anhand typischer Werkzeug- und Produktklassen werden *Kulturen* unterschieden. Die technische Perfektion vieler H.s-Erzeugnisse lässt den Schluss zu, dass es schon früh zur Spezialisierung und Unterweisung von „Lehrlingen" gekommen sein muss. Fernhandel, etwa mit Feuersteinklingen, ist bereits in der Steinzeit nachweisbar. Großsiedlungen im Fruchtbaren Halbmond wiesen seit dem 10. Jahrtausend v. Chr. ein differenziertes, qualitativ hochstehendes H. auf.

2.2 Antike und frühes Mittelalter

Eine hohe *Wertschätzung* des H.s wird im Epos Homers sichtbar, wo die Götter selbst handwerklich tätig sind, und in Signaturen der Handwerker an ihren Werkstücken im 1. Jahrtausend v. Chr. In der klassischen Antike beschäftigten Werkstätten *Sklaven*, worunter das Ansehen des H.s litt. In der Spätantike ging mit dem Niedergang der Städte ein qualitativer und quantitativer Rückgang des H.s einher. Aus den Städten wanderten die Handwerker ab in *Villikationen*, große Grundherrschaften auf dem Land. Der langsame Wiederaufschwung des Gewerbes seit dem 7. Jh. brachte eine wachsende Marktproduktion, Spezialisierung und die Ansiedlung von Handwerkern in *Handelsemporien* (z. B. Haithabu beim heutigen Schleswig) hervor. Nachdem Rückschläge infolge der Einfälle von Normannen, Sarazenen und Hunnen überwunden waren, setzte sich der Aufschwung im Hochmittelalter fort. Das Zeitalter der Städtegründungen gab dem H. einen fruchtbaren Nährboden.

2.3 Hohes Mittelalter bis 19. Jh.

Zum H. zählten in Mittelalter und Früher Neuzeit auch ↑Berufe wie Bader, Fischer, Gärtner und Krämer (Einzelhändler). Die meisten H.s-Betriebe bestanden aus dem Meister allein oder mit seiner Familie, vielleicht durch ein, zwei Lehrlinge oder Gesellen verstärkt. In Exportgewerben, dem Bausektor und der Buchdruckerei gab es größere Betriebe mit bis zu mehreren Dutzend Beschäftigten. Wer als Handwerker reich werden wollte, begann am besten mit einem Großhandelsgeschäft, z. B. als *Verleger*, der die Erzeugnisse seiner Kollegen fertigstellte und überregional verkaufte oder den Produzenten Rohstoffe, Werkzeuge oder Geld lieh.

Das H. konzentrierte sich in den ↑ *Städten*. In Gewerbezentren differenzierten sich die H.s-Berufe aus. Neben horizontaler entwickelte sich eine ausgeprägte vertikale Arbeitsteilung. Kunsthandwerkliche Spitzenprodukte wurden in Reichsstädten wie Nürnberg, Augsburg oder Köln und in Residenzen wie Berlin oder Wien gefertigt.

Auf dem *Land* fanden vorbereitende Arbeiten statt, einfache Tätigkeiten als winterlicher Nebenerwerb der Bauern, die Produktion für den Eigenbedarf sowie gewerbliche Arbeiten für die ländliche Grundversorgung und den Bedarf von Reisenden. Um Kosten zu senken und dem Zunftzwang zu entgehen, zogen Handwerker aus der Stadt in das Umland. Seit dem 16. Jh. entstanden ländliche *Gewerberegionen*, die für den Fernhandel arbeiteten, v. a. da, wo die Landwirtschaft allein zum Leben nicht ausreichte oder wo passende Rohstoffe oder Energiequellen vorhanden waren. Auf diesen Traditionen bauen bis heute Industriegebiete auf.

Reich, Territorien und Kommunen nahmen Einfluss auf das H. Sie regulierten Herstellung und Vertrieb der Grundnahrungsmittel (Brot, Fleisch, Bier, Wein), sorgten für Vorratshaltung für den Notfall, nutzten spezifische Ressourcen der Handwerker für öffentliche Aufgaben und normierten die Qualität der Fernhandelswaren.

Bes. kümmerten sie sich um die *Zünfte*. Die ältesten Hinweise auf H.s-Zünfte stammen aus Italien und Byzanz im 10. Jh. Seit dem 12. Jh. entfaltete sich das Zunftwesen in den meisten europäischen Ländern mit dem Schwerpunkt in Deutschland. Typische Kennzeichen waren die Zwangsmitgliedschaft aller Berufsangehörigen einer Stadt oder Region ("Zunftzwang") und die Funktion als marktordnende Einrichtungen. Zünfte erließen allg.e Geschäftsbedingungen, regelten die Usancen der Werbung, führten Qualitätskontrollen, Rohstoffeinkauf oder Zwischenhandel durch und sorgten für den Absatz auf Messen und die Festsetzung von Preisen, Löhnen und Angebotsmengen. Sie nahmen kommunale und staatliche, religiöse und soziale Aufgaben wahr und vertraten ihre Mitglieder in politischen Gremien. Die *Ehre* des H.s bedeutete Sozialprestige, einen angemessenen Platz in der Ständegesellschaft (↑ *Stand*) und eine Basis für den Absatz. Nachdem anfänglich der Lehrling unmittelbar Meister geworden war, schuf man mit dem Wandergesellen eine Zwischenexistenz, die dem System wirtschaftliche Flexibilität verlieh. Die Wurzel vieler Zünfte in christlichen Gebetsbruderschaften schloss Juden von einer Mitgliedschaft aus, die Bedeutung der Ehre sog.e "unehrliche" Leute und die Pflichtwanderschaft seit dem 16. Jh. Frauen.

Als die *Staatsverwaltungen* mächtiger wurden, verringerten sie den Einfluss der Zünfte unter dem Vorwand, gegen "Missbräuche" (Abschlusstendenzen, Verschwendung) zu kämpfen. Sie genehmigten Ausnahmen von Zunftvorschriften und verringerten die Zunftautonomie. Mit dem Aufkommen der *Industrie* wurde der Zunftzwang unhaltbar. Trotz des Widerstandes von Meistern und v. a. Gesellen, die den Verlust ihres Status fürchteten, wurden die Zünfte zwischen 1810 (in Preußen) und 1869 zugunsten der *Gewerbefreiheit* abgeschafft.

2.4 Das Industriezeitalter

Weit mehr als Manufakturen war das H. eine Quelle der *Industrialisierung*. Unternehmer, Techniker und Arbeiter der Fabriken rekrutierten sich oft aus dem H. Während einige H.s-Zweige im Zuge der Industrialisierung sofort entfielen, weiteten andere sich zunächst noch aus oder verlagerten sich in Fabriken. Oft wurde die eigene Produktion ergänzt um den Handel mit auswärtig oder industriell hergestellten Produkten seiner Branche ("H.s-Handel").

Sah es im 19. Jh. anfänglich so aus, als zögen Dampfmaschinen zwingend große Betriebseinheiten nach sich, so gaben Petroleum-, Gas- und Elektromotoren bald den Kleinbetrieben wieder eine Chance. Dass H.s-Zweige wegen technischen Fortschritts oder neuer Kundenbedürfnisse wegfielen, war nichts Neues. Auf der anderen Seite entstanden neue Berufe wie Maschinenbauer oder Elektriker; Wagner, Sattler und Hufschmiede wurden durch Kfz-Mechaniker ersetzt, die schließlich Mechatronikern wichen. Aus Dentisten und Chirurgen, die zum H. zählten, wurden dank eines Studiums Ärzte, die man den ↑ *freien Berufen* zurechnet. Einige H.s-Zweige wandelten sich im Industriezeitalter vom Produzenten zum Zuarbeiter der Industrie, andere fanden ihren Erfolg in der Herstellung individueller, oft bes. hochwertiger Produkte. Im Nahrungs- und Baugewerbe bewähren sich H.s-Betriebe nach wie vor neben Fabriken; Vielfalt und Qualität ihrer Produkte garantieren ihnen ihren Platz.

In die Werkstätten der Handwerker zogen industriell hergestellte Werkzeuge und Maschinen ein. Gut ausgestattete H.s-Betriebe lassen sich von kleinen Fabriken technologisch kaum unterscheiden.

Vom Zunftwesen blieben *Brauchtumsreste* bei öffentlichen Festen und wandernde Gesellen, die das Straßenbild beleben, sowie Utensilien in Archiven und Museen. In Traditionsvereinen, *Krankenkassen*, *Genossenschaften* nach Hermann Schulze-Delitzsch, *Gewerkschaften*, die aus Gesellenverbänden entstanden, und *Innungen* lassen sich Spuren des Zunftwesens finden. Nach einer kurzen Phase der radikalen Gewerbefreiheit wandelte sich das politische Klima seit den 1880er Jahren. Seither ist H.s-Politik ein Kernbereich der Mittelstands- und – da das H. für die Industrie mit ausbildet – Teil der Industriepolitik.

Seit 1881 besitzen Innungen öffentlich-rechtlichen

Charakter und die Zuständigkeit für die Lehrlingsausbildung. Freiwillige Innungen wurden ab 1900 zur „fakultativen Zwangsinnung", der sämtliche Berufstätige einer Region angehören müssen, wenn die Mehrheit es beschließt. Seit 1908 gilt der „kleine *Befähigungsnachweis*", der die Ausbildungsberechtigung, seit 1935 der „große Befähigungsnachweis", der die Leitung eines Betriebes vom Meistertitel abhängig macht. Mit der HandwO von 1953 knüpfte die Bundesrepublik nach einer Unterbrechung durch die NS-Zwangswirtschaft und die Innungsferne der Alliierten wieder an die bewährte Linie an. Seit 1998 wurden einige Berufe vom großen Befähigungsausweis ausgenommen.

Ab dem 17. Jh. existierten im Gewerbe Körperschaften, die der Selbstverwaltung und der Beaufsichtigung durch den Staat dienten. Aus ihnen entwickelten sich zum 1.4.1900 per Reichsgesetz die *HWKn*. Was die Innungen für einzelne Berufe auf der örtlichen Ebene waren, wurden die Kammern für alle H.s-Zweige einer größeren Region.

3. Forschungsfragen

In den letzten Jahrzehnten ist die H.s-Geschichte um neue Problemstellungen bereichert worden: Fragen der Kultur-, Geschlechter- und Mentalitätsgeschichte, ausgewogenere Sichtweisen des Zunftwesens oder die Ergebnisse der Mittelalterarchäologie sind zu nennen. Trotzdem bestehen weiterhin viele offene Fragen. So gibt es etwa bis heute für die Epochen vor dem 19. Jh. keine präzisen Daten zu Anzahl und wirtschaftlicher Bedeutung der Handwerker. Auch die innovatorische Kraft des H.s ist nicht exakt zu messen.

Literatur

R. S. Elkar/K. Keller/H. Schneider: Handwerk von den Anfängen bis zur Gegenwart, 2014 • T. Schindler/A. Keller/ R. Schürer (Hg.): Zünftig! Geheimnisvolles Handwerk 1500–1800, 2013 • C. Sauer (Hg.): Handwerk im Mittelalter, 2012 • A. Kluge: Die Zünfte, ²2009 • R. Reith (Hg.): Das alte Handwerk: von Bader bis Zinngießer, 2008.   ARND KLUGE

Hauptschule ↑Schule

Haushalt, privater

1. Private Haushalte aus
sozialwissenschaftlicher Analyse

Ein p. H. ist ein Sozialgebilde, das ein (Single-H.) oder mehrere Individuen (Familien-H., Wohngemeinschaft) umfasst. Aus sozialwissenschaftlicher Sicht liegen verschiedene theoretische Zugänge vor, u. a. ein ökonomischer. Ökonomik ist auch Teil der Sozialwissenschaften, da sie sich mit der Analyse menschlichen Handelns beschäftigt. Ökonomisch können H.e als Nachfrager von ↑Gütern und als Anbieter von Produktionsfaktoren auftreten. Die traditionelle mikroökonomische H.s-Theo

rie, die Neue H.s-Ökonomie, die Neue Sozialstrukturanalyse, die sozial-ökologische Theorie des H.s sowie die feministische oder gender-kritische Theorie des H.s sind die aktuell am weitesten verbreiteten Ansätze zur Untersuchung von H.s-Entscheidungen.

2. Traditionelle Haushaltstheorie

Die klassische ökonomische Analyse hat sich auf das konzentriert, was heute als Mikroökonomik bezeichnet wird. Dies ist die Lehre von den Entscheidungen einzelner Marktteilnehmer sowie das Zusammenwirken dieser Entscheidungen auf unterschiedlichen ↑Märkten. Die Summe der realisierten Einzelentscheidungen legt den Einsatz knapper Ressourcen fest. Zu beantworten ist, für welche der zahlreichen konkurrierenden Verwendungszwecke diese Ressourcen eingesetzt werden. Dabei steht im grundlegenen Modell zunächst das Verhalten der beiden wichtigsten stilisierten Akteure der volkswirtschaftlichen Analyse im Vordergrund: P. H.e und ↑Unternehmen. Diese beiden Akteure treffen auf unterschiedlichen Märkten zusammen, auf denen sie entweder Anbieter oder Nachfrager sind.

In Deutschland gibt es rund drei Mio. Unternehmen und geschätzt etwa 40 Mio. p. H.e. Die traditionelle ökonomische H.s-Theorie abstrahiert jedoch von Effekten der H.s-Zusammensetzung und lässt die in H.en stattfindende Produktion unberücksichtigt. Gegenstand neuerer Anwendungen der traditionellen H.s-Theorie ist die mikroökonomische Fragestellung, welche Faktoren die Güternachfrage eines H.s determinieren und welcher Zusammenhang zwischen dem Preis und der nachgefragten Menge eines Gutes besteht. Unterstellt wird hier zunächst rationales Verhalten als das Bestreben, mit den vorhandenen Mitteln ein größtmögliches Maß an Bedürfnisbefriedigung zu erzielen. So lassen sich Präferenzordnungen eines Individuums bzw. eines H.s hinsichtlich der zur Wahl stehenden Güter abbilden. In den Budgetbeschränkungen, die von den Güterpreisen bzw. ihrem Verhältnis und vom H.s-Einkommen bestimmt sind, lassen sich die realisierbaren von den nicht realisierbaren Güterbündeln abgrenzen. Hieraus wählt der H. dasjenige Bündel, das ihm den höchsten Nutzen stiftet, auch optimaler Konsumplan genannt. Anschließend lässt sich analysieren, wie sich der optimale Konsumplan anpasst, wenn sich das ↑Einkommen oder die Güterpreise verändern. So lässt sich bspw. die individuelle Nachfrage eines H.s ableiten, wenn sich im Modell der Preis eines Gutes bei sonst gleichen Bedingungen verändert. Die Marktnachfrage lässt sich mit Hilfe der Aggregation der individuellen Nachfragekurven der einzelnen H.e zusammenfassen. Vom gleichen Grundkalkül ausgehend lassen sich auch das Arbeitsangebot und die Sparentscheidung des H.s ableiten.

3. Neue Haushaltsökonomik

Traditionell unterscheidet sich die Ökonomik durch ihren Gegenstandsbereich – menschliches Handeln auf

Märkten – von anderen Sozialwissenschaften. Nach Gary Stanley Becker, Begründer der Neuen H.s-Ökonomik, unterscheidet sie sich von diesen eher durch ihren methodischen Ansatz. Dies ermöglichte im Rahmen der Neuen H.s-Ökonomik neue Einsichten. Bei Maximierung des H.s-Nutzens ist es keineswegs sicher, dass jedes Mitglied den individuellen Nutzen maximiert. Die Analysen ausgehend von G. S. Becker zeigten, dass sich „Kosten-Nutzen-Vergleiche" auch erkenntnisreich auf Fragen der Fertilität, Partnerschaft oder Beziehungen zwischen Generationen in der ↑Familie übertragen lassen: „So erweisen sich etwa partnerschaftliche und familiäre Beziehungen bei der Produktion bestimmter Leistungen als besonders effizient, weil die Leistungserbringung in Erwartung oft nicht spezifizierter, tendenziell langfristig erwartbarer Gegenleistungen erfolgt, die durch Reziprozitätsnormen abgesichert werden. Wenn Menschen darüber entscheiden, ob, wann und mit wem sie eine Partnerschaft eingehen und ggf. Kinder bekommen, tun sie dies unter den gegebenen Rahmenbedingungen (Restriktionen) sowie unter Berücksichtigung ihrer individuellen Ressourcenausstattung (und Präferenzen sowie Erwartungen). Ebenso wie sich gesellschaftliche Rahmenbedingungen über die Zeit verändern, können sich individuelle Ressourcen im Lebensverlauf verändern. Diese Dynamiken spiegeln sich z. B. in Veränderungen der […] Geburtenziffern wider" (Erlinghagen/Hank 2014: 92). Letztere sanken etwa in Deutschland im Zeitablauf beträchtlich, was sich mit dem Ansatz vereinbaren lässt. Dies ist nur ein typisches Muster, das neben anderen haushaltsrelevanten Phänomenen mehr oder weniger gut erklärt werden kann. Andere Beispiele sind etwa die Frage der Spezialisierung in der Familie und deren teils auch nachteiligen Folgen, v. a. wenn sie vollständig erfolgt. Ferner kann sich die optimale Entscheidung zum Arbeitsangebot von Familien im Kontext von Partnerschaft und Familie erheblich von den Vorhersagen früherer traditioneller Theorien unterscheiden. Darüber hinaus dürfen bei der H.s-Analyse auch die Größenvorteile von Mehrpersonen-H.en nicht übersehen werden, weil viele Dinge sich etwa gemeinsam nutzen oder arbeitsteilig effizienter erstellen lassen. Hiervon abstrahiert die traditionelle H.s-Theorie weitgehend. Zunehmend Einigkeit besteht zwischen vielen Sozialwissenschaftlern über die zentrale Bedeutung des methodologischen Individualismus als handlungstheoretischem Fundament rationaler Kosten-Nutzen-Abwägungen. Allerdings besteht keineswegs Konsens, wie etwa die folgenden Abschnitte zeigen. Festzuhalten bleibt: „Es ist das Verdienst Gary Beckers, Faktoren offengelegt zu haben, die jenseits von Gefühlen, Traditionen und Werten gesellschaftliche Entwicklungen (Erhöhung der Scheidungszahlen, Verringerung der Kinderzahlen) als Ergebnis einer Häufung individueller Entscheidungen auf der Basis von Kosten-Nutzen-Überlegungen erklären" (Weber 2010: 24 f.).

4. Neue Sozialstrukturanalyse und sozial-ökologische Theorie des Haushalts

Zwar erkennen Kritiker G. S. Beckers an, dass so die ökonomische Denkmethode auf eine Vielzahl zwischenmenschlicher Felder erweitert wurde. Um deren ganze Komplexität und Differenziertheit zu erschließen, seien jedoch Erkenntnisse der Psychologie und Soziologie umfassender zu berücksichtigen. Die Analysen einiger Soziologen, deren Neue Sozialstrukturanalyse stark auf der Neuen H.s-Ökonomik basiert, unterscheiden sich v. a. hinsichtlich des unterstellten Menschenbildes, indem sie ein alternatives idealtypisches Menschenbild (*homo socio-oeconomicus*) annehmen, das von subjektiver und folglich eingeschränkterer Rationalität als viele Ökonomen ausgeht. Dies kann erklären helfen, warum sich p. H.e mit verschiedenen Merkmalen (z. B. sozialer Status) oft systematisch in ihrem Verhalten unterscheiden (z. B. Schulentscheidungen). Da sich die Ökonomik derzeit in einem Prozess verhaltensökonomischer Transformation befindet, bleibt abzuwarten, inwieweit sich hier wechselseitiges Lernen ergibt.

Die „Mikroökonomik aus sozial-ökologischer Perspektive" (Biesecker/Kesting 2003: 175) untersucht auch die Versorgungsarbeit, d. h. die Eigenarbeit für die Selbstversorgung und das bürgerschaftliche Engagement und hinterfragt traditionelle Werte, angestammte Rollenverteilungen und Hierarchien. Produkt der H.s-Tätigkeit ist aus dieser Sicht die Entwicklung von Human- und Sozialvermögen. Dies ermögliche erst individuelle Lebensmöglichkeiten und trage zur gesellschaftlichen Stabilität bei. Zusammenfassend lässt sich festhalten: „Die sozial-ökologische Haushaltstheorie betrachtet die Handlungsweisen und Koordinationsformen im Haushalt differenzierter als die herkömmlichen Theorien" (Weber 2010: 25). So habe u. a. die Qualität der Paarbeziehungen erheblichen Einfluss auf Kaufentscheidungen.

5. Gender-kritische Perspektiven

Deutlich weiter noch gehen gender-kritische Perspektiven (↑Gender). Sie werfen der Ökonomik vor, sie würde gerade die zentralen Aspekte der geleisteten Alltagsarbeit nicht in ihrer grundlegenden Bedeutung erfassen. Dies gipfelt in der These, die traditionelle ökonomische H.s-Theorie sei eine extrem einseitige Betrachtungsweise und blende gender-kritische bzw. feministische Aspekte völlig aus. „Diese männliche Wahrnehmungsperspektive mündet in ein sexistisches Ökonomiekonzept, weil es die Höherwertigkeit des Mannes und seiner Aktivitätsfelder im Erwerbsbereich festschreibt und ihren Niederschlag in nationalökonomischen Konzepten und einer demgemäßen politischen Praxis findet" (Meier-Gräwe 2016: 676). Aus gender-kritischer Sicht kann auch die Neue H.s-Ökonomie, die die Mikroökonomik um die ökonomisch optimale Aufteilung der verfügbaren Zeit zwischen H.s-Mitgliedern in Bezug auf wirtschaftliche Außenbeziehungen des p.n H.s und beim internen H.s-Geschehen erweitert, viele der beobachtbaren Phänomene in Familien nicht adäquat erfassen. Die Folge seien vielfältige Benachteiligungen von Frauen entlang ihrer Biographien.

6. Ausblick

Trotz aller Kritik werden G. S. Beckers Erweiterungen der H.s-Theorie angesichts der empirisch fruchtbaren Prognosen dieses Ansatzes nicht nur als „pioneering, provocative, and profound" (Brue/Grant 2012: 553) eingeordnet, sondern letztlich als erheblicher Fortschritt der ökonomischen Analyse betrachtet. Auch Vertretern der Neuen Sozialstrukturanalyse dient sie trotz deren Ablehnung des oft vereinfacht unterstellten *homo oeconomicus* als fruchtbarer Ausgangspunkt weiterer Denkens. Sie fragen etwa danach, „wie denn Restriktionen und individuelle Ressourcenausstattung zu verändern sind, damit eingeschränkt rationale Akteure sich im Kontext ihres Lebensverlaufs in der Mehrzahl so verhalten wollen und können, dass Auswirkungen des demographischen Wandels und der Globalisierung nicht zu negativen gesamtgesellschaftlichen Folgen führen" (Erlinghagen/Hank 2013: 236). Diese Ansatzpukte könnten diskussionswürdig auch für andere Sozialwissenschaftler inklusive der Ökonomen sein.

Literatur

N. G. Mankiw/M. P. Taylor: Grundzüge der Volkswirtschaftslehre, 2016 • U. Meier-Gräwe: Haushalte, private, in: J. Hübner u. a. (Hg.): Evangelisches Soziallexikon, 2016, 675–678 • M. Eswaran: Why Gender Matters in Economics, 2014 • M. Erlinghangen/K. Hank: Neue Sozialstrukturanalyse, 2013 • S. L. Brue/R. R. Grant: The Evolution of Economic Thought, 2012 • B. Beck: Mikroökonomie, 2011 • B. Weber: Haushalt – Markt – Konsum, 2010 • H. Buscher u. a.: Die Wirtschaft, 2007 • A. Biesecker/S. Kesting: Mikroökonomik, 2003 • G. S. Becker: An Economic Analysis of Fertility, in: A. J. Coale (Hg.): Demographic and Economic Change in Developed Countries, 1960, 209–240.   LOTHAR FUNK

Haushaltsrecht ↑Staatshaushalt

Hegemonie

1. Begriff

H. (von altgriechisch *hēgemonía*, Heerführung) ist die Vorherrschaft eines ↑Staates über andere Staaten. Sie kann auf militärischer, wirtschaftlicher, politischer oder kultureller Überlegenheit beruhen, wobei die Beherrschungsfelder einzeln oder auch in Kombination vorhanden sein können. Zum Wesen der H. zählt, dass die hegemonial beherrschten Staaten auf den jeweiligen Beherrschungsfeldern in ihren Entfaltung- und Entwicklungsmöglichkeiten eingeschränkt sind. Der Begriff H. beschreibt dabei die politische Überordnungs-Struktur wertungsfrei in dem Sinne, dass damit noch keine Aussage zu ihrer Legalität oder Legitimität getroffen ist. Hegemonialstrukturen können mit Einwilligung der untergeordneten Staaten oder auch gegen deren Willen zur Entstehung gelangen. Der Begriff verhält sich deshalb auch nicht zu der Frage, ob und in welcher Weise die Vorherrschaft eines Staates über andere Staaten rechtlich verankert ist. Auch im ↑Staatenbund und im ↑Bundesstaat können hegemoniale Strukturen etabliert sein. Im Staatenbund kann die Hegemonialstellung eines Staates vertraglich vereinbart sein, wie das Beispiel Preußens und Österreichs im Deutschen Bund (1815–1866) zeigt. Für den Bundesstaat illustriert das Beispiel Preußens im Deutschen Reich (1871–1918) die verfassungsrechtlich verankerte Hegemonialstellung eines Gliedstaates über die anderen Gliedstaaten.

In einem erweiterten, von Antonio Gramsci begründeten, allerdings nicht allg. anerkannten Begriffsverständnisses wird H. auch verstanden als Vorherrschaft von Institutionen, Organisationen oder gesellschaftlichen Gruppierungen innerhalb von Staaten.

2. Historische Erscheinungsformen

Seit der Antike ist die Geschichte eine Geschichte der Hegemonialstrukturen. Athen, Sparta und Theben konkurrierten um die Vorherrschaft unter den griechischen Stadtstaaten. Das römische Reich kannte eine Reihe von abgestuften Beherrschungsmechanismen, die gegenüber militärisch unterworfenen Gebieten zur Anwendung gebracht wurden. Das mittelalterliche Lehenswesen lässt sich als eine Vorform hegemonialer Strukturen begreifen. Dem Kaisertum und dem ↑Reich fehlten aber die Attribute moderner Staatlichkeit, sodass der Begriff der H. nicht ohne weiteres auf diese Epoche angewandt werden kann. Mit der Herausbildung der neuzeitlichen Staatenwelt im 16. Jh. entstanden sogleich manifeste Hegemonialstrukturen, in denen sich Spanien (1519–1648), Frankreich (1648–1715) und England (1805–1914) abwechselten. Gründete die Englische H. maßgeblich auf einer Seeherrschaft, die länger als ein Jh. unangefochten blieb, musste sie ihren Überlegenheitsanspruch in anderen Hinsichten seit dem Untergang Napoleons im Rahmen des sog.en europäischen Konzerts mit anderen Staaten – Österreich, Preußen und Russland – teilen. Die USA, die nach dem Ersten Weltkrieg dem ↑Völkerbund ferngeblieben waren, haben erst nach dem Zweiten Weltkrieg die Position einer Hegemonialmacht erworben. Allerdings war ihre militärisch-wirtschaftlich-kulturelle Führungsrolle bis zum Jahr 1990 beschränkt auf die westliche Staatenwelt, während im Osten mit der UdSSR eine zweite Hegemonialmacht entstand. H. und Gleichgewicht (↑Gleichgewichtspolitik) schlossen sich in dieser Phase nicht aus. Vielmehr ist zu konstatieren, dass die jeweiligen H.n geradezu eine Voraussetzung für das Mächtegleichgewicht zwischen Ost und West bildeten. Heute, nach der Beendigung des ideologisch unterfütterten ↑Ost-West-Konflikts befinden sich die Hegemonialstrukturen im

Umbruch. Während Russland versucht, nach dem Zerfall der UdSSR und dem Auseinanderfallen des ↑Warschauer Paktes die alte Vormachtstellung zu rekonstruieren (Georgien, Ukraine) und neue Einflusszonen zu etablieren (Syrien), scheint sich die USA auf der Suche nach einer neuen (Führungs-)Rolle zu befinden, wobei ihr kultureller Führungsanspruch in der islamischen Welt, ihr politisch-militärischer Führungsanspruch im ↑Nahen Osten und ihr wirtschaftlicher Führungsanspruch in Asien auf Widerstand und Ablehnung stößt.

3. Politische und rechtliche Bedeutung

H. ist kein Ordnungsprinzip, besitzt aber eine Ordnungsfunktion. Als normatives Ordnungsprinzip lässt sich H. schon wegen des völkerrechtlichen Grundsatzes der souveränen Gleichheit aller Staaten nicht deuten. Wegen dieses Grundsatzes kann H. in rechtmäßiger Weise nur im Konsens der Staaten hergestellt werden. Wird ein solcher Konsens erreicht, entfaltet H. aber durchaus eine Ordnungsfunktion. Ein Beispiel bilden die ↑Vereinten Nationen, in denen die fünf ständigen Mitglieder des Sicherheitsrates (USA, Russland, China, Großbritannien und Frankreich) eine hegemoniale Sonderrolle innehaben. Die internationale Staatengemeinschaft hat sich den ständigen Mitgliedern in der Erwartung freiwillig untergeordnet, dass nur im Konsens dieser (Atom-)Mächte die Aufgabe der Friedenssicherung wirkungsvoll wahrgenommen werden kann. Einseitig aufgezwungene H. ist demgegenüber völkerrechtswidrig. Sie verstößt gegen das völkerrechtliche ↑Selbstbestimmungsrecht, ggf. auch gegen das ↑Interventionsverbot oder gegen das ↑Gewaltverbot. Solche Phänomene einseitig aufgezwungener H. lassen sich auch als imperialistische Herrschaftsformen (↑Imperialismus) bezeichnen, die den Übergang zu einer vollständigen Fremdherrschaft bilden können. Beispiele sind die Interventionen der UdSSR in Ungarn (1956), in der Tschechoslowakei (1968) und in Afghanistan (1979).

H. bedarf zu ihrer Legalität und Legitimität immer eines rechtlich gesicherten Konsenses zwischen Hegemonialmacht und H.-Unterworfenem. Die faktische Position als Großmacht oder Supermacht und die damit einhergehende Hegemonialstellung alleine vermittelt keinen Rechtstitel zur Einmischung in die inneren Angelegenheiten anderer Staaten und keinen Rechtstitel zur Anwendung militärischer ↑Gewalt.

Literatur

B. Kempen/C. Hillgruber: Völkerrecht, ²2012 • C. F. Doran: The Politics of Assimilation: Hegemony and Its Aftermath, 1971 • E. R. Huber: Deutsche Verfassungsgeschichte seit 1789, Bd. 1, ²1967; Bd. 3, ²1970 • L. Dehio: Gleichgewicht oder Hegemonie. Betrachtungen über ein Grundproblem der neueren Staatengeschichte, 1948 • H. Triepel: Die Hegemonie. Ein Buch von führenden Staaten, 1938.

BERNHARD KEMPEN

Heiliger Stuhl

1. Entstehung und Wandel des Begriffs

Allg. bezeichnet der Begriff „Stuhl" (lat. *sedes*) den bischöflichen Sitz *(sedes episcopalis)* sowie, bezugnehmend auf seine Kathedra, das konkrete Amt des ↑Bischofs. Führten urspr. nicht wenige der bedeutendsten Bischofssitze die Bezeichnung „H. S.". – ähnlich wie die von Aposteln gegründeten diejenige des „Apostolischen Stuhls" –, wurde im Lauf der Kirchengeschichte das Attribut zunehmend in exklusiver Weise auf die Cathedra Petri, den römischen Bischofssitz, bezogen: Bereits Papst Damasus I. (366–384) wollte die Bezeichnung des „Apostolischen Stuhls" allein für den römischen Stuhl verwandt sehen. Länger hielt sich für andere Sitze der Begriff des H.n S.s, den heute indes außer dem römischen nur noch derjenige von Mainz führt, freilich unter expliziter Anerkennung der spezifischen Bindung an ersteren („Sancta Sedes Moguntina Ecclesiae Romanae specialis vera filia").

2. Bedeutung im kanonischen Recht

Das kanonische Recht verwendet die Bezeichnungen H. S. und Apostolischer Stuhl synonym (can. 361 CIC/ 1983; ebenso can. 48 CCEO sowie zuvor bereits can. 7 CIC/1917), und zwar in einer engeren und einer weiteren Bedeutung:

Im *engeren Sinn* ist darunter der ↑Papst zu verstehen, also der Bischof der Kirche von Rom, welcher in der ↑katholischen Kirche die höchste, volle, unmittelbare und universale ordentliche Gewalt innehat, die er immer frei ausüben kann (can. 331 CIC). H. S. im *weiteren Sinne* sind auch (wie es am präzisesten can. 48 CCEO formuliert) die „Dikasterien und anderen Einrichtungen der Römischen Kurie". Ob diese Bedeutung zutrifft, muss nach den genannten Normen zufolge „aus der Natur der Sache oder aus dem Kontext" ermittelt werden (in den Fällen der cann. 359 und 367 etwa ist ersichtlich der Papst gemeint, ebenso in can. 1404, wo er als „Prima Sedes" apostrophiert wird).

Demgegenüber ist der Begriff des H.n S.s – in beiden Bedeutungen – abzugrenzen von denjenigen der „katholischen Kirche" (can. 113 §1 CIC) und des „Trägers höchster und voller Gewalt im Hinblick auf die Gesamtkirche" (d.i. nach can. 336 CIC – zusammen mit seinem Haupt, dem Papst – auch das Bischofskollegium) sowie v.a. vom Staat der ↑Vatikanstadt.

3. Papst und Römische Kurie

Die Römische Kurie ist die Gesamtheit der Dikasterien und Einrichtungen, die dem Papst – in seinem Namen und seiner Autorität – bei der Ausübung des obersten Hirtendienstes helfen (can. 360 CIC). Die Einzelheiten finden sich in einer extrakodikarischen Norm, aktuell der von Papst Johannes Paul II. erlassenen Apostolischen Konstitution „Pastor bonus" von 1988 (AAS 80 [1988], 841–930); nähere Ausführungsbestimmungen enthält das *Regolamento generale della Curia Romana* des Staatssekretariats von 1999 (AAS 91 [1999], 629–699). Die Konstitution, seit ihrem Inkrafttreten wiederholt geändert, wird derzeit einer allg.en Revision durch einen im Jahr 2013 eigens dafür eingesetzten „Kardinalsrat" unterzogen.

Zu den „Dikasterien" der Römischen Kurie rechnen das Staatssekretariat, die Kongregationen, die Gerichtshöfe sowie die Räte und Ämter, zu ihren „Einrichtungen" die Präfektur des Päpstlichen Hauses und das Amt für die liturgischen Feiern des Papstes (Art. 2 §§ 1 und 3 Pastor Bonus). Ihr Hilfscharakter im Hinblick auf den obersten Hirtendienst des Papstes kommt auch darin zum Ausdruck, dass mit Eintritt der Sedisvakanz alle verantwortlichen Leiter und die Mitglieder der Dikasterien ihr Amt verlieren, allein die ordentliche Geschäftsführung darf weiter durch die Sekretäre erfolgen (Art. 6 Pastor Bonus).

Dem Papst vorbehalten sind die Bereiche der Gesetzgebung sowie der Selig- und Heiligsprechungen, dgl. bedürfen die *causae maiores* seiner Genehmigung. Im Rahmen ihrer Kompetenz entscheiden hingegen eigenständig die Apostolischen Gerichte der Rota Romana und des Höchstgerichts der Apostolischen Signatur (Einzelheiten: Art. 18 Pastor Bonus).

4. Der Heilige Stuhl als Subjekt des Völkerrechts

Seit seinen Anfängen betrachtet und behandelt das ↑Völkerrecht den H.n S. als gleichberechtigten Akteur im internationalen Verkehr. Seit der Spätantike vertraten päpstliche Gesandte („Apokrisiare" oder „Responsales") den H.n S. am byzantinischen (später am karolingischen) Kaiserhof (bzw. beim Exarchat von Ravenna), weitere Gesandtschaften wurden aus bestimmten Anlässen und zu bestimmten Zwecken bestellt. Das Hochmittelalter brachte als zusätzlichen Entwicklungsschritt den Abschluss von Verträgen zwischen Papst und Fürsten zur einvernehmlichen Regelung der zwischen geistlicher und weltlicher Gewalt streitigen Fragen (↑Konkordate, erstmals das Wormser Konkordat von 1122 zur Beendigung des Investiturstreits). Zeitweise fungierte der Papst auch als oberster Schiedsrichter bei Konflikten innerhalb der weltlichen Gewalt. Den rechtstatsächlichen Hintergrund bildete die (neben der unbestritten geistlichen Suprematie des Papstes) politische Relevanz des Papsttums, augenfällig in Gestalt seines weltlichen Territoriums ab dem 8. Jh. (Kirchenstaat, „patrimonium Petri").

War auch mit dem Entstehen der modernen Territorialstaaten ab der Frühen Neuzeit und erst recht mit dem ↑Absolutismus des 17. und 18. Jh. die politische Bedeutung des Papsttums zurückgegangen, blieb dessen völkerrechtliche Stellung unangefochten: Ab dem 15. Jh. richtete, dem Beispiel italienischer Städte folgend, auch der H. S. ständige Missionen („Nuntiaturen") ein. Im Wege des Konkordatsschlusses werden – über Jh. – die Beziehungen von Kirche und Papst mit dem Reich (Wiener Konkordat 1448) und Frankreich (1516) geregelt, ehe im 19. Jh. die Ära der modernen Konkordate beginnt (erstmals das Napoleonisches Konkordat 1801).

Auch das Ende des Kirchenstaates im Zuge der staatlichen Einigung Italiens 1870 beeinträchtigte den völkerrechtlichen Status des H.n S.s nicht: Obgleich ohne territoriale Souveränität (die Päpste verstanden sich als „Gefangene im Vatikan", deren Schutz Italien einseitig im Wege des „Garantiegesetzes" gewährleistete) blieben sowohl das päpstliche Gesandtschaftswesen wie auch der Abschluss von Konkordaten zwischen H.m S. und den Staaten fortbestehende Praxis des Völkerrechts. Durch die Lateranverträge von 1929 tritt zu der ungebrochenen Souveränität des H.n S.s auf internationalem Gebiet die Schaffung des Staates der Vatikanstadt hinzu, dessen „ausschließliche Souveränität und Jurisdiktion" dem H.n S. zusteht. Mithin sind seither *zwei* Subjekte des Völkerrechts zu unterscheiden, der H. S. und (als Staat im „klassischen" Sinn) die Vatikanstadt. Auf internationalem Gebiet ist die Präsenz des H.n S.s seit dem Notenwechsel zwischen dem UN-Generalsekretariat und dem Päpstlichen Staatssekretariat vom 16./29.10.1957 auch formal festgehalten.

Völkerrechtssubjektivität meint die Fähigkeit, Träger von Rechten und Pflichten des Völkerrechts zu sein. Herkömmlich wird dabei zwischen den Staaten als geborenen und den internationalen Organisationen als gekorenen Subjekten unterschieden. Nach dieser Klassifikation handelt es sich beim H.n S. um ein originäres, wenngleich (insofern untypisch) nicht-staatliches Subjekt des Völkerrechts. Den Anknüpfungspunkt für die Rechtsfähigkeit bildet dabei, anders als beim modernen ↑Staat, nicht eine abstrakte Konstruktion (Staat als juristische Person), sondern die Person des Papstes in seiner Funktion als Inhaber der höchsten und obersten Gewalt in der Kirche. Folge dieser Rechtsfähigkeit ist, dass der H. S. seine Beziehungen zu anderen Völkerrechtssubjekten (Staaten und internationalen Organisationen) auf der Basis der Gleichordnung und Gleichberechtigung zu regeln befugt ist. Konkret geschieht dies durch das Institut des ↑völkerrechtlichen Vertrags (*ius foederis*) sowie durch das Unterhalten von diplomatischen Beziehungen (*ius legationis*).

So hat der H. S. seine sowie der katholischen Kirche Beziehungen zu einer Vielzahl von – auch mehrheitlich nichtkatholischen und nichtchristlichen – Staaten durch Konkordate (für diese herkömmliche Bezeichnung verwendet die neuere Praxis vermehrt die Bezeichnung „Vertrag" bzw. „conventio") geregelt, ebenso bestehen Basisabkommen mit der PLO und der OAU. Der H. S. ist 2017 in 182 Staaten durch Nuntien diplomatisch vertreten, zudem bei der EU und beim Souveränen Malteserorden. Entspr. seiner Rolle als in erster Linie geistliche Autorität hat der H. S. zu den meisten internationalen Organisationen lediglich Beobachter entsandt (UNO, UNHCR, FAO, ILO, WHO, UNESCO, WTO,

Europarat), bei manchen von ihnen ist er Vollmitglied (OSZE, UNIDROIT, IAEA, WIPO). Gerade auf dem Gebiet der Förderung von Frieden und Menschenrechten findet die einstige Vermittlungsrolle des H.n S.s ein modernes Äquivalent, was im Einzelfall eine bilaterale Schlichtung und Streitbelegung auf Bitte der Beteiligten nicht ausschließt (so 1885 im Streit um die Karolinen zwischen dem Deutschen Reich und Spanien; zuletzt 1979–84 im Beagle-Konflikt zwischen Chile und Argentinien).

Literatur

J. I. Arrieta: Presupposti organizzativi della Riforma della Curia Romana, in: IE 27/1 (2015), 37–60 • A. Filipazzi: Tre modalità di sovranità territoriale della Santa Sede, in: IE 25/1 (2013), 123–130 • P. van Geest/R. Regoli (Hg.): Suavis laborum memoria. Chiesa, Papato e Curia Romana tra storia e teologia, 2013 • F. Germelmann: Heiliger Stuhl und Vatikanstaat in der internationalen Gemeinschaft, in: AVR 47/2 (2009), 147–186 • R. Haule: Der Heilige Stuhl/Vatikanstaat im Völkerrecht, 2006 • G. Barberini: Le Saint-Siège, 2003 • N. Del Re: La curia romana, ⁴1998 • H. F. Köck: Die völkerrechtliche Stellung des Heiligen Stuhls, 1975 • H. Oechslin: Die Völkerrechtssubjektivität des Apostolischen Stuhls und der katholischen Kirche, 1974.   STEFAN MÜCKL

Heimarbeit

1. Formen der Heimarbeit

H. klingt zunächst einmal wie ein Relikt aus längst vergangenen Zeiten, erlangt aber sowohl durch die wachsende Erwerbsbeteiligung von Frauen als auch die zunehmende ↑Digitalisierung der Arbeitswelt eine neue Aktualität. Heutzutage sind drei Formen der Erwerbsarbeit zu unterscheiden, die in verschiedener Weise mit H. in Verbindung stehen.

Zu nennen sind erstens klassische Formen der H., die auf selbständiger oder unselbständiger Basis beruhen können. Zweitens kann H. mit herkömmlicher Beschäftigung verbunden sein, wenn Arbeit ganz oder teilweise von zu Hause (sog.e Telearbeit) erledigt wird. Realisiert wird dies zumeist durch internetfähige Computer. Drittens besteht ein Zusammenhang zwischen neuen Erwerbsformen wie dem sog.en Crowdworking und der H.s-Thematik. Mobile Endgeräte ermöglichen es Auftragnehmern, Arbeiten an jedem Ort, u.a. von zu Hause, zu verrichten. Vermittelt werden die Aufträge durch kommerzielle, digitale Arbeitsplattformen, die als virtueller Marktplatz fungieren.

2. Klassische Heimarbeit

Das HAG von 1951 unterscheidet zwischen Heimarbeitern und Hausgewerbetreibenden. Heimarbeiter sind Beschäftigte, die i. d. R. von zu Hause für einen gewerblichen Auftraggeber tätig werden und ihre Produkte nicht selbst verkaufen müssen. Davon zu unterscheiden sind selbständige Hausgewerbetreibende, die nicht mehr als zwei fremde Hilfskräfte in der eigenen Wohnung beschäftigen dürfen. Die klassische H. ist ein bes. gewerbliches Betriebssystem, deren Ursprünge bis in das 19. Jh. zurückreichen. Aufgrund sozialer Missstände versuchte man Heimarbeiter schon früh durch bes. Vorschriften zu schützen. Erstmals traten 1912 Vorschriften über den Gesundheitsschutz, sowie den Betriebs- und Gefahrenschutz in Kraft. Das vom Bundestag 1951 beschlossene HAG ging noch weiter. Es regelt sowohl die in der H. üblichen Stückentgelte und Sonderzahlungen als auch Lohnuntergrenzen bei Stundenvergütungen. Zudem sorgt es für eine soziale Absicherung der Heimarbeiter, die bei Krankheit, Kurzarbeit, Kündigung oder Insolvenz zur Geltung kommt. Firmen, die sich nicht an Regelungen des HAG halten, kann die Ausgabe von H. entzogen werden. In Westdeutschland stieg bis Ende der 1960er Jahre die Zahl der Heimarbeiter kontinuierlich. Sie erreichte 1970 mit 222 000 ihren Höchststand. Zum weit überwiegenden Teil waren damals Frauen in der H. tätig. Die meisten Heimarbeiter waren der Textilbranche und der Elektrotechnik zuzurechnen. Das Spektrum reichte von qualifizierten Tätigkeiten bis hin zu Helfertätigkeiten, die oft von Personen mit geringer Qualifikation oder eingeschränkter Erwerbsfähigkeit verrichtet wurden. Für die Betriebe bot die H. eine Möglichkeit, ihre Belegschaften flexibel an den Auftragsbestand anzupassen. Letztmalig erfasste die damalige Bundesanstalt für Arbeit den Umfang der klassischen H. in 1980. Seinerzeit gab es noch 148 000 Heimarbeiter. Durch den wachsenden internationalen Wettbewerb und die starke Automatisierung der Produktion dürfte diese Beschäftigungsform heute nahezu bedeutungslos sein.

3. Telearbeit

Die Besonderheit von Telearbeit besteht darin, dass Beschäftigte regelmäßig mit Hilfe elektronischer Dienste ihre Arbeit in den eigenen vier Wänden verrichten. Insb. durch das Internet ist Arbeit immer weniger orts- und zeitgebunden. Telearbeit kann ausschließlich in der eigenen Wohnung („Home Office") oder auch teils zu Hause und teils im Unternehmen erbracht werden („alternierende Telearbeit"). Man schätzt, dass es 2014 hierzulande rund 4,5–5 Mio. Arbeitskräfte (gut 10 % der Beschäftigten) gab, die ganz oder teilweise von zu Hause arbeiten. Räumlich und zeitlich flexibles Arbeiten zeigt sich sowohl in Berufen mit hoher Qualifikation, starkem Zeitdruck und Autonomie als auch bei Frauen mit Kindern. Jüngere Befragungsergebnisse legen nahe, dass Telearbeit zuletzt mehr gestiegen ist. Gleichzeitig sind aber offenbar die Potentiale des Arbeitens von zu Hause noch nicht ausgeschöpft. Zahlen des SOEP belegen für das Jahr 2014, dass ein Drittel der Arbeitnehmer gerne von zu Hause arbeiten würde und aus Sicht eines guten Zehntels der abhängig Beschäftigten (ohne Telearbeit) eine dauernde betriebliche Präsenz gar nicht erforderlich wäre. In anderen Ländern ist die Tele-H. weiter verbreitet und stärker erwünscht. So trat in den Niederlanden in 2015 ein Gesetz in Kraft, das einen Rechtsanspruch von Arbeitnehmern gegenüber dem Arbeitgeber auf einen Arbeitsplatz zu Hause enthält. Bei der Güterabwägung, ob Arbeit stärker von zu Hause erbracht werden kann, sind Interessen von Arbeitgebern und Beschäftigten zu berücksichtigen. Für mehr Telearbeit sprechen eine Stärkung der Work-Life-Balance, geringere Wegezeiten und -kosten, niedrigere Büromieten, eine höhere Autonomie und bessere Möglichkeiten der Beschäftigten zur Vereinbarkeit von Privatleben und Beruf. Dem kann entgegengehalten werden, dass der Betrieb als soziales Gefüge dadurch in Frage steht, nicht anwesende Mitarbeiter bei Beförderungen Gefahr laufen leer auszugehen und der Arbeitseinsatz weniger leicht überprüft werden kann.

4. Crowdworking

Durch sog.e Online-Plattformen wird Crowdworking ermöglicht, das von zu Hause, aber auch von anderswo erbracht werden kann. Online-Plattformen dienen als Intermediär zwischen Angebot und Nachfrage. Sie tragen weder das unternehmerische, rechtliche und soziale Risiko der vermittelten Leistungserbringung noch die Kosten für Arbeitskraft und Produktionsmittel. Beides wird den Anbietern und Nachfragern auf der Plattform zugewiesen. Ökonomisch ist dies von Interesse, weil Plattformen wachsen können, ohne dass deren Betriebskosten proportional steigen. Bisherige Erkenntnisse legen nahe, dass Crowdworker hierzulande quantitativ noch keine große Rolle spielen und noch zumeist nebenberuflich agieren. Dennoch könnten selbständige Tätigkeiten in Form eines neuen Typs von „Freelancern" zunehmen, sei es, weil Auftragnehmer die damit verbundene Autonomie schätzen oder sei es, weil der Zugang zur abhängigen Beschäftigung schwerer wird. Zurzeit ist offen, wie stark die Inanspruchnahme zukünftig sein wird, ob es sich dabei eher um Haupt- oder Nebenerwerbstätigkeiten und ob es sich meistens um Episoden oder aber Karrieren in der Plattformökonomie handeln wird.

5. Zukunft der Heimarbeit

Grundsätzlich kommen nicht alle Tätigkeiten für eine Tele-H. in Frage. Bei starkem Kundenkontakt oder auch in betriebsinternen Servicebereichen ist dies weniger vorstellbar als in klassischen Bürotätigkeiten oder Projektaufgaben. Die zunehmende Digitalisierung lässt diese Grenzen aber mehr verschwimmen, weil mehr Arbeit außerhalb der Betriebsstätte des Arbeitgebers verrichtet werden kann und selbst Service noch leichter aus der Ferne angeboten werden kann. Dennoch stellen sich gesellschaftspolitische Fragen, weil zwischenmenschliche Kontakte durch eine stärkere Vereinzelung über Gebühr leiden könnten. Diesem Risiko stehen aber auch Chancen gegenüber. Zu nennen sind die verbesserte Vereinbarkeit von Familie und Beruf, geringere Bürokosten und mehr Möglichkeiten zeitlich und räumlichen

autonomen Arbeitens. Mehr Tele-H. bietet zudem das Potential, Fachkräfteengpässen entgegen zu wirken, weil sie eine interessante Alternative zu individuellen Arbeitszeitverkürzungen bietet. Durch Online-Plattformen können schließlich neue Formen der Selbständigkeit entstehen. Starke Beschränkungen sind keine Option, weil sie die wirtschaftliche Dynamik in innovativen Bereichen beeinträchtigen und den Zugang in eine Erwerbstätigkeit begrenzen. Vielmehr stellt sich in der neuen Arbeitswelt die Frage nach weitergehenden Formen der sozialen Sicherung von Selbständigen, etwa nach dem Vorbild von Sozialkassen, die bereits für ↗freie Berufe existieren oder noch weitergehender durch eine obligatorische ↗Rentenversicherung für alle Erwerbstätigen.

Literatur

DIW: Heimarbeit, DIW Glossar (2016), URL: http://www.diw.de/de/diw_01.c.470887.de/presse/diw_glossar/heimarbeit.html (abger.: 20.3.2018) • BMAS: Monitor „Mobiles und entgrenztes Arbeiten", 2015 • J. M. Leimeister u. a.: Neue Geschäftsfelder durch Crowdsourcing. Crowd-basierte Start-ups als Arbeitsmodell der Zukunft, in: R. Hoffmann/C. Bogedan (Hg.): Arbeit der Zukunft, 2015, 141–158 • F. A. Schmidt: Arbeitsmärkte in der Plattform Ökonomie. Zur Funktionsweise und den Herausforderungen von Crowdwork und Gigwork, 2015 • K. Brenke: Heimarbeit; Immer weniger Menschen in Deutschland gehen ihrem Beruf von zu Hause aus nach, in: DIW Wochenbericht 8 (2014) • BDA: Jahresbericht der Deutschen Arbeitgeberverbände: Thema Heimarbeit, Ausgaben 1960–1980.   ULRICH WALWEI

Heimat

In seiner Komplementarität und Entgegensetzung zum Begriff der Fremde beschreibt der höchst problematische Begriff H. in jeweils unterschiedlicher Weise die Konstitutionsbedingungen von Gruppenidentitäten, die sich zumeist auf einen gemeinsam geteilten Erfahrungs- und Erlebnisraum, eine gemeinsam geteilte Vergangenheit oder Schicksalsgemeinschaft beziehen. Die erinnerte Erfahrungswelt insb. der Kindheit konzentriert sich im Bild einer raumbezogenen, ortsbestimmten Nähe und Vertrautheit mit Dingen und Personen, die Geborgenheit, Sicherheit und Verlässlichkeit gewährleisten. Die enge Bindung des Begriffs an Haus und Hof, an Eigentum und Besitz und dem damit verbundenen „H.-Recht", verweisen auf Vorstellungen, die mit der Abgrenzung des Eigenen vom Fremden, mit Kriterien der Inklusion durch Exklusion verbunden sind. Mit der zunehmenden Einbeziehung regionaler Besonderheiten erweitert sich der gefühlsmäßig aufgeladene engere Begriff der H. zum umfassenden politischen Bekenntnisbegriff des Vaterlandes. Die Entstehung der modernen Industrie- und Dienstleistungsgesellschaft, Verstädterung und Mobilität und die damit einhergehende Zurückdrängung ländlicher Lebens- und Kommunikationsverhältnisse, schließlich die Auflösung der Verbindlichkeit von ↑Traditionen (als Prinzipien der „stabilen Nachahmung") haben dem gegenwärtigen Bedürfnis, sich mit den heimatlichen Natur- und Lebenszusammenhängen zu verbinden und Rückzugsorte eines idealisierten, idyllischen, einfachen Lebens zu konstruieren, einen mächtigen Auftrieb verschafft (Heim und Garten, Tourismus und die Entdeckung des eigenen Körpers als Gegenstand der Selbstoptimierung). H. wird zunehmend zu einem Kompensations- und Kritikbegriff des „fortschreitenden" Modernisierungsprozesses (↑Modernisierung), zu einem Sehnsuchtsbegriff gegen die Heimatlosigkeit des Menschen und heute v. a. mit ländlichem Leben in traditionellen Formen gleichgesetzt (Bauerngarten, Landlust, Direktvermarktung, Bioläden). Als Gegenstand der Volkskunde und der Siedlungsforschung ist der Begriff daher denkbar ungeeignet, weil er auf Tatsachen des Bewusstseins, nicht aber auf Gegebenheiten mit verpflichtendem Charakter verweist. Bei allen Unterschieden einer eher anthropologischen, soziologischen oder historischen Perspektive sind Gemeinsamkeiten im Bedürfnis nach Vereinfachung (Komplexitätsverweigerung), Simplizität (Kapitalismuskritik) und Selbstbezüglichkeit (↑Nationalismus, Fremdenfeindlichkeit) erkennbar. ↑Globalisierung und Lokalismus sind – zumindest für die Bewohner der wohlhabenderen westlichen Gesellschaften – zwei Seiten der gleichen Medaille. In wachsendem Maß wird allerdings sichtbar, dass ein solchermaßen „luxurierender" H.-Begriff angesichts von massenhafter ↑Flucht und Vertreibung, Elend und ↑Armut zu höchst problematischen Strategien der Selbstbezüglichkeit führen kann.

Heimisch und fremd sind keine festen Gegensätze. Das Gefühl der Fremdheit entsteht auch und gerade unter Bedingungen der Enge und Begrenztheit. Die Furcht vor der Unübersichtlichkeit moderner Lebensverhältnisse, die Angst vor dem eigenen Identitätsverlust lässt uns enger aneinander rücken, der Wunsch, unabhängig und frei das eigene Leben gestalten zu wollen, treibt uns wie der auseinander. In gewisser Weise ist der Vorgang des Erwachsen-Werdens, sind Selbständigkeit und Eigenverantwortung das Ergebnis eines Prozesses des Fremdwerdens in der beschützenden Hülle primärer Gemeinschaften (Familie, Dorf, Nachbarschaft). Im Begriff der H. verbindet sich daher eine subjektive Bezogenheit mit objektiven Gegebenheiten. H. ist eine Milieubeziehung spezifischer Art, ein Erlebnis das die materielle Basis des Milieus in den Bereich des Mentalen steigert.

Orte und Menschen, Erinnerungen und die eigene Sprache, aus diesen Elementen ergibt sich die Begrenztheit einer Welt, in der Erfahrung erst möglich wird, weil die ganze Welt eben nicht erfahrbar ist. Primärerfahrungen sind auf den Nahbereich ausgerichtet, daher kann nicht alles, was der Fall ist, sondern nur das, was wir – als Ergebnis eines Selektions- und Wertungsvorganges – für kulturbedeutsam halten, zum Thema werden. In dem Maße, in dem sich die Erfahrungen aus „zweiter Hand" vermehren, wächst das Bedürfnis nach institutionalisierten Kriterien der Beurteilungsfähigkeit, also der Fähigkeit, zwischen Wichtigem und Unwichtigem unterscheiden zu können. Die Leistung des Begriffes H. bemisst und bewährt sich deshalb in seiner Konkretion. Problematisch wird er als bloße emotionale Begriffshülse, die von innen her zu unterschiedlichen politischen Zwecken mit Inhalten aufgeladen werden kann. Dazu trägt nicht zuletzt die zu beobachtende Ausweitung des H.-Raumes über den Bereich der erfahrbaren Welt hinaus bei. Denn längst liegt alles Exotische nicht mehr jenseits eines festen Horizontes: es verbinden sich die urspr. entgegengesetzten Tendenzen in einer Art Binnenexotik.

Die radikale Gegenwartsbezogenheit moderner Gesellschaften, ihre prinzipielle Traditionslosigkeit und ihr auf die Zukunft bezogener Desillusionsrealismus erschweren nicht nur die Verpflichtung auf die eigene Geschichte, sie veröden auch den Glauben an eine „ewige H.", der wir als Christen zuwandern. „Himmlische Genüsse" erwarten wir im Selbstgenuss einer optimierten Körperlichkeit, in Urlaubsträumen und Wohlstandserwartungen. H. finden kann man hier nur auf Zeit, ein endgültiges Ankommen ist ausgeschlossen.

Wenn H. das ist, wovon man ausgeht, ist sie vielleicht eine Gegend, bald schon nur noch ein Kirschgarten oder ein Olivenhain, der Blick auf Industrieruinen, die Gerüche oder Geräusche, die sich mit dieser Landschaft verbinden: der Duft von frisch gemähtem Heu oder das morgendliche Tuten der Schiffe auf dem Fluss. H., so verstanden, ist etwas, das zerstört werden kann, weil es mit Anderen nicht geteilt werden kann. Je subjektiver in ihm die „Tatsachen" des eigenen Bewusstseins beschrieben werden, desto abstrakter werden die Kriterien, die eine Verständigung über das erlauben, was an der eigenen H. wesentlich zu sein scheint. Zuletzt ist H. womöglich wirklich nur das, wovon man ausgeht, das, womit sich beginnen, aber nicht enden lässt.

Immer noch zehren H.-Museen, Volksliedbeauftragte, Brauchtumspfleger und das Regionalmarketing der Tourismusindustrie von der Sehnsucht nach Geborgenheit, den Erfahrungen der Kindheit, vom Wunsch nach dem Echten, Natürlichen, Wahren und Schönen. Ob dieses Bedürfnis durch Winzerfeste in Bremen oder eine bayerische Bierzeltatmosphäre beim Festival der Volksmusik in Sachsen-Anhalt befriedigt werden kann, mag man bezweifeln. Unbestreitbar ist, dass auch und gerade der „moderne" Mensch dem beschleunigten ↑sozialen Wandel entflieht, dass er einer immer komplizierter und komplexer werdenden Welt mit einfachen Antworten begegnen möchte. Strategien der Komplexitätsreduktion und Kontingenzvermeidung lassen sich in einer digitalisierten und mediatisierten Welt nicht auf Experten reduzieren. Längst ist der Laie zum Experten seiner selbst geworden. In den neuen sozialen Medien (↑Social Media), ob auf Facebook oder Twitter konstru-

iert er den eigenen Zugang zur Welt, verengt er gemeinsam mit Anderen die unübersehbare Vielfalt von Themen und Sichtweisen auf die für die *followers* relevanten
Problembeschreibungen und Lösungsansätze. So entstehen mediale Dörfer, deren Bewohner sich in einer
auch in emotionaler Hinsicht befriedigenden Filterblase
einrichten, die für sie zur momentan signifikanten H.
wird, weil sie eine Homogenität erzeugt, die eine berechtigt erscheinende Einschränkung der Weltsicht erlaubt. Selektion und Abkapselung erlauben die Schaffung einer Parallelwelt, in der die Zumutungen der
Politik und der Ökonomie sowie das beängstigende Gefühl der eigenen Bedeutungslosigkeit zumindest auf
Zeit aufgehoben werden können.

Der Assoziationsraum H. hat sich virtualisiert. Seine
kompensatorischen Leistungen erstrecken sich von den
Wellness- und Reiseangeboten der Tourismusbranche
bis hin zu den gruppenspezifisch konstruierten Weltanschauungsgemeinschaften auf Zeit in Chatrooms
und Blogosphären. Als Subjektobjektivität geht es im
Begriff der H. um das Bedürfnis nach Grenzziehungen
und die Kompensation von Entfremdungserfahrungen.
Nicht zuletzt deshalb bietet die Rhetorik eines heimat-
losen Antikapitalismus einen geeigneten Nährboden
für den Rechts- (und Links-) ↑Populismus.

Das anthropologische Bedürfnis nach „Beheimatung"
angesichts einer immer fremder werdenden Welt ist von
der romantischen Sehnsucht nach H. und den surrogat-
haften Angeboten, die zu ihrer Befriedigung immer wieder neue Konsumofferten erzeugen, zu unterscheiden.
H. ist daher ebenso ein Thema der ↑Kulturkritik wie
auch der ernst zu nehmende Versuch, die Grenzen und
Möglichkeiten moderner Identitätskonstruktionen auszuloten. In diesem Sinn ist H. der gedankliche Fluchtpunkt einer unfertigen Welt. Ob die konstitutive Unfer-
tigkeit der Welt auf etwas plausibel zu verweisen
vermag, was jenseits ihrer rein irdischen Versprechen
liegt, ist eine offene Frage.

Literatur

J: Klose (Hg.): Heimatschichten, 2013 • O. Kühne/A. Speller-
berg: Heimat und Heimatbewusstsein in Zeiten erhöhter Fle-
xibilitätsanforderungen. Empirische Untersuchungen im
Saarland, 2010 • V. Schmitt-Roschmann: Heimat. Neuentdeckung eines verpönten Gefühls, 2010 • G. Gebhard/
O. Geisler/S. Schröter: Heimatdenken. Konjunkturen und
Konturen. Statt einer Einleitung, in: dies.: (Hg.): Heimat,
2007, 9–56 • H. Abels: Identität, 2006 • S. Guggisberg: Gibt
es eine Heimat ohne ihren Verlust?, 2006 • B. Durand: Die
Legende vom typischen Deutschen. Eine Kultur im Spiegel
der Franzosen, 2004 • K. Joisten: Philosophie der Heimat.
Heimat der Philosophie, 2003 • W. Cremer/A. Klein (Hg.):
Heimat, 2002, 33–55 • H. Heller (Hg.): Neue Heimat
Deutschland. Aspekte der Zuwanderung, Akkulturation und
emotionaler Bindung, 2002 • B. Schlink: Heimat als Utopie,
2000 • M. Augé: Orte und Nicht-Orte. Vorüberlegungen zu
einer Ethnologie der Einsamkeit, 1999 • G. Simmel: Soziologie. Über die Formen der Vergesellschaftung, ³1999 •
K. Gergen: Das übersättigte Selbst, 1996 • A. Bastian: Der

Heimatbegriff, 1995 • W. Belschner u. a. (Hg.): Wem gehört
die Heimat? Beiträge der politischen Psychologie zu einem
umstrittenen Phänomen, 1995 • N. Elias/J. L. Scotson: Etablierte und Außenseiter, 1993 • M. Neumeyer: Heimat, 1992 •
E. Klueting (Hg.): Antimodernismus und Reform. Beiträge
zur Geschichte der deutschen Heimatbewegung, 1991 •
C. Applegate: A Nation of Provincials. The German Idea of
Heimat, 1990 • H. Bausinger: Heimat in einer offenen Gesell-
schaft. Begriffsgeschichte als Problemgeschichte, in: bpb
(Hg.): Heimat, 1990, 76–90 • C. von Krockow: Heimat. Erfah-
rungen mit einem deutschen Thema, 1989 • W. Thuene: Die
Heimat als soziologische und geopolitische Kategorie, 1987 •
H.-G. Wehling (Hg.): Heimat heute, 1984 • H. Bausinger:
Kulturelle Identität – Schlagwort und Wirklichkeit, in:
K. Köstlin/ders. (Hg.): Heimat und Identität, 1980, 9–24 •
H. Bausinger: Heimat und Identität, in: E. Moosmann (Hg):
Heimat. Sehnsucht nach Identität., 1980, 13–29 • I.-M. Gre-
verus: Auf der Suche nach Heimat, 1979 • A. Strauss: Spiegel
und Masken. Die Suche nach Identität, 1968 • E. Spranger:
Der Bildungswert der Heimatkunde, 1967 • H. Treinen: Sym-
bolische Ortsbezogenheit. Eine soziologische Untersuchung
zum Heimatproblem, Teil 1, in: KZfSS 17/1 (1965), 73–97,
Teil 2 in: KZfSS 17/2 (1965), 254–297 • H. Bausinger: Volks-
kultur in der technischen Welt, 1961 • W. Brepohl: Heimat als
Beziehungsfeld, in: SozW 4/1 (1953), 12–22.

GEORG KAMPHAUSEN

Heimerziehung

1. Geschichtliche Entwicklung

Die heutige H. als öffentliche Hilfe zur ↑Erziehung ist
eine der ältesten pädagogischen Konzepte. Zu Beginn
war es nur die christliche Verantwortung der Klöster
und kirchlichen Gemeinden für sog.e Findel- und Waisenkinder Obdach und Versorgung zu bieten. Aus Einzelinitiativen entwickelten sich im Mittelalter daraus institutionelle Hilfen. Die sog.en Spitäler im Mittelalter
nahmen Waisenkinder, aber auch behinderte und kranke Menschen auf und versorgten sie, allerdings oft unter
katastrophalen hygienischen Bedingungen. Erst mit den
pädagogischen Klassikern der H., wie z. B. dem Schweizer Johann Heinrich Pestalozzi, im Schulheim in Stanz,
dem Deutschen Johann Hinrich Wichern im Rauhen
Haus in Hamburg, dem Russen Anton Makarenko in
seiner Gorki-Kolonie, dem Polen Janusz Korczak im
Kinderheim Nasz Dom (Haus der Kinder) in Warschau
und nach dem Zweiten Weltkrieg der Österreicher Herman Gmeiner mit seinen SOS-Kinderdörfern weltweit
verbesserte sich die Situation. Gerade die sehr populäre
SOS-Kinderdorfbewegung (auch im Spendenwesen)
konnte die H. z. T. aus der ihr zugeschriebenen pädagogischen „Schmuddelecke" als „Notpädagogik" für ver-
wahrloste Kinder und Jugendliche mit Zwangscharakter
befreien. Im Augenblick müssen die Heime sich erneut
gegen eine generelle Diffarmierung wehren, sie seien
„Auffangstationen für Randgruppen" (Bloch 2012: 27),
nur weil in den letzten Jahren viele Missbrauchsfälle bekannt geworden sind.

2. Zum Begriff

Kaum ein sozialpädagogischer Begriff ist so negativ besetzt wie die H. Das liegt daran, dass in die Begriffsinterpretation negative Vorstellungen einfließen wie sie wären Orte der „ordnungspolitischen Zwangsunterbringung", „repressiven und entmündigenden Erziehungsform", „staatlichen Erziehungshilfe für verhaltensauffällige Kinder und Jugendliche" u. a. In der Fachliteratur fehlt es deshalb nicht an Versuchen, Ersatzbegriffe zur H. populär zu machen, so nennt Michael Winkler sie eine „Erziehung am anderen Ort" (zit. n. Stahlmann 1994: 16) und der Gesetzgeber beschreibt sie als „Hilfe zur Erziehung in einer Einrichtung über Tag und Nacht (Heimerziehung) oder in einer sonstigen betreuten Wohnform für Kinder und Jugendliche" (§ 34 KJHG).

Realistisch gesehen ist die H. nach wie vor unverzichtbar für Kinder und Jugendliche in erschwerten Lebenslagen, bei denen der Normalfall der familiären Erziehung unmöglich geworden ist, die aber durch die öffentliche Hilfe zur Erziehung trotzdem noch zu einer stabilen Persönlichkeit werden und zur Teilhabe an der Gesellschaft gelangen können.

3. Rechtliche Grundlagen

Sie finden sich im SGB VIII – „Kinder- und Jugendhilfe" – (zugl. KJHG), dort im vierten Abschnitt, erster Unterabschnitt („Hilfe zur Erziehung") idF vom 11.9.2012, die am 3.5.2013 geändert wurde. In § 27 wird ausgeführt, dass ein Personensorgeberechtigter solche Hilfe in Anspruch nehmen kann, wenn das Wohl des Kindes oder Jugendlichen durch andere Erziehungsformen nicht gewährleistet werden kann. Das Jugendamt kann dann, nach Prüfung des Falles, Erziehungsberatung (§ 28), Soziale Gruppenarbeit (§ 29), Erziehungsbeistand/Betreuungshelfer (§ 30), Sozialpädagogische Familienhilfe (§ 31), Erziehung in einer Tagesgruppe (§ 32), Vollzeitpflege, z. B. in einer Pflegefamilie (§ 33), intensive sozialpädagogische Einzelbetreuung (§ 35), aber auch H. oder sonstige betreute Wohnformen (§ 34) anordnen.

4. Gründe der Heimeinweisung

Kinder und Jugendliche werden nach § 34 KJHG für die Aufnahme in einem Heim oder in einer anderen betreuten Wohnform vorgeschlagen, wenn sie, aus verschiedensten Gründen, in ihrer Herkunftsfamilie nicht mehr erzogen werden können. Bei der Betrachtung der personenbezogenen Gründe haben Studien (wie bspw. Blandow 1986) zur Heimeinweisung gezeigt, dass Mädchen und Jungen häufig Verhaltensstörungen zeigen, gefolgt von Schul- und Ausbildungsproblemen und/oder Erziehungsproblemen. Mit zunehmendem Alter wurden bei ihnen auch Sexualprobleme, Herumtreiben sowie psychische Störungen festgestellt.

Zu den sozialen Gründen zählen u. a. die Herkünfte der Kinder und Jugendlichen aus unterprivilegierten Bevölkerungsschichten mit Armutsproblemen und hoher Kinderzahl. Ebenfalls sind viele Kinder aus Stieffamilien und elterlichen Trennungs- und Scheidungssituationen überproportional anzutreffen. Auch die Herkunft aus Familien mit Alkohol- und Drogenproblemen hat zugenommen. Bedenklich ist, dass viele Adressaten der H. schon in jungen Jahren Missbrauch und ↑Gewalt als traumatische Erfahrungen erleben mussten. Weiterhin zählt zu den sozialen Gründen die Überforderung der Eltern mit dem erschwerten Erziehungsverhalten ihrer Kinder, weshalb sie öffentliche Erziehungshilfe in Anspruch nehmen müssen.

5. Formen und Alternativen

Seit der Neufassung des KJHG sind zur H. in stationärer Form neue Alternativen hinzugekommen wie die ambulante und teilstationäre Erziehungshilfe. Auch die H. selber hat sich neue Organisationsstrukturen gegeben. Sie ist dezentraler geworden, d. h., sie hat neben der urspr.en Zentraleinrichtung mittlerweile viele Gruppen außerhalb des Heimgeländes eröffnet und kann damit dem Prinzip des Bedarfs bzw. der Individualisierung stärker nachkommen. Mit diesen unterschiedlichen Gruppenangeboten kommt die H. auch der Forderung der Regionalisierung nach. Sie bietet in dem Sozialraum ein Hilfeangebot an, aus dem ihre Adressaten stammen. Auch die frühere Spezialisierung auf die Ursache der Heimeinweisung, z. B. durch ein heilpädagogisches Heim, ist aufgegeben worden zugunsten eines polyvalenten Hilfeangebots. Solche veränderten Heimstrukturen verlangen heute ein differenziert ausgebildetes Personal mit unterschiedlichen Professionalisierungsprofilen. Trotz dieser veränderten Heimstrukturen unterscheidet die praktische ↑Jugendhilfe heute immer noch die Rahmenstrukturen der Heime z. B. nach ihrer Altersstruktur (Kinderheim), Angebotsstruktur (heilpädagogische Heime) oder Bildungsstruktur (Schulheime). Eine klassische Heimeinteilung hat Martin Stahlmann vorgelegt, die in den Grundzügen auch heute noch zur Strukturbeschreibung dienen kann:

Formen der Betreuung in der H.:

a) Tagesheimgruppen innerhalb und außerhalb der Heime;

b) Beobachtungsstationen und Orientierungsgruppen;

c) Notaufnahmefamilien/-gruppen, Krisenwohnungen, Bereitschaftspflegefamilien;

d) Kindernotdienst, Kurzzeitwohnen, Entlastungsdienste;

e) Waisenhäuser, Beobachtungsheime, Erziehungsheime, Kinderdörfer;

f) Therapeutische Heime/Wohngruppen, heilpädagogische Kinderheime oder Pflegenester;

g) Kinderhäuser, Kinderhotel, Jugendpension, Mädchenhäuser, Trebgängerheime;

h) Mutter-Kind-Heime;

i) Außenwohngruppen, Kinderwohngruppen, Jugendwohngemeinschaften;

j) Ambulant betreutes Einzelwohnen, flexible/mobile Betreuung, sozialintegratives Wohnen.

6. Ziele und Aufgaben

Die H. selbst sollte nach dem KJHG konzeptionell so angelegt sein, dass man die betroffenen Kinder und Jugendliche „durch eine Verbindung von Alltagserleben mit pädagogischen und therapeutischen Angeboten in ihrer Entwicklung fördern" (§ 34 Abs. 1) kann. Ziele sind dabei, ihnen entweder eine Rückkehr in die Familie oder eine Erziehung in einer anderen Familie zu ermöglichen oder sie, beim dauerhaften Verbleib im Heim, auf ein selbstständiges Leben vorzubereiten durch Begleitung in der Lebensführung, der Schule und der beruflichen Ausbildung (§ 34 Abs. 2).

In Anlehnung an das Jugendamt der Stadt Wuppertal hat die H. folgende Aufgaben:

a) Hilfe in akuten Krisen geben, wenn die Kinder unversorgt sind;

b) einen entlastenden Übergang beim Wechsel zwischen Herkunfts- bzw. Pflegefamilie ins Heim und wieder zurück zu gestalten;

c) ein kontrolliertes Lernfeld im therapeutischen Milieu im Rahmen einer von ihnen gesuchten peer-group-Erfahrung anzubieten;

d) junge Menschen vor überfordernden familiären Ansprüchen zu schützen;

e) aber auch Entlastung für Institutionen zu geben, wenn sie mit bestimmten jungen Menschen pädagogisch nicht mehr zurechtkommen.

7. Resümee

Die heutige H. hat sich, nach vielen Reformansätzen nach dem Zweiten Weltkrieg, allmählich gelöst von einer Phase der Überbetonung der Aufgabe des Überdiagnostizierens und der Therapeutisierung und wieder zurück gefunden zu den pädagogischen Ansätzen ihrer heimpädagogischen Klassiker. So besteht die berufliche Kompetenz heutiger Heimerzieher nicht mehr alleine durch eine diagnostische oder therapeutische Ausrichtung, sondern sie müssen die Fähigkeit besitzen, sich in die Lebenssituation eines Kindes empathisch einzufühlen, um ihr Lebensschicksal verstehen zu lernen. Diese Kompetenz ist der Ausgangspunkt praktischer H., welcher darin besteht, die Kinder und Jugendliche auf dem Weg ins Lebens so zu begleiten, dass diese es zunehmend selber in die Hand nehmen können.

Literatur

M. Buchka: Von den Narrentürmen zur Inklusionseinrichtung. Eine kulturhistorische Betrachtung über Menschen mit Behinderungen unter uns, in: B. Schmalenbach (Hg.): Dimensionen der Heilpädagogik, 2016, 279–294 • T. Bloch: Heimerziehung heute, 2012 • F. Schöne: Vergangenes bewahren, Künftiges gestalten. Heimerziehung im Wandel, 2008 • M. Schwabe: Zwang in der Heimerziehung? Chance und Risiken, 2008 • R. Staica: Zur Bedeutung von Misshandlungen in der Entwicklung von Kindern in der Heimerziehung, 2006 • M. Buchka/R. Knapp: Praxisfeld Heimerziehung, in: E. Badry/M. Buchka/R. Knapp (Hg.): Pädagogik. Grundlagen und sozialpädagogische Arbeitsfelder, ⁴2004, 365–384 • J. Janze/ J. Pothmann: Modernisierung der Heimerziehung. Mythos oder Realität? Entwicklung in der Heimerziehung im Spiegel statistischer Befunde, in: N. Struck/M. Galuske/W. Thole (Hg.): Reform der Heimerziehung, 2003, 101–122 • R. Günder: Praxis und Methoden der Heimerziehung, 2000 • W. Post: Erziehung im Heim, 1997 • M. Stahlmann: Einführung. Probleme, Hinweise, Reflexionen, in: H. Kupffer/K.-R. Martin (Hg.): Einführung in die Theorie und Praxis der Heimerziehung, ⁵1994, 9–20 • H. Kupffer: Das Jahrhundert des Kindes geht zu Ende, in: ebd., 149–155 • J. Blandow u. a.: „Erzieherische Hilfe" – Untersuchungen zur Geschlechtsrollen-Typisierungen in Einrichtungen und Diensten der Jugendhilfe, in: W. Freigang u. a.: Mädchen in Einrichtungen der Jugendhilfe, 1986, 133–227.   MAXIMILIAN BUCHKA

Hermeneutik

1. Allgemein

H. ist zunächst die Kunst der Interpretation. Das dem Wort zugrunde liegende absolut gebrauchte Adjektiv *hermeneutiké*, das durch *téchne*, „Kunst", zu ergänzen ist, wird schon von Platon verwendet (Plato: Politikos 260d). Die Grundbedeutung des dem Adjektiv entsprechenden Verbs, *hermeneúein*, ist „übersetzen", doch es bedeutet auch „erklären", „in Worte fassen", „artikulieren". Das entspricht der Sache. Übersetzend und erklärend fasst man etwas in Worte; man sagt in eigenen Worten, in den Worten einer ↑Sprache, was in derselben Sprache anders oder in einer anderen Sprache gesagt ist. Derart bekundet man, dass man das Gesagte oder Geschriebene verstanden hat. So ist H. die Kunst der Interpretation um willen des Verstehens. Diese Kunst ist seit der klassischen Antike mannigfach praktiziert und ausgebildet worden. Sie blieb jedoch meist an bes. Zusammenhänge gebunden – v. a. als theologische und juristische H. – und wurde so nicht zum Gegenstand einer auf die allg. e und systematische Klärung des Interpretierens und Verstehens zielenden Reflexion. Selbst der Titel „H." ist erst im 17. Jh., mit Johann Dannhausers „Hermeneutica sacra" (1654), belegt, und danach dauerte es noch deutlich mehr als hundert Jahre, bis Friedrich Schleiermacher eine „allgemeine Hermeneutik" (Schleiermacher 1977: 75) entwarf, deren Aufgabe es sein sollte zu klären, was es heißt, „die Rede eines andern, vornehmlich die schriftliche, richtig zu verstehen" (Schleiermacher 1977: 71). Wilhelm Dilthey nahm F. Schleiermachers Impuls auf, indem er das Verstehen als die eigentümliche kognitive Leistung der ↑Geisteswissenschaften bestimmte und entspr. die Grundlegung der Geisteswissenschaften zum hermeneutischen Programm machte. Doch erst mit Hans-Georg Gadamers Hauptwerk „Wahrheit und Methode" (1960) gewinnt die H. den Charakter einer originär philosophischen Konzeption. Geprägt durch den Gedanken seines Lehrers Martin Heidegger, dass das Verstehen eine Wesensbestimmung des menschlichen Daseins in seiner „Faktizität", im „Wie seines eigensten Seins" (Heidegger 1988: 7), sei, entwickelt H.-G. Gadamer die „Grundzüge einer Theorie der hermeneutischen Erfahrung", die wesentlich die Erfahrung geschichtlichen Verstehens im „Medium" der Sprache ist. H.-G. Gadamers philosophische H. hat mannigfach gewirkt und ist von so unterschiedlichen Philosophen wie Paul Ricœur, Jürgen Habermas, Richard McKay Rorty, John McDowell, Gianni Vattimo, und Jacques Derrida aufgenommen worden. Die H. wird handlungstheoretisch interpretiert (P. Ricœur), sie gilt als Plädoyer für eine „bildende Philosophie" mit zurückgenommenen Erkenntnisansprüchen (R. Rorty), als plausible Gegenposition zu einem physikalistisch reduzierten Verständnis des Menschen (J. McDowell), als Philosophie der Verständigung (J. Habermas) oder sie wird zum Vorbild eines nicht mehr metaphysisch gebundenen „weichen Denkens" (G. Vattimo). Auch kritische Einwände wie z.B. die von J. Derrida, der die Kraft des „guten Willens" zum Verstehen bezweifelt, bestätigen, dass mit H.-G. Gadamer die Sache der H. zu einer Sache der modernen ↑Philosophie geworden ist, von der aus diese sich in ihrer Komplexität erschließen kann.

2. Die Sache der Hermeneutik

Die Sache der H. ist, wenn man H.-G. Gadamer folgt, das Verstehen. Dieses wird von H.-G. Gadamer weder, im Sinn W. Diltheys, als erfolgreiche, auch in den Geisteswissenschaften praktizierte Einfühlung in das vom Autor eines Textes Gemeinte bestimmt noch als das Verstehen seiner selbst, als das M. Heidegger es fasste. Zwar ist das Verstehen auch für H.-G. Gadamer keine spezielle und isoliert zu betrachtende kognitive Leistung. Aber es ist nicht, wie für M. Heidegger, die „Erschlossenheit" (Heidegger 1977: 190 ff.) des eigenen Seins und der von diesem Sein her sich als „eigentlich" (Heidegger 1977: 57) erweisenden Möglichkeiten, in der Welt sein zu können, sondern vielmehr ein Geschehen, in das die verstehenden Individuen gehören. Im Verstehen geschieht Überlieferung, und zwar weniger dadurch, dass man sich bewusst auf das Überlieferte bezieht, als so, dass man dieses in sich wirken und sich von ihm bestimmen lässt; die Überlieferung ist wie ein ↑Spiel, das das Tun derer, die es spielen, in sich einbegreift. Und so, wie ein Spiel in jedem Spielen mehr oder weniger anders ist, kommt die Überlieferung immer dann, wenn sie verstanden wird, anders und neu zur Geltung. Sie ist kein toter Bestand, sondern findet zur lebendigen Gegenwart des „wirkungsgeschichtlichen Bewusstseins" (Gadamer 1986: 305–312). Insofern trifft der gelegentlich gegen H.-G. Gadamer erhobene Vorwurf des Traditionalismus nicht zu; nicht auf die Konservierung der ↑Tradition kommt es ihm an, sondern darauf, dass diese im Verstehen ihre jeweilige, immer unvorhersehbare Gegenwart findet und so die Gegenwart, die auf unklare Weise immer schon von der Tradition bestimmt war, auf lebendige Weise in ihrer Geschichtlichkeit zur Sprache kommen lässt. In

diesem Gespräch von Gegenwart und Überlieferung geschieht Verstehen.

Indem H.-G. Gadamer die H. derart als Philosophie einer sprachlich geschehenden Wirkungsgeschichte ausarbeitet, gelingt es ihm auch, das Verstehen in seiner ihm eigenen Sachlichkeit zu fassen. Das Verstehen ist keine der Sehergabe ähnliche Verwandlung in das zu Verstehende, als das F. Schleiermacher es mit dem Begriffe der „Divination" (Schleiermacher 1977: 169) bestimmt hatte und ebensowenig, im Sinne W. Diltheys, die einfühlende Vorstellung dessen, was „gemeint" sein könnte. Verstehen geschieht vielmehr in der sprachlichen Darstellung eines sprachlichen Gehaltes, dessen Sinn die Darstellung als solche bestimmt. Im Verstehen ist ein sprachlicher Gehalt in seiner Darstellung selbst da, und zwar derart, dass es zwischen diesem Gehalt und seiner Darstellung keine Differenz gibt; in seiner Darstellung stellt der Gehalt sich selbst dar, sodass im Verstehen, wie H.-G. Gadamer es fasst, eine „totale Vermittlung" (Gadamer 1986: 125) geschieht. Allerdings klärt H.-G. Gadamer nicht, wie die Totalität dieser Vermittlung damit vereinbar sein kann, dass ein sprachlicher Gehalt immer wieder neu und anders darstellbar ist. Ist die jeweilige Darstellung eines Gehalts immer wieder anders, so wird ein Gehalt in einer jeweiligen Darstellung nicht unmittelbar und ohne jede Differenz manifest sein können. Vielmehr ist dann jede Darstellung nur eine mögliche Darstellung unter anderen, und entspr. geht der darstellbare Gehalt in keiner Darstellung ganz auf.

Mit diesem Einwand zeichnet sich die Möglichkeit einer philosophischen H. ab, die H.-G. Gadamers Einsicht in die Sachlichkeit des Verstehens folgt, ohne den problematischen Gedanken einer vollständigen Manifestation des verständlichen Gehaltes im Verstehen zu übernehmen. Eine solche H. kann die Unabschließbarkeit des Verstehens, die H.-G. Gadamer mit dem Gedanken einer sich immer neu aktualisierenden Überlieferung ins Spiel gebracht hatte, in sachlich angemessener Weise berücksichtigen, indem sie die Darstellung eines zu verstehenden Gehaltes nicht zugl. als dessen Selbstdarstellung, sondern als Interpretation fasst und so an die griechische Bedeutung des Ausdrucks „H." anschließt. Die Interpretation, die in H.-G. Gadamers Entwurf einer philosophischen H. so gut wie keine Rolle spielt, rückt damit ins Zentrum der hermeneutischen Reflexion. Das geschieht jedoch nicht um einer Kunst der Interpretation willen, die immer nur im Zusammenhang jeweiliger Sachbereiche, also z.B. philologisch, theologisch oder juristisch, auszubilden ist, sondern vielmehr, um ein genaueres Verständnis des Vermittelns und Übertragens zu gewinnen, das die hermeneutische Grunderfahrung ist.

Für diese Grunderfahrung ist die Interpretation von Texten paradigmatisch. Verstehbare Gehalte können umso besser interpretiert und im Interpretieren verstanden werden, je eindeutiger sie fixiert und als fixierte

Ordnungen zugänglich sind. Texte sind solche Ordnungen – Gewebe, wie das Wort *textus* sagt, bestehend aus verschiedenen, in ihrer Zusammengehörigkeit festgelegten, aber in ihrer Zusammengehörigkeit nicht ohne weiteres erfassbaren Elementen. Texte können, aber müssen nicht sprachlich sein; auch ein Bild, das eine Struktur hat, oder eine Partitur ist ein Text. In ihrer Festgelegtheit und in ihrer mit der Festgelegtheit einhergehenden Stabilität können Texte immer wieder und immer wieder neu zur Interpretation herausfordern. Derart sind Texte die *Gegenstände* des Interpretierens, in jenem wörtlichen Sinn des Ausdrucks, dass sie entgegenstehen und von keiner Interpretation zu erschöpfen sind. Weil Texte in keiner Interpretation aufgehen, können sie verschiedene, einander ergänzende Interpretationen an sich binden und sich in deren Differenzierungen entfalten.

3. Hermeneutischer Realismus

Texte sind nur im Interpretieren zugänglich, aber kein Text geht in seinen Interpretationen auf. Immer ist es die Realität eines Textes, was zur Interpretation motiviert, und immer sind verschiedene Interpretationen dadurch miteinander verbunden, dass sie Interpretationen des-selben, in seiner Selbigkeit identifizierbaren Textes sind. Ohne die Realität der Texte könnten Interpretationen nicht sein, was sie sind, und es wäre unmöglich zu sagen, was doch offenkundig ist: dass es von einem Text verschiedene Interpretationen gibt und dass diese Interpretationen sich also auf denselben Text beziehen. Immer ist es die Realität des Textes, die in einer Interpretation zur Geltung kommt, und dennoch wäre es unangemessen, diese Realität als ein für alle Mal erfasste zu behaupten. So kann die hermeneutische Reflexion des Interpretierens von Texten das Modell für einen Realismus bilden, der ohne die Annahme einer vermittlungslos zugänglichen Welt auskommt und ebenso wenig eine kanonische Beschreibung der Welt wie die naturwissenschaftliche als einzig realistische behauptet. Die hermeneutische Reflexion kann am Modell der Gemeinschaft von Interpreten außerdem zeigen, dass eine Verständigung, die andere Perspektiven anerkennt, auf den Anspruch der Sachlichkeit nicht verzichten muss, sondern im Gegenteil aus der sachlichen Orientierung die Freiheit gewinnt, von der Behauptung und Durchsetzung eigener Interessen abzusehen. Derart verstanden, lässt die philosophische H. sich nicht mehr den Geisteswissenschaften zuordnen und den Naturwissenschaften entgegensetzen. Sie ist auch nicht mehr nur die Reflexion eines geschichtlichen Seins und Bewusstseins im Sinn H.-G. Gadamers. Vielmehr gewinnt sie Bedeutung für das Nachdenken über die Möglichkeiten und Grenzen des Erkennens und der Erkennbarkeit überhaupt. Und in hermeneutischer Reflexion lässt sich klären, wie sich Sachlichkeit und menschliches Leben in seiner Individualität und Sozialität zueinander verhalten. So wird die H. zum Modell einer sachlich orientierten ↑Sozialphilosophie.

Literatur

N. Keane/C. Lawn: The Blackwell Companion to Hermeneutics, 2016 • G. Figal: Hermeneutical Phenomenology, in: D. Zahavi (Hg.): The Oxford Handbook of Contemporary Phenomenology, 2012 • G. Figal: Verstehensfragen. Studien zur phänomenologisch-hermeneutischen Philosophie, 2009 • G. Figal (Hg.): Hans-Georg Gadamer, Wahrheit und Methode, 2007 • G. Figal: Gegenständlichkeit. Das Hermeneutische und die Philosophie, 2006 • J. McDowell: Mind and World, 1994 • M. Heidegger: Ontologie. Hermeneutik der Faktizität, in: K. Bröcker-Oltmanns (Hg.): GA, Bd. 63, 1988 • H.-G. Gadamer: Wahrheit und Methode. Grundzüge einer philosophischen Hermeneutik, in: ders.: GW, Bd. 1, 1986 • P. Ricœur: Du texte à l'action, 1986 • G. Vattimo: La fine della modernità, 1985 • P. Forget (Hg.): Text und Interpretation. Deutschfranzösische Debatte mit Beiträgen von J. Derrida u. a., 1984 • R. Rorty: Philosophy and the Mirror of Nature, 1979 • F. Schleiermacher: Hermeneutik und Kritik, 1977 • M. Heidegger: Sein und Zeit, in: F.-W. von Herrmann (Hg.): GA, Bd. 2, 1976 • J. Habermas: Der Universalitätsanspruch der Hermeneutik, in: K.-O. Apel u. a.: Hermeneutik und Ideologiekritik, 1971, 120–159 • W. Dilthey: Der Aufbau der geschichtlichen Welt in den Geisteswissenschaften, in: B. Groethuysen (Hg.): Ges. S., Bd. 7, 1968, 79–188 • W. Dilthey: Ideen über eine beschreibende und zergliedernde Psychologie, in: G. Misch (Hg.): Ges. S., Bd. 5, 1964, 139–240.

GÜNTER FIGAL